The New Encyclopædia Britannica

in 32 Volumes

FOUNDED 1768
15TH EDITION

ENCYCLOPÆDIA
Britannica

Encyclopædia Britannica, Inc.
Jacob E. Safra, Chairman of the Board
Jorge Aguilar-Cauz, President

Chicago

London/New Delhi/Paris/Seoul

Sydney/Taipei/Tokyo

The information on this page refers to
The New Encyclopædia Britannica.

First Edition	1768 – 1771
Second Edition	1777 – 1784
Third Edition	1788 – 1797
Supplement	1801
Fourth Edition	1801 – 1809
Fifth Edition	1815
Sixth Edition	1820 – 1823
Supplement	1815 – 1824
Seventh Edition	1830 – 1842
Eighth Edition	1852 – 1860
Ninth Edition	1875 – 1889
Tenth Edition	1902 – 1903

Printed in U. S. A.

Library of Congress Control Number: 2006921233
International Standard Book Number-10: 1-59339-292-3
International Standard Book Number-13: 978-1-59339-292-5

Britannica may be accessed at http://www.britannica.com on the Internet.

不列颠百科全书

国际中文版

修订版

Encyclopædia Britannica
International Chinese Edition

16

中国大百科全书出版社

《不列颠百科全书》国际中文版

spadefish 铲鱼 鲈形目白鲳科海鱼类，约17种。主要见于热带，亦见于温带水域。体高，侧扁，有银色光泽，具5或6条黑色直纹。身体上的直条纹会随年龄的增长而消失，成年后身体可呈纯白色，黑色，更常见的是银色。大西洋铲鱼（大西洋棘白鲳，*Chaetodipterus faber*）分布于大西洋西部，从新英格兰至巴西均可见。主要食海洋无脊椎动物，尤其是甲壳类和栉水母。

spadefoot toad 锄足蟾 锄足蟾科两栖动物。包括旧大陆的锄足蟾属（*Pelobates*）和北美洲的掘足蟾属（*Scaphiopus*）。皮肤相对较光滑，后脚内侧各有一宽阔呈角状的"锄"，用

库奇氏锄足蟾（*Scaphiopus couchi*）
供图：Ron Garrison—San Diego Zoo

以打洞。欧洲锄足蟾（褐色锄足蟾，*Pelobates fuscus*）产于欧洲和中亚，生活在多沙地区。体长6～7.5厘米，白天伏于洞穴中。某些近缘种分布范围小得多。加拿大、美国和墨西哥沙土地区至少有7种锄足蟾，体长4～7.5厘米，为夜出性洞穴动物。在温暖季节，大雨后在水塘内繁殖。西部干旱地区种类的幼体孵化较快，在池塘干涸之前即可完成变态，东部种类发育甚慢。

spaghetti 意大利式细面条 长条状面食（pasta）。

Spagnolo, Lo（Baroque painter） 参阅**Crespi, Giuseppe Maria 克雷斯皮**。

Spagnuolo, Pietro 参阅**Berruguete, Pedro 贝鲁格特**。

Spahn, Warren 斯帕恩（1921-04-23，美国纽约布法罗～2003-11-24，俄克拉何马布罗肯

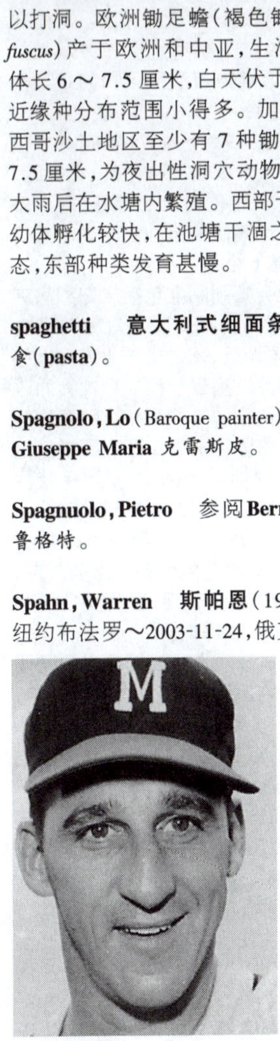

合众国际社供图

阿罗） 美国职业棒球运动员，共取得363场大联赛胜利，创左手投球手纪录。在13个赛季中，每赛季赢20场以上；连续17个赛季（1947～1963）每赛季至少使100名对方击球员三击不中出局，这些都是空前的成绩。1965年退出球坛时已取得2 583次使对方击球员三击不中出局的成绩，在棒球运动史上居第三位。1946～1964年为勇士队投手。1965年为纽约梅茨队和旧金山巨人队队员。1973年入选美国棒球名人堂。

Spain 西班牙 全称西班牙王国。欧洲最大的国家之一，位于欧洲西南角的伊比利亚半岛。国土南北长约870千米，东西宽约1 050千米。东北邻法国（及安道尔），东和东南濒地中海（及直布罗陀），西接葡萄牙和大西洋（西南有加的斯湾，西北及北有比斯开湾）。西班牙东海岸外的巴利阿里群岛和北非海岸外的加那利群岛也是西班牙的一部分，摩洛哥北部的休达和梅利利亚两市几世纪来一直属西班牙。首都马德里。面积504 783平方千米。人口约43 768 000（2004），包括西班牙东海岸的巴利阿里群岛、加那利群岛及在摩洛哥的飞地。

土地 西班牙的地形主体是被称为梅塞塔的大片中央高地，高地平均海拔800米。高地几乎被众多山脉包围：北是坎塔布连山，东北是伊比利亚山系，南是莫雷纳山，西北是葡萄牙边境一些较低的山脉。中央高地可分为5个自然区：①东北部的埃布罗河流域；②最东北部的加泰罗尼亚山区；③东部的巴伦西亚地中海沿岸区；④南部的瓜达尔基维尔河流域；⑤从比利牛斯山脉向西延伸至大西洋海岸的北部山区。西班牙大陆的最高点是南部内华达山的穆拉森峰（3 478米）。主要河流有杜罗河、塔古斯河、埃布罗河和瓜达尔基维尔河。

西班牙本土主要有3个气候区。北海岸和东海岸为海洋性气候，平均气温冬季为9°C，夏季18 °C，年降雨量965毫米。中央高地为大陆性气候，平均气温冬季为4 °C，夏季24 °C，年降雨量不足380毫米。海拔2 750米的地区为高山性气候，平均气温冬季低于0 °C，夏季11 °C，年降雨量多于1 150毫米；北部中央高地部分时间有积雪。西班牙北部大部分潮湿地区为落叶林（栎树和山毛榉）和草原所覆盖，南部干旱地区主要是灌木林（常绿栎树和其他抗旱植物）；多数中央高地有干草原植被。野生动物有鹿、稀少的西班牙巨角塔尔羊、熊和狼。

北部坎塔布连山发现有一定数量的铁矿和锌矿，西南谢拉莫雷纳有铜矿和铅矿，西北阿斯图里亚斯地区有煤矿。

人民 西班牙的人口在种族和文化上基本上是单一的，吉普赛人也许是唯一真正的少数民族。天主教是主要宗教。现代标准西班牙语，即卡斯蒂利亚语，在西班牙全境通用；加泰罗尼亚语、加利西亚语和巴斯克语在大社区也通用。3/4以上的人口是城市居民。出生率和死亡率与发达国家相当。

经济 西班牙发达的市场经济主要以服务业、轻工业、重工业和农业为基础。政府通过国家工业研究院促进重工业的发展，该院在石油、钢铁、汽车和其他各种商品生产方面起着重要作用。国民生产总值位居欧洲最高国家之列，增长速度大大高于人口的增长。人均国民生产总值也相对较高。

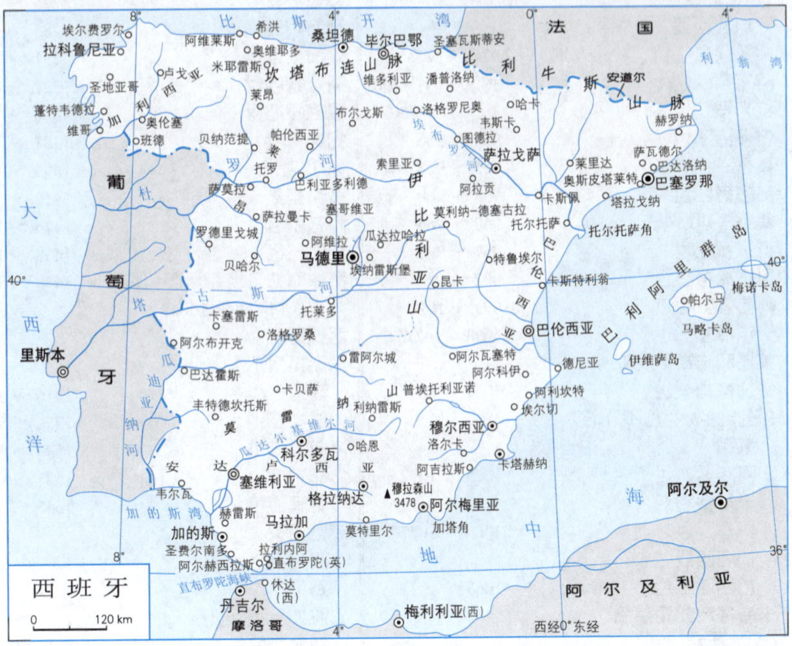

美国不列颠百科全书公司供图

农业占国内生产总值的5%，雇用的劳动力不到劳动力总数的1/8。主要农作物有大麦、水稻、苜蓿、甜菜、葡萄、小麦和马铃薯。西班牙也是世界主要的葡萄酒生产国之一。大量农产品通常出口到欧共体各国。1/5以上的土地有牧草覆盖，可放养绵羊、猪、牛和山羊。

森林覆盖近1/3的国土，砍伐下来的原材被加工成纸浆和木板。西班牙捕捞船队有大约17 000艘渔船，主要捕捞沙丁鱼、鳕鱼和金枪鱼。总捕捞量在80年代后期有所下降。

制造业（包括采矿业和公用事业）约占国民生产总值的1/3，雇用1/5以上的劳动力。

西班牙国王和女王

阿斯图里亚斯	
(包括从 739 年起的加利西亚和 855 年起的莱昂)	
佩拉约	约 718 ～约 737
法维拉	约 737 ～约 739
阿方索一世	739 ～ 757
弗鲁埃拉一世	757 ～ 768
奥雷利欧	768 ～ 774
西罗	774 ～ 783
莫雷戈托	783 ～ 788
贝尔穆多一世	788 ～ 791
阿方索二世	791 ～ 842
拉米罗一世	842 ～ 850
奥多诺一世	850 ～ 866
阿方索三世	866 ～ 910
(王国由 3 个儿子分治)	
阿斯图里亚斯	
弗鲁埃拉二世	910 ～ 925
莱昂	
加西亚一世	910 ～ 914
奥多诺二世	914 ～ 924
加利西亚	
奥多诺二世	910 ～ 924
莱昂	
(包括阿斯图里亚斯和加利西亚)	
弗鲁埃拉二世	924 ～ 925
阿方索四世	约 925 ～约 931
拉米罗二世	约 931 ～ 950
奥多诺三世	950 ～ 955
桑乔一世	955 ～ 958
奥多诺四世	958 ～ 960
桑乔一世(再任)	960 ～ 966
拉米罗三世	967 ～ 982
贝尔穆多二世	982 ～ 999
阿方索五世	999 ～ 1028
贝尔穆多三世	1028 ～ 1037
莱昂和卡斯蒂利亚	
费迪南德一世	1039 ～ 1065
(王国由 3 个儿子分治)	
莱昂	
阿方索六世	1065 ～ 1072
卡斯蒂利亚	
桑乔二世	1065 ～ 1072
加利西亚	
加西亚二世	1065 ～ 1071
卡斯蒂利亚和莱昂	
(包括加利西亚)	
桑乔二世	1072
阿方索六世(复位)	1072 ～ 1109
乌拉卡(与其夫阿拉贡的阿方索一世共治)	1109 ～ 1126
阿方索七世	1126 ～ 1157
(王国由 2 个儿子分治)	
莱昂	
费迪南德二世	1157 ～ 1188
阿方索九世	1188 ～ 1230
卡斯蒂利亚	
桑乔三世	1157 ～ 1158
阿方索八世	1158 ～ 1214
恩里克一世	1214 ～ 1217
费迪南德三世	1217 ～ 1252
卡斯蒂利亚(包括莱昂)	
阿方索十世	1252 ～ 1284
桑乔四世	1284 ～ 1296
费迪南德四世	1296 ～ 1312
阿方索十一世	1312 ～ 1350
佩德罗一世	1350 ～ 1366
亨利二世	1366 ～ 1367
佩德罗一世(再任)	1367 ～ 1369
亨利二世(再任)	1369 ～ 1379
约翰一世	1379 ～ 1390
亨利三世	1390 ～ 1406
约翰二世	1406 ～ 1454
亨利四世	1454 ～ 1474
伊莎贝拉一世和费迪南德五世(阿拉贡的费迪南德二世)	1474 ～ 1504
胡安娜和腓力一世	1504 ～ 1506
费迪南德五世(再任)	1506 ～ 1516
阿拉贡	
拉米罗一世	1035 ～ 1063
桑乔一世	1063 ～ 1094
佩德罗一世	1094 ～ 1104
阿方索一世	1104 ～ 1134
拉米罗二世	1134 ～ 1137
佩特罗尼利亚(与其夫巴塞罗那的贝伦格尔四世共治)	1137 ～ 1163
阿方索二世	1163 ～ 1196
佩德罗二世	1196 ～ 1213
詹姆斯一世	1213 ～ 1276
佩德罗三世	1276 ～ 1285
阿方索三世	1285 ～ 1291
詹姆斯二世	1291 ～ 1327
阿方索四世	1327 ～ 1336
佩德罗四世	1336 ～ 1387
约翰一世	1387 ～ 1395
马丁	1395 ～ 1412
费迪南德一世	1412 ～ 1416
阿方索五世	1416 ～ 1458
约翰二世	1458 ～ 1479
费迪南德二世和伊莎贝拉一世(1479 ～ 1504)	1479 ～ 1516
西班牙	
哈布斯堡王室	
查理一世	1516 ～ 1556
腓力二世	1556 ～ 1598
腓力三世	1598 ～ 1621
腓力四世	1621 ～ 1665
查理二世	1665 ～ 1700
波旁王室	
腓力五世	1700 ～ 1724
路易	1724
腓力五世(再任)	1724 ～ 1746
费迪南德六世	1746 ～ 1759
查理三世	1759 ～ 1788
查理四世	1788 ～ 1808
费迪南德七世	1808
波拿巴王室	
约瑟夫	1808 ～ 1813
波旁王室费迪南德七世(再任)	1814 ～ 1833
伊莎贝拉二世	1833 ～ 1868
空位	1868 ～ 1870
萨伏依王室	
阿马戴乌斯	1870 ～ 1873
共和政体	1873 ～ 1874
波旁王室	
阿方索十二世	1874 ～ 1885
阿方索十三世	1886 ～ 1931
共和政体	1931 ～ 1939
国家主义政权(佛朗哥)	1939 ～ 1975
波旁王室	
胡安·卡洛斯	1975 ～

主要开采的矿物有铁矿石、汞、黄铁矿、钾碱和煤。石油生产规模很小。主要产品包括化学产品、机床和发动机。其他主要行业有纺织品、玩具、鞋和电器。钢、铁和船的产量有所减少。欧美机动车辆制造商的投资使西班牙发展成为一个主要汽车制造国。重工业集中在毕尔巴鄂、桑坦德和奥维耶多附近;纺织业和塑料制品业集中在巴塞罗那附近。电力生产所需的燃料大部分取自国内,也有部分进口,核电站生产的电力约占全国电力的 1/3。旅游业也是西班牙的一个主要行业。

1978 年的宪法承认工会存在的权利。工会运动组织主要有西班牙工人社会党领导的劳动者总同盟和西班牙共产党(现在由联合左翼领导)领导的劳动者协会。

进口商品多于出口商品,由于有在国外工作的西班牙人寄回国的汇款,逆差得以部分抵消。进口主要有机械、燃料、运输设备和农产品;出口主要有交通设备、农产品和机械。西班牙的主要供应国包括法国、德国、意大利和英国。

政体与社会状况 西班牙是一个君主立宪制国家。1978 年通过的宪法规定,国王为国家元首和武装力量总司令。立法权集中在两院制的议会,即众议院(下院)和参议院(上院)。行政权归政府首相掌握,首相经多数党提名,由国王任命。内阁成员协助首相工作。为解决历史遗留的敏感的地区自治问题,西班牙建立了一套新的地方政府体系。首先在加泰罗尼亚(1979)、巴斯克地区(1979)和加利西亚(1981)建立地方自治区;到 1983 年,全国共分为 17 个自治区。

西班牙虽然在 1939 ～ 1975 年间基本上实行专制,在 1977 ～ 1982 年间由一党执政,但现已具备一种多元化的政治特征,有许多党派注册登记。最高法院是独立的司法系统的最高机构,下辖 6 个地方法院。

西班牙的社会福利制度包括产妇和病者津贴、住院费和医药费补助以及对暂时丧失劳动能力者、退休人员、死亡或失业者提供经济上的帮助。保健设施逐年增加和饮食的改善有助于对多数传染病的控制和全民总体健康水平的提高。该国特别强调医院要提供围产期保健服务。预期寿命为 77 岁。尽管住房建设有政府资助,但城市住房仍然短缺。

男子识字率为 96%,女子为 90%。根据 1970 年推行的改革,教育制度包括学前教育、8 年制免费义务基础教育、职业学校预科和大学预科、大学和职业培训。

佛朗哥将军执政时期的新闻检查法已被宪法对新闻自由的保证所取代。到 1983 年,西班牙已经有两家政府经营的电视台。此后,加泰隆和巴斯克自治政府也建立了用地区语言广播的电视台。1989 年,社会党政府还提议立法,允许建立私人拥有的电视台。

纵观历史,西班牙人对艺术和人文科学作出了丰富的贡献。早在佚名建筑师修建位于布尔戈斯和托莱多的那种哥特式大教堂之前传统的建筑技法便已出现,并流传给 20 世纪的 P.穆古鲁萨、F.坎代拉、A.高迪及其他人。20 世纪的雕刻师有阿瓦洛斯、A.费兰特和 E.奇利达(以金属雕刻闻名)。绘画传统从格列柯、D.委拉斯开兹一直延续到 20 世纪著名画家毕加索、米罗和达利。西班牙作曲家包括卡韦松和在意大利出生的斯卡拉蒂(曾在马德里进行创作)、19世纪早期的男高音歌唱家和著名教师加西亚;后期的许多作曲家,诸如法里雅,也培养了许多像图里纳那样的学生。伟大表演艺术家包括大提琴家卡萨尔斯、吉他演奏家塞戈维亚和女高音歌唱家安赫莱斯。

西班牙文学辉煌的传统对当代作家仍具有影响;17世纪塞万提斯的《堂吉诃德》就是当代西班牙小说的典范。20世纪主要小说家有佩雷斯·德·阿亚拉、森德尔;戏剧家有加西亚·洛尔卡,他与佩雷斯·德·阿亚拉一样,还是一位著名诗人;希梅内斯也是一位国际知名的抒情诗人。

历史　公元前35000年以后,智人就出现在西班牙。现存于西班牙北部坎塔布连山的洞穴绘画,就是智人文化最著名的遗迹。这些绘画表现的是野牛、马和其他动物。大约公元前2000年,这里出现了像阿尔加文化那样的铜器时代拓居点,显然当时已经能够用先进的冶炼技术来处理铜、银和金。在公元前9～前8世纪,凯尔特人从中欧经比利牛斯山迁移到这里。从公元前218年的第二次布匿战争开始,罗马人将其霸权逐渐扩展到这个半岛。奥古斯都统治时期完成了对半岛的军事占领。公元4世纪,日耳曼部落入侵,西哥特人占统治地位,并在半岛大部分地区建立起一个王国,7世纪初奉行罗马基督教。

8世纪初,穆斯林从北非入侵半岛,并占领了大部分地区。到13世纪末,卡斯蒂利亚

西班牙韦斯卡省中比利牛斯的牧牛群
供图:A.G.E.FotoStock

和阿拉贡的基督教王国又重新占领了穆斯林控制的大部分领土。1469年,以信奉天主教闻名的阿拉贡的费迪南德二世和卡斯蒂利亚的伊莎贝拉一世结婚;1479年两个王国合并。1492年,他们重新征服了穆斯林王国格拉纳达。15世纪末,西班牙成为在美洲建有殖民地的大国。1516年荷兰的哈布斯堡统治者查理一世继费迪南德为国王,1519年被选为神圣罗马皇帝,称查理五世。1555～1556年,查理宣布从西班牙和荷兰退位,由其子腓力二世(1556～1598)继位,他是哈布斯堡的几名统治者中受西班牙文化影响最深的一位。腓力二世是一个宗教狂,他决心保卫天主教信仰,消灭基督徒,致使西班牙卷入多次耗资巨大的战争和军事冒险(诸如1558年的西班牙无敌舰队),结果造成国家财政枯竭。腓力二世之后由3个懦弱的哈布斯堡国王继位,西班牙在他们当政期间很快衰落。

1700年腓力五世成为西班牙第一个波旁国王,哈布斯堡王朝结束。腓力登基引发了西班牙王位继承战争(1701～1764),结果丧失了比利时、卢森堡、米兰、撒丁和那不勒斯等地。1808年,拿破仑·波拿巴立其兄约瑟夫为西班牙国王,但英国和西班牙的军队打败了拿破仑的军队,最后又恢复了波旁王朝(1814)。战争的胜利使多数西班牙美洲殖民地的人民受到鼓舞,纷纷起来革命。在与美国的一场战争(1898)中,西班牙在海外所剩的属地丧失殆尽。

1931年,当选举结果表明绝大多数人支持共和制之后,阿方索八世退位,西班牙成为一个共和国。1936年由于共和党人反对国家主义者,内战爆发。国家主义者由F.佛朗哥将军领导,并且由希特勒德国和墨索里尼意大利提供武器。共和党人得到国内外社会党人、共产党人和其他自由派同情者的支持,但只有苏联提供武器援助。国家主义者于1939年取得胜利,佛朗哥成为国家元首,一直掌权至1975年去世。1969年,佛朗哥指定波旁家族的胡安·卡洛斯为其继承人;胡安·卡洛斯在1974年佛朗哥病重时受命行使国家元首权力。1975年佛朗哥死后,胡安·卡洛斯成为国王,恢复君主体制,并实行了许多民主措施。

1977年举行大选,新议会开始着手一项政治和经济改革计划,包括政教分离和保证自由企业和人权及公民权。1982年的大选任命了一个由冈萨雷斯·马克斯领导的社会党政府,标志着与佛朗哥专制制度的彻底决裂。西班牙一度比较孤立,现在已开始与西欧建立比较密切的联系,并于1986年加入欧洲经济共同体。1992年为纪念哥伦布从西班牙首航美洲500周年,西班牙在塞维利亚举办博览会并在巴塞罗那举办奥林匹克运动会以示庆祝。1996年保守的人民党终结了社会党13年的统治;他们的领导人洛佩斯于1996年成为首相。该国在20世纪90年代经济迅猛发展,1999年正式使用欧元。

Spalacotherium　鼹兽属　原始的、可能食肉的哺乳动物的绝灭属。化石见于欧洲的晚侏罗世沉积地层。是对齿兽类(特征是臼齿带3个排列成三角形的齿尖)的典型代表。对

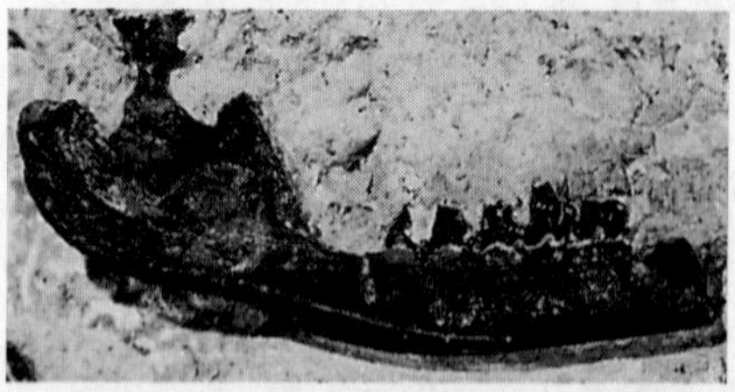

鼹兽属(*Spalacotherium*)的颌骨
不列颠博物馆供图

齿兽类是已知最古老的哺乳类之一,从某些方面看可能在较高等的哺乳类的发展中起过作用。

Spalatin, Georg　斯帕拉丁(1484-01-17,巴伐利亚施帕尔特[德国]～1545-01-16,萨克森阿尔滕堡)　原名G.布克哈特。德意志人文主义者,马丁·路德之友,多产作家。其外交才能促进并保障了初期的基督教新教改革运动。1505年参加以德意志学者鲁弗斯为首的人文主义小团体。1508年受神职为司铎,为萨克森选侯腓特烈三世之子的教师;1511年在维滕贝格任选侯众子侄的教师,结识路德;次年被腓特烈任命为私人图书馆馆长。向腓特烈盛赞路德,在1518年关于赎罪券问题的争论中,他说服腓特烈保护路德。在连续几次议会上,经过萨克森两代选侯约翰和腓特烈的统治时期,斯帕拉丁同样维护宗教改革。自1526年起与他人共同访问教会和学校,巩固了新教在萨克森的地位。自1530年起与路德的助手梅兰希顿共同拟订《奥格斯堡信纲》,在法律上巩固了新教在德意志的地位。1531年两人又共同组织施马尔卡尔登同盟。写有许多历史著作,其中包括《宗教改革编年史》(1718)。

Spalato(Croatia)　**斯帕拉托**　参阅**Split**斯普利特。

Spalding, A.G.　斯波尔丁(1850-09-02,美国伊利诺伊拜伦～1915-09-09,加利福尼亚波因特洛马)　美国职业棒球运动员,体育用品制造商,为发展职业棒球和为多项运动生产装备作出了贡献。1871～1875年在全国棒球联盟波士顿红袜队任投手。1876～1877年任芝加哥全国联盟俱乐部白袜队的投手和领队。1876年与弟詹姆斯在马萨诸塞州奇科皮开办体育用品公司,后称斯波尔丁兄弟公司。他主办棒球队出国巡回比赛(1874年出征英格兰和爱尔兰;1889年遍访世界),成为

一名正式的棒球友好使者。《斯波尔丁的棒球运动正式指南》开始于 1878 年发行,1880 年后每年都发行,直到 20 世纪 40 年代。他还撰写了棒球运动历史《美国的国球》(1911)一书。1939 年入选棒球名人堂。

Spalding, Albert 斯波尔丁(1888-08-15,美国伊利诺伊芝加哥～1953-05-26,纽约州纽约) 美国作曲家,当时杰出的小提琴家之一。7 岁开始学小提琴,1905 年在巴黎首次登台演奏,1908 年在纽约演出。曾与一些著名管弦乐团到欧洲和美国各地巡回演出多次。作品有一首管弦乐组曲、两首小提琴协奏曲及一首《E 小调弦乐四重奏》。还写有自传《醒悟与追求》(1943)和小说《提琴、宝剑与妇人》(1953)。

Spalding, Mother Catherine 斯波尔丁(1793-12-23,美国马里兰查尔斯～1858-03-20,肯塔基拿撒勒) 美国天主教领袖。在她的指导下,仁爱会的修女通过她们的学校和福利机构在肯塔基州广为人知。约在 1799 年被寡母带到边疆的肯塔基,后来成为孤儿,由亲戚养大。1812 年,响应神父 J.戴维(后为主教)计划为边疆地区建立一所天主教修女教育组织。1813 年当选拿撒勒仁爱会修女隐修院院长。隐修院建在巴兹敦附近的圣托马斯神学院。修女们从事自己的家务活和农活,为附近的神学院学生缝制衣裳、看望病人并从事其他宗教工作。1814 年她们开办了拿撒勒学校。修女们 1816 年首次发愿,之后她即再次被选为院长。1819 年卸任,但仍担任指导,并于1824～1831、1838～1844 和1850～1856 年再任隐修院院长。期间,修女们 1819 年在巴兹敦、1820 年在尤宁县、1823 年在斯科特县、1831 年在路易斯维尔、1850 年在欧文思伯勒建立了学校,1832 年在路易斯维尔建立了圣文森特孤儿院,1836 年在路易斯维尔建立了一所医院(今圣约瑟夫医院)。1824 年原来的隐修院迁往现在的肯塔基州拿撒勒新址。1829 年,修女会原来的拿撒勒学校取得州特许状成为拿撒勒人文与慈善机构。在不担任院长期间,她专心照管在路易斯维尔的机构,特别是圣文森特孤儿院。1858 年去世时,修女会修女已增至 145 人,分布于 16 所隐修院。

Spalding, Henry Harmon 斯波尔丁(约 1803～约 1843) 美国基督教长老会传教士。1836 年,与妻子共同在今爱达荷州刘易斯顿附近创立拉普瓦伊传教站,并建立该地区第一个白人定居点、教堂和学校。1847 年当地白人遭到屠杀,传教站关闭。1871 年长老会重新在该地恢复活动,目前长老会仍在当地向内兹佩尔塞印第安人传教。

Spallanzani, Lazzaro 斯帕兰札尼(1729-01-12,摩德纳公国摩德纳～1799,阿尔卑斯山南共和国帕维亚) 意大利生理学家。在微生物及身体的各种机能与动物繁殖的研究方面作出贡献。曾受充分的古典文学及哲学教育。后对科学产生兴趣。1760 年后在数所大学任教。1767 年著文反对 G.布丰及 J.T.尼达姆的理论(生物均含"活力原子",死后逸出进入土壤,为植物吸收,即池水及动植物浸出液中所见的能活动的微小物体),而支持雷文赫克的观点(上述小体为活的生物)。斯帕

供图:Universita degli Studi di Pavia, Italy

兰札尼曾用实验证明肉汤煮沸后封闭瓶,即不能孳生微生物。1768 年研究了再生现象,证明低等动物、年幼动物、体表组织的再生能力分别强于高等动物、成年动物、内部器官。后又将蜗牛的头移植于另一蜗牛,获得成功。1773 年研究了肺等器官的血液循环,证明消化液中含有能消化不同食物的特殊化学物质。此人是"上帝造人,胚种天成"论者。这一理论认为男性精液只是为女性的"天赋胚卵"的发育提供了一种启动刺激。但为了弄清楚"没有精液能否怀孕"的问题,他第一次在两栖类动物做实验,证明"没有精液就不能怀孕"。认为精液与卵接触后,卵中预成的胚芽逐渐展开而形成新个体,精液中起作用的物质是其中的固体成分(蛋白质、脂肪),仍认为精子是寄生物。斯帕兰札尼的主要贡献在于首次成功地进行了低等动物及狗的人工授精实验。研究过水雷鱼(电鲼)的放电现象、蝙蝠的感觉器官,用实验证明氧不是在肺而是在组织内形成二氧化碳。他还研究过力学、火山、喷泉、气候和湖泊。

spallation 散裂 一种高能核反应,靶核受到能量大于 50 兆电子伏的粒子的轰击,射出许多较轻粒子而变为比原核轻的生成核,射出的轻粒子可能是中子、质子或相当于氢、氦或锂的同位素核的各种复合粒子。生成核有时比靶核轻得多。例如,用加速到 70 兆电子伏的质子轰击铜 63,就生成氯 38 和许多中子、质子及 α 粒子。

Spandau 施潘道 德国柏林一区。临哈弗尔河施普雷河口。原是索布人的城堡,约 1230 年归属德国,1232 年获准建市。1920 年并入柏林。是柏林主要工业区,在西门子区有西门子电器公司,在加托有一个机场。还有许多公园和森林,如著名的施潘道森林,已成为西柏林人周末度假胜地。著名古迹有 1560～1594 年建的城堡(包括 12 世纪的尤利乌斯城楼),是德国北部保存得最好的最古老的意大利文艺复兴时代风格的建筑,另外还有 14 世纪圣尼古拉斯教堂,是柏林最古老的哥特式教堂。1946 年后施潘道监狱曾关押纳粹战犯。

spandrel 拱肩 拱上两侧由通过拱顶的水平线、通过起拱点的垂直线和拱背线三者所包围的大致为三角形的面积。在连续拱中则为通过拱顶的水平线以下、相邻拱背线之间的全部面积。这个面积通常填实,称为拱肩墙。在多层建筑中,拱肩也指上下层窗之间的墙面和楼梯旁近似三角形的墙面。

Spangenberg, August Gottlieb 施潘根贝格(1704-07-15,萨克森克莱滕贝格-霍恩施泰因～1792-09-18,贝特尔斯多夫) 基督教弟兄联盟主教,继承亲岑道夫的事业,并在北美洲创立摩拉维亚教会。曾在耶拿学法律,1722 年入虔敬派。1732 年任哈雷大学神学教师,次年遭驱逐,前往美洲,先到佐治亚,后迁居宾夕法尼亚,监督摩拉维亚弟兄会的传教活动。为把费城辟为摩拉维亚弟兄会的中心,在该城创立弟兄联盟北美洲分会,并在宾夕法尼亚州伯利恒成立信徒共同生活的聚居点。1741～1742 年,在英格兰设立弟兄联盟分会,重返德国工作。就任摩拉维亚弟兄会主教后,1744 年再赴北美洲。1762 年,最后一次返德,被选入弟兄联盟的管理机构,领导联盟。由于施潘根贝格办事持重,摩拉维亚弟兄会内部各派争端趋于缓和,而且该会与基督教信义会保持友好关系。

spaniel 猎狗 又称西班牙猎狗。猎人用以将猎物从隐蔽处赶出的猎狗品种。类型甚多。最早可能在西班牙育成,故得名,但大部分现代的类型是在英国育成。猎鹬猎狗形

(上)猎鹬猎狗;(下)英格兰惊飞猎狗

供图:Sally Anne Thompson—美国不列颠百科全书公司

小,体高 36～39 厘米,体重 10～13 千克。身躯结实强壮;头圆,耳下垂;被毛柔软,平展或卷曲,单色或杂色,有黑色,红褐色,暗黄色和黑白两色等类型。英格兰猎鹬猎狗与猎鹬猎狗相似,但体型更大,腿和吻更长。被毛中等长度,颜色多样。猎狗各类型之间的差异主要在于体型大小,体型较大者称为惊飞猎狗,体型较小者称为猎鹬猎狗

(似因其用于猎丘鹬而得名)。惊飞猎狗有两个类型。英格兰惊飞猎狗体型中等,结实;体高48～51厘米,体重16～25千克。被毛光泽,平展或卷曲;通常为黑白两色,或肝色与白色相间;是优良的伴侣狗,且善于猎雉。威尔士惊飞猎狗有时体型小于英格兰惊飞猎狗,毛色恒为红褐与白色相间;是优良的玩赏狗,也是优秀的猎狗和寻猎物狗。此外还有几个其他类型,如美国水猎狗,体强壮,被毛卷曲,深褐色,用以捕猎鸟类和小型哺乳动物;布列塔尼猎狗形似蹲伏猎狗,尾短或无尾,在法国育成,是唯一仅指示鸟类所在而不将其惊飞的猎狗;克伦伯猎狗身材低矮而长,有力,在野外行动缓慢但仔细;爱尔兰水猎狗,历史悠久,是优良的伴侣狗,且善于在水中寻出猎物。参阅 **English toy spaniel; Japanese spaniel**。

Spanish-American War　美西战争(1898)　美国和西班牙两国之间结束西班牙在美洲的殖民统治并使美国在亚洲和拉丁美洲获得新领土的战争。1895年古巴民族主义者举行反西班牙起义,赢得美国人的同情。由于美舰"缅因"号(参阅 **Maine, destruction of the**)在哈瓦那港口沉船(1898年2月15日),更激起美国报刊的强烈反响和人民群众的愤怒。西班牙宣布休战(4月9日),但美国国会发布决议:宣告古巴的独立权,要求西班牙撤出古巴,授权总统使用武力,并宣告美国无意兼并古巴。4月24日,西班牙宣战,次日美国宣战。在古巴,T.罗斯福率第一志愿骑兵团(即莽骑兵)节节获胜。美国海军准将G.杜威的舰队在马尼拉湾战役中占领马尼拉城(5月1日)。海军上将P.塞韦拉指挥的西班牙加勒比海舰队在古巴圣地亚哥港被美国彻底摧毁(7月3日),圣地亚哥市向W.谢夫特将军投降(7月17日)。根据《巴黎条约》(12月10日签署),西班牙全部放弃古巴,将关岛和波多黎各割让美国,并以2 000万美元代价把菲律宾群岛主权转让给美国。美西战争对双方的历史发展来说都是个重要的转折。西班牙的注意力从此转向国内的文化和文学的复兴与经济发展;而美国则以世界性的大国出现,为国际政治注入新的因素并导致它在欧洲事务中发挥决定性的作用。

Spanish Armada　西班牙无敌舰队　参阅 **Armada 无敌舰队**。

Spanish cedar　西班牙椿　参阅 **cigar-box cedar 烟盒香椿**。

Spanish Civil War　西班牙内战(1936～1939)　受到国内各种保守势力支持的反对西班牙共和政府的军事叛乱。一次未遂政变之后,内战开始,为夺取全国政权,两派血战,凶猛残暴,可谓空前。战争一方为叛军,称国民军,得到法西斯意大利和纳粹德国的支援。另一方是政府军,称共和军,有苏联以及一批国际纵队支持。国际纵队由来自其他欧洲国家及美国的大批志愿人员组成。

内战是西班牙数十年间社会生活与政治发展极化的结果。一方面是西班牙绝大多数的天主教士,军方要员,地主及商人。另一方面是城市工人,大多数农业劳工,受过教育的中产阶级。在政治上,双方分歧往往以极端的和狂热的形式表现在党派之争上,如一方是倾向法西斯主义的长枪党,另一方则是好斗的左翼无政府主义者。介于这两个极端势力之间的是其他一些派系,有保皇派,保守派,自由主义派,社会主义派等等,其中甚至有少部分共产党人,他们也分为斯大林的追随者与托洛茨基的信徒两部分。暗杀,暴力,层出不穷。1936年2月16日的选举,使连续不断的政府危机达到顶点,人民阵线组阁,受到大多数左派势力的拥护,也遭到右翼及中间分子的反对。

1936年7月17日,一次策划周密的军事叛变在西班牙各驻军城镇爆发。4天后,叛军已控制了西属摩洛哥,加那利群岛,巴利阿里群岛(梅纳卡岛除外),西班牙境内瓜达拉马山及埃布罗河以北部分地区。只有沿海地区的阿斯图里亚斯、桑坦德及巴斯克诸省以及东北部的加泰罗尼亚地区尚在政府军手中。政府军在安达卢西亚地区扑灭一些叛乱,但塞维利亚、格拉纳达及科尔多瓦等大城市则为叛军所占。此时,国民军与共和军分别重整各自占领区,镇压反对派。据估计,各方遭受极刑、屠杀或暗杀者均超过5万之众,这说明内战已使双方的深仇大恨暴露无遗,其势已不可遏止。

国民军的指挥权逐渐落入佛朗哥将军之手,他率部自摩洛哥进入西班牙本土。1936年10月1日,他被推举为国家元首,在布尔戈斯组成政府。共和政府于1936年9月开始由社会党党魁F.L.卡巴列罗主持,次年5月为另一社会党人J.内格林所取代。共和国总统是M.阿萨尼亚。

双方都自认无力速胜,便转向国外求援。德、意向国民军方面派去援军、坦克及飞机。苏联向共和军输送装备给养,法国和墨西哥亦予支援。共和军方面约有4万外籍人员组成的国际纵队助战,另有2万名参加医疗救护或其他战地服务工作。1936年11月,国民军进抵马德里郊外,展开围城之战,但无法越过该城的大学区。1937年夏,他们攻占巴斯克各省,然后夺取阿斯图里亚斯,10月控制了北岸全线。1938年12月,他们向加泰罗尼亚挺进,迫使共和军北撤。1939年2月,25万共和军及25万文职人员越过边界进入法国。3月5日,共和政府流亡法国;28日,共和军开始溃散投降,国民军进入马德里。

据较近期的估计,西班牙内战中的死亡人数可能在50万左右,当然这不包括那些死于营养不良、饥饿及病疫的人们。

西班牙内战唤起的政治和感情上的反响远远超越一个国内的冲突,许多国家视之为国际冲突的一部分(取决于他们的观点):专制与民主或法西斯主义与自由或共产主义与文明的冲突。德国、意大利把西班牙当作新的坦克和飞机、战术的试验场,而英国、法国则把它看成是对他们为之奋斗的国际均势的新威胁。

Spanish Fork　西班牙福克　美国犹他州北部犹他县城市,因西班牙福克河而得名。1776年西班牙传教士、探险家沿河勘察此地。1854年摩门教定居者在河畔建立要塞,城市在要塞周边发展起来。农场及食品业发达,是城市的经济基础。近年来科技和国防生产取得更突出的地位。人口20 246(2000)。

Spanish lace　西班牙花边　西班牙制花边,但实际上从17世纪以来许多进口到西班牙的花边也被错误地沿用这一名称。17世纪西班牙进口了大量的威尼斯针织花边,供

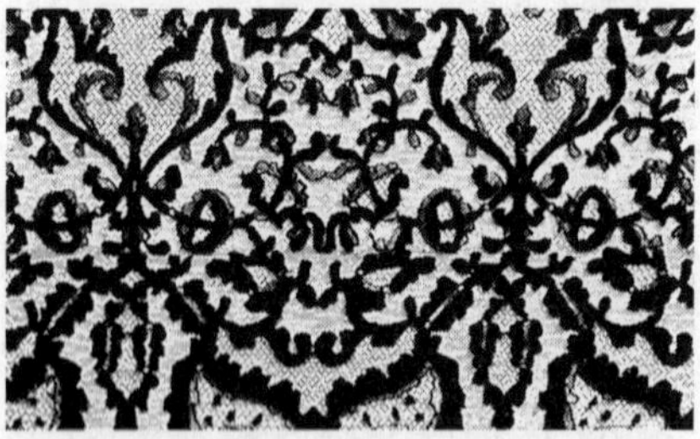

产自巴塞罗那的19世纪中叶西班牙花边
伦敦维多利亚和艾伯特博物馆供图

教堂使用。1830年撤销隐修院后,出现许多称为"西班牙花边"的宗教花边,但可称为本地产品者极少。18世纪巴塞罗那生产普通花边,用于薄面纱上的优质花边则靠从法国,特别是从尚蒂伊进口。19世纪初,加泰罗尼亚和拉曼查制造黑色和本色丝花边(参

产自英国诺丁汉的西班牙花边,约1883年
供图:Museum & Art Gallery, The Castle, Nottingham, England

阅 **blonde lace**)。各种类型不同的花边制造中心在各个时期都曾专门按照西班牙式样生产花边,它一般比平常类型的花边显得稍许厚实一点。

Spanish language　西班牙语　西班牙语作Español。属罗曼语族,在西班牙、拉丁美洲和非洲操该语者超过3.58亿人。最早书面材料是有关拉丁文原本的西班牙语注释词,源于公元10世纪,最早的文学作品可溯至公元1150年。西班牙语(特别是在拉丁美洲)也叫做卡斯提语,现代标准西班牙语即由卡斯提方言发展而来。9世纪时方言产生于西班牙中北部(旧卡斯蒂利亚)的布尔戈斯城附近,11世纪当西班牙人从摩尔人手中重新夺回西班牙的时候,卡斯提方言向南扩展到西班牙中部(新卡斯蒂利亚)的马德里和托莱多附近。15世纪末,卡斯蒂利亚王国和莱昂王国与阿拉贡王国合并,卡斯提语从而成为整个西班牙官方语言。阿拉贡方言、纳瓦拉方言、莱昂方言、阿斯图里亚斯方言、桑坦德方言逐渐被排挤出去,现仅存于穷乡僻壤。葡萄牙语的方言加利西亚语在西班牙西北部已较少通行。12世纪前通行于原阿拉伯统治区的西班牙语方言叫做莫扎拉布语(**Mozara-**

bic language),它是带有许多阿拉伯语借词的一种古西班牙语。这种语言主要根据阿拉伯语和希伯来语长诗的莫扎拉布语副歌才为人所知。在伊比利亚半岛以外,西班牙语事实上还通行于除巴西(通行与西班牙语关系密切的葡萄牙语)以外的整个中南美地区、加那利群岛、摩洛哥部分地区及菲律宾。拉丁美洲西班牙语有许多地区方言,均源自卡斯提语,但在语音上与欧洲西班牙语有区别。典型的拉丁美洲西班牙语用 s 音代替卡斯提语中类似舌尖抵齿间的 th 音(这个音在 e 或 i 之前拼写为 z 或 c);用 y 音代替卡斯提语之 ly 音(拼写形式为 ll),甚至用 zh 音来代替 ly,而 zh 音恰好相当于英语“azure”之 z 或法语“jour”之 j。西班牙语除代词还有主格、宾格之分外,由拉丁语而来的“格”的体系已全部消失。名词分为阳性、阴性,复数形式由词尾-s,-es 构成;形容词词尾变化与名词一致。动词体系复杂,但大多有规律;有直陈、命令、虚拟等语气,有过去时、未完成过去时、现在时、将来时、条件时以及许多完成时和进行时的变体,还有被动结构和自反结构。

Spanish lime (*Melicoccus bijugus*) **西班牙酸橙** 即蜜果。无患子科乔木,原产于西印

西班牙酸橙(*Melicoccus bijugus*)
供图:W.H.Hodge

度群岛。高约 15 米。花小,绿白色,芳香。核果绿色,果肉黄色或白色,多汁,可食。

Spanish literature 西班牙文学 在西班牙创作的文学作品的总称,主要由用卡斯蒂利亚语写成的作品组成,但也包括用加泰罗尼亚语和加利西亚方言写成的作品。后两类虽各有其丰富的文学传统,但卡斯蒂利亚语由于其在政治上和语言上的主导地位,成为“西班牙语”。

卡斯蒂利亚语文学于 12 世纪开始出现。现存最早的杰作为史诗《熙德之歌》,于约 1140 年问世。其后又有一些以卡斯蒂利亚封建历史中的人物为主人公的其他英雄叙事诗。此时,教士与学者也写起带有文人气息、以宗教为主题的叙事诗歌。

卡斯蒂利亚散文语言在 13 世纪中叶被采用来代替拉丁文写作,得力于卡斯蒂利亚与莱昂的国王阿方索十世的倡导。在国王指示下,凡卡斯蒂利亚法律和编年史的编纂,以及阿拉伯文科学著作的翻译,用的都是本土语言。14 世纪则有劝善惩恶的故事和骑士小说的兴起。西班牙诗歌从 J.鲁伊斯的《真爱诗集》(1330)一书开始崭露头角,而在桑蒂利亚纳侯爵有意大利诗风的抒情诗歌和 J.de 梅纳的讽喻史诗中达到了相当圆熟的境界。西班牙散文小说的第一部佳作《塞莱斯蒂娜》(1499)是一部对话体小说,就当时来说,它的心理描写之有力和现实主义实属不同寻常。

1479 年西班牙的统一标志着该国文艺复兴的开始,从此西班牙文学进入了它的**黄金世纪(Golden Age)**。G.de la 维加以其娴熟的技巧将意大利格律诗转化为卡斯蒂利亚诗歌,使西班牙抒情诗重获生机。十字架的圣约翰和阿维拉的圣特雷萨这两位神秘诗人以神灵和宗教为诗中主题,而 L.de 贡戈拉-阿尔戈特创立了一种华丽的诗风,其特点是光怪陆离的形象、巧妙的引经据典的引喻和错综复杂的句法。

在散文小说方面,出现了几种取代风行一时的骑士小说的体裁。田园小说源自意大利文学,把简朴的乡村生活理想化。流浪汉小说则是在西班牙土生土长的样式,起始于 1554 年作者佚名的《托尔梅斯河上的小引路人》,而以 M.阿莱曼的《古斯曼·德·阿尔法拉切的生平》(1599)达到顶峰。流浪汉小说描写出身卑贱的市井无赖式人物可笑的冒险经历,将西班牙小说引向直接而袒露地记叙世态人情。但“黄金世纪”的最伟大的小说则是 M.de 塞万提斯的典范之作《堂吉诃德》(第一部,1605;第二部,1615),它把当时的小说提高到了一个新水平,既有精妙的心理描写,又有洞察社会的识见。

至于西班牙戏剧,它是从中世纪教会编制的剧本逐渐演化而来,终于在洛佩·德·维加的作品中赢得了艺术上独树一帜的地位。洛佩汇合当代戏剧的种种源泉,写出大量剧本;他运用舞台的技艺巧妙,情节布置得曲折动人。他的后继者中才华出众的当推蒂尔索·德·莫利纳和 P.卡尔德隆·德·拉·巴尔卡。蒂尔索在刻画人物方面功力极深;卡尔德隆则在剧艺方面无人可及,他的剧作结构紧密,其形式之完美和主题思想之深刻,成为西班牙巴罗克时期戏剧的顶峰。

1681 年卡尔德隆去世,当时西班牙无论在政治上或经济上都虚弱不堪。文学创作似乎也已濒临绝境。直至 18 世纪才渐趋恢复;当时波旁王朝按照法国古典主义原则改造了西班牙文化,许多新的思想和体制因此萌发出来,然而有价值的文学作品仍不多见。

使西班牙文学恢复元气的是 19 世纪 30 年代来到西班牙的浪漫主义运动;该运动来势迅猛,但历时不久。西班牙浪漫主义的领袖人物有诗人兼剧作家 A.de 萨维德拉、剧作家 J.索里利亚和抒情诗人 J.de 埃斯普龙塞达。萨维德拉的剧本《堂阿尔瓦罗,又名命运的力量》(1835)体现了浪漫主义风格的一切要素,引出了一系列步其后尘的作品,索里利亚-莫拉尔写唐璜这一主题的作品《堂胡安·特诺里奥》(1844),则是它的登峰造极之作。1850 年后,出现了新一代的诗人,有 G.A.贝克尔、R.de 卡斯特罗和 R.de 坎波亚莫尔,他们保持了早期浪漫主义者的敏感和对情感的重视,同时又避免了前辈们过于注重形式和文体的缺陷。

19 世纪前半叶西班牙散文作品的主要特色是风俗主义,这一流派着重描绘西班牙某一地域或地方居民的风俗习惯。意在讽刺的地方风俗主义文学速写成为 M.J.de 拉腊在其《小品文集》(1835 ~ 1837)中无情抨击马德里资产阶级的劣根性的主要武器。风俗主义速写的另一形式着意于地方色彩和民间传说,为在 19 世纪后半叶上升至支配地位的现实主义的西班牙地方小说奠定了基础。A.P.巴尔德斯的《马尔塔和玛丽亚》(1883)和 J.M.de 佩雷达的《上天的惩罚》(1893)强调宗教、家庭和乡间生活这些传统价值观念而成为地方小说的出色范例。J.巴莱拉和 B.佩雷斯·加尔多斯则超越了地方现实主义的界限,就更为广泛、更有普遍意义的公众关心的问题写了一些小说。加尔多斯在他的总称为《民族轶事》(1873 ~ 1879,1898 ~ 1912)的 46 卷小说中更是从全民族的角度观察问题。这些小说概述了 19 世纪西班牙的历史。E.帕尔多·巴桑尝试按自然主义写作,但很快认识到西班牙根深蒂固的天主教观点与法国自然主义的决定论水火不能相容,于是又回到地方现实主义。西班牙的有成就的小说家中,唯一一个发现自然主义理论和技巧与自己非常投合的是 V.布拉斯科·伊巴内斯,这可以从他早期以巴伦西亚为背景的小说中看得很清楚。

西班牙 1898 年的美西战争中战败所蒙受的耻辱使许多西班牙知识分子开始剖析西班牙长期衰落的根由,并对它的传统价值观念重新加以评价。不久,一群被称为“九八年一代”的作家企图重振本国的文化生活。其中居于前列的有散文小说作家 M.de 乌纳穆诺、阿索林(何塞·马丁内斯·鲁伊斯的笔名)、P.巴罗哈和 R.M.del 巴列-因克兰,诗人安东尼奥和曼努埃尔·马查多兄弟,以及哲学家-批评家 J.奥尔特加-加塞特。这些人中的小说家摆脱了地方现实主义的传统,在叙事和结构的技巧上创新,并赋予西班牙小说一种新的严肃的目的性。在此期间,批判的心理学与哲学论文在西班牙兴起并获得了重视,而众多诗人群相仿效尼加拉瓜诗人 R.达里奥所创造的现代主义的手法。

20 世纪早期,西班牙值得注意的文学家还有小说家 R.P.de 阿亚拉和抒情诗人 J.R.希梅内斯。被称为“二七年一代”的才气横溢的诗人,其中有 F.G.洛尔卡、P.萨利纳斯、J.纪廉、V.阿莱克桑德雷和 R.阿尔维蒂,则步马查多兄弟和希梅内斯的后尘。他们从西班牙文学遗产和诸如超现实主义这类当代流派汲取灵感,写出极富个人色彩、巧妙地运用象征性形象和神话的诗歌。20 世纪早期,西班牙戏剧再获生机,有 J.贝纳文特-马丁内斯对资产阶级的妙趣横生的讽刺剧,E.马基那的历史剧和加西亚·洛尔卡撼人心魄的抒情悲剧。

西班牙内战(1936 ~ 1939)迫使许多有才华的作家成为政治流亡者,打断了西班牙文学的连续性。战乱的痛苦及其对文化经济的打击在文学中引出了形形色色的现实主义变种,例如 C.J.塞拉的“恐怖主义”,为一种自然主义技巧与存在主义观点的混合物,以及诸如 C.M.盖伊特和 E.基罗加这样有政治信仰的小说家的刻板的社会现实主义。60 年代初起,在结构、叙事技巧和语言上进行种种试验成为一时的风气,可见之于 J.戈伊蒂索洛、J.M.希罗内利亚及其他一些早先曾信奉

社会现实主义的作家的作品中。与此类似，形式与技巧上的革新成为A.B.巴列霍和宣扬荒诞派戏剧的F.阿拉巴尔的剧作中的要素，而A.萨斯特雷在他的作品中则主张对社会问题采取一种更为直截了当、更为坚定的态度。内战以来，抒情诗表现出一种摆脱现代主义者和"二七年一代"的那种扑朔迷离的诗风的倾向，而趋于朴实无华，强调形式的严谨，通过直接的形象以求表达的明晰和增加社会内容。抒情诗的这一方向的最优秀代表是G.塞拉亚、B.de奥特罗和C.罗德里格斯这样一些诗人的作品。

Spanish Marriages, Affair of the 西班牙婚姻事件 围绕着西班牙两桩婚事而出现的政治策略。两桩婚事指西班牙女王伊莎贝拉二世与其表兄卡迪斯公爵的婚事，还有伊莎贝拉之妹及王位继承人路易莎·斐尔南达与法王路易-菲力普的幼子安托万的婚事。两件婚事使西班牙与法国的王朝关系重新加强，但导致英法两国友好关系的破裂。1843及1845年，法国外交大臣基佐曾向英国政府保证，伊莎贝拉将与波旁家族的西班牙支系或那不勒斯支系的人婚配，而其妹路易莎则在伊莎贝拉生子之前，不同法国王子结婚。1846年6月帕默斯顿子爵再度出任外交大臣时，重提伊莎贝拉同英国女王之夫的表弟、萨克森-科堡公国亲王利奥波特的婚事。帕默斯顿还反对法国支持西班牙的温和派，因为这些人拥护1834年保守的皇家宪法。西班牙和法国政府害怕英国的计划，也害怕英国可能支持西班牙的进步派，因为进步派力图恢复1812年的开明宪法。因此法、西两国就安排并举办了这两桩婚事。这样，对英国及其所代表的开明原则的决裂，促使法王路易-菲力普与基佐领导的保守势力关系更加密切。但当时正是开明势力加强之际；路易-菲力普同保守派的密切合作，促使他在1848年覆亡。

Spanish moss (*Tillandsia usneoides*) **西班牙藓** 又作black moss, long moss或vegetable horsehair。又称黑藓、长藓、植物马毛，即松萝样菴兰兹氏凤梨。凤梨科附生植物，产于北美南部、西印度群岛、中美和南美。植株银灰色，常生长成胡须状的大团。茎线状，长达6～7.5米；叶亦线状，约长2.5～7.5厘米；茎叶常缠绕成团。花不易见到，黄色，无花柄，常单生，花瓣3枚，萼片3枚。植物体外被毛状鳞片，以从空气中吸收水分。西班牙藓可用来填塞包装箱或用于室内装潢。

Spanish Netherlands 西属尼德兰 约1579～1713年间西班牙占据的低地国家南部省份，大致相当于今比利时和卢森堡。低地国家诸省人民多年呻吟于异族统治之下，对西班牙的反抗因新出现的加尔文宗信徒的鼓动而加剧。西班牙政府派去阿尔瓦公爵平息暴乱，以手段残暴（参阅 **Troubles, Council of**）而被国王腓力二世于1573年召回。1576年南北各省组成联省三级会议，在根特开会并发表《根特协定》(**Ghent, Pacification of**)。3年之后，以农业和天主教为主的南方与以商业和加尔文宗为主的北方分裂，西班牙国王派去帕尔马公爵担任总督，南北联合告终。17世纪初，尼德兰虽历经战乱，但经济及文化发展迅速，根特、布鲁日等大城市日趋繁荣，农业收成持续增长至17世纪中叶。南方各省享有对内事务的不少自主权，并根据"布拉班特赠礼"（参阅 **Joyeuse Entrée**）而享有多项特权。但外交事务要由西班牙王室决定。由于西属尼德兰地处新、旧教派之间，长期陷入战争。最后北部的布拉班特、西兰以及默兹河以东地区于1648年划归联省共和国（荷兰共和国）。阿图瓦地区于1659年被法国占领，以后埃诺、卢森堡和佛兰德也相继归属法国。1648年的《明斯特和平协定》将安特卫普港关掉。西属尼德兰此后由法国波旁王朝统治6年，又被英国与荷兰军队占领7年。1713年《乌得勒支条约》把西班牙领土划分为二，由神圣罗马皇帝查理六世与奥地利哈布斯堡家族分别治之（参阅 **Austrian Netherlands**）。

Spanish North Africa 西属北非 摩洛哥地中海沿岸5个小地区，即阿卢塞马斯(**Alhucemas**)，休达(**Ceuta**)，查法里纳斯群岛(**Chafarinas Islands**)，梅利利亚(**Melilla**)和戈梅拉岛。分属西班牙的加的斯和马拉加两省。总面积31平方千米。

Spanish Riding School of Vienna 维也纳西班牙式骑术学校 设在维也纳传授古典式骑术的学校。可能建于16世纪晚期，是目前专授"高派"骑术的仅有学校，该校尤以自己培育的适合高派马术的白色利皮扎马(**Lipizzaner**)著称。这些马原从西班牙进口，学校由此得名。

Spanish Sahara (West Africa) **西属撒哈拉** 参阅 **Western Sahara** 西撒哈拉。

Spanish Socialist Workers' Party 西班牙工人社会党 在20世纪西班牙政治中起重要作用的社会党。该党于1879年由马德里印刷工人巴勃罗·伊格莱西亚斯创立。他也是1888年建立的党的附属组织工人总联合会的创始人。该党起初发展缓慢，部分原因是工人总联合会在组织工人阶级方面不得不与无政府主义的工会联合会进行竞争。但到1931年西班牙共和国宣告成立时，西班牙工人社会党成为全国最大的政党。1931～1936年间，该党参加联合政府。西班牙内战期间，社会党员是共和国的主要支持者，工人总联合会主席F.L.卡瓦列罗于1936～1937年任西班牙共和国总理。1938年民族主义力量获胜，共和国被推翻后，西班牙工人社会党被禁。70年代佛朗哥的民族主义政权开始衰落，西班牙工人社会党在国内重又活跃。该党国内派于1972年从年老的、流亡国外的领导人手中接过领导权，选举年轻的F.冈萨雷斯为该党总书记。西班牙工人社会党与其他政党一起于1977年获得合法地位，在同年的全国选举中获得约30%的选票。冈萨雷斯及其他务实的领导人于1979年放弃该党法定的马克思主义-社会主义方向，转而寻求广大中产阶级和温和的投票人的支持。与此同时，重又复兴的工人总联合会在组织工会方面与共产党人竞争，取得成功。在1982年全国选举中，社会党人获得大胜。具有魅力并备受群众爱戴的冈萨雷斯成为首相，而他的党在1986年的选举中轻而易举地继续执政。在他们获得最初的胜利时，该党是一个温和的政党，摒弃大规模国有化而主张政府计划与干预，以促进收入的公平分配。他们是强烈的民主主义者，并提倡放宽离婚法和其他社会法律。他们支持西班牙加入欧洲经济共同体。起初他们虽反对西班牙加入北约组织(NATO)，但执政后显然已开始表示赞同。

Spanish Succession, War of the 西班牙王位继承战争(1701～1714) 西班牙哈布斯堡王朝末代国王查理二世死后无嗣，因继位之争而酿成大战。争位者为英格兰、荷兰共和国和法国3方。早在1698年10月，3方曾签订第一个瓜分西班牙及其海外属地的条约，一致同意查理二世死后，将由巴伐利亚选侯之子J.斐迪南亲王继承西班牙本部、西属尼德兰及西属海外各殖民地。西班牙在意大利境内拥有的各领地，由奥地利与法国瓜分之，奥方之份并入米兰公国，法方获得那不勒斯及西西里。斐迪南死(1699-02)后，英法于是年11月签订第二个条约，荷兰共和国亦于翌年3月加入，议定将西班牙本土以及西属尼德兰和海外殖民地划归神圣罗马皇帝利奥波德一世的次子查理大公，而把那不勒斯、西西里及意大利境内西属各领地分给法国。利奥波德拒绝签字，要求查理（大公）应获得西班牙全部领土，西班牙各大贵族亦坚决反对瓜分之举。查理二世听从劝谏，认为只有波旁家族有权完整地继承西班牙的全部领土，便于1700年秋立下遗嘱，将国内外全部土地遗赠给法王路易十四之孙安茹公爵腓力。是年11月1日查理二世死，24日路易十四宣布其孙为西班牙国王，号腓力五世，成为西班牙第一位波旁家族统治者。随后路易十四即进军西属尼德兰。1701年9月7日，英、荷及皇帝利奥波德组成反法同盟。其后普鲁士，汉诺威，德意志其余诸邦，葡萄牙亦加入其中。另方面，巴伐利亚与科隆两选侯，曼图亚及萨伏依两公爵则与法方结盟，但萨伏依于1703年毁约。英王威廉三世本为路易十四劲敌，死后继位的安妮女王，仍坚持对法作战。马尔伯勒公爵J.丘吉尔，内主政事，外领军务，迄于1711年去职，由帝国将军萨伏依亲王欧根暂代之，指挥有方，颇著战绩。

马尔伯勒公爵与欧根亲王善于用兵，优势明显，自1704至1709年，屡败法军。1704年，法国-巴伐利亚联军在德国境内发动攻势，布伦海姆一役全军覆没。1706年拉米伊之战及1708年奥德纳尔德之战以后，法军被逐出低地国家。1706年9月7日，法军企图包围都灵的攻势为欧根所挫，全部退出意大利。反法联军在陆战中唯一没有取得实际战果的是西班牙战场，腓力五世一直坚守其阵地。

自1708年始，路易十四力图罢战言和，愿把西班牙王位继承权让给哈布斯堡家族。但英国坚持其脱离实际的条件，要求路易出兵将其孙逐出西班牙。路易予以拒绝，谈判破裂，战端再起。1711年，两桩事使局势转而有利于法方，一是4月17日查理大公成为奥地利哈布斯堡王朝全部领土的继承人，英、荷双方无意再为查理获得西班牙继承权以期重振查理五世的老大帝国而继续作战。另一是英国国内马尔伯勒的政敌对女王施加影响而于当年12月31日解除了其指挥权。联盟解体，1712年开始和谈。原来联盟各成员之间，由于利益冲突，各自与法方议和。第一批条约于1713年4月在乌得勒支签订，以后各项协议分别在拉施塔特和巴登达成，但所有条约都将查理二世遗嘱置于不顾，而把其遗产在各国之间进行分配。路易十四之孙仍为西班牙国王，但乌得勒支诸条约则显然牺牲法国与西班牙的利益而使英国及其殖民帝国的势力不断上升。

Spanish Town 西班牙镇 牙买加城市。位于牙买加中部偏东南，在金斯敦西面16千米。1692～1872年为牙买加首都。现是香蕉、甘蔗、面包果、咖啡、可可和柑橘类水果的贸易中心和加工中心。著名的历史建筑物有圣凯瑟琳大教堂(1655)、罗德尼纪念馆、议会大厦等。新建的国家博物馆保藏着过去英国人拓居早年时期的文献。1910年在此建立牙买加农业学校。人口89 097(1982)。

Spanish treasure fleet 西班牙珍宝船队 指16～18世纪将欧洲货物运至美洲西班牙殖民地，并将殖民地产品(尤其是金银)运回母国的船队。从16世纪60年代起，船运定期进行。每年，两支由30～90艘船组成的船队从塞维利亚启航，一支称小舰队，于春季前往韦拉克鲁斯(在今墨西哥)，中途部分船只兼往西印度群岛和洪都拉斯；另一支称大舰队，于8月前往卡塔赫纳(在今哥伦比亚)和巴拿马的贝卢港。次春在哈瓦那会合。由兵舰护返。回程时携带巨额金银财宝，这对于敌对的英国、荷兰和法国的水手们颇具诱惑力。1628和1657年分别有两支船队在古巴、亚速尔群岛海域被荷兰、英国舰队摧毁。不过，其阵容通常令劫掠者望而生畏。至18世纪，西班牙已能比较严密地控制海路，故允许在西班牙和美洲各港口自由地通商贸易。大舰队于1740年退役，小舰队于1789年退役。参阅 **Manila galleon**。

spanner (hand tool) 参阅 **wrench 扳手**。

Spark, Muriel (Sarah) 斯帕克(1918-02-01，苏格兰爱丁堡～2006-04-13，意大利佛罗伦萨) 母家姓Cambevg。英国小说家、批评家、诗人和剧作家。最著名的小说是《琼·布罗迪小姐的青春》(1961)，改编成舞台剧(1966)和电影(1969)后亦受到欢迎。曾在爱丁堡受教育，第二次世界大战期间返回英国。此后担任诗会的秘书长及《诗歌评论》(1947～1949)的编辑，写过一系列著名文学家的评传，并编纂19世纪作家的书信集。1954年皈依罗马天主教，她的不少作品涉及善良和邪恶问题。斯帕克的很多早期小说，如《佩卡姆·拉伊歌谣》(1960)和《财产微薄的女子》(1963)，都具有稍带幽默的幻想特点。其《曼德尔鲍姆大门》(1965)标志着她开始转向较重大的主题，后期小说《驾驶员的座位》(1970；电影，

供图：Camera Press—Pictorial Parade/美国不列颠百科全书公司

1974)、《不要打扰》(1971)和《故意耽搁》(1981)，则明显地具有揭露邪恶事物的性质。《领土权》(1979)一书较为轻松活泼。其他作品有《诗集(一)》(1967)及《故事集(一)》(1967)。

spark chamber 火花室 一种辐射探测器，用于研究高能粒子物理学中的亚原子粒子。它由一系列互相平行的薄金属片构成，片间留有窄小的空隙，封装在充有氖或其他惰性气体的容器内。以短暂脉冲的高电压加在两组交错排列的薄片上。沿着进入火花室的带电亚原子粒子的路径或因粒子在火花室内留下一串导电的电离化气体分子的径迹而在薄片间产生火花。电离作用的径迹在室内约可保留百万分之一秒。这段时间足供逻辑电路来鉴别出现的粒子是否是研究对象，从而也确定是否向两组薄片上发送高压脉冲，是否把所得的火花图样摄下来供以后分析。

spark plug 火花塞 又作sparking plug。装于内燃机气缸盖上的部件，上面有两个由空气隙隔开的电极，从高压点火系统来的电流通过电极间的空气隙放电产生火花，点燃燃料。电极必须能耐高温，同时隔开电极的绝缘体必须耐热，并能承受几千伏的电压。火花间隙的长度影响火花的能量，而绝缘体的形状则影响工作温度。太冷时将引起积碳和间隙短路；太热时将会提前点火。

Sparks, Jared 斯帕克斯(1789-05-10，美国康涅狄格威灵顿～1866-03-14，马萨诸塞剑桥) 美国《北美评论》发行人兼主编、传记作家。1849～1853年任哈佛学院教授和院长。

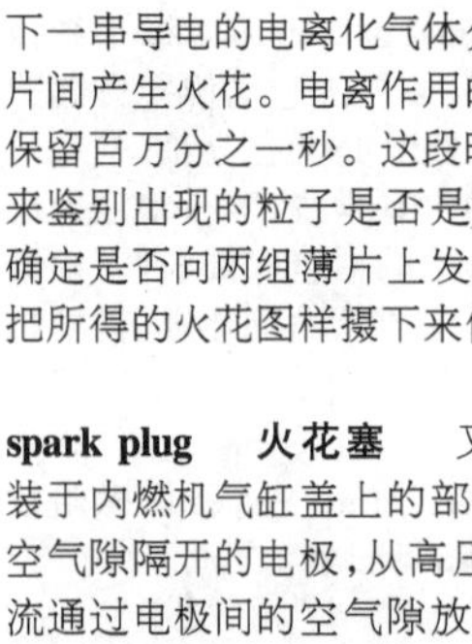

哈佛大学档案馆供图

著有富兰克林、华盛顿和G.莫利斯等人的传记，编辑过《美国革命外交通信集》(12卷，1829～1830)和《美国传记文库》(25卷，1834～1848)。

sparrow 雀 嘴呈圆锥形的多种小鸟，主要以种子为食。"雀"一词主要指旧大陆雀形目织布鸟科(**Ploceidae**)的种类，特别是欧洲及北美温带极为常见的家麻雀(**house sparrow**, *Passer domesticus*)，亦指新大陆燕雀科许多种类。但家麻雀及其近缘种可能另立为雀形科(Passeridae)。新大陆雀科鹀亚科(Emberizinae)的大多数种类亦称雀。在北美洲繁殖的有：外表整洁、头顶淡红褐色的小型鸟啁啾雀

白喉雀(*Z. albicollis*)
供图：William D. Griffin

(*Spizella passerina*)和树雀(*S. arborea*)；分布草地、有细条纹的稀树草原雀(*Passerculus sandwichensis*)和黄昏雀(*Pooecetes gramineus*)；分布林地、条纹浓、行动躲躲闪闪的歌雀(*Melospiza melodia*)和狐雀(*Passerella iliaca*)；以及头顶有黑、白条纹的较大型的白冠雀(*Zonotrichia leucophrys*)和白喉雀(*Z. albicollis*)。红领鹀(*Z. capensis*)的繁殖区特别广，从墨西哥和加勒比海岛屿到火地岛。鹀亚科的许多雀类原产中美和南美。篱雀则是一种岩鹨。参阅 **accentor**。

sparrowhawk 雀鹰 鹰科鹰属(*Accipiter*)多种小型猛禽。与苍鹰类一同归为"鹰类"。捕食麻雀等小鸟、小型哺乳类和昆虫。非洲小雀鹰(*A. minullus*)上体暗蓝灰色，下体白

欧亚雀鹰(*A. nisus*)
供图：Stephen Dalton—美国不列颠百科全书公司

色具横斑，尾具白色横斑；栖息于非洲东部和南部的林区。欧亚雀鹰(*A. nisus*)上体深灰色，下体白色具横褐斑，在欧洲林区常见，也见于非洲西北部海岸地带和亚洲温带及亚极带的森林中。黎凡特雀鹰(*A. brevipes*)上体灰色，下体白色具横褐斑，分布自欧洲东南部、亚洲大陆南部以及非洲的亚赤道带。美国将小型隼称为雀鹰，参阅 **kestrel**。

Sparta 斯巴达 希腊拉科尼亚地区古都。史称拉塞达埃蒙(Lacedaemon),今拉科尼亚州首府。在伯罗奔尼撒半岛东南部,埃夫洛塔斯河右岸。现城市周围古迹稀少,说明公元前6世纪至前2世纪时统治斯巴达城邦军事首领的简朴。据传斯巴达城邦建于公元前9世纪,实行寡头统治。平时权力集中在由30名元老组成的元老院,战时由两位国王共同统治。公元前8～前5世纪征服麦西尼亚。公元前5世纪后,统治者忽视艺术、哲学和文学,热衷战争与外交,建起希腊最强大的军事力量。伯罗奔尼撒战争结束(公元前404)后,斯巴达成为希腊最强城邦。罗马帝国征服伯罗奔尼撒半岛后,公元396年,斯巴达城被西哥特人毁坏。继而拜占廷居民移入,以荷马史诗中的拉塞达埃蒙称此地。1204年后法兰克人在城址西南修建新城堡密斯特拉,1259年起成为伯罗奔尼撒的都城,繁荣近200年。1460～1829年,主要为土耳其统治。现城(当地称新斯巴达)于1834年在古城址上建立,是埃维亚平原小型工商业中心,经营柑橘、水果和橄榄油贸易。城东南45千米的伊西翁(**Yíthion**)古来为斯巴达外港。人口:都会区14 388(1981)。

斯巴达附近拜占廷古城密斯特拉中的圣德米特里大教堂
供图:© Mairani—CLICK/Chicago

Spartacus 斯巴达克思 (?～公元前71) 抗击罗马的"角斗士战争"(公元前73～前71)领袖。原为色雷斯人,后参加罗马军队。大概由于开小差被擒后卖为奴隶。公元前73年率领70多名同伴冲出加普亚的角斗士学校,逃到维苏威山。许多逃亡奴隶都参加他的队伍。在连续两次击败前来围剿的罗马官军以后,斯巴达克思占领了南意大利的大部地区。起义队伍曾发展到9万人以上。公元前72年打败2名执政官,向北挺进阿尔卑斯山,计划在离开意大利边境之后解散队伍,让士兵们各自返回家园。但是这些士兵拒绝离开意大利。于是他又回师卢卡尼亚,企图越过海峡进占西西里,但未成功。在克拉苏所率罗马官军的攻击下,起义队伍发生分裂。首先是高卢人和日耳曼人被击败,最后斯巴达克思也在战斗中牺牲。尽管他领导的叛乱并非社会革命,但他的名字却常被后来的革命者所援引,如1916～1918年有德国斯巴达克思同盟。

Spartacus League 斯巴达克思同盟 1914年秋至1918年底在德国积极活动的革命的社会主义团体。1916年由卡尔·李卜克内西、罗莎·卢森堡、克拉拉·蔡特金以及弗兰茨·梅林正式创立。其名来自他们非法散发的小册子《斯巴达克思信札》。同盟在激烈反对德国在第一次世界大战中的作用并要求进行社会主义革命的一部分成员中发展成为社会民主党的一个分支。在1918年12月30日至1919年1月1日举行的党代表大会上,斯巴达克思同盟变成德国共产党。同时,同盟鼓励在12月间举行示威游行。这次游行导致了1919年1月斯巴达克思同盟柏林起义。1月15日,卢森堡与李卜克内西在柏林被捕,被控制柏林警察局的保守派自由军团杀害。

Spartan alliance 斯巴达联盟 参阅**Peloponnesian League** 伯罗奔尼撒同盟。

Spartanburg 斯帕坦堡 美国南卡罗来纳州西北部城市,斯帕坦堡县县城(1785)。位于蓝岭山麓,西南距格林维尔50千米。1785年始建,1831年建市。1860年前以铁器制造厂、棉花种植和几座棉纺织厂闻名。1865年后,由于3条铁路干线汇集于此,加速了该市的发展。工业主要有纺织、机器制造、金属制品业、陶瓷制品业、化工、服装、地毯及办公家具等。农业仍重要,主要农产品有桃、棉花、牲畜和家禽等。有沃福德学院(1854)、康弗斯学院(1889)、斯帕坦堡基督教卫理公会学院(1911)、南卡罗来纳大学分校(1967)及斯帕坦堡工学院(1961)。南卡罗来纳聋盲人学校(1849)位于市南几千米处。摩根广场矗立一座青铜塑像,纪念独立战争中美军将领D.摩根。人口:市39 673;格林维尔-斯帕坦堡都会统计区962 441(2000)。

Spassky, Boris Vasilyevich 斯帕斯基 (1937-01-30,列宁格勒～) 苏联国际象棋大师,1969～1972年的世界冠军。第二次世界大战期间自列宁格勒疏散到基洛夫州儿童收容所,开始学习国际象棋。1953年以弱冠之年获国际象棋国际大师称号。1955年赢得青少年世界冠军,同年获国际特级大师称号。1966年向彼得罗相争夺世界冠军未能遂志,3年后终于胜彼得罗相而获世界冠军。其棋风适应性强,在棋史上少有人能与之媲美。1972年败于美国棋手费希尔,丧失世界冠军称号。

spatial disorientation 空间定向障碍 一种病理生理现象:人丧失判断个人身体与地面或环境景物间的相对位置、相对运动状态及相对高度的能力。可见于飞机驾驶员和潜水员。人类定向多靠眼、耳、肌肉和皮肤的感觉。但人类感觉器官常常不易察觉缓慢的、逐渐的运动变化,在运动变化骤然发生时,对运动变化的程度又常易作出过高的估计。空间定向障碍可因某些飞行情况或视觉判断错误而产生。如飞机在逐渐转弯时,驾驶员可能感到飞机在直线飞行并在爬高;而转弯中止朝直飞行时,却感觉到在下降。飞机倾斜或缓慢升降时,驾驶员可感觉不到这种变化,而认为飞机在水平飞行。如果飞机转弯侧滑,则产生与侧滑方向相反的倾斜感。"倾侧幻觉"是在快滚后转为平飞时产生的,虽然翻滚运动已经停止,但惯性作用使身体向与翻滚相反的方向倾靠。若驾驶员在转弯时猛然朝下看,可发生科里奥利效应,即仿佛感觉飞机在下降,驾驶员通常的反应是拉驾驶杆使飞机升起。在做螺旋时,若持续时间较长便可出现静止不动的错觉;而纠正螺旋时驾驶员却感觉飞机在向相反的方向做螺旋,又对正确的措施作出反动作,因而反射性地作出错误的纠正措施,使飞机回复到原来的螺旋状态;这种现象称为"墓地螺旋"。若倾斜转弯时失去转弯的感觉,其结果也会造成"墓地螺旋";因为驾驶员的仪表显示飞机正在下降,所以他可能向后拉杆,加大油门,于是产生出螺旋运动。眼旋错觉是由加速度和转弯产生的:当驾驶员在自身转动时看转动的目标,便会误认为目标转动得比实际快,而且驾驶员在自身和目标都停止运动后仍认为目标在转动。另一种错觉是前进加速度引起的:当飞机起飞时,加速度使驾驶员错误地感觉机头太高,为此驾驶员往往降低机头而使飞机坠地。飞机在骤然减速时亦可造成机头下降的感觉,如果驾驶员为了纠正这种感觉而增加高度,可使飞机失速并陷入螺旋。作用于驾驶员的重力可引起眼重力错觉:驾驶员在失重时会感觉所视目标上升;而当重力增加时会感觉目标下降。视觉判断错误通常不取决于加速度系数或平衡感觉,而纯系视错觉。自动运动现象是一种亮点或物体的运动假象。当夜间尾随其他飞机时,驾驶员会很难区分前面的飞机的真实运动情况。如果两架飞机在同一高度平行飞行但具有不同的速度,两机的驾驶员都会有转弯的错觉。陆地上的灯火可被误认为是地平线或星群,固定信标被认为是在编队中飞行的其他飞机。预防空间定向障碍的唯一办法是加强锻炼并改进仪器设备。

spatterware 斑纹釉陶器 流行于美国的一种美国和英国陶器,是约于1800～1850年间生产的。其图案是采用滴落和揩抹的方法装饰在坯体上。这种技术在陶器史上影响范围较广。但约1750年在英国斯塔福德郡就已经出现了这种技术。大约在 1800 ～ 1820 年间英国韦奇伍德瓷厂就制造了这种斑纹釉陶器，有时专为销往美国，美国国内也制造这种陶器。

SPD（German political party） 参阅 **Social Democratic Party of Germany** 德国社会民主党。

speaker（electronics） 参阅 **loudspeaker** 扬声器。

spear 矛 用于向敌人或动物投掷或刺杀的带尖端的杆式武器。在世界各地有很多种样式的矛。矛是人类发明的最早的武器之一，原来只是一根削尖的棍子。原始人主要把矛用作投掷武器。当军事实践从个人的独立行动发展到许多士兵的群体活动时，矛就成为刺杀武器了。它的形状有长矛、旗杆矛，后来有斧头戟等其他形状。早在公元前 3000 年苏美尔人的军队就采用了带矛的方阵或人员排列紧密的密集队形。2 000年后，希腊人使用 6 ～ 9 英尺（2 ～ 3 米）长的长矛，将这种思想加以完善。大约在公元前 350 年时，马其顿的腓力二世造出萨利萨长矛，长达 13 ～ 21 英尺（4 ～ 6.5 米），它使马其顿步兵在对手希腊人的长矛刺到他们之前就先刺到对手。士兵们组成密集队形，矛尖向前，向敌人行进或跑步前进，然后向敌方队列冲刺。亚历山大大帝使用装备萨利萨长矛的步兵征服了他的庞大的帝国。罗马军团使用一种 7 英尺长的标枪。不仅步兵使用矛式武器，希腊、马其顿和罗马骑兵以及欧洲中世纪的骑士都使用长矛。14、15 直至 16 世纪以前，长柄武器和战术都沿着这个方向发展，到 16 世纪，士兵们使用类似戟的改进式长矛，这是一种组合式矛，有一个尖头，一把用来劈头盔的斧子和一把将有装甲的骑士从马上拉下来的钩子。这一时期长矛战的能手是瑞士人，欧洲各君主都雇佣他们为战士。后来发明了火药武器，逐渐使长矛、旗杆矛、戟和其他长柄武器大部分过时了。不过装在步枪上的现代刺刀仍被视为一种刺杀矛。参阅 **halberd**; **lance**; **pike**。

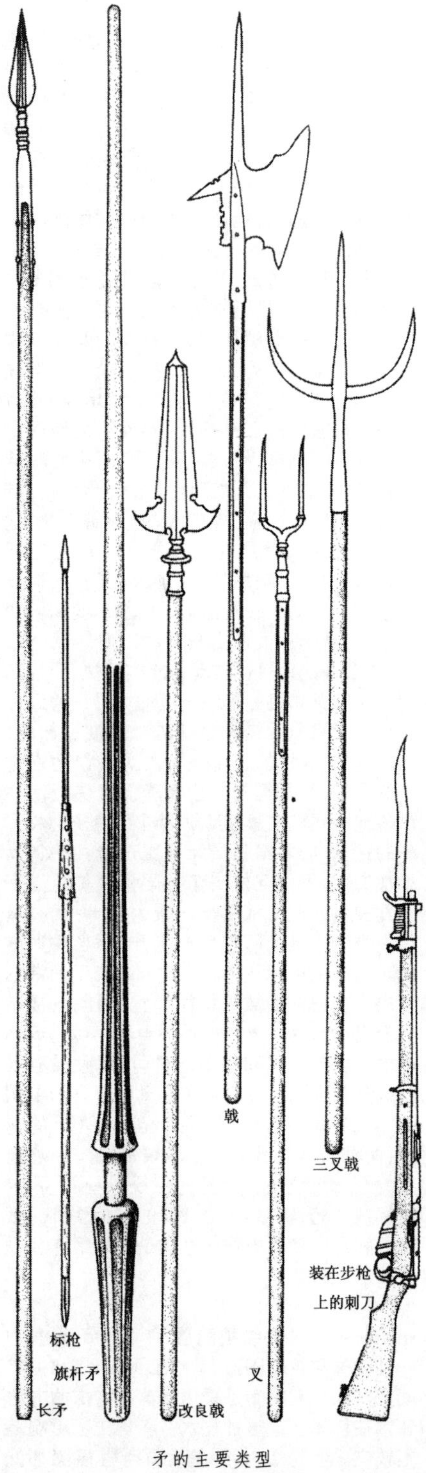

矛的主要类型

spear-thrower 掷矛杆 又作 throwing-stick 或 atlatl。投掷矛（或标枪）的工具。通常是一根杆或一块板，向上的表面有一道槽，后端有一个钩子、一根皮带或一个凸榫，在投掷之前将它固定在应有的位置上。其目的一般说来是使矛的射程更远。掷矛杆通常用木、竹、骨或鹿角制成，起着手臂额外关节的作用。把矛顺放在掷矛杆上，粗端抵住凸榫，或（在竹制工具上）放在竹节隔片形成的小凹坑处。

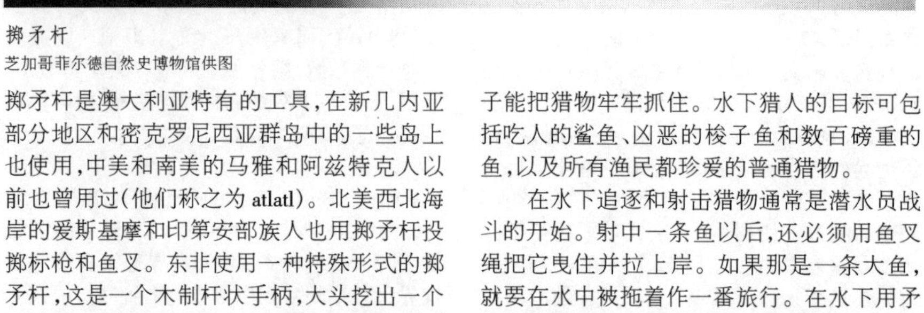

掷矛杆
芝加哥菲尔德自然史博物馆供图

掷矛杆是澳大利亚特有的工具，在新几内亚部分地区和密克罗尼西亚群岛中的一些岛上也使用，中美和南美的马雅和阿兹特克人以前也曾用过（他们称之为 atlatl）。北美西北海岸的爱斯基摩和印第安部族人也用掷矛杆投掷标枪和鱼叉。东非使用一种特殊形式的掷矛杆，这是一个木制杆状手柄，大头挖出一个大槽，矛的粗端置于槽内。使用时这种掷矛杆仿佛是矛的一部分，但不离手。绳环与掷矛杆连接，这是起弹弓作用的一根短绳，使猛掷出去的矛在飞出去时旋转。北非一些民族也使用古希腊和罗马士兵使用的类似装置，但与绳环不同，因为绳子与矛相连，而不是握在手中。

spearfish 枪鱼 鲈形目旗鱼科四鳍旗鱼属（*Tetrapterus*）海产鱼的俗称。与其他具长枪状吻的鱼相比，特点是吻较短。共有几个种。其中的 2 种，条纹枪鱼（*T. audax*）和白枪鱼（*T. albidus*）俗称穿索针鱼（**marlin**）。短吻枪鱼（短鼻枪鱼，尖吻四鳍旗鱼，*T. angustirostris*，或称短吻四鳍旗鱼［*T. brevirostris*］）产于太平洋，较稀有，在喙鱼类中个体较小，体上侧蓝色，下侧银白，体长不超过 1.8 米，重不超过 27 千克，人们对之所知甚少。针四鳍旗鱼（*T. belone*）是地中海种，近似尖吻四鳍旗鱼。

spearfishing 以矛捕鱼 一项水下狩猎运动，20 世纪 30 年代初成为大众喜爱的活动，第二次世界大战结束后在全世界迅速传播。有各种各样的水下武器，从简单的手持长矛一直到能穿透大鱼的枪。最简单的是夏威夷式的投掷器。它是一个空心木管，管的一端有一个弹性环。把装有不同尖顶的矛杆插进木管，靠弹性环向后拉紧，弹性环一放松，矛杆就向前射出。在 20 世纪 30 年代中期，A. 克拉马连科发明了一种弹簧推进式水下用枪，并取得了专利权。此后不久，法国的 M. 福洛又发明了另外一种用弹簧推动的枪。另一个法国人 G. 布沙设计了一种用橡皮筋推动的矛枪，并得到推广。还有人设计出其他种类的渔枪，其中有的使用火药、二氧化碳或者压缩空气作为动力。1956 年由西班牙人 J. 维拉卢比斯发明的一种用压缩空气作为动力的矛枪由于准确、有力且操作简单而颇受欢迎。上述武器都属于步枪型，它们所用的矛通过一根长管的膛或依靠长管上表面的引导而发射。所有这些武器均利用扳机结构将矛杆发射出去。捕鱼矛枪通常有一根绳子系在矛杆上，以便于回收。矛头击中目标时，绳子能把猎物牢牢抓住。水下猎人的目标可包括吃人的鲨鱼、凶恶的梭子鱼和数百磅重的鱼，以及所有渔民都珍爱的普通猎物。

在水下追逐和射击猎物通常是潜水员战斗的开始。射中一条鱼以后，还必须用鱼叉绳把它曳住并拉上岸。如果那是一条大鱼，就要在水中被拖着作一番旅行。在水下用矛捕鱼是潜水俱乐部的一种十分流行的活动，每年都举行地区性、全国性和国际性的比赛。运动员在比赛中不允许戴水下呼吸器，他们潜水时要屏住气。

spearmint (species *Mentha spicata*) **留兰香** 又称绿薄荷。唇形科芳香草本植物，栽作调料。穗状花序疏松，一头尖，花似胡椒薄荷。叶光滑，橄榄绿色，鲜用或干用于糖果、

留兰香(*Mentha spicata*)

供图:G. R. Roberts

饮料、果子冻、沙拉、汤、乳酪、鱼、肉、调味汁、蔬菜等多种食品的调味。芳香和味道均似胡椒薄荷，但较淡，且无清凉的回味。原产欧亚，已在北美归化。叶含油，可用于糖果及果子冻调味，主要成分是香芹酮。

special economic zone (SEZ) **经济特区** 中国主要依靠利用外资发展经济，并实行与之相适应的特殊经济管理体制和特殊经济政策的经济区。1980 年中央批准广东省的深圳、珠海、汕头 3 市和福建省的厦门市为经济特区。在经济特区新经济体制形成后，中外合资经营企业、中外合作经营企业和外商独资经营企业，将在特区经济中占最大比重。特区的经济活动是在社会主义计划经济指导下，充分发挥市场调节的作用，实行以市场调节为主。国家给特区以较多的经济活动自主权，特别是处理对外经济关系的自主权。对前来投资的客商，在税收、土地使用费、劳务费、外汇管理、人员出入境等方面，给予特殊优惠和方便，允许他们获得高于国际资本平均利润率的利润。经济特区建立后，已取得了极大的成就。

在经济特区成功的鼓励下，中国政府于 1984 年 5 月开放了沿海的 14 个港口城市；1985 年 1 月宣布，要把沿海一些地区开辟为沿海经济开放区；1988 年又增设海南省为经济特区，至此中国共有 5 个经济特区。1990 年中央同意上海市加快浦东地区的开发，在浦东实行经济技术开发区和某些经济特区的政策。1992 年，中国政府决定在内地 23 个大城市中采取若干相同的政策，这些城市包括许多省会，希望由此鼓励外国在该地的投资。

special education **特殊教育** 对那些在社交上、智力上和体格上偏离平均水平而必须针对他们将通常的学校教育作重大修改的儿童教育。这些儿童包括有天才的儿童、智力迟钝的儿童、心理失常的儿童、在视听和说话方面有缺陷的儿童，以及外形和神经损伤的儿童。

虽然在公元纪元开始后不久对残疾儿童的关心和保护就受到一定注目，但西方社会的特殊教育直到 16 世纪才开始。当时庞塞(1520? ～ 1584)在西班牙开始教少数聋童。英国人 J. 布尔沃(活动时期 1654)于 17 世纪首创唇读法，到 18 世纪末叶，法国人埃佩隐修院院长夏尔-米歇尔(1712 ～ 1789)把手势语言发展成为一种教学语言。这些创新构成教育聋人的手势教法。口授教法是 18 世纪德国教育家 S. 海因尼克(1727 ～ 1790)创造的，后来 F.M. 希尔(1805 ～ 1874)提出了现在广泛采用的自然教育法，强调教育必须与儿童的周围环境相联系。盲人教育始于 1784 年，当年 V. 阿维(1745 ～ 1822)在巴黎开设全国青年盲人学校，教盲童如何阅读。此后欧洲和美国各地纷纷建立盲人学校。

法国医生和耳科专家 J.-M.-G. 伊塔尔(1775 ～ 1838)的《阿韦龙的野男孩》一书于 1801 年出版后，试图用科学的方法教育智力迟钝的儿童盛行起来，伊塔尔在书中描写了他如何尝试着教育在森林中发现的一个赤身裸体的 11 岁野男孩。伊塔尔的这一著作极大地影响了法国精神病医生 E. 塞甘(1812 ～ 1880)，塞甘在美国生活时创始了运用体操和感觉器官的操练来教育智力迟钝儿童的重要方法。意大利精神病医生 M. 蒙台梭利(1870 ～1952)也受塞甘和伊塔尔的影响，她创立一种教育体系，强调通过使用专门设计的工具让儿童进行自我教育。到 20 世纪下半叶，在发达国家中，对残疾人的特殊教育已经比较普及。

特殊教育与常规教育一样，都是为了发展每个儿童的才智。智商(IQ)测验，以及医学、心理学和个性的诊断，都被用来作为对每个儿童制定计划的手段。对聋人作了最大的专门研究，因为耳聋阻碍说话和朗读的能力。对采用何种方法——口授或手势——教育聋人更为有效，一直存在着很多争论。有的学校仅采用口授教法，有的则两者并用。

对异常的儿童，无论是有天才的儿童抑或残疾的儿童，都按照他们的需要，分成特殊的班级。现在全世界的学校系统都建立了这类特殊班级，但同时仍有不少这类学生在常规班级上课。对住院或闲居在家的学生则有访问教师为他们上课。其他措施包括为特殊残疾儿童开设的日校及寄宿学校。

与公众舆论相反，研究表明，大多数有天才的儿童在学校及以后的生活中，较一般儿童更具社会适应性。儿童个人的适应性在很大程度上受其父母对他的态度的影响；父母的鼓励与支持一般能促进儿童具有更大的适应性。虽然有人批评特殊教育把同一类异常儿童隔离开来，但人们正在努力使这些儿童融入社会的主流。

special functions **特殊函数** 在解数学物理的各种经典问题中提出来的一类函数。这些问题大多涉及电磁波或声波的传播或热的流动。哪些函数称之为特殊函数不是绝对的，不同方面的科学家不可能有完全一致的意见。乍看起来，上面提到的物理问题只涉及很有限的范围，但从数学上看，所要寻求的数学表示依赖于要求解的物理问题的结构，而结构却是多种多样的。例如，在研究金属杆中热的传播时，所要考虑的横截面有矩形、圆形、椭圆形或更复杂的形状，并且杆又有曲直之分。这种同一类型的物理问题中的不同情形会导致多少有点不同的数学方程。一般要求解的那种类型的方程中包含未知函数的偏导数，称为偏微分方程。例如考虑直杆中的热传播，沿着杆有均匀的热流。这时，问题包含一个空间变量。令 $u(x,t)$ 表示杆在时刻 t 位置 x 处的温度，而 $q(x,t)$ 表示热流率。表达式 $\partial q/\partial x$ 表示单位长度上热流率的变化，从而度量了热量在 x 点处和时刻 t 时的累积率。若热量累积，则该点的温度上升，上升率用 $\partial u/\partial t$ 表示。能量守恒定律导致 $\frac{\partial q}{\partial x} = k\frac{\partial u}{\partial t}$，其中 k 是同杆的比热成正比的量。这意味热量在 x 点处的累积率与温度的增加率成正比。从牛顿冷却定律得到 q 和 u 的第二个关系，即 $q = K\frac{\partial u}{\partial x}$，这是用数学方式断言：温度梯度(单位长度上温度的变化率)愈大，热流率愈大。从这两个方程消去 q 就导致 $\frac{\partial^2 u}{\partial x^2} = \frac{k}{K}\frac{\partial u}{\partial t}$，这就是一维热流的偏微分方程。在三维的情形，可以证明热流的偏微分方程的形式为 $\frac{\partial^2 u}{\partial x^2} + \frac{\partial^2 u}{\partial y^2} + \frac{\partial^2 u}{\partial z^2} = \frac{k}{K}\frac{\partial u}{\partial t}$，这方程常写成 $\Delta u = \frac{k}{K}\frac{\partial u}{\partial t}$，其中记号 Δ 称为拉普拉斯算子。Δ 也出现于波传播问题的偏微分方程 $\Delta u = \frac{1}{c^2}\frac{\partial^2 u}{\partial t^2}$，其中 c 是波的传播速度。

从数学观点来看，求解偏微分方程比求解常微分方程具有更大的挑战性。波传播和热流的偏微分方程比一般的偏微分方程容易处理，可以通过称为分离变量法的方法把它们化为一组常微分方程。正是在这里必须考虑问题的几何方面，并根据问题本身的物理结构选取适当的坐标系，结果便是所得常微分方程依赖于坐标系的选取。这些常微分方程的解就构成了数学物理中大部分的特殊函数。例如，在柱坐标下解热流方程或波动方程时，利用分离变量法就会碰到贝塞尔方程

$$x^2\frac{d^2 y}{dx^2} + x\frac{dy}{dx} + (x^2 - n^2)y = 0$$

这个方程的一个解就是贝塞尔函数(**Bessel function**) $Jn(x)$，它可以由无穷级数

$$J_n(x) = \frac{x^n}{2^n n!}\left[1 - \frac{x^2}{2(2n+2)} + \frac{x^4}{2\cdot 4(2n+2)(2n+4)} - \cdots\right]$$

来表示，其中，n 是正整数。可以证明贝塞尔函数还满足递推公式

$$J_{n-1}(x) + J_{n+1}(x) = \frac{2n}{x}J_n(x),$$

$$J_{n-1}(x) - J_{n+1}(x) = 2\frac{d}{dx}J_n(x)。$$

相应于贝塞尔函数还有一个生成函数

$$e^{\frac{x}{2}(t-\frac{1}{t})} = \sum_{n=-\infty}^{\infty}(t^n J_n(x)。$$

贝塞尔首先在他的天文学研究中很自然地提出了这些函数。在许多应用中变量 x 变得很大，这时上面的无穷级数就不好用了。但是，可以发展一种渐近级数，它表明对于大的 x，

$$J_n(x) \approx \sqrt{\frac{2}{\pi x}}\cos\left(x - \frac{n\pi}{2} - \frac{\pi}{4}\right)$$

记号≈的意思是几乎相等。某些场合还宜改用某些积分表示,如

$$J_n(x)=\frac{1}{\pi}\int_0^{\pi}\cos(x\sin t-nt)\mathrm{d}t。$$

上述式子中都假定了 n 是正整数,但在有些应用中容许 n 取非正整数值是有益的。这时为了能够说明 $n!$ 是什么,引进了另一个特殊函数,它不是微分方程的解,而是 Γ 函数(**gamma function**):

$$\Gamma(n+1)=\int_0^{\infty}t^n\mathrm{e}^{-t}\mathrm{d}t,$$

当 n 是正整数时上述积分就等于 $n!$,当 n 不是整数时它也有意义。利用 Γ 函数就可能给出贝塞尔函数的许多表示,使 n 不是整数时也有意义,例如:

$$J_n(x)=\frac{2(\frac{x}{2})^n}{\sqrt{\pi}\Gamma(\frac{n+1}{2})}\times\int_0^{\frac{\pi}{2}}\cos(x\cos t)\sin^{2n}t\mathrm{d}t。$$

在满足二阶微分方程的其他特殊函数中有球面调和函数(勒让德多项式是其特殊情形),切比雪夫多项式,埃尔米特多项式,雅可比多项式,拉盖尔多项式,惠特克函数以及抛物柱函数。就像对贝塞尔函数那样,人们研究这些函数的无穷级数、递推公式、生成函数、渐近级数、积分表示以及其他性质。有人曾企图统一这种丰富的课题,但没有人获得完全的成功。尽管这些特殊函数中有许多相似性,但每一个都有其自身的一些独特的性质,必须分别加以研究。有一些关系可以通过引进另一个特殊函数来导出,例如满足微分方程

$$x(1-x)\frac{\mathrm{d}^2y}{\mathrm{d}x^2}+[c-(a+b+1)x]\frac{\mathrm{d}y}{\mathrm{d}x}-aby=0$$

的超几何函数;记作 $F(a,b;c;x)$。某些特殊函数可以用超几何函数表示出来,例如,对于勒让德多项式,有

$$P_n(x)=F(n+1,-n;1;\frac{1-x}{2})。$$

对于切比雪夫多项式,有

$$T_n(x)=F(n,-n;\frac{1}{2};\frac{1-x}{2})。$$

与超几何函数有关的一个函数是合流超几何函数,其微分方程为

$$x^2\frac{\mathrm{d}^2y}{\mathrm{d}x^2}+(c-x)\frac{\mathrm{d}y}{\mathrm{d}x}-ay=0,$$

而且用 ${}_1F_1(a;c;x)$ 来记它的解。于是贝塞尔函数可写作

$$J_n(x)=\frac{(\frac{x}{2})^n\mathrm{e}^{-ix}}{\Gamma(n+1)}\ {}_1F_1(n+\frac{1}{2};2n+1;2ix),$$

而拉盖尔多项式可写作

$$L_n^{(a)}(x)=\frac{\Gamma(a+n+1)}{n!\Gamma(a+1)}\ {}_1F_1(-n;a+1;x)。$$

特殊函数及其应用最早是在数学物理中提出来的,但又在纯数学和应用数学中有许多别的用处。在解某些类型的随机游动问题(即一个人按随机选定的路线行走,并希望决定在走了 n 步后距起点为某个距离的概率)时贝塞尔函数是有用的。贝塞尔函数还应用在数论中,用于精细地估计一个大圆中的格点(具有整数坐标的点)的个数。超几何函数用于构造边界是一些圆弧的多角形区域的共形映射。正交多项式(勒让德多项式和拉盖尔多项式是其特殊情形)在逼近论中是很有价值的。

special-interest group　特殊利益集团　参阅 **interest group** 利益集团。

special jury　专设陪审团　参阅 **blue-ribbon jury** 蓝绶带陪审团。

Special Olympics　特殊奥林匹克运动会　又译残疾人奥林匹克运动会。以奥林匹克夏季和冬季运动项目为内容向残疾人(8 岁以上)提供全年体育训练和运动竞赛的国际活动。1968 年开始举办。1988 年 2 月 15 日,国际奥林匹克委员会正式予以承认。国际总部设在华盛顿市。1963 年 6 月,在小肯尼迪基金会支持下,施赖弗(美国总统肯尼迪之妹)在马里兰州罗克维尔她家里为残疾儿童开办了一个白昼夏令营。1963 ～ 1968 年间,在肯尼迪基金会推动下,在美国和加拿大举办了几十个类似的夏令营,还对在体育方面取得成就者设立特殊奖励。到了 1968 年,施赖弗已成功地劝使芝加哥公园区协同肯尼迪基金会一道于 7 月 19 ～ 20 日在士兵场举办了一次"特殊奥林匹克运动会",来自美国 26 个州和加拿大的约1 000名运动员参加了这届运动会。由于运动会取得了巨大成功,是年 12 月成立了特殊奥林匹克运动会组织(现称特别奥林匹克运动会国际),并在美国、加拿大和法国设立了分会。1977 年 2 月 5 ～ 11 日在科罗拉多州斯廷博特斯普林斯举办了第一届国际冬季特殊奥林匹克运动会。后来参加运动会的国家越来越多,到 90 年代,约有 90 个国家设立了分会。每年在世界各地共举办15 000多个运动会和比赛。最后发展到每两年举办一次国际性的特殊奥林匹克运动会,冬季项目与夏季项目交替举行,各持续 9 天之久。

speciation　物种形成　在生物进化中与旧种截然不同的新种形成的过程。也就是说一个进化线系分为两个或多个遗传上完全独立的分枝。参阅 **species**。

Specie Circular　《使用金属通货公告》(1836-07-11)　美国总统 A.杰克逊发布的行政命令,要求购买公共土地只能用金银支付。为遏制猖獗的土地投机活动,抑制纸币流通量的膨胀,杰克逊下令财政部、银行和其他收纳公款的部门在 1836 年 8 月 15 日后只接受金属通货作为购买政府土地的支付手段。但在本州购买土地的真正移民和正直的居民允许在 12 月 15 日前使用纸币,购地限额为 320 英亩。该公告大大压缩了纸币使用量,从而造成严重的通货紧缩,至少部分地造成了后来的信用危机和称为 1837 年大恐慌的经济危机。1838 年 5 月 21 日国会两院联合决议撤销该公告。

specie payment　硬币兑付　银行或财政部以金属货币(通常为金币)兑换美国纸币。南北战争期间政府从 1862 年开始发行纸币,称为"绿背纸币"或"纸辅币"。1863 年政府授权联邦特许的银行发行国家银行纸币。南北战争结束时(1865),投入流通的纸币(经国会批准为法币)价值已超过 4.3 亿美元。南北战争结束后,支持恢复硬币兑付的国会议员通过了《1875 年恢复硬币法案》。1879 年 1 月 1 日根据该法案恢复硬币兑付。但是当公众得悉政府确实能够按币面价值兑换所有的绿背纸币和银行纸币时,仍然愿意继续使用更为方便的纸币。

species　种　生物分类阶元,由具有共同特征、可以相互交育的有关生物个体组成。物种形成一词指一个物种分为两个或多个物种的过程。物种形成是进化的基本过程之一。

种的分类得到国际命名系统之助,该系统给每个新种一个标准的由"属名"和"种名"两部分构成的学名。属名的外延包括近缘的种,例如希拉毒蜥的学名为 *Heloderma suspectum*,它是墨西哥产的串珠蜥(*Heloderma horridum*)的近缘种,两个种具有相同的属名 *Heloderma*,这表明它们是近缘种。同样,具相同特征的属归入同一"科";具共同特征的科归入同一"目";具相同特征的目归入同一"纲";具相同特征的纲归入同一"门"。

所以将一些生物个体列为同种,部分根据是其形态或外形之相似。但在将营有性生殖的生物体进行分类时,更重要的根据是这些生物体成功地交育的能力。同种的个体之间可以交配,并产生有生存能力的后代,但不能与其他种的个体交配并产生有生存能力的后代。人们早就知道,不同种的个体确能产生杂种后代(如马与驴杂交而生骡),但因为这些后代几乎总是不能生存或无生育能力,所以这种杂交不能说是成功的。

杂交仅发生于种内,这在进化上有重要意义,因为同种的个体共用同一个基因库,不同种的个体则不能。在同一个基因库内,各个个体之间总存在相当数量的变异,有些个体的基因变异使它们在某具体环境中处于不利地位,它们往往被环境所淘汰,而那些发生了有利变异的个体则取代前者而繁荣生息。这个自然选择过程导致这样的结果:基因库以有利变异变成稳定性状这么一种方式不断进展。因为基因变异发生于种内的个体身上,因为这些个体仅在种内传递它们的变异,结果进化发生于种的水平上。一个种进化成另一个种的现象称为物种形成。

亚种是物种形成的第一个阶段。不同亚种的个体有时可以进行杂交,但是可能产生许多不育的雄性后代。端始种或称半种,处于进化的第二阶段,端始种的个体极少杂交,其雄性后代均能育。自然选择将端始种分隔为两似种(兄弟种),不同两似种的个体从不交配,但它们在形态或外观上几乎难以区别。随后两似种进化为形态上(及分类上)不同的种。

物种形成的方式有多种。一个种群可以在地理上与同种的其他种群隔离,而且不可能与它们重新聚合。通过适应辐射(**adaptive radiation**)这种种群可以独立地进化为一个新

种,它们发生了改变以适应新环境中的具体生态位,而无需自然选择来完成与母种的生殖隔离,在新环境中,新种本身又可以辐射形成新种。加拉帕戈斯雀便是适应辐射的一个著名例子。

量子物种形成是一个迅速的生殖隔离过程,其原因通常是一个物种的一个种群内发生染色体突变。当突变种群与母种群杂交时,会产生互不适应的杂种后代;结果就如同地理物种形成一样,自然选择完成了这两个类群的隔离。

多倍性是量子物种形成的一种形式,它可以在2～3代之内创始一个新种。多倍性常见于显花植物。在配子体阶段细胞分裂发生异常,结果杂种植物的每个细胞核中可以不仅有两套染色体(从父本和母本各遗传一套),而且可以有四套乃至更多的染色体。通过开花阶段的自株传粉,杂种可产生自己的有生活力的后代,该后代为多倍体(具多套染色体),在生殖方面与二倍体(具两套染色体)的母种隔离。

从前,研究者从化石记录中寻找不同生物体在形态(或结构和外形)上的连续变化,从而为物种形成提供证据。现在遗传学研究证明,形态上的改变不一定伴随物种形成,而许多外观一样的类群却事实上处于生殖隔离状态。

species ecology **物种生态学** 参阅autecology 个体生态学。

specific gravity **比重** 又称相对密度。物质的密度与标准物质的密度之比。对于固体和液体,通常以4 ℃的水为比较的标准,其密度为1千克/分米^3。气体通常与标准条件(0℃和1个大气压)下的干燥空气相比,其密度为1.29克/分米^3。例如液态水银密度为13.6千克/分米^3,其比重为13.6。标准条件下二氧化碳气体密度1.976克/分米^3,其比重为1.53。因为比重是两个相同量纲量的比值,所以它是无量纲的。浮力与比重密切相关,如果物质的比重小于流体,它就浮在流体上面:充氦气球会在空气中上升,油漂在水面形成一层油膜,而铅在水银中会浮起来。比重是物质的属性,对同种物质的不同样品都一样(但物质要纯,成分相同,且没有空洞或杂物),因而可用来鉴别各种未知物质。比重还有许多其他应用:宝石学家用来鉴别各种相似的宝石;化学家借以检验反应过程和核对溶液的浓度;汽车修理工则据以检验蓄电池电解液和防冻液。比重历来是整个选矿方法的基础。淘金、跳汰选矿、振动分离、螺旋分离以及重介质分离都是利用比重不同而获得精矿的方法。比重容易精确测定,因而在有机化学和工业技术上得到广泛应用。例如测定新的液体化合物的比重是常规分析的一部分。仅由碳、氢、氧组成的有机化合物的比重一般都小于1。约利比重秤、韦斯特法耳比重秤、比重瓶和液体比重计都是测定比重的工具。

specific heat **比热** 物体温度升高1度所需的热量与质量相同的水温度升高1度所需热量的比值;比热也可用来表示1克物质温度升高1 ℃所需的热量(卡数)。18世纪苏格兰科学家J.布莱克注意到:质量相同的不同物质升高同样温度所需的热量不同,从而提出了比热的概念。19世纪初,P.-L.杜隆和A.-T.珀替证明从测量物质比热可推算其原子量(参阅 **Dulong-Petit law**)。参阅 **heat capacity**。

specific humidity **比湿** 单位质量湿空气中的水汽质量,通常以每千克空气中水汽克数表示。比湿是气象学中非常有用的一个参量。例如,任一表面上水的蒸发率正比于表面与相邻空气之间的比湿差。而且,一团空气的比湿不随其压强和温度的改变而变化,只要没有水分加入进去或从中取出(其他一些有关湿度的参量都对压强和温度非常敏感)。比湿的这种稳定性对标识运动空气团的性质非常有用。饱和空气的比湿随温度提高而急剧增加。

Speck, Frank Gouldsmith **斯佩克**(1881-11-08,美国纽约布鲁克林～1950-02-06,宾夕法尼亚费城) 美国文化人类学家,以研究美国东部阿尔冈昆印第安人部落闻名。斯佩克在哥伦比亚大学读书时,曾得F.博厄斯的指导。斯佩克曾创办宾夕法尼亚大学人类学系并担任系主任多年。斯佩克和同代一些人类学家一样,力图把濒于灭绝的部落和文化的零碎知识保存下来以便进行分析研究,有时仅能根据零散的宗教仪式和口头传说的残迹构拟出德拉瓦人和其他部落的历史文化原貌。他的渊博的专业知识使他成为研究民族科学和民族音乐方面的先驱,并能收集大量当地民间传说,在印第安人社区受到普遍尊重。

specklebelly **斑腹雁** 参阅 **white-fronted goose** 白额雁。

speckled trout **斑点鳟** 参阅**brook trout**溪鳟。

spectacled bear (species *Tremarctos ornatus*) **眼镜熊** 又作Andean bear。又称安第斯熊。熊科(Ursidae)唯一的南美种。栖息在山区(特别是安第斯山脉),主要在森林中。以植物的地上柔嫩部分和果实为食。善攀爬。成体肩高64厘米,体长1.2～1.8米,尾长7厘米。毛粗厚,从深褐到黑色。眼旁完全或部分围着一圈灰白至浅黄色的斑纹,如戴"眼镜",这种斑纹常在下延伸到颈部和胸部。豢养时妊娠期8～8.5月,一窝1～3仔。

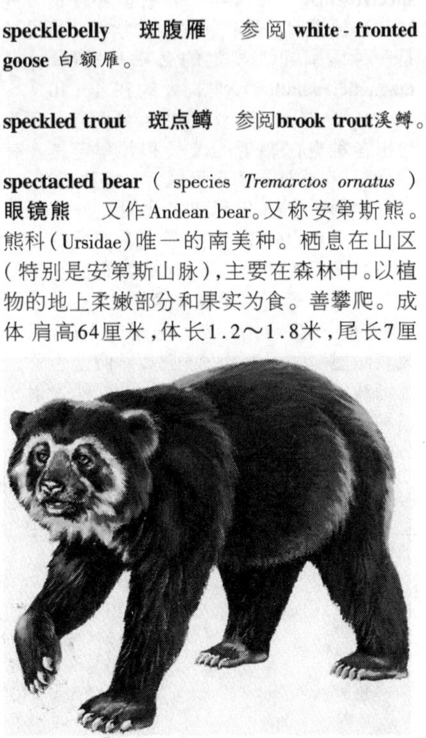

眼镜熊(*Tremarctos ornatus*)
绘图:Donald C. Meighan

spectacled owl (species *Pulsatrix perspicillata*) **眼镜鸮** 鸮形目鸱鸮科热带美洲森林区的夜行性猛禽。幼鸟白色,具黑色脸盘。成鸟体长约50厘米;上体褐色,下体色淡,胸部亦褐色。脸褐色,有白色眉纹。不具耳羽束。关于其觅食习性尚不清楚。

spectacles 参阅 **eyeglasses** 眼镜。

Spectator, The **《旁观者》** 英国小品文作家理查德·斯梯尔爵士和J.艾迪生从1711年3月1日至1712年12月6日在伦敦出版的刊物(每天一期),后来艾迪生于1714年又将其复刊(共出版80期)。该刊物是斯梯尔1709年创办的《闲谈者》期刊的续刊。为达到"以才智活跃道德和以道德磨炼才智"之目的,《旁观者》虚构了一个"旁观者俱乐部",并通过想象中的俱乐部成员之口阐明作者对社会的看法。这些成员包括商业、军队、城镇和乡绅的代表。刊物所载文章署名为伦敦景象的"观察者"旁观者先生。文章的语气和见解虽是辉格党的,但大体上不涉及党派政治。文章的真实作者不受任何限制地选取他们感兴趣的题目,有的用虚构的文章形式(如斯梯尔在第113期上发表的对罗杰爵士关于婚姻看法的评论),有的则直抒己见(如艾迪生在第267、273期上对弥尔顿的《失乐园》的评论)。除艾迪生和斯梯尔外,该刊物的撰稿人还有A.蒲柏、T.蒂克尔和A.菲利普斯。

Spectator, The **《旁观者》** 伦敦出版的新闻与舆论周刊,以刊登关于政治、文学和经济问题的重要评论与论文著称。其社论立场属温和的保守派,但较之与其齐名的大杂志《经济学家》和《新政治家》则更为保守。自1828年创刊以来就是一份开展学术讨论的严肃杂志。在多年中以其机智幽默的散文著称,但在现代则转向更加直率地讨论政治与文化问题,尤以书评和整体写作质量而著称。发行量有限,但影响甚大。

Spector, Phil **斯佩克特**(1940-12-26,美国纽约州纽约～) 全名Harvey Phillip Spector。20世纪60年代美国唱片制作人。18岁时,与两位学校友人录制《认识他就爱上他》,以"玩具熊"的名义推出,成为1958年最热门歌曲之一。后迁往纽约市。1962年成立他自己的菲利斯唱片公司。以水晶乐队的《然后他吻我》、罗内茨的《做我的女友吧!》和《宝贝我爱你》等歌曲,斯佩克特在他称之为"为小孩而写的小型交响曲"中把传统的少年浪漫情怀与大型的和有力的管弦乐曲结合起来。有些人称之为"音墙",而随着棒哥们儿乐队推出史诗性的《你已失去那种恋爱的感觉》(在全世界造成轰动),这种风格在1965年达到巅峰。他扬言翌年以艾克与蒂娜·特娜夫妇辉煌的《山高水深》来超越它,但同行嫉妒他的成功并被他的傲慢激怒,注定此曲在商业上失败。受挫的他于是退休，1969 年短暂复出，制作 J.伦农和 G.哈里森的个人专辑，并在他们的请求下完成《让它去吧》（"披头士"乐队最后一张专辑）的后期制作工作。后与 L.科恩和雷蒙斯乐队合作，结果与重建自己公司的努力一样不成功。

spectral line series　谱线系　表征受激原子所发射的光和其他电磁辐射的波长的序列。最简单的线系是由氢原子产生的。用分光镜对辐射进行分解之后，辐射的各个成分分别在不同位置上形成辐射源的像——一条狭缝的像（因为辐射束是穿过一道狭缝而进入仪器的）。这些细线形的像显出有规律的间隔；它们向最短波长一边靠近，最后终止于最短波长（线系限）。氢光谱共有五个这样的线系，分别出现在不同的部位，最为人熟知的是在可见区的巴耳末系。1885 年瑞士数学家 J.巴耳末发现，氢可见谱线的波长 λ 能用一个简单公式表示：

$$1/\lambda = R(1/2^2 - 1/n^2),$$

式中 n 是一整数，取 3，4，5，等等，R 称为里德伯常量，因瑞典物理学家 J.R.里德伯而得名，对于氢来说，其值为 109 677.58 厘米$^{-1}$。当 $n = 3$，由巴耳末公式得 $\lambda = 656.21 \times 10^{-9}$ 米，这条谱线的波长记作 $H\alpha$，是线系中第一个成分（在光谱的红区）；当 $n = \infty$，则得线系限 $\lambda = 4/R$（在紫外区）。巴耳末系以外的其他四个谱线系也以发现者的姓氏命名：赖曼系（在紫外区），芬德系和布拉开系以及帕邢系（都在红外区）。各线系的公式都与巴耳末公式相似，只是常数项并非 $1/2^2$，而分别代以 1^2，3^2，4^2 或 5^2 的倒数；整数 n 则分别从 2，4，5 或 6 开始取值而不从 3 开始。其他类氢原子（如单电离的氦和双电离的锂）发射的谱线系也能用类似巴耳末系的公式表示。

spectrochemical analysis　光谱化学分析　以测量电磁辐射的波长和强度之间的关系为基础的化学分析方法。其主要用途是通过化合物在分子运动或其结构发生变化时所吸收的能量来确定化合物分子中原子和电子的排列情况。通常包括两种方法：①紫外（非可见）和可见光发射光谱。②紫外、可见及红外吸收光谱。在发射光谱分析中，借助于电弧、火花放电或用火焰使原子从正常的最低能级（基态）激发到较高能级。当被激发的原子从高能级返回较低能级时发射出特征谱线的光，并经衍射或折射（用光栅或棱镜使光线偏转）分解成光谱（有序排列的光），从而鉴定一未知物的元素组成。观测光谱可用分光镜（目测）、摄谱仪（照相）或分光计（光电）。发射光谱分析过程分为四步：①试样的气化；②试样中原子或离子的电子激发；③发射的或吸收的辐射被色散为组成频率；④测量辐射强度，一般是在强度最大的波长处测量。发射光谱分析通常用于金属元素的定性定量分析，但不局限于此。此法为最灵敏的分析方法之一，一般只需几毫克的固体试样就可检测出含量只有百万分之几或更少的金属元素。此外它还能同时检测多种元素，从而避免了化学分离工作。发射光谱可作定量分析，是因为在一定波长下发射的光通量（光强度）与被气化和受激的原子数成正比。一般用比较法测定给定元素的量，即在选定的波长下，把试样发射的辐射强度和已知成分的标准样品所发射的辐射强度作比较。适用于元素分析的其他光谱分析法还有：原子吸收光谱法和原子荧光光谱法。这两种方法类似于火焰发射光谱法（火焰作激发原子的能源），即试样的溶液通过气化进入在空气或氧中燃烧的氢焰或乙炔焰中，同时一束与待测元素所发射的波长相同的光也通过火焰，则一部分光被基态试样原子所吸收，吸收的量与火焰中基态试样原子的浓度成正比，由于热动平衡，也与该原子的总浓度成正比。原子荧光光谱所用仪器和原子吸收光谱相似，但原子荧光光谱法是测量由于吸收了比其发射光波长更短的光而从基态被激发的原子所发射的光强度。原子吸收光谱法特别适用于碱金属和碱土金属的测定。

spectrophotometry　分光光度学　光谱学的分支，量测物体透射或反射的辐射能与波长的关系。通常是将透射能量的强度与另外某个作为标准的系统的透射能量强度相对比。不同类型的现代分光光度计覆盖了电磁波谱的广阔范围：X 射线，紫外光，可见光，红外光或微波。辐射能的吸收量与吸收介质之间的关系由两条定律来表示。根据布给定律（或朗伯定律），能量穿过介质时，每一层等厚度的介质吸收相等比例的能量。根据比尔定律，溶解物质的吸收额与它在溶液中的浓度成正比。紫外分光光度学对于探测溶液中的无色物质和测量其浓度特别有用。红外分光光度学在研究复杂有机化合物的分子结构时用得最广泛。

spectroscopy　光谱学　联系辐射波长研究光和其他辐射的吸收和发射的学科。可见光是一种能引起人视觉的**电磁辐射**（**electromagnetic radiation**），波长大约在 4×10^{-7} ～ 7×10^{-7} 米范围，颜色相应由紫到深红。下表给出各种电磁辐射的波长和频率范围。有时，红外和紫外等不可见辐射也概称为光。

牛顿于 1666 年用棱镜将白光分解为七色光。早期的分光计把一个源所吸收或发射的波长显示成狭缝的像，代表特定波长的像称为谱线。一系列谱线按序排开，称为光谱（或谱）。一些现代分光计采用光电探测，对波长画出谱线强度峰值分布，习惯上也称之为谱线。光谱从性质上分两大类，即发射光谱和吸收光谱；从内容上分，则有原子光谱、分子光谱、固体光谱等等；此外，按所在波段又常分为可见光谱、红外光谱、微波谱、X 射线谱等。光谱学是关于各种光谱的测量、分析、起源和应用的科学。1859 年，G.R.基尔霍夫发现物质的光谱各有其特征，奠定了光谱研究和应用的基础。1885 年，J.J.巴耳末发现氢光谱线系公式，揭示了光谱规律的存在。20 世纪后，光谱学理论不断取得重大发展。M.普朗克的量子论（1900），A.爱因斯坦的光子说（1905），E.卢瑟福的原子模型（1911）和 N.玻尔的光谱理论（1913）相继问世，新现象新概念迭出，终于在 1925 年产生了量子力学，为计算原子、离子和分子发射的谱线提供了方法。

光谱是研究原子和分子结构的有力工具，这些研究又不断推动光谱理论和技术的发展。1960 年以后，由于激光器的发明，光谱学进入一个新的发展阶段。光谱方法用于物质微量成分分析，灵敏而准确；用于其他如流程控制，高温测量等，也各具特色。现在光谱学的应用已进入工业、农业、医学、天文、地质等领域。

光谱仪器及部件　具有聚光、分光和测谱性能的仪器叫分光计；带记录装置的分光计叫摄谱仪；供目测的叫分光镜；分光后选出很窄一段波长的叫单色器；能够定量画出谱的强度-波长图线的叫分光光度计。主要有下述几个部件：

①光源。种类很多，如火焰、电弧、电花、各种放电管，性能各不相同，须根据工作情况选择使用。

②分光元件。常用的有折光棱镜和衍射光栅。棱镜使用历史最久，它靠色散效应分光，光谱分辨率较低。光栅是一种多光束干涉元件，由等距刻线构成（每毫米可刻 100 ～ 6 000条平行线），分辨率很高，使用日益广泛，以所谓闪耀光栅最为常见。另一类分光装置是干涉仪，主要的有迈克耳孙干涉仪和法布里-珀罗标准具，是高分辨率光谱学的主要元件，但自由光谱范围很窄，常需先用光栅预选波长。傅里叶光谱仪无需分光，借光学多通道技术获得辐射功率谱，具有信噪比大的优点，1960 年左右开始为人重视，多用于远红外区。70 年代初出现的可调谐激光器，并发光及分光于一步，突破了光谱仪器的传统结构，应用前景广阔。

③辐射探测器和记录器。主要有照片、光电倍增管、温差电偶和光电管等。照片适用于 1 微米波长以内，优点是能同时记录光谱的全部，光源亮度不需恒定。光-电探测方法灵敏、迅速，适用于扫描记录，探测器输出经放大后，或送入记录系统绘出光谱曲线，或经数字化处理录成磁带、纸带或制成穿孔卡

电磁现象

	大致波长范围（米）	大致频率范围（赫）
无线电波	10 ～ 1 000	3×10^5 ～ 3×10^7
电视波	1 ～ 10	3×10^7 ～ 3×10^8
微波，雷达	1×10^{-3} ～ 1	3×10^8 ～ 3×10^{11}
红外	8×10^{-7} ～ 1×10^{-3}	3×10^{11} ～ 4×10^{14}
可见光	4×10^{-7} ～ 7×10^{-7}	4×10^{14} ～ 7×10^{14}
紫外	1×10^{-8} ～ 4×10^{-7}	7×10^{14} ～ 3×10^{16}
X 射线	5×10^{-12} ～ 1×10^{-8}	3×10^{16} ～ 6×10^{19}
γ 射线	1×10^{-13} ～ 5×10^{-12}	6×10^{19} ～ 3×10^{21}
宇宙射线	小于 1×10^{-13}	大于 3×10^{21}

片,以便计算机处理。

原子光谱 原子的光谱特性主要决定于它的电子组态,即核外电子数和布局。在稳定情况下,原子的电子只能运动于一系列离散的能态。能态的高低分布形成能级。原子发射光和吸收光是通过其电子的能级跃迁。当电子从高能级E_i跃迁到低能级E_j时可发射一个光子,其频率为$\upsilon_{ij}=\frac{E_i-E_j}{h}$,$h$为普朗克常量。这一过程出于自发时叫自发发射,出于外界光场诱发时叫受激发射;相反的过程是吸收。

在光谱学上,量子数$l=0,1,2,3,4,\cdots$的电子分别用字母s、p、d、f、g、…代表,电子的主量子数n标在其左方,同n同l的电子个数缀在右上角,如$1s^1$、$1s^2$、$2s^2$、$2p^3$、…。根据泡利原理,同n同l的电子最多有$2(2l+1)$个(l支壳层电子定员),同n的最多有$2n^2$个(n壳层定员)。满壳层叫闭壳层,它较为稳定而难以激发,He,Ne,Xe,…即是。闭壳层和闭支壳层外的电子叫价电子。价电子数目相同的原子具有相似的化学性质和光谱性质。元素周期表即按此排列而成。

电子的相互作用能和原子的能级依赖于电子角动量的耦合。在LS耦合中,电子的轨道角动量l_i^*和自旋角动量s_i^*先各合成L^*和S^*,再相加成J^*,并分别量子化,由量子数L、S、J来表征,J可取$L+S$, $L+S-1,\cdots,L-S$,能级跃迁一般限于$\Delta J=0,\pm1$; $\Delta S=0,\Delta L=0,\pm1$,称为选择定则。$LS$耦合意味着电子自身的自旋-轨道相互作用相对较弱。否则L, S失去意义,l_i^*和s_i^*则可先加成j_i^*,然后合成J^*,是为jj耦合。

在外磁场中,原子的m_J能级($m_J=0,\pm1,\pm2,\cdots,\pm J$)因获得不同磁能而发生分裂,结果每条谱线也分裂成几条相近的线。这叫作塞曼效应,是研究原子能级结构的一个有力手段。强外电场产生的谱线分裂则称为斯塔克效应。

分子光谱 分子由两个以上原子组成,核与核的结合靠运动电子同双方相吸引。其中,除电子运动,核还有振动,气体分子还可整体绕其质心转动。三种运动相互关联,相互影响。但分子的能量仍可近似划分为电子能量、振动能量和转动能量,而且三者均量子化。内层电子能量最大,用辐射去激发一般须X射线;价电子能量居次,激发用紫外线或可见光即可;振动能级间差属三,相应谱线落在红外区;转动能级间差最小,谱居微波区段。通常小能量项随大能量项一起改变。例如,分子对紫外线或可见光的吸收并发有振、转能级和电子能级跃迁。因此,分子光谱常比原子光谱复杂得多。

分子光谱学可划分为:①微波光谱学。以微波技术为基础,主要研究气体分子对微波产生的吸收谱。这种谱极具特征性,可提供分子结构数据、电偶极矩等,并可用于化学和天体成分分析。

②红外光谱学。主要研究分子振动谱,3～25微米波长范围是其重点,普遍使用光栅仪器。分子振动的基本模式为简正振动。谱中出现的是伴有电偶极矩变化的分子简正振动的频率。分子及某些基团的红外光谱堪称为分子"指纹",因而广泛用于化学成分分析。从更偏重于理论的角度来说由分子红外振动频率可测定分子的原子间力,并可判断分子的对称性。气体分子的振动谱伴有转动精细结构,它所提供的分子结构信息与微波区内的纯转动谱相同,但分辨率低,唯可用于无极分子。

③拉曼光谱学。光子被分子散射时可与之交换能量,结果在入射频率为υ_0的散射光谱两边对称地出现一系列新线υ_i,称为拉曼光谱,其中$|\upsilon_0-\upsilon_i|$对应于分子的振动或转动跃迁。这种光谱亦用于分子振动和转动研究,与分子红外光谱可相补充。现代拉曼分光光度计以强单色激光为光源,可测量微小样品,并直接绘出散射光谱。

④可见和紫外光谱学。不同物质对特定可见光和紫外线的吸收几乎全都归因于电子激发。电子基态和最低激发态的能量差ΔE决定电子激发所需的最低辐射频率。共价键分子ΔE偏大,吸收多在紫外;铁、镍等过渡金属化合物和共轭键分子(如有机染料)ΔE偏小,吸收多在可见区。大多数分子含偶数个电子,基态为单一态。当其中一个电子被激发时,可形成单一态和三重态。分子由单一激发态直接回到基态所发的光叫荧光,经碰撞转到三重态再回到基态所发的光叫磷光。荧光发光时间短暂(10^{-8}秒),而磷光较长(属禁戒跃迁)。

⑤电子能谱学和分子束光谱学。二者均以测谱技术独特见长。前者用高能量粒子(X射线、紫外辐射、中子等)撞击分子使之电离,由测量外逸电子的动能来确定电离分子的量子态分布;后者令分子定向飞行而光束横向射来与之作用,以消除谱线的多普勒展宽和碰撞展宽。

研究分子光谱的另一种特殊方法是利用双光子或多光子效应。在强光的作用下,一个分子可以在一次跃迁中涉及两个甚至更多个光子;它可以同时吸收两个光子,或是吸收一个光子而发射一个其他频率的光子(如在拉曼效应中)。这种测量方法现在由于有了各种强功率激光器而变得方便易行。它扩大了测谱技术的范围,用于分析复杂光谱功效最著。

射频谱学 原子、离子和分子的某些能级间隔很小,相应谱线出现在10^6～10^{11}赫范围,通称射频谱或微波谱。这些小间隙能级有以下几种来源:①核和电子的磁相互作用(包括自旋-轨道相互作用);②塞曼效应;③分子的振-转能级;④近电离限的高位电子能级。

射频谱的观测大多采用振荡吸收方法。1940年I.I.拉比等人首先应用分子和原子束进行射频吸收测量以测定磁矩。1947年W.E.兰姆和R.C.雷瑟福测量了氢原子$2^2S_{1/2}$和$2^2P_{1/2}$二能级之差(1 058兆赫),否定了理论上二者严格重合的结论,成为最负盛名的射频谱实验之一。对应于1 058兆赫的这一级间差现称兰姆移位。

测量射频吸收的另一种方法叫光学双共振。它让一束光通过样品吸收池并对其强度进行监察,光的频率正对应待测原子的某一跃迁。如果处于有关能级上的原子吸收了射频辐射,则监察光的强度、偏振或方向即发生改变。

利用微波激射原理制成的原子频率振荡器,频率精度极高,可作为时间标准,称为原子钟。铯原子钟的振荡频率为9 192 631 770赫,已被采用作为米制时间标准。

射频谱可用于化学成分和键合形式分析,包括天体研究。核磁共振谱在有机化合物认证上用处颇大。

X射线谱学 在波长为10～100埃的软X射线区,可用光栅分光计进行谱分析,波长更短时则需用晶体分光计。后者系利用间距精确已知的晶体点阵对X射线的衍射效应来测量入射的波长。X射线管的发射谱由连续谱和叠加其上的分立谱组成。前者产生于电子轫致辐射,后者则同阳极材料的原子结构相关联(原子标识谱)。能量足够大的粒子(电子、质子等)撞击原子时可打掉它一个内层电子而留下一个空穴;其余电子即刻调整布局,跃去填充,由此产生标识谱线。标识X射线的波长约与原子序数平方成反比(莫塞莱定律);连续谱的最短波长λ_0与X射线管端电压V之间则有杜安-亨脱关系:

$$eV=\frac{hc}{\lambda_0}。$$

物质的X射线荧光辐射只包含其标识谱线,无轫致辐射背景,可以用于各种材料如动物组织、油漆以及化工原料的定性分析。高温(10^6～10^7 K)等离子体的X射线发射谱可用来测定其成分和温度。同类测量曾经用于天体光源如太阳,但是由于地球大气吸收X射线,测量仪器须由气球、火箭、卫星载入高空。

根据晶体X射线衍射图,用已知波长的X射线可测定晶体的点阵常数、取向和结构。有劳厄法和德拜-谢乐法,分别适用于单晶和多晶。

spectrum 光谱 可见光、紫外线和红外线按波长进行的排列。为按视觉对光谱进行观测而设计的仪器称为分光镜;拍摄或绘制光谱的仪器为摄谱仪。光谱可按其成因性质分为发射光谱和吸收光谱。发射光谱由原子或分子所发出的全部辐射构成;而吸收光谱中,由于光通过物质时有些波长的光被吸收掉,因而在连续光谱(包括所有波长的光)中会空缺某些部分,空缺的波长作为光谱中的暗线或间隙出现。白炽固体的光谱可说是连续的,因为所有波长全都在光谱中出现。然而白炽气体的光谱都是线光谱,因为它所发射的只是几个波长,在这种光谱中看到的是一些平行线、实际上是狭缝的图像,其中每一条都表示不同的波长。线光谱是发出辐射的元素的标识谱。线光谱又叫原子光谱,因为这些线表示原子的电子由一个能级变到另一个能级时所发射的辐射波长。带光谱的名称来源于它由几组靠得很近的线所组成,每一组看上去是一个带,例如氮光谱。带光谱或分子光谱是由分子辐射其转动能或振动能,或同时辐射这两种能量产生的。

spectrum analyzer 谱分析仪 参阅 **harmonic analyzer** 调和分析仪。

speculative grammar 思辨语法 中世纪语言学理论,尤指13世纪后半叶的语言学理论。"思辨"一词并非取其现代涵义,而用其拉丁语源 speculum(镜子)之意,以说明语言反映潜在于物质世界的实质这一信念。据此,思辨语法学家不顾各种语言差别上的"偶发现象",总想寻求一种对所有语言都适用的普遍语法。这种语法的范畴将和逻辑学、认识论、形而上学的范畴互相关联;例如,认为名词和代词表现形而上学的"永恒"的范畴,而各种动词和分词则表示"变化"的范畴。思辨语法学家继承普里西安语法,但重新提出"词类"这一术语以示其"表义诸模式"。他们的许多著作都冠以"表义诸模式"的标题,因而被称为模式学派。他们对普遍语法的探索工作,曾被学者们认为出于见识浅薄而予以批判,批判者提出,因为拉丁语在思辨语法学家们的文化中占有特殊支配地位,遂使他们认为"普遍现象"的产生似乎很有可能。不过,思辨语法比以前的语法都更加有条理性,理论性也更强,而这派学者所研究的各种概念诸如深层结构,意义与语法体系的结合以及普遍现象等直到今天仍然是引人注目的课题。

Spedding, Frank Harold 斯佩丁(1902-10-22,加拿大安大略哈密尔顿～1984-12-15,美国艾奥瓦埃姆斯) 美国化学家。在20世纪40和50年代研究出把单一的稀土元素以低费用还原为金属态的工艺过程,从而使这些物质能以合理的价格供应工业,他还参与提纯1942年第一次自持链式核反应实验所用的铀。他在美国几所高等学校学习后,历任各种教学和科研职务,到1941年任埃姆斯的艾奥瓦州立科技大学物理化学教授。次年参加芝加哥大学的科学家小组,探索测定自持链式核反应的可能性,他同时在芝加哥和埃姆斯两处工作,和H.A.威廉与C.F.格雷一起,找到一种生产极纯的金属铀的方法,用于1942年12月2日芝加哥大学第一次自持链式核反应实验。第二次世界大战后他回到埃姆斯,他的小组的研究取得理论和实践的进展,使低成本生产稀土金属成为可能。斯佩丁任艾奥瓦州立大学原子能委员会的埃姆斯实验室和原子研究所的主任,1968年成为埃姆斯实验室的首席科学家。1968～1976年他成为全国科学院放射性废料管理委员会的成员。

Spee, Maximilian (Johannes Maria Hubert), Graf von 施佩(伯爵)(1861-06-22,哥本哈根～1914-12-08,福克兰群岛附近) 德国海军上将,第一次世界大战初期在科罗内尔和福克兰群岛战斗中指挥德军。1878年参加德国海军,1887～1888年间任德属喀麦隆要塞司令。1908年任德国北海部队参谋长,1912年末任远东舰队司令。第一次世界大战爆发时,施佩正在加罗林群岛驻防,因日本对德宣战(1914-08-22),被迫转驶南美。1914年11月1日,在智利科罗内尔附近洋面,击败英国第4巡洋舰队。英国派出两艘战斗巡洋舰,还击施佩。12月8日,在福克兰群岛附近海域遭遇,施佩的旗舰"沙恩荷尔斯特"号装甲巡洋舰被击沉,舰上官兵皆死。

speech 言语 人类通过口头言语所进行的交际和交流过程及其结果。各种动物虽能发出不同声音并有使之变化的能力,只有人类能学会用发出清晰的喉音的方式来调节自己的语音,使之成为可听的口头言语。

大多数语音是通过肺部发出的气流而形成,气流通过咽喉基部的声带,再经声道(包括喉头、口腔、鼻腔)逸出。语音可以是有声的或无声的。发有声语音时,声带绷紧、缩小声带之间的气流通道(声门);在通过声门的气流压力下,原来绷紧的声带引起一个周期性变化系列,振动声带及声带之间的气流而产生声音。这些振动的频率决定声音的高低;男低音或最低音的振动频率一般是每秒75～100周期;女高音或最高音的振动频率要超过每秒400周期。通过声道的气流由发音器官的作用形成一系列音节的或音段的语音。语音的发音器官主要有舌、腭、唇。发音语音学描述单个语音依据它是有声的还是无声的,依据用以发音的器官的位置和动作。例如S音在英语"sing"这个词中是无声唇齿龈擦音,即气流通过隆起的舌面及上齿龈和双唇而发出的摩擦音。另外的辅音的类别包括塞音或破裂音(气流密闭在口腔中然后吐出,如发T音或D音),无摩擦延续音(气流几乎密闭于口腔中但不产生摩擦,如在"weep"中的W音),颤音(1个发音器官颤动,如西班牙语的R音),边音(气流沿舌边通过,而不从声道中间通过,如"pullet"中双L音)。

元音通过声道无阻碍地产生,传统上是依据发音器官中舌面隆起部位及其高低来分类,如英语"keep"中的双E音是前高元音,"shoe"中的O音则是后低(开)元音。

言语还可以依据句法(把语词结合成词组、分句或句子的规则)来描述,依据词汇(单词的意义,或词素亦即单词之最小意义单位[例如前缀 *un-*]的意义),依据音位(各种语音)来描述。音位学的规则说明用于某一语言的各种语音如何区别彼此的意义;这些语音就叫做音位。例如英语音位学就把/b/和/p/列为有相互区别的音位,如果以此代彼,意义将会改变(如"bin"和"pin"即是)。美国英语中有13个以上的有区别特征的元音音位。

一种语言的音位学规则,也可说明每个音位的交替形式(音位变体)以及某一音位变体将被用于设定的语境中。例如英语中送气的P和不送气的P是/p/音位的不同的音位变体,但变体的选择则由在语境中毗邻的语音而不由意义来决定;例如送气音P常用于词首("park"),而不送气的P音常紧随S音之后("spark")。

因此,一种语言的词汇就是由一系列的音位组合所构成的,每个组合体都代表有某种意义的一个词的基本形式。音位学规则允许每个音位的不同形式与另一音位相组合成为语法所认可的各种句子。

speech, figure of 辞格 有意偏离字面上的叙述或通常的用法以强调、阐明和润饰书面语和口语的手法。辞格成为语言整体的一个部分,早就见于原始口头文学中以及经过修饰的诗歌和散文及日常语言中。贺卡的韵文、广告标语、新闻标题、动画字幕、家庭及各种机构的铭辞,都经常使用各种辞格。通常是为了幽默、便于记忆和醒目的目的。体育、爵士乐、商业、政治或任何专业团体的行话中都有丰富的、经过辞格修饰的语言。

日常言语中的大多数辞格,都是把已熟悉的词汇或众所周知的词汇引申用于不太熟悉的东西上而形成的。例如,源于人体生理部分的隐喻(即寓有相似性),通常可引申到自然界或非生物客体上,如"the mouth of a river"("河口"),"the snout of a glacier"([冰川之鼻]"冰川沉积"),"the bowels of the earth"([地球之肠]"地球内部"),"the eye of a needle"("针眼")。相反,与自然现象相似的东西也经常被用于其他东西上,如"a wave of enthusiasm"([狂热的波涛]"一时的狂热"),"a ripple of excitement"([激动的微波]"一阵激动"),"a storm of abuse"([风暴般的詈骂]"一通辱骂")。此外,还有明喻(通常用"像"、"仿佛"等作比较),如:"We were packed in the room like sardines"("我们像沙丁鱼一样挤在一间屋子里");拟人(把一种抽象概念或无生命客体比作一个人),如"Money talks"("钱能通神";换喻(用此物代替相关的彼物),如"How would the Pentagon react?"("军方反应如何?"——以"五角大楼"代替军方);提喻(以部分代全体),如以"brass"(饰有金穗的军帽)代表"高级将领",以"hard hats"("安全帽")代表"建筑工人"。

其他常用的修辞格有夸张(为了效果而故意夸大),如"I'm so mad I could chew nails"([我真疯狂到了连钉子都能嚼的地步了]"我怒不可遏");激问(为效果而设问,并不要求回答),如"How can I express my thanks to you?"("叫我怎样感谢你才好呢?");曲言(以否定加强语势),如"It's no fun to be sick"("生病可不是好玩的");还有摹声(以词语模仿自然声音),如"crunch"("[压、踏时的]嘎吱声"),"gurgle"("汩汩[流水声]"),"plunk"("[重物落地之]砰砰声"),"splash"("激溅声")等等。

日常生活用语中出现的所有的辞格在文学作品中几乎都可以找到。但在严肃的诗歌和散文中,对于辞格的运用,就完全是有意为之,要更具艺术性,更为细致,以此加强对心智和情感的撞击,加深记忆,有时使其联想和暗示的广度和深度远远超出口语偶尔使用比喻所能达到的效果。

欧洲的各种语言中,辞格通常分为5大类:①相似或相关的辞格(例如明喻、隐喻、代称、奇想、排比、拟人、换喻、提喻、婉言)。②强调或克制(例如夸张、曲言、激问、对照、层递、突降、反论、矛盾修饰法、反语)。③音响的辞格(例如头韵、重复、首语重复、摹声)。④文字游戏和智力锻炼(例如双关和字谜)。⑤讹误(例如近音词误用、迂说和首音误置)。辞格涉及意义变化的,如隐喻、明喻和反语,叫做借喻。

所有的语言都用辞格,但是语言的差异决定不同的语体准则。在没受到古希腊和罗马影响的文化中,有些辞格可能没有。反语似乎更适用于各种高度复杂的文化。日本的诗歌含义细致，其词汇美妙隽永，对西方文化来说几乎达到不可译的程度。阿拉伯文学有丰富的隐喻和明喻，但其结构与西方所熟知的大为不同，翻译时需要多修定。对非洲的口头文学及由之衍生的书面文学作品来说，这种情况也的确如此。

对全世界各种文化曾产生最强烈的文学影响的作品之一就是《圣经》。《新约全书》和《旧约全书》两者都有着极其丰富的明喻、隐喻和拟人法以及希伯来诗歌中特殊的排比辞格。

speech recognition　语音辨识　机器回应口语命令的能力。语音识别可以不用手来操控各种电子设备，这一特点对许多残障人来说特别有益，还能够自动生成可以即时付印的听写文件。最早应用语音辨识的有自动电话系统和医疗用的语音输入软件。现在还经常用于听写、查询数据库以及向计算机化系统下达指令，尤其适用于依赖专用词汇的行业。在任何机器能够诠释语音之前，麦克风必须将人的声音振动转译成像波一样的电子信号。系统的硬件（如计算机的声卡）再把这种电子信号转换成数字信号。语音识别程序分析这种数字信号以辨认出语音的基本建构组件，即分开的音位。然后再把各音位重新组成文字。然而，对于许多听起来很相像的字的挑选，程序则必须依赖上下文。许多程序都是通过三字符串的分析来建立上下文的，这种方法的基础是经常出现的三字组数据库，其中指定了任何两个字后面跟随某个第三个字的机率。例如，如果一个人说"Who am"，那么下一个字将会被辨识为代名词"I"，而不太可能是发音相同的"eye"。不过，语音辨识系统往往需要人的介入来校正错误。识别少数几个孤立的字的程序，如电话声音导航系统，几乎可以为每个用户工作。另一方面，连续的语音程序，如听写程序，则必须经过训练才能识别各人的语音模式；训练包括让用户大声朗读文句样本。如今，随着个人计算机的功能日益强大，语音辨识的准确性已明显提高，在包括数以万计的字词的词汇中，辨识的错误率已经降低到大约5%。专业应用方面的词汇（如放射性诊断的听写），准确率甚至会更高。

speed　感光度　照相术中的一些标准，用以指明：①镜头孔径或光圈的大小；②曝光持续时间；③胶片的感光灵敏度。照相机的光圈或镜头感光度表示镜头开度的大小。光圈调节装置则提供了一种手段，用以调节射入照相机机身的光束的最大直径，从而控制照射到胶片上的光量。用一组称为 *f* 数的标准数表示镜头孔径对焦距的比（参阅 **relative aperture**）。快门速度调节打开快门进行曝光的时间长短。改变快门速度可以控制胶片曝光的时间，并确定照片能把多快的动作"定格"或重现，而不至于造成影像模糊。快门速度的范围一般由1秒到1/2 000秒。胶片感光度表示该胶片的乳剂的感光灵敏度。它通常用ISO（国际标准组织）数表示，这是一种正式的名称，它与ASA（美国标准协会，现为美国国家标准研究所）数等价；在欧洲则用DIN（德国工业标准）数表示。例如，感光度为32ISO/ASA或16/10DIN的胶片就可算作慢速胶片，即感光较不灵敏，在强光下使用最有效；感光度为400ISO/ASA或27/10DIN的胶片可算作快速胶片，即感光相当灵敏，因此适用于光线昏暗的场合，或快门速度非常高的场合。

speed skating　速度滑冰　滑冰竞赛速度的体育运动，13世纪时起源于荷兰。19世纪末始有有组织的国际比赛，1924年被列为第一届冬季奥运会比赛项目。现代速滑冰刀比冰

美国速度滑冰运动员B.布莱尔在1988年冬季奥运会1 000米比赛中

供图：© Allsport USA/Vandystadt/Yann Guichaoua

球和花样溜冰冰刀窄而长。国际速滑比赛跑道有直道和弯道，弯道半径大小以滑行不减速为度。选手两两互赛，在各自跑道上滑行，分别记录成绩。正式比赛跑道长400米。由国际滑冰联盟主持每年举办男子500、1 500、5 000和10 000米，女子500、1 000、1 500、3 000和5 000米世界锦标赛。最近发展起来的短道速滑不像室内或户外冰场上进行的长道速滑那样，它是在室内一条111米长的跑道上进行的。比赛距离为500、1 000、1 500和3 000米。每一场淘汰赛有4～6名运动员参加，超越和领先的战术是这项运动的重要组成部分。国际滑冰联盟（ISU）于1981年给予承认之前，1978～1980年间，每年都举行世界锦标赛。在1992年冬季奥运会上，短道速滑成为正式的比赛项目。

speedometer　速度表　指示车辆速度的仪表，通常与里程表配合使用。速度表的速度指示机构靠一圆形永久磁铁来带动，车辆每行驶1英里，装于变速器后面的齿轮驱动挠性轴就使磁铁转1 000转。磁铁在一可转动的非磁性轻金属杯内旋转，金属杯固定在带指

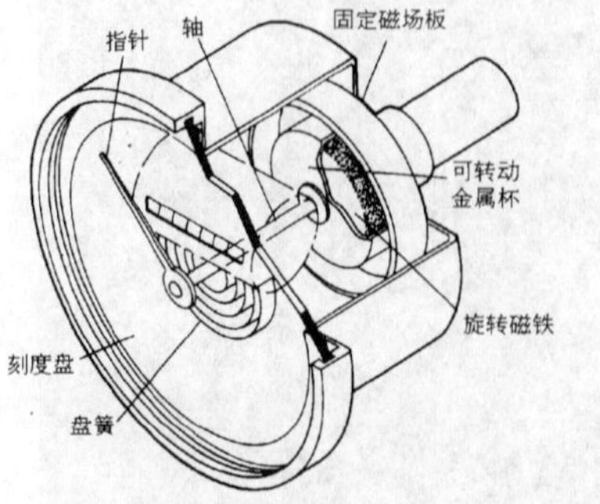

圆刻度盘速度表的机构

针的轴上；由环绕可动杯的圆形固定磁场板构成磁路。磁铁转动时，在可动杯上施加一曳力，使金属杯克服盘簧的约束力而转动。磁铁转动得越快，施加在杯和指针上的拉力就越大。速度指示刻度盘的刻度为英里每小时或千米每小时，在某些型号的刻度盘上两种刻度都有。为了使车辆保持在选定速度，某些车辆的速度表还增添了一种能与发动机节气门连接的装置。里程表记录车辆行驶的距离，它由一齿轮系组成（速比为1 000∶1），它使刻有1英里（或千米）10格的字轮每英里（或千米）转一圈。通常6个字轮组成一排，每一字轮上的数码可从长方形小窗口中观察到。第一个字轮转10圈使第二个字轮转一圈，依此类推。小窗口中所显示的数码表示累计里程。

speedway racing　赛车跑道比赛　在平坦的椭圆形跑道上进行的汽车或摩托车竞赛。在封闭式公路或部分模拟公路条件的其他道

德国的摩托车跑道比赛

供图：Authenticated News International

上进行的赛车跑道比赛和大奖赛始于1906年。摩托车跑道比赛出现较晚，于20世纪20年代兴起于澳大利亚，30年代流行于欧洲。比赛在平坦的椭圆形小跑道上，由带小油箱无刹车的轻型摩托车进行。此类比赛的跑道周长约320米，表面为土、灰渣、草或沙。世界锦标赛从1937年起在国际摩托车联合会监督下举行。

speedwell 婆婆纳 玄参目(Scrophulariales)婆婆纳属(*Veronica*)植物,尤指小型、有时蔓延成片的草本种类。约250～300种。主要

兔儿尾苗(*Veronica longifolia*)
供图:Werner W. Schulz

产于北半球。该属植物花小,通常白色、蓝色、紫色或粉红色,栽培供观赏。

Speedwriting 快速书写法 运用字母和标点符号的速记系统,由E.迪尔伯恩约于1924年在美国发明,本名即其注册商标。使用快速书写法时,根据发音书写单词,只用长元音来标明,如you就写成u,file写成fil。为了加快书写速度,对有些字母进行了修改(例如字母i不加上面的小点)。这个系统还运用缩写和花体字。花体字的运用如在词的结尾字母下划一条线以表示ing。快速书写法比较易学,但写起来不像皮特曼或格雷格速记法那样快,因为后两者用的是符号,而不是普通字母。有28个国家用数种语言(包括德语、阿非利堪斯语、西班牙语和意大利语)教授快速书写法。

Speelman, Cornelis Janszoon 斯佩尔曼(1628-03-03,荷兰共和国鹿特丹[今荷兰]～1684-01-11,荷属东印度群岛巴达维亚[今印度尼西亚爪哇雅加达]) 荷兰军官、荷属东印度总督(1681～1684)。他把荷兰在东印度群岛的商业帝国加速转变为不断扩大的领地。1645年任荷兰东印度公司职员。1663年任科罗曼德尔海岸省长。1666年率远征队征服望加锡。1671年出任东印度评议院议员,他力主用武力解决土著之间的纠纷,以便荷兰人从中渔利,获得更多的领地。当两派为争夺爪哇岛上大帝国马打蓝国帝位而进行战争时,他任荷兰军司令,趁机征服马打蓝,使其成为荷兰的属国。1681年任总督后,他把在万丹居住的其他外国人统统赶走,让荷兰人取得贸易的垄断权。

Speenhamland system 斯品汉姆兰制度 英格兰大部地区曾经实施的贫民救济办法。最初于1795年5月6日由伯克郡斯品汉姆兰的地方长官决定,故名。这种办法不是为贫困的劳工规定最低限度工资,而是从教区地方税中拿一部分钱补贴工人收入使之达到一定水平。补贴标准为:每个工人每周给与约12千克面包折合的金额,他的妻子和每个孩子则按6千克折合。这笔钱包括一切消费支出。此项制度实行到《济贫法修正案》(1834)实施为止。

Speer, Albert 施佩尔(1905-03-19,德国巴登曼海姆～1981-09-01,伦敦) 希特勒的主要建筑师(1933～1945)、军备和战时生产部部长(1942～1945)。先后就读于卡尔斯鲁厄、慕尼黑及柏林的技术学校,1927年获建筑执照。1931年1月加入纳粹党,深得元首青睐。希特勒任总理后,施佩尔成为他的私人建筑师。曾承担重建整个柏林计划(没有完成)等重任。1942年就任军备和军火部长,翌年该部扩大为军备和战时生产部,他主管军械生产、运输及部署,全权掌管原料及工业生产,他扩大了强制征召和强迫劳动制度,劳动力主要来自集中营,以维持纳粹德国战争物资的生产。他在1945～1946纽伦堡审讯中供认了罪行,在西柏林施潘道监狱服刑20年。1966年获释后著有《第三帝国内幕》(英文版1970)等书。

Speier(Germany) 参阅 **Speyer 施派尔**。

Speke, John Hanning 斯皮克(1827-05-03,英格兰德文比迪福德～1864-09-15,威尔特科舍姆附近) 英国探险家,第一个到达东非维多利亚湖的欧洲人,并正确地断定该湖是

不列颠博物馆供图

尼罗河河源。1844年在英国驻印度旁遮普的陆军中服役,曾到喜马拉雅山和西藏旅行。1855年4月参加R.伯顿的探险队到索马里兰探险,因被索马里人袭击受重伤而中止探险。1856年12月在桑给巴尔岛再次参加伯顿的探险,目的是寻找传说位于非洲内地的是尼罗河源头的一座大湖。调查东非海岸6个月以寻找去内地的最佳路线之后,他们两人于1858年2月成为最先到达坦噶尼喀湖的欧洲人。他在归途中与伯顿分手,单独向北前进。7月30日到达他以维多利亚女王命名的大湖,并断定尼罗河发源于这个湖,伯顿不同意他的结论,英国许多人对此也持异议,但是皇家地理学会(此次探险的赞助者)却表彰了他的功绩。在第二次探险中(1860)他和J.格兰特将维多利亚湖的一部分绘制出地图。1862年7月28日斯皮克(这段行程格兰特未陪伴)找到这个湖流入尼罗河的出口,并命名它为里彭瀑布。他们试图沿着这条河前进,但由于部落战争只得改变路线。1863年2月到达苏丹南部的贡多科罗。在这里他们遇见了探索尼罗河的S.贝克及F.萨丝(后来成为贝克之妻),斯皮克和格兰特告诉他们,听说在维多利亚湖以西还有另一个湖。这个信息帮助了贝克的探索队找到尼罗河的另一源头,即艾伯特湖。斯皮克找到尼罗河源头的说法在英国再次遭到异议。在他准备就这个问题与R.伯顿公开辩论的那天,因打猎时自己的枪支走火而丧生。其探险记在1863和1864年出版。

speleology 洞穴学 全面研究岩洞和岩洞系统的学科。探索和描绘岩洞及其特征是洞穴学的主要焦点。但是在这门学科里,完成了关于石灰岩的化学溶融、石钟乳和石笋形成的速率、地下水和一般水文条件的影响及洞穴发育模式等的大量研究工作。最基本的要求是把地质知识和水文知识应用于与地下洞穴系统有关的问题上。作为消遣癖好的业余洞穴考察叫作探洞业。

speleothem 参阅 **cave deposit 洞穴沉积**。

spell 咒语 指为了达到法术的目的而编成的语句。据说,正确地念诵咒语并辅以姿势,能够启动超自然力;有些社会认为,如把咒语念错不仅法术无效,而且会使念者丧命。有些咒语用古语,念者不见得懂其意思。人们认为,有些咒语用词虽无意义却为人们所熟悉,它们的效验在于传统的价值。但是,很多咒语都明确而直接地表达念者的目的。咒语含沙射影,以此喻彼,暗示具体的效验,大量使用明喻以及暗喻。例如澳大利亚的毛利人的咒语,为了使独木舟能够迅速灵便,念到飞鸟之速和海鸥之轻,并作出簌簌之声以形容其快,配以海浪滔滔之声。祝福和诅咒都是由口中吐出,人们相信,它们的效验来自用语本身或者超自然体的神圣力量。祝福不仅包含语言,还可以包含姿势,例如按手于受祝人的头上。诅咒是希望招来伤害或灾祸,往往是针对他人,但是,在誓词、协定和条约上,针对本人的有条件的诅咒也是一种重要内容,谓如本人食言违约或不讲实话则如何如何。

spelling bee 拼读比赛 一种游戏。由裁判读出一词,竞赛者将该词所含字母顺序朗读出来。可进行个人赛,拼错一次者即被淘汰,坚持到最后者胜。亦可分组赛,最后所余人数较多的一组胜。拼读比赛是一个老习俗,19世纪末在美国学校里恢复起来流行一时,同样在英国也盛行一时。美国至今每年举行地区和全国性比赛。

spelter 粗锌 用还原矿石获得的熔融锌液浇铸成的锌块。粗锌是锌的最普通的商品形式。参阅 **zinc**。

Spelthorne 斯佩尔索恩 英格兰萨里行政郡一区(自治市)。属米德尔塞克斯历史郡。南、西两面濒临泰晤士河,北面和东面邻接大伦敦。包括斯泰恩斯(主要居民点和区行政中心)、阿什福德、谢珀顿、森伯里和伦敦希思罗机场南缘。有许多大型水库,主要向伦敦供水。面积 56 平方千米。人口约 88 600(1998)。

Spelvin, George 斯贝尔文 美国戏剧演员表上的一种惯用名,用来掩饰双重角色,或指一具死尸的名字及其他人形化的道具。在百老汇上演 C.A.加德纳的《小贩卡尔》(1886)的演员表中首次出现该名。W.史密斯在他的许多剧作中采用了这个角色。第一次采用这个人物的是《酿酒汉的几百万元》(1906)一剧。格里菲思在史诗性影片《一个国家的诞生》(1915)中使斯贝尔文成为一个北军士兵,而在《走向东方》(1920)中把他变成一个舞蹈者,在获奥斯卡奖的《走向永恒》(1953)一片中他则变成了一个小角色。在电视系列戏剧片《逃亡者》中,斯贝尔文第一次被列入电视剧演员表中。如果需要女性人物时,该姓名便变成乔治安娜(或乔治特)·斯贝尔文。斯贝尔文的英国对应名称是沃尔特·普林治、F.阿尼先生和巴特先生。

Spemann, Hans 施佩曼(1869-06-27,符腾堡斯图加特～1941-09-12,德国布赖斯高地区弗赖堡) 德国胚胎学家,因发现胚胎诱导效应,而于 1935 年获诺贝尔生理学或医学奖。初在海德堡大学、慕尼黑大学及维尔茨堡大学学医,又学过动物学、植物学及物理学并毕业。1894～1908 年于维尔茨堡动物研究所工作。曾任罗斯托克大学教授(1908～1914)、柏林威廉皇帝生物研究所所长(1914～1919)及弗赖堡大学动物学教授(1919～1935)。毕生研究蝾螈早期发育,据此建立胚胎诱导概念。他的研究表明,胚胎各部分的命运在最早时期并未决定:若切下一块预期的皮肤组织移植在预期的神经组织区,则形成神经组织,而不是皮肤。这些结果不仅阐明了发育的正常过程,也阐明了先天畸形的起因。他的研究工作汇总在《一个发育理论的实验基础》(1936)一书中。

Spence, A. Michael 斯彭斯(1943,美国新泽西蒙特克莱～) 美国经济学家。因与 G.A.阿克尔洛夫、J.E.斯蒂格利茨为信息不对称市场理论打下基础而同获 2001 年诺贝尔经济学奖。曾就读于耶鲁大学(文学士,1966)、牛津大学(文学硕士,1968)和哈佛大学(哲学博士,1972)。任教于哈佛和斯坦福大学,1990～1999 年任斯坦福大学商学院院长。通过对信息不对称市场的研究,他提出了"信号传递"理论,昭示市场中信息较多的人如何将信息与信息较少的人沟通,以避免因选择不利而产生的问题。在他 1973 年开创性的论文《就业市场信息传递》中,斯彭斯表明大学学位如何将求职者的才智信号传递给未来的雇主。其他例子包括公司大额分红以显示盈利程度以及制造商出具保证书以表示产品的高品质。

Spence, Sir Basil (Urwin) 斯彭斯(1907-08-13,孟买～1976-11-19,英格兰萨福克郡艾伊) 英国建筑师,以重建在第二次世界大战中被炸毁的考文垂大教堂闻名。先后在伦敦和爱

供图:J.S.Lewinski

丁堡建筑学院学习,后来在 E.勒琴斯的建筑事务所工作。大战前设计过很多乡村住宅。1951 年获得新的考文垂大教堂(1962 年建成)设计竞赛奖。他的方案庄严、富丽,并且与炸毁的 14 世纪教堂的残迹融合为一体。他强调建筑与风景的协调,苏塞克斯大学校园是这两者巧妙结合的上乘佳作。他还曾设计教区教堂、居住区、公寓楼、剧院、工厂以及办公楼等。1961～1968 年,任英国皇家学院的建筑学教授。其他建筑作品有罗马的英国大使馆(1971 年建成)和 1967 年蒙特利尔博览会中的英国馆。1973 年出版《老城中的新建筑》。

Spence, Kenneth Wartinbee 斯彭斯(1907-05-06,芝加哥～1967-01-12,得克萨斯奥斯汀) 美国心理学家,曾试图建立一种综合的行为学说,包括条件反射及其他简单的学习和行为方式。在加拿大长大、学习,1930 年回美国就读于耶鲁大学,三年后获博士学位。他对行为的研究开始于他在奥兰治帕克的耶鲁灵长类生物实验室工作时(1938),他转至艾奥瓦州立大学继续这一工作,1942 年成为该校心理系主任。1964 年他离开艾奥瓦到奥斯汀得克萨斯大学任心理系主任。他经过研究确信,在特定刺激和反应之间建立联系,当正确反应出现时就给予奖励从而加以强化,这样就产生辨别学习。在《行为学说与条件反射》(1956)一书中,他将自己的发现与一般性行为以及特定学习系统联系起来,在他看来,学习潜力的强度取决于反应所满足的驱力(如饥饿、性)的强度以及鼓励的强度,后者主要指所给强化的量以及反应与奖励之间的间隔时间。

Spencer, Sir (Walter) Baldwin 斯潘塞(1860-06-23,英国兰开夏郡斯特雷特福德～1929-07-14,火地岛) 英国生物学家和人类学家,是进入澳大利亚人类学研究领域的第一个有训练和有经验的科学家。1881 年就学于牛津大学埃克塞特学院,1884 年以自然科学方面的优异成绩取得学士学位。1887 年任墨尔本大学生物学教授。1894 年斯潘塞参加霍恩科学考察团去澳大利亚中部考察,结识了一直独立研究土著居民的 F.J.吉伦。1896 年两人合作进行研究,1899 年发表《中澳大利亚的土著部落》。由于熟悉土著居民并取得了他们的信任,斯潘塞和吉伦积累了大量有关当地居民的风俗、礼仪和信仰的资料。1904 年合著《中澳大利亚的北方部落》。斯潘塞认为土著居民的社会组织可以说明人类发展中的早期阶段的状况。1901 年斯潘塞被选为英国皇家学会会员,1916 年受封为爵士。另著有《阿兰达人:石器时代人类研究》(1927)、《澳大利亚未开发地区漫游记》(1928)。卒于赴火地岛考察途中。

Spencer, Charles 斯潘塞 参阅 Sunderland, Charles Spencer, 3rd Earl of *森德兰伯爵(第三)*。

Spencer, Herbert 斯宾塞(1820-04-27,英国德比郡德比～1903-12-08,苏塞克斯布赖顿) 一译斯潘塞。英国哲学家、社会学家、早期的进化论者。自学成才,主要学习自然科学。曾

供图:Gernsheim Collection, the University of Texas at Austin

任铁路工程师及报刊副编辑。1846 年起研究哲学、社会学、心理学、自然科学。著作甚多。他强调用科学方法来研究社会现象。认为哲学是各专门学科基本原理的综合,是用以代替中世纪神学体系的科学的总结。试图将自然科学及社会科学知识总结为一个综合哲学体系。著《综合哲学》10 卷,对生物学、心理学、人类学、社会学的发展影响甚大。在《发展假说》(1852)中反对特创论。在《进步:其规律及原因》(1857)中将贝尔的观点(生物的个体发育是从同质到异质)应用于太阳系、生物物种、人类社会、工业、艺术、语言和科学的进化。他早于达尔文提出进化观点,但认为获得性可遗传,之后才接受自然选择说,1864 年在《生物学原理》中创"适者生存"的提法。在《第一原理》(1862)中认为宇宙及生物发展的动力是一种未知和不可知的力。在《社会静力学》(1851)中将进化论引入社会学,认为社会通过劳动分工而进化,从无分化的游牧部落发展到复杂的文明社会。比较了动物机体和社会机体,认为两者均有调节系统(中枢神经和政府)、维持系统(消化系统和工业)、分配系统(动脉、静脉和铁路、电报等);但在动物只存在离不开整体的意识,而在社会中意识仅存在于每个成员;社会为其成员的利益而存在,而不是其成员要为社会的利益而

存在。他将社会主要分为军事社会及工业社会两类;他反对原始的专制主义,而主张文明的个人主义。指出19世纪后半期自由党人又转而出现专制倾向,主张真正自由主义应限制议会的权力,认为分化、发展的社会优于单调、静止的社会。

Spencer,John Charles Spencer,3rd Earl 斯潘塞(1782-05-30,伦敦~1845-10-01,英格兰诺丁汉郡克莱沃思附近) 又称奥尔索普子爵。英国政治家,下院领袖,1830~1834年

伦敦国立肖像画陈列馆供图

任财政大臣。他曾大力协助1832年改革法案的主要起草人约翰·罗素勋爵(后为伯爵),使该法案得以在下院通过。虽无过人才华,但为人正直,有胆有识。他成功地领导了由辉格党人、激进分子和爱尔兰人杂凑起来的多数,以对付R.皮尔领导下的反对党。他从1804年起在下院任议员达30年。1827年辞去辉格党反对派的领导职务,但在1830年11月加入第2代格雷伯爵的新内阁。他曾提出限制纺织厂雇用童工的1833年工厂法案。他反对对付爱尔兰民族主义者的"高压"法案,导致格雷的辞职(1834)。他留任4个月,继承伯爵爵位后退出政治舞台。

Spencer,Lilly Martin 斯潘塞(1822-11-26,英国埃克塞特~1902-05-22,美国纽约州纽约) 原名Angelique Marie Martin。美国画家。曾创作享有盛誉的风俗画、插图和肖像。父母为法国人,1830年由英国移民美国。幼年即表现出艺术天才,师从当地艺术家学习绘画及油画。1841年在俄亥俄州玛丽埃塔展出其油画,获得成功。同年秋定居于俄亥俄州辛辛那提。几年后即在当地确立其重要艺术家的地位。1844年与B.斯潘塞结婚,1848年移居纽约市,其作品在全国设计学会和美国艺术联盟成功展出。她的风俗画和轶事画,通过美国艺术联盟和西部艺术联盟进入了千家万户,她也成为全国知名的人物。她还为杂志和诸如E.F.埃利特的《美国革命妇女》(1850)等书画插图,以及为私人画肖像。她的肖像作中有哈里逊总统夫人和女权主义者E.C.斯坦顿。后在纽约建立画室,1869年创作她的里程碑油画《真实揭露虚假》,被誉为杰作。在以后的岁月中她声望下降,但依然作画。

Spencer,Robert 斯潘塞 参阅**Sunderland,Robert Spencer,2nd Earl of** **森德兰伯爵(第二)**。

Spencer,Sir Stanley 斯潘塞(1891-06-30,英格兰伯克郡库克姆~1959-12-14,白金汉郡塔波罗) 两次世界大战之间英国的主要画家之一,其作品主要采用基督教题材,具有超

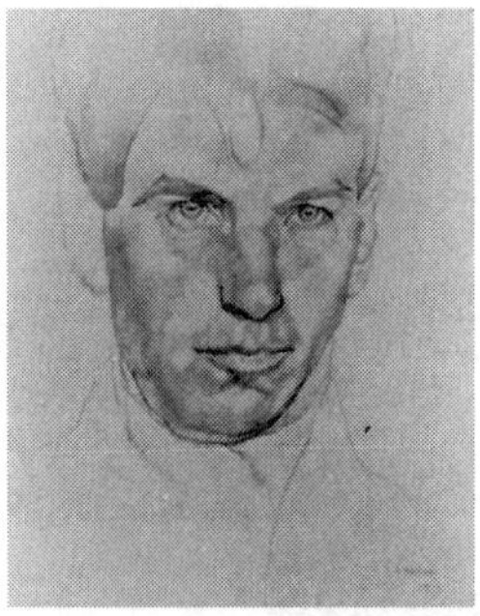

斯潘塞自画像
伦敦国立肖像画陈列馆供图

现实主义的风格,造型扭曲,讽刺性强。曾在斯莱德学院学习,在英国新艺术俱乐部首次展出作品。大型画《复活》(1928~1929,汉普郡巴勒克莱尔的桑达姆纪念教堂藏)描绘的是库克姆教堂墓地里的阵亡士兵正挣扎着从坟墓里爬出,走向布满十字架的田野。在《复活:格拉斯哥港》(1950,伦敦塔特陈列馆藏)里,臃肿的人物辗转蠕动,有如中世纪关于世界末日的雕刻。他也画风景画和讽刺荒谬行径的幽默画。如《保育室》就是讽刺父母与子女关系的作品(1936,纽约市现代艺术博物馆藏)。1950年被选入皇家学院,1959年晋封为爵士。

Spencer carbine 斯潘塞卡宾枪 美国C.M.斯潘塞发明的边缘发火的连发枪。1860年获卡宾枪专利。枪托中的弹仓装有7发枪弹,在18秒内可将枪弹全部射出。枪弹靠弹仓内弹簧的压力推进枪膛。这种卡宾枪加上一个布莱克斯利弹匣,就可大大提高持续射击能力。弹匣内有6~13根锡管,每管装7发子弹。它是骑兵专用武器,通常用0.52英寸直径的枪弹,枪管长22英寸,全长39英寸。斯潘塞步枪与卡宾枪的设计相似,仅枪管长47英寸。

Spencer Gulf 斯潘塞湾 澳大利亚南澳大利亚州东南海岸的印度洋三角湾。位于艾尔半岛与约克半岛之间,最宽处80英里,长200英里。主要港口有怀阿拉、皮里港、奥古斯塔港和林肯港。

Spencerian penmanship 斯潘塞书法 出生于俄亥俄州杰尼瓦城的P.R.斯潘塞(卒于1864)所创草书体。由于他的5个儿子和1个侄子的热心提倡,斯潘塞书法在19世纪

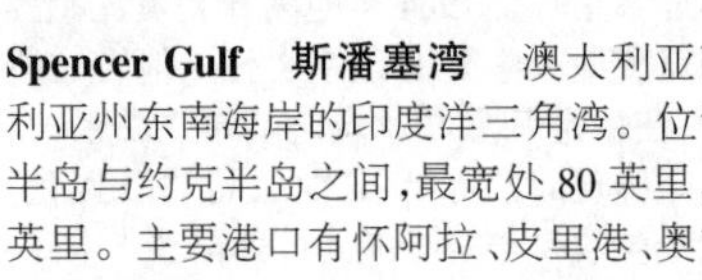

P.R.斯潘塞1850年书写的《拓荒者赞歌》
美国不列颠百科全书公司供图

50~80年代间成了最流行的书法教学范本。因纽约州公共教育负责人V.M.赖斯曾与之合作,使斯潘塞得以在1848年开始发行成套的刻印的板条式字帖,发行量数以千计。19世纪50年代继这些板条式字帖之后,美国学校使用镌版和平版印刷的斯潘塞书法习字模本又达数十年之久。

Spender,Sir Stephen 斯彭德(1909-02-28,英国伦敦~1995-07-16,伦敦) 英国诗人、评论家。在20世纪30年代以表现那个时期在政治上感到悔恨的左翼"新作品"的诗而享有声誉。曾在牛津大学学院求学。早期作品《诗集》(1933)、《维也纳》(1934)、诗剧《审判官的考验》(1938)和《静止的中心》(1939),深受德国的R.M.里尔克和西班牙的F.加西亚·洛尔卡的影响。他的诗歌的最重要特点是表达了一种自我批判和富于同情心的性格。他人道主义和诚实的声誉在后来的诗集中得到充分的证明。这些作品有《废墟与憧憬》(1942)、《献诗》(1947)、《生存的边缘》(1949)、《诗集》(1955)、《诗选》(1965)、《慷慨的日子》(1971)和《多尔芬一家》(1994)。从40年代起以撰写洞察入微的评论和编辑有影响的期刊《地平线》(1940~1941)和《遭遇》(1953~1967)而闻名。还写有短篇小说《燃烧的仙人掌》(1936)、长篇小说《落后的儿子》(1940)、文学评论《破坏性因素》(1935)、《创造性因素》(1953)、《一首诗的创作》(1955)、《现代的斗争》(1963)、自传《世界中的世界》(1951)和随笔集《三十年代及其后》(1978)。记述其中国之行的《中国日记》出版于1982年。第二次世界大战时,当过消防队员(1941~1944)。战后曾数次访问美国,在美国各大学任教和讲学。1970年任伦敦大学学院英语教授,1977年为荣誉退休教授。1983年被封为爵士。

Spener,Philipp Jakob 斯彭内尔(1635-01-23,上阿尔萨斯拉波尔茨韦勒~1705-02-05,柏林) 神学家、著作家、虔敬派领袖。1651~1659年在施特拉斯堡学习,立志要改革信义宗正统派神学和习俗,特别反对教会组织僵化和教牧人员行为涣散。31岁主持美因河畔法兰克福的信义会,创办称为"虔敬学校"的团体多处。与德国教牧人员有大量通信。1675年著《虔诚的愿望》一书,此书概述虔敬主义的基本纲领。有人认为他过分强调实践,失之偏颇,有损于教义。1691年迁居柏林,任圣尼古拉教堂教长。在勃兰登堡普鲁士宫廷的支持下实行改革。1694年勃兰登堡选帝侯按虔敬派原则成立哈雷大学。由于斯彭内尔的推荐,他的门生托马西乌斯和弗兰克在该校任职。斯彭内尔死时,虔敬派已在德国确立,其影响及于英格兰乃至美洲英属殖民地。

Spengler,Oswald 施本格勒(1880-05-29,德国布兰肯堡~1936-05-08,慕尼黑) 德国哲学家。他的有影响的一部研究著作《西方的没落》(2卷,1918~1922)使他获得声誉,此书对社会理论的研究贡献甚大。1904年在哈雷取得博士学位后,任小学校长直到1911年。这年他迁居慕尼黑,继承了一小笔遗产,以此为生,并开始写作《没落》一书。第1卷于1918年出版后立刻受到广大读者的欢迎。

第2卷出版于1922年,一年后又出了第1卷的修订本。《没落》是一部关于历史哲学的研究著作。他争辩说,由于大多数文明都必须经历一个生命周期,因此历史学家不仅能重

供图:Deutsche Fotothek, Dresden

建过去,而且能预言"我们西方历史尚未完结的各阶段的思想方式、时间的长短、节奏、意义和成果"。和A.汤因比后来认为文化通常都"脱胎"于较老文化的观点不同,他认为一种文化的精神决不能转入另一种文化。他相信西方已经度过"文化"的创造阶段,而进入反省和物质享受(根据他的用语,这是"文明"的本义)的阶段,而未来只能是无可挽回的没落阶段。因为文明的兴衰如同生命机体的生死,均无法再现。专业学者们对他的著作很少表示赞赏。他们对他的那种非正规的方法甚为反感,因他书中有那样多的事实错误而予以卑视。尽管他的政治思想和纳粹的信条有相似之处,但他还是受到国社党的批评。自1933年希特勒掌权之后,他一直过着孤独的生活,直至去世。

Spenser, Edmund　斯宾塞(1552或1553,英格兰伦敦～1599-01-13,伦敦)　英国诗人。其长篇寓言诗《仙后》是最伟大的英语作品之一,用后来称为**斯宾塞诗节**(**Spenserian stan-**

剑桥大学彭布罗克学院供图

za)的诗体写成。他对下一代诗人产生了很大影响,富于感性描写的风格和九行诗节后来为18世纪末、19世纪初的浪漫主义时期的诗人拜伦和雪莱所钦佩和模仿,至今仍被视作英国文艺复兴的先驱之一而被广泛研究。生于伦敦一个并不富裕的家庭,自幼勤奋好学,1569年入剑桥大学彭布罗克学院,1573年获文学士学位,1576年获文学硕士学位,使他有机会接触到拉丁文和一些希腊文的经典作品,以及意大利、法国和英国的文学。因此,他熟悉抒情诗和叙事诗的传统形式和主题,为他的创作打下基础。《牧人月历》(1579或1580)可称作英国文艺复兴的第一部作品,由12首牧歌组成,以每月的名字为题,假托牧人之口讨论生活和爱情问题,其中一个牧人柯林·克劳特就是诗人自己。牧歌《四月》歌颂牧羊女伊丽莎,实际上是指伊丽莎白一世女王。诗中用了不少古英语字词,部分因为诗人希望像乔叟一样继承较古的英语诗歌的传统,但这在他后期诗歌中并不显著。斯宾塞写此诗时正在莱斯特伯爵手下服务,他把此诗献给后者的侄子菲利普·锡德尼爵士,并成了以爵士为首的文学圈子的成员。他被派往爱尔兰,在英国殖民政府中服务达19年,但没有中断诗歌创作活动。在他的主要著作《仙后》(6卷,1～3卷,1590;4～6卷,1596)中,斯宾塞首创了九行诗节,前8行诗各为五音步10个音节,而最后一行诗则为六音步12个音节,韵律为*ababbcbcc*。他不愧为这种诗节的圣手,把画景、乐感、韵律、故事融为一体,用色彩、象征、传奇、民间传说和神话隐喻勾勒出一幅绚丽的中世纪骑士故事的画面。每卷大体写一个骑士,各分别代表圣洁、节制、贞操、友谊、公正、礼貌等美德。他把人生经验写为道德的追求、朝圣和渴望、对未知的敌人的永恒战争,以及遭遇、危机和突然的启示。《仙后》的出版得到沃尔特·雷利爵士的帮助。在雷利的劝说下,斯宾塞把《仙后》献给伊丽莎白女王,得到一小笔终身年金的报酬。其他重要诗作还有十四行诗组《小爱神》(1595)、《结婚曲》(1595)和《赞歌四首》(1596)。这些诗中交织着柏拉图式的爱情观和基督教教义。死后葬于威斯敏斯特教堂中乔叟的墓旁。

Spenserian stanza　斯宾塞诗节　一种诗体,包含8行抑扬五音步的诗句,后面跟着抑扬六音步诗行(亚历山大诗体)的第9行。韵式是*ababbcbcc*。前8行有形式划一的效果,六音步的一行则使全节的构思趋于完整。这种诗节是斯宾塞在他的《仙后》(1590～1609)中首创,但它的起源却可以上溯到古法国谣曲(8行诗节,韵式*ababbcbc*)、意大利的8行三韵诗(抑扬五步格的诗句8行,韵式*abababcc*)和乔叟在《修士讲的故事》中所用的诗节格式(8行,韵式*ababbcbc*)。这种诗节在当时是一种革新,但在17和18世纪人们一般不再采用。浪漫派诗人在19世纪又恢复了这一诗体,如拜伦的《恰尔德·哈罗尔德游记》、济慈的《圣爱格尼斯之夜》、雪莱的《阿多尼斯》。

Spenta Mainyu　圣灵　琐罗亚斯德教教义中,由智慧神阿胡拉·玛兹达为了与凶神安格安·曼纽相抗衡而创造的神圣灵体。圣灵是智慧神本身的一个方面,是智慧神用以行善的工具。阿胡拉·玛兹达通过圣灵创造生命和善。按琐罗亚斯德教义,圣灵保护许多领域和生灵——天、水、地、草木,以及尚未出生的儿童。

Speransky, Mikhail Mikhaylovich, Graf (Count)　斯佩兰斯基(1772-01-12,俄罗斯切尔库季诺～1839-02-23,圣彼得堡)　沙皇亚历山大一世和尼古拉一世统治时期最重要的政治家,伯爵。主持编纂了《俄罗斯帝国法律大全》和《俄罗斯帝国法规汇纂》。乡村教士之子,12岁时入弗拉基米尔神学院学习,他很快表现出出众的分析问题和表达思想的能力。后入圣彼得堡高等神学院深造,毕业后留校任数学教师,1795年任哲学讲师。就在这时,他的前程发生了根本性的变化,库拉金公爵请他去做秘书。他在公爵府中进一步理解法国的启蒙思想,并且初次接触到康德的理性哲学。1796年沙皇保罗一世即位,库拉金任参政院总检察长,大权在握。他把斯佩兰斯基从低级官阶迅速向上擢升,1798年底(当时不到27岁)就已经名列权贵,拥有古老贵族的全部特权。同年与一英国女子结婚,生一女,不久丧妻。库拉金失宠以后,斯佩

供图:Novosti Press Agency

兰斯基以其圆滑的手腕和出众的才干而继续留任要职。在保罗的继承人亚历山大时期,他担负更为重要的任务,最初在内政部任职,并且成为俄国第一家官方报纸《圣彼得堡新报》的主要创办人。1807年他与沙皇的关系更加密切,成为沙皇的行政秘书。1808年随亚历山大参加与拿破仑的会谈,被拿破仑称为"俄罗斯唯一清醒的头脑"。1809年提出严重损害贵族利益的议案,要求所有官吏在每次晋级时都必须参加考试,否则不予提升。因此触怒贵族,被蔑称为"教士的崽子"。同年,斯佩兰斯基还提出新宪法,主张将全体国民分为3个等级。他们具有不同的政治地位和公民权利。他又建议设立一个由选举产生的议会(杜马)和一个由沙皇任命的枢密院。1807～1812年间,斯佩兰斯基实行一些财政和行政改革。但他的亲法倾向加深了贵族对他的仇恨。1812年3月,他突然被罢官免职。在半夜回到家中的时候,看到有一辆警车停在门口。还没有来得及同女儿告别,就开始了被流放到下诺夫哥罗德去的长途跋涉,不久又押解到更为遥远的彼尔姆(在乌拉尔山)。两年后获准回到诺夫哥罗德附近的庄园。1816年恢复公职,任奔萨省省长。1819年升任西伯利亚总督。1821年回彼得堡任枢密官。这次他小心翼翼,缄口不提"改革"二字,以免再次激恼沙皇。在亚历山大一世的继承者尼古拉一世在位时期,他的卓越才能再次得到发挥。开始,他担任审判十二月党人的特别法庭法官。同年,他实际上成为沙皇私人办公厅第二处处长,仍不改当年埋头苦干的作风。他的重大成就是在1830年出版的《俄罗斯帝国法律大全》。在此基础上,他主持《俄罗斯帝国法规汇纂》的编辑工作。1837年,斯佩兰斯基获得最高一级的安

德烈大勋章。1839年1月封伯爵。几个月后卒于圣彼得堡。

sperm 精子 又作spermatozoon。有性生殖中的雄性生殖细胞(配子)。为单倍体。与卵(雌配子)融合成为合子(二倍体)。除线虫、十足目(如蝲蛄)、倍足纲(如千足虫)及螨外,动物精子均有鞭毛。在高等脊椎动物,特别是哺乳动物,精子由睾丸产生,成熟精子分头尾两部分。头部形状随动物种类不同而异。人精子的头部扁平,杏仁状,长4～5微米,宽2～3微米。头部主要为细胞核,含染色体。精子细胞只有23条染色体,卵子亦只有23条染色体,二者结合后形成的合子有46条染色体,可决定子代的性状。精子细胞亦带有决定子代性别的染色体。精子头部顶端为一帽状顶体,含有可帮助精子进入卵子的化学物质。虽然每次射精排出3亿～4亿个精子,但只有一个精子与卵子结合。每个精子与每个卵子中染色体携带的遗传信息略有不同,因此同一父母所生子女的性状有异有同。精子的尾部由一束毛发样的细长微丝构成,并与头部连接,因此有时称为鞭毛。鞭毛约长50微米,靠近头部端直径为1微米,尾部末端直径不到0.5微米。精子通过尾部的摆动运行到卵子处。精子头、尾之间是中间部分,主要由线粒体构成。进入女性生殖道的精子可存活2～3天,精子亦可在冰冻情况下贮存几个月或几年而仍然保持其使卵子受精的能力。参阅**Spermatogenesis**。

sperm oil 鲸蜡油 与鲸蜡(**spermaceti**)一同取自抹香鲸颅腔及鲸脂的淡黄色液状蜡质。从前用作点灯的燃料,现在主要用作润滑剂。抹香鲸头部的鲸蜡器官体积1 900升,内充液体,据信其功能如缓冲垫,可保护鲸体重要器官免受海底水压的损伤,或谓这是其“声呐”系统的一部分。将鲸蜡器官与鲸脂同煮,便得到粗制鲸蜡油,再从中除去鲸蜡,即得精制鲸蜡油。粗制鲸蜡油用硫处理后即制成能抗极大压力的润滑油,鲸蜡油固化后可制纺织品的上浆料及制蜡成分。皂化处理后可得到制肥皂用的脂肪酸及制化妆品、去污剂用的脂肪醇。除去鲸蜡后的精制鲸蜡油,是高速机械、精密仪器及纺织机械的润滑油。

sperm whale (*Physeter catodon*) **抹香鲸** 又作cachalot。抹香鲸科两种动物之一。抹香鲸体结实,吻端呈截形,有桨状的小鳍肢,背上有一列圆形的肉突。头部特大,侧面观近似方形,下颌狭窄,生有一些圆锥形的大牙。闭嘴时,下颌牙刚好嵌入通常无牙的上腭牙槽中。体为深蓝灰色或浅棕色,腹部颜色较浅。雄鲸最大长度约19米,雌鲸要小得多。遍及全世界温带和热带水域,常以15～20只为一群。单一头雄鲸可能单独游到较冷的水域。潜水可深达350米,并曾发现抹香鲸在水下1 134米处被电缆缠住。主要以头足类动物,包括大王乌贼属(*Architeuthis*)的种类为食。产鲸脑油(吻部含有的含蜡物质,用于制造软膏、化妆品等)和龙涎香(有时可见浮于海面,据认为是其粪便紧紧包绕一些实心物质[如乌贼的口器]而成,用作香料安定

抹香鲸(*Physeter catodon*)
绘图:Richard Ellis

剂)。北半球的小抹香鲸(*Kogia breviceps*)为抹香鲸科唯一的另一个种,是一种了解很少的海豚形鲸,背面黑色,腹面颜色较浅,长约4米,无经济价值。

spermaceti 鲸蜡 从鲸鱼、海豚和鼠海豚的颅腔与油脂中制取的蜡。在中等温度下为液体,主要用于制造发蜡、油膏、化妆霜、高级蜡烛和织物整理剂。鲸蜡是从拉丁文*sperma*(精液)和*cetus*(鲸)得名,认为它是鲸的凝固精液。人们通常把鲸头的巨大鲸蜡器官同鲸脂放在一起煮,得到含鲸蜡的粗制**鲸蜡油**(**sperm oil**),再用冷冻法使呈白色结晶状的鲸蜡从中分离出来。化学上,鲸蜡主要组成是鲸蜡醇十六酸酯以及脂肪酸与脂肪醇构成的其他酯类。

spermatic cord 精索 男性生殖系统中与睾丸相连的一对管状结构,用以将睾丸支持在阴囊内。精索以结缔组织为鞘,包绕动脉、静脉、神经及输精管的起始部。精索从睾丸发出,向上进入开口于腹横筋膜上的腹股沟环(位于膀胱水平)。精索手术的目的是保持睾丸的血液供应和输精管的通畅。精索静脉扩张引起疼痛,可作精索静脉曲张切除术,以切除扩张静脉,保持睾丸动、静脉血流的通畅。环绕精索的提睾肌过度活动可引起精索扭转,严重时导致睾丸坏疽。此种情况需即刻手术,手术中纠正精索扭转,将睾丸固定于阴囊底部(睾丸固定术)。因为扭转常是双侧性的,因此即便只有一侧扭转,亦要作双侧睾丸固定术。双侧输精管切除术是通过阴囊作小切口,切除双侧输精管的一小段,以阻止精子通过。

spermatogenesis 精子发生 精子在睾丸内产生和发育的过程。精子由曲细精管壁产生。管壁内分散排列着许多细胞,称为塞尔托利氏细胞,这些细胞向未成熟的精子提供营养物质,并在生殖细胞生长过程中帮助它们从曲细精管壁转移到管腔内。精子在不断地产生,但并非曲细精管的所有部位都在同时产生精细胞。一个生殖细胞达到完全成熟要经生长期和休止期共约74天的时间。未成熟细胞称精原细胞,均由曲细精管壁外层的干细胞演化而来。干细胞几乎全部由核物质组成。在其演化过程中此细胞首先以有丝分裂的方式进行增殖,在所形成的新细胞群中一半发育成精子,一半停留在干细胞水平,作为生殖细胞源,因而精子持续不断产生。预定要发育成为成熟精细胞的那种精原细胞称初级精母细胞,这些细胞从曲细精管的外层移至更靠中心的部位,围绕在塞尔托利氏细胞的周围。发育过程中胞浆量和细胞器增加。经过一个休止期后,初级精母细胞经减数分裂变成次级精母细胞。分裂过程中核物质亦分裂,次级精母细胞中的染色体数变为原来的一半,也即同卵细胞一样,由46条减为23条。当精子与卵子结合后,父母双方的遗传特点融合,新的机体开始生长。在能使卵子受精以前,次级精母细胞还必须达到成熟,还要经过一些变化:如核物质浓缩,胞体成卵圆形发育成为精子的头部。头部顶端有一帽状覆盖,称为顶体,可帮助精子进入卵子。在头部另一端由次级精母细胞的胞浆形成尾部。成熟精子的尾部有一条细长的鞭毛,通过其摆动使精子运动。精子进入成熟期后,被输送至附睾贮存。

spermatophyte 种子植物 又作seed plant。被子植物及裸子植物的通称。在一个早期的分类体系上,这些植物被认为是种子植物门(Spermatophyta)的亚门。这个分类学单位今已不用。

spermatozoon(biology) 参阅**sperm 精子**。

Sperrgebiet 施佩尔格比特 德语,意为“禁区”。又称一号金刚石区。纳米比亚西南部纳米布沙漠南部一片金刚石丰富的地区,未经特许的人严禁进入。该区沿大西洋岸从奥兰治蒙德和奥兰治河往北到吕德里茨(南纬26°)以北约72千米,拥有一片将近97千米宽、322千米长的地区。该区外表死气沉沉,主要特征是南北向的沙丘。19世纪中期开采了近海岛屿上丰富的鸟粪沉积;1905～1906年,在其中几个岛上发现了少数几粒金刚石。1908年在大陆本土上吕德里茨港口附近的金刚石重大发现,使德国殖民政府于同一年晚些时候将该地区封闭起来,非特许人员不得进入。1920年施佩尔格比特北部(吕德里茨地区)的德属各类矿业公司把股份卖给了西南非联合金刚石矿业公司(CDM,南非德比尔斯联合矿业公司的子公司),从此以后,该公司一直垄断着“禁区”内的开采权。在20年代末到40年代初之间,施佩尔格比

特北部的金刚石开采衰落；在施佩尔格比特南部的奥兰治河河口以北以及在南非最西北部的纳马夸兰滨海地区内，屡有金刚石的重大发现。今天，施佩尔格比特内的采矿从CDM公司所在的奥兰治蒙德城（紧邻奥兰治河口北面）沿海岸向北延伸约97千米。采用了庞大的推土机来移去盖在上面的沙子，露出含金刚石的、冲积而成的砾石层，该层往往位于地表以下深达15米处。纳米比亚北部的奥万博族人是CDM公司的主要合同工。在全部回收的金刚石中，高达95%都属于宝石品位。纳米比亚的政治不稳定，是施佩尔格比特总产量从1977年占世界宝石级金刚石的20%以上下降到80年代中期的5%以下的主要因素。现在在南非纳马夸兰滨海地区内，紧接着奥兰治河口南面，继续在开采宝石级金刚石。

Sperrin Mountains　斯佩林山　北爱尔兰伦敦德里东南32千米处呈弧形的山脉。最高峰索厄尔、马拉克洛厄、马拉哈尼厄均高逾608米，山顶上均为结晶石灰石。斯佩林山广泛受到冰川作用，有腐蚀和沉积的痕迹。它们部分被冰川谷所穿透，大部分都覆盖着泥炭和石南属植物。

Sperrle, Hugo　施佩勒（1885-02-07，德国路德维希堡～1953-04-02，西德莱希河畔兰茨贝格附近）　第二次世界大战期间德国空军元帅。1903年入伍，第一次世界大战中曾驾驶战斗机。在国防军中任各种指挥职务后，1933年调回空军，帮助扩建空军。约1934年升任空军准将。1936～1937年领导秃鹰军团（在西班牙内战中帮助民族主义分子作战的德国空军部队），轰炸格尔尼卡和其他西班牙城市。1937年升任空军上将，翌年任空军第三航空队司令（驻扎在慕尼黑）与法国作战（1940-05～06），7月升任空军元帅。其驻扎于法国北部的第三航空队在不列颠战役（1940-06～1941-04）中起主要作用。隆美尔非洲军团作战期间，负责指挥北非的所有空军。1944年受命指挥北欧的德国空军，防备盟军进攻法国北部。因而在诺曼底盟军登陆时（1944-06），只能调集约200架作战飞机在登陆海滩抵挡盟军近10 000架飞机的攻击。1944年8月因未能对抗盟军的空中优势遭解职。1948年盟军法庭宣判其无罪。

Sperry, Elmer Ambrose　斯佩里（1860-10-12，美国纽约州科特兰～1930-06-16，纽约州布鲁克林）　美国多才多艺的发明家和实业家，以发明回转罗盘和稳定器闻名。童年时代热爱机械和电学。19岁时研制一种新型发电机和弧光灯。1880年去芝加哥开设斯佩里电器公司，制造发电机和弧光灯。他发明了电动链式截煤机，1888年建立斯佩里电动采矿机械公司，专门制造这种机器。两年后，注意力转向运输工具，设计了一种工业用电力机车和市内电车用的电动机传动机械，在克利夫兰成立了斯佩里电气铁路公司。1894年起制造电力汽车，用他获得专利的蓄电池作动力。1900年以后，在首都华盛顿和C.P.汤森合组电化学研究实验室，共同发明氯脱锡工艺，从废铁和废旧罐头盒回收锡；还发明了从含杂质的铅制取铅白和从食盐制苛性钠的方法。在此期间设立了芝加哥保险丝公司，用他发明的机器制造电器保险丝。他在1918年制造的高亮度弧光探照灯比以往最亮的灯亮6倍。斯佩里最重要的发明是回转仪。1896年左右开始了回转罗盘的研究，1911年首先安装在美国"特拉华"号军舰上。回转罗盘一经校准，就始终指向真北方向。1910年在布鲁克林成立斯佩里回转仪公司。他把回转仪原理运用到鱼雷制导和自动驾驶仪上，以操纵舰船，稳定飞机，最后又用于船舶稳定装置上。他的回转仪公司后改称斯佩里公司，制造电子计算机、精密仪器和控制设备、农业机械以及电动和液压设备。斯佩里一生创建了8家制造公司，取得专利400余项。

Sperry, Roger Wolcott　斯佩里（1913-08-20，美国康涅狄格哈特福德～1994-04-17，加利福尼亚帕萨迪纳）　美国神经生物学家。1981年与休伯尔（**Hubel, David Hunter**）、维厄瑟尔（**Wiesel, Torsten Nlls**）共获诺贝尔生理学或医学奖。三人均研究大脑功能，斯佩里更研究了大脑两半球的功能分化。20世纪40年代后期，他开始设计了一些外科技术和实验技术，为心理过程定位研究奠定了基础。他曾获奥伯林学院英国文学学士、心理学硕士学位，1941年获芝加哥大学动物学的博士学位。后在哈佛大学及佛罗里达奥兰治公园耶基斯灵长类生物学研究室与K.拉什利合作，1946年入芝加哥大学，1954年任加利福尼亚理工学院心理生物学教授。

Sperry Corporation　斯佩里公司　美国大公司，前身为斯佩里兰德公司（1955～1979）。1986年与巴勒斯公司合并成立尤尼西斯公司，为大型的电脑制造公司。

spessartine　锰铝榴石　含锰、铝的石榴子石；透明时，属次贵重宝石。常与铁铝榴石相结合，其颜色在近于纯时为浅橙黄色，到铁铝榴石占有相当比例时为橙色或深红色。在颜

产自澳大利亚新南威尔士带有方铅矿的锰铝榴石
芝加哥菲尔德自然史博物馆供图

色上与钙铝榴石相似，但它一般是透明的，这与钙铝榴石不同。锰铝榴石少见，因此很少用于珠宝工艺品里。它一般出现于花岗岩、酸性熔岩、伟晶岩脉以及热变质岩石中，例如在印度中部、马达加斯加以及美国科罗拉多州的银崖。

Speusippus　斯珀西波斯（？～公元前339或前338）　希腊哲学家。在希腊学园（公元前387建立）创办人柏拉图于公元前347年去世后，他成为该学园首脑。他是柏拉图的学生，公元前361年曾陪同柏拉图去西西里。他坚决支持柏拉图同一些政治统治者（其中包括叙拉古的狄奥尼西奥斯二世）的联系。他几乎没有什么哲学著作流传下来，现在我们仅能看到他的《论毕达哥拉斯的数》的长篇摘录，另一些断片及其他作家对他的学说的转述。和他的同时代人一样，他强调数以及数的组合的重要性而降低观念的重要性。例如在上述的摘录中他就解释"十"这个数的完美或特殊重要性。据亚里士多德的转述（人们常常批评亚里士多德的转述把柏拉图表述得不确切）中说，斯珀西波斯接受了柏拉图这样一个学说，即认为全部现实在不受时间限制的情况下从两个对立的原则产生出来。这两个原则往往被称为"一"和"不定的二"，这两个词就是要用来说明宇宙里既存在着统一，又存在着多重性。他的同事将"一"和"二"分别看成是"善"与"恶"两个原则。而他自己则否定它们有道德的性质。他还用数字符号把现实组织成越来越多的精神领域。在纯粹数的领域和身体（即可以感觉到的东西）的领域之间，他加进了灵魂领域，而其所有各部分都被认成是不朽的。尽管他受到亚里士多德的强烈批判，他的《类比论》（对植物生理学和动物生理学的比较性的研究）还是可以比得上亚里士多德自己的《动物志》。《类比论》反映了他的如下观点，即除非所有的事物都被给以定义，任何单独一个事物就不能给以定义，因为分类和定义是密切相关的。

Spey River　斯佩河　苏格兰河流。源出科里亚拉克森林的350米高处，向东北流经苏格兰高地注入北海，全长172千米。有几条支流。盛产鲑鱼。其河谷以产优质威士忌酒而闻名。

Speyer　施派尔　又拼Speier，英语作Spires。德国西南莱茵兰-普法尔茨州城市。莱茵河左岸、路德维希港以南施派尔河口的港市。古时为凯尔特居民点。约公元前100年为罗马军事和贸易城镇，名诺维奥马格斯，后按当地居民（内梅特人）的名称改称内梅特。公元450年前后蛮族入侵时期被毁。7世纪时重建并成为主教管区。1294～1797年为帝国自由城市。1527～1689年为帝国法院（神圣罗马帝国高等法院）所在地。在施派尔举行过约50次帝国议会。在1529年一次议会上，马丁·路德的追随者抗议多数人撤销1526年给予路德派的特许权。新教徒（prtestant）一名即源于此次事件。大同盟战争时期为法国军队所毁（1689），1797年并入法兰西共和国，1815年归属巴伐利亚，1816～1945年为巴伐利亚（莱茵的）普法尔茨首府。城内的历史遗迹包括古城门及13世纪的城门楼以及犹太人地下浴室（1104）和巴洛克式三一教堂（1701～1717）。由神圣罗马帝国康拉德二世于1030年所建的罗马式大教堂内有独特的地下室和8位日耳曼皇帝和国王及3位皇后的坟墓。1689年曾遭劫

掠,以后多次重建。最近一次重修后于1961年举行献祭仪式。1981年作为最宏伟、最重要的罗马大教堂之一,该教堂被联合国教科文组织列为世界遗产。这座中世纪的城市四

德国施派尔市的大教堂东塔楼
供图:Hans Huber

周为现代化工业区和住宅区。横跨莱茵河的桥1945年被毁,1956年重建。施派尔有电子工业、炼油厂、金属和木材加工厂,以及纺织、化工和制鞋厂,亦有石料厂、玻璃厂、制砖厂、酿酒厂、汽酒厂和飞机制造厂。人口约50 247(2003)。

Spezia(Italy) **斯佩齐亚** 参阅 **La Spezia** 拉斯佩齐亚。

sphagia **斯法吉亚祭** 希腊宗教中安抚冥界诸神和精灵(包括风和死者的亡灵)的一种献祭。同对上天诸神所献的欢乐祭礼不同,参加斯法吉亚祭的人们并不分享祭品。牺牲(人或动物)被切成碎片烧掉、掩埋起来或投入河中。

sphagnum moss 参阅 **peat moss** 泥炭藓。

sphalerite **闪锌矿** 又作blende或zincblende。锌的硫化物(ZnS),是锌的主要矿石矿物。在大多数重要的铅锌矿床中,它都与方铅矿伴生。"sphalerite"这一名称来自希

产自美国堪萨斯州巴克斯特斯普林斯的闪锌矿
供图:Ted and Elsie Boente Collection

腊语词,意思是"不可靠的",针对闪锌矿暗色不透明的变种易于与方铅矿相混淆这一事实。选择使用的名称"blende"与"zincblende"来自德语词,意思是"盲目的",相似地暗指闪锌矿提炼不出铅来。关于详细的物理性质,参阅 **sulfide mineral**(表)。在美国,最重要的闪锌矿矿床在密西西比河谷地区。在那里,它与黄铜矿、方铅矿、白铁矿及白云石伴生于石灰岩和燧石的溶洞及角砾化(破碎的)带中。类似的矿床发现于波兰、比利时和北非。闪锌矿在热液脉状矿床、接触变质带及高温交代矿床中都作为一种矿石矿物遍布世界各地。

sphene **榍石** 又作titanite。钛和钙的硅酸盐矿物[$CaTiSiO_4$(O,OH,F)]。呈结晶质或致密状,是许多火成岩及片麻岩、片岩、结晶质石灰岩和伟晶岩中的次要组分。产地有奥

产自巴西的榍石:自然晶体(右)和磨面石
供图:Joseph and Helen Guetterman Collection

地利的蒂罗尔、意大利的特伦蒂诺、挪威、瑞士、马达加斯加、美国(纽约)。榍石的色散性相当高,使它成为具有各种颜色和翻光面的宝石。

spheniscifonn **企鹅目** 鸟纲企鹅目(Sphenisciformes)任一成员,所有企鹅均属该组。17种南半球无飞翔能力的海鸟。参阅 **penguin**。

Sphenoclea **密穗桔梗属** 或称楔瓣花属。密穗桔梗科(楔瓣花科,Sphenocleaceae)唯一的属。仅锡兰密穗花(密穗桔梗,楔瓣花,*S. zeylanica*)一种,草本,高1.5米。叶广椭圆形而狭长。花白色,花冠5裂,密生成穗状花序。原产于旧大陆热带,现广泛分布暖温带和热带(包括北美南部)的潮湿地区。与桔梗科不同之处是花冠裂片(花瓣)在花芽未绽开时相互重叠,蒴果盖裂。但有时仍被并入桔梗科。

Sphenophyllum **楔叶属** 蕨类植物楔叶纲楔叶目(已绝灭)的一个属。最早出现在晚泥盆世(3.74亿年前至3.6亿年前)。茎部中央具一独特的三角形管胞群(输导组织)。叶形和外观上的生长习性变异很大。

Sphenophyta **楔叶植物门** 又称节叶门(Articulatae)。产孢子的维管植物的一个门,含3个已绝灭的目及唯一现存的目——木贼目(Equisetales),仅含一属——木贼属(*Equisetum*),该属15个现存种通称木贼,俗名除垢灯心草。化石种及现存的楔叶植物均具如下特征:枝条尖端具球果样的结构——孢子叶球。现存种均为多年生草本,具蔓延生长的根状茎及中空的直立茎(均有分节的结构)。叶与枝轮生于节上,并继续沿茎向上生长。某些种类的茎高度分枝,株形似马尾。木贼的生活史经历配子体(有性)及孢子体(无性)两个阶段。孢子体释出孢子,孢子发育成浅

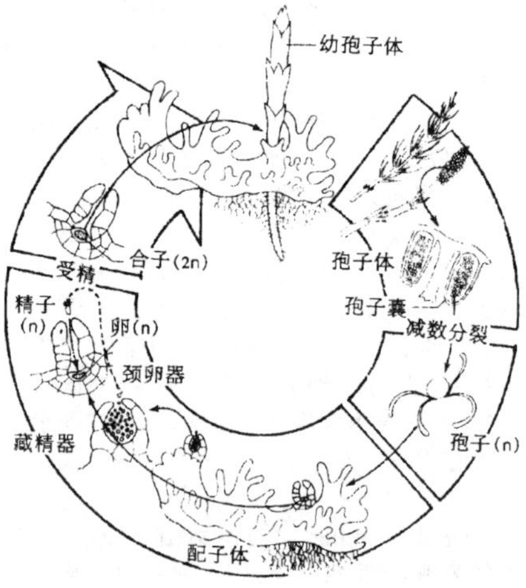

楔叶植物门木贼属的生活周期

裂的两性配子体。精子使卵受精后,受精卵发育为幼胚,在配子体上生长发育,配子体迅即衰亡,仅留下根状茎及孢子体,一个配子体上可生长2或多个孢子体。一些已绝灭的楔叶植物在泥盆纪(4.08亿年前至3.6亿年前)发育成藤本(如楔叶目[Sphenophyllales])或灌木(如叉叶目或称歧叶节蕨目[Hyeniales])。在随后煤炭形成的石炭纪,芦木科(Calamitaceae)的种类数量很多,生长成乔木状,高达30米,直径约1米。参阅 **horsetail**。

sphere of influence 参阅 **influence, sphere of** 势力范围。

spherical helix(navigation) **球面螺旋线** 参阅 **loxodrome** 等斜线。

spheroidal joint(anatomy) **杵臼关节** 参阅 **ball-and-socket joint** 球窝关节。

sphincter muscle **括约肌** 围绕体内某处管腔或裂孔的环形肌肉,收缩时即使管腔或裂孔关闭。幽门括约肌是最重要的括约肌之一,由胃壁中层肌肉增厚形成,围绕于幽门部,功能为使食物在胃中停留到与胃液充分混合为止。其余的括约肌多与体内废物的排出有关。肛门括约肌收缩时使肛门关闭。在有意识的排尿活动中,最重要的肌肉为尿道括约肌。眼内有瞳孔括约肌,围绕于瞳孔周围,遇强光时收缩,使瞳孔缩小。参阅 **dilator muscle**。

sphingolipid **神经鞘脂** 一类脂质,含有机脂肪族氨基醇——神经鞘氨醇或结构上与之相似的物质。神经酰胺(由神经鞘氨醇加脂肪酸组成)是最简单的神经鞘脂,广泛分布于植物和动物组织中,但含量不大。其他神经鞘脂均为神经酰胺的衍生物。糖脂是一大类神经鞘酯,因含一个或多个糖(葡萄糖或半乳糖)分子,故名;具有免疫活性;包括脑苷脂、神经节苷脂及神经酰胺寡糖等。脑苷脂虽然在自然界中分布有限,但在神经周围的髓磷

脂鞘中含量丰富。脑的白质中有含硫的脑苷脂——硫酸脑苷脂(脑硫酯)。神经节苷脂在神经组织(特别是脑灰质)及某些其他组织(如脾脏)中含量丰富,其结构与脑苷脂相似,只是除单糖分子外,还含有几个其他类型的碳水化合物分子(N-乙酰葡萄糖胺或N-乙酰半乳糖胺及N-乙酰神经胺等)。神经酰胺寡糖也含几分子的单糖;红细胞中的红细胞糖苷脂就是一种神经酰胺寡糖。神经鞘磷脂是唯一含磷的神经鞘脂,有多种,在神经组织中含量丰富,但亦见于血液中。神经鞘脂沉积病又称神经鞘脂代谢障碍,特征为神经鞘脂的代谢异常。最常见的脑神经鞘脂沉积病(或脑脂沉积症)之一为*泰伊-萨克斯氏病*(**Tay-Sachs disease**),以前称为家族黑蒙性白痴,是一种罕见的遗传性疾病,因脑中神经鞘脂沉积引起。另一种遗传性脂沉积病为*尼曼-皮克二氏病*(**Niemann-Pick disease**),患者体内各种组织,如脾及肝,有卵磷脂及神经鞘髓磷脂沉积。

sphinx　斯芬克斯　常见于埃及和希腊的艺术与传说中的狮身人面怪物。其中最著名的是比奥蒂亚境内第比斯地方的有翼斯芬克斯。据说,她用缪斯所传授的谜语难人,谁猜不中就要被她吃掉。这个谜语是:今有一物,同时只发一种声音,但先是四足,后是两足,最后三足,这是何物?俄狄浦斯终于猜中这个谜语,这是人,因为人在婴儿时期匍匐爬行,长大时两脚步行,年迈时依杖而行;斯芬克斯随即自杀。这个故事暗示斯芬克斯是全知的,今天斯芬克斯还是智慧的象征。

艺术中最古老、最著名的范例是埃及吉萨地方的巨大斯芬克斯卧像,建于第4王朝第4代国王海夫拉统治时期(约公元前2575～约前2465),通常认为是海夫拉的雕塑像,此后斯芬克斯的面貌都是国王肖像。斯芬克斯从埃及传到亚洲,亚洲斯芬克斯的含义不明。公元前1500年左右斯芬克斯显然从黎凡特传入美索不达米亚。与埃及的斯芬克斯相比,亚洲斯芬克斯最明显的特点在于狮身上增添双翼,亚洲和希腊地区的斯芬克斯一直保持这个特点。亚洲的另一创新是公元前15世纪出现的女性斯芬克斯。在印章、牙雕和金工艺术品上,它们被雕作伏状,往往举一爪,常与狮子、鹰头狮身有翼怪兽或另一斯芬克斯并见。公元前1600年左右斯芬克斯首次出现在希腊地区。从米诺斯文化中期结束时的克里特和希腊青铜时代文化后期的迈锡尼竖穴墓中的出土文物看,希腊地区的斯芬克斯有翼。希腊斯芬克斯虽然源于亚洲斯芬克斯,但它们在外表上并不雷同;它们通常戴平顶帽,帽顶凸出,状如火焰。它们的背景无法将它们与后来的传说联系起来,它们的意义一直不详。

自公元前1200年起约400年间,希腊艺术中没有对斯芬克斯的表现,不过斯芬克斯继续在亚洲以类似青铜时代的形式和姿态出现。公元前8世纪末,斯芬克斯的形象重新出现在希腊艺术中,直到公元前6世纪末还常见。这种斯芬克斯显然起源于东方,不可能是希腊青铜时代斯芬克斯的直系后裔。此时希腊的斯芬克斯几乎都是女性,披长发,体型优美,两翼由不见于亚洲作品的优美曲线构成。斯芬克斯常用以装饰花瓶、牙雕和金工艺术品,古风时期末期用以装饰神殿,可能含保佑的意义。公元前5世纪,俄狄浦斯与斯芬克斯相遇图出现在花瓶上,斯芬克斯通常伏在柱子上。古典时期的其他作品显示俄狄浦斯与斯芬克斯搏斗,这表明在早期传说中双方角力而非斗智。对于这一阶段,文学之中没有任何线索,但在自史前时期到波斯阿契美尼德王朝的亚洲艺术作品中,人与怪物搏斗是常见的题材,希腊艺术可能从中东地区引进这一题材,而希腊文学却没有受到其影响。

埃及吉萨第4王朝时期的大斯芬克斯像

供图:E. Streichan—Shostal Assoc.

sphinx moth　参阅 **hawk moth 天蛾**。

Sphrantzes, George　斯夫兰齐斯(1401～15世纪后期)　拜占廷历史学家、外交家,著有1413～1477年的编年史。曾在君士坦丁堡和伯罗奔尼撒任高官。1415年在君士坦丁堡任首相。君士坦丁堡被奥斯曼人占领,他逃往米斯特拉,后又去科孚,他与妻子在那里进入隐修院(1468)。他的编年史可能就是那部题名为《小编年史》的作品。这部书是专供科孚人阅读而撰写的,主要叙述帕里奥洛加斯王朝在君士坦丁堡和伯罗奔尼撒统治末期的史实,对奥斯曼人及拉丁人怀有明显的憎恨之感。

sphygmomanometer　血压计　用以测量血压的量计,由可充气的橡皮袖带和与之相连的、用汞柱的高度或用刻度盘表示压力的压力计组成。血压一般有两个读数,可记录为x/y,x代表收缩压,y代表舒张压。心室搏动时的血压为收缩压;两次心搏之间的血压为舒张压。测量血压时将袖带缚于上臂并使之充气,听诊器置于肘窝部。放气时听到第一个声音时,压力计上所示的值为收缩压。继续放出空气,声音逐渐减弱。声音突然减弱到模糊不清时压力计所示的值为舒张压。

Spica　角宿一　又名室女座α(Alpha Virginis),黄道星座室女座中最亮的恒星,也是全天空15颗最亮的恒星之一,目视星等为0.96等。它是一颗蓝星。分光研究还发现它是一颗双星,两子星的星等分别为1等和3等。角宿一距地球约270光年。

spice and herb　香料和香草　内含芳香、辛辣或其他人们所需要的物质的各种栽培植物的干制部分,包括根状茎、鳞茎、树皮、花蕾、柱头、果实、种子和叶等。通常泛称为香料、香料籽和香草。香料是极为人们珍爱的热带、亚热带芳香或辛辣植物的制品。在贸易中占统治地位的香料有小豆蔻、锡兰肉桂、丁香、姜及胡椒等。香料籽是草本植物的微小的芳香果实或含油种子,这些植物包括茴芹、葛缕子、欧莳萝、茴香、罂粟和芝麻。香草是墨角兰、薄荷、迷迭香及百里香等植物气味芬芳的叶片。香料、香料籽和香草用作食物的调料,以增添风味、香气或辛辣味。加入菜肴的小量香料、香料籽或香草没有或极少营养价值,但有开胃、提味或增添风味之效,为美食家所喜用。

在远古,香料和香草最主要的用途是制药、制造圣油和油膏,又可用作春药。又被祭司用于礼神、符咒、巫术及宗教仪式中。古代的草药志,包括中国、苏美尔、亚述、埃及、希腊和罗马的草药志,证明人们已将香料和香草用于医药。希波克拉底、加伦和P.迪奥斯科里斯也和许多其他人一样,使用香料和香草。公元1世纪,老普林尼在他的《博物志》中盛赞香料和香草在治疗当时所知几乎所有疾病中的效力。虽然后来人们没把它们看得那么神奇,但仍认为它们很有疗效,在中世纪乃至不算很久以前依然如此。

现在还不知道,人们什么时候开始在食物里用香料和香草。似乎从无法记忆的远古开始,人们就已知道芝麻并把它用作食物,用它酿酒和榨油。人们也早就食用葱、蒜。在古希腊和罗马时代,许多香料和香草肯定已用作食物和饮料的调料。

希罗多德(约公元前484～前425)描述了他见过、听说过的人类食物,他说,有些人吃生的、晒干的、盐渍的和腌制的鱼和肉。在他那个时代以后几百年内,许多地方的人以盐渍的或腌制的肉为主食,因此很容易想象,香料和香草给食物增添了令人愉快的风味,变得更好吃,更受人欢迎。不仅富裕的希腊和罗马人,而且他们以后很长一段时间内各

香料和香草在食物中的应用

	饮料	面包卷面包	饼干糕点曲奇	奶酪制菜肴	印度酸辣酱	尾食	调味品	蛋类菜肴	鱼和海味	水果菜肴	肉汁	肉类菜肴	腌制食品	家禽	色拉	酱汁和风味菜	汤	素菜
多香果			+		+	+	+						+			+		
茴芹籽	+	+	+										+					
甜罗勒								+	+			+			+		+	+
葛缕子		+	+	+								+		+	+			+
小豆蔻		+	+			+				+			+					
卡宴辣椒粉					+			+	+			+				+		
芹菜籽盐								+	+			+					+	
芹菜籽							+	+					+		+			+
有喙欧芹							+	+	+			+		+	+	+	+	
辣椒					+								+			+		
辣椒面								+	+		+	+				+	+	
锡兰肉桂	+	+	+			+				+			+					
丁香			+		+	+	+			+		+	+					
芫荽籽		+	+				+					+	+	+	+			
欧莳萝籽				+			+	+				+		+			+	
咖喱粉								+	+			+		+		+		+
莳萝籽							+				+	+	+		+	+	+	+
茴香籽	+		+			+			+				+					
葫芦巴籽					+													
蒜面							+					+						
蒜面盐								+				+						
姜		+	+		+	+				+		+	+	+				
月桂叶									+			+	+			+	+	
肉豆蔻干皮			+			+				+						+		
甜墨角兰								+	+			+		+	+	+	+	
薄荷	+								+			+				+	+	+
混合腌渍用香料													+					
芥末					+		+		+		+	+	+			+		
肉豆蔻			+			+				+						+		+
洋葱							+					+			+	+	+	
洋葱盐												+			+	+	+	
牛至				+			+	+	+		+	+			+	+	+	+
辣椒粉							+	+	+		+	+						+
欧芹									+			+		+	+	+	+	+
胡椒							+	+	+		+	+	+	+	+	+	+	+
罂粟籽		+	+				+								+			+
红辣椒							+	+	+			+				+		
迷迭香									+			+		+			+	+
藏红花				+														
鼠尾草									+			+		+				
香薄荷							+	+	+			+		+	+	+		
芝麻		+	+															
龙蒿								+				+		+	+	+		+
百里香							+					+		+		+	+	+
郁金				+			+		+				+			+	+	

处的繁荣社会都欢迎这种变化。只有富人才能尽情享受进口的香料，看来在世界各地都是如此。马可·波罗在13世纪的中国就曾注意到，上层人士食用以好几种中国产香料加工过的食物，但穷人吃到以蒜汁浸泡的肉就心满意足了。在欧洲，随着时间的推移，关于香料和香草的用途的知识慢慢地传播开来，它们可延缓因氧化而致的酸败或其他变质现象，从而有助于食物保存，又可用于菜肴调味。到中世纪，人们大量使用烹调用香草。东方香料大部分人用不起，但随着西欧各国在东方香料贸易中起了支配作用，情况渐渐改变。终于，无论贫富都广泛使用芳香的和辛辣的香料。

现代，香料、香料籽和香草均大量使用。几乎没有什么菜肴不加香料和香草的。香料或香草应用得当，可使许多菜肴具有令人愉快的、与众不同的香味或滋味（见表）。食品工业中，香料和香草用于制备许多产品，包括熟肉制品、花式香肠、调味汁和醋、精制芥末、腌制食品、印度酸辣酱、蜜饯、蛋黄酱、色拉调料、饼干、曲奇、糕点、糖果及饮料等。食品制造中使用的许多香料调味品，其主要成分为精油及含油树脂。在食品制造中，人们制造某些产品时更喜欢用香料中的油类而不喜欢用完整的或磨碎的香料。

香料、香草及用它们提炼的油（只要加工温度允许）均可用于制备许多酒类，如苦艾酒、小茴香酒、本尼迪克特酒、薄荷酒、库拉索陈皮酒和茴香甜酒。

香料和香草的精油是各种提取物的芳香组分；又用于香水、化妆品、卫生制品、头油、牙膏、香皂和烟草中。

在医药业，香料和香草并未失去其全部声誉。在印度和其他一些亚洲国家，它们的治疗价值仍受尊重。在西方医学中，它们仍占一席之地，虽然其声誉已大不如前。今天的草药医生仍赞誉某些香料、香料籽和香草在治疗某些疾病中的效力。

spice trade　香料贸易　香料和香草贸易是一种历史悠久并具有伟大文化和经济意义的行业。数千年以前，东方人就知道锡兰肉桂、肉桂、小豆蔻、姜和姜黄。这些东西都是早期贸易发展中的重要项目。锡兰肉桂和肉桂至少在公元前2000年就传入中东。早自远古以来，阿拉伯南部(古时肥沃的阿拉比亚)就一直是乳香、没药和其他芳香树脂和树胶的贸易中心。阿拉伯商人巧妙地隐瞒起这些香料的真正产地。为了阻止竞争者、保护自己的市场和满足人们的好奇心，商人们散布离奇的传说：肉桂生长在浅水湖中，由有翅的野兽看守；锡兰肉桂生长在幽谷之中，谷内布满毒蛇。老普林尼(公元23～79)早就嘲笑过这些传说并且大胆地宣称："所有这些传说显然都是捏造出来的，目的是要抬高这些商品的价格。"

不论横贯亚洲大陆的一些陆地商路发挥过什么作用，香料贸易主要还是通过海运发展起来的。公元前阿拉伯人就直接航海。在远东，中国人穿过马来群岛的水域，到香料群岛(摩鹿加，或泛指东印度群岛)贸易。锡兰是一个贸易中心。在埃及，当托勒密十一世于公元前80年将古城亚历山大遗留给罗马人的时候，这座古城的港口税收就大得惊人。在罗马人的统治下，亚历山大成为世界上最大的商业中心，同时它也是芳香和辛辣的印度香料销往希腊和罗马帝国市场的集散地。罗马人与印度的贸易范围广泛。历时达3个多世纪，然后逐渐衰落。无疑，这种贸易削弱了但没有打破阿拉伯人对香料贸易的控制权。罗马人的贸易在5世纪有所恢复，在6世纪又衰落下去；然而阿拉伯人的贸易却延续到中世纪的末期。

在10世纪前，威尼斯在黎凡特的贸易中开始繁荣，在13世纪初就垄断了中东的贸易，到15世纪就成为欧洲一支令人生畏的力量。威尼斯的巨大财富，一部分来自经营东方香料的贸易；它从亚历山大购得香料，用过高的价格出售给北欧和西欧的经销商。欧洲人来到亚历山大，知道了香料的产地，但不能打破威尼斯的控制，便在15世纪的后30多年间下决心建造船只，冒险远航，寻找通向香料生产国的航线。多次著名的航海发现就这样开始了。在这场竞赛中，冠军是葡萄牙人，他们首先于1501年绕道好望角将香料从印度带到欧洲。1492年哥伦布悬挂西班牙旗帜出航，1497年J.卡伯特为英国出航，可是他们二人都没有找到传说中的香料之乡。

1519年麦哲伦为西班牙承担起这项寻找香料之乡的任务。在他率领下的五艘船只中，仅有一艘"维多利亚"号满载丁香凯旋而归。1577年F.德雷克开始他那冒险性的环球航行，途经麦哲伦海峡和香料群岛，结果其"金鹿"号船满载特尔纳特岛的丁香和其他宝物于1580年驶入普利茅斯港。

荷兰一支船队在C.德·豪特曼率领下于1595年驶向香料群岛；另一支船队在J.范内克的率领下于1598年出海。他们的船只返航时都满载丁香、肉豆蔻及其干皮和胡椒。1602年由荷兰国会授权成立了荷兰东印度公司。1664年路易十四时期法国特许组成法国东印度公司。其他欧洲国家也纷纷发出特许状成立东印度公司，并取得不同的成绩。此后就是夺取贸易上优势和垄断控制的斗争和征服。在100多年里葡萄牙是支配性的力量，最后却屈服于英国和荷兰的企业经营与征战之下。到19世纪，英国势力已深深扎根于印度和锡兰，而荷兰却控制了大部分的东印度群岛。对于海员来说，这是一个惊险、冒险、艰难、疾病和死亡的时代。对于国家来说，这是一个斗争、挫败或征服的时代，是攫取新的近似原始的土地的时代，是在文明外国的领土上殖民和争夺统治权的时代。对于欧洲商业利益来说，这是一个有收获的成功时代，打破了威尼斯的垄断，挫败了穆斯林对香料贸易的控制，开创了欧洲和远东之间各种商品的庞大贸易，还开辟了一个新世界。

spicebush　香灌木　美国山胡椒(*Lindera benzoin* 或 *Benzoin aestivale*)的俗名，樟科枝叶浓密的落叶灌木。原产北美东部。常见于湿润的林地，高约1.5～6米。叶互生，近长

香灌木(*Lindera benzoin*)
供图：Walter Chandoha

圆形，近基部楔形，长8～13厘米。花小，黄色，单性，密生于近无柄的小花束内。果肉质，红色，种子有一层石质的包被。嫩枝、叶和果可以制茶。

spicule　针状物　天文学名词，指太阳色球或更低层的大气中一些温度较低、密度较大的上升气体喷流。日冕或外层大气在针状物之上，而且好像是由针状物形成的。任何时候都约有10万个针状物在活动。每一个针状物都以约20千米/秒的速度从低层色球处上升几千千米，然后在几分钟内消散或崩溃。针状物似乎同黑子和位于其下的光球的其他局部现象无关。参阅 **chromosphere**。

spider　蜘蛛　节肢动物门蜘蛛纲(Araneida 或 Araneae)动物。身体分头胸部(前体)和腹部(后体)两部分。头胸部覆以背甲和胸板。头胸部有附肢6对。第一对为螯肢，有螯牙，其尖端有毒腺开口；直颚亚目的螯肢前后活动，钳颚亚目者侧向运动及相向运动。第二对为须肢，在雌蛛和未成熟的雄蛛呈步足状，用以夹持食物及作感觉器官；但在雄性成蛛须肢末节膨大，变为传送精子的交接器。步足4对，分基节、转节、腿节、膝节、胫节、后跗节、跗节和跗端节(上具爪)。步足上覆刚毛，并具数种感觉器官，如细长的盅毛(感受气流和震动)。步足自割后，下次蜕皮时可再生。单眼8个或8个以下。某些足肌及颚肌附着于头胸部的胸内骨上。头胸部与腹部之间有纤细的腹柄相连。因腹柄的存在，纺器纺丝时腹部可自由摆动。神经系统完全集中于头胸部，咽上有脑(咽上神经节)，尚有食管下神经节。裂缝感觉器官散布于身体或位于足关节附近，用以司振动觉或听觉等。腹部不分节，有消化系统、心脏、生殖器官和丝腺。进食时先吐出消化液，进行体外消化，再吸入液

狼蛛及其单眼的排列、螯肢和每个螯肢末端的螯牙
供图：Anthony Bannister—The Natural History Photographic Agency

化的食物。兼具书肺及气管，但直颚亚目只有书肺，合颚类仅具气管。除妩蛛科外都有毒腺，位于螯肢内或背甲下方，毒腺管经过螯肢开口于螯牙末端附近，毒腺可能起源于一种辅助消化腺。许多种蜘蛛的毒腺分泌物全是消化酶，有的种分泌物能制服捕获物，甚至对抗掠食动物(包括脊椎动物)。寡妇蛛(寇蛛属[*Latrodectus*])，尤其是黑寡妇蛛(*L. mactans*)的毒液含神经毒，且叮咬甚痛。黑寡妇蛛常倒悬于网上，体色黑，腹部有红色沙漏形纹，并常有一红色条纹。棕隐士蛛(*Loxosceles reclusa*)叮咬后引起局部坏死。蛛丝的化学成分与昆虫的丝相似，均为丝心蛋白。丝腺可能来自排泄器官，共有6类。各类丝腺产生不同类型的丝：泡状腺产生的丝用来束缚猎物；壶腹状腺产生蛛网螺旋的黏性小球；圆粒形腺的丝构成卵囊；雄蛛胃上丝腺的丝从腹部书肺间的吐丝管排出，覆于精滴表面。原始的中突蛛亚目(Mesothelae)仅有2种丝腺，但圆蛛有6种。纺绩突系变态的附肢，1～4对(第10及11腹节各两对)，多数有3对，而前排中间一对消失，或退化为无功能的舌状体或平板状的筛器，上有数千个吐丝管开口。

繁殖与生活环　在交配前，雄蛛织一精网，从生殖孔产一滴含精子的液体到精网上，然后把精子吸入触肢器内。有的在交配时有求偶动作，如狼蛛和跳蛛挥动其须肢。欧洲的盗蛛雄体将用丝包住的蝇等献给雌体，在雌蛛取食时与之交配；找不到蝇时以小石块代之。多数雄蛛在交配时用左须肢插入雌蛛生殖板上的左侧开孔，右肢插入右侧孔。精子入生殖板后，移入与输卵管相通的受精囊，卵通过输卵管至生殖孔排出的过程中即受精。有的雄蛛于交配后将交接器再充以精液，并与同一雌蛛再次交配。交配后，有些种类的雄蛛在雌蛛生殖板上涂一种分泌物(生殖栓)，阻止雌蛛再交配。有的雄蛛在交配后为雌蛛所食，但这种情况不常见。黑寡妇雄蛛交配后数日死亡，偶因交配后太衰弱被雌蛛捕食。有的雌蛛仅交配一次，有的可相继与多个雄体交配，交配后雌蛛产一个卵袋，内

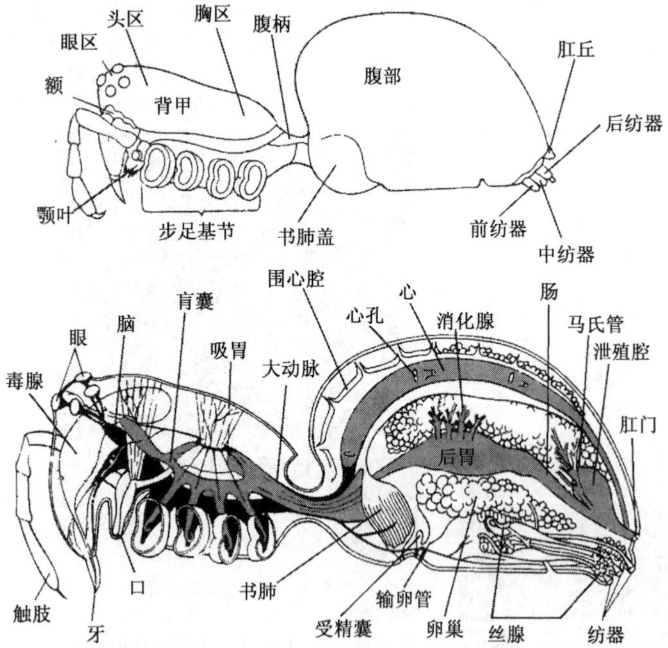

蜘蛛的外部形态（上）和内部结构（下）

有数个到1 000个卵，或产数个卵袋，其中所含的卵一次比一次少。有的种类在产完最后一个卵袋或照顾幼蛛后即死去，这类雌蛛一般寿命1～2年。直螯类寿命20年。一些原始的种类卵袋由数层丝组成，球形或盘形，附在石上，有的雌蛛守卫卵袋，狼蛛把卵袋随身携带在螯肢或纺绩突上。幼狼蛛孵出后爬到母蛛背上，约10天始离去。有的雌蛛会哺喂幼蛛。欧洲有一种蜘蛛，母蛛在幼蛛开始取食时死去，成为幼蛛的食物。幼蛛形似成蛛，随蜕皮数次而成熟。雌蛛蜕皮6～12次，雄蛛2～8次。有的在孵出前已蜕皮1～2次。直螯类需3～4年成熟。多以未成年蛛越冬。发育及蜕皮受激素控制。许多幼蛛能爬上叶尖或树梢，抬起腹部，放出几束丝借风力飘至他处而散播。

食性　蜘蛛以昆虫、其他蜘蛛、多足类为食。跳蛛视力佳，能在5或10米内潜近捕获物，猛扑过去。蟹蛛在与其体色相近的花上等候猎物。穴居在土中的地蛛筑衬以丝的地穴，洞口有夜间打开的活盖，捕食从洞口经过的昆虫。漏斗蛛织一张平网，昆虫落网即引起振动；蜘蛛本身居于丝管内，管末端窄而通入植物丛或石缝中。大多数圆蛛用最少的丝织成面积最大的网，网像一个空中滤器，陷捕未看见细丝的、飞行力不强的昆虫。网虽复杂，但一般在1小时内即能织成，多在天亮前完成。若网于捕食时破坏，则另织一新网。蜘蛛自身为什么不被网粘住，以及在织网时如何切断弹力极强的丝，这些问题迄今尚未完全了解。织圆网时，蜘蛛放出一丝，随风飘荡。如果丝的游离端未能粘在某物上，则蜘蛛把丝拉回吃掉。若该丝牢固地粘在某物(如树枝)上，则蜘蛛从该丝桥上通过，再以丝把它加固。蜘蛛在桥的中央固着一丝，自身坠在一条丝上往下垂，到地面上或另一树枝上，把此丝粘着。蜘蛛回到中心，拉多根从网中心向四周辐射的辐射丝。然后，蜘蛛爬回网中心，从里向外用干丝拉临时的螺旋丝，各圈螺旋丝之间间距较大。然后蜘蛛爬到最外围，自外向网中心安置带黏性的较紧密的捕虫螺旋丝。一边结，一边把先前结的不带黏性的干螺旋丝吃掉。网全部完工后，有的蜘蛛从网中心拉一根丝(信号丝)爬到网的一角的树叶中隐蔽起来。若有昆虫投网，通过信号丝的震动便可闻讯而来取食。有的蜘蛛头朝下留在网中心，等候猎物，有猎物时先用丝将其缠绕，再叮咬之并将其携回网中心或隐蔽处进食或贮藏。蝶蛾类较大，易于逃脱，故先叮咬后用丝捆缚。有的蜘蛛结共用网，如加蓬的社会漏斗蛛(*Agelena consociata*)筑一大网，几百只蜘蛛共同捕食。蜘蛛在控制某些昆虫的种群上可能起重要的作用。有几种毒蛛的神经毒对人有毒性。织网过程引起科学上的兴趣，并已用于研究影响神经系统的药物(用药后蜘蛛所织的网异于平常)。

演化和分类　最早的蜘蛛化石见于泥盆纪。蜘蛛目演化的趋势是体型变小，生活环变为1年期，行为变复杂(包括对丝的利用)。蜘蛛目约30 000种。分3个亚目。1.中突蛛亚目(Mesothelae)。腹部背侧观分节明显(7～18节)。螯肢直螯式，附于背甲前方，须肢基节无内叶。雄体须肢较复杂。雌体无生殖板。书肺2对。前体有18个神经带，分隔较其他亚目清晰。心有5对心孔。纺绩突8个。1科：Liphistiidae科。2.直颚亚目(Orthognatha)。螯肢直颚式(近轴)，附于背甲前方，须肢基节无内叶。2对书肺。心有4(稀3)心孔。雄体须肢构造简单。雌体无生殖板。第13～18对神经节缺，余愈合。多形大，寿命长，分布温暖地区。11科，约2 000种。(1)螲蟷科(Ctenizidae)；(2)Antrodiaetidae科；(3)Actinopodidae科；(4)四纺蛛科(Migidae)；(5)长尾蛛科(Dipluridae)；(6)Mecicobothriidae科；(7)地蛛科(Atypidae)；(8)捕鸟蛛科(Theraphosidae)；(9)多毛蛛科(Pycnothelidae)；(10)鳞毛蛛科(Paratropidae)；(11)螯耙蛛科(Barychelidae)。3.钳颚亚目(Labidognatha)。螯肢钳颚式(双轴式)，附于背甲下方。须肢基节有内叶。书肺1对，有时代以气管。心孔3(有时2)。第13～18神经节缺，余愈合。分2附目。(1)无筛器蜘蛛附目(Ecribellatae)。无筛器或栉器。①石蛛超科(Dysderoidea)。分布广泛，计5科：Gradungulidae科、卵形蜘蛛科(Oonopidae)、四气孔蛛科(Caponiidae)、弱蛛科(Leptonetidae)及无眼蜘蛛科(Telemidae)。②花皮蛛超科(Scytodoidea)。分6科：花皮蛛科(Scytodidae)、斜蛛科(Loxoscelidae，褐蛛)、刺客蜘蛛科(Sicariidae)、二肺蛛科(Diguetidae)、花洞蛛科(Ochyroceratidae)及Plectreuridae科。③幽灵蛛超科(Pholcoidea)。1科：幽灵蛛科(Pholcidae，长脚爷叔)。④拟平腹蛛超科(Zodarioidea)。分2科：拟平腹蛛科(Zodariidae)、二纺器蛛科(Palpimanidae)。⑤长纺器蛛超科(Hersiloidea)。分2科：长纺器蛛科(Hersiliidae)及壁钱蛛科(Urocteidae)。⑥圆蛛超科(蜘蛛超科，Araneoidea)。分10科：球腹蛛科(Theridiidae)、华盖蛛科(Linyphiidae)、愈螯蛛科(Symphytognathidae)、Hadrotarsidae科、类球腹蛛科(Nesticidae)、圆蛛科(蜘蛛科，Araneidae或Argiopidae)、球体蛛科(Theridiosomatidae)、肖蛸科(Tetragnathidae)、古蛛科(Archaeidae)及拟态蛛科(Mimetidae)。⑦狼蛛超科(Lycosoidea)。8科：漏斗蛛科(Agelenidae)、栅蛛科(Hahniidae)、盗蛛科(Pisauridae)、狼蛛科(Lycosidae)、Toxopidae科、猫蛛科(Oxyopidae)、六眼蛛科(Senoculidae)及栉足蛛科(Ctenidae)。⑧管巢蛛超科(Clubionoidea)。分8科：平腹蛛科(Gnaphosidae、掠蛛科，Drassodidae)、管巢蛛科(Clubionidae)、粗螯蛛科(Prodidomidae)、扁蛛科(Platoridae)、无齿蛛科(Homalonychidae)、巨蟹蛛科(Heteropodidae、遁蛛科，Sparassidae)、拟扁蛛科(Selenopidae)及拟暗蛛科(Amaurobioididae)。⑨蟹蛛超科(Thomisoidea)。1科：蟹蛛科(Thomisidae)。⑩跳蛛超科(Salticoidea)。1科：跳蛛科(Salticidae)。⑪沙蛛超科(Ammoxenoidea)。1科：沙蛛科(Ammoxenidae)。(2)有筛器蜘蛛附目(Cribellatae)。有筛器及栉器，分12科。①古筛器蛛科(Hypochilidae)。②管网蛛科(Filistatidae)。③硕栉足蛛科(Acanthoctenidae)。④拟暗蛛科(Zoropsidae)。⑤拟壁钱蛛科(Oecobiidae)。⑥隆头蛛科(Eresidae)。⑦毛足蛛科(Tengellidae)。⑧卷叶蛛科(Dictynidae)。⑨褛网蛛科(Psechridae)。⑩暗蛛科(Amaurobiidae)。⑪蜕蛛科(Uloboridae)。⑫巨眼蛛科(Dinopidae)。

spider beetle　蜘蛛甲　鞘翅目蛛甲科(Ptinidae)昆虫，约500种。有时视为窃蠹科(Anobiidae)的一部分。体球形，足细长，无翅，甚似蜘蛛。长1～5毫米。红褐色至黑色。分布全球，生活在动植物尸体、贮存食物、干木材及博物馆的标本中。白斑蜘蛛甲(*Ptinus fur*)和体有光泽的美洲蜘蛛甲(美洲裸蛛甲，*Mezium americanum*)是北美的室内害虫。

spider crab　蜘蛛蟹　甲壳纲十足目蜘蛛蟹科(Majidae或Maiidae)无脊椎动物。体厚实而圆，足细长，行动迟缓。多数食腐肉。广泛分布，海产，在温带水域，如北太平洋地区，有商业性捕捞。有的很小，如欧洲沿岸的长喙蜘蛛蟹(具喙大足蟹，*Macropodia rostrata*)的直径约1厘米。最大的蜘蛛蟹是日本附近太平洋中的巨蟹(**giant crab**，肯普弗氏巨螯蟹，*Macrocheira kaempferi*)，其两螯伸展时两端相距4米，也可能是最大的节肢动物。蜘蛛蟹头常呈喙形，体表一般覆以毛、刺或瘤突，还生长着海藻、海绵或其他生物。蟹嘴流出像黏液的分泌物把这些物质粘在身上。加拿大到墨西哥的太平洋沿岸海藻中的藻蟹（伸长矶蟹，*Pugettia producta*）宽1.25厘米，长2.5厘米；背面绿红两色，下面绿色。印度洋的菱蟹（*Parthenope investigatoris*）伪装得像周围的珊瑚。*Pisa* 属长1.3～6厘米，见于地中海及东大西洋。地中海和欧洲西南沿岸的 *Maja squindao* 长达18厘米。*Libinia* 属、互爱蟹属

蜘蛛蟹（*Libinia*）
供图：Walter Dawn

（*Hyas*）、*Sternorhynchus* 属、*Pitho* 属及紧握蟹属（*Lambrus*）的蜘蛛蟹常见于北美大西洋沿岸。太平洋沿岸的蜘蛛蟹包括 *Loxorhynchus* 属、矶蟹属（*Pugettia*）及 *Epialtus* 属。

spider hunter　捕蛛鸟　数种太阳鸟的统称。参阅 **sunbird**。

spider-hunting spider　猎蛛蛛　参阅 **pirate spider** 海盗蛛。

spider mite　蛛螨　参阅 **red spider** 红蜘蛛。

spider monkey　蜘蛛猴　卷尾猴科蜘蛛猴属（*Ateles*）4种极为灵活的大型猴类的统称，栖于从墨西哥到巴西的森林中。躯体极为瘦长（体长35～66厘米）；腹大，肢长，无拇指；尾长（60～92厘米），蓬松，并能卷曲抓物，有如一条额外的胳膊。各种之间被毛的长度、粗细各不相同，颜色从灰到微红、深褐或黑色不等。成群活动，日间于树冠间漫游。不常下到地面。有时用臂和尾悠荡，在树间迅速往来；有时伸开手脚，从一棵树跳到或落到另一棵树上。以果实、花和嫩芽为食。妊娠期约139天，在隐蔽处生育，每胎产1仔，幼仔在近一年内依赖母兽生活。容易感染疟疾，常在实验室用来研究这种疾病。有时被土著人射杀为食，中箭后有时会自行拔箭并试图堵住出血处。可能成为温顺的玩赏动物，但成年个体可能会发脾气，并可能给人带来危险。绒毛蜘蛛猴（**woolly spider monkey**）属于绒毛蜘蛛猴属（*Brachyteles*）。

spider orchid　蜘蛛兰　兰科蜘蛛兰属（布拉斯氏兰属，*Brassia*）植物，约50种，附生。原产北美东南部、西印度群岛和中美、南美的部分地区。有气生根。每茎生叶1～3片。

蜘蛛兰（*Brassia verrucosa*）
供图：G. C. K. Dunsterville

多数种花穗侧生，花黄色、黄绿或橙黄色，常具斑点；花瓣和萼片长而薄，花形似蜘蛛。

spider plant　蜘蛛草　百合科吊兰属（**Chlorophytum**）植物，产于非洲。

spider wasp　蜘蛛蜂　膜翅目蛛蜂科（Pompilidae 或 Psammocharidae）昆虫。分布世界大部分地区。约40种分布于英国，100多种分布于北美。以有益于人的蜘蛛为食，但不被视为害虫。有些种体长超过5厘米，是本目最大的种类，但多数长1.0～2.5厘米。体细长，通常色深；翅多呈烟色或淡黄色。足长而多刺，多能快速奔走。螫人甚痛。捕食方法各有不同。隐唇蛛蜂属（*Cryptocheilus*）种类先刺蜘蛛的螯肢间，再刺其腹柄处，使之完全不能动弹。而蛛蜂属（*Pompilus*）种类螫刺过程并不那样精确，蜘蛛蜂有时把蜘蛛刺死，有时蜘蛛被刺后可活数周。蜘蛛蜂将被麻醉的蜘蛛喂其幼虫（有的蛛蜂科以外的黄蜂类亦捕蜘蛛以饲幼虫）。常见成虫停于花上或地上或于其附近飞翔以寻觅猎物。巢在土中、

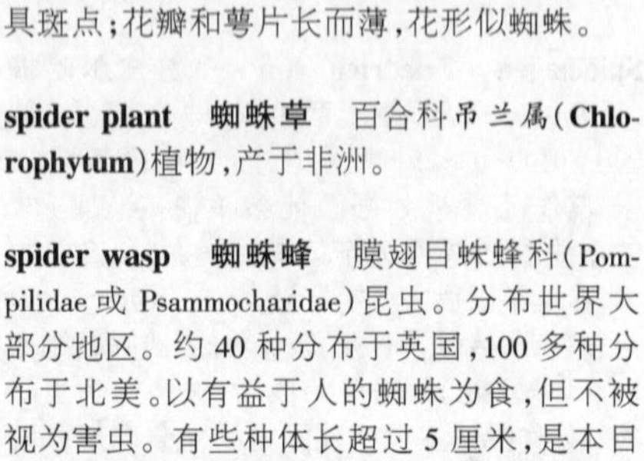

蜘蛛蜂（*Cryptocheilus*）
供图：Jacques Six

腐木上或石块缝隙间。*Pseudagenia* 属的种分布于北美，能在树皮下或石块间用泥筑巢。有的先筑巢，再去捕蜘蛛；有的先捕蜘蛛，把它放在一边再建巢。每巢内置蜘蛛一只并产卵1枚。幼虫孵出即食该麻痹的活蜘蛛。*Anoplius fuscus* 为欧洲种，能捕捉5个科的蜘蛛。欧洲的 *Homonotus* 属的幼虫生活于仍在正常生境活动的蜘蛛身上而食其组织，最后使之死亡。蜘蛛麻痹后被带到巢中的方式各异。北美和欧洲的 *Pompilus plumbeus* 将蜘蛛置于身体前方携带，其他种则斜向一边或拖于身后携带。*Anoplius depressipes* 捕捉沼泽蜘蛛（狡蛛属[*Dolomedes*]），将其拖过水面。某些蜘蛛蜂则带着猎物飞行。最熟知的蜘蛛蜂属于 *Pepsis* 属（塔兰托毒蛛鹰），其体钢蓝色，翅橙色；蛛蜂科一些最大的种类即在本属。塔兰托毒蛛鹰在美国西南部尤为常见，在其巢中放置蝗蚂或塔兰托毒蛛，并常攻击体积为其数倍的蜘蛛。

spiderflower　蜘蛛花　山柑科醉蝶花属（白花菜属、紫龙须属，*Cleome*）约200种植物的俗称。多是有辛辣气味的热带一年生草本植物。普遍栽培的种类为 *C. hasslerana*，花深粉红色，中午凋谢时变白色，原产西半球热带山麓及沙地灌木丛间。复叶，小叶片5～7枚；茎上有细刺毛。常与开污白色花的具刺

蜘蛛花（*C. hasslerana*）
供图：G. R. Roberts

醉蝶花（紫龙须，*C. spinosa*）混淆。落基山蜜蜂花（臭车轴草，*C. serrulata*）产北美潮湿草原及山区；株高50～150厘米，叶片三裂，夏季开粉红色花。形似蜘蛛，簇生，雄蕊较长。

spiderwort　蜘蛛草　鸭跖草科（Commelinaceae）紫露草属（*Tradescantia*）植物的通称，含20多种，原产南、北美洲，为直立或匍匐状草本，茎细弱。有些种在室内作为花篮植物，特别是白花紫露草（*T. albiflora*）和 *T. fluminensis*，两者相似，但前者叶绿色，后者叶背带紫色。白游丝草（白天鹅绒草、山紫露草，*T. sillamontana*）的叶和茎被微白绒毛。绒毛紫露草（*T. blossfeldiana*）叶绿色，光滑，背面被淡紫色绒毛，花紫色绒毛状。舟叶紫露草（*T. navicularis*）叶狭窄，纵长方向折叠，肉质，长约2.5厘米。*T.* × *andersoniana* 包括许多栽于庭园的杂交种。普通蜘蛛草（弗吉尼亚紫露草，*T. virginiana*）茎直立，多汁，花白至紫色，亦栽于庭园。蜘蛛草易繁殖，故为流行的室内植物。有些种像吊竹梅属（*Zebrina*）种类，但两者不能相混。

Spiegel, Der　《明镜》　自1947年起在汉堡出版的德国著名新闻周刊，在欧洲也拥有广泛读者。1946年创刊时名《本周》。该刊以其对政府弊端和政治丑闻进行咄咄逼人的、论据充分的揭露和出色的图片而闻名于世。规格与美国同类刊物《时代》和《新闻周刊》一样，但厚一倍。1962年曾因披露军队的财务问题，涉及国防部长施特劳斯，主编R.奥格施泰因及另4

名编辑被指控泄密而遭拘留。该刊因采取无情抨击的新闻手段而受人欢迎,成为欧洲销路最广、广告最多的杂志之一。它以洗练的笔调写出的新闻报道与新闻分析使它赢得了欧洲最佳新闻周刊之一的名声。

Spiegel, Sam　施皮格尔(1903-11-11,奥地利雅罗斯劳[今波兰雅罗斯瓦夫]～1985-12-31,小安的列斯群岛圣马丁岛)　奥地利出生的美国电影制片人。曾就读于维也纳大学,20世纪20年代初参加巴勒斯坦的青年先锋队工作。1927年到好莱坞任剧情翻译员,1930年被环球影片公司派往柏林任该公司驻欧洲总部主管。1933年纳粹上台后他逃离德国,先住在维也纳,1939年定居好莱坞。不久后他成为制片人,早期制作的影片有《曼哈顿故事》(1942)和奥逊·韦尔斯导演的《陌生人》(1946)。施皮格尔最重要的制作出现于50年代,其中有《非洲皇后号》(1951)、《码头风云》(1954)、《桂河大桥》(1957)和《夏日偶遇》(1959)。60和70年代他继而制作了《阿拉伯的劳伦斯》(1962)、《俄宫秘史》(1971)和《最后的大亨》(1976)。他制作的最后一部影片是据H.品特的剧本拍摄的《背叛》(1983)。施皮格尔的影片大都是起用当代一流演员、编剧和导演的高成本大制作。经典名作《非洲皇后号》、《桂河大桥》和《阿拉伯的劳伦斯》多半在丛林和沙漠中实景拍摄,往往是在极其困难的条件下完成的。

Spieghel, Henric Laurenszoon　斯皮赫尔(1549-03-11,阿姆斯特丹～1612-01-04,荷兰阿尔克马尔)　荷兰诗人。他极为独特的宗教信仰使他和同时代人产生隔阂。主要作品《心镜》(1614)是一首往往有寓言意味的长诗,用六韵步诗行写成,以朴素的语言阐明了他的哲学思想。他还积极投身于纯化和普及荷兰语的运动,写有《关于荷兰文学的对话》(1584)一书。

Spielberg, Steven　斯皮尔伯格(1947-12-18,美国俄亥俄辛辛那提～　)　美国电影导演和制片人,因影片受到群众空前的欢迎而著称。斯皮尔伯格自幼即对电影感兴趣,进中学时就是个颇有抱负的业余拍片迷。1970年大学毕业前后,他摄制的一部短片引起环球影片公司的注意,使他得以进入该公司导演电视节目和电视片。他导演的电视片《决斗》(1971)获得成功,使他能够开始摄制供电影院放映的电影。其中第一部是《糖乡快车》(1974)。1975年摄制了《大白鲨》,这是一部描写追捕吃人大鲨鱼的惊险影片,放映后受到高度赞扬,成为美国电影史上销路最好的影片之一。接着他导演了描写人类与外星人接触的影片《第三类接触》(1977)。随后的作品是冒险片《遇难方舟的劫掠者》(1981)、幻想片《外星人》(1982)和《侏罗纪公园》(1993),都获得了很大的成功,受到群众巨大的欢迎。接着他把他的业务扩大至制作其他导演所导的影片,但不久他重又导演了《紫色》(1985)、《太阳帝国》(1987)和《辛德勒名单》(1993)。因后者,1994年他获得奥斯卡最佳影片和最佳导演金像奖。5年后斯皮尔伯格因另一部描写第二次世界大战的影片《拯救大兵瑞恩》(1998)再次荣获奥斯卡最佳导演奖。科幻电影《人工智能》(2001)也许是他的情感最为复杂的一部影片,尽管影评和观众对该片的评价不一。2002年他以影片《少数派报告》和《逍遥法外》重回其本色题材和风格。作为导演,斯皮尔伯格以精湛技巧而著名。他的影片把优美的摄影、巧妙的剪辑、丰富的配乐和创新的特技熔于一炉,成为一个吸引人的整体,感人肺腑,扣人心弦。他并以幻想、幽默、冒险行动和生动的人物刻画使他的影片情节大为丰富。斯皮尔伯格影片的商业进取精神和童稚般的单纯成为80年代好莱坞影片的流行风格。1987年电影艺术和科学学院获予他索尔伯格奖,以承认他的普遍影响。1994年他与人合组梦幻世界娱乐公司,制作电影、动画片和电视节目。

Spielhagen, Friedrich von　施皮尔哈根(1829-02-24,普鲁士萨克森马格德堡[德国]～1911-02-25,德国柏林)　德国著名作家,其作品被视为德国社会小说的代表作。曾在柏林、波恩等大学读书,后教文科高级中学,1854年以后完全投身于文学。1878～1884年任《韦斯特曼月刊》编辑。他的《成问题的禀性》(4卷,1861)写得极为成功,被认为是当时的最佳作品。主人公被民主的社会理想和国家理想以及社会生活中的纷乱现象引向相反的方向。随后出版《从黑夜到光明》(4卷,1862)、《锤与砧》(5卷,1869)以及《海啸》(3卷,1877)。后者是一本有影响的传奇小说,用1872年袭击波罗的海海岸的那场风暴象征同年震撼柏林的经济风暴。他的剧本包括《一爱还一爱》(1875)和《汉斯和格蕾特》(1868)。

Spielmann　艺人　中世纪时在集市、市场、城堡演唱的江湖艺人。这种艺人包括歌手、小丑和吞剑者。他们之中还有讲故事人。那时所有书面文学作品几乎都是宗教性的,宫廷诗人在外国影响下,所关心的主要是爱情诗和亚瑟王传奇,而这些讲故事人在传播当地的日耳曼方言传说方面被认为作出了贡献。许多有趣的传奇故事如12世纪的《罗塔尔王》之类的作品,语言幽默,没有说教气息,对社会现象都能深入洞察,是得到高度发展的非正统文学,一般认为其传播者就是艺人。

spike moss　卷柏　卷柏目(Selaginellales)卷柏属(*Selaginella*)蕨类植物。700余种,藓状或蕨状,多年生,广泛分布世界,尤其见于热带。多为森林植物,有些附生在树上,也有的种类在干旱或季节性干旱地区生长繁茂。叶鳞片状,在蔓延、攀缘或直立茎和枝上螺旋状或成4行排列。孢子叶形似普通叶,但丛生成孢子叶球。小卷柏(欧洲卷柏,*S. selaginoides*)产于北美北部和欧亚大陆,见于森林和酸沼边缘,植株形小,枝沿地面蔓延,孢子叶球黄绿色,可直立高达8厘米。岩生卷柏(*S. rupestris*)原产北美,与小卷柏相似,叶较小,茎有分枝,生长在岩石上或沙内。还魂草(还魂蕨、鳞叶卷柏,*S. lepidophylla*)因形似无生命的干草团,雨季到来时又复展开而得名。地卷柏(克劳斯氏卷柏、蔓生卷柏,*S. kraussiana*)原产南部非洲;茎平卧蔓延,有鲜绿色分枝,茎易生根;有时栽培为家养植物,一如埃梅尔氏卷柏(*S. emmeliana*,原产热带美洲)、马滕斯氏卷柏(*S. martensii*,原产墨西哥)、翠云草(*S. uncinata*,原产中国南部)、有茎卷柏(*S. caulescens*,原产东亚)。

卷柏(*S. willenovii*)
供图:Walter Dawn

spikenard(*Aralia racemosa*)　**穗甘松**　又作 American spikenard, petty morrel 或 life-of-man。又称总状花序美洲楤木。山茱萸目五加科楤木属植物,原产北美。特点是根具浓郁香气。植株高3.5米;叶3裂,裂片心形;花聚生成多数花簇,着生于主茎顶端。近缘种裸茎楤木(*A. nudicaulis*)可代替拔葜作香料。百合科的总状鹿药(*Smilacina racemosa*)有时称为野穗甘松。

穗甘松(*Aralia racemosa*)
供图:John H. Gerard—美国不列颠百科全书公司

spilite　细碧岩　一般看不到晶体,常常是淡绿色或浅灰绿色的细粒或致密的喷出岩(火山岩)。细碧岩具有玄武岩的特征,但含有钠长石,而不是正常的拉长石。深色矿物是淡棕色的普通辉石;然而细碧岩一般都被分解,所以普通辉石被绿泥石和方解石代替了。细碧岩常常是有气泡的或有麻点的,显示有保存得极为完好的枕状构造,在大多数情况下这是海底产生的熔岩的一种标志。各个枕状体都具有同心环状的气孔带,气孔中含有绿泥石和方解石。有些出现枕状构造的细碧岩严格地说并不是熔岩,而是侵入到未固结的海底软泥中的浅成侵入体。最好的例子是澳大利亚新南威尔士州楠德尔的细碧岩。细碧岩这一名称最初用来表示没有斑晶而具有明显的多孔状结构的蚀变的基性熔岩,但目前用来指在成因上与细碧岩有关的一大批火成岩,情况可同碱性和钙碱性系列岩石相比。这套岩系中的岩石,成分变化很大,而且所有岩石都含有百分比很高的钠,并且通常是广泛蚀变的。所包括的岩石有钠长石粒玄岩、钠长角闪辉绿岩、苦橄岩、角斑岩、钠质霏细岩和钠质花岗岩。细碧岩系列是那些长期持续缓慢沉降,上升运动次数很少或是很轻微而且没有重要断层作用的地区所特有的岩石。这些熔岩在地槽的边缘涌出来,在那里堆积了黑色页岩、石灰岩和放射虫燧石层。因为地槽是后来褶皱运动的中心,所以许多古老的细碧岩都遭受过广泛的褶皱和变质作用,产生了新的矿物,包括由变质产生的钠长石。细碧岩的喷发曾在广阔的地区上大规模地反复发生。

Spillane, Mickey　斯皮兰(1918-03-09,美国纽约布鲁克林～2006-07-17,南卡罗来纳默勒尔斯因莱特)　美国侦探小说作家。弗兰克・莫里森・斯皮兰的笔名。他的畅销书以暴力和放荡的性生活为特点。为筹措上学费用,他开始为庸俗杂志写稿并写了一些滑稽作品。第一部小说《我,陪审团》(1947)塑造了侦探迈克・哈默。此人物也出现于其他作品,如《我的枪法高明》(1950)和《大凶杀》(1951)。50年代初斯皮兰停止写作。10年后重新提笔,写了《海洋》(1961)一书。他还写电影脚本《追求女人的人》(1962),1963年拍成电影时,他扮演了哈默这个角色。《枪炮时代》(1964)开始了以国际间谍泰格・曼为主人公的另一系列侦探小说。后期作品有《最后的借口》(1973)和《波涛平息之日》(1981)。斯皮兰说他写作只是为了赚钱,置文学趣味于不顾,作品中反复出现施虐狂的成分,使一些读者烦恼。不过他叙事状物栩栩如生,对中心人物的刻画入木三分,使读者十分倾倒。

spillikins (game)　参阅 **jackstraws 挑棒游戏**。

spillway　溢洪道　水库充满时使过量的水越过或绕过水坝的水道。溢洪道可保护坝身坝基免受冲刷,对填土坝是一种特别重要的安全设施。可以建在坝上或一部分坝体上,或形成一个绕过水坝的水道,也可以是穿过坝身的输水隧洞,水对溢洪道底部的冲刷能量由消力池消能或用保护坝身的斜坡减缓水的冲刷,护坡的尽端为曲面形状,把水流引离坝基。

美国堪萨斯州密苏里河盆地水利工程柯温水坝的溢洪道
供图:Ewing Galloway

spin　自旋　物理学中亚原子粒子或原子核的角动量,用狄拉克常量(即 $\hbar, \hbar=\frac{h}{2\pi}$)的倍数量度。对于电子、中子和质子,倍数为1/2,π 介子的自旋为0,比质子复杂的原子核的自旋(即其总角动量)是各组成核子的轨道角动量与内禀自旋的矢量和。质量数为偶数的核,倍数为整数;质量数为奇数的核,倍数为半整数。一切中子和质子为偶数的核,基态时的自旋为0。

spin-statistics theorem　自旋-统计法定理　量子力学的基本数学论证:自旋为整数的亚原子粒子(如光子或氦4核)须用**玻色-爱因斯坦统计法(Bose-Einstein statistics)**描述;自旋为半整数的亚原子粒子(如电子或质子)须用**费米-狄拉克统计法(Fermi-Dirac statistics)**描述。

Spina　斯皮纳　意大利亚得里亚海滨的古代古埃特鲁斯坎港口(今伸入内地约10千米)。公元前6世纪末叶,斯皮纳港建于波河口,为希腊与北埃特鲁里亚兴盛贸易的两个主要输入港口之一。公元前400年曾遭高卢人洗劫,又因市场凋敝,港口淤塞而湮没无闻。1922年开始疏通挖掘,发现了许多无与伦比的希腊陶器。

斯皮纳出土的公元前5世纪的希腊巨爵
供图:Hirmer Fotoarchiv, Munchen

spina bifida　脊柱裂　一种先天性椎骨背侧闭合不全,属于**神经管缺陷(neural tube defect)**的一种类型。

spinach (species *Spinacia oleracea*)　**菠菜**　藜科耐寒的一年生蔬菜作物。叶可食,莲座状丛生,其后从叶丛中生出种柄。叶略呈三角形,平展或多皱。菠菜在凉爽的气候条件下和富含石灰质的肥沃土壤上生长快,叶大。用种子条播,行距30厘米,后需间苗。自早春直至晚夏,每隔两星期即可播种一次。晚秋的最后一次播种长成的幼株采叶后可以越冬,至翌年早春又可收叶,甚至冬天不太寒冷时也可采叶。菠菜在北欧和美国广泛种植,以鲜菜、罐头及冷冻菠菜的形式上市。菠菜含铁,维生素A、C丰富。20世纪20年代人们首次注意到这一点时,菠菜种植大为兴旺。菠菜可作沙拉生食或烹食,可做多种汤,亦用于蛋奶酥、奶油冻,又是许多菜肴的成分。

菠菜(*Spinacia oleracea*)
供图:Ingmar Holmasen

spinal column (anatomy)　参阅 **vertebral column 脊柱**。

spinal cord　脊髓　脊椎动物的主要神经束,从颅底起贯穿脊柱管。由神经纤维组成,传导反射活动和进出脑部的冲动。脊髓和脑部一样在外面也有三层结缔组织包膜包绕,称脑脊膜。外层和中层包膜之间的空隙充满脑脊液,这是一种清亮、无色、无细胞的液体,其功能是保护脊髓免受震荡。在横截面上,脊髓呈卵圆形,色白,但中间有一蝴蝶状的灰色区域。白质由有髓(有鞘)纤维,即**轴突(axon)**组成;灰质则包含细胞体、无髓鞘的运动神经元纤维,以及联结左右两侧或腹背**神经节(ganglion)**的中间神经元。人类有31对脊神经起自脊髓:颈8对、胸12对、腰5对、骶5对、尾1对。有关内外情报的信息沿上行束上传。脑将信息归类,再经下行束下达神经冲动,或刺激运动神经元或引起腺体分泌以完成适宜的应答。

spinal curvature　脊柱弯曲　脊柱偏离正常的情况,包括脊柱侧凸、脊柱前凸和脊柱后凸。脊柱侧凸是指脊柱的侧向偏斜,通常构成两个弯曲——原来的异常弯曲和后发展出来的代偿性弯曲。可能的原因包括背、胸或腹肌的不对称发育,这可能发生于脊髓灰质炎或脑性瘫痪;两腿长度显著不同;脊柱或相关结构的畸形或疾病,如脊柱炎、脊柱裂、骨折、脱位、偏侧脊柱发育不良或佝偻病。治疗视原因而定,通常包括矫形外科手术、牵引、石膏模型及身体锻炼。脊椎前凸是腰椎(中到下部)曲度增加,常见于髋关节病、肝硬变或肥胖。脊柱后凸是胸椎(上部)曲度增加,可因佝偻病或结核性脊柱炎(波特氏病)引起。

spinal nerve　脊神经　脊椎动物自脊髓按一定间隔发出的成对神经。每一对都使脊髓与身体的一定部位相连接。靠近脊髓处每条脊神经分成背腹两个根:感觉神经元纤维由背根传入脊髓,而细胞体位于脊髓外的脊神经节内;运动神经元纤维经腹根传出脊髓,而细胞体位于脊髓的特定区域。

spinal tap(medicine) 参阅 **lumbar puncture** 腰椎穿刺。

spinalis muscle 棘肌 位于背部,靠近脊柱的深层肌,为竖脊肌的一部分。用于使脊柱伸直、侧弯及旋椎。其主要部分为胸棘肌,起于下部胸椎及上部腰椎,附着于上部胸椎。棘肌亦可向上分布至项部(项棘肌)及头部(头棘肌)。

spine(anatomy) 参阅 **vertebral column** 脊柱。

spinel 尖晶石 由镁铝氧化物($MgAl_2O_4$)组成的矿物。它们都是通式为 AB_2O_4 的金属氧化物。式中 A 可以是镁、铁、锌、锰或镍;B 可以是铝、铬或铁;而 O 是氧。尖晶石族可分成 3 个不混溶系列:尖晶石(铝尖晶石)系列,其中 B 是铝;铬铁矿(铬尖晶石)系列,其中 B 是铬;以及磁铁矿(铁尖晶石)系列,其中 B 是铁。铝尖晶石比其他尖晶石更硬更透明而密度较小。尖晶石系列中包括尖晶石矿物,亦称红尖晶石(**ruby spinel**)或镁尖晶石;其他还包括有铁尖晶石(铁铝氧化物,$FeAl_2O_4$)、锌尖晶石(锌铝氧化物,$ZnAl_2O_4$)和锰尖晶石(锰铝氧化物,$MnAl_2O_4$)等矿物。镁尖晶石的颜色变化于血红色至蓝色、绿色、褐色和无色之间;锌尖晶石是暗蓝绿色的;铁尖晶石和锰尖晶石是黑色的。这些矿物呈坚硬玻璃状的八面体、颗粒或块体出现于基性火成岩、花岗伟晶岩和接触变质石灰岩矿床中。尖晶石系列的各矿物间,在结晶结构上常相互取代,因此大部分标本是混合物。关于铬和铁尖晶石的应用和产地,参阅 **chromite**; **magnetite**。尖晶石的详细物理性质,参阅 **oxide mineral**(表)。人造尖晶石品种已经有 200 多个,有些可作为宝石,而更多的是含铁的磁性材料(参阅 **ferrite**)。

Spinello ARETINO **斯皮内洛(阿雷蒂诺)** (约 1346,阿雷佐区[意大利]~ 1410-03-14,阿雷佐) 意大利哥特式后期画家,以叙事性著称。其风格预示了 15 世纪文艺复兴早期的现实主义绘画。约 1387 年在佛罗伦萨附近的安泰拉小教堂画了一组壁画,并为佛罗伦萨的圣米尼亚托教堂圣器收藏室画了一组圣徒本尼迪克特生平的壁画。1391 年开始画比萨的坎波桑托公墓的壁画。1404 年后为公共宫画了一组教皇亚历山大三世生平的壁画。这些画与比萨的一些壁画是斯皮内洛最重要的作品。

spinet 斯皮内琴 小型拨弦键琴,通常为翼形,有一套单根的弦,与键盘成斜角。翼形斯皮内琴可能在 16 世纪源产意大利,后在法国和英国为人所知。它是大型昂贵的拨弦键琴的代用品,17世纪末和18世纪曾大量生

约 1600 年的意大利斯皮内琴
伦敦维多利亚和艾伯特博物馆供图

产,尤以英国最多。其框架往往装饰十分华丽。此词在现代用法中通常指短小的立式钢琴。

spinneret 喷丝板 又称喷丝头。用于人造纤维纺丝的顶针状金属喷头,有很多小孔,纺丝液从孔中压出形成细丝。原料经熔融或用化学方法溶解成黏稠的溶液,从喷丝板流出后形成丝条,经凝结、蒸发或冷却而固化。喷丝板大都由不锈钢制成,但纺制人造丝需用白金喷丝板。喷丝孔的大小和形状决定纺出丝条的截面形状。每个孔眼纺出一根单丝,多根单丝合并成复丝。

spinning 纺纱 在纺织中,指将纤维从集合体中抽出并捻合成连续的纱或线;在人造纤维制造中,指把纺丝液喷出形成纤维。现有两类纺纱机:走锭纺纱机用于纺棉纱和毛纱;细纱机用于纺棉纱、毛纱和精梳毛纱。

spinning wheel 纺车 又称手纺车。早期的纺纱机械,将纤维制成纱或线,供织机制成织物。其发源地可能是印度,中世纪经中东传入欧洲。纺车取代更早的手工纺纱法,将

早期的美洲脚踏纺车
纽约州立历史学会供图

锭子水平装在轴承中,用绕在大手摇纺轮上的绳子带动旋转。左手握持纤维团,右手缓慢转动纺轮,纱条与锭子成一定角度,使纱条加上所需的捻度。16 世纪初传入欧洲的萨克森纺车,装有可连续卷绕纺出纱条的筒管,同时,原料纤维卷在静止的直立杆上,纺车用脚踏驱动,使操作者的双手解脱。18 世纪英国织布机的改进,引起纱线短缺,要求机械纺纱,促成一系列发明,纺车被改革为动力驱动的机械化装置。

Spinola FAMILY **斯皮诺拉家族** 12～14 世纪热那亚城邦鼎盛时期支配该城的贵族世家之一。它是 10 世纪时作为领主代表统治热那亚的伊多子爵幼子的后代。12 世纪,族中出过许多执政官。如圭多为 1102 ～ 1121 年执政官。其后裔,另一个圭多 1190 年为第 3 次十字军的热那亚舰队司令。13 世纪当亲教皇的归尔甫派在热那亚占优势时,斯皮诺拉家族领导吉伯林派与之斗争。尼科洛(1240 年卒)任舰队总司令。1270 年奥贝托和 O.多里亚夺取政权,成立两家族的联合政府。他们统治热那亚 15 年,是中世纪热那亚的黄金时代。在西班牙、奥地利和法国占据热那亚时期,斯皮诺拉家族出过一些军人、主教、大使和文人。在军人中,西班牙将军安布罗吉奥(1569 ～ 1630)颇为有名。此外,斯波诺拉家族还产生过 3 名热那亚大主教和 13 名枢机主教。文人有历史学家马西米利亚诺(1812 ～1879)。著名的女性有劳拉·迪内格罗(1838 年卒),她支援意大利爱国者 G.马志尼的革命事业。

Spinola, Ambrogio di Filippo, MARQUÉS (marquess) DE LOS BALBASES **斯皮诺拉**(1569,热那亚[意大利]～ 1630-09-25,斯克里维亚新堡) 即洛斯巴尔瓦塞斯侯爵。为西班牙服务

马德里国家图书馆供图

的杰出军事指挥官,当时最有才干的军人之一。他虽然在 17 世纪初反对荷兰共和国的战争中赢得声誉,但他终究未能摧毁荷兰人的军事力量。出身于意大利的城邦热那亚一个有势力的旧家族。1602 年率领自费招募的 9 000名军士向西属尼德兰进军。在围攻一年之后,终于占领了奥斯坦德。这时,他被任命为西班牙在尼德兰的驻军总司令。三十年战争(1618 ～ 1648)开始后不久,他几乎夺取了全部莱茵河一带德意志的战略要地,肥沃的巴拉丁领地(1620)。得到的奖赏是总督的职衔。1621 年,西班牙决定破坏与荷兰人签订的休战协定。他回到尼德兰,重新指挥西班牙的军队。经过长期围攻以后,终于攻克荷兰人的战略要塞布雷达(1624-08-28 ～ 1625-06-05)。这一胜利使整个欧洲为之瞩目,并成为贝拉斯克斯的伟大绘画《枪林》的主题。布雷达战役后,由于缺乏资金和人事摩擦,他的军事努力受到挫折。1628 年前往西班牙,

受命指挥对法国人进行的战争。1629年回意大利,在围攻卡萨莱时死去。

Spinoza, Benedict de 斯宾诺莎(1632-11-24,阿姆斯特丹～1677-02-21,海牙) Benedict为英语形式,希伯来语作Baruch,拉丁语作Benedictus,葡萄牙语全称为Bento de Espinosa。

供图:Herzog-August Bibliothek, Wolfenbuttel, Ger.

17世纪的唯理性主义者,哲学史上最完善的形而上学体系之一的创建人。出身于荷兰的一个犹太人家庭。1638年左右进入阿姆斯特丹一所专为犹太孩子建立的学校,校外时间则从一位德国学者学习拉丁文和德文。在研究犹太经典的过程中产生怀疑,被犹太教权威视作离经叛道,并于1656年7月被开除教籍。在与前耶稣会士、热情的古典学者弗朗西斯库·范·丹·恩德的交往中,不但提高了拉丁文水平,而且学习了希腊文,接触了新的经院哲学和笛卡儿哲学。他曾用几何学方式阐述笛卡儿的《哲学原理》。他的哲学既是笛卡儿哲学的发展,又是笛卡儿哲学的否定。他最受人注意的学说是对笛卡儿哲学难解之处所作的通俗易懂的解答。曾对笛卡儿哲学进行过深入细致的研究。一般地说,他接受了笛卡儿的物理学,尽管晚年时对它有所不满。他还发现笛卡儿的形而上学有不足之处,认为那些学说使世界成为难于理解。他的著名作品是《伦理学》。

斯宾诺莎在《伦理学》中首先对实体、属性和样态加以区分。实体是在完全独立的状态下存在的。因为不能用任何别的东西来解释它,它只能是自为因果的或者是必然存在。只能有一个这样的实体,而且是与上帝和整个自然界相一致的。他的哲学最突出的特点是他不仅否定上帝的超然存在,而且否定了上帝的人格、天意天命、自由意志以及意图。在斯宾诺莎看来,实体具有无数的属性,所谓属性是指"理智所认识到的组成实体的本质的东西"。人类的心灵只能掌握无限的属性中的两种:思想和广延。因而宇宙就是可以完全被意识到的占有空间的整体。正如他说的"所有的事物……是存在着"。然而无限属性的学说带来许多困难。由于所有的属性都是在实体的整个范围内表述它的特性,因而每一属性必当有其物质基础,二者之关系正如人的精神与肉体之关系。实体又以各种形式表现在无数的有限的样态之中,样态最好理解成"部分"——但是不能把它与整体相割裂。人类以及其他成为典型的样态的常见的客体都是自然界的组成部分。斯宾诺莎曾经把人类的理解力称作上帝无限智慧的一部分。同时样态也可以是直接或间接无限的。在广延属性之中的直接的无限样态就是运动和静止,间接的无限样态则是"宇宙的方位"。而在思想中的直接的无限样态则被认为是"绝对无限的理智"。

在认识论上他把认识分为三个阶段,第一阶段他称作意见或想象。他认为这里得出的感觉经验和判断概括是不充足的。第二阶段是理性,斯宾诺莎在这里说明了在几何学、普通物理学、普通心理学中先天知识的可能性。第三阶段为直观,是对单独客体的充分认识。

斯宾诺莎的道德哲学,正如他在《伦理学》中所描述的,用主观的词句来为"善"下定义:善对于不同种类的事物(如人和马等)是有区别的。然而人类有足够的共同之处,可以提出什么是真正的善良,尽管他们的观点不同。因而可以说"善良"对人类有客观意义,特别在反映对"上帝的认识"时是如此。

尽管他对专门哲学的直接影响并不大,但是他在西方思想史上还是有一定的地位。整个18世纪他被当作无神论者受到普遍的诋毁。自19世纪以来,专业的哲学家们对斯宾诺莎的作品经常研究。纯粹的唯心主义者和马克思主义者都寻求用他的著作来解释他们自己的学说。经验主义哲学家一方面否定了他的形而上学方法,一方面也从他的知识论和心理学方面得到很多启发。

Spinther, Publius Cornelius Lentulus 斯平特 参阅**Lentulus Spinther, Publius Cornelius 伦图卢斯·斯平特**。

spiny anteater(mammal) **针食蚁兽** 参阅**echidna 针鼹**。

spiny eel 刺鳗 鲈形目刺鳅科淡水鱼类和背棘鱼科深海鱼类的统称。体均细长似鳗,但与真正的鳗类无亲缘关系。刺鳅科产于热带,从非洲到中国,约50余种。肉食性。一

刺鳗(*Mastacembelus ellipsifer*)
供图:Gilbert Emerson

般夜间活动,白天常潜钻水底。吻长,并可活动;软背鳍前方有一列鳍棘;无腹鳍,软背鳍、臀鳍与尾鳍通常相连。体形最大的种体长约90厘米,但多数种体形小。本类或归属于刺鳅亚目(Mastacembeloidei)或独立为刺鳅目(Mascembeliformes),学者意见不一。背棘鱼科是个不为人所熟悉的小类群,见于1 980米以下的深海。体一般较小,具长而尖的尾及一行背鳍棘。同另2个深海鱼科,海蜥鱼科(Halosauridae)和短颏鱼科(Lipogenyidae)一起归于背棘鱼目(Notacanthiformes)。

spiny-finned fish 棘鳍鱼 又作spiny-rayed fish。棘鳍鱼超目(Acanthopterygii)鱼类。分布于海水或淡水;鳍上的鳍条均变成尖锐的棘,而非软条。有4目:银汉鱼目(Atheriniformes)、金眼鲷目(Beryciformes)、海鲂目(Zeiformes)及月鱼目(Lampridiformes)。**银汉鱼类(atheriniform)**是棘鳍鱼中最为人熟知的一类,包括飞鱼、虹鳉类、帆鳉、剑鱼、滑皮银汉鱼等。金眼鲷及海鲂多数体高而侧扁,长度在30厘米以下。大多数月鱼体细长如带状。巨大的皇带鱼可长达8米。金眼鲷目、海鲂目及月鱼目的种类是最原始的棘鳍鱼类。大多数生活于开阔的海洋,对其自然史所知相对较少。

spiny-headed worm 棘头虫 又作acanthocephalan。又称棘头动物。棘头动物门(Acanthocephala)的无脊椎动物,因身体前端的吻上具有钩刺而得名。已记载约600种,成体均寄生于脊椎动物(通常是鱼类)而幼体寄生于节肢动物。成体的体长一般不到1厘米,但某些种类可长达50厘米甚至更长。棘头虫为世界性分布。

自然史 棘头虫为雌雄异体。交配于脊椎动物寄主的肠腔内进行。卵实为有壳幼虫,随寄主的粪便一同排出体外。卵在被中间寄主节肢动物吞食前,并无进一步的发育。若卵被中间寄主所吞食,幼虫从卵钻出,称为棘头蚴,穿过寄主的肠壁,进入血腔,在此被囊所包裹,发育为棘头体。棘头体好似微小的成虫,将吻部缩回,进入静止期,称为囊棘蚴。被定局寄主(终寄主)脊椎动物吞食前囊棘蚴再次停止发育。若中间寄主为脊椎动物所食,幼小的成虫出现于其肠腔中,以其吻钻进寄主的肠壁,在此发育成熟。若吞噬含囊棘蚴的脊椎动物并非其寻常的寄主种类,则幼虫会钻过肠壁进入该寄主的体腔,在此包以包囊,保存其感染力,直到此偶然寄主又被其他动物所食;于是囊棘蚴在新寄主肠内再次钻出。在某些棘头虫的生活史中包含此种行为,如果终寄主不直接以中间寄主为食,则此种行为就成为完成其生活史的唯一手段。虽然棘头虫一般寄生在鱼类,但亦可寄生于两栖类、爬行动物、鸟类和哺乳类,人类偶被感染。因为棘头虫对寄主造成的损害轻微,故无经济的重要性。

形态和功能 棘头虫的身体可分为一个吻部和一个细长的躯干部。吻上生有尖端指向后方的棘刺,并能缩回躯干内。躯干部也可能具有钩或棘。棘头虫一般为白色,偶为黄色、橙色或红色。内部解剖简单,无肠管,躯干的很大一部分空间为容纳吻部的吻鞘和用以缩回吻部的肌肉所占。吻鞘后方有韧带囊。雄体的一个韧带囊包含两个睾丸和黏腺。雌体含两个韧带囊,性成熟后韧带囊不一定长期存在。雄体身体后端具交配囊,可翻出体外;雌体具一条简单的阴道。

分类 棘头虫与其他动物的亲缘关系不详。虽然棘头虫与袋形动物,还可能与轮虫或鳃曳虫近缘,但因为具假体腔,所以与这些种类不同,应另列为一门。有人认为棘头虫从绦虫衍生而来,但这观点未被接受。棘头虫的分类根据包括其钩和棘的性质和

分布，但未证明其钩和棘的性质和分布在种系发生上有什么意义。因此存在着多种分类系统。

spiny mouse　非洲刺毛鼠　啮齿目鼠科非洲刺毛鼠属(*Acomys*)18 种大耳哺乳动物的统称。特征为背上有硬棘毛。体沙色、微红褐色或浅灰色，体长约 10 厘米，尾长具鳞片。栖息在非洲和亚洲西南部多岩石和多沙地区。主要以谷物和植物为食，在某些地区在人类居住区附近或以内栖息。

spiny rat　棘鼠　啮齿目棘鼠科中美洲和南美洲多种鼠形哺乳动物的统称。约有 14 个现存属。种的数目各家意见不一，约 40 ～ 70 种以上。体长15～40厘米，尾长短不一，被

白脸刺鼠(*Echimys chrysurvs*)
供图：Warren Garst—Tom Stack and Associates

毛多少不同。吻尖，大多数种被硬毛或棘状毛。毛色有微红褐、褐、灰黑或灰白色。草食性，食甘蔗、青草、果实。人类常捕食之，认为其味佳。有些种地栖，有些种树栖。栖于森林或林中空地，常临水而居。傍晚和夜间活动，其余时间隐藏在地穴、岩石、树根间或树洞，偶有居于人类住所者。

spiny shark　棘鲨　又作 acanthodian。又称棘鱼。棘鱼纲(Acanthodii)已绝灭的小型鱼类的统称。是已知最早的有颌脊椎动物，既有鲨类又有硬骨鱼类的特征。棘鱼类最早出

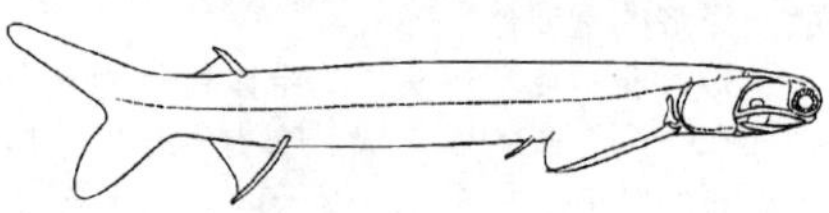

刺鱼属(*Acanthodes*)刺鲨

现于志留纪晚期，延续到二叠纪早期(约 4 亿年前至 2.8 亿年前)。棘鲨类各属中对化石定年最有用的是棘鱼目(Acanthodiformes)的棘鱼属(*Acanthodes*)，曾广布于全世界。棘鱼属的种可长达 30 厘米，并在很多方面表现为一个特化的类型，失去了很多棘鱼类特有的性状。与细长的躯干相比，棘鲨的头较小；眼大，吻区短；显然，棘鲨鱼在很大程度上是依靠视觉，而非依靠嗅觉。

spiny-tailed lizard　刺尾飞蜥　飞蜥科刺尾飞蜥属(*Uromastix*)的数种爬行动物。仅见于非洲北部和亚洲西部的干旱地区。生活于地洞内。尾上覆以无数小刺，借以保护自己，使大部分掠食者望而生畏。有的种类会将身体部分钻入穴中，并将尾部露出，猛烈地左右摆动甩向天敌。所有种类皆卵生，成体以草食为主。

spiracle　气孔　节肢动物的气管或书肺(具有书页样薄膜皱褶的呼吸器官)的细小的外部开口，通常位于一定的胸节和腹节上。板鳃类和硬鳞类鱼有一对气孔，由鳃衍化而来，呼吸时作为水的通道。鲸类的鼻孔，以及魟鱼和鳐鱼眼后的呼吸孔，也称为气孔。蝌蚪的气孔是从鳃室延伸的开口。

spiral　螺线　一种平面曲线。它绕着一点展开，同时又不断远离这个点。从古希腊以来，已经知道有许多种不同的螺线。人们在自然界中观察到这些曲线，并把它们用在机械、装饰，特别是建筑中。阿基米德发现了一种螺线，后来就用他的名字命名。他还确定了计算与曲线的各部分所对应的面积的方法。阿基米德螺线的方程是 $r = a\theta$，其中 a 是常数，r 是从一点 O 量起的半径长度，θ 是这半径的辐角(旋转的角度)。等角螺线或对数螺线是法国数学家 R.笛卡儿在 1638 年发现的；瑞士数学家 J.伯努利在 1698 年进一步研究了它的性质。它的方程是 $r = a\ \exp\theta\ \cot\phi$，其中 a 是常数。螺线和一个圆有关，这个圆同它的半径处处交成 90°角；而等角螺线则同它的半径处处交成不等于 90°的一个定角，这个角在上面的方程中用 ϕ 表示。在蜘蛛网中可以看到这种螺线的近似曲线，在软

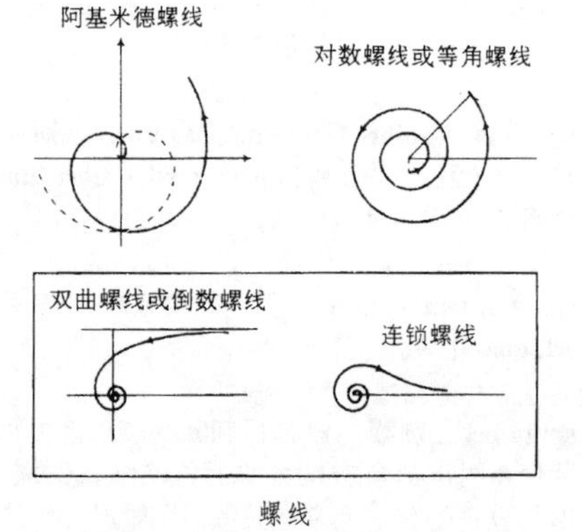

螺线

体动物贝壳上和某些花朵中可看到更为近似的这种曲线。特殊的平面螺线还有：欧拉螺线或科尔尼螺线，又称回旋曲线；科茨螺线或费马螺线，又称抛物螺线；连锁螺线；普安索螺线；倒数螺线或双曲螺线；以及正弦螺线等。

spirant　擦音　又译轻擦音。语音学术语，有些学者把这一术语与(摩)擦音(**fricative**)解释为同一种音质，而另外一些学者则把它划为(摩)擦音的次类，以其摩擦程度不如摩擦音之清晰可辨。

spire　塔尖顶　塔身之上尖锐陡峭的角锥形或圆锥形顶部。哥特式建筑发展到成熟期时，塔尖顶变得细长而高耸，成为建筑物上壮丽的视觉高潮，同时象征着笃信宗教的中世纪人们对天国的向往。塔尖顶起源于 12 世纪，原是覆盖教堂塔上的一个简单的四边角锥形屋顶，后逐步向细长和高耸发展，并更好地和塔身融为一体。为了使八角形的塔顶和下面方形的塔身协调，在方形的每个角上砌

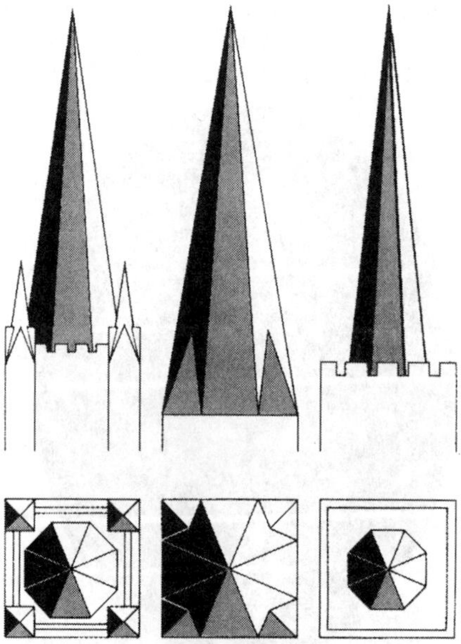

几种塔尖顶的正面图与平面图：(左)八角形塔尖顶；(中)有半角锥体的塔尖顶；(右)针状塔尖顶

筑了三角形的斜面，如科隆的圣科伦巴教堂(12 世纪)。12 世纪晚期和 13 世纪中，又在尖顶的四面中央加建了高而陡的屋顶窗(**dormer**)，以增强上下的联系，如沙特尔大教堂西南面的塔顶。在许多法国大教堂中，塔身四角以小尖顶(**pinnacle**)装饰作为上下的过渡，如库唐斯大教堂(13 世纪)，其塔尖顶四面装饰富丽的屋顶窗及四角的小尖顶，以各种方式衬托出塔尖顶高耸与细长的形象。在德国，罗马式时期的木构塔顶至哥特式时期发展为精致雕琢的石结构。瑞士的弗里堡大教堂尖塔建于 1270 ～ 1288 年，在低矮的方塔身上建了一个八角形的亭式天窗，其上的塔尖顶高达 117 米，是透空的花格骨架，边缘带有装饰，显得非常轻巧细致，后来成为德国教堂的范例。在 14 世纪英国盛饰建筑时期，针状的尖顶比下面塔身收进一些，四角都建有小尖顶，而塔顶边缘上出现了一圈女儿墙，如利奇菲尔德大教堂西面的两个塔尖顶。在文艺复兴时期不流行塔尖顶，在西班牙和意大利并无地方特色。不过在英、法、德等国塔尖顶继续发展，但受到意大利巴罗克风格一定程度的影响。17 世纪，德国出现了一种奇特的尖塔顶设计，其轮廓有凹凸线，端部还冠以一种洋葱状的穹顶。在此期间英国的 C.雷恩设计的塔尖顶趋向于简洁，特别在伦敦大火(1666)后所建的教堂中，例如拉德盖特的圣马丁教堂和弗利特街的圣布赖德教堂(仅存尖塔，1701 ～ 1703 年建)。值得注意的是，在美国早期建筑中也有许多简洁的塔尖顶，多以雷恩的作品为蓝本。具有特色的形式是在方塔顶上建一个八角形各面带拱的小亭，其上为简洁细长的白色塔尖顶，如波士顿的老南方会议厅(1729)。这种变细缩小的典型可见于波士顿公园街教堂的塔尖顶(1819)。19 世纪的建筑师特别是在 40、50 和 60 年代的仿哥特式时期，还大量地采用塔尖顶，也许是因

为塔尖顶与富有画意的折衷主义具有密切关系。20世纪的建筑师将它改造为较简单的几何形体,例如美国旧金山圣马利亚大教堂(约1970)中的截头八角锥形尖顶。

spirea 绣线菊 蔷薇科一个大属——绣线菊属(*Spiraea*)的植物,近100种。原产北温带,因有宜人的生长习性和美丽的花簇而被普遍栽培。栽培最普遍的,也许是所有

绣绒菊(*Spiraea*)
供图:E. R. Degginger—美国不列颠百科全书公司

栽培灌木中最流行,是菱叶绣线菊(*Spiraea* × *Vanhouttei*),由麻叶绣线菊(广东绣线菊,*S. cantoniensis*)和三裂绣线菊(*S. trilobata*)杂交而成,高可达2米,春天在优美的拱形树枝上开出许多白色花朵。其他春天开花的绣线菊有圆齿绣线菊(*S. crenata*)、笑靥花(李叶绣线菊,*S. prunifolia*)、三裂绣线菊。夏天开花的种类有日本白花绣线菊(白花绣线菊,*S. albiflora*)、布玛尔达绣线菊(*S.* × *Bumalda*,为日本白花绣线菊和日本绣线菊[*S. japonica*]的杂种,其花和叶的颜色都有多样)、比亚尔氏绣线菊(*S.* × *Billiardii*,起源于道格拉斯氏绣线菊[*S. douglasii*]和柳叶绣线菊[*S. salicifolia*])、日本绣线菊、柳叶绣线菊和茸毛绣线菊(*S. tomentosa*)。花朵美丽的矮型绣线菊有东瀛绣线菊(雪冢绣线菊,*S. nipponica*,"Snowmound")和日本白花绣线菊。高山日本绣线菊(*S. japonica*,"Alpina")开淡粉红色的花。类似绣线菊的植物有灌木状的假绣线菊(珍珠梅属[*Sorbaria*])和多年生的草本绣线菊(落新妇属[*Astilbe*])。

Spires(Germany) 参阅 **Speyer** 施派尔。

spirillary rat-bite fever 螺菌性鼠咬热 参阅 **rat-bite fever** 鼠咬热。

Spirillum 螺菌属 螺菌科(Spirillaceae)的一属,除引起人类鼠咬热的小螺菌(*S. minor*)一种外,均为水生。格兰氏阴性,能运动,螺旋状,两端各有一束鞭毛。最大的螺菌迂回螺菌(*S. volutans*)宽约5～8微米,长60微米。小螺菌存在于外观健康的小鼠及大鼠的血液中,可传染给其他啮齿类、猿猴及人类。自由生活的螺菌科种类均属水生螺菌属(*Aquaspirillum*)及海洋螺菌属(*Oceanospirillum*)。英语中 spirillum 也泛指任何形如开塞钻的物种。

spirit 烈性酒 用蒸馏法制成的各种酒精饮料。参阅 **distilled liquor**。

Spirit Lake Massacre 斯皮里特湖大屠杀 (1857-03-08～12) 在美国艾奥瓦州西北部奥科博吉湖区与斯皮里特湖附近,一群苏族印第安人在因克帕杜塔领导下杀死32名白人的事件。里奇利堡曾派出军队捉拿因克帕杜塔,终未寻获。为追念此次大屠杀,曾在附近的阿诺德公园建立一纪念碑(1895)。

Spirit of Saint Louis "圣路易斯精神"号飞机 1927年5月20～21日,C. 林白从纽约到巴黎作第一次不着陆单独飞行时所驾驶的飞机。它是把一架单发动机上单翼的"瑞安"M2型飞机按照林白提出的技术要求改进而成的"瑞安"NYP型飞机。这种飞机原来能乘5人,所以可利用座舱的容积装载附加油箱;由于机头整流罩代替了前风挡,只有从两侧舷窗才能直接看到外面,再依靠一台潜望镜观察正前方;机上也没有无线电。莱特公司的旋风型气冷式星型发动机能产生的最大功率为237马力。飞机翼展14米,机身长8.4米。装油量包括附加油箱在内共450加仑。满载时海平面的最大速度为200千米/小时,航程6 600千米。"圣路易斯精神"号从欧洲用船运回美国,林白驾驶这架飞机游历北美、中美和南美以提倡航空。最后这架飞机捐赠给史密森学会。

spirits of turpentine 松脂精 参阅 **turpentine** 松脂。

Spiritual 方济各会属灵派修士 又作 Spiritual Franciscan。方济各会内部一个极端派别的成员。该派主张严格遵守圣方济各关于清贫严谨的会规。他们通称"小兄弟",在一定程度上遭到方济各会重要神学家波拿文都拉的反对,有些人被定为异端分子处决。12世纪末该派奥秘修行家约阿基姆(菲奥雷的)很有影响力,该派的理想对16世纪新教神秘主义有所启发。

spiritual 灵歌 北美白人与黑人民间音乐,一种用英语歌唱的民间赞美诗。白人灵歌包括奋兴运动歌曲、野营布道会歌曲和少量其他赞美诗。主要来自17世纪中期"逐句吟唱"圣经的诗篇。如会众不识字,便由一位领唱者带有音调地吟唱诗篇的词句,每次一行,然后会众用一个熟悉的曲调唱出每一行刚刚规定的句子,如此轮流交替。每个歌唱者在他唱起来感到舒适的任何音高上即兴地创造出他自己的装饰音。这种形式到20世纪在与外界隔绝的黑人与白人教堂里依然存在。第2个来源是颂唱赞美诗(而不是只唱诗篇)。它是由18世纪的基督教循道宗创建人J. 卫斯理和C. 卫斯理再度传入的。18世纪末至19世纪中叶,有过几次奋兴运动的浪潮,由之而产生的野营布道会与奋兴运动的特征是自发性的群众歌唱。野营歌曲与奋兴灵歌究竟怎么唱,现在知之不详,人们揣测它们是不配和声的,曲调一般由较高的男声开始唱,然后女声与男低音以高8度或低8度加入歌唱。有时可能采用"呼应"的形式,旋律显然都加以装饰。歌词中的一些诗句和迭句为各歌曲所通用。歌曲的主题有"回到希望之乡"、"击败撒旦"、"战胜罪恶"等,典型的迭句是:"流吧,约旦河"和"荣耀哈利路亚"。亦唱早期民间传统中的赞美诗。这些歌曲是口传言授的,虽然有很多最终以特殊的图形记谱法记入民间赞美诗曲集。19世纪时,欧洲赞美诗体裁传入后,城市教堂中不复歌唱奋兴灵歌和其他民间赞美诗。但是,它们在与外界隔离的地区用口授的方法保存下来。使用图形音符记谱赞美诗集(**shape-note hymnal**)的人也还唱这类歌曲。19世纪出现的灵歌分支是福音歌。受"正统的"欧洲音乐的影响,它的旋律与歌词都是创作的,唱时有乐器伴奏并配有和声。黑人灵歌主要从白人乡村民间赞美诗发展而来。黑人与白人参加同一些野营布道会,黑人的表演风格可能对奋兴歌曲有反影响力。因此许多黑人灵歌也存在于白人民间音乐传统之中。美国白人世俗民间音乐和英国民间音乐中有与黑人灵歌相类似的旋律,借用5声音阶和大调音阶的旋律的情况尤其突出。黑人灵歌在音质、声音效果和节奏性伴奏的类型方面与白人灵歌显然不同。黑人灵歌不仅是宗教礼拜歌曲,也是劳动歌曲。人们认为灵歌是非洲民间音乐因素与白人民间音乐因素的复杂混合体,它们相互补充。例如两者均有"呼应"模式,均有某些音阶。许多权威人士认为声乐风格中和复杂的多节奏拍击式伴奏中有明显的非洲影响。非洲传统中也有复调的和合唱的歌唱形式。环形喊唱(一种宗教性舞蹈,常以歌唱灵歌和击掌节奏作伴奏)来自非洲。南北战争后,黑人灵歌被北方人"发现",或由职业合唱团配上和声演唱,或保持原古老风格在农村歌唱。现代黑人福音歌也是从灵歌发展而来,并用乐器伴奏。黑人福音歌与黑人世俗音乐有密切关系。

spiritual assembly 灵体会 巴哈教派的务管理单位,主持传教、出版、教育及社会慈善事业等大量活动。灵体会由9人组成,地方、国家及世界各级灵体会在每年列德旺节(04-21～05-02)期间由选举或任命产生。据说灵体会的成员的权力是安拉所亲授,因此他们就对自己的选举者拥有绝对的裁判权,而且可以随意作出决定和采取措施,不必对选举者负责。灵体会的经济来源是教徒的自愿捐献。每9人或9人以上的巴哈教徒产生一个地方灵体会。在20世纪80年代初期已有地方灵体会2.6万个左右。一国内各地方灵体会数目多得足以选出19名代表时,则可以从中选出9人产生国家一级的灵体会。这种国家一级的灵体会至80年代初有130个。1957年以前该教派由邵吉·埃芬迪作为真主事业的捍卫者行使世界范围的领导权。1957年邵吉·埃芬迪死,从1963年起该教派世界范围的领导权由各国灵体会所选出的最高灵体会即世界正义院行使。该院由各国家灵体

会选举产生，拥有制订教法及废除该教经典所载旧教法的全权。

spiritualism 唯灵论 任何一种哲学思想体系，只要它对感觉所难以察觉的非物质的实在的存在予以肯定，就可称之为唯灵论。根据这样的含义说来，唯灵论包括各种极为不同的哲学观点。它显然可应用于任何一种哲学，只要这种哲学承认无穷大的、具备人格的上帝这一概念，承认灵魂不朽，承认理智和意志的非物质性。其次，唯灵论还包括对宇宙力或一种宇宙精神的信仰。唯灵论本身并不论及物质、上帝或宇宙力的性质，也不涉及精神实在本身的确切性质。在古希腊，公元前5世纪的品达认为灵魂具有神圣的起源，从而在他的诗歌中据此来阐述唯灵论的俄耳甫斯神秘教理的实质，说灵魂只是暂时在身体这个家中作客，死后就返本归元，受奖或受罚。柏拉图对灵魂的见解也说明他是一个唯灵论者。而亚里士多德由于认为理智有积极和消极之分，并认为神是一种纯粹的现实，所以也是一位唯灵论者。被认为现代哲学之父的笛卡儿，把心灵看作是活动的唯一渊源，既与身体有别，但又活动于身体之中。学识渊博的德国理性主义者莱布尼兹提出了一种所谓心灵单子的精神世界。唯心主义者F.H.布拉德利、J.罗伊斯、W.E.霍金等人把个人看作只是世界灵魂的外貌。对意大利的现实论哲学的倡导者G.秦梯利来说，自我意识的纯粹能动性就是唯一的现实。法国的直觉主义者H.柏格森坚信具有人格的上帝，他同样相信他称为"生命冲动"的一种精神的宇宙力。现代的人格主义者在解释宇宙时把个人和人格置于优先地位。法国哲学家L.拉韦勒和R.勒赛纳均以唯灵论者著称。为了使精神在现代哲学中得到应有的重视，他们于1934年创办了《精神哲学》杂志。尽管这一刊物自称在哲学上并无偏爱，它实际上还是特别重视人格和直觉主义的各种形式。二元论和一元论、无神论和有神论、泛神论、唯心主义以及许多其他的哲学派别，只要承认存在一种独立于物质并优于物质的现实，它们就是与唯灵论相一致的。

spiritualism 招魂说 宗教名词，指相信已故者的灵魂一般借助于灵媒通过物质现象或在世者的昏睡等不正常精神状态与在世者相交的一种信仰，根据这种信仰而进行的作业称为招魂术。

招魂说的主要名词定义如下：

灵(spirit)，人的精华部分，躯体死亡之后灵继续生活。

灵界(spirit world)，脱离躯体的灵所居之处。

灵媒(medium)，在地上灵敏地感应灵界情况，在灵界与现世之间传递信息并引起其他精神现象的人。

传信灵(control)，向灵媒提供信息的脱离躯体之灵，灵媒把传信灵所提供的信息转达给地上的男女。

降神会(séance)，以灵媒为中心的寻求诸灵提供信息的集会(一般是小规模集会)。

传心(telepathy)，以非物质手段传输思想。

神视(clairvoyance)，不用肉眼而能视的能力。

神听(clairaudience)，不用耳而能听的能力。

飞升(levitation)，不用体力而使物件升起。

显形(materialization)，灵显出具体形象。

摄调(apport)，不用体力而产生物件或使物件通过封闭物件(如墙壁)。

灵医(spirit healing)是招魂说较晚近的发展方向，据说某些人具有超正常的真正能力为人治病，从招魂说的观点讲，这种人就是代表治病之灵的灵媒。

设法与离体之灵相通或许是宗教在人类社会中可以采取的形式之一，普遍见于古今各地，与现代招魂术的降神会十分相似的作业据悉见之于世界许多地方，如海地和北美洲印第安人中间，它们都不大可能是近代形成的。《圣经》(《撒母耳记上》28:7～19)载，以色列国王扫罗曾到隐多珥访问"交鬼的妇人"，也就是灵媒，当时有灵显形，扫罗认为那就是先知撒母耳。中世纪欧洲审判女巫的运动中传闻发现许多招魂现象。

在现代文明社会，直到1848年3月招魂活动才逐渐为人所知，当时，美国纽约州某小镇农人福克斯家中迭出怪事。在他以先住过该房的人都在夜间听到不知如何而起的敲击声，不堪其扰。福克斯先生迁入之后，也大受其害，后来，他的最小的女儿凯特要求想象中的鬼魂按照她弹指的次数如数敲击，果然成功。这样就建立了联系，以后双方规定了传达信息的一套办法。根据这套办法，鬼魂可以敲击声回答问题。据说，鬼魂自称是曾在该房中被谋杀的一个男子。

此后，举行聚会与鬼魂交流的活动迅速蔓延。推动这种活动的人许多无非是出于好奇或着迷于超自然之事，但也有人有较为认真的意图。有些人问生死安危，也有人是丧失亲人好友，知道仍能与他们来往而求得安慰，还有人想了解未来生命的情况。于是招魂学会和团体应运而生。

这种新道门的兴起不免遭到反对。天主教教廷圣职部于1898年发布教令，谴责招魂术，但允许就招魂活动进行合法的科学调查。赞成和反对招魂说的人都是感情用事，慷慨激昂，因而难以对所提出的种种证据作出公正的评估。

spirochete 螺旋体 又作spirochaete。螺旋体目(Spirochaetales)一组螺旋形细菌，包括一些严重的人类致病菌，造成梅毒、雅司和回归热等病。包括螺旋体属(*Spirochaeta*)、密螺旋体属(*Treponema*)、疏螺旋体属(*Borrelia*)和钩端螺旋体属(*Leptospira*)。螺旋体为革兰氏染色阴性，活动，螺旋形，长3～500微米。螺旋有一独特之处：具有胞内鞭毛(轴丝)，每个个体有2～200多个，数目因物种而异。每根轴丝都附着在一端并反向盘绕在细胞体上，而细胞外还有一层包膜。螺旋体生活于液体环境(如泥水、血液和淋巴)。密螺旋体属包括梅毒病原体(苍白密螺旋体，*T. pallidum*)和雅司病原体(极细密螺旋体，*T. pertenue*)。疏螺旋体属包括几种借虱和蜱传播并造成人类回归热的螺旋体(回归热疏螺旋体，*B. recurrentis* 及其他种)。螺旋体属是可独立生存的非致病螺旋体，栖泥水中，通常见

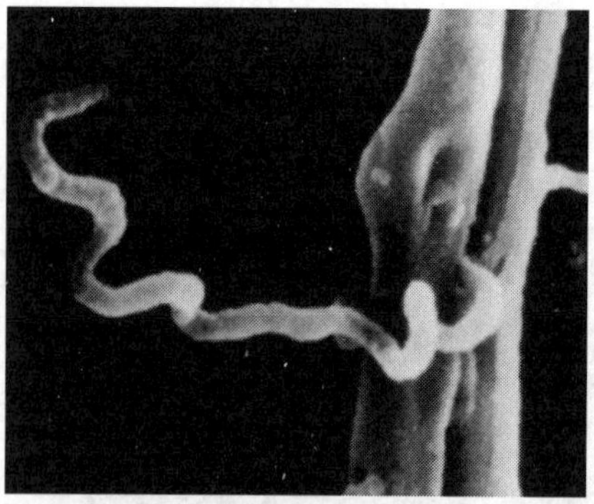

附着在睾丸细胞膜上的苍白密螺旋体(*Treponema pallidum*)(扫描电镜照片)

供图：ASM/Science Source

于乏氧地区。钩端螺旋体属造成的钩端螺旋体病主要是家养或野生哺乳动物的病，只继发感染给人类。

spirogyra 水绵 又作water-silk，mermaid's tresses或pond scum。水绵属(*Spirogyra*)的绿藻。见于淡水，通常自由漂浮。藻体呈丝状，不分枝，滑腻，由圆柱形细胞组成。每个

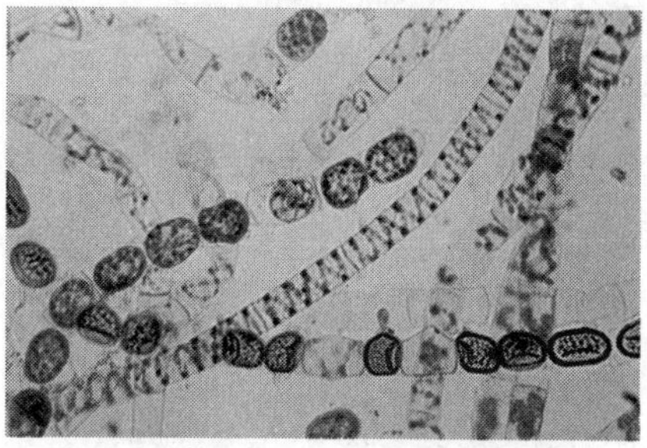

水绵属(*Spirogyra*)绿藻的营养型和接合型

供图：Russ Kinne—Photo Researchers/美国不列颠百科全书公司

细胞含一或多个美丽的绿色螺旋形叶绿体。细胞核由纤细的细胞质丝相连，悬浮于中央液泡中。以丝状体断裂行营养繁殖。有性生殖为接合生殖：由二条并列丝状体相对的细胞各伸出一突起，突起相连形成接合管，进行接合。同一条丝状体的两个相邻细胞也偶尔接合。接合时一个细胞的内含物进入另一细胞，与其内含物相融合，产生被厚壁所包围的合子，以合子越冬而丝状体死亡。在春秋两季晴朗的白天成片的水绵利用光合作用产生的氧气泡漂浮于小溪与池塘的水面。晚间因光合作用停止而下沉。

spirotrich 螺毛虫 又称旋毛纤毛虫。螺毛纲(Spirotrichea)原生动物。全身布有稀疏不均匀的纤毛，口附近有由纤毛愈合而成的小膜。本亚纲有5目：异毛目、腹纤毛目、齿口虫目、少毛目和沙壳目。参阅 **heterotrich**; **hypotrich**; **odontostome**; **oligotrich**; **tintinnid**。

spit 沙嘴 在地质学上，指一端与海岸相连的狭窄的海滨地形。沙嘴经常形成于海岸方向急剧改变处，且常常横在河口湾口上，还可以从港口的每一个探头岬上发育起来。可

能由沙和扁平的大砾石构成的沙嘴是由沉积物的沿岸运动所形成。沙嘴常呈复杂的曲线形，带有一个很特殊的向后回弯的头（钩），这大概是由波浪围绕沙嘴末端折射造成的。

Spitfire “喷火”式飞机 英国在第二次世界大战中的战斗机。它是当时世界上最快的单座战斗机之一，在不列颠之战中，是一种高效能的防空截击机。该机为下单翼飞机，1936年首飞，1938年开始装备英国皇家空军。大战中，该机经过不断改进，以承担多种任务，如战斗机、战斗轰炸机和照相侦察机。1938年服役的型号最大时速580千米，装8挺0.303英寸机枪。“喷火”式XIV型飞机的升限达12 200米，速度超过710千米/时，在1944年飞弹袭击期间曾击落300余枚德国V-1飞弹。战争期间“喷火”式飞机的装备增加到两门20毫米机关炮和两挺0.50英寸机枪或4挺0.303英寸机枪。有的改型在两翼下面各挂一颗115千克炸弹，机身下挂一枚115千克或230千克炸弹。在英国空军中服役的最后一批“喷火”式飞机（照相侦察机）于1954年退役。

Spithead 斯皮特黑德 英吉利海峡中一小海峡。位于英格兰本土和怀特岛东北岸之间。为开阔避风的深水海峡。除设皇家海军基地外，是大型船只进出南安普敦水湾最安全的航道。*索伦特海峡*（**Solent, The**）是斯皮特黑德海峡向西的延续。

Spitsbergen 斯匹次卑尔根岛 *斯瓦尔巴*（**Svalbard**）群岛的主要岛屿。

Spitta,（Julius August）Philipp 斯皮塔（1841-12-07，汉诺威魏肖德［德国］～1894-04-13，德国柏林） 德国学者，19世纪音乐学研究的主要人物之一，第一个全面论述J.S.巴赫作品的作家。就读于格丁根，1874年在莱比锡协助创建巴赫协会。1875年成为柏林大学音乐史教授。所著《约翰·塞巴斯蒂昂·巴赫》（2卷，1873～1880）论述巴赫生平及其作品的宗教因素和技巧特点。他编辑的H.许茨和D.柏格兹特胡德的作品集具有高度学术水平。1892年同勃拉姆斯、K.F.F.克里赞德尔以及其他人一起，编撰了巨著《德国音乐里程碑》。他还同克里赞德尔和G.阿德勒一起创办了第一种纯粹研究音乐学的期刊《音乐学季刊》（1885～1894）。

Spittal 施皮塔尔 奥地利南部克恩滕州城市。在利瑟山谷出口处，菲拉赫西北，德拉瓦河畔。德语“施皮塔尔”意为医院，因1191年奥尔滕堡伯爵在此修建医院，故名。1242年开辟市场。1930年建市。许多古老房屋、堂区教堂、市政厅以及文艺复兴时代的宫室，都是16世纪建筑。为旅游中心和铁路枢纽。生产木制品、纸张、建筑材料、靴鞋和化工产品。人口14 736（1981）。

Spitteler, Carl 施皮特勒（1845-04-24，瑞士利斯塔尔～1924-12-29，卢塞恩） 瑞士诗人。曾在俄国和芬兰任私人教师8年，回国后写出他的第一部伟大作品、神话史诗《普罗米修斯与埃庇米修斯》（1881）。后靠教书和从事新闻工作为生，开始以广泛的文学形式来表现自己。1892年，一笔遗产使他得以定居卢塞恩，并专心于创作。他的第二本伟大作

伯尔尼瑞士国家图书馆供图

品（获1919年诺贝尔奖）是诗意浓郁的史诗《奥林匹亚的春天》（1900～1905，1910年修改）。在这部史诗里，他为大胆构思和生动的表现力找到充分的活动余地。晚年致力于改写第一部诗作，行文更见紧凑，题名为《受难者普罗米修斯》。此外，还写有《超越现实之界》（1883）、两组抒情诗《蝴蝶》（1889）和《草与铃之歌》（1906）。他的长篇小说《伊马戈》（1906）尖锐地反映了他的幻想性质的创造天赋与中产阶级价值观之间的尖锐冲突，以致它对心理分析的发展产生了影响。1914年，他针对片面的亲德战争观，发表了一篇在政治上很有影响的论文《我们瑞士的立场》。

spitting spider 唾蛛 蜘蛛目皮花蛛科动物的俗名。多数种类有6只珍珠白色的眼，而不是8只眼。吐出黏性的唾液诱捕猎物。在热带阴凉处很常见。美国东部常见的胸皮

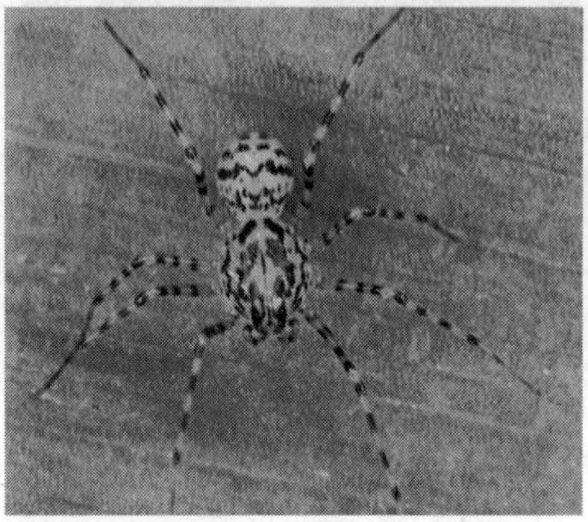

胸皮花蛛（*Scytodes thoracica*）
供图：Ann Moreton

花蛛（*Scytodes thoracica*）黄色有黑斑纹，长3.5～5.5毫米。

spittlebug 吹沫虫 参阅**froghopper** *沫蝉*。

spitz 狐狸狗 多个北方狗品种类群的通称，包括乔乔狗、波美拉尼亚狗和萨莫耶德狗。特征为被毛浓密而长，耳尖而直立，尾卷曲于背上。在美国，spitz一词常指任何形小，白色，长毛的狗品种。又指美国爱斯基摩狗，该品种为纯白色，体重约9千克，外形似小型的*萨莫耶德狗*（**Samoyed**）；已得到美国的联合养狗俱乐部的承认，但尚未得到更知名的美国养狗俱乐部的承认。在欧洲有许多狗品种称为狐狸狗。其中包括芬兰狐狸狗，该品种得到英格兰养狗俱乐部的承认；站高40～48厘米，被毛呈红褐色，有光泽；特征是性格活泼机灵。其他狐狸狗品种有*爱斯基摩狗*（**Eskimo dog**，又称格陵兰狗）和拉普兰狐狸狗（被毛白色、褐色、黑色或黑褐色）。

Spitz, Mark（Andrew） 施皮茨（1950-02-10，美国加利福尼亚莫德斯托～ ） 美国游泳运动员，第一个在一届奥运会（1972，慕尼黑）上获7枚金牌的选手。施皮茨在加利福尼亚州的圣克拉拉游泳俱乐部受训数年。1972年毕业于印第安纳大学，当过学校的校际游泳队队长。1968年墨西哥城奥运会前，他预言自己将获6枚金牌，引起争论。结果仅在400米和800米自由泳接力赛中获两枚金牌。在1972年奥运会上参加4项男子个人项目均获第一名，并创世界纪录：100米和200米自由泳（51.2秒；1分52.8秒）、100米和200米蝶泳（54.3秒；2分0.7秒）。他所参加的美国队在400米、800米自由泳接力和400米混合泳接力赛中均获全胜，并创世界纪录，又增3枚金牌。

Spitzweg, Carl 施皮茨韦格（1808-02-05，慕尼黑～1885-09-23，慕尼黑） 德国比德迈（早期维多利亚女王时代）艺术家中最有代表性的画家。1833年之前，当过药剂师和报纸

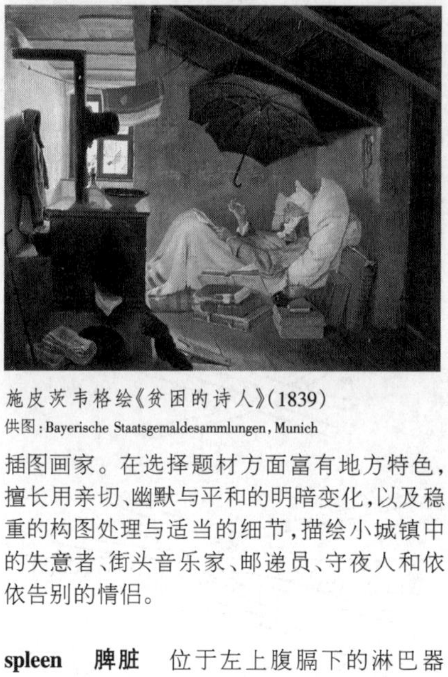

施皮茨韦格绘《贫困的诗人》（1839）
供图：Bayerische Staatsgemaldesammlungen, Munich

插图画家。在选择题材方面富有地方特色，擅长用亲切、幽默与平和的明暗变化，以及稳重的构图处理与适当的细节，描绘小城镇中的失意者、街头音乐家、邮递员、守夜人和依依告别的情侣。

spleen 脾脏 位于左上腹膈下的淋巴器官。人的脾脏大如拳头，表面包以厚层结缔组织被膜。富含血液，为血液的主要滤过器官。脾组织分红髓、白髓，两者交织混合。红髓是充满血液的腔管网（脾窦），起滤过作用。白髓是环绕脾血管的淋巴组织，内有浆细胞、淋巴细胞和淋巴小结（脾脏中的淋巴小结称滤泡）。微生物及其他抗原进入血流后，红髓和白髓中的噬细胞可将其清除，并启动免疫反应，产生抗体。白髓的生发中心是产生淋巴细胞的场所。红髓是体内破坏红细胞的主要场所。衰老的红细胞被清除时，血红蛋白降解为易排泄的色素和铁分子，而铁分子被重新利用以合成新的血红蛋白。某些动物的脾脏亦是贮血器官，在受激惹准备防御或逃跑时，脾被膜收缩，使贮存血液进入血循环。

人的脾脏大概并无此种能力。

splenitis 脾炎 因微生物感染、寄生虫侵染引起的脾脏发炎、肿大。身体其他器官的炎症易蔓延至脾。肺炎时脾脏轻度肿大、质软，断面呈红至灰色，硬度如粥样。伤寒时脾脏严重充血，肿大显著。传染性单核细胞增多症时脾肿大可达正常的3～4倍，脾窦及脾髓有成堆的白细胞，因张力增加，被膜和小梁变得薄弱。梅毒、麻风及结核亦常侵及脾脏。脾脓肿极为罕见，常因上腹部邻近器官的细菌感染所致。胃溃疡、动静脉血栓、脾血肿可并发感染。治疗包括手术引流和抗生药物。

splenomegaly 脾肿大 脾脏体积增大的一种临床表现。见于多种疾病，如全身性感染、炎症性疾病、血液病、遗传性脾脏疾病、脾囊肿、赘生性疾病等。患肝病、门静脉或脾静脉病变、缩窄性心包炎或充血性心力衰竭时，脾静脉回流(入门静脉)受阻，可造成脾脏充血性肿大。随原发病因不同，脾肿大的程度亦异，最大可达正常体积的80倍以上。巨脾给心脏及血液循环增加沉重负担，正常的脾脏仅能容纳心排血量的5%，而巨脾则能容纳50%以上。此外，脾肿大常致血浆容量增加，加之红细胞在脾内瘀滞，结果可致贫血。原发疾病一旦治愈，脾脏亦可能恢复正常的大小和功能。若脾脏受到严重损害则可能需要切除。

splice 捻接 将两根绳索的各个分股相互编织而成的永久性接头。在短捻接时每根绳索的分股被退捻、相互编织并分别插入另一绳索。为了使粗细均匀，通常分股在最后插

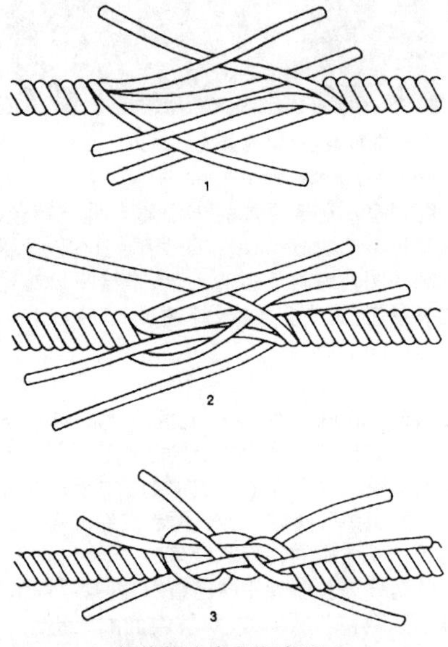

短捻接的步骤顺序图示

入另一绳索之前要修剪变细。特别是在帆船上用单根绳索制成的永久圈环，采用环状捻接，这时拆散绳索的一端，并把它与该绳索直段上某处相互编织在一起。短捻接的步骤顺序如图。

Split 斯普利特 意大利语称斯帕拉托(Spalato)。克罗地亚的海港、游览地，达尔马提亚主要城市。地处半岛南侧，有天然屏蔽的深水港湾，位于亚得里亚海岸线中部，有便利的铁路和公路通北部各地，因而有巨大的商业重要性。有一大型造船厂。生产塑料、化学制品、铝及水泥。有几个通往岛屿的渡口。有1962年开始扩建的国际机场。有一大学(1974)和一海洋学研究所。旧城市中心建于戴克里先的宫殿——保存完好的最大的罗马式宏伟建筑——之内，戴克里先于公元305年放弃帝位后在此住到313年死去。他的陵墓于653年被斯普利特一位主教改成大教堂；教堂以其精美的壁画、大理石讲坛及罗马式雕刻著称。朱庇特神殿久已被改作洗礼厅，14、15世纪添筑一美丽的罗马式钟楼。南斯拉夫当局付出巨大努力不仅发掘罗马遗迹和鉴别、探明中世纪早期遗迹，而且保护宫殿的建筑风格及其现代特色。宫殿至今仍被斯

斯普利特市的戴克里先官殿入口
供图：D. Waugh—Peter Arnold, Inc.

普利特居民视为城市中心。当地博物馆有一专用于展出克罗地亚雕刻家伊万·梅斯脱维奇作品的博物馆和一军械博物馆。威尼斯的哥特式市政厅现为人种学博物馆。812年后发展为拜占廷的一座主要城市。在威尼斯(998)和克罗地亚(1069)的短暂入侵后，1105年该城承认匈牙利-克罗地亚名义上的宗主权。1420～1797年被威尼斯占领。1797～1918年受奥地利人统治。1918年归南斯拉夫。1992年归独立的克罗地亚。第二次世界大战中，斯普利特港口设施遭德军和盟军轰炸，但旧城几无损坏。新建的一个综合运动场地曾供1980年地中海运动会之用。人口169 322(1981)。

Spock, Benjamin (McLane) 斯波克(1903-05-02，美国康涅狄格纽黑文～1998-03-15，加利福尼亚拉霍亚) 美国儿科学家。他撰写的儿童保育著作，特别是《婴幼儿保健常识》(1946)一书，被翻译成三十多种文字，发行量达几千万册，影响了第二次世界大战后的一代父母。该书极力要求父母对婴幼儿要有理解和灵活性，出版后成为空前畅销书之一，从而使他的名字家喻户晓。60年代后期他致力于反战运动，1972年为和平主义的人民党的总统候选人。

Spode porcelain 斯波德瓷器 英国斯塔福德郡特伦特河畔斯托克一家工厂于1800年前后开始制造的瓷器。该厂由约西亚·斯波德创建。这种混成瓷器把硬质瓷的配料(瓷

约1835年的日本款式斯波德骨灰瓷香罐
伦敦维多利亚和艾伯特博物馆供图

土和瓷石)与骨灰结合起来使用，即成为标准的英国骨灰瓷。早期的斯波德瓷器有精心制作的餐具和特大的花瓶，其豪华的装饰与饰金，均具有帝国风格。19世纪初，所谓的日本款式(隐约地导源于日本的伊万里瓷器)也在斯波德瓷厂制成。在1846年，科普兰引进了帕罗斯瓷器。这是一种白色无光不上釉的瓷器，很像大理石，用来塑制雕像。

spodosol 灰土 显示出凉湿森林区土层强烈发育的含灰分的灰色酸性土壤类型。多由砂性母质形成。易遭充分淋洗，肥力低，贮水量有限。出现这类土壤的多数地区尚未伐木开垦。辽阔的灰土地区与北美和欧亚大陆冻原接壤。这类土壤的特征层是其亚表层，其中积累由有机质、铝、铁组成的无定型物质。在美国北中部冷凉气候地区，灰土多施肥料及石灰，即可栽培谷物、马铃薯、浆果及青贮玉米等。

spodumene 锂辉石 又作triphane。辉石族中的一种硅酸盐矿物，既是金属锂的重要矿石，也是陶瓷原料的一种重要来源。其成分为锂铝硅酸盐($LiAlSi_2O_6$)。锂辉石一般产在含锂花岗伟晶岩中。洁净的锂辉石发亮，具玻璃光泽，被当作次宝石(这种次宝石多为收藏家和博物馆所珍藏，因为锂辉石在置于阳光下时其颜色极易退掉，一般群众不喜收藏之)。其主要变种有翠绿锂辉石(翠绿色)和紫锂辉石(粉红色或淡紫色)。

Spofford, Harriet Elizabeth Prescott 斯波福特(1835-04-03，美国缅因加来～1921-08-14，马萨诸塞埃姆斯伯里) 婚前名Harriet Elizabeth Prescott。美国作家。其哥特式传奇故事与众不同：遣词华丽，在处理当时的女性陈规方面不落俗套。1849年迁居马萨诸塞州纽伯里波特，1853～1855年间就读于新罕布什尔州的平克顿学院。陆续在波士顿各家报刊上发表几篇短篇小说。《在地窖中》于1859年发表在《大西洋月刊》上。1860年第一部长篇小说《罗汉爵士的鬼魂》匿名出版。1865年与R. S. 斯波福特结婚。婚后继续大量写

作。她的短篇小说、散文、旅行随笔和诗歌陆续发表在《大西洋》、《斯克里布纳》、《世纪》和《哈珀市场》等重要杂志上。出版的著作包括《新英格兰传奇》(1871)、《家具艺术装饰》(1878)、《婢女问题》(1881)、《深红色罂粟》(1894)、《老夫人》(1900)、《老华盛顿》(1906)和《仙女调包》(1910)等。

Spohr, Louis 施波尔(1784-04-05,不伦瑞克地区不伦瑞克[德国]～1859-10-22,黑森卡塞尔[德国]) 德国小提琴家、作曲家和指挥家,其作品反映了德国浪漫主义音乐的早

中国大百科全书出版社供图

期特点。靠研究莫扎特的总谱自学作曲。曾随不伦瑞克管弦乐团首席小提琴手学习小提琴,1802年师从F.埃克并随他到俄国巡回演出。还和杰出的小提琴家帕格尼尼一起在意大利巡回演出。1817年任美因河畔法兰克福歌剧院指挥。1820年举行在英国6次巡回演出中的首次演出。1821年在卡塞尔任宫廷指挥。1857年后不久左臂骨折,从此不能再演奏小提琴。他虽然反对当时一些进步作曲家——他不喜欢韦伯的作品和贝多芬的晚期作品——但对瓦格纳的音乐评价甚高,曾指挥《漂泊的荷兰人》和《汤豪泽》。作品有:11部歌剧(包括最早的德国浪漫主义歌剧之一的《浮士德》(1816)和《耶松达》)、9部交响乐、15首小提琴协奏曲、34首弦乐四重奏、4首双四重奏及1部九重奏。他的作品选集自1949年起在卡塞尔出版。1954年在卡塞尔成立了施波尔学会,专门介绍他的作品。

spoils system 分肥制 又称赐职制。大选获胜的政党通过任命公职及其他优惠来报答竞选工作人员和其他积极支持者。分肥制一词在美国政治中最初出现于1812年,因纽约州参议员W.L.马西在1832年演讲中宣称"对敌手分肥理应属于胜利者"而开始流行。该词当时是指对内阁成员、大使等官职的任命。赞成分肥制的辩解理由是,这样可保持政党组织的积极性,使执政党拥有忠诚的工作人员,利于提高政府效率,实现竞选诺言。但是分肥制的任命往往完全出于政党的需要,而不考虑被任命者的条件和任职能力;大量更换官员也不利于政府执行政策。从19世纪20年代至南北战争结束,分肥制盛行于美国。后来分肥制的弊端促使人们提出文官制度改革。1883年《彭德尔顿文官制度法》为量才录用的人才制确立了基本原则。到20世纪后期,人才制已在联邦、州、市各级政府中完全取代了分肥制。此外,分肥制一词后来还用来指滥用政治权力为执政党谋取私利的做法,如按高价向捐款者发包公共工程,按低价转让公共特许权利,从而使公款流入政党的金库,以及在执法、收税等方面偏袒支持者等。

Spokane 斯波坎 美国华盛顿州东部城市,斯波坎县县城(1879)。在斯波坎河瀑布处。1810年西北公司在此建贸易点。1871年始有人定居。1878年规划。通北太平洋铁路后于1881年设建制。水力资源丰富,地处富饶的腹地(有矿藏、森林和农业),成为有"内陆帝国"之称地区的贸易和转运点。1889年发生火灾,城市大片被毁。1900年再设建制称现名。现有木材、金属和食品加工业。附近矿区的开发和大古利水坝的落成(1941)促进其金融业和工业的发展。城市经济也获益于斯波坎空军基地和制铝业。设有贡扎加大学(1887)、惠特沃思学院(1890)和几座社区学院。斯波坎为通向斯波坎山游览区的门户,亦通科尔维尔国家森林。人口:市约195 629;都会统计区约417 939(2000)。

Spokane River 斯波坎河 美国河流。源出爱达荷州北部库特内县的科达伦湖,西流进华盛顿州,汇入哥伦比亚河。全长160千米。河上有几座水坝,包括长湖水坝(1915)。

Spoleto 斯波莱托 意大利中部翁布里亚区佩鲁贾省城镇和大主教区。在极南部翁布里亚平原。公元前7～前6世纪为翁布里亚人城镇。公元前241年成为罗马殖民地。后因扼古罗马要道弗拉米尼亚大道,城镇地位重要。在哥特战争中起过重要作用。8世纪末之前曾为意大利最重要的城镇。后属教廷管辖。1860年归属意大利王国。有罗马前时期的遗迹和罗马墙,有古罗马时代的剧院、圆形剧场、桥梁和德鲁苏斯拱门(公元23年)。巨大的罗卡城堡和大教堂俯瞰全镇。大教堂有8扇玫瑰花瓣窗户、利比及其学生的壁画和利比之墓。还有其他一些教堂亦很著名。该镇由一条跨越深谷的高架渠(架在一座1364年建的拱形桥上)供水。现为大农业区(橄榄)的中心。有棉制品、含磷产品、印刷等轻工业。1958年以来,每年举行一次戏剧和音乐节。人口:城市区约37 972(1984)。

spondee 扬扬格 由一起出现的两个长音节(如在古典诗歌中)或重音音节(如在英诗中)构成的音步。扬扬格一词源自一个希腊词,意为在行奠酒礼时伴奏的两个长音符。扬扬格偶尔也出现在古典诗歌之中,但它并不形成任何英语诗句的基础,因为实际上没有任何英语词是几个音节同样重读的。这样的复合词,如heyday或childhood,有时接近于扬扬格音步,但即使这种词也只能被认为有第一与第二重音之分,而不是同等的重音。在英语诗中,扬扬格通常是由两个单音节构成。它常常作为抑扬格诗句开头处的变格而出现。

spondylitis 脊椎炎 一节或多节椎骨的炎症。可有多种病变类型,最常见的是关节强直性脊椎炎、肥大性脊椎炎和结核性脊椎炎三种。关节强直性脊椎炎(又称马-施氏关节炎、变形性脊椎炎)是一种脊柱的退行性病变,主要见于青春期男性和青年人,早期症状为慢性腰痛。病情进展就会出现关节肿胀、僵直、活动受限(常类似类风湿性关节炎症状)、关节融合强直、脊柱变形和贫血。治疗同类风湿关节炎,非类固醇抗炎药有效。肥大性脊椎炎(又称脊柱骨关节炎)是一种主要见于50岁以上人群的脊柱退行性病变。病变特点是椎间盘变性和椎骨骨刺。治疗以休息、热疗、正确睡姿和适当运动为主,以保证脊柱正常的运动功能。结核性脊椎炎即脊柱结核,儿童多见。病原体是结核杆菌。结核病变常可导致椎骨骨质破坏、椎骨塌陷,患者即成脊柱后凸畸形;如病变侵犯神经,可致强直性麻痹。治疗应以抗结核治疗为主,佐以脊柱矫形手术。

spondylolisthesis 脊椎前移 一种骨科病,表现为一节腰椎在相邻腰椎椎体或骶骨的上方向前滑移。该症常伴有椎弓融合不全,自上方传到椎弓的压力能促进滑移。患儿不知不觉地发生腰椎前凸畸形,以后则出现轻度或严重腰痛。经休息和着用腰托后症状多能消失;但脊神经受压引起病残时,则需要矫形外科手术治疗。

spondylosis 脊椎关节强硬 脊柱的非炎性退行病变,使椎间关节的活动范围减小,造成椎骨周围骨质增生。主要发生于老年,男多于女,发病缓慢,若不加治疗,将发展到刺痛难忍,活动受限,受害部位部分瘫痪等。腰、颈椎的受累比胸椎更频繁。胸椎的曲度可防止本病侵害脊髓。腰椎和颈椎关节强硬常同时发生在一人身上。椎关节强硬可包括肥大性退行性改变(骨质过分增生)和反应性骨关节炎。上述病变引起椎间骨间隙变窄,从而压迫来自脊髓的神经而产生症状。当关节炎性骨质增生使椎管进一步变窄时这些症状更加恶化。当连接韧带被骨质代替或当骨关节炎的骨刺合并时,椎间关节的最后融合就将发生。腰椎关节强硬的治疗,是通过手术使受累的神经减压,从而解除腿痛和瘫痪,但手术后腰痛仍可复发。轻度、不复杂的颈椎骨强硬,采取休息和牵引治疗即可,但是较严重的颈部症状也需要手术减压治疗。

sponge 海绵 多孔动物门(*Porifera*)的种类,约500种,为原始的多细胞动物。特征为具多孔的骨骼,此骨骼由互相勾缠的骨针(骨质的针状结构)、玻璃状骨针或角质纤维所组成。营群体生活或单体生活,固着于海底或其他固体物质表面上。商业上的天然海绵即海绵动物的骨骼。除针海绵属(*Spongilla*)的约20个淡水种外均为海栖。见于所有的海洋中,从潮间带到8 500米深处,温暖的水域尤为常见。长度从数厘米到数米。一些圆形的类型直径可达数米。体形各异:指状,树状或灌丛状;有些海绵为管状,有些形扁平或无固定形状。海绵可分为三纲:钙质海绵纲(Calcispongiae或Calcarea)、玻璃海绵纲(Hyalospongiae,又称六放海绵纲[Hexactinellida])

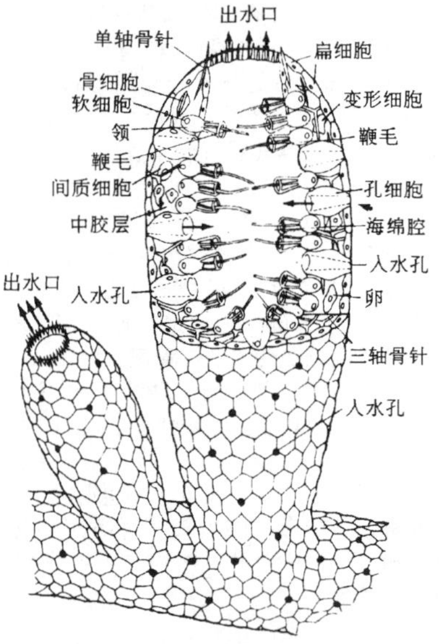

海绵体内部结构

和寻常海绵纲(Demospongiae)。钙质海绵纲种类(钙质海绵)均海栖,其骨针由碳酸钙构成,针状或分支。玻璃海绵纲种类(玻璃海绵)的骨骼通常由六放型的硅质骨针组成;这些骨针可联合成网格状的骨骼。本纲一些种

(上)海绵(Spongia);(中)普通马海绵(Hippospongia communis);(下)海绵(Spongia)

供图:(上)C. Leroy French—Tom Stack and Associates;(中)Maltini Solaini—M. Grimoldi;(下)Oxford Scientific Films—Bruce Coleman Ltd./美国不列颠百科全书公司

类,如偕老同穴的骨骼通常美观,被视为珍玩。寻常海绵纲种类(硅质海绵)包括所有海绵种类的80%,其骨骼由海绵丝纤维(塑料样物质)构成。大部分寻常海绵产于浅水处,其中包括商业上的沐浴海绵和淡水海绵。海绵的身体表面覆以一层薄而黏滑、通常色深的上皮层,由扁平细胞构成。身体表面有无数小孔,穿过体壁进入中央腔(海绵腔),腔壁覆以一层具鞭毛的领细胞,鞭毛激起水流,将水通过体壁小孔吸入海绵腔。海绵腔内的水通过一个或几个大的出水口流到体外。体壁两层细胞之间为中胶层,为胶状的透明基质,其中有能自由移动的变形细胞。领细胞能吞食水流中的食物颗粒(细菌、其他微生物和有机质颗粒)和氧气。变形细胞可产生球形的卵。幼体借纤毛游泳直至寻到适宜的地方永久附着。有些种借可出芽进行无性生殖,成年个体顶端发育出一个小芽体,芽体脱离母体,发育成新的独立个体。某些海面与其他生物密切联系地生活在一起。走蟹属(*Droma*)种类的背上总覆盖着海绵以作伪装。某些蜘蛛蟹将海绵移置到自己的身体上。大型的海绵体内常生活着小型的生物,这些生物钻进海绵体内但不以海绵的组织为食。穿贝海绵生活于或活的或死亡的海贝类身上,分解并吸收其贝壳物质。海绵的天敌很少,有一种真菌有时严重侵害商业海绵。所谓沐浴海绵(商业海绵)主要采自地中海东部以及墨西哥湾和加勒比海(佛罗里达西海岸和西印度群岛等处),通常采自水深不及60米处。采集者坐在船上用钩或叉采集,或由赤身潜水者潜到海底将海绵割下。最常用的商业海绵种类是手套海绵(*Spongia officinalis*),形态各异,高12～15厘米。有管马海绵似棉亚种(*Hippospongia canaliculata* var. *gossypina*)俗称羊毛海绵,质地似羊毛,故很受珍视;表面不规则,绒毛状。商业海绵一度需求量极大,已在很大程度上被合成海绵所取代。

sponge gourd 参阅 **dishcloth gourd** *丝瓜*。

sponge rubber 海绵橡胶 参阅 **foam rubber** *泡沫橡胶*。

Spongilla 针海绵属 海绵的一属,包括淡水海绵(**freshwater sponge**)。

spongillafly 水蛉 脉翅目水蛉科寄生性昆虫。成虫烟褐色。卵块附于水面或水中的丝网上。幼虫水生,寄生于淡水海绵。幼虫成熟后离水,织一双重壁的网眼花边样的茧而化蛹。分布于世界各地有淡水海绵的地方。

spontaneous abortion 参阅 **miscarriage** *自然流产*。

spontaneous combustion 自燃 不借助外部热源的爆燃。可燃性物质如干草和煤大量堆放时,可能会发生自燃。自燃是在例如干草堆或碎油布堆中心不易散热的情况下,从缓慢的氧化过程(如细菌发酵或大气氧化)开始的。这一氧化过程使物质内部的温度逐步升高,最后达到燃点温度。谷物一般要在贮藏前经干燥或在贮藏过程中强制通风抑制发酵而阻止自燃。同理,要在碎烟煤堆上洒水,以制止空气氧化。

spontaneous fission 自发裂变 放射性衰变的一类,系某些重元素的不稳定核分裂为两个几乎相等的碎片(较轻元素的核),并且释放巨大的能量。自发裂变是1941年苏联物理学家G.N.弗廖罗夫和K.A.彼得扎克在铀238中发现的。质量数在230以上的许多种核素中都可以观察到这种现象。这些核素中质量数较低的半衰期一般较长。铀238自发裂变的半衰期约10^{16}年,而镄256的半衰期约3个小时。发生自发裂变的核素也会有α衰变。铀238的α衰变概率大约比自发裂变大200万倍,而镄256,有3%发生α衰变,97%发生自发裂变。核反应堆和爆炸装置中发生的裂变是某些类型的核受到中子轰击而引起的。

spontaneous generation 自然发生 又作abiogenesis。又称无生源现象。生物由非生命物质发展而来的一种假设的过程,亦指用该过程来解释生命起源的一种古代的学说(自然发生说或无生源说)。比如,按自然发生说,把奶酪和面包用破布包起,置于黑暗角落,这样便会生出小鼠来,因为数周后,破布里确实可见小鼠。许多人之所以相信自然发生,是因为它能解释腐肉生蛆之类的现象。到18世纪已经明白,非生命物质不能产生高等生物,但细菌之类微生物的发生仍未得到解释,直到19世纪L.巴斯德才证明微生物是由繁殖而来。参阅 **biopoiesis**。

Spontini, Gaspare (Luigi Pacifico) 斯蓬蒂尼(1774-11-14,教皇国马约拉蒂～1851-01-24,马约拉蒂) 意大利作曲家和指挥家。早期所作歌剧,特别是他的名作《贞洁的修女》

中国大百科全书出版社供图

(1807),代表了拿破仑时代的精神,是C.格鲁克和R.瓦格纳之间的歌剧桥梁。1793年,斯蓬蒂尼入那不勒斯图尔基尼音乐学院,师从萨拉和特里托学音乐。1796年他的第1部歌剧《妇女的固执》在罗马上演,一举成功,此后,他继续在罗马写作喜歌剧,其中《可笑的英雄气概》(1798)一剧最为著名。后移居巴黎,以《弥尔顿》(1804)一剧崭露头角。受法国作曲家影响而创作歌剧《贞洁的修女》,从此扬名欧洲。1810年任意大利歌剧院指挥,两年后因政治原因而离职,1814年任路易十八宫廷作曲家。1819年其歌剧《奥林匹亚》遭到失败后离开巴

黎。1820年应普鲁士腓特烈·威廉三世之聘，去柏林任音乐总监，直至1840年6月国王逝世后不久，因一场政治阴谋被迫辞职离开柏林。其他重要歌剧尚有《假女哲学家》(1799)、《化装逃亡》(1800)、《奥林匹亚》(1819)、《努马哈尔》(1822)、《阿尔奇多》(1825)和《阿格尼丝·冯·霍亨施陶芬》(1829)。

spookfish　鬼鱼　鲑形目后肛鱼科海鱼，11种。各大洋均可见到。形状特殊，位于管状长柄的末端，能向上活动，故得鬼鱼之名，有时亦称筒眼鱼。在近900米深处曾捕到过，几乎总栖于水深100米以下处。小口大鳍后肛鱼（筒眼鱼，*Macropinna microstoma*）分布于太平洋，是唯一沿北美海岸分布的种。形小，长不及10厘米，色浅褐。

spool furniture　参阅**bobbin furniture**　*旋木家具*。

spoon　匙　进餐、舀菜或烹调食物的用具，为一带柄的浅碗形小容器。匙与叉合称*扁平餐具*(**flatware**)。

Spoon River　斯蓬河　在美国伊利诺伊州中西部。源出比罗县西南部。流向南和西南，在刘易斯敦附近转向东南，最终在哈瓦那对岸注入伊利诺伊河。全长260千米。两河汇流处附近的迪克森冢丘为著名考古区。该河因诗人E.L.马斯特斯的《斯蓬河诗集》而闻名。21世纪初进行了生态恢复工程。

spoonbill　琵鹭　鹳形目鹮科琵鹭亚科(Plataleinae)6种长腿涉禽。栖息于河口、咸水牛轭湖和湖泊中。用长嘴在湿泥和浅水中左右扫动觅食，主要捕食小鱼和甲壳动物。

玫瑰红琵鹭(*Ajaja ajaja*)

供图：Ben Goldstein from Root Resources—美国不列颠百科全书公司

飞行时颈和腿伸直，翅膀不停地拍动。成群繁殖（常与鹮和鹭在一起），用树枝在矮灌丛和乔木上筑大巢。每窝产3～5枚白色具淡红褐色块斑的卵。体长60～80厘米。头的一部分或全部裸露。大部分种类的羽毛呈白色，有时带玫瑰红色调。南美洲和北美洲的玫瑰红琵鹭(*Ajaia ajaja*)体长约80厘米，体羽深桃红色，颈和上背白色。分布自得克萨斯州的墨西哥湾海滨和西印度群岛到阿根廷和智利，在一些地区因人类滥捕以取其羽毛而绝灭。欧洲琵鹭(*Platalea leucorodia*)白色，有冠，体长约60厘米，前颈黄棕色，繁殖于欧洲和亚洲的中部和南部，南到埃及、印度和中国台湾省。其他种类还有非洲琵鹭（白琵鹭，*P. alba*）、东亚的小琵鹭(*P. minor*)，澳大利亚有两种：王琵鹭（黑嘴琵鹭，*P. regia*）和黄嘴琵鹭（黄腿琵鹭，*P. flavipes*）。

spoonbill　匙吻鲟　又作spoonbill cat。又称匙吻猫鱼。*桨吻鲟*(**paddlefish**)的一种，原始的北美鱼类。

Spooner, John (Coit)　斯普纳(1843-01-06，美国印第安纳劳伦斯堡～1919-06-11，纽约市)　来自威斯康星州的美国参议员，为该州和国会中强有力的保守派人士。南北战争中在联邦军中服役。1867年取得律师资格，在威斯康星州哈得孙开业。1872～1873年任州议会议员。后当选为美国参议员(1885～1891，1897～1907)。他是参议院保守派的主要发言人，坚决反对劳工改革等进步措施。他与N.W.奥尔德里奇（罗得岛州）、W.B.艾利森（艾奥瓦州）和O.H.普拉特（康涅狄格州）等参议员形成保守派的领导核心，对世纪之交的国家事务施以强大影响。曾制订《斯普纳法案》(1902)，授权T.罗斯福总统建造巴拿马运河。1907年退出政界，此后一直在纽约市操律师业。

Spooner Amendment　《斯普纳修正案》　美国对1901年《陆军拨款法案》的修正案，它要求撤销美国在菲律宾的军政府。根据《巴黎条约》(1898)，菲律宾群岛的宗主权已由西班牙转给美国。菲律宾人对强加于他们的美国统治进行了斗争。在美国，人们认为这是军政府的暴政引起的。《斯普纳修正案》授权W.麦金利总统用文官政府代替军人统治。这一文官政府在1901年7月创立。尽管如此，菲律宾的游击队此后还继续战斗了很多年。

spoonerism　首音误置　将两个或两个以上的词的首字母或音节互换位置。例如，英语的I have a half-warmed fish in my mind（我心里有条半温的鱼），这句话是half-formed wish（一个不太成熟的愿望）之误；又如，a blushing crow（一只脸红的乌鸦）是a crushing blow（沉重一击）之误。首音误置这个词导源于英国圣公会著名牧师、牛津大学新学院院长W.A.斯普纳(Spooner；1844～1930)的名字。他是一个神经质的人，犯过许多首音误置的毛病。首音误置有时是故意制造出来的，以期产生喜剧性的效果。

spoonworm　螠虫　又作echiurid。螠虫动物门(Echiura，Echiuroidea或Echiurida)无脊椎动物，主要为海生。形似香肠。头端有扁平的突出物，其边缘向腹面卷曲，有的形似勺或匙（故英文名spoonworms，意为勺虫），称为吻，不能缩回躯干内。成年的螠虫体长从数毫米至600厘米各异。吻的长度亦变化很大，刺螠属(*Urehis*)种类的吻长仅为躯干长度的几分之一，而池田氏螠属(*Ikeda*)种类的吻长可超过躯干长度的10倍。除少数半咸水种类外，绝大多数螠虫为海生，见于世界各地的海床。虽然有些种栖于岩缝中，但大多数

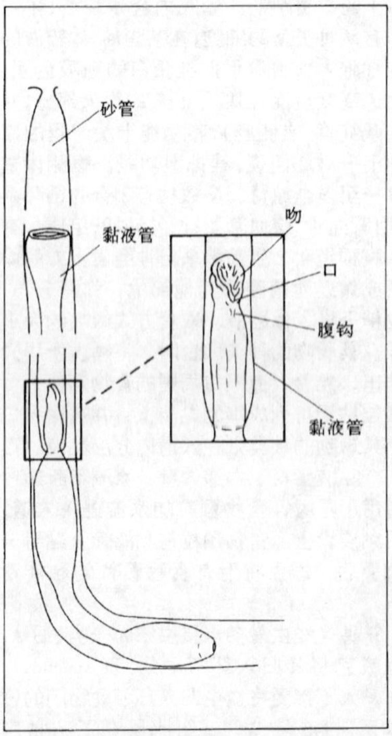

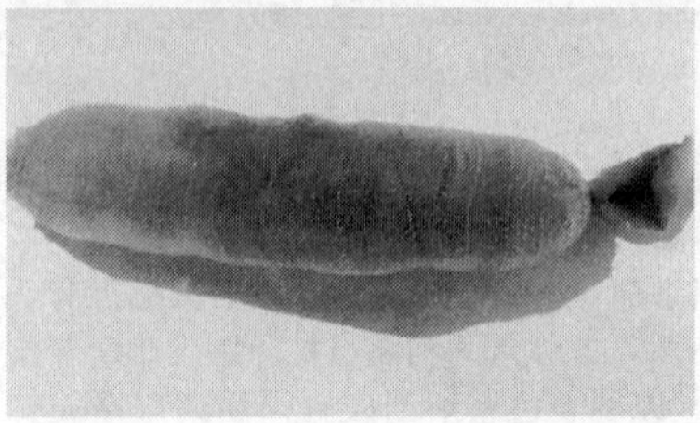

（上）刺螠(*Urechis caupo*)的结构；（下）螠虫(*Echiurus echiurus*)

供图：（下）R.N.Mariscal—Bruce Coleman Inc.

种类生活于泥中的穴道内。螠虫的身体作蠕动样收缩，使穴道内不断有水流动。体表也可以进行一些呼吸活动，但后肠常用作呼吸器官，水从肛门吸入，水中的氧被吸收。

生活史　螠虫为雌雄异体，除叉螠科(Bonelliidae)的种类外，雌雄性的外形相似。生殖腺为一个而不成对。卵或精子从生殖腺产生后排入体腔中的体腔液内，养育于此直至完全成熟。成熟的配子为前原肾的具纤毛的漏斗所吸收，前原肾已丧失排泄功能。随后配子进入薄壁的原肾囊内，贮存于此直至排入海水。受精在海水中进行。合子发生螺旋卵裂；发育成自由游泳的担轮幼虫，担轮幼虫经变态发育成穴居的成虫。叉螠科种类的独特之处为雄体仅长1～6毫米，寄生于雌体变形的原肾（或子宫）内。幼体接触雌体的吻时，吻部分泌一种影响幼体发育的激素，使幼体发育成雄体。幼体通过吻部进入雌体的食管，进行变态，许多器官退化，最后发育为性成熟的

雄体；缺乏吻部及循环系统，只有退化的消化系统；全身覆有纤毛（如同幼体一样）；但生殖管系统充分发育。雄体生活于雌体的贮卵器官内，卵排入水中时雄虫使之受精。

形态及功能　螠虫的躯干呈囊状，体壁有3层肌肉。躯干前端有肌肉质但不能收缩，有触觉的吻，吻部运动灵活，有些种的吻能伸出很长。口位于吻的基部。腹部表面口的后方有一对刚毛；肛门位于腹部后端，周围绕以1或2圈刚毛。体腔内含体腔液，体腔液中有两种类型的细胞；在某些种，体腔液的一种细胞中含类似于血红蛋白的呼吸色素。消化道高度盘旋，占躯干长度的很大部分，并具一条虹管（或侧肠），其功能未明。肠的末端伸出一对肛门囊，具排泄功能。腹侧体壁附有一至多个原肾。多数种有闭合的循环系统，由背血管、腹血管及神经肠血管组成。有一条腹神经索。生殖腺来自神经索上方的体腔膜或靠近泄殖腔的其他部位，弥漫分布，卵或精子排入体腔液。取食方式依吻的大小而异。具长吻的种类取食时，将吻由所居穴道伸出，黏着穴道入口周围的食物颗粒；食物颗粒粘于排列成串的黏液上，并被送入口中。具短吻的种类则在穴道内分泌黏液，形成一个黏液管衬于穴道内壁。水流不断通过穴道用于呼吸，食物颗粒随水流进入穴道，粘于黏液管上。食物颗粒在黏液管上黏附一定数量后，螠虫将附有食物颗粒的黏液管吞下。

分类　螠虫最初与星虫归为一类；后A.塞奇威克将其归入环节动物门（Annelida）。但许多人不接受将螠虫归入环节动物门的分类体系，1940年W. W. 纽比研究了一种刺螠——*Urechis caupo*的胚胎和发育后，人们将螠虫单列为一个门。

Sporades　斯波拉泽斯　希腊岛群。位于爱琴海埃维亚岛东北。包括斯基亚索斯、斯科佩洛斯、斯基罗斯、阿洛尼索斯各岛及其邻近小岛。古称色萨利斯波拉泽斯或北斯波拉泽斯，以别于色雷斯斯波拉泽斯或东斯波拉泽斯（包括爱琴海东北部现土耳其伊姆罗兹岛及萨莫色雷斯、萨索斯、利姆诺斯诸岛）。而西斯波拉泽斯则包括基克拉泽斯各岛、萨罗尼克湾各岛以及爱琴海西南部一些分散的小岛。

spore　孢子　无须与其他生殖细胞融合即能发育为新个体的生殖细胞。孢子不同于配子，配子必须与其他配子成对融合方能发育为新的个体。孢子是无性生殖的繁殖体，而配子是有性生殖的繁殖体。细菌、真菌和绿色植物均可产生孢子。细菌的孢子主要用作细菌生活史中的休眠阶段，能帮助细菌度过不利的环境条件。许多细菌孢子的耐力极强，即使休眠数年后仍能萌发。真菌孢子的功能与种子相似。真菌孢子由特化的子实体（如蘑菇的可食部分）产生并释出，在适宜的湿度、温度和营养供应的条件下可生长为新个体。所有绿色植物的生活史的特征为具有世代交替——无性繁殖产生的个体与有性繁殖产生的个体交替出现；孢子是无性世代的繁殖体。孢子由孢子体世代产生，萌发生成配子体。不能产生种子的植物——藻类、苔藓和蕨类孢子十分明显。在这些低等绿色植物，就如在真菌一样，孢子的功能与种子相似。一般说，母本植株将孢子散落于周围；产生孢子的器官通常位于叶的下面。生活于沼泽边缘或湖畔的厥类，其孢子通常散落于水中，或被雨冲入水中，并保存于沉积物中。有的植物能将孢子喷发出去，孢子可借风力散播。能产生种子的植物——裸子植物和被子植物，孢子就不明显。其孢子并不释出母株之外，却萌发成完全依附孢子体的微型配子体。裸子植物和被子植物能产生两种孢子：小孢子，发育成雄配子体；大孢子，发育成雌配子体。

sporophyte　孢子体　某些植物和藻类世代交替中的无性世代。世代交替指生活史中两个不同的世代（二倍体世代和单倍体世代）交替出现，有性世代为配子体，配子体产生孢子体，孢子体又产生配子体。在孢子体世代，二倍体的植物体或藻类个体生长发育，最后通过减数分裂产生孢子，孢子经有丝分裂产生单倍体的能产生配子的个体——配子体。两个配子经受精过程结合生成二倍体的合子，合子经有丝分裂形成新的孢子体。两个世代的特征及持续时间的长短按植物或藻类种类的不同而差异极大。在进化过程中，配子体阶段逐渐退化，结果在高等植物（维管植物）中孢子体成为生活史中占优势的世代，但在较为原始的非维管植物中，配子体世代仍占优势。参阅 **gametophyte**。

sporotrichosis　孢子丝菌病　由申克氏孢子丝菌引起的传染病。孢子丝菌存活环境多为土壤、植被和腐木等，并通过抓伤或擦伤，伤口接触传染或经吸入传染致肺孢子丝菌病。特征为伤口处出现孢子丝菌性下疳，从伤口沿皮肤及皮下组织的淋巴管延伸出一串红色、酿脓的硬结。皮肤淋巴管性孢子丝菌病无痛，亦不发热，碘剂治疗有效。播散型少见，可侵犯中枢神经系统，致发热、疼痛、体重减轻和疲乏。两性霉素B治疗有效。本病若不治疗可迁延多年。

sporozoan　孢子虫　参阅 **apicomplexan 顶复虫**。

Sports, Book of　《关于体育运动的布告》　前称 Declaration of Sports。英格兰国王詹姆斯一世专为兰开夏发布的敕令，其目的在于解决清教派与大都信奉天主教的乡绅之间就星期日娱乐问题所发生的争执。根据这个布告，人民可以跳舞，射箭，跳跃，撑杆跳高，举行五朔节游艺活动，饮圣灵降临节圣酒，跳莫利斯舞，树立五朔节花柱，或进行其他有关的体育运动；但不得在星期日斗熊、斗牛、表演滑稽剧或打地滚球。1618年詹姆斯命令英格兰一切神职人员都必须在教堂宣读这份布告，但由于清教徒强烈反对，慎重地撤销了这个命令。1633年查理一世重新命令贯彻这份布告，但他在内战中被推翻，清教派关于安息日不许进行文体活动的主张再次得以贯彻，直到1660年查理二世登位后，才恢复了在安息日进行文体活动。

sports and games　体育运动　泛指那些需要一定体力或技巧的娱乐性或竞赛性活动。人们一度普遍认为"体育"与"运动"不同，它只包括一些户外的娱乐活动，如捕鱼、射击和狩猎等，而"运动"则被认为是按预定规则组织起来并由集体或个人参加的竞技比赛。如今，"体育"与"运动"之间的区别已经不那么明显，两者常常互换使用。纵观历史，人类创始运动竞赛的目的，首先是把它作为一种社交聚会的手段，同时也为了表演技巧和体育才能，供人欣赏或起激励作用。运动大多包括从狩猎基础技巧发展起来的某种形式的跑、跳和投掷动作。许多早期的文化（如阿兹特克印第安人和古希腊人）把宗教和政治因素注入他们的游戏之中。但是，人们对娱乐的追求却始终如一，最后导致早期运动的规范化，并且创始了新的运动。

由于原始人经常依靠跑步来捕捉猎物，因此赛跑自然而然地发展起来，并且成为正式的径赛项目。随着球和球棒的出现，跑步成了很多现代运动的基础，如足球、兜网球和曲棍球。准确地把猎器投到远处本来是一种人类赖以生存的技巧，后来转化成为一种运动技巧（如掷标枪）。虽然没有什么现代集体项目以跳跃为基础，但跳跃广泛用作运动的辅助动作，这在篮球和排球运动中尤其明显。

球类的发展对体育运动史有着巨大的影响。在运动中最早使用的球是一种充气的动物的膀胱。然而随着制革术的改进和橡胶的发现，便有可能制作各种形状和大小的球。今天，球类运动最少只需1名运动员参加（如高尔夫球），最多可达24名运动员（如加拿大足球）。

现在世界上的运动可分成几类，主要类别有：集体运动项目，包括足球、橄榄球、篮球、排球；棒加球项目有棒球、冰球、曲棍球、板球和兜网球；场地项目有网球、乒乓球、手球和软式墙网球；冬季项目包括各种滑冰和滑雪项目；水上项目包括各种游泳和划船比赛；田径包括各种跑、跳和投掷项目；有靶运动是射箭和射击；瞄准性的球类项目有地滚球、高尔夫球和台球；技击性项目有拳击、摔跤、柔道和空手道；有轮子项目有轮滑、摩托车和汽车赛；有动物参加的项目主要是赛马、赛狗和马球；空中运动诸如滑翔、航空比赛和气球赛。

对现代运动发展同样具有重要作用的是社会的日益城市化。人口相当稳定的城镇的出现，使得人们有可能组织正规的竞技队和安排比赛日程。但是，随着参赛队的增多，且各队坚持按自己当地标准进行比赛，冲突随之而起。于是制定了一套统一的规则，以调整比赛用具和比赛原则。地方和全国性的组织也相继建立，以便对运动进行管理，并且对职业运动员和业余运动员作了区分。

体育运动起着几个重要的作用。作为发泄体力的途径，参加竞技性运动使人消耗巨大的能量和情感。运动作为一种消遣，使观众忘却日常生活的逼迫，并可无需实际参加比赛却能享受到比赛的乐趣。此外，运动对经济所产生的影响是无可置疑的。有好几项为群众所喜闻乐见的运动已成为世界性的主要行业。花巨资通过电视网向国内和国际观众对重大体育活动进行电视转播至少对此也起了作用。

sports-car racing　运动汽车赛　汽车比赛的一种。使用的车辆兼有赛车和旅游车的特点。一般认为,批量生产的轻型汽车应不同于大奖赛所用的赛车。后者一般为单座车,驾驶室简陋,设备实用,而运动汽车则为双座或四座车,除讲求速度和发动机功率外,主要以灵活见长,适于在普通公路上高速行驶。与大奖赛车不同,运动汽车通常是系列生产,很少是手工制作。世界上运动汽车赛多是由地方或地区性组织为业余选手举办的比赛。但世界最著名的职业汽车赛却是运动汽车赛,这种比赛甚至可称为大奖赛。1953 ～ 1961 年逐年举行运动汽车世界冠军赛。1962 年为汽车制造商冠军赛所取代。

Sporting Record　运动纪录　国际大赛中各主要运动项目的世界冠军资料,但也包括一些国家级的职业和业余运动项目(如美国的棒球,英国、澳大利亚、印度的板球)以及国家性胜过国际性的运动项目(如划船)。

运动和比赛的项目表

ARCHERY　射箭　射箭运动的国际管理机构是国际射箭联合会(FITA),它于 1931 年创办了世界射箭锦标赛。1931 ～ 1957 年,射箭比赛采用的方式多种多样。1957 年国际射箭联合会建立了自己的比赛标准,即为期 4 天的双轮国际射箭联合会赛。每轮国际射箭联合会赛包括4个射程的比赛,每个射程射36支箭;男女比赛射程不同。1987 ～ 1991 年,使用的是大型国际射箭联合会赛制。1993 年世界锦标赛使用的是奥林匹克赛制;按照这种赛制,个人最高可能得分为120。从1959年起,世界射箭锦标赛每 2 年举行一次。

韩国金秀宁在 1991 年波兰克拉科夫的国际射箭联合会世界室外射准锦标赛中卫冕成功

供图:Robert Rhode

国际射箭联合会世界室外射准锦标赛

年份	男子个人		男子团体		女子个人		女子团体	
	冠军	得分	冠军	得分	冠军	得分	冠军	得分
1931	M.萨维茨基(波兰)	*	法	*	J.斯皮查乔娃-库克斯卡(波兰)	*		*
1932	L.雷思(比)		波兰		J.斯皮查乔娃-库克斯卡(波兰)			
1933	D.麦肯齐(美)		比		J.斯皮查乔娃-库克斯卡(波兰)		波兰	
1934	H.克吉尔松(瑞典)		瑞典		J.斯皮查乔娃-库克斯卡(波兰)		波兰	
1935	A.范柯伦(比)		比		I.卡塔尼(瑞典)		英	
1936	E.海尔布恩(瑞典)		捷		J.斯皮查乔娃-库克斯卡(波兰)		波兰	
1937	G.德隆斯(比)		波兰		E.西蒙(英)		英	
1938	F.哈达斯(捷)		捷		N.韦斯顿-马特(英)		波兰	
1939	R.贝代(法)		法		J.斯皮查乔娃-库克斯卡(波兰)		波兰	
1946†	E.唐霍尔贝克(丹)		丹		P.德沃顿·伯尔(英)		英	
1947	H.多伊特根(瑞典)		捷		J.斯皮查乔娃-库克斯卡(波兰)		丹	
1948	H.多伊特根(瑞典)		瑞典		P.德沃顿·伯尔(英)		捷	

续表

年份	男子个人		男子团体		女子个人		女子团体	
	冠军	得分	冠军	得分	冠军	得分	冠军	得分
1949	H.多伊特根(瑞典)		捷		B.沃特豪斯(英)		英	
1950	H.多伊特根(瑞典)		瑞典		J.李(美)		芬	
1952	S.安德松(瑞典)		瑞典		J.李(美)		美	
1953	B.隆德格伦(瑞典)		瑞典		J.理查兹(美)		芬	
1955	N.安德松(瑞典)		瑞典		K.维斯尼奥斯卡(波兰)		英	
1957	O.K.斯马瑟斯(美)	2 231	美	6 591	C.迈恩哈特(美)	2 120	美	6 187
1958	S.蒂塞尔(瑞典)	2 101	芬	5 936	S.约翰森(瑞典)	2 053	美	…
1959	J.卡斯珀斯(美)	2 247	美	6 634	A.韦伯·科比(美)	2 023	美	5 847
1961	J.桑顿(美)	2 310	美	6 601	N.冯德海德(美)	2 173	美	6 376
1963	C.T.桑德林(美)	2 332	美	6 887	V.库克(美)	2 253	美	6 508
1965	M.海科南(芬)	2 313	美	6 792	M.林德霍姆(芬)	2 214	美	6 358
1967	R.罗杰斯(美)	2 298	美	6 816	M.麦克曾斯卡(波兰)	2 240	波兰	6 686
1969	H.沃德(美)	2 423	美	7 194	D.利德斯通(加拿大)	2 361	苏	6 897
1971	J.C.威廉斯(美)	2 445	美	7 050	E.加普琴科(苏)	2 380	波兰	6 907
1973	V.西多鲁克(苏)	2 185	美	6 400	L.迈尔斯(美)	2 204	苏	6 389
1975	D.佩思(美)	2 548	美	7 444	Z.鲁斯塔莫娃(苏)	2 465	苏	7 252
1977	R.麦金尼(美)	2 501	美	7 444	L.赖恩(美)	2 515	美	7 379
1979	D.佩思(美)	2 474	美	7 409	金珍浩(韩)	2 507	韩	7 341
1981	K.拉索南(芬)	2 541	美	7 547	N.布图索瓦(苏)	2 514	苏	7 455
1983	K.麦金尼(美)	2 617	美	7 812	金珍浩(韩)	2 616	韩	7 704
1985	R.麦金尼(美)	2 601	韩	7 660	I.索尔达托娃(苏)	2 595	苏	7 721
1987‡	V.艾舍耶夫(苏)	329	西德	891	马湘军(中)	330	苏	884
1989	S.扎布罗茨基(苏)	332	苏	985	金秀宁(韩)	338	韩	995
1991	S.费尔韦瑟(澳)	334	韩	998	金秀宁(韩)	333	韩	1 030
1993	朴敬模(韩)	113	法	249	金晓贞(韩)	104	韩	236
1995	李京澈(韩)	109	韩	255	N. 瓦列耶娃(摩尔多瓦)	113	韩	247
1997	金京浩(韩)	108	韩	254	金豆里(韩)	105	韩	242
1999	洪承七(韩)	115	意	252	李恩京(韩)	115	意	240
2001	连正基(韩)	115	韩	247	朴成贤(韩)	111	中	232

* 1931 ～ 1957 年每轮射出箭数每年更改。†1940 ～ 1945、1951、1954、1956 年未举行比赛，1959 年起每两年举行一次。‡大型国际射箭联合会赛开始举行。

ATHLETICS 田径 世界田径运动的管理机构是成立于 1912 年的国际业余田径联合会(IAAF)。田径运动包括接力跑，多种个人的跑、跳跃和投掷项目，以及全能比赛(男子为十项全能，女子为七项全能)，全能比赛包括跑、跳、投掷三个方面的活动，用来测定每个田径运动员的整体运动水平。毫无疑问，对于大多数田径运动员来讲，4 年举行一次的奥林匹克运动会(**Olympic Games**)是最著名的比赛。世界杯田径赛(始于 1977 年)是各国、各洲之间田径运动的决赛。但 1983 年举行了得到正式公认的第一届非奥林匹克世界田径锦标赛。

虽然这个时刻标志着一些项目成为世界性田径赛的开端，但至少另有一个田径项目

(左)R.西瓦尔(美洲)在 1992 年国际业余田径联合会世界杯锦标赛上冲过终点线，获得男子 200 米赛冠军；(中)S.布勃卡(苏)在 1991 年世界田径锦标赛上连续第三届赢得撑杆跳高冠军；(右)J.乔伊纳-克西(美)在 1993 年世界田径锦标赛上获得 800 米冠军，并第二次获得七项全能冠军

供图：(左)Reuters/Bettmann；(中)Duomo/Paul J. Sutton；(右)ALLSPORT VSA/Mike Powell

的世界锦标赛可追溯到20世纪初,那就是越野跑。这项运动在1903年首次举行了正式国际比赛,但作为奥运会的一个项目在1924年以后被取消了。1967年之前,女子的田径比赛不是奥运会项目的正规部分。男子越野跑比赛赛程通常不短于12 000米,女子不短于5 000或6 000米。

另一项具有独特地位的长距离项目是马拉松赛。马拉松赛的标准距离是42 195米(26英里385码),可是它的路线条件和气候变化范围很大。美国举办的最著名的比赛是波士顿马拉松赛。比赛始于1897年,除1918年以外,每年举行一次。女子马拉松赛从1972年正式开始。纽约马拉松赛是近来较盛大的马拉松赛,始于1970年。

世界杯锦标赛(男子)

	100米	200米	400米	800米	1 500米
1977	S.威廉斯(美)	C.爱德华兹(美)	A.胡安托雷纳(美洲)	A.胡安托雷纳(美洲)	S.奥维特(欧洲)
1979	J.桑福德(美)	S.伦纳德(美洲)	K.哈桑(非洲)	J.马伊纳(非洲)	T.威辛哈格(欧洲)
1981	A.韦尔斯(欧洲)	M.拉塔尼(美)	C.威利(美)	S.科(欧洲)	S.奥维特(欧洲)
1985	B.约翰逊(美洲)	R.西瓦尔(美洲)	M.弗兰克斯(美)	S.科斯凯(非洲)	O.哈里法(非洲)
1989	L.克里斯蒂(英)	R.西瓦尔(美洲)	R.埃尔南德斯(美洲)	T.麦基恩(英)	A.比莱(非洲)
1992	L.克里斯蒂(英)	R.西瓦尔(美洲)	S.巴达(非洲)	D.夏普(英)	M.苏莱曼(亚洲)
1994	L.克里斯蒂(英)	J.里吉斯(英)	A.佩蒂格鲁(美)	M.埃弗里特(美)	N.莫塞利(非洲)
1998	O.汤普森(美洲)	F.弗雷德里克斯(非洲)	I.托马斯(英)	N.舒曼(德)	L.罗蒂奇(非洲)
2002	U.埃梅多卢(非洲)	F.奥比克韦卢(欧洲)	M.布莱克伍德(美洲)	A.M.雷纳(西)	B.拉加特(非洲)

	3 000米	5 000米	10 000米	障碍赛跑	110米栏
1977		M.伊夫特尔(非洲)	M.伊夫特尔(非洲)	M.卡斯特(西德)	T.蒙克尔特(东德)
1979		M.伊夫特尔(非洲)	M.伊夫特尔(非洲)	K.罗诺(非洲)	R.尼希米亚(美)
1981		E.科格伦(欧洲)	W.席尔德豪尔(东德)	B.马明斯基(欧洲)	G.福斯特(美)
1985		D.帕迪拉(美)	W.布尔蒂(非洲)	J.卡里乌基(非洲)	T.坎贝尔(美)
1989		S.奥伊塔(非洲)	S.安蒂博(欧洲)	J.卡里乌基(非洲)	R.金德姆(美)
1992		F.巴耶萨(非洲)	A.阿贝贝(非洲)	P.巴库特沃(非洲)	C.杰克逊(英)
1994		B.拉拉菲(非洲)	K.斯卡赫(非洲)	M.基普塔努伊(非洲)	T.贾勒特(英)
1998	D.鲍曼(德)	D.科门(非洲)		D.卡拉比斯(德)	F.巴尔策(德)
2002	C.莫特拉姆(大洋洲)	A.加西亚(西)		W.B.基普科特(非洲)	A.加西亚(美洲)

	400米栏	4×100米接力	4×400米接力	三级跳	跳高
1977	E.摩西(美)	美	西德	J.德奥利维拉(美洲)	R.拜尔施密特(东德)
1979	E.摩西(美)	美洲	美	J.德奥利维拉(美洲)	F.雅各布斯(美)
1981	E.摩西(美)	欧洲	美	J.德奥利维拉(美洲)	T.皮科克(美)
1985	A.菲利普斯(美)	美	美	W.班克斯(美)	P.舍贝格(欧洲)
1989	D.帕特里克(美)	美	美洲	M.康利(美)	P.舍贝格(欧洲)
1992	S.马泰特(非洲)	美	非洲	J.爱德华兹(英)	Y.谢尔盖延科(联合队*)
1994	S.马泰特(非洲)	英	英	Y.克萨达(美洲)	J.索托马约尔(美洲)
1998	S.马泰特(非洲)	英	美	C.弗里德克(德)	C.奥斯丁(美)
2002	J.卡特(美)	美	美洲	J.爱德华兹(英)	Y.雷巴科夫(欧洲)

	撑杆跳高	跳远	铅球	铁饼	链球
1977	M.塔利(美)	A.鲁宾逊(美)	U.拜尔(东德)	W.施密特(东德)	K.-H.里姆(西德)
1979	M.塔利(美)	L.迈里克斯(美)	U.拜尔(东德)	W.施密特(东德)	S.利特维诺夫(苏)
1981	K.沃尔科夫(苏)	C.刘易斯(美)	U.拜尔(东德)	A.莱梅(东德)	Yu.塞吉克(苏)
1985	S.布勃卡(苏)	M.康利(美)	U.蒂默曼(东德)	G.科尔诺琴科(苏)	Yu.塔姆(苏)
1989	P.科利特(欧洲)	L.迈里克斯(美)	U.蒂默曼(东德)	J.舒尔特(东德)	H.韦斯(欧洲)
1992	I.波塔波维奇(联合队*)	I.佩德罗索(美洲)	M.斯图尔西(美)	T.华盛顿(美)	T.盖切克(欧洲)
1994	O.布里茨(非洲)	F.萨勒(英)	C.J.亨特(美)	V.杜布罗夫希克(欧洲)	A.阿卜杜瓦利耶夫(亚洲)
1998	M.塔拉索夫(欧洲)	I.佩德罗索(美洲)	J.戈迪纳(美)	V.阿莱克纳(欧洲)	T.盖切克(欧洲)
2002	O.布里茨(非洲)	S.斯特林费罗(美)	A.纳尔逊(美)	R.福泽考什(欧洲)	A.安努什(欧洲)

	标枪	团体(总积分)
1977	M.韦辛(西德)	东德
1979	W.哈尼施(西德)	美
1981	D.库拉(苏)	欧洲
1985	U.赫恩(东德)	美
1989	S.巴克利(英)	美
1992	J.热莱兹尼(欧洲)	非洲
1994	S.巴克利(英)	非洲
1998	S.巴克利(英)	非洲
2002	S.马卡罗夫(欧洲)	非洲

* 联合队,包括来自独联体及格鲁吉亚的运动员。

世界杯锦标赛(女子)

	100米	200米	400米	800米	1 500米
1977	M.厄斯纳(东德)	I.泽温斯卡(欧洲)	I.泽温斯卡(欧洲)	T.彼得罗娃(欧洲)	T.卡桑琪娜(苏)
1979	E.阿什夫(美)	E.阿什夫(美)	M.科希(东德)	N.施蒂里娃(欧洲)	C.瓦滕堡(东德)
1981	E.阿什夫(美)	E.阿什夫(美)	J.克拉托切维洛娃(欧洲)	L.维塞尔科娃(苏)	T.索罗金娜(苏)
1985	M.格尔(东德)	M.科希(东德)	M.科希(东德)	C.瓦赫特尔(东德)	H.科尔纳(东德)
1989	S.埃科尔斯(美)	S.莫勒(东德)	A.基罗(美洲)	A.基罗(美洲)	P.伊万(欧洲)
1992	N.沃罗诺娃(联合队*)	M.-J.珀雷克(欧洲)	J.迈尔斯(美)	M.穆托拉(非洲)	Y.波德科帕耶娃(联合队*)
1994	I.普里瓦洛娃(欧洲)	M.奥特泰(美洲)	I.普里瓦洛娃(欧洲)	M.穆托拉(非洲)	H.布尔梅卡(非洲)
1998	M.琼斯(美)	M.琼斯(美)	F.奥贡科亚(非洲)	M.穆托拉(非洲)	S.马斯捷尔科瓦(俄)
2002	M.琼斯(美)	D.弗格森(美洲)	A.格瓦拉(美洲)	M.穆托拉(非洲)	S.艾汉(欧洲)

	3 000米	5 000米	10 000米	100米栏	400米栏
1977	G.魏茨(欧洲)		—	G.拉布什廷(欧洲)	未比赛
1979	S.乌尔马索娃(苏)		—	G.拉布什廷(欧洲)	B.克勒普(东德)
1981	A.曹贝尔(东德)		—	T.安尼西莫娃(苏)	E.诺伊曼(东德)
1985	U.布龙斯(东德)		A.库尼亚(欧洲)	C.奥斯赫科纳特(东德)	S.布施(东德)
1989	Y.默里(欧洲)		K.乌尔里希(东德)	C.奥斯赫科纳特(东德)	S.法默-帕特里克(美)
1992	D.图卢(非洲)		D.图卢(非洲)	A.洛佩斯(美洲)	S.法默-帕特里克(美)
1994	Y.默里(英)		E.迈耶(非洲)	A.洛佩斯(美洲)	S.贡内尔(英)
1998	G.绍博(欧洲)	S.奥沙苏利文(欧洲)		G.阿洛齐(非洲)	N.比东安(非洲)
2002	B.阿德里(非洲)	O.叶戈罗娃(俄)		G.德弗斯(美)	Y.佩琼金娜(俄)

	4×100米接力	4×400米接力	三级跳	跳高	撑杆跳高
1977	欧洲选拔队	东德		R.阿克曼(东德)	
1979	欧洲选拔队	东德		D.布里尔(美洲)	
1981	东德	东德		U.梅法思(欧洲)	
1985	东德	东德		S.科斯塔迪诺娃(苏)	
1989	东德	美洲		S.科斯塔(美洲)	
1992	亚洲	美洲		I.金特罗(美洲)	
1994	非洲	英	A.比留科娃(欧洲)	B.比拉克(欧洲)	
1998	美	德	O.瓦斯代吉(欧洲)	M.拉加尔-迪内斯库(欧洲)	
2002	美洲	美洲	F.姆班戈·埃通(非洲)	H.克卢蒂(非洲)	A.贝克尔(德)

	跳远	铅球	铁饼	标枪	团体(总积分)
1977	L.雅森科(大洋洲)	H.菲宾格罗娃(欧洲)	F.麦尔尼克(苏)	R.富克斯(东德)	欧洲选拔队
1979	A.斯图卡内(苏)	I.斯卢庇亚奈克(东德)	E.贾尔(东德)	R.富克斯(东德)	东德
1981	S.乌布利希(东德)	I.斯卢庇亚奈克(东德)	E.贾尔(东德)	A.托多罗娃(欧洲)	东德
1985	H.德雷克斯勒(东德)	N.利索夫斯卡娅(苏)	M.奥普蒂茨(东德)	O.加夫里洛娃(苏)	东德
1989	G.奇斯佳科娃(苏)	黄志红(亚洲)	I.维卢达(东德)	P.费尔克(东德)	东德
1992	H.德雷克斯勒(德)	B.拉萨(美洲)	M.马滕(美洲)	T.桑德森(英)	联合队*
1994	I.克拉维茨(欧洲)	黄志红(亚洲)	I.维卢达(欧洲)	T.哈特斯塔德(欧洲)	欧洲
1998	H.德雷克斯勒(德)	V.帕夫雷什(欧洲)	F.迪奇(德)	J.斯通(大洋洲)	美
2002	T.科托娃(俄)	I.科尔扎年科(俄)	B.福穆伊纳(大洋洲)	O.梅嫩德斯(美洲)	俄

*联合队,包括来自独联体及格鲁吉亚的运动员。

世界田径锦标赛(男子)

	100米	200米	400米	800米	1 500米
1983	C.刘易斯(美)	C.史密斯(美)	B.卡梅伦(牙买加)	W.维尔贝克(西德)	S.克拉姆(英)
1987	B.约翰逊(加拿大)	C.史密斯(美)	T.舍恩勒皮(东德)	A.康切拉(肯尼亚)	A.比勒(索马里)
1991	C.刘易斯(美)	M.约翰逊(美)	A.佩蒂格鲁(美)	B.康切拉(肯尼亚)	N.莫尔塞利(阿尔及利亚)
1993	L.克里斯蒂(英)	F.费雷德里克斯(纳米比亚)	M.约翰逊(美)	P.鲁托(肯尼亚)	N.莫尔塞利(阿尔及利亚)
1995	D.贝利(加拿大)	M.约翰逊(美)	M.约翰逊(美)	W.基普克特(丹麦)	N.莫尔塞利(阿尔及利亚)
1997	M.格林(美)	A.博尔顿(特立尼达)	M.约翰逊(美)	W.基普克特(丹麦)	H.凯鲁季(摩洛哥)
1999	M.格林(美)	M.格林(美)	M.约翰逊(美)	W.基普克特(丹麦)	H.凯鲁季(摩洛哥)
2001	M.格林(美)	K.凯德里斯(希腊)	A.蒙克尔(巴哈马)	A.布赫尔(瑞士)	H.凯鲁季(摩洛哥)
2003	K.科林斯(圣基茨)	J.卡佩尔(美)	J.扬(美)	D.赛义德-盖尔尼(阿尔及利亚)	H.凯鲁季(摩洛哥)
2005	J.加特林(美)	J.加特林(美)	J.瓦里纳(美)	R.拉姆齐(巴林)	R.拉姆齐(巴林)

续表

	5 000 米	10 000 米	马拉松	3 000 米障碍	110 米栏
1983	E.科格伦(爱尔兰)	A.科瓦(意)	R.卡斯特拉(澳)	P.伊尔格(西德)	G.福斯特(美)
1987	S.奥伊塔(摩洛哥)	P.基普科什(肯尼亚)	D.瓦基胡鲁(肯尼亚)	F.帕内塔(意)	福斯特(美)
1991	Y.翁迭基(肯尼亚)	M.塔努伊(肯尼亚)	谷口(日)	M.基普格努伊(肯尼亚)	G.福斯特(美)
1993	I.基鲁伊(肯尼亚)	H.盖布里西拉西(埃塞俄比亚)	M.普拉特耶斯(美)	M.基普塔努伊(肯尼亚)	杰克逊(英)
1995	I.基鲁伊(肯尼亚)	H.盖布里西拉西(埃塞俄比亚)	M.费斯(西班牙)	M.基普塔努伊(肯尼亚)	A.约翰逊(美)
1997	D.科曼(肯尼亚)	H.盖布里西拉西(埃塞俄比亚)	A.安东(西班牙)	W.B.基普克特(肯尼亚)	A.约翰逊(美)
1999	S.希苏(摩洛哥)	H.盖布里西拉西(埃塞俄比亚)	A.安东(西班牙)	C.科斯凯伊(肯尼亚)	C.杰克逊(英)
2001	R.利莫(摩洛哥)	C.卡马西(肯尼亚)	G.阿贝拉(埃塞俄比亚)	R.科斯盖伊(肯尼亚)	A.约翰逊(美)
2003	E.基普乔格(肯尼亚)	K.贝克勒(埃塞俄比亚)	J.加里卜(摩洛哥)	S.S.沙欣(卡塔尔)	A.约翰逊(美)
2005	R.利莫(肯尼亚)	K.贝克勒(埃塞俄比亚)	J.加里卜(摩洛哥)	S.S.沙欣(卡塔尔)	L.杜库雷(法)

	400 米栏	4×100 米接力	4×400 米接力	20 公里竞走	50 公里竞走
1983	E.摩西(美)	美(E.金;W.高尔特;C.史密斯;C.刘易斯)	苏(S.洛瓦切夫;A.特罗斯切洛;N.车尔尼茨基;V.马尔金)	E.坎托(墨)	R.魏格尔(东德)
1987	E.摩西(美)	美(L.麦克雷;L.麦克尼尔;H.格兰塞;C.刘易斯)	美(D.埃弗雷特;R.哈利;A.麦凯;H.雷诺兹)	M.达米拉诺(意)	H.高德尔(东德)
1991	S.马泰特(赞比亚)	美(A.卡森;L.伯勒尔;D.米切尔;C.刘易斯)	英(R.布莱克;D.雷德蒙;J.里吉斯;K.阿卡布西)	M.迷米拉诺(意)	A.波塔绍夫(苏)
1993	K.扬(美)	美(J.德拉蒙德;A.卡森;K.米切尔;L.伯勒尔)	美(A.瓦尔芒;Q.沃茨;B.雷诺兹;M.约翰逊)	V.马萨纳(西)	J.A.加西亚(西)
1995	D.阿德金斯(美)	加拿大	美	M.迪多尼(意大利)	V.科诺宁(芬兰)
1997	S.迪亚加纳(法)	加拿大	美	D.加西亚(墨西哥)	R.科热尼奥夫斯基(波兰)
1999	F.莫利(意大利)	美	美	I.马尔科夫(俄)	G.斯库雷金(俄)
2001	F.桑切斯(多米尼加)	美	美	R.拉斯卡佐夫(俄)	R.科热尼奥夫斯基(波兰)
2003	F.桑切斯(多米尼加)	美	美	J.佩雷斯(厄瓜多尔)	R.科热尼奥夫斯基(波兰)
2005	B.杰克逊(美)	法	美	J.佩雷斯(厄瓜多尔)	S.基尔佳亚普金(俄)

	跳高	撑杆跳高	跳远	三级跳远	铅球
1983	G.阿夫杰延科(苏)	S.布勃卡(苏)	C.刘易斯(美)	Z.霍夫曼(波兰)	E.萨鲁尔(波兰)
1987	P.舍贝里(瑞典)	S.布勃卡(苏)	C.刘易斯(美)	马尔科夫(保)	W.盖恩特(瑞士)
1991	奥斯汀(美)	S.布勃卡(苏)	M.鲍威尔(美)	K.哈里森(美)	W.盖恩特(瑞士)
1993	J.索托马约尔(古巴)	S.布勃卡(乌克兰)	M.鲍威尔(美)	康利(美)	W.盖恩特(瑞士)
1995	T.肯普(巴哈马)	S.布勃卡(乌克兰)	I.佩德罗索(古巴)	J.爱德华兹(英)	J.戈迪纳(美)
1997	J.索托马约尔(古巴)	S.布勃卡(乌克兰)	I.佩德罗索(古巴)	Y.奎萨达(古巴)	J.戈迪纳(美)
1999	V.沃洛宁(俄)	M.塔拉索夫(俄)	I.佩德罗索(古巴)	C.M.弗里德克(德)	C.J.亨特(美)
2001	M.布斯(德)	D.马尔科夫(澳大利亚)	I.佩德罗索(古巴)	J.爱德华兹(英)	J.戈迪纳(美)
2003	J.弗赖塔格(南非)	G.吉比里斯科(意大利)	D.菲利普斯(美)	C.奥尔森(瑞典)	A.米科涅维奇(白俄罗斯)
2005	Y.克雷马连科(乌克兰)	R.布洛姆(荷兰)	D.菲利普斯(美)	W.戴维斯(美)	A.纳尔逊(美)

	铁饼	链球	标枪	十项全能
1983	I.布加尔(捷)	S.利特维诺夫(苏)	D.米歇尔(东德)	D.汤普森(英)
1987	J.舒尔特(东德)	S.利特维诺夫(苏)	S.拉蒂(芬)	T.福斯(东德)
1991	L.里德尔(德)	Y.谢德赫(苏)	K.金努宁(芬)	D.奥布赖恩(美)
1993	L.里德尔(德)	A.阿卜杜瓦利耶夫(塔吉克斯坦)	J.热莱兹尼(捷)	D.奥布赖恩(美)
1995	L.里德尔(德)	A.阿卜杜瓦利耶夫(塔吉克斯坦)	J.热莱兹尼(捷)	D.奥布赖恩(美)
1997	L.里德尔(德)	H.魏斯(德)	M.科比特(南非)	T.德沃拉克(捷)
1999	A.华盛顿(美)	K.科布斯(德)	A.帕尔维艾宁(芬兰)	T.德沃拉克(捷)
2001	L.里德尔(德)	S.焦乌科夫斯基(波兰)	J.热莱兹尼(捷)	T.德沃拉克(捷)
2003	V.阿莱克纳(立陶宛)	I.吉洪(白俄罗斯)	M.马卡洛夫(俄)	T.帕帕斯(美)
2005	V.阿莱克纳(立陶宛)	I.吉洪(白俄罗斯)	A.韦尔尼克(爱沙尼亚)	B.克莱(美)

世界田径锦标赛(女子)

	100 米	200 米	400 米	800 米	1 500 米
1983	M.格尔(东德)	M.科赫(东德)	J.克拉托切维洛娃(捷)	J.克拉托切维洛娃(捷)	M.德克尔(美)
1987	S.格拉迪希(东德)	S.格拉迪希(东德)	O.布里兹金娜(苏)	S.沃达尔斯(东德)	T.萨莫连科(苏)
1991	K.克拉贝(德)	K.克拉贝(德)	M.-J.珀雷克(法)	L.努鲁季诺娃(苏)	H.布尔梅卡(阿尔及利亚)
1993	G.德弗斯(美)	M.奥特泰(牙买加)	J.迈尔斯(美)	M.穆托拉(莫桑比克)	刘冬(中)
1995	G.托伦斯(美)	M.奥特泰(牙买加)	M.-J.珀雷克(法)	A.基罗特(古巴)	H.布尔梅卡(阿尔及利亚)
1997	M.琼斯(美)	Z.本图塞维奇(乌克兰)	C.弗里曼(澳大利亚)	A.基罗特(古巴)	C.萨克拉门托(葡萄牙)
1999	M.琼斯(美)	I.米勒(美)	C.弗里曼(澳大利亚)	L.福尔曼诺娃(捷)	S.马斯捷尔科娃(俄)
2001	Z.本图塞维奇(乌克兰)	M.琼斯(美)	A.M.蒂亚姆(塞内加尔)	M.穆托拉(莫桑比克)	G.绍博(罗马尼亚)
2003	T.爱德华兹(美)	A.卡帕钦斯卡亚(美)	A.格瓦拉(墨西哥)	M.穆托拉(莫桑比克)	T.托马绍娃(俄)
2005	L.威廉姆斯(美)	A.费利克斯(美)	T.威廉姆斯(巴哈马)	Z.卡拉塔尤德(古巴)	T.托马绍娃(俄)

	3 000 米	10 000 米 *	马拉松	100 米栏	400 米栏
1983	M.德克尔(美)		G.魏茨(挪)	B.雅恩(东德)	Ye.费森科(苏)
1987	T.萨莫连科(苏)	I.克里斯蒂安森(挪)	R.莫塔(葡)	G.扎戈尔切娃(保)	S.布施(东德)
1991	T.多罗夫斯基赫(苏)	L.麦科尔肯(英)	W.潘菲尔(波兰)	L.纳罗日连科(苏)	T.列多夫斯卡娅(苏)
1993	曲云霞(中)	王军霞(中)	浅利(日)	G.德弗斯(美)	S.贡内利(英)
1995	S.奥沙利文(爱尔兰)	F.里贝罗(葡萄牙)	M.马沙多(葡萄牙)	G.德弗斯(美)	K.巴藤(美)
1997	G.绍博(罗马尼亚)	S.巴尔索西奥(肯尼亚)	铃木博美(日本)	L.恩奎斯特(瑞典)	N.比杜安纳(摩洛哥)
1999	G.绍博(罗马尼亚)	G.瓦米(埃塞俄比亚)	郑成玉(朝鲜)	G.德弗斯(美)	D.佩尔尼亚(古巴)
2001	O.叶戈罗娃(俄)	D.图鲁(埃塞俄比亚)	L.西蒙(罗马尼亚)	A.柯克兰(美)	N.比杜安纳(摩洛哥)
2003	T.迪巴巴(埃塞俄比亚)	B.阿德雷(埃塞俄比亚)	C.恩德雷巴(肯尼亚)	P.费利西安(加拿大)	J.皮特曼(澳大利亚)
2005	T.迪巴巴(埃塞俄比亚)	T.迪巴巴(埃塞俄比亚)	P.拉德克里夫(英)	M.佩里(美)	Y.佩琼金娜(俄)

	4×100 米接力	4×400 米接力	10 公里竞走 *	20 公里竞走 ‡	跳高
1983	东德(S.格拉迪希;M.科赫;M.格尔;I.奥尔斯华德)	东德(K.瓦尔特;D.鲁布扎姆;M.科赫;S.布施)			T.彼科娃(苏)
1987	美(A.布朗;D.威廉斯;F.格里菲斯;P.马歇尔)	东德(D.诺伊鲍尔;K.埃梅尔曼;P.缪勒;S.布施)	I.斯特拉克霍娃(苏)		S.科斯塔迪诺娃(保)
1991	牙买加(D.杜汉内;J.卡思伯特;B.麦克唐纳;M.奥特泰)	苏(T.列多夫斯卡娅;L.吉加洛娃;O.纳扎罗娃;O.布雷兹吉纳)	A.伊万诺娃(苏)		H.亨克尔(德)
1993	俄罗斯(O.博戈斯洛夫斯卡娅;G.玛尔丘吉那;N.沃罗诺娃;I.普里瓦洛娃)	美(G.托兰斯;M.马隆;N.凯泽-布朗;J.迈尔斯	S.埃萨耶赫(芬兰)		I.金特罗(古巴)
1995	美	美	I.斯七旦金纳(俄)		S.科斯塔迪诺娃(保)
1997	美	德	A.西多蒂(意大利)		H.海于格兰(挪威)
1999	巴哈马	俄罗斯		刘宏宇(中)	I.巴科娃(乌克兰)
2001	美	牙买加		O.伊万诺娃(俄)	H.克卢蒂(南非)
2003	法	美		Y.尼古拉耶娃(俄)	H.克卢蒂(南非)
2005	美	俄罗斯		O.伊万诺娃(俄)	K.贝里奎斯特(瑞典)

	撑杆跳高 ‡	跳远	三级跳远 †	铅球	铁饼
1983		H.道特(东德)		H.菲宾格罗娃(捷)	M.奥皮茨(东德)
1987		J.乔伊纳-克西(美)		N.利索夫斯卡娅(苏)	M.黑尔蔓
1991		J.乔伊纳-克西(美)		黄志红(中)	T.赫里斯托娃(保)
1993		H.德雷克斯勒(德)	A.比留科娃(俄)	黄志红(中)	O.布罗娃
1995		F.梅(意大利)	I.克拉维茨(乌克兰)	A.库伯努斯(德)	E.兹维约娃(白俄罗斯)
1997		L.加尔齐娜(俄)	S.卡斯帕科娃(捷)	A.库伯努斯(德)	B.弗乌姆伊娜(新西兰)
1999	S.德拉吉拉(美)	N.蒙塔尔沃(西)	P.特斯娅米塔(希腊)	A.库伯努斯(德)	F.迪耶兹克(德)
2001	S.德拉吉拉(美)	F.梅(意大利)	T.莱贝德娃(俄)	Y.科洛尔奇克(白俄罗斯)	N.萨多娃(俄)
2003	S.费奥法诺娃(俄)	E.巴贝尔(法)	T.莱贝德娃(俄)	S.克里维约娃(俄)	I.雅申科(白俄罗斯)
2005	Y.伊辛巴耶娃(俄)	T.麦迪逊(美)	T.史密斯(牙买加)	N.奥斯塔普丘克(白俄罗斯)	F.迪茨奇(德)

	链球 ‡	标枪	七项全能		
1983		T.李拉克(芬)	R.诺伊贝特(东德)		
1987		F.惠特布雷德(英)	J.乔伊纳-克西(美)		
1991		徐德妹(中)	S.布劳恩(德)		
1993		T.哈特斯塔德(挪威)	J.乔伊纳-克西(美)		

续表

	链球‡	标枪	七项全能
1995		N.辛科连科(白俄罗斯)	G.舒阿(叙利亚)
1997		T.哈特斯塔德(挪威)	S.布劳恩(德)
1999	M.梅林特(罗马尼亚)	M.特泽丽莉(希腊)	E.巴贝尔(法)
2001	Y.莫雷诺(古巴)	O.梅内德斯(古巴)	Y.普洛科霍洛娃(俄)
2003	Y.莫雷诺(古巴)	M.曼加尼(希腊)	C.克鲁夫特(瑞典)
2005	O.库岑科娃(俄)	O.梅内德斯(古巴)	C.克鲁夫特(瑞典)

* 1987 年新增项目。†1993 年新增项目。‡1999 年新增项目。§原冠军的金牌在药检后被剥夺。

世界越野锦标赛(男子)

年份	个人	团体	年份	个人	团体	年份	个人	团体
1903	A.施拉布(英格兰)	英格兰	1935	J.T.霍尔登(英格兰)	英格兰	1968	M.加穆迪(突尼斯)	英格兰
1904	A.施拉布(英格兰)	英格兰	1936	W.E.伊顿(英格兰)	英格兰	1969	G.罗兰茨(比)	英格兰
1905	A.奥尔德里奇(英格兰)	英格兰	1937	J.C.弗洛克哈特(苏格兰)	英格兰	1970	M.J.塔格(英格兰)	英格兰
1906	C.J.斯特劳(英格兰)	英格兰	1938	C.A.J.埃默里(英格兰)	英格兰	1971	D.C.贝德福德(英格兰)	英格兰
1907	A.安德伍德(英格兰)	英格兰	1939	J.T.霍尔登(英格兰)	法	1972	G.罗兰茨(比)	英格兰
1908	A.J.罗伯逊(英格兰)	英格兰	1946*	R.普亚松(法)	法	1973	P.佩瓦林他(芬)	比
1909	A.E.伍德(英格兰)	英格兰	1947	R.普亚松(法)	法	1974	E.贝克(比)	比
1910	A.E.伍德(英格兰)	英格兰	1948	J.多姆斯(比)	比	1975	I.斯图尔特(苏格兰)	新西兰
1911	J.布安(法)	英格兰	1949	A.米莫安(法)	法	1976	C.洛佩斯(葡)	英格兰
1912	J.布安(法)	英格兰	1950	L.泰斯(比)	法	1977	L.肖茨(比)	比
1913	J.布安(法)	英格兰	1951	G.B.桑德斯(英格兰)	英格兰	1978	J.特里西(爱尔兰)	法
1914	A.H.尼科尔斯(英格兰)	英格兰	1952	A.米莫安(法)	法	1979	J.特里西(爱尔兰)	英格兰
1920*	J.威尔逊(苏格兰)	英格兰	1953	F.米哈列克(南斯拉夫)	英格兰	1980	C.维尔京(美)	英格兰
1921	W.弗里曼(英格兰)	英格兰	1954	A.米莫安(法)	英格兰	1981	C.维尔京(美)	埃塞俄比亚
1922	J.吉莱莫(法)	法	1955	F.D.桑多(英格兰)	英格兰	1982	M.吉迪尔(埃塞俄比亚)	埃塞俄比亚
1923	C.E.布莱维特(英格兰)	法	1956	A.米莫安(法)	法	1983	B.德贝勒(埃塞俄比亚)	埃塞俄比亚
1924	W.M.科特雷尔(英格兰)	英格兰	1957	F.D.桑多(英格兰)	比	1984	C.洛佩斯(葡)	埃塞俄比亚
1925	J.E.韦伯斯特(英格兰)	英格兰	1958	S.E.埃尔登(英格兰)	英格兰	1985	C.洛佩斯(葡)	埃塞俄比亚
1926	E.哈珀(英格兰)	法	1959	F.诺里斯(英格兰)	英格兰	1986	J.恩古基(肯尼亚)	肯尼亚
1927	L.佩恩(英格兰)	法	1960	A.雷迪(摩洛哥)	英格兰	1987	J.恩古基(肯尼亚)	肯尼亚
1928	H.埃克斯利(英格兰)	法	1961	B.B.希特利(英格兰)	比	1988	J.恩古基(肯尼亚)	肯尼亚
1929	W.M.科特雷尔(英格兰)	法	1962	G.罗兰茨(比)	英格兰	1989	J.恩古基(肯尼亚)	肯尼亚
1930	T.埃文森(英格兰)	英格兰	1963	H.R.福勒(英格兰)	比	1990	K.沙阿(摩洛哥)	肯尼亚
1931	F.T.斯迈思(爱尔兰)	英格兰	1964	F.阿里兹门迪(西班牙)	英格兰	1991	K.沙阿(摩洛哥)	肯尼亚
1932	S.埃文森(英格兰)	英格兰	1965	J.法约尔(法)	英格兰	1992	J.恩古基(肯尼亚)	肯尼亚
1933	J.T.霍尔登(英格兰)	英格兰	1966	A.埃尔-格齐(摩洛哥)	英格兰	1993	W.西盖(肯尼亚)	肯尼亚
1934	J.T.霍尔登(英格兰)	英格兰	1967	G.罗兰茨(比)	英格兰			

* 1915～1919、1940～1945 未比赛。

波士顿马拉松

年份	男子*	时 分 秒	年份	男子*	时 分 秒	年份	女子*	时 分 秒
1897	J.J.麦克德莫特	2 55 10	1919	C.W.A.林德	2 29 13			
1898	R.J.麦克唐纳(加拿大)	2 42 00	1920	P.特里沃利德斯(希腊)	2 29 31			
1899	L.J.布里诺利	2 54 38	1921	F.祖纳	2 18 57			
1900	J.J.卡弗里(加拿大)	2 39 44	1922	C.H.德马	2 18 10			
1901	J.J.卡弗里(加拿大)	2 29 23	1923	C.H.德马	2 23 47			
1902	S.A.梅勒	2 43 12	1924	C.H.德马	2 29 40			
1903	J.C.洛登	2 41 29	1925	C.L.梅洛尔	2 33 06			
1904	M.斯普林	2 39 04	1926	J.C.迈尔斯(加拿大)	2 25 40			
1905	F.洛兹	2 38 25	1927	C.H.德马	2 40 22			
1906	T.福特	2 45 45	1928	C.H.德马	2 37 07			
1907	T.朗博特(加拿大)	2 24 24	1929	J.C.迈尔斯(加拿大)	2 33 08			
1908	T.P.莫里西	2 25 43	1930	C.H.德马	2 34 48			
1909	H.雷诺	2 53 36	1931	J.P.亨尼根	2 46 45			
1910	F.L.卡梅伦(加拿大)	2 28 52	1932	P.德布鲁因	2 33 36			
1911	C.H.德马	2 21 39	1933	L.波森	2 31 01			
1912	M.J.瑞安	2 21 18	1934	D.科莫南(加拿大)	2 32 53			
1913	F.卡尔森	2 25 14	1935	J.A.凯利	2 32 07			
1914	J.达菲(加拿大)	2 25 01	1936	E.M.布朗	2 33 40			
1915	E.法布尔(加拿大)	2 31 41	1937	W.扬(加拿大)	2 33 20			
1916	A.V.罗思	2 27 16	1938	L.波森	2 35 34			
1917	W.K.肯尼迪	2 28 37	1939	E.M.布朗	2 28 51			
1918	无正规比赛		1940	G.科特(加拿大)	2 28 28	1972	N.库克西科	3 10 26

续表

年份	男子*	时 分 秒	年份	男子*	时 分 秒	年份	女子*	时 分 秒
1941	L.波森	2 30 38	1973	J.安德森	2 16 03	1973	J.汉森	3 05 59
1942	J.史密斯	2 26 51	1974	N.丘萨克	2 13 39	1974	M.戈尔曼	2 47 11
1943	G.科特(加拿大)	2 28 25	1975	B.罗杰斯	2 09 55	1975	L.温特(西德)	2 42 24
1944	G.科特(加拿大)	2 31 50	1976	J.富尔茨	2 20 19	1976	K.梅里特	2 47 10
1945	J.A.凯利	2 30 40	1977	J.德雷顿(加拿大)	2 14 46	1977	M.戈尔曼	2 46 22
1946	S.基里亚基德斯(希腊)	2 29 27	1978	B.罗杰斯	2 10 13	1978	G.巴伦	2 44 52
1947	孙云福(朝鲜)	2 25 39	1979	B.罗杰斯	2 09 27	1979	J.贝诺瓦	2 35 15
1948	G.科特(加拿大)	2 31 02	1980	B.罗杰斯	2 12 11	1980	J.加鲁(加拿大)	2 34 28
1949	K.G.勒安德松(瑞典)	2 31 50	1981	濑古(日)	2 09 26	1981	A.罗(新西兰)	2 26 46
1950	韩吉荣(朝鲜)	2 32 39	1982	A.萨拉查	2 08 51	1982	C.特斯克(西德)	2 29 33
1951	田中(日)	2 27 45	1983	G.A.迈耶	2 09 00	1983	J.贝诺瓦	2 22 42
1952	D.弗洛雷斯(危地马拉)	2 31 53	1984	G.史密斯(英格兰)	2 10 34	1984	L.莫勒(新西兰)	2 29 28
1953	山田(日)	2 18 51	1985	G.史密斯(英格兰)	2 14 05	1985	L.拉森	2 34 06
1954	V.L.卡拉南(芬)	2 20 39	1986	R.卡斯特拉(澳)	2 07 51	1986	I.克里斯蒂安森(挪)	2 24 55
1955	滨村(日)	2 18 22	1987	濑古(日)	2 11 50	1987	R.莫塔(葡)	2 25 21
1956	A.维斯卡里(芬)	2 14 14	1988	I.侯赛因(肯尼亚)	2 08 43	1988	R.莫塔(葡)	2 24 30
1957	J.J.凯利	2 20 05	1989	A.梅孔嫩(埃塞俄比亚)	2 09 06	1989	I.克里斯蒂安森(挪)	2 24 33
1958	F.米哈利克(南斯拉夫)	2 25 54	1990	G.博尔丁(意)	2 08 19	1990	R.莫塔(葡)	2 25 23
1959	E.奥克萨南(芬)	2 22 42	1991	I.侯赛因(肯尼亚)	2 11 06	1991	W.潘菲尔(波兰)	2 24 18
1960	P.科蒂拉(芬)	2 20 54	1992	I. 侯赛因(肯尼亚)	2 08 14	1992	O.马尔科娃(俄)	2 23 43
1961	E.奥克萨南(芬)	2 23 39	1993	C.恩德蒂(肯尼亚)	2 09 33	1993	O.马尔科娃(俄)	2 25 27
1962	E.奥克萨南(芬)	2 23 48	1994	C.恩德蒂(肯尼亚)	2 07 15	1994	U.皮皮格(德)	2 21 45
1963	A.范登德里斯切(比)	2 18 58	1995	C.恩德蒂(肯尼亚)	2 09 22	1995	U.皮皮格(德)	2 25 11
1964	A.范登德里斯切(比)	2 19 59	1996	M.塔努伊(肯尼亚)	2 09 16	1996	U.皮皮格(德)	2 27 12
1965	重松(日)	2 16 33	1997	L.安古塔(肯尼亚)	2 10 34	1997	F.罗巴(埃塞俄比亚)	2 26 23
1966	君原(日)	2 17 11	1998	M.塔努伊(肯尼亚)	2 07 34	1998	F.罗巴(埃塞俄比亚)	2 23 21
1967	D.麦肯齐(新西兰)	2 15 45	1999	J.舍贝特(肯尼亚)	2 09 52	1999	F.罗巴(埃塞俄比亚)	2 23 25
1968	A.伯福特	2 22 17	2000	E.拉加特(肯尼亚)	2 09 47	2000	C.恩德雷巴(肯尼亚)	2 26 11
1969	采谷(日)	2 13 49	2001	李奉柱(韩)	2 09 43	2001	C.恩德雷巴(肯尼亚)	2 23 53
1970	R.希尔(英格兰)	2 10 30	2002	R.罗普(肯尼亚)	2 09 02	2002	M.奥卡约(肯尼亚)	2 20 43
1971	A.梅加(哥伦比亚)	2 18 45	2003	R.K.切鲁尤特(肯尼亚)	2 10 11	2003	S.扎哈罗娃(俄)	2 25 20
1972	O.索马莱内(芬兰)	2 15 30	2004	T.舍里加特(肯尼亚)	2 10 37	2004	C.恩德雷巴(肯尼亚)	2 24 27

*未注明国籍者为美国选手。

世界越野锦标赛(女子)

年份	个人	团体
1967	D.布朗(美)	英格兰
1968	D.布朗(美)	美
1969	D.布朗(美)	美
1970	D.布朗(美)	英格兰
1971	D.布朗(美)	英格兰
1972	J.史密斯(英格兰)	英格兰
1973	P.卡奇(意)	英格兰
1974	P.卡奇(意)	英格兰
1975	J.布朗(美)	美
1976	C.瓦莱罗(西班牙)	苏
1977	C.瓦莱罗(西班牙)	苏
1978	G.魏茨(挪)	罗马尼亚
1979	G.魏茨(挪)	美
1980	G.魏茨(挪)	苏
1981	G.魏茨(挪)	苏
1982	M.普伊卡(罗马尼亚)	苏
1983	G.魏茨(挪)	美
1984	M.普伊卡(罗马尼亚)	美
1985	Z.巴德(英)	美
1986	Z.巴德(英)	英格兰
1987	A.塞尔金(法)	美
1988	I.克里斯蒂安森(挪)	苏
1989	A.塞尔让(法)	苏
1990	L.詹宁斯(美)	苏
1991	L.詹宁斯(美)	肯尼亚
1992	L.詹宁斯(美)	肯尼亚
1993	A.迪亚斯(葡)	肯尼亚

世界马拉松杯

年份	男子	女子
1985	A.萨拉赫(吉布提)	K.德雷(东德)
1987	A.萨拉赫(吉布提)	Z.伊万诺娃(苏)
1989	K.梅塔费里亚(埃塞俄比亚)	S.马尔基亚诺(美)
1991	Y.托尔斯季科夫(苏)	R.莫塔(葡)

纽约马拉松

年份	男子*	时 分 秒	女子*	时 分 秒
1970	G.穆尔克	2 31 38	无人跑完全程	
1971	N 希金斯	2 22 54	B.邦纳	2 55 22
1972	S.卡林	2 27 52	N.库克西科	3 08 41
1973	T.弗莱明	2 21 54	N.库克西科	2 57 07
1974	N.桑德	2 26 30	K.斯威策	3 07 29
1975	T.弗莱明	2 19 27	K.梅里特	2 46 14
1976	B.罗杰斯	2 10 09	M.戈尔曼	2 39 11
1977	B.罗杰斯	2 11 28	M.戈尔曼	2 43 10
1978	B.罗杰斯	2 12 12	G.魏茨(挪)	2 32 30
1979	B.罗杰斯	2 11 42	G.魏茨(挪)	2 27 33
1980	A.萨拉查	2 09 41	G.魏茨(挪)	2 25 41
1981	A.萨拉查	2 08 13	A.罗(新西兰)	2 25 29
1982	A.萨拉查	2 09 29	G.魏茨(挪)	2 27 14
1983	R.狄克逊	2 08 59	G.魏茨(挪)	2 27 00
1984	O.皮佐拉托	2 14 53	G.魏茨(挪)	2 29 30
1985	O.皮佐拉托	2 11 34	G.魏茨(挪)	2 28 34
1986	G.波利(意)	2 11 06	G.魏茨(挪)	2 28 06
1987	I.侯赛因(肯尼亚)	2 11 01	P.韦尔奇(英)	2 30 17
1988	S.琼斯(威尔士)	2 08 20	G.魏茨(挪)	2 28 07

续表

年份	男子*	时分秒	女子*	时分秒
1989	J.伊肯加(坦桑尼亚)	2 08 01	I.克里斯蒂安森(挪)	2 25 30
1990	D.瓦基胡里(肯尼亚)	2 12 39	W.潘菲尔(波兰)	2 30 45
1991	S.加西亚(墨西哥)	2 09 28	L.麦科尔根(苏格兰)	2 27 23
1992	W.姆托洛(南非)	2 09 29	L.翁迭基(澳)	2 24 40
1993	A.埃斯皮诺萨(墨)	2 10 04	U.皮皮格(德)	2 26 24
1994	G.席尔瓦(墨)	2 11 21	T.洛鲁佩(肯尼亚)	2 27 37
1995	G.席尔瓦(墨)	2 11 00	T.洛鲁佩(肯尼亚)	2 28 06
1996	G.莱昂内(意)	2 09 54	A.卡图纳(罗)	2 28 18
1997	J.卡格威(肯尼亚)	2 08 12	F.罗沙-莫泽(瑞士)	2 28 43
1998	J.卡格威(肯尼亚)	2 08 45	F.菲亚科尼(意)	2 25 17
1999	J.舍贝特(肯尼亚)	2 09 14	A.费尔南德斯(墨)	2 25 06
2000	A.埃尔穆阿兹(摩洛哥)	2 10 09	L.彼得罗娃(俄)	2 25 45
2001	T.杰法(埃塞俄比亚)	2 07 43	M.奥卡约(肯尼亚)	2 24 21
2002	R.罗普(肯尼亚)	2 08 07	J.切普丘姆巴(肯尼亚)	2 25 56
2003	M.莱尔(肯尼亚)	2 10 30	M.奥卡约(肯尼亚)	2 22 31

* 未注明国籍者为美国选手。

AUTOMOBILE RACING 汽车赛 在各种汽车赛形式中，以环形跑道或高速公路跑道赛在美国最为流行。印第安纳波利斯五百英里赛现在是美国汽车俱乐部12种锦标赛中最重要的一种，它始于1911年，此后每年举行一次。比赛必须使用低座舱、无挡板(车轮敞露)型赛车。赛车的缓冲能力(即汽车附着地面跑道的能力)与其涡轮增压发动机同样重要。通常赛车底盘与发动机不是同厂生产的，例如，车牌上标有"布拉巴姆/雷普科"，在这里，生产底盘的厂家首先列出，而且获胜赛车的底盘生产厂家获得该车赢得的金钱或其他形式的奖励。参加公路(即封闭型公路)大奖赛的标准赛车称为一级方程式(F-1)赛车，它是在第一次世界大战后，按照国际汽车联合会(FIA)所设立的一道推导出的方程式而设计制造的。大多数赛车使用科斯沃思-福特牌发动机。F-1赛车与印第安纳波利斯五百英里赛使用的车一样，也是车轮敞露、低座舱型；不同的是F-1赛车稍微小些，而且与只能左转弯的跑道赛车相比，F-1赛车操纵比较灵活。每年都要举行大约12项世界范围的汽车大奖赛。选手们根据每项正式大奖赛名次所得出的总积分，来竞争世界汽车驾驶锦标赛(1950年创始)。许多汽车大奖赛选手也参加世界汽车制造商锦标赛中的耐力赛。其中包括F-1赛车制造商国际杯赛(只限于F-1赛车)和汽车构造国际锦标赛(包括典型轻型赛车[6型]、轻型赛车[5型]和特别大型旅游车[4型])。最著名的预赛之一是在法国勒芒13.4公里的萨尔特跑道上举行的勒芒耐力大奖赛。另一种流行的汽车赛是始于1907年的汽车拉力赛。全世界每年在普通公路上按规定路线至少要举行35次以上此类型比赛。传统的汽车拉力赛是蒙特卡洛汽车拉力赛，现今这种比赛的赛车从欧洲不同城市出发，终点为摩纳哥。全国汽车比赛协会(NASCAR)所举办的每个赛季比赛的冠军授予在赛季中所得积分最高的选手。

R.米尔斯在1991年印第安纳波利斯五百英里赛中加油停车；这一年他第四次赢得该赛冠军
供图：Duomo/Richard Dole

全国汽车比赛协会温斯顿杯冠军

年份	冠军	年份	冠军	年份	冠军	年份	冠军
1949	R. 拜伦	1964	R. 佩蒂	1979	R. 佩蒂	1994	D. 厄恩哈特
1950	B. 雷克斯福德	1965	N. 贾勒特	1980	D. 厄恩哈特	1995	J. 戈顿
1951	H. 托马斯	1966	D. 皮尔逊	1981	D. 沃尔特里普	1996	T. 拉邦特
1952	T. 弗洛克	1967	R. 佩蒂	1982	D. 沃尔特里普	1997	J. 戈顿
1953	H. 托马斯	1968	D. 皮尔逊	1983	B. 艾利森	1998	J. 戈顿
1954	L. 佩蒂	1969	D. 皮尔逊	1984	T. 拉博特	1999	D. 贾勒特
1955	T. 弗洛克	1970	B. 艾萨克	1985	D. 沃尔特里普	2000	B. 拉邦特
1956	B. 贝克	1971	R. 佩蒂	1986	D. 厄恩哈特	2001	J. 戈顿
1957	B. 贝克	1972	R. 佩蒂	1987	D. 厄恩哈特	2002	T. 斯图尔特
1958	L. 佩蒂	1973	B. 帕森斯	1988	B. 埃利奥特	2003	M. 肯西斯
1959	L. 佩蒂	1974	R. 佩蒂	1989	R. 华莱士		
1960	R. 怀特	1975	R. 佩蒂	1990	D. 厄恩哈特		
1961	N. 贾勒特	1976	C. 亚伯勒	1991	D. 厄恩哈特		
1962	J. 韦瑟利	1977	C. 亚伯勒	1992	A. 库尔威基		
1963	J. 韦瑟利	1978	C. 亚伯勒	1993	D. 厄恩哈特		

* 2004年温斯顿杯更名为内克泰尔杯。

印第安纳波利斯五百英里赛

年份	冠军*	平均速度（英里/小时）	年份	冠军*	平均速度（英里/小时）	年份	冠军*	平均速度（英里/小时）
1911	R. 哈朗	74.602	1947	M. 罗斯	116.338	1977	A.J. 福伊特	161.331
1912	J. 道森	78.719	1948	M. 罗斯	119.814	1978	A. 昂塞尔	161.363
1913	J. 古克斯(法)	75.933	1949	W. 霍兰	121.327	1979	R. 米尔斯	158.899
1914	R. 托马斯(法)	82.474	1950 §	J. 帕森斯	124.002	1980	J. 鲁瑟福德	142.862
1915	R. 德·帕尔马	89.840	1951	L. 瓦拉德	126.244	1981	B. 昂塞尔	139.084
1916†	D. 雷斯塔(法)	84.001	1952	T. 鲁特曼	128.922	1982	G. 约翰考克	162.029
1919‡	H. 威尔科克斯	88.050	1953	B. 武科维奇	128.740	1983	T. 斯内瓦	162.117
1920	G. 雪佛兰	88.618	1954	B. 武科维奇	130.840	1984	R. 米尔斯	163.612
1921	T. 米尔顿	89.621	1955	R. 斯维科特	128.209	1985	D. 沙利文	152.982
1922	J. 墨菲	94.484	1956	P. 弗拉厄蒂	128.490	1986	B. 拉哈尔	170.722
1923	T. 米尔顿	90.954	1957	S. 汉克斯	135.601	1987	A. 昂塞尔	162.175
1924	L.L. 科伦；J. 博耶	98.234	1958	J. 布赖恩	133.791	1988	R. 米尔斯	144.809
1925	P. 德保罗	101.127	1959	R. 沃德	135.857	1989	E. 菲蒂帕尔迪	167.581
1926 §	F. 洛克哈特	95.904	1960	J. 拉斯曼	138.767	1990	A. 卢因代克	185.984
1927	G. 苏德斯	97.545	1961	A.J. 福伊特	139.131	1991	R. 米尔斯	176.457
1928	L. 迈尔	99.482	1962	R. 沃德	140.293	1992	A. 昂塞尔(小)	134.479
1929	R. 基奇	97.585	1963	P. 琼斯	143.137	1993	E. 菲蒂帕尔迪	157.207
1930	W. 阿诺德	100.448	1964	A.J. 福伊特	147.350	1994	A. 昂塞尔(小)	160.872
1931	L. 施奈德	96.629	1965	J. 克拉克(英)	150.686	1995	J. 维尔纳夫(加拿大)	153.616
1932	F. 弗拉梅	104.144	1966	G. 希尔(英)	144.317	1996	B. 拉泽	147.956
1933	L. 迈尔	104.162	1967	A.J. 福伊特	151.207	1997	A. 卢耶恩第克(荷)	145.827
1934	W. 卡明斯	104.863	1968	B. 昂塞尔	152.882	1998	E. 奇弗斯(小)	145.155
1935	K. 佩蒂罗	106.240	1969	M. 安德雷蒂	156.867	1999	K. 布拉克(瑞典)	153.176
1936	L. 迈尔	109.069	1970	A. 昂塞尔	155.749	2000	J. 蒙托亚(哥伦比亚)	167.607
1937	W. 肖	113.580	1971	A. 昂塞尔	157.735	2001	H. 卡斯特耐维斯(巴西)	153.601
1938	F. 罗伯兹	117.200	1972	M. 多诺霍	162.962	2002	H. 卡斯特耐维斯(巴西)	166.499
1939	W. 肖	115.035	1973 §	G. 约翰考克	159.036	2003	G. 德费伦(巴西)	156.291
1940	W. 肖	114.277	1974	J. 鲁瑟福德	158.589	2004 §	B. 莱斯	138.518
1941	F. 戴维斯；M. 罗斯	115.117	1975 §	B. 昂塞尔	149.213			
1946‡	G. 罗布森	114.820	1976 §	J. 鲁瑟福特	148.725			

* 未注明国籍者为美国选手。† 预定 300 英里赛。‡1917 ～ 1918、1942 ～ 1945 未比赛。 § 比赛因雨停止（1926 年以 400 英里计，1950 年以 345 英里计，1973 年以 332.5 英里计，1975 年以 435 英里计，1976 年以 255 英里计，2004 年以 450 英里计）。

美国汽车俱乐部锦标赛

年份	冠军*	年份	冠军*	年份	冠军*	年份	冠军*
AAA(美国汽车协会全国锦标赛)		1932	R. 凯里	1958	T. 贝滕霍伊泽	1980	J. 拉瑟福德
1909	G. 罗伯逊	1933	L. 迈尔	1959	R. 沃德	1981	R. 米尔斯
1910	R. 哈朗	1934	W. 卡明斯	1960	A.J. 福伊特	1982	R. 米尔斯
1911	R. 马尔福德	1935	K. 佩蒂罗	1961	A.J. 福伊特	1983	A. 昂塞尔
1912	R. 德·帕尔马	1936	M. 罗斯	1962	R. 沃德	1984	M. 安德烈蒂
1913	E. 库珀	1937	W. 肖	1963	A.J. 福伊特	1985	A. 昂塞尔
1914	R. 德·帕尔马	1938	F. 罗伯茨	1964	A.J. 福伊特	1986	B. 拉霍尔
1915	E. 库珀	1939	W. 肖	1965	M. 安德烈蒂	1987	B. 拉霍尔
1916	D. 雷斯塔	1940	R. 梅斯	1966	M. 安德烈蒂	1988	D. 沙利文
1917	E. 库珀	1941	R. 梅斯	1967	A.J. 福伊特	1989	E. 菲蒂帕尔迪
1918	R. 马尔福德	1946†	T. 霍恩	1968	B. 昂塞尔	1990	A. 昂塞尔(小)
1919	H. 威尔科克斯	1947	T. 霍恩	1969	M. 安德烈蒂	1991	Mi. 安德烈蒂
1920	T. 米尔顿	1948	T. 霍恩	1970	A. 昂塞尔	1992	B. 拉霍尔
1921	T. 米尔顿	1949	J. 帕森斯	1971	J. 伦纳德	1993	N. 曼塞尔
1922	J. 墨菲	1950	H. 班克斯	1972	J. 伦纳德	1994	A. 昂塞尔(小)
1923	E. 赫恩	1951	T. 贝滕霍伊泽	1973	R. 麦克拉斯基	1995	J. 维尔纳夫(加)
1924	J. 墨菲	1952	C. 史蒂文森	1974	B. 昂塞尔	1996	J. 瓦瑟尔
1925	P. 德保罗	1953	S. 汉克斯	1975	A.J. 福伊特	1997	A. 扎内尔迪(意)
1926	H. 哈茨	1954	J. 布赖恩	1976	G. 约翰科克	1998	A. 扎内尔迪(意)
1927	P. 德保罗	1955	R. 斯韦科特	1977	T. 斯内瓦	1999	J. 蒙托亚(哥伦比亚)
1928	L. 迈尔	USAC(美国汽车俱乐部全国锦标赛)		1978	T. 斯内瓦	2000	G. 德费伦(法)
1929	L. 迈尔			1979	A.J. 福伊特	2001	G. 德费伦(法)
1930	W. 阿诺德	1956	J. 布赖恩	CART(冠军汽车赛队)		2002	C.da 玛塔(巴西)
1931	L. 施奈德	1957	J. 布赖恩	1979	R. 米尔斯 §	2003	P. 特拉西(加)

续表

年份	冠军*	年份	冠军*	年份	冠军*	年份	冠军*
IRL		1998	K. 布拉克(瑞典)	2001	S. 霍尼舍(小)		
1996	S. 夏普,B. 卡尔金斯	1999	G. 雷	2002	S. 霍尼舍(小)		
1997	T. 斯特瓦特	2000	B. 拉兹尔	2003	S. 狄克逊(新西兰)		

* 未注明国籍者为美国选手。†1942～1945 年未比赛。

世界汽车驾驶员锦标赛

年份	冠军	车队名*	年份	冠军	车队名*
1950	G. 法里纳(意)	阿尔法-罗密欧	1978	M. 安德烈蒂(美)	莲花
1951	J. 樊焦(阿根廷)	阿尔法-罗密欧	1979	J. 谢克特(南非)	法拉利
1952	A. 阿斯卡里(意)	法拉利	1980	A. 琼斯(澳)	威廉斯
1953	A. 阿斯卡里(意)	法拉利	1981	N. 皮奎特(巴西)	布拉巴姆
1954	J. 樊焦(阿根廷)	梅塞德斯和马塞拉蒂	1982	K. 罗斯伯格(芬)	威廉斯
1955	J. 樊焦(阿根廷)	梅塞德斯	1983	N. 皮奎特(巴西)	布拉巴姆
1956	J. 樊焦(阿根廷)	兰西亚/法拉利	1984	N. 劳达(奥)	麦克拉伦/保时捷-TAG
1957	J. 樊焦(阿根廷)	马塞拉蒂	1985	A. 普罗斯特(法)	麦克拉伦/保时捷-TAG
1958	M. 霍索恩(英)	法拉利	1986	A. 普罗斯特(法)	麦克拉伦/保时捷-TAG
1959	J. 布拉巴姆(澳)	库珀/克莱马克斯	1987	N. 皮奎特(巴西)	威廉斯/本田
1960	J. 布拉巴姆(澳)	库珀/克莱马克斯	1988	A. 塞纳(巴西)	麦克拉伦/本田
1961	P. 希尔(美)	法拉利	1989	A. 普罗斯特(法)	麦克拉伦/本田
1962	G. 希尔(英)	BRM	1990	A. 塞纳(巴西)	麦克拉伦/本田
1963	J. 克拉克(英)	莲花/克莱马克斯	1991	A. 塞纳(巴西)	麦克拉伦/本田
1964	J. 瑟蒂斯(英)	法拉利	1992	N. 曼塞尔(英)	威廉斯/雷诺
1965	J. 克拉克(英)	莲花/克莱马克斯	1993	A. 普罗斯特(法)	威廉斯/雷诺
1966	J. 布拉巴姆(澳)	布拉巴姆/雷普科	1994	M.舒马赫(德)	贝纳通/雷诺
1967	D. 休姆(新西兰)	布拉巴姆/雷普科	1995	M.舒马赫(德)	贝纳通/雷诺
1968	G. 希尔(英)	莲花/福特	1996	D.希尔(英)	威廉姆斯/雷诺
1969	J. 斯图尔特(英)	马特拉/福特	1997	J.维伦纽夫(加)	威廉姆斯/雷诺
1970	J. 林德(奥)	莲花/福特	1998	M.哈基宁(芬兰)	麦克拉伦/奔驰
1971	J. 斯图尔特(英)	蒂雷尔/福特	1999	M.哈基宁(芬兰)	麦克拉伦/奔驰
1972	E. 菲蒂帕尔迪(巴西)	约翰·普莱耶特制车/福特	2000	M.舒马赫(德)	法拉利
1973	J. 斯图尔特(英)	蒂勒尔/福特	2001	M.舒马赫(德)	法拉利
1974	E. 菲蒂帕尔迪(巴西)	麦克拉伦/福特	2002	M.舒马赫(德)	法拉利
1975	N. 劳达(奥)	法拉利	2003	M.舒马赫(德)	法拉利
1976	J. 亨特(英)	麦克拉伦/福特	2004	M.舒马赫(德)	法拉利
1977	N. 劳达(奥)	法拉利	2005	F.阿隆索(西班牙)	雷诺

* 底盘和发动机非同一厂商制造时,斜线前为底盘厂商名称,斜线后为发动机厂商名称。

一级方程式国际杯汽车赛

年份	车名*	年份	车名*	年份	车名*
1950	阿尔法-罗密欧	1965	莲花-福特/克莱马克斯	1979	费拉里
1951	阿尔法-罗密欧	1966	布拉巴姆/雷普科	1980	威廉斯/科斯沃思-福特
1952	费拉里	1967	布拉巴姆/雷普科	1981	威廉斯/科斯沃思-福特
1953	费拉里	1968	莲花/福特	1982	费拉里
1954	梅塞德斯-本茨	1969	马特拉/福特	1983	费拉里
1955	梅塞德斯-本茨	1970	莲花/福特	1984	麦克拉伦/波尔舍-TAG
1956	兰西亚/费拉里	1971	蒂勒尔/福特	1985	麦克拉伦/费拉里
1957	马塞拉蒂	1972	约翰·普莱耶特制车/福特	1986	威廉斯-本田
1958	费拉里	1973	约翰·普莱耶特制车/福特	1987	威廉斯-本田
1959	库珀/克莱马克斯	1974	麦克拉伦/福特	1988	麦克拉伦/本田
1960	库珀/克莱马克斯	1975	费拉里	1989	麦克拉伦/本田
1961	费拉里	1976	费拉里	1990	麦克拉伦/本田
1962	BRM	1977	费拉里	1991	麦克拉伦/本田
1963	莲花-福特/克莱马克斯	1978	莲花	1992	威廉斯/雷诺
1964	费拉里				

* 底盘和发动机非同一厂商制造时,斜线前为底盘厂商名称,斜线后为发动机厂商名称。

勒芒耐力大奖赛(又称勒芒二十四小时赛)

年份	车队名	驾驶员
1923	雪纳德-沃克	A. 拉格什;R. 莱奥纳尔
1924	宾利	J. 达夫;F.C. 克莱芒
1925	洛林-迪特里奇	H. 库塞尔;A. 罗西尼奥
1926	洛林-迪特里奇	R. 布洛克;A. 罗西尼奥
1927	宾利	J.D. 本杰菲尔德;S.C.H. 戴维斯
1928	宾利	W. 巴尔纳托;B. 鲁宾
1929	宾利	W. 巴尔纳托;H.R.S. 巴尔金
1930	宾利	W. 巴尔纳托;G. 基德斯顿
1931	阿尔法-罗密欧	E. 豪;H.R.S. 巴尔金
1932	阿尔法-罗密欧	R. 萨默;L. 希内蒂
1933	阿尔法-罗密欧	R. 萨默;T. 努沃拉里
1934	阿尔法-罗密欧	L. 希内蒂;P. 埃唐瑟兰
1935	拉贡达	J.S. 欣德马什;L. 丰特斯
1936	未比赛	
1937	布加蒂	J.P. 维米耶;R. 伯努瓦
1938	德拉哈耶	E. 查鲍德;J. 特雷莫利特
1939	布加蒂	J.P. 维米耶;P. 韦龙
1940～1948	未比赛	
1949	法拉利	L. 希内蒂;L. 塞尔斯登
1950	塔尔博特	L. 罗齐尔;C. 罗齐尔
1951	美洲虎	P.D. 沃克;P.N. 怀特黑德
1952	奔驰	H. 朗格;F. 里斯
1953	美洲虎	A.P.R. 罗尔特;J.D. 汉密尔顿
1954	法拉利	J.F. 冈萨雷斯;M. 特林蒂格南特
1955	美洲虎	J.M. 霍索恩;I. 比布
1956	美洲虎	R. 弗洛克哈特;N. 桑德森
1957	美洲虎	R. 弗洛克哈特;I. 比布
1958	法拉利	P. 希尔;O. 让德比安
1959	阿斯顿·马丁	R. 萨尔瓦多里;C. 谢尔比
1960	法拉利	P. 弗雷尔;O. 让德比安
1961	法拉利	P. 希尔;O. 让德比安
1962	法拉利	P. 希尔;O. 让德比安
1963	法拉利	L. 斯卡尔菲奥蒂;L. 班迪尼
1964	法拉利	J. 吉切特;N. 瓦卡雷拉
1965	法拉利	M. 格雷戈里;J. 林德
1966	福特 MKⅡ	B. 麦克拉伦;C. 阿蒙
1967	福特 MKⅣ	A.J. 福伊特;D. 格尼
1968	福特 G.T.40	P. 罗德里格兹;L. 比安基
1969	福特 G.T.40	J. 伊克斯;J. 奥利弗
1970	保时捷	R. 阿特伍德;H. 赫尔曼
1971	保时捷	H. 马尔科;G. 范·伦内普
1972	马特拉-西姆卡	H. 佩斯卡罗洛;G. 希尔
1973	马特拉-西姆卡	H. 佩斯卡罗洛;G. 拉鲁斯
1974	马特拉-西姆卡	H. 佩斯卡罗洛;G. 拉鲁斯
1975	古尔夫-福特	J. 伊克斯;D. 贝尔
1976	保时捷	J. 伊克斯;G. 范·伦内普
1977	保时捷	J. 伊克斯;J. 巴尔思;H. 海伍德
1978	雷诺-阿尔卑斯	J.-P. 若索;D. 皮罗尼
1979	保时捷	K. 路德维格;D. 惠廷顿;B. 惠廷顿
1980	保时捷	J. 龙多;J.-P. 若索
1981	保时捷	D. 贝尔;J. 伊克斯
1982	保时捷	D. 贝尔;J. 伊克斯
1983	保时捷	A. 霍尔伯特;H. 海沃德;V. 舒潘
1984	保时捷	H. 佩斯卡罗洛;K. 路德维格
1985	保时捷	K. 路德维格;J. 温特;P. 巴里拉
1986	保时捷	D. 贝尔;H. 斯塔克;A. 霍尔伯特
1987	保时捷	H. 斯塔克;D. 贝尔;A. 霍尔伯特
1988	美洲虎	J. 拉默斯;J. 邓弗里斯;A. 华莱士
1989	奔驰	J. 马斯;M. 勒泰;S. 狄更斯
1990	美洲虎	J. 尼尔森;P. 科布;M. 布伦德尔
1991	马自达	V. 韦德勒;J. 赫伯特;B. 加绍
1992	标致	Y. 达尔马斯;M. 布伦德尔;D. 沃里克
1993	标致	G. 布拉海姆;C. 博楚特;E. 埃拉里
1994	保时捷	Y. 达尔马斯;H. 海伍德;M. 鲍迪
1995	迈凯轮	Y.达尔马斯;J.J.莱托;M.舍奇亚
1996	保时捷	M.鲁伊特;D.琼斯;A.伍尔兹
1997	保时捷	M.阿尔伯雷托;S.约翰森;T.克里斯藤森
1998	保时捷	L.艾里奥;A.麦克尼什;S.奥特利
1999	宝马	P.马天尼;Y.达尔马斯;J.温克霍克
2000	奥迪	F.比拉亚;T.克里斯藤森;E.皮罗
2001	奥迪	F.比拉亚;T.克里斯藤森;E.皮罗
2002	奥迪	F.比拉亚;T.克里斯藤森;E.皮罗
2003	宾利	T.克里斯藤森;R.卡佩罗;G.史密斯
2004	奥迪	T.克里斯藤森;R.卡佩罗;S.阿拉
2005	奥迪	T.克里斯藤森;J.J.莱托;M.沃纳

蒙特卡洛拉力赛

年份	车队名	驾驶员	副驾驶员
1911	图卡特梅里	H. 鲁吉埃尔	
1912	贝利埃	J. 博伊特勒	
1913～1923	未比赛		
1924	比格南	J. 勒杜雷	
1925	雷诺	F. 雷普索	
1926	A.C.	V. 布鲁斯	
1927	阿米尔卡	勒菲弗尔	德斯波
1928	菲亚特	J. 比尼昂	
1929	格雷厄姆-佩奇	S. 范艾克	
1930	利科内	H. 珀蒂	
1931	因维科塔	D. 希利	
1932	霍奇基斯	M. 瓦塞尔	
1933	霍奇基斯	M. 瓦塞尔	
1934	霍奇基斯	加斯	特里沃克斯
1935	雷诺	拉哈叶	夸特雷索斯
1936	福特	扎姆菲雷斯库	克里斯蒂
1937	德拉哈耶	勒贝格	昆林
1938	福特	舒特	汤恩
1939	霍奇基斯	特里沃克斯	勒瑟奎
	德拉哈耶	保罗	康泰特
1940～1948	未比赛		
1949	霍奇基斯	特里沃克斯	勒瑟奎
1950	霍奇基斯	贝克夸特	塞克雷特
1951	德拉哈耶	特里沃克斯	克罗维托
1952	阿拉德	阿拉德	沃伯顿
1953	福特-泽菲尔	加特索尼德斯	沃尔莱吉
1954	兰西亚-奥雷里亚	奇隆	巴萨唐纳
1955	森比姆-塔尔博特	马林	法杜姆
1956	美洲虎	亚当斯	比格
1957	未比赛		
1958	雷诺	蒙雷塞	费雷特
1959	雪铁龙	科尔泰罗尼	亚历山德雷
1960	梅塞德斯	肖克	摩尔
1961	潘哈德	马丁	巴图
1962	萨伯	卡尔森	黑格布姆
1963	萨伯	卡尔森	帕尔姆

续表

年份	车队名	驾驶员	副驾驶员
1964	迷你-库珀	霍普科克	利登
1965	迷你-库珀	马基南	伊斯特尔
1966	雪铁龙	托伊沃南	米坎德
1967	迷你-库珀	埃尔托南	利登
1968	保时捷	埃尔福德	斯通
1969	保时捷	瓦尔德加德	赫尔默
1970	保时捷	瓦尔德加德	赫尔默
1971	雷诺	安德森	斯通
1972	兰西亚-福尔维亚	穆纳利	曼努奇
1973	阿尔卑斯-雷诺	安德鲁埃特	珀蒂
1974	未比赛		
1975	兰西亚-斯特拉托斯	穆纳里	曼努奇
1976	兰西亚-斯特拉托斯	穆纳里	迈加
1977	兰西亚-斯特拉托斯	穆纳里	迈加
1978	保时捷-卡雷拉	尼科拉斯	拉弗内
1979	兰西亚-斯特拉托斯	达尼奇	马埃
1980	菲亚特-阿巴尔斯	罗尔	盖斯特多佛
1981	雷诺-特博	拉格诺蒂	安德里
1982	欧佩尔-阿斯科纳	罗尔	盖斯特多佛
1983	兰西亚-拉力	罗尔	盖斯特多佛
1984	奥迪-夸特罗	罗尔	盖斯特多佛
1985	标致 205 -特博	瓦塔南	哈里曼
1986	兰西亚-马蒂尼-德尔塔	托伊沃南	克雷斯托
1987	兰西亚-德尔塔 HF	比亚兴	西维罗
1988	兰西亚-德尔塔 HF4	萨比	福希耶
1989	兰西亚-德尔塔-因特格雷尔	比亚兴	西维罗
1990	兰西亚-德尔塔-因特格雷尔	奥里奥尔	奥切利
1991	丰田-切利察	赛恩斯	莫亚
1992	兰西亚-德尔塔-因特格雷尔	奥里奥尔	奥切利
1993	丰田-切利察	奥里奥尔	奥切利
1994	福特	德勒科	
1995	富士	塞因斯	
1996	福特	贝尔纳迪尼	
1997	富士	P.里亚蒂(意)	
1998	丰田	C.塞因斯(西班牙)	
1999	三菱	T.马尼森马基(芬)	
2000	三菱	T.马尼森马基(芬)	
2001	三菱	T.马尼森马基(芬)	
2002	富士	T.马尼森马基(芬)	
2003	雪铁龙	S.勒布(法);D.依莱纳(摩纳哥)	
2004	雪铁龙	S.勒布(法);D.依莱纳(摩纳哥)	

BADMINTON 羽毛球 最古老而且仍然是最优秀的羽毛球比赛是全英羽毛球锦标赛，它自 1900 年以来每年举办一次。羽毛球运动的管理机构是成立于 1934 年的国际羽毛球联合会(IBF)。它在1939年首先建议举行国际男子羽毛球团体锦标赛，但实际上汤姆斯杯赛在 1948—1949 年度前没有举行。类似的女子羽毛球团体锦标赛——尤伯杯赛，始于 1956—1957 年度。团体锦标赛由三场单打和两场双打组成。正式的世界羽毛球锦标赛于 1977 年首次举行。这项比赛每两年举行一次，包括混合双打、男子单打、男子双打、女子单打和女子双打。

1993 年全英羽毛球锦标赛中，王莲香(印尼)第三次赢得女子单打冠军

供图：ALLSPORT UK/John Gichigi

尤 伯 杯

年份	冠军
1956 – 1957	美
1959 – 1960	美
1962 – 1963	美
1965 – 1966	日
1968 – 1969	日
1971 – 1972	日
1974 – 1975	印尼
1977 – 1978	日
1980 – 1981	日
1983 – 1984	中
1985 – 1986	中
1987 – 1988	中
1989 – 1990	中
1991 – 1992	中
1993 – 1994	印尼
1995 – 1996	印尼
1997 – 1998	中
1999 – 2000	中
2001 – 2002	中
2003 – 2004	中

汤 姆 斯 杯

年份	冠军
1948 – 1949	马来亚
1951 – 1952	马来亚
1954 – 1955	马来亚
1957 – 1958	印尼
1960 – 1961	印尼
1963 – 1964	印尼
1966 – 1967	马来西亚(因对方缺席)
1969 – 1970	印尼
1972 – 1973	印尼
1975 – 1976	印尼
1978 – 1979	印尼
1981 – 1982	中
1983 – 1984	印尼
1985 – 1986	中
1987 – 1988	中
1989 – 1990	中
1991 – 1992	马来西亚
1993 – 1994	印尼
1995 – 1996	印尼
1997 – 1998	印尼
1999 – 2000	印尼
2001 – 2002	印尼
2003 – 2004	中
2005 – 2006	中

全英羽毛球锦标赛(单打)

年份	男子*	女子*
1900	S.H. 史密斯	E. 汤姆森
1901	H.W. 戴维斯	E. 汤姆森
1902	R. 沃特林	M. 卢卡斯
1903	R. 沃特林	E. 汤姆森
1904	H.N. 马尔雷特	E. 汤姆森
1905	H.N. 马尔雷特	M. 卢卡斯
1906	N. 伍德	E. 汤姆森
1907	N. 伍德	M. 卢卡斯
1908	H.N. 马尔雷特	M. 卢卡斯
1909	F. 切斯特顿	M. 卢卡斯
1910	F. 切斯特顿	M. 卢卡斯
1911	G.A. 索特	M. 拉米尼
1912	F. 切斯特顿	M. 拉米尼·特拉格特
1913	G.A. 索特	L.C. 拉德格利亚
1914	G.A. 索特	L.C. 拉德格利亚
1920†	G.A. 汤姆斯	K. 麦卡内
1921	G.A. 汤姆斯	K. 麦卡内
1922	G.A. 汤姆斯	K. 麦卡内
1923	G.A. 汤姆斯	L.C. 拉德格利亚
1924	G.S.B. 麦克(爱尔兰)	K. 麦卡内
1925	J.F. 德夫林(爱尔兰)	A.D. 斯托克斯夫人
1926	J.F. 德夫林(爱尔兰)	F.G. 巴雷特夫人
1927	J.F. 德夫林(爱尔兰)	F.G. 巴雷特夫人
1928	J.F. 德夫林(爱尔兰)	M. 特拉格特
1929	J.F. 德夫林(爱尔兰)	F.G. 巴雷特夫人
1930	D.C. 休姆	F.G. 巴雷特夫人
1931	J.F. 德夫林(爱尔兰)	F.G. 巴雷特夫人
1932	R.C.F. 尼科尔斯	L.M. 金斯伯里
1933	R.M. 怀特	A. 伍德罗夫
1934	R.C.F. 尼科尔斯	L.M. 金斯伯里
1935	R.M. 怀特	H.S. 尤伯夫人
1936	R.C.F. 尼科尔斯	T. 金斯伯里
1937	R.C.F. 尼科尔斯	T. 金斯伯里
1938	R.C.F. 尼科尔斯	D.M.C. 扬
1939	T. 马德森(丹)	W.R. 沃尔顿夫人(小)(加拿大)
1947†	C. 杰普森(瑞典)	M. 厄斯辛(丹)
1948	J. 斯卡鲁普(丹)	K. 桑达尔(丹)
1949	D.G. 弗里曼(美)	A. 雅各布森(丹)
1950	黄平顺(马来亚)	T. 阿姆(丹)
1951	黄平顺(马来亚)	A. 雅各布森(丹)
1952	黄平顺(马来亚)	T. 阿姆(丹)
1953	E.B. 钟(马来亚)	M. 厄斯辛(丹)
1954	E.B. 钟(马来亚)	J. 德夫林(美)
1955	黄平顺(马来亚)	M. 瓦尼(美)
1956	E.B. 钟(马来亚)	M. 瓦尼(美)
1957	E.B. 钟(马来亚)	J. 德夫林(美)
1958	E. 科普斯(丹)	J. 德夫林(美)
1959	陈裕福(印尼)	H.M. 沃德
1960	E. 科普斯(丹)	J. 德夫林(美)
1961	E. 科普斯(丹)	J. 德夫林·哈什曼(美)
1962	E. 科普斯(丹)	J. 哈什曼(美)
1963	E. 科普斯(丹)	J. 哈什曼(美)
1964	K.A. 尼尔森(丹)	J. 哈什曼(美)
1965	E. 科普斯(丹)	U.H. 史密斯
1966	陈戴旺(马来西亚)	J. 哈什曼(美)
1967	E. 科普斯(丹)	J. 哈什曼(美)
1968	R. 哈托诺(印尼)	E. 特威德伯格(瑞典)
1969	R. 哈托诺(印尼)	汤木博惠(日)
1970	R. 哈托诺(印尼)	竹中(日)
1971	R. 哈托诺(印尼)	E. 特威德伯格(瑞典)
1972	R. 哈托诺(印尼)	中山(日)
1973	R. 哈托诺(印尼)	M. 贝克
1974	R. 哈托诺(印尼)	汤木博惠(日)
1975	S. 普利(丹)	汤木博惠(日)
1976	R. 哈托诺(印尼)	G.M. 吉尔克斯
1977	F. 德尔夫斯(丹)	汤木博惠(日)
1978	刘瑞京(印尼)	G.M. 吉尔克斯
1979	刘瑞京(印尼)	L. 科本(丹)
1980	P. 帕杜科内(印)	L. 科本(丹)
1981	刘瑞京(印尼)	孙爱黄(韩)
1982	M. 弗罗斯特(丹)	张爱玲(中)
1983	栾劲(中)	张爱玲(中)
1984	M. 弗罗斯特(丹)	李玲蔚(中)
1985	赵剑华(中)	韩爱萍(中)
1986	M. 弗罗斯特(丹)	金允朝(韩)
1987	M. 弗罗斯特(丹)	K. 拉尔森(丹)
1988	I. 弗雷德里克森(丹)	顾家明(中)
1989	杨阳(中)	李玲蔚(中)
1990	赵剑华(中)	王莲香(印尼)
1991	A. 维拉纳塔(印尼)	王莲香(印尼)
1992	刘军(中)	唐九红(中)
1993	H. 阿尔比(印尼)	王莲香(印尼)
1994	H.阿尔比(印尼)	王莲香(印尼)
1995	P.-E 赫耶尔-拉尔森(丹)	林小青(瑞典)
1996	P.-E 赫耶尔-拉尔森(丹)	方铢贤(韩)
1997	董炯(中)	叶钊颖(中)
1998	孙俊(中)	叶钊颖(中)
1999	P.盖德·克里斯腾森(丹)	叶钊颖(中)
2000	夏煊泽(中)	龚智超(中)
2001	P.戈比昌德(印度)	龚智超(中)
2002	陈宏	C.马尔廷(丹)

* 未注明国籍者为英国运动员。†1915 ~ 1919、1940 ~ 1946 年未比赛。

世界羽毛球锦标赛

年份	男子单打	女子单打	男子双打	女子双打	混合双打
1977	F. 德尔夫斯(丹)	L. 科本(丹)	T. 特琼;J. 瓦胡迪(印尼)	土樫;上野(日)	S.斯科夫戈尔;L.科彭(丹麦)
1980	R. 哈托诺(印尼)	W. 维拉瓦蒂(印尼)	A. 钱德拉;C. 哈迪纳塔(印尼)	N. 佩里;J. 韦伯斯特(英)	纪明发;黄祖金(印尼)
1983	I. 苏加托(印尼)	李玲蔚(中)	S. 弗莱德博格;J. 赫伦迪(丹)	林瑛;吴迪西(中)	T.基尔斯特伦;N.佩里(瑞典;英国)
1985	韩健(中)	韩爱萍(中)	朴柱奉;金文秀(韩)	韩爱萍;李玲蔚(中)	朴柱奉;柳尚希(韩)
1987	杨阳(中)	韩爱萍(中)	李永波;田秉毅(中)	林瑛;关渭贞(中)	王朋仁;史方静(中)
1989	杨阳(中)	李玲蔚(中)	李永波;田秉毅(中)	林瑛;关渭贞(中)	朴柱奉;郑明熙(韩)
1991	赵剑华(中)	唐九红(中)	朴柱奉;金文秀(韩)	关渭贞;农群华(中)	朴柱奉;郑明熙(韩)
1993	J. 苏普里安托(印尼)	王莲香(印尼)	R. 苏巴格亚;R. 古恩万(印尼)	农群华;周蕾(中)	T.伦德;M.C.本特松(丹麦;瑞典)

续表

年份	男子单打	女子单打	男子双打	女子双打	混合双打
1995	H.阿尔比(印尼)	叶钊颖(中)	R.苏巴吉亚;R.迈纳基(印尼)	吉永雅;张惠玉(韩)	T.伦德;M.托姆森(丹)
1997	P.拉斯姆森(丹)	叶钊颖(中)	B.西吉特;陈甲亮(印尼)	葛菲;顾俊(中)	刘永;葛菲(中)
1999	孙俊(中)	C.马尔廷(丹)	金东文;河泰权(韩)	葛菲;顾俊(中)	金东文;罗景民(韩)
2001	叶诚万(印尼)	龚睿那(中)	吴俊明;哈林(印尼)	高崚;黄穗(中)	张军;高崚(中)
2003	夏煊泽(中)	张宁(中)	L.帕斯克;P.拉斯姆森(丹)	高崚;黄穗(中)	金东文;罗景民(韩)
2005	陶菲克(印尼)	谢杏芳(中)	吴俊明;白国豪(美)	杨维;张洁雯(中)	N.维迪安托;纳西尔(印尼)

BASEBALL　棒球　棒球运动于19世纪后期在美国取得一定的形式后,现已在全世界流行。但除了规模较小的青少年组织外还没有世界性的国际组织。棒球在日本和拉丁美洲特别受欢迎,它也是美国的全国性运动之一。

就职业水平论,美国最重要的棒球赛是通过七局比赛决定胜负的"七局赛"世界棒球系列赛,首先赢得四局比赛的队即为赢得系列赛。实际上,这种世界棒球系列赛并不是世界水平的比赛,而只是全国棒球联盟(NL,成立于 1876 年,后有一支加拿大队加入)的冠军队和美国棒球联盟(AL,成立于 1900 年,后亦有一支加拿大队加入)的冠军队之间的比赛。

日本的职业棒球分为两个联盟,每个联盟下属有六个球队。日本"七局赛"棒球系列赛在中央棒球联盟(CL)的冠军队和太平洋棒球联盟(PL)的冠军队之间进行。

在 1977 年的世界棒球系列赛中,纽约扬基队(AL)战胜洛杉矶道奇队(NL)

供图:Louis Requena

在 1992 年的日本棒球系列赛中,西武狮队(PL)战胜养乐多燕队(CL)

供图:UPI/Bettmann Newsphotos

在 1946 年的世界棒球系列赛中,圣路易斯枢机队(NL)战胜波士顿红袜队(AL)

供图:UPI/Bettmann Newsphotos

日本棒球系列赛*

年份	胜队	败队	比分	年份	胜队	败队	比分
1950	每日猎户星队(PL)	松竹知更鸟队(CL)	4—2	1954	中日龙队(CL)	西铁狮队(PL)	4—3
1951	读卖巨人队(CL)	南海鹰队(PL)	4—1	1955	读卖巨人队(CL)	南海鹰队(PL)	4—3
1952	读卖巨人队(CL)	南海鹰队(PL)	4—2	1956	西铁狮队(PL)	读卖巨人队(CL)	4—2
1953†	读卖巨人队(CL)	南海鹰队(PL)	4—2	1957†	西铁狮队(PL)	读卖巨人队(CL)	4—0

续表

年份	胜队	败队	比分
1958	西铁狮队(PL)	读卖巨人队(CL)	4—3
1959	南海鹰队(PL)	读卖巨人队(CL)	4—0
1960	大洋鲸队(CL)	大舞猎户星队(PL)	4—0
1961	读卖巨人队(CL)	南海鹰队(PL)	4—2
1962†	东映飞人队(PL)	阪神虎队(CL)	4—2
1963	读卖巨人队(CL)	西铁狮队(PL)	4—3
1964	南海鹰队(PL)	阪神虎队(CL)	4—3
1965	读卖巨人队(CL)	南海鹰队(PL)	4—1
1966	读卖巨人队(CL)	南海鹰队(PL)	4—2
1967	读卖巨人队(CL)	阪急勇士队(PL)	4—2
1968	读卖巨人队(CL)	阪急勇士队(PL)	4—2
1969	读卖巨人队(CL)	阪急勇士队(PL)	4—2
1970	读卖巨人队(CL)	罗德猎户星队(PL)	4—1
1971	读卖巨人队(CL)	阪急勇士队(PL)	4—1
1972	读卖巨人队(CL)	阪急勇士队(PL)	4—1
1973	读卖巨人队(CL)	南海鹰队(PL)	4—1
1974	罗德猎户星队(PL)	中日龙队(CL)	4—2
1975‡	阪急勇士队(PL)	广岛鲤队(CL)	4—0
1976	阪急勇士队(PL)	读卖巨人队(CL)	4—3
1977	阪急勇士队(PL)	读卖巨人队(CL)	4—1
1978	养乐多燕队(CL)	阪急勇士队(PL)	4—3
1979	广岛鲤队(CL)	近铁水牛队(PL)	4—3
1980	广岛鲤队(CL)	近铁水牛队(PL)	4—3
1981	读卖巨人队(CL)	日本火腿队(PL)	4—2
1982	西武狮队(PL)	中日龙队(CL)	4—2
1983	西武狮队(PL)	读卖巨人队(CL)	4—3
1984	广岛鲤队(CL)	阪急勇士队(PL)	4—3
1985	阪神虎队(CL)	西武狮队(PL)	4—2
1986	西武狮队(PL)	广岛鲤队(CL)	4—3
1987	西武狮队(PL)	读卖巨人队(CL)	4—2
1988	西武狮队(PL)	中日龙队(CL)	4—1
1989	读卖巨人队(CL)	近铁水牛队(PL)	4—3
1990	西武狮队(PL)	读卖巨人队(CL)	4—0
1991	西武狮队(PL)	广岛鲤队(CL)	4—3
1992	西武狮队(PL)	养乐多燕队(CL)	4—3
1993	养乐多燕队(CL)	西武狮队(PL)	4—3
1994	读卖巨人(CL)	西武狮队(PL)	4—2
1995	养乐多燕队(CL)	欧力士青波队(PL)	4—1
1996	欧力士青波队(PL)	读卖巨人队(CL)	4—1
1997	养乐多燕队(CL)	西武狮队(PL)	4—1
1998	横宾海湾星队(CL)	西武狮队(PL)	4—2
1999	福冈大荣鹰队(PL)	中日龙队(CL)	4—1
2000	读卖巨人队(CL)	福冈大荣鹰队(PL)	4—2
2001	养乐多燕队(CL)	大阪近铁野牛队(PL)	4—1
2002	读卖巨人队(CL)	西武狮队(PL)	4—0
2003	福冈大荣鹰队(PL)	阪神虎队(CL)	4—2

* CL——中央棒球联盟；PL——太平洋棒球联盟。†一次平局。‡两次平局。

世界棒球系列赛*

年份	胜队	败队	比分
1903	波士顿流浪者队(AL)	匹兹堡海盗队(NL)	5—3
1904	未比赛		
1905	纽约巨人队(NL)	费城竞技队(AL)	4—1
1906	芝加哥白袜队(AL)	芝加哥幼狐队(NL)	4—2
1907†	芝加哥幼狐队(NL)	底特律猛虎队(AL)	4—0
1908	芝加哥幼狐队(NL)	底特律猛虎队(AL)	4—1
1909	匹兹堡海盗队(NL)	底特律猛虎队(AL)	4—3
1910	费城竞技队(AL)	芝加哥幼狐队(NL)	4—1
1911	费城竞技队(AL)	纽约巨人队(NL)	4—2
1912†	波士顿红袜队(AL)	纽约巨人队(NL)	4—3
1913	费城竞技队(AL)	纽约巨人队(NL)	4—1
1914	波士顿勇士队(NL)	费城竞技队(AL)	4—0
1915	波士顿红袜队(AL)	费城菲力士队(NL)	4—1
1916	波士顿红袜队(AL)	布鲁克林道奇队(NL)	4—1
1917	芝加哥白袜队(AL)	纽约巨人队(NL)	4—2
1918	波士顿红袜队(AL)	芝加哥幼狐队(NL)	4—2
1919	辛辛那提印第安人队(NL)	芝加哥白袜队(AL)	5—3
1920	克利夫兰印第安人队(AL)	布鲁克林道奇队(NL)	5—2
1921	纽约巨人队(NL)	纽约扬基队(AL)	5—3
1922†	纽约巨人队(NL)	纽约扬基队(AL)	4—0
1923	纽约扬基队(AL)	纽约巨人队(NL)	4—2
1924	华盛顿参议员队(AL)	纽约巨人队(NL)	4—3
1925	匹兹堡海盗队(NL)	华盛顿参议员队(AL)	4—3
1926	圣路易斯枢机队(NL)	纽约扬基队(AL)	4—3
1927	纽约扬基队(AL)	匹兹堡海盗队(NL)	4—0
1928	纽约扬基队(AL)	圣路易斯枢机队(NL)	4—0
1929	费城竞技队(AL)	芝加哥幼狐队(NL)	4—1
1930	费城竞技队(AL)	圣路易斯枢机队(NL)	4—2
1931	圣路易斯枢机队(NL)	费城竞技队(AL)	4—3
1932	纽约扬基队(AL)	芝加哥幼狐队(NL)	4—0
1933	纽约巨人队(NL)	华盛顿参议员队(AL)	4—1
1934	圣路易斯枢机队(NL)	底特律猛虎队(AL)	4—3
1935	底特律猛虎队(AL)	芝加哥幼狐队(NL)	4—2
1936	纽约扬基队(AL)	纽约巨人队(NL)	4—2
1937	纽约扬基队(AL)	纽约巨人队(NL)	4—1
1938	纽约扬基队(AL)	芝加哥幼狐队(NL)	4—0
1939	纽约扬基队(AL)	辛辛那提印第安人队(NL)	4—0
1940	辛辛那提印第安人队(NL)	底特律猛虎队(AL)	4—3
1941	纽约扬基队(AL)	布鲁克林道奇队(NL)	4—1
1942	圣路易斯枢机队(NL)	纽约扬基队(AL)	4—1
1943	纽约扬基队(AL)	圣路易斯枢机队(NL)	4—1
1944	圣路易斯枢机队(NL)	圣路易斯布朗队(AL)	4—2
1945	底特律猛虎队(AL)	芝加哥幼狐队(NL)	4—3
1946	圣路易斯枢机队(NL)	波士顿红袜队(AL)	4—3
1947	纽约扬基队(AL)	布鲁克林道奇队(NL)	4—3
1948	克利夫兰印第安人队(AL)	波士顿勇士队(NL)	4—2
1949	纽约扬基队(AL)	布鲁克林道奇队(NL)	4—1
1950	纽约扬基队(AL)	费城菲力士队(NL)	4—0
1951	纽约扬基队(AL)	纽约巨人队(NL)	4—2
1952	纽约扬基队(AL)	布鲁克林道奇队(NL)	4—3
1953	纽约扬基队(AL)	布鲁克林道奇队(NL)	4—2
1954	纽约巨人队(NL)	克利夫兰印第安人队(AL)	4—0
1955	布鲁克林道奇队(NL)	纽约扬基队(AL)	4—3
1956	纽约扬基队(AL)	布鲁克林道奇队(NL)	4—3
1957	密尔沃基勇士队(NL)	纽约扬基队(AL)	4—3
1958	纽约扬基队(AL)	密尔沃基勇士队(NL)	4—3
1959	洛杉矶道奇队(NL)	芝加哥白袜队(AL)	4—2
1960	匹兹堡海盗队(NL)	纽约扬基队(AL)	4—3
1961	纽约扬基队(AL)	辛辛那提印第安人队(NL)	4—1

续表

年份	胜队	败队	比分	年份	胜队	败队	比分
1962	纽约扬基队(AL)	旧金山巨人队(NL)	4—3	1984	底特律猛虎队(AL)	圣地亚哥传教士队(NL)、	4—1
1963	洛杉矶道奇队(NL)	纽约扬基队(AL)	4—0	1985	堪萨斯城皇家队(AL)	圣路易斯枢机队(NL)	4—3
1964	圣路易斯枢机队(NL)	纽约扬基队(AL)	4—3	1986	纽约大都会队(NL)	波士顿红袜队(AL)	4—3
1965	洛杉矶道奇队(NL)	明尼苏达孪生队(AL)	4—3	1987	明尼苏达孪生队(AL)	圣路易斯枢机队(NL)	4—3
1966	巴尔的摩黄鹂队(AL)	洛杉矶道奇队(NL)	4—0	1988	洛杉矶道奇队(NL)	奥克兰竞技队(AL)	4—1
1967	圣路易斯枢机队(NL)	波士顿红袜队(AL)	4—3	1989	奥克兰竞技队(AL)	旧金山巨人队(NL)	4—0
1968	底特律猛虎队(AL)	圣路易斯枢机队(NL)	4—3	1990	辛辛那提印第安人队(NL)	奥克兰竞技队(AL)	4—0
1969	纽约大都会队(NL)	巴尔的摩黄鹂队(AL)	4—1	1991	明尼苏达孪生队(AL)	亚特兰大勇士队(NL)	4—3
1970	巴尔的摩黄鹂队(AL)	辛辛那提印第安人队(NL)	4—1	1992	多伦多蓝背樫鸟队(AL)	亚特兰大勇士队(NL)	4—2
1971	匹兹堡海盗队(NL)	巴尔的摩黄鹂队(AL)	4—3	1993	多伦多蓝背樫鸟队(AL)	费城菲力士队(NL)	4—2
1972	奥克兰竞技队(AL)	辛辛那提印第安人队(NL)	4—3	1994	没有比赛		
1973	奥克兰竞技队(AL)	纽约大都会队(NL)	4—3	1995	亚特兰大勇士队(NL)	克利夫兰印第安人队(AL)	4—2
1974	奥克兰竞技队(AL)	洛杉矶道奇队(NL)	4—1	1996	纽约扬基队(AL)	亚特兰大勇士队(NL)	4—2
1975	辛辛那提印第安人队(NL)	波士顿红袜队(AL)	4—3	1997	佛罗里达马林鱼队(NL)	克利夫兰印第安人队(AL)	4—3
1976	辛辛那提印第安人队(NL)	纽约扬基队(AL)	4—0	1998	纽约扬基队(AL)	圣地亚哥传教士队(NL)	4—0
1977	纽约扬基队(AL)	洛杉矶道奇队(NL)	4—2	1999	纽约扬基队(AL)	亚特兰大勇士队(NL)	4—0
1978	纽约扬基队(AL)	洛杉矶道奇队(NL)	4—2	2000	纽约扬基队(AL)	纽约大都会队(NL)	4—1
1979	匹兹堡海盗队(NL)	巴尔的摩黄鹂队(AL)	4—3	2001	亚利桑那响尾蛇队	纽约扬基队(AL)	4—3
1980	费城菲力士队(NL)	堪萨斯城皇家队(AL)	4—2	2002	安纳海姆天使队(AL)	旧金山巨人队(NL)	4—3
1981	洛杉矶道奇队(NL)	纽约扬基队(AL)	4—2	2003	佛罗里达马林鱼队(NL)	纽约扬基队(AL)	4—2
1982	圣路易斯枢机队(NL)	密尔沃基酿酒者队(AL)	4—3				
1983	巴尔的摩黄鹂队(AL)	费城菲力士队(NL)	4—1				

* AL——美国棒球联盟；NL——全国棒球联盟。† 一次平局。

BASKETBALL 篮球 美国职业篮球的领导机构是全国篮球协会(NBA,成立于1949年)。协会分为两个联合会,每个联合会最高水平的球队争夺本年度的冠军。作为一种业余运动,篮球在国际范围内广泛组织起来。自1936年篮球被纳入奥运会的比赛项目后,奥运会比赛的冠军就被认为是世界冠军。国际业余篮球联合会(FIBA,成立于1932年)于1950年单独创办了世界男子篮球锦标赛,1953年又创办了世界女子篮球锦标赛(女子篮球比赛1976年才被列为奥运会比赛项目)。美国业余篮球运动在大学篮球队之间进行较小范围的比赛,最重要的赛季比赛为全国大学生体育协会(NCAA)锦标赛。该锦标赛始于1939年(只有男队参加)。大学女子篮球全国性比赛,由大学校际女子体育协会(AIAW)主办,于1972年首次举行。大学校际女子体育协会在1982年让位给全国大学生体育协会来举办第一届女子锦标赛。全国邀请赛每年举办一次,比赛采取单循环淘汰制,美国最高水平的32个大学代表队被邀请参加比赛。

世界业余篮球锦标赛(男子)

年份	冠军	亚军	年份	冠军	亚军
1936*	美	加拿大	1976*	美	南斯拉夫
1948*	美	法	1978	南斯拉夫	苏
1950	阿根廷	美	1980*	南斯拉夫	意
1952*	美	苏	1982	苏	美
1954	美	巴西	1984*	美	西班牙
1956*	美	苏	1986	美	苏
1959	巴西 †	美	1988*	苏	南斯拉夫
1960*	美	苏	1990	南斯拉夫	苏
1963	巴西	南斯拉夫	1992*	美	克罗地亚
1964*	美	苏	1994	美	俄
1967	苏	南斯拉夫	1996*	美	南斯拉夫
1968*	美	南斯拉夫	1998	南斯拉夫	俄
1970	南斯拉夫	巴西	2000*	美	法
1972*	苏	美	2002	南斯拉夫	阿根廷
1974	苏	南斯拉夫	2004*	阿根廷	意

* 该年度世界冠军由奥林匹克运动会产生。† 因对方缺席。

在1984年的全国大学生体育协会锦标赛(女子第1组)中,南加利福尼亚大学队战胜田纳西大学队

供图:Peter Read Miller—Sports Illustrated

在 1992～1993 年度的全国篮球协会锦标赛中,芝加哥公牛队战胜菲尼克斯太阳队
供图:Manny Millin—Sports Illustrated

世界业余篮球锦标赛(女子)

年份	冠军	亚军
1953	美	智利
1957	美	苏
1959	苏	保
1964	苏	捷
1967	苏	韩
1971	苏	捷
1975	苏	日
1976*	苏	美
1979	美	韩
1980*	苏	保
1983	苏	美
1984*	美	韩
1986	美	苏
1988*	美	南斯拉夫
1990	美	南斯拉夫
1992*	联合队 †	中
1994	巴西	中
1996*	美	巴
1998	美	俄
2000*	美	澳
2002	美	俄
2004*	美	澳

* 该年度世界冠军由奥林匹克运动会产生。
† 联合队,包括来自独联体及格鲁吉亚的运动员。

在 1950 年的全国邀请赛中,纽约市立大学队战胜布雷德利大学队
供图:AP/Wide World Photos

在 1992 年的全国大学生体育协会锦标赛(男子第 1 组)中,杜克大学队战胜密歇根大学队
供图:John W. McDonough—Sports Illustrated

在 1988 年的世界业余篮球锦标赛(女子)中,美国队战胜南斯拉夫队
供图:Focus on Sports

全国篮球协会(NBA)锦标赛

年度	冠军	亚军	比分
1946 - 1947	费城勇士队	芝加哥牡鹿队	4—1
1947 - 1948	巴尔的摩子弹队	费城勇士队	4—2
1948 - 1949	明尼阿波利斯湖人队	华盛顿议会队	4—2
1949 - 1950	明尼阿波利斯湖人队	锡拉丘兹国家队	4—2
1950 - 1951	罗切斯特皇家队	纽约尼克斯队	4—3
1951 - 1952	明尼阿波利斯湖人队	纽约尼克斯队	4—3
1952 - 1953	明尼阿波利斯湖人队	纽约尼克斯队	4—1
1953 - 1954	明尼阿波利斯湖人队	锡拉丘兹国家队	4—3
1954 - 1955	锡拉丘兹国家队	韦恩堡活塞队	4—3
1955 - 1956	费城勇士队	韦恩堡活塞队	4—1
1956 - 1957	波士顿凯尔特人队	圣路易斯鹰队	4—3
1957 - 1958	圣路易斯鹰队	波士顿凯尔特人队	4—2
1958 - 1959	波士顿凯尔特人队	明尼阿波利斯湖人队	4—0
1959 - 1960	波士顿凯尔特人队	圣路易斯鹰队	4—3
1960 - 1961	波士顿凯尔特人队	圣路易斯鹰队	4—1
1961 - 1962	波士顿凯尔特人队	洛杉矶湖人队	4—3
1962 - 1963	波士顿凯尔特人队	洛杉矶湖人队	4—2
1963 - 1964	波士顿凯尔特人队	旧金山勇士队	4—1
1964 - 1965	波士顿凯尔特人队	洛杉矶湖人队	4—1
1965 - 1966	波士顿凯尔特人队	洛杉矶湖人队	4—3
1966 - 1967	费城 76 人队	旧金山勇士队	4—2
1967 - 1968	波士顿凯尔特人队	洛杉矶湖人队	4—2
1968 - 1969	波士顿凯尔特人队	洛杉矶湖人队	4—3
1969 - 1970	纽约尼克斯队	洛杉矶湖人队	4—3
1970 - 1971	密尔沃基雄鹿队	巴尔的摩子弹队	4—0
1971 - 1972	洛杉矶湖人队	纽约尼克斯队	4—1
1972 - 1973	纽约尼克斯队	洛杉矶湖人队	4—1
1973 - 1974	波士顿凯尔特人队	密尔沃基雄鹿队	4—3
1974 - 1975	加利福尼亚勇士队	华盛顿子弹队	4—0
1975 - 1976	波士顿凯尔特人队	菲尼克斯太阳队	4—2
1976 - 1977	波特兰开拓者队	费城 76 人队	4—2
1977 - 1978	华盛顿子弹队	西雅图超音速队	4—3
1978 - 1979	西雅图超音速队	华盛顿子弹队	4—1
1979 - 1980	洛杉矶湖人队	费城 76 人队	4—2
1980 - 1981	波士顿凯尔特人队	休斯敦火箭队	4—2
1981 - 1982	洛杉矶湖人队	费城 76 人队	4—2
1982 - 1983	费城 76 人队	洛杉矶湖人队	4—0
1983 - 1984	波士顿凯尔特人队	洛杉矶湖人队	4—3
1984 - 1985	洛杉矶湖人队	波士顿凯尔特人队	4—2
1985 - 1986	波士顿凯尔特人队	休斯敦火箭队	4—2
1986 - 1987	洛杉矶湖人队	波士顿凯尔特人队	4—2
1987 - 1988	洛杉矶湖人队	底特律活塞队	4—3
1988 - 1989	底特律活塞队	洛杉矶湖人队	4—0
1989 - 1990	底特律活塞队	波特兰开拓者队	4—1
1990 - 1991	芝加哥公牛队	洛杉矶湖人队	4—1
1991 - 1992	芝加哥公牛队	波特兰开拓者队	4—2
1992 - 1993	芝加哥公牛队	菲尼克斯太阳队	4—2
1993 - 1994	休斯敦火箭队	纽约尼克斯队	4 - 3
1994 - 1995	休斯敦火箭队	奥兰多魔术队	4 - 0
1995 - 1996	芝加哥公牛队	西雅图超音速队	4 - 2
1996 - 1997	芝加哥公牛队	犹他爵士队	4 - 2
1997 - 1998	芝加哥公牛队	犹他爵士队	4 - 2
1998 - 1999	圣安东尼奥马刺队	纽约尼克斯队	4 - 1
1999 - 2000	洛杉矶湖人队	印第安纳步行者队	4 - 2
2000 - 2001	洛杉矶湖人队	费城 76 人队	4 - 1
2001 - 2002	洛杉机湖人队	新泽西网队	4 - 0
2002 - 2003	圣安东尼奥马刺队	新泽西网队	4 - 2
2003 - 2004	底特律活塞队	洛杉矶湖人队	4 - 1
2004 - 2005	圣安东尼奥马刺队	底特律活塞队	4 - 3
2005 - 2006	迈阿密热火队	达拉斯小牛队	4 - 2

女子全国篮球协会(WNBA)锦标赛

年份	冠军	亚军	比分
1997	休斯顿彗星队	纽约自由人队	1 - 0
1998	休斯顿彗星队	菲尼克斯水星队	2 - 1
1999	休斯顿彗星队	纽约自由人队	2 - 1
2000	休斯顿彗星队	纽约自由人队	2 - 0
2001	洛杉矶火花队	夏洛特针刺队	2 - 0
2002	洛杉矶火花队	纽约自由人队	2 - 0
2003	底特律震动队	洛杉矶火花队	2 - 1

全国邀请赛

年份	冠军	亚军	比分
1938	坦普尔大学	科罗拉多大学	60—36
1939	长岛大学	洛约拉大学(伊利诺伊)	44—32
1940	科罗拉多大学	迪凯纳大学	51—40
1941	长岛大学	俄亥俄大学	56—42
1942	西弗吉尼亚大学	西肯塔基大学	47—45
1943	圣约翰大学(纽约州)	托莱多大学	48—27
1944	圣约翰大学(纽约州)	德保罗大学	47—39
1945	德保罗大学	鲍灵格林大学	71—54
1946	肯塔基大学	罗得岛大学	46—45
1947	犹他大学	肯塔基大学	49—45
1948	圣路易斯大学	纽约大学	65—52
1949	旧金山大学	洛约拉大学(伊利诺伊)	48—47
1950	纽约市立大学	布雷德利大学	69—61
1951	杨伯翰大学	代顿大学	62—43
1952	拉萨尔大学	代顿大学	75—64
1953	塞顿霍尔大学	圣约翰大学(纽约州)	58—46
1954	圣十字学院	迪凯纳大学	71—62
1955	迪凯纳大学	代顿大学	70—58
1956	路易斯维尔大学	代顿大学	93—80
1957	布雷德利大学	州立孟菲斯大学	84—83
1958	泽维尔大学(俄亥俄)	代顿大学	78—74
1959	圣约翰大学(纽约州)	布雷德利大学	76—71
1960	布雷德利大学	普罗维登斯学院	88—72
1961	普罗维登斯学院	圣路易斯大学	62—59
1962	代顿大学	圣约翰大学(纽约州)	73—67
1963	普罗维登斯学院	卡尼修斯大学	81—66
1964	布雷德利大学	新墨西哥大学	86—54
1965	圣约翰大学(纽约州)	维拉诺瓦大学	55—51
1966	杨伯翰大学	纽约大学	97—84
1967	南伊利诺伊大学	马凯特大学	71—56
1968	代顿大学	堪萨斯大学	61—48
1969	坦普尔大学	波士顿学院	89—76
1970	马凯特大学	圣约翰大学(纽约州)	65—53
1971	北卡罗来纳大学	佐治亚理工学院	84—66
1972	马里兰大学	尼亚加拉大学	100—69
1973	弗吉尼亚工业学院	圣母大学	92—91
1974	珀杜大学	犹他大学	87—81
1975	普林斯顿大学	普罗维登斯学院	80—69

续表

年份	冠军	亚军	比分
1976	肯塔基大学	北卡罗来纳大学	71—67
1977	圣波拿文都拉大学	休斯敦大学	94—91
1978	得克萨斯大学	北卡罗来纳大学	101—93
1979	印第安纳大学	珀杜大学	53—52
1980	弗吉尼亚大学	明尼苏达大学	58—55
1981	塔尔萨大学	锡拉丘兹大学	86—84
1982	布雷德利大学	珀杜大学	67—58
1983	弗雷斯诺州立大学	德保罗大学	69—60
1984	密歇根大学	圣母大学	83—63
1985	加利福尼亚大学(洛杉矶)	印第安纳大学	65—62
1986	俄亥俄州立大学	怀俄明大学	73—63
1987	南密西西比大学	拉萨尔大学	84—80
1988	康涅狄格大学	俄亥俄州立大学	72—67
1989	圣约翰大学	圣路易斯大学	73—65
1990	范德比尔特大学	圣路易斯大学	74—72
1991	斯坦福大学	俄克拉何马大学	78—72
1992	弗吉尼亚大学	圣母大学	81—76
1993	明尼苏达大学	乔治敦大学	62—61

全国大学生体育协会锦标赛(男子第1组)

年份	冠军	亚军	比分
1939	俄勒冈大学	俄亥俄州立大学	46—43
1940	印第安纳大学	堪萨斯大学	60—42
1941	威斯康星大学	华盛顿州立大学	39—34
1942	斯坦福大学	达特茅斯学院	53—38
1943	怀俄明大学	乔治敦大学	46—34
1944	犹他大学	达特茅斯学院	42—40
1945	俄克拉何马农业和机械大学	纽约大学	49—45
1946	俄克拉何马农业和机械大学	北卡罗来纳大学	43—40
1947	圣十字学院	俄克拉何马大学	58—47
1948	肯塔基大学	贝勒大学	58—42
1949	肯塔基大学	俄克拉何马州立大学	46—36
1950	纽约市立大学	布雷德利大学	71—68
1951	肯塔基大学	堪萨斯州立大学	68—58
1952	堪萨斯大学	圣约翰大学(纽约州)	80—63
1953	印第安纳大学	堪萨斯大学	69—68
1954	拉萨尔大学	布雷德利大学	92—76
1955	旧金山大学	拉萨尔大学	77—63
1956	旧金山大学	艾奥瓦大学	83—71
1957	北卡罗来纳大学	堪萨斯大学	54—53
1958	肯塔基大学	西雅图大学	84—72
1959	加利福尼亚大学(伯克利)	西弗吉尼亚大学	71—70
1960	俄亥俄州立大学	加利福尼亚大学(伯克利)	75—55
1961	辛辛那提大学	俄亥俄州立大学	70—65
1962	辛辛那提大学	俄亥俄州立大学	71—59
1963	洛约拉大学(伊利诺伊)	辛辛那提大学	60—58
1964	加利福尼亚大学(洛杉矶)	杜克大学	98—83
1965	加利福尼亚大学(洛杉矶)	密歇根大学	91—80
1966	德克萨斯西部大学	肯塔基大学	72—65
1967	加利福尼亚大学(洛杉矶)	代顿大学	79—64
1968	加利福尼亚大学(洛杉矶)	北卡罗来纳大学	78—55
1969	加利福尼亚大学(洛杉矶)	珀杜大学	92—72
1970	加利福尼亚大学(洛杉矶)	杰克逊维尔大学	80—69
1971	加利福尼亚大学(洛杉矶)	维拉诺瓦大学	68—62
1972	加利福尼亚大学(洛杉矶)	佛罗里达州立大学	81—76
1973	加利福尼亚大学(洛杉矶)	州立孟菲斯大学	87—66
1974	北卡罗来纳州立大学	马凯特大学	76—64
1975	加利福尼亚大学(洛杉矶)	肯塔基大学	92—85
1976	印第安纳大学	密歇根大学	86—68
1977	马凯特大学	北卡罗来纳大学	67—59
1978	肯塔基大学	杜克大学	94—88
1979	密歇根州立大学	印第安纳州立大学	75—64
1980	路易斯维尔大学	加利福尼亚大学(洛杉矶)	59—54
1981	印第安纳大学	北卡罗来纳大学	63—50
1982	北卡罗来纳大学	乔治敦大学	63—62
1983	北卡罗来纳州立大学	休斯敦大学	54—52
1984	乔治敦大学	休斯敦大学	84—75
1985	维拉诺瓦大学	乔治敦大学	66—64
1986	路易斯维尔大学	杜克大学	72—69
1987	印第安纳大学	锡拉丘兹大学	74—73
1988	堪萨斯大学	俄克拉何马大学	83—79
1989	密歇根大学	塞顿霍尔大学	80—79
1990	内华达大学(拉斯维加斯)	杜克大学	103—73
1991	杜克大学	堪萨斯大学	72—65
1992	杜克大学	密歇根大学	71—51
1993	北卡罗来纳大学	密歇根大学	77—71
1994	阿肯色大学	杜克大学	76—72
1995	加利福尼亚大学	阿肯色大学	89—78
1996	肯塔基大学	锡拉丘兹大学	76—67
1997	亚利桑那大学	肯塔基大学	84—79
1998	肯塔基大学	犹他大学	78—69
1999	康涅狄格大学	杜克大学	77—74
2000	密歇根州立大学	佛罗里达大学	89—76
2001	杜克大学	亚利桑那大学	82—72
2002	马里兰大学	印第安纳大学	64—52
2003	锡拉丘兹大学	堪萨斯大学	81—78
2004	康涅狄格大学	佐治亚理工大学	82—73

大学校际女子体育协会锦标赛

年份	冠军	亚军	比分
1972	伊马库拉塔大学(宾夕法尼亚)	西切斯特州立大学	52—48
1973	伊马库拉塔大学(宾夕法尼亚)	女王学院	59—52
1974	伊马库拉塔大学(宾夕法尼亚)	密西西比学院	68—53
1975	德尔塔州立大学	伊马库拉塔大学(宾夕法尼亚)	90—81
1976	德尔塔州立大学	伊马库拉塔大学(宾夕法尼亚)	69—64
1977	德尔塔州立大学	路易斯安那州立大学	68—55
1978	加利福尼亚大学(洛杉矶)	马里兰大学	90—74
1979	奥德多米宁大学	路易斯安那理工大学	75—65
1980	奥德多米宁大学	田纳西大学	68—53
1981	路易斯安那工科大学	田纳西大学	79—59
1982	拉特格斯大学	得克萨斯大学	83—77

全国大学生体育协会锦标赛(女子第1组)

年份	冠军	亚军	比分
1982	路易斯安那理工大学	切尼大学(宾夕法尼亚)	76—62
1983	南加利福尼亚大学	路易斯安那理工大学	69—67
1984	南加利福尼亚大学	田纳西大学	72—61
1985	奥德多米宁大学	佐治亚大学	70—65
1986	得克萨斯大学	南加利福尼亚大学	97—81
1987	田纳西大学	路易斯安那理工大学	67—44
1988	路易斯安那理工大学	奥伯恩大学	56—54
1989	田纳西大学	奥伯恩大学	76—60
1990	斯坦福大学	奥伯恩大学	88—81
1991	田纳西大学	弗吉尼亚大学	70—67
1992	斯坦福大学	西肯塔基大学	78—62
1993	得克萨斯理工大学	俄亥俄州立大学	84—82
1994	北卡罗来纳大学	路易斯安那理工大学	60—59
1995	康涅狄格大学	田纳西大学	70—64
1996	田纳西大学	佐治亚大学	83—65
1997	田纳西大学	老自治领大学	68—59
1998	田纳西大学	路易斯安那理工大学	93—75
1999	普渡大学	杜克大学	62—45
2000	康涅狄格大学	田纳西大学	71—52
2001	杜克大学	普渡大学	68—66
2002	康涅狄格大学	俄克拉何马大学	82—70
2003	康涅狄格大学	田纳西大学	73—68
2004	康涅狄格大学	田纳西大学	70—61

BILLIARDS 台球 台球运动在世界各地形式繁多。各种形式之间的区别主要包括球的数目和外表、球台的大小、台边和台角的球袋以及比赛的目的。台球运动的古典形式——三边台球——在无袋球台上进行,使用一枚红球和两枚白球,其中一枚白球标有红点。它通常称为法式台球、卡罗姆台球或简称台球。落袋台球在英国很流行,包括彩色台球及其运动,有时称为英式台球。世界职业台球运动(指英式台球)创始于1870年。1927年首次举行世界职业彩色台球锦标赛。1947年以前每年的冠军均由J. 戴维斯获得(第二次世界大战期间锦标赛未举办)。20世纪50年代比赛暂停;60年代重新恢复,1969年成为淘汰赛。男女选手均可参赛。美式落袋台球常称彩色台球,与英式台球有明显区别。美式落袋台球最流行的形式有八球台球、九球台球和14.1赌注式台球。虽然早期14.1赌注式台球比赛(产生了A. 德奥罗、W. 莫斯科尼和W. 霍佩等杰出选手)定期举办,但现在此类全国性比赛,除全国性锦标赛外,已大部分中止,全国锦标赛亦很少举办。自70年代开始,八球台球和九球台球在美国的流行超过了14.1赌注式台球,并且九球台球在国际上获得了一定的地位。1990年,世界彩色台球协会(WPA,成立于1987年)首次举办了九球台球世界锦标赛。

世界三边台球锦标赛

年份	冠军	年份	冠军	年份	冠军	年份	冠军
1928	E. 苏萨(埃及)	1958	E. 纳瓦拉(阿根廷)	1974	小林(日)	1988	T. 布洛姆达尔(瑞典)
1929	E. 苏萨(埃及)	1960	R. 文格尔霍特(比)	1975	R. 措伊莱曼(比)	1989	T. 布洛姆达尔(瑞典)
1930	H.J. 罗比恩斯(荷)	1961	A. 苏阿雷兹(秘鲁)	1976	R. 措伊莱曼(比)	1990	L. 迪利斯(比)
1931	E. 米罗(西班牙)	1963	R. 措伊莱曼(比)	1977	R. 措伊莱曼(比)	1991	R. 措伊莱曼(比)
1932	H.J. 罗比恩斯(荷)	1964	R. 措伊莱曼(比)	1978	R. 措伊莱曼(比)	1992	T. 布洛姆达尔(瑞典)
1933	H.J. 罗比恩斯(荷)	1965	R. 措伊莱曼(比)	1979	R. 措伊莱曼(比)	1993	桑里(美)
1934	C. 普伊格维特(西班牙)	1966	R. 措伊莱曼(比)	1980	R. 措伊莱曼(比)	1994	T. 布洛姆达尔(瑞典)
1935	A. 拉加什(法)	1967	R. 措伊莱曼(比)	1981	L. 迪利斯(比)	1995	T. 布洛姆达尔(瑞典)
1936	E.L. 李(美)	1968	R. 措伊莱曼(比)	1982	R. 布雷赫特(荷)	1996	T. 布洛姆达尔(瑞典)
1937	A. 拉加什(法)	1969	R. 措伊莱曼(比)	1983	R. 措伊莱曼(比)	1997	D. 贾斯珀斯(荷)
1938	A. 维戈兹(阿根廷)	1970	R. 措伊莱曼(比)	1984	小林(日)	1998	T. 布洛姆达尔(瑞典)
1948	R. 文格尔霍特(比)	1971	R. 措伊莱曼(比)	1985	R. 措伊莱曼(比)	1999	D. 贾斯珀斯(荷)
1952	P.L. 卡雷拉(阿根廷)	1972	R. 措伊莱曼(比)	1986	A. 里科(西班牙)	2000	D. 贾斯珀斯(荷)
1953	E. 纳瓦拉(阿根廷)	1973	R. 措伊莱曼(比)	1987	T. 布洛姆达尔(瑞典)	2001	R. 措伊莱曼(比)

世界职业斯诺克台球锦标赛

年份	冠军*	年份	冠军*
1969	J. 斯潘塞	1987	S. 戴维斯
1970	R. 里尔登	1988	S. 戴维斯
1971	J. 斯潘塞	1989	S. 戴维斯
1972	A. 希金斯	1990	S. 亨德利
1973	R. 里尔登	1991	J. 帕罗特
1974	R. 里尔登	1992	S. 亨德利
1975	R. 里尔登	1993	S. 亨德利
1976	R. 里尔登	1994	S. 亨德利
1977	J. 斯潘塞	1995	S. 亨德利
1978	R. 里尔登	1996	S. 亨德利
1979	T. 格里菲思	1997	K. 达赫迪
1980	C. 索伯恩(加拿大)	1998	J. 希金斯
1981	S. 戴维斯	1999	S. 亨德利
1982	A. 希金斯	2000	M. 威廉姆斯
1983	S. 戴维斯	2001	R. 奥沙利文
1984	S. 戴维斯	2002	P. 埃布顿
1985	D. 泰勒	2003	M. 威廉姆斯
1986	J. 约翰逊	2004	R. 奥沙利文

*未注明国籍者为英国运动员。

世界台球协会世界九球台球锦标赛

年份	男子冠军	女子冠军
1990	E. 斯特里克兰(美)	R. 贝尔(美)
1991	E. 斯特里克兰(美)	R. 贝尔(美)
1992	J. 阿彻(美)	F. 施塔克(德)
1993	赵方彭(中国台湾)	L.J. 琼斯(美)
1994	奥村健(日)	E. 马塔亚-劳伦斯(美)
1995	O. 奥特曼(德)	G. 霍夫施泰特(澳)
1996	R. 苏克(德)	A. 费希尔(英)
1997	J. 阿彻(美)	A. 费希尔(英)
1998	高桥邦彦(日)	A. 费希尔(英)
1999	N. 瓦尔纳(美)	刘中美(中国台湾)
2000	赵方彭(中国台湾)	J. 凯利(爱尔兰)
2001	M. 伊莫宁(芬)	A. 费希尔(英)
2002	E. 斯特里克兰	刘中美(中国台湾)

BOWLING 保龄球 该运动的世界性管理组织是国际保龄球联合会(FIQ)。它于1954年组织了有七个国家参加的第一届世界保龄

在1985年国际女子保龄球协会保龄球锦标赛上,A. 雷兹佩吉-希尔(美)第二次赢得女王邀请赛和公开赛组的综合比赛冠军

国际女子保龄球协会供图

球锦标赛。1979年国际保龄球联合会终止了男子八人赛制和女子四人赛制而全部采用三人赛制。美国男子保龄球运动由美国保龄球协会(ABC)管理。它成立于1895年,六年后组织了第一届全美锦标赛。1961年比赛分为两种形式——正规式(平均得分为851分或更高者才能参加)和适用于职业运动员的古典式。古典式的比赛于1980年停止。国际女子保龄球协会(WIBC)于1916年组织成立,并每年举办一次女子锦标赛。女子保龄球公开赛参加者的平均得分要求为851分或更高,比赛中得分最高的选手获胜,而不分形式。无论美国保龄球协会,还是国际女子保龄球协会的比赛,都分为团体赛、双人赛和个人赛。根据个人在九局比赛——三局团体赛、三局双人赛和三局个人赛——中总积分高低确定综合比赛名次。职业保龄球协会(PBA)成立于1958年,它组织的重要比赛之一是火石冠军锦标赛。

国际保龄球联合会世界保龄球锦标赛(男子)

年份	个人	双人	三人	五人	八人
1954	G. 阿尔杰斯科格(瑞典)	芬		瑞典	瑞典
1955	N. 贝克斯特罗姆(瑞典)	瑞典		西德	芬
1958	K. 阿苏卡斯(芬)	瑞典		芬	瑞典
1960	T. 雷诺兹(墨)	墨		委内瑞拉	墨
1963	L. 齐克斯(美)	美		美	美
1967	D. 庞德(英)	英		芬	美
1971	E. 卢瑟(美)	波多黎各		美	美
1975	M. 斯托德(美)	英		芬	西德
1979*	G. 巴格登(英)	澳	马来西亚	澳	
1983	T. 卡里埃洛(美)	澳	瑞典	芬	
1987	P. 罗兰(法)	瑞典	美	瑞典	
1991	马英杰(中国台湾)	美	美	中国台湾	
1995	M. 多伊(加)	瑞典	荷	荷	
1999	G. 韦布吕让(比利时)	瑞典	芬	瑞典	

*1979年取消八人组,增加三人组。

国际保龄球联合会世界保龄球锦标赛(女子)

年份	个人	双人	三人	四人	五人*
1963	H. 莎布利斯(美)	美		墨	美
1967	H. 韦斯顿(美)	墨		芬	芬
1971	A. 冈萨雷斯(波多黎各)	日		美	美
1975	A. 海夫克(西德)	瑞典		日	日
1979†	L. 德拉罗莎(菲)	菲	美		美
1983	L. 苏卡南(瑞典)	丹	西德		瑞典
1987	E. 皮奇尼(墨)	美	美		美
1991	M. 贝克尔(德)	日	加拿大		韩
1995	D. 希普(加)	泰国	澳		芬
1999	K. 库利克(美)	澳	韩		韩

*1963年此项比赛为女子四人组,欧洲式(整个比赛在同一球道上,或半场在同一球道上)。†1979年取消四人组,增加三人组。

职业保龄球协会火石冠军锦标赛

年份	冠军	年份	冠军
1965	B. 哈德威克	1983	J. 贝拉迪
1966	W. 扎恩	1984	M. 杜尔宾
1967	J. 斯特凡尼奇	1985	M. 威廉斯
1968	D. 戴维斯	1986	M. 霍尔曼
1969	J. 戈德曼	1987	P. 韦伯
1970	D. 约翰逊	1988	M. 威廉斯
1971	J. 佩特拉里亚	1989	D. 巴拉德
1972	M. 杜尔宾	1990	D. 费拉罗
1973	J. 戈德曼	1991	D. 奥齐奥
1974	E. 安东尼	1992	M. 麦克道尔
1975	D. 戴维斯	1993	G. 布拉纳姆
1976	M. 霍尔曼	1994	N. 杜克
1977	M. 柏林	1995	M. 奥比
1978	E. 安东尼	1996	D. 登特里蒙特
1979	G. 帕帕斯	1997	J. 甘特
1980	W. 韦布	1998	B. 戈贝尔
1981	S. 库克	1999	J. 库奇
1982	M. 杜尔宾	2000	J. 库奇

1959 年美国保龄球协会保龄球锦标赛的个人比赛冠军和综合比赛冠军 E. 卢班斯基
供图：AP/Wide World Photos

美国保龄球协会保龄球锦标赛（一般分组）

年份	个人比赛	得分	综合比赛	得分	年份	个人比赛	得分	综合比赛	得分
1901	F. 布里尔	648	F. 布里尔	1 736	1941	F. 卢夫(小)	745	H. 凯利	2 013
1902	F. 斯特朗	649	J. 科斯特	1 841	1942	J. 斯坦利	756	S. 莫斯卡尔	1 973
1903	D. 琼斯	683	F. 斯特朗	1 896	1943～1945	未比赛			
1904	M. 克恩	647	M. 克恩	1 804	1946	L. 罗利克	737	J. 威尔曼	2 054
1905	C.M. 安德森	651	J. 雷利	1 791	1947	J. 麦克马洪	740	J. 麦克马洪	1 965
1906	F. 法沃尔	669	J.T. 皮科克	1 794	1948	L. 普罗蒂契	721	N. 代伊	1 979
1907	M.T. 利维	624	H.C. 埃利斯	1 775	1949	B. 鲁什	716	J. 斯莫尔	1 941
1908	A. 温格勒	699	R. 克拉布勒	1 924	1950	E. 伦斯	757	F. 桑托尔	1 981
1909	L. 萨顿	691	J. 布洛因	1 885	1951	L. 朱格拉德	775	T. 林德曼	2 005
1910	T. 哈利	705	T. 哈利	1 961	1952	A. 夏基	758	S. 纳吉	2 065
1911	J. 布洛因	681	J. 史密斯	1 913	1953	F. 桑托尔	749	F. 桑托尔	1 994
1912	L. 萨顿	679	L. 萨顿	1 843	1954	T. 斯帕兰多	723	B. 刘易斯	1 985
1913	F. 彼得森	693	E. 赫尔曼	1 972	1955	E. 格尔津	738	F. 布贾克	1 993
1914	W. 米勒	675	W. 米勒	1 897	1956	G. 韦德	744	B. 里拉德	2 018
1915	W. 皮尔斯	711	M. 费兹	1 876	1957	B. 艾伦	729	J. 斯帕尔丁	2 088
1916	S. 谢里曼	685	F. 托马	1 919	1958	E. 谢伊	733	A. 法拉加里	2 043
1917	O. 卡鲁什	698	W. 米勒	1 945	1959	E. 卢班斯基	764	E. 卢班斯基	2 116
1918	C.J. 斯泰勒斯	702	H. 斯蒂尔斯	1 959	1960	P. 库尔巴加	726	V. 卢奇	1 985
1919	H. 卡文	718	M. 林赛	1 933	1961	L. 斯普纳	726	L. 卡伦	1 960
1920	J. 肖	713	J. 史密斯	1 915	1962	A. 雷纳尔迪	720	B. 杨	2 015
1921	J. 史密斯	702	A. 希曼	1 909	1963	F. 德莱洛	744	W. 奥斯瓦尔特	2 055
1922	W. 隆德格伦	729	B. 斯皮内拉	1 999	1964	J. 斯特凡尼奇	726	L. 齐克斯	2 001
1923	C. 鲍姆加特纳	724	W. 诺克斯	2 019	1965	K. 罗斯	700	T. 哈瑟维	1 922
1924	H. 斯麦尔斯	749	A.F. 韦伯	1 975	1966	D. 查普曼	761	J. 威尔科克斯	2 004
1925	A. 格林	706	C. 朗	1 977	1967	F. 佩里	723	G. 刘易斯	2 010
1926	E. 沃特尔	731	H. 格洛斯基	1 981	1968	W. 科瓦尔斯基	738	V. 马桑蒂	1 971
1927	W. 埃加尔斯	706	B. 斯皮内拉	2 014	1969	C. 坎贝尔	751	E. 杰克逊	1 988
1928	H. 萨默斯	705	P. 沃尔夫	1 937	1970	J. 约德	744	M. 柏林	2 004
1929	A. 恩克	728	O. 斯坦(小)	1 974	1971	A. 科恩	738	A. 科恩	2 063
1930	L. 肖特韦尔	774	G. 莫里森	1 985	1972	B. 波因特	739	M. 劳里	2 026
1931	W. 拉乔斯基	712	M. 莫瑟	1 966	1973	E. 汤普森	762	R. 伍莱特	2 104
1932	O. 尼茨奇克	731	H. 斯图尔特	1 980	1974	G. 克劳泽	773	B. 哈特	2 087
1933	E. 休伊特	724	G. 赞克	2 060	1975	J. 塞泽	756	B. 米多斯	2 033
1934	J. 维德罗	721	W. 雷彭哈根	1 972	1976	M. 普泽尔	758	J. 林奎斯特	2 071
1935	D. 布罗卡夫	733	O. 梅耶	2 022	1977	F. 加达雷托	738	B. 德本汗	2 117
1936	C. 瓦伦	735	J. 墨菲	2 006	1978	R. 默塞克	739	C. 科布斯	1 994
1937	E. 加格利亚迪	749	M. 斯坦	2 070	1979	R. 彼得斯	761	B. 巴萨奇	2 097
1938	K. 安德森	746	D. 贝蒂	1 978	1980	M. 伊顿	782	S. 费尔	2 076
1939	J. 丹内克	730	J. 威尔曼	2 028	1981	R. 维塔尔	780	R. 托夫特	2 107
1940	R. 布朗	742	F. 费歇尔	2 001	1982	B. 伯姆	748	R. 旺德斯	2 076

续表

年份	个人比赛	得分	综合比赛	得分
1983	R. 肯德里克	735	T. 卡列洛	2 059
1984	R. 安查克 N. 杨(平局)	764	R. 戈伊克	2 142
1985	G. 哈比森	774	B. 阿谢尔	2 033
1986	J. 麦基	774	E. 马兹卡	2 116
1987	T. 泰勒	749	R. 莎费尔	2 044
1988	S. 胡特科斯基	774	R. 斯蒂尔史密斯	2 053
1989	P. 泰切奥尔特	813	G. 霍尔	2 227
1990	R. 霍赫赖因	791	M. 诺伊曼	2 168
1991	E. 戴内斯	826	T. 豪韦里	2 216
1992	G. 布拉奇福德 B. 约克(平局)	801	M. 塔克	2 158

年份	个人比赛	得分	综合比赛	得分
1993	D. 博克	798	J. 尼姆克	2 254
1994	J. 韦尔齐恩	810	T. 霍尔特	2 190
1995	M. 苏里纳	826	J. 克维亚特科夫斯基	2 191
1996	D. 斯卡德(小)	823	S. 库尔茨	2 220
1997	J. 索哈	847	J. 里奇格尔斯	2 241
1998	J. 盖恩斯	814	C. 巴恩斯	2 151
1999	D. 温特	825	T. 琼斯	2 158
2000	G. 海因	811	R. 丹尼尔斯	2 181
2001	N. 霍格兰	798	D.J. 阿彻	2 219
2002	M. 麦尔萨普	823	S. 哈迪	2 279

国际女子保龄球协会保龄球锦标赛(公开赛组)

年份	个人比赛	得分	综合比赛	得分
1916	A.J. 科斯特夫人	486	A.J. 科斯特夫人	1 423
1917	未比赛			
1918	F. 斯泰布	537	E. 耶格尔	1 552
1919	B. 胡斯克	594	B. 胡斯克	1 580
1920	B. 汉弗莱斯	559	M. 莱布里奇	1 606
1921	E. 耶格尔	579	E. 耶格尔	1 557
1922	E. 耶格尔	603	H. 亚伯拉罕	1 659
1923	E. 耶格尔	594	D. 弗里茨	1 582
1924	A. 菲尼	593	R. 施泰格	1 647
1925	E. 雷奇	622	G. 哈奇	1 703
1926	E. 魏斯曼	579	E. 拉基	1 641
1927	F. 阿尔哈特	577	G. 哈奇	1 644
1928	A. 拉姆普	622	E. 耶格尔	1 713
1929	A. 希金斯	637	E. 耶格尔	1 700
1930	A. 拉姆普	613	S. 特维福特	1 727
1931	M. 舒尔特	650	M. 舒尔特	1 742
1932	A. 麦克维	668	M. 沃姆比尔	1 807
1933	S. 特维福特	628	S. 特维福特	1 765
1934	M. 克莱门森	712	E. 瑞安	1 763
1935	M. 沃姆比尔	652	M. 沃姆比尔	1 911
1936	E. 曼基	612	E. 曼基	1 683
1937	A. 戈茨廷	647	L. 斯托克戴尔	1 761
1938	R. 沃纳	622	D. 米勒	1 843
1939	H. 亨斯特勒	626	R. 特罗伊	1 724
1940	S. 特维福特	626	T. 斯莫尔	1 777
1941	N. 胡夫	662	S. 特维福特	1 799
1942	T. 泰勒	659	N. 伯恩斯	1 888
1943～1945	未比赛			
1946	V. 米基尔	682	C. 费尔梅斯	1 835
1947	A. 赞克	650	M. 达尔丁	1 826
1948	S. 魏内克	696	V. 胡普佛	1 850
1949	C. 马塔亚	658	C. 维南迪	1 840
1950	C. 麦戈文	669	M. 莱德维格	1 796
1951	I. 辛普森	639	L. 卡特	1 788
1952	L. 克莱格	672	V. 特纳	1 854
1953	M. 巴金斯基	637	D. 克内克特格斯	1 886
1954	H. 巴塞特	668	A. 约翰逊	1 880
1955	N. 维拉	695	M. 莱德维格	1 890
1956	L. 诺伊	708	D. 克内克特格斯	1 867
1957	E. 托尔斯	664	A. 康塔林	1 859
1958	R. 赫特尔	622	M. 波尔特	1 828
1959	M. 波尔特	664	P. 麦科米克	1 927
1960	M. 麦克丹尼尔斯	649	J. 罗伯茨	1 836
1961	E. 纽顿	661	E. 蒂尔	1 848
1962	M. 霍夫曼	693	F. 阿金特	1 808

年份	个人比赛	得分	综合比赛	得分
1963	D. 威金森	653	H. 莎布里斯	1 849
1964	J. 哈夫利什	690	J. 哈夫利什	1 980
1965	D. 鲁德尔	659	D. 齐默曼	1 833
1966	G. 布维亚	675	K. 赫尔比格	1 835
1967	G. 佩斯	652	C. 米勒	1 862
1968	N. 帕克斯	691	J.S. 雷奇利	1 889
1969	J. 本德	690	H. 杜瓦尔	1 927
1970	D. 福瑟吉尔	695	D. 福瑟吉尔	1 984*
1971	M. 斯克鲁格斯	698	L. 科赫	1 840
1972	D.D. 雅各布森	737*	M. 马托雷拉	1 877
1973	B. 布法罗	706	T. 卡尔维里	1 910
1974	S. 加尔姆斯	702	J. 库克·苏塔尔	1 924
1975	B. 莱奇特	689	V. 帕克·诺顿	1 821
1976	B. 肖恩克	686	B. 莫里斯	1 866
1977	山鹿(日)	714	山鹿(日)	1 895
1978	M. 波尔特	709	A. 凯利	1 896
1979	B. 莫利斯	699	B. 莫里斯	1 945
1980	B. 莫利斯	674	C. 鲁宾逊	1 848
1981	V. 诺顿	672	V. 诺顿	1 905
1982	G. 弗里曼	653	A. 雷兹佩吉	1 905
1983	A. 雷兹佩吉-希尔	726	V. 诺顿	1 922
1984	F. 盖特	712	齐藤(日)	1 921
1985	P. 舒瓦泽尔	694	A. 雷兹佩吉-希尔	1 900
1986	D. 斯图尔特	698	R. 罗密欧 M. 刘易斯(平局)	1 877
1987	R. 乔纳克	728	L. 巴雷特	1 972
1988	M. 迈耶-韦尔蒂	690	L. 瓦格纳	1 988
1989	L. 安德森	683	N. 费尔	1 911
1990	P. 卡特 D. 米勒-麦凯	705	C. 诺曼	1 984
1991	D. 库恩	773	D. 库恩	2 036
1992	P. 安	680	时本(日)	1 928
1993	K. 科卢拉(加拿大) K. 默夫(平局)	747	A.M. 达根	1 990
1994	V. 费菲尔德	716	W. 麦克弗森-帕帕诺斯	1 940
1995	B. 欧文	749	B. 欧文	1 983
1996	C. 贝兰加	723	L. 尼科尔斯	1 985
1997	J. 施密特	765	K. 卡梅伦	2 039
1998	N. 格朗东	714	L. 约翰逊	1 989
1999	N. 詹努里阿斯	746	H. 米佐布奇	2 065
2000	C. 克拉斯纳	729	C. 多尔丹-巴拉尔	2 147
2001	L. 瓦格纳	756	J. 阿蒙	2 044
2002	T. 史密斯	752	C. 霍尼彻奇	2 150

* 国际女子保龄球协会邀请赛。

BOWLS 滚木球 滚木球运动包括多种形式。最著名的三种形式是草地滚木球(或称平草地滚木球)、皇冕式草地滚木球和室内滚木球,其中草地滚木球流行最广。较流行的国际比赛之一是由国际滚木球委员会(IBB,成立于1905年)举办的世界滚木球锦标赛,比赛始于1966年,采用英国滚木球协会制定的国际滚木球委员会比赛规则。比赛项目包括单人、双人、三人、四人和团体赛。

世界草地滚木球锦标赛

年份	单人	双人	三人	四人	团体
1966	D. 布赖恩特(英格兰)	澳	澳	新西兰	澳
1972	M. 埃文斯(威尔士)	香港	美	英格兰	苏格兰
1976	D. 沃森(南非)	南非	南非	南非	南非
1980	D. 布赖恩特(英格兰)	澳	英格兰	香港	—
1984	P. 贝利斯(新西兰)	美	爱尔兰	英格兰	苏格兰
1988	D. 布赖恩特(英格兰)	新西兰	新西兰	爱尔兰	英格兰
1992	T. 奥尔科克(英格兰)	苏格兰	以色列	苏格兰	苏格兰

BOXING 拳击 现代拳击运动源于19世纪80年代左右,当时,昆斯伯里侯爵的拳击比赛规则或其派生规则可作为标准。J.L.沙利文(美国)被认为是不带拳套比赛的最后一个重量级冠军,也是按"新规则"比赛最早获得冠军称号的拳击选手之一。尽管早就有一些拳击组织成立,但至今还没有得到公认的世界性职业拳击管理机构。欧洲大陆、英国——更不必说许多亚洲国家拳击协会——都有自己的锦标赛。世界拳击协会(WBA)成立于1920年,当时并不叫这个名字,现在它基本上是美国国内的机构,而且一度曾是美国拳击运动的无可争辩的管理机构。1963年以后,该协会受到由英国和欧洲大陆国家、拉丁美洲国家和亚洲国家组成的世界拳击理事会(WBC)的竞争。1983年由于有些人对世界拳击协会和世界拳击理事会不满,成立了国际拳击联合会(IBF)。其他联合会,如世界拳击组织(WBO,成立于1988年),没有得到国际公认。下表列有每个重量级别比赛冠军的姓名、国籍、夺冠日期。如无其他注解,则说明在被击败前一直保持冠军称号。20世纪90年代早期,世界拳击协会、世界拳击理事会和国际拳击联合会均承认17个重量级。

在1964年世界拳击重量级冠军赛中,C.克莱(后改名M.阿里)正与S.利斯顿较量
供图:UPI/Bettmann Newsphotos

在1975年世界轻重量级拳击锦标赛中,阿根廷的V.加林德斯击倒J.阿乌马达
供图:AP/Wide World Photos

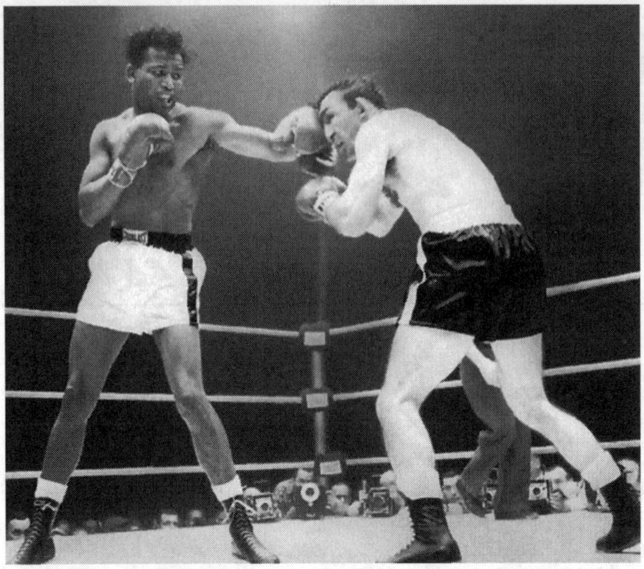

在1958年3月25日的世界拳击中乙级冠军赛中,S.R.鲁宾逊左拳击中C.巴西利奥的眼睛;鲁宾逊第五次也是最后一次赢得该级别冠军称号
供图:AP/Wide World Photos

在1981年的世界拳击中丙级冠军赛中,S.R.伦纳德(右)击倒T.赫恩斯而夺冠
供图:Focus on Sports

世界重量级冠军（无重量限制）

确认的冠军（国家；受奖日期）	确认的冠军（国家；受奖日期）
J.L.沙利文（美；1885-08-29）	M.贝尔（美；1934-06-14）
J.J.科贝特（美；1892-09-07）	J.J.布雷多克（美；1935-06-13）
B.菲茨西蒙斯（美*；1897-03-17）	J.路易斯（美；1937-06-22），1949 年退休
J.J.杰弗里斯（美；1899-06-09），1905 年退休	E.查尔斯（美；1950-09-27）
M.哈特（美；1905-07-03）	J.J.沃尔科特（美；1951-07-18）
T.伯恩斯（加拿大；1906-02-23）	R.马西亚诺（美；1952-09-23），1956 年退休
J.约翰逊（美；1908-12-26）	F.帕特森（美；1956-11-30）
J.威拉德（美；1915-04-05）	I.约翰森（瑞典；1959-06-26）
J.登普西（美；1919-07-04）	F.帕特森（美；1960-06-20）
G.滕尼（美；1926-09-23），1928 年退休	S.利斯顿（美；1962-09-25）
M.施梅林（德；1930-06-12）	C.克莱（后改名 M.阿里，美；1964-02-25），1965 年被取消世界拳击协会冠军称号；1967 年被取消世界拳击理事会冠军称号；称号仍有争议
J.夏基（美；1932-06-21）	
P.卡内拉（意；1933-06-29）	

世界拳击协会	世界拳击理事会	国际拳击联合会
E.特雷尔（美；1965-03-05） 1967 年放弃称号 †	J.弗雷泽（美；1970-02-16）	L.霍姆斯 ‡（美；1983-11）
J.埃利斯（美；1968-04-27）	G.福尔曼（美；1973-01-22）	M.斯平克斯（美；1985-09-21） 1987 年被取消称号
J.弗雷泽（美；1970-02-16）	M.阿里（美；1974-10-30） 1978 年被取消称号	T.塔克（美；1987-05-30）
G.福尔曼（美；1973-01-22）	K.诺顿（美；1978-03-18）	M.泰森（美；1987-08-01）
M.阿里（美；1974-10-30）	L.霍姆斯（美；1978-06-09） 1983 年放弃称号	J.道格拉斯（美；1990-02-11）
L.斯平克斯（美；1978-02-15）	T.威瑟斯庞（美；1984-03-09）	E.霍利菲尔德（美；1990-10-25）
M.阿里（美；1978-09-15），1979 年退休	P.托马斯（美；1984-08-31）	R.鲍（美；1992-11-13）
J.泰特（美；1979-10-20）	T.伯比克（加拿大；1986-03-22）	E.霍利菲尔德（美；1993-11-06）
M.韦弗（美；1980-03-21）	M.泰森（美；1986-11-22）	M.穆勒（美；1994-04-22）
M.多克斯（美；1982-12-10）	J.道格拉斯（美；1990-02-11）	G.福尔曼（美；1994-11-05） 1995 年放弃称号
G.科埃泽（南非；1983-09-23）	E.霍利菲尔德（美；1990-10-26）	F.博萨（南非，1995-12-09） 1996 年被取消称号
G.佩奇（美；1984-12-01）	R. 鲍（美；1992-11-13） 1992 年被取消称号	M.穆勒（美；1996-06-22）
T.塔布斯（美；1985-04-29）	L.路易斯（英；1992-12-14）	E.霍利菲尔德（美；1997-11-08）
T.威瑟斯庞（美；1986-01-17）	O.麦克尔（美；1994-09-24）	L.刘易斯（英；1999-11-13）
J.史密斯（美；1986-12-12）	F.布鲁诺（英；1995-09-02）	H.拉曼（美；2001-04-21）
M.泰森（美；1987-03-07）	M.泰森（美；1996-03-16） 1996 年放弃称号	L.刘易斯（英；2001-11-17） 2002 年 9 月放弃称号
J.道格拉斯（美；1990-02-11）	L.刘易斯（英；1997-02-07）	C.伯德（美；2002-12-14）
E.霍利菲尔德（美；1990-10-26）	H.拉曼（美；2001-04-21）	
R.鲍（美；1992-11-13）	L.刘易斯（英；2001-11-17） 2004 年放弃称号	
E.霍利菲尔德（美；1993-11-06）	V.克利奇科（乌克兰；2004-04-24）	
M.穆勒（美；1994-04-22）		
G.福尔曼（美；1994-11-05） 1995 年被取消称号		
B.塞尔登（美；1995-04-08）		
M.泰森（美；1996-09-07）		
E.霍利菲尔德（美；1996-11-09）		
L.刘易斯（英；1999-11-13） 2000 年被取消称号		
E.霍利菲尔德（美；2000-08-12）		
J.路易斯（波多黎各；2001-03-03）		
R.琼斯（小）（2003-03-01） 2004 年放弃称号		
J.路易斯（美；2004-02-24）		

* 原为英国籍。†1967 年 2 月 6 日被阿里击败。‡1983 年 11 月被承认为冠军。

世界次重量级冠军（最重 195 磅*）

世界拳击协会 †（国家；受奖日期）	世界拳击理事会（国家；受奖日期）	国际拳击联合会（国家；受奖日期）
O.奥卡西奥（波多黎各；1982-02-13）	M.卡梅尔（美；1980-03-31）	M.卡梅尔（美；1983-12-13）
P.克劳斯（南非；1984-12-01）	C.德·莱昂（波多黎各；1980-11-25）	L.R.墨菲（美；1984-10-06）
D.M.卡维（美；1985-07-27）	S.T.戈登（美；1982-06-27）	R.帕凯（美；1986-10-25）
E.霍利菲尔德（美；1986-07-12） 1988 年放弃称号	C.德·莱昂（波多黎各；1983-07-17）	E.霍利菲尔德（美；1987-05-15）
T.贝尔布利（法；1989-03-25） 1989 年宣布空缺	A.拉特利夫（美；1985-06-06）	G.麦克罗里（英；1989-06-03）
R.丹尼尔斯（美；1989-11-28）	B.本顿（美；1985-09-21）	J.兰普金（美；1990-03-22） 1991 年放弃称号
B.奇日（美；1991-03-08）	C.德·莱昂（波多黎各；1986-03-22）	J.沃林（美；1991-09-07）
O.诺里斯（美；1993-11-06）	E.霍利菲尔德（美；1988-04-09） 1988 年放弃称号	A.科尔（美；1992-07-30） 1996 年放弃称号
	C.德·莱昂（波多黎各；1989-05-17）	

世界拳击协会 †(国家;受奖日期)	世界拳击理事会(国家;受奖日期)	国际拳击联合会(国家;受奖日期)
N.米勒(美;1995-07-22) F.蒂奥佐(法;1997-11-08) V.希尔(美;2000-12-09) J.M.莫梅克(法;2002-02-03)	M.杜兰(意;1990-07-27) A.万巴(法;1991-07-20) M.多明格斯(阿根廷;1996-04-19) J.C.戈麦斯(古巴;1998-02-21) 2002 年放弃称号 W.布雷思韦特(圭亚那;2002-10-11)	A.华盛顿(美;1996-08-31) U.格兰特(美;1997-06-21) I.梅菲尔德(美;1997-11-08) A.威廉姆斯(美,1998-10-30) V.伊罗韦(哈萨克;1999-06-03) J.托尼(美;2003-04-26) 2003 年放弃称号 K.戴维斯(2004-05-01)

* 1982 年以前未超过 182 磅。† 次重量级的划分 1982 年首次被世界拳击协会承认。

世界轻重量级冠军(最重 175 磅*)

确认的冠军(国家;受奖日期)	世界拳击协会(国家;受奖日期)	世界拳击理事会(国家;受奖日期)	国际拳击联合会(国家;受奖日期)
J.罗特(奥;1903-04-22) G.加德纳(爱尔兰;1903-07-04) B.菲茨西蒙斯(美;1903-11-25) P.J.奥布赖恩(美;1905-12-20) 1912 年退休 J.狄龙(美;1914-04-28) B.莱文斯基(美;1916-10-24) G.卡庞捷(法;1920-10-12) B.西基、L.法尔(塞内加尔;1922-09-24) M.麦克蒂古(爱尔兰;1923-03-17) P.伯伦巴赫(美;1925-05-30) J.德莱尼(加拿大;1926-07-16) 1927 年放弃称号 T.洛克伦(美;1927-12-12) 1929 年放弃称号 M.罗森布卢姆(美;1932-07-14) B.奥林(美;1934-11-16) J.H.刘易斯(美;1935-10-31) 1939 年退休 M.贝蒂纳(美;1939-02-03) B.康恩(美;1939-07-13) 1941 年放弃称号 G.莱斯内维奇(美;1946-05-14) F.米尔斯(英;1948-07-26) J.马克西姆(美;1950-01-24) A.穆尔(美;1952-12-17) 1962 年被取消称号 H.约翰逊(美;1962-05-12) W.帕斯特拉诺(美;1963-06-01) J.托雷斯(波多黎各;1965-03-30) D.泰格(尼日利亚;1966-12-16) B.福斯特(美;1968-05-24) 1970 年被取消世界拳击协会冠军称号	V.朗登(委内瑞拉;1971-02-27) B.福斯特(美;1972-04-07) 1974 年退休 V.加林德斯(阿根廷;1974-12-07) M.罗斯曼(美;1978-09-15) V.加林德斯(阿根廷;1979-04-14) M.约翰逊(美;1979-11-30) E.格雷戈里(后改名 E.M.穆罕默德,美;1980-03-31) M.斯平克斯(美;1981-07-18) 1985 年放弃称号 M.约翰逊(美;1986-02-09) L.斯图尔特(特立尼达和多巴哥;1987-05-23) V.希尔(美;1987-09-05) T.赫恩斯(美;1991-06-03) I.巴克利(美;1992-03-21) 1992 年放弃称号 V.希尔(美;1992-09) D.米夏尔克策夫斯基(德;1997-06-03) 1997 年被取消称号 L.D.瓦莱(美;1997-09-20) R.琼斯(小)(美;1998-07-18) 2003 年放弃称号 S.布兰科(意;2003-10-10) F.蒂奥佐(法;2004-03-20)	B.福斯特(美;1968-05-24) 1974 年退休 J.康特(英;1974-10-01) 1977 年被取消称号 M.奎略(阿根廷;1977-05-21) M.帕尔洛夫(南斯拉夫;1978-01-07) M. 约翰逊(美;1978-12-02) M.富兰克林(后改名 M.S.穆罕默德,美;1979-04-22) D.布拉克斯顿(后改名 D.M.卡维,美;1981-12-19) M.斯平克斯(美;1983-03-18) 1985 年放弃称号 J.B.威廉森(美;1985-12-10) D.安德里斯(英;1986-04-30) T.赫恩斯(美;1987-03-07) 1988 年放弃称号 D.拉隆德(加拿大;1987-11-27) S.R.伦纳德(美;1988-11-07) 1987 年放弃称号 D.安德烈斯(英;1989-02-02) J.哈丁(澳;1989-06-24) D.安德烈斯(英;1990-07-08) J.哈丁(澳;1991-09-11) M.麦卡勒姆(牙买加;1994-07-23) F.蒂奥佐(法;1995-06-16) R.琼斯(小)(美;1996-11-23) M.格里芬(美;1997-03-31) R.琼斯(小)(美;1997-08-07) 2003 年放弃称号 A.塔弗(美;2003-04-26) R.琼斯(小)(美;2003-11-08) A.塔弗(美;2004-05-15)	S.卡查尔(南斯拉夫;1985-12-21) B.奇日(美;1986-09-06) C.威廉斯(美;1987-10-29) H.马斯克(德;1993-03-20) V.希尔(美;1996-11-23) D.米夏尔克策夫斯基(德;1997-06-03) 1997 年放弃称号 W.格斯里(美;1997-07-19) R.琼斯(小)(美;1999-06-05) 2002 年被取消称号 A.塔弗(美;2003-04-26) 2003 年放弃称号 G.约翰逊(美;2004-02-06)

* 原为英国比赛项目。

世界超中乙级冠军(最重 168 磅)

世界拳击协会*(国家;受奖日期)	世界拳击理事会 †(国家;受奖日期)	国际拳击联合会(国家;受奖日期)
朴钟发(韩;1987-12-06) F.奥贝尔梅亚斯(委内瑞拉;1988-05-23) 白仁哲(韩;1989-05-27) C.蒂奥佐(法;1990-03-30) V.科尔多瓦(巴拿马;1991-04-05) M.纳恩(美;1992-09-12) S.利特尔(美;1994-02-26) F.莱尔斯(美;1994-08-12) B.米切尔(美;1999-06-12)	S.R.伦纳德(美;1988-11-07) 1990 年放弃称号 M.加尔瓦诺(意;1990-12-15) N.本(英;1992-10-03) T.马林加(南非;1996-03-02) V.纳尔迪耶洛(意;1996-07-06) R.雷德(英;1996-10-12) T.马林加(南非;1997-12-19) R.伍德黑尔(英;1998-03-27)	M.萨瑟兰(英;1984-03-28) 朴钟发(韩;1984-07-22), 1987 年放弃称号 G.罗基贾尼(德;1988-03-12) 1989 年放弃称号 L.霍姆斯(美;1990-01-27) D.范霍恩(美;1991-05-18) I.巴利(美;1992-01-10) J.托尼(美;1993-02-13)

续表

世界拳击协会*(国家;受奖日期)	世界拳击理事会†(国家;受奖日期)	国际拳击联合会(国家;受奖日期)
B.吉拉尔(法;2000-04-08) 2001年被取消称号 B.米切尔(美;2001-03-03) S.奥特克(德;2003-03-15) 2004年被取消称号 M.西亚卡(波多黎各;2004-05-05)	M.拜尔(德;1999-10-23) G.卡特雷(英;2000-05-06) D.托比莱(南非;2000-09-01) D.希尔顿(加;2000-12-15) 2001年被取消称号 E.卢卡斯(加;2001-07-10) M.拜尔(德;2003-04-05) C.圣阿维亚(意;2004-06-05)	R.琼斯(小)(美;1994-11-18) 1997年放弃称号 C.布鲁尔(美;1997-06-21) S.奥特克(德;1998-10-24) 2004年放弃称号

* 超中乙级分级最初于1987年由世界拳击协会承认。† 超中乙级分级最初于1988年由世界拳击理事会承认。

世界中乙级冠军(最重160磅*)

确认的冠军(国家;受奖日期)	确认的冠军(国家;受奖日期)	确认的冠军(国家;受奖日期)	确认的冠军(国家;受奖日期)
J.登普西(美;1884-07-30) B.菲茨西蒙斯(英†;1891-01-14) 1895年放弃称号 T.瑞安(美;1898-10-24) 1907年退休 S.凯奇尔(美;1908-05-09) B.帕普克(美;1908-09-07) S.凯奇尔(美;1908-11-26) 死于1910年 G.奇普(美;1913-10-11) A.麦科伊(美;1914-04-06) M.奥多德(美;1917-11-14)	J.威尔逊(美;1920-05-06) H.格里布(美;1923-08-31) T.弗劳尔斯(美;1926-02-26) M.沃克(美;1926-12-03), 1931年放弃称号;称号仍有争议 T.扎尔(美;1941-11-28) R.格雷齐亚诺(美;1947-07-16) T.扎尔(美;1948-06-10) M.塞尔当(法;1948-09-21) J.拉莫塔(美;1949-06-16) S.R.鲁宾逊(美;1951-02-14) R.特平(英;1951-07-10)	S.R.鲁宾逊(美;1951-09-12) 1952～1954年退休 C.奥尔森(美;1953-10-21) S.R.鲁宾逊(美;1955-12-09) G.富尔默(美;1957-01-02) S.R.鲁宾逊(美;1957-05-01) C.巴西利奥(美;1957-09-23) S.R.鲁宾逊(美;1958-03-25),1959年被取消全国拳击协会(后改名世界拳击协会)冠军称号 D.泰格(R.伊赫图,尼日利亚;1963-08-10)	J.贾尔德洛(美;1963-12-07) D.泰格(尼日利亚;1965-10-21) E.格里菲思(美;1966-04-25) N.本韦努蒂(意;1967-04-17) E.格里菲思(美;1967-09-29) N.本韦努蒂(意;1968-03-04) C.蒙松(阿根廷;1970-11-07), 1974年被取消世界拳击理事会冠军称号

世界拳击协会(国家;受奖日期)	世界拳击理事会(国家;受奖日期)	国际拳击联合会(国家;受奖日期)
C.蒙松(阿根廷;1974-10-05) 1977年放弃称号 R.巴尔德斯(哥伦比亚;1977-11-05) H.科罗(阿根廷;1978-04-22) V.安图费莫(意;1979-06-30) A.明特(英;1980-03-16) M.哈格勒(美;1980-09-27) 1987年被取消称号 S.卡拉姆贝(意;1987-10-23) 1989年被取消称号 M.麦卡勒姆(牙买加;1989-05-13) 1991年被取消称号 R.约翰逊(美;1992-04-22) J.D.杰克逊(美;1993-10-02) 1994年被取消称号 J.卡斯特罗(阿根廷;1994-08-12) 竹源申二(日;1995-12-19) W.约佩(美;1996-06-24) J.C.格林(多米尼加;1997-08-23) W.约佩(美;1998-01-31) F.特立尼达(波多黎各;2001-05-13) B.霍普金斯(美;2001-09-29) B.霍普金斯(美;2003-12-13)	R.巴尔德斯(哥伦比亚;1974-05-24) C.蒙松(阿根廷;1976-06-26) 1977年放弃称号 R.巴尔德斯(哥伦比亚;1977-11-05) H.科罗(阿根廷;1978-04-22) V.安图费莫(意;1979-06-30) A.明特(英;1980-03-16) M.哈格勒(美;1980-09-27) S.R.伦纳德(美;1987-04-06) 1987年放弃称号 T.赫恩斯(美;1987-10-29) I.巴克利(美;1988-06-06) R.杜兰(巴拿马;1989-02-24) 1990年被取消称号 J.杰克逊(美;1990-11-24) G.麦克莱伦(美;1993-05-08) 从缺 J.杰克逊(美;1995-03-17) Q.泰勒(美;1995-08-19) K.霍姆斯(美;1996-03-16) H.谢里菲(法;1998-05-02) K.霍姆斯(美;1999-04-24) B.霍普金斯(美;2001-04-14)	M.哈格勒(美;1983-05-27) 1987年放弃称号 F.泰特(美;1987-10-10) M.纳恩(美;1988-07-28) J.托尼(美;1991-05-10) 1993年放弃称号 R.琼斯(美;1993-05-22) 1994年放弃称号 B.霍普金斯(美;1995-04-29)

* 1915年以前未超过158磅。† 后成为美国公民。

世界次中乙级冠军(又称超中丙级,最重154磅)

世界拳击协会(国家;受奖日期)	世界拳击协会(国家;受奖日期)	世界拳击理事会(国家;受奖日期)	国际拳击联合会(国家;受奖日期)
D.莫耶(美;1962-10-20) R.杜帕斯(美;1963-04-29) S.马津吉(意;1963-09-07) N.本韦努蒂(意;1965-06-18) 金基淑(韩;1966-06-25) S.马津吉(意;1968-05-25) 1969年被取消称号	F.利特尔(美;1969-03-17) C.博西(意;1970-07-09) 轮岛功(日;1971-10-31) O.阿尔巴拉多(美;1974-06-03) 轮岛功(日;1975-01-21) 柳戴度(韩;1975-06-07) 轮岛功(日;1976-02-17)	M.德·奥利维拉(巴西;1975-05-07) E.奥贝德(巴哈马群岛;1975-11-13) E.达格(西德;1976-06-18) R.马蒂奥利(意;1977-08-06) M.霍普(英;1979-03-04)	M.梅达尔(美;1984-03-11) C.桑托斯(波多黎各;1984-11-02) B.德雷顿(美;1986-06-04) M.希尔顿(加拿大;1987-06-27) R.海因斯(美;1988-11-04) D.范霍恩(美;1989-02-04)

续表

世界拳击协会(国家;受奖日期)	世界拳击协会(国家;受奖日期)	世界拳击理事会(国家;受奖日期)	国际拳击联合会(国家;受奖日期)
J.杜兰(西班牙;1976-05-18) M.卡斯特利尼(阿根廷;1976-10-08) E.加佐(尼加拉瓜;1977-03-05) 工藤真志(日;1978-08-09) A.卡鲁勒(丹;1979-10-24) S.R.伦纳德(美;1981-06-25) 1981年放弃称号 三原忠(日;1981-11-07) D.穆尔(美;1982-02-02) R.杜兰(巴拿马;1983-06-16) 1984年放弃称号 M.麦卡勒姆(牙买加;1984-10-19),1987年放弃称号 J.杰克逊(美;1987-11-21) 1990年放弃称号 G.德勒(法;1991-02-23) V.帕齐恩亚(美;1991-10-11) 1992年放弃称号 J.C.巴斯克斯(阿根廷;1992-12-22) P.惠特克(美;1995 03 04) 1995年放弃称号	C.丹尼尔斯(美;1995-06-16) J.C.巴斯克斯(阿根廷;1995-12-16) L.布杜阿尼(法;1996-08-21) D.里德(美;1999-03-06) F.特林达德(波多黎各;2000-03-03) 2001年放弃称号 F.巴尔加斯(美;2001-09-22) S.萨马涅戈(巴拿马;2002-08-10) O.霍亚(美;2002-09-14) S.莫斯利(美;2003-09-13) R.赖特(美;2004-03-13)	W.贝尼特斯(波多黎各;1981-05-03) T.赫恩斯(美;1982-12-03) 1986年放弃称号 D.托马斯(美;1986-12-05) L.阿基诺(墨西哥;1987-07-12) G.罗西(意;1987-10-02) D.柯里(美;1988-07-08) R.雅科(法;1989-02-11) J.穆加比(乌干达;1989-07-08) T.诺里斯(美;1990-03-31) S.布朗(美;1993-12-18) T.诺里斯(美;1994-05-07) L.桑塔纳(多米尼加;1994-11-12) T.诺里斯(美;1995-08-19) K.马林斯(美;1997-12-06) J.卡斯蒂列霍(西班牙;1999-01-29) O.霍亚(美;2001-06-23) S.莫斯利(美;2003-09-13) R.赖特(美;2004-03-13)	G.罗西(意;1989-07-16) V.佩特韦(美;1994-09-17) P.瓦登(美;1995-08-12) T.诺里斯(美;1995-12-16) 1997年放弃称号 R.马奎兹(美;1997-04-12) Y.B.坎帕斯(墨;1997-12-06) F.巴尔加斯(美;1998-12-12) F.特林达德(波多黎各;2000-12-02) 2001年放弃称号 R.赖特(美;2001-10-12) 2004年被取消称号 V.菲利普斯(2004-06-05)

* 获临时拳王头衔,在O.霍亚获胜后仍保持世界冠军。

世界中丙级冠军(最重147磅*)

确认的冠军(国家;受奖日期)	确认的冠军(国家;受奖日期)	世界拳击协会(国家;受奖日期)	世界拳击理事会(国家;受奖日期)	国际拳击联合会(国家;受奖日期)
P.达菲(美;1888-10-30) 死于1890年 M.B.史密斯(美;1892-12-14) T.瑞安(美;1894-07-26) 1898年放弃称号 M.B.史密斯(美;1898-08-25) J.费恩斯(美;1900-01-15) M.马修斯(美;1900-10-16) J.费恩斯(美;1901-05-24) J.沃尔科特(巴巴多斯;1901-12-18),1904年起称号仍有争议 T.刘易斯(英;1915-08-31) J.布里顿(美;1916-04-24) T.刘易斯(英;1917-06-25) J.布里顿(美;1919-03-17) M.沃克(美;1922-11-01) P.拉特佐(美;1926-05-20) J.邓德(美;1927-06-03) 1928年被取消全国拳击协会(后改名世界拳击协会)冠军称号 J.菲尔兹(美;1929-07-25) Y.J.汤普森(美;1930-05-09) T.弗里曼(美;1930-09-05) Y.J.汤普森(美;1931-04-14) L.布鲁尔拉德(加拿大;1931-10-23) J.菲尔兹(美;1932-01-28)	Y.科贝特Ⅲ(R.乔达诺,美;1933-02-22) J.麦克拉宁(加拿大;1933-05-29) B.罗斯(美;1934-05-28) J.麦克拉宁(加拿大;1934-09-17) B.罗斯(美;1935-05-28) H.阿姆斯特朗(美;1938-05-31) F.齐维克(美;1940-10-04) F.科克伦(美;1941-07-29) M.塞沃(美;1946-02-01) 1946年退休 S.R.鲁宾逊(美;1946-12-20),1951年放弃称号 K.加维兰(古巴;1951-05-18) J.萨克斯顿(美;1954-10-20) T.德马科(美;1955-04-01) C.巴西利奥(美;1955-06-10) J.萨克斯顿(美;1956-03-14) C.巴西利奥(美;1956-09-12),1957年放弃称号 V.艾金斯(美;1958-06-06) D.乔丹(美;1958-12-05) B.帕雷特(古巴;1960-05-27) E.格里菲思(美;1961-04-	A.埃斯帕达(波多黎各;1975-06-28) P.奎瓦斯(墨西哥;1976-07-17) T.赫恩斯(美;1980-08-02) S.R.伦纳德(美;1981-09-16),1982年退休 D.柯里(美;1983-02-13) L.霍尼汉(英;1986-09-27),1986年放弃称号 M.布里兰(美;1987-02-06) M.斯塔林(美;1987-08-22) T.莫利纳里斯(哥伦比亚;1988-07-29) 1988年放弃称号 M.布里兰(美;1989-02-04) A.戴维斯(美;1990-07-08) M.泰勒(美;1991-01-19) C.埃斯帕尼亚(委内瑞拉;1992-10-31) I.夸泰(加纳;1994-06-04) 1998年被取消称号 J.佩奇(美;1998-10-10) 2000年被取消称号 A.路易斯(圭亚那;2001-02-17) R.马约尔加(尼加拉瓜;2002-03-30) C.斯平克斯(美;2003-12-13)	J.斯特拉西(英;1975-12-06) C.帕洛米诺(美;1976-06-22) W.贝尼特兹(波多黎各;1979-01-14) S.R.伦纳德(美;1979-11-30) R.杜兰(巴拿马;1980-06-20) S.R.伦纳德(美;1980-11-25),1982年退休 M.麦克罗里(美;1983-08-13) D.柯里(美;1985-12-06) L.霍尼汉(英;1986-09-27) J.瓦卡(墨西哥;1987-10-28) L.霍尼汉(英;1988-03-29) M.斯塔林(美;1989-02-04) M.布洛克尔(美;1990-08-19) S.布朗(牙买加;1991-03-18) J.麦吉尔特(美;1991-11-29) P.惠特克(美;1993-03-06) O.霍亚(美;1997-04-12) F.特立尼达(波多黎各;1999-09-18)	D.柯里(美;1984-02-04) L.霍尼汉(英;1986-09-27),1987年被取消称号 S.布朗(牙买加;1988-04-23),1991年放弃称号 M.布洛克尔(美;1991-10-04) F.特立尼达(波多黎各;1993-06-19) 2000年放弃称号 V.福里斯特(美;2001-05-13) 2001年被取消称号 M.皮奇里洛(意;2002-04-13) C.斯平克斯(美;2003-03-22)

续表

确认的冠军(国家;受奖日期)	确认的冠军(国家;受奖日期)	世界拳击协会(国家;受奖日期)	世界拳击理事会(国家;受奖日期)	国际拳击联合会(国家;受奖日期)
01) B.帕雷特(古巴;1961-09-03) E.格里菲思(美;1962-03-24) L.罗德里格兹(古巴;1963-03-21) E.格里菲思(美;1963-06-08),1966年放弃称号	C.科克斯(美;1966-11-28) J.纳布莱斯(墨西哥;1969-04-18) B.巴克斯(美;1970-12-03) J.纳布莱斯(墨西哥;1971-06-04),1975年被取消世界拳击协会冠军称号		2000年放弃称号 O.霍亚(美;2000-03-20) S.莫斯利(美;2000-06-17) V.福里斯特(美;2002-01-26) R.马约尔加(尼加拉瓜;2003-01-25) C.斯平克斯(美;2003-12-13)	

* 约1909年以前未超过145磅。

世界中丁级(又称超轻甲级)冠军(最重140磅)

确认的冠军(国家;受奖日期)	世界拳击协会(国家;受奖日期)	世界拳击理事会(国家;受奖日期)	国际拳击联合会(国家;受奖日期)
M.米切尔(美;1922-11-15*) M.卡拉汉(美;1926-09-21) J.伯格(英;1930-02-18) T.坎佐内里(美;1931-04-24) J.杰迪克(美;1932-01-18) B.肖(墨;1933-02-20) T.坎佐内里(美;1933-05-21) B.罗斯(美;1933-06-23) 1935年放弃称号;冠军从缺 T.拉金(美;1946-04-29) 1946年起冠军从缺 C.奥尔蒂斯(波多黎各;1959-06-12) D.洛伊(意;1960-09-01) E.珀金斯(美;1962-09-14) D.洛伊(意;1962-12-15) 1963年退休 E.珀金斯(美;1963-06-15) C.埃尔南德兹(委内瑞拉;1965-01-18) S.罗波波洛(意;1966-04-29) P.T.富吉(美;1967-04-30)	N.洛什(阿根廷;1968-12-12) A.弗雷泽(巴拿马;1972-03-10) A.塞万提斯(哥伦比亚;1972-10-28) W.贝尼特斯(波多黎各;1976-03-06),1976年被取消称号 A.塞万提斯(哥伦比亚;1977-06-25) A.普赖尔(美;1980-08-02) 1983年退休 J.邦斐斯(美;1984-01-22) G.哈什(美;1984-06-01) U.萨科(阿根廷;1985-07-21) P.奥利瓦(意;1986-03-15) J.M.科吉(阿根廷;1987-07-04) L.加尔扎(美;1990-08-17) E.罗萨里奥(波多黎各;1991-06-15) 平中秋信(日;1992-04-10) M.伊斯特(菲;1992-09-09) J.M.科吉(阿根廷;1993-01-12) F.兰德尔(美;1994-09-11) J.M.科吉(阿根廷;1996-01-13) F.兰德尔(美;1996-08-16) K.拉加卢(法;1997-11-01) S.米切尔(美;1998-10-10) K.茨兹尤(澳;2001-02-03) V.哈里斯(圭亚那;2002-10-19)	P.阿迪格(菲;1968-12-14) B.阿尔卡里(意;1970-01-31) 1974年放弃称号 P.费尔南德斯(西班牙;1974-09-21) S.孟苏林(泰;1975-07-15) M.贝拉斯克斯(西班牙;1976-06-30) S.孟苏林(泰;1976-10-29) 金声云(韩;1978-12-30) S.曼比(美;1980-02-23) L.哈利(美;1982-06-26) B.柯里(美;1983-05-18) B.科斯特洛(美;1984-01-29) L.史密斯(美;1985-08-21) R.阿雷东多(墨;1986-05-06) 滨田刚(日;1986-07-24) R.阿雷东多(墨;1987-07-22) R.迈韦瑟(美;1987-11-12) J.C.查韦斯(墨;1989-05-13) F.兰德尔(美;1994-01-29) J.C.查韦斯(墨;1994-05-07) O.霍亚(美;1996-06-07) 1997年放弃称号 K.茨兹尤(澳;1999-08-21) 2003年放弃称号 A.加蒂(加;2004-01-24)	A.普赖尔(美;1984†) 1985年被取消称号 G.欣顿(美;1986-04-26) J.L.曼利(美;1986-10-30) T.马什(英;1987-03-04) 1987年放弃称号 J.麦吉尔特(美;1988-02-14) M.泰勒(美;1988-09-03) J.C.查韦斯(墨;1990-03-17) 1991年放弃称号 R.皮内达(哥伦比亚;1991-12-07) P.惠特克(美;1992-07-18) 1993年放弃称号 C.默里(美;1993-05-15) J.穆勒(美;1996-06-22) K.茨兹尤(澳;1999-01-28) V.菲利普斯(美;1997-05-31) T.米利特(美;1999-02-20) 2000年被取消称号 Z.朱达(美;2000-02-12) K.茨兹尤(澳;2001-11-03)

* 由《拳击人物》杂志所做的民意投票而确定的冠军。† 由国际拳击联合会承认的冠军。

世界轻甲级冠军(最重135磅*)

确认的冠军(国家;受奖日期)	世界拳击协会	世界拳击理事会(国家;受奖日期)	国际拳击联合会(国家;受奖日期)
G.拉维涅(美;1896-06-01) F.厄恩(美;1899-07-03) J.甘斯(美;1902-05-12) B.纳尔逊(美;1908-07-04) A.沃尔加斯特(美;1910-02-22) W.里奇(美;1912-11-28) F.韦尔什(英;1914-07-07) B.伦纳德(美;1917-05-28) 1925年退休 J.古德里奇(美;1925-07-13) R.坎萨斯(美;1925-12-07) S.曼德尔(美;1926-07-03)	K.布坎南(英;1970-09-26) R.杜兰(巴拿马;1972-06-26) 1979年放弃称号 E.埃斯帕尼亚(委内瑞拉;1979-06-16) H.肯蒂(美;1980-03-02) S.奥格雷迪(美;1981-04-12) 1981年被取消称号 C.诺埃尔(特立尼达;1981-09-12) A.弗里亚斯(美;1981-12-05) R.曼西尼(美;1982-05-08)	R.冈萨雷斯(墨;1972-11-10) 铃木石松(日;1974-04-11) E.德杰苏斯(波多黎各;1976-05-08) R.杜兰(巴拿马;1978-01-21) 1979年放弃称号 J.瓦特(英;1979-04-17) A.阿圭略(尼加拉瓜;1981-06-20) 1983年放弃称号 E.罗萨里奥(波多黎各;1983-05-01) J.L.拉米雷斯(墨;1984-11-03)	C.布朗(美;1984-01-30) H.阿罗约(美;1984-04-15) J.保罗(美;1985-04-06) G.豪根(美;1986-12-06) V.帕齐恩亚(美;1987-06-07) G.豪根(美;1988-02-06) P.惠特克(美;1989-02-20) 1992年放弃称号 F.彭德尔顿(美;1993-01-10) R.鲁埃拉斯(美;1994-02-19) O.霍亚(美;1995-05-06) 1995年放弃称号

续表

确认的冠军(国家;受奖日期)	世界拳击协会	世界拳击理事会(国家;受奖日期)	国际拳击联合会(国家;受奖日期)
A.辛格(美;1930-07-17) T.坎佐内里(美;1930-11-14) B.罗斯(美;1933-06-23) 1933年放弃称号 T.坎佐内里(美;1935-05-10) L.安伯斯(美;1936-09-03) H.阿姆斯特朗(美;1938-08-17) L.安伯斯(美;1939-08-22) L.詹金斯(美;1940-05-10) S.安古特(美;1941-12-19) 1942年退休 I.威廉斯(美;1947-08-04) J.卡特(美;1951-05-25) L.萨拉斯(墨;1952-05-14) J.卡特(美;1952-10-15) P.德马科(美;1954-03-05) J.卡特(美;1954-11-17) W.史密斯(美;1955-06-29) J.布朗(美;1956-08-24) C.奥尔蒂斯(波多黎各;1962-04-21) I.拉古纳(巴拿马;1965-04-10) C.奥尔蒂斯(波多黎各;1965-11-13) C.T.克鲁斯(多米尼加共和国;1968-06-29) A.拉莫斯(美;1969-02-18) I.拉古纳(巴拿马;1970-03-03) 1970年被取消世界拳击理事会冠军称号	L.布拉姆布尔(维尔京群岛;1984-06-01) E.罗萨里奥(波多黎各;1986-09-26) J.C.查韦斯(墨;1987-11-21) 1989年放弃称号 E.罗萨里奥(波多黎各;1989-07-09) J.纳扎里奥(波多黎各;1990-04-04) P.惠特克(美;1990-08-11) 1992年放弃称号 J.加马什(美;1992-06-13) T.洛佩斯(美;1992-10-24) D.托贝拉(南非;1993-06-26) O.纳扎罗夫(俄;1993-10-30) J-B.门蒂(法;1998-05-16) J.洛尔西(法;1999-04-10) S.佐夫(意;1999-08-07) G.塞拉诺(委内瑞拉;1999-11-13) 高德畠冈(日;2000-06-11) J.洛尔西(法;2001-07-01) R.巴尔维(阿根廷;2001-10-08) L.多林(罗;2002-01-05) 2003年被取消称号 L.西木(蒙古;2004-04-10) J.迪亚斯(美;2004-07-17)	H.卡马乔(波多黎各;1985-08-10) 1987年被取消称号 J.L.拉米雷斯(墨;1987-07-19) J.C.查韦斯(墨;1988-10-29) 1989年放弃称号 P.惠特克(美;1989-08-20) 1992年放弃称号 M.冈萨雷斯(墨;1992-08-24) 1996年放弃称号 J-M.门蒂(法;1996-04-20) S.约翰逊(美;1997-03-01) C.巴赞(墨;1998-06-13) S.约翰逊(美;1999-02-27) J.L.卡斯蒂略(墨;2000-06-17) F.梅韦瑟(美;2002-04-20) 2004年放弃称号 J.L.卡斯蒂略(墨;2004-06-05)	P.霍利迪(南非;1995-08-19) S.莫斯利(美;1997-08-02) 1999年放弃称号 P.斯帕达福拉(美;1999-08-20) 2003年放弃称号 J.豪雷吉(墨;2003-11-22) J.迪亚斯(美;2004-05-13)

* 1912年以前通常为133磅,但有时高达140磅。

世界次轻甲级(又称超轻乙级)冠军(最重130磅)

确认的冠军(国家;受奖日期)	世界拳击协会(国家;受奖日期)	世界拳击理事会(国家;受奖日期)	国际拳击联合会(国家;受奖日期)
J.邓迪(美;1921-11-18) J.伯恩斯坦(美;1923-05-30) J.邓迪(美;1923-12-17) S.沙利文(美;1924-06-20) M.巴列里诺(美;1925-04-01) T.摩根(美;1925-12-02) B.巴斯(美;1929-12-20) K.乔科莱特(E.撒丁尼亚斯,古巴;1931-07-15) F.克利克(美;1933-12-25) 1934年起冠军从缺 S.萨德勒(美;1949-12-06) 1951年起冠军从缺 H.戈梅斯(美;1959-07-20) G.埃洛尔德(菲;1960-03-16) 沼田嘉明(日;1967-06-15) 小林弘(日;1967-12-14) 1969年被取消世界拳击理事会冠军称号	A.马卡诺(委内瑞拉;1971-07-29) B.维拉弗洛尔(菲;1972-04-25) 柴田国明(日;1973-03-12) B.维拉弗洛尔(菲;1973-10-17) S.塞拉诺(波多黎各;1976-10-16) 上原康常(日;1980-08-02) S.塞拉诺(波多黎各;1981-04-09) R.梅韦瑟(美;1983-01-19) R.洛克里奇(美;1984-02-26) W.戈梅斯(波多黎各;1985-05-19) A.莱内(巴拿马;1986-05-24) B.米切尔(南非;1986-09-27) 1991年放弃称号 J.加马什(美;1991-06-28) 1991年放弃称号 G.埃尔南德斯(美;1991-11-22) 1995年放弃称号 崔永洙(韩;1995-10-21) 高德畠冈(日;1998-09-05) L.西木(蒙古;1999-06-27) 郑权柏(韩;1999-10-31) J.卡萨马约(古巴;2000-05-21) A.弗雷塔斯(巴西;2002-01-12)	R.巴里恩托斯(菲;1969-02-15) 沼田嘉明(日;1970-04-05) R.阿雷东多(墨;1971-10-10) 柴田国明(日;1974-02-28) A.埃斯卡勒拉(波多黎各;1975-07-05) A.阿圭略(尼加拉瓜;1978-01-28),1980年放弃称号 R.利蒙(墨;1980-12-11) C.博扎-埃德华兹(乌干达;1981-03-08) R.纳瓦雷特(菲;1981-08-29) R.利蒙(墨;1982-05-29) B.查康(美;1982-12-11) 1983年被取消称号 H.卡马乔(美;1983-08-07) 1984年放弃称号 J.C.查韦斯(墨;1984-09-13) 从缺 A.纳尔逊(加纳;1988-02-29) J.J.莱亚(古巴;1995-09-02) G.鲁埃拉斯(美;1994-09-17) A.纳尔逊(圭亚那;1995-12-01) G.埃尔南德斯(美;1997-03-22) F.梅韦瑟(美;1998-10-03) 2002年从缺 S.辛玛纳斯素克(泰;2002-08-24) J.查韦斯(墨;2003-08-15) E.莫拉莱斯(墨;2004-02-28)	奥焕吉(韩;1984-04-02) L.埃利斯(澳;1985-02-15) B.迈克尔(澳;1985-07-12) R.洛克里奇(美;1987-08-09) T.洛佩斯(美;1988-07-27) J.莫利纳(波多黎各;1989-10-07) T.洛佩斯(美;1990-05-20) B.米切尔(南非;1991-09-13) 1992年放弃称号 J.莫利纳(波多黎各;1992-02-22) 从缺 E.霍普森(美;1995-04-22) T.帕特森(美;1995-07-09) A.加蒂(美;1995-12-15) 1998年放弃称号 R.加西亚(美;1998-03-13) D.科拉莱斯(美;1999-10-23) 2000年放弃称号 S.福布斯(美;2000-12-03) 2002年被取消称号 C.埃尔南德斯(萨尔瓦多;2003-02-01) E.莫拉莱斯(墨;2004-07-31)

世界轻乙级冠军(最重 126 磅*)

确认的冠军(国家;受奖日期)	世界拳击协会(国家;受奖日期)	世界拳击理事会(国家;受奖日期)	国际拳击联合会(国家;受奖日期)
B. 墨菲(新西兰;1890-01-13) Y. 格里福(澳;1890-02-02) 从缺 G. 狄克逊(加;1892-06-27) S. 史密斯(美;1897-10-04) D. 沙利文(英;1898-09-26) G. 狄克逊(加;1898-11-11) T. 麦戈文(美;1900-01-19) Y. 科贝特(美;1901-11-28) J. 布里特(美;1904-03-25) 1904 年冠军从缺 T. 沙利文(美;1904-10-13) 1905 年起冠军从缺 A. 阿蒂尔(美;1906-02-22) J. 基尔班(美;(1912-02-22) E. 克里基(法;1923-06-02) J. 邓迪(美;1923-07-26) 1924 年放弃称号 L. 卡普兰(美;1925-01-02) 1926 年放弃称号 T. 坎佐内里(美;1927-10-24) A. 卢迪(法;1928-09-28) B. 巴塔利诺(美;1929-09-23) 1932 年放弃称号 H. 阿姆斯特朗(美;1937-10-29) 1938 年放弃称号 J. 阿奇博尔德(美;1939-04-18) H. 杰弗拉(美;1940-05-20) J. 阿奇博尔德(美;1941-05-12) C. 赖特(美;1941-09-11) W. 佩普(美;1942-11-20) S. 萨德勒(美;1948-10-29) W. 佩普(美;1949-02-11) S. 萨德勒(美;1950-09-08) 1957 年退休 H. 巴塞(尼日利亚;1957-06-24) D. 穆尔(美;1959-03-18) S. 拉莫斯(古巴;1963-03-21) V. 萨尔迪瓦(墨;1964-09-26) 1967 ～ 1970 年退休	R. 罗哈斯(美;1968-03-28) 西城正三(日;1968-09-28) A. 戈梅斯(委内瑞拉;1971-09-02) E. 马塞尔(巴拿马;1972-08-19) 1974 年退休 R. 奥利瓦雷斯(墨;1974-07-09) A. 阿圭略(尼加拉瓜;1974-11-23) 1976 年放弃称号 R. 奥尔特加(巴拿马;1977-01-15) C. 拉斯特拉(西班牙;1977-12-17) E. 佩德罗扎(巴拿马;1978-04-15) B. 麦圭根(北爱尔兰;1985-06-08) S. 克鲁兹(美;1986-06-23) A. 埃斯帕拉戈扎(委内瑞拉;1987-03-06) 朴勇均(韩;1991-03-30) E. 罗哈斯(委内瑞拉;1993-12-04) W. 巴斯克斯(波多黎各;1996-05-18) 1998 年放弃称号 F. 诺伍德(美;1998-04-03) 1998 年被取消称号 A. 塞梅尼奥(委内瑞拉;1998-10-03) F. 诺伍德(美;1999-05-29) D. 盖纳(美;2000-09-09) J.M. 马奎兹(墨;2003-11-01)	J. 莱格拉(古巴;1968-07-24) J. 法梅雄(澳;1969-01-21) V. 萨尔迪瓦(墨;1970-05-09) 柴田国明(日;1970-12-11) C. 桑切斯(墨;1972-05-19) J. 勒格拉(西班牙;1972-12-16) E. 霍夫雷(巴西;1973-05-05) 1974 年被取消称号 B. 查康(美;1974-09-07) R. 奥利瓦雷斯(墨;1975-06-20) D. 科特(加纳;1975-09-20) D. 洛佩斯(美;1976-11-05) S. 桑切斯(墨;1980-02-02) 死于 1982 年 J. 拉波特(波多黎各;1982-09-15) W. 戈梅斯(波多黎各;1984-03-31) A. 纳尔逊(加纳;1984-12-08) 1988 年放弃称号 J. 费内奇(澳;1988-03-07) 1990 年放弃称号 M. 比利亚萨纳(墨;1990-06-02) P. 霍金森(英;1991-11-13) G. 瓦尔加斯(墨;1993-04-28) K. 凯利(美;1993-12-04) A. 冈萨雷斯(墨;1995-01-07) M. 梅迪纳(墨;1995-09-23) L. 埃斯皮诺萨(菲;1995-12-11) C. 索托(墨;1999-05-15) N. 哈米德(英;1999-10-22) 1999 被取消称号 G. 埃斯帕达斯(墨;2000-04-14) E. 莫拉莱斯(墨;2001-02-17) M.A. 巴雷拉(墨;2002-06-22) 未授予头衔;宣布从缺 E. 莫拉莱斯(墨;2002-11-16) 2004 年放弃称号 陈仁真(韩;2004-04-10)	吴民权(韩;1984-03-04) 郑基永(韩;1985-11-29) A. 里韦拉(波多黎各;1986-08-30) C. 格罗夫(美;1988-01-23) J. 派斯(墨;1988-08-04) 1991 年放弃称号 T. 多尔西(美;1991-06-03) M. 梅迪纳(墨;1991-08-12) T. 约翰逊(美;1993-02-26) N. 哈米德(美;1997-02-08) 1997 年放弃称号 H. 利萨拉加(美;1997-12-13) M. 梅迪纳(墨;1998-04-24) P. 英格尔(英;1999-11-13) M. 博蒂勒(南非;2000-12-16) F. 托莱多(美;2001-04-06) M. 梅迪纳(墨;2001-11-16) J. 塔皮亚(美;2002-04-27) 2002 年 10 月 1 日被取消称号 J.M. 马奎兹(墨;2003-02-01)

*1901 年以前重量介于 115 和 122 磅之间。

世界次轻乙级(又称超轻丙级)冠军(最重 122 磅*)

世界拳击协会(国家;受奖日期)	世界拳击理事会(国家;受奖日期)	国际拳击联合会(国家;受奖日期)
洪舒元(韩;1977-11-26) R. 卡尔多纳(哥伦比亚;1978-05-07) L. 伦道夫(美;1980-05-04) S. 帕尔马(阿根廷;1980-08-09) L. 克鲁斯(多米尼加共和国;1982-06-12) L. 斯泰卡(意;1984-02-22) V. 卡勒亚斯(波多黎各;1984-05-26) 1986 年被取消称号 L. 埃斯皮诺扎(美;1987-01-16) J. 格瓦索(多米尼加共和国;1987-11-28) B. 皮南戈(委内瑞拉;1988-03-05) J.J. 埃斯特拉达(墨;1988-05-28) J. 萨卢德(美;1989-12-11) 1990 年被取消称号 L. 门多萨(哥伦比亚;1990-09-11)	R. 里亚斯科(巴拿马;1976-04-03) 小林和男(日;1976-10-10) 允东钧(韩;1976-11-24) W. 戈梅斯(波多黎各;1977-05-21) 1983 年放弃称号 J. 加尔扎(美;1983-06-15) J. 梅扎(墨;1984-11-03) G. 平托尔(墨;1985-08-18) S. 帕亚卡隆(泰;1986-01-18) J. 费内奇(澳;1987-05-08) D. 扎拉戈萨(墨;1988-02-29) P. 班克(美;1990-04-23) P. 德西玛(阿根廷;1990-11-05) 畑中(日;1991-02-03) D. 扎拉戈萨(墨;1991-06-14)	B. 伯纳(菲律宾;1983-12-04) 徐承日(韩;1984-04-15) 金治元(韩;1985-01-03) 从缺 李治熏(韩;1987-01-18),1988 年放弃称号 J. 萨纳夫里亚(委内瑞拉;1988-05-21) F. 贝尼舒(法;1989-03-10) W. 恩基塔(南非;1990-03-10) K. 麦金尼(美;1992-12-02) V. 本古(南非;1994-08-20) 1999 年放弃称号 L. 莱德瓦巴(南非;1999-05-29) M. 帕克奥(菲;2001-06-23) 2004 年放弃称号 I. 巴斯克斯(墨;2004-03-25)

续表

世界拳击协会(国家;受奖日期)	世界拳击理事会(国家;受奖日期)	国际拳击联合会(国家;受奖日期)
R. 佩雷斯(墨;1991-10-07) W. 瓦斯凯(波多黎各;1992-03-27) A. 塞梅尼奥(委内瑞拉;1995-05-13) 1997 年放弃称号 E. 桑切斯(墨;1998-02-08) 从缺 N. 加鲁扎(墨;1998-12-12) C. 阿达姆斯(美;2000-03-04) 2001 年被取消称号 Y. 奥尔特加(委内瑞拉;2001-11-17) Y. 西特裕德通(泰;2002-02-21) 佐藤秋(日;2002-05-18) S. 梅德日库恩(法;2002-10-09) M. 蒙什普(法;2003-07-04)	T. 雅各布(法;1992-03-20) T. 帕特森(美;1992-06-23) H.A -桑切斯(美;1994-08-26) D. 萨拉戈萨(墨;1995-11-06) E. 莫瑞勒斯(墨;1997-09-06) 2000 年放弃称号 W.尤里尼(美;2000-09-09) O. 拉里奥斯(墨;2002-11-01)	

* 重量分级最初仅被世界拳击理事会承认。

世界轻丙级冠军(最重 118 磅*)

确认的冠军(国家;受奖日期)	世界拳击协会(国家;受奖日期)	世界拳击理事会(国家;受奖日期)	国际拳击联合会(国家;受奖日期)
T. 麦戈文(美;1899-09-12),1900 年放弃称号 H. 哈里斯(美;1901-03-18),1901 年放弃称号 H. 福布斯(美;1901-04-02) F. 尼尔(美;1903-08-13) J. 鲍克(英;1904-10-17) 1905 年放弃称号;称号仍有争议 K. 威廉斯(美;1914-06-09) P. 赫尔曼(美;1917-01-09) J. 林奇(美;1920-12-22) P. 赫尔曼(美;1921-07-25) J. 巴夫(美;1921-09-23) J. 林奇(美;1922-07-10) A. 戈尔茨坦(美;1924-03-21) E. 马丁(美;1924-12-19) C. 罗森堡(美;1925-03-20) 1927 年被取消称号;称号仍有争议 P.A. 布朗(巴拿马;1929-06-18) 1934 年被取消全国拳击协会(后改名世界拳击协会)冠军称号;称号仍有争议 S. 埃斯科瓦尔(波多黎各;1936-08-31) H. 杰弗拉(美;1937-09-23) S. 埃斯科瓦尔(波多黎各;1938-02-20) 1939 年放弃称号 L. 萨利卡(美;1941-01-13) M. 奥尔蒂斯(美;1942-08-07) H. 达德(美;1947-01-06) M. 奥尔蒂斯(美;1947-03-11) V. 托尔(南非;1950-05-31) J. 卡拉瑟斯(澳;1952-11-15) 1954 年退休;称号仍有争议 A. 哈利米(阿尔及利亚;1957-11-06) J. 贝塞拉(墨;1959-07-08)1961 年退休 E. 霍夫雷(巴西;1962-01-18) 原田正彦(日;1965-05-17) L. 罗斯(澳;1968-02-26) R. 奥利瓦雷斯(墨;1969-08-22) C. 卡斯蒂略(墨;1970-10-16) R. 奥利瓦雷斯(墨;1971-04-03) R. 埃雷拉(墨;1972-03-19) E. 平德(巴拿马;1972-07-30) 1972 年被取消世界拳击理事会冠军称号	R. 阿纳亚(墨;1973-01-20) A. 泰勒(南非;1973-11-03) 洪舒元(韩;1974-07-03) A. 萨莫拉(墨;1975-03-14) J. 卢汉(巴拿马;1977-11-19) J. 索利斯(波多黎各;1980-08-29) J. 钱德勒(美;1980-11-14) R. 桑多瓦尔(美;1984-04-07) G. 卡尼扎莱斯(美;1986-03-10) B. 皮南戈(委内瑞拉;1986-06-04)1987 年放弃称号 宅山六车(日;1987-03-29) 朴詹荣(韩;1987-05-24) W. 巴斯克斯(波多黎各;1987-10-04) K. 加拉克西(泰;1988-05-09) 文松基(韩;1988-08-14) K. 加拉克西(泰;1989-07-09) L. 埃斯皮诺萨(菲;1989-10-18) I. 孔特雷拉斯(委内瑞拉;1991-10-19) E. 库克(美;1992-03-15) E. 胡利奥(哥伦比亚;1992-10-10) J. 琼斯(美;1993-10-23) J.M.约翰逊(美;1994-04-22) D.C.西里瓦德(泰;1994-07-16) V. 沙哈博姆(泰;1995-09-17) N. 科纳达(加纳;1996-01-28) D.C.西里瓦德(泰;1996-10-26) N. 科纳达(加纳;1997-06-21) J. 塔皮亚(美;1998-12-06) P. 阿亚拉(美;1999-06-26) 2001 年被取消称号 E. 莫亚(委内瑞拉;2001-10-14) J. 布雷达赫(丹麦;2002-04-19)	R. 埃雷拉(墨;1973-04-15) R. 马丁内斯(墨;1974-12-07) C. 扎拉特(墨;1976-05-08) G. 平托尔(墨;1979-06-03) 1983 年被取消称号 A. 达维拉(美;1983-09-01) 1985 年被取消称号 D. 扎拉戈萨(墨;1985-05-04) M. 洛拉(哥伦比亚;1985-08-09) R. 佩雷斯(墨;1988-10-29) G. 理查森(美;1991-02-25) 立吉(日;1991-09-19) 从缺 V. 拉瓦纳莱斯(墨;1992-03-30) 卞正一(韩;1993-03-28) 保荣药师寺(日;1993-12-22) W. 麦卡洛(北爱;1995-07-30) S. 辛玛那斯素(泰;1996-08-10) 立吉让一郎(日;1997-11-22) V. 那格洪琅(泰;1998-12-29)	禅洲新垣(日;1984-04-15) J. 费内克(澳;1985-04-26) 从缺 K. 西布鲁克斯(美;1987-05-16) O. 卡尼萨莱斯(美;1988-07-09) 1994 年放弃称号 H. 梅斯特(哥伦比亚;1995-01-21) M. 博蒂勒(南非;1995-04-29) T. 奥斯汀(美;1997-07-19) R. 马奎兹(墨;2003-02-15)

* 1920 年以前重量介于 105 和 116 磅之间。

世界次轻丙级(又称超轻丁级)冠军(最重 115 磅)

世界拳击协会(国家;受奖日期)	世界拳击理事会(国家;受奖日期)	国际拳击联合会(国家;受奖日期)
G. 巴利亚斯(阿根廷;1981-09-12)	R. 奥罗诺(委内瑞拉;1980-02-01)	全柱道(韩;1983-12-10)
R. 佩德罗萨(巴拿马;1981-12-05)	金哲浩(韩;1981-01-24)	E. 皮卡尔(印度尼西亚;1985-05-03)
渡边二郎(日;1982-04-08)	R. 奥罗诺(委内瑞拉;1982-11-28)	C. 波朗科(多米尼加;1986-02-15)
1984 年被取消称号	P. 波昂塔拉特(泰;1983-11-27)	E. 皮卡尔(印度尼西亚;1986-07-06)
K. 加拉克西(泰;1984-11-21)	渡边二郎(日;1984-07-05)	从缺
1991 年放弃称号	G. 罗曼(墨;1986-03-30)	张大一(韩;1987-05-17)
鬼冢胜也(日;1992-04-10)	S. 拉西亚尔(阿根廷;1987-05-16)	E. 皮卡尔(印度尼西亚;1987-10-17)
李衡哲(韩;1994-09-18)	J. 罗哈斯(哥伦比亚;1987-08-09)	J.P. 佩雷斯(哥伦比亚;1989-10-14)
A.戈迪亚(委内瑞拉;1995-07-22)	G. 罗曼(墨;1988-04-08)	R. 基罗加(美;1990-04-21)
Y.先托拉(泰;1996-08-24)	N. 科纳杜(加纳;1989-11-07)	J. 博尔博阿(墨;1993-01-16)
杉浦佳树(日;1997-12-23)	文松基(韩;1990-01-20)	H.格雷(哥伦比亚;1994-08-29)
J.罗哈斯(委内瑞拉;1998-12-23)	J.L.布埃诺(墨;1993-11-13)	C.萨拉查(阿根廷;1995-10-07)
户高秀树(日;1999-07-31)	川岛弘(日;1994-05-04)	H.格雷(哥伦比亚;1996-04-27)
L.加梅斯(委内瑞拉;2000-10-09)	G.佩纳洛萨(菲;1997-02-20)	D.罗梅罗(美;1996-08-24)
小林正司(日;2001-03-11)	赵因州(韩;1998-08-29)	J.塔皮亚(美;1997-07-18)
A.穆尼奥斯(委内瑞拉;2002-03-09)	德山正生(日;2000-08-27)	1998 年放弃称号
	川岛胜成(日;2004-06-28)	M.约翰逊(美;1999-04-24)
		2000 年取消称号
		F.马卡多(委内瑞拉;2000-07-22)
		L.佩雷斯(尼加拉瓜;2003-01-04)

世界轻丁级冠军(最重 112 磅)

确认的冠军(国家;受奖日期)	世界拳击协会(国家;受奖日期)	世界拳击理事会(国家;受奖日期)	国际拳击联合会(国家;受奖日期)
J. 怀尔德(英;1916-12-18)	H. 阿卡瓦洛(阿根廷;1966-03-01)	W. 麦高恩(英;1966-06-14)	权淳全(韩;1983-12-24)
P. 维拉(F. 吉雷多,菲;1923-06-18),死于 1925 年	1968 年退休	C. 奇奥诺伊(泰;1966-12-30)	郑定冠(韩;1985-12-20)
F.L. 巴尔巴(美;1927-01-21)	海老原博幸(日;1969-03-30)	E. 托里斯(墨;1969-02-23)	郑菲元(韩;1986-04-27)
1927 年退休;称号仍有争议	B. 维拉卡姆波(菲;1969-10-19)	C. 奇奥诺伊(泰;1970-03-20)	申熙习(韩;1986-08-02)
B. 林奇(英;1937-01-19)	B. 查尔特万查(泰;1970-04-14)	E. 萨拉瓦里亚(菲;1970-12-07)	D. 佩纳洛萨(菲;1987-02-22)
1938 年放弃称号	大场正夫(日;1970-10-22)	1971 年放弃称号	崔昌浩(韩;1987-09-05)
P. 卡内(英;1938-09-22)	死于 1973 年	B. 冈萨雷斯(委内瑞拉;1971-11-20)	R. 博霍尔(菲;1988-01-16)
J. 佩特森(英;1943-06-19)	C. 奇奥诺伊(泰;1973-05-17)	V. 博科尔索(泰;1972-09-29),	D. 麦肯齐(英;1988-10-05)
1947 年起称号仍有争议	花形进(日;1974-10-18)	1973 年放弃称号	D. 麦考利(英;1989-06-07)
R. 莫纳汉(爱尔兰;1948-03-23)	E. 萨拉瓦里亚(菲;1975-04-01)	B. 冈萨雷斯(委内瑞拉;1973-08-04)	R. 布兰科(哥伦比亚;1992-06-11)
1950 年退休	A. 洛佩斯(巴拿马;1976-02-27)	小熊正司(日;1974-10-01)	P. 西特邦巴占(泰;1992-11-29)
T. 艾伦(英;1950-04-25)	G. 埃斯帕达斯(墨;1976-10-02)	M. 坎托(墨;1975-01-08)	空缺
D. 马里诺(夏威夷;1950-08-01)	B. 冈萨雷斯(委内瑞拉;1978-08-12)	朴誊熙(韩;1979-03-18)	F. 特赫多尔(哥伦比亚;1995-02)
白井良夫(日;1952-05-19)	L. 伊瓦拉(巴拿马;1979-11-17)	小熊正司(日;1980-05-18)	D. 罗梅罗(美;1995-04-22)
P. 佩雷斯(阿根廷;1954-11-26)	金泰实(韩;1980-02-16)	A. 阿维拉尔(墨;1981-05-12)	1996 年放弃称号
P. 金佩奇(泰;1960-04-16)	P. 马瑟布拉(南非;1980-12-13)	P. 卡尔多纳(哥伦比亚;1982-03-20)	M. 约翰逊(美;1996-05-04)
原田正彦(日;1962-10-10)	S. 拉西亚尔(阿根廷;1981-03-28)	F. 卡斯蒂略(墨;1982-07-24)	1999 年放弃称号
P. 金佩奇(泰;1963-01-12)	L. 伊瓦拉(巴拿马;1981-06-06)	E. 莫尔塞德斯(多米尼加;1982-11-06)	I. 帕切科(哥伦比亚;1999-04-10)
海老原博幸(日;1963-09-18)	J. 埃雷拉(墨;1981-09-26)	C. 马格里(英;1983-03-15)	
P. 金佩奇(泰;1964-01-23)	S. 拉西亚尔(阿根廷;1982-05-01)	F. 塞德诺(菲;1983-09-27)	
S. 布鲁尼(意;1965-04-23)	1985 年放弃称号	小林孝至(日;1984-01-18)	
1965 年起称号仍有争议	H. 萨帕塔(巴拿马;1985-10-05)	G. 伯纳尔(墨;1984-04-09)	
	F. 巴萨(哥伦比亚;1987-02-13)	S. 奇塔拉达(泰;1984-10-08)	
	J. 罗哈斯(委内瑞拉;1989-09-30)	金荣光(韩;1988-07-24)	
	李律禹(韩;1990-03-10)	S. 奇塔拉达(泰;1989-06-03)	
	豹玉熊(日;1990-07-29)	M. 吉滴卡塞姆(泰;1991-02-15)	
	E. 阿尔瓦雷斯(哥伦比亚;1991-03-14)	Y. 阿尔巴沙科夫(俄;1992-06-23)	
	金荣光(韩;1991-06-01)	C. 杜德奇贝格伊姆(泰;1997-05-09)	
	A. 古斯曼(委内瑞拉;1992-09-26)	M. 帕克基奥(菲;1998-12-04)	
	D. 格里曼(委内瑞拉;1992-12)	1999 年被取消称号	
	S.S.伯恩其特(泰;1994-02-13)	M. 辛素拉德(泰;1999-09-17)	
	J. 博尼利亚(委内瑞拉;1996-11-14)	M. 图纳卡奥(菲;2000-05-19)	
	H. 索托(阿根廷;1998-05-29)	W. 邦沙格莱格(泰;2001-03-02)	
	L. 加梅斯(委内瑞拉;1999-03-13)		
	S. 甲德青登(泰;1999-09-03)		
	E. 莫雷尔(美;2000-08-05)		
	L. 帕拉(委内瑞拉;2003-12-06)		

世界次轻丁级(又称次特轻级)冠军(最重 108 磅)		
世界拳击协会(国家;受奖日期)	世界拳击理事会(国家;受奖日期)	国际拳击联合会(国家;受奖日期)
J. 里奥斯(巴拿马;1975-08-23) J. 古兹曼(多米尼加共和国;1976-07-01) 具志坚用高(日;1976-10-10) P. 弗洛雷斯(墨;1981-03-08) 金元进(韩;1981-07-19) 渡嘉敷胜男(日;1981-12-16) L. 马德拉(墨;1983-07-10) F. 基罗斯(多米尼加共和国;1984-05-19) J. 奥利沃(美;1985-03-29) 柳明吾(韩;1985-12-08) 井冈弘喜(日;1991-12-17) 柳明吾(韩;1992-11-18) 1993 放弃称号 L.加梅(委内瑞拉;1993-10-21) 崔喜永(韩;1995-02-04) C.穆里洛(巴拿马;1996-01-13) 山口庆滋(日;1996-05-21) P.西里越(泰;1996-12-03) 从缺 B.门多萨(哥伦比亚;2000-08-12) R.阿尔瓦雷斯(尼加拉瓜;2001-03-03)	F. 乌德拉(意;1975-04-04) 1975 年被取消称号 L.A. 埃斯塔巴(委内瑞拉;1975-09-13) F. 卡斯蒂略(墨;1978-02-19) N.S. 沃拉辛格(泰;1978-05-06) 金声俊(韩;1978-09-30) 中岛重夫(日:1980-01-03) H. 萨帕塔(巴拿马;1980-03-24) A. 乌尔苏亚(墨;1982-02-06) 都森忠(日;1982-04-13) H. 萨帕塔(巴拿马;1982-07-20) 张俊国(韩;1983-03-26)1988 年放弃称号 G. 托里斯(墨;1988-12-11) 李律佑(韩;1989-03-19) H. 冈萨雷斯(墨;1989-06-25) R. 帕斯夸(菲;1990-12-19) M.C. 卡斯特罗(墨;1991-03-25) H. 冈萨雷斯(墨;1991-06-04) M. 卡瓦哈尔(美;1993-03-13) C. 冈萨雷斯(墨;1994-02-19) S. 索尔乍杜龙(泰;1995-07-15) 崔尧森(韩;1999-10-17) J. 阿尔塞(墨;2002-07-06)	D. 佩纳洛萨(菲;1983-12-10) 1986 年被取消称号 崔定宣(韩;1986-12-07) T. 马卡洛斯(菲;1988-11-06) M. 吉滴卡塞姆(泰;1989-05-02) M. 卡瓦哈尔(美;1990-07-29) C. 冈萨雷斯(墨;1994-02-19) S. 索尔乍杜龙(泰;1995-07-15) 从缺 M. 卡瓦哈尔(美;1996-03-16) M. 帕斯特拉纳(哥伦比亚;1997-01-18) 1997 年被取消称号 M. 帕斯特拉纳(哥伦比亚;1997-12-13) 1998 年被取消称号 W. 格里格斯拜(美;1998-12-18) R. 洛佩斯(墨;1999-10-02) 2003 放弃称号 V. 比尔戈斯(墨;2003-02-15)

世界次最轻量级冠军(最重 105 磅)		
世界拳击协会*(国家;受奖日期)	世界拳击理事会†(国家;受奖日期)	国际拳击联合会†(国家;受奖日期)
L. 加梅斯(委内瑞拉;1988-01-10) 从缺 金峰田(韩;1989-04-16) 崔熙荣(韩;1991-02-02) 大桥秀行(日;1992-10-14) C. 波波因(泰;1993-02-10) R. 艾尔瓦雷兹(尼加拉瓜;1995-12-02) R. 洛配兹(墨;1998-11-13) 1999 年放弃称号 N. 阿兰布莱特(委内瑞拉;1999-10-09) 2000 年被取消称号 J. 甘博亚(菲律宾;2000-08-20) 星野计太郎(日;2000-12-06) C. 波波因(泰;2001-04-16) 新井田(日;2001-08-25) 2001 年放弃称号 星野计太郎(日;2002-01-29) N. 阿兰布莱特(委内瑞拉;2002-07-29) 新井田(日;2004-07-03)	井冈弘喜(日;1987-10-18) N. 吉万猜(泰;1988-11-13) 崔占焕(韩;1989-11-12) 大桥秀行(日;1990-02-07) R. 洛佩斯(墨;1990-10-25) 1999 年放弃称号 W. 差廖恩(泰;1999-05-04) J.A. 阿吉雷(墨;2000-02-11) 伊高赤仓(日;2004-01-10)	李景延(1987-06-14) 从缺 S. 西特纳育博(泰;1988-03-24) N. 托马斯(印尼;1989-06-17) E. 查维斯(菲;1989-09-21) F. 卢格明甘(泰;1990-02-21) M. 梅尔乔(菲;1992-09-06) R. 沃拉宾(泰;1992-12-10) 1996 年被取消称号 R. 沃拉宾(泰;1996-05-16) Z. 佩特洛(南非;1997-12-27) 2000 年放弃称号 R. 莱瓦(墨;2001-04-29) M. 巴雷拉(哥伦比亚;2002-08-09) E. 卡德纳斯(墨;2003-05-31) D. 雷耶斯(哥伦比亚;2003-10-04)

* 分级最初于 1988 年被世界拳击协会承认。† 分级最初于 1987 年被世界拳击理事会和国际拳击联合会承认。

CHESS 国际象棋 虽然对世界男子国际象棋锦标赛的各种记录不同，但 W. 施泰尼茨被普遍认为是第一位现代国际象棋大师。直到 1946 年，国际象棋联合会（FIDE，成立于 1924 年）才明确地管理世界锦标赛，并制定了一整套世界统一采用的国际象棋比赛规则。从 1946 年开始举行分区赛和区际锦标赛，以选拔对世界冠军的主要挑战者。1953 年起，女子国际象棋锦标赛以类似方式组织举行，只是没有区际赛。在 1953 年的锦标赛之前，除了 1934 年和 1937 年 V. 孟奇克与 S. 格拉芙之间的比赛外，女子国际象棋锦标赛采取循环赛制。

定期的国际象棋赛又称做国际象棋联合会世界团体锦标赛；它每两年举办一次。男女运动员均可参加，但是自 1957 年以来有一项独立的国际象棋赛只限于女子参加。

1985 年 A. 卡尔波夫（左）卫冕未成，败于 G. 卡斯帕罗夫，后者成为最年轻的国际象棋世界冠军

《时代》杂志社供图

世界国际象棋锦标赛（男子）

年份	冠军	亚军	年份	冠军	亚军
1866	W. 施泰尼茨（奥）	A. 安德森（德）	1937	A. 阿廖欣（法）	M. 尤伟（荷）
1872	W. 施泰尼茨（奥）	J.H. 祖克尔托尔特（波兰）	1948	M. 博特温尼克（苏）*	*
1876	W. 施泰尼茨（奥）	J.H. 布莱克本（英格兰）	1951	M. 博特温尼克（苏）	D. 布龙什坦（苏）
1886	W. 施泰尼茨（奥）	J.H. 祖克尔托尔特（波兰）	1954	M. 博特温尼克（苏）	V. 斯梅斯洛夫（苏）
1889	W. 施泰尼茨（奥）	M.I. 奇戈林（俄）	1957	V. 斯梅斯洛夫（苏）	M. 博特温尼克（苏）
1890～1891	W. 施泰尼茨（奥）	I. 冈斯伯格（英格兰）	1958	M. 博特温尼克（苏）	V. 斯梅斯洛夫（苏）
1892	W. 施泰尼茨（奥）	M.I. 奇戈林（俄）	1960	M. 塔尔（苏）	M. 博特温尼克（苏）
1894	E. 拉斯克（德）	W. 施泰尼茨（奥）	1961	M. 博特温尼克（苏）	M. 塔尔（苏）
1896～1897	E. 拉斯克（德）	W. 施泰尼茨（奥）	1963	T. 彼得罗相（苏）	M. 博特温尼克（苏）
1907	E. 拉斯克（德）	F.J. 马歇尔（美）	1966	T. 彼得罗相（苏）	B. 斯帕斯基（苏）
1908	E. 拉斯克（德）	S. 塔拉什（德）	1969	B. 斯帕斯基（苏）	T. 彼得罗相（苏）
1909	E. 拉斯克（德）	D. 雅诺夫斯基（法）	1972	R. 费希尔（美）	B. 斯帕斯基（苏）
1910	E. 拉斯克（德）	C. 施莱希特（奥）	1975	A. 卡尔波夫（苏）†	†
	E. 拉斯克（德）	D. 雅诺夫斯基（法）	1978	A. 卡尔波夫（苏）	V. 科尔奇诺伊（苏）
1921	J.R. 卡帕布兰卡（古巴）	E. 拉斯克（德）	1981	A. 卡尔波夫（苏）	V. 科尔奇诺伊（苏）
1927	A. 阿廖欣（法）	J.R. 卡帕布兰卡（法）	1984～1985	G. 卡斯帕罗夫（苏）	A. 卡尔波夫（苏）
1929	A. 阿廖欣（法）	E.D. 博戈留波夫（苏）	1986	G. 卡斯帕罗夫（苏）	A. 卡尔波夫（苏）
1934	A. 阿廖欣（法）	E.D. 博戈留波夫（苏）	1987	G. 卡斯帕罗夫（苏）	A. 卡尔波夫（苏）
1935	M. 尤伟（荷）	A. 阿廖欣（法）	1990	G. 卡斯帕罗夫（苏）	A. 卡尔波夫（苏）

* 阿廖欣于 1946 年去世，亚军从缺；博特温尼克在五回合邀请赛中赢得冠军。† 缺席。费希尔因不遵守国际象棋联合会规则被取消名次，卡尔波夫被宣布为新的世界冠军。

世界国际象棋锦标赛（女子）

年份	冠军	亚军	年份	冠军	亚军
1927	V. 孟奇克（苏）	K. 贝斯科夫（瑞典）	1959～1960	E. 彼科娃（苏）	K. 兹沃里基娜（苏）
1930	V. 孟奇克（捷）	P. 沃尔夫-卡尔马尔（奥）	1962	N. 加普林达什维利（苏）	E. 彼科娃（苏）
1931	V. 孟奇克（捷）	P. 沃尔夫-卡尔马尔（奥）	1965	N. 加普林达什维利（苏）	A. 库什尼尔（苏）
1933	V. 孟奇克（捷）	E.C. 普赖斯（英格兰）	1969	N. 加普林达什维利（苏）	A. 库什尼尔（苏）
1934	V. 孟奇克（捷）*	S. 格拉芙（德）	1972	N. 加普林达什维利（苏）	A. 库什尼尔（苏）
1935	V. 孟奇克（捷）	R. 盖尔莱克卡（波兰）	1976	N. 加普林达什维利（苏）	N. 阿列克山德里亚（苏）
1937	V. 孟奇克（捷）†	S. 格拉芙（德）	1978	M. 奇布尔达尼德泽（苏）	N. 加普林达什维利（苏）
1939	V. 孟奇克（英格兰）‡	S. 格拉芙（德）	1981	M. 奇布尔达尼德泽（苏）	N. 阿列克山德里亚（苏）
1949～1950	L. 鲁登科（苏）	O. 鲁布佐娃（苏）	1984	M. 奇布尔达尼德泽（苏）	I. 列维季娜（苏）
1953	E. 彼科娃（苏）	L. 鲁登科（苏）	1986	M. 奇布尔达尼德泽（苏）	E. 艾赫米洛夫斯卡娅（苏）
1956	O. 鲁布佐娃（苏）§	L. 鲁登科（苏）	1988	M. 奇布尔达尼德泽（苏）	N. 约谢利阿尼（苏）
		E. 彼科娃（苏）	1991	谢军（中）	M. 奇布尔达尼德泽（苏）
1958	E. 彼科娃（苏）	O. 鲁布佐娃（苏）			

* 为争夺世界冠军称号而举行的非公开比赛，并未经国际象棋联合会同意。† 经国际象棋联合会同意非公开举行的比赛。‡1944 年死于空袭，冠军从缺。§ 三项交流比赛。

国际团体国际象棋锦标赛(男子)

年份	冠军	亚军	年份	冠军	亚军
1927	匈	丹	1964	苏	南斯拉夫
1928	匈	美	1966	苏	美
1930	波兰	匈	1968	苏	南斯拉夫
1931	美	波兰	1970	苏	匈
1933	美	捷克	1972	苏	匈
1935	美	瑞典	1974	苏	南斯拉夫
1937	美	匈	1976	美	荷
1939	德	波兰	1978	匈	苏
1950	南斯拉夫	阿根廷	1980	苏	匈
1952	苏	阿根廷	1982	苏	捷
1954	苏	阿根廷	1984	苏	英
1956	苏	南斯拉夫	1986	苏	英
1958	苏	南斯拉夫	1988	苏	英
1960	苏	美	1990	苏	美
1962	苏	南斯拉夫	1992	俄罗斯	乌兹别克斯坦

国际团体国际象棋锦标赛(女子)

年份	冠军	亚军
1957	苏*	罗马尼亚
1963	苏	南斯拉夫
1966	苏	罗马尼亚
1969	苏	匈
1972	苏	罗马尼亚
1974	苏†	罗马尼亚
1976	以色列	英 西班牙(平局)
1978	苏	匈
1980	苏	匈
1982	苏	罗马尼亚
1984	苏	保加利亚
1986	苏	匈
1988	匈	苏
1990	匈	苏
1992	格鲁吉亚	乌克兰

* 两队平局,冠军由积分决定。† 两队平局,冠军由延长赛决定。

CONTRACT BRIDGE 定约桥牌 世界定约桥牌锦标赛始于 1950 年,每年举行一次分区赛,称为百慕大杯赛。1960 年起,每 4 年举行一次的世界奥林匹克桥牌锦标赛中加入定约桥牌项目,就代表了世界桥牌锦标赛。除 1976 年外,两项比赛不同时举行。百慕大杯赛是由世界桥牌联合会(WBF,成立于 1958 年)组织的,从 1977 年起,比赛在奇数年份举行。主要的女子桥牌赛是世界奥林匹克队式桥牌赛,此外还有始于 1974 年的威尼斯杯赛。4 年举行一次的世界双人桥牌锦标赛(始于 1962 年)是最重要的国际桥牌赛。

世界奥林匹克队式桥牌赛

年份	公开赛		女子组	
	冠军	亚军	冠军	亚军
1960	法	英	阿拉伯联合共和国	法
1964	意	美	大不列颠	美
1968	意	美	瑞典	南非
1972	意	美	意	南非
1976	巴西	意	意	英
1980	法	美	美	意
1984	波兰	法	美	英
1988	美	奥	丹	英
1992	法	美	奥	英

世界定约桥牌双人锦标赛

年份	公开赛冠军	女子组冠军	混合组冠军
1962	P. 雅伊;R. 特雷泽尔(法)	R. 马库斯;F. 戈登(英)	*
1966	B. 斯拉文伯格;H. 克雷恩斯(荷)	J. 达兰;J. 胡安(英)	M.J. 法雷尔;I. 厄尔多斯(美)
1970	F. 巴布施;P. 曼哈德特(奥)	M.J. 法雷尔;M. 约翰逊(美)	B. 布赖尔;W. 策特维茨(美)
1974	R. 哈曼;B. 沃尔夫(美)	F. 戈登;R. 马库斯(英)	L. 戈登;T. 特拉(瑞士)
1978	M. 布兰科;G. 辛特拉(巴西)	K. 韦;J. 雷丁(美)	B. 克兰;K. 舒曼(美)
1982	C. 马特尔;L. 斯坦斯比(美)	C. 桑德斯;B.A. 肯尼迪(美)	D. 戈登;G. 米特尔曼(加)
1986	J. 梅克斯特罗思;E. 罗德韦尔(美)	J. 米切尔;A. 基尔斯(美)	P. 威特斯;J. 威特斯(美)
1990	M. 布兰科;G. 查加斯(巴西)	K. 舒曼;K. 麦卡勒姆(美)	P. 韦克塞尔;J. 钱伯斯(美)

* 1962 年举行的混合组比赛,来自英国的队获胜。

百慕大杯

年份	冠军	亚军	年份	冠军	亚军	年份	冠军	亚军	年份	冠军	亚军
1950	美	英	1960*			1970	北美洲	中国台湾	1981	美	巴基斯坦
1951	美	意	1961	意	北美洲	1971	美	法	1983	美	意
1952	延期		1962	意	北美洲	1972*			1985	美	奥
1953	美	瑞典	1963	意	北美洲	1973	意	美	1987	美	英
1954	美	法	1964*			1974	意	北美洲	1989	巴西	美
1955	英	美	1965	意	美	1975	意	北美洲	1991	冰岛	波兰
1956	法	美	1966	意	北美洲	1976	北美洲	意	1993	荷	挪
1957	意	美	1967	意	北美洲	1977	北美洲挑战队	北美洲卫冕队			
1958	意	美	1968*								
1959	意	美	1969	意	中国台湾	1979	北美洲	意			

* 因世界奥林匹克队式桥牌赛而未举办。

CRICKET 板球 板球是英国全国性运动之一，后来扩展到几乎所有与英国有关联的国家。国际上最重要的板球比赛是始于1877年的国家队之间的决赛。决赛参加国有英国、澳大利亚、南非（1970～1992年禁止参加国际比赛）、西印度群岛、新西兰、印度、巴基斯坦、斯里兰卡，1992年以后还有津巴布韦。附表的设计是从左向右读的。例如，由表可以看出，在国家队之间的决赛中，南非对英格兰比赛的结果是，胜18局，平38局，负46局。世界杯赛是为期一天、有年龄限制的比赛，首次举办于1975年。

板球世界杯（决赛）

年份	成绩			
1975	西印度群岛	291-8	澳大利亚	274
1979	西印度群岛	286-9	英格兰	194
1983	印度	183	西印度群岛	140
1987	澳大利亚	253-5	英格兰	246-8
1992	巴基斯坦	249-6	英格兰	227
1996	斯里兰卡	245-3	澳大利亚	241
1999	澳大利亚	133-2	巴基斯坦	132
2003	澳大利亚	359-2	印度	234

在1988～1989年板球赛季对英格兰队的第四场决赛中，澳大利亚队击球手D.M.琼斯将球击入左外场；澳大利亚队以5:0赢得六场系列赛

供图：Colorsport

澳大利亚队与英格兰队在澳大利亚板球决赛中的比赛

供图：Sport and General Press Agency

国际板球决赛纪录（2003-09-30）

	英格兰			澳大利亚			南非			西印度群岛			新西兰			印度			巴基斯坦			斯里兰卡			津巴布韦			孟加拉		
	胜	平	负	胜	平	负	胜	平	负	胜	平	负	胜	平	负	胜	平	负	胜	平	负	胜	平	负	胜	平	负	胜	平	负
英格兰	——			95	86	125	52	48	25	31	43*	52	38	40	7	33	42	16	16	34	10	7	2	3	3	3	0	‡	‡	‡
澳大利亚	125	86	95	——			39	17	15	45	22	32	18	15	7	29	18†	13	21	17	11	7	5	1	1	0	0	2	0	0
南非	25	48	52	15	17	39	——			7	2	2	15	9	3	7	5	2	4	1	1	8	4	1	4	1	0	4	0	0
西印度群岛	52	43*	31	32	22†	45	2	2	7	——			10	15	7	30	38	10	13	14	12	2	3	3	3	1	0	2	0	0
新西兰	6	40	38	7	15	18	3	9	15	7	15	10	——			9	20*	14	6	17	20	7	9	4	5	6	0	2	0	0
印度	16	42	33	13	18†	29	2	5	7	10	38	30	14	20*	9	——			5	33	9	8	12	3	5	2	2	1	0	0
巴基斯坦	10	34	16	11	17	21	1	1	4	12	14	13	20	17	6	9	33	5	——			13	9*	6	8	5*	2	6	0	0
斯里兰卡	3	2	7	1	5	7	1	4	8	3	3	2	4	9	7	3	12	8	6	9*	13	——			8	5	0	3	0	0
津巴布韦	0	3	3	0	0	1	0	1	4	0	1	3	0	6	5	2	2	5	2	5*	8	0	5	8	——			3	1	0
孟加拉	†	†	†	0	0	2	0	0	4	0	0	2	0	0	2	0	0	1	0	0	6	0	0	3	0	1	3	——		

* 包括一次赛事取消。† 包括一次平局。‡ 未比赛。

CURLING 冰上溜石 冰上溜石运动与滚木球在运动方式的方面有些相似，但与滚木球不同之处在于，冰上溜石在不同的国家里其形式没有太大变化，只是所用扫帚的类型及其他比赛设备（标准化的溜石除外）有些不同。世界男子溜石锦标赛始于 1959 年，1967 年以前被称为苏格兰威士忌杯赛，1968 ～ 1985 年被称为银扫帚赛。1986 ～ 1987 年被称为国际奥林匹克委员会主席杯赛，以及世界冰上溜石锦标赛。虽然早在 20 世纪中期，冰上溜石运动已经在许多国家的妇女中展开，但直到 1979 年，才举行第一届世界女子冰上溜石锦标赛。

在 1993 年的世界冰上溜石锦标赛（男子）中加拿大队夺得冠军
供图：Canapress Photo Service(Chuck Stoody)

世界冰上溜石锦标赛（男子）

年份	冠军	年份	冠军	年份	冠军
1959	加拿大	1976	美	1993	加拿大
1960	加拿大	1977	瑞典	1994	加拿大
1961	加拿大	1978	美	1995	加拿大
1962	加拿大	1979	挪	1996	加拿大
1963	加拿大	1980	加拿大	1997	瑞典
1964	加拿大	1981	瑞士	1998	加拿大
1965	美	1982	加拿大	1999	苏格兰
1966	加拿大	1983	加拿大	2000	加拿大
1967	苏格兰	1984	挪	2001	瑞典
1968	加拿大	1985	加拿大	2002	加拿大
1969	加拿大	1986	加拿大		
1970	加拿大	1987	加拿大		
1971	加拿大	1988	挪		
1972	加拿大	1989	加拿大		
1973	瑞典	1990	加拿大		
1974	美	1991	苏格兰		
1975	瑞士	1992	瑞士		

世界冰上溜石锦标赛（女子）

年份	冠军	年份	冠军
1979	瑞士	1991	挪
1980	加拿大	1992	瑞典
1981	瑞典	1993	加拿大
1982	丹	1994	加拿大
1983	瑞士	1995	瑞典
1984	加拿大	1996	加拿大
1985	加拿大	1997	加拿大
1986	加拿大	1998	瑞典
1987	加拿大	1999	瑞典
1988	西德	2000	加拿大
1989	加拿大	2001	加拿大
1990	挪	2002	苏格兰

在 1986 年的世界冰上溜石锦标赛（男子）中夺得亚军的苏格兰国家队
供图：Colorsport

CYCLING 自行车赛 普遍认为世界上规模最大的自行车赛是环法公路赛(始于1903年),比赛分为几个阶段,赛程在3 500公里以上。1911～1929年的赛程超过5 300公里。女子环法赛于1984年首次举行,全程分18阶段,距离991公里。除上述比赛外,每年还要举行许多公路赛,包括每年一届的世界自行车公路锦标赛。另一种比赛为自行车跑道锦标赛。最古老的跑道赛分为短距离赛(实际上只在比赛最后阶段运动员才全力冲刺)和追逐赛(包括团体和个人比赛,比赛双方分别从跑道的相对两侧同时出发,互相追逐)。其他世界性自行车跑道锦标赛包括摩托车导引赛和起源于日本的被称为凯林(keirin)的一种部分导引短距离赛。

中野(日)在1986年世界自行车跑道锦标赛上第10次获得直道职业短距离自行车赛冠军
供图:ALLSPORT USA/Mike Powell

在1993年的环法自行车赛中,M. 因杜拉因(西班牙)骑车行驶在赛程的倒数第二阶段;这是他连续第三年赢得该项比赛冠军
供图:AP/Wide World Photos

世界自行车公路锦标赛

年份	男子(业余)	男子(职业)	女子(业余)
1921	G. 舍尔德(瑞典)		
1922	D. 马希(英)		
1923	L. 费拉里奥(意)		
1924	A. 拉迪克(法)		
1925	H. 赫瓦纳斯(比)		
1926	O. 代昂(法)		
1927	J. 艾尔茨(比)	A. 宾达(意)	
1928	格兰迪(意)	G. 隆塞(比)	
1929	P. 贝尔托拉西(意)	G. 隆塞(比)	
1930	G. 马尔塔诺(意)	A. 宾达(意)	
1931	H. 汉森(丹)	P. 格拉(意)	
1932	G. 马尔塔诺(意)	A. 宾达(意)	
1933	P. 埃格利(瑞士)	G. 斯佩切尔(法)	
1934	K. 佩勒纳尔斯(荷)	K. 卡埃尔斯(比)	
1935	I. 曼奇尼(意)	J. 艾尔茨(比)	
1936	E. 布赫瓦尔德(瑞士)	A. 马涅(法)	
1937	A. 莱奥尼(意)	E. 莫伊伦贝格(比)	
1938	H. 克内希特(瑞士)	M. 金特(比)	
1939～1945	未比赛		
1946	H. 奥布里(法)	H. 克内希特(瑞士)	

年份	男子(业余)	男子(职业)	女子(业余)
1947	A. 费拉里(意)	T. 米德尔坎普(荷)	
1948	H. 斯内尔(瑞典)	A. 肖特(比)	
1949	H.J. 福恩霍夫(荷)	H. 范斯滕伯根(比)	
1950	J. 胡宾(澳)	A. 肖特(比)	
1951	G. 吉迪尼(意)	F. 库尔勒(瑞士)	
1952	L. 钱安科拉(意)	H. 米勒(西德)	
1953	R. 菲利皮(意)	F. 科皮(意)	
1954	E. 范考蒂尔(比)	L. 博贝(法)	
1955	S. 拉努奇(意)	S. 奥克斯(比)	
1956	F. 马恩(荷)	R. 范斯滕伯根(比)	
1957	L. 普罗斯特(比)	R. 范斯滕伯根(比)	
1958	G. 舒尔(东德)	E. 巴尔迪尼(意)	E. 雅各布斯(卢森堡)
1959	G. 舒尔(东德)	A. 达里加德(法)	Y. 雷恩德斯(比)
1960	B. 埃克斯坦(东德)	R. 范洛伊(比)	B. 伯顿(英)
1961	J. 茹尔登(法)	R. 范洛伊(比)	Y. 雷恩德斯(比)
1962	R. 邦吉奥尼(意)	J. 斯塔布伦斯基(法)	M.R. 加拉尔德(比)
1963	F. 维森蒂尼(意)	B. 贝赫伊特(比)	Y. 雷恩德斯(比)
1964	E. 梅克斯(比)	J. 扬森(荷)	E. 松克(苏)
1965	J. 博特雷尔(法)	T. 辛普森(英)	E. 艾肖尔兹(东德)
1966	E. 多尔曼(荷)	R. 阿尔蒂格(西德)	Y. 雷恩德斯(比)

续表

年份	男子(业余)	男子(职业)	女子(业余)
1967	G. 韦布(英)	E. 梅克斯(比)	B. 伯顿(英)
1968	V. 马塞利(意)	V. 阿多尔尼(意)	K. 哈格(荷)
1969	L. 莫滕森(丹)	H. 奥滕布罗斯(荷)	A. 麦克尔默里(美)
1970	J. 施密特(丹)	J. 蒙塞雷(比)	A. 孔基纳(苏)
1971	R. 奥维永(法)	E. 梅克斯(比)	A. 孔基纳(苏)
1972	*	M. 巴索(意)	G. 加姆比隆(法)
1973	R. 斯祖尔科夫斯基(波兰)	F. 吉蒙迪(意)	N. 范·登·布罗克(比)
1974	J. 科瓦尔斯基(波兰)	E. 梅克斯(比)	G. 加姆比隆(法)
1975	A. 格维尔斯(荷)	H. 奎珀(荷)	T. 福普马(荷)
1976	*	F. 马埃尔滕斯(比)	K. 范·奥斯滕-哈格(荷)
1977	C. 科尔蒂(意)	F. 莫塞尔(意)	J. 博斯特(法)
1978	G. 格劳斯(瑞士)	G. 克内特曼(荷)	B. 哈贝茨(西德)
1979	G. 贾科米尼(意)	J. 拉斯(荷)	P. 德·布鲁因(荷)
1980	*	B. 伊诺尔(法)	B. 海登(美)
1981	A. 韦德尔尼科夫(苏)	F. 马埃尔滕斯(比)	U. 恩岑瑙尔(西德)
1982	B. 德罗甘(东德)	G. 萨罗尼(意)	A. 琼斯(美)
1983	U. 拉布(东德)	G. 莱蒙德(美)	M. 贝里隆德(瑞典)
1984	*	C. 克里克里昂(比)	*
1985	L. 皮亚塞茨基(波兰)	J. 佐特梅尔克(荷)	J. 隆戈(法)
1986	U. 安普勒(东德)	M. 阿尔真廷(意)	J. 隆戈(法)
1987	R. 维维安(法)	S. 罗什(爱尔兰)	J. 隆戈(法)
1988	O. 路德维希(东德)	M. 丰德列斯特(意)	M. 克诺尔(荷)
1989	J. 哈卢普茨佐克(波)	G. 莱蒙德(美)	J. 隆戈(法)
1990	M. 瓜尔迪(意)	R. 达纳斯(比)	C. 马萨尔(法)
1991	V. 皮亚克辛斯基(苏)	G. 布尼奥(意)	L. 范穆尔塞尔(荷)
1992	F. 卡萨尔泰利(意)	G. 布尼奥(意)	K. 瓦特(澳)
1993	J. 乌尔里希(德)	L. 阿姆斯特朗(美)	L. 范穆尔塞尔(荷)
1994	A. 彼泽森(丹)	L. 勒布朗(法)	M. 瓦尔维科(挪威)
1995	D. 内利森(荷)	A. 奥拉诺(西)	J. 隆哥(法)
1996†		J.米塞于夫(比利时)	B. 赫比(瑞士)
1997		L.布罗沙尔德(法)	A. 卡佩洛托(意)
1998		O.卡门青德(瑞士)	D. 齐利乌特(立陶宛)
1999		O.F.戈麦斯(西)	E. 普利格维齐乌特(立陶宛)
2000		R.魏因施泰因斯(拉脱维亚)	Z. 斯塔胡勒凯亚(白俄罗斯)
2001		O.F.戈麦斯(西)	R. 波利卡维齐乌特(立陶宛)
2002		M.奇波洛尼(意)	S. 永斯兴(瑞典)
2003		I.阿斯塔洛亚(西)	S. 永斯兴(瑞典)

* 因奥运会而未举行比赛。† 从 1996 年起业余比赛与职业比赛合并。

环法自行车赛

年份	冠军	公里
1903	M. 加林(法)	2 428
1904	H. 科尔内(法)	2 388
1905	L. 特鲁塞耶(法)	2 975
1906	R. 鲍狄埃(法)	4 637
1907	L. 珀蒂-布勒东(法)	4 488
1908	L. 珀蒂-布勒东(法)	4 487
1909	F. 法贝(卢森堡)	4 507
1910	O. 拉皮泽(法)	4 474
1911	G. 加里古(法)	5 344
1912	O. 德弗拉叶(比)	5 319
1913	P. 蒂斯(比)	5 387
1914	P. 蒂斯(比)	5 405
1915～1918	未比赛	
1919	F. 朗博(比)	5 560
1920	P. 蒂斯(比)	5 519
1921	L. 塞耶(比)	5 484
1922	F. 朗博(比)	5 375
1923	H. 佩利西耶(法)	5 386
1924	O. 博特奇亚(意)	5 425
1925	O. 博特奇亚(意)	5 430
1926	L. 比斯(比)	5 745
1927	N. 弗兰茨(卢森堡)	5 341
1928	N. 弗兰茨(卢森堡)	5 377
1929	M. 德威尔(比)	5 286
1930	A. 勒迪克(法)	4 818
1931	A. 马涅(法)	5 095
1932	A. 勒迪克(法)	4 520
1933	G. 施佩彻(法)	4 395
1934	A. 马涅(法)	4 363
1935	R. 马斯(比)	4 338
1936	S. 马斯(比)	4 442
1937	R. 拉佩比(法)	4 415
1938	G. 巴尔塔利(意)	4 694
1939	S. 马斯(比)	4 224
1940～1946	未比赛	
1947	J. 罗比克(法)	4 640
1948	G. 巴尔塔利(意)	4 922
1949	F. 科皮(意)	4 808
1950	F. 库布勒(瑞士)	4 775
1951	H. 库布利(瑞士)	4 697
1952	F. 科皮(意)	4 807
1953	L. 博贝(法)	4 479
1954	L. 博贝(法)	4 469
1955	L. 博贝(法)	4 855
1956	R. 沃尔克维克(法)	4 496
1957	J. 安克蒂尔(法)	4 686
1958	C. 高尔(卢森堡)	4 319
1959	F. 巴哈蒙特(西班牙)	4 355
1960	G. 南希尼(意)	4 173
1961	J. 安克蒂尔(法)	4 397
1962	J. 安克蒂尔(法)	4 274
1963	J. 安克蒂尔(法)	4 137
1964	J. 安克蒂尔(法)	4 504
1965	F. 吉蒙蒂(意)	4 183
1966	L. 艾马尔(法)	4 303
1967	R. 平杰昂(法)	4 780
1968	J. 詹森(荷)	4 662
1969	E. 默克斯(比)	4 110
1970	E. 默克斯(比)	4 366
1971	E. 默克斯(比)	3 689
1972	E. 默克斯(比)	3 846
1973	L. 奥卡尼亚(西班牙)	4 140
1974	E. 默克斯(比)	4 098
1975	B. 泰弗内(法)	4 000
1976	L. 范安佩(比)	4 050
1977	B. 泰弗内(法)	4 098
1978	B. 伊诺尔(法)	3 920
1979	B. 伊诺尔(法)	3 719
1980	J. 祖特麦克(荷)	3 948
1981	B. 伊诺尔(法)	3 765
1982	B. 伊诺尔(法)	3 489
1983	L. 菲尼昂(法)	3 568
1984	L. 菲尼昂(法)	3 880
1985	B. 伊诺尔(法)	4 100
1986	G. 莱蒙德(美)	4 091
1987	S. 罗奇(爱尔兰)	4 100
1988	P. 德尔加多(西班牙)	3 300
1989	G. 莱蒙德(美)	3 215
1990	G. 莱蒙德(美)	3 399
1991	M. 因杜拉因(西班牙)	3 935
1992	M. 因杜拉因(西班牙)	3 983
1993	M. 因杜拉因(西班牙)	3 700
1994	M. 因杜拉因(西班牙)	3 978
1995	M. 因杜拉因(西班牙)	3 635
1996	B. 里伊斯(丹麦)	3 764
1997	J. 乌尔里希(德)	3 944
1998	M. 潘塔尼(意)	3 831
1999	L. 阿姆斯特朗(美)	3 687
2000	L. 阿姆斯特朗(美)	3 663
2001	L. 阿姆斯特朗(美)	3 454
2002	L. 阿姆斯特朗(美)	3 272
2003	L. 阿姆斯特朗(美)	3 428
2004	L. 阿姆斯特朗(美)	3 390
2005	L. 阿姆斯特朗(美)	3 607

世界自行车跑道锦标赛

年份	短距离赛(业余)	短距离赛(职业)	追逐赛(业余)	追逐赛(职业)
1893*	A. 齐默尔曼(美)			
1893†	A. 齐默尔曼(美)			
1894*	A. 勒尔(德)			
1894‡	J. 伊登(荷)			
1895	J. 伊登(荷)	R.T.C. 普罗丹(比)		
1896	H. 雷诺兹(爱尔兰)	P. 布里隆(法)		
1897	E. 施拉德尔(丹)	W. 阿伦德(德)		
1898	P. 阿尔贝特(德)	G.A. 班克(美)		
1899	T. 萨默斯吉尔(英)	M. 泰勒(美)		
1900	A. 迪迪耶-诺茨(比)	E. 雅克林(法)		
1901	E. 迈特罗(法)	T. 埃勒高(丹)		
1902	C. 皮亚尔(法)	T. 埃勒高(丹)		
1903	A.L. 里德(英)	T. 埃勒高(丹)		
1904	M. 赫尔利(美)	I. 劳森(美)		
1905	J.S. 贝尼昂(英)	G. 普兰(法)		
1906	F. 维里(意)	T. 埃勒高(丹)		
1907	J. 德瓦苏(法)	E. 弗里奥尔(法)		
1908	V.L. 约翰逊(英)	T. 埃勒高(丹)		
1909	W.J. 贝利(英)	V. 杜普雷(法)		
1910	W.J. 贝利(英)	E. 弗里奥尔(法)		
1911	W.J. 贝利(英)	T. 埃勒高(丹)		
1912	D. 麦克杜格尔(美)	F.L. 克雷默(美)		
1913	W.J. 贝利(英)	W. 鲁特(德)		
1914～1919	未比赛	未比赛		
1920	M. 彼特斯(荷)	R. 斯皮尔斯(澳)		
1921	B. 安德森(丹)	P. 穆斯科普斯(荷)		
1922	H.T. 约翰逊(英)	P. 穆斯科普斯(荷)		
1923	L. 米绍尔(法)	P. 穆斯科普斯(荷)		
1924	L. 米绍尔(法)	P. 穆斯科普斯(荷)		
1925	J. 梅耶(荷)	E. 考夫曼(瑞士)		
1926	A. 马丁内蒂(意)	P. 穆斯科普斯(荷)		
1927	M. 恩格尔(德)	L. 米沙(法)		
1928	W.F. 汉森(丹)	L. 米沙(法)		
1929	A. 马扎拉克(荷)	L. 米沙(法)		
1930	L. 热拉尔丹(法)	L. 米沙(法)		
1931	H. 哈尔德(丹)	W.F. 汉森(丹)		
1932	A. 里希特(德)	J. 谢伦斯(比)		
1933	J. 范埃格蒙德(荷)	J. 谢伦斯(比)		
1934	B. 波拉(意)	J. 谢伦斯(比)		
1935	T. 默克尔斯(德)	J. 谢伦斯(比)		
1936	A. 范维列特(荷)	J. 谢伦斯(比)		
1937	J. 范德维伊弗(荷)	J. 谢伦斯(比)		
1938	J. 范德维伊弗(荷)	A. 范维列特(荷)		
1939	J. 德克森(荷)	未比赛		
1940～1945	未比赛			
1946	O. 普拉特纳(瑞士)	J. 德克森(荷)	R. 里奥兰(法)	G. 彼得斯(荷)
1947	R. 哈里斯(英)	J. 谢伦斯(比)	G. 梅西纳(意)	F. 科皮(意)
1948	M. 盖尔拉(意)	A. 范维列特(荷)	G. 梅西纳(意)	G. 舒尔特(荷)
1949	S. 帕特森(澳)	R. 哈里斯(英)	K.E. 安德森(丹)	F. 科皮(意)
1950	M. 维德恩(法)	R. 哈里斯(英)	S. 帕特森(澳)	A. 贝维拉夸(意)
1951	E. 萨基(意)	R. 哈里斯(英)	N. 德罗西(意)	A. 贝维拉夸(意)
1952	E. 萨基(意)	O. 普拉特纳(瑞士)	P. 范霍斯登(荷)	S. 帕特森(澳)
1953	M. 莫雷蒂尼(意)	A. 范维列特(荷)	G. 梅西纳(意)	S. 帕特森(澳)
1954	C. 皮科克(英)	R. 哈里斯(英)	L. 法金(意)	G. 梅西纳(意)
1955	G. 奥格纳(意)	A. 马斯佩斯(意)	N. 希尔(英)	G. 梅西纳(意)
1956	M. 卢梭(法)	A. 马斯佩斯(意)	E. 巴尔蒂尼(意)	G. 梅西纳(意)
1957	M. 卢梭(法)	J. 德克森(荷)	C. 西蒙尼(意)	R. 里维埃(法)
1958	V. 加斯帕雷拉(意)	M. 卢梭(法)	N. 希尔(英)	R. 里维埃(法)
1959	V. 加斯帕雷拉(意)	A. 马斯佩斯(意)	R. 阿尔蒂格(西德)	R. 里维埃(法)
1960	S. 加亚尔多尼(意)	A. 马斯佩斯(意)	M. 德拉特尔(法)	R. 阿尔蒂格(西德)
1961	S. 比安凯托(意)	A. 马斯佩斯(意)	H. 尼达姆(荷)	R. 阿尔蒂格(西德)
1962	S. 比安凯托(意)	A. 马斯佩斯(意)	K. 延森(丹)	H. 尼达姆(荷)
1963	P. 塞尔库(比)	S. 加亚尔多尼(意)	J. 瓦什尔茨(比)	L. 法金(意)
1964	P. 特朗丁(法)	A. 马斯佩斯(意)	T. 格伦(荷)	F. 布拉克(比)

续表

年份	短距离赛(业余)	短距离赛(职业)	追逐赛(业余)	追逐赛(职业)
1965	O. 法卡兹(苏)	G. 贝格托(意)	T. 格伦(荷)	L. 法金(意)
1966	D. 莫雷隆(法)	G. 贝格托(意)	T. 格伦(荷)	L. 法金(意)
1967	D. 莫雷隆(法)	P. 塞尔库(比)	G. 邦杰斯(荷)	T. 格伦(荷)
1968	L. 波尔盖蒂(意)	G. 贝格托(意)	M. 弗雷-延森(丹)	H. 波特(英)
1969	D. 莫雷隆(法)	P. 塞尔库(比)	X. 库尔曼(瑞士)	F. 布拉克(比)
1970	D. 莫雷隆(法)	G. 约翰逊(澳)	X. 库尔曼(瑞士)	H. 波特(英)
1971	D. 莫雷隆(法)	L. 洛维塞伊恩(荷)	M. 罗德里格兹(哥伦比亚)	D. 贝尔特(比)
1972	§	R. 范兰克(比)	§	H. 波特(英)
1973	D. 莫雷隆(法)	R. 范兰克(比)	K. 克努森(挪)	H. 波特(英)
1974	A. 特卡克(捷)	P. 彼得森(丹)	H. 卢茨(西德)	R. 舒伊坦(荷)
1975	D. 莫雷隆(法)	J. 尼科尔森(澳)	T. 胡施克(东德)	R. 舒伊坦(荷)
1976	§	J. 尼科尔森(澳)	§	F. 莫泽(意)
1977	H.J. 格舍克(东德)	中野(日)	N. 杜尔皮什(东德)	G. 布劳恩(西德)
1978	A. 特卡克(捷)	中野(日)	D. 马赫(东德)	G. 布劳恩(西德)
1979	L. 赫斯里希(东德)	中野(日)	N. 马拉科夫(苏)	B. 马斯特波什(荷)
1980	§	中野(日)	§	A. 多伊尔(英)
1981	S. 科皮洛夫(苏)	中野(日)	D. 马赫(东德)	A. 邦迪(法)
1982	S. 科皮洛夫(苏)	中野(日)	D. 马赫(东德)	A. 邦迪(法)
1983	L. 赫斯里希(东德)	中野(日)	V. 库波维茨(苏)	S. 毕晓普(澳)
1984	§	中野(日)	§	H.-H. 厄斯泰兹(丹)
1985	L. 赫斯里希(东德)	中野(日)	V. 埃基莫夫(苏)	H.-H. 厄斯泰兹(丹)
1986	M. 许布纳(东德)	中野(日)	V. 埃基莫夫(苏)	T. 多伊尔(英)
1987	L. 赫斯里希(东德)	田原(日)	G. 乌马拉斯(苏)	H.-H. 厄斯泰兹(丹)
1988	§	S. 佩特(澳)	§	L. 皮亚塞茨基(波)
1989	B. 许克(东德)	C. 皮利内利(意)	V. 埃基莫夫(苏)	C. 斯特奇斯(英)
1990	B. 许克(东德)	M. 许布纳(东德)	Ye. 别尔津(苏)	V. 埃基莫夫(苏)
1991	J. 菲德勒(德)	未授奖	J. 莱曼	F. 莫罗(法)
1992	§	M. 许布纳(德)	§	M. 麦卡锡(美)
1993	G. 尼万德(奥)		G. 奥布里(英)	
1994	M. 诺斯泰因(美)		G. 博德曼(英)	
1995	D. 希尔(澳)		G. 奥布里(英)	
1996	F. 鲁索(法)		C. 博德曼(英)	
1997	F. 鲁索(法)		P. 埃尔默诺(法)	
1998	F. 鲁索(法)		P. 埃尔默诺(法)	
1999	L. 加内(法)		R. 巴特科(德)	
2000	J. 冯·艾伊登(德)		J. 莱曼(德)	
2001	A. 图尔南(法)		O. 西蒙年科(乌克兰)	
2002	S. 伊迪(澳)		B. 麦克吉(澳)	
2003	L. 加内(法)		B. 维金斯(英)	
2004	T. 博斯(荷)		S. 洛雷(西)	

* 1 英里赛。†10 英里赛。‡10 公里赛。§ 因奥运会而未举行比赛。
‖ 1993 年开始职业和业余比赛在同一项目中进行。

世界自行车跑道锦标赛(女子,仅为业余)

年份	短距离赛	3 公里追逐赛	年份	短距离赛	3 公里追逐赛
1958	G. 叶尔莫拉耶娃(苏)	L. 科切托娃(苏)	1975	S. 诺瓦拉(美)	K. 范奥斯滕-哈格(荷)
1959	G. 叶尔莫拉耶娃(苏)	B. 伯顿(英)	1976	S. 杨(美)	K. 范奥斯滕-哈格(荷)
1960	G. 叶尔莫拉耶娃(苏)	B. 伯顿(英)	1977	G. 察里约娃(苏)	V. 库兹涅佐娃(苏)
1961	G. 叶尔莫拉耶娃(苏)	Y. 雷恩德斯(比)	1978	G. 察里约娃(苏)	K. 范奥斯滕-哈格(荷)
1962	V. 萨温纳(苏)	B. 伯顿(英)	1979	G. 察里约娃(苏)	K. 范奥斯滕-哈格(荷)
1963	G. 叶尔莫拉耶娃(苏)	B. 伯顿(英)	1980	S. 诺瓦拉-雷伯(美)	N. 基巴尔迪纳(苏)
1964	I. 基里琴科(苏)	Y. 雷恩德斯(比)	1981	S. 杨-奥乔威克兹(美)	N. 基巴尔迪纳(苏)
1965	V. 萨温纳(苏)	Y. 雷恩德斯(比)	1982	C. 帕拉斯凯文(美)	R. 特威格(美)
1966	I. 基里琴科(苏)	B. 伯顿(英)	1983	C. 帕拉斯凯文(美)	C. 卡彭特(美)
1967	V. 萨温纳(苏)	T. 加尔库什纳(苏)	1984	C. 帕拉斯凯文(美)	R. 特威格(美)
1968	A. 巴金尼扬茨(苏)	R. 奥博多夫斯卡娅(苏)	1985	I. 尼科洛索(法)	R. 特威格(美)
1969	G. 察里约娃(苏)	R. 奥博多夫斯卡娅(苏)	1986	C. 罗森布格尔(东德)	J. 隆戈(法)
1970	G. 察里约娃(苏)	T. 加尔库什纳(苏)	1987	E. 萨卢米亚(苏)	R. 特威格-怀特黑德(美)
1971	G. 察里约娃(苏)	T. 加尔库什纳(苏)	1988	E. 萨卢米亚(苏)	J. 隆戈(法)
1972	G. 叶尔莫拉耶娃(苏)	T. 加尔库什纳(苏)	1989	E. 萨卢米亚(苏)	J. 隆戈(法)
1973	S. 杨(美)	T. 加尔库什纳(苏)	1990	C. 杨(美)	J. 隆戈(法)
1974	T. 皮尔什奇科娃(苏)	T. 加尔库什纳(苏)	1991	I. 哈林哈(荷)	P. 罗斯纳(德)

续表

年份	短距离赛	3公里追逐赛	年份	短距离赛	3公里追逐赛
1992	E. 萨卢米亚(爱沙尼亚)	P. 罗斯纳(德)	1999	F. 巴朗热(法)	M. 克利耐特(法)
1993	T. 杜布尼科夫(加拿大)	R. 特威格(美)	2000	N. 马克夫尼钦科(白俄)	Y. 麦格雷戈(英)
1994	G. 叶纽科什娜(俄)	M. 克利耐特(法)	2001	S. 格兰克夫斯卡娅(俄)	L. 齐伊拉阿尔德-冯·曼苏尔(荷)
1995	F. 巴朗热(法)	R. 特威格(美)	2002	N. 齐林斯卡娅(白俄)	L. 齐伊拉阿尔德-冯·曼苏尔(荷)
1996	F. 巴朗热(法)	M. 克利耐特(法)	2003	S. 格兰克夫斯卡娅(俄)	L. 齐伊拉阿尔德-冯·曼苏尔(荷)
1997	F. 巴朗热(法)	J. 阿恩特	2004	S. 格兰克夫斯卡娅(俄)	S. 厄尔默(新西兰)
1998	F. 巴朗热(法)	L. 泰勒-沙漫(澳)			

FENCING 击剑 1921～1935年举行的欧洲击剑锦标赛在1936年奥运会上被正式承认为世界击剑锦标赛。1960年以前，女子花剑团体赛在非奥运会年举行，不属奥运会项目；1960年后才成为奥运会比赛项目。女子击剑比赛传统上只有花剑一个项目，1989年以后女子重剑比赛成为世界锦标赛的一部分。

男子击剑一场比赛约持续6分钟，用剑的指定部位(对于重剑和花剑，只有用剑尖刺中对手方为有效)率先刺中对手5剑即算获胜。女子一场比赛大约持续5分钟，胜者必须刺中对手4次。不同击剑项目的有效刺中部位也不同。对于花剑来说，有效刺中部位为躯干；对于重剑则是全身；对于佩剑大致是腰部以上(包括头和手臂)。

世界击剑锦标赛(女子佩剑)

年份	个人	团体
1999	E.杰马叶娃(阿塞拜疆)	意
2000	E. 杰马叶娃(阿塞拜疆)	美
2001	A-L.图伊(法)	俄
2002	谭雪(中)	俄

世界击剑锦标赛(女子重剑)

年份	个人	团体
1989	A. 施特劳布(瑞士)	匈
1990	T. 沙普(古巴)	西德
1991	M. 霍瓦特(匈)	匈
1992	未比赛	
1993	O. 叶尔马科娃(爱沙尼亚)	匈
1994	L.基耶萨(意)	西
1995	J.亚克米尤克(波)	匈
1996	L.弗莱塞(法)	法
1997	M.加西亚-索托(古)	匈
1998	L.弗莱塞(法)	法
1999	L.弗莱塞-乔洛维奇(法)	匈
2000	T.纳吉(匈)	俄
2001	C.贝克尔(德)	俄
2002	玄熙(韩)	匈

在1992年奥运会上，意大利运动员G.特里利尼(抬腿者)击败中国运动员王惠芬，卫冕女子花剑世界冠军成功

供图：ALLSPORT USA/Pascal Rondeau

世界击剑锦标赛(女子花剑)

年份	个人	团体	年份	个人	团体
1936*	I. 埃列克(匈)	德	1973	V. 尼科诺娃(苏)	匈
1937	H. 梅耶(德)	匈	1974	I. 博比斯(匈)	苏
1938	M. 塞迪瓦(捷)	—	1975	K. 詹科西克-斯塔尔(罗马尼亚)	苏
1939～1946	未比赛		1976*	I. 施瓦尔岑伯格(匈)	苏
1947	E. 缪勒-普雷斯(奥)	丹	1977	V. 西多洛娃(苏)	苏
1948*	I. 埃列克(匈)	丹	1978	V. 西多洛娃(苏)	苏
1949	E. 缪勒-普雷斯(奥)	—	1979	C. 哈尼希(西德)	苏
1950	R. 加里尔赫(法) E. 缪勒-普雷斯(奥)	法	1980*	P. 特兰盖(法)	法
1951	I. 埃列克(匈)	法	1981	C. 哈尼希(西德)	苏
1952*	I. 坎培尔(意)	—	1982	N. 基利亚佐娃(苏)	意
1953	I. 坎培尔(意)	匈	1983	D. 瓦卡罗尼(意)	意
1954	K. 拉希曼(丹)	匈	1984*	栾菊杰(中)	西德
1955	L. 多莫尔基(匈)	匈	1985	C. 哈尼希(西德)	西德
1956*	G. 希恩(英)	—	1986	A. 菲希特尔(西德)	苏
1957	A. 扎贝利娜(苏)	意	1987	E. 图芬(罗马尼亚)	匈
1958	V. 基塞勒娃(苏)	苏	1988*	A. 菲希特尔(西德)	西德
1959	E. 埃菲莫娃(苏)	匈	1989	O. 韦利特奇科(苏)	西德
1960*	H. 施米特(德)†	苏	1990	A. 菲希特尔(西德)	意
1961	H. 施米特(西德)	苏	1991	G. 特里利尼(意)	意
1962	O. 奥本-斯扎博(罗)	匈	1992*	G. 特里利尼(意)	意
1963	I. 雷伊托(匈)	匈	1993	F. 博尔托洛齐(意)	德
1964*	I. 乌拉吉-勒脱(匈)	匈	1994	B. 萨博(罗)	罗
1965	G. 戈洛科娃(苏)	苏	1995	L. 巴代亚(罗)	意
1966	T. 萨莫森科(苏)	苏	1996	L. 巴代亚(罗)	意
1967	A. 扎贝利娜(苏)	匈	1997	G. 特里利尼(意)	意
1968*	E. 诺维科娃(苏)	苏	1998	S. 鲍(德)	意
1969	E. 诺维科娃(苏)	罗	1999	V. 维扎利(意)	德
1970	G. 戈洛科娃(苏)	苏	2000	V. 维扎利(意)	意
1971	M.C. 德麦勒(法)	苏	2001	V. 维扎利(意)	意
1972*	A.R. 隆齐(意)	苏	2002	S. 博伊科(俄)	俄

*该年度世界冠军由奥运会产生。†东、西德联队。

世界击剑锦标赛(男子)

年份	个人花剑	个人重剑	个人佩剑	团体花剑	团体重剑	团体佩剑
1936*	G. 高迪尼(意)	F. 里卡迪(意)	E. 卡波斯(匈)	意	意	匈
1937	G. 马齐(意)	B. 施梅兹(法)	G. 科瓦克斯(匈)	意	意	意
1938	G. 古拉格纳(意)	M. 佩切克斯(法)	A. 蒙塔诺(意)	意	—	—
1939～1946	未比赛					
1947	C. 德奥里奥拉(法)	E. 阿蒂加斯(法)	A. 蒙塔诺(意)	法	法	意
1948*	J. 布昂(法)	L. 坎托内(意)	A. 格雷维奇(匈)	法	法	匈
1949	C. 德奥里奥拉(法)	D. 曼贾罗蒂(意)	G. 达雷(意)	意	意	意
1950	R. 诺斯蒂尼(意)	M. 鲁乔(丹)	J. 莱瓦索(法)	意	意	意
1951	M. 迪罗萨(意)	E. 曼贾罗蒂(意)	A. 格雷维奇(匈)	法	法	匈
1952*	C. 德奥里奥拉(法)	E. 曼贾罗蒂(意)	P. 科瓦克斯(匈)	法	意	匈
1953	C. 德奥里奥拉(法)	J. 萨科维茨(匈)	P. 科瓦克斯(匈)	法	意	匈
1954	C. 德奥里奥拉(法)	E. 曼贾罗蒂(意)	R. 卡尔帕蒂(匈)	意	意	匈
1955	J. 基乌里克查(匈)	G. 安格莱西奥(意)	A. 格雷维奇(匈)	意	意	匈
1956*	C. 德奥里奥拉(法)	C. 帕韦西(意)	R. 卡尔帕蒂(匈)	意	意	匈
1957	M. 富洛普(匈)	A. 莫维亚(法)	J. 帕夫洛夫斯基(波兰)	匈	意	匈
1958	G.C. 伯加米尼(意)	H.W.F. 霍斯金斯(英)	Y. 赖尔斯基(苏)	法	意	匈
1959	A. 杰伊(英)	G. 拉福兰克(法)	R. 卡尔帕蒂(匈)	苏	匈	波兰
1960*	V. 日丹诺维奇(苏)	G. 德尔菲诺(意)	R. 卡尔帕蒂(匈)	苏	意	匈
1961	R. 帕鲁斯基(波兰)	J. 吉泰特(法)	Y. 赖尔斯基(苏)	苏	苏	波兰
1962	G. 斯韦什尼科夫(苏)	I. 考兹(匈)	Z. 霍尔瓦斯(匈)	苏	法	波兰
1963	J.C. 玛尼亚(法)	R. 洛塞特(奥)	Y. 赖尔斯基(苏)	苏	波兰	波兰
1964*	E. 夫朗克(波兰)	G. 克里斯(苏)	T. 佩萨(匈)	苏	匈	苏
1965	J.C. 玛尼亚(法)	Z. 内梅尔(匈)	J. 帕夫洛夫斯基(波兰)	苏	法	苏
1966	G. 斯韦什尼科夫(苏)	A. 尼坎奇科夫(苏)	J. 帕夫洛夫斯基(波兰)	苏	法	匈
1967	V. 普提亚廷(苏)	A. 尼坎奇科夫(苏)	M. 拉基塔(苏)	罗	苏	苏
1968*	I. 德里姆巴(罗)	G. 库尔萨尔(匈)	J. 帕夫洛夫斯基(波兰)	法	匈	苏
1969	F. 韦塞尔(西德)	B. 安德烈耶夫斯基(波兰)	V. 希吉亚克(苏)	苏	苏	苏
1970	F. 韦塞尔(西德)	A. 尼坎奇科夫(苏)	T. 佩萨(匈)	苏	匈	苏
1971	V. 斯丹科维奇(苏)	G. 克里斯(苏)	M. 马菲(意)	法	匈	苏
1972*	W. 沃伊达(波兰)	C. 芬尼维希(匈)	V. 希吉亚克(苏)	波兰	匈	意
1973	C. 诺埃尔(法)	R. 埃德林(瑞典)	A. 蒙塔诺(意)	苏	西德	匈
1974	A. 罗曼科夫(苏)	R. 埃德林(瑞典)	A. 蒙塔诺(意)	苏	瑞典	苏
1975	C. 诺埃尔(法)	A. 普希(西德)	V. 纳兹利莫夫(苏)	法	瑞典	苏
1976*	F. 达尔·佐托(意)	A. 普希(西德)	V. 克罗沃甫司可夫(苏)	西德	瑞典	苏
1977	A. 罗曼科夫(苏)	J. 哈门勃格(西德)	P. 格雷维奇(匈)	西德	瑞典	苏
1978	D. 弗拉蒙(法)	A. 普希(西德)	V. 克罗沃甫司可夫(苏)	波兰	匈	匈
1979	A. 罗曼科夫(苏)	P. 里波德(法)	V. 纳兹利莫夫(苏)	苏	苏	苏
1980*	V. 斯密尔诺夫(苏)	J. 哈门勃格(西德)	V. 克罗沃甫司可夫(苏)	法	法	苏
1981	V. 斯密尔诺夫(苏)	Z. 塞克利(匈)	M. 沃德克(波兰)	苏	苏	匈
1982	A. 罗曼科夫(苏)	J. 帕普(匈)	V. 克罗沃甫司可夫(苏)	苏	法	匈
1983	A. 罗曼科夫(苏)	E. 博尔曼(西德)	V. 埃特罗波尔斯基(保)	西德	法	苏
1984*	M. 努马(意)	P. 布瓦斯(法)	J.-F. 拉摩尔(法)	意	西德	意
1985	M. 努马(意)	P. 布瓦斯(法)	G. 奈巴尔德(匈)	意	西德	苏
1986	A. 博雷拉(意)	P. 里波德(法)	S. 明迪尔加索夫(苏)	意	西德	苏
1987	M. 格伊(西德)	V. 菲舍(西德)	J.-F. 拉摩尔(法)	西德	苏	苏
1988*	S. 切廖尼(意)	A. 施米特(西德)	J.-F. 拉摩尔(法)	苏	法	匈
1989	A. 科赫(西德)	M. 佩雷拉(西班牙)	G. 基列恩科(苏)	苏	意	苏
1990	P. 翁内斯(法)	T. 格鲁尔(西德)	G. 奈巴尔德(匈)	意	意	苏
1991	I. 魏森博恩(德)	A. 舒瓦洛夫(苏)	G. 基列恩科(苏)	古巴	苏	匈
1992*	P. 翁内斯(法)	E. 斯雷克基(法)	B. 绍博(匈)	德	德	联合队 †
1993	A. 科赫(德)	P. 科洛布科夫(俄)	G. 基列恩科(俄)	德	意	匈
1994	R. 塔克(古)	P. 科洛布科夫(俄)	F. 贝克尔(德)	德	法	俄
1995	D. 舍甫琴柯(俄)	E. 斯雷克基(法)	G. 基列恩科(俄)	古	德	意
1996	A. 普奇尼(意)	A. 别克托夫(俄)	S. 波兹尼亚科夫(俄)	俄	意	俄
1997	S. 戈卢比茨基(乌)	E. 斯雷克基(法)	S. 波兹尼亚科夫(俄)	法	古	法
1998	S. 戈卢比茨基(乌)	H. 奥布里(法)	L. 塔兰蒂诺(意)	波	匈	匈
1999	S. 戈卢比茨基(乌)	A. 施米特(德)	D. 图亚(法)	法	法	法
2000	金永浩(韩)	P. 科洛布科夫(俄)	M.C.科瓦柳(罗)	法	意	俄
2001	S. 桑佐(意)	P. 米拉诺(意)	S. 波兹尼亚科夫(俄)	法	匈	俄
2002	S. 万尼(意)	P. 科洛布科夫(俄)	S. 波兹尼亚科夫(俄)	德	法	俄

* 本年度世界冠军由奥运会产生。† 联合队，包括来自独联体及格鲁及亚的运动员。

FIELD HOCKEY 曲棍球 曲棍球运动在英国、印度、巴基斯坦和欧洲大多数国家相当普及。难以理解的是，在美国，男子并不热衷于这项运动，曲棍球被广泛地认为是女子的一项运动。虽然可认为它源于19世纪中期，但这项运动直到20世纪中期才被组织成国际性的运动。国际比赛之一是世界杯赛，由国际曲棍球联合会（FIH，1924年成立）组织。

世界杯曲棍球锦标赛（男子）

年份	冠军	亚军
1971	巴基斯坦	印度
1973	荷兰	印度
1975	印度	巴基斯坦
1978	巴基斯坦	荷兰
1982	巴基斯坦	西德
1986	澳大利亚	英国
1990	荷兰	巴基斯坦
1994	巴基斯坦	荷兰
1998	荷兰	西班牙
2002	德国	澳大利亚

世界杯曲棍球锦标赛（女子）

年份	冠军	亚军
1974	荷兰	阿根廷
1976	西德	阿根廷
1978	荷兰	西德
1981	西德	荷兰
1983	荷兰	加拿大
1986	荷兰	西德
1990	荷兰	澳大利亚
1994	澳大利亚	阿根廷
1998	澳大利亚	荷兰

在1986年的世界杯曲棍球锦标赛上，荷兰队和西德队队员正在抢球

供图：© ANP Foto

FOOTBALL 足球与橄榄球 有多种类型的运动称为足球，其中有英式足球、美式足球（又称美式橄榄球，在美国简称为橄榄球）、加拿大式足球（又称英式橄榄球）和橄榄球联合会式足球（又称英式橄榄球）。这几种足球尽管有些相似，例如美式足球与加拿大式足球，但每一种都有自己明显的特点。

英式足球 英式足球的管理机构是国际足球协会联合会（FIFA，成立于1904年）。国际足球协会联合会世界杯赛（1930年更名为世界杯赛）是第一个正式的国际英式足球比赛。随后又创办一些其他的重要比赛，如欧洲杯赛（1955）和欧洲冠军杯赛（1960），二者都是欧洲各国优胜者之间的比赛。南美足球俱乐部赛也称为美洲自由杯赛，创始于1960年。国际足球协会联合会女子世界杯赛始于1991年；美国队获冠军。

美国职业橄榄球 全国橄榄球联盟（NFL）锦标赛始于1933年。美国橄榄球联盟（成立于1959年）在1970年与全国橄榄球联盟合并之前是个与全国橄榄球联盟竞争的组织。合并后的联盟在1976年增加了一些新的球队，改组后的全国橄榄球联盟又分为两个协会：美国橄榄球协会和全国橄榄球协会。每个协会锦标赛的冠军代表本会参加职业橄榄球年度的决赛——超级橄榄球赛。

美国大学橄榄球 每年由美联社体育记者和合众国际社的橄榄球教练员投票选举产生的大学橄榄球队被公认为非正式的全国冠军。美联社的选举始于1936年，合众国际社的选举始于1950年。二者的选举结果即使不同，也都公布于众。1924～1936年，里斯曼杯和克努特·罗克尼杯就象征着冠军。大学橄榄球队最著名的比赛之一是奖杯赛。最早的这种比赛是始于1902年的蔷薇体育馆橄榄球赛，当时在加利福尼亚州的帕萨迪纳市正举行第12届每年一度的蔷薇节比赛。糖钵橄榄球赛（在路易斯安那州新奥尔良举行）和柑橘杯赛（在佛罗里达州迈阿密举行）都创始于1935年，1937年开始在得克萨斯州达拉斯举行棉花杯赛。从此以后，每年举行的各种奖杯赛得到全国大学生体育协会的正式承认。

加拿大职业橄榄球 1959年起，加拿大橄榄球联合会分为东部和西部两个协会，每年两个协会锦标赛的冠军队再争夺联合会的

非洲杯

年份	冠军	年份	冠军
1957	埃及	1982	加纳
1959	埃及	1984	喀麦隆
1962	埃塞俄比亚	1986	埃及
1963	加纳	1988	喀麦隆
1965	加纳	1990	阿尔及利亚
1968	刚果（金）	1992	科特迪瓦
1970	苏丹	1994	尼日利亚
1972	刚果（布）	1996	南非
1974	扎伊尔	1998	埃及
1976	摩洛哥	2000	喀麦隆
1978	加纳	2002	喀麦隆
1980	尼日利亚	2004	突尼斯

亚洲杯

年份	冠军	亚军
1956	韩国	以色列
1960	韩国	以色列
1964	以色列	印度
1968	伊朗	缅甸
1972	伊朗	韩国
1976	伊朗	科威特
1980	科威特	韩国
1984	沙特阿拉伯	中国
1988	沙特阿拉伯	韩国
1992	日本	沙特阿拉伯
1996	沙特阿拉伯	阿联酋
2000	日本	沙特阿拉伯
2004	日本	中国

冠军，即获得格雷杯（设立于1909年）。严格地说，1935年以前这种比赛没有成为职业球队的比赛（见表中列出的大学球队）。

英式橄榄球联合会式橄榄球 英式橄榄球联合会式橄榄球运动只接纳业余运动员。它主要有两种比赛：一种是由国际业余英式橄榄球联合会（FIRA）组织的五国锦标赛，有法国、英格兰、苏格兰、威尔士和爱尔兰参加；另一种是由国际英式橄榄球联盟组织的国际英式橄榄球交流比赛，参加者除上述五国外，还包括南非、新西兰和澳大利亚。国际英式橄榄球交流比赛纪录的设计是水平方向阅读的，每行中标有各国获胜、平局和失败的次数。世界杯赛始创于1987年，有16个国家队参加，比赛每4年举办一次。

英式橄榄球联盟式橄榄球 世界杯赛始于1954年，比赛在澳大利亚、法国、英国和新西兰的职业选手之间进行。1975年世界杯赛改名为国际锦标赛，1977年停止举办，80年代重新恢复。比赛第4年举行一次。1978年成为该运动国际理事会成员的巴布亚新几内亚，现已参加比赛。

D. 马拉多纳（右）在1986年世界杯足球赛的首场比赛中，此场比赛马拉多纳独进三球，阿根廷队以3:1战胜韩国队

供图：Colorsport

在1964～1965年度全国橄榄球联盟锦标赛中，克利夫兰布朗队的J. 布朗（右上）正被巴尔的摩马驹队守方拦抱

供图：Tony Tomsic—NFL Photos

在1958～1959年度全国橄榄球联盟锦标赛中，巴尔的摩马驹队的前卫J. 尤尼塔斯正在传球时，遭到纽约巨人队J. 卡特卡韦格的冲撞

供图：© Hy Peskin—NFL Photos

国际足球协会联合会世界杯（男子）

年份	成绩			
1930	乌拉圭	4	阿根廷	2
1934	意大利	2	捷克	1
1938	意大利	4	匈牙利	2
1950	乌拉圭	2	巴西	1
1954	西德	3	匈牙利	2
1958	巴西	5	瑞典	2
1962	巴西	3	捷克	1
1966	英格兰	4	西德	2
1970	巴西	4	意大利	1
1974	西德	2	荷兰	1
1978	阿根廷	3	荷兰	1
1982	意大利	3	西德	1
1986	阿根廷	3	西德	2
1990	西德	1	阿根廷	0
1994	巴西	3	意大利	2
1998	法国	3	巴西	0
2002	巴西	2	德国	0
2006	意大利	6	法国	4

历届欧洲杯冠军

年份	成绩			
1960	苏联	2	南斯拉夫	1
1964	西班牙	2	苏联	1
1968	意大利	2	南斯拉夫	0
1972	西德	3	苏联	0
1976	捷克斯洛伐克*	2	西德	2
1980	西德	2	比利时	1
1984	法国	2	西班牙	0
1988	荷兰	2	苏联	0
1992	丹麦	2	德国	0
1996	德国	2	捷克	1
2000	法国	2	意大利	1
2004	希腊	1	葡萄牙	0

*捷克斯洛伐克点球5-3胜出

美洲杯

年份	成绩			
1995	乌拉圭*	2	巴西	2
1997	巴西	3	玻利维亚	1
1999	巴西	3	乌拉圭	1
2001	哥伦比亚	1	墨西哥	0
2004	巴西†	2	阿根廷	2

*乌拉圭点球5-3胜出。†巴西点球4-2胜出

国际足球协会联合会世界杯（女子）

年份	成绩			
1991	美国	2	挪威	1
1995	挪威	2	德国	0
1999	美国*	0	中国	0
2003	德国	2	瑞典	1

*点球胜出

英式橄榄球联盟式橄榄球世界杯赛

年份	成	绩		
1954	英国	16	法国	12
1957	澳大利亚	29	英国	21
1960	英国	66	澳大利亚	37
1968	澳大利亚	20	法国	2
1970	澳大利亚	12	英国	7
1972	英国	10*	澳大利亚	10
1975†	澳大利亚 ‡			
1977†	澳大利亚	13	英国	12
1988	澳大利亚	25	新西兰	12
1992	澳大利亚	10	英国	6
1995	澳大利亚	16	英格兰	8
2000	澳大利亚	40	新西兰	12

* 英国以点数获胜。†1975～1977 年称国际锦标赛。‡未举行决赛而获得冠军；英国获亚军。

欧 洲 杯

年 度	成		绩	
1955 – 1956	皇家马德里队	4	兰斯队(法)	3
1956 – 1957	皇家马德里队	2	佛罗伦蒂纳(意)	0
1957 – 1958	皇家马德里队	3	AC 米兰队	2
1958 – 1959	皇家马德里队	2	兰斯队(法)	0
1959 – 1960	皇家马德里队	7	法兰克福联队	3
1960 – 1961	本菲卡队(葡)	3	巴塞罗那队	2
1961 – 1962	本菲卡队(葡)	5	皇家马德里队	3
1962 – 1963	AC 米兰队	2	本菲卡队	1
1963 – 1964	国际米兰队	3	皇家马德里队	1
1964 – 1965	国际米兰队	1	本菲卡队	0
1965 – 1966	皇家马德里队	2	贝尔格莱德游击队	1
1966 – 1967	格拉斯哥凯尔特队	2	国际米兰队	1
1967 – 1968	曼彻斯特联队(英格兰)	4	本菲卡队	1
1968 – 1969	AC 米兰队	4	阿姆斯特丹阿贾克斯队	1
1969 – 1970	费诺德队(荷)	2	凯尔特队(苏格兰)	1
1970 – 1971	阿姆斯特丹阿贾克斯队	2	帕纳西纳克斯队(希腊)	0
1971 – 1972	阿姆斯特丹阿贾克斯队	2	国际米兰队	0
1972 – 1973	阿姆斯特丹阿贾克斯队	1	尤文图斯队(意)	0
1973 – 1974	慕尼黑拜恩队	4	马德里体育家队	0
1974 – 1975	慕尼黑拜恩队	2	利兹联队(英格兰)	0
1975 – 1976	慕尼黑拜恩队	1	圣艾蒂安队(法)	0
1976 – 1977	利物浦队	3	门兴格拉德巴赫普鲁士队(西德)	1
1977 – 1978	利物浦队	1	布鲁日 FC 队(比)	0
1978 – 1979	诺丁汉森林队(英格兰)	1	马尔默 FC 队(瑞典)	0
1979 – 1980	诺丁汉森林队(英格兰)	1	汉堡 SV 队	0
1980 – 1981	利物浦队	1	皇家马德里队	0
1981 – 1982	阿斯顿·维拉队(英格兰)	1	慕尼黑拜恩队	0
1982 – 1983	汉堡 SV 队	1	尤文图斯队(意)	0
1983 – 1984	利物浦队*	1	罗马队	1
1984 – 1985	尤文图斯队(意)	1	利物浦队	0
1985 – 1986	布加勒斯特斯特瓦队*	1	巴塞罗那队	0
1986 – 1987	波尔图队(葡)	2	慕尼黑拜恩队	1
1987 – 1988	艾德霍文 PSV 队(荷)*	0	本菲卡队(葡)	0
1988 – 1989	AC 米兰队	4	布加勒斯特斯特瓦队	0
1989 – 1990	AC 米兰队	1	本菲卡队(葡)	0
1990 – 1991	贝尔格莱德红星队*	0	马赛队	0
1991 – 1992	巴塞罗那队	1	桑普多利亚队(意)	0
1992 – 1993	马赛奥林匹克队	1	AC 米兰队	0

* 以罚点球获胜。

欧洲冠军杯

年 度	成		绩	
1960 – 1961	佛罗伦蒂纳队(意)	2,2	格拉斯哥巡逻者队	0,1
1961 – 1962	马德里体育家队	3	佛罗伦蒂纳队(意)	0
1962 – 1963	托特纳姆急性人队(英格兰)	5	马德里体育家队	1
1963 – 1964	里斯本运动队	1	布达佩斯 MTK 队	0
1964 – 1965	西汉姆联队(英格兰)	2	慕尼黑 TSV 队	0
1965 – 1966	普鲁士多特蒙德队(西德)	2	利物浦队	1
1966 – 1967	慕尼黑拜恩队	1	格拉斯哥巡逻者队	0
1967 – 1968	AC 米兰队	2	汉堡 SV 队	0
1968 – 1969	布拉迪斯拉发斯洛范队(捷)	3	巴塞罗那 FC 队	2
1969 – 1970	曼彻斯特市队	2	戈尔尼克扎布尔泽队(葡)	1
1970 – 1971	切尔西队(英格兰)	2	皇家马德里队	1*
1971 – 1972	格拉斯哥巡逻者队	3	莫斯科狄纳莫队	2
1972 – 1973	AC 米兰队	1	利兹联队(英格兰)	0
1973 – 1974	马格德堡 FC 队(东德)	2	AC 米兰队	0
1974 – 1975	基辅狄纳莫队	3	费伦兹城队(匈)	0
1975 – 1976	安德莱赫特队(比)	4	西汉姆联队(英格兰)	2
1976 – 1977	汉堡 SV 队	2	安德莱赫特队(比)	0
1977 – 1978	安德莱赫特队(比)	4	奥地利维也纳 FC 队	0
1978 – 1979	巴塞罗那队	4	杜塞尔多夫福尔图纳队(西德)	3
1979 – 1980	巴伦西亚队(西)	5	兵工厂队(英格兰)	4
1980 – 1981	第比利斯狄纳莫队	2	卡尔蔡斯耶纳队(东德)	1
1981 – 1982	巴塞罗那 FC 队	2	列日标准队	1
1982 – 1983	亚伯丁队(苏格兰)	2	皇家马德里队	1
1983 – 1984	尤文图斯队(意)	2	波尔图队(葡)	1
1984 – 1985	埃弗顿队(英格兰)	3	维也纳高速队	1
1985 – 1986	基辅狄纳莫队	3	马德里体育家队	0
1986 – 1987	阿姆斯特丹阿贾克斯队	1	莱比锡机车队	0
1987 – 1988	梅赫伦 KV 队(比)	1	阿姆斯特丹阿贾克斯队	0
1988 – 1989	巴塞罗那队	2	桑普多利亚队(意)	0
1989 – 1990	桑普多利亚队(意)	2	安德莱赫特队(比)	0
1990 – 1991	曼彻斯特联队	2	巴塞罗那队	1
1991 – 1992	不来梅韦尔德队(德)	2	摩纳哥 AS 队	0
1992 – 1993	帕尔马队(意)	3	安特卫普皇家队	1

* 1-1 平后再比一次。

美洲自由杯

年份	冠军(国家)	亚军(国家)	比分
1960	珀那罗队(乌拉圭)	奥林匹亚队(巴拉圭)	1-0,1-1
1961	珀那罗队(乌拉圭)	棕榈树队(巴西)	1-0,1-1
1962	桑托斯队(巴西)	珀那罗队(乌拉圭)	2-1,2-3,3-0
1963	桑托斯队(巴西)	博卡青年队(阿根廷)	3-2,2-1
1964	独立队(阿根廷)	民族队(乌拉圭)	0-0,1-0
1965	独立队(阿根廷)	珀那罗队(乌拉圭)	1-0,1-3,4-1
1966	珀那罗队(乌拉圭)	河床队(阿根廷)	2-0,2-3,4-2
1967	赛马队(阿根廷)	民族队(乌拉圭)	0-0,0-0,2-1
1968	埃斯图迪安特斯队(阿根廷)	棕榈树队(巴西)	2-1,2-3,0-2
1969	埃斯图迪安特斯队(阿根廷)	民族队(乌拉圭)	1-0,2-0
1970	埃斯图迪安特斯队(阿根廷)	珀那罗队(乌拉圭)	1-0,0-0
1971	民族队(乌拉圭)	埃斯图迪安特斯队(阿根廷)	0-1,1-0,2-0

续表

年份	冠军(国家)	亚军(国家)	比分
1972	独立队(阿根廷)	大学队(秘鲁)	0-0,2-1
1973	独立队(阿根廷)	科罗科罗队(智利)	0-0,1-1,2-1
1974	独立队(阿根廷)	圣保罗队(巴西)	1-2,2-0,1-0
1975	独立队(阿根廷)	联合西班牙队(智利)	0-1,3-1,2-0
1976	克鲁赛罗队(巴西)	河床队(阿根廷)	4-1,1-2,3-2
1977	博卡青年队(阿根廷)	克鲁赛罗队(巴西)	1-0,0-1,0-0*
1978	博卡青年队(阿根廷)	卡利运动队(哥伦比亚)	0-0,4-0
1979	奥林匹亚队(巴拉圭)	博卡青年队(阿根廷)	2-0,0-0
1980	民族队(乌拉圭)	国家队(巴西)	0-0,1-0
1981	弗拉明戈队(巴西)	寇伯拉罗队(智利)	2-1,0-1,2-0
1982	珀那罗队(乌拉圭)	寇伯拉罗队(智利)	0-0,1-0
1983	公会队(巴西)	珀那罗队(乌拉圭)	1-1,2-1
1984	独立队(阿根廷)	公会队(巴西)	1-0,0-0
1985	阿根廷青年队(阿根廷)	美洲队(哥伦比亚)	1-0,0-1,1-1*
1986	河床队(阿根廷)	卡利美洲队(哥伦比亚)	2-1,1-0
1987	珀那罗队(乌拉圭)	卡利美洲队(哥伦比亚)	0-2,2-1,1-0
1988	民族队(乌拉圭)	纽厄尔老朋友队(阿根廷)	0-1,3-0
1989	麦德林民族队(哥伦比亚)	奥林匹亚队(巴拉圭)	0-2,2-0,5-4*
1990	奥林匹亚队(巴拉圭)	巴塞罗那队(厄瓜多尔)	2-0,1-1
1991	科罗科罗队(智利)	奥林匹亚队(巴拉圭)	0-0,3-0
1992	圣保罗队(巴西)	纽厄尔老朋友队(阿根廷)	0-1,1-0,3-2*
1993	圣保罗队(巴西)	尤尼弗西达德-卡托利卡队(智利)	5-1,0-2

* 平局后以罚点球决定胜负。

全国橄榄球联盟锦标赛*

年度	成绩				地点
1933－1934	芝加哥熊队	23	纽约巨人队	21	芝加哥
1934－1935	纽约巨人队	30	芝加哥熊队	13	纽约
1935－1936	底特律老虎队	26	纽约巨人队	7	底特律
1936－1937	格林贝包装工队	21	波士顿印第安人队	6	纽约
1937－1938	华盛顿印第安人队	28	芝加哥熊队	21	芝加哥
1938－1939	纽约巨人队	23	格林贝包装工队	17	纽约
1939－1940	格林贝包装工队	27	纽约巨人队	0	密尔沃基
1940－1941	芝加哥熊队	73	华盛顿印第安人队	0	华盛顿[哥伦比亚特区]
1941－1942	芝加哥熊队	37	纽约巨人队	9	芝加哥
1942－1943	华盛顿印第安人队	14	芝加哥熊队	6	华盛顿[哥伦比亚特区]
1943－1944	芝加哥熊队	41	华盛顿印第安人队	21	芝加哥
1944－1945	格林贝包装工队	14	纽约巨人队	7	纽约
1945－1946	克利夫兰布朗队	15	华盛顿印第安人队	14	克利夫兰
1946－1947	芝加哥熊队	24	纽约巨人队	14	纽约
1947－1948	芝加哥主教队	28	费城鹰队	21	芝加哥
1948－1949	费城鹰队	7	芝加哥主教队	0	费城
1949－1950	费城鹰队	14	洛杉矶公羊队	0	洛杉矶
1950－1951	克利夫兰布朗队	30	洛杉矶公羊队	28	克利夫兰
1951－1952	洛杉矶公羊队	24	克利夫兰布朗队	17	洛杉矶
1952－1953	底特律老虎队	17	克利夫兰布朗队	7	克利夫兰
1953－1954	底特律老虎队	17	克利夫兰布朗队	16	底特律
1954－1955	克利夫兰布朗队	56	底特律老虎队	10	克利夫兰
1955－1956	克利夫兰布朗队	38	洛杉矶公羊队	14	洛杉矶
1956－1957	纽约巨人队	47	芝加哥熊队	7	纽约
1957－1958	底特律老虎队	59	克利夫兰布朗队	14	底特律
1958－1959	巴尔的摩马驹队	23†	纽约巨人队	17	纽约
1959－1960	巴尔的摩马驹队	31	纽约巨人队	16	巴尔的摩
1960－1961	费城鹰队	17	格林贝包装工队	13	费城
1961－1962	格林贝包装工队	37	纽约巨人队	0	格林贝(威斯康星州)
1962－1963	格林贝包装工队	16	纽约巨人队	7	纽约
1963－1964	芝加哥熊队	14	纽约巨人队	10	芝加哥
1964－1965	克利夫兰布朗队	27	巴尔的摩马驹队	0	克利夫兰
1965－1966	格林贝包装工队	23	克利夫兰布朗队	12	格林贝(威斯康星州)
1966－1967	格林贝包装工队	34	达拉斯牛仔队	27	达拉斯
1967－1968	格林贝包装工队	21	达拉斯牛仔队	17	格林贝(威斯康星州)
1968－1969	巴尔的摩马驹队	34	克利夫兰布朗队	0	克利夫兰
1969－1970	明尼苏达海盗队	27	克利夫兰布朗队	7	布卢明顿

* 全国橄榄球联盟在 1950～1952 年间分为全国协会和美国协会两部分；1970 年成为全国橄榄球联盟全国橄榄球协会。† 延长比赛 8 分 15 秒后获胜。

美国橄榄球联盟锦标赛*

年度	成绩				地点
1960－1961	休斯敦加油工队	24	洛杉矶突袭者队	16	休斯敦
1961－1962	休斯敦加油工队	10	圣迭戈冲刺队	3	圣迭戈
1962－1963	得克萨斯达拉斯队	20†	休斯敦加油工队	17	休斯敦
1963－1964	圣迭戈冲刺队	51	波士顿爱国队	10	圣迭戈
1964－1965	布法罗麻鸦队	20	圣迭戈冲刺队	7	布法罗
1965－1966	布法罗麻鸦队	23	圣迭戈冲刺队	0	圣迭戈
1966－1967	堪萨斯市长队	31	布法罗麻鸦队	7	布法罗
1967－1968	奥克兰袭击者队	40	休斯敦加油工队	7	奥克兰
1968－1969	纽约喷气发动机队	27	奥克兰袭击者队	23	纽约
1969－1970	堪萨斯市长队	17	奥克兰袭击者队	7	奥克兰

* 美国橄榄球联盟于 1970 年成为全国橄榄球联盟美国橄榄球协会。† 在第二次延长比赛 2 分 54 秒后获胜。

在 1972 年的超级橄榄球赛中，达拉斯牛仔队的前卫 R. 斯托巴赫正在寻找接球者

供图：Focus on Sports

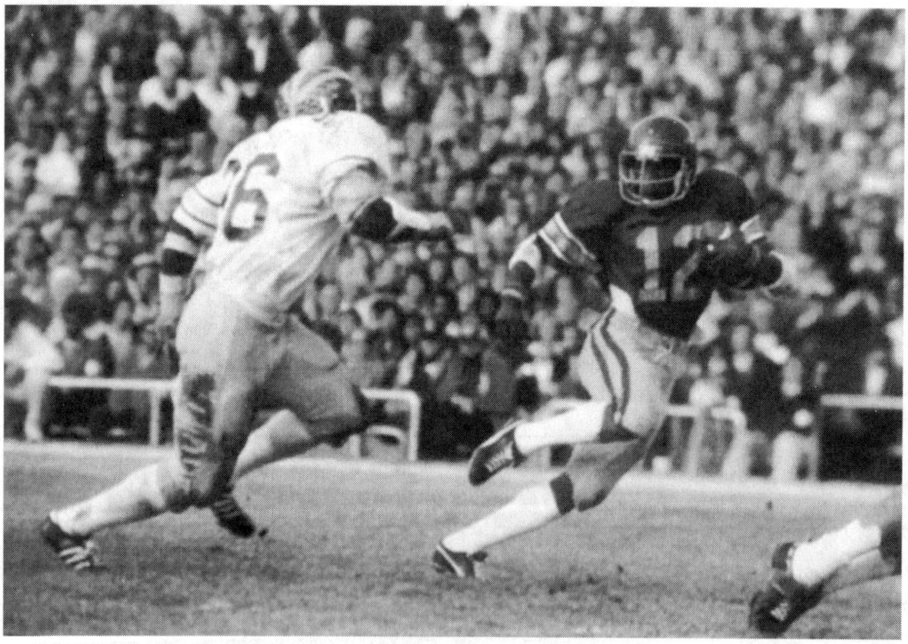

在 1976—1977 年度蔷薇体育馆橄榄球赛上，南加利福尼亚大学队的尾后卫 C. 怀特(右)正试图躲开密歇根大学的中后卫 C. 奥尼尔

南加利福尼亚大学供图

超级杯赛*

届次	年 度		成绩		
I	1966 - 1967	格林贝包装工队(NFL)	35	堪萨斯市长队(AFL)	10
II	1967 - 1968	格林贝包装工队(NFL)	33	奥克兰袭击者队(AFL)	14
III	1968 - 1969	纽约喷气发动机队(AFL)	16	巴尔的摩马驹队(NFL)	7
IV	1969 - 1970	堪萨斯市长队(AFL)	23	明尼苏达海盗队(NFL)	7
V	1970 - 1971	巴尔的摩马驹队(AFC)	16	达拉斯牛仔队(NFC)	13
VI	1971 - 1972	达拉斯牛仔队(NFC)	24	迈阿密海豚队(AFC)	3
VII	1972 - 1973	迈阿密海豚队(AFC)	14	华盛顿印第安人队(NFC)	7
VIII	1973 - 1974	迈阿密海豚队(AFC)	24	明尼苏达海盗队(NFC)	7
IX	1974 - 1975	匹兹堡钢铁工人队(AFC)	16	明尼苏达海盗队(NFC)	6
X	1975 - 1976	匹兹堡钢铁工人队(AFC)	21	达拉斯牛仔队(NFC)	17
XI	1976 - 1977	奥克兰袭击者队(AFL)	32	明尼苏达海盗队(NFC)	14
XII	1977 - 1978	达拉斯牛仔队(NFC)	27	丹佛野马队(AFC)	10
XIII	1978 - 1979	匹兹堡钢铁工人队(AFC)	35	达拉斯牛仔队(NFC)	31
XIV	1979 - 1980	匹兹堡钢铁工人队(AFC)	31	洛杉矶公羊队(NFC)	19
XV	1980 - 1981	奥克兰袭击者队(AFC)	27	费城鹰队(NFC)	10
XVI	1981 - 1982	旧金山四十九人队(NFC)	26	辛辛那提孟加拉队(AFC)	21
XVII	1982 - 1983	华盛顿印第安人队(NFC)	27	迈阿密海豚队(AFC)	17
XVIII	1983 - 1984	洛杉矶冲刺队(AFC)	38	华盛顿印第安人队(NFC)	9
XIX	1984 - 1985	旧金山四十九人队(NFC)	38	迈阿密海豚队(AFC)	16
XX	1985 - 1986	芝加哥熊队(NFC)	46	新英格兰爱国者队(AFC)	10
XXI	1986 - 1987	纽约巨人队(NFC)	39	丹佛野马队(AFC)	20
XXII	1987 - 1988	华盛顿印第安人队(NFC)	42	丹佛野马队(AFC)	10
XXIII	1988 - 1989	旧金山四十九人队(NFC)	20	辛辛那提孟加拉队(AFC)	16
XXIV	1989 - 1990	旧金山四十九人队(NFC)	55	丹佛野马队(AFC)	10
XXV	1990 - 1991	纽约巨人队(NFC)	20	布法罗麻鸦队(AFC)	19
XXVI	1991 - 1992	华盛顿印第安人队(NFC)	37	布法罗麻鸦队(AFC)	24
XXVII	1992 - 1993	达拉斯牛仔队(NFC)	52	布法罗麻鸦队(AFC)	17
XXVIII	1993 - 1994	达拉斯牛仔队(NFC)	30	布法罗麻鸦队(AFC)	13
XXIX	1994 - 1995	旧金山四十九人队(NFC)	49	圣迭戈冲刺队(AFC)	26
XXX	1995 - 1996	达拉斯牛仔队(NFC)	27	匹兹堡钢铁工人队(AFC)	17
XXXI	1996 - 1997	格林贝包装工队(NFC)	35	新英格兰爱国者队(AFC)	21
XXXII	1997 - 1998	丹佛野马队(AFC)	31	格林贝包装工队(NFC)	24
XXXIII	1998 - 1999	丹佛野马队(AFC)	34	亚特兰大猎鹰队(AFC)	19
XXXIV	1999 - 2000	圣路易斯公羊队(NFC)	23	田纳西太阳神队(AFC)	16
XXXV	2000 - 2001	巴尔的摩乌鸦队(AFC)	34	纽约巨人队(NFC)	7
XXXVI	2001 - 2002	新英格兰爱国者队(AFC)	20	圣路易斯公羊队(NFC)	17
XXXVII	2002 - 2003	坦帕湾海盗队(NFC)	48	奥克兰袭击者队	21
XXXVIII	2003 - 2004	新英格兰爱国者队(AFC)	32	卡罗来纳豹队(NFC)	29

* 1966～1970 年为 NFL - AFL 锦标赛；自 1971 - 1972 年度起为 NFL 锦标赛。NFL = 全国橄榄球联盟；AFL = 美国橄榄球联盟；NFC = 全国橄榄球协会；AFC = 美国橄榄球协会。

英式橄榄球联合会橄榄球世界杯赛

年份	成绩			
1987	新西兰	29	法国	9
1991	澳大利亚	12	英国	6
1995	南非	15	新西兰	12
1999	澳大利亚	35	法国	12
2003	英格兰	20	澳大利亚	17

在 1986 年五国锦标赛中的威尔士队(穿深色球衣)与英格兰队(穿白色球衣)

供图：Sporting Pictures(U.K.)

美国大学橄榄球全国冠军

年度	冠军	年度	冠军	年度	冠军
1924	圣母大学	1954	俄亥俄州立大学；		南加利福尼亚大学
1925	达特茅斯学院		加利福尼亚大学(洛杉矶)	1979	亚拉巴马大学
1926	斯坦福大学	1955	俄克拉何马大学	1980	佐治亚大学
1927	伊利诺伊大学	1956	俄克拉何马大学	1981	克莱姆森大学
1928	南加利福尼亚大学	1957	奥本大学，俄亥俄州立大学	1982	宾夕法尼亚州立大学
1929	圣母大学	1958	路易斯安那州立大学	1983	迈阿密大学
1930	圣母大学	1959	锡拉丘兹大学	1984	杨伯翰大学
1931	南加利福尼亚大学	1960	明尼苏达大学	1985	俄克拉何马大学
1932	密歇根大学	1961	亚拉巴马大学	1986	宾夕法尼亚州立大学
1933	密歇根大学	1962	南加利福尼亚大学	1987	迈阿密大学(佛罗里达)
1934	明尼苏达大学	1963	得克萨斯大学	1988	圣母大学
1935	南方卫理公会大学	1964	亚拉巴马大学	1989	迈阿密大学(佛罗里达)
1936	明尼苏达大学	1965	亚拉巴马大学；	1990	科罗拉多大学；
1937	匹兹堡大学		密歇根州立大学		佐治亚理工学院
1938	得克萨斯基督教大学	1966	圣母大学	1991	迈阿密大学(佛罗里达)；
1939	得克萨斯农业和机械大学体系	1967	南加利福尼亚大学		华盛顿大学
1940	明尼苏达大学	1968	俄亥俄州立大学	1992	亚拉巴马大学
1941	明尼苏达大学	1969	得克萨斯大学	1993 – 1994	佛罗里达州立大学
1942	俄亥俄州立大学	1970	内布拉斯加大学；	1994 – 1995	内布拉斯加大学
1943	圣母大学		得克萨斯大学	1995 – 1996	内布拉斯加大学
1944	军事学院	1971	内布拉斯加大学	1996 – 1997	佛罗里达大学
1945	军事学院	1972	南加利福尼亚大学	1997 – 1998	密歇根大学/
1946	圣母大学	1973	圣母大学；		内布拉斯加大学*
1947	圣母大学		亚拉巴马大学	1998 – 1999	田纳西大学
1948	密歇根大学	1974	俄克拉何马大学；	1999 – 2000	佛罗里达州立大学
1949	圣母大学		南加利福尼亚大学	2000 – 2001	俄克拉何马大学
1950	俄克拉何马大学	1975	俄克拉何马大学	2001 – 2002	迈阿密大学(佛罗里达)
1951	田纳西大学	1976	匹兹堡大学	2002 – 2003	俄亥俄州立大学
1952	密歇根州立大学	1977	圣母大学	2003 – 2004	路易斯安那州立大学(BCS)，
1953	马里兰大学	1978	亚拉巴马大学；		南加利福尼亚大学(AP)

* 平局。

玫瑰碗橄榄球赛

年度	成绩				年度	成绩			
1901 – 1902	密歇根大学	49	斯坦福大学	0	1928 – 1929	佐治亚理工学院	8	加利福尼亚大学	7
1915 – 1916	华盛顿州立大学	14	布朗大学	0	1929 – 1930	南加利福尼亚大学	47	匹兹堡大学	14
1916 – 1917	俄勒冈大学	14	宾夕法尼亚大学	0	1930 – 1931	亚拉巴马大学	24	华盛顿州立大学	0
1917 – 1918	马雷岛大学	19	坎普路易斯大学	7	1931 – 1932	南加利福尼亚大学	21	图兰大学	12
1918 – 1919	格雷特湖大学	17	马雷岛大学	0	1932 – 1933	南加利福尼亚大学	35	匹兹堡大学	0
1919 – 1920	哈佛大学	7	俄勒冈大学	6	1933 – 1934	哥伦比亚大学	7	斯坦福大学	0
1920 – 1921	加利福尼亚大学	28	俄亥俄州立大学	0	1934 – 1935	亚拉巴马大学	29	斯坦福大学	13
1921 – 1922	加利福尼亚大学	0	华盛顿-杰弗逊大学	0	1935 – 1936	斯坦福大学	7	南方卫理公会大学	0
1922 – 1923	南加利福尼亚大学	14	宾夕法尼亚州立大学	3	1936 – 1937	匹兹堡大学	21	华盛顿大学	0
1923 – 1924	华盛顿大学	14	海军学院	14	1937 – 1938	加利福尼亚大学	13	亚拉巴马大学	0
1924 – 1925	圣母大学	27	斯坦福大学	10	1938 – 1939	南加利福尼亚大学	7	杜克大学	3
1925 – 1926	亚拉巴马大学	20	华盛顿大学	19	1939 – 1940	南加利福尼亚大学	14	田纳西大学	0
1926 – 1927	亚拉巴马大学	7	斯坦福大学	7	1940 – 1941	斯坦福大学	21	内布拉斯加大学	13
1927 – 1928	斯坦福大学	7	匹兹堡大学	6	1941 – 1942	俄勒冈州立大学	20	杜克大学	16

续表

年度	成绩			
1942 – 1943	佐治亚大学	9	加利福尼亚大学（洛杉矶）	0
1943 – 1944	南加利福尼亚大学	29	华盛顿大学	0
1944 – 1945	南加利福尼亚大学	25	田纳西大学	0
1945 – 1946	亚拉巴马大学	34	南加利福尼亚大学	14
1946 – 1947	亚拉巴马大学	45	加利福尼亚大学（洛杉矶）	14
1947 – 1948	密歇根大学	49	南加利福尼亚大学	0
1948 – 1949	西北大学	20	加利福尼亚大学	14
1949 – 1950	俄亥俄州立大学	17	加利福尼亚大学	14
1950 – 1951	密歇根大学	14	加利福尼亚大学	6
1951 – 1952	亚拉巴马大学	40	斯坦福大学	7
1952 – 1953	南加利福尼亚大学	7	威斯康星大学	0
1953 – 1954	密歇根州立大学	28	加利福尼亚大学（洛杉矶）	20
1954 – 1955	俄亥俄州立大学	20	南加利福尼亚大学	7
1955 – 1956	密歇根州立大学	17	加利福尼亚大学（洛杉矶）	14
1956 – 1957	艾奥瓦大学	35	俄勒冈州立大学	19
1957 – 1958	俄亥俄州立大学	10	华盛顿州立大学	7
1958 – 1959	艾奥瓦大学	38	加利福尼亚大学	12
1959 – 1960	华盛顿大学	44	威斯康星大学	8
1960 – 1961	华盛顿大学	17	明尼苏达大学	7
1961 – 1962	明尼苏达大学	21	加利福尼亚大学（洛杉矶）	3
1962 – 1963	南加利福尼亚大学	42	威斯康星大学	37
1963 – 1964	亚拉巴马大学	17	华盛顿大学	7
1964 – 1965	密歇根大学	34	俄勒冈州立大学	7
1965 – 1966	加利福尼亚大学（洛杉矶）	14	密歇根州立大学	12
1966 – 1967	珀杜大学	14	南加利福尼亚大学	13
1967 – 1968	南加利福尼亚大学	14	印地安纳大学	3
1968 – 1969	俄亥俄州立大学	27	南加利福尼亚大学	16
1969 – 1970	南加利福尼亚大学	10	密歇根大学	3
1970 – 1971	斯坦福大学	27	俄亥俄州立大学	17
1971 – 1972	斯坦福大学	13	密歇根大学	12
1972 – 1973	南加利福尼亚大学	42	俄亥俄州立大学	17
1973 – 1974	俄亥俄州立大学	42	南加利福尼亚大学	21
1974 – 1975	南加利福尼亚大学	18	俄亥俄州立大学	17
1975 – 1976	加利福尼亚大学（洛杉矶）	23	俄亥俄州立大学	10
1976 – 1977	南加利福尼亚大学	14	密歇根大学	6
1977 – 1978	华盛顿大学	27	密歇根大学	20
1978 – 1979	南加利福尼亚大学	17	密歇根大学	10
1979 – 1980	南加利福尼亚大学	17	俄亥俄州立大学	16
1980 – 1981	密歇根大学	23	华盛顿大学	6
1981 – 1982	华盛顿大学	28	艾奥瓦大学	0
1982 – 1983	加利福尼亚大学（洛杉矶）	24	密歇根大学	14
1983 – 1984	加利福尼亚大学（洛杉矶）	45	亚拉巴马大学	9
1984 – 1985	南加利福尼亚大学	20	俄亥俄州立大学	17
1985 – 1986	加利福尼亚大学（洛杉矶）	45	艾奥瓦大学	28
1986 – 1987	亚利桑那大学	22	密歇根大学	15
1987 – 1988	密歇根州立大学	20	南加利福尼亚大学	17
1988 – 1989	密歇根大学	22	南加利福尼亚大学	14
1989 – 1990	南加利福尼亚大学	17	密歇根大学	10
1990 – 1991	华盛顿大学	46	艾奥瓦大学	34
1991 – 1992	华盛顿大学	34	密歇根大学	14
1992 – 1993	密歇根大学	38	华盛顿大学	31
1993 – 1994	威斯康星大学	21	加利福尼亚大学	16
1994 – 1995	佩恩大学	38	俄勒冈大学	20
1995 – 1996	南加利福尼亚大学	41	西北大学	32
1996 – 1997	俄亥俄州立大学	20	亚里桑那州立大学	17
1997 – 1998	密歇根大学	21	华盛顿州立大学	16
1998 – 1999	威斯康星大学	38	加利福尼亚大学	31
1999 – 2000	威斯康星大学	17	斯坦福大学	9
2000 – 2001	华盛顿大学	34	普渡大学	24
2001 – 2002	迈阿密大学（佛罗里达）	37	内布拉斯加大学	14
2002 – 2003	俄克拉何马大学	34	华盛顿州立大学	14
2003 – 2004	南加利福尼亚大学	28	密歇根大学	14

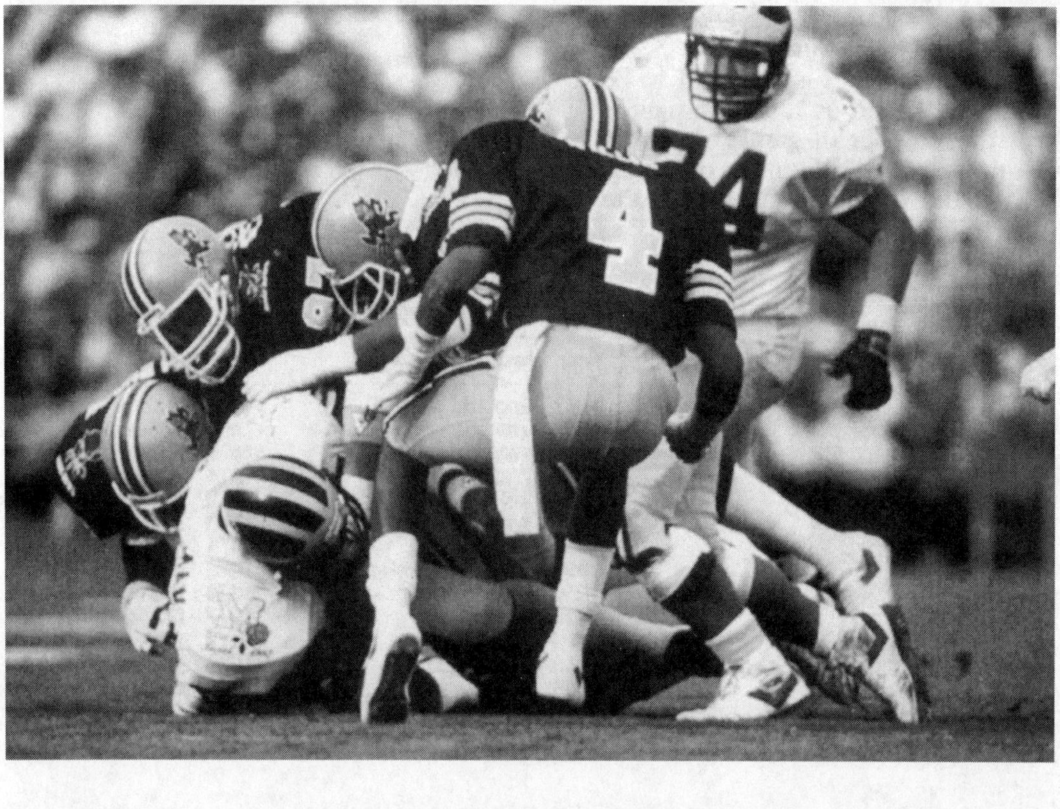

在 1986 – 1987 年度蔷薇体育馆橄榄球赛上，亚利桑那大学队的防守队员阻截密歇根大学队的 B. 佩里曼

供图：Mike Powell—All-Sport

糖钵橄榄球赛

年度	成绩			
1934－1935	图兰大学	20	坦普尔大学	14
1935－1936	得克萨斯基督教大学	3	路易斯安那州立大学	2
1936－1937	圣克拉拉大学	21	路易斯安那州立大学	14
1937－1938	圣克拉拉大学	6	路易斯安那州立大学	0
1938－1939	得克萨斯基督教大学	15	卡内基工学院	7
1939－1940	得克萨斯农业和机械大学	14	图兰大学	13
1940－1941	波士顿大学	19	田纳西大学	13
1941－1942	福德姆大学	2	密苏里大学	0
1942－1943	田纳西大学	14	塔尔萨大学	7
1943－1944	佐治亚理工学院	20	塔尔萨大学	18
1944－1945	杜克大学	29	亚拉巴马大学	26
1945－1946	俄克拉何马农业和机械大学	33	圣玛丽大学	13
1946－1947	佐治亚大学	20	北卡罗来纳大学	10
1947－1948	得克萨斯大学	27	亚拉巴马大学	7
1948－1949	俄克拉何马大学	14	北卡罗来纳大学	6
1949－1950	俄克拉何马大学	35	路易斯安那州立大学	0
1950－1951	肯塔基大学	13	俄克拉何马大学	7
1951－1952	马里兰大学	28	田纳西大学	13
1952－1953	佐治亚理工学院	24	密西西比大学	7
1953－1954	佐治亚理工学院	42	西弗吉尼亚大学	19
1954－1955	海军学院	21	密西西比大学	0
1955－1956	佐治亚理工学院	7	匹兹堡大学	0
1956－1957	贝勒大学	13	田纳西大学	7
1957－1958	密西西比大学	39	得克萨斯大学	7
1958－1959	路易斯安那州立大学	7	克莱姆森大学	0
1959－1960	密西西比大学	21	路易斯安那州立大学	0
1960－1961	密西西比大学	14	赖斯大学	6
1961－1962	亚拉巴马大学	10	阿肯色大学	3
1962－1963	密西西比大学	17	阿肯色大学	13
1963－1964	亚拉巴马大学	12	密西西比大学	7
1964－1965	路易斯安那州立大学	13	锡拉丘兹大学	10
1965－1966	密苏里大学	20	佛罗里达大学	18
1966－1967	亚拉巴马大学	34	内布拉斯加大学	7
1967－1968	路易斯安那州立大学	20	怀俄明大学	13
1968－1969	阿肯色大学	16	佐治亚大学	2
1969－1970	密西西比大学	27	阿肯色大学	22
1970－1971	田纳西大学	34	空军学院	13
1971－1972	俄克拉何马大学	40	奥本大学	22
1972－1973	俄克拉何马大学	14	宾夕法尼亚州立大学	0
1973－1974	圣母大学	24	亚拉巴马大学	23
1974－1975	内布拉斯加大学	13	佛罗里达大学	10
1975－1976	亚拉巴马大学	13	宾夕法尼亚州立大学	6
1976－1977	匹兹堡大学	27	佐治亚大学	3
1977－1978	亚拉巴马大学	35	俄亥俄州立大学	6
1978－1979	亚拉巴马大学	14	宾夕法尼亚州立大学	7
1979－1980	亚拉巴马大学	24	阿肯色大学	9
1980－1981	佐治亚大学	17	圣母大学	10
1981－1982	匹兹堡大学	24	佐治亚大学	20
1982－1983	宾夕法尼亚州立大学	27	佐治亚大学	23
1983－1984	奥本大学	9	密歇根大学	7
1984－1985	内布拉斯加大学	28	路易斯安那州立大学	10
1985－1986	田纳西大学	35	迈阿密大学(佛罗里达)	7
1986－1987	内布拉斯加大学	30	路易斯安那州立大学	15
1987－1988	奥本大学	16	锡拉丘兹大学	16
1988－1989	佛罗里达州立大学	13	奥本大学	7
1989－1990	迈阿密大学(佛罗里达)	33	亚拉巴马大学	25
1990－1991	田纳西大学	23	弗吉尼亚大学	22
1991－1992	圣母大学	39	佛罗里达大学	28
1992－1993	亚拉巴马大学	34	迈阿密大学(佛罗里达)	13
1993－1994	佛罗里达大学	41	西弗吉尼亚大学	7
1994－1995	佛罗里达州立大学	23	佛罗里达大学	17
1995－1996	弗吉尼亚理工大学	28	得克萨斯大学	10
1996－1997	佛罗里达大学	52	佛罗里达州立大学	20
1997－1998	佛罗里达州立大学	31	俄亥俄州立大学	14
1998－1999	俄亥俄州立大学	24	得克萨斯农业和机械大学	14
1999－2000	佛罗里达州立大学	46	弗吉尼亚理工大学	29
2000－2001	迈阿密大学(佛罗里达)	37	佛罗里达大学	20
2001－2002	路易斯安那州立大学	47	伊利诺伊大学	34
2002－2003	佐治亚大学	26	佛罗里达州立大学	13
2003－2004	路易斯安那州立大学	21	俄克拉何马大学	14

六国锦标赛*

年份	优胜者
1947	英格兰;威尔士 †
1948	爱尔兰 ‡
1949	爱尔兰 §
1950	威尔士 ‡
1951	爱尔兰
1952	威尔士 ‡
1953	英格兰
1954	英格兰 §;法;威尔士
1955	法;威尔士
1956	威尔士
1957	英格兰 ‡
1958	英格兰
1959	法
1960	英格兰 §;法
1961	法
1962	法
1963	英格兰
1964	苏格兰;威尔士
1965	威尔士 §
1966	威尔士
1967	法
1968	法 ‖
1969	威尔士 §
1970	法;威尔士
1971	威尔士 ‡
1972	未比赛
1973	五国平局
1974	爱尔兰
1975	威尔士
1976	威尔士 ‡
1977	法 ‖ ♁
1978	威尔士 ‡
1979	威尔士 §
1980	英格兰 ‡
1981	法 ‖
1982	爱尔兰 §
1983	法;爱尔兰
1984	苏格兰 ‡
1985	爱尔兰 ‡
1986	法;苏格兰
1987	法 ‖
1988	威尔士 ‡
1989	法
1990	苏格兰 ‖
1991	英格兰 ‖
1992	英格兰 ‖
1993	法
1994	威尔士
1995	英 ♁
1996	英
1997	法 ♁
1998	法 ♁
1999	苏格兰
2000	英
2001	英
2002	法 ♁
2003	英 ♁
2004	法 ♁

* 2000 年之前称五国锦标赛 † 平局。‡ 三王冠赛(与法国以外所有的 3 个对手比赛)和大满贯(与所有的 4 个对手比赛)的优胜者。§ 三王冠赛优胜者。‖ 大满贯优胜者。♁ 威尔士赢得三王冠赛。

柑 橘 赛

年度	成绩			
1934 – 1935	巴克内尔大学	26	迈阿密大学(佛罗里达)	0
1935 – 1936	公教大学	20	密西西比大学	19
1936 – 1937	迪凯纳大学	13	密西西比州立大学	12
1937 – 1938	奥本大学	6	密歇根州立大学	0
1938 – 1939	田纳西大学	17	俄克拉何马大学	0
1939 – 1940	佐治亚理工学院	21	密苏里大学	7
1940 – 1941	密西西比州立大学	14	乔治敦大学	7
1941 – 1942	佐治亚大学	40	得克萨斯基督教大学	26
1942 – 1943	亚拉巴马大学	37	波士顿学院	21
1943 – 1944	路易斯安那州立大学	19	得克萨斯农业和机械大学	14
1944 – 1945	塔尔萨大学	26	佐治亚理工学院	12
1945 – 1946	迈阿密大学(佛罗里达)	13	圣十字架神学院	6
1946 – 1947	赖斯大学	8	田纳西大学	0
1947 – 1948	佐治亚理工学院	20	堪萨斯大学	14
1948 – 1949	得克萨斯大学	41	佐治亚大学	28
1949 – 1950	圣克拉拉大学	21	肯塔基大学	13
1950 – 1951	克莱姆森大学	15	迈阿密大学(佛罗里达)	14
1951 – 1952	佐治亚理工学院	17	贝勒大学	14
1952 – 1953	亚拉巴马大学	61	锡拉丘兹大学	6
1953 – 1954	俄克拉何马大学	7	马里兰大学	0
1954 – 1955	杜克大学	34	内布拉斯加大学	7
1955 – 1956	俄克拉何马大学	20	马里兰大学	6
1956 – 1957	科罗拉多大学	27	克莱姆森大学	21
1957 – 1958	俄克拉何马大学	48	杜克大学	21
1958 – 1959	俄克拉何马大学	21	锡拉丘兹大学	6
1959 – 1960	佐治亚大学	14	密苏里大学	0
1960 – 1961	密苏里大学	21	海军学院	14
1961 – 1962	路易斯安那州立大学	25	科罗拉多大学	7
1962 – 1963	亚拉巴马大学	17	俄克拉何马大学	0
1963 – 1964	内布拉斯加大学	10	奥本大学	7
1964 – 1965	得克萨斯大学	21	亚拉巴马大学	17
1965 – 1966	亚拉巴马大学	39	内布拉斯加大学	28
1966 – 1967	佛罗里达大学	27	佐治亚理工学院	12
1967 – 1968	俄克拉何马大学	26	田纳西大学	24
1968 – 1969	宾夕法尼亚州立大学	15	堪萨斯大学	14
1969 – 1970	宾夕法尼亚州立大学	10	密苏里大学	3
1970 – 1971	内布拉斯加大学	17	路易斯安那州立大学	12
1971 – 1972	内布拉斯加大学	38	亚拉巴马大学	6
1972 – 1973	内布拉斯加大学	40	圣母大学	6
1973 – 1974	宾夕法尼亚州立大学	16	路易斯安那州立大学	9
1974 – 1975	圣母大学	13	亚拉巴马大学	11
1975 – 1976	俄克拉何马大学	14	密歇根大学	6
1976 – 1977	俄亥俄州立大学	27	科罗拉多大学	10
1977 – 1978	阿肯色大学	31	俄克拉何马大学	6
1978 – 1979	俄克拉何马大学	31	内布拉斯加大学	24
1979 – 1980	俄克拉何马大学	24	佛罗里达州立大学	7
1980 – 1981	俄克拉何马大学	18	佛罗里达州立大学	17
1981 – 1982	克莱姆森大学	22	内布拉斯加大学	15
1982 – 1983	内布拉斯加大学	21	路易斯安那州立大学	20
1983 – 1984	迈阿密大学(佛罗里达)	31	内布拉斯加大学	30
1984 – 1985	华盛顿大学	28	俄克拉何马大学	17
1985 – 1986	俄克拉何马大学	25	宾夕法尼亚州立大学	10
1986 – 1987	俄克拉何马大学	42	阿肯色大学	8
1987 – 1988	迈阿密大学(佛罗里达)	20	俄克拉何马大学	14
1988 – 1989	迈阿密大学(佛罗里达)	23	内布拉斯加大学	3
1989 – 1990	圣母大学	21	科罗拉多大学	6
1990 – 1991	科罗拉多大学	10	圣母大学	9
1991 – 1992	迈阿密大学(佛罗里达)	22	内布拉斯加大学	0
1992 – 1993	佛罗里达州立大学	27	内布拉斯加大学	14
1993 – 1994	佛罗里达州立大学	18	内布拉斯加大学	16
1994 – 1995	内布拉斯加大学	24	迈阿密大学(佛罗里达)	17
1995 – 1996	佛罗里达州立大学	31	圣母大学	26
1996 – 1997	内布拉斯加大学	41	弗吉尼亚理工大学	21
1997 – 1998	内布拉斯加大学	42	田纳西大学	17
1998 – 1999	佛罗里达大学	31	锡拉丘兹大学	10
1999 – 2000	密歇根大学	35	亚拉巴马大学	34
2000 – 2001	俄克拉何马大学	13	佛罗里达州立大学	2
2001 – 2002	佛罗里达大学	56	马里兰大学	23
2002 – 2003	南加利福尼亚大学	38	艾奥瓦大学	17
2003 – 2004	迈阿密大学(佛罗里达)	16	佛罗里达州立大学	14

国际英式橄榄球交流比赛纪录(1871 ～ 2001-10-31)

	英格兰			苏格兰			爱尔兰			威尔士			不列颠群岛*			南非			新西兰			澳大利亚			法国		
	胜	平	负	胜	平	负	胜	平	负	胜	平	负	胜	平	负	胜	平	负	胜	平	负	胜	平	负	胜	平	负
英格兰 υ.	—	—	—	54	17	39	61	8	37	39	12	48	—	—	—	3	1	6	3	0	13	6	0	12	38	7	24
苏格兰 υ.	39	17	54	—	—	—	55	4	45	42	2	53	—	—	—	3	0	5	0	2	14	7	0	7	30	3	31
爱尔兰 υ.	37	8	61	45	4	55	—	—	—	33	6	57	—	—	—	1	1	8	0	1	11	6	0	8	25	5	36
威尔士 υ.	48	12	39	53	2	42	57	6	33	—	—	—	—	—	—	0	1	6	3	0	12	8	0	8	36	3	28
不列颠群岛* υ.	—	—	—	—	—	—	—	—	—	—	—	—				14	6	20	5	3	24	14	0	3	—	—	—
南非 υ.	6	1	3	5	0	3	8	1	1	6	1	0	20	6	14	—	—	—	20	2	16	22	0	10	13	5	5
新西兰 υ	13	0	3	14	2	0	11	1	0	12	0	3	24	3	5	16	2	20	—	—	—	66	5	26	23	0	5
澳大利亚 υ.	12	0	7	7	0	7	8	0	6	8	0	8	3	0	14	10	0	22	26	5	66	—	—	—	9	2	12
法国 υ.	24	7	38	31	3	30	36	5	25	28	3	36	—	—	—	5	5	13	5	0	23	12	2	9	—	—	—

* 不列颠群岛队(“不列颠狮子队”)是由“联邦本土”(英格兰、爱尔兰、苏格兰和威尔士)组成的联队。

棉 花 赛

年度	成绩			
1936 – 1937	得克萨斯基督教大学	16	马凯特大学	6
1937 – 1938	赖斯大学	28	科罗拉多大学	14
1938 – 1939	圣玛丽大学	20	得克萨斯工科大学	13
1939 – 1940	克莱姆森大学	6	波士顿学院	3
1940 – 1941	得克萨斯农业和机械大学	13	福德姆大学	12
1941 – 1942	亚拉巴马大学	29	得克萨斯农业和机械大学	21
1942 – 1943	得克萨斯大学	14	佐治亚理工学院	7
1943 – 1944	得克萨斯大学	7	伦道夫菲尔德大学	7
1944 – 1945	俄克拉何马农业和机械大学	34	得克萨斯基督教大学	0
1945 – 1946	得克萨斯大学	40	密苏里大学	27
1946 – 1947	阿肯色大学	0	路易斯安那州立大学	0
1947 – 1948	南方卫理公会大学	13	宾夕法尼亚州立大学	13
1948 – 1949	南方卫理公会大学	21	俄勒冈大学	13
1949 – 1950	赖斯大学	27	北卡罗来纳大学	13
1950 – 1951	田纳西大学	20	得克萨斯大学	14
1951 – 1952	肯塔基大学	20	得克萨斯基督教大学	7
1952 – 1953	得克萨斯大学	16	田纳西大学	0

续表

年度	成绩			
1953－1954	赖斯大学	28	亚拉巴马大学	6
1954－1955	佐治亚理工学院	14	阿肯色大学	6
1955－1956	密西西比大学	14	得克萨斯基督教大学	13
1956－1957	得克萨斯基督教大学	28	锡拉丘兹大学	27
1957－1958	海军学院	20	赖斯大学	7
1958－1959	空军学院	0	得克萨斯基督教大学	0
1959－1960	锡拉丘兹大学	23	得克萨斯大学	14
1960－1961	杜克大学	7	阿肯色大学	6
1961－1962	得克萨斯大学	12	密西西比大学	7
1962－1963	路易斯安那州立大学	13	得克萨斯大学	0
1963－1964	得克萨斯大学	28	海军学院	6
1964－1965	阿肯色大学	10	内布拉斯加大学	7
1965－1966	路易斯安那州立大学	14	阿肯色大学	7
1966－1967	佐治亚大学	24	南方卫理公会大学	9
1967－1968	得克萨斯农业和机械大学	20	亚拉巴马大学	16
1968－1969	得克萨斯大学	36	田纳西大学	13
1969－1970	得克萨斯大学	21	圣母大学	17
1970－1971	圣母大学	24	得克萨斯大学	11
1971－1972	宾夕法尼亚州立大学	30	得克萨斯大学	6
1972－1973	得克萨斯大学	17	亚拉巴马大学	13
1973－1974	内布拉斯加大学	19	得克萨斯大学	3
1974－1975	宾夕法尼亚州立大学	41	贝勒大学	20
1975－1976	阿肯色大学	31	佐治亚大学	10
1976－1977	休斯敦大学	30	马里兰大学	21
1977－1978	圣母大学	38	得克萨斯大学	10
1978－1979	圣母大学	35	休斯敦大学	34
1979－1980	休斯敦大学	17	内布拉斯加大学	14
1980－1981	亚拉巴马大学	30	贝勒大学	2
1981－1982	得克萨斯大学	14	亚拉巴马大学	12
1982－1983	南方卫理公会大学	7	匹兹堡大学	3
1983－1984	佐治亚大学	10	得克萨斯大学	9
1984－1985	波士顿学院	45	休斯敦大学	28
1985－1986	得克萨斯农业和机械大学	36	奥本大学	16
1986－1987	俄亥俄州立大学	28	得克萨斯农业和机械大学	12
1987－1988	得克萨斯农业和机械大学	35	圣母大学	10
1988－1989	加利福尼亚大学(洛杉矶)	17	阿肯色大学	3
1989－1990	田纳西大学	31	阿肯色大学	27
1990－1991	迈阿密大学(佛罗里达州)	46	得克萨斯大学	3
1991－1992	佛罗里达州立大学	10	得克萨斯农业和机械大学	2
1992－1993	圣母大学	28	得克萨斯农业和机械大学	3

格 雷 杯

年份	成绩			
1909	多伦多大学队			
1910	多伦多大学队			
1911	多伦多大学队			
1912	哈密尔顿警报队			
1913	哈密尔顿老虎队			
1914	多伦多阿尔戈英雄队			
1915	哈密尔顿老虎队			
1916～1919	未比赛			
1920	多伦多大学队			
1921*	多伦多阿尔戈英雄队			
1922	昆斯大学	13	埃德蒙顿爱斯基摩人队	1
1923	昆斯大学	54	里贾纳驯马师队	0
1924	昆斯大学	11	多伦多巴尔米海滩队	3
1925	渥太华驯马师队	24	温尼伯蓝色轰炸机队	1
1926	渥太华驯马师队	10	多伦多大学队	7
1927	多伦多巴尔米海滩队	9	哈密尔顿老虎队	6
1928	哈密尔顿老虎队	30	里贾纳驯马师队	0
1929	哈密尔顿老虎队	14	里贾纳驯马师队	3
1930	多伦多巴尔米海滩队	11	里贾纳驯马师队	6
1931	蒙特利尔三 A 队	22	里贾纳驯马师队	0
1932	哈密尔顿老虎队	25	里贾纳驯马师队	6
1933	多伦多阿尔戈英雄队	4	萨尼亚皇家队	3
1934	萨尼亚皇家队	20	里贾纳驯马师队	12
1935	温尼伯蓝色轰炸机队	18	哈密尔顿老虎队	12
1936	萨尼亚皇家队	26	渥太华驯马师队	20
1937	多伦多阿尔戈英雄队	4	温尼伯蓝色轰炸机队	3
1938	多伦多阿尔戈英雄队	30	温尼伯蓝色轰炸机队	7
1939	温尼伯蓝色轰炸机队	8	渥太华驯马师队	7
1940	渥太华驯马师队	†	多伦多巴尔米海滩队	†
1941	温尼伯蓝色轰炸机队	18	渥太华驯马师队	16
1942	多伦多 RCAF 暴风队	8	温尼伯蓝色轰炸机队	5
1943	哈密尔顿飞山猫队	22	温尼伯蓝色轰炸机队	14
1944	蒙特利尔雅辛斯唐可兰队	7	哈密尔顿山猫队	6
1945	多伦多阿尔戈英雄队	35	温尼伯蓝色轰炸机队	0
1946	多伦多阿尔戈英雄队	28	温尼伯蓝色轰炸机队	0
1947	多伦多阿尔戈英雄队	10	温尼伯蓝色轰炸机队	9
1948	卡尔加里蜂拥队	12	渥太华驯马师队	7
1949	蒙特利尔阿鲁提斯队	28	里贾纳驯马师队	15
1950	多伦多阿尔戈英雄队	13	温尼伯蓝色轰炸机队	0
1951	渥太华驯马师队	21	萨斯喀彻温驯马师队	14
1952	多伦多阿尔戈英雄队	21	埃德蒙顿爱斯基摩人队	11
1953	哈密尔顿虎猫队	12	温尼伯蓝色轰炸机队	6
1954	埃德蒙顿爱斯基摩人队	26	蒙特利尔阿鲁提斯队	25
1955	埃德蒙顿爱斯基摩人队	34	蒙特利尔阿鲁提斯队	19
1956	埃德蒙顿爱斯基摩人队	50	蒙特利尔阿鲁提斯队	27
1957	哈密尔顿虎猫队	32	温尼伯蓝色轰炸机队	7
1958	温尼伯蓝色轰炸机队	35	哈密尔顿虎猫队	28
1959	温尼伯蓝色轰炸机队(WFC)	21	哈密尔顿虎猫队(EFC)	7
1960	渥太华暴驯马师队(EFC)	16	埃德蒙顿爱斯基摩人队(WFC)	6
1961	温尼伯蓝色轰炸机队(WFC)	21	哈密尔顿虎猫队(EFC)	14
1962	温尼伯蓝色轰炸机队(WFC)	28	哈密尔顿虎猫队(EFC)	27
1963	哈密尔顿虎猫队(EFC)	21	不列颠哥伦比亚狮子队(WFC)	10
1964	不列颠哥伦比亚狮子队(WFC)	34	哈密尔顿虎猫队(EFC)	24
1965	哈密尔顿虎猫队(EFC)	22	温尼伯蓝色轰炸机队(WFC)	16
1966	萨斯喀彻温驯马师队(WFC)	29	渥太华驯马师队(EFC)	14
1967	哈密尔顿虎猫队(EFC)	24	萨斯喀彻温驯马师队(WFC)	1
1968	渥太华驯马师队(EFC)	24	卡尔加里蜂拥队(WFC)	21
1969	渥太华驯马师队(EFC)	29	萨斯喀彻温驯马师队(WFC)	11
1970	蒙特利尔阿鲁提斯队(EFC)	23	卡尔加里蜂拥队(WFC)	10
1971	卡尔加里蜂拥队(WFC)	14	多伦多阿尔戈英雄队(EFC)	11
1972	哈密尔顿虎猫队(EFC)	13	萨斯喀彻温驯马师队(WFC)	10
1973	渥太华驯马师队(EFC)	22	埃德蒙顿爱斯基摩人	18

续表

年份	成绩			
			队(WFC)	
1974	蒙特利尔阿鲁提斯队(EFC)	20	埃德蒙顿爱斯基摩人队(WFC)	7
1975	埃德蒙顿爱斯基摩人队(WFC)	9	蒙特利尔阿鲁提斯队(EFC)	8
1976	渥太华驯马师队(EFC)	23	萨斯喀彻温驯马师队(WFC)	20
1977	蒙特利尔阿鲁提斯队(EFC)	41	埃德蒙顿爱斯基摩人队(WFC)	6
1978	埃德蒙顿爱斯基摩人队(WFC)	20	蒙特利尔阿鲁提斯队(EFC)	13
1979	埃德蒙顿爱斯基摩人队(WFC)	17	蒙特利尔阿鲁提斯队(EFC)	9
1980	埃德蒙顿爱斯基摩人队(WFC)	48	哈密尔顿虎猫队(EFC)	10
1981	埃德蒙顿爱斯基摩人队(WFC)	26	渥太华驯马师队(EFC)	23
1982	埃德蒙顿爱斯基摩人队(WFC)	32	多伦多阿尔戈英雄队(EFC)	16
1983	多伦多阿尔戈英雄队(EFC)	18	不列颠哥伦比亚狮子队(WFC)	17
1984	温尼伯蓝色轰炸机队(WFC)	47	哈密尔顿虎猫队(EFC)	17
1985	不列颠哥伦比亚狮子队(WFC)	37	哈密尔顿虎猫队(EFC)	24
1986	哈密尔顿虎猫队(EFC)	39	埃德蒙顿爱斯基摩人队(WFC)	15
1987	埃德蒙顿爱斯基摩人队(WFC)	38	多伦多阿尔戈英雄队(EFC)	36
1988	温尼伯蓝色轰炸机队(EFC)	22	不列颠哥伦比亚狮子队(WFC)	21
1989	萨斯喀彻温驯马师队(WFC)	43	哈密尔顿虎猫队(EFC)	40
1990	温尼伯蓝色轰炸机队(EFC)	50	埃德蒙顿爱斯基摩人队(WFC)	11
1991	多伦多阿尔戈英雄队(EFC)	36	卡尔加里蜂拥队(WFC)	21
1992	卡尔加里蜂拥队(WFC)	24	温尼伯蓝色轰炸机队(EFC)	10
1993	埃德蒙顿爱斯基摩人队(WFC)	33	温尼伯蓝色轰炸机队(EFC)	23
1994	不列颠哥伦比亚狮子队(WFC)	26	巴尔的摩公马队(EFC)	23
1995	巴尔的摩公马队	37	卡尔加里蜂拥队(ND)	20
1996	多伦多阿尔戈英雄队	43	埃德蒙顿爱斯基摩人队(WD)	37
1997	多伦多阿尔戈英雄队	47	萨斯喀彻温驯马师队(WD)	23
1998	卡尔加里蜂拥队(WD)	26	哈密尔顿虎猫队(ED)	24
1999	哈密尔顿虎猫队	32	卡尔加里蜂拥队(WD)	21
2000	不列颠哥伦比亚狮子队(WD)	28	蒙特利尔阿鲁提斯队(ED)	26
2001	卡尔加里蜂拥队(WD)	27	温尼伯蓝色轰炸机队(ED)	19
2002	蒙特利尔阿鲁提斯队(ED)	25	埃德蒙顿爱斯基摩人队(WD)	16
2003	埃德蒙顿爱斯基摩人队(WD)	34	蒙蒙利尔阿鲁提斯队(ED)	22

* 东西决赛始于 1921 年。† 渥太华驯马师队以 8:2 和 12:5 赢得两场总分系列赛。

GOLF 高尔夫球

单打比赛 英国和美国的公开赛是两项重大的高尔夫球锦标赛，每年在自己国家的各种高尔夫球场上进行。每场比赛都须送进72穴，在比赛前均先经资格检定赛。职业高尔夫球协会锦标赛和优秀选手赛[后者每年在奥古斯塔(佐治亚州)国家高尔夫球场举行]也是最高水平的比赛。业余比赛包括美国和英国的业余锦标赛。女子高尔夫球的历史几乎和男子一样长，但在 20 世纪 40 年代末期以前，只限于业余比赛。因此，对女子来说，英国和美国的业余锦标赛是其重要的比赛。美国女子高尔夫球公开锦标赛始于 1946 年，女子职业高尔夫球运动员协会(LPGA)成立于 1950 年。从那时起，女子职业高尔夫球发展得很快，1976 年英国女子高尔夫球公开赛被列入高尔夫球赛的日程。

团体赛 从 1963 年开始，业余高尔夫球沃克杯赛(大不列颠-爱尔兰联队对美国队)两年举行一次，每次比赛两天，项目包括8场18穴双打比赛和16场18穴单打比赛。赖德杯赛是与沃克杯赛相当的职业高尔夫球比赛，也是两年举行一次，但 1979 年以后成为美国队与大不列颠/欧洲队的比赛。每两年举行一次的英国女队与美国女队之间的比赛称为柯蒂斯杯赛，1964 年以后比赛日程为两日，项目包括 3 场 18 穴双打比赛和 6 场 18 穴单打比赛。世界杯赛前称加拿大杯赛，是男子双人职业队锦标赛。

英国高尔夫球公开锦标赛(男子)

年份	冠军
1860	W. 帕克(英)
1861	T. 莫里斯(大)(英)
1862	T. 莫里斯(大)(英)
1863	W. 帕克(英)
1864	T. 莫里斯(大)(英)
1865	A. 斯特拉思(英)
1866	W. 帕克(英)
1867	T. 莫里斯(大)(英)
1868	T. 莫里斯(小)(英)
1869	T. 莫里斯(小)(英)
1870	T. 莫里斯(小)(英)
1871	未比赛
1872	T. 莫里斯(小)(英)
1873	T. 基德(英)
1874	M. 帕克(英)
1875	W. 帕克(英)
1876	B. 马丁(英)
1877	J. 安德森(英)
1878	J. 安德森(英)
1879	J. 安德森(英)
1880	B. 弗格森(英)
1881	B. 弗格森(英)
1882	B. 弗格森(英)
1883	W. 费尔涅(英)
1884	J. 辛普森(英)
1885	B. 马丁(英)
1886	D. 布朗(英)
1887	W. 帕克(小)(英)
1888	J. 伯恩斯(英)
1889	W. 帕克(小)(英)
1890	J. 鲍尔(英)
1891	H. 柯卡尔迪(英)
1892	H.H. 希尔顿(英)
1893	W. 奥克特朗涅(英)
1894	J.H. 泰勒(英)
1895	J.H. 泰勒(英)
1896	H. 瓦登(英)
1897	H.H. 希尔顿(英)
1898	H. 瓦登(英)
1899	H. 瓦登(英)
1900	J.H. 泰勒(英)
1901	J. 布雷德(英)
1902	A. 赫德(英)
1903	H. 瓦登(英)
1904	J. 怀特(英)
1905	J. 布雷德(英)
1906	J. 布雷德(英)
1907	A. 马西(英)
1908	J. 布雷德(英)
1909	J.H. 泰勒(英)
1910	J. 布雷德(英)
1911	H. 瓦登(英)
1912	E. 雷(英)
1913	J.H. 泰勒(英)
1914	H. 瓦登(英)
1915～1919	未比赛
1920	G. 邓肯

续表

年份	冠军	年份	冠军	年份	冠军
1921	J. 哈奇森(美)	1953	B. 霍根(美)	1980	T. 沃森(美)
1922	W. 哈根(美)	1954	P.W. 汤姆森(澳)	1981	B. 罗杰斯(美)
1923	A.G. 哈弗斯(英)	1955	P.W. 汤姆森(澳)	1982	T. 沃森(美)
1924	W. 哈根(美)	1956	P.W. 汤姆森(澳)	1983	T. 沃森(美)
1925	J. 巴恩斯(美)	1957	B. 洛克(南非)	1984	S. 巴利斯特罗斯(西班牙)
1926	B. 琼斯(美)	1958	P.W. 汤姆森(澳)	1985	S. 莱尔(苏格兰)
1927	B. 琼斯(美)	1959	G. 普莱耶(南非)	1986	G. 诺曼(澳)
1928	W. 哈根(美)	1960	K.D.G. 内格尔(澳)	1987	N. 法尔多(英)
1929	W. 哈根(美)	1961	A. 帕尔默(美)	1988	S. 巴利斯特罗斯(西班牙)
1930	B. 琼斯(美)	1962	A. 帕尔默(美)	1989	M. 卡尔凯夫钦(美)
1931	T.D. 阿穆尔(美)	1963	R.J. 查尔斯(新西兰)	1990	N. 法尔多(英)
1932	G. 萨拉曾(美)	1964	T. 勒马(美)	1991	I. 贝克-芬奇(澳)
1933	D. 舒特(美)	1965	P.W. 汤姆森(澳)	1992	N. 法尔多(英)
1934	T.H. 科顿(英)	1966	J. 尼克劳斯(美)	1993	G. 诺曼(澳)
1935	A. 佩里(英)	1967	R. 维琴佐(阿根廷)	1994	N. 普莱斯(津巴布韦)
1936	A.H. 帕德哈姆(英)	1968	G. 普莱耶(南非)	1995	J. 达利(美)
1937	T.H. 科顿(英)	1969	A. 杰克林(英)	1996	T. 雷曼(美)
1938	R.A. 惠特科姆(英)	1970	J. 尼克劳斯(美)	1997	J. 雷奥纳德(美)
1939	R. 伯顿(英)	1971	L. 特雷维诺(美)	1998	M. 奥梅亚拉(美)
1940～1945	未比赛	1972	L. 特雷维诺(美)	1999	P. 劳列(苏格兰)
1946	S. 斯尼德(美)	1973	T. 韦斯科普夫(美)	2000	T. 伍兹(美)
1947	F. 戴利(爱尔兰)	1974	G. 普莱耶(南非)	2001	D. 杜瓦尔(美)
1948	T.H. 科顿(英)	1975	T. 沃森(美)	2002	E. 埃尔斯(南非)
1949	B. 洛克(南非)	1976	J. 米勒(美)	2003	B. 柯蒂斯(美)
1950	B. 洛克(南非)	1977	T. 沃森(美)	2004	T. 汉密尔顿(美)
1951	M. 福克纳(英)	1978	J. 尼克劳斯(美)		
1952	B. 洛克(南非)	1979	S. 巴利斯特罗斯(西班牙)		

美国高尔夫球公开锦标赛(男子)

年份	冠军*	年份	冠军*	年份	冠军*
1895	H. 罗林斯	1932	G. 萨拉曾	1971	L. 特雷维诺
1896	J. 福尔斯	1933	J. 古德曼	1972	J. 尼克劳斯
1897	J. 劳埃德	1934	O. 杜特拉	1973	J. 米勒
1898	F. 赫德	1935	S. 帕克斯	1974	H. 欧文
1899	W. 史密斯	1936	T. 马纳罗	1975	L. 格雷厄姆
1900	H. 瓦登(英)	1937	R. 古尔达尔	1976	J. 佩特
1901	W. 安德森	1938	R. 古尔达尔	1977	H. 格林
1902	L. 奥克特罗涅	1939	B. 纳尔逊	1978	A. 诺思
1903	W. 安德森	1940	W.L. 利特尔(小)	1979	H. 欧文
1904	W. 安德森	1941	C. 伍德	1980	J. 尼克劳斯
1905	W. 安德森	1942～1945	未比赛	1981	D. 格雷厄姆(澳)
1906	A. 史密斯	1946	L. 曼格卢姆	1982	T. 沃森
1907	A. 罗斯	1947	L. 沃沙姆	1983	L. 纳尔逊
1908	F. 麦克劳德	1948	B. 霍根	1984	F. 佐伊勒
1909	G. 萨金特	1949	C. 米德尔科夫	1985	A. 诺思
1910	A. 史密斯	1950	B. 霍根	1986	R. 弗洛伊德
1911	J.J. 麦克德莫特	1951	B. 霍根	1987	S. 辛普森
1912	J.J. 麦克德莫特	1952	J. 博罗斯	1988	C. 斯特兰奇
1913	F. 乌伊梅	1953	B. 霍根	1989	C. 斯特兰奇
1914	W. 哈根	1954	E. 弗戈尔	1990	H. 欧文
1915	J.D. 特拉弗斯	1955	J. 弗莱克	1991	P. 斯特瓦特
1916	C. 埃文斯	1956	C. 米德尔科夫	1992	T. 凯特
1917～1918	未比赛	1957	D. 迈耶	1993	L. 简森
1919	W. 哈根	1958	T. 博尔特	1994	E. 埃尔斯(南非)
1920	E. 雷(英)	1959	B. 卡斯珀	1995	C. 帕温
1921	J. 巴恩斯	1960	A. 帕尔默	1996	S. 琼斯
1922	G. 萨拉曾	1961	G. 利特勒	1997	E. 埃尔斯(南非)
1923	B. 琼斯	1962	J. 尼克劳斯	1998	L. 简森
1924	C. 沃克	1963	J. 博罗斯	1999	P. 斯特瓦特
1925	W. 麦克法兰(小)	1964	K. 文图里	2000	T. 伍兹
1926	B. 琼斯	1965	G. 普莱耶(南非)	2001	R. 古森(南非)
1927	T.D. 阿穆尔	1966	B. 卡斯珀	2002	T. 伍兹
1928	J. 法雷尔	1967	J. 尼克劳斯	2003	J. 福瑞克
1929	B. 琼斯	1968	L. 特雷维诺	2004	R. 古森(南非)
1930	B. 琼斯	1969	O. 穆迪		
1931	B. 伯克	1970	A. 杰克林(英)		

* 未注明国籍者为美国选手。

美国职业高尔夫球运动员协会锦标赛

年份	冠军*	年份	冠军*	年份	冠军*
1916	J. 巴恩斯	1947	J. 费里尔	1977	L. 沃德金斯
1917～1918	未比赛	1948	B. 霍根	1978	J. 马哈菲 †
1919	J. 巴恩斯	1949	S. 斯尼德	1979	D. 格雷厄姆(澳)†
1920	J. 哈奇森	1950	C. 哈珀	1980	J. 尼克劳斯
1921	W. 哈根	1951	S. 斯尼德	1981	L. 纳尔逊
1922	G. 萨拉曾	1952	J. 特内萨	1982	R. 弗洛伊德
1923	G. 萨拉曾	1953	W. 伯克莫	1983	H. 萨顿
1924	W. 哈根	1954	C. 哈伯特	1984	L. 特雷维诺
1925	W. 哈根	1955	D. 福特	1985	H. 格林
1926	W. 哈根	1956	J. 伯克(小)	1986	B. 特维
1927	W. 哈根	1957	L. 赫伯特	1987	L. 纳尔逊
1928	L. 迪吉尔	1958	D. 芬斯特沃尔德	1988	J. 斯卢曼
1929	L. 迪吉尔	1959	R. 罗斯伯格	1989	P. 斯图尔特
1930	T. 阿穆尔	1960	J. 赫伯特	1990	W. 格雷迪(澳)
1931	T. 克里维	1961	J. 巴伯 †	1991	J. 戴利
1932	O. 杜特拉	1962	G. 普莱耶(南非)	1992	N. 普赖斯(津巴布韦)
1933	G. 萨拉曾	1963	J. 尼克劳斯	1993	P. 阿津格
1934	P. 鲁尼恩	1964	B. 尼科尔斯	1994	N. 普莱斯(津巴布韦)
1935	J. 雷沃尔塔	1965	D. 马尔	1995	S. 埃尔金顿(澳)
1936	D. 舒特	1966	A. 盖布尔格	1996	M. 布鲁克斯
1937	D. 舒特	1967	D. 贾纽埃里 †	1997	D. 洛夫三世
1938	P. 鲁尼恩	1968	J. 博罗斯	1998	V. 辛格(斐济)
1939	H. 皮卡德	1969	R. 弗洛伊德	1999	T. 伍兹
1940	B. 纳尔逊	1970	D. 斯托克顿	2000	T. 伍兹
1941	V. 盖齐	1971	J. 尼克劳斯	2001	D. 汤姆斯
1942	S. 斯尼德	1972	G. 普莱耶(南非)	2002	R. 贝恩
1943	未比赛	1973	J. 尼克劳斯	2003	S. 米歇尔
1944	B. 汉密尔顿	1974	L. 特雷维诺	2004	V. 辛格(斐济)
1945	B. 纳尔逊	1975	J. 尼克劳斯		
1946	B. 霍根	1976	D. 斯托克顿		

* 未注明国籍者为美国选手。† 在延长赛中获胜。

在 1992 年的英国高尔夫球公开锦标赛上,N. 法尔多正在场上击球;他第三次获得该锦标赛冠军

供图:Duomo

美国女子高尔夫球公开赛冠军

年份	冠军*	年份	冠军*
1946	P. 伯格	1976	J. 卡内尔
1947	B. 詹姆森	1977	H. 斯塔西
1948	B.D. 扎哈里亚斯	1978	H. 斯塔西
1949	L. 萨格斯	1979	J. 布里兹
1950	B.D. 扎哈里亚斯	1980	A. 奥尔科特
1951	B. 罗尔斯	1981	P. 布雷德利
1952	L. 萨格斯	1982	J. 亚历克斯
1953	B. 罗尔斯	1983	J. 斯蒂芬森(澳)
1954	B.D. 扎哈里亚斯	1984	H. 斯塔西
1955	F. 克罗克	1985	K. 贝克
1956	K. 科内利厄斯	1986	J. 格迪斯
1957	B. 罗尔斯	1987	L. 戴维斯(英)
1958	M. 赖特	1988	L. 诺伊曼(瑞典)
1959	M. 赖特	1989	B. 金
1960	B. 罗尔斯	1990	B. 金
1961	M. 赖特	1991	M. 马伦
1962	M. 林斯特龙	1992	P. 希恩
1963	M. 米尔斯	1993	L. 梅尔滕
1964	M. 赖特	1994	P. 希恩
1965	C. 曼	1995	A. 索伦斯塔姆(瑞典)
1966	S. 斯珀齐	1996	A. 索伦斯塔姆(瑞典)
1967	C. 拉科斯特(法)†	1997	A. 尼古拉斯(英)
1968	S. 伯宁	1998	朴世莉(韩)
1969	D. 卡波尼	1999	J. 英克斯特
1970	D. 卡波尼	2000	K. 韦珀(澳)
1971	J. 冈德森·卡内尔	2001	K. 韦珀(澳)
1972	S. 伯宁	2002	J. 英克斯特
1973	S. 伯宁	2003	H. 伦克
1974	S. 海尼	2004	M. 马伦
1975	S. 帕尔默		

* 未注明国籍者为美国选手。† 业余的。

英国业余高尔夫球锦标赛(男子)

年份	冠军	年份	冠军	年份	冠军
1885	A.F. 麦克菲(英)	1926	J. 斯威策(美)	1968	M.F. 博纳拉克(英)
1886	H.G. 哈钦森(英)	1927	W. 特威德尔(英)	1969	M.F. 博纳拉克(英)
1887	H.G. 哈钦森(英)	1928	T.P. 珀金斯(英)	1970	M.F. 博纳拉克(英)
1888	J. 鲍尔(英)	1929	C.J.H. 托利(英)	1971	S. 梅尔尼克(美)
1889	J.E. 莱德莱(英)	1930	B. 琼斯(美)	1972	T. 霍默(英)
1890	J. 鲍尔(英)	1931	E. 马丁·史密斯(英)	1973	R. 赛德罗夫(美)
1891	J.E. 莱德莱(英)	1932	J. 德·福雷斯特(英)	1974	T. 霍默(英)
1892	J. 鲍尔(英)	1933	M. 斯科特(英)	1975	M. 贾尔斯(美)
1893	P. 安德森(英)	1934	W. 利特尔(美)	1976	R. 赛德罗夫(美)
1894	J. 鲍尔(英)	1935	W. 利特尔(美)	1977	P. 麦克沃伊(英)
1895	J.M. 梅尔维尔(英)	1936	H. 汤姆森(英)	1978	P. 麦克沃伊(英)
1896	F.G. 泰特(英)	1937	R. 斯威尼(美)	1979	J. 西格尔(美)
1897	A.J.T. 阿伦(英)	1938	C.R. 耶茨(美)	1980	D. 埃文斯(英)
1898	F.G. 泰特(英)	1939	A.T. 凯尔(英)	1981	P. 普卢茹克斯(法)
1899	J. 鲍尔(英)	1940～1945	未比赛	1982	M. 汤普森(英)
1900	H.H. 希尔顿(英)	1946	J. 布鲁恩(英)	1983	P. 帕金(英)
1901	H.H. 希尔顿(英)	1947	W.P. 特纳萨(美)	1984	J.-M. 奥拉扎巴尔(西班牙)
1902	C. 哈钦斯(英)	1948	F.R. 斯特拉纳汉(美)	1985	G. 麦克吉姆普塞(爱尔兰)
1903	R. 马克斯韦尔(英)	1949	S.M. 麦克里迪(英)	1986	D. 柯里(英)
1904	W.J. 特拉维斯(美)	1950	F.R. 斯特拉纳汉(美)	1987	P. 梅奥(英)
1905	A.C. 巴里(英)	1951	R.D. 查普曼(美)	1988	C. 哈丁(瑞典)
1906	J. 罗布(英)	1952	E.H. 沃德(美)	1989	S. 理查森(英)
1907	J. 鲍尔(英)	1953	J.B. 卡尔(爱尔兰)	1990	R. 芒茨(荷)
1908	E.A. 拉森(英)	1954	D.W. 巴奇利(英)	1991	H. 威利森(英)
1909	R. 马克斯韦尔(英)	1955	J.W. 康拉德(美)	1992	S. 邓达斯(英)
1910	J. 鲍尔(英)	1956	J.C. 贝哈雷尔(英)	1993	I. 派曼(英)
1911	H.H. 希尔顿(英)	1957	R. 里德·杰克(英)	1994	L. 詹姆斯(英)
1912	J. 鲍尔(英)	1958	J.B. 卡尔(爱尔兰)	1995	G. 谢里(英)
1913	H.H. 希尔顿(英)	1959	D. 贝曼(美)	1996	W. 布莱顿(英)
1914	J.L.C. 詹金斯(英)	1960	J.B. 卡尔(爱尔兰)	1997	C. 沃森(英)
1915～1919	未比赛	1961	M.F. 博纳拉克(英)	1998	S. 加西亚(西班牙)
1920	C.J.H. 托利(英)	1962	R.D. 戴维斯(美)	1999	G. 斯托姆(英)
1921	W.I. 亨特(英)	1963	M.S.R. 伦特(英)	2000	M. 伊洛宁(芬)
1922	E.W.E. 霍尔德内斯(英)	1964	G.J. 克拉克(英)	2001	M. 霍伊(爱尔兰)
1923	R.H. 韦瑟德(英)	1965	M.F. 博纳拉克(英)	2002	M. 塞尔(英)
1924	E.W.E. 霍尔德内斯(英)	1966	R. 科尔(南非)	2003	G. 沃斯滕霍姆(英)
1925	R. 哈里斯(英)	1967	B. 迪克森(美)		

美国业余高尔夫球锦标赛(男子)

年份	冠军*	年份	冠军*	年份	冠军*
1895	C.B. 麦克唐纳	1920	C. 埃文斯	1947	R.H. 里格尔
1896	H.J. 惠格姆	1921	J. 吉尔福德	1948	W.P. 特纳萨
1897	H.J. 惠格姆	1922	J. 斯威策	1949	C.R. 科
1898	F.S. 道格拉斯	1923	M. 马斯顿	1950	S. 乌泽塔
1899	H.M. 哈里曼	1924	B. 琼斯	1951	W.J. 马克斯韦尔
1900	W.J. 特拉维斯	1925	B. 琼斯	1952	J. 韦斯特兰
1901	W.J. 特拉维斯	1926	G. 冯·埃尔姆	1953	G. 利特尔
1902	L.N. 詹姆斯	1927	B. 琼斯	1954	A. 帕尔默
1903	W.J. 特拉维斯	1928	B. 琼斯	1955	J.H. 沃德
1904	H.C. 伊根	1929	H.R. 约翰斯顿	1956	J.H. 沃德
1905	H.C. 伊根	1930	B. 琼斯	1957	H. 罗宾斯
1906	E.M. 拜尔斯	1931	F. 乌伊梅	1958	C.R. 科
1907	J.D. 特拉弗斯	1932	C.R. 萨默维尔	1959	J. 尼克劳斯
1908	J.D. 特拉弗斯	1933	G.T. 邓拉普	1960	D.R. 贝曼
1909	R. 加德纳	1934	W.L. 利特尔(小)	1961	J. 尼克劳斯
1910	W.C. 福恩斯(小)	1935	W.L. 利特尔(小)	1962	L.E. 哈里斯(小)
1911	H.H. 希尔顿	1936	J. 费希尔	1963	D.R. 贝曼
1912	J.D. 特拉弗斯	1937	J. 古德曼	1964	W. 坎贝尔
1913	J.D. 特拉弗斯	1938	W.P. 特纳萨	1965	R. 墨菲
1914	F. 乌伊梅	1939	M.H. 沃德	1966	G. 科恩(加拿大)
1915	R.A. 加德纳	1940	R.D. 查普曼	1967	B. 迪克森
1916	C. 埃文斯	1941	M.H. 沃德	1968	B. 弗莱谢尔
1917～1918	未比赛	1942～1945	未比赛	1969	S. 梅尔尼克
1919	S.D. 赫伦	1946	S.E. 毕晓普	1970	L. 沃德金斯

续表

年份	冠军*	年份	冠军*	年份	冠军*
1971	G. 科恩(加拿大)	1983	J. 西格尔	1995	T. 伍兹
1972	M. 贾尔斯	1984	S. 韦普兰克	1996	T. 伍兹
1973	C. 斯塔德勒	1985	S. 伦道夫	1997	M. 库哈尔
1974	J. 佩特	1986	B. 亚历山大	1998	H. 屈内
1975	F. 里德利	1987	B. 梅费尔	1999	D. 戈塞特
1976	W. 桑德	1988	E. 米克斯	2000	J. 奎因尼
1977	J. 富特	1989	C. 巴顿	2001	B. 迪克尔森
1978	J. 库克	1990	P. 米克尔森	2002	R. 巴恩斯
1979	M. 奥马拉	1991	M. 沃格斯	2003	N. 弗拉纳根(澳)
1980	H. 萨顿	1992	J. 伦纳德	2004	R. 穆尔
1981	N. 克罗斯比	1993	J. 哈里斯		
1982	J. 西格尔	1994	T. 伍兹		

* 未注明国籍者为美国选手。

女子职业高尔夫球运动员协会赛冠军

年份	冠军*	年份	冠军*	年份	冠军*
1955	B. 汉森	1972	K. 艾亨	1989	N. 洛佩斯
1956	M. 哈格	1973	M. 米尔斯	1990	B. 丹尼尔
1957	L. 萨格斯	1974	S. 海尼	1991	M. 马伦
1958	M. 赖特	1975	K. 惠特沃思	1992	B. 金
1959	B. 罗尔斯	1976	B. 伯芬德特	1993	P. 希恩
1960	M. 赖特	1977	樋口	1994	L. 戴维斯(英)
1961	M. 赖特	1978	N. 洛佩斯	1995	K. 罗宾斯
1962	J. 金布尔	1979	D. 卡波尼·杨	1996	L. 戴维斯(英)
1963	M. 赖特	1980	S. 利特尔	1997	C. 约翰逊
1964	M. 米尔斯	1981	D. 卡波尼	1998	朴世莉(韩)
1965	S. 海尼	1982	J. 斯蒂芬森(澳)	1999	J. 英克斯特
1966	G. 埃雷特	1983	P. 希恩	2000	J. 英克斯特
1967	K. 惠特沃思	1984	P. 希恩	2001	K. 韦珀(澳)
1968	S. 波斯特	1985	N. 洛佩斯	2002	朴世莉(韩)
1969	B. 罗尔斯	1986	P. 布雷德利	2003	A. 索伦斯塔姆(瑞典)
1970	S. 恩格尔霍恩	1987	J. 格迪斯	2004	A. 索伦斯塔姆(瑞典)
1971	K. 惠特沃思	1988	S. 特纳		

* 未注明国籍者为美国选手。

英国女子业余高尔夫球公开锦标赛

年份	冠军*	年份	冠军*	年份	冠军*
1893	M. 斯科特	1924	J. 韦瑟德	1956	M. 史密斯(美)
1894	M. 斯科特	1925	J. 韦瑟德	1957	P. 加维
1895	M. 斯科特	1926	C. 利奇	1958	J. 瓦伦丁
1896	A.B. 帕斯科	1927	S.T. 德·拉肖姆(法)	1959	E. 普赖斯
1897	E.C. 奥尔	1928	N. 吕·布兰(法)	1960	B. 麦金太尔(美)
1898	L. 汤姆森	1929	J. 韦瑟德	1961	M. 斯皮尔曼
1899	M. 赫兹利特	1930	D. 菲什威克	1962	M. 斯皮尔曼
1900	R.K. 阿代尔	1931	E. 威尔逊	1963	B. 瓦兰戈特(法)
1901	M.A. 格雷厄姆	1932	E. 威尔逊	1964	C. 索伦森(美)
1902	M. 赫兹利特	1933	E. 威尔逊	1965	B. 瓦兰戈特(法)
1903	R.K. 阿代尔	1934	A.M. 霍尔姆	1966	E. 查德威克
1904	L. 多德	1935	W. 摩根	1967	E. 查德威克
1905	B. 汤普森	1936	P. 巴顿	1968	B. 瓦兰戈特(法)
1906	L. 肯尼恩	1937	J. 安德森	1969	C. 拉科斯特(法)
1907	M. 赫兹利特	1938	A.M. 霍尔姆	1970	D. 奥克斯利
1908	M. 蒂特顿	1939	P. 巴顿	1971	M. 沃克
1909	D. 坎贝尔	1940 ～ 1945	未比赛	1972	M. 沃克
1910	E. 萨蒂	1946	J. 赫瑟林顿	1973	A. 欧文
1911	D. 坎贝尔	1947	B.D. 扎哈里亚斯(美)	1974	C. 森普尔(美)
1912	G. 雷文斯克罗夫特	1948	L. 萨格斯(美)	1975	N. 罗思·西姆斯(美)
1913	M. 多德	1949	F. 斯蒂芬斯	1976	C. 潘顿
1914	C. 利奇	1950	圣索沃尔子爵夫人(法)	1977	A. 乌齐利
1915 ～ 1919	未比赛	1951	P.G. 麦卡恩	1978	E. 肯尼迪(澳)
1920	C. 利奇	1952	M. 佩特森	1979	M. 马迪尔
1921	C. 利奇	1953	M. 斯图尔特(加拿大)	1980	A. 桑德(美)
1922	J. 韦瑟德	1954	F. 斯蒂芬斯	1981	B. 罗伯逊
1923	D. 钱伯斯	1955	J. 瓦伦丁	1982	K. 道格拉斯

续表

年份	冠军*	年份	冠军*	年份	冠军*
1983	J. 桑希尔	1991	J. 莫利	1999	M. 莫内(法)
1984	J. 罗森塔尔(美)	1992	P. 彼泽森(丹)	2000	R. 哈德森
1985	L. 贝汉(爱尔兰)	1993	C. 兰伯特	2001	M. 普列托(西)
1986	J. 桑希尔	1994	E.达格尔比	2002	R. 哈德森
1987	J. 科林厄姆	1995	J. 霍尔	2003	E. 塞拉米亚(西)
1988	J. 菲尔比	1996	K. 屈内(美)	2004	L. 斯塔勒(瑞典)
1989	H. 多布森	1997	A. 罗丝		
1990	J. 霍尔	1998	K. 罗斯特伦		

* 未注明国籍者为英国选手。

英国女子高尔夫球公开锦标赛

年份	冠军
1976	J. 李·史密斯(英)
1977	V. 桑德斯(英)
1978	J. 梅尔维尔(英)
1979	A. 希尔德(南非)
1980	D. 梅西(美)
1981	D. 梅西(美)
1982	M. 菲格雷斯-多蒂(西班牙)
1983	未比赛
1984	冈本(日)
1985	B. 金(美)
1986	L. 戴维斯(英)
1987	A. 尼古拉斯(英)
1988	C. 迪布纳赫(澳)
1989	J. 格迪斯(美)
1990	H. 阿尔弗雷德松(瑞典)
1991	P. 格赖斯-惠特克(英)
1992	P. 希恩(美)
1993	K. 伦恩(澳)
1994	L. 诺伊曼(瑞典)
1995	K. 韦珀(澳)
1996	E. 克莱恩(美)
1997	K. 韦珀(澳)
1998	S. 施泰因豪尔(美)
1999	S. 施泰因豪尔(美)
2000	S. 古斯塔夫森(瑞典)
2001	朴世莉(韩)
2002	K. 韦珀(澳)
2003	A. 索伦斯塔姆(瑞典)
2004	K. 斯图波塞(英)

J.尼克劳斯在1986年的优秀选手赛中获得冠军
供图:ALLSPORT USA/David Cannon

在 1992 年的美国女子高尔夫球公开赛上,P. 希恩正在场上击球,她获得该项比赛冠军;她同时获得英国女子高尔夫球公开赛冠军,成为第一个在一年中获得两项冠军的女选手
供图:Focus on Sports

美国女子业余高尔夫球锦标赛

年份	冠军*	年份	冠军*	年份	冠军*
1895	C.S. 布朗	1914	K. 杰克逊	1934	V. 范维
1896	B. 霍伊特	1915	C.H. 范德尔贝克	1935	G. 科利特瓦雷
1897	B. 霍伊特	1916	A. 斯特林	1936	P. 巴顿(英)
1898	B. 霍伊特	1917 ～ 1918	未比赛	1937	E.L. 佩奇
1899	R. 昂德希尔	1919	A. 斯特林	1938	P. 伯特
1900	F.C. 格里斯科姆	1920	A. 斯特林	1939	B. 詹姆森
1901	G. 赫克	1921	M. 霍林斯	1940	B. 詹姆森
1902	G. 赫克	1922	G. 科利特	1941	B.H. 纽厄尔
1903	B. 安东尼	1923	E. 卡明斯	1942 ～ 1945	未比赛
1904	G.M. 毕晓普	1924	D.C. 赫德	1946	B.D. 扎哈里亚斯
1905	P. 麦凯	1925	G. 科利特	1947	L. 萨格斯
1906	H.S. 柯蒂斯	1926	H.B. 斯特森	1948	G. 伦克奇克
1907	M. 柯蒂斯	1927	M.B. 霍恩	1949	D.G. 波特
1908	K.C. 哈利	1928	G. 科利特	1950	B. 汉森
1909	D.I. 坎贝尔	1929	G. 科利特	1951	D. 柯尔比
1910	D.I. 坎贝尔	1930	G. 科利特	1952	J. 庞格
1911	M. 柯蒂斯	1931	H. 希克斯	1953	M.L. 福克
1912	M. 柯蒂斯	1932	V. 范维	1954	B. 罗马克
1913	G. 雷文斯克罗夫特	1933	V. 范维	1955	P. 莱塞

续表

年份	冠军*	年份	冠军*	年份	冠军*
1956	M. 斯图尔特(加拿大)	1973	C. 森普尔	1990	P. 赫斯特
1957	J. 冈德森	1974	C. 希尔	1991	A. 弗吕维特
1958	A. 夸斯特	1975	B. 丹尼尔	1992	V. 戈策
1959	B. 麦金太尔	1976	D. 霍顿	1993	J. 麦吉尔
1960	J. 冈德森	1977	B. 丹尼尔	1994	W. 沃德
1961	A. 夸斯特·德克尔	1978	C. 舍克(加拿大)	1995	K. 屈内
1962	J. 冈德森	1979	C. 希尔	1996	K. 屈内
1963	A. 夸斯特·韦尔茨	1980	J. 英克斯特	1997	S. 卡瓦列里(意)
1964	B. 麦金太尔	1981	J. 英克斯特	1998	朴芷根(韩)
1965	J. 阿什利	1982	J. 英克斯特	1999	D. 德拉森
1966	J. 冈德森·卡内尔	1983	J. 帕奇洛	2000	M. 牛顿
1967	L. 迪尔	1984	D. 理查德	2001	M. 邓肯
1968	J. 卡内尔	1985	服部(日)	2002	B. 卢奇迪
1969	C. 拉科斯特(法)	1986	K. 科克里尔	2003	V. 尼拉巴特邦博尔恩(泰)
1970	M. 威尔金森	1987	K. 科克里尔	2004	J. 帕克
1971	L. 鲍	1988	P. 辛恩		
1972	M. 巴德克	1989	V. 戈策		

* 未注明国籍者为美国选手。

大师巡回赛

年份	冠军*	年份	冠军*	年份	冠军*
1934	H. 史密斯	1959	A. 沃尔	1982	C. 斯塔德勒 §
1935	G. 萨拉曾	1960	A. 帕尔默	1983	S. 巴利斯特罗斯(西班牙)
1936	H. 史密斯	1961	G. 普莱耶(南非)	1984	B. 克伦肖
1937	B. 纳尔逊	1962	A. 帕尔默	1985	B. 兰格(西德)
1938	H. 皮卡德	1963	J. 尼克劳斯	1986	J. 尼克劳斯
1939	R. 古尔达尔	1964	A. 帕尔默	1987	L. 迈兹
1940	J. 德马雷特	1965	J. 尼克劳斯	1988	S. 莱尔(苏格兰)
1941	C. 伍德	1966	J. 尼克劳斯	1989	N. 法尔多(英)
1942	B. 纳尔逊	1967	G. 布鲁尔	1990	N. 法尔多(英)
1943～1945	未比赛	1968	R. 戈尔比 †	1991	I. 伍斯纳姆(英)
1946	H. 凯泽	1969	G. 阿切尔	1992	F. 卡波斯
1947	J. 德马雷特	1970	W. 卡斯珀	1993	B. 朗格尔(德)
1948	C. 哈蒙	1971	C. 库迪	1994	J. 欧拉查宝(西班牙)
1949	S. 斯尼德	1972	J. 尼克劳斯	1995	B. 克伦肖
1950	J. 德马雷特	1973	T. 艾伦	1996	N. 法尔多(英)
1951	B. 霍根	1974	G. 普莱耶(南非)	1997	T. 伍兹
1952	S. 斯尼德	1975	J. 尼克劳斯	1998	M. 奥梅亚拉
1953	B. 霍根	1976	R. 弗洛伊德	1999	J.-M.欧拉查宝(西班牙)
1954	S. 斯尼德	1977	T. 沃森	2000	V. 辛格(斐济)
1955	C. 米德尔科夫	1978	G. 普莱耶(南非)	2001	T. 伍兹
1956	J. 伯克	1979	F. 佐伊勒 ‡	2002	T. 伍兹
1957	D. 福特	1980	S. 巴利斯特罗斯(西班牙)	2003	M. 威尔(加拿大)
1958	A. 帕尔默	1981	T. 沃森	2004	P. 麦克尔森

* 未注明国籍者为美国选手。† 延长赛因 R. 维琴佐在不正确的记分卡上签字受罚而未举行。‡ 在先得分获胜的延长赛中击败 T. 沃森和 E. 斯尼德而获胜。§ 在延长赛的第一杆击败 D. 波尔而获胜。

沃 克 杯

年份	成绩			
1922	美国	8	不列颠和爱尔兰	4
1923	美国	6½	不列颠和爱尔兰	5½
1924	美国	9	不列颠和爱尔兰	3
1926	美国	6½	不列颠和爱尔兰	5½
1928	美国	11	不列颠和爱尔兰	1
1930	美国	10	不列颠和爱尔兰	2
1932	美国	9½	不列颠和爱尔兰	2½
1934	美国	9½	不列颠和爱尔兰	2½
1936	美国	10½	不列颠和爱尔兰	1½
1938	不列颠和爱尔兰	7½	美国	4½
1940～1946	未比赛			
1947	美国	8	不列颠和爱尔兰	4
1949	美国	10	不列颠和爱尔兰	2

续表

年份	成绩			
1951	美国	7½	不列颠和爱尔兰	4½
1953	美国	9	不列颠和爱尔兰	3
1955	美国	10	不列颠和爱尔兰	2
1957	美国	8½	不列颠和爱尔兰	3½
1959	美国	9	不列颠和爱尔兰	3
1961	美国	11	不列颠和爱尔兰	1
1963	美国	14	不列颠和爱尔兰	10
1965	美国	12	不列颠和爱尔兰	12
1967	美国	15	不列颠和爱尔兰	9
1969	美国	13	不列颠和爱尔兰	11
1971	不列颠和爱尔兰	13	美国	11
1973	美国	14	不列颠和爱尔兰	10
1975	美国	15½	不列颠和爱尔兰	8½
1977	美国	16	不列颠和爱尔兰	8
1979	美国	15½	不列颠和爱尔兰	8½
1981	美国	15	不列颠和爱尔兰	9
1983	美国	13½	不列颠和爱尔兰	10½
1985	美国	13	不列颠和爱尔兰	11
1987	美国	16½	不列颠和爱尔兰	7½
1989	不列颠和爱尔兰	12½	美国	11½
1991	美国	14	不列颠和爱尔兰	10
1993	美国	19	不列颠和爱尔兰	5

赖 德 杯

年份	成绩			
1927	美国	9½	大不列颠	2½
1929	大不列颠	7	美国	5
1931	美国	9	大不列颠	3
1933	大不列颠	6½	美国	5½
1935	美国	9	大不列颠	3
1937	美国	8	大不列颠	4
1939 ～ 1945	未比赛			
1947	美国	11	大不列颠	1
1949	美国	7	大不列颠	5
1951	美国	9½	大不列颠	2½
1953	美国	6½	大不列颠	5½
1955	美国	8	大不列颠	4
1957	大不列颠	7½	美国	4½
1959	美国	8½	大不列颠	3½
1961	美国	14½	大不列颠	9½
1963	美国	23	大不列颠	9
1965	美国	19½	大不列颠	12½
1967	美国	23½	大不列颠	8½
1969	美国	16	大不列颠	16
1971	美国	18½	大不列颠	13½
1973	美国	19	大不列颠	13
1975	美国	21	大不列颠	11
1977	美国	12½	大不列颠	7½
1979	美国	17	欧洲	11
1981	美国	18½	欧洲	9½
1983	美国	14½	欧洲	13½
1985	欧洲	16½	美国	11½
1987	欧洲	15	美国	13
1989	欧洲	14	美国	14
1991	美国	14½	欧洲	13½
1993	美国	15	欧洲	13
1995	欧洲	14½	美国	13½
1997	欧洲	14½	美国	13½
1999	美国	14½	欧洲	13½
2001	延期到 2002			
2002	欧洲	15½	美国	12½
2004	欧洲	18½	美国	9½

在 1989 年的赖德杯赛上欧洲队的巴利斯特罗斯正在球道上击球
供图：Duomo

世界杯

年份	冠军	年份	冠军	年份	冠军
1953	阿根廷(A. 塞尔达;R. 维琴佐)	1970	澳(D. 格雷厄姆;B. 德夫林)	1987	威尔士(I. 伍斯纳姆;D. 卢埃林)
1954	澳(P.W. 汤姆森;K. 内格尔)	1971	美(J. 尼克劳斯;L. 特雷维诺)	1988	美(B. 克伦肖;M. 麦坎伯)
1955	美(C. 哈伯特;E. 弗格尔)	1972	中国台湾(吕梁焕;谢敏南)	1989	澳(P. 福勒;W. 格雷迪)
1956	美(B. 霍根;S. 斯尼德)	1973	美(J. 米勒;J. 尼克劳斯)	1990	德(B. 朗格尔;T. 吉登)
1957	日(中村;小野)	1974	南非(B. 科尔;D. 海斯)	1991	瑞典(A. 福斯布兰德;P.-U. 约翰松)
1958	爱尔兰(H. 布雷德肖;C. 奥康纳)	1975	美(J. 米勒;L. 格雷厄姆)	1992	美(F. 卡波斯;D. 洛夫三世)
1959	澳(P.W. 汤姆森;K. 内格尔)	1976	西班牙(S. 巴利斯特罗斯;M. 皮内罗)	1993	美(F. 卡波斯;D. 洛夫三世)
1960	美(S. 斯尼德;A. 帕尔默)	1977	西班牙(S. 巴利斯特罗斯;A. 加里多)	1994	美(F. 卡朋斯;D. 洛夫三世)
1961	美(S. 斯尼德;J. 德马雷特)	1978	美(J. 马哈菲;A. 诺思)	1995	美(F. 卡朋斯;D. 洛夫三世)
1962	美(S. 斯尼德;A. 帕尔默)	1979	美(H. 欧文;J. 马哈菲)	1996	南非(E. 艾尔斯;W. 韦斯特纳)
1963	美(A. 帕尔默;J. 尼克劳斯)	1980	加拿大(J. 哈多尔森;J. 内尔福特)	1997	爱尔兰(P. 哈灵顿;P. 麦克金利)
1964	美(A. 帕尔默;J. 尼克劳斯)	1981	未比赛	1998	英格兰(N. 佛度;D. 卡特)
1965	南非(G. 普莱耶;H.R. 亨宁)	1982	西班牙(M. 皮内罗;J.-M. 卡尼萨雷斯)	1999	美(T. 伍兹;M. 欧米拉)
1966	美(A. 帕尔默;J. 尼克劳斯)	1983	美(R. 考德威尔;J. 库克)	2000	美(T. 伍兹;D. 杜瓦尔)
1967	美(A. 帕尔默;J. 尼克劳斯)	1984	西班牙(J. 卡尼萨雷斯;J. 里维罗)	2001	南非(E. 艾尔斯;R. 森)
1968	加拿大(A. 鲍尔丁;G. 努森)	1985	加拿大(D. 哈多尔森;D. 巴尔)	2002	日(丸山茂树;伊沢利光)
1969	美(O. 穆迪;L. 特雷维诺)	1986	未比赛	2003	南非(T. 伊梅尔曼;R. 萨巴蒂尼)

柯蒂斯杯

年份	成绩			
1932	美国	5½	不列颠	3½
1934	美国	6½	不列颠和爱尔兰	2½
1936	美国	4½	不列颠和爱尔兰	4½
1938	美国	5½	不列颠和爱尔兰	3½
1940 ~ 1946	未比赛			
1948	美国	6½	不列颠和爱尔兰	2½
1950	美国	7½	不列颠和爱尔兰	2½
1952	不列颠和爱尔兰	5	美国	4
1954	美国	6	不列颠和爱尔兰	3
1956	不列颠和爱尔兰	5	美国	4
1958	不列颠和爱尔兰*	4½	美国	4½
1960	美国	6½	不列颠和爱尔兰	2½
1962	美国	8	不列颠和爱尔兰	1
1964	美国	10½	不列颠和爱尔兰	7½
1966	美国	13	不列颠和爱尔兰	5
1968	美国	10½	不列颠和爱尔兰	7½
1970	美国	11½	不列颠和爱尔兰	6½
1972	美国	10	不列颠和爱尔兰	8
1974	美国	13	不列颠和爱尔兰	5
1976	美国	11½	不列颠和爱尔兰	6½
1978	美国	12	不列颠和爱尔兰	6
1980	美国	13	不列颠和爱尔兰	5
1982	美国	14½	不列颠和爱尔兰	3½
1984	美国	9½	不列颠和爱尔兰	8½
1986	不列颠和爱尔兰	13	美国	5
1988	不列颠和爱尔兰	11	美国	7
1990	美国	14	不列颠和爱尔兰	4
1992	不列颠和爱尔兰	10	美国	8
1994	不列颠和爱尔兰	9	美国	9
1996	不列颠和爱尔兰	11½	美国	6½
1998	美国	10	不列颠和爱尔兰	8
2000	美国	10	不列颠和爱尔兰	8
2002	美国	11	不列颠和爱尔兰	7
2004	美国	10	不列颠和爱尔兰	8

*平局情况下判卫冕队胜。

GYMNASTICS 体操 除奥林匹克运动会的体操项目外,最受欢迎的体操赛是世界锦标赛。男子项目为六个,此外还有个人全能奖和团体全能奖。后两项奖是根据累积分数授予。女子也有团体全能和个人全能奖,这两项奖取决于她们在四项个人比赛中的成绩。

在1993年的世界体操锦标赛上,Y.凯基(意)正在表演吊环;他获得该项比赛的冠军
供图:ALLSPORT USA/Chris Cole

在1992年的世界体操锦标赛上,李敬(中)正在表演双杠;这是他连续第三次获得该项比赛冠军
供图:ALLSPORT USA/Vandystadt/Yann Guichaoua

在1991年的世界体操锦标赛上,K.兹梅什卡尔(美)正在表演平衡木;她获得该次比赛的个人全能冠军
供图:Duomo/Rick Rickman

世界体操锦标赛(男子)

年份	全能(团体)	全能(个人)	单杠	双杠
1950	瑞士	W. 莱曼(瑞士)	P. 阿尔托宁(芬)	H. 欧格司特(瑞士)
1952*	苏	V. 楚卡林(苏)	J. 根特哈德(瑞士)	H. 欧格司特(瑞士)
1954	苏	V. 穆拉脱夫(苏)	V. 穆拉脱夫(苏)	V. 楚卡林(苏)
1956*	苏	V. 楚卡林(苏)	小野乔(日)	V. 楚卡林(苏)
1958	苏	B. 沙赫林(苏)	B. 沙赫林(苏)	B. 沙赫林(苏)
1960*	日	B. 沙赫林(苏)	小野乔(日)	B. 沙赫林(苏)
1962	日	Y. 季托夫(苏)	小野乔(日)	M. 塞拉尔(南斯拉夫)
1964*	日	远藤幸雄(日)	B. 沙赫林(苏)	远藤幸雄(日)
1966	日	M. 沃罗宁(苏)	中山彰规(日)	S. 狄奥米多夫(苏)
1968*	日	加藤泽男(日)	M. 沃罗宁(苏)†;中山彰规(日)†	中山彰规(日)
1970	日	监物永三(日)	监物永三(日)	中山彰规(日)
1972*	日	加藤泽男(日)	菅原武南(日)	加藤泽男(日)
1974	日	笠松茂(日)	E. 京格尔(西德)	监物永三(日)
1976*	日	N. 安德里亚诺夫(苏)	菅原武南(日)	加藤泽男(日)
1978	日	N. 安德里亚诺夫(苏)	笠松茂(日)	监物永三(日)
1979	苏	A. 季恰廷(苏)	K. 托马斯(美)	B. 康纳(美)
1980*	苏	A. 季恰廷(苏)	S. 德尔切夫(保加利亚)	A. 特卡乔夫(苏)
1981	苏	Y. 科洛廖夫(苏)	A. 特卡乔夫(苏)	A. 季恰廷(苏)†;具志坚幸司(日)†
1983	中	D. 比洛泽尔采夫(苏)	D. 比洛泽尔采夫(苏)	楼云(中)†;V. 阿尔捷莫夫(苏)†
1984*	美	具志坚幸司(日)	梶谷信之(日)	B. 康纳(美)
1985	苏	Y. 科洛廖夫(苏)	童非(中)	S. 克罗尔(东德)† V. 莫吉尼(苏)†
1987	苏	D. 比洛泽尔采夫(苏)	D. 比洛泽尔采夫(苏)	V. 阿尔捷莫夫(苏)
1988*	苏	V. 阿尔捷莫夫(苏)	V. 阿尔捷莫夫(苏)†;V. 柳金(苏)†	V. 阿尔捷莫夫(苏)
1989	苏	I. 科罗布申斯克(苏)	李春阳(中)	V. 阿尔捷莫夫(苏)†;李敬(中)†
1991	苏	G. 米苏京(苏)	R. 比希纳(德)†;李春阳(中)†	李敬(中)
1992	‡	‡	G. 米苏京(北高加索§)	李敬(中)† V. 沃罗帕耶夫(北高加索§)†
1993	‡	V. 谢尔博(白俄)	S. 恰尔科夫(俄)	V. 谢尔博(白俄)
1994	中国	I.伊万科夫(白俄)	V.谢尔博(白俄)	黄力平(中)
1995	中国	李小双(中)	A.韦克尔(德)	V.谢尔博(白俄)
1996	‡	‡	J.卡巴罗(西班牙)	R.沙里波夫(乌克兰)
1997	中国	I.伊万科夫(白俄)	J.坦斯坎宁(芬)	张津京(中)

续表

年份	全能(团体)	全能(个人)	单杠	双杠
1999	中国	N.克留科夫(俄)	J.赫苏斯(西班牙)	李周炯(韩)
2000	中国	A.涅莫夫(俄)	A.涅莫夫(俄)	李小鹏(中)
2001	白俄罗斯	冯敬(中)	V.马拉斯(希腊)	S.汤森德(美)
2002	‡	‡	V.马拉斯(希腊)	李小鹏(中)
2003	中国	P.哈姆(美)	鹿岛丈博(日)	李小鹏(中)

年份	鞍马	吊环	跳马	自由体操
1950	J. 司脱尔德(瑞士)	W. 莱曼(瑞士)	E. 格本丁格(瑞士)	J. 司脱尔德(瑞士)
1952*	V. 楚卡林(苏)	G. 沙季尼扬(苏)	V. 楚卡林(苏)	W. 脱雷松(瑞典)
1954	G. 沙季尼扬(苏)	A. 阿扎里扬(苏)	L. 索托尼克(捷)	V. 穆拉脱夫(苏)† 武本(日)†
1956*	B. 沙赫林(苏)	A. 阿扎里扬(苏)	V. 穆拉脱夫(苏)† H. 邦茨(德国)†	V. 穆拉脱夫(苏)
1958	B. 沙赫林(苏)	A. 阿扎里扬(苏)	Y. 季托夫(苏)	武本(日)
1960*	B. 沙赫林(苏)† E. 艾克曼(芬)†	A. 阿扎里扬(苏)	小野乔(日)† B. 沙赫林(苏)†	相原信行(日)
1962	M. 塞拉尔(南斯拉夫)	Y. 季托夫(苏)	P. 科尔贝克(捷)	相原信行(日)† 远藤幸雄(日)†
1964*	M. 塞拉尔(南斯拉夫)	早田卓次(日)	山下治广(日)	F. 梅尼凯利(意)
1966	M. 塞拉尔(南斯拉夫)	M. 沃罗宁(苏)	松田治广(日)	中山彰规(日)
1968*	M. 塞拉尔(南斯拉夫)	中山彰规(日)	M. 沃罗宁(苏)	加藤泽男(日)
1970	M. 塞拉尔(南斯拉夫)	中山彰规(日)	菅原武男(日)	中山彰规(日)
1972*	V. 克利缅科(苏)	中山彰规(日)	K. 科斯特(东德)	N. 安德里亚诺夫(苏)
1974	Z. 马扎尔(匈)	D. 格雷库(罗)† N. 安德里亚诺夫(苏)†	笠松茂(日)	笠松茂(日)
1976*	Z. 马扎尔(匈)	N. 安德里亚诺夫(苏)	N. 安德里亚诺夫(苏)	N. 安德里亚诺夫(苏)
1978	Z. 马扎尔(匈)	N. 安德里亚诺夫(苏)	清水(日)	K. 托马斯(美)
1979	Z. 马扎尔(匈)	A. 季恰廷(苏)	A. 季恰廷(苏)	K. 托马斯(美)† R. 布鲁克纳(东德)†
1980*	Z. 马扎尔(匈)	A. 季恰廷(苏)	N. 安德里亚诺夫(苏)	R. 布鲁克纳(东德)
1981	李晓平(中)† M. 尼科莱(东德)†	A. 季恰廷(苏)	R. 黑曼(东德)	李月久(中)† Y. 科洛廖夫(苏)†
1983	D. 比洛泽尔采夫(苏)	D. 比洛泽尔采夫(苏)† 具志坚幸司(日)†	A. 阿科皮安(苏)	童非(中)
1984*	李宁(中)† P. 维德默(美)†	李宁(中)† 具志坚幸司(日)†	楼云(中)	李宁(中)
1985	V. 莫吉尼(苏)	李宁(中)† Y. 科洛廖夫(苏)†	Y. 科洛廖夫(苏)	童非(中)

在1984年的奥运会上，李宁(中)正在表演鞍马；他在本届奥运会上获得三个项目的冠军
供图：Steve Powell—All-Sport

N. 尤琴科(苏)在1983年的世界体操锦标赛获得女子全能冠军
美国不列颠百科全书公司供图

在1976年的奥运会上，N. 科马内奇(罗)正在表演自由体操；她获得包括个人全能在内的三个项目的冠军
供图：Duomo/Steven E. Sutton

续表

年份	鞍马	吊环	跳马	自由体操
1987	D. 比洛泽尔采夫(苏)† Z. 波凯(匈)†	Y. 科洛廖夫(苏)	S. 克罗尔(东德)† 楼云(中)†	楼云(中)
1988*	D. 比洛泽尔采夫(苏)† Z. 波凯(匈)† L. 古拉斯科夫(保加利亚)†	H. 贝伦特(东德)† D. 比洛泽尔采夫(苏)†	楼云(中)	S. 哈里科夫(苏)
1989	V. 莫吉尼(苏)	A. 阿吉拉尔(西德)	J. 贝伦德(东德)	I. 科罗布申斯克(苏)
1991	V. 别连克(苏)	G. 米苏京(苏)	柳钰友(韩)	I. 科罗布申斯克(苏)
1992	裴吉洙(朝鲜)† 李敬(中)†	V. 谢尔博(北高加索§) V. 谢尔博(北高加索§)†	柳钰友(韩)	I. 科罗布申斯克(北高加索§)
1993	裴吉洙(朝鲜)	Y. 凯基(意)	V. 谢尔博(白俄)	G. 米苏京(乌克兰)
1994	M.乌兹卡(罗马尼亚)	Y.凯基(意)	V. 谢尔博(白俄)	V. 谢尔博(白俄)
1995	李东华(瑞士)	Y. 凯基(意)	A.涅莫夫(俄)	V. 谢尔博(白俄)
1996	裴吉洙(朝鲜)	Y. 凯基(意)	A.涅莫夫(俄)	V. 谢尔博(白俄)
1997	V.别列斯基(俄)	Y. 凯基(意)	S.弗多尔岑科(哈萨克斯坦)	A.涅莫夫(俄)
1999	A.涅莫夫(俄)	董震(中)	李小鹏(中)	A.涅莫夫(俄)
2000	M.乌兹卡(罗马尼亚)	S.乔拉尼(匈牙利)	G.德费尔	I.维洛夫(拉脱维亚)
2001	M.乌兹卡(罗马尼亚)	J.约夫切夫(保加利亚)	德拉古莱斯库(罗马尼亚)	J.约夫切夫(保加利亚)† M.德拉古莱斯库(罗马尼亚)†
2003	滕海滨(中)† 鹿岛丈博(日)†	约夫切夫(保加利亚)† 塔姆帕克斯(希腊)†	李小鹏(中)	约夫切夫(保加利亚)† P.哈姆(美)†

* 本年度世界冠军由奥运会产生。† 并列。‡ 未比赛。§ 独联体。

1972 年世界体操锦标赛平衡木冠军和自由体操冠军 O. 科尔布特(苏)在平衡木上作单手倒立

美国不列颠百科全书公司供图

在 1993 年的世界体操锦标赛上,V. 谢尔博(白俄罗斯)正在表演鞍马;在这届锦标赛中他获得包括个人全能在内的三个项目的冠军

供图:ALLSPORT USA/Vandystadt/Yann Guichaoua

世界体操锦标赛(女子)

年份	全能(团体)	全能(个人)	平衡木	高低杠	跳马	自由体操
1950	瑞典	H. 拉科齐(波兰)	H. 拉科齐(波兰)	T. 科拉尔(奥)† A. -S. 彼特森(瑞典)†	H. 拉科齐(波兰)	H. 拉科齐(波兰)
1952*	苏	M. 格罗霍夫斯卡娅(苏)	N. 波查罗娃(苏)	M. 科隆迪(匈)	Ye. 卡林楚克(苏)	Á. 凯莱蒂(匈)
1954	苏	G. 鲁迪科(苏)	田中(日)	Á. 凯莱蒂(匈)	A. -S. 彼特森(瑞典)† T. 马尼娜(苏)†	T. 马尼娜(苏)
1956*	苏	L. 拉特尼娜(苏)	A. 凯莱蒂(匈)	Á. 凯莱蒂(匈)	L. 拉特尼娜(苏)	L. 拉特尼娜(苏)† Á. 凯莱蒂(匈)†
1958	苏	L. 拉特尼娜(苏)	L. 拉特尼娜(苏)	L. 拉特尼娜(苏)	L. 拉特尼娜(苏)	E. 波萨科娃(捷)
1960*	苏	L. 拉特尼娜(苏)	E. 波萨科娃(捷)	P. 阿斯塔霍娃(苏)	M. 尼科拉耶娃(苏)	L. 拉特尼娜(苏)
1962	苏	L. 拉特尼娜(苏)	E. 波萨科娃(捷)	I. 波夫席娜(苏)	V. 恰斯拉夫斯卡(捷)	L. 拉特尼娜(苏)
1964*	苏	V. 恰斯拉夫斯卡(捷)	V. 恰斯拉夫斯卡(捷)	P. 阿斯塔霍娃(苏)	V. 恰斯拉夫斯卡(捷)	L. 拉特尼娜(苏)
1966	捷	V. 恰斯拉夫斯卡(捷)	N. 库钦斯卡娅(苏)	N. 库钦斯卡娅(苏)	V. 恰斯拉夫斯卡(捷)	N. 库钦斯卡娅(苏)
1968*	苏	V. 恰斯拉夫斯卡(捷)	N. 库钦斯卡娅(苏)	V. 恰斯拉夫斯卡(捷)	V. 恰斯拉夫斯卡(捷)	V. 恰斯拉夫斯卡(捷)† L. 佩特里克(苏)†
1970	苏	L. 图里谢娃(苏)	E. 楚肖尔特(东德)	K. 扬兹(东德)	E. 楚肖尔特(东德)	L. 图里谢娃(苏)
1972*	苏	L. 图里谢娃(苏)	O. 科尔布特(苏)	K. 扬兹(东德)	K. 扬兹(东德)	O. 科尔布特(苏)
1974	苏	L. 图里谢娃(苏)	L. 图里谢娃(苏)	A. 辛克(东德)	O. 科尔布特(苏)	L. 图里谢娃(苏)

续表

年份	全能(团体)	全能(个人)	平衡木	高低杠	跳马	自由体操
1976*	苏	N. 科马内奇(罗)	N. 科马内奇(罗)	N. 科马内奇(罗)	N. 奇姆(苏)	N. 奇姆(苏)
1978	苏	E. 穆克西娜(苏)	N. 科马内奇(罗)	M. 弗雷德里克(美)	N. 奇姆(苏)	E. 穆克希娜(苏)† N. 奇姆(苏)†
1979	罗	N. 奇姆(苏)	V. 塞纳(捷)	马燕红(中)† M. 格瑙克(东德)†	D. 特纳(罗)	E. 埃伯尔(罗)
1980*	苏	Ye. 达维多娃(苏)	N. 科马内奇(罗)	M. 格瑙克(东德)	N. 沙波什尼科娃(苏)	N. 科马内奇(罗)† N. 奇姆(苏)†
1981	苏	O. 比舍洛娃(苏)	M. 格瑙克(东德)	M. 格瑙克(东德)	M. 格瑙克(东德)	N. 伊伦科(苏)
1983	苏	N. 尤琴科(苏)	O. 莫斯提帕诺娃(苏)	M. 格瑙克(东德)	B. 斯托亚诺娃(保加利亚)	E. 斯扎勃(罗)
1984*	罗	M.L. 莱顿(美)	E. 斯扎勃(罗)† S. 保卡(罗)†	J. 麦克纳马拉(美)† 马燕红(中)†	E. 斯扎勃(罗)	E. 斯扎勃(罗)
1985	苏	E. 舒舒诺娃(苏)† O. 欧米里安奇克(苏)†	D. 希莉瓦丝(罗)	G. 芬里希(东德)	E. 舒舒诺娃(苏)	O. 欧米里安奇克(苏)
1987	罗	A. 多布里(罗)	A. 多布里(罗)	D. 希莉瓦比(罗)† E. 蒂姆勒(东德)†	E. 舒舒诺娃(苏)	E. 舒舒诺娃(苏)† D. 希莉瓦丝(罗)†
1988*	苏	Y. 舒舒诺娃(苏)	D. 希莉瓦丝(罗)	D. 希莉瓦丝(罗)	S. 博金斯卡娅(苏)	D. 希莉瓦丝(罗)
1989	苏	S. 博金斯卡娅(苏)	D. 希莉瓦丝(罗)	樊迪(中)† D. 希莉瓦丝(罗)†	O. 杜德尼克(苏)	S. 博金斯卡娅(苏)† D. 希莉瓦丝(罗)†
1991	苏	K. 兹梅什卡尔(美)	S. 博金斯卡娅(苏)	金光锡(朝鲜)	L. 米洛索维奇(罗)	C. 邦塔什(罗)† 丘索维季娜(苏)†
1992	‡	‡	K. 兹梅什卡尔(美)	L. 米洛索维奇(罗)	H. 欧诺迪(匈)	K. 兹梅什卡尔(美)
1993	‡	S. 米勒(美)	L. 米洛索维奇(罗)	S. 米勒(美)	Y. 皮斯昆(白俄罗斯)	S. 米勒(美)
1994	罗马尼亚	S. 米勒(美)	S. 米勒(美)	罗莉(中)	G.高吉安(罗马尼亚)	D.科切特科娃(俄)
1995	罗马尼亚	L.波德科帕耶娃(乌克兰)	莫慧兰(中)	S.霍尔金娜(俄)	L.波德科帕耶娃(乌克兰)† S.阿玛纳尔(罗马尼亚)†	G.高吉安(罗马尼亚)
1996	‡	‡	D.科切特科娃(俄)	S.霍尔金娜(俄)	G.高吉安(罗马尼亚)	G.高吉安(罗马尼亚)† 奎媛媛(中)
1997	罗马尼亚	S.霍尔金娜(俄)	G.高吉安(罗马尼亚)	S.霍尔金娜(俄)	S.阿玛纳尔(罗马尼亚)	G.高吉安(罗马尼亚)
1999	罗马尼亚	M.奥拉鲁(罗马尼亚)	凌洁(中)	S.霍尔金娜(俄)	Ye.扎莫洛德奇科娃(俄)	A.拉杜坎(罗马尼亚)
2000	罗马尼亚	S.阿玛纳尔(罗马罗亚)	刘璇(中)	S.霍尔金娜(俄)	Ye.扎莫洛德奇科娃(俄)	Ye.扎莫洛德奇科娃(俄)
2001	罗马尼亚	S.霍尔金娜(俄)	A.拉杜坎(罗马尼亚)	S.霍尔金娜(俄)	S.霍尔金娜(俄)	A.拉杜坎(罗马尼亚)
2002	‡	‡	A.波斯特尔(美)	C.库佩茨(美)	Ye.扎莫洛德奇科娃(俄)	E.戈麦兹(西班牙)
2003	美国	S.霍尔金娜(俄)	范晔(中)	H.霍莉(美) C.梅美尔(美)	丘索维金娜(乌兹别克斯坦)	D.桑托斯(巴西)

* 本年度世界冠军由奥运会产生。† 并列。‡ 未举办比赛。

HORSE RACING 赛马 在最老式的赛马中，骑手跨坐在马背上；另一种著名的赛马形式是轻驾车赛马，骑手坐在单座两轮马车中，这种两轮车通过车杠和缰绳与赛马连在一起。前一种比赛中使用英纯血马，比赛可在平道上进行，或者是越野障碍赛马。轻驾车赛马的马匹为可在平道上比赛的标准种马，可选用快步的马或溜蹄的马。

英格兰纯种马传统马赛 比赛选择三龄雌、雄幼马。英国萨里郡的埃普瑟姆唐斯举行的德比马赛始于1780年，赛程为1.5英里。同地的欧克斯赛始于1779年。最古老的英国马赛是圣莱杰赛(始于1776)，赛程为1英里6.5浪，地点在约克郡南部的唐克斯特镇。二千畿尼赛(始于1809)的赛程是1英里，地点在萨福克郡的纽马基特市。一匹赛马如果在同一年里连获二千畿尼赛、德比马赛和圣莱杰赛三项冠军，即为赢得英格兰三王冠赛。

美国英纯血马传统马赛 在肯塔基州路易斯维尔市的丘吉尔唐斯举行的三王冠赛之一的肯塔基大赛，也许是美国最著名的赛马，跑道长10浪(1.25英里)。三王冠赛之二是普利克内斯有奖赛，它始于1873年，赛程为9.5浪(约1.19英里)，地点在马里兰州巴尔的摩市的皮姆利科跑马场。三王冠赛之三是贝尔蒙特大奖赛，赛程为12浪(1.5英里)，比赛始于1867年，地点在纽约州长岛的贝尔蒙特公园跑马场。以上三项比赛都只限于三龄马参加。

在1987年的德比马赛中，骑手S. 考瑟恩驾驭参考点获得冠军
美国不列颠百科全书公司供图

轻驾车赛马 在美国，汉布尔顿快步赛也许是最著名的轻驾车赛马。它始于1926年，比赛曾在纽约州和伊利诺伊州举行，现在新泽西州的梅多兰兹举行。

澳大利亚英纯血马赛 维多利亚赛马俱乐部墨尔本杯赛(始于1861)是世界上最重大的让步赛。举办比赛的日子(11月的第一个星期二)是墨尔本的公共节日。

德 比 马 赛

年份	冠军马	年份	冠军马	年份	冠军马	年份	冠军马	年份	冠军马	年份	冠军马
1780	迪奥米德	1800	冠军	1820	水手	1841	加冕	1861	铜鼓	1881	易洛魁人
1781	初亏	1801	埃利诺	1821	古斯塔夫斯	1842	阿提拉	1862	卡拉克塔库斯	1882	肖特奥弗
1782	刺客	1802	暴君	1822	摩西	1843	卡瑟斯通	1863	通心粉	1883	圣布莱斯
1783	萨尔特拉姆	1803	复制品	1823	艾米利乌斯	1844	奥兰多	1864	布莱尔·阿索尔	1884*	圣加蒂恩；收获者
1784	军士	1804	汉尼拔	1824	塞德里克	1845	快乐的君主	1865	斗士	1885	梅尔顿
1785	艾姆韦尔	1805	红衣主教博福特	1825	米德尔顿	1846	皮洛士第一	1866	莱昂勋爵	1886	奥蒙德
1786	贵族	1806	巴黎	1826	叭儿狗	1847	哥萨克	1867	隐士	1887	梅里·汉普顿
1787	彼得·蒂兹勒爵士	1807	选举	1827	奴隶	1848	白罩衣	1868	蓝长袍	1888	艾尔希尔
1788	托马斯爵士	1808	潘	1828	卡德兰德	1849	漂泊的荷兰人	1869	冒牌者	1889	多诺万
1789	摩天楼	1809	教皇	1829	腓特烈	1850	飞跃者	1870	王道	1890	驴喜豆
1790	拉达曼提斯	1810	鲸须	1830	普里阿摩斯	1851	特丁顿	1871	法沃纽斯	1891	平民
1791	渴望	1811	幽灵	1831	西班牙猎狗	1852	丹尼尔·奥鲁尔克	1872	克雷摩内	1892	雨果爵士
1792	约翰·布尔	1812	奥克塔维斯	1832	圣吉莱斯	1853	西澳大利亚人	1873	唐卡斯特	1893	云母
1793	光滑	1813	斯摩棱斯克	1833	危险	1854	安多弗	1874	乔治·弗雷德里克	1894	拉达斯
1794	代达罗斯	1814	布吕歇尔	1834	全权大使	1855	怀尔德·戴雷尔	1875	盖洛平	1895	维斯托爵士
1795	展翼鹰	1815	惠斯克	1835	明迪希	1856	埃林顿	1876	基斯伯	1896	柿子
1796	季德洛	1816	利奥波德王子	1836	贝米德尔顿	1857	眨眼睛的邦尼	1877	西尔维奥	1897	加尔蒂莫尔
1797	菲吉特育种马	1817	亚卓尔	1837	磷	1858	乞丐	1878	塞夫顿	1898	杰达
1798	哈里爵士	1818	萨姆	1838	阿马托	1859	清真寺	1879	贝维斯爵士	1899	狐蝠
1799	大公爵	1819	提瑞西阿	1839	布鲁姆斯伯里	1860	索尔曼贝	1880	本德·奥尔	1900	六十整寿
				1840	小奇迹						

年份	冠军马	骑手	年份	冠军马	骑手
1901	沃洛迪奥夫斯基	L. 里芙	1942†	华特灵大道	H. 拉格
1902	阿德帕特里克	D. 马丁	1943†	直接交易	T. 凯里
1903	岩沙	D. 马厄	1944†	海浪	W. 内维特
1904	圣阿曼特	K. 甘农	1945†	但丁	W. 内维特
1905	西塞罗	D. 马赫尔	1946	空降	T. 劳里
1906	薄荷	D. 马赫尔	1947	潜水采珠人	G. 布里格兰德
1907	奥比	J. 里芙	1948	我爱	W. 约翰斯顿
1908	亚诺里内塔	W. 布洛克	1949	光轮	C. 埃利奥特
1909	米诺鲁	H. 琼斯	1950	加尔卡多尔	W.R. 约翰斯顿
1910	棱堡	B. 狄伦	1951	北极王子	C. 斯巴里斯
1911	太阳星	G. 斯特恩	1952	图赖尔	C. 斯迈尔克
1912	塔加列	J. 里芙	1953	平札	G. 理查兹
1913	叫嚣者	E. 派珀	1954	不屈不挠	L. 皮戈特
1914	杜尔巴二世	M. 麦吉	1955	费尔德雷克	F. 帕麦尔
1915†	波默恩	S. 多诺霍	1956	拉万丁	W.R. 约翰斯顿
1916†	菲菲内拉	J. 蔡尔兹	1957	克雷佩洛	L. 皮戈特
1917†	快乐的十字军战士	S. 多诺霍	1958	难骑者	C. 斯迈尔克
1918†	盖恩斯巴勒	J. 蔡尔兹	1959	安息	W. 卡尔
1919†	大游行	F. 坦普尔曼	1960	圣帕迪	L. 皮戈特
1920	斯皮翁科普	F. 欧尼尔	1961	普西迪姆	R. 波因塞尔特
1921	幽默家	S. 多诺霍	1962	飞燕草	N. 塞尔伍德
1922	克特尔船长	S. 多诺霍	1963	雷尔科	Y. 圣马丁
1923	纸莎草	S. 多诺霍	1964	圣诞老人	A. 布雷斯里
1924	桑索维诺	T. 韦斯顿	1965	海鸟二世	T.P. 格伦那
1925	吗哪	S. 多诺霍	1966	夏洛特敦	A. 布雷斯里
1926	挽歌	J. 蔡尔兹	1967	皇宫	G. 摩尔
1927	侍仆	C. 埃利奥特	1968	艾弗爵士	L. 皮戈特
1928	费尔斯特德	H. 拉格	1969	布莱肯尼	E. 约翰斯顿
1929	特里戈	J. 马歇尔	1970	尼金斯基	L. 皮戈特
1930	布伦亨	H. 拉格	1971	米尔里夫	G. 刘易斯
1931	卡梅隆兰	F. 福克斯	1972	罗伯托	L. 皮戈特
1932	4月5日	F. 雷恩	1973	莫尔斯顿	E. 海得
1933	希佩里恩	T. 韦斯顿	1974	雪骑士	B. 泰勒
1934	温莎少年	C. 斯迈尔克	1975	挑剔大王	P. 艾德里
1935	布拉姆	F. 福克斯	1976	至高无上	L. 皮戈特
1936	马莫德	C. 斯迈尔克	1977	吟游诗人	L. 皮戈特
1937	正午的太阳	M. 贝利	1978	雪莱高地	G. 斯塔基
1938	博伊斯鲁塞尔	C. 埃利奥特	1979	特洛伊	W. 卡森
1939	布卢彼得	E. 史密斯	1980	汉比特	W. 卡森
1940	主教桥	S. 拉格	1981	雪尔格	W.R. 斯温伯恩
1941†	欧文图德	W. 内维特	1982	金羊毛	P. 艾德里

续表

年份	冠军马	骑手	年份	冠军马	骑手
1983	提诺索	L. 皮戈特	1994	易合	W. 卡森
1984‡	萨克雷托	C. 洛希	1995	临泰来	W.R. 斯温伯恩
1985	长锚	S. 考瑟恩	1996	慎密	M. 希尔斯
1986	沙拉斯坦尼	W.R. 斯温伯恩	1997	班尼迪	W. 瑞安
1987	参考点	S. 考瑟恩	1998	高楼大厦	O. 佩斯利耶
1988	卡亚西	R. 科克伦	1999	宣言	K. 法伦
1989	纳什万	W. 卡森	2000	先力达	J. 默塔
1990	寻求声望	P. 埃德雷	2001	天文学家	M. 基纳内
1991	慷慨	A. 芒罗	2002	灌木丛	J. 默塔
1992	曲折	J. 里德	2003	金坚	K. 法伦
1993	总指挥官	M. 基纳尼	2004	北方之光	K. 法伦

* 并列冠军。† 比赛在纽马基特举行。‡ 最高纪录:2 分 12 秒。

圣 莱 杰 赛

年份	冠军马	年份	冠军马	年份	冠军马	年份	冠军马
1776	阿拉巴库利亚	1807	保利纳	1838	约翰	1869	佩罗戈梅兹
1777	波旁	1808	佩特罗尼乌斯	1839	查理十二世	1870	霍索尔登
1778	荷兰酸辣酱	1809	阿什顿	1840	朗塞罗	1871	哈纳
1779	英国兵	1810	屋大维安	1841	讽刺家	1872	温洛克
1780	统治者	1811	预言者	1842	蓝帽	1873	马里埃斯图尔特
1781	塞里纳	1812	奥特灵顿	1843	纳特维兹	1874	道歉
1782	伊姆佩拉特里克斯	1813	阿尔蒂西多拉	1844	法阿巴拉	1875	克拉尔格米拉
1783	神驹	1814	威廉	1845	男爵	1876	佩特拉尔奇
1784	奥姆法勒	1815	菲尔霍达普塔	1846	塔顿塞克斯	1877	希尔维奥
1785	野樱草	1816	女公爵	1847	范特罗姆普	1878	珍妮特
1786	模范	1817	埃伯尔	1848	白法衣	1879	金光
1787	斯帕迪勒	1818	叛徒	1849	漂泊的荷兰水手	1880	魔鬼罗伯特
1788	小弗洛亚	1819	安东尼奥	1850	沃尔蒂格	1881	易洛魁人
1789	佩威特	1820	圣帕特里克	1851	纽敏斯特	1882	荷兰烘箱
1790	两面讨好者	1821	杰克斯皮戈特	1852	斯托克韦尔	1883	莪相
1791	小旅客	1822	塞奥多尔	1853	西澳大利亚人	1884	羔羊
1792	鞑靼人	1823	赤脚	1854	圣乔治的	1885	梅尔顿
1793	93	1824	杰里	1855	冒失鬼	1886	奥蒙德
1794	贝宁布拉夫	1825	门农	1856	沃洛克	1887	基尔瓦林
1795	汉布莱托尼亚	1826	塔拉雷	1857	女霸王	1888	海风
1796	埃姆布罗西奥	1827	马蒂尔达	1858	日光	1889	多诺万
1797	朗杰	1828	上校	1859	赌棍	1890	回忆录
1798	匀称	1829	罗顿	1860	圣阿尔本斯	1891	平民
1799	斗鸡	1830	伯明翰	1861	考勒伍	1892	塔尖
1800	冠军	1831	唱诗班歌手	1862	侯爵	1893	云母
1801	怪人	1832	侯爵	1863	克里夫登勋爵	1894	索罗斯特尔
1802	奥尔维勒	1833	罗京安	1864	布莱尔阿瑟尔	1895	维斯托先生
1803	纪念品	1834	试金石	1865	斗士	1896	帕斯尔蒙
1804	桑乔	1835	王牌皇后	1866	莱昂勋爵	1897	加尔蒂莫尔
1805	斯塔维利	1836	爱丽丝	1867	成就	1898	怀尔德福勒
1806	菲尔德纳	1837	曼戈	1868	福尔摩萨	1899	狐蝠

年份	冠军马	骑手	年份	冠军马	骑手	年份	冠军马	骑手
1900	六十整寿	H. 琼斯	1916*	快马加鞭	C. 蔡尔兹	1932	斐尔杜西	F. 福克斯
1901	多里克勒斯	K. 坎农	1917*	快乐的十字军战士	S. 多诺霍	1933	土卫七	T. 韦斯顿
1902	节杖	F. 哈迪	1918*	盖恩斯巴勒	J. 蔡尔兹	1934†	温莎少年	C. 斯默克
1903	岩沙	D. 马厄	1919	基索	B. 卡尔斯雷克	1935	布拉姆	C. 斯默克
1904	漂亮的波莉	W. 莱恩	1920	卡利古拉	A. 史密斯	1936	包斯威尔	P. 比斯利
1905	乔亚康姆	O. 马登	1921	波尔马什	J. 蔡尔兹	1937	楚姆莱	G. 理查兹
1906	特劳特贝克	G. 斯特恩	1922	皇家骑兵	R. 琼斯	1938	苏格兰联盟	B. 卡斯莱克
1907	羊毛温德	W. 哈尔西	1923	安静	T. 韦斯顿	1939	未比赛	
1908	陛下	W. 格里格斯	1924	萨蒙-特劳特	B. 卡尔斯雷克	1940*	特克罕	G. 理查兹
1909	巴亚尔多	D. 马赫尔	1925	索拉里奥	J. 蔡尔兹	1941*	太阳城堡	G. 布里奥格兰德
1910	斯威恩福特	F. 伍顿	1926†	挽歌	J. 蔡尔兹	1942*	太阳车	G. 理查兹
1911	巴拉丁王子	F. 奥尼尔	1927	布克劳	H. 杰利斯	1943*	鲱鳚	H. 雷格
1912	花饰窗格	G. 贝尔豪斯	1928	费尔韦	T. 韦斯顿	1944*	德黑兰	G. 理查兹
1913	夜鹰	E. 惠特利	1929	小麦	M. 比尔里	1945	夏摩塞尔	T. 劳里
1914	黑色弄臣	W. 格里格斯	1930	新加坡	G. 理查兹	1946*	空降	T. 劳里
1915*	波默恩	S. 多诺霍	1931	三明治	H. 雷格	1947	萨亚吉罗	E. 布里特

续表

年份	冠军马	骑手	年份	冠军马	骑手	年份	冠军马	骑手
1948	黑塔奎因	E. 布里特	1967	里波科	L. 皮戈特	1986	月圆症	P. 埃德里
1949	山脊森林	M. 比尔里	1968	里贝罗	L. 皮戈特	1987	参考点	S. 考瑟恩
1950	斯克拉奇二世	W.R. 约翰斯顿	1969	间奏曲	R. 哈钦森	1988	教堂之子	W. 卡森
1951	塔尔玛二世	W.R. 约翰斯顿	1970	尼金斯基	L. 皮戈特	1989	米奇洛佐	S. 考瑟恩
1952	图亚尔	C. 斯默克	1971	雅典木	L. 皮戈特	1990	斯纳格	R. 奎因
1953	前兆	E. 史密斯	1972	布歇	L. 皮戈特	1991	图隆	P. 埃德雷
1954	不屈不挠	C. 斯默克	1973	佩雷德	F. 杜尔	1992	友善的领宾员	G. 达菲尔德
1955	得分	W. 卡尔	1974	布斯提诺	J. 默瑟	1993	鲍勃回来	P. 罗宾逊
1956	坎布雷默	F. 帕尔默	1975	布鲁尼	A. 默里	1994	月斧	P.埃德瑞
1957	巴利摩斯	T.P. 伯恩斯	1976	乌鸦	Y. 圣马丁	1995	古典角色	L. 狄托里
1958	奥西德	W. 卡尔	1977	唐费姆林	W. 卡森	1996	汕头	F. 狄托里
1959	康特洛	E. 海德	1978	朱里奥马里纳	E. 海德	1997	银色教长	P. 埃德瑞
1960	圣帕第	L. 皮戈特	1979	爱之子	A. 勒凯厄	1998	利特威	J. 雷德
1961	奥勒留斯	L. 皮戈特	1980	轻骑	J. 默瑟	1999	妙得法	R. 希尔斯
1962	海瑟塞特	W. 卡尔	1981	胜过一筹	J. 默瑟	2000	千禧骏骥	R. 奎因
1963	拉古萨	G. 布古尔	1982	引火木	P. 库克	2001	米兰	M. 基纳恩
1964	印第安纳	J. 林德利	1983	太阳公主	W. 卡森	2002	百练毅力	K. 达利
1965	刺激	J. 默瑟	1984	科曼切赛	L. 皮戈特	2003	爱尔兰王	J. 斯潘塞
1966	索迪欧姆	F. 杜尔	1985	身手矫健	S. 考瑟恩	2004	法律规则	K. 麦克沃伊

*比赛在纽马基特举行。†最高纪录:3 分 1⅗ 秒;1934 年平手。

三王冠赛(英国)

年份	冠军马	年份	冠军马	年份	冠军马	年份	冠军马
1853	西澳大利亚人	1891	平民	1900	六十整寿	1918	盖恩斯巴勒
1865	斗士	1893	云母	1903	岩沙	1935	布拉姆
1866	莱昂勋爵	1897	加尔蒂莫尔	1915	波默恩	1970	尼金斯基
1886	奥蒙德	1899	狐蝠	1917	快乐的十字军战士		

三王冠赛(美国)

年份	冠军马
1919	巴顿爵士
1930	侠狐
1935	奥马哈
1937	海军上将
1941	疾旋风
1943	弗利特伯爵
1946	突击
1948	嘉奖
1973	塞克雷塔里亚特
1977	西雅图斯卢
1978	阿佛姆特

在 1973 年的三王冠赛上,骑手 R. 特科特驾驭的塞克雷塔里亚特正在拉开与其他赛马的距离,赢得第二项比赛——普利克内斯有奖赛

供图:Neil Leifer/Sports Illustrated

二千畿尼赛

年份	冠军马
1809	巫师
1810	海费斯席昂
1811	特洛福尼乌斯
1812	Cwrw
1813	斯摩棱斯克
1814	奥立夫
1815	底格里斯
1816	花蜜
1817	曼弗雷德
1818	翻译
1819	安塔尔
1820	平达里
1821	雷金纳德
1822	香锭
1823	尼科洛
1824	沙里亚尔
1825	珐琅
1826	德维斯
1827	特科曼
1928	卡德兰德
1829	守护神
1830	奥古斯都
1831	里德尔斯沃思
1832	阿奇博尔德
1833	克利尔威尔
1834	格伦科
1835	易卜拉欣
1836	贝米德尔敦
1837	阿奇梅特
1838	灰色莫墨斯
1839	海盗
1840	十字架
1841	拉尔夫
1842	流星
1843	科瑟斯通
1844	丑公羊
1845	伊达斯
1846	赛克斯爵士
1847	科宁厄姆
1848	弗来特凯契尔
1849	南尼科克
1850	皮茨福特
1851	埃尔南德斯
1852	斯托克韦尔
1853	西澳大利亚人
1854	隐士

年份	冠军马
1855	艾尔斯勋爵
1856	法索莱托
1857	维黛特
1858	菲茨·罗兰
1859	希望之乡
1860	巫师
1861	丢番图
1862	侯爵
1863	通心粉
1864	皮尔将军
1865	斗士
1866	莱昂勋爵
1867	沃邦
1868*	穆斯林
1869	冒牌者
1870	麦格雷戈
1871	博思韦尔
1872	查理王子
1873	一直往前
1874	大西洋
1875	康巴罗
1876	皮特拉克
1877	沙蒙
1878	朝圣
1879	卡里贝尔特
1880	大手枪
1881	游隼
1882	射击
1883	加利亚德
1884	平安
1885	矛盾
1886	奥蒙德
1887	企业
1888	艾尔郡
1889	热心者
1890	稳步
1891	平民
1892	波纳维斯塔
1893	云母
1894	拉达斯
1895	科克康乃尔
1896	圣弗鲁斯坎
1897	加尔蒂莫尔
1898	迪斯累利
1899	狐蝠

年份	冠军马	骑手
1900	六十整寿	H. 琼斯
1901	机会均等	W. 海尔赛
1902	权杖	H. 兰德尔
1903	岩沙	J. 马丁
1904	圣阿芒	K. 甘农
1905	维达斯	H. 琼斯
1906	戈尔戈斯	H. 琼斯
1907	斯列维加利翁	W. 希格斯
1908	诺曼三世	O. 马丹
1909	米诺鲁	H. 琼斯
1910	尼尔·高	D. 马赫尔
1911	森斯塔	G. 斯特恩
1912	史威伯二世	D. 马赫尔
1913	卢瓦	J. 瑞夫
1914	肯尼摩尔	G. 斯特恩
1915	波默恩	S. 多诺霍
1916	克拉里斯穆斯	J. 克拉克
1917	快乐的十字军战士	S. 多诺霍
1918	盖恩斯巴勒	J. 蔡尔兹
1919	黑豹	R. 库伯
1920	泰特拉提玛	B. 卡尔斯莱克
1921	克雷格·安·埃兰	J. 布伦南
1922	圣路易	G. 阿奇巴
1923	埃朗戈温	C. 埃利奥特
1924	戴奥丰	G. 休姆
1925	曼纳	S. 多诺霍
1926	科洛拉多	T. 韦斯顿
1927	柚子	J. 利奇
1928	火烈鸟	C. 埃利奥特
1929	金克斯先生	H. 比斯利
1930	狄奥利特	F. 福克斯
1931	卡梅隆尼安	J. 蔡尔兹
1932	奥韦尔	R. 琼斯
1933	罗多斯托	R. 布雷希斯
1934	可伦坡	W. 约翰斯顿
1935	布拉姆	F. 福克斯
1936	全部付清	R. 狄克
1937	设防城镇	C. 桑布拉特
1938	帕什	G. 理查兹
1939	布卢彼得	E. 史密斯
1940	杰贝尔	C. 埃利奥特
1941	朗贝尔西奈尔	C. 埃利奥特
1942	巨物	G. 理查兹
1943	金斯威	S. 拉格
1944	加登佩斯	S. 拉格
1945	军事法庭	C. 理查兹
1946	快乐骑士	T. 韦斯顿
1947	明斯特雷尔都铎	G. 理查兹
1948†	绅士	C. 斯迈尔克
1949	宁布斯	C. 埃利奥特
1950	巴勒斯坦	C. 斯迈尔克
1951	基明	A. 布雷斯里
1952	桑德海德二世	R. 波因塞雷特

年份	冠军马	骑手
1953	尼鲁拉	E. 布里特
1954	大流士	E. 默瑟
1955	我们的绅士	D. 史密斯
1956	吉尔德雷茨	F. 巴罗
1957	克雷佩罗	L. 皮戈特
1958	铁圈球	D. 史密斯
1959	塔布恩	G. 摩尔
1960	神勇	R. 钦生
1961	罗卡丰	N. 斯特克
1962	私人顾问	W. 理卡比
1963	只为生活	J. 林黎
1964	鲍德里克二世	W. 皮尔斯
1965	尼克沙	D. 凯斯
1966	喀什米尔二世	J. 林黎
1967	皇宫	G. 摩尔
1968	艾弗爵士	L. 皮戈特
1969	方向正确	G. 刘易斯
1970	尼金斯基	L. 皮戈特
1971	杰勒德准将	J. 默瑟
1972	顶点	W. 卡森
1973	我儿	F. 杜尔
1974	诺诺阿尔科	Y. 圣马丁
1975	博康斯基	G. 狄托里
1976	沃洛	G. 狄托里
1977	奈比欧洛	G. 柯伦
1978	罗兰加登斯	F. 杜尔
1979	泰普昂伍德	S. 考森
1980	已知的事实	W. 卡森
1981	托阿戈里穆	G. 斯塔基
1982	季诺	F. 海德
1983	洛蒙德	P. 艾德里
1984	格兰塞诺	P. 艾德里
1985	雪蒂德	L. 皮戈特
1986	勇舞	G. 斯塔基
1987	勿忘我	W. 卡森
1988	多云	W. 斯温伯恩
1989	纳什万	W. 卡森
1990	蒂罗尔	M. 基纳尼
1991	米斯蒂科	M. 罗伯茨
1992	R. 特里亚诺	L. 皮戈特
1993	扎福尼克	P. 埃德雷
1994	百利先生	J. 韦弗
1995	百利金	T. 雅尔内
1996	企业家	F. 狄托里
1997	尊严面具	M. 基纳恩
1998	王中王	M. 基纳恩
1999	沙滩岛	L. 狄托里
2000	皇中王	K. 法伦
2001	哥兰名驹	K. 法伦
2002	直布罗山	J. 默塔
2003	坚毅不屈	P. 斯马伦
2004	金峰驹	R. 希尔斯

* 与福莫萨作拉锯战后轻易取胜。† 最高纪录为 1 分 35⅘ 秒。

骑手 W. 卡森驾驭纳什万赢得 1989 年的二千畿尼赛
供图：Sporting Pictures(UK) Ltd.

肯塔基大赛

年份	冠军马	骑手
1875	阿里斯提得斯	O.刘易斯
1876	流浪者	B.斯威姆
1877	巴登-巴登	W.沃克
1878	白日之星	J.卡特
1879	默菲勋爵	C.绍尔
1880	方索	G.刘易斯
1881	印度人	J.麦克劳克林
1882	阿波罗	B.赫德
1883	莱昂纳图斯	W.多诺霍
1884	布坎南	I.墨菲
1885	乔科顿	E.亨德森
1886	本阿里	P.达菲
1887	蒙特罗斯	I.刘易斯
1888	马克白二世	G.科温顿
1889	斯波堪	T.凯利
1890	赖利	I.墨菲
1891	金曼	I.墨菲
1892	阿兹拉	A.克雷顿
1893	注意	E.孔泽
1894	圣歌	F.古德尔
1895	哈尔马	J.珀金斯
1896	本布拉什	W.西姆斯
1897	台风二号	F.加尔纳
1898	鼓掌	W.西姆斯
1899	曼努埃尔	F.塔拉勒
1900	吉布森中尉	J.博兰德
1901	红衣主教	J.温克费尔德
1902	阿伦-阿-载尔	J.温克费尔德
1903	希姆斯法官	H.布克尔
1904	埃尔伍德	F.普里尔
1905	敏捷	J.马丁
1906	胡昂爵士	R.特洛克斯勒
1907	粉红星	A.明德尔
1908	石街	A.彼肯斯
1909	冬绿	V.鲍尔斯
1910	多瑙	F.赫伯特
1911	子午线	G.阿基巴尔德
1912	价值	C.H.西林
1913	唐奈雷尔	R.古斯
1914	老少女	J.麦加比
1915	抱歉	J.诺尔特
1916	乔治史密斯	J.洛夫塔斯
1917	欧玛尔海亚姆	C.波莱尔
1918	扫荡者	W.纳普
1919	巴顿爵士	J.洛夫塔斯
1920	保罗琼斯	T.莱斯
1921	放规矩点	C.汤普生
1922	莫尔维奇	A.约翰逊
1923	泽夫	E.桑德
1924	黑金	J.D.穆尼
1925	飞黑檀	E.桑德
1926	洋溢	A.约翰逊
1927	威斯凯里	L.麦克阿提
1928	雷伯爵	C.兰恩
1929	克莱德范杜森	L.麦克阿提
1930	佚狐	E.桑德
1931	二万元	C.科特辛格
1932	布尔古王	E.詹姆斯
1933	佣金	D.米德
1934	骑兵队	M.加纳
1935	奥马哈	W.桑德斯
1936	大胆冒险者	I.汉福德
1937	海军上将	C.科特辛格
1938	洛林	E.阿卡罗
1939	约翰斯顿	J.史考特
1940	加拉哈迪昂	C.毕尔曼
1941	疾旋风	E.阿卡罗
1942	阻绝者	W.D.莱特
1943	弗利特伯爵	J.朗顿
1944	沉思者	C.麦克里里
1945	小胡普	E.阿卡罗
1946	袭击	W.梅尔滕斯
1947	喷射机驾驶	E.盖兰
1948	褒奖	E.阿卡罗
1949	沉思	S.布鲁克斯
1950	中间立场	W.博兰
1951	赛马伯爵	C.麦克里里
1952	希尔盖尔	E.阿卡罗
1953	暗星	H.莫雷诺
1954	决心	R.约克
1955	交换	W.休梅克
1956	尼德尔斯	D.尔柏
1957	铁君王	W.哈塔克
1958	提姆泰姆	I.巴伦苏埃拉
1959	汤米李	W.休梅克
1960	威尼斯之路	W.哈塔克
1961	亏损补偿	J.塞勒斯
1962	坚决的	W.哈塔克
1963	查多盖	B.贝萨
1964	北方舞者	W.哈塔克
1965	幸运快乐者	W.休梅克
1966	考艾国王	D.布鲁姆菲尔德
1967	光荣之音	R.乌塞里
1968*	舞者肖像	I.巴伦苏埃拉
1969	皇室亲王	W.哈塔克
1970	废物指挥官	M.曼根内洛
1971	卡诺内罗二世	G.阿维拉
1972	里瓦岭	R.特科特
1973†	塞克雷塔里亚特	R.特科特
1974	炮击	A.小科德罗
1975	愚人之乐	J.韦斯盖兹
1976	大胆福布斯	A.小科德罗
1977	西雅图斯卢	J.克鲁盖特
1978	阿佛姆特	S.考瑟恩
1979	雄图	R.富兰克林
1980	真正的赌注	J.韦斯盖兹
1981	愉快的殖民	J.贝拉斯克斯
1982	加多代尔索尔	E.德拉胡萨耶
1983	太阳光环	E.德拉胡萨耶
1984	斯韦尔	L.平凯
1985	一块钱	A.小科德罗
1986	斐迪南	W.休梅克
1987	阿利谢巴	C.麦卡伦
1988	迷人的外表	G.史蒂文斯
1989	寂静的周日	P.巴伦苏埃拉
1990	奔放	C.佩雷特
1991	铸造金牌	C.安特利
1992	L.E.蒂	P.戴
1993	海上英雄	J.贝利
1994	大展所长	C.麦卡伦
1995	雷电峡谷	G.史蒂文斯
1996	磨石	J.贝利
1997	银色魔力	G.史蒂文斯
1998	真静	K.德索尔莫
1999	吸引力	C.安特雷
2000	灵驹	K.德索尔莫
2001	君主	J.查维斯
2002	战争标志	V.埃斯皮诺萨
2003	奇先达	J.桑托斯
2004	机灵琼斯	S.埃利奥特

* 舞者肖像起初被取消资格，后又恢复名次。† 最短时间为 1 分 $59\frac{2}{5}$ 秒，大赛尚无其他快于 2 分种的马。

在 1985 年的肯塔基大赛中，骑手 A. 小科德罗所骑的一块钱以领先 5 个马身的优势获得冠军

供图：Heinz Kleutmeier—Sports Illustrated

普利克内斯有奖赛

年份	冠军马	骑手	年份	冠军马	骑手	年份	冠军马	骑手
1873	生还者	G.巴比	1919	巴顿爵士	J. 罗夫塔斯	1962	希腊钱	J.L. 罗茨
1874	卡尔佩珀	W.多诺霍	1920	军舰	C. 库默尔	1963	糖果斑点	W. 休梅克
1875	汤姆奥·奇尔特里	L.休斯	1921	布鲁姆斯庞	F. 科蒂莱蒂	1964	北方舞者	W. 哈塔克
1876	雪利	G.巴比	1922	皮洛里	L. 莫里斯	1965	汤姆罗夫	R. 特科特
1877	克罗弗布鲁克	C.霍洛维	1923	维吉尔	B. 马里内利	1966	考艾国王	D. 布鲁姆菲尔德
1878	马真塔公爵	C.霍洛维	1924	内利摩尔斯	J. 梅里美	1967	大马士革	W. 休梅克
1879	哈罗德	L.休斯	1925	科芬特里	C. 库默尔	1968	向前通过	I. 瓦伦苏埃拉
1880	格拉纳达	L.休斯	1926	炫耀	J. 梅本	1969	宏伟王子	W. 哈塔克
1881	消遥士	T.卡斯特罗	1927	波士顿人	A. 阿塔尔	1970	个性	E. 贝尔蒙特
1882	先锋	T.卡斯特罗	1928	维多利安	R. 沃克曼	1971	卡诺内罗二世	G. 阿维拉
1883	雅各	G.巴比	1929	弗里兰博士	L. 谢弗	1972	哔哔哔	E. 纳尔逊
1884	艾勒斯里骑士	费希尔	1930	侠狐	E. 桑德	1973	塞克雷塔里亚特	R. 特科特
1885	图库姆塞赫	W.多诺霍	1931	马特	G. 艾利斯	1974	小洋流	M. 里韦拉
1886	游唱诗人	费希尔	1932	布尔吉王	E. 詹姆斯	1975	德贝大师	D. 麦哈尔格
1887	唐波因尼	W.多诺霍	1933	动脑筋	C. 科特辛格	1976	演说家	J. 莱夫里
1888	偿还	F.里特菲尔德	1934	追寻	R. 琼斯	1977	西雅图斯卢	J. 克鲁格
1889	佛教徒	安德森	1935	奥马哈	W. 桑德斯	1978	阿佛姆特	S. 考瑟恩
1890	蒙塔古	W.马丁	1936	大胆冒险者	G. 吴尔夫	1979	雄图	R. 富兰克林
1894*	受托人	F.塔拉勒	1937	海军上将	C. 科特辛格	1980	法典	A. 小科德罗
1895	贝尔麦	F.塔拉勒	1938	多比特	M. 彼得斯	1981	愉快的殖民	J. 贝拉斯克斯
1896	侯爵	H.格里芬	1939	查勒冬	G. 西博	1982	阿罗马的统治者	J. 凯内尔
1897	保罗考瓦尔	索普	1940	比米莱奇	F.A. 史密斯	1983	代理宣言	D. 米勒
1898	狡猾的狐狸	W.西姆斯	1941	疾旋风	E. 阿卡罗	1984	闸门舞者	A. 小科德罗
1899	半工半薪	R.克劳森	1942	阿尔萨布	B. 詹姆斯	1985‡	坦克眺望处	P. 戴伊
1900	印度人	H. 斯宾赛	1943	弗利特伯爵	J. 朗顿	1986	斯诺领袖	A. 索利斯
1901	游行者	兰德里	1944	沉思者	C. 麦克里里	1987	阿利谢巴	C. 麦卡伦
1902	老英格兰	L. 杰克逊	1945	波里尼西亚人	W.D. 莱特	1988	升起之星	E. 德拉霍斯萨耶
1903	弗洛卡林尼	W. 甘农	1946	袭击	W. 梅赫滕斯	1989	寂静的周日	P. 巴伦苏埃拉
1904	布莱恩毛尔	E. 希尔德布兰德	1947	无误的	D. 道生	1990	夏日之飑	P. 戴
1905	凯恩戈姆	W. 戴维斯	1948	褒奖	E. 阿卡罗	1991	贺礼	J. 贝利
1906	古怪的	W. 米勒	1949	全胜	T. 阿特金森	1992	松树林	C. 麦卡伦
1907	唐亨利	G. 芒廷	1950	希尔王子	E. 阿卡罗	1993	巴尤大草原	M. 史密斯
1908	皇家旅游者	E. 杜根	1951	大胆的	E. 阿卡罗	1994	辣沙司猫	P. 戴
1909	老爷	W. 多伊尔	1952	蓝人	C. 麦克里利	1995	木材国家	P. 戴
1910	莱明斯特	R. 埃斯泰普	1953	天生舞者	E. 盖兰	1996	路易十四	P. 戴
1911	水谷	E. 杜根	1954	急速之路	E. 阿卡罗	1997	银色魔力	G. 史蒂文斯
1912	霍洛威上校	C. 特纳	1955	纳舒厄	W. 哈塔克	1998	真静	K. 德索尔莫
1913	布斯金	J. 巴特威尔	1956	费边	E. 阿卡罗	1999	吸引力	C. 安特雷
1914	假日	A. 舒廷杰	1957	大胆统治者	I. 瓦伦苏埃拉	2000	红子弹	J. 贝利
1915	莱茵少女	D. 霍夫曼	1958	提姆泰姆	J. 亚当斯	2001	得分	G. 史蒂文斯
1916	达姆罗施	L. 麦阿提	1959	皇家轨道	W. 哈马茨	2002	战争标志	V. 埃斯皮诺萨
1917	卡里丹	Ev. 海恩斯	1960	憧憬	R. 优塞里	2003	奇先达	J. 桑托斯
1918†	战云	J. 罗夫塔斯	1961	亏损补偿	J. 塞勒斯	2004	机灵琼斯	S. 埃利奥特

* 1891～1893 年未比赛。†1918 年因参赛马多而分两组比赛。‡最短时间为 1 分 $53\frac{2}{5}$ 秒。

在 1987 年的汉布尔顿快步赛第一场比赛中，驭手 J. 甘贝尔驾驭的马麦克罗贝尔(7 号)开始就拉开与其他马的距离，创下两场比赛 3 分 $47\frac{3}{5}$ 秒的世界纪录

供图：U.S. Trotting Association

贝尔蒙特大奖赛

年份	冠军马	骑手
1867	无情者	J.吉尔帕特里克
1868	杜克将军	B.斯威姆
1869	芬尼亚人	C.米勒
1870	翠鸟	W.迪克
1871	哈利巴西特	W.米勒
1872	乔丹尼尔斯	J.罗
1873	斯普林博克	J.罗
1874	撒克逊	G.巴比
1875	卡尔文	B.斯威姆
1876	阿尔及利	B.多诺霍
1877	克罗弗布鲁克	C.霍洛维
1878	马真塔公爵	L.休斯
1879	施潘德索里夫特	G.伊瓦姆斯
1880	真纳达	L.休斯
1881	消遥士	T.卡斯特罗
1882	弗瑞斯特	J.麦克劳克林
1883	乔治金尼	J.麦克劳克林
1884	闻之胆寒	J.麦克劳克林
1885	暴君	P.达菲
1886	巡官 B	J.麦克劳克林
1887	汉诺威	J.麦克劳克林
1888	狄克森爵士	J.麦克劳克林
1889	爱瑞克	W.海沃德
1890	伯灵顿	P.巴恩斯
1891	福克斯福特	
1892	守护神	
1893	科曼切人	
1894	那瓦尔的亨利	
1895	贝尔麦	
1896	哈斯丁斯	
1897	苏格兰领袖	
1898	保龄布鲁克	
1899	尚贝罗	
1900	伊尔德里姆	N. 脱尔诺
1901	科曼多	H. 斯潘塞
1902	家长	J. 布尔曼
1903	阿非利堪德	J. 布尔曼
1904	德里	G. 奥敦
1905	坦尼亚	E. 希尔德布兰德
1906	市镇长官	L. 林恩
1907	彼得潘	G. 芒廷
1908	柯林	J. 诺特
1909	乔玛登	E. 杜根
1910	大获全胜	J. 布特威尔
1913*	尤金王子	R. 特洛克斯勒
1914	路加麦克路加	M. 布克斯顿
1915	芬兰人	G. 柏恩
1916	洛克修士	E. 海尼斯
1917	无时无刻	J. 布特威尔
1918	乔伦	F. 罗宾逊
1919	巴顿爵士	J. 罗弗特斯
1920	军舰	C. 库默尔
1921	灰色囚徒	E. 桑德
1922	皮洛里	C.H. 米勒
1923	泽夫	E. 桑德
1924	疯狂游戏	E. 桑德
1925	美国国旗	A. 约翰逊
1926	十字军战士	A. 约翰逊
1927	机运	E. 桑德
1928	维多	C. 库默尔
1929	蓝色飞燕草	M. 伽纳
1930	侠狐	E. 桑德
1931	二万元	C. 科特辛格
1932	费雷诺	T. 玛雷
1933	快马加鞭	M. 伽纳
1934	和平机会	W.D. 莱特
1935	奥马哈	W. 桑德斯
1936	格兰维尔	J. 斯托特
1937	海军上将	C. 科特辛格
1938	高热杀菌	J. 斯托特
1939	约翰斯顿	J. 斯托特
1940	比米奇莱	F.A. 史密斯
1941	疾旋风	E. 阿卡罗
1942	阻绝者	E. 阿卡罗
1943	弗利特伯爵	J. 朗顿
1944	跃抵终点	G.L. 史密斯
1945	罂粟	E. 阿卡罗
1946	袭击	W. 梅尔滕斯
1947	方阵	R. 多诺索
1948	褒奖	E. 阿卡罗
1949	全胜	T. 阿特金森
1950	中间立场	W. 博兰
1951	康特波因特	D. 格尔曼
1952	一次计算	E. 阿卡罗
1953	天生舞者	E. 盖林
1954	高枪	E. 盖林
1955	纳舒厄	E. 阿卡罗
1956	尼德尔斯	D. 尔柏
1957	勇士	W. 休梅克
1958	卡文	P. 安德森
1959	舞剑者	W. 休梅克
1960	塞尔特灰烬	W. 哈塔克
1961	雪尔拉克	B. 贝萨
1962	斋浦尔	W. 休梅克
1963	查多盖	B. 贝萨
1964	四角形	M. 尤卡札
1965	大家好	J. 塞勒斯
1966	合成琥珀	W. 博兰
1967	大马士革	W. 休梅克
1968	后台门强尼	H. 吉斯汀尼斯
1969	艺术与文学	B. 贝萨
1970	高级官员	J. 罗兹
1971	把关者	W. 布鲁姆
1972	里瓦岭	R. 特科特
1973†	塞克雷塔里亚特	R. 特科特
1974	小洋流	M. 里韦拉
1975	神的化身	W. 休梅克
1976	大胆福布斯	A. 小科德罗
1977	西雅图斯卢	J. 克鲁盖特
1978	阿佛姆特	S. 考瑟恩
1979	海岸	R. 埃尔南德斯
1980	节制山丘	E. 梅普尔
1981	苏明	G. 玛滕斯
1982	征服者西罗	L. 平凯
1983	卡特维	L. 平凯
1984	斯韦尔	L. 平凯
1985	鲜奶油	E. 梅普尔
1986	但泽联系	C. 麦卡伦
1987	打赌两次	C. 派瑞特
1988	升起之星	E. 德拉霍斯萨耶
1989	温和的小马	P. 戴
1990	走啊走	M. 基纳尼
1991	贺礼	J. 贝利
1992	A.P. 因迪	E. 德拉霍斯萨耶
1993	殖民事务	J. 克朗
1994	辣沙司猫	P. 戴
1995	雷电峡谷	G. 史蒂文斯
1996	编者的记录	R. 道格拉斯
1997	黄色机灵	C. 麦卡伦
1998	疾驰胜利	G. 史蒂文斯
1999	柠檬滴小山羊	J. 桑托斯
2000	很好的	P. 戴
2001	赠予的点	G. 史蒂文斯
2002	萨拉瓦	E. 普拉多
2003	帝国创造者	J. 贝利
2004	鸟石	E. 普拉多

* 1911 ～ 1912 年未比赛。† 最短时间为 2 分 24 秒。

在 1973 年的贝尔蒙特大奖赛中，冠军马塞克雷塔里亚特（最右边）冲出起跑门

供图：UPI/Bettmann Newsphotos

汉布尔顿快步赛

年份	冠军马	驭手	年份	冠军马	驭手	年份	冠军马	驭手
1926	基马金尼	N. 雷伊	1953	直升飞机	H. 哈维	1980	布尔戈梅斯特	W. 霍夫顿
1927	爱索尔的价值	M. 查尔德斯	1954	纽波特之梦	A. 卡梅伦	1981	夏威圣帕特	R. 伦曼
1928	斯宾塞	W.H. 雷斯	1955	司各脱弗斯特	J. 欧伯令	1982	快速球	W. 霍夫顿
1929	华尔德狄尔	W. 考克斯	1956	入侵者	N. 鲍尔	1983	杜埃纳	S. 丹塞
1930	汉诺威的贝尔塔	T. 贝里	1957	山核桃烟	J. 辛普森	1984	历史货船	B. 韦伯斯特
1931	卡柳梅特仆役长	R.D. 麦克马洪	1958	爱密利的骄傲	F. 尼皮	1985	普拉卡斯	B. 奥唐纳尔
1932	侯爵夫人	W. 卡顿	1959	迪勒汉诺威	F. 欧文	1986	核子宇宙	U. 多列森
1933	玛丽雷诺兹	B. 怀特	1960	汉诺威火焰	J. 欧伯令	1987	麦克罗贝尔	J. 甘贝尔
1934	吉姆老爷	H.M. 帕夏尔	1961	哈伦狄恩	J. 阿瑟	1988	安布罗·戈尔	J. 甘贝尔
1935	灵猩	S.F. 帕林	1962	A.C. 海盗	S. 拉塞鲁	1989*	公园街乔	R. 韦普尔斯
1936	罗莎琳德	B. 怀特	1963	快速苏格兰人	R. 鲍德温		探索	W. 费伊
1937	雪利汉诺威	H. 托马斯	1964	艾尔斯	J. 辛普森	1990	哈莫纽斯	J. 甘贝尔
1938	玛林汉诺威	H. 托马斯	1965	埃及坦诚者	A. 卡梅伦	1991	巨大胜利	J. 莫伊谢耶夫
1939	彼得阿斯特拉	H. 帕夏尔	1966	凯里韦	F. 欧文	1992	阿尔夫·帕莱尔马	M. 麦克尼科尔
1940	斯宾塞司各脱	F. 伊根	1967	快速飞跑	A. 卡梅伦	1993	美国胜利者	R. 皮尔斯
1941	比尔加龙	L. 史密斯	1968	内维尔骄子	S. 丹塞	1994	胜利梦想	M. 拉尚塞
1942	大使	B. 怀特	1969	林迪斯骄子	H. 贝辛格	1995	塔利亚布埃	J. 甘贝尔
1943	沃洛之歌	B. 怀特	1970	提摩太 T.	J. 辛普森	1996	大陆胜利	M. 拉尚塞
1944	扬基少女	H. 托马斯	1971	快速王	H. 贝辛格	1997	马拉巴尔海岸人	M. 伯勒斯
1945	泰坦汉诺威	H. 鲍那尔	1972	超级杯	S. 丹塞	1998	肌肉扬基	J. 甘贝尔
1946	切斯特敦	T. 贝里	1973	弗里尔斯	R. 鲍德温	1999	自我疯狂	M. 拉尚塞
1947	胡特蒙	S.F. 帕林	1974	克里斯多夫 T.	W. 霍夫顿	2000	扬基帕科	T. 里奇
1948	汉诺威恶魔	H. 司各脱	1975	北梭鱼	S. 丹塞	2001	红色爵士	S. 梅兰德
1949	蒂利小姐	F. 伊根	1976	史提夫罗贝尔	W. 霍夫顿	2002	加油	E. 莱德福
1950	活泼之歌	D. 米勒	1977	绿色闪电	W. 霍夫顿	2003	朋友大厅	M. 拉尚塞
1951	毒品注射者	G. 克里平	1978	快速索莫里	H. 贝辛格	2004	风歌传奇	T. 斯梅德斯哈马尔
1952	升半音	B. 史维里	1979	汉诺威传说	G. 斯卡尔蒂			

*平手。

墨尔本杯

年份	冠军马	年份	冠军马	骑手	年份	冠军马	骑手	年份	冠军马	骑手
1861	阿契尔	1900	一扫而光	理查森	1931	白鼻子	N. 柏西瓦尔	1968	爱雨者	J. 约翰逊
1862	阿契尔	1901	里维纽	F. 德昂	1932	彼得潘	W. 邓肯	1969	爱雨者	J. 约翰逊
1863	班克尔	1902	胜利号	R. 刘易斯	1933	霍尔马克	J. 奥沙利文	1970	巴格达信号	E.J. 狄德罕
1864	兰特恩	1903	卡迪根勋爵	N. 高德比	1934	彼得潘	D. 芒罗	1971	银骑士	R.B. 马什
1865	特瑞男孩	1904	亚克瑞细亚	T. 克莱顿	1935	穆拉布	K. 瓦特尔	1972	皮平莱恩	J. 列特斯
1866	柏布马	1905	蓝色奇观	F. 布洛克	1936	沃顿	O. 菲利普斯	1973	节庆高峰	F. 雷耶斯
1867	提姆惠夫勒	1906	波塞敦	T. 克莱顿	1937	黛安帕	A. 里德	1974	大期望	H. 怀特
1868	格伦科	1907	寓言	W. 埃文斯	1938	加泰罗格	F. 希恩	1975	大期望	H. 怀特
1869	战士	1908	诺兰勋爵	J.R. 弗林	1939	瑞维特	E. 普雷斯顿	1976	范德休姆	R.J. 斯凯尔顿
1870	捷足	1909	富特王子	W.H. 麦克拉克伦	1940	老洛里	A. 诺克斯	1977	金和黑	J. 杜更
1871	珍珠	1910	喜戏国王	W.H. 麦克拉克伦	1941	斯基普顿	W. 库克	1978	阿尔望	H. 怀特
1872	夸克	1911	巴黎人	R. 卡梅伦	1942	科隆纳斯	H. 麦克劳德	1979	海波诺	H. 怀特
1873	唐璜	1912	波阿斯特	A. 夏那罕	1943	黑毛毡	V. 哈特尼	1980	阿尔望	J. 列特斯
1874	扁豆	1913	波希内特斯	A. 夏那罕	1944	天狼	D. 芒罗	1981	猛烈一击	P. 库克
1875	瓦罗脉	1914	金斯博夫	G. 梅迪克	1945	雨鸟	W. 库克	1982	格尼的莱恩	L. 狄特曼
1876	布里塞斯	1915	波特罗巴士	R. 刘易斯	1946	俄罗斯	D. 芒罗	1983	克威	J. 卡西第
1877	切斯特	1916	萨珊诺夫	F. 弗里	1947	海拉吉	J. 波特尔	1984	黑骑士	P. 库克
1878	卡拉脉	1917	维斯克尔特	W.H. 麦克拉克伦	1948	宁法尔	R. 内维尔	1985	讨厌的家伙	P. 许兰
1879	达里维尔	1918	守夜	W. 邓肯	1949	福克斯萨米	W. 费洛斯	1986	安塔台兰格	M. 克拉克
1880	格兰弗兰纳	1919	炮兵	R. 刘易斯	1950	喜戏法庭	P. 格兰农	1987	肯塞	L. 奥尔森
1881	祖鲁人	1920	波依特雷尔	K. 布雷肯	1951	三角洲	N. 塞尔伍德	1988	玫瑰王国	T. 艾伦
1882	亚述人	1921	奥利薇姐妹	E. 奥沙利文	1952	达雷	W. 威廉森	1989	托里菲克	R.S. 戴伊
1883	马提尼-亨利	1922	英格达王	A. 威尔逊	1953	乌德拉	J. 波特尔	1990	金斯顿规则	D. 比德曼
1884	马卢瓦	1923	比塔利	A. 威尔逊	1954	奋起	J. 波特尔	1991	逃跑	S. 金
1885	最后的依恃	1924	贝克伍德	P. 布朗	1955	托帕罗	N. 塞尔伍德	1992	零度以下	G. 霍尔
1886	阿塞诺尔	1925	风袋	J. 芒罗	1956	夜铃	G. 柏德莫尔	1993	好收成	M.斯能
1887	唐洛普	1926	斯皮尔费尔特	H. 凯恩斯	1957	直接号召	N. 麦格劳特	1994	早安	W. 哈里斯
1888	门托	1927	特里沃尔威	R. 刘易斯	1958	贝斯顿	M. 舒马赫尔	1995	多利名士	D. 奥利弗
1889	棒极了	1928	政治家	J. 芒罗	1959	麦克杜格尔	P. 格兰农	1996	神圣	D. 比德曼
1890	卡宾	1929	夜行	R. 里德	1960	海珍克斯	W.A. 史密斯	1997	神威	J. 卡西迪
1891	马弗利欧	1930	法拉普	J.E. 派克	1961	富瑞勋爵	R. 萨克里格	1998	姿势宝	C. 芒西
1892	格兰洛斯				1962	埃文斯蒂文斯	L. 科利斯	1999	着时	J. 马歇尔

续表

年份	冠军马	年份	冠军马	骑手	年份	冠军马	骑手	年份	冠军马	骑手
1893	塔尔库拉				1963	加通加通	J. 约翰逊	2000	酿酒	K. 麦克沃伊
1894	守护神				1964	波罗王子	R. 泰勒	2001	灵气逼人	S. 西默
1895	奥拉利亚				1965	灵巧手指	R. 希金斯	2002	传媒之迷	D. 奥利弗
1896	新哈芬				1966	加利利	J. 米勒	2003	戴花	G. 博斯
1897	戈洛斯				1967	红汉德	R. 希金斯			
1898	骗子									
1899	玛利威									

ICE HOCKEY 冰球 加拿大全国冰球联盟(NHL,成立于 1917 年,包括 5 个职业球队)1924 年迎战了第一个美国球队——波士顿熊队。1926 年起,职业冰球运动的最高象征是斯坦利杯,授予全国冰球联盟赛季后夺标决赛的冠军队。斯坦利杯从 1893 ～ 1925 年授予业余冠军。

1956 年斯坦利杯赛季后决赛上,蒙特利尔法裔加拿大人队的 M. 理查德(左)和守门员 J. 普兰特(右)正阻止底特律红翼队的 A. 德尔韦基奥射门
供图: UPI/Bettmann Newsphotos/Detroit Times

世界冰球锦标赛

年份	冠军	年份	冠军	年份	冠军	年份	冠军	年份	冠军
1930	加拿大	1950	加拿大	1964*	苏	1978	苏	1992	瑞典
1931	加拿大	1951	加拿大	1965	苏	1979	苏	1993	俄
1932*	加拿大	1952*	加拿大	1966	苏	1980*	美	1994	加拿大
1933	美	1953	瑞典	1967	苏	1981	苏	1995	芬
1934	加拿大	1954	苏	1968*	苏	1982	苏	1996	捷
1935	加拿大	1955	加拿大	1969	苏	1983	苏	1997	加拿大
1936*	英	1956*	苏	1970	苏	1984*	苏	1998	瑞典
1937	加拿大	1957	瑞典	1971	苏	1985	捷	1999	捷
1938	加拿大	1958	加拿大	1972†	捷	1986	苏	2000	捷
1939	加拿大	1959	加拿大	1973	苏	1987	瑞典	2001	捷
1940 ～ 1946	未比赛	1960*	美	1974	苏	1988	苏	2002	斯洛文尼亚
1947	捷	1961	加拿大	1975	苏	1989	苏	2003	加拿大
1948*	加拿大	1962	瑞典	1976	捷	1990	瑞典	2004	加拿大
1949	捷	1963	苏	1977	捷	1991	瑞典		

* 该年度世界冠军由奥林匹克运动会产生。†1972 年世界锦标赛首次与奥林匹克运动会分开举行。

斯坦利杯

年度	冠军	亚军	比分	年度	冠军	亚军	比分
1892 – 1893	蒙特利尔业余体育协会			1910 – 1911	渥太华参议员队		
1893 – 1894	蒙特利尔业余体育协会			1911 – 1912	魁北克斗牛狗队		
1894 – 1895	蒙特利尔维多利亚队			1912 – 1913*	魁北克斗牛狗队		
1895 – 1896	温尼伯维多利亚队(二月)			1913 – 1914	多伦多蓝衫队		
	蒙特利尔维多利亚队			1914 – 1915	温哥华百万富翁队		
	(十二月)			1915 – 1916	蒙特利尔法裔加拿大人队		
1896 – 1897	蒙特利尔维多利亚队			1916 – 1917	西雅图大都会队		
1897 – 1898	蒙特利尔维多利亚队			1917 – 1918	多伦多竞技场队	温哥华百万富翁队	3-2
1898 – 1899	蒙特利尔白花酢浆草队			1918 – 1919	无结果 †		
1899 – 1900	蒙特利尔白花酢浆草队			1919 – 1920	渥太华参议员队	西雅图大都会队	3-2
1900 – 1901	温尼伯维多利亚队			1920 – 1921	渥太华参议员队	温哥华百万富翁队	3-2
1901 – 1902	蒙特利尔业余体育协会			1921 – 1922	多伦多圣帕特斯队	温哥华百万富翁队	3-2
1902 – 1903	渥太华银七队			1922 – 1923	渥太华参议员队	埃德蒙顿队	2-0
1903 – 1904	渥太华银七队			1923 – 1924	蒙特利尔法裔加拿大人队	卡尔加里队	2-0
1904 – 1905	渥太华银七队			1924 – 1925	维多利亚美洲狮队	蒙特利尔法裔加拿大人队	3-1
1905 – 1906	蒙特利尔流浪者队			1925 – 1926	蒙特利尔黑奴队	维多利亚美洲狮队	3-1
1906 – 1907	凯诺拉蓟队(一月)			1926 – 1927	渥太华参议员队	波士顿熊队	2-0
	蒙特利尔流浪者队(三月)			1927 – 1928	纽约突击队	蒙特利尔黑奴队	3-2
1907 – 1908	蒙特利尔流浪者队			1928 – 1929	波士顿熊队	纽约突击队	2-0
1908 – 1909	渥太华参议员队			1929 – 1930	蒙特利尔法裔加拿大人队	波士顿熊队	2-0
1909 – 1910	蒙特利尔流浪者队			1930 – 1931	蒙特利尔法裔加拿大人队	芝加哥黑鹰队	3-2

续表

年度	冠军	亚军	比分
1931 - 1932	多伦多枫叶队	纽约突击队	3-0
1932 - 1933	纽约突击队	多伦多枫叶队	3-1
1933 - 1934	芝加哥黑鹰队	底特律红翼队	3-1
1934 - 1935	蒙特利尔黑奴队	多伦多枫叶队	3-0
1935 - 1936	底特律红翼队	多伦多枫叶队	3-1
1936 - 1937	底特律红翼队	纽约突击队	3-2
1937 - 1938	芝加哥黑鹰队	多伦多枫叶队	3-1
1938 - 1939	波士顿熊队	多伦多枫叶队	4-1
1939 - 1940	纽约突击队	多伦多枫叶队	4-2
1940 - 1941	波士顿熊队	底特律红翼队	4-0
1941 - 1942	多伦多枫叶队	底特律红翼队	4-3
1942 - 1943	底特律红翼队	波士顿熊队	4-0
1943 - 1944	蒙特利尔法裔加拿大人队	芝加哥黑鹰队	4-0
1944 - 1945	多伦多枫叶队	底特律红翼队	4-3
1945 - 1946	蒙特利尔法裔加拿大人队	波士顿熊队	4-1
1946 - 1947	多伦多枫叶队	蒙特利尔法裔加拿大人队	4-2
1947 - 1948	多伦多枫叶队	底特律红翼队	4-0
1948 - 1949	多伦多枫叶队	底特律红翼队	4-0
1949 - 1950	底特律红翼队	纽约突击队	4-3
1950 - 1951	多伦多枫叶队	蒙特利尔法裔加拿大人队	4-1
1951 - 1952	底特律红翼队	蒙特利尔法裔加拿大人队	4-0
1952 - 1953	蒙特利尔法裔加拿大人队	波士顿熊队	4-1
1953 - 1954	底特律红翼队	蒙特利尔法裔加拿大人队	4-3
1954 - 1955	底特律红翼队	蒙特利尔法裔加拿大人队	4-3
1955 - 1956	蒙特利尔法裔加拿大人队	底特律红翼队	4-1
1956 - 1957	蒙特利尔法裔加拿大人队	波士顿熊队	4-1
1957 - 1958	蒙特利尔法裔加拿大人队	波士顿熊队	4-2
1958 - 1959	蒙特利尔法裔加拿大人队	多伦多枫叶队	4-1
1959 - 1960	蒙特利尔法裔加拿大人队	多伦多枫叶队	4-0
1960 - 1961	芝加哥黑鹰队	底特律红翼队	4-2
1961 - 1962	多伦多枫叶队	芝加哥黑鹰队	4-2
1962 - 1963	多伦多枫叶队	底特律红翼队	4-1
1963 - 1964	多伦多枫叶队	底特律红翼队	4-3
1964 - 1965	蒙特利尔法裔加拿大人队	芝加哥黑鹰队	4-3
1965 - 1966	蒙特利尔法裔加拿大人队	底特律红翼队	4-2
1966 - 1967	多伦多枫叶队	蒙特利尔法裔加拿大人队	4-2
1967 - 1968	蒙特利尔法裔加拿大人队	圣路易斯布鲁斯队	4-0
1968 - 1969	蒙特利尔法裔加拿大人队	圣路易斯布鲁斯队	4-0
1969 - 1970	波士顿熊队	圣路易斯布鲁斯队	4-0
1970 - 1971	蒙特利尔法裔加拿大人队	芝加哥黑鹰队	4-3
1971 - 1972	波士顿熊队	纽约突击队	4-2
1972 - 1973	蒙特利尔法裔加拿大人队	芝加哥黑鹰队	4-2
1973 - 1974	费城飞行员队	波士顿熊队	4-2
1974 - 1975	费城飞行员队	水牛骑兵队	4-2
1975 - 1976	蒙特利尔法裔加拿大人队	费城飞行员队	4-0
1976 - 1977	蒙特利尔法裔加拿大人队	波士顿熊队	4-0
1977 - 1978	蒙特利尔法裔加拿大人队	波士顿熊队	4-2
1978 - 1979	蒙特利尔法裔加拿大人队	纽约突击队	4-1
1979 - 1980	纽约美国人队	费城飞行员队	4-2
1980 - 1981	纽约美国人队	明尼苏达北极星队	4-1
1981 - 1982	纽约美国人队	温哥华加拿大人队	4-0
1982 - 1983	纽约美国人队	埃德蒙顿加油工队	4-0
1983 - 1984	埃德蒙顿加油工队	纽约美国人队	4-1
1984 - 1985	埃德蒙顿加油工队	费城飞行员队	4-1
1985 - 1986	蒙特利尔法裔加拿大人队	卡尔加里火焰队	4-1
1986 - 1987	埃德蒙顿加油工队	费城飞行员队	4-3
1987 - 1988	埃德蒙顿加油工队	波士顿熊队	4-0
1988 - 1989	卡尔加里火焰队	蒙特利尔法裔加拿大人队	4-2
1989 - 1990	埃德蒙顿加油工队	波士顿熊队	4-1
1990 - 1991	匹兹堡企鹅队	明尼苏达北极星队	4-2
1991 - 1992	匹兹堡企鹅队	芝加哥黑鹰队	4-0
1992 - 1993	蒙特利尔法裔加拿大人队	洛杉矶国王队	4-1
1993 - 1994	纽约游骑兵	温哥华法裔人	4-3
1994 - 1995	新泽西恶魔	底特律红翼	4-0
1995 - 1996	科罗拉多雪崩	佛罗里达美洲豹	4-0
1996 - 1997	底特律红翼	费城飞行员队	4-0
1997 - 1998	底特律红翼	华盛顿首府	4-0
1998 - 1999	达拉斯群星	布法罗军刀	4-2
1999 - 2000	新泽西恶魔	达拉斯群星	4-2
2000 - 2001	科罗拉多雪崩	新泽西恶魔	4-3
2001 - 2002	底特律红翼	卡罗莱纳飓风	4-1
2002 - 2003	新泽西恶魔	阿纳海姆巨鸭	4-3
2003 - 2004	坦帕湾闪电	卡尔加里火焰	4-3

* 比赛中维多利亚队打败了魁北克队，但未被正式承认。† 系列赛因流行性感冒而取消。

ICE SKATING　滑冰　滑冰运动的世界性管理机构国际滑冰联盟（ISU，成立于 1892 年），1896 年首次举办了花样滑冰比赛。直到 1906 年，女子花样滑冰才被列为独立比赛项目。1908 年举办了首届双人花样滑冰锦标赛。1991 年以前，个人比赛包括一套规定动作和一套自选动作。1991年，规定动作部分被取消，比赛包括短时的技巧动作和较长时间的自选动作。冰上舞蹈比赛同样须完成规定动作和自选动作，只是属于舞蹈性动作而已。与花样滑冰和冰上舞蹈相比，速度滑冰包括两个要素——速度和耐力。男子赛程有 500 米、1 500 米、5 000 米和 10 000 米。女子速度滑冰比赛要比男子晚大约40年，赛程有 500 米、1 500 米、3 000 米和 5 000 米。世界短距离速度滑冰锦标赛始于 1972 年。室内短道速滑赛程有 500 米、1 000米、1 500米和3 000 米。总成绩最好的选手为冠军。在 1981 年国际滑冰联盟承认之前，1978 ～ 1980 年锦标赛每年举办一次。

世界花样滑冰冠军(女子)

年份	冠军
1906	M. 赛耶斯(英)
1907	M. 赛耶斯(英)
1908	L. 克朗伯格(匈)
1909	L. 克朗伯格(匈)
1910	L. 克朗伯格(匈)
1911	L. 克朗伯格(匈)
1912	M. 霍尔瓦(匈)
1913	M. 霍尔瓦(匈)
1914	M. 霍尔瓦(匈)
1915 ～ 1921	未比赛
1922	J. 索博-普朗克(奥)
1923	J. 索博-普朗克(奥)
1924	J. 索博-普朗克(奥)
1925	J. 索博-普朗克(奥)
1926	J. 索博-普朗克(奥)
1927	S. 赫尼(挪)
1928	S. 赫尼(挪)
1929	S. 赫尼(挪)
1930	S. 赫尼(挪)
1931	S. 赫尼(挪)
1932	S. 赫尼(挪)
1933	S. 赫尼(挪)
1934	S. 赫尼(挪)
1935	S. 赫尼(挪)
1936	S. 赫尼(挪)
1937	C. 科利吉(英)
1938	M. 泰勒(英)
1939	M. 泰勒(英)
1940 ～ 1946	未比赛
1947	B. 斯科特(加拿大)
1948	B. 斯科特(加拿大)
1949	A. 维扎诺娃(捷)
1950	A. 维扎诺娃(捷)
1951	J. 阿尔特维格(英)
1952	J. 杜比埃夫(法)
1953	T. 奥尔布赖特(美)
1954	G. 布施(德)
1955	T. 奥尔布赖特(美)
1956	C. 黑斯(美)
1957	C. 黑斯(美)
1958	C. 黑斯(美)
1959	C. 黑斯(美)
1960	C. 黑斯(美)
1961	未比赛*
1962	S. 迪克斯特拉(荷)
1963	S. 迪克斯特拉(荷)
1964	S. 迪克斯特拉(荷)
1965	P. 伯卡(加拿大)
1966	P. 弗莱明(美)
1967	P. 弗莱明(美)
1968	P. 弗莱明(美)
1969	G. 赛费特(东德)
1970	G. 赛费特(东德)
1971	B. 舒巴(奥)
1972	B. 舒巴(奥)
1973	K. 马格纳森(加拿大)

续表

年份	冠军	年份	冠军	年份	冠军	年份	冠军
1974	C. 埃拉思(东德)	1982	E. 扎雅克(美)	1990	J. 特雷纳里(美)	1998	关颖珊(美)
1975	D. 德·勒夫(荷)	1983	R. 萨姆纳斯(美)	1991	K. 亚马古基(美)	1999	M. 布特尔斯卡瓦(俄)
1976	D. 哈米尔(美)	1984	K. 维特(东德)	1992	K. 亚马古基(美)	2000	关颖珊(美)
1977	L. 弗拉蒂亚内(美)	1985	K. 维特(东德)	1993	O. 巴尤尔(乌克兰)	2001	关颖珊(美)
1978	A. 波希(东德)	1986	D. 托马斯(美)	1994	佐藤勇香(日)	2002	I. 斯鲁茨卡娅(俄)
1979	L. 弗拉蒂亚内(美)	1987	K. 维特(东德)	1995	陈露(中)	2003	关颖珊(美)
1980	A. 波希(东德)	1988	K. 维特(东德)	1996	关颖珊(美)	2004	村主章枝(日)
1981	D. 比尔曼(瑞士)	1989	伊藤(日)	1997	T. 利平斯基(美)		

* 美国队全体死于空难,比赛未举行。

10 年蝉联世界女子花样滑冰冠军的挪威 S. 赫尼 1929 年在布达佩斯作滑冰表演

供图:Steve Powell—All-Sport

在 1989 年的世界花样滑冰锦标赛上,K. 布朗宁(加拿大)正在表演其获奖动作

供图:Allsport USA/Vandystadt/Yann Guichaoua

世界花样滑冰冠军(男子)

年份	冠军	年份	冠军	年份	冠军
1896	G. 富克斯(德)	1924	G. 格拉夫斯特罗姆(瑞典)	1952	R. 巴顿(美)
1897	G. 胡格尔(奥)	1925	W. 伯克尔(奥)	1953	H. 詹金斯(美)
1898	H. 格雷南德尔(瑞典)	1926	W. 伯克尔(奥)	1954	H. 詹金斯(美)
1899	G. 胡格尔(奥)	1927	W. 伯克尔(奥)	1955	H. 詹金斯(美)
1900	G. 胡格尔(奥)	1928	W. 伯克尔(奥)	1956	H. 詹金斯(美)
1901	U. 萨尔肖(瑞典)	1929	G. 格拉夫斯特罗姆(瑞典)	1957	D. 詹金斯(美)
1902	U. 萨尔肖(瑞典)	1930	K. 舍费尔(奥)	1958	D. 詹金斯(美)
1903	U. 萨尔肖(瑞典)	1931	K. 舍费尔(奥)	1959	D. 詹金斯(美)
1904	U. 萨尔肖(瑞典)	1932	K. 舍费尔(奥)	1960	A. 吉勒蒂(法)
1905	U. 萨尔肖(瑞典)	1933	K. 舍费尔(奥)	1961	未比赛*
1906	G. 富克斯(德)	1934	K. 舍费尔(奥)	1962	D. 杰克逊(加拿大)
1907	U. 萨尔肖(瑞典)	1935	K. 舍费尔(奥)	1963	D. 麦克弗森(加拿大)
1908	U. 萨尔肖(瑞典)	1936	K. 舍费尔(奥)	1964	M. 施内尔德费尔(西德)
1909	U. 萨尔肖(瑞典)	1937	F. 卡斯帕尔(奥)	1965	A. 卡尔迈特(法)
1910	U. 萨尔肖(瑞典)	1938	F. 卡斯帕尔(奥)	1966	E. 丹策尔(奥)
1911	U. 萨尔肖(瑞典)	1939	G. 夏普(英)	1967	E. 丹策尔(奥)
1912	F. 卡希勒(奥)	1940～1946	未比赛	1968	E. 丹策尔(奥)
1913	F. 卡希勒(奥)	1947	H. 格希维勒(瑞士)	1969	T. 伍德(美)
1914	G. 桑达尔(瑞典)	1948	R. 巴顿(美)	1970	T. 伍德(美)
1915～1921	未比赛	1949	R. 巴顿(美)	1971	O. 奈佩拉(捷)
1922	G. 格拉夫斯特罗姆(瑞典)	1950	R. 巴顿(美)	1972	O. 奈佩拉(捷)
1923	F. 卡希勒(奥)	1951	R. 巴顿(美)	1973	O. 奈佩拉(捷)

续表

年份	冠军	年份	冠军	年份	冠军
1974	J. 霍夫曼(东德)	1985	A. 法捷耶夫(苏)	1996	T. 埃尔德雷奇(美)
1975	S. 沃尔科夫(苏)	1986	B. 博伊塔诺(美)	1997	E. 斯托伊科(加拿大)
1976	J. 柯里(英)	1987	B. 奥塞尔(加拿大)	1998	A. 亚古金(俄)
1977	V. 科瓦列夫(苏)	1988	B. 博伊塔诺(美)	1999	A. 亚古金(俄)
1978	C. 蒂克纳(美)	1989	K. 布朗宁(加拿大)	2000	A. 亚古金(俄)
1979	V. 科瓦列夫(苏)	1990	K. 布朗宁(加拿大)	2001	Ye. 普留申科(俄)
1980	J. 霍夫曼(东德)	1991	K. 布朗宁(加拿大)	2002	A. 亚古金(俄)
1981	S. 汉密尔顿(美)	1992	V. 彼得连科(联合队 †)	2003	Ye. 普留申科(俄)
1982	S. 汉密尔顿(美)	1993	K. 布朗宁(加拿大)	2004	Ye. 普留申科(俄)
1983	S. 汉密尔顿(美)	1994	E. 斯托伊科(加拿大)		
1984	S. 汉密尔顿(美)	1995	E. 斯托伊科(加拿大)		

* 美国队全体死于空难,比赛未举行。† 联合队,包括来自独联体及格鲁吉亚的运动员。

世界冰上舞蹈冠军

年份	冠军	年份	冠军	年份	冠军
1950	L. 韦林;M. 麦吉恩(美)	1969	D. 托勒;B. 福特(英)		
1951	J. 韦斯特伍德;L. 德米(英)	1970	L. 帕霍默娃;A. 戈尔什科夫(苏)	1988	N. 别斯特米亚诺娃;A. 布基尼(苏)
1952	J. 韦斯特伍德;L. 德米(英)	1971	L. 帕霍默娃;A. 戈尔什科夫(苏)	1989	M. 克利莫娃;S. 波诺马连科(苏)
1953	J. 韦斯特伍德;L. 德米(英)	1972	L. 帕霍默娃;A. 戈尔什科夫(苏)	1990	M. 克利莫娃;S. 波诺马连科(苏)
1954	J. 韦斯特伍德;L. 德米(英)	1973	L. 帕霍默娃;A. 戈尔什科夫(苏)	1991	I. 迪谢奈;P. 迪谢奈(法)
1955	J. 韦斯特伍德;L. 德米(英)	1974	L. 帕霍默娃;A. 戈尔什科夫(苏)	1992	M. 克利莫娃;S. 波诺马连科(联合队 †)
1956	P. 韦特;P. 托马斯(英)	1975	I. 莫伊塞耶娃;A. 米南科夫(苏)	1993	M. 乌索娃;A. 茹林(俄)
1957	J. 马卡姆;C. 琼斯(英)	1976	L. 帕霍默娃;A. 戈尔什科夫(苏)	1994	O. 格丽舒科;Ye. 普拉托夫(俄)
1958	J. 马卡姆;C. 琼斯(英)	1977	I. 莫伊塞耶娃;A. 米南科夫(苏)	1995	O. 格丽舒科;Ye. 普拉托夫(俄)
1959	D. 丹尼;C. 琼斯(英)	1978	N. 利尼丘克;G. 卡尔波诺索夫(苏)	1996	O. 格丽舒科;Ye. 普拉托夫(俄)
1960	D. 丹尼;C. 琼斯(英)	1979	N. 利尼丘克;G. 卡尔波诺索夫(苏)	1997	O. 格丽舒科;Ye. 普拉托夫(俄)
1961	未比赛*	1980	K. 雷戈齐;A. 萨莱伊(匈)	1998	A. 克利洛娃;O. 奥夫斯亚尼科夫(俄)
1962	E. 罗曼诺娃;P. 罗曼(捷)	1981	J. 托维尔;C. 迪安(英)	1999	A. 克利洛娃;O. 奥夫斯亚尼科夫(俄)
1963	E. 罗曼诺娃;P. 罗曼(捷)	1982	J. 托维尔;C. 迪安(英)	2000	M. 安妮斯娜;G. 贝泽拉特(法)
1964	E. 罗曼诺娃;P. 罗曼(捷)	1983	J. 托维尔;C. 迪安(英)	2001	B. 福萨波丽;M. 马卡格力奥(意)
1965	E. 罗曼诺娃;P. 罗曼(捷)	1984	J. 托维尔;C. 迪安(英)	2002	I. 洛巴乔夫娃;I. 阿韦尔布赫(俄)
1966	D. 托勒;B. 福特(英)	1985	N. 别斯特米亚诺娃;A. 布基尼(苏)	2003	S. 布尔娜;V. 科拉兹(加拿大)
1967	D. 托勒;B. 福特(英)	1986	N. 别斯特米亚诺娃;A. 布基尼(苏)	2004	T. 纳乌卡;R. 考斯特麦洛夫(俄)
1968	D. 托勒;B. 福特(英)	1987	N. 别斯特米亚诺娃;A. 布基尼(苏)	2005	T. 纳乌卡;R. 考斯特麦洛夫(俄)

* 美国队全体死于空难,比赛未举行。† 联合队,包括来自独联体及格鲁吉亚的运动员。

苏联的 I. 罗德尼娜与 A. 扎伊采夫连续 6 年获得世界花样滑冰冠军(双人)

供图:Steve Powell—All-Sport

G. 克勒曼(德)在 1991 年的世界锦标赛上;她获得当年世界全能冰上速滑冠军

供图:ALLSPORT USA/Dan Smith

世界花样滑冰冠军(双人)

年份	冠军
1908	A. 徐布乐;H. 布尔格(德)
1909	J. 约翰逊;J. 约翰逊(英)
1910	A. 徐布乐;H. 布尔格(德)
1911	L. 艾勒尔斯;W. 亚克布松(芬)
1912	J. 约翰逊;J. 约翰逊(英)
1913	N. 恩格尔曼;K. 梅斯特里克(奥)
1914	W. 亚克布松;W. 亚克布松(芬)
1915～1921	未比赛
1922	N. 恩格尔曼;H. 贝尔格(奥)
1923	W. 亚克布松;W. 亚克布松(芬)
1924	N. 恩格尔曼;A. 贝尔格(奥)
1925	J. 索博-普朗克;L. 符雷德(奥)
1926	A. 乔莉;P. 布吕奈(法)
1927	J. 索博-普朗克;L. 符雷德(奥)
1928	A. 乔莉;P. 布吕奈(法)
1929	L. 朔尔茨;D. 凯泽(奥)
1930	A. 布吕奈;P. 布吕奈(法)
1931	E. 罗特;L. 索拉斯(匈)
1932	A. 布吕奈;P. 布吕奈(法)
1933	E. 罗特;L. 索拉斯(匈)
1934	E. 罗特;L. 索拉斯(匈)
1935	E. 罗特;L. 索拉斯(匈)
1936	M. 海尔伯;E. 拜耳(德)
1937	M. 海尔伯;E. 拜耳(德)
1938	M. 海尔伯;E. 拜耳(德)
1939	M. 海尔伯;E. 拜耳(德)
1940～1946	未比赛
1947	M. 兰诺夫;P. 包格涅特(比)
1948	M. 兰诺夫;P. 包格涅特(比)
1949	A. 凯克西;E. 基拉里(匈)
1950	K. 肯尼迪;P. 肯尼迪(美)
1951	R. 巴兰;P. 法尔克(西德)
1952	R. 法尔克;P. 法尔克(西德)
1953	J. 尼克斯;J. 尼克斯(英)
1954	F. 达福;N. 鲍登(加拿大)
1955	F. 达福;N. 鲍登(加拿大)
1956	E. 施瓦茨;K. 奥佩尔特(奥)
1957	B. 瓦格纳;R. 保罗(加拿大)
1958	B. 瓦格纳;R. 保罗(加拿大)
1959	B. 瓦格纳;R. 保罗(加拿大)
1960	B. 瓦格纳;R. 保罗(加拿大)
1961	未比赛*
1962	M. 杰利内克;O. 杰利内克(加拿大)
1963	M. 基利乌斯;H. 博伊姆勒(西德)
1964	M. 基利乌斯;H. 博伊姆勒(西德)
1965	L. 别洛乌索娃;O. 普罗托波波夫(苏)
1966	L. 别洛乌索娃;O. 普罗托波波夫(苏)
1967	L. 别洛乌索娃;O. 普罗托波波夫(苏)
1968	L. 别洛乌索娃;O. 普罗托波波夫(苏)
1969	I. 罗德尼娜;A. 乌兰诺夫(苏)
1970	I. 罗德尼娜;A. 乌兰诺夫(苏)
1971	I. 罗德尼娜;A. 乌兰诺夫(苏)
1972	I. 罗德尼娜;A. 乌兰诺夫(苏)
1973	I. 罗德尼娜;A. 扎伊采夫(苏)
1974	I. 罗德尼娜;A. 扎伊采夫(苏)
1975	I. 罗德尼娜;A. 扎伊采夫(苏)
1976	I. 罗德尼娜;A. 扎伊采夫(苏)
1977	I. 罗德尼娜;A. 扎伊采夫(苏)
1978	I. 罗德尼娜;A. 扎伊采夫(苏)
1979	T. 巴比罗尼娅;R. 加德纳(美)
1980	M. 切尔卡索娃;S. 沙克雷(苏)
1981	I. 沃洛比奥娃;I. 里索夫斯基(苏)
1982	S. 贝斯;T. 蒂尔巴赫(东德)
1983	E. 瓦洛娃;O. 瓦西列夫(苏)
1984	B. 昂德希尔;P. 马蒂尼(加拿大)
1985	E. 瓦洛娃;O. 瓦西列夫(苏)
1986	Ye. 戈尔杰耶娃;S. 格林科夫(办)
1987	Ye. 戈尔杰耶娃;S. 格林科夫(苏)
1988	E. 瓦洛娃;O. 瓦西列夫(苏)
1989	Ye. 戈尔杰耶娃;S. 格林科夫(苏)
1990	Ye. 戈尔杰耶娃;S. 格林科夫(苏)
1991	N. 米什库捷诺克;A. 德米特里耶夫(苏)
1992	N. 米什库捷诺克;A. 德米特里耶夫(联合队†)
1993	I. 布拉瑟尔;L. 艾斯勒(加拿大)
1994	Ye. 西斯科娃;V. 纳乌莫夫(俄)
1995	R. 科瓦日科娃;R. 诺沃提尼(捷)
1996	M. 叶利佐娃;A. 布什科夫(俄)
1997	M. 韦策尔;I. 斯图(德)
1998	Ye. 别列日纳娅;A. 西哈鲁利泽(俄)
1999	Ye. 别列日纳娅;A. 西哈鲁利泽(俄)
2000	M. 彼德洛娃;A. 吉洪诺夫(俄)
2001	J. 萨尔;D. 佩列蒂耶(加拿大)
2002	申雪;赵宏博(中)
2003	申雪;赵宏博(中)
2004	T. 托季米亚尼娜;M. 马里宁(俄)
2005	T. 托季米亚尼娜;M. 马里宁(俄)
2006	庞清;佟健(中)

* 美国队全体死于空难,比赛未举行。† 联合队,包括来自独联体及格鲁吉亚的运动员。

世界短道速滑锦标赛(全能冠军)

年份	男子	女子
1978	J. 林奇(澳)	S. 多克特(加拿大)
1979	户田(日)	S. 戴格尔(加拿大)
1980	G. 布歇(加拿大)	加藤(日)
1981	B. 巴里尔(加拿大)	加藤(日)
1982	G. 戴格尼奥特(加拿大)	M. 佩罗(加拿大)
1983	L. 格雷尼尔(加拿大)	S. 戴格尔(加拿大)
1984	G. 戴格尼奥特(加拿大)	木下(日)
1985	河合(日)	狮子(日)
1986	石原(日)	B. 布莱尔(美)
1987	M. 戴格尼诺特(加拿大)* 河合(日)	狮子(日)
1988	P. 范·德·费尔德(荷)	S. 戴格尔(加拿大)
1989	M. 戴格尼诺特(加拿大)	S. 戴格尔(加拿大)
1990	李春镐(韩)	S. 戴格尔(加拿大)
1991	W. 奥赖利(英)	N. 兰伯特(加拿大)

续表

年份	男子	女子
1992	李琪熏（韩）	金瑞海（韩）
1993	M. 加南（加拿大）	N. 兰伯特（加拿大）
1994	M. 加南（加拿大）	N. 兰伯特（加拿大）
1995	蔡智熏（韩）	金利卿（韩）
1996	M. 加南（加拿大）	金利卿（韩）
1997	金东圣（韩）	金利卿（韩）* 杨扬（中）*
1998	M. 加南（加拿大）	杨扬（中）
1999	李佳军（中）	杨扬（中）
2000	闵龙（韩）	杨扬（中）
2001	李佳军（中）	杨扬（中）
2002	金东圣（韩）	杨扬（中）
2003	安贤洙（韩）	崔恩景（韩）
2004	安贤洙（韩）	崔恩景（韩）
2005	安贤洙（韩）	陈善有（韩）
2006	安贤洙（韩）	陈善有（韩）

* 平手。

连续 4 年的世界花样滑冰冠军 S. 汉密尔顿（美）在 1984 年的奥运会花样滑冰比赛中获冠军
美国不列颠百科全书公司供图

世界全能冰上速滑冠军（男子）

年份	冠军*
1893	J. 伊登（荷）
1895	J. 伊登（荷）
1896	J. 伊登（荷）
1897	I.K. 麦卡洛克（加拿大）
1898	P. 奥斯特伦德（挪）
1899	P. 奥斯特伦德（挪）
1900	E. 恩格尔萨斯（挪）
1901	F. 沃森（芬）
1904	S. 马蒂森（挪）
1905	C.C.J. 德·科宁（荷）
1908	O. 马蒂森（挪）
1909	O. 马蒂森（挪）
1910	N. 斯特伦尼科夫（俄）
1911	N. 斯特伦尼科夫（俄）
1912	O. 马蒂森（挪）
1913	O. 马蒂森（挪）
1914	O. 马蒂森（挪）
1915～1921	未比赛
1922	H. 斯特罗姆（挪）
1923	C. 图恩伯格（芬）
1924	R. 拉森（挪）
1925	C. 图恩伯格（芬）

年份	冠军
1926	I. 巴兰格鲁德（挪）
1927	B. 埃温森（挪）
1928	C. 图恩伯格（芬）
1929	C. 图恩伯格（芬）
1930	M. 斯塔克斯鲁德（挪）
1931	C. 图恩伯格（苏）
1932	I. 巴兰格鲁德（挪）
1933	H. 恩格内斯坦根（挪）
1934	B. 埃温森（挪）
1935	M. 斯塔克斯鲁德（挪）
1936	I. 巴兰格鲁德（挪）
1937	M. 斯塔克斯鲁德（挪）
1938	I. 巴兰格鲁德（挪）
1939	B. 瓦瑟尼乌斯（芬）
1940～1946	未比赛
1947	L. 帕克金南（芬）
1948	O. 伦德伯格（挪）
1949	K. 帕约尔（匈）
1950	H. 安德森（挪）
1951	H. 安德森（挪）
1952	H. 安德森（挪）
1953	O. 冈察伦科（苏）
1954	B. 西尔科夫（苏）
1955	S. 埃里克松（瑞典）
1956	O. 冈察伦科（苏）

年份	冠军
1957	K. 约翰森（挪）
1958	O. 冈察伦科（苏）
1959	J. 杰维南（芬）
1960	B. 斯特宁（苏）
1961	H. 范·德·格里夫特（荷）
1962	V. 科希奇金（苏）
1963	J. 尼尔松（瑞典）
1964	K. 约翰森（挪）
1965	P. 莫（挪）
1966	K. 维尔克尔克（荷）
1967	K. 维尔克尔克（荷）
1968	F.A. 梅尔（挪）
1969	D. 福尔内斯（挪）
1970	A. 申克（荷）
1971	A. 申克（荷）
1972	A. 申克（荷）
1973	G. 克莱森（瑞典）
1974	S. 斯滕森（挪）
1975	H. 凯珀斯（荷）
1976	P. 克莱恩（荷）
1977	E. 海登（美）
1978	E. 海登（美）
1979	E. 海登（美）
1980	H. 范·德·杜姆（荷）

年份	冠军
1981	A. 斯约布伦德（挪）
1982	H. 范·德·杜姆（荷）
1983	R. 法尔克-拉森（挪）
1984	O. 波日耶夫（苏）
1985	H. 维吉尔（荷）
1986	D. 詹森（美）
1987	N. 古利耶夫（苏）
1988	E. 弗莱姆（美）
1989	L. 菲瑟（荷）
1990	J.O. 科斯（挪）
1991	J.O. 科斯（挪）
1992	R. 西格赫尔（意）
1993	F. 赞德斯查（荷）
1994	J.O. 科斯（挪）
1995	R. 里茨马（荷）
1996	R. 里茨马（荷）
1997	I. 波斯特马（荷）
1998	I. 波斯特马（荷）
1999	R. 里茨马（荷）
2000	G. 罗默（荷）
2001	R. 里茨马（荷）
2002	J. 维特德哈格（荷）

* 1894、1902、1903、1906 和 1907 年没有冠军；在计分系统建立前，只有在四项比赛中获得至少三项冠军的选手才能成为全能冠军。

世界冰上速滑短距离锦标赛

年份	男子	女子
1972	L. 林科维斯(芬)	M. 普夫卢格(西德)
1973	V. 穆拉托夫(苏)	S. 扬(美)
1974	P. 比奥兰格(挪)	L. 波洛斯(美)
1975	A. 萨夫罗诺夫(苏)	S. 扬(美)
1976	J. 格拉纳思(瑞典)	S. 扬(美)
1977	E. 海登(美)	S. 伯卡(加拿大)
1978	E. 海登(美)	L. 萨德契科娃(苏)
1979	E. 海登(美)	L. 波洛斯-米勒(美)
1980	E. 海登(美)	K. 恩克(东德)
1981	F. 朗宁(挪)	K. 恩克(东德)
1982	S. 赫列勃尼科夫(苏)	N. 彼得洛塞娃(苏)
1983	黑岩(日)	K. 彼得洛塞娃(苏)
1984	G. 布歇(加拿大)	K. 恩克(东德)
1985	I. 热列佐夫斯基(苏)	C. 罗滕布格尔(东德)
1986	I. 热列佐夫斯基(苏)	K. 卡妮亚(东德)
1987	黑岩(日)	K. 卡妮亚(东德)
1988	D. 詹森(美)	C. 罗滕布格尔(东德)
1989	I. 热列佐夫斯基(苏)	B. 布莱尔(美)
1990	吉泰裴(韩)	A. 豪克(东德)
1991	I. 热列佐夫斯基(苏)	M. 加布雷希特(德)
1992	I. 热列佐夫斯基(联合队*)	叶乔波(中)
1993	I. 热列佐夫斯基(白俄)	叶乔波(中)
1994	D. 詹森(美)	B.布莱尔(美)
1995	金润万(韩)	B.布莱尔(美)
1996	S. 克列夫琴亚(俄)	C.威蒂(美)
1997	S. 克列夫琴亚(俄)	F.申克(德)
1998	J. 博斯(荷)	C.勒梅·多恩(加拿大)
1999	J. 沃瑟斯庞(加拿大)	M.加尔布雷赫特(德)
2000	J. 沃瑟斯庞(加拿大)	M.加尔布雷赫特(德)
2001	M. 爱尔兰(加拿大)	M.加尔布雷赫特-恩菲尔特(德)
2002	J. 沃瑟斯庞(加拿大)	C.勒梅·多恩(加拿大)

*联合队,包括来自独联体及格鲁吉亚的运动员。

1979 年的世界全能冰上速滑冠军(女子)B. 海登正在 1980 年奥运会的赛场上

供图:H. Schaefer—Click/CHICAGO

世界全能冰上速滑冠军(女子)

年份	冠军	年份	冠军	年份	冠军	年份	冠军
1947	V. 莱奇(芬)	1961	V. 斯特尼娜(苏)	1975	K. 凯索(东德)	1989	C. 莫泽(东德)
1948	M. 伊莎科娃(苏)	1962	I. 沃洛尼娜(苏)	1976	S. 伯卡(加拿大)	1990	J. 伯尔纳(东德)
1949	M. 伊莎科娃(苏)	1963	L. 斯科勃利科娃(苏)	1977	V. 布利恩德捷夫(苏)	1991	G. 克勒曼(德)
1950	M. 伊莎科娃(苏)	1964	L. 斯科勃利科娃(苏)	1978	T. 阿维里娜(苏)	1992	G. 尼曼(德)
1951	J. 哈图南(芬)	1965	I. 沃洛尼娜(苏)	1979	B. 海登(美)	1993	G. 尼曼(德)
1952	L. 塞利科娃(苏)	1966	V. 斯特尼娜(苏)	1980	N. 佩特鲁谢娃(苏)	1994	E. 亨亚迪(奥)
1953	K. 什切戈莱娃(苏)	1967	S. 凯泽(荷)	1981	N. 佩特鲁谢娃(苏)	1995	G. 尼曼(德)
1954	L. 塞利科娃(苏)	1968	S. 凯泽(荷)	1982	K. 波希(东德)	1996	G. 尼曼(德)
1955	R. 朱科娃(苏)	1969	L. 考尼斯特(苏)	1983	A. 舍内(东德)	1997	G. 尼曼(德)
1956	Z. 康达科娃(苏)	1970	A. 柯伦-迪尔斯特拉(荷)	1984	K. 恩克(东德)	1998	G. 尼曼-施蒂纳曼(德)
1957	I. 沃洛尼娜(苏)	1971	N. 斯塔特科维奇(苏)	1985	A. 舍内(东德)	1999	G. 尼曼-施蒂纳曼(德)
1958	I. 沃洛尼娜(苏)	1972	A. 柯伦-迪尔斯特拉(荷)	1986	K. 卡妮亚(东德)	2000	C. 佩希特因(德)
1959	T. 里洛娃(苏)	1973	A. 柯伦-迪尔斯特拉(荷)	1987	K. 卡妮亚(东德)	2001	A. 福里辛格(德)
1960	V. 斯特尼娜(苏)	1974	A. 柯伦-迪尔斯特拉(荷)	1988	K. 卡妮亚(东德)	2002	A. 福里辛格(德)

JUDO 柔道 首届世界柔道锦标赛1956年由国际柔道联合会(IJF,1951年成立)主办。当时所有参赛者都是同样的重量级。第四届世界柔道锦标赛上,无差别级增加了65公斤、78公斤和95公斤级,开始了重量级别的划分。第五届锦标赛中又增加了两个更重的级别。1979年其中两个级别再次划分,并且指定了各级的重量。世界女子柔道锦标赛首次于1980年举行;比赛每两年举办一次,分八个重量级别。

世界柔道锦标赛(男子)

年份	无差别级	60公斤	65公斤	71公斤
1956*	夏井昇吉(日)			
1958*	曾根康治(日)			
1961*	A. 吉欣克(荷)			
1965†	猪熊功(日)		松田博文(日)	
1967‡	篠卷政利(日)		重冈孝文(日)	湊谷弘(日)
1969‡	篠卷政利(日)		园田义男(日)	湊谷弘(日)
1971‡	篠卷政利(日)		川口孝夫(日)	津泽寿志(日)
1973‡	二宫和弘(日)		南喜阳(日)	野村丰和(日)
1975‡	上村春树(日)		南喜阳(日)	V. 内维佐洛夫(苏)
1979	远藤纯男(日)	T. 雷伊(法)	N. 索洛度辛(苏)	香月清人(日)
1981	山下泰裕(日)	森胁保彦(日)	柏崎克彦(日)	朴钟学(韩)
1983	齐藤(日)	K. 特尔柴里(苏)	N. 索洛度辛(苏)	中西(日)
1985	正木(日)	细川(日)	Y. 索洛洛夫(苏)	全安柄(韩)
1987	小川(日)	金载游(韩)	山本(日)	M. 斯温(美)
1989	小川(日)	A. 托季卡什维利(苏)	D. 贝恰诺维奇(南斯拉夫)	古贺(日)
1991	小川(日)	越野(日)	G. 库马茨(德)	古贺(日)
1993	R.库巴茨基(波)	园田(日)	中村行成(日)	李源熙(韩)
1995	D.杜耶(法)	N.奥杰古涅(俄)	U. 奎利马兹(德)	秀岛(日)
1997	R.库巴茨基(波)	野村忠宏(日)	金赫(韩)	中村(日)
1999	筱原信一(日)	M.普洛(古)	L. 邦布多德(法)	J.佩德罗
2001	A.米哈林(俄)	A.娄尼菲(突)	A. 米雷斯马埃利(伊朗)	V.马卡罗夫(俄)

年份	78公斤	86公斤	95公斤	95公斤以上
1965†	冈野功(日)		A. 吉欣克(荷)	
1967‡	丸木英二(日)	佐藤宣践(日)	W. 卢斯卡(荷)	
1969‡	园田勇(日)	笹原富美雄(日)	须磨周司(日)	
1971‡	藤猪省三(日)	笹原富美雄(日)	W. 卢斯卡(荷)	
1973‡	藤猪省三(日)	佐藤宣践(日)	高木长之助(日)	
1975‡	藤猪省三(日)	J.L. 鲁热(法)	远藤纯男(日)	
1979	藤猪省三(日)	D. 乌尔茨(东德)	T. 胡布卢里(苏)	山下泰裕(日)
1981	N. 亚当斯(英)	B. 楚鲁杨(法)	T. 胡布卢里(苏)	山下泰裕(日)
1983	日阴(日)	D. 乌尔茨(东德)	A. 普雷舍尔(东德)	山下泰裕(日)
1985	日阴(日)	P. 赛森巴彻(奥)	管井(日)	楚秋荣(韩)
1987	冈田(日)	F. 卡尼(法)	管井(日)	G. 维里契夫(苏)
1989	金炳周(韩)	F. 卡尼(法)	K. 库尔塔尼泽(苏)	小川(日)
1991	D. 拉斯考(德)	冈田(日)	S. 特雷诺(法)	S. 科索鲁科夫(苏)
1993	川祺永(韩)	中村行成(日)	A. 克瓦奇(匈)	D. 杜耶(法)
1995	古贺(日)	川祺永(韩)	P. 纳斯图瓦(波)	D. 杜耶(法)
1997	赵麒彻(韩)	川祺永(韩)	P. 纳斯图瓦(波)	D. 杜耶(法)
1999	G. 兰德尔(英)	古田秀彦(日)	井上康生(日)	筱原信一(日)
2001	赵麒彻(韩)	F.迪蒙福康(法)	井上康生(日)	A. 米哈林(俄)

*未举行重量分级赛,只举行无差别级赛。†分级有:轻量级、中量级和重量级。‡分级有:轻量级、轻中量级、中量级、轻重量级和重量级。

世界柔道锦标赛(女子)

年份	无差别级	48公斤	52公斤	56公斤
1980	I. 贝里曼斯(比)	J. 布里奇(英)	E. 赫罗瓦特(奥)	G. 温克尔鲍尔(奥)
1982	I. 贝里曼斯(比)	K. 布里格斯(英)	L. 多伊尔(英)	B. 罗德里盖茨(法)
1984	I. 贝里曼斯(比)	K. 布里格斯(英)	山口(日)	A.-M. 伯恩斯(美)
1986	I. 贝里曼斯(比)	K. 布里格斯(英)	D. 布兰(法)	A. 休斯(英)
1987	高凤莲(中)	李忠云(中)	S. 伦德尔(英)	C. 阿诺(法)
1989	罗格里格斯(古巴)	K. 布里格斯(英)	S. 伦德尔(英)	C. 阿诺(法)
1991	庄晓岩(中)	C. 诺瓦克(法)	A. 琼吉(意)	M. 布拉斯科(西班牙)
1993	B.马克瑟莫弗(波)	田村亮子(日)	R. 贝尔德西亚(古)	N. 费尔布拉泽(英)
1995	M.冯德勒(荷)	田村亮子(日)	M.-C.雷斯图(法)	D. 冈萨雷斯(古)
1997	D.贝尔特兰(古)	田村亮子(日)	M.-C.雷斯图(法)	I. 费尔南德斯(西)
1999	D.贝尔特兰(古)	田村亮子(日)	奈良奇(日)	D. 冈萨雷斯(古)
2001	C.勒布伦伦(法)	田村亮子(日)	桂顺姬(朝鲜)	Y. 卢佩特(古)

续表

年份	61 公斤	66 公斤	72 公斤(78 公斤)	+72 公斤(+78 公斤)
1980	A. 施特普斯(荷)	E. 西蒙(奥)	J. 特里亚杜(法)	M. 德·卡尔(意)
1982	M. 罗蒂耶尔(法)	B. 戴迪耶尔(法)	B. 克拉森(西德)	N. 卢皮诺(法)
1984	N. 埃尔南德斯(委内瑞拉)	B. 戴迪耶尔(法)	I. 贝里曼斯(比)	M.-T. 莫塔(意)
1986	D. 贝尔(英)	B. 戴迪耶尔(法)	I. 德·科克(荷)	高凤莲(中)
1987	D. 贝尔(英)	A. 施赖伯(西德)	I. 德·科克(荷)	高凤莲(中)
1989	C. 弗勒里(法)	E. 皮耶兰托齐(意)	I. 贝里曼斯(比)	高凤莲(中)
1991	F. 艾克奥夫(德)	E. 皮耶兰托齐(意)	金美廷(韩)	文芝妍(韩)
1993	G.范德卡维耶(比)	曹敏仙(韩)	冷春惠(中)	J.哈根(德)
1995	郑成淑(韩)	曹敏仙(韩)	C.鲁娜(古)	A.塞里塞(荷)
1997	S. 万德恩德(法)	K. 霍维(英)	阿武教子(日)	C.西考(法)
1999	前田柜子(日)	S. 贝拉尼斯(古)	阿武教子(日)	B.马克瑟莫弗(波)
2001	G. 范德卡维耶(比)	上野雅惠(日)	阿武教子(日)	袁华(中)

RODEO　牛仔竞技　又译骑马牧者竞技。牛仔竞技是北美一项独特的比赛，自 20 世纪 20 年代末开始比较正规地举行世界男子全能牛仔竞技锦标赛。1929 ～ 1944 年，世界男子牛仔竞技全能冠军由美国牛仔竞技协会命名。1944 年起，牛仔竞技全能冠军一直是本年度最高奖金的得主，只有 1976 ～ 1978 年例外，当时的冠军是在全国牛仔竞技大决赛中赢得奖金最多的牛仔。全国牛仔竞技大决赛是在最高水平的选手之间进行的比赛，包括骑野马(无鞍和有鞍)、骑牛、套牛犊和搏牛(个人赛和团体赛)等项目。

世界男子全能牛仔竞技锦标赛

年份	冠军	年份	冠军	年份	冠军
1929	E. 索德	1951	C. 蒂布斯	1972	P. 莱恩
1930	C. 卡尔	1952	H. 汤普金斯	1973	L. 马汉
1931	J. 施奈德	1953	B. 林德曼	1974	T. 弗格森
1932	D. 内斯比特	1954	B. 拉瑟福德	1975*	T. 弗格森；L. 卡马里洛
1933	C. 卡尔	1955	C. 蒂布斯	1976	T. 弗格森
1934	L. 沃德	1956	J. 肖尔德斯	1977	T. 弗格森
1935	E. 鲍曼	1957	J. 肖尔德斯	1978	T. 弗格森
1936	J. 鲍曼	1958	J. 肖尔德斯	1979	T. 弗格森
1937	E. 鲍曼	1959	J. 肖尔德斯	1980	P. 蒂尔尼
1938	B. 马尔基	1960	H. 汤普金斯	1981	J. 库珀
1939	P. 卡尼	1961	B. 雷诺兹	1982	C. 利伯特
1940	F. 特鲁恩	1962	T. 内史密斯	1983	R. 库珀
1941	H. 佩蒂格鲁	1963	D. 奥利弗	1984	D. 皮克特
1942	G. 罗伯茨	1964	D. 奥利弗	1985	L. 菲尔德
1943	L. 布鲁克斯	1965	D. 奥利弗	1986	L. 菲尔德
1944	L. 布鲁克斯	1966	L. 马汉	1987	L. 菲尔德
1945 ～ 1946	未授奖	1967	L. 马汉	1988	D. 阿普尔顿
1947	T. 沃特利	1968	L. 马汉	1989	T. 默里
1948	G. 罗伯茨	1969	L. 马汉	1990	T. 默里
1949	J. 肖尔德斯	1970	L. 马汉	1991	T. 默里
1950	B. 林德曼	1971	P. 莱恩	1992	T. 默里

* 并列冠军。

ROWING　赛艇　世界赛艇锦标赛于1962年由国际赛艇联合会(FISA，成立于 1892 年)创办。赛程为 2 000 米，比赛项目包括单人双桨、双人双桨、双人单桨(有舵手和无舵手)、四人(有舵手和无舵手)、八人(有舵手)。世界女子锦标赛始于 1974 年，比赛包括单人双桨、双人双桨、四人双桨、双人单桨、四人单桨、八人单桨等项目，1985年以前赛程为1 000米，以后改为2 000米。最著名最有历史意义的赛艇路线在英国牛津郡泰晤士河畔亨利，赛程为 2 112 米。亨利赛船会的两项比赛是国际性比赛，即单人双桨钻石挑战杯赛和八人赛艇大挑战杯赛。除特别说明者外，亨利赛船会各项比赛中所列各俱乐部都是英国的。另一项具有历史意义的项目是牛津大学与剑桥大学之间进行的八人单桨赛艇。比赛始于 1829 年 6 月 10 日。1984 年在帕特尼到莫特莱克之间的泰晤士河上举行的赛程为 6 755米的这项比赛中，牛津大学创造了 16 分 45 秒的纪录。到 1993 年为止，已举行 139 次比赛，其中剑桥大学夺得70次冠军，牛津大学获得 68 次冠军，1 次为平局(1877)。1998 年中国奥委会将此项运动的中译名改为划船。

在 1989 年的亨利赛船会大挑战杯赛上，汉萨-多特蒙德队(西德)赢得冠军

供图：© Peter Spurrier Sports Photography

世界赛艇锦标赛(男子)*

年份	单人双桨	分 秒	双人双桨	分 秒	双人单桨(有舵手)	分 秒
1962	V. 伊凡诺夫(苏)	7:07.9	R. 迪阿梅尔;B. 莫内罗(法)	6:33.9	约尔丹;纽伊斯(西德)	6:29.12
1964†	V. 伊凡诺夫(苏)	8:22.51	C. 秋林;B. 杜布罗夫斯基(苏)	7:10.66	E. 费里;C. 芬德利(美)	8:21.33
1966	D.M. 斯佩罗(美)	7:05.92	M. 比尔京;M. 施图达克(瑞士)	6:34.98	H. 范内斯;J. 范德格拉夫(荷)	7:12.83
1968†	J. 尉奈斯(荷)	7:47.80	A. 萨斯;A. 季莫希宁(苏)	6:51.82	P. 巴兰;R. 萨姆博(意)	8:04.81
1970	A. 德米迪(阿根廷)	7:16.54	J. 恩格尔布雷希特;N. 塞克(丹)	6:28.68	图多尔;奇亚普拉(罗)	7:25.30
1972†	Y. 马力谢夫(苏)	7:10.12	A. 季莫希宁;G. 科尔希科夫(苏)	7:01.77	W. 贡克尔;J. 卢克(东德)	7:17.25
1974	W. 赫尼希(东德)	7:20.11	H.-U. 施米德;C. 克鲁齐格(东德)	6:35.95	V. 叶希诺夫;N. 伊凡诺夫(苏)	7:21.90
1975	P.-M. 科尔贝(西德)	7:10.08	F. 汉森;A. 汉森(挪)	6:34.49	J. 卢克;W. 贡克尔(东德)	7:16.24
1976†	P. 卡尔皮宁(芬)	7:29.03	F. 汉森;A. 汉森(挪)	7:13.20	H. 贾耶林;F. 乌尔里希(东德)	7:58.99
1979	P. 卡尔皮宁(芬)	6:58.27	F. 汉森;A. 汉森(挪)	6:26.98	J. 普法伊费尔;G. 于贝勒(东德)	7:06.35
1980†	P. 卡尔皮宁(芬)	7:09.61	J. 德赖富克;K. 克罗佩连(东德)	6:24.33	H. 贾耶林;F.-W. 乌尔里希(东德)	7:02.54
1981	P.-M. 科尔贝(西德)	7:45.32	J. 德赖富克;K. 克罗佩连(东德)	6:41.99	G. 阿巴格纳尔;C. 阿巴格纳尔(意)	7:43.73
1982	R. 赖歇(东德)	7:00.67	R. 托松;A. 汉森(挪)	6:23.66	G. 阿巴格纳尔;C. 阿巴格纳尔(意)	6:59.63
1983	P.-M. 科尔贝(西德)	6:49.88	T. 朗格;U. 黑普纳(东德)	6:20.17	T. 格赖纳;U. 迪斯纳(东德)	6:49.75
1984†	P. 卡尔皮宁(芬)	7:00.24	B. 刘易斯;P. 恩奎斯特(美)	6:36.87	G. 阿巴格纳尔;C. 阿巴格纳尔(意)	7:05.99
1985	P. 卡尔皮宁(芬)	6:48.08	U. 黑普纳;T. 朗格(东德)	6:15.49	G. 阿巴格纳尔;C. 阿巴格纳尔(意)	6:53.40
1986	P.-M. 科尔贝(西德)	6:54.09	A. 贝尔格里;I. 佩斯奇亚利(意)	6:33.64	A. 霍姆斯;S. 雷德格雷夫(英)	6:51.66
1987	T. 朗格(东德)	7:36.41	D. 约达诺夫;V. 达德夫(保)	7:03.33	G. 阿巴格纳尔;C. 阿巴格纳尔(意)	7:40.81
1988†	T. 朗格(东德)	6:49.86	R. 弗洛里扬;N. 林克斯(荷)	6:21.13	G. 阿巴格纳尔;C. 阿巴格纳尔(意)	6:58.79
1989†	T. 朗格(东德)	6:58.14	R. 托森;L. 比约内斯(挪)	6:23.40	G. 阿巴格纳尔;C. 阿巴格纳尔(意)	6:54.81
1990	Yu. 真先(苏)	7:22.15	C. 策布斯特;A. 容克(奥)	6:56.37	G. 阿巴格纳尔;C. 阿巴格纳尔(意)	6:48.30
1991	T. 朗格(德)	6:41.29	H.-J. 茨维莱;N. 林克斯(荷)	6:06.14	G. 阿巴格纳尔;C. 阿巴格纳尔(意)	7:34.49
1992†	T. 朗格(德)	6:51.40	S. 霍金斯;P. 安东尼(澳)	6:17.32	J. 瑟尔;G. 瑟尔(英)	6:49.83
1993†	D. 波特(加拿大)	6:59.03	Y. 拉马克;S. 巴拉泰(法)	6:24.69	J. 瑟尔;G. 瑟尔(英)	7:01.50
1994	A. 威廉姆斯(德)	6:46.33	R. 托森;L. 布延内斯(挪)	6:08.33	T. 弗兰科维奇;I. 博拉斯卡(克罗地亚)	6:42.16
1995	I. 考普(斯洛文尼亚)	6:52.93	L. 克里斯蒂森;M. 哈尔博-汉森(丹)	6:17.01	L. 萨尔托里;G. 德塔布勒(意)	7:35.11
1996	X. 米勒(瑞士)	6:44.85	D. 阿巴尼亚莱;A. 蒂扎诺(意)	6:16.90	Y. 舒尔特;L. 普雷沃(法)	7:18.26
1997	J. 科文(美)	6:44.86	S. 福尔克特;A. 哈耶克(德)	6:13.35	S. 芬特雷斯;J. 欧文(美)	6:56.30
1998	R. 瓦德尔(新西兰)	6:39.65	S. 福尔克特;A. 哈耶克(德)	6:13.20	N. 格林;J. 汤姆金斯(澳)	6:45.01
1999	R. 瓦德尔(新西兰)	6:36.68	L. 斯皮克;I. 考普(斯洛文尼亚)	6:04.37	J. 尼尔;P. 亨利(美)	6:48.56
2000	R. 瓦德尔(新西兰)	6:48.90	L. 斯皮克;I. 考普(斯洛文尼亚)	6:16.63	K. 博尔歇丁;M. 圭列里(美)	7:07.15
2001	O. 蒂夫特(挪)	6:43.04	A. 哈勒尔;T. 佩托(匈)	6:14.16	J. 克拉克内尔;M. 品森特(英)	6:49.33
2002	M. 哈克尔(德)	6:36.33	A. 哈勒尔;T. 佩托(匈)	6:05.74	L. 基施;A. 维尔纳(德)	6:47.93

年份	双人单桨(无舵手)	分 秒	四人(有舵手)	分 秒	四人(无舵手)	分 秒	八人	分 秒
1962	本德尔;Z. 克勒尔(德)‡	6:54.62	西德	6:29.12	西德	6:19.24	西德	5:50.83
1964†	G. 亨格福德;R.C. 杰克逊(加拿大)	7:32.94	德国 ‡	7:00.44	丹	6:59.30	美	6:18.23
1966	P. 克雷姆茨;A. 格勒(东德)	6:53.96	东德	6:29.54	东德	6:18.41	西德	5:56.28
1968†	J. 卢克;H.J. 博特(东德)	7:26.56	新西兰	6:45.62	东德	6:39.18	西德	6:07.00
1970	W. 克拉特;P. 戈尔尼夫(东德)	6:57.81	西德	6:28.55	东德	6:23.15	东德	5:36.10
1972†	S. 布里兹克;W. 马格尔(东德)	6:53.16	西德	6:31.85	东德	6:24.27	新西兰	6:08.94
1974	J. 兰德福格特;B. 兰德福格特(东德)	6:59.09	东德	6:25.38	东德	6:19.20	美	5:46.37
1975	J. 兰德福格特;B. 兰德福格特(东德)	7:06.40	苏	6:31.46	东德	6:13.81	东德	5:39.01
1976†	J. 兰德福格特;B. 兰德福格特(东德)	7:23.31	苏	6:40.22	东德	6:37.42	东德	5:58.29
1979	J. 兰德福格特;B. 兰德福格特(东德)	6:42.63	东德	6:27.24	东德	6:00.64	东德	5:36.41
1980†	J. 兰德福格特;B. 兰德福格特(东德)	6:48.01	东德	6:14.51	东德	6:08.17	东德	5:49.05
1981	J. 皮缅诺夫;N. 皮缅诺夫(苏)	7:15.06	东德	6:36.88	苏	6:35.85	苏	6:02.30
1982	M. 格雷佩鲁德;S. 洛肯(挪)	6:41.98	东德	6:19.04	瑞士	6:10.41	新西兰	5:36.99
1983	C. 埃特尔;U. 绍尔布赖(东德)	6:35.85	新西兰	6:13.89	西德	5:57.02	新西兰	5:34.39
1984†	P. 伊苏布;V. 托马(罗)	6:45.39	英	6:18.64	新西兰	6:03.48	加拿大	5:41.32
1985	N. 皮缅诺夫;Yu. 皮缅诺夫(苏)	6:38.39	苏	6:07.23	西德	6:00.19	苏	5:33.71
1986	Yu. 皮缅诺夫;N. 皮缅诺夫(苏)	6:42.37	东德	6:03.81	美	6:03.53	澳	5:33.54
1987	S. 雷德格雷夫;A. 霍姆斯(英)	7:11.20	东德	6:41.74	东德	6:39.70	美	5:58.83
1988†	S. 雷德格雷夫;A. 霍姆斯(英)	6:36.84	东德	6:10.74	东德	6:03.11	西德	5:46.05
1989	T. 容;U. 克尔纳(东德)	6:39.95	罗	6:14.90	东德	6:06.94	西德	5:43.88
1990	T. 容;U. 克尔纳(东德)	7:07.91	东德	6:46.73	澳	5:52.20	西德	5:26.62
1991	S. 雷德格雷夫;M. 平森特(英)	6:21.35	德	5:58.96	澳	6:29.69	德	5:50.98
1992†	S. 雷德格雷夫;M. 平森特(英)	6:27.72	罗	5:59.37	澳	5:55.04	加拿大	5:29.53
1993	S. 雷德格雷夫;M. 平森特(英)	6:37.11	罗	6:14.64	法	6:04.54	德	5:37.08
1994	S. 雷德格雷夫;M. 平森特(英)	6:18.65	罗	6:06.69	意	5:48.44	美	5:24.50
1995	S. 雷德格雷夫;M. 平森特(英)	6:28.11	美	6:37.50	意	5:58.28	德	5:53.40
1996	S. 雷德格雷夫;M. 平森特(英)	6:20.09	罗	6:25.74	澳	6:06.37	荷	5:42.74

续表

年份	双人单桨(无舵手)	分 秒	四人(有舵手)	分 秒	四人(无舵手)	分 秒	八人	分 秒
1997	M. 安德里厄;J.-C.罗朗(法)	6:27.69	法	6:04.17	大不列颠	5:52.40	美	5:27.20
1998	R. 森斯;D. 基尔希霍夫(德)	6:22.32	澳	6:09.43	大不列颠	5:48.06	美	5:38.78
1999	D.吉恩;J. 汤姆金斯(澳)	6:19.00	美	6:38.31	大不列颠	5:48.57	美	6:01.58
2000	M. 安德里厄;J.-C. 罗朗(法)	6:32.97	大不列颠	6:16.82	大不列颠	5:56.24	大不列颠	5:33.08
2001	J. 克拉克内尔;M. 平森特(英)	6:27.57	法	6:08.25	大不列颠	5:48.98	罗	5:27.48
2002	J. 克拉克内尔;M. 平森特(英)	6:14.27	大不列颠	6:06.70	德	5:41.35	加拿大	5:26.92

*仅为重量级项目成绩。†本年度世界冠军由奥运会产生。‡东、西德联队。

世界赛艇锦标赛(女子)*

年份	单人双桨	分 秒	双人双桨	分 秒	四人双桨	分 秒
1974	C. 希布利希(东德)	3:46.52	G. 叶尔莫拉耶娃;E. 安东诺娃(苏)	3:24.00	东德	3:19.81
1975	C. 希布利希(东德)	3:55.75	G. 叶尔莫拉耶娃;E. 安东诺娃(苏)	3:33.70	东德	3:21.61
1976†	C. 希布利希(东德)	4:05.56	S. 奥特泽托娃;Z. 约尔丹诺娃(保)	3:44.36	东德	3:29.99
1977	C. 希布利希(东德)	3:34.31	R. 佐贝尔特;A. 博尔奇曼(东德)	3:16.83	东德	3:10.11
1978	C. 哈恩-希布利希(东德)	4:12.49	S. 奥特泽托娃;Z. 约尔丹诺娃(保)	4:01.94	保	3:31.16
1979	S. 托马(罗)	3:35.44	H. 韦斯特法尔;C. 林斯(东德)	3:15.95	东德	3:06.75
1980†	S. 托马(罗)	3:40.69	Y. 赫洛普特塞娃;L. 波波娃(苏)	3:16.27	东德	3:15.32
1981	S. 托马(罗)	3:54.46	M. 科科里维加;M. 安东尼娜(苏)	3:27.06	苏	3:19.83
1982	I. 费季索娃(苏)	3:42.83	A. 马欣娜;E. 布拉蒂什科(苏)	3:19.47	苏	3:07.58
1983	J. 汉佩(东德)	3:36.51	J. 申克;M. 施勒特尔(东德)	3:13.44	苏	3:02.48
1984†	V. 勒奇勒(罗)	3:40.68	M. 波佩斯库;E. 奥勒纽克(罗)	3:26.75	罗	3:14.11
1985	C. 林泽(东德)	7:40.37	S. 施瓦贝;M. 施勒特尔(东德)	6:58.80	东德	6:22.47
1986	J. 汉佩(东德)	7:29.60	S. 施瓦贝;B. 施拉姆(东德)	6:57.71	东德	6:13.91
1987	M. 格奥尔吉娃(保)	8:59.26	S. 玛迪娜;V. 尼诺娃(保)	7:47.89	东德	6:58.42
1988*	J. 贝伦特(东德)	7:47.19	B. 彼得;M. 施勒特尔(东德)	7:00.48	东德	6:21.06
1989	E. 利帕(罗)	7:27.96	J. 索盖斯;B. 施拉姆(东德)	7:01.71	东德	6:16.62
1990	B. 彼得(东德)	7:24.10	K. 博龙;B. 施拉姆(东德)	8:18.63	东德	6:14.08
1991	S. 劳曼(加拿大)	8:17.58	K. 博龙;B. 施拉姆(德)	6:44.71	德	6:55.85
1992†	E. 利帕(罗)	7:25.54	K. 博龙;K. 克彭(德)	6:49.00	德	6:20.18
1993	J. 蒂梅(德)	7:26.00	P. 贝克;B. 劳森(新西兰)	7:03.42	中	6:21.07
1994	T. 汉森(丹)	7:23.96	P. 贝克;B. 劳森(新西兰)	6:45.30	德	6:11.73
1995	M. 布兰丁(瑞典)	7:26.00	M. 赫德尔;K. 麦克比恩(加拿大)	6:55.76	德	6:40.80
1996	Ye. 霍多托维奇(白俄)	7:32.21	M. 赫德尔;K. 麦克比恩(加拿大)	6:56.84	德	6:27.44
1997	Ye. 霍多托维奇(白俄)	7:29.30	E. 迈克;K. 博伦(德)	6:51:07	德	6:16.15
1998	I. 费多托娃(俄)	7:25.09	M. 巴顿;G. 琳瑟(大不列颠)	6:48.85	德	6:24.38
1999	Ye. 霍多托维奇(白俄)	7:11.68	J. 西埃姆;K. 博伦(德)	6:41.98	德	7:06.53
2000	Ye. 霍多托维奇(白俄)	7:28.14	J. 西埃姆;K. 博伦(德)	6:55.44	德	6:19.58
2001	K. 鲁茨乔-斯托姆波洛夫斯基(德)	7:19.25	K. 博伦;K. 科瓦斯基(德)	6:50.20	德	6:12.95
2002	R. 鲁米亚娜(保)	7:07.71	G. 埃弗斯-斯温德尔;C.埃弗斯-斯温德尔(新西兰)	6:38.78	德	6:15.66

年份	双人单桨(无舵手)	分 秒	四人‡	分 秒	八人	分 秒
1974	C. 尼斯库;M. 吉塔(罗)	3:43.12	东德	3:28.99	东德	3:04.82
1975	A. 诺亚克;S. 达内(东德)	3:49.83	东德	3:24.18	东德	3:14.53
1976†	S. 凯尔贝特切娃;S. 格鲁特切娃(保)	4:01.22	东德	3:45.08	东德	3:33.32
1977	A. 诺亚克;S. 达内(东德)	3:27.89	东德	3:20.59	东德	3:00.23
1978	C. 布格尔;V. 施泰因多夫(东德)	4:02.65	东德	3:48.47	苏	3:22.00
1979	V. 施泰因多夫;C. 布格尔(东德)	3:27.74	苏	3:17.03	苏	2:58.09
1980†	V. 施泰因多夫;C. 克利尔(东德)	3:30.49	东德	3:19.27	东德	3:03.32
1981	I. 鲁道夫;S. 安德斯(东德)	3:45.50	苏	3:18.75	苏	3:07.58
1982	M. 赞迪希;S. 弗鲁赫里奇(东德)	3:32.44	苏	3:17.16	苏	2:57.97
1983	M. 加施;S. 弗鲁赫里奇(东德)	3:26.68	东德	3:11.18	苏	2:56.22
1984†	R. 阿尔巴;E. 霍尔瓦特(罗)	3:32.60	罗	3:19.30	美	2:59.80
1985	R. 阿尔巴;E. 弗洛里亚(罗)	7:25.08	东德	6:50.08	苏	6:14.00
1986	R. 阿尔巴;O. 霍梅吉(罗)	7:12.20	罗	6:43.86	苏	6:08.76
1987	R. 阿尔巴;O. 霍梅吉(罗)	8:00.73	罗	7:30.12	罗	6:55.61
1988†	R. 阿尔巴;O. 霍梅吉(罗)	7:28.13	东德	6:56.00	东德	6:15.17
1989	K. 哈克尔;J. 蔡德勒(东德)	7:26.97	东德	6:45.81	罗	6:07.92
1990	S. 韦雷迈尔;I. 阿尔特霍夫(西德)	8:28.37	罗	7:51.68	罗	5:59.26
1991	M. 麦克贝恩;K. 赫德尔(加拿大)	6:57.42	加拿大	6:25.43	加拿大	6:28.20
1992†	M. 麦克贝恩;K. 赫德尔(加拿大)	7:06.22	加拿大	6:30.85	加拿大	6:02.62
1993	C. 戈斯;H. 科尔坦(法)	7:24.74	中	6:42.06	罗	6:18.88

续表

年份	双人单桨(无舵手)	分 秒	四人‡	分 秒	八人	分 秒
1994	C. 戈斯;H. 科尔坦(法)	7:01.77	荷	6:30.76	德	6:07.42
1995	M. 斯蒂尔;K. 斯拉特(澳)	7:12.70	美	7:03.53	美	6:50.73
1996	M. 斯蒂尔;K. 斯拉特(澳)	7:01.39	美	6:49.48	罗	6:19.73
1997	E. 鲁宾逊;A. 科恩(加拿大)	7:08.09	大不列颠	6:40.30	罗	6:02.40
1998	E. 鲁宾逊;A. 科恩(加拿大)	7:05.19	乌克兰	6:30.63	罗	6:14.62
1999	E. 鲁宾逊;T. 卢克(加拿大)	7:00.85	白俄	6:26.25	罗	6:47.66
2000	G. 达米安;D. 伊格纳特(罗)	7:11.00	白俄	6:44.90	罗	6:06.44
2001	G. 达米安;V. 苏萨努(罗)	7:01.02	澳	6:27.23	澳	6:03.66
2002	G. 安德鲁纳切;V. 苏萨努(罗)	6:53.80	澳	6:26.11	美	6:04.25

* 仅为重量级项目成绩。† 本年度世界冠军由奥运会产生。‡1989 年以前有舵手,此后无舵手。

大挑战杯

年份	冠军	分 秒	年份	冠军	分 秒
1839	剑桥三一学院第一划艇俱乐部队	8:30	1889	泰晤士划船俱乐部队	7:40½‡
1840	林德俱乐部队	9:15	1890	伦敦划船俱乐部队	7:4‡
1841	剑桥预售票处队	*	1891	林德俱乐部队	6:51
1842	剑桥预售票处队	8:30	1892	林德俱乐部队	7:48‡
1843	牛津大学划艇俱乐部队(7 名桨手)	9:0	1893	林德俱乐部队	7:12
1844	牛津埃托尼亚俱乐部队	8:25	1894	林德俱乐部队	7:22
1845	剑桥大学划艇俱乐部队	8:30	1895	剑桥三一霍尔学院队	7:30
1846	伦敦泰晤士俱乐部队	8:15	1896	林德俱乐部队	7:43
1847	牛津大学划艇俱乐部队	8:0	1897	牛津新学院队	6:51
1848	牛津大学划艇俱乐部队	9:11	1898	林德俱乐部队	7:13
1849	牛津沃德姆学院队	*	1899	林德俱乐部队	7:12
1850	牛津大学划艇俱乐部队	†	1900	林德俱乐部队	7:6
1851	牛津大学划艇俱乐部队	7:45	1901	林德俱乐部队	7:5‡
1852	牛津大学划艇俱乐部队	*	1902	剑桥三一学院第三划艇俱乐部队	7:17
1853	牛津大学划艇俱乐部队	8:3	1903	林德俱乐部队	7:9
1854	剑桥三一学院第一划艇俱乐部队	8:15	1904	林德俱乐部队	7:20
1855	剑桥大学划艇俱乐部队	8:32	1905	林德俱乐部队	6:58
1856	皇家切斯特划船俱乐部队	—	1906	比利时 C. 诺特·德·甘德队	7:9
1857	伦敦划船俱乐部队	7:55	1907	比利时斯波特·诺特·德·甘德队	7:31
1858	剑桥大学划艇俱乐部队	7:26	1908	牛津基督教会队	7:10
1859	伦敦划船俱乐部队	7:45	1909	比利时 R.C. 诺特·德·甘德队	7:8
1860	剑桥三一学院第一划艇俱乐部队	8:55‡	1910	牛津马格达伦学院队	7:19
1861	剑桥三一学院第一划艇俱乐部队	8:15‡	1911	牛津马格达伦学院队	7:2
1862	伦敦划船俱乐部队	8:2‡	1912	新南威尔士悉尼划船俱乐部队	7:6
1863	牛津大学学院队	7:45‡	1913	林德俱乐部队	7:11
1864	金斯顿划船俱乐部队	7:40‡	1914	美国哈佛运动员协会划艇俱乐部队	7:20
1865	金斯顿划船俱乐部队	7:26‡	1915～1919	未比赛	
1866	牛津埃托尼亚俱乐部队	8:29	1920	牛津马格达伦学院队	7:24
1867	牛津埃托尼亚俱乐部队	7:54	1921	牛津马格达伦学院队	6:54
1868	伦敦划船俱乐部队	7:23‡	1922	林德俱乐部队	7:36
1869	牛津埃托尼亚俱乐部队	7:28	1923	泰晤士划船俱乐部队	6:45
1870	牛津埃托尼亚俱乐部队	7:18	1924	林德俱乐部队	8:03
1871	牛津埃托尼亚俱乐部队	8:5	1925	林德俱乐部队	6:53
1872	伦敦划船俱乐部队	8:27	1926	林德俱乐部队	6:56
1873	伦敦划船俱乐部队	7:52	1927	泰晤士划船俱乐部队	7:16
1874	伦敦划船俱乐部队	7:41	1928	泰晤士划船俱乐部队	6:56
1875	林德俱乐部队	7:19	1929	林德俱乐部队	7:00
1876	泰晤士划船俱乐部队	7:26	1930	伦敦划船俱乐部队	6:59
1877	伦敦划船俱乐部队	8:20½	1931	伦敦划船俱乐部队	7:33
1878	泰晤士划船俱乐部队	7:42	1932	林德俱乐部队	7:19
1879	剑桥耶稣学院队	8:39	1933	伦敦划船俱乐部队	7:36
1880	林德俱乐部队	7:3	1934	林德俱乐部队	6:45
1881	伦敦划船俱乐部队	7:23	1935	剑桥彭布罗克大学队	6:52
1882	牛津埃克塞特学院队	8:11	1936	瑞士苏黎世划船俱乐部队	7:25
1883	伦敦划船俱乐部队	7:51	1937	德国维金队	7:33
1884	伦敦划船俱乐部队	7:27	1938	伦敦划船俱乐部队	6:58
1885	剑桥耶稣学院队	7:22	1939	美国哈佛大学队	7:40
1886	剑桥三一霍尔学院队	6:53½	1940～1945	未比赛	
1887	剑桥三一霍尔学院队	6:56	1946	林德俱乐部队	7:01
1888	泰晤士划船俱乐部队	7:1	1947	剑桥耶稣学院队	7:14

续表

年份	冠军	分 秒	年份	冠军	分 秒
1948	泰晤士划船俱乐部队	7:02	1976	泰晤士商人划船俱乐部队	6:25
1949	林德俱乐部队	6:54	1977	美国华盛顿大学队	6:27
1950	美国哈佛大学队	7:23	1978	保加利亚特拉基亚俱乐部队	6:51
1951	马格丽特女子划艇俱乐部队	7:16	1979	泰晤士商人划船俱乐部队	6:35
1952	林德俱乐部队	6:38	1980	美国查尔斯河划船协会	6:24
1953	林德俱乐部队	6:49	1981	牛津大学和泰晤士商人划船俱乐部队	7:15
1954	苏联科里利亚苏维多夫俱乐部队	7:16	1982	林德和伦敦划船俱乐部队	§
1955	美国宾夕法尼亚大学队	6:56	1983	伦敦划船俱乐部和伦敦大学队	6:26
1956	法国军队运动中心队	7:06	1984	林德俱乐部和伦敦划船俱乐部队	6:22
1957	美国康奈尔大学队	6:53	1985	美国哈佛大学队	6:27
1958	苏联特鲁德俱乐部队	6:40	1986	鹦鹉螺划船俱乐部队	6:18
1959	美国哈佛大学队	6:57	1987	苏联陆军队	6:11
1960	莫里西划艇俱乐部队	6:35	1988	林德- 伦敦大学队	6:17
1961	苏联海军中央运动俱乐部队	6:43	1989	西德汉萨-多特蒙德队	5:58
1962	苏联海军中央运动俱乐部队	6:40	1990	西德汉萨-多特蒙德队	6:36
1963	伦敦大学队	6:38	1991	林德和明星划船俱乐部队	6:22
1964	苏联西奥里斯维尔尼尔斯俱乐部队	6:25	1992	伦敦大学队	6:04
1965	西德拉兹伯格队	6:16	1993	德国多特蒙德队	6:11
1966	西德体育和运动俱乐部队	6:35	1994	圣迭戈查尔斯河队	6:13
1967	东德科学划船俱乐部队	6:46	1995	圣迭戈训练中心队	5:59
1968	伦敦大学队	7:56	1996	帝王学院-王后塔队	6:11
1969	东德埃恩海特队	6:28	1997	澳大利亚运动学院队	6:03
1970	东德沃尔兹队	6:34	1998	德国多特蒙德-柏林队	6:18
1971	潮流划船者队	6:46	1999	德国多特蒙德-柏林队	6:15
1972	苏联沃伊诺-莫尔斯科·弗洛塔俱乐部队	6:33	2000	澳大利亚运动学院队	6:19
1973	苏联特鲁德科洛姆纳队	6:23	2001	H.A.V.K.姆拉多和V.K.克罗地亚队	6:29
1974	苏联特鲁德科洛姆纳队	6:34	2002	维多利亚加拿大研究教授和维多利亚大学队	6:20
1975	林德和泰晤士商人队	6:16			

* 宣判冠军犯规，授奖亚军。† 未划完全程。‡ 有不同的计时结果。§ 未记录时间。

S.A. 麦肯齐(林德俱乐部)夺得 1962 年的钻石挑战杯赛冠军

供图：Miller Services Ltd.

钻石挑战杯赛

年份	冠军	分 秒	年份	冠军	分 秒
1844	T.B. 邦普斯泰德(伦敦划船俱乐部)	10:32	1856	A.A. 卡萨梅约(伦敦阿尔戈俱乐部)	—
1845	S. 华莱士(林德俱乐部)	11:30	1857	A.A. 卡萨梅约(伦敦划船俱乐部)	—
1846	E.G. 穆恩(牛津马格达伦学院队)	—	1858	A.A. 卡萨梅约(伦敦划船俱乐部)	—
1847	W. 莫尔(剑桥三一学院第一划艇俱乐部)	10:45	1859	E.D. 布里克伍德(里士满)	10:0
1848	W.L. 巴格肖(剑桥三一学院第三划艇俱乐部)	—	1860	H.H. 普莱福德(伦敦划船俱乐部)	12:8
1849	T.R. 博恩(伦敦)	—	1861	A.A. 卡萨梅约(伦敦划船俱乐部)	10:4
1850	T.R. 博恩(伦敦流星俱乐部)	—	1862	E.D. 布里克伍德(伦敦划船俱乐部)	10:40
1851	E.G. 皮科克(伦敦泰晤士俱乐部)	—	1863	C.B. 劳斯(剑桥三一学院第三划艇俱乐部)	9:43
1852	E. 麦克纳坦(剑桥三一学院第一划艇俱乐部)	—	1864	W.B. 伍德盖特(牛津布拉塞诺斯学院)	10:10*
1853	S. 里平高尔(剑桥彼得豪斯)	10:2	1865	E.B. 米歇尔(牛津马格达伦学院)	9:11
1854	H.H. 普莱福德(伦敦万德勒俱乐部)	—	1866	E.B. 米歇尔(牛津马格达伦学院)	9:55
1855	A.A. 卡萨梅约(伦敦阿尔戈俱乐部)	9:27	1867	W.C. 克罗夫茨(牛津布拉塞诺斯学院)	10:2

续表

年份	冠军	分 秒
1868	W. 斯托特(伦敦划船俱乐部)	9:6
1869	W.C. 克罗夫茨(牛津布拉塞诺斯学院)	9:56
1870	J.B. 克洛斯(剑桥三一学院第一划艇俱乐部)	9:43
1871	W. 福克斯(泰恩茅斯划船俱乐部)	10:9
1872	C.C. 诺利斯(牛津马格达伦学院)	10:48
1873	A.C. 迪克尔(剑桥圣约翰学院)	9:50
1874	A.C. 迪克尔(剑桥圣约翰学院)	10:50
1875	A.C. 迪克尔(剑桥圣约翰学院)	9:15
1876	F.L. 普莱福德(伦敦划船俱乐部)	9:28
1877	T.C. 爱德华兹-莫斯(牛津布拉塞诺斯学院)	10:20
1878	T.C. 爱德华兹-莫斯(牛津布拉塞诺斯学院)	9:37
1879	J. 朗兹(牛津赫特福德学院)	12:30
1880	J. 朗兹(德比)	9:10
1881	J. 朗兹(德比)	9:28
1882	J. 朗兹(德比)	11:43
1883	J. 朗兹(特威克纳姆划船俱乐部)	10:2
1884	W.S. 昂温(牛津马格达伦学院)	9:44
1885	W.S. 昂温(牛津马格达伦学院)	9:22
1886	F.I. 皮特曼(剑桥三一学院第三划艇俱乐部)	9:5
1887	J.C. 加德纳(剑桥伊曼纽尔学院)	8:51
1888	G. 尼克尔斯(牛津马格达伦学院)	8:36
1889	G. 尼克尔斯(牛津马格达伦学院)	8:56
1890	G. 尼克尔斯(牛津马格达伦学院)	8:57½
1891	V. 尼克尔斯(牛津马格达伦学院)	—
1892	J.J.K. 乌姆斯(阿姆斯特丹内普图纳斯划船俱乐部)	10:90½
1893	G. 尼克尔斯(牛津马格达伦学院)	9:12
1894	G. 尼克尔斯(福莫萨划艇俱乐部)	9:32
1895	R. 吉尼斯(林德俱乐部)	9:11
1896	R. 吉尼斯(林德俱乐部)	9:35
1897	E.H. 坦恩·艾克(美国伍斯特沃楚西特划艇俱乐部)	8:35
1898	B.H. 豪厄尔(剑桥三一霍尔学院)	8:29
1899	B.H. 豪厄尔(泰晤士划船俱乐部)	8:38
1900	E.G. 亨默德(牛津大学学院)	8:42
1901	C.V. 福克斯(卫兵旅划船俱乐部)	8:46
1902	F.S. 凯利(牛津巴利奥尔学院)	8:59
1903	F.S. 凯利(林德俱乐部)	8:41
1904	L.E. 斯科尔斯(加拿大多伦多划船俱乐部)	8:23
1905	F.S. 凯利(林德俱乐部)	8:10
1906	H.T. 布莱克斯塔夫(维斯塔划船俱乐部)	8:35
1907	W.H. 达雷尔(豪斯霍尔德布里加德划艇俱乐部)	9:24
1908	A. 麦卡洛克(林德俱乐部)	8:25
1909	A.A. 斯图尔特(金斯顿划船俱乐部)	8:30
1910	W.D. 金尼尔(肯辛顿划船俱乐部)	8:51
1911	W.D. 金尼尔(肯辛顿划船俱乐部)	8:44
1912	E.W. 鲍威尔(维金斯俱乐部)	8:49
1913	C. 麦克维利(塔斯马尼亚德文特划船俱乐部)	8:49
1914	G. 西尼加格利亚(意大利科莫拉里奥俱乐部)	9:0
1915～1919	未举行正式比赛	
1920	J. 贝雷斯福德(小)(泰晤士划船俱乐部)	8:57
1921	F.E. 艾肯(荷兰德尔夫特大学划艇俱乐部)	8:26
1922	W.M. 胡佛(美国明尼苏达杜鲁斯划艇俱乐部)	9:32
1923	M.K. 莫里斯(伦敦划船俱乐部)	8:23
1924	J. 贝雷斯福德(小)(泰晤士划船俱乐部)	10:32
1925	J. 贝雷斯福德(小)(泰晤士划船俱乐部)	8:26
1926	J. 贝雷斯福德(小)(泰晤士划船俱乐部)	8:45
1927	R.T. 李(牛津伍斯特学院)	9:06
1928	J. 赖特(小)(加拿大阿尔戈英雄划船俱乐部)	8:24
1929	L.H.F. 冈瑟(荷兰罗伊-泽尔韦里宁·德·阿姆斯泰尔)	8:42
1930	J.S. 格斯特(加拿大唐划船俱乐部)	8:29
1931	R. 皮尔斯(安大略汉密尔顿林德划艇俱乐部)	10:03
1932	H. 布茨(德国柏林划船俱乐部)	9:15
1933	T.G. 阿斯克威思(剑桥彼得豪斯)	9:07
1934	H. 布茨(德国柏林划船俱乐部)	8:10
1935	E. 鲁夫里(瑞士 F.C. 苏黎世划船俱乐部)	8:15
1936	E. 鲁夫里(瑞士 F.C. 苏黎世划船俱乐部)	9:22
1937	J. 哈森诺尔(奥地利鲁德维伦埃利达)	9:12
1938	J.W. 伯克(美国宾州运动员俱乐部)	8:02
1939	J.W. 伯克(美国宾州运动员俱乐部)	9:13
1940～1945	未举行正式比赛	
1946	J. 塞费里亚德(法国下塞纳河水上社团)	8:21
1947	J.B. 凯利(美国宾夕法尼亚大学)	8:49
1948	M.T. 伍德(澳大利亚新南威尔士波利斯划船俱乐部)	8:24
1949	J.B. 凯利(美国宾夕法尼亚大学)	8:12
1950	A.D. 罗(林德俱乐部)	9:11
1951	T.A. 福克斯(伦敦划船俱乐部)	8:59
1952	M.T. 伍德(澳大利亚悉尼划船俱乐部)	8:12
1953	T.A. 福克斯(伦敦划船俱乐部)	8:12
1954	P. 弗拉西斯(南斯拉夫莫尔纳俱乐部)	8:42
1955	T. 科塞尔卡(波兰比得哥什队)	8:33
1956	T. 科塞尔卡(波兰比得哥什队)	8:37
1957	S.A. 麦肯齐(澳大利亚悉尼划船俱乐部)	8:25
1958	S.A. 麦肯齐(澳大利亚悉尼划船俱乐部)	8:06
1959	S.A. 麦肯齐(澳大利亚悉尼划船俱乐部)	8:29
1960	S.A. 麦肯齐(林德俱乐部)	8:03
1961	S.A. 麦肯齐(澳大利亚墨斯曼区划船俱乐部)	8:34
1962	S.A. 麦肯齐(林德俱乐部)	8:38
1963	G. 科特曼(瑞士贝尔沃尔划船俱乐部)	8:09
1964	S. 克伦威尔(美国农帕雷尔划船俱乐部)	8:06
1965	D.M. 斯佩罗(美)	7:42†
1966	A. 基尔(东德)	8:15
1967	M. 斯图达克(瑞士)	8:27
1968	H. 沃德尔-耶伯格(英)	10:25
1969	H.J. 伯默尔(柏林 S.C. 迪纳莫)	8:06
1970	J. 迈斯纳(西德曼海姆划船俱乐部)	8:18
1971	A. 德米迪(阿根廷)	8:08
1972	A. 季莫希宁(苏)	8:10
1973	S. 德雷亚(爱尔兰尼普顿划船俱乐部)	7:53
1974	S. 德雷亚(爱尔兰尼普顿划船俱乐部)	8:20
1975	S. 德雷亚(爱尔兰尼普顿划船俱乐部)	7:56
1976	E.O. 黑尔(澳)	7:47
1977	T.J. 克鲁克斯(林德俱乐部)	8:11
1978	T.J. 克鲁克斯(林德俱乐部)	8:25
1979	H.P. 马西森(诺丁汉)	8:36
1980	R. 伊巴拉(阿根廷诺蒂科俱乐部)	8:10
1981	C.L. 贝利厄(林德俱乐部)	9:38
1982	C.L. 贝利厄(林德俱乐部)	8:18
1983	S. 雷德格雷夫(马洛划船俱乐部)	8:23
1984	C.L. 贝利厄(林德俱乐部)	7:57
1985	S. 雷德格雷夫(马洛划船俱乐部)	8:28
1986	B. 埃尔坦(丹)	‡
1987	P.-M. 科尔贝(汉堡鲁德俱乐部)	7:52
1988	H. 麦格拉申(墨尔本大学)	
1989	V. 哈卢帕(捷克杜克拉-普拉哈)	7:23†
1990	EFM 弗当克(新西兰科鲁)	8:21
1991	W. 范贝莱格赫姆(比利时)	‡
1992	R. 亨德森(林德划艇俱乐部)	7:44
1993	T. 朗格(德)	7:39
1994	X. 米勒(瑞士)	7:35
1995	J. 扬松(爱沙尼亚)	7:24
1996	M.L.O. 费福尔恩(荷)	7:42
1997	G.M.P. 瑟尔(莫尔西划艇俱乐部)	7:38
1998	J. 科文(美)	7:56
1999	M. 哈克尔(德)	7:59
2000	A.H. 阿卜杜拉(美)	8:12
2001	D.S. 弗里(澳)	8:18
2002	P.J.C. 韦尔斯(伦敦大学)	8:30

* 时间有误。† 最高纪录。‡ 未划完全程。

SKIING 滑雪 虽然从19世纪中期起，已经有许多区域性的滑雪项目比赛，但一直到1924年，才首次举行了国际滑雪锦标赛。1924～1931年，只有北欧滑雪锦标赛一种；1931年起增设了世界性的高山滑雪锦标赛，1936年高山滑雪被列入奥运会比赛项目。在非奥运会年份，北欧滑雪锦标赛和高山滑雪锦标赛在不同地点单独举行，比赛项目包括越野滑雪、跳台滑雪、滑雪射击、接力（北欧滑雪）、速降和回转（高山滑雪）。从1967年起，对在速降、回转、超级回转、大回转等一系列主要比赛中获胜的选手授予高山滑雪世界杯奖。1979年起，设立了北欧滑雪世界杯，以奖励越野滑雪赛的优胜者。

北欧滑雪世界杯

年份	男子	女子
1979	O. 布拉（挪）	G. 库拉科娃（苏）
1981	A. 扎维亚洛夫（苏）	R. 斯麦卡尼娜（苏）
1982	B. 科克（美）	B. 昂利（挪）
1983	A. 扎维亚洛夫（苏）	M.-L. 哈马莱宁（芬）
1984	G. 斯万（瑞典）	M.-L. 哈马莱宁（芬）
1985	G. 斯万（瑞典）	A. 博埃（挪）
1986	G. 斯万（瑞典）	M. 玛蒂凯宁（芬）
1987	T. 莫格伦（瑞典）	M. 玛蒂凯宁（芬）
1988	G. 斯万（瑞典）	M. 玛蒂凯宁（芬）
1989	G. 斯万（瑞典）	E. 维亚尔别（苏）
1990	V. 乌尔旺（挪）	L. 拉祖季娜（苏）
1991	V. 斯米尔诺夫（苏）	E. 维亚尔别（苏）
1992	B. 戴列（挪）	E. 维亚尔别（俄）
1993	B. 戴列（挪）	L. 叶戈罗娃（俄罗斯）
1994	V. 斯米尔诺夫（哈萨克斯坦）	M. 迪琴塔（意）
1995	B. 戴列（挪）	Ye. 弗乌尔别（俄）
1996	B. 戴列（挪）	M. 迪琴塔（意）
1997	B. 戴列（挪）	Ye. 弗乌尔别（俄）
1998	T. 阿尔斯加德（挪）	L. 拉祖季娜（俄）
1999	B. 戴列（挪）	B. 马丁森（挪）
2000	J. 穆勒（西班牙）	B. 马丁森（挪）
2001	P. 埃洛夫松（瑞典）	Yu. 切帕洛娃（俄）
2002	P. 埃洛夫松（瑞典）	B. 斯卡里（挪）

在1980年的世界高山滑雪锦标赛（回转）中，I. 斯滕马克（瑞典）赢得男子大回转冠军

供图：Steve Sutton—Duom

在1991年的世界高山滑雪锦标赛中，P. 克龙贝格尔（奥）赢得女子速降冠军

供图：Duomo

在1992年奥运会上，B. 戴列（挪）赢得50公里越野赛冠军；之后他又赢得第13届北欧滑雪世界杯系列赛冠军

供图：Duomo/William R. Sallaz

世界北欧滑雪锦标赛(男子)

年份	短距离赛	10 公里越野	15 公里越野*	30 公里越野	50 公里越野	接力†
1924‡			T. 豪格(挪)		T. 豪格(挪)	瑞士
1925			内梅茨基(捷)		东特(德)	
1926			J. 格罗通斯普拉滕(挪)		赖维奥(芬)	
1927			S.H. 林德格伦(瑞典)		S.H. 林德格伦(瑞典)	
1928‡			J. 格罗通斯普拉滕(挪)		P. 赫德伦德(瑞典)	挪
1929			V. 萨阿里宁(芬)		A. 科纳蒂拉(芬)	
1930			A. 鲁斯泰德图恩(挪)		S. 乌特斯特罗姆(瑞典)	挪
1931			J. 格罗通斯普拉滕(挪)		O. 斯特宁(挪)	
1932‡			S. 乌特斯特罗姆(瑞典)		V. 萨阿里宁(芬)	
1933			N. 恩格伦(芬)		V. 萨阿里宁(芬)	瑞典
1934			S. 努尔梅拉(芬)		E. 威克伦德(瑞典)	芬
1935			K. 卡尔皮宁(芬)		N. 恩格伦德(瑞典)	芬
1936‡			E.-A. 拉尔松(瑞典)		E. 威克伦德(瑞典)	意 § 芬 §
1937			L. 贝尔根达尔(挪)		P. 尼埃米(芬)	挪
1938			P. 皮卡宁(芬)		K. 雅尔卡宁(芬)	芬
1939			J. 库里卡拉(芬)		L. 贝尔根达尔(挪)	芬
1940 ~ 1947			未比赛			
1948‡			M. 伦兹罗姆(瑞典)		N. 卡尔松(瑞典)	瑞典
1950			K.E. 埃斯特罗姆(瑞典)		G. 埃里克松(瑞典)	瑞典
1952‡			H. 布伦登(挪)		V. 哈库利宁(芬)	芬
1954			V. 库辛(苏)	V. 库辛(苏)	V. 库辛(苏)	芬
1956‡			H. 布伦登(挪)	V. 哈库利宁(芬)	S. 耶尔恩伯格(瑞典)	苏
1958			V. 哈库利宁(芬)	K. 哈马莱宁(芬)	S. 耶尔恩伯格(瑞典)	瑞典
1960‡			S. 布鲁斯温(挪)	S. 耶尔恩伯格(瑞典)	K. 哈马莱宁(芬)	芬
1962			A. 罗恩伦德(瑞典)	E. 曼蒂兰塔(芬)	S. 耶尔恩伯格(瑞典)	瑞典
1964‡			E. 曼蒂兰塔(芬)	E. 曼蒂兰塔(芬)	S. 耶尔恩伯格(瑞典)	瑞典
1966			G. 埃根(挪)	E. 曼蒂兰塔(芬)	G. 埃根(挪)	挪
1968‡			H. 格罗恩宁根(挪)	F. 诺内斯(意)	O. 埃勒夫塞特(挪)	挪
1970			L. 阿斯伦德(瑞典)	V. 维捷宁(苏)	K. 奥伊卡莱宁(芬)	苏
1972‡			S.-A. 伦德巴克(瑞典)	V. 维捷宁(苏)	P. 蒂尔杜姆(挪)	苏
1974			M. 米尔莫(挪)	T. 马格努松(瑞典)	G. 格里默(东德)	东德
1976‡			N. 巴米科夫(苏)	S. 萨维列夫(苏)	I. 佛尔摩(挪)	芬
1978			J. 卢什兹采克(波兰)	S. 萨维列夫(苏)	S.-A. 伦德巴克(瑞典)	瑞典
1980‡			T. 瓦斯伯格(瑞典)	N. 齐米雅托夫(苏)	N. 齐米雅托夫(苏)	苏
1982			O. 布拉(挪)	T. 埃里克松(瑞典)	T. 瓦斯伯格(瑞典)	挪、苏 (并列)
1984‡			G. 斯万(瑞典)	N. 齐米雅托夫(苏)	T. 瓦斯伯格(瑞典)	瑞典
1985			K. 哈尔霍宁(芬)	G. 斯万(瑞典)	G. 斯万(瑞典)	挪
1987			M. 阿尔巴雷洛(意)	T. 瓦斯伯格(瑞典)	M. 德佐尔特(意)	瑞典
1988‡			M. 杰维亚佳罗夫(苏)	A. 普罗库罗罗夫(苏)	G. 斯万(瑞典)	瑞典
1989			G. 斯万(瑞典)	V. 斯米尔诺夫(苏)	G. 斯万(瑞典)	瑞典
1991		T. 朗利(挪)	B. 戴列(挪)	G. 斯万(瑞典)	T. 莫格伦(瑞典)	挪
1992‡		V. 乌尔旺(挪)	B. 戴列(挪)	V. 乌尔旺(挪)	B. 戴列(挪)	挪
1993		S. 西韦特森(挪)	B. 戴列(挪)	B. 戴列(挪)	T. 莫格伦(瑞典)	挪
1994		B. 戴列(挪)	B. 戴列(挪)	T. 阿尔斯加德(挪)	V.斯米尔诺夫 (哈萨克斯坦)	意
1995		V. 斯米尔诺夫 (哈萨克斯坦)	V. 斯米尔诺夫 (哈萨克斯坦)	V. 斯米尔诺夫 (哈萨克斯坦)	S. 富内尔(意)	挪
1996		未比赛				
1997		B. 戴利(挪)	B. 戴列(挪)	A. 普罗库罗罗夫(俄)	M. 米吕莱(芬)	挪
1998		B. 戴利(挪)	T. 阿尔斯加德(挪)	M. 米吕莱(芬)	B. 戴列(挪)	挪
1999		M. 米吕莱(芬)	T. 阿尔斯加德(挪)	M. 米吕莱(芬)	M.米吕莱(芬)	奥
2001	T. 海兰德(挪)	P. 埃洛夫松(瑞典)	P. 埃洛夫松(瑞典)	A. 维尔帕鲁(爱沙尼亚)	J.穆勒(西班牙)	挪
2002	S. 拉尤南(芬)‡	J. 穆勒(西班牙)‡	A. 维尔帕鲁 (爱沙尼亚)‡	J. 穆勒(西班牙)‡	M.伊万诺夫(俄)‡	挪 ‡

* 1952 年以前为 18 公里越野;1954 年起改为 15 公里越野。†1939 年以前为军事接力;1948 年起改为 40 公里接力。‡本年度世界冠军由奥运会产生。§意大利赢得军事接力冠军,芬兰赢得 40 公里接力冠军。

世界北欧滑雪锦标赛(女子)

年份	短距离赛	5 公里越野	10 公里越野	15 公里越野	20 公里越野	30 公里越野	接力*
1952†			L. 怀德曼(芬)				
1954			L. 科奇雷娃(苏)				苏
1956†			L. 科奇雷娃(苏)				芬
1958			A. 戈尔奇娜(苏)				苏
1960†			M. 古萨科娃(苏)				瑞典
1962		A. 戈尔奇娜(苏)	A. 戈尔奇娜(苏)				苏
1964†		K. 波雅尔斯基赫(苏)	K. 波雅尔斯基赫(苏)				苏
1966		A. 戈尔奇娜(苏)	K. 波雅尔斯基赫(苏)				苏
1968†		T. 古斯塔夫松(瑞典)	T. 古斯塔夫松(瑞典)				挪
1970		G. 库拉科娃(苏)	A. 奥柳妮娜(苏)				苏
1972†		G. 库拉科娃(苏)	G. 库拉科娃(苏)				苏
1974		G. 库拉科娃(苏)	G. 库拉科娃(苏)				苏
1976†		H. 塔卡洛(芬)	R. 斯麦卡尼娜(苏)				苏
1978		H. 塔卡洛(芬)	Z. 阿莫索娃(苏)				芬
1980†		R. 斯麦卡尼娜(苏)	B. 佩特佐尔德(东德)				东德
1982		B. 昂利(挪)	B. 昂利(挪)		R. 斯麦卡尼娜(苏)		挪
1984†		M.-L. 哈马莱宁(芬)	M.-L. 哈马莱宁(芬)		M.-L. 哈马莱宁(芬)		挪
1985		A. 博埃(挪)	A. 博埃(挪)		G. 尼凯尔姆(挪)		苏
1987		M. 玛蒂凯宁(芬)	A. 亚赫雷(挪)		M.-H. 韦斯廷(瑞典)		苏
1988†		M. 玛蒂凯宁(芬)	V. 文采涅(苏)		T. 吉洪诺娃(苏)		苏
1989		未比赛	E. 维亚尔别(苏)	M. 玛蒂凯宁(芬)		E. 维亚尔别(苏)	芬
1991		T. 迪本达赫尔(挪)	E. 维亚尔别(苏)	E. 维亚尔别(苏)		L. 叶戈罗娃(苏)	苏
1992†		M. 卢卡里宁(芬)	L. 叶戈罗娃(联合队‡)	L. 叶戈罗娃(联合队‡)		S. 贝尔蒙多(意)	联合队‡
1993		L. 拉祖季娜(俄罗斯)	S. 贝尔蒙多(意)	E. 维亚尔别(俄罗斯)		S. 贝尔蒙多(意)	俄
1994		L. 叶戈罗娃(俄)	L. 叶戈罗娃(俄)	M. 迪琴塔(意)		M. 迪琴塔(意)	俄
1995		L. 拉祖季娜(俄)	L. 拉祖季娜(俄)	L. 拉祖季娜(俄)		Ye. 弗乌尔别(俄)	俄
1996		未比赛					
1997		Ye. 弗乌尔别(俄)	Ye. 弗乌尔别(俄)	Ye. 弗乌尔别(俄)		Ye. 弗乌尔别(俄)	俄
1998		L. 拉祖季娜(俄)	L. 拉祖季娜(俄)	O. 达尼洛娃(俄)		Yu. 切帕洛娃(俄)	俄
1999		B. 马丁森(挪)	S. 贝尔蒙多(意)	S. 贝尔蒙多(意)		L. 拉祖季娜(俄)	俄
2001	P.曼尼宁(芬)	V. 库伊图宁(芬)	B. S.马丁森(挪)	B. S.马丁森(挪)		取消	俄
2002	Yu.切帕洛娃(俄)‡	O. 达尼洛娃(俄)‡	B. 斯卡里(挪)‡	S. 贝尔蒙多(意)‡		G. 帕鲁吉(意)‡	德‡

* 1974 年以前为 15 公里接力赛,1976 年起改为 20 公里。† 本年度世界冠军由奥运会产生。‡ 联合队,包括来自独联体及格鲁吉亚的运动员。

世界高山滑雪锦标赛(速降)

年份	男子	女子	年份	男子	女子
1931	W. 普拉格(瑞士)	E. 麦金农(英)	1972†	B. 路西(瑞士)	M.-T. 纳迪希(瑞士)
1932	未比赛		1974	D. 茨维林(奥)	A. 莫泽-普罗尔(奥)
1933	W. 普拉格(瑞士)	I. 威辛-兰茨奇纳(奥)	1976†	F. 克拉默(奥)	R. 密特梅尔(西德)
	H. 豪泽(奥)*		1978	J. 瓦尔歇(奥)	A. 莫泽-普罗尔(奥)
1934	D. 佐格(瑞士)	A. 鲁格(瑞士)	1980†	L. 斯托克(奥)	A. 莫泽-普罗尔(奥)
1935	F. 辛格勒(奥)	C. 克兰兹(德)	1982	H. 魏拉特(奥)	G. 索伦森(加拿大)
1936	未比赛		1984†	B. 约翰逊(美)	M. 菲吉尼(瑞士)
1937	E. 阿莱(法)	C. 克兰兹(德)	1985	P. 祖布里根(瑞士)	M. 菲吉尼(瑞士)
1938	J. 库提特(法)	L. 雷施(德)	1987	P. 缪勒(瑞士)	M. 瓦利泽尔(瑞士)
1939	H. 兰茨奇纳(德)	C. 克兰兹(德)	1988†	P. 祖布里根(瑞士)	M. 基希尔(西德)
1940 ~ 1947	未比赛		1989	H. 陶舍尔(西德)	M. 瓦利泽尔(瑞士)
1948†	H. 奥雷耶(法)	H. 施伦内格(瑞士)	1991	F. 海因策(瑞士)	P. 克龙贝格尔(奥)
1950	Z. 科洛(意)	T. 约霍姆-贝瑟(奥)	1992†	P. 奥特利布(奥)	K. 李-加瑟(加拿大)
1952†	Z. 科洛(意)	T. 约霍姆-贝瑟(奥)	1993	U. 莱曼(瑞士)	K. 佩斯(加拿大)
1954	C. 普拉夫达(奥)	I. 舍普法(瑞士)	1994	T. 莫(美)	K. 塞秦格(德)
1956†	A. 塞勒(奥)	M. 贝尔托德(瑞士)	1995	未比赛	
1958	A. 塞勒(奥)	L. 惠勒(加拿大)	1996	P. 奥特利布(奥)	P. 斯特里特(美)
1960†	J. 乌阿尔内(法)	H. 贝布乐(德)‡	1997	B. 科宁(瑞士)	H. 林德(美)
1962	K. 施兰茨(奥)	C. 哈阿斯(奥)	1998	J.-L.克雷捷(法)	K. 塞秦格(德)
1964†	E. 齐麦(奥)	C. 哈阿斯(奥)	1999	H. 迈耶(奥)	R. 戈茨尔(奥)
1966	J.-C. 基利(法)	E. 申内格尔(奥)	2000	未比赛	
1968†	J.-C. 基利(法)	O. 波尔(奥)	2001	H. 特林克尔(奥)	M. 多夫梅斯特(奥)
1970	B. 路西(瑞士)	A. 兹里德(瑞士)	2002	F. 斯特罗布尔(奥)	C. 蒙蒂莱(法)

* 特殊速降锦标赛。† 该年度世界冠军由奥运会产生。‡ 东、西德联队。

世界北欧滑雪锦标赛(跳台滑雪)

年份	70 米跳台滑雪 *	90 米跳台滑雪 †	120 米跳台滑雪	团体跳台滑雪	混合(7.5 千米)	混合(15 千米)	团体混合
1924‡	J. 图林·塔姆斯(挪)					T. 豪格(挪)	
1925	迪克(德)					内梅茨基(捷)	
1926	T. 塔姆斯(挪)					J. 格罗通斯普拉滕(挪)	
1927	T. 埃德曼(瑞典)					R. 普克特(捷)	
1928‡	A. 安德森(挪)					J. 格罗通斯普拉滕(挪)	
1929	S. 鲁德(挪)					H. 温亚伦根(挪)	
1930	G. 安德森(挪)					H. 温亚伦根(挪)	
1931	B. 鲁德(挪)					J. 格罗通斯普拉滕(挪)	
1932‡	B. 鲁德(挪)					J. 格罗通斯普拉滕(挪)	
1933	M. 雷诺兹(瑞士)					S. 埃里克森(瑞典)	
1934	K. 约翰森(挪)					O. 哈根(挪)	
1935	B. 鲁德(挪)					O. 哈根(挪)	
1936‡	B. 鲁德(挪)					O. 哈根(挪)	
1937	B. 鲁德(挪)					S. 罗恩(挪)	
1938	A. 鲁德(挪)					O. 霍夫斯巴肯(挪)	
1939	J. 布拉德尔(奥)					H. 贝劳尔(捷)	
1940 ～ 1947	未比赛						
1948‡	P. 胡格斯特德(挪)					H. 哈苏(芬)	
1950	H. 比约恩斯塔德(挪)					H. 哈苏(芬)	
1952‡	A. 贝尔格曼(挪)					S. 斯拉特维克(挪)	
1954	M. 皮埃蒂卡宁(芬)					S. 斯特奈尔森(挪)	
1956‡	A. 希瓦里宁(芬)					S. 斯特奈尔森(挪)	
1958	M. 马特拉(芬)	J. 卡基宁(芬)				P. 科尔霍南(芬)	
1960‡	H. 雷克纳格尔(德)§					G. 托马(德)§	
1962	T. 恩干(挪)‖	H. 雷克纳格尔(东德) 雷托(日)¶				A. 拉森(挪)	
1964‡	V. 坎科宁(芬)	T. 恩干(挪)				T. 克努特森(挪)	
1966	B. 维尔科拉(挪)	B. 维尔科拉(挪)				G. 托马(西德)	
1968‡	J. 拉茨卡(捷)	V. 别娄索夫(苏)				F. 凯勒(西德)	
1970	G. 纳帕尔科夫(苏)‖	G. 纳帕尔科夫(苏)				L. 赖格(捷)	
1972‡	笠屋(日)	W. 佛尔图纳(波兰)				U. 威灵(东德)	
1974	H.-G. 雅申巴赫(东德)	H.-G. 雅申巴赫(东德)				U. 威灵(东德)	
1976‡	H.-G. 雅申巴赫(东德)	K. 施纳布勒(奥)				U. 威灵(东德)	
1978	M. 布塞(东德)	T. 赖萨南(芬)				K. 温克勒(东德)	
1980‡	A. 茵瑙尔(奥)	J. 托尔马宁(芬)				U. 威灵(东德)	
1982	A. 科格勒(奥)	M. 尼凯宁(芬)		挪		T. 桑德贝格(挪)	东德
1984‡	J. 魏斯弗洛格(东德)	M. 尼凯宁(芬)		未比赛		T. 桑德贝格(挪)	未比赛
1985	J. 魏斯弗洛格(东德)	P. 贝格鲁德(挪)		芬		H. 魏恩巴赫(西德)	西德
1987	J. 帕尔马(捷)	A. 费尔德尔(奥)		芬		T. 洛肯(挪)	西德
1988‡	M. 尼凯宁(芬)	M. 尼凯宁(芬)		芬		H. 肯普夫(瑞士)	西德
1989	J. 魏斯弗洛格(东德)	J. 普伊科宁(芬)		芬		T.E. 埃尔登(挪)	挪
1991	H. 库廷(奥)	F. 佩泰克(南斯拉夫)		奥		F.-B. 伦德贝格(挪)	奥
1992‡		E. 韦托里(奥)	T. 涅米宁(芬)	芬		F. 居伊(法)	日
1993		原田(日)	E. 布雷代森(挪)	挪		荻原(日)	日
1994		E.布雷代森(挪)	J.韦尔斯弗洛格(德)	德		F.－B.伦德伯格(挪)	日
1995		高野(日)	T.英厄布雷森(挪)	芬		F.－B.伦德伯格(挪)	日
1996		未比赛					
1997		J.阿霍伦(芬)	原田雅彦(日)	芬		荻原(日)	挪
1998		J.索伊尼宁(芬)	船木和喜(日)	日		B.E.维克(挪)	挪
1999		原田雅彦(日)	M.施密特(德)	德	B.E.维克(挪)	B.E.维克(挪)	芬
2001		A.马里斯(波兰)	M.施密特(德)	德	M.巴克(德)	B.E.维克(挪)	挪
2002		S.安曼(瑞士)	S.安曼(瑞士)	德	S.拉尤宁(芬)	S.拉尤宁(芬)	芬

* 1964 年以后改为 70 米坡。†1964 年以后改为 80 米坡；1966 年以后改为 90 米坡。‡本年度世界冠军由奥运会产生。§东、西德联队。‖65 米坡。¶ 60 米坡。

高山滑雪世界杯

年份	男子	女子	年份	男子	女子
1967	J.-C. 基利(法)	N. 格林(加拿大)	1985	M. 吉拉德利(卢森堡)	M. 菲吉尼(瑞士)
1968	J.-C. 基利(法)	N. 格林(加拿大)	1986	M. 吉拉德利(卢森堡)	M. 瓦利泽尔(瑞士)
1969	K. 施兰茨(奥)	G. 加布尔(奥)	1987	P. 祖布里根(瑞士)	M. 瓦利泽尔(瑞士)
1970	K. 施兰茨(奥)	M. 雅科特(法)	1988	P. 祖布里根(瑞士)	M. 菲吉尼(瑞士)
1971	G. 托埃尼(意)	A. 普罗尔(奥)	1989	M. 吉拉德利(卢森堡)	V. 施奈德(瑞士)
1972	G. 托埃尼(意)	A. 普罗尔(奥)	1990	P. 祖布里根(瑞士)	P. 克龙贝格尔(奥)
1973	G. 托埃尼(意)	A. 普罗尔(奥)	1991	M. 吉拉德利(卢森堡)	P. 克龙贝格尔(奥)
1974	P. 格罗斯(意)	A. 莫泽-普罗尔(奥)	1992	P. 阿科拉(瑞士)	P. 克龙贝格尔(奥)
1975	G. 托埃尼(意)	A. 莫泽-普罗尔(奥)	1993	M. 吉拉德利(卢森堡)	A. 瓦赫特(奥)
1976	I. 斯滕马克(瑞典)	R. 密特梅尔(西德)	1994	K.A. 奥莫特(挪)	V. 施奈德(瑞士)
1977	I. 斯滕马克(瑞典)	L.-M. 莫雷罗德(瑞士)	1995	A. 通巴(意)	V. 施奈德(瑞士)
1978	I. 斯滕马克(瑞典)	H. 温采尔(列支敦士登)	1996	L. 许斯(挪)	K. 塞钦格(德)
1979	P. 吕舍尔(瑞士)	A. 莫泽-普罗尔(奥)	1997	L. 阿尔方(法)	P. 维贝里(瑞典)
1980	A. 温采尔(列支敦士登)	H. 温采尔(列支敦士登)	1998	H. 迈耶(奥)	K. 塞钦格(德)
1981	P. 梅尔(美)	M.-T. 纳迪希(瑞士)	1999	L. 许斯(挪)	A. 迈斯尼策尔(奥)
1982	P. 梅尔(美)	E. 赫斯(瑞士)	2000	H. 迈耶(奥)	R. 戈茨尔(奥)
1983	P. 梅尔(美)	T. 麦金尼(美)	2001	H. 迈耶(奥)	J. 科斯泰里奇(克罗地亚)
1984	P. 祖布里根(瑞士)	E. 赫斯(瑞士)	2002	S. 埃伯哈特(奥)	M. 多夫迈斯特(奥)

世界高山滑雪锦标赛(混合)

年份	男子	女子	年份	男子	女子
1933	A. 泽洛斯(奥)	I. 威辛-兰茨奇纳(奥)	1974	F. 克拉默(奥)	F. 塞拉特(法)
1934	D. 佐格(瑞士)	C. 克兰兹(德)	1976*	G. 托埃尼(意)	R. 密特梅尔(西德)
1935	A. 泽洛斯(奥)	C. 克兰兹(德)	1978	A. 温采尔(列支敦士登)	A. 莫泽-普罗尔(奥)
1936*	F. 普夫尼尔(德)	C. 克兰兹(德)	1980*	未比赛	
1937	E. 阿莱(法)	C. 克兰兹(德)	1982	M. 维昂(法)	E. 赫斯(瑞士)
1938	E. 阿莱(法)	C. 克兰兹(德)	1984*	未比赛	
1939	J. 耶内魏因(德)	C. 克兰兹(德)	1987	M. 吉拉德利(卢森堡)	E. 赫斯(瑞士)
1940～1947	未比赛		1988*	H. 斯乔尔兹(奥)	A. 瓦赫特(奥)
1948*	H. 奥雷耶(法)	T. 贝瑟(奥)	1989	M. 吉拉德利(卢森堡)	T. 麦金尼(美)
1950	未比赛		1991	S. 埃伯哈特(奥)	C. 布尼桑(瑞士)
1952*	未比赛		1992*	J. 波利格(意)	P. 克龙贝格尔(奥)
1954	S. 埃里克森(挪)	I. 舍普法(瑞士)	1993	L. 休斯(挪)	M. 福格特(德)
1956*	未比赛		1994	L. 休斯(挪)	P. 维贝里(瑞典)
1958	A. 塞勒(奥)	F. 丹策尔(瑞士)	1995	未比赛	
1960*	未比赛		1996	M. 吉拉尔德利(卢森堡)	P. 维贝里(瑞典)
1962	K. 施兰茨(奥)	M. 哥瓦歇尔(法)	1997	K.A. 奥莫特(挪)	R. 戈茨尔(奥)
1964*	未比赛		1998	M. 赖特尔(奥)	K. 塞秦格(德)
1966	J.-C. 基利(法)	M. 哥瓦歇尔(法)	1999	K.A. 奥莫特(挪)	P. 维贝里(瑞典)
1968*	未比赛		2000	未比赛	
1970	W. 基德(美)	M. 雅科特(法)	2001	K.A. 奥莫特(挪)	M. 埃尔特尔(德)
1972*	G. 托埃尼(意)	A. 普罗埃尔(奥)	2002	K.A. 奥莫特(挪)	J. 科斯泰里奇(克罗地亚)

* 本年度世界冠军由奥运会产生。

世界高山滑雪锦标赛(回转)

年份	男子回转	男子大回转	男子超级回转	女子回转	女子大回转	女子超级回转
1931	D. 佐格(瑞士)			E. 麦金农(英)		
1932	未比赛					
1933	A. 泽洛斯(奥)			I. 威辛-兰茨奇纳(奥)		
1934	F. 普夫尼尔(德)			C. 克兰兹(德)		
1935	A. 泽洛斯(奥)			A. 鲁格(瑞士)		
1936	未比赛					
1937	E. 阿莱(法)			C. 克兰兹(德)		
1938	R. 罗明格(瑞士)			C. 克兰兹(德)		
1939	R. 罗明格(瑞士)			C. 克兰兹(德)		
1940～1947	未比赛					
1948*	E. 莱纳尔特(瑞士)			G. 弗雷泽(美)		
1950	G. 施奈德(瑞士)	Z. 科洛(意)		D. 罗姆(奥)	D. 罗姆(奥)	
1952*	O. 施奈德(奥)	S. 埃里克森(挪)		A. 劳伦斯(美)	A. 劳伦斯(美)	
1954	S. 埃里克森(挪)	S. 埃里克森(挪)		T. 克勒克尔(奥)	L. 施密斯-库蒂特(法)	
1956*	A. 塞勒(奥)	A. 塞勒(奥)		R. 哥利亚德(瑞士)	O. 赖希尔特(西德)	
1958	J. 里德尔(奥)	A. 塞勒(奥)		I. 比约恩巴肯(挪)	L. 惠勒(加拿大)	
1960*	E. 辛特西尔(奥)	R. 斯陶布(瑞士)		A. 克格特维特(加拿大)	Y. 鲁埃格(瑞士)	

续表

年份	男子回转	男子大回转	男子超级回转	女子回转	女子大回转	女子超级回转
1962	C. 博宗(法)†	E. 齐麦(奥)		M. 雅恩(奥)†	M. 雅恩(奥)	
1964*	J. 斯蒂格勒(奥)	F. 朋利厄(法)		C. 哥瓦歇尔(法)	M. 哥瓦歇尔(法)	
1966	C. 塞诺纳(意)†	G. 佩里拉特(法)		A. 法莫瑟(法)†	M. 哥瓦歇尔(法)	
1968*	J.-C. 基利(法)	J.-C. 基利(法)		M. 哥瓦歇尔(法)	N. 格林(加拿大)	
1970	J. 奥格特(法)	K. 施兰茨(奥)		I. 拉弗葛(法)	B. 克利福德(加拿大)	
1972*	F. 奥乔亚(西班牙)	G. 托埃尼(意)		B. 科克伦(美)	M.-T. 纳迪希(瑞士)	
1974	G. 托埃尼(意)	G. 托埃尼(意)		H. 温采尔(列支敦士登)	F. 塞拉(法)	
1976*	P. 格罗斯(意)	H. 赫米(瑞士)		R. 密特梅尔(西德)	K. 格雷纳(加拿大)	
1978	I. 斯滕马克(瑞典)	I. 斯滕马克(瑞典)		L. 泽尔克纳(奥)	M. 埃普勒(西德)	
1980*	I. 斯滕马克(瑞典)	I. 斯滕马克(瑞典)		H. 温采尔(列支敦士登)	H. 温采尔(列支敦士登)	
1982	I. 斯滕马克(瑞典)	S. 梅尔(美)		E. 赫斯(瑞士)	E. 赫斯(瑞士)	
1984*	P. 梅尔(美)	M. 尤伦(瑞士)		P. 马戈尼(意)	D. 阿姆斯特朗(美)	
1985	J. 尼尔松(瑞典)	M. 瓦斯麦尔(西德)		P. 佩伦(法)	D. 罗菲(美)	
1987	F. 韦尔德尔(西德)	P. 祖布里根(瑞士)	P. 祖布里根(瑞士)	E. 赫斯(瑞士)	V. 施奈德(瑞士)	M. 瓦利泽尔(瑞士)
1988*	A. 通巴(意)	A. 通巴(意)	F. 皮卡尔(法)	V. 施奈德(瑞士)	V. 施奈德(瑞士)	S. 沃尔夫(奥)
1989	R. 尼尔利希(奥)	R. 尼尔利希(奥)	M. 汉格尔(瑞士)	M. 斯韦特(南斯拉夫)	V. 施奈德(瑞士)	U. 迈尔(奥)
1991	M. 吉拉德利(卢森堡)	R. 尼尔利希(奥)	S. 埃伯哈特(奥)	V. 施奈德(瑞士)	P. 维贝里(瑞典)	U. 迈尔(奥)
1992*	F.C. 亚盖(挪)	A. 通巴(意)	K.A. 阿尔莫特(挪)	P. 克龙贝格尔(奥)	P. 维贝里(瑞典)	D. 孔帕尼奥尼(意)
1993	K.A. 奥莫特(挪)	K.A. 奥莫特(挪)	未比赛	K. 布德尔(奥)	C. 梅尔(法)	K. 赛秦格(德)
1994	T. 施坦加辛格(奥)	M. 瓦斯迈尔(德)	M.瓦斯迈尔(德)	V. 施奈德(瑞士)	D. 孔帕尼奥尼(意)	D. 罗菲(美)
1995	未比赛			未比赛		
1996	A. 通巴(意)	A. 通巴(意)	A.斯卡拉达(挪)	P.维贝里(瑞典)	D. 孔帕尼奥尼(意)	I. 科斯特纳(意)
1997	T. 斯蒂安森(挪)	M. 冯格吕尼根(瑞士)	A.斯卡拉达(挪)	D. 孔帕尼奥尼(意)	D. 孔帕尼奥尼(意)	I. 科斯特纳(意)
1998	H.-P.布拉斯(挪)	H. 迈耶(奥)	H.迈耶(奥)	H. 格尔格(德)	D. 孔帕尼奥尼(意)	P. 斯特里特(美)
1999	K. 帕兰德(芬)	L. 休斯(挪)	L.休斯(挪) H.迈耶(奥)	Z. 斯特加尔(奥)	A. 迈斯尼策尔(奥)	A. 迈斯尼策尔(奥)
2000	未比赛			未比赛		
2001	M. 马特(奥)	M. 冯格吕尼根(瑞士)	D.拉尔维斯(美)	A. 佩尔森(瑞典)	S. 奈夫(瑞士)	R. 卡瓦努德(法)
2002	J.-P.维达尔(挪)	S. 埃伯哈特(奥)	K.A.奥莫特(挪)	J. 科斯泰里奇(克罗地亚)	J. 科斯泰里奇(克罗地亚)	D. 塞卡雷利(意)

*本年度世界冠军由奥运会产生。†特殊回转

SQUASH RACKETS　软式墙网球　公认为最早的职业软式墙网球国际锦标赛是始于1930年的英国公开赛。男子业余和女子软式墙网球锦标赛1922年起已经举行。国际软式墙网球联合会(ISRF,成立于1966年)1975年开始举行世界男子公开锦标赛,1976年举行世界女子公开锦标赛。英国和世界其他各地的软式墙网球比赛规则在许多方面与美国、加拿大和墨西哥的软式墙网球有很大的不同。

世界公开锦标赛(女子)

年份	冠军
1976	H. 布伦德尔·麦凯(澳)
1979	H. 麦凯(澳)
1981	R. 索恩(澳)
1983	V. 卡德韦尔(澳)
1985	S. 德沃伊(新西兰)
1987	S. 德沃伊(新西兰)
1989	M. 莱莫伊格南(英)
1990	S. 德沃伊(新西兰)
1991	未比赛
1992	S. 德沃伊(新西兰)

在1989年的英国公开锦标赛上,巴基斯坦的J.汗(右)与他的同胞詹舍·汗打对手;J.汗连续八年赢得该锦标赛冠军
供图:ALLSPORT USA

世界公开锦标赛(男子*)

年份	冠军	年份	冠军	年份	冠军	年份	冠军
1975	G.B. 亨特(澳)	1981	J. 汗(巴基斯坦)	1985	J. 汗(巴基斯坦)	1989	J. 汗(巴基斯坦)
1977	G.B. 亨特(澳)	1982	J. 汗(巴基斯坦)	1986	R. 诺曼(新西兰)	1990	J. 汗(巴基斯坦)
1979	G.B. 亨特(澳)	1983	J. 汗(巴基斯坦)	1987	J. 汗(巴基斯坦)	1991	R. 马丁(澳)
1980	G.B. 亨特(澳)	1984	J. 汗(巴基斯坦)	1988	J. 汗(巴基斯坦)	1992	J. 汗(巴基斯坦)

*所列年份指前半赛季。

英国公开锦标赛(男子)

年度	冠军	年度	冠军	年度	冠军
1930－1931	C.R. 里德*	1955－1956	H. 汗(巴基斯坦)	1974－1975	Q. 扎曼(巴基斯坦)
1930－1931	D.G. 布彻	1956－1957	R. 汗(巴基斯坦)	1975－1976	G.B. 亨特(澳)
1931－1932	D.G. 布彻	1957－1958	H. 汗(巴基斯坦)	1976－1977	G.B. 亨特(澳)
1932－1933	F.D. 阿姆尔·贝伊(埃及)	1958－1959	A. 汗(巴基斯坦)	1977－1978	G.B. 亨特(澳)
1933－1934	未邀请	1959－1960	A. 汗(巴基斯坦)	1978－1979	G.B. 亨特(澳)
1934－1935	F.D. 阿姆尔·贝伊(埃及)	1960－1961	A. 汗(巴基斯坦)	1979－1980	G.B. 亨特(澳)
1935－1936	F.D. 阿姆尔·贝伊(埃及)	1961－1962	A. 汗(巴基斯坦)	1980－1981	G.B. 亨特(澳)
1936－1937	F.D. 阿姆尔·贝伊(埃及)	1962－1963	M. 汗(巴基斯坦)	1981－1982	J. 汗(巴基斯坦)
1937－1938	F.D. 阿姆尔·贝伊(埃及)	1963－1964	A.F. 阿布·塔勒布(阿联)	1982－1983	J. 汗(巴基斯坦)
1938－1939	J. 迪尔	1964－1965	A.F. 阿布·塔勒布(阿联)	1983－1984	J. 汗(巴基斯坦)
1939－1945	未比赛	1965－1966	A.F. 阿布·塔勒布(阿联)	1984－1985	J. 汗(巴基斯坦)
1946－1947	M.A. 卡里姆(埃及)	1966－1967	J. 巴林顿(爱尔兰)	1985－1986	J. 汗(巴基斯坦)
1947－1948	M.A. 卡里姆(埃及)	1967－1968	J. 巴林顿(爱尔兰)	1986－1987	J. 汗(巴基斯坦)
1948－1949	M.A. 卡里姆(埃及)	1968－1969	G.B. 亨特(澳)	1987－1988	J. 汗(巴基斯坦)
1949－1950	M.A. 卡里姆(埃及)	1969－1970	J. 巴林顿(英)	1988－1989	J. 汗(巴基斯坦)
1950－1951	H. 汗(巴基斯坦)	1970－1971	J. 巴林顿(英)	1989－1990	J. 汗(巴基斯坦)
1951－1952	H. 汗(巴基斯坦)	1971－1972	J. 巴林顿(英)	1990－1991	J. 汗(巴基斯坦)
1952－1953	H. 汗(巴基斯坦)	1972－1973	J. 巴林顿(英)	1991－1992	J. 汗(巴基斯坦)
1953－1954	H. 汗(巴基斯坦)	1973－1974	G.B. 亨特(澳)	1992－1993	J. 汗(巴基斯坦)
1954－1955	H. 汗(巴基斯坦)				

*称为首届冠军。

英国公开锦标赛(女子)

年度	冠军	年度	冠军	年度	冠军
1921－1922	J. 凯夫	1950－1951	J.R.M. 摩根	1972－1973	H. 麦凯(澳)
1922－1923	S. 亨特斯曼	1951－1952	J.R.M. 摩根	1973－1974	H. 麦凯(澳)
1924－1925	J. 凯夫	1952－1953	J.R.M. 摩根	1974－1975	H. 麦凯(澳)
1925－1926	C. 芬威克	1953－1954	J.R.M. 摩根	1975－1976	H. 麦凯(澳)
1926－1927	C. 芬威克	1954－1955	J.R.M. 摩根	1976－1977	H. 麦凯(澳)
1927－1928	J. 凯夫	1955－1956	J.R.M. 摩根	1977－1978	S. 纽曼(澳)
1928－1929	N. 凯夫	1956－1957	J.R.M. 摩根	1978－1979	B. 沃尔(澳)
1929－1930	N. 凯夫	1957－1958	J.R.M. 摩根	1979－1980	V. 霍夫曼(澳)
1930－1931	C. 芬威克	1958－1959	J.R.M. 摩根	1980－1981	V. 霍夫曼(澳)
1931－1932	S. 诺埃尔	1959－1960	H. 麦金托什	1981－1982	V. 霍夫曼·卡德韦尔(澳)
1932－1933	S. 诺埃尔	1960－1961	F. 马歇尔	1982－1983	V. 卡德韦尔(澳)
1933－1934	S. 诺埃尔	1961－1962	H.P. 布伦德尔(澳)	1983－1984	S. 德沃伊(新西兰)
1934－1935	M.E. 伦布	1962－1963	H.P. 布伦德尔(澳)	1984－1985	S. 德沃伊(新西兰)
1935－1936	M.E. 伦布	1963－1964	H.P. 布伦德尔(澳)	1985－1986	S. 德沃伊(新西兰)
1936－1937	M.E. 伦布	1964－1965	H.P. 布伦德尔(澳)	1986－1987	S. 德沃伊(新西兰)
1937－1938	M.E. 伦布	1965－1966	H. 布伦德尔·麦凯(澳)	1987－1988	S. 德沃伊(新西兰)
1938－1939	M.E. 伦布	1966－1967	H. 麦凯(澳)	1988－1989	S. 德沃伊(新西兰)
1939－1945	未比赛	1967－1968	H. 麦凯(澳)	1989－1990	S. 德沃伊(新西兰)
1946－1947	P.J. 柯里	1968－1969	H. 麦凯(澳)	1990－1991	L. 奥佩(英)
1947－1948	P.J. 柯里	1969－1970	H. 麦凯(澳)	1991－1992	S. 德沃伊(新西兰)
1948－1949	P.J. 柯里	1970－1971	H. 麦凯(澳)	1992－1993	M. 马丁(澳)
1949－1950	J.R.M. 摩根	1971－1972	H. 麦凯(澳)		

SWIMMING 游泳 国际业余游泳联合会(FINA,成立于1908年)是业余游泳运动的世界性管理机构。它于1973年举办了首届世界游泳锦标赛。1975年以后,世界业余游泳联合会锦标赛在非奥运会、偶数年份举行(1991年夏季[1月]在澳大利亚举办的锦标赛除外)。比赛项目有跳水、花样游泳和水球。游泳比赛的记录分为短池游泳和长池游泳两种,世界锦标赛和其他主要比赛在50米长的游泳池内进行。

两届世界游泳锦标赛冠军M.格罗斯(西德,1982、1986)在1985年的欧洲游泳锦标赛200米蝶泳预赛中(结果获得冠军)

美国不列颠百科全书公司供图

世界游泳锦标赛(男子)

年份	自由泳 50米	自由泳 100米	自由泳 200米	自由泳 400米	自由泳 800米	自由泳 1 500米
1973		J. 蒙哥马利(美)	J. 蒙哥马利(美)	R. 德蒙特(美)		S. 霍兰(澳)
1975		A. 科恩(美)	T. 肖(美)	T. 肖(美)		T. 肖(美)
1978		D. 麦凯格(美)	B. 福雷斯特(美)	V. 萨尔尼科夫(苏)		V. 萨尔尼科夫(苏)
1982		J. 沃特(东德)	M. 格罗斯(西德)	V. 萨尔尼科夫(苏)		V. 萨尔尼科夫(苏)
1986	T. 亚赫(美)	M. 比昂迪(美)	M. 格罗斯(西德)	R. 亨克尔(西德)		R. 亨克尔(西德)
1991	T. 亚赫(美)	M. 比昂迪(美)	G. 兰贝蒂(意)	J. 霍夫曼(德)		J. 霍夫曼(德)
1994	A.波波夫(俄)	A.波波夫(俄)	A.卡斯维奥(芬)	K.帕金斯(澳)		K.帕金斯(澳)
1998	B.皮尔楚克(美)	A.波波夫(俄)	M.克里姆(澳)	I.索普(澳)		G.哈克特(澳)
2001	A.埃尔文(美)	A.埃尔文(美)	I.索普(澳)	I.索普(澳)	I.索普(澳)	G.哈克特(澳)

年份	仰泳 50米	仰泳 100米	仰泳 200米	个人混合泳 200米	个人混合泳 400米
1973		R. 马特斯(东德)	R. 马特斯(东德)	G. 拉尔松(瑞典)	A. 哈尔吉泰(匈)
1975		R. 马特斯(东德)	Z. 维拉斯托(匈)	A. 哈尔吉泰(匈)	A. 哈尔吉泰(匈)
1978		B. 杰克逊(美)	J. 瓦萨洛(美)	G. 史密斯(加拿大)	J. 瓦萨洛(美)
1982		D. 里克特(东德)	R. 凯里(美)	A. 西多联科(苏)	R. 普拉多(巴西)
1986		I. 波利扬斯基(苏)	I. 波利扬斯基(苏)	T. 达尔尼(匈)	T. 达尔尼(匈)
1991		J. 劳斯(美)	M. 洛佩斯·苏韦罗(西)	T. 达尔尼(匈)	T. 达尔尼(匈)
1994		M.洛佩斯·苏韦罗(西)	V.谢尔科夫(俄)	J.谢维宁(芬)	T.多兰(美)
1998		L.克雷泽伯格(美)	L.克雷泽伯格(美)	M.沃达(荷)	T.多兰(美)
2001	R.巴尔	M.韦尔什(澳)	A.佩尔索尔(美)	M.罗索利诺(意)	A.博贾托(意)

年份	蛙泳 50米	蛙泳 100米	蛙泳 200米	蝶泳 50米	蝶泳 100米	蝶泳 200米
1973		J. 亨肯(美)	D. 威尔基(英)		B. 罗伯逊(加拿大)	R. 巴克豪斯(美)
1975		D. 威尔基(英)	D. 威尔基(英)		G. 贾根伯格(美)	B. 福雷斯特(美)
1978		W. 库施(西德)	N. 内维德(美)		J. 博顿(美)	M. 布鲁纳(美)
1982		S. 伦德奎斯特(美)	V. 戴维斯(加拿大)		M. 格里布尔(美)	M.格罗斯(西德)
1986		V. 戴维斯(加拿大)	J. 斯扎博(匈)		P. 莫拉莱斯(美)	M. 格罗斯(西德)
1991		N. 罗饶(匈)	M. 巴罗曼(美)		A. 内斯蒂(苏里南)	M. 斯图尔特(美)
1994		N.罗饶(匈)	N.罗饶(匈)		R.舍卡拉(波兰)	D.潘克拉托夫(俄)
1998		F.德伯格拉耶夫(比)	K.格罗特(美)		M.克里姆(澳)	D.西兰季耶夫(乌克兰)
2001	O.利索戈尔(乌克兰)	R.斯洛德诺夫(俄)	B.汉森(美)	G.休吉尔	L.弗洛兰德(瑞典)	M.菲尔普斯(美)

年份	团体接力 4×100米自由泳	团体接力 4×200米自由泳	团体接力 4×100米混合泳	跳水 1米跳板跳水	跳水 3米跳板跳水	跳水 跳台跳水	跳水 双人3米跳板跳水	跳水 双人跳台跳水
1973	美	美	美		P. 波格斯(美)	K. 迪比亚西(意)		
1975	美	西德	美		P. 波格斯(美)	K. 迪比亚西(意)		
1978	美	美	美		P. 波格斯(美)	G. 洛加尼斯(美)		
1982	美	美	美		G. 洛加尼斯(美)	G. 洛加尼斯(美)		
1986	美	东德	美		G. 洛加尼斯(美)	G. 洛加尼斯(美)		
1991	美	德	美	E. 容格扬斯(荷)	K. 弗格森(美)	孙淑伟(中)		
1994	美	瑞典	美	E.斯图尔特	余卓成(中)	D.萨乌丁(俄)		
1998	美	澳	澳	余卓成(中)	D.萨乌丁(俄)	D.萨乌丁(俄)		
2001	澳	澳	澳	王峰(中)	D.萨乌丁(俄)	田亮(中)	中	中

世界游泳锦标赛(女子)

年份	自由泳 50米	自由泳 100米	自由泳 200米	自由泳 400米	自由泳 800米	自由泳 1 500米
1973		K. 恩德尔(东德)	K. 罗思哈默(美)	H. 格林伍德(美)	N. 卡利加里斯(意)	
1975		K. 恩德尔(东德)	S. 巴巴肖夫(美)	S. 巴巴肖夫(美)	J. 特拉尔(澳)	
1978		B. 克劳泽(东德)	C. 伍德黑德(美)	T. 威克姆(澳)	T. 威克姆(澳)	
1982		B. 迈内克(东德)	A. 韦尔斯塔彭(荷)	C. 施密特(东德)	K. 莱因汉(美)	
1986	T. 科斯塔凯(罗)	K. 奥托(东德)	H. 弗里德里希(东德)	H. 弗里德里希(东德)	A. 施特劳斯(东德)	
1991	庄泳(中)	N. 海斯莱特(美)	H. 刘易斯(澳)	J. 埃文斯(美)	J. 埃文斯(美)	
1994	乐靖宜(中)	乐靖宜(中)	F.范阿尔姆西克(德)	杨爱华(中)	J.埃文斯(美)	
1998	A. 范戴肯(美)	J. 汤普林(美)	C. 波尔(哥斯达黎加)	陈艳(中)	B. 贝纳特(美)	
2001	I. 德布鲁因(荷)	I. 德布鲁因(荷)	G. 鲁尼(澳)	Y. 科洛奇科娃(乌克兰)	H. 施托克鲍尔(德)	H. 施托克鲍尔(德)

续表

	蛙泳			蝶泳		
	50米	100米	200米	50米	100米	200米
1973		R. 沃格尔(东德)	R. 沃格尔(东德)		K. 恩德尔(东德)	R. 科特尔(东德)
1975		H. 昂克(东德)	H. 昂克(东德)		K. 恩德尔(东德)	R. 科特尔(东德)
1978		J. 博格丹诺娃(苏)	L. 卡楚西切(苏)		J. 彭宁顿(美)	T. 考尔金斯(美)
1982		U. 格温尼格尔(东德)	S. 瓦格诺娃(苏)		M.T. 马尔(美)	I. 吉斯勒(东德)
1986		S. 格拉什(东德)	S. 赫尔纳(东德)		K. 格雷斯勒(东德)	M. 马尔(美)
1991		L. 弗雷姆(澳)	E. 沃尔科娃(苏)		钱红(中)	S. 桑德斯(美)
1994		S.赖莉(澳)	S.赖莉(澳)		刘黎敏(中)	刘黎敏(中)
1998		K.科瓦尔(美)	A.科瓦克斯(匈)		J.汤普森(美)	S.奥尼尔(澳)
2001	罗雪娟(中)	罗雪娟(中)	A.科瓦克斯(匈)	I.德布鲁因(荷)	P.托马斯(澳)	P.托马斯(澳)

	仰泳			个人混合泳	
	50米	100米	200米	200米	400米
1973		U. 赖赫特(东德)	M. 贝洛特(美)	A. 胡伯纳(东德)	G. 韦格纳(东德)
1975		U. 赖赫特(东德)	B. 特赖贝尔(东德)	K. 赫迪(美)	U. 陶伯尔(东德)
1978		L. 杰泽克(美)	L. 杰泽克(美)	T. 考尔金斯(美)	T. 考尔金斯(美)
1982		K. 奥托(东德)	C. 西尔希(东德)	P. 施奈德(东德)	P. 施奈德(东德)
1986		B. 米切尔(美)	C. 西尔希(东德)	K. 奥托(东德)	K. 诺德(东德)
1991		K. 埃盖尔赛吉(匈)	K. 埃盖尔赛吉(匈)	林莉(中)	林莉(中)
1994		贺慈红(中)	贺慈红(中)	吕彬(中)	戴国宏(中)
1998		L.莫勒(美)	R.米拉希尼亚努(法)	吴艳艳(中)	陈艳(中)
2001	II.克普(美)	N.考格林(美)	D.莫卡奴(罗马尼亚)	M.鲍文(美)	Y.科洛奇科娃(乌克兰)

	团体接力			跳水				
	4×100米自由泳	4×200米自由泳	4×100米混合泳	1米跳板跳水	3米跳板跳水	跳台跳水	双人3米跳板跳水	双人跳台跳水
1973	东德		东德		K. 科勒(东德)	U. 克那佩(瑞典)		
1975	东德		东德		I. 卡利尼娜(苏)	J. 伊利(美)		
1978	美		美		I. 卡利尼娜(苏)	I. 卡列尼娜(苏)		
1982	东德		东德		M. 内耶尔(美)	W. 怀兰(美)		
1986	东德	东德	东德		高敏(中)	陈琳(中)		
1991	美	德	美	高敏(中)	高敏(中)	伏明霞(中)		
1994	中	中	中	陈丽霞	谈舒平(中)	伏明霞(中)		
1998	美	德	美	I.拉什科	Y.帕卡琳娜	O.舒佩娜(乌克兰)		
2001	德	大不列颠	澳	B.哈特利	郭晶晶(中)	许冕(中)	中	中

TABLE TENNIS 乒乓球 正式的世界乒乓球锦标赛由国际乒乓球联合会(ITTF,1926年成立)于1926年首次举办。1929年增加了女子双打,1934年增加了女子团体赛。1980年国际乒乓球联合会首次主办了男子乒乓球世界杯赛,有16名一流选手参加;世界杯赛从此每年举行一次。世界乒乓球锦标赛自1957年起,每两年举行一次。选手参赛的项目有:斯韦思林杯(男子团体赛;九场单打的冠军);考比伦杯(女子团体赛;四场单打和一场双打的冠军);勃莱德杯(男子单打);盖斯特杯(女子单打);伊朗杯(男子双打锦标赛);波普杯(女子双打锦标赛);赫杜赛克奖(混合双打锦标赛)。

江嘉良(中国)赢得1987年世界乒乓球锦标赛的勃莱德杯
美国不列颠百科全书公司供图

世界乒乓球锦标赛(男子)

年份	勃莱德杯	伊朗杯	斯韦思林杯
1927	R. 雅科比(匈)	R. 雅科比;R. 佩西(匈)	匈
1928	Z. 梅什洛维茨(匈)	A. 李布斯特;R. 图姆(澳)	匈
1929	F.J. 佩里(英)	G.V. 巴纳;M. 斯扎巴多斯(匈)	匈
1930	V. 巴纳(匈)	G.V. 巴纳;M. 斯扎巴多斯(匈)	匈
1931	M. 斯扎巴多斯(匈)	G.V. 巴纳;M. 斯扎巴多斯(匈)	匈
1932	V. 巴纳(匈)	G.V. 巴纳;M. 斯扎巴多斯(匈)	捷
1933	V. 巴纳(匈)	G.V. 巴纳;S. 格兰茨(匈)	匈
1934～1935	V. 巴纳(匈)	G.V. 巴纳;M. 斯扎巴多斯(匈)	匈
1936	S. 科拉尔(捷)	R.G. 布拉特纳;J.H. 麦克卢尔(美)	奥
1937	R. 伯格曼(奥)	R.G. 布拉特纳;J.H. 麦克卢尔(美)	美
1938	B. 瓦纳(捷)	J.H. 麦克卢尔;S. 希夫(美)	匈
1939	R. 伯格曼(奥)	R. 伯格曼(奥);G.V. 巴纳(匈)	捷
1940～1946	未比赛		
1947	B. 瓦纳(捷)	B. 瓦纳;A. 斯拉尔(捷)	捷
1948	R. 伯格曼(英)	R. 瓦纳;L. 斯蒂佩克(捷)	捷
1949	J. 利奇(英)	F. 托卡尔;I. 安德里亚迪斯(捷)	匈
1950	R. 伯格曼(英)	F. 西多;F. 苏斯(匈)	捷
1951	J. 利奇(英)	B. 瓦纳;I. 安德里亚迪斯(捷)	捷
1952	佐藤博治(日)	藤井则和;林忠明(日)	匈
1953	F. 西多(匈)	F. 西多;J. 高基安(匈)	英
1954	荻村伊智郎(日)	V. 哈兰戈佐;Z. 杜利纳尔(南斯拉夫)	日
1955	田中利明(日)	I. 安德里亚迪斯;L. 斯蒂佩克(捷)	日
1956	荻村伊智郎(日)	荻村伊智郎;富田芳雄(日)	日
1957	田中利明(日)	I. 安德里亚迪斯;L. 斯蒂佩克(捷)	日
1959	容国团(中)	荻村伊智郎;村上辉夫(日)	日
1961	庄则栋(中)	星野展弥;木村兴治(日)	中
1963	庄则栋(中)	张燮林;王志良(中)	中
1965	庄则栋(中)	庄则栋;徐寅生(中)	中
1967	长谷川信彦(日)	K. 约翰森;H. 阿斯勒尔(瑞典)	日
1969	伊藤繁雄(日)	K. 约翰森;H. 阿斯勒尔(瑞典)	日
1971	S. 本格森(瑞典)	T. 克兰帕尔;I. 约尼尔(匈)	中
1973	郗恩庭(中)	K. 约翰森;S. 本格森(瑞典)	瑞典
1975	I. 约尼尔(匈)	I. 约尼尔;G. 盖尔盖伊(匈)	中
1977	河野满(日)	李振恃;梁戈亮(中)	中
1979	小野诚治(日)	A. 斯蒂潘契奇;D. 舒尔贝克(南斯拉夫)	匈
1981	郭跃华(中)	蔡振华;李振恃(中)	中
1983	郭跃华(中)	D. 舒尔贝克;Z. 卡利尼茨(南斯拉夫)	中
1985	江嘉良(中)	M. 阿佩尔格伦;U. 卡尔松(瑞典)	中
1987	江嘉良(中)	陈龙灿;韦晴光(中)	中
1989	J.-O. 瓦尔德内尔(瑞典)	J. 罗斯科普夫;S. 费茨讷	瑞典
1991	J. 佩尔森(瑞典)	P. 卡尔松;T. 谢勒(瑞典)	瑞典
1993	J.-P. 盖亭(法)	王涛;吕林(中)	瑞典
1995	孔令辉(中)	王涛;刘伟(中)	中
1997	J.-O.瓦尔德内尔(瑞典)	孔令辉;刘国梁	中
1999	刘国梁(中)	孔令辉;刘国梁	未比赛
2000	未比赛	未比赛	瑞典
2001	王励勤(中)	王励勤;阎森	中
2003	施拉格(奥)	王励勤;阎森	中
2005	王励勤(中)	王皓;孔令辉	中

乒乓球世界杯赛(男子)

年份	冠军
1980	郭跃华(中)
1981	T. 克兰帕尔(匈)
1982	郭跃华(中)
1983	M. 阿佩尔格伦(瑞典)
1984	江嘉良(中)
1985	陈新华(中)
1986	陈龙灿(中)
1987	滕毅(中)
1988	A. 格鲁巴(波兰)
1989	马文革(中)
1990	J.-O. 瓦尔德内尔(瑞典)
1991	佩尔森(瑞典)
1992	马文革(中)
1993	Z.普里莫拉茨(克罗地亚)
1994	J.-P.盖亭(法)
1995	孔令辉(中)
1996	刘国梁(中)
1997	Z.普里莫拉茨(克罗地亚)
1998	J.罗斯科普夫(德)
1999	V.萨姆索诺夫(白俄罗斯)
2000	马琳(中)
2001	V.萨姆索诺夫(白俄罗斯)
2002	T.波尔(德)
2003	马琳(中)
2004	马琳(中)
2005	T.波尔(德)

乒乓球世界杯赛(女子)

年份	冠军
1996	邓亚萍(中)
1997	王楠(中)
1998	王楠(中)
1999	王楠(中)
2000	李菊(中)
2001	张怡宁(中)
2002	张怡宁(中)

J. 佩尔森(瑞典)赢得1991年世界乒乓球锦标赛的勃莱德杯

供图:© Bildbyran/Bo Andersson

世界乒乓球锦标赛(女子)

年份	盖斯特杯	波普杯	考比伦杯
1927	M. 梅德扬斯基(匈)		
1928	M. 梅德扬斯基(匈)	E. 梅茨格;E. 吕斯特(德)	
1929～1931	M. 梅德扬斯基(匈)	M. 梅德扬斯基; A. 西普斯(匈)	
1932～1933	A. 西普斯(匈)	M. 梅德扬斯基; A. 西普斯(匈)	
1934	M. 凯特纳罗娃(捷)	M. 梅德扬斯基; A. 西普斯(匈)	德
1935	M. 凯特纳罗娃(捷)	M. 凯特纳罗娃; M. 斯米多娃(捷)	捷
1936	R.H. 阿隆斯(美)	V. 德佩特里索娃; V. 沃特鲁布科娃(捷)	捷
1937	冠军空缺	V. 德佩特里索娃; V. 沃特鲁布科娃(捷)	美
1938	T. 普里奇(奥)	T. 普里奇;D. 布斯南(奥)	捷
1939	V. 德佩特里索娃(捷)	未比赛	德
1940～1946	未比赛		
1947	G. 法卡斯(匈)	T. 普里奇(奥);G. 法卡斯(匈)	英
1948	G. 法卡斯(匈)	V. 托马斯; P. 弗兰克斯(英)	英
1949	C. 法卡斯(匈)	H. 埃利奥特(英); G. 法卡斯(匈)	美
1950	A. 罗奇亚努(罗)	D. 博勒奇; H. 埃利奥特(英)	罗
1951	A. 罗齐亚努(罗)	D. 罗;R. 罗(英)	罗
1952	A. 罗齐亚努(罗)	西村登美江;楢原静世(日)	日
1953	A. 罗齐亚努(罗)	A. 罗齐亚努(罗); G. 法卡斯(匈)	罗
1954	A. 罗齐亚努(罗)	D. 罗;R. 罗(英)	日
1955	A. 罗齐亚努(罗)	A. 罗齐亚努; E. 泽勒尔(罗)	罗
1956	大川富(日)	A. 罗齐亚努; E. 泽勒尔(罗)	罗
1957	江口富士枝(日)	L. 莫沙奇;A. 西蒙(匈)	日
1959	松崎君代(日)	难波多慧子;山泉和子(日)	日
1961	丘钟惠(中)	M. 亚历山德鲁; G. 皮蒂卡(罗)	日
1963	松崎君代(日)	松崎君代;关正子(日)	日
1965	深津尚子(日)	林慧卿;郑敏之(中)	中
1967	森泽幸子(日)	森泽幸子;广田佐枝子(日)	日
1969	小和田敏子(日)	Z. 鲁德诺娃; S. 格林伯格(苏)	苏
1971	林慧卿(中)	林慧卿;郑敏之(中)	日
1973	胡玉兰(中)	M. 亚历山德鲁(罗); 滨田美穗(日)	韩
1975	朴英顺(朝鲜)	M. 亚历山德鲁(罗); 高桥省子(日)	中
1977	朴英顺(朝鲜)	朴英玉(朝鲜);杨莹(中)	中
1979	葛新爱(中)	张德英;张莉(中)	中
1981	童玲(中)	曹燕华;张德英(中)	中
1983	曹燕华(中)	沈剑萍;戴丽丽(中)	中
1985	曹燕华(中)	戴丽丽;耿丽娟(中)	中
1987	何智丽(中)	玄静和;梁英子(韩)	中
1989	乔红(中)	乔红;邓亚萍(中)	中
1991	邓亚萍(中)	高军;陈子荷(中)	朝鲜
1993	玄静和(韩)	刘伟;乔云萍(中)	中
1995	邓亚萍(中)	邓亚萍;乔红(中)	中
1997	邓亚萍(中)	邓亚萍;杨影(中)	中
1999	王楠(中)	王楠;李菊(中)	中
2001	王楠(中)	王楠;李菊(中)	中
2003	王楠(中)	王楠;张怡宁(中)	
2005	张怡宁(中)	王楠;张怡宁(中)	

世界乒乓球锦标赛(混合双打)

年份	赫杜赛克奖
1927～1928	Z. 梅什洛维茨;M. 梅德扬斯基(匈)
1929	I. 克伦;A. 西普斯(匈)
1930～1931	M. 斯扎巴多斯;M. 梅德扬斯基(匈)
1932	G.V. 巴纳;A. 西普斯(匈)
1933	I. 克伦;M. 梅德扬斯基(匈)
1934	M. 斯扎巴多斯;M. 梅德扬斯基(匈)
1935	G.V. 巴纳;A. 西普斯(匈)
1936	M. 哈姆尔;G. 克列诺娃(捷)
1937	B. 瓦纳;V. 沃特鲁布科娃(捷)
1938	L. 贝拉克(匈);W. 伍德黑德(英)
1939	B. 瓦纳;V. 沃特鲁布科娃(捷)
1940～1946	未比赛
1947	F. 苏斯;G. 法卡斯(匈)
1948	R. 迈尔斯;T. 塞尔(美)
1949～1950	F. 西多;G. 法卡斯(匈)
1951	B. 瓦纳(捷);A. 罗齐亚努(罗)
1952～1953	F. 西多(匈);A. 罗齐亚努(罗)
1954	I. 安德里亚迪斯(捷);G. 法卡斯(匈)
1955	K. 塞佩西;E. 高基安(匈)
1956	E. 克莱因;L.T. 纽伯格(美)
1957	荻村伊智郎;江口富士枝(日)
1959	荻村伊智郎;江口富士枝(日)
1961	荻村伊智郎;松崎君代(日)
1963	木村兴治;伊藤和子(日)
1965	木村兴治;关正子(日)
1967	长谷川信彦;山中教子(日)
1969	长谷川信彦;今野安子(日)
1971	张燮林;林慧卿(中)
1973	梁戈亮;李莉(中)
1975	S. 戈莫兹科夫;T. 费尔德曼(苏)
1977	J. 塞克雷坦;C. 贝尔热雷(法)
1979	梁戈亮;葛新爱(中)
1981	谢赛克;黄俊群(中)
1983	郭跃华;倪夏莲(中)
1985	蔡振华;曹燕华(中)
1987	惠钧;耿丽娟(中)
1989	刘南奎;玄静和(韩)
1991	王涛;刘伟(中)
1993	王涛;刘伟(中)
1995	王涛;刘伟(中)
1997	刘国梁;邬娜(中)
1999	马琳;张莹莹(中)
2001	秦志戬;杨影(中)
2003	王楠;马琳(中)
2005	王励勤;郭跃(中)

TENNIS 网球 世界网球锦标赛主要有四项比赛，被称作“四大赛”或“大满贯”，其中首推全英草地网球锦标赛（更常称为温布尔登锦标赛），始于1877年，第一届只有男子单打；女子比赛始于1884年。美国也开展了重要的网球锦标赛，1881年开始男子比赛，1887年增设女子单打比赛（正式比赛从1889年开始）。法国男子比赛始于1891年，1897年增设女子单打比赛。澳大利亚男子比赛从1905年开始，1922年增设女子单打比赛。世界其他各地也举行许多网球锦标赛。网球公开赛（公开是指职业和业余网球运动员都可以参加）1968年成为四大赛的惯例项目。国际网球团体赛始于1900年的戴维斯杯赛，它是男子团体比赛，包括四场单打和一场双打。怀特曼怀网球赛（1923～1989）是英国和美国间的女子团体比赛，进行五场单打、两场双打，每年举行一次。国际网球联合会（ITF，前身是国际草地网球联合会，成立于1913年）从1963年开始举行联合会杯国际女子网球团体赛，比赛为两场单打和一场双打的淘汰赛。

1984年J. 麦肯罗（美）第四次夺得美国网球公开锦标赛单打冠军
供图：Steve Powell—All-Sport USA

1976年B. 博格（瑞典）赢得全英（温布尔登）网球锦标赛五连冠的第一冠
供图：Leo Mason

在1960年戴维斯杯网球赛第一天比赛场上拼搏的N. 彼得兰杰利（意）
供图：AP/Wide World Photos

戴维斯杯

年份	冠军	亚军	比分
1900	美	不列颠群岛	3-0
1901	未比赛		
1902	美	不列颠群岛	3-2
1903	不列颠群岛*	美	4-1
1904	不列颠群岛	比利时	5-0
1905	不列颠群岛	美	5-0
1906	不列颠群岛	美	5-0
1907	澳大拉西亚†	不列颠群岛	3-2
1908	澳大拉西亚	美	3-2
1909	澳大拉西亚	美	5-0
1910	未比赛		
1911	澳大拉西亚	美	5-0
1912	不列颠群岛	澳	3-2
1913	美	不列颠群岛	3-2
1914	澳大拉西亚	美	3-2
1915～1918	未比赛		
1919	澳大拉西亚	不列颠群岛	4-1
1920	美	澳大拉西亚	5-0
1921	美	日	5-0
1922	美	澳大拉西亚	4-1
1923	美	澳大拉西亚	4-1
1924	美	澳大拉西亚	5-0
1925	美	法	5-0
1926	美	法	4-1
1927	法	美	3-2
1928	法	美	4-1
1929	法	美	3-2
1930	法	美	4-1
1931	法	英	3-2
1932	法	美	3-2
1933	英	法	3-2
1934	英	美	4-1
1935	英	美	5-0
1936	英	澳	3-2
1937	美	英	4-1
1938	美	澳	3-2
1939	澳	美	3-2
1940～1945	未比赛		
1946	美	澳	5-0
1947	美	澳	4-1
1948	美	澳	5-0
1949	美	澳	4-1
1950	澳	美	4-1
1951	澳	美	3-2
1952	澳	美	4-1
1953	澳	美	3-2
1954	美	澳	3-2
1955	澳	美	5-0
1956	澳	美	5-0
1957	澳	美	3-2
1958	美	澳	3-2
1959	澳	美	3-2
1960	澳	意	4-1
1961	澳	意	5-0
1962	澳	墨	5-0
1963	美	澳	3-2
1964	澳	美	3-2
1965	澳	西	4-1
1966	澳	印度	4-1
1967	澳	西	4-1
1968	美	澳	4-1
1969	美	罗	5-0
1970	美	西德	5-0
1971	美	罗	3-2
1972	美	罗	3-2
1973	澳	美	5-0
1974	南非‡	印度	
1975	瑞典	捷	3-2
1976	意	智利	4-1
1977	澳	意	3-1
1978	美	英	4-1
1979	美	意	5-0
1980	捷	意	4-1
1981	美	阿根廷	3-1
1982	美	法	4-1
1983	澳	瑞典	3-2
1984	瑞典	美	4-1
1985	瑞典	西德	3-2
1986	澳	瑞典	3-2
1987	瑞典	印度	5-0
1988	西德	瑞典	4-1
1989	西德	瑞典	3-2
1990	美	澳	3-2
1991	法	美	3-1
1992	美	瑞士	3-1
1993	德	澳	4-1
1994	瑞典	俄	4-1
1995	美	俄	3-2
1996	法	瑞典	3-2
1997	瑞典	美	5-0
1998	瑞典	意	4-1
1999	澳	法	3-2
2000	西	澳	3-1
2001	法	澳	3-2
2002	俄	法	3-2
2003	澳	西	3-1
2004	西	美	3-2
2005	克罗地亚	斯洛伐克	3-2

* 1922 年以前包括爱尔兰。†1923 年以前包括新西兰。‡犯规；印度队弃权，退出决赛。

1938 年 D. 巴奇（美）赢得美国网球公开锦标赛冠军；同年获得澳大利亚、法国和英国网球公开锦标赛单打冠军，成为第一个获得大满贯的业余网球选手

供图：UPI/Bettmann

M. 纳夫拉蒂洛娃（美）在 1986 年全英（温布尔登）网球锦标赛中；这是她第七次赢得该锦标赛冠军

美国不列颠百科全书公司供图

全英(温布尔登)网球锦标赛(单打)

年份	男子	女子
1877	S.W. 戈尔(英)	
1878	P.F. 哈多(英)	
1879	J.T. 哈特利(英)	
1880	J.T. 哈特利(英)	
1881	W. 伦肖(英)	
1882	W. 伦肖(英)	
1883	W. 伦肖(英)	
1884	W. 伦肖(英)	M. 沃森(英)
1885	W. 伦肖(英)	M. 沃森(英)
1886	W. 伦肖(英)	B. 宾利(英)
1887	H.F. 劳福德(英)	L. 多德(英)
1888	E. 伦肖(英)	L. 多德(英)
1889	W. 伦肖(英)	B. 宾利·希利亚德(英)
1890	W.J. 汉密尔顿(英)	L. 赖斯(英)
1891	W. 巴德利(英)	L. 多德(英)
1892	W. 巴德利(英)	L. 多德(英)
1893	J. 皮姆(英)	L. 多德(英)
1894	J. 皮姆(英)	B. 希利亚德(英)
1895	W. 巴德利(英)	C. 库珀(英)
1896	H. 马奥尼(英)	C. 库珀(英)
1897	R. 多尔蒂(英)	B. 希利亚德(英)
1898	R. 多尔蒂(英)	C. 库珀(英)
1899	R. 多尔蒂(英)	B. 希利亚德(英)
1900	R. 多尔蒂(英)	B. 希利亚德(英)
1901	A.W. 戈尔(英)	C. 库珀·斯特里(英)
1902	L. 多尔蒂(英)	M.E. 罗布(英)
1903	L. 多尔蒂(英)	D. 道格拉斯(英)
1904	L. 多尔蒂(英)	D. 道格拉斯(英)
1905	L. 多尔蒂(英)	M. 萨顿(美)
1906	L. 多尔蒂(英)	D. 道格拉斯(英)
1907	N. 布鲁克斯(澳)	M. 萨顿(美)
1908	A.W. 戈尔(英)	C. 斯特里(英)
1909	A.W. 戈尔(英)	D. 布思比(英)
1910	T. 怀尔丁(新西兰)	D. 道格拉斯·兰伯特·钱伯斯(英)
1911	T. 怀尔丁(新西兰)	D. 兰伯特·钱伯斯(英)
1912	T. 怀尔丁(新西兰)	E.W. 拉科姆比(英)
1913	T. 怀尔丁(新西兰)	D. 兰伯特·钱伯斯(英)
1914	N. 布鲁克斯(澳)	D. 兰伯特·钱伯斯(英)
1915～1918	未比赛	
1919	G. 帕特森(澳)	S. 朗格朗(法)
1920	B. 蒂尔登(美)	S. 朗格朗(法)
1921	B. 蒂尔登(美)	S. 朗格朗(法)
1922	G. 帕特森(澳)	S. 朗格朗(法)
1923	B. 约翰斯顿(美)	S. 朗格朗(法)
1924	J. 博罗特拉(法)	K. 麦凯恩(英)
1925	R. 拉科斯特(法)	S. 朗格朗(法)
1926	J. 博罗特拉(法)	K. 麦凯恩·戈弗雷(英)
1927	H. 科歇(法)	H. 威尔斯(美)
1928	R. 拉科斯特(法)	H. 威尔斯(美)
1929	H. 科歇(法)	H. 威尔斯(美)
1930	B. 蒂尔登(美)	H. 威尔斯·穆迪(美)
1931	S. 伍德(美)	C. 奥塞姆(德)
1932	E. 瓦因斯(美)	H. 威尔斯·穆迪(美)
1933	J. 克劳福德(澳)	H. 威尔斯·穆迪(美)
1934	F. 佩里(英)	D. 朗德(英)
1935	F. 佩里(英)	H. 威尔斯·穆迪(美)
1936	F. 佩里(英)	H. 雅各布斯(美)
1937	D. 巴奇(美)	D. 朗德(英)
1938	D. 巴奇(美)	H. 威尔斯·穆迪(美)
1939	B. 里格斯(美)	A. 马布尔(美)
1940～1945	未比赛	
1946	Y. 彼特拉(法)	P. 贝茨(美)
1947	J. 克雷默(美)	M. 奥斯本(美)
1948	B. 福尔肯伯格(美)	L. 布拉夫(美)
1949	T. 施罗德(美)	L. 布拉夫(美)
1950	B. 帕蒂(美)	L. 布拉夫(美)
1951	D. 萨维特(美)	D. 哈特(美)
1952	F. 塞奇曼(澳)	M. 康诺利(美)
1953	V. 塞克萨斯(美)	M. 康诺利(美)
1954	J. 德罗布尼(捷)	M. 康诺利(美)
1955	T. 特拉伯特(美)	L. 布拉夫(美)
1956	L. 霍德(澳)	S. 弗赖(美)
1957	L. 霍德(澳)	A. 吉布森(美)
1958	A. 库珀(澳)	A. 吉布森(美)
1959	A. 奥尔梅多(秘鲁)	M. 布埃诺(巴西)
1960	N. 弗雷泽(澳)	M. 布埃诺(巴西)
1961	R. 拉弗(澳)	A. 莫蒂默(英)
1962	R. 拉弗(澳)	K. 萨斯曼(美)
1963	C. 麦金利(美)	M. 史密斯(澳)
1964	R. 埃默森(澳)	M. 布埃诺(巴西)
1965	R. 埃默森(澳)	M. 史密斯(澳)
1966	M. 桑塔纳(西班牙)	B.J. 金(美)
1967	J. 纽科姆(澳)	B.J. 金(美)
1968*	R. 拉弗(澳)	B.J. 金(美)
1969	R. 拉弗(澳)	A. 琼斯(英)
1970	J. 纽科姆(澳)	M. 史密斯·考特(澳)
1971	J. 纽科姆(澳)	E. 古拉贡(澳)
1972	S. 史密斯(美)	B.J. 金(美)
1973	J. 科代斯(捷)	B.J. 金(美)
1974	J. 康纳斯(美)	C. 埃弗特(美)
1975	A. 阿希(美)	B.J. 金(美)
1976	B. 博格(瑞典)	C. 埃弗特(美)
1977	B. 博格(瑞典)	V. 韦德(英)
1978	B. 博格(瑞典)	M. 纳夫拉蒂洛娃(捷)
1979	B. 博格(瑞典)	M. 纳夫拉蒂洛娃(美)
1980	B. 博格(瑞典)	E. 古拉贡·考利(澳)
1981	J. 麦肯罗(美)	C. 埃弗特·劳埃德(美)
1982	J. 康纳斯(美)	M. 纳夫拉蒂洛娃(美)
1983	J. 麦肯罗(美)	M. 纳夫拉蒂洛娃(美)
1984	J. 麦肯罗(美)	M. 纳夫拉蒂洛娃(美)
1985	B. 贝克尔(西德)	M. 纳夫拉蒂洛娃(美)
1986	B. 贝克尔(西德)	M. 纳夫拉蒂洛娃(美)
1987	P. 卡什(澳)	M. 纳夫拉蒂洛娃(美)
1988	S. 埃德贝里(瑞典)	S. 格拉夫(西德)
1989	B. 贝克尔(西德)	S. 格拉夫(西德)
1990	S. 埃德贝里(瑞典)	M. 纳夫拉蒂洛娃(美)
1991	M. 什季哈(德)	S. 格拉夫(德)
1992	A. 阿加西(美)	S. 格拉夫(德)
1993	P. 桑普拉斯(美)	S. 格拉夫(德)
1994	P. 桑普拉斯(美)	C. 马丁内兹(西)
1995	P.桑普拉斯(美)	S. 格拉夫(德)
1996	R. 克拉吉塞克(荷)	S. 格拉夫(德)
1997	P. 桑普拉斯(美)	M. 辛吉斯(瑞士)
1998	P. 桑普拉斯(美)	J. 诺沃特娜(捷克)
1999	P. 桑普拉斯(美)	L. 达文波特(美)
2000	P. 桑普拉斯(美)	V. 威廉姆斯(美)
2001	G. 伊万尼塞维奇(克罗地亚)	V. 威廉姆斯(美)
2002	L. 休伊特(澳)	S. 威廉姆斯(美)
2003	R. 费德勒(瑞士)	S. 威廉姆斯(美)
2004	R. 费德勒(瑞士)	M. 莎拉波娃(俄)
2005	R. 费德勒(瑞士)	V. 威廉姆斯(美)
2006	R. 费德勒(瑞士)	A.毛瑞斯莫(法)

* 1968 年以后为公开赛。

全英(温布尔登)网球锦标赛(双打)

年份	男子	女子
1879	L.R. 厄斯金;H. 劳福德	
1880	W. 伦肖;E. 伦肖	
1881	W. 伦肖;E. 伦肖	
1882	J.T. 哈特利;R.T. 理查森	
1883	C.W. 格林斯蒂德;C.E. 韦尔登	
1884	W. 伦肖;E. 伦肖	
1885	W. 伦肖;E. 伦肖	
1886	W. 伦肖;E. 伦肖	
1887	H.W. 威尔伯福斯;P.B. 莱昂	
1888	W. 伦肖;E. 伦肖	
1889	W. 伦肖;E. 伦肖	
1890	J. 皮姆;F.O. 斯托克	
1891	W. 巴德利;H. 巴德利	
1892	E.W. 刘易斯;H.S. 巴洛	
1893	J. 皮姆;F.O. 斯托克	
1894	W. 巴德利;H. 巴德利	
1895	W. 巴德利;H. 巴德利	
1896	W. 巴德利;H. 巴德利	
1897	R. 多尔蒂;L. 多尔蒂	
1898	R. 多尔蒂;L. 多尔蒂	
1899	R. 多尔蒂;L. 多尔蒂	
1900	R. 多尔蒂;L. 多尔蒂	
1901	R. 多尔蒂;L. 多尔蒂	
1902	S. 史密斯;F. 赖斯利	
1903	R. 多尔蒂;L. 多尔蒂	
1904	R. 多尔蒂;L. 多尔蒂	
1905	R. 多尔蒂;L. 多尔蒂	
1906	S. 史密斯;F. 赖斯利	
1907	N. 布鲁克斯;T. 怀尔丁	
1908	T. 怀尔丁;J. 里奇	
1909	A.W. 戈尔;R. 巴雷特	
1910	T. 怀尔丁;J. 里奇	
1911	A. 戈伯特;M. 德库吉斯	
1912	R. 巴雷特;C. 狄克逊	
1913	R. 巴雷特;C. 狄克逊	R. 麦克奈尔;D. 布思比
1914	N. 布鲁克斯;T. 怀尔丁	E. 瑞安;A. 莫顿
1915～1918	未比赛	
1919	R.V. 托马斯;P. 奥哈拉·伍德	S. 朗格朗;E. 瑞安
1920	D. 威廉斯;C. 加兰	S. 朗格朗;E. 瑞安
1921	R. 莱西特;M. 伍斯纳姆	S. 朗格朗;E. 瑞安
1922	J. 安德森;R. 莱西特	S. 朗格朗;E. 瑞安
1923	L. 戈弗雷;R. 莱西特	S. 朗格朗;E. 瑞安
1924	F. 亨特;V. 理查兹	H. 怀特曼;H. 威尔斯
1925	J. 博罗特拉;R. 拉科斯特	S. 朗格朗;E. 瑞安
1926	J. 布鲁农;H. 科歇	M. 布朗;E. 瑞安
1927	F. 亨特;B. 蒂尔登	H. 威尔斯;E. 瑞安
1928	J. 布鲁农;H. 科歇	P. 桑德斯;P. 沃森
1929	W. 艾利森;J. 范赖恩	P. 桑德斯·米歇尔;P. 沃森
1930	W. 艾利森;J. 范赖恩	H. 威尔斯·穆迪;E. 瑞安
1931	G. 洛特;J. 范赖恩	P. 马德福特;D. 巴伦
1932	J. 博罗特拉;J. 布鲁农	D. 米塔克萨;J. 西格尔特
1933	J. 博罗特拉;J. 布鲁农	E. 瑞安;S. 马蒂厄
1934	G. 洛特;L. 斯托芬	E. 瑞安;S. 马蒂厄
1935	J. 克劳福德;A. 奎斯特	F. 詹姆斯;K. 斯坦默斯
1936	P. 休斯;R. 塔克伊	F. 詹姆斯;K. 斯坦默斯
1937	D. 巴奇;G. 马科	S. 马蒂厄;B. 约克
1938	D. 巴奇;G. 马科	S. 帕尔弗里·费边;A. 马布尔
1939	E. 库克;B. 里格斯	S. 帕尔弗里·费边;A. 马布尔
1940～1945	未比赛	
1946	T. 布朗;J. 克雷默	L. 布拉夫;M. 奥斯本
1947	B. 福尔肯伯格;J. 克雷默	P. 托德;D. 哈特
1948	J. 布罗米奇;F. 塞奇曼	L. 布拉夫;M. 奥斯本·杜邦
1949	P. 冈萨雷斯;F. 帕克	L. 布拉夫;M. 杜邦
1950	J. 布罗米奇;A. 奎斯特	L. 布拉夫;M. 杜邦
1951	K. 麦格雷戈;F. 塞奇曼	D. 哈特;S. 弗赖
1952	K. 麦格雷戈;F. 塞奇曼	D. 哈特;S. 弗赖
1953	L. 霍德;K. 罗斯沃尔	D. 哈特;S. 弗赖
1954	R. 哈特维希;M. 罗斯	L. 布拉夫;M. 杜邦
1955	R. 哈特维希;L. 霍德	A. 莫蒂默;A. 希尔科克
1956	L. 霍德;K. 罗斯沃尔	A. 巴克斯顿;A. 吉布森
1957	B. 帕蒂;G. 马洛伊	A. 吉布森;D. 哈德
1958	S. 戴维森;U. 施米特	M. 布埃诺;A. 吉布森
1959	R. 埃默森;N. 弗雷泽	J. 阿恩;D. 哈德
1960	R. 奥苏纳;D. 罗尔斯顿	M. 布埃诺;D. 哈德
1961	R. 埃默森;N. 弗雷泽	K. 汉茨;B.J. 莫菲特
1962	B. 休伊特;F. 斯托勒	B.J. 莫菲特;K. 汉茨·萨斯曼
1963	R. 奥苏纳;A. 帕拉福克斯	M. 布埃诺;D. 哈德
1964	B. 休伊特;F. 斯托勒	M. 史密斯;L. 特纳
1965	J. 纽科姆;T. 罗奇	M. 布埃诺;B.J. 莫菲特
1966	K. 弗莱彻;J. 纽科姆	M. 布埃诺;N. 里奇
1967	B. 休伊特;F. 麦克米伦	R. 卡萨尔斯;B.J. 莫菲特·金
1968	J. 纽科姆;T. 罗奇	R. 卡萨尔斯;B.J. 金
1969	J. 纽科姆;T. 罗奇	M. 史密斯·考特;J. 特加特
1970	J. 纽科姆;T. 罗奇	R. 卡萨尔斯;B.J. 金
1971	R. 埃默森;R. 拉弗	R. 卡萨尔斯;B.J. 金
1972	B. 休伊特;F. 麦克米伦	B.J. 金;B. 斯托弗
1973	J. 康纳斯;I. 纳斯塔塞	R. 卡萨尔斯;B.J. 金
1974	J. 纽科姆;T. 罗奇	E. 古拉贡;P. 米歇尔
1975	V. 格鲁莱蒂斯;S. 迈耶	清村;泽松
1976	B. 戈特弗里德;R. 拉米雷斯	C. 埃弗特;M. 纳夫拉蒂洛娃
1977	R. 凯斯;G. 马斯特斯	H. 古尔利·考利;J. 拉塞尔
1978	B. 休伊特;F. 麦克米伦	K. 里德;W. 特恩布尔
1979	J. 麦肯罗;P. 弗莱明	B.J. 金;M. 纳夫拉蒂洛娃
1980	P. 麦克纳马拉;P. 麦克纳米	K. 乔丹;A. 史密斯
1981	J. 麦肯罗;P. 弗莱明	M. 纳夫拉蒂洛娃;P. 施赖弗
1982	P. 麦克纳马拉;P. 麦克纳米	M. 纳夫拉蒂洛娃;P. 施赖弗
1983	J. 麦肯罗;P. 弗莱明	M. 纳夫拉蒂洛娃;P. 施赖弗
1984	J. 麦肯罗;P. 弗莱明	M. 纳夫拉蒂洛娃;P. 施赖弗
1985	H. 冈萨尔特;B. 塔罗克兹	K. 乔丹;E. 斯迈利
1986	J. 奈斯特龙;M. 威兰德	M. 纳夫拉蒂洛娃;P. 施赖弗
1987	R. 塞古索;K. 弗拉奇	C. 科德-基尔施;H. 苏科娃
1988	R. 塞古索;K. 弗拉奇	S. 格拉夫;萨巴蒂尼
1989	J. 菲茨杰拉德;A. 贾里德	J. 诺沃特纳;H. 苏科娃
1990	R. 利奇;J. 皮尤	J. 诺沃特纳;H. 苏科娃
1991	J. 菲茨杰拉德;A. 贾里德	L. 萨夫琴科;N. 兹韦列娃
1992	J. 麦肯罗;M. 什季哈	G. 费尔南德斯;N. 兹韦列娃
1993	T. 伍德布里奇;M. 伍德福德	G. 费尔南德斯;N. 兹韦列娃
1994	T. 伍德布里奇;M. 伍德福德	G. 费尔南德斯;N. 兹韦列娃
1995	T. 伍德布里奇;M. 伍德福德	A. 桑切斯;J. 诺沃特娜
1996	T. 伍德布里奇;M. 伍德福德	H. 苏科娃;M. 辛吉斯
1997	T. 伍德布里奇;M. 伍德福德	G. 费尔南德斯;N. 兹韦列娃
1998	P. 哈尔胡伊斯;J. 埃尔廷	M. 辛吉斯;J. 诺沃特娜
1999	M. 布帕蒂;L. 佩斯	L. 达文波特;C. 莫拉露
2000	T. 伍德布里奇;M. 伍德福德	S. 威廉姆斯;V. 威廉姆斯
2001	D. 约翰逊;J. 帕尔默	L. 雷蒙德;R. 斯塔布斯
2002	T. 伍德布里奇;J. 比约克曼	S. 威廉姆斯;V. 威廉姆斯
2003	J. 比约克曼;T. 伍德布里奇	K. 克里斯特尔斯;杉山爱
2004	J. 比约克曼;T. 伍德布里奇	C. 布莱克;R. 斯塔布斯
2005	S.哈斯;W.穆蒂	C.布莱克;L.胡贝尔
2006	B.布莱恩;M.布莱恩	晏紫;郑洁

澳大利亚网球公开锦标赛(单打)

年份	男子	女子
1905	R. 希思(澳)	
1906	T. 怀尔丁(新西兰)	
1907	H. 赖斯(澳)	
1908	F. 亚历山大(美)	
1909	T. 怀尔丁(新西兰)	
1910	R. 希思(澳)	
1911	N. 布鲁克斯(澳)	
1912	J.C. 帕克(英)	
1913	E.F. 帕克(澳)	
1914	P. 奥哈拉·伍德(澳)	
1915	F.G. 洛(英)	
1916～1918	未比赛	
1919	A.R.F. 金斯科特(英)	
1920	P. 奥哈拉·伍德(澳)	
1921	R. 格默尔(澳)	
1922	J. 安德森(澳)	M. 莫尔斯沃思(澳)
1923	P. 奥哈拉·伍德	M. 莫尔斯沃思(澳)
1924	J. 安德森(澳)	S. 兰斯(澳)
1925	J. 安德森(澳)	D. 阿库斯特(澳)
1926	J. 霍克斯(澳)	D. 阿库斯特(澳)
1927	G. 帕特森(澳)	E. 博伊德(澳)
1928	J. 博罗特拉(法)	D. 阿库斯特(澳)
1929	J.C. 格雷戈里(英)	D. 阿库斯特(澳)
1930	E.F. 穆恩(澳)	D. 阿库斯特(澳)
1931	J. 克劳福德(澳)	C. 巴茨沃思(澳)
1932	J. 克劳福德(澳)	C. 巴茨沃思(澳)
1933	J. 克劳福德(澳)	J. 哈蒂根(澳)
1934	F. 佩里(英)	J. 哈蒂根(澳)
1935	J. 克劳福德(澳)	D. 朗德(英)
1936	A. 奎斯特(澳)	J. 哈蒂根(澳)
1937	V. 麦格拉思(澳)	N. 温(澳)
1938	D. 巴奇(美)	D. 邦迪(美)
1939	J. 布罗米奇(澳)	E. 韦斯塔科特(澳)
1940	A. 奎斯特(澳)	N. 温(澳)
1941～1945	未比赛	
1946	J. 布罗米奇(澳)	N. 温·博尔顿(澳)
1947	D. 佩尔斯(澳)	N. 博尔顿(澳)
1948	A. 奎斯特(澳)	N. 博尔顿(澳)
1949	F. 塞奇曼(澳)	D. 哈特(美)
1950	F. 塞奇曼(澳)	L. 布拉夫(美)
1951	D. 萨维特(美)	N. 博尔顿(澳)
1952	K. 麦格雷戈(澳)	T. 朗(澳)
1953	K. 罗斯沃尔(澳)	M.C. 康诺利(美)
1954	M. 罗斯(澳)	T. 朗(澳)
1955	K. 罗斯沃尔(澳)	B. 彭罗斯(澳)
1956	L. 霍德(澳)	M. 卡特(澳)
1957	A. 库珀(澳)	S. 弗赖(美)
1958	A. 库珀(澳)	A. 莫蒂默(英)
1959	A. 奥尔梅多(秘鲁)	M. 卡特·赖塔诺(澳)
1960	R. 拉弗(澳)	M. 史密斯(澳)
1961	R. 埃默森(澳)	M. 史密斯(澳)
1962	R. 拉弗(澳)	M. 史密斯(澳)
1963	R. 埃默森(澳)	M. 史密斯(澳)
1964	R. 埃默森(澳)	M. 史密斯(澳)
1965	R. 埃默森(澳)	M. 史密斯(澳)
1966	R. 埃默森(澳)	M. 史密斯(澳)
1967	R. 埃默森(澳)	N. 里奇(美)
1968	B. 鲍雷(澳)	B.J. 金(美)
1969	R. 拉弗(澳)	M. 史密斯·考特(澳)
1970	A. 阿希(美)	M. 考特(澳)
1971	K. 罗斯沃尔(澳)	M. 考特(澳)
1972	K. 罗斯沃尔(澳)	V. 韦德(英)
1973	J. 纽科姆(澳)	M. 考特(澳)
1974	J. 康纳斯(美)	E. 古拉贡(澳)
1975	J. 纽科姆(澳)	E. 古拉贡(澳)
1976	M. 埃德蒙森(澳)	E. 古拉贡·考利(澳)
1977	R. 坦纳(美)	K. 里德(澳)
1978*	V. 格鲁莱蒂斯(美)	E. 考利(澳)
1979	G. 维拉斯(阿根廷)	C. 奥尼尔(澳)
1980	G. 维拉斯(阿根廷)	B. 乔丹(美)
1981	B. 蒂彻(美)	H. 曼德利科娃(捷)
1982	J. 克里克(南非)	M. 纳夫拉蒂洛娃(美)
1983	J. 克里克(南非)	C. 埃弗特·劳埃德(美)
1984	M. 威兰德(瑞典)	M. 纳夫拉蒂洛娃(美)
1985	M. 威兰德(瑞典)	C. 埃弗特·劳埃德(美)
1986	S. 埃德贝里(瑞典)	M. 纳夫拉蒂洛娃(美)
1987	S. 埃德贝里(瑞典)	H. 曼德利科娃(捷)
1988	M. 威兰德(瑞典)	S. 格拉夫(西德)
1989	I. 伦德尔(捷)	S. 格拉夫(西德)
1990	I. 伦德尔(捷)	S. 格拉夫(西德)
1991	B. 贝克尔(德)	M. 塞莱斯(南斯拉夫)
1992	J. 科里尔(美)	M. 塞莱斯(南斯拉夫)
1993	J. 科里尔(美)	M. 塞莱斯(南斯拉夫)
1994	P. 桑普拉斯(美)	S. 格拉夫(德)
1995	A. 阿加西(美)	M. 皮尔斯(法)
1996	B. 贝克尔(德)	M. 塞莱斯(美)
1997	P. 桑普拉斯(美)	M. 辛吉斯(瑞士)
1998	P. 科尔达(捷克)	M. 辛吉斯(瑞士)
1999	Ye. 卡费尔尼科夫(俄)	M. 辛吉斯(瑞士)
2000	A. 阿加西(美)	L. 达文波特(美)
2001	A. 阿加西(美)	J. 卡普里亚蒂(美)
2002	T. 约翰松(瑞典)	J. 卡普里亚蒂(美)
2003	A. 阿加西(美)	S. 威廉姆斯(美)
2004	R. 费德勒(瑞士)	J. 海宁(比利时)
2005	M. 萨芬(俄)	S. 威廉姆斯(美)
2006	R. 费德勒(瑞士)	A. 毛瑞斯莫(法)

* 比赛大部分在 1977 年 12 月举行,小部分在 1978 年 1 月举行。

澳大利亚网球公开锦标赛(双打)

年份	男子	女子
1905	T. 塔切尔;R. 莱西特	
1906	T. 怀尔丁;R. 希思	
1907	H. 帕克;W. 格雷格	
1908	F. 亚历山大;A. 邓洛普	
1909	E.F. 帕克;J. 基恩	
1910	H. 赖斯;A. 坎贝乐	
1911	R. 希思;R. 莱西特	
1912	J.C. 帕克;C. 狄克逊	
1913	E.F. 帕克;A. 赫德曼	
1914	A. 坎贝尔;G. 帕特森	
1915	H. 赖斯;C. 托德	
1916～1918	未比赛	
1919	P. 奥哈拉·伍德;R.V. 托马斯	
1920	P. 奥哈拉·伍德;R.V. 托马斯	
1921	R. 格默尔;R.V. 托马斯	
1922	G. 帕特森;J. 霍克斯	E. 博伊德;M. 蒙顿
1923	P. 奥哈拉·伍德;C. 圣约翰	E. 博伊德;S. 兰斯
1924	N. 布鲁克斯;J. 安德森	D. 阿库斯特;S. 兰斯
1925	G. 帕特森;P. 奥哈拉·伍德	D. 阿库斯特;S. 兰斯·哈珀
1926	G. 帕特森;J. 霍克斯	P. 奥哈拉·伍德;E. 博伊德
1927	G. 帕特森;J. 霍克斯	P. 奥哈拉·伍德;L. 比克顿
1928	J. 博罗特拉;J. 布鲁农	D. 阿库斯特;E. 博伊德
1929	J. 克劳福德;H. 霍普曼	D. 阿库斯特;L. 比克顿
1930	J. 克劳福德;H. 霍普曼	M. 莫尔斯沃思;E. 胡德
1931	C. 多诺霍;R. 邓洛普	D. 阿库斯特·科曾斯;L. 比克顿

续表

年份	男子	女子	年份	男子	女子
1932	J. 克劳福德;E.F. 穆恩	C. 巴茨沃思;M. 克劳福德	1973	M. 安德森;J. 纽科姆	M. 考特;V. 韦德
1933	E. 瓦因斯;K. 格莱德希尔	M. 莫尔斯沃思; E. 韦斯塔科特	1974	R. 凯斯;G. 马斯特斯	E. 古拉贡;P. 米歇尔
			1975	J. 亚历山大;P. 登特	E. 古拉贡;P. 米歇尔
1934	F. 佩里;G. 休斯	M. 莫尔斯沃思; E. 韦斯塔科特	1976	J. 纽科姆;T. 罗奇	E. 古拉贡·考利;H. 古尔利
			1977	A. 阿希;T. 罗奇	D. 弗罗姆霍尔茨;H. 古尔利
1935	J. 克劳福德;V. 麦格拉思	E. 迪尔曼;N. 莱尔	1978*	A. 斯通;R. 拉菲尔斯	E. 考利;H. 古尔利·考利 † C. 马蒂森;P. 怀特克罗丝 †
1936	A. 奎斯特;D. 特恩布尔	T. 科因;N. 温			
1937	A. 奎斯特;D. 特恩布尔	T. 科因;N. 温	1979	W. 菲巴克;K. 沃里克	R. 托曼诺娃;B. 内格尔森
1938	A. 奎斯特;J. 布罗米奇	T. 科因;N. 温	1980	P. 麦克纳马拉;P. 麦克纳米	J. 查洛纳;D. 埃弗斯
1939	A. 奎斯特;J. 布罗米奇	T. 科因;N. 温	1981	K. 沃里克;M. 埃德蒙森	M. 纳夫拉蒂洛娃; B. 内格尔森
1940	A. 奎斯特;J. 布罗米奇	T. 科因;N. 温			
1941～1945	未比赛		1982	K. 沃里克;M. 埃德蒙森	K. 乔丹;A. 史密斯
1946	A. 奎斯特;J. 布罗米奇	J. 菲奇;M. 贝维斯	1983	J. 亚历山大;J. 菲茨杰拉德	M. 纳夫拉蒂洛娃;P. 施赖弗
1947	A. 奎斯特;J. 布罗米奇	T. 科因·朗;N. 温·博尔顿	1984	M. 埃德蒙森;P. 麦克纳米	M. 纳夫拉蒂洛娃;P. 施赖弗
1948	A. 奎斯特;J. 布罗米奇	T. 朗;N. 博尔顿	1985	M. 埃德蒙森;S. 斯图尔特	M. 纳夫拉蒂洛娃;P. 施赖弗
1949	A. 奎斯特;J. 布罗米奇	T. 朗;N. 博尔顿	1986	P. 安纳康;C. 范伦斯伯格	M. 纳夫拉蒂洛娃;P. 施赖弗
1950	A. 奎斯特;J. 布罗米奇	L. 布拉夫;D. 哈特	1987	S. 埃德贝里;A. 贾里德	M. 纳夫拉蒂洛娃;P. 施赖弗
1951	F. 塞奇曼;K. 麦格雷戈	T. 朗;N. 博尔顿	1988	R. 利奇;J. 皮尤	M. 纳夫拉蒂洛娃;P. 施赖弗
1952	F. 塞奇曼;K. 麦格雷戈	T. 朗;N. 博尔顿	1989	R. 利奇;J. 皮尤	M. 纳夫拉蒂洛娃;P. 施赖弗
1953	L. 霍德;K. 罗斯沃尔	M. 康诺利;J. 桑普森	1990	R. 奥尔德里奇;D. 维瑟	J. 诺沃特纳;H. 苏科娃
1954	R. 哈特维希;M. 罗斯	M. 贝维斯·霍顿;B. 彭罗斯	1991	S. 戴维斯;D. 佩特	P. 芬迪克;M.J. 弗尔南德斯
1955	V. 塞克萨斯;T. 特拉伯特	M. 霍顿;B. 彭罗斯	1992	T. 伍德布里奇;M. 伍德福德	A. 桑切斯·比卡里奥; H. 苏科娃
1956	L. 霍德;K 罗斯沃尔	M. 霍顿;T. 朗			
1957	L. 霍德;N. 弗雷泽	A. 吉布森;S. 弗赖	1993	D. 维瑟;L. 沃德	G. 费尔南德斯;N. 兹韦列娃
1958	A. 库珀;N. 弗雷泽	M. 霍顿;T. 朗	1994	P. 哈尔胡伊斯;J. 埃尔廷	G. 费尔南德斯;N. 兹韦列娃
1959	R. 拉弗;B. 马克	R. 舒尔曼;S. 雷诺兹	1995	J. 帕尔马;R. 雷内伯格	A. 桑切斯;J. 诺沃特娜
1960	R. 拉弗;B. 马克	M. 布埃诺;C. 杜鲁门	1996	S. 埃德贝里;P. 科达	A. 桑切斯;C. 鲁宾
1961	R. 拉弗;B. 马克	M. 赖塔诺;M. 史密斯	1997	T. 伍德布里奇; M. 伍德福德	M. 辛吉斯;N. 兹韦列娃
1962	R. 埃默森;N. 弗雷泽	M. 史密斯;R. 埃伯恩			
1963	B. 休伊特;F. 斯托勒	M. 史密斯;R. 埃伯恩	1998	J. 比约克曼;J. 埃尔廷赫	M. 辛吉斯;M. 卢奇克
1964	B. 休伊特;F. 斯托勒	J. 特加特;L. 特纳	1999	J. 比约克曼;P. 拉夫特	M. 辛吉斯;A. 库尔尼科娃
1965	J. 纽科姆;T. 罗奇	M. 史密斯;L. 特纳	2000	E. 费雷拉;R. 里奇	L. 雷蒙德;R. 斯塔布斯
1966	R. 埃默森;F. 斯托勒	C. 格雷布纳;N. 里奇	2001	J. 比约克曼;T. 伍德布里奇	S. 威廉姆斯;V. 威廉姆斯
1967	J. 纽科姆;T. 罗奇	L. 特纳;J. 特加特	2002	M. 诺尔斯;D. 内斯特	M. 辛吉斯;A. 库尔尼科娃
1968	D. 克里利;A. 斯通	K. 克兰茨克;K. 梅尔维尔	2003	M. 略德拉;F. 桑托罗	S. 威廉姆斯;V. 威廉姆斯
1969	R. 埃默森;R. 拉弗	M. 史密斯·考特;J. 特加特	2004	M. 略德拉;F. 桑托罗	V. 鲁阿诺-帕斯夸尔; P. 苏亚雷斯
1970	B. 卢茨;S. 史密斯	M. 考特;J. 特加特·多尔顿			
1971	J. 纽科姆;T. 罗奇	M. 考特;E. 古拉贡	2005	K. 乌尔耶特;W. 布莱克	S. 库兹涅佐娃;A. 莫里克
1972	O. 戴维森;K. 罗斯沃尔	K. 哈里斯;H. 古尔利	2006	B. 布莱恩;M. 布莱恩	郑洁;晏紫

* 比赛大部分在 1977 年 12 月举行,小部分在 1978 年 1 月举行。† 决赛因雨停止。

法国网球公开锦标赛(单打)

年份	男子	女子	年份	男子	女子
1891	J. 布里格斯		1914	M. 德库吉斯	M. 布罗奎迪斯
1892	J. 肖普弗		1915～1919	未比赛	
1893	L. 里博来特		1920	A. 戈伯特	S. 朗格朗
1894	A. 韦切罗特		1921	J. 萨马泽乌伊尔	S. 朗格朗
1895	A. 韦切罗特		1922	H. 科歇	S. 朗格朗
1896	A. 韦切罗特		1923	P. 布兰奇	S. 朗格朗
1897	P. 艾梅	C. 马松	1924	J. 博罗特拉	D. 弗拉斯托
1898	P. 艾梅	C. 马松	1925*	R. 拉科斯特(法)	S. 朗格朗(法)
1899	P. 艾梅	C. 马松	1926	H. 科歇(法)	S. 朗格朗(法)
1900	P. 艾梅	C. 普雷沃斯特	1927	R. 拉科斯特(法)	K. 博曼(荷)
1901	A. 韦切罗特	P. 吉罗德	1928	H. 科歇(法)	H. 威尔斯(美)
1902	A. 韦切罗特	C. 马松	1929	R. 拉科斯特(法)	H. 威尔斯(美)
1903	M. 德库吉斯	C. 马松	1930	H. 科歇(法)	H. 威尔斯·穆迪(美)
1904	M. 德库吉斯	K. 吉劳	1931	J. 博罗特拉(法)	C. 奥塞姆(德)
1905	M. 格莫特	K. 吉劳	1932	H. 科歇(法)	H. 威尔斯·穆迪(美)
1906	M. 格莫特	K. 芬威克	1933	J. 克劳福德(澳)	M. 斯克里文(英)
1907	M. 德库吉斯	M. 德·克莫尔	1934	G. 冯·克拉姆(德)	M. 斯克里文(英)
1908	M. 德库吉斯	K. 芬威克	1935	F. 佩里(英)	H. 斯珀林(丹)
1909	M. 德库吉斯	J. 马特伊	1936	G. 冯·克拉姆(德)	H. 斯珀林(丹)
1910	M. 格莫特	J. 马特伊	1937	H. 亨克尔(德)	H. 斯珀林(丹)
1911	A. 戈伯特	J. 马特伊	1938	D. 巴奇(美)	S. 马蒂厄(法)
1912	M. 德库吉斯	J. 马特伊	1939	D. 麦克尼尔(美)	S. 马蒂厄(法)
1913	M. 德库吉斯	M. 布罗奎迪斯	1940～1945	未比赛	

续表

年份	男子	女子	年份	男子	女子
1946	M. 贝尔纳(法)	M. 奥斯本(美)	1976	A. 帕纳塔(意)	S. 巴克(英)
1947	J. 阿斯博思(匈)	P. 托德(美)	1977	G. 维拉斯(阿根廷)	M. 耀索维克(南斯拉夫)
1948	F. 帕克(美)	N. 兰德里(比)	1978	B. 博格(瑞典)	V. 鲁兹奇(罗)
1949	F. 帕克(美)	M. 奥斯本(美)	1979	B. 博格(瑞典)	C. 埃弗特·劳埃德(美)
1950	B. 帕蒂(美)	D. 哈特(美)	1980	B. 博格(瑞典)	C. 埃弗特·劳埃德(美)
1951	J. 德罗布尼(捷)	S. 弗赖(美)	1981	B. 博格(瑞典)	H. 曼德利科娃(捷)
1952	J. 德罗布尼(捷)	D. 哈特(美)	1982	M. 威兰德(瑞典)	M. 纳夫拉蒂洛娃(美)
1953	K. 罗斯沃尔(澳)	M. 康诺利(美)	1983	Y. 诺亚(法)	C. 埃弗特·劳埃德(美)
1954	T. 特拉伯特(美)	M. 康诺利(美)	1984	I. 伦德尔(捷)	M. 纳夫拉蒂洛娃(美)
1955	T. 特拉伯特(美)	A. 莫蒂默(英)	1985	M. 威兰德(瑞典)	C. 埃弗特·劳埃德(美)
1956	L. 霍德(澳)	A. 吉布森(美)	1986	I. 伦德尔(捷)	C. 埃弗特·劳埃德(美)
1957	S. 戴维森(瑞典)	S. 布卢默(英)	1987	I. 伦德尔(捷)	S. 格拉夫(西德)
1958	M. 罗斯(澳)	S. 科尔莫克兹(匈)	1988	M. 威兰德(瑞典)	S. 格拉夫(西德)
1959	N. 彼得兰杰利(意)	C. 杜鲁门(英)	1989	张德培(美)	A. 桑切斯(西班牙)
1960	N. 彼得兰杰利(意)	D. 哈德(美)	1990	A. 戈麦斯(厄瓜多尔)	M. 塞莱斯(南斯拉夫)
1961	M. 桑塔纳(西班牙)	A. 海登(英)	1991	J. 科里尔(美)	M. 塞莱斯(南斯拉夫)
1962	R. 拉弗(澳)	M. 史密斯(澳)	1992	J. 科里尔(美)	M. 塞莱斯(南斯拉夫)
1963	R. 埃默森(澳)	L. 特纳(澳)	1993	S. 布鲁格拉(西班牙)	S. 格拉夫(德)
1964	M. 桑塔纳(西班牙)	M. 史密斯(澳)	1994	S. 布鲁格拉(西班牙)	A. 桑切斯(西班牙)
1965	F. 斯托勒(澳)	L. 特纳(澳)	1995	T. 穆斯特(奥)	S. 格拉夫(德)
1966	T. 罗奇(澳)	A. 海登·琼斯(英)	1996	Ye. 卡费尔尼科夫(俄)	S. 格拉夫(德)
1967	R. 埃默森(澳)	F. 都尔(法)	1997	G. 库尔滕(巴西)	I. 马约莉(克罗地亚)
1968	K. 罗斯沃尔(澳)	N. 里奇(美)	1998	C. 莫亚(西班牙)	A. 桑切斯(西班牙)
1969	R. 拉弗(澳)	M. 史密斯·考特(澳)	1999	A. 阿加西(美)	S. 格拉夫(德)
1970	J. 科代斯(捷)	M. 考特(澳)	2000	G. 库尔滕(巴西)	M. 皮尔斯(法)
1971	J. 科代斯(捷)	E. 古拉贡(澳)	2001	G. 库尔滕(巴西)	J. 卡普里亚蒂(美)
1972	A. 吉梅诺(西班牙)	B.J. 金(美)	2002	A. 科斯塔(西班牙)	S. 威廉姆斯(美)
1973	I. 纳斯塔塞(罗)	M. 考特(澳)	2003	J.C.费雷罗(西班牙)	J. 海宁(比利时)
1974	B. 博格(瑞典)	C. 埃弗特(美)	2004	G. 高迪奥(阿根廷)	A. 梅斯金娜(俄)
1975	B. 博格(瑞典)	C. 埃弗特(美)	2005	R.纳达尔(西班牙)	J. 海宁(比利时)

* 1925 年的公开赛法国未参加。

怀 特 曼 杯

年份	冠军	年份	冠军	年份	冠军	年份	冠军	年份	冠军	年份	冠军
1923	美	1934	美	1950	美	1961	美	1971	美	1981	美
1924	英	1935	美	1951	美	1962	美	1972	美	1982	美
1925	英	1936	美	1952	美	1963	美	1973	美	1983	美
1926	美	1937	美	1953	美	1964	美	1974	英	1984	美
1927	美	1938	美	1954	美	1965	美	1975	英	1985	美
1928	英	1939	美	1955	美	1966	美	1976	美	1986	美
1929	美	1940 ～ 1945	未比赛	1956	美	1967	美	1977	美	1987	美
1930	英	1946	美	1957	美	1968	英	1978	英	1988	美
1931	美	1947	美	1958	英	1969	美	1979	美	1989	美
1932	美	1948	美	1959	美	1970	美	1980	美		
1933	美	1949	美	1960	英						

联 合 会 杯

年份	冠军	亚军	比分	年份	冠军	亚军	比分	年份	冠军	亚军	比分
1963	美	澳	2-1	1978	美	澳	2-1	1993	西	澳	3-0
1964	澳	美	2-1	1979	美	澳	3-0	1994	西	美	3-0
1965	澳	美	2-1	1980	美	澳	3-0	1995	西	美	3-2
1966	美	西德	3-0	1981	美	英	3-0	1996	美	西	5-0
1967	美	英	2-0	1982	美	西德	3-0	1997	法	荷兰	4-1
1968	澳	荷	3-0	1983	捷	西德	2-1	1998	西	瑞士	3-2
1969	美	澳	2-1	1984	捷	澳	2-1	1999	美	俄	4-1
1970	澳	西德	3-0	1985	捷	美	2-1	2000	美	西	5-0
1971	澳	英	3-0	1986	美	捷	3-0	2001	比利时	俄罗斯	2-1
1972	南非	英	2-1	1987	西德	美	2-1	2002	斯洛伐克	西	3-1
1973	澳	南非	3-0	1988	捷	苏	2-1	2003	法	美	4-1
1974	澳	美	2-1	1989	美	西	3-0	2004	俄罗斯	法	3-2
1975	捷	澳	3-0	1990	美	苏	2-1				
1976	美	澳	2-1	1991	西	美	2-1				
1977	美	澳	2-1	1992	德	西	2-1				

法国网球公开锦标赛(双打)

年份	男子	女子
1891	B. 德斯约耀;T. 勒格兰	
1892	D. 阿尔伯蒂尼;J. 哈维特	
1893	J. 肖普弗;F. 戈德史密斯	
1894	L. 布鲁塞林;J. 勒萨格	
1895	A. 韦切罗特;C. 温泽尔	
1896	F. 沃登;J. 温	
1897	P. 艾梅;T. 勒布雷顿	
1898	A. 韦切罗特;X. 卡斯达格利	
1899	P. 艾梅;T. 勒布雷顿	
1900	P. 艾梅;T. 勒布雷顿	
1901	A. 韦切罗特;M. 韦切罗特	
1902	M. 德库吉斯;J. 沃思	
1903	M. 德库吉斯;J. 沃思	
1904	M. 德库吉斯;M. 格莫特	
1905	M. 德库吉斯;J. 沃思	
1906	M. 德库吉斯;M. 格莫特	
1907	M. 德库吉斯;M. 格莫特	
1908	M. 德库吉斯;M. 格莫特	
1909	M. 德库吉斯;M. 格莫特	
1910	M. 德库吉斯;M. 格莫特	
1911	M. 德库吉斯;M. 格莫特	
1912	M. 德库吉斯;M. 格莫特	
1913	M. 德库吉斯;M. 格莫特	
1914	M. 德库吉斯;M. 格莫特	
1915～1919	未比赛	
1920	M. 德库吉斯;M. 格莫特	
1921	A. 戈伯特;W. 洛伦兹	
1922	J. 布鲁农;M. 杜邦	
1923	P. 布兰奇;J. 萨马泽乌伊尔	
1924	J. 博罗特拉;R. 拉科斯特	
1925	J. 博罗特拉;R. 拉科斯特	S. 朗格朗;D. 弗拉斯托
1926	V. 理查兹;H. 金西	S. 朗格朗;D. 弗拉斯托
1927	H. 科歇;J. 布鲁农	I. 皮科克;E. 海因
1928	J. 博罗特拉;J. 布鲁农	P. 沃森;E. 贝内特
1929	J. 博罗特拉;R. 拉科斯特	L. 德·阿尔瓦雷斯;K. 博曼
1930	H. 科歇;J. 布鲁农	H. 威尔斯·穆迪;E. 瑞安
1931	G. 洛特;J. 范赖恩	E. 惠廷斯托尔;B. 纳索尔
1932	H. 科歇;J. 布鲁农	H. 威尔斯·穆迪;E. 瑞安
1933	G. 休斯;F. 佩里	S. 马蒂厄;E. 瑞安
1934	J. 博罗特拉;J. 布鲁农	S. 马蒂厄;E. 瑞安
1935	J. 克劳福德;A. 奎斯特	M. 斯克里文;K. 斯坦默斯
1936	J. 博罗特拉;M. 伯纳德	S. 马蒂厄;A. 约克
1937	G. 冯·克拉姆;H. 亨克尔	S. 马蒂厄;A. 约克
1938	B. 德特雷莫;Y. 彼特拉	S. 马蒂厄;A. 约克
1939	D. 麦克尼尔;C. 哈里斯	S. 马蒂厄;J. 约迪兹乔斯卡
1940～1945	未比赛	
1946	M. 伯纳德;Y. 彼特拉	L. 布拉夫;M. 奥斯本
1947	E. 范宁;E. 斯特奇斯	L. 布拉夫;M. 奥斯本
1948	L. 伯格林;J. 德罗布尼	D. 哈特;P. 托德
1949	F. 帕克;P. 冈萨雷斯	L. 布拉夫;M. 奥斯本杜邦
1950	B. 塔尔伯特;T. 特拉伯特	D. 哈特;S. 弗赖
1951	K. 麦格雷戈;F. 塞奇曼	D. 哈特;S. 弗赖
1952	K. 麦格雷戈;F. 塞奇曼	D. 哈特;S. 弗赖
1953	L. 霍德;K. 罗斯沃尔	D. 哈特;S. 弗赖
1954	V. 塞克萨斯;T. 特拉伯特	M. 康诺利;N. 霍普曼
1955	V. 塞克萨斯;T. 特拉伯特	B. 弗莱兹;D. 哈德
1956	D. 坎迪;R. 佩里	A. 巴克斯顿;A. 吉布森
1957	M. 安德森;A. 库珀	S. 布卢默;D. 哈德
1958	A. 库珀;N. 弗雷泽	R. 雷耶斯;Y. 拉米雷斯
1959	N. 彼得兰杰利;O. 西罗拉	S. 雷诺兹;R. 舒尔曼
1960	R. 埃默森;N. 弗雷泽	M. 布埃诺;D. 哈德
1961	R. 埃默森;R. 拉弗	S. 雷诺兹;R. 舒尔曼
1962	R. 埃默森;N. 弗雷泽	S. 雷诺兹·普赖斯;R. 舒尔曼
1963	R. 埃默森;M. 桑塔纳	A. 琼斯;R. 舒尔曼
1964	R. 埃默森;K. 弗莱彻	M. 史密斯;L. 特纳
1965	R. 埃默森;F. 斯托勒	M. 史密斯;L. 特纳
1966	C. 格雷布纳;D. 罗尔斯顿	M. 史密斯;J. 蒂格特
1967	J. 纽科姆;T. 罗奇	F. 都尔;G. 谢里夫
1968	K. 罗斯沃尔;F. 斯托勒	F. 都尔;A. 琼斯
1969	J. 纽科姆;T. 罗奇	F. 都尔;A. 琼斯
1970	I. 纳斯塔塞;I. 蒂里亚克	F. 都尔;G. 钱弗雷奥
1971	A. 阿希;M. 里森	F. 都尔;G. 钱弗雷奥
1972	B. 休伊特;F. 麦克米伦	B.J. 金;B. 斯托弗
1973	J. 纽科姆;T. 奥克	M. 史密斯·考特;V. 韦德
1974	D. 克里利;O. 帕朗	C. 埃弗特;O. 莫罗佐娃
1975	B. 戈特弗里德;R. 拉米雷斯	C. 埃弗特;M. 纳夫拉蒂洛娃
1976	F. 麦克奈尔;S. 斯图尔特	F. 博尼塞利;G. 钱弗雷奥·拉弗拉
1977	B. 戈特弗里德;R. 拉米雷斯	R. 马西科娃;P. 蒂格尔登
1978	H. 菲斯特;G. 迈耶	M. 耀索维克;V. 鲁兹奇
1979	S. 迈耶;G. 迈耶	B. 斯托弗;W. 特恩布尔
1980	V. 阿马亚;H. 菲斯特	K. 乔丹;A. 史密斯
1981	H. 冈萨尔特 B. 塔罗克兹	R. 费尔班克;T. 哈福德
1982	S. 斯图尔特;F. 泰甘	M. 纳夫拉蒂洛娃;A. 史密斯
1983	A. 贾里德;H. 西蒙森	R. 费尔班克;C. 雷诺兹
1984	H. 勒康特;Y. 诺亚	M. 纳夫拉蒂洛娃;P. 施赖费
1985	M. 埃德蒙森;K. 沃里克	M. 纳夫拉蒂洛娃;P. 施赖弗
1986	J. 菲茨杰拉德;T. 斯米德	M. 纳夫拉蒂洛娃;A. 特梅斯瓦里
1987	R. 塞古索;A. 贾里德	M. 纳夫拉蒂洛娃;P. 施赖弗
1988	E. 桑切斯;A. 戈麦斯	M. 纳夫拉蒂洛娃;P. 施赖弗
1989	J. 格拉布;P. 麦肯罗	L. 萨夫琴科;N. 兹韦列娃
1990	S. 卡萨尔;E. 桑切斯	J. 诺沃特纳;H. 苏科娃
1991	J. 菲茨杰拉德;A. 贾里德	G. 费尔南德斯;J. 诺沃特纳
1992	J. 赫拉塞克;M. 罗塞特	G. 费尔南德斯;N. 兹韦列娃
1993	L. 詹森;M. 詹森	G. 费尔南德斯;N. 兹韦列娃
1994	B. 布莱克;J. 斯塔克	G. 费尔南德斯;N. 兹韦列娃
1995	J. 埃尔廷;P. 哈尔胡伊斯	G. 费尔南德斯;N. 兹韦列娃
1996	Ye. 卡费尔尼科夫;D. 范斯克	L. 达文波特;M.J.费尔南德斯
1997	Ye. 卡费尔尼科夫;D. 范斯克	G. 费尔南德斯;N. 兹韦列娃
1998	J. 埃尔廷;P. 哈尔胡伊斯	M. 辛吉斯;J. 诺沃特纳
1999	M. 布帕迪;L. 佩斯	S. 威廉姆斯;V. 威廉姆斯
2000	T. 伍德布里奇;M. 伍德福德	M. 辛吉斯;M. 皮尔斯
2001	M. 布帕迪;L. 佩斯	V. 帕斯奎尔;P. 苏亚雷斯
2002	Ye. 卡费尔尼科夫;P. 哈尔胡伊斯	V. 帕斯奎尔;P. 苏亚雷斯
2003	B. 布莱恩;M. 布莱恩	K. 克里斯特尔斯;杉山爱
2004	X. 马里塞;O. 罗胡斯	V. 帕斯奎尔;P. 苏亚雷斯

美国网球公开锦标赛(单打)

年份	男子	女子	年份	男子	女子
1881	D. 西尔斯(美)		1943	J.R. 亨特(美)	P. 贝茨(美)
1882	D. 西尔斯(美)		1944	F. 帕克(美)	P. 贝茨(美)
1883	D. 西尔斯(美)		1945	F. 帕克(美)	S. 帕尔弗里·库克(美)
1884	D. 西尔斯(美)		1946	J. 克雷默(美)	P. 贝茨(美)
1885	D. 西尔斯(美)		1947	J. 克雷默(美)	L. 布拉夫(美)
1886	D. 西尔斯(美)		1948	P. 冈萨雷斯(美)	M. 杜邦(美)
1887	D. 西尔斯(美)	E. 汉塞尔(美)	1949	P. 冈萨雷斯(美)	M. 杜邦(美)
1888	H. 斯洛克姆(美)	B. 汤森(美)	1950	A. 拉森(美)	M. 杜邦(美)
1889	H. 斯洛克姆(美)	B. 汤森(美)	1951	F. 塞奇曼(澳)	M. 康诺利(美)
1890	O. 坎贝尔(美)	E. 罗斯福(美)	1952	F. 塞奇曼(澳)	M. 康诺利(美)
1891	O. 坎贝尔(美)	M. 卡希尔(美)	1953	T. 特拉伯特(美)	M. 康诺利(美)
1892	O. 坎贝尔(美)	M. 卡希尔(美)	1954	V. 塞克萨斯(美)	D. 哈特(美)
1893	R. 雷恩(美)	A. 特里(美)	1955	T. 特拉伯特(美)	D. 哈特(美)
1894	R. 雷恩(美)	H. 赫尔维格(美)	1956	K. 罗斯沃尔(澳)	S. 弗赖(美)
1895	F. 霍维(美)	J. 阿特金森(美)	1957	M. 安德森(澳)	A. 吉布森(美)
1896	R. 雷恩(美)	E. 穆尔(美)	1958	A. 库珀(澳)	A. 吉布森(美)
1897	R. 雷恩(美)	J. 阿特金森(美)	1959	N. 弗雷泽(澳)	M. 布埃诺(巴西)
1898	M.D. 惠特曼(美)	J. 阿特金森(美)	1960	N. 弗雷泽(澳)	D. 哈德(美)
1899	M.D. 惠特曼(美)	M. 琼斯(美)	1961	R. 埃默森(澳)	D. 哈德(美)
1900	M.D. 惠特曼(美)	M. 麦卡蒂尔(美)	1962	R. 拉弗(澳)	M. 史密斯(澳)
1901	W.A. 拉尔内德(美)	E. 穆尔(美)	1963	R. 奥苏纳(墨)	M. 布埃诺(巴西)
1902	W.A. 拉尔内德(美)	M. 琼斯(美)	1964	R. 埃默森(澳)	M. 布埃诺(巴西)
1903	L. 多尔蒂(英)	E. 穆尔(美)	1965	M. 桑塔纳(西班牙)	M. 史密斯(澳)
1904	H. 沃德(美)	M. 萨顿(美)	1966	F. 斯托勒(澳)	M. 布埃诺(巴西)
1905	B. 赖特(美)	E. 穆尔(美)	1967	J. 纽科姆(澳)	B.J. 金(美)
1906	W.J. 克洛西尔(美)	H. 霍曼斯(美)	1968*	A. 阿希(美)*	V. 韦德;M. 史密斯·考特(澳)
1907	W.A. 拉尔内德(美)	E. 西尔斯(美)	1969*	R. 拉弗(澳);S. 史密斯(美)	M. 考特(澳)
1908	W.A. 拉尔内德(美)	M. 巴加尔-沃利奇(美)	1970	K. 罗斯沃尔(澳)	M. 考特(澳)
1909	W.A. 拉尔内德(美)	H. 霍奇基斯(美)	1971	S. 史密斯(美)	B.J. 金(美)
1910	W.A. 拉尔内德(美)	H. 霍奇基斯(美)	1972	I. 纳斯塔塞(罗)	B.J. 金(美)
1911	W.A. 拉尔内德(美)	H. 霍奇基斯(美)	1973	J. 纽科姆(澳)	M. 考特(澳)
1912	M. 麦克洛克林(美)	M.K. 布朗(美)	1974	J. 康纳斯(美)	B.J. 金(美)
1913	M. 麦克洛克林(美)	M.K. 布朗(美)	1975	M. 奥兰特斯(西班牙)	C. 埃弗特(美)
1914	D. 威廉斯(美)	M.K. 布朗(美)	1976	J. 康纳斯(美)	C. 埃弗特(美)
1915	B. 约翰斯顿(美)	M. 比尤斯泰德(挪)	1977	G. 维拉斯(阿根廷)	C. 埃弗特(美)
1916	D. 威廉斯(美)	M. 比尤斯泰德(挪)	1978	J. 康纳斯(美)	C. 埃弗特(美)
1917	R.L. 默里(美)	M. 比尤斯泰德(挪)	1979	J. 麦肯罗(美)	T. 奥斯汀(美)
1918	R.L. 默里(美)	M. 比尤斯泰德(挪)	1980	J. 麦肯罗(美)	C. 埃弗特·劳埃德(美)
1919	B. 约翰斯顿(美)	H. 霍奇基斯·怀特曼(美)	1981	J. 麦肯罗(美)	T. 奥斯汀(美)
1920	B. 蒂尔登(美)	M. 比尤斯特德·马洛里(美)	1982	J. 康纳斯(美)	C. 埃弗特·劳埃德(美)
1921	B. 蒂尔登(美)	M. 马洛里(美)	1983	J. 康纳斯(美)	M. 纳夫拉蒂洛娃(美)
1922	B. 蒂尔登(美)	M. 马洛里(美)	1984	J. 麦肯罗(美)	M. 纳夫拉蒂洛娃(美)
1923	B. 蒂尔登(美)	H. 威尔斯(美)	1985	I. 伦德尔(捷)	H. 曼德利科娃(捷)
1924	B. 蒂尔登(美)	H. 威尔斯(美)	1986	I. 伦德尔(捷)	M. 纳夫拉蒂洛娃(美)
1925	B. 蒂尔登(美)	H. 威尔斯(美)	1987	I. 伦德尔(捷)	M. 纳夫拉蒂洛娃(美)
1926	R. 拉科斯特(法)	M. 马洛里(美)	1988	M. 威兰德(瑞典)	S. 格拉夫(西德)
1927	R. 拉科斯特(法)	H. 威尔斯(美)	1989	B. 贝克尔(西德)	S. 格拉夫(西德)
1928	H. 科歇(法)	H. 威尔斯(美)	1990	P. 桑普拉斯(美)	G. 萨巴蒂尼(阿根廷)
1929	B. 蒂尔登(美)	H. 威尔斯(美)	1991	S. 埃德贝里(瑞典)	M. 塞莱斯(南斯拉夫)
1930	J. 多伊格(美)	B. 纳索尔(英)	1992	S. 埃德贝里(瑞典)	M. 塞莱斯(南斯拉夫)
1931	E. 瓦因斯(美)	H. 威尔斯·穆迪(美)	1993	P. 桑普拉斯(美)	S. 格拉夫(德)
1932	E. 瓦因斯(美)	H. 雅各布斯(美)	1994	A. 阿加西(美)	A. 桑切斯(西班牙)
1933	F. 佩里(英)	H. 雅各布斯(美)	1995	P. 桑普拉斯(美)	S. 格拉夫(德)
1934	F. 佩里(英)	H. 雅各布斯(美)	1996	P. 桑普拉斯(美)	S. 格拉夫(德)
1935	W. 艾利森(美)	H. 雅各布斯(美)	1997	P. 拉夫特(澳)	M. 辛吉斯(瑞士)
1936	F. 佩里(英)	A. 马布尔(美)	1998	P. 拉夫特(澳)	L. 达文波特(美)
1937	D. 巴奇(美)	A. 利扎纳(智利)	1999	A. 阿加西(美)	S. 威廉姆斯(美)
1938	D. 巴奇(美)	A. 马布尔(美)	2000	M. 萨芬(俄)	V. 威廉姆斯(美)
1939	B. 里格斯(美)	A. 马布尔(美)	2001	L. 休伊特(澳)	V. 威廉姆斯(美)
1940	D. 麦克尼尔(美)	A. 马布尔(美)	2002	P. 桑普拉斯(美)	S. 威廉姆斯(美)
1941	B. 里格斯(美)	S. 帕尔弗里·库克(美)	2003	A. 罗迪克(美)	J. 海宁(比利时)
1942	T. 施罗德(美)	P. 贝茨(美)	2004	R. 费德勒(瑞士)	S. 库兹涅佐娃(俄)

* 1968 和 1969 年业余锦标赛和公开锦标赛均举行。阿希赢得 1968 年两种男子冠军;史密斯赢得 1969 年业余锦标赛冠军。考特赢得 1968 年业余锦标赛女子冠军和 1969 年两种冠军。此后逐年举行公开锦标赛。

美国网球公开锦标赛(双打)

年份	男子	女子	年份	男子	女子
1881	C. 克拉克;F. 泰勒		1944	D. 麦克尼尔;B. 福尔肯伯格	L. 布拉夫;M. 奥斯本
1882	D. 西尔斯;J. 德怀特		1945	G. 马洛伊;B. 塔尔伯特	L. 布拉夫;M. 奥斯本
1883	D. 西尔斯;J. 德怀特		1946	G. 马洛伊;B. 塔尔伯特	L. 布拉夫;M. 奥斯本
1884	D. 西尔斯;J. 德怀特		1947	J. 克雷默;T. 施罗德	L. 布拉夫;M. 奥斯本
1885	D. 西尔斯;J. 克拉克		1948	G. 马洛伊;B. 塔尔伯特	L. 布拉夫;M. 奥斯本·杜邦
1886	D. 西尔斯;J. 德怀特		1949	J. 布罗米奇;B. 西德韦尔	L. 布拉夫;M. 杜邦
1887	D. 西尔斯;J. 德怀特		1950	J. 布罗米奇;F. 塞奇曼	L. 布拉夫;M. 杜邦
1888	O. 坎贝尔;V. 霍尔		1951	K. 麦格雷戈;F. 塞奇曼	S. 弗赖;D. 哈特
1889	H. 斯洛克姆;H. 泰勒		1952	M. 罗斯;V. 塞克萨斯	S. 弗赖;D. 哈特
1890	V. 霍尔;C. 霍巴特	E. 罗斯福;G. 罗斯福	1953	R. 哈特维希;M. 罗斯	S. 弗赖;D. 哈特
1891	O. 坎贝尔;B. 亨廷顿	M. 卡希尔;W.F. 摩根夫人	1954	V. 塞克萨斯;T. 特拉伯特	S. 弗赖;D. 哈特
1892	O. 坎贝尔;B. 亨廷顿	M. 卡希尔;A. 麦金利	1955	贺茂;宫城	L. 布拉夫;M. 杜邦
1893	C. 霍巴特;F. 霍维	A. 特里;H. 巴特勒	1956	L. 霍德;K. 罗斯沃尔	L. 布拉夫;M. 杜邦
1894	C. 霍巴特;F. 霍维	H. 赫尔维格;J. 阿特金森	1957	A. 库珀;N. 弗雷泽	L. 布拉夫;M. 杜邦
1895	M. 蔡斯;R. 雷恩	H. 赫尔维格;J. 阿特金森	1958	A. 奥尔梅多;H. 理查森	J. 阿思;D. 哈德
1896	C. 尼尔;S. 尼尔	E. 穆尔;J. 阿特金森	1959	N. 弗雷泽;R. 埃默森	J. 阿思;D. 哈德
1897	L. 韦尔;G. 谢尔登	J. 阿特金森;K. 阿特金森	1960	N. 弗雷泽;R. 埃默森	M. 布埃诺;D. 哈德
1898	L. 韦尔;G. 谢尔登	J. 阿特金森;K. 阿特金森	1961	C. 麦金利;D. 罗尔斯顿	D. 哈德;L. 特纳
1899	H. 沃德;D. 戴维斯	J. 克雷文;M. 麦卡蒂尔	1962	R. 奥苏纳;A. 帕拉福克斯	D. 哈德;M. 布埃诺
1900	H. 沃德;D. 戴维斯	E. 帕克;H. 钱普林	1963	C. 麦金利;D. 罗尔斯顿	R. 埃贝恩;M. 史密斯
1901	H. 沃德;D. 戴维斯	J. 阿特金森;M. 麦卡蒂尔	1964	C. 麦金利;D. 罗尔斯顿	B.J. 莫菲特;K. 萨斯曼
1902	R. 多尔蒂;L. 多尔蒂	J. 阿特金森;M. 琼斯	1965	R. 埃默森;F. 斯托勒	C. 格雷布纳;N. 里奇
1903	R. 多尔蒂;L. 多尔蒂	E. 穆尔;C. 尼利	1966	R. 埃默森;F. 斯托勒	M. 布埃诺;N. 里奇
1904	H. 沃德;B. 赖特	M. 萨顿;M. 霍尔	1967	J. 纽科姆;T. 罗奇	B.J. 莫菲特·金;R. 卡萨尔斯
1905	H. 沃德;B. 赖特	H. 霍曼斯;C. 尼利	1968*	B. 卢茨;S. 史密斯	M. 布埃诺;M. 史密斯·考特
1906	H. 沃德;B. 赖特	L. 科夫人;D. 普拉特夫人	1969*	K. 罗斯沃尔;F. 斯托勒	F. 杜尔;D. 哈德
1907	F. 亚历山大;H. 哈克特	M. 韦默;C. 尼利		D. 克里莱;A. 斯通	M. 考特;V. 韦德
1908	F. 亚历山大;H. 哈克特	E. 西尔斯;M. 柯蒂斯	1970	P. 巴塞斯;N. 皮利克	M. 考特;J. 多尔顿
1909	F. 亚历山大;H. 哈克特	H. 霍奇基斯;E. 罗奇	1971	J. 纽科姆;R. 泰勒	R. 卡萨尔斯;J. 多尔顿
1910	F. 亚历山大;H. 哈克特	H. 霍奇基斯;E. 罗奇	1972	C. 德赖斯代尔;R. 泰勒	F. 杜尔;B. 斯托弗
1911	R. 利特尔;G. 图查德	H. 霍奇基斯;E. 西尔斯	1973	O. 戴维森;J. 纽科姆	M. 考特;V. 韦德
1912	M. 麦克洛克林;T. 邦迪	D. 格林;M. 布朗	1974	B. 卢茨;S. 史密斯	B.J. 金;R. 卡萨尔斯
1913	M. 麦克洛克林;T. 邦迪	M. 布朗;L. 威廉斯	1975	J. 康纳斯;I. 纳斯塔塞	M. 考特;V. 韦德
1914	M. 麦克洛克林;T. 邦迪	M. 布朗;L. 威廉斯	1976	T. 奥凯;M. 里森	L. 博肖夫;I. 克洛斯
1915	B. 约翰斯顿;C. 格里芬	H. 霍奇基斯·怀特曼;E. 西尔斯	1977	B. 休伊特;F. 麦克米伦	M. 纳夫拉蒂洛娃;B. 斯托弗
1916	B. 约翰斯顿;C. 格里芬	M. 比尤斯泰德;E. 西尔斯	1978	B. 卢茨;S. 史密斯	M. 纳夫拉蒂洛娃;B.J. 金
1917	F. 亚历山大;H. 思罗克莫顿	M. 比尤斯泰德;E. 西尔斯	1979	J. 麦肯罗;P. 弗莱明	W. 特恩布尔;B. 斯托弗
1918	B. 蒂尔登;V. 理查兹	M. 津德斯坦;E. 戈斯	1980	R. 卢茨;S. 史密斯	B.J. 金;M. 纳夫拉蒂洛娃
1919	N. 布鲁克斯;G. 帕特森	M. 津德斯坦;E. 戈斯	1981	J. 麦肯罗;P. 弗莱明	K. 乔丹;A. 史密斯
1920	B. 约翰斯顿;C. 格里芬	M. 津德斯坦;E. 戈斯	1982	K. 柯伦;S. 丹顿	R. 卡萨尔斯;W. 特恩布尔
1921	B. 蒂尔登;V. 理查兹	M. 布朗;L. 威廉斯	1983	J. 麦肯罗;P. 弗莱明	M. 纳夫拉蒂洛娃;P. 施赖弗
1922	B. 蒂尔登;V. 理查兹	M. 津德斯坦·杰塞普;H. 威尔斯	1984	J. 菲茨杰拉德;T. 斯米德	M. 纳夫拉蒂洛娃;P. 施赖弗
1923	B. 蒂尔登;B. 诺顿	K. 麦凯恩;B.C. 科维尔夫人	1985	K. 弗拉奇;R. 塞古索	C. 科德-基尔施;苏科娃
1924	H. 金西;R. 金西	H. 怀特曼;H. 威尔斯	1986	A. 戈梅斯;S. 齐沃津诺维奇	M. 纳夫拉蒂洛娃;P. 施赖弗
1925	D. 威廉斯;V. 理查兹	M. 布朗;H. 威尔斯	1987	S. 埃德贝里;A. 贾里德	M. 纳夫拉蒂洛娃;P. 施赖弗
1926	D. 威廉斯;V. 理查兹	E. 瑞安;E. 戈斯	1988	S. 卡萨尔;E. 桑切斯	G. 费尔南德斯;R. 怀特
1927	B. 蒂尔登;F. 亨特	K. 麦凯恩·戈弗雷;E. 哈维	1989	J. 麦肯罗;M. 伍德福德	M. 纳夫拉蒂洛娃;H. 曼迪科娃
1928	G. 洛特;J. 亨尼西	H. 怀特曼;H. 威尔斯	1990	P. 奥尔德里奇;D. 维瑟	M. 纳夫拉蒂洛娃;G. 费尔南德斯
1929	G. 洛特;J. 多格	P. 沃森;P. 米歇尔	1991	J. 菲茨杰拉德;A. 贾里德	P. 施赖弗;N. 兹韦列娃
1930	G. 洛特;J. 多格	B. 纳索尔;S. 帕尔弗里	1992	J. 格拉布;R. 雷内伯格	G. 费尔南德斯;N. 兹韦列娃
1931	W. 艾利森;J. 范赖恩	B. 纳索尔;E. 惠廷斯托尔	1993	K. 弗拉克;R. 利奇	A. 桑切斯;H. 苏科娃
1932	E. 瓦因斯;K. 格莱德希尔	H. 雅各布斯;S. 帕尔弗里	1994	P. 哈尔胡伊斯;J. 埃尔廷	A. 桑切斯;J. 诺沃特纳
1933	G. 洛特;L. 斯托芬	B. 纳索尔;F. 詹姆斯	1995	T. 伍德布里奇;M. 伍德福德	G. 费尔南德斯;N. 兹韦列娃
1934	G. 洛特;L. 斯托芬	H. 雅各布斯;S. 帕尔弗里	1996	T. 伍德布里奇;M. 伍德福德	G. 费尔南德斯;N. 兹韦列娃
1935	W. 艾利森;J. 范赖恩	H. 雅各布斯;S. 帕尔弗里·费比恩	1997	Ye. 卡费尔尼科夫;D. 瓦采克	L. 达文波特;J. 诺沃特纳
1936	D. 博奇;G. 马科	M. 范赖恩;C. 巴布科克	1998	S. 施托勒;C. 苏克	M. 辛吉斯;J. 诺沃特纳
1937	G. 冯克拉姆;H. 亨克尔	S. 帕尔弗里·费比恩;A. 马布尔	1999	S. 拉罗;A. 奥布赖恩	S. 威廉姆斯;V. 威廉姆斯
1938	D. 博奇;G. 马科	S. 帕尔弗里·费比恩;A. 马布尔	2000	L. 休伊特;M. 米内尔	J. 海宁;杉山爱
1939	A. 奎斯特;J. 布罗米奇	S. 帕尔弗里·费比恩;A. 马布尔	2001	W. 布莱克;K. 乌利耶特	L. 雷蒙德;R. 斯塔布斯
1940	J. 克雷默;T. 施罗德	S. 帕尔弗里·费比恩;A. 马布尔	2002	M. 布帕蒂;M. 米内尔	V. 帕斯奎尔;P. 苏亚雷斯
1941	J. 克雷默;T. 施罗德	S. 帕尔弗里·库克;M. 奥斯本	2003	J. 比约克曼;T. 伍德布里奇	V. 帕斯奎尔;P. 苏亚雷斯
1942	G. 马洛伊;B. 塔尔伯特	L. 布拉夫;M. 奥斯本	2004	M. 诺尔斯;D. 内斯特	V. 帕斯奎尔;P. 苏亚雷斯
1943	J. 克雷默;F. 帕克	L. 布拉夫;M. 奥斯本			

* 1968 和 1969 年业余和公开锦标赛均举行。1968 年卢茨和史密斯赢得这两项锦标赛的男子冠军;1969 年克里莱和斯通获得业余锦标赛的男子冠军。1968 年布埃诺和考特赢得两项锦标赛的女子冠军;1969 年考特和韦德获得业余锦标赛的女子冠军。此后锦标赛即为公开赛。

VOLLEYBALL 排球 世界男子排球锦标赛始于 1949 年,世界女子排球锦标赛则始于 1952 年。两年一届的比赛由国际排球联合会(FIVB,成立于 1947 年)举办。

世界排球锦标赛

年份	男子	女子	年份	男子	女子	年份	男子	女子
1949	苏		1970	东德	苏	1988*	美	苏
1952	苏	苏	1972*	日	苏	1990	意	苏
1956	捷	苏	1974	波兰	日	1992*	巴西	古巴
1960	苏	苏	1976*	波兰	日	1994	意	古巴
1962	苏	日	1978	苏	古巴	1996	荷	古巴
1964*	苏	日	1980*	苏	苏	1998	意	古巴
1966	捷	日	1982	苏	中	2000	南斯拉夫	古巴
1967	未比赛	日	1984*	美	中	2002	巴西	意
1968*	苏	苏	1986	美	中			

* 奥运会冠军,亦被认为是世界冠军。

WRESTLING 摔跤 第一次正式的世界业余摔跤锦标赛由国际业余摔跤联合会(FILA,成立于 1913 年,1921 年改组)举办。虽然古典式摔跤锦标赛早在1910年和1920～1922年就已经举行(这两次比赛的成绩和 1923～1949 年的比赛成绩一样有效),但实际上它们只是欧洲公开锦标赛,直到 1950 年才举行了真正的首届世界古典式摔跤锦标赛。1951 年起,又举行了世界业余自由式摔跤锦标赛。摔跤比赛的体重级别经历了多次修改。1962 年以前,八个级别的最大体重分别为 52 公斤、57 公斤、62 公斤、67 公斤、73 公斤、79 公斤、87 公斤和 87 公斤以上。1962～1969 年,体重分级为 52 公斤、57 公斤、63 公斤、70 公斤、78 公斤、87 公斤、97 公斤和 97 公斤以上级。1969 年以后,又增加了两个级别,比赛按下表所示体重级别进行(除了最重量级,1985 年以前为 100 公斤以上,1985 年以后上限定为 130 公斤)。

在 1972 年的世界摔跤锦标赛(自由式)中,A. 梅德韦季(苏)战胜 C. 泰勒(美),夺得 130 公斤级的冠军
供图:AP/Wide World Photos

世界摔跤锦标赛(自由式)*

年份	48 公斤	52 公斤(54 公斤,55 公斤)	57 公斤(58 公斤,60 公斤)	62 公斤(63 公斤,66 公斤)	68 公斤(69 公斤)
1951		A. 尤塞尔(土)	阿卡尔(土)	H. 扎菲(土)	O. 安德伯格(瑞典)
1952†		H. 格米其(土)	石井庄八(日)	B. 锡特(土)	O. 安德伯格(瑞典)
1954		H. 阿科巴斯(土)	M. 达基斯坦利(土)	笹原正三(日)	D. 托夫菲格(伊朗)
1956†		M. 查尔卡拉马尼则(苏)	M. 达基斯坦利(土)	笹原正三(日)	I. 哈比比(伊朗)
1957		M. 卡塔尔(土)	H. 阿科巴斯(土)	M. 达基斯坦利(土)	A. 贝斯塔耶夫(苏)
1959		A. 阿利耶夫(苏)	H. 阿科巴斯(土)	M. 达基斯坦利(土)	V. 辛亚夫斯基(苏)
1960†		A. 比列克(土)	T. 麦卡恩(美)	M. 达基斯坦利(土)	S. 威尔逊(美)
1961		A. 阿利耶夫(苏)	S. 萨菲波尔(伊朗)	V. 鲁巴什维利(苏)	M. 萨纳特卡兰(伊朗)
1962		A. 阿利耶夫(苏)	H. 阿科巴斯(土)	渡边长武(日)	E. 瓦尔特切夫(保)
1963		Y. 基马尔(土)	A. 伊布拉吉莫夫(苏)	渡边长武(日)	掘内(日)
1964†		吉田义胜(日)	上武洋次郎(日)	渡边长武(日)	E. 吉莫尔(保)
1965		吉田义胜(日)	福田(日)	S. 萨菲波尔(伊朗)	A. 默瓦赫德(伊朗)
1966		张先昌(韩)	A. 阿利耶夫(苏)	金子正明(日)	A. 默瓦赫德(伊朗)
1967		中田茂男(日)	A. 阿利耶夫(苏)	金子正明(日)	A. 默瓦赫德(伊朗)
1968†		中田茂男(日)	上武洋次郎(日)	金子正明(日)	A. 默瓦赫德(伊朗)
1969	I. 贾亚迪(伊朗)	R. 桑德斯(美)	田中(日)	森田(日)	A. 默瓦赫德(伊朗)
1970	I. 贾亚迪(伊朗)	A.A. 里萨(土)	柳田英明(日)	S. 阿巴西(伊朗)	A. 默瓦赫德(伊朗)
1971	I. 贾亚迪(伊朗)	M. 戈尔巴尼(伊朗)	柳田英明(日)	Z. 阿部杜尔别科夫(苏)	D. 加布尔(美)
1972†	R. 季米特利夫(苏)	加藤(日)	柳田英明(日)	Z. 阿部杜尔别科夫(苏)	D. 加布尔(美)
1973	R. 季米特利夫(苏)	E. 贾瓦迪(伊朗)	M. 法拉瓦奇(伊朗)	Z. 阿部杜尔别科夫(苏)	L. 基塞(美)
1974	H. 莫塞洛夫(保)	高田(日)	V. 尤明(苏)	I. 泽维格(蒙)	N. 纳斯鲁拉耶夫(苏)
1975	K. 伊萨也夫(保)	高田(日)	新井(日)	Z. 奥伊多夫(蒙)	P. 皮尼金(苏)
1976†	K. 伊萨也夫(保)	高田(日)	V. 尤明(苏)	梁正模(韩)	P. 皮尼金(苏)
1977	A. 贝洛格拉佐夫(苏)	高田(日)	佐佐木(日)	V. 尤明(苏)	P. 皮尼金(苏)
1978	S. 科尔尼拉耶夫(苏)	A. 贝洛格拉佐夫(苏)	富山英明(日)	V. 尤明(苏)	P. 皮尼金(苏)
1979	S. 科尔尼拉耶夫(苏)	高田(日)	富山英明(日)	V. 尤明(苏)	M. 卡拉楚拉(苏)

续表

年份	48 公斤	52 公斤(54 公斤,55 公斤)	57 公斤(58 公斤,60 公斤)	62 公斤(63 公斤,66 公斤)	68 公斤(69 公斤)
1980†	C. 波利奥(意)	A. 贝洛格拉佐夫(苏)	S. 贝洛格拉佐夫(苏)	M. 阿部谢夫(苏)	S. 阿部萨尔多夫(苏)
1981	S. 科尔尼拉耶夫(苏)	朝倉(日)	S. 贝洛格拉佐夫(苏)	S. 斯特雷夫(保)	S. 阿部萨尔多夫(苏)
1982	S. 科尔尼拉耶夫(苏)	H. 里奇(东德)	A. 贝洛格拉佐夫(苏)	S. 贝洛格拉佐夫(苏)	M. 卡拉楚拉(苏)
1983	金元哲(朝鲜)	V. 约丹诺夫(保)	S. 贝洛格拉佐夫(苏)	V. 阿列克谢夫(苏)	A. 法扎耶夫(苏)
1984†	R. 韦佛(美)	S. 特热斯捷纳(南斯拉夫)	富山英明(日)	R. 刘易斯(美)	柳寅卓(韩)
1985	金秋焕(朝鲜)	V. 约丹诺夫(保)	S. 贝洛格拉佐夫(苏)	V. 阿列克谢夫(苏)	A. 法扎耶夫(苏)
1986	李载植(朝鲜)	金永植(朝鲜)	S. 贝洛格拉佐夫(苏)	K. 伊萨耶夫(苏)	A. 法扎耶夫(苏)
1987	李载植(朝鲜)	V. 约丹诺夫(保)	S. 贝洛格拉佐夫(苏)	J. 史密斯(美)	A. 法扎耶夫(苏)
1988†	小林孝至(日)	佐藤满(日)	S. 贝洛格拉佐夫(苏)	J. 史密斯(美)	A. 法扎耶夫(苏)
1989	金钟信(韩)	V. 约丹诺夫(保)	金植星(朝鲜)	J. 史密斯(美)	B. 博夫达耶夫(苏)
1990	A. 马丁内斯(古巴)	M. 图尔坎(伊朗)	A. 普埃尔托(古巴)	J. 史密斯(美)	A. 法扎耶夫(苏)
1991	V. 奥鲁杰夫(苏)	Z. 琼斯(美)	S. 斯马尔(苏)	J. 史密斯(美)	A. 法扎耶夫(苏)
1992†	朴二(朝鲜)	李鹤(朝鲜)	A. 普埃尔托(古巴)	J. 史密斯(美)	A. 法扎耶夫(联合队‡)
1993	A. 比拉(古巴)	V. 约丹诺夫(保)	T.布兰兹(美)	T.布兰兹(美)	A.A. 法拉赫(伊朗)
1994	A. 比拉(古巴)	V. 约丹诺夫(保)	A.普埃尔托(古巴)	M.阿齐佐夫(俄)	A. 莱波尔德(德)
1995	V. 奥鲁杰夫(俄)	V. 约丹诺夫(保)	T.布兰兹(美)	E.泰德耶夫(乌克兰)	A. 格沃尔基扬(亚美尼亚)
1996	金日(朝鲜)	V. 约丹诺夫(保)	K.克罗斯(美)	T.布兰兹(美)	V. 博吉耶夫(俄)
1997	中断比赛	W. 加西亚(古巴)	M.塔拉埃(伊朗)	A.凯纳里(伊朗)	A. 格沃尔基扬(亚美尼亚)
1998		S. 汉森(美)	A.R.达比耶(伊朗)	S.巴尔扎科夫(保加利亚)	A.格沃尔基扬(亚美尼亚)
1999		金宇勇(韩)	H. 多安(土耳其)	E.泰德耶夫(乌克兰)	D.伊高利(加拿大)
2000		N. 阿卜杜拉耶夫(阿塞拜疆)	A.R.达比耶(伊朗)	M.乌马哈诺夫(俄罗斯)	D.伊高利(加拿大)
2001		H. 坎托耶夫(白俄)	G. 西萨乌里(加拿大)	S.巴尔扎科夫(保加利亚)	N.帕斯拉里(保)
2002		R.M.罗萨莱斯(古巴)	H. 多安(土耳其)	E.泰德耶夫(乌克兰)	比赛中断

年份	74 公斤(76 公斤,74 公斤)	82 公斤(85 公斤,84 公斤)	90 公斤	100 公斤(97 公斤,96 公斤)	130 公斤(130 公斤,120 公斤)
1951	C. 阿蒂克(土)	扎菲(土)	Y. 道古(土)	B. 安东松(瑞典)	
1952†	W. 史密斯(美)	D. 齐马库里则(苏)	W. 帕尔姆(瑞典)	A. 麦科基什维利(苏)	
1954	V. 巴拉瓦兹(苏)	M. 赞迪(伊朗)	A. 恩格拉斯(苏)	A. 麦科基什维利(苏)	
1956†	池田三男(日)	N. 斯坦切夫(保)	G.R. 塔赫蒂(伊朗)	H. 卡普兰(土)	
1957	V. 巴拉瓦兹(苏)	N. 索鲁里(伊朗)	N. 斯坦切夫(保)	H. 卡普兰(土)	
1959	I. 哈比比(伊朗)	G. 斯克尔特拉兹(苏)	G.R. 塔赫蒂(伊朗)	L. 阿克梅多夫(保)	
1960†	D. 布鲁波(美)	H. 贡戈尔(土)	I. 阿特利(土)	W. 迪特里希(西德)	
1961	I. 哈比比(伊朗)	M. 萨瓦拉巴迪(伊朗)	G.R. 塔赫蒂(伊朗)	W. 迪特里希(西德)	
1962	I. 哈比比(伊朗)	M. 梅迪扎德(伊朗)	A. 梅德韦季(苏)	A. 伊凡尼茨基(苏)	
1963	G. 萨加拉兹(苏)	P. 加尔德切夫(保)	A. 梅德韦季(苏)	A. 伊凡尼茨基(苏)	
1964†	I. 奥干(土)	P. 加尔德切夫(保)	A. 梅德韦季(苏)	A. 伊凡尼茨基(苏)	
1965	G. 萨加拉兹(苏)	M. 梅迪扎德(伊朗)	A. 阿犹克(土)	A. 伊凡尼茨基(苏)	
1966	M. 阿塔莱(土)	P. 加尔德切夫(保)	A. 梅德韦季(苏)	A. 伊凡尼茨基(苏)	
1967	D. 索东-罗宾(法)	B. 古列维奇(苏)	A. 阿犹克(土)	A. 梅德韦季(苏)	
1968†	M. 阿塔莱(土)	B. 古列维奇(苏)	A. 阿犹克(土)	A. 梅德韦季(苏)	
1969	Z. 贝里亚什维利(苏)	F. 福扎德(美)	B. 古列维奇(苏)	C. 洛米兹(苏)	A. 梅德韦季(苏)
1970	W. 韦尔斯(美)	Y. 沙克穆拉多夫(苏)	G. 斯特拉乔夫(苏)	V. 古留特金(苏)	A. 梅德韦季(苏)
1971	G. 古索夫(苏)	L. 切吉亚什维利(苏)	B. 彼特洛夫(保)	C. 洛米兹(苏)	A. 梅德韦季(苏)
1972†	W. 韦尔斯(美)	L. 切吉亚什维利(苏)	B. 彼德逊(美)	I. 雅里金(苏)	A. 梅德韦季(苏)
1973	M. 巴泽加尔(伊朗)	V. 休尔津(苏)	L. 切吉亚什维利(苏)	I. 雅里金(苏)	S. 安季也夫(苏)
1974	R. 阿舒拉利耶夫(苏)	V. 诺沃齐洛夫(苏)	L. 切吉亚什维利(苏)	V. 古留特金(苏)	S. 拉迪斯拉夫(罗)
1975	A. 阿舒拉利耶夫(苏)	A. 塞格尔(西德)	L. 切吉亚什维利(苏)	K. 巴颜门克(蒙)	S. 安季也夫(苏)
1976†	伊达治一郎(日)	J. 彼德森(美)	L. 切吉亚什维利(苏)	I. 雅里金(苏)	S. 安季也夫(苏)
1977	S. 济德齐克(美)	A. 塞格尔(西德)	A. 普罗科普楚克(苏)	A. 比苏塔诺夫(苏)	S. 安季也夫(苏)
1978	L. 肯普(美)	M. 阿拉茨洛夫(苏)	U. 纽伯特(东德)	H. 巴特纳(东德)	S. 安季也夫(苏)
1979	L. 肯普(美)	I. 科瓦茨(匈)	K. 奥尔特苏耶夫(苏)	I. 马捷(苏)	S. 卡西米科夫(苏)
1980†	V. 莱切夫(保)	I. 阿比洛夫(保)	S. 奥加涅西洋(苏)	I. 马捷(苏)	S. 安季也夫(苏)
1981	M. 科诺斯普(西德)	C. 坎贝尔(美)	S. 奥加涅西洋(苏)	R. 格赫尔克(东德)	S. 卡西米科夫(苏)
1982	L. 肯普(美)	T. 泽戈耶夫(苏)	U. 纽伯特(东德)	I. 马捷(苏)	S. 卡西米科夫(苏)
1983	D. 舒尔茨(美)	T. 泽戈耶夫(苏)	P. 纳涅耶夫(苏)	A. 卡达尔捷夫(苏)	S. 卡西米科夫(苏)
1984†	D. 舒尔茨(美)	M. 舒尔茨(美)	E. 巴纳奇(美)	L. 巴拿奇(美)	B. 包姆加特纳(美)
1985	R. 卡斯卡雷特(古巴)	M. 舒尔茨(美)	B. 谢尔(美)	L. 卡贝洛夫(苏)	D. 戈贝迪奇维里(苏)
1986	R. 卡斯卡雷特(古巴)	V. 莫多齐安(苏)	M. 卡达尔捷夫(苏)	A. 卡达尔捷夫(苏)	B. 包姆加特纳(美)
1987	A. 瓦拉耶夫(苏)	M. 舒尔茨(美)	M. 卡达尔捷夫(苏)	L. 卡贝洛夫(苏)	A. 卡达尔捷夫(苏)
1988†	K. 蒙代(美)	韩明愚(韩)	M. 卡达尔捷夫(苏)	V. 普斯卡苏(罗)	D. 戈贝迪奇维里(苏)
1989	K. 蒙代(美)	E. 贾布赖洛夫(苏)	M. 卡达尔捷夫(苏)	A. 阿塔沃夫(苏)	A.R. 索莱马尼(伊朗)
1990	R. 索菲亚迪(保)	J. 洛欣纳(捷)	M. 卡达尔捷夫(苏)	L. 卡贝洛夫(苏)	D. 戈贝迪奇维里(苏)
1991	A. 哈德姆(伊朗)	K. 杰克逊(美)	M. 卡达尔捷夫(苏)	L. 卡贝洛夫(苏)	A. 施罗德(德)
1992†	朴洋(韩)	K. 杰克逊(美)	M. 卡达尔捷夫(联合队‡)	L. 卡贝洛夫(联合队‡)	B. 鲍姆加特纳(美)

续表

年份	74 公斤(76 公斤,74 公斤)	82 公斤(85 公斤,84 公斤)	90 公斤	100 公斤(97 公斤,96 公斤)	130 公斤(130 公斤,120 公斤)
1993	朴镇松(韩)	S. 厄兹蒂尔克(土)	A. 杰迪迪(伊朗)	L. 卡贝洛夫(俄)	B. 鲍姆加特纳(美)
1994	T.杰伊兰(土耳其)	L. 贾布拉伊洛夫(摩尔多瓦)	A. 杰迪迪(伊朗)	A. 扎贝耶夫(德)	M. 德米尔(土耳其)
1995	B.萨乌特耶夫(俄)	K. 杰克逊(美)	R. 卡迪姆(伊朗)	K. 安格尔(美)	B. 鲍姆加特纳(美)
1996	B.萨乌特耶夫(俄)	Kh. 穆罕默多夫(俄)	R. 卡迪姆(伊朗)	K. 安格尔(美)	M. 德米尔(土耳其)
1997	B.萨乌特耶夫(俄)	L. 古切斯(美)	比赛中断	K. 库拉马戈梅多夫(俄)	Z. 居奇吕(土耳其)
1998	B.萨乌特耶夫(俄)	A.R.埃达里(伊朗)		A. 杰迪迪(伊朗)	A. 罗德里格斯(古巴)
1999	A.萨乌特耶夫(俄)	Y. 罗梅罗·罗萨莱斯(古巴)		S. 穆尔塔萨利耶夫(俄)	S. 尼尔(美)
2000	B.斯莱(美)	A. 萨乌特耶夫(俄)		S. 穆尔塔萨利耶夫(俄)	D. 穆苏尔别斯(俄)
2001	B.萨乌特耶夫(俄)	K. 穆罕默多夫(俄)		G. 戈格切利德泽(俄)	D. 穆苏尔别斯(俄)
2002	M.哈杰扎德赫(伊朗)	A. 萨乌特耶夫(俄)		E. 库尔塔尼泽(格鲁吉亚)	D. 穆苏尔别斯(俄)

* 括号内为 1997 年起采用的重量级别,第 2 个数字代表 2002 年后采用的重量级别。† 本年度世界冠军由奥运会产生。‡ 联合队,包括来自独联体及格鲁吉亚的运动员。

世界摔跤锦标赛(古典式)

年份	48 公斤	52 公斤(54 公斤,55 公斤)	57 公斤(58 公斤,60 公斤)	62 公斤(63 公斤,66 公斤)	68 公斤(69 公斤)
1950		B. 约翰松(瑞典)	M. 哈桑(埃及)	O. 安德伯格(瑞典)	J. 加尔(匈)
1952†		B. 古列维奇(苏)	I. 霍多斯(匈)	Y. 蓬金(苏)	C. 萨芬(苏)
1953		B. 古列维奇(苏)	A. 泰里安(苏)	O. 安德伯格(瑞典)	K. 弗雷伊(瑞典)
1955		I. 法布拉(意)	V. 斯塔什科维奇(苏)	I. 波利亚克(匈)	G. 加马尔尼克(苏)
1956†		N. 索洛维耶夫(苏)	K. 维鲁帕耶夫(苏)	R. 马基宁(芬)	K. 雷托宁(芬)
1958		B. 古雷维奇(苏)	O. 卡拉瓦耶夫(苏)	I. 波利亚克(匈)	R. 道甘(土)
1960†		D. 皮尔乌列斯库(罗)	O. 卡拉瓦耶夫(苏)	M. 锡勒(土)	A. 科里则(苏)
1961		A. 萨亚多夫(苏)	O. 卡拉瓦耶夫(苏)	H. 莫斯塔菲亚(阿联)	A. 科里则(苏)
1962		S. 里巴尔科(苏)	市口政光(日)	I. 波利亚克(匈)	K. 埃瓦兹(土)
1963		B. 武科夫(南斯拉夫)	J. 瓦尔加(匈)	G. 萨普诺夫(苏)	S. 霍尔瓦特(南斯拉夫)
1964†		花原勉(日)	市口政光(日)	I. 波利亚克(匈)	K. 埃瓦兹(土)
1965		S. 里巴尔科(苏)	I. 车尔尼亚(罗)	Y. 格里戈雷夫(苏)	G. 萨普诺夫(苏)
1966		A. 克雷索夫(保)	F. 斯坦格(西德)	R. 卢鲁阿(苏)	S. 霍尔瓦特(南斯拉夫)
1967		V. 巴库林(苏)	I. 巴丘(罗)	R. 卢鲁阿(苏)	E. 塔比奥(芬)
1968†		P. 季罗夫(保)	J. 瓦尔加(匈)	R. 卢鲁阿(苏)	宗村宗二(日)
1969	G. 贝尔奇亚努(罗)	F. 阿鲁扎德赫(伊朗)	R. 卡扎科夫(苏)	R. 卢鲁阿(苏)	S. 波佩斯库(罗)
1970	G. 贝尔奇亚努(罗)	P. 季罗夫(保)	J. 瓦尔加(匈)	藤本(日)	R. 卢鲁阿(苏)
1971	S. 祖布科夫(苏)	P. 季罗夫(保)	R. 卡扎科夫(苏)	G. 马尔科夫(保)	S. 达米亚诺维奇(南斯拉夫)
1972†	G. 贝尔奇亚努(罗)	P. 季罗夫(保)	R. 卡扎科夫(苏)	G. 马尔科夫(保)	S. 希萨穆特季诺夫(苏)
1973	V. 祖布科夫(苏)	G. 盖尔格(罗)	J. 利皮恩(波兰)	K. 利皮恩(波兰)	S. 希萨穆特季诺夫(苏)
1974	V. 祖布科夫(苏)	P. 季罗夫(保)	F. 穆斯塔芬(苏)	K. 利皮恩(波兰)	N. 大卫迪安(苏)
1975	V. 祖布科夫(苏)	V. 康斯坦丁诺夫(苏)	F. 穆斯塔芬(苏)	N. 大卫迪安(苏)	S. 希萨穆特季诺夫(苏)
1976†	A. 舒马科夫(苏)	V. 康斯坦丁诺夫(苏)	P. 乌科拉(芬)	K. 利皮恩(波兰)	S. 纳尔班吉扬(苏)
1977	A. 舒马科夫(苏)	N. 金达(罗)	P. 乌科拉(芬)	L. 雷济(匈)	H. 维林(东德)
1978	C. 亚历山德鲁(罗)	V. 布拉吉则(苏)	S. 谢里科夫(苏)	B. 克拉马伦科(苏)	S. 鲁苏(罗)
1979	C. 亚历山德鲁(罗)	L. 拉兹(匈)	S. 谢里科夫(苏)	I. 托特(匈)	A. 苏普隆(波兰)
1980†	Z. 乌什克姆皮罗夫(苏)	V. 布拉吉则(苏)	S. 谢里科夫(苏)	S. 米吉亚基斯(希腊)	S. 鲁苏(罗)
1981	Z. 乌什克姆皮罗夫(苏)	V. 布拉吉则(苏)	P. 帕萨雷利(西德)	I. 托特(匈)	G. 耶尔米洛夫(苏)
1982	T. 卡扎拉什维利(苏)	B. 帕沙延(苏)	P. 米克哈利克(波兰)	R. 斯维拉德(波兰)	G. 耶尔米洛夫(苏)
1983	B. 岑诺夫(保)	B. 帕沙延(苏)	宗村(日)	H. 拉蒂宁(芬)	T. 西皮拉(芬)
1984†	V. 马恩扎(意)	宫原厚次(日)	P. 帕萨雷利(西德)	金原基(韩)	V. 利斯雅克(南斯拉夫)
1985	M. 阿拉克维尔捷夫(苏)	J. 罗宁根(挪)	S. 巴洛夫(保)	J. 万格洛夫(保)	S. 内格里桑(罗)
1986	M. 阿拉克维尔捷夫(苏)	S. 杜迪亚耶夫(苏)	E. 伊万诺夫(保)	K. 马兹多夫(苏)	L. 祖尔法拉基恩(苏)
1987	M. 阿拉克维尔捷夫(苏)	P. 罗克(古巴)	P. 穆里耶(法)	J. 万格洛夫(保)	A. 阿巴耶夫(苏)
1988†	V. 马恩扎(意)	J. 罗宁根(挪)	A. 西凯(匈)	K. 马兹多夫(苏)	L. 祖尔法拉基恩(苏)
1989	O. 库切连科(苏)	A. 伊格纳坚科(苏)	E. 伊万诺夫(保)	K. 马兹多夫(苏)	C. 帕萨雷利(西德)
1990	O. 库切连科(苏)	A. 伊格纳坚科(苏)	R. 耶尔德兹(德)	M. 奥利韦拉斯(古巴)	I. 多古切夫(苏)
1991	独荣军(韩)	R. 马丁内斯(古巴)	R. 耶尔德兹(德)	S. 马丁诺夫(苏)	I. 多古切夫(苏)
1992†	O. 库切连科(联合队 ‡)	J. 罗宁根(挪)	安汉奉(韩)	A. 皮里姆(土)	A. 雷普卡(匈)
1993	W. 桑切斯(古巴)	R. 马丁内斯(古巴)	A. 马努克占(亚美尼亚)	S. 马丁诺夫(俄)	I. 多古切夫(俄)
1994	W. 桑切斯(古巴)	A. 姆克尔强(德)	J. 梅利尼琴科(哈萨克斯坦)	S. 马丁诺夫(俄)	I. 多古切夫(俄)
1995	金权浩(韩)	S. 达尼埃朗(俄)	D. 霍尔(美)	S. 马丁诺夫(俄)	R. 阿吉(乌克兰)
1996	金权浩(韩)	A. 纳扎良(亚美尼亚)	Y. 梅利尼琴科(哈萨克斯坦)	W. 扎瓦兹基(波兰)	R.阿吉(乌克兰)
1997	中断比赛	E. 耶尔德兹(土耳其)	Y. 梅利尼琴科(哈萨克斯坦)	S. 埃尔奥卢(土耳其)	孙尚毕(韩)
1998		金权浩(韩)	金印燮(韩)	M. 马努基扬(哈萨克斯坦)	A. 特列季亚科夫(俄)
1999		L.里瓦斯(古巴)	金印燮(韩)	M. 马努基扬(哈萨克斯坦)	孙尚毕(韩)
2000		金权浩(韩)	A.纳扎良(保)	V. 萨穆加舍夫(俄)	F. 阿斯库伊(古巴)
2001		H.兰格拉兹(伊朗)	D.阿里波夫(乌兹别克斯坦)	V. 加卢斯强(亚美尼亚)	库伊(古巴)
2002		G.马梅达利耶夫(俄)	A.纳扎良(保)	J. 萨姆尔森(瑞典)	中断比赛

年份	74 公斤(76 公斤,74 公斤)	82 公斤(85 公斤,84 公斤)	90 公斤	100 公斤(97 公斤,96 公斤)	130 公斤(120 公斤)
1950	M. 西马宁(芬)	A. 格伦伯格(瑞典)	M. 坎达斯(土)	B. 安东松(瑞典)	
1952†	M. 斯基瓦希(匈)	A. 格伦伯格(瑞典)	K. 格隆达尔(芬)	J. 科特卡斯(苏)	
1953	G. 查沃尔吉昂(苏)	G. 卡尔托奇雅(苏)	A. 恩格拉斯(苏)	B. 安东松(瑞典)	
1955	V. 马内耶夫(苏)	G. 卡尔托奇雅(苏)	V. 尼古拉耶夫(苏)	A. 马祖尔(苏)	
1956†	M. 贝拉克(土)	G. 卡尔托奇雅(苏)	V. 尼古拉耶夫(苏)	A. 巴尔费诺夫(苏)	
1958	K. 艾瓦兹(土)	G. 卡尔托奇雅(苏)	R. 阿巴什兹(苏)	I. 波格丹(苏)	
1960†	M. 贝拉克(土)	D. 多布列夫(保)	T. 基斯(土)	I. 波格丹(苏)	
1961	V. 布拉尔卡(罗)	V. 泽宁(苏)	I. 戈里斯(匈)	I. 波格丹(苏)	
1962	A. 科列索夫(苏)	T. 基斯(土)	R. 阿巴什兹(苏)	I. 科兹马(匈)	
1963	A. 科列索夫(苏)	T. 基斯(土)	R. 阿巴什兹(苏)	A. 罗辛钦(苏)	
1964†	A. 科列索夫(苏)	B. 希米奇(南斯拉夫)	B. 拉捷夫(保)	I. 科兹马(匈)	
1965	A. 科列索夫(苏)	R. 波格达纳斯(苏)	J. 阿尼西莫夫(苏)	N. 什马科夫(苏)	
1966	V. 伊古梅诺夫(苏)	V. 奥勒尼克(苏)	B. 拉捷夫(保)	I. 科兹马(匈)	
1967	V. 伊古梅诺夫(苏)	L. 西莱(匈)	N. 亚科文科(苏)	I. 科兹马(匈)	
1968†	R. 维斯佩尔(东德)	L. 麦茨(东德)	B. 拉捷夫(保)	I. 科兹马(匈)	
1969	V. 伊古梅诺夫(苏)	P. 克娄莫夫(保)	A. 优尔克维奇(苏)	N. 亚科文科(苏)	A. 罗辛(苏)
1970	V. 伊古梅诺夫(苏)	A. 纳扎伦科(苏)	V. 雷赞采夫(苏)	P. 斯文松(瑞典)	A. 罗辛(苏)
1971	V. 伊古梅诺夫(苏)	C. 赫格都斯(匈)	V. 雷赞采夫(苏)	N. 马丁内斯库(罗)	P. 斯文松(瑞典)
1972†	V. 马查(捷)	C. 赫格都斯(匈)	V. 雷赞采夫(苏)	N. 马丁内斯库(罗)	A. 罗辛(苏)
1973	I. 科列夫(保)	L. 利贝曼(苏)	V. 雷赞采夫(苏)	N. 巴尔波辛(苏)	A. 托莫夫(保)
1974	V. 马查(捷)	A. 纳扎伦科(苏)	V. 雷赞采夫(苏)	N. 巴尔波辛(苏)	A. 托莫夫(保)
1975	A. 比科夫(苏)	A. 纳扎伦科(苏)	V. 雷赞采夫(苏)	K. 洛萨诺(保)	A. 托莫夫(保)
1976†	A. 比科夫(苏)	M. 佩特科维奇(南斯拉夫)	V. 雷赞采夫(苏)	N. 巴尔波辛(苏)	A. 科尔钦斯基(苏)
1977	V. 马查(捷)	V. 切波克萨罗夫(苏)	F. 安德松(瑞典)	N. 巴尔波辛(苏)	N. 迪内夫(保)
1978	A. 尼夫图拉耶夫(苏)	I. 德莱察(罗)	S. 尼科洛夫(保)	N. 巴尔波辛(苏)	A. 科尔钦斯基(苏)
1979	F. 科奇斯(匈)§ I. 乔普夫(保)§	G. 科尔班(苏)	F. 安德松(瑞典)	N. 巴尔波辛(苏)	A. 托莫夫(苏)
1980†	F. 科奇斯(匈)	G. 科尔班(苏)	N. 诺特尼(匈)	G. 莱科夫(保)	A. 科尔钦斯基(苏)
1981	A. 库德雅夫契夫(苏)	G. 科尔班(苏)	I. 卡尼金(苏)	M. 萨拉兹(苏)	R. 梅米塞维奇(南斯拉夫)
1982	S. 鲁萨(罗)	T. 阿布卡萨瓦(苏)	R. 安德松(瑞典)	R. 伍洛克拉夫斯基(波兰)	N. 迪内夫(保)
1983	M. 马米亚奇维利(苏)	T. 阿布卡萨瓦(苏)	I. 卡尼金(苏)	A. 季米特洛夫(保)	E. 阿休尼(苏)
1984†	J. 萨洛马基(芬)	I. 德莱察(罗)	S. 弗雷泽(美)	V. 安德烈伊(罗)	J. 布拉特尼克(美)
1985	M. 马米亚奇维利(苏)	B. 达拉斯(波兰)	M. 霍克(美)	A. 季米特洛夫(保)	I. 罗斯托特茨基(苏)
1986	M. 马米亚奇维利(苏)	未颁奖	A. 马利纳(波兰)	T. 加斯帕尔(匈)	T. 约翰松(瑞典)
1987	J. 萨洛马基(芬)	T. 科马罗米(匈)	V. 波波夫(苏)	G. 圭杰豪鲁伊(苏)	I. 罗斯托特茨基(苏)
1988†	金永南(韩)	M. 马米亚奇维利(苏)	A. 科姆切夫(保)	A. 弗龙斯基(波兰)	A. 卡列林(苏)
1989	D. 图尔雷哈诺夫(苏)	T. 科马罗米(匈)	M. 布尔曼(东德)	G. 希默尔(西德)	A. 卡列林(苏)
1990	M. 伊斯康达里安(苏)	P. 法尔卡斯(匈)	M. 布尔曼(德)	S. 杰米亚斯奇克基什(苏)	A. 卡列林(苏)
1991	M. 伊斯康达里安(苏)	P. 法尔卡斯(匈)	M. 布尔曼(德)	H. 米利恩(古巴)	A. 卡列林(苏)
1992†	M. 伊斯康达里安(联合队‡)	P. 法尔卡斯(匈)	M. 布尔曼(德)	H. 米利恩(古巴)	A. 卡列林(联合队‡)
1993	N. 阿拉曼萨(古巴)	M. 耶尔利卡亚(土耳其)	G. 科古恰维尔利(俄)	M. 永贝里(瑞典)	A. 卡列林(俄)
1994	M. 伊斯康达里安(俄)	T. 桑德(德)	G. 科古恰维尔利(俄)	A. 弗龙斯基(波兰)	A. 卡列林(俄)
1995	Y. 里耶梅(法)	H. 耶尔利卡亚(土耳其)	H. 巴塞尔(土耳其)	M. 永贝里(瑞典)	A. 卡列林(俄)
1996	F. 阿斯奎(古巴)	H. 耶尔利卡亚(土耳其)	V. 奥列厄内克(乌克兰)	A. 弗龙斯基(波兰)	A. 卡列林(俄)
1997	M. 于利汉努克赛拉(芬)	S. 楚伊尔(俄)	中断比赛	G. 科古恰维利(俄)	A. 卡列林(俄)
1998	B. 巴厄塞托夫(哈萨克斯坦)	A. 缅希科夫(俄)		G. 科古恰维利(俄)	A. 卡列林(俄)
1999	N. 阿夫卢卡(土耳其)	L. 门德斯(古巴)		G. 科古恰维利(俄)	A. 卡列林(俄)
2000	M. 卡尔达诺夫(俄)	H. 耶尔利卡亚(土耳其)		M. 永贝里(瑞典)	R. 加德纳(美)
2001	A. 亚伯拉罕米安(瑞典)	M. 瓦赫坦加泽(格鲁吉亚)		A. 别兹鲁奇金(俄)	R. 加德纳(美)
2002	V. 萨穆尔加舍夫(俄)	A. 亚伯拉罕米安(瑞典)		M. 奥扎尔(土耳其)	D. 拜尔斯(美)

* 括号内为 1997 年起采用的重量级,第 2 个数字代表 2000 年后采用的重量级别。† 本年度世界冠军由奥运会产生。‡ 联合队,包括来自独联体及格鲁吉亚的运动员。§ 并列。

YACHTING 帆船 传统的帆船比赛之一是著名的美洲杯赛,它最早是由英国皇家帆船中队(RYS)倡议的。1870 年首次举行公开比赛时,原称"一百畿尼杯",是由英国皇家帆船中队捐赠的,比赛路线是绕航英国的怀特岛。结果美国的美洲号帆船轻松地取得了胜利。1930～1937 年,进入这个杯赛最优美的帆船被认为是 J 级帆船。但是帆船的维修费用高昂,1958 年起,获胜和挑战的帆船都是 12 米长。1906～1910 年,百慕大帆船赛每年举行一次,比赛从纽约州的格雷夫森德海湾到百慕大(1908 年比赛的起点为马萨诸塞州的马布尔黑德)。1923～1934年,6次从康涅狄格州的新伦敦出发,1 次从纽约州的蒙托克角出发(1932)。1936 年起,这项比赛改为两年举行一次,起点在罗得岛州的纽波特,赛程为 635 英里。1982 年比赛分为两种:奖励帆船竞赛者的与奖励大奖竞赛者的。1986 年起,对两种比赛提供相等的奖励。横渡太平洋帆船赛从 1906 年开始举行,赛程通常为 2 225英里,路线从加利福尼亚州的圣佩德罗到夏威夷瓦胡岛的戴蒙德火山口灯塔。1939 年起比赛两年举行一次,与百慕大帆船赛交替举行。海军上将杯授予两年一度的在英格兰南海岸外举行的 6 场系列赛中积分最高的国家队(1987 年以前为 5 场比赛)。

海军上将杯

年份	冠军队	年份	冠军队
1957	英	1981	英
1959	英	1983	西德
1961	美	1985	西德
1963	英	1987	新西兰
1965	英	1989	英
1967	澳	1991	法
1969	美	1993	德
1971	英	1995	意
1973	西德	1997	美
1975	英	1999	荷
1977	英	2001	取消
1979	澳	2003	澳

百慕大赛

年份	冠军船	船主	年份	冠军船	船主	年份	冠军船	船主
1906	帖木儿号	F. 梅尔	1948	巴鲁纳号	H.C. 泰勒	1978	婴儿号	A. 盖伊
1907	德尔维希号	H.A. 莫尔斯	1950	阿盖尔号	W.T. 穆尔	1980	霍尔格·丹斯克号	R. 威尔逊
1908	维诺纳号	E.J. 布利斯	1952	卡里纳号	R.S. 奈	1982†	布里加杜恩Ⅲ号	B. 莫顿
1909	玛格丽特号	G.S. 朗克	1954	马来人号	D.D. 斯特罗	1984	帕米尔号	F. 柯伦(小)
1910	流浪者号	H.S. 范德比尔特	1956	菲尼斯特雷号	C. 米切尔	1986‡	银星号	D. 克拉克
1923*	马拉巴Ⅳ号	J.G. 奥尔登	1958	菲尼斯特雷号	C. 米切尔		清教徒号	D. 鲁宾逊
1924	纪念号	R.N. 巴维尔	1960	菲尼斯特雷号	C. 米切尔	1988	康格里号	B. 克佩尔
1925	马拉巴Ⅶ号	J.G. 奥尔登	1962	尼娜号	D.C. 费尔斯	1990	德纳里号	L. 亨廷顿
1926	皱壁珊瑚Ⅱ号	R. 格林尼尔	1964	伯古号	M. 厄恩斯托夫	1992	星座号	美国海军军官学校
1930	马来人号	R.W. 费里斯	1966	雷鸟号	T.V. 利尔森	1994	快乐云雀号	K.史密斯
1932	马拉巴Ⅹ号	奥尔登和盖尔	1968	知更鸟号	T. 胡德	1996	回飞镖号	G.库曼塔洛斯
1934	埃德鲁号	R.J. 谢弗	1970	卡里纳号	R.S. 奈	1998	科迪亚克熊号	L.埃克尔斯通
1936	基拉旺号	R.P. 巴鲁克	1972	诺耶马号	R. 艾米	2000	永不宁静号	E.克劳福德
1938	巴鲁纳号	H.C. 泰勒	1974	斯卡拉穆恰号	C.E. 基尔希	2002	扎拉法号	H.谢尔顿
1946*	姿态号	A.H. 富勒	1976	激流号	A. 范米特	2004	联盟号	D.帕克

＊1911～1922,1940～1944 年未比赛。†冠军分数按新计分规则计算。‡第一艘为按国际海岸规则(IOR)算出的冠军,第二艘为按国际计分系统(IMS)算出的冠军。

横渡太平洋赛

年份	冠军船	船主	年份	冠军船	船主	年份	冠军船	船主
1906	卢尔莱恩号	H.H. 辛克莱	1947	海豚号	F. 摩根	1977	默林号	B. 李
1908	卢尔莱恩号	H.H. 辛克莱	1949	基滕号	F.W. 莱昂	1979	阿里巴号	D. 乔特
1910	夏威夷号	檀香山帆船俱乐部	1951	海巫号	A.L. 麦考密克	1981	甜蜜的奥科尔号	D. 特雷德韦
1912	卢尔莱恩号	A.E. 戴维斯	1953	鹿猩号	I.P. 富尔默	1983	布拉武拉号	I. 劳贝
1923	代阿布洛号	A.R. 佩德	1955	鹿猩号	I.P. 富尔默	1985	蒙哥马利街号	D. 丹宁
1925	海员号	L.A. 诺里斯	1957	传奇号	C. 厄尔曼	1987	默林号	D. 坎皮恩
1926	侵略者号	D.M. 李	1959	纳卢Ⅱ号	P. 格兰特	1989	银弹号	J. 德劳拉
1928	特瓦号	C.W. 斯托塞	1961	南桑号	A.B. 罗布斯(小)	1991	机遇号	R. 麦克纳尔蒂
1930	女巫号	M. 亚当斯	1963	岛民号	T. 科克特	1993	银弹号	J. 德劳拉
1932	费恩号	W.S. 麦克纳特	1965	普绪喀号	D. 索尔兹伯里	1995	墨林号	D. 辛克莱尔
1934	马努瓦号	H. 迪林厄姆	1967	也是假日号	R. 阿伦	1997	拉尔菲号	J. 蒙哥马利
1936	多拉德号	J. 弗勒德	1969	阿尔戈英雄号	J. 安德龙	1999	大幻觉号	J. 麦道威尔
1939	布利岑号	T.J. 雷诺兹	1971	顶风航行号	R. 约翰逊	2001	公牛号	S. 拉多
1941	逃亡号	D.W. 埃利奥特	1973	丘茨帕赫号	S. 考恩	2003	阿尔塔维塔号	B.特平
1943～1945 未比赛			1975	丘茨帕赫号	S. 考恩			

美洲杯					
年份	冠军船	船主	船长	亚军船	船主
1851	美利坚号(美)	J.C. 史蒂文斯	R. 布朗	奥罗拉号(英)	勒马钱特-托马斯
1870	魔术号(美)	F. 奥斯古德	A. 科斯托克	坎布里亚号(英)	J. 阿什伯里
1871	哥伦比亚号(美) 萨福号(美)	F. 奥斯古德 W.P. 道格拉斯	N. 科斯托克 S. 格林伍德	利沃尼亚号(英)	J. 阿什伯里
1876	马德莱娜号(美)	J.S. 迪克森	J. 威廉斯	达弗林女伯爵号(加拿大)	C. 吉福德和企业联合组织
1881	淘气号(美)	J.R. 巴斯克	N. 克洛克	阿塔兰忒号(加拿大)	A. 卡思伯特
1885	清教徒号(美)	J.M. 福布斯;C.J. 佩因和企业联合组织	A. 克罗克	杰内斯塔号(英)	R. 萨顿爵士
1886	五月花号(美)	C.J. 佩因	M.V.B. 斯通	加拉蒂号(英)	W. 亨
1887	志愿者号(美)	C.J. 佩因	H.C. 哈夫	西斯尔号(英)	J. 贝尔和企业联合组织
1893	警戒号(美)	C.O. 艾斯林和企业联合组织	W. 汉森	瓦尔基里Ⅱ号(英)	邓雷文勋爵
1895	防御者号(美)	W.K. 范德比尔特;C.O. 艾斯林;E.D. 摩根	H.C. 哈夫	瓦尔基里Ⅲ号(英)	邓雷文勋爵;朗斯代尔勋爵;沃尔弗顿勋爵;麦卡尔蒙特勋爵
1899	哥伦比亚号(美)	J.P. 摩根;C.O. 艾斯林;E.D. 摩根	C. 巴尔	白花酢浆草号(英)	T. 利普顿爵士
1901	哥伦比亚号(美)	J.P. 摩根;E.D. 摩根	C. 巴尔	白花酢浆草Ⅱ号(英)	T. 利普顿爵士
1903	信心号(美)	C.O. 艾斯林和企业联合组织	C. 巴尔	白花酢浆草Ⅲ号(英)	T. 利普顿爵士
1920	坚定号(美)	H. 沃尔特斯和企业联合组织	C.F. 亚当斯(第二)	白花酢浆草Ⅳ号(英)	T. 利普顿爵士
1930	企业号(美)	W. 奥尔德里奇和企业联合组织	H.S. 范德比尔特	白花酢浆草Ⅴ号(英)	T. 利普顿爵士
1934	彩虹号(美)	H.S. 范德比尔特和企业联合组织	H.S. 范德比尔特	努力号(英)	T.O.M. 索普威思
1937	徘徊者号(美)	H.S. 范德比尔特	H.S. 范德比尔特	努力Ⅱ号(英)	T.O.M. 索普威思
1958	哥伦比亚号(美)	H. 西尔斯和企业联合组织	B.S. 坎宁安	节杖号(英)	H.L. 古德森和企业联合组织
1962	顶风号(美)	H.D. 默塞尔;A.D. 弗里斯;C.S. 沃尔什	E. 莫斯巴赫尔(小)	格雷特尔号(澳)	F. 帕克爵士和企业联合组织
1964	星座号(美)	W.S. 古贝尔曼;E. 里德和企业联合组织	R.N. 巴维尔(小);E. 里德尔	君主号(英)	J.A.J. 博伊登
1967	无畏号(美)	无畏企业联合组织	E. 莫斯巴赫尔(小)	帕蒂夫人号(英)	E. 克里斯坦森和 15 家商业公司
1970	无畏号(美)	无畏企业联合组织	W. 菲克	格雷特尔Ⅱ号(澳)	F. 帕克爵士和企业联合组织
1974	勇敢号(美)	勇敢企业联合组织	T. 胡德	南克罗斯号(澳)	A. 邦德
1977	勇敢号(美)	勇敢企业联合组织	T. 特纳	澳大利亚号(澳)	A. 邦德和企业联合组织
1980	自由号(美)	斯凯勒堡海洋学院基金会公司	D. 康纳	澳大利亚号(澳)	A. 邦德和企业联合组织
1983	澳大利亚Ⅱ号(澳)	A. 邦德和企业联合组织	J. 伯特兰	自由号(美)	斯凯勒堡海洋学院基金会公司
1987	星条旗号(美)	美国航海业联合组织	O. 康纳	笑翠鸟Ⅲ号(澳)	K. 帕里和企业联合组织
1988	星条旗号(美)	美国航海业联合组织	O. 康纳	新西兰号(新西兰)	M. 费伊
1992	美利坚 3 号(美)	美利坚 3 号基金会	B. 科克	威尼斯莫罗迪Ⅱ号(意)	威尼斯科姆帕格尼亚·德拉韦拉迪
1995	黑魔法号(新西兰)	P.布雷克和新西兰队	R.库斯	年轻的美国号	95 合约企业联合组织
2000	黑魔法号(新西兰)	新西兰队	R.库斯	红月号(意)	普拉达挑战队
2003	辩护人号(瑞士)	辩护人瑞士挑战者	R.库斯	新西兰号(新西兰)	新西兰队

sports medicine 运动医学 在体育训练和比赛中为运动员进行医学护理监督并治疗运动员伤损的学科。20世纪参加体育运动人数大增,对运动医学的需要乃日趋明显。随着运动医学的发展,人们更加注意并了解运动生理学。运动医学分为:①运动前的准备;②疾病与外伤的预防;③伤病的诊治;④受伤运动员运动能力的恢复。运动前的准备亦即赛前训练,能够改进运动员竞技表现中的某些方面,如速度、力量和耐力。规定运动员的饭食、针对特定的运动项目制订专门训练计划、监测训练的时间和条件都是十分重要的。预防外伤首先要对运动员进行体格检查,以便发现可能引起外伤或疾病的先在条件。在锻炼或比赛前先进行伸展活动,可以防止突然扭伤。运动医学也就防护设备(如防护垫、防护帽)的设计提出建议,以减少致伤的机会。运动医学提出许多外科技术,特别是医治膝部伤损的技术,这些新技术已经推广到一般外科和内科方面。运动医学在欧洲早就被承认为一门医学专科,而在美国却很迟缓。国际运动医学联合会成立于1928年,到了80年代参加联合会的全国性组织已有50个左右。

spotlight 聚光灯 在舞台、电影、电视、芭蕾和歌剧演出中,把强烈的灯光集中照在特定区域的灯具。它同一个小型探照灯相似,但通常装有光闸、光圈和可调整的镜头,使投影光形成所需要的形状。能移动或旋转彩色透明滤光片的机械装置可产生彩色光线。第一具舞台聚光灯为*灰光灯*(**limelight**),后来改用弧光灯、放电灯和白炽灯。装有透镜的聚光灯是美国L.哈特曼于1879年发明的。跟踪式聚光灯的集中点可以自由变换,可以照亮一个很大的区域,也可以小到仅照亮人的脸部,并可以随意转动,追踪演员。

Spotswood, Alexander 斯波茨伍德 (1676,摩洛哥丹吉尔～1740-06-07,马里兰殖民地安纳波利斯) 最早认识到西部边境经济价值的英国驻北美殖民总督之一。曾参加西班牙王位继承战争。1710年任弗吉尼亚代理总督。他建议成立弗吉尼亚公司,与印第安人开展贸易。敦促沿边境修建要塞。1716年亲自组织和进行谢南多厄河谷的考察。1722年总督任满后留在弗吉尼亚。1730～1739年任殖民地邮政总局副局长。

Spotsylvania Court House, Battle of 斯波特瑟尔韦尼亚郡府战役(1864-05-08～19) 美国南北战争期间联邦军企图击溃守卫弗吉尼亚里士满的南部邦联军,没有成功。联邦军U.S.格兰特将军在莽原战役之后,立即指挥左翼前进,与驻在弗吉尼亚州斯波特瑟尔韦尼亚郡府的南部邦联军R.E.李将军作战。战斗持续了十多天。5月20日格兰特引军向东南突进,进击南部邦联首府。战役中联邦军伤亡1.7万人,李将军的部队伤亡8 000人。

spotted deer 参阅 **chital** *斑鹿*。

Spotted Tail 斑点尾巴(约1833,美国[怀俄明]拉勒米堡～1881-08-05,南达科他罗斯巴德保留地) 印第安名辛特-加莱什卡。美国印第安人布鲁勒-特顿族和奥格拉拉-苏族的首领。并非统治家族成员,但因英勇善战而成为首领。1855年受白人袭击时,他因形势不利投降,使部落免遭惩罚,但被监禁两年,族人视之为英雄。1865年他主张让前往蒙大拿金矿的白人淘金者通过印第安人地区。1868年他与白人订立条约,同意印第安人迁居南达科他保留地,让白人在印第安人的土地上建筑铁路。当布莱克山发现金矿时,他与美国政府谈判出卖采矿权,索价6 000万美元,交易未成。当探矿者涌入时,他知道抵抗无效,拒绝采取敌对行动。1876年冲突中,他说服族人不要介入,次年还说服疯马投降。1881年当红云被废黜时,他仍是奥格拉拉-苏族和布鲁勒-特顿-苏族的首领,但不久即被同族人暗杀。

spotted turtle (*Clemmys guttata*) **斑点龟** 又称点斑水龟。水龟科小型淡水龟,产于加拿大南部至美国南部和中部地区。甲长约10厘米。背甲平滑、棕色,杂以鲜明的黄色或橙色圆斑。腹甲带黑色,有黄色或橙色斑纹。行动缓慢。栖于池塘、沼泽和渠道等淡水水域。常成群晒太阳。

斑点龟(*Clemmys guttata*)
纽约美国自然史博物馆供图

Sprague, Kate Chase 斯普拉格(夫人) (1840-08-13,美国俄亥俄辛辛那提～1899-07-31,华盛顿[哥伦比亚特区]) 美国总统A.林肯的财政部长S.蔡斯之女,持续为推进其父的政治事业努力而成为享誉全国的社会名流。曾接受父亲的教育,并在私立学校读书。母亲和继母死后,他成为父亲生活中的精神寄托。16岁就成为父亲政治活动的得力助手,20岁就在共和党芝加哥大会(1860)上积极为其父谋求共和党的总统提名。父亲就任财政部长迁居华盛顿,她很快成为首都的交际花和全国的名媛。1863年11月12日与W.斯普拉格结婚。她利用丈夫的财富,支持其父实现压倒林肯的政治野心。1868年她再次大力活动,争取共和党提名其父为总统候选人。1873年的经济危机使斯普拉格家陷入财政困难,夫妇感情开始破裂。1882年刚刚离婚的斯普拉格夫人带着3个女儿乘船前往欧洲。1886年返回华盛顿,她在贫困中度过余生。

sprain 扭伤 关节周围的韧带纤维因过度牵拉或撕裂而引起的损伤。症状为突然出现剧痛,随之局部肿胀,压痛,运动障碍,常因关节内出血而引起瘀斑。好发部位为踝、腕、膝、指(趾)关节及骶髂关节。常用的治疗方法为:用橡胶绷带固定及保护关节,逐渐增加运动量至痊愈为止。若扭伤严重,可能需行手术以修复断裂的韧带。

Spranger(van den Schilde), Bartholomaeus 斯普朗格(1546-03-21,尼德兰哈布斯堡安特卫普～1611-08,布拉格) 安特卫普画家,以晚期风格主义裸体画闻名。为了发展一种北欧风格主义的完美人体原则,他在作品里运用了修长的身体、独特的姿式和微微闪光的细腻纹理。其作品表现出受帕米贾尼诺与柯勒乔的强烈影响。他19岁时到意大利,在罗马和帕尔马度过的10年中,完成了许多湿壁画设计。后在巴黎期间(约1565),又受普利马蒂乔和阿巴特作品的影响。1567回到罗马后,成为T.祖卡里的助手。后在维也纳为皇帝马克西米连二世工作。1581年,被皇帝鲁道夫二世聘为宫廷画师。铜版画家H.霍尔齐厄斯复制了许多他的作品,从而使其作品广为流行。

Spranger, (Franz Ernst) Eduard 斯普朗格 (1882-06-27,柏林～1963-09-17,西德蒂宾根) 德国教育家及哲学家。曾先后在莱比锡(1911～1920)、柏林(1920～1945)及蒂宾根(从1946起)三大学任哲学教授,1937～1938年在日本讲学。第二次世界大战后期(1944)曾被短期监禁于柏林,但在日本大使的要求下获释。作为W.狄尔泰的学生,斯普朗格继承师业,从事人文学科的研究。他最主要的著作有《生活的形式》(1914)及《青年心理》(1924)。斯普朗格很重视文化及历史对人类道德和行为的影响。他的教育理论既是对青春期道德和社会问题的一种反映,又是对这些问题的解决方案,在20世纪20年代对德国教育颇有影响。

sprat(fish) 参阅 **bristling** *黍鲱*。

Spratling, William 斯普拉特林(1900-09-22,美国纽约索尼亚～1967-08-08,墨西哥塔斯科) 美国设计师、建筑师,在墨西哥生活30多年,发展和推进曾使塔斯科城得以闻名的银器制作工艺。斯普拉特林毕业于纽约美术学院和亚拉巴马州奥本大学(在该校学习建筑学),于1927年赴墨西哥前,在路易斯安那州新奥尔良图兰大学教美术和建筑学8年。在墨西哥城国立自治大学执教两年(1927～1929)之后,在古老的银城塔斯科(创建于1528)定居,该城久已衰落。他广交墨西哥各地银匠,开始设计银首饰、工艺品、餐具和茶具,于1933年在拉斯德利西亚斯街开设他的第一个作坊。第二次世界大战后,他的作坊破产,但仍在附近的一个牧场里继续他的工作。他的榜样带动了数百家作坊相继建立,彼此竞争。多年来,他还收集各种古物,存放在塔斯科城威廉·斯普拉特林博物馆内。他还建立了一所银器工艺学校。他写了几本书。内有《路易斯安那州古老的农场住宅》(1927)、《迪戈里韦拉的壁画》(1929)、《小小的墨西哥世界》(1964)和《斯普拉特林自传》(1967)。他死于车祸。

spraying and dusting 喷撒 农业上施用化学杀虫剂和其他化合物的常用方法。在喷雾法中，先将欲施用的化学药品溶解或悬浮在水中，或者有时溶解或悬浮在油质载体中。

单排式作物喷雾机在喷洒农药

供图：Ransomes Sims & Jefferies Ltd.，Ipswich，Eng.

然后将此混合物以细雾的形式喷洒在植物、动物、土壤或其他物品上。在另一种方法即撒粉法中，可先将粉末状化学药品与一种惰性载体相混合，然后用某种型式的吹风机来撒布。干燥的颗粒状物质也曾用来代替粉剂或喷液，可达到适当的覆盖率（参阅 **crop duster**）。熏蒸法中，将气体或挥发性化合物的蒸气与欲处理的物料保持密切接触，例如与谷物同置于密封仓中。效率更高的喷液和粉剂的发展及其在农业上日益扩大的应用，使得生物学家及其他人更加关心人类是否会破坏自然，危害食物、水源和公共卫生。新的化学药品和预防方法只能减少一部分危险。喷液和粉剂用于抑制昆虫、螨及植物的真菌性和细菌性疾病；用于杀灭动物身上的虱和蝇等昆虫。化学除草剂可杀死杂草。喷液和粉剂也可用于某些特殊用途，如撒布无机肥料，增减果实数量，推迟成熟果实的掉落，并使棉花或马铃薯等植物落叶和枝蔓枯死，以利于收割。喷液优于粉剂之处，在于它能黏附在被喷洒物的表面上并扩展开来。通常在喷洒混合物中加入扩展-黏附剂或表面活性剂，以加强对光滑表面的黏附和润湿度。这些润湿剂可降低水聚集成滴的倾向，并使化学药液在叶子上扩展成为很薄的膜，使喷洒的化学药品与欲杀死的真菌、细菌、昆虫或螨等的接触面积达到最大。空气喷雾机或"湿法撒布机"的采用，也在增加。使用分散在大功率风扇排出的空气流中的浓喷液，兼有喷雾和撒粉的多种优点。熏蒸法可用于抑制贮存产品中的昆虫和某些疾病，或者控制切根虫、蛴螬和线虫等昆虫，有时也可杀死土壤中的真菌和杂草。熏蒸所用化学药品能以气体或挥发性液体的形式使用。对土壤进行部分熏蒸时，将化学药品加入喷液或颗粒状物料中，直接施于土壤中。如欲在小区域，如苗床内更好地消灭害虫时，可将施药后的土壤用不透气的塑料覆盖物盖上。

spreading yew(plant) **伸展紫杉** 参阅 **Japanese yew** 日本紫杉。

spreadsheet 电子表格 一种计算机软件，使用者可在类似会计账簿的格式下输入数字行列。表上的每一格可容纳数据或公文，描述插入的数值或从其他格的数值而来。当一格数字改变后，程序重新计算所有受到此次改变影响的格的内容。电子表格广泛用于个人计算机上的商业计算。1979 年专门为苹果Ⅱ型计算机而写的 VisiCalc 是第一个电子表格软件。到 20 世纪末，书面表格已基本上被电子表格所取代。

Sprechstimme 朗诵唱 在音乐中，指介于说话与歌唱之间的一种唱法。其语音的音高按记谱所示的曲调轮廓线起伏。朗诵唱常用于 20 世纪音乐中。这种唱法的引用与作曲家勋伯格关系特别密切。他在《月光下的彼埃罗》(1912)中首次加以采用。但早在 1897 年洪佩尔丁克即已用于其情节剧《国王的孩子们》中。

Spree River 施普雷河 德国东北部河流。源出卢萨蒂亚山脉，北流经过施普伦贝格时分为两支汊流，流过科特布斯后，又分成渠道网，形成沼泽森林地带，直至吕本。然后经过菲尔斯滕瓦尔德和克珀尼克之后，形成数条汊流曲折流经柏林，在施潘道汇入易北河支流哈弗尔河。施普雷河全长 403 千米，流域面积10 100平方千米。沼泽森林地带多已开垦为菜地，也是柏林市民的郊游胜地。施普雷河与邻近的一些河流之间有运河相通。最重要的是从柏林向东南流的奥得河一施普雷河运河。

施普雷河上的饲料运输

供图：B. Backhaus-Pohl—ZEFA/美国不列颠百科全书公司

Sprengel, Christian Konrad 施普伦格尔 (1750-09-22，德国施潘道～1816-04-07，柏林）德国植物学家、教师。研究了植物的性，并据此创立受精作用的一般理论（该理论现在基本上已被接受）。初学神学及语言，曾在施潘道任校长。因醉心植物学研究而玩忽职守，1794 年被解职并得到一笔补助金，他便去柏林。作为神学家，相信大自然中一切事物是按一定目的创造的，并试图找出植物每一微细构造的目的。施普伦格尔发现有专门的颜色指明蜜腺所在，从而推断出这些颜色能吸引昆虫。他发现昆虫能把雄蕊的花粉传播到雌蕊上，且许多两性花的雄蕊与雌蕊的成熟期并不相同，因此不能发生自花传粉，而受精只能由异花授粉来完成。他把雄蕊与雌蕊成熟期不同这一现象称为"雄雌异熟"。他还发现有些花靠风来传播花粉。他对风媒花和虫媒花两者的不同进行了研究。施普伦格尔认为自己的学说解释了花的所有特点，如花的位置、大小、形状、颜色、气味及花期等等。1793 年他在《在花的结构和受精中发现的自然界新奥秘》一书中发表了他的观察和想法。该书一直受到冷落，他感到沮丧，不再发表其他植物研究成果，并转而研究语言学，但无建树。1841 年 C.达尔文对这部著作印象颇深，他的著作中关于花的许多论述都来自施普伦格尔的研究。

spring 春季 一年中介于冬夏之间气温逐渐上升的季节。在北半球一般规定为从春分到夏至（3 月 20 或 21 日～6 月 21 或 22 日），在南半球则定为从 9 月 22 或 23 日～12 月 22 或 23 日的时期。春季气温从冬冷到夏热的过渡仅出现在中、高纬度地区；在赤道附近，一年中气温变化很小。在极地区域，春季非常短。作为一个季节，春季的概念是与农作物的播种相联系的，在此期间，一切植物包括栽培植物，经过冬眠后都开始重新生长。动物也很受季节的影响，它们从冬眠或蛰伏中苏醒过来，开始筑巢繁殖；鸟类随着气温变暖逐渐向极地方向迁移。

spring 泉 水文学中指地面或近地面处流出地下水的出口。泉是地下水在地面的天然排出点，或者是直接流入河床、湖泊或海洋的天然排出点。地下水出露地面而无明显水流的称为渗水。井是人工挖掘的使水或其他地下液体流出地面的孔道。泉水、渗水、井水通常都源于浸入土壤和地下岩石的大气降水。透水岩石（含有互相联通的孔隙、水可在其间运移的岩石），如石灰岩、砂岩等，能贮存和传送水者称为含水层。有时，含水层中的水封闭在两个不透水层（诸如黏土或页岩）之间。当这些地层倾斜或褶皱到一个构造圈闭中时，含水层较低部位中的水就在压力条件下贮存。如果压力足够高，而井又掘过了覆盖层，水无需抽吸也会冒出地面。这种井就称为自流井。

接受和排出地下水量最大的含水层是由砂、砾石类未固结物质构成的。这种含水层分布很广，一部分通过泉眼排出地下水，而大部分是通过蒸发和渗水释出地下水。井水就大多出自这种含水层，特别是低洼地区地下的含水层。在石灰岩地区，雨水通过孔洞或其他裂隙渗入地下，又主要通过地下通道排出。玄武岩和砂岩含水层也是许多泉的水源。单个泉眼出水量超过 3 立方米/秒的大多数泉来自石灰岩和玄武岩含水层。

泉可按其水温分类。温泉或热泉的水温明显高于周围地区的平均气温。温泉出现在火山地区和在最近的地质时期内岩层曾断裂和褶皱过的地区。间歇喷泉是一种景象壮观的热泉，喷出高高的热水柱和缕缕蒸气。含有大量溶解物质的泉称为矿泉。多数温泉都含有丰富的溶解矿物质，而许多矿泉水也都是温暖的。

泉水的水质取决于含水层和水所通过的岩层的类型、沿途的温度、过去和现在的循环水量。在地下水穿经水浅、路短、可溶矿物已耗竭的透水地层处，泉水极少变质。潮湿地区的砂石与砾石含水层产出的水质优良；反之，干旱地区的泉与渗水有可能受到讨厌的矿物沉淀的污染。海成沉积岩中的水质取决于淡水冲洗的程度。在盐水冲净之后，石灰岩和砂岩通常可产出优质淡水，尽管水质较硬。

spring　弹簧　在工艺学中，指一种弹性机械零件，能在承载时按规定的方式变形，卸载时恢复原状。在一个已变形的弹簧中，力和位移的组合就是能量。当动载被固定住或弹

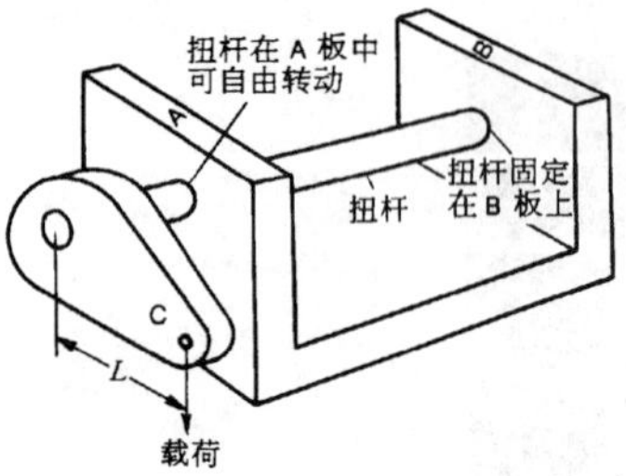

扭杆弹簧

簧绷紧而用作能源时，此能量就储存在弹簧中。虽然大多数弹簧是机械式的，但也有液压弹簧和空气弹簧。螺旋弹簧是用钢丝绕成类似螺纹的线圈，这也许是使用最普遍的机械式弹簧。它可以设计成能传递载荷或推拉载荷。扭转（扭力）弹簧用于发动机起动器和铰链。螺旋形牵引弹簧和压力弹簧有许多用处，特别是汽车悬挂装置、枪炮后坐机构和发动机节制阀。板弹簧主要用于车辆悬架，它只有一种结构，由一组长度逐渐变化的同等宽度、略带弯曲的狭长钢板叠合构成，较短的钢板在中间，形成半椭圆形。最长的一块钢板两端用销钉与车架连接，车轴固定在板弹簧中心处，此处钢板层最厚。盘簧是用平带钢或钢丝盘成留声机唱片上的纹道状。它制成发条或游丝，能作为钟表的小巧能源；它也用于打字机和停车计时收费器。附图所示的扭杆弹簧用于某些汽车的悬挂装置。圆柱形的扭杆固定在B板上，并由A板支承，但仍可在A板中转动。在偏心柄的C处加载荷，就使扭杆扭转，悬架的刚度取决于扭杆的长度和直径，以及偏心柄的长度，故只要改变L，就可很容易地改变刚度。空气弹簧基本上是在橡皮和织物制的膜盒状容器内密封的空气柱。弹簧作用是由空气压缩和膨胀产生的。空气弹簧用于公路车辆上时，不管载重多少，都能使车辆保持同样的高度。液压弹簧是较小的厚壁圆筒，通过从圆筒一端中心处穿进筒中的活塞对圆筒中的液体加压，就产生弹簧作用。液体的压缩和筒壁的变形（鼓胀）使活塞运动。这类弹簧特别适用于要求高载荷和大刚度的场合。

Spring, Howard　斯普林（1889-02-10，威尔士加的夫～1965-05-03，英格兰康沃尔法尔茅斯）　威尔士出生的英国小说家。其作品的主要力量在于他了解外省人的生活和欲望。所写小说大半描写主人公如何从贫困到富有，往往写得离奇而夸张。他是园丁之子，11岁时离校，后靠上夜校学习，最后成为新闻记者和书评家。第一部小说是《寒酸的老虎》（1934），其续篇《雷切尔·罗辛》在一定程度上是自传性的。他的畅销书《啊！押沙龙》（1938）——再版时易名《儿子啊！我的儿子》（1940年拍成电影），出版后使他举世闻名。最后在康沃尔定居，该处成为他后来一些作品的背景，如《为了声誉》（1940）、《严酷的事实》（1944）和《居中的房屋》（1951）。

Spring and Autumn Period　春秋时期（公元前770～前476）　中国东周各诸侯国争霸的时期。因鲁国编年史《春秋》记录了这段历史而得名。始于周平王东迁洛邑（今洛阳，前770），止于周敬王卒年（前476）。东周王室仅具有祭祀、典礼及外交的职能，其政治权威日益削弱。诸侯国力量日益增长，最强国君主成为霸主，挟持周天子号令诸侯，以至完全攘夺了周王室的权力，出现了齐桓公、晋文公、楚庄王、吴王阖闾、越王勾践5个霸主相继称霸的局面。春秋时期各国普遍实行井田制。农业工具仍以木、石制品为主，在春秋末期出现了冶铁业，并得到较大的发展，商人和手工业者开始取得了一些地位。文化教育有了显著发展，出现了各种学派和著名思想家、教育家孔子等。

spring balance　弹簧秤　利用弹簧的载荷与变形之间的关系来称重的工具。这个关系一般是线性的，即载荷增一倍，弹簧变形也增一倍。在如图所示的圆秤中，螺旋弹簧顶部

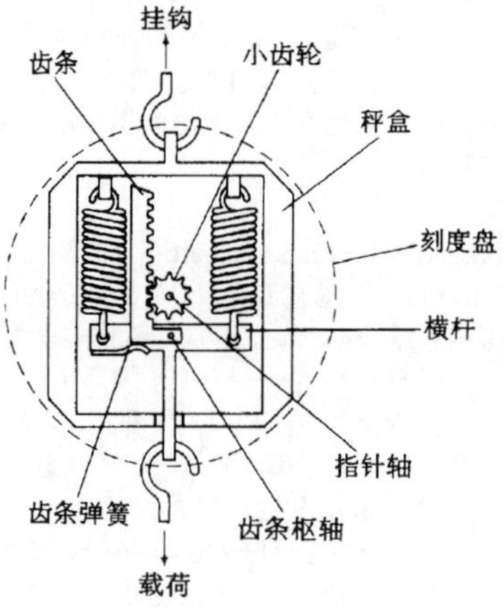

弹簧秤

连在秤盒上，底部连着能在秤盒内活动的横杆。横杆下连一个秤钩。连接指针的小齿轮以枢轴连接在秤盒内，且与齿条啮合。齿条与横杆用枢轴连接，并在齿条弹簧的压力作用下与小齿轮保持接触。当加载时，弹簧伸长，横杆及其连接的齿条运动，使小齿轮及指针旋转。度盘上刻度的单位取决于弹簧的刚度。刚度愈高，刻度的单位愈大，称重能力也越大。弹簧秤在商业中有着广泛的用途。高称重能力的弹簧秤往往悬挂在起重机的吊钩上，称为起重机秤。家用小型弹簧秤称为配餐秤。

Spring Festival　春节　中华民族最重要的传统节日。汉、朝鲜、鄂伦春、锡伯、达斡尔、赫哲、侗、壮等许多民族都过此节。又称旧历新年。1912年之前，称为新正、元日、元旦、正旦等。时间是农历正月初一。依传统习惯，春节前后包括一段年节时间，一般从腊月二十三四祭灶开始，到正月十五结束；有的从腊月初八为始，直到二月二。源于上古社会的腊祭。秦朝至汉武帝太初元年（公元前104）前，岁首定在十月初一。公元前104年颁行《太初历》始，新年定在夏历正月初一，此后历代相沿。辛亥革命后，农历与公历并行，公历一月一日为元旦，农历正月初一称春节。去旧迎新是传统春节的两大主题。传统仪式有驱傩、祭灶等。祭灶后开始各项年前准备活动。除夕晚上，全家聚在一起吃年夜饭，长辈给小儿压岁钱，人们通宵不眠守岁。正月初一凌晨，开门迎接新年、互相拜年。年节活动还有舞龙、玩社火等。

spring beetle　参阅 **click beetle** 叩头虫。

Spring Green　斯普林格林　美国威斯康星州中南部索克县的村庄。位于威斯康星河附近，麦迪逊西北偏西55千米处。19世纪60年代原为牲畜和小麦的装船点，1869年建村。此地因建筑师赖特于1867年生于里奇兰森特（在村西北32千米）而闻名。他在该村建筑了他的著名住宅"塔利辛"，始建于1911年，1914和1925年大火后重建。这是一座山丘上的建筑物，现在人们称之谓"东塔利辛"以有别于"西塔利辛"，后者为他在亚利桑那州斯科茨代尔的冬季住宅。1933年赖特在该村开设了他的第一所建筑技工学校，名曰塔利辛联谊会；其建筑现在为赖特基金会的夏季办公总部。村中有他所设计的餐厅（斯普林格林餐馆），这是本村唯一的一座公共就餐建筑物。村南几英里又有一座不平凡的建筑物"岩上宫"，是赖特的一位弟子乔丹设计的，高出威斯康星河谷140米，房子盘绕着岩石，树尖穿出屋顶。现在其四周有娱乐场和收藏品博物馆。赖特死后葬于斯普林格林。人口1 444（2000）。

Spring of Khosrow Carpet　霍斯罗夫之春地毯　又称霍斯罗夫之冬地毯。属古波斯地毯，是为萨珊国王霍斯罗夫一世（531～579年在位）的泰西封宫制作的。因为它用真丝、金、银和珠宝织制，象征百花盛开的春天，所以称为霍斯罗夫之春。又称为冬天的地毯是因为它用于无法观赏真实花园景色的恶劣天气，象征国王有令大地回春之力。图案为具体化的天堂，有小溪、曲径、长方形花坛、繁花满枝的树木。水是用水晶石做的，土是用黄金做的，花果用宝石制成。阿拉伯人攻占泰西封宫时（637），这块地毯（约7.8平方米）被割成碎片，分给士兵作战利品。

spring salmon　春鲑　参阅 **king salmon** 王鲑。

spring tide　大潮　朔望（日、月和地球几乎在一条直线上）时潮差最大的潮汐。合是新

月时日、月都在地球的一侧，冲是满月时日、月在地球的对侧，这两种朔望情况下日、月的引潮力互相增强，地球上的潮幅最大。参阅**tide**。

springbok（*Antidorcas marsupialis*） **跳羚** 又作springbuck。偶蹄目牛科一种体态优美、斑纹鲜明的羚羊。南非国家和运动的象征。原产于非洲南部无树的开阔平原。曾大

跳羚（*Antidorcas marsupialis*）
供图：George Holton/Photo Researchers

群漫游，有时群体极大，所到之处植被均遭破坏。但数量现已大为减少。肩高80厘米，从背中部到臀部有一条皮肤皱褶，兴奋时可以展开，以炫示其白色的鬃毛。皮毛红褐色，每侧有一条深褐色的水平宽带，腹、头、尾和臀部白色。两性都具有竖琴形带环纹的角。受惊或游戏时，不断绷腿垂直跳跃，一跃可高达3.5米，这种动作称齐足跳，跳时头朝下，四蹄合拢，背弯如弓。

Springbok Flats 斯普林博克平原 南非德兰士瓦省中北部广阔的平原。从比勒陀利亚向东北延伸160千米左右至泽贝迪拉。原有大量跳羚，现除禁猎区外野生动物已残存无几。整个平原平均海拔1 000米，除少数孤立的山丘外，均极平坦。气候炎热，年降雨量约600毫米，地表径流很少。植被是荆棘原和草原，土壤肥沃。经济以养牛为主；泽贝迪拉附近有灌溉，种植玉米、花生和柑橘。发现了煤和玛瑙。有铁路和公路，交通便利。

Springer, Axel (Cäsar) 施普林格（1912-05-02，德国汉堡附近阿托纳～1985-09-22，西柏林） 德国出版商，欧洲最大出版公司之一阿克塞·施普林格出版公司的创始人。一印刷商兼出版商之子。上了有限的几年学后，他在多家印刷和出版公司做过学徒；在一家通讯社和他父亲的报纸《阿托纳新闻报》报社里受新闻训练。1945年施普林格开始创办他自己的出版公司。到他去世时，阿克塞·施普林格出版集团出版有：《世界报》，一张被认为是非常保守的日报；《图片报》，一张四开小报；《汉堡晚报》；《柏林晨邮报》，以及其他报纸。此外还出版广播和电视节目报，并拥有两家图书出版公司（乌尔施泰因和普罗皮伦）和一家音像公司。1959～1960年，他从汉堡迁至柏林营业，作为他对柏林分治的象征性抗议。施普林格支持以色列国，并为推进德国人和犹太人之间的和解而工作。

Springfield 斯普林菲尔德 美国伊利诺伊州首府。桑加蒙县县城（1821）。位于该州中部，临桑加蒙河。1818～1819年创建。因邻近斯普林河而得名。1832年设村。1840年设市。1837年州首府从万达利亚迁此时，人口不足3 000。1837年4月亚伯拉罕·林肯从新塞勒姆移居此地，直到1861年当选总统。市内旧州议会大厦（1837～1853）是林肯最后担任议员的地方。林肯法律事务所及其准备就职演说的环球客栈均有青铜标牌。亦有林肯简朴故居，1972年被划为国家历史纪念地。当地长老会教堂保留有林肯家族席位。州议会大厦（1868～1888）之穹顶高110米。百年大厦（1918～1923）系为纪念伊利诺伊建州100周年而建。城西北橡树岭公墓有林肯墓。该市现为一出产玉米、大豆和牲畜的富庶农区的批发零售中心。1853年起每年举办伊利诺伊州博览会。工业生产拖拉机、汽车维修设备、电表、电子设备、砖和混凝土构件

斯普林菲尔德市的林肯简朴故居国家历史纪念地
供图：© James P. Rowan

以及油漆等。旅游业也重要。设有许多家保险公司的全国总部以及斯普林菲尔德学院（1925）、无原罪始胎主教区神学院（1956）、林肯故乡社区学院（1969）和州立桑加蒙大学（1970）。城市南端的斯普林菲尔德湖附近有林肯纪念公园和自然保护中心。当地诗人林塞的故居现辟为博物馆，亦设有南北战争美国退伍军人女儿会总部及其纪念馆。城东有巴特勒营国家公墓。城西南30千米处有林肯新塞勒姆历史纪念地。人口：市111 454；都会统计区201 437（2000）。

Springfield 斯普林菲尔德 美国马萨诸塞州西南部城市。汉普登县县城（1812）。濒临康涅狄格河。与相邻的8个社区组成城区。1635年始建于西岸，次年迁到东岸。1641年设镇。1852年设市。初为农业社区。1777年建一兵工厂，促进该城由农业社区向工业社区转变。兵工厂在独立战争中供应枪械，在1786年的谢斯起义中遭攻击，南北战争

斯普林菲尔德市的奈史密斯国家篮球名人堂
供图：Mark Sexton

时生产斯普林菲尔德滑膛枪，后为生产轻型武器主要厂家，研制出斯普林菲尔德-加兰德来复枪。该市富水力资源。1835年与波士顿通铁路后迅速工业化。现经济多样化，主要生产机械、电器、化学品、橡胶制品、塑料、印花织物和服装。1843年以来为出版韦氏大辞典的G. &C. 梅里安公司总部所在地。市内方形中心广场上有3个博物馆及图书馆、天文馆和美术馆各1座。每年9月在该市东部诸州展览园地举办美国东部最大的工农业博览会之一，园内还有斯托罗敦村（重建的古老新英格兰村庄）和两个剧院。设有斯普林菲尔德学院（1885）、美国国际学院（1885）、西新英格兰学院（1919）和斯普林菲尔德社区技术学院（1965）。1891年J. 奈史密斯在此发明篮球。市内有奈史密斯国家篮球名人堂。人口：市152 082；都会统计区591 932（2000）。

Springfield 斯普林菲尔德 美国密苏里州西南部城市，格林纳县县城（1833）。位于欧扎克高地北缘，塔布尔罗克湖地区以北，临近詹姆斯河。1829年始有人定居，发展缓慢。早期大量移民西迁时因地处交通要道，开始迅速发展。1838年设市。大西洋—太平洋铁路支线（1870）建成后兴起的北斯普林菲尔德于1887年与斯普林菲尔德合并。经济以农业为主，有乳制品、家禽、牲畜等，也有钢制品、电视机、纸箱、制冷机和三角带等制造业。有德鲁里学院（1873）、西南密苏里州立大学

(1905)、福音学院(1955)、中央圣经学院(1922)和浸礼会圣经学院。神召会的国际总部也设在该城。人口:市151 580;都会统计区325 721(2000)。

Springfield 斯普林菲尔德 美国俄亥俄州中西部城市,克拉克县县城(1818)。位于代顿东北40千米处,濒临巴克河和马德河。1799年始有人定居,1801年规划。国家公路的开通促进了当地发展。1827年设村,1850年设市。1855年W.怀特利发明收割机后,兴办了农机制造业,现为主要工业部门。19世纪80年代P.J.马斯特在此为克罗威尔-科利尔出版企业(现为麦克米伦出版机构的一部分)奠定了基础。1902年成立智心手体社(即"干中学"的团体)。G.H.沙尔在此进行其杂交玉米的早期试验。现为农业贸易中心。工业制品有起重机、机床、多种钢、铁产品等。威滕伯格大学(1845)和克拉克工学院(1962)均设于此。人口:市65 358;代顿-斯普林菲尔德都会统计区950 558(2000)。

Springfield, Dusty 斯普林菲尔德(1939-04-16,英国伦敦~1999-03-02,牛津郡泰晤士河畔亨利) 原名Mary Isabel Catherine Bernadette O'Brien。英国歌唱家,20世纪60年代产生"英国入侵"的强节奏流行乐兴盛期的轰动人物和偶像。60年代初与家人组成乡村音乐三重唱组合获得成功,后步入独唱生涯,发行了一系列风靡一时的唱片。流行乐单曲《用不着说你爱我》(1966)在排行榜名列第四,是她早期最辉煌的阶段。60年代晚期转型为灵乐歌手,与大西洋唱片公司签约,录制了专辑《达丝蒂在孟菲斯》(1969),其中单曲《传教士之子》在世界范围广为传唱。后由于吸毒和酗酒,陷入事业低谷。70年代中期在洛杉矶短期演唱。1987年与宠物店男孩乐队合作,推出《为什么我命该如此》,并为影片《丑闻》(1988)配唱,再次受到世人瞩目。后返回伦敦,罹患癌症。1998年获大英帝国勋章。1999年病故,身后入选摇滚乐名人堂。

Springfield Race Riot 斯普林菲尔德种族暴乱(1908-08) 美国历史上,数千名美国白人对伊利诺伊州斯普林菲尔德的黑人社区发动的为时两天的残暴袭击。这次暴乱是由于押送一名被指控犯有强奸罪的黑人罪犯(这一指控后来被撤销)而触发的。暴乱表明北部和南部对种族平等都同样抱疑惧态度。伊利诺伊州的国民警卫队几乎全部被调来弹压疯狂的暴乱群众。暴徒们枪杀无辜,焚烧房屋,抢劫商店,同时还肢解和私刑处死了两名年长的黑人。事后白人居民看来并无悔改的表现,某些人甚至鼓吹南部的那种把剥夺选举权当作使黑人"安分守己"的政治策略。在一篇感人甚深的叙述这次暴乱的报道(题为《北部的种族战》,1908年9月3日)中,南部白人新闻记者W. E. 沃林号召恢复当年的废奴主义精神,以遏止酿成这种吓人事件的势头。正是由于担心种族关系进一步恶化,开明的白人才在这篇文章的启发下同黑人携起手来,发起组织了全国有色人种促进协会。

Springfield rifle 斯普林菲尔德步枪 美国陆军在1873~1936年大部分时间内用作步兵制式武器的几种步枪,均由斯普林菲尔德兵工厂生产。该厂最早曾制造过滑膛枪,1855~1865年生产0.58英寸口径的来复枪84万余支。1866年开始将前装枪改为从后膛装填的单发步枪。1873~1892年生产出后膛装填的斯普林菲尔德0.45-70型单发步枪(0.45英寸口径和70格令黑火药)。1892~1903年陆军使用挪威设计的克伦格-约更生枪机直动式连发步枪,但斯普林菲尔德工厂的枪械工却在研究将德国的毛瑟枪(一种有枪机的5发连发步枪)改为斯普林菲尔德1903型。经过几次改型后,可适用1906型弹药,这就是历史上最可靠和最准确的轻兵器斯普林菲尔德0.30-06。1938年以前斯普林菲尔德步枪是美国最主要的步兵武器,到第二次世界大战中被该厂设计的哥兰德M1步枪所代替0.30-06步枪退役后被广泛改装成流行的运动员步枪,以其准确性好而受人珍视。

springhare 跳兔 又作springhaas, jumping hare或Cape jumping hare。又称好望角跳兔。啮齿目跳兔科跳兔属(*Pedetes*)2种善跳跃的非洲动物的统称。虽形似兔,但不属于兔形

跳兔(*Pedetes*)
供图:Des and Jen Bartlett—Bruce Coleman Ltd.

目。前腿短,后腿和后脚长而有力。眼大,耳长而尖,毛长而软,浅红褐色。尾长,尾尖为黑色。体长35~40厘米,尾几乎与身体等长。栖息在开阔的多沙地区,居于地穴,夜出觅食根、球茎和植物其他部分。有时一跃而跳出地穴,似为防入口处有猎食者。夏季交配,每窝产1~2仔。好望角跳兔(*P. capensis*)分布于非洲东部到南部一带;肯尼亚跳兔(*P. surdaster*)分布于肯尼亚。

Springhill 斯普林希尔 加拿大新斯科舍省北部城镇。1834年发现煤矿,1872年起进行商业性开采,现为经济支柱。1879年在斯普林希尔煤矿首次合法建立加拿大煤炭工会。有一处煤矿垂直深度达1 220米,据称为加拿大最深矿井。煤大多用火车运至附近帕斯伯勒后装船外运。有过多次重大矿井事故。1957年商业区大部被火烧毁。人口4 091(2001)。

Springs 斯普林斯 南非德兰士瓦省城镇。位于威特沃特斯兰德地区,约翰内斯堡东面,海拔1 627米。建于1885年,为一采煤营地。1908年因发现金矿得以持续发展,1912年建镇。到20世纪中期成为世界最大的产金区。现制造业(包括造纸、食品和化妆品)已取代采金业成为主要经济部门。人口160 795(1996)。

Springsteen, Bruce 斯普林斯廷(1949-09-23,美国新泽西弗里霍尔德~) 美国歌手、词作家和乐队领队。他已成为20世纪70年代和80年代摇滚乐人的代表。生长于一个工业小镇,其父是一个贫苦的劳工。1972年斯普林斯廷和哥伦比亚唱片公司签约。他的前两张专辑(1973年推出)受到了民谣摇滚、灵乐、节奏与布鲁斯的影响。第三张专辑《生来奔忙》(1975)使他成为羽翼丰满的摇滚乐大师,这主要归功于P.斯佩克特和R.奥比森。《生在美国》(1984)和随后历时18个月的世界各地巡回演唱使他一跃成为当代摇滚乐界杰出的创作艺人。这张专辑产生了7首热门单曲。他一生的社会观点明显属于劳动阶级,如1994年有关艾滋病的热门单曲《费城街道》(选自电影《费城》)为他赢得了奥斯卡奖和格莱美奖。1999年入选摇滚乐名人堂。

springtail 弹尾虫 弹尾类(或列为弹尾目)原始昆虫,约有3 500种。体型小(1~10毫米),无翅,带内口式口器。大部分种类腹部末端有一分叉的附肢,静止时被一握器握持,释放时可将虫体弹出,但通常移动形式为

弹尾虫
供图:M. W. F. Tweedie—美国不列颠百科全书公司

爬行。腹部有管状似吸器的黏管,可分泌黏性物质和摄入水分。卵球形。孵化的幼虫极似成虫。蜕皮3~12次后成熟,一生约蜕皮50次。广泛分布于全世界各种从南极到北极的土壤和落叶层中,是分布最广泛的昆虫之一。一些种类称雪跳虫,可在近冰点气温中活动并成群出现在雪地上。弹尾虫生活于土中及水上,取食腐败植物,有时为害菜园作物及蘑菇。苜蓿弹尾虫(绿圆跳虫,*Sminthurus viridis*)长2毫米,绿色,是最常见的种之一,为严重危害澳大利亚苜蓿的一种害虫。喷撒鱼藤酮或马拉硫磷可防治弹尾虫。弹尾虫化石是已知最古的昆虫之一。

Springville 斯普林维尔 美国犹他州中北部犹他县城市。地处犹他谷内,在犹他湖以东、沃萨奇岭之西。1850年由摩门教徒建立。水源充沛,是灌溉农业的贸易中心,且有多种工业(钢铁厂、焦油厂、化工厂和筑路企业)。附近有数家鱼苗孵化场。斯普林维尔艺术博物馆中收藏有著名的绘画和雕像。人口20 424(2000)。

sprinkler system　喷水灭火系统　保护建筑物的一种自动喷水消防装置。通常是把水管安装在天花板附近。第一个原型约于1800年在英国制成，由装有许多活门的水管组成，活门用线悬以重物关闭，当火把线烧断时活门即自动打开。19世纪的房屋中设置了许多这种灭火装备：有一系列带小孔的水管，与一根总水管连通，总水管的供水开关设在毗邻地区。由于这种装置往往在发生火灾时使一些未着火的房间也受到水的喷淋，所以19世纪70年代在美国作了改进。其喷头上的口子平时封闭，而由火所产生的热将它打开。近代新式的装置，在口子上装上一个易熔环或装上一个内有化学物的球，当温度达到70℃时，球自行破裂，口子即被打开。新式的喷头使水朝下喷。大多数喷水灭火装置，水管中充满了水，因此喷头是潮湿的。在有冰冻危险的地方，使用一种干喷头，水管里充满着压力适度的空气，当这一装置启用时，空气溢出，供水器的活门打开。有一种改进了的装置，管内空气仅具有大气压力，装有热感应器使之启动。另有一种特殊类型称洪水装置，是在高度危险的地点使用的，能快速喷出大量的水。

sprint　短距离跑　又称冲刺(dash)。田径运动项目之一，指以全力或接近全力的突发速度在短距离内快跑。比赛距离主要为100、200和400米以及100、220和440码。其场地

女子100米短跑的起跑
合众国际社—美国不列颠百科全书公司供图

一般要划出跑道，比赛运动员在整个比赛过程中不得越出自己的跑道。原以站立姿势起跑，自1884年后采用蹲踞式起跑，使用起跑器于20世纪30年代成为合法。鸣枪后比赛开始。最佳运动员在距起跑线55～65米时达最高速度(每小时40多千米)。65米以后，运动员因疲劳开始降速。所有重大国际比赛的200米和220码赛与400米和440码赛均在椭圆形跑道上进行，错开起跑线(离中心越远的跑道起跑点逐次向前错开)，使每个运动员跑的距离相等。结果，特别是参加400米或440码跑的运动员，直到跑完最后一个转弯时才确切地知道各自的场上位置。因此，要大大强调运动员对于自己的步法、速度和耐力的判断能力。

sprint　短距离赛　自行车竞赛项目。跑道为1 000米(女子500米)，但只计算最后200米的成绩。比赛参加者分2人一组或3人一组。比赛前几圈往往保持相对平缓的速度，

1970年在英国莱斯特举行的世界自行车锦标赛中的串座双人自行车赛
供图：Colorsport

诱使对方领先，自己紧跟在后面养精蓄锐，以便最后向终点线冲刺。关于世界冠军，参阅**Sporting Record**：Cycling；**Olympic Games**。

sprosser　鸫歌鸲　夜莺(**nightingale**)的一种。

spruce　云杉　松科云杉属(*Picea*)约40种观赏和材用常绿树的统称。原产北半球暖温带和寒冷地区。树冠金字塔形，具轮生枝和薄鳞片状树皮；叶线形，螺旋排列，每片叶于

黑云杉(*P. mariana*)
供图：Grant Heilman—美国不列颠百科全书公司

近茎处着生于一个离生的木质基部，叶落后，木质基部呈钉状突起。球果卵形或圆筒状，悬垂，鳞片宿存。云杉木材有共鸣性，用做钢琴的共鸣板和小提琴体，也用于建筑、舟船、大桶和造纸。黑云杉(*P. mariana*)和白云杉(苍白云杉，*P. glauca*)分布北美北部大部分地区，从大湖区至北极树线。两者都用于造纸。白云杉通常高18～21米，球果棕色，木材良好。其"黑山"(*P. glauca*, Blcak Hills)变种耐旱，用为风景树和防风林树种。黑云杉是云杉胶的来源，球果紫色。北美西部的恩格尔曼氏云杉(*P. engelmanni*)是重要的材用树种。与其分布相似的蓝云杉(科罗拉多云杉、北美云杉，*P. pungens*)生长习性对称，叶淡蓝色，可供观赏。挪威云杉(*P. abies*)原产北欧，是重要的材用和观赏树种，在产地和北美用于人工造林。

Spruce Knob　斯普鲁斯峰　美国西弗吉尼亚州西北部的最高峰(海拔1 482米)。地处彭德尔顿县里弗顿西南。为阿勒格尼山脉的一部分，位于莫农加希拉国家森林境内，是斯普鲁斯峰-塞尼卡罗克斯国家娱乐区游览中心。

sprue　参阅**tropical sprue** 热带性口炎性腹泻；**cliac disease** 乳糜泻。

sprung rhythm　跳韵　19世纪英国诗人霍普金斯提出的一种不规则的诗律。它以一行诗句中重音音节的数目为基础，并允许有不定数的非重音音节。在跳韵中，一个音步可有1～4个音节(在正规英诗格律中，一个音步有2或3个音节)。因重音音节在这种格律中连续出现，而不是和非重音音节交替出现，故这种韵律被称为"跳韵"，它是正规格律和自由诗之间的桥梁。霍普金斯声称他只是理论家而不是跳韵的发明者。他认为它是日常英语话语的节奏和早期英语诗歌，如朗格兰的《耕者皮尔斯》和童谣的基本韵律。

spun glass　玻璃丝　参阅**fibreglass** 玻璃纤维。

spurge　大戟　大戟属(*Euphorbia*)植物。大戟属是显花植物最大的属之一，约1 600种，其中有重要的观赏植物、药用植物，也有杂草。有一些一年生草本种可用作泻药，主要是欧洲的续随子(*E. lathyris*)，株高1米，种子有缓泻作用，一度供药用。大戟属世界性分布，形态多样，有许多产于非洲和印度干燥地区的种形似仙人掌类，区别是大戟类有乳状树液。该属有扁形匍地生长的草本，如北美的杂草铺地大戟(仰卧大戟，*E. supine*)，生于人行道缝隙中，也有灌木和乔木。花单性，雌雄同株，簇生，每花穗有一朵仅一枚雌蕊的雌花，四周围绕许多雄花，每朵雄花仅一枚雄蕊，均无花瓣，外面有五枚叶状苞片成杯状环绕，这种花序称杯状聚伞花序，每苞片上有一个腺体。蒴果，内含种子3粒；蒴果成熟时开裂，弹出种子。仙人掌状的大戟类有高15米的乔木，肉茎有棱，如灯台大戟(*E. candelabrum*)和东非产的*E. nyikae*；有高6米的灌木，如非洲南部的大角大戟(*E. grandicornis*)和东印度群岛的蛇皮掌(乳白色大戟，*E. lactea*)，这两种在温暖地区都作绿篱种植。印度产的绿玉树(乳汁树，*E. tirucalli*)肉质，无刺，直立，高6米，多指状分枝，在非洲和许

多热带地区种作茅舍的绿篱或牲畜的围栏。蜡大戟(抗梅毒大戟,E. antisyphilitica)原产墨西哥,茎棒状似绿玉树,但不分枝,灰绿色,无叶,高1米,表面的蜡质层可用制擦亮剂、润滑剂、纸张防水剂及蜡烛。多刺的铁海棠(光亮大戟,E. splendens 或迈利氏大戟,E. milii)略有攀缘性,茎木质,上有叶,原产马达加斯加,是温带地区很普遍的室内花卉,热带花园中种植后亦可增色不少。最为人喜爱的热带大戟类也许是一品红,原产墨西哥南部至危地马拉,花簇下有猩红色苞片,是圣诞节常用的装饰花卉。白头大戟(E. leucocephala)原产墨西哥至中美洲,灌木,高1.5～4米,在原产地也用于圣诞节装饰,到冬季树冠上长满白色小苞片,有些品种的叶为深红色。红羽大戟(E. fulgens)原产墨西哥,灌木,高0.9米,茎细长;苞片猩红色,簇生;有时盆栽,冬季不冷的地方可种于庭园。温带多年生观赏种有:柏大戟(E. cyparissias)原产欧洲,树冠球形,叶针状,春季开花时满树是金黄色苞片;

大戟属植物(*E. venata*)
供图:Valerie Finnis

垫状大戟(菟丝子样大戟,E. epithymoides)原产欧洲,高30.5厘米,树冠球形,金色至淡黄绿色,春季开花;E. venata 或称武尔芬氏大戟(E. wulfenii),原产欧洲,高0.9～1.2米,叶丛浅蓝色,上有浅绿黄色的叶球。E. characias 原产欧洲,高0.9～1.2米,夏季开花,苞片硫黄色;格里菲思氏大戟(E. griffithii)原产喜马拉雅地区,有一个品种(火光)于初夏开花,苞片火红色。一年生观赏种有:银边翠(E. marginata)原产北美西部;猩猩草(E. heterophylla)原产美国东部及中部至秘鲁,高0.9米,苞片和叶似一品红,绿色,具红斑,形态多样。大戟属主要杂草有:开花大戟(E. corollata)原产美国中部及东部;乳浆大戟(多叶大戟、可食大戟,E. escula)原产欧洲,已在美国及加拿大毗邻地区归化;还有美洲地锦草(斑点大戟,E. maculata);铺地大戟和近缘的小大戟(葶艾大戟,E. peplus);泽漆(向日大戟,E. helioscopia)等。有些植物学家将大戟属分为许多属,包括一品红属(Poinsettia)、Tithymalus 属、Tithymalopsis 属及 Dichrophyllum 属。

Spurgeon, C(harles) H(addon)　司布真(1834-06-19,英国埃塞克斯凯尔维登～1892-01-31,法国芒通)　浸礼会基要派牧师,著名布道家。自幼受公理会教育,1850年加入浸礼会,同年首次布道。1852年任剑桥郡沃特比奇牧师,1854年任伦敦萨瑟克新公园街教堂牧师。听他讲道的听众日益增多,使原有教堂无法容纳。1861年可容纳6 000人的新教堂投入使用,司布真即在该处讲道,直到晚年。他主编一份月刊,1856年开办教士学院,

伦敦国立肖像画陈列馆供图

1867年开办孤儿院。司布真讲道文集多达50余卷。他坚持基要主义,反对用现代科学考证《圣经》,1887年脱离日趋自由化的浸礼联会。

spurred snapdragon　有距啮龙花　参阅 **toadflax** 柳穿鱼。

Spurs, Battle of the(1302)　参阅 **Golden Spurs, Battle of the** 金马刺战役。

Sputnik　人造卫星　特指苏联于1957年10月4日开始发射的开辟了航天时代的人造地球卫星系列。"人造卫星"1号,是一个83.6千克重的仪器舱,轨道远地点为942千米,近地点为230千米,每96分钟绕地球一周,于1958年初坠入地球大气层而殒落。"人造卫星"2号第一次将狗送入太空并绕地球轨道飞行。以后又发射了8颗类似的卫星,用各种动物进行试验,来鉴定航天器生命维持系统,也试验了重返大气层的程序,并提供了有关太空温度、压强、粒子、辐射以及磁场的数据。

spy story　间谍小说　讲述国际间策划阴谋和惊险的故事。这类小说以J.巴肯、L.戴顿、J.勒卡雷和萨珀(H. C.麦克尼尔)等人的作品为代表。现代间谍小说的发展方向有两个:一个是以I.弗莱明的极畅销的詹姆斯·邦德系列惊险小说为代表,强调以科幻方式出现的技术奇迹;另一个是以勒卡雷的《寒国谍影》这样凄凉的现实主义小说为代表。

Spyri, Johanna　施皮里(夫人)(1829-06-12,瑞士希尔泽尔～1901-07-07,苏黎世)　瑞士女作家。所写儿童故事《海蒂》世界闻名。她深知儿童的心理,有幽默感,能深刻体会儿童的悲欢,这使她的书具有吸引力和永久价值。1852年嫁给一个律师,迁居苏黎世。她对家乡的爱、对自然的感情、谦卑的虔诚和欢乐的智慧,使她的作品和她的生活具有一

瑞士国立图书馆供图

种独特的品格。她的书有《在弗罗尼坟上的一片叶子》(1870)、《海蒂》(2卷,1880～1881)、《没有故乡》(1881)以及《克里特利》(1882)。

Spyrou, Aristokles(Orthodox Archbishop)**斯皮鲁**　参阅 **Athenagoras I** 阿特那哥拉斯一世。

squab　矮肥鸽　肉用的家鸽(**domestic pigeon**)品种。

squall　飑　在一分钟或稍长时间内风速突然增加,增加值达8米/秒以上,峰值速度达11米/秒以上。其中包含若干短暂的风速变化或阵风。通常以它伴随的天气现象而命名,例如雨飑、雹飑或雷飑;线飑是一条长达数百千米的雷暴飑线。当冷空气沿山坡下沉能产生飑,例如意大利亚得里亚海岸和巴尔干的布拉风;移动的冷锋也能引起飑,例如北美洲的强北风。

Squanto　斯夸托(?～1622-11,普利茅斯殖民地[今美国马萨诸塞州]查塔姆港)　又名蒂斯匡特姆(Tisquantum)。美洲印第安人译员兼向导。他出生于波塔克西特部落中,该部落拥有现今马萨诸塞及罗得岛两州的土地。他的早期生活不详,但一些权威认为,1605年他被G.韦茅斯带回英格兰。后于1614～1615年J.史密斯去美洲探险时被送回家乡。史密斯船队的一个船长又把斯夸托和他的几个同部落的人捉住,卖到西班牙为奴。后来他从西班牙逃往英格兰加入纽芬兰公司。1619年回到北美洲发现他的部落已全部死于疾病。1621年春,他随同与英国移民友善的另一名印第安人萨莫赛特来到新建起的普利茅斯朝圣者移民区,很快就成为该区居民。由于他英语流利,总督W.布雷德福任命他为总督府印第安密使,后来他又担任朝圣者代表E.温斯洛与万帕诺亚戈部落酋长马萨索伊特谈判时的译员。斯夸托随布雷德福到科德角探险途中死去。

Squarcione, Francesco　斯夸尔乔内(1397,卡拉拉帕多瓦～约1468,帕多瓦)　文艺复兴早期画家,帕多瓦画派的奠基人。现存的两幅板上画——柏林国立普鲁士文化财富博物馆所存的圣母像和帕多瓦市立博物馆所存的三联画(1449～1452)——足以说明佛罗伦萨早期文艺复兴风格对他的影响。唯一能表明

其成熟期风格的是帕多瓦圣方济各教堂的一组壁画(约 1452 ~ 1466)。这些画进一步证实佛罗伦萨早期文艺复兴风格是由他引入帕多瓦的。

square 正方形 几何学中的一种平面图形,具四等边和四直角(90°)。正方形是矩形的一种特殊(等边)情况,也是平行四边形的一种特殊(等边又等角)情况。正方形有 4 个对称轴;如同任何矩形一样,两对角线长度相等。如用一条对角线将正方形二等分,即成为两个直角三角形。设正方形的边长为 S,则正方形的面积为 S 的平方,即 S^2。由此关系导出代数中所用"平方"(square)这一术语,指任何代数式自乘的积。

square 直角尺 量具中由两根互成直角的直尺组成的工具。木工和机工用以检验校正直角,并用作切割前在材料上划线或打孔时定位的基准。图示的两种工具是木工直角尺。机工直角尺主要有两种:精密直角钢尺和组合直角尺。前者类似图示的矩尺,但没有刻度。后者包括一根钢直尺和 3 个附件——求心规、分度规和直角头。这些附件能够滑动或夹在直尺上。求心规有两条互成直角的边,跨在直尺上,使直尺的一个边缘平分这一直角。当两条边在靠近圆柱体末端处与之接触时,直尺的边缘可作为画圆柱体端部直径线的基准。分度规有一个能与直尺中心线成

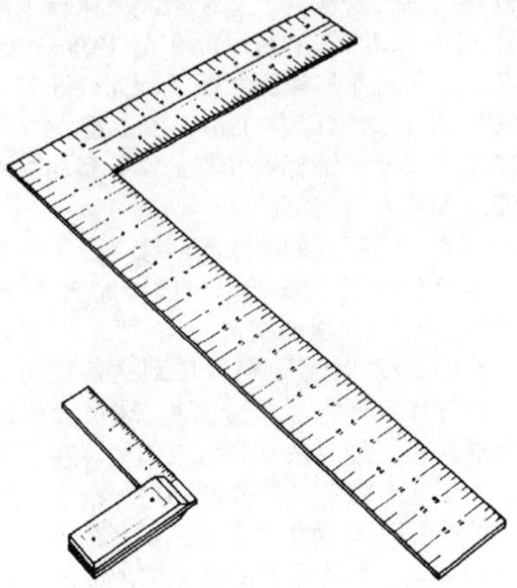

直角尺:(左)矩尺;(右)直角钢尺

任意角度的活动片。直角头有两个主要面,一与直尺中心线成直角,另一成 45°角。制图中,使用丁字尺在制图板上定水平基线。

square dance 方块舞 4 对(或若干组 4 对)舞伴站成正方形跳的舞蹈。是美国最流行的、很多人都会跳的民间舞。称为方块舞是为了区别双纵队舞(多对舞伴分男女面对面隔一段距离排成两行)和轮舞(舞伴围成一圈)。历史学家认为方块舞是源于英国的肯塔基跑步舞和法国站成四方形的、舞步庄重的舞蹈发展而来的。后者在路易十五的宫廷中流行,后来被一种称为"卡德里尔"的方块舞所代替。美国化了的卡德里尔舞或称方块舞,在开始和快速地行进的过程中保持着整齐而紧密的四方队形,4 对舞伴形成队形的四边。舞伴和着传统的乐器手风琴、五弦琴、小提琴和吉他的伴奏和互相激励的呼喊声、快板插词,以及"舞步指挥"的歌声指挥而翩翩起舞。舞蹈有各种动作,但基本舞步是平稳的"曳步舞"(互相配合的动作比舞步更为重要)。早期方块舞有 5 种主要花样,现代的方块舞仅存 3 种。

Square Deal 公平交易 美国总统 T.罗斯福(任期 1901 ~ 1909)对他本人的处世哲学所作的通俗说明。其中包含着他对于劳工、公民权、父母之道和基督教伦理的理想主义观点。1902 年矿工罢工结束后,罗斯福首次用这一词句表述大企业同大工会和平共存的理想。1912 年罗斯福成为进步党总统候选人时,公平交易的概念纳入党的纲领。

square piano 方形钢琴 这种钢琴从 18 世纪中叶发明以来,在欧洲大陆至 1860 年左右、在美国至 1880 年左右,一直是最受欢迎的家庭弹奏乐器。可能是萨克森管风琴制造

J.C.楚姆佩 1767 年制作的方形钢琴
伦敦维多利亚和艾伯特博物馆供图

家 E.C.弗里德里希所发明。约 1777 年由乐器制作家 S.埃拉尔传入法国,而在英国约 1760 年以后已经流行。方形(实际上是长方形)钢琴的琴弦平行地从一端展延到另一端,就像击弦键琴的琴弦一样(方形钢琴的设计可能即源自击弦键琴)。音域从最初 5 个 8 度逐渐增加,但很少多达现代钢琴的 88 个键。19 世纪末,方形钢琴被立式钢琴取代,后者有较大的音板,较宽的音域,并减少了重量和占地面积。

square root 平方根 与自身相乘得到一给定数的那个数。在复数域里,每个正实数有两个实的平方根;每个负实数有两个虚的平方根;一般,每个复数有两个复的平方根。数的正实根通常能从平方根表查到,或者能用对数或计算器计算。除了算术上的求平方根的方法外,还可能用其他的数值方法,例如,霍纳方法,或者用二项式级数的近似计算方法。参阅 **root**。

square sail 横帆 最简单而古老的帆具。帆连在横桁上。横桁多达 5 根,中心悬在主桅上,一根位在另一根的上方。横帆除了形状是长方形的之外,它的特征是:虽然横桁可绕着主桅作相当大的转动,帆却始终只有相同的一面受风。在中世纪以前,横帆一直是北欧水域中唯一的帆具;到 11 世纪,横帆已能随横桁转动以捕捉来风。后来它和地中海更为灵活的纵帆结合,产生了探险时代所普遍

横帆

使用的全帆装备。在现代航海中,横帆已很少使用。

squaretail (trout) **方尾鳟** 参阅 **brook trout** 溪鳟。

squaring 方格法 在视觉艺术中,用非机械手段将图像从一个平面转描到另一平面(或是将形象收放)的简易技法。将需要转描的原画分成一定数目的方格,然后用炭笔或

G.B.萨尔维用方格法画的素描《圣家族》
供图:E. B. Crocker Art Gallery, Sacramento, California

其他易于揩擦的工具,把每一方格的内容描绘到复制品的相应的格子内。埃及人至少在 5 000 年前已使用此法。运用这种方法可将底图转描成壁画,素描转描到油画布上,并可改变图画作品的比例。

squash 南瓜(小果) 某些葫芦科南瓜属(*Cucurbita*)植物的果实,广泛栽培用作蔬菜及牲畜饲料,主要的种类是笋瓜(*C. maxima*)和西葫芦(*C. pepo*)的一些品种。夏季小果南瓜指生长迅速、果实形小、非蔓延生长或呈灌木状的西葫芦类型。植株直立,枝条伸展,高 45 ~ 75 厘米。果实形态极为多样,从扁平到长圆形、细长形直到弯曲状;颜色从白色到奶油色、黄色、绿色乃至杂色。果实的表面或轮廓线可具扇形沟纹、光滑、有棱或瘤

状。果实发育极快，须于其形成后数日（在种子和果皮变硬前）即收获，收摘后应用。笋瓜为冬季小果南瓜。具长藤，生长期长，果实较大。果实收摘后，若保持干燥及避免冰冻，可贮存数月之久（直到冬季）。果柄接近果实处极度膨大。果实的大小、形状及颜色多种多样。果皮较夏季小果南瓜硬，通常人们不爱食。参阅 **pumpkin**。某些小果南瓜可能原产于亚洲，但大部分证据表明小果南瓜原产于

笋瓜（*C. maxima*）

新大陆，欧洲人到该处定居前，印第安人即已大量种植小果南瓜。小果南瓜的果实通常用作蔬菜烹食，其花亦可烹食。

squash bug（insect） **南瓜缘蝽** 参阅**coreid bug 缘蝽**。

squash rackets **软式墙网球** 又称squash，rackets又拼 racquets。用长柄穿弦球拍和小橡皮球在四周有墙围住的场地上进行单打或双打的游戏。比赛规则与墙网球完全相同，只是场地略小些。通常是两人对垒，但也可以4人（双打）一起上场比赛。

这项运动有两种不同的打法：软球（所谓“英国”或“国际”式）与硬球（“美国”式）。国际标准打法如图所示，在又高又宽的场地上使用一种较软的、速度缓慢的球。球处于运动状态的时间比较长，球员跑动面广，需要强健的体魄、耐心和心思，是一项体力要求高的运动。硬球打法在美国流行，在较狭窄的场地上使用一种质地较硬、速度较快的球来打。这种打法强调快速反应和富有创造性的击球技术。

历史 软式墙网球是从墙球发展而成的，可能是在19世纪中叶前后发源于英国的哈罗学校。那些未能进入墙球场玩球的学生，用一种打在墙上就扁了的印度橡皮球做对墙击球练习。这种新的游戏很快就风行于英国其他寄宿学校。19世纪90年代建起了一些私人网球场，进入20世纪以后，在巴兹、皇后区和玛丽勒本板球俱乐部出现了俱乐部的网球场。

但是，直到第一次世界大战后，软式墙网球才流行起来。到了20年代，这项运动迅速地传播开来，其普及程度超过了墙网球。俱乐部、大学、中学校里均建起了球场，制定了有关规则，成立了英国全国性协会，确定了球场面积以及球和球拍的规格，并开始举办多种比赛：1920年举行了职业锦标赛，1922年举行了男女业余锦标赛，1930年举行了公开赛。1924年一支英国球队被派往美国进行首次国际比赛，尽管这种比赛后来由于英、美两国在场地、球与记分办法方面有所不同而受到了阻碍。

早年在美国开展的实际上是用草地网球与球拍来打的网球式墙球。在多数美国城市，网球式墙球已被软式墙网球所取代。只是在纽约市还有人打网球式墙球。

软式墙网球从英格兰传播到整个英帝国即加拿大、印度和澳大利亚，以及南非等。今天，软式墙网球已经推广到法国、德国、丹麦、瑞典、比利时、荷兰、埃及、墨西哥、巴基斯坦、印度、泰国、香港、肯尼亚和新西兰等约40个国家和地区。国际软式墙网球联合会在世界范围内倡导该项运动，对各国之间的互访和比赛进行协调。

杰出的软式墙网球运动员包括：在20世纪30年代多次获英国公开赛冠军的埃及业余选手F.D.阿姆尔·贝伊，在50～90年代在公开赛中独占鳌头的巴基斯坦汗氏家族中的职业选手和教员，1949—1950至1958—1959年英国女子冠军和美国和澳大利亚公开赛冠军获得者J.摩根以及1961—1962至1976—1977年英国女子锦标赛和其他锦标赛的优胜者澳大利亚人H.麦凯。

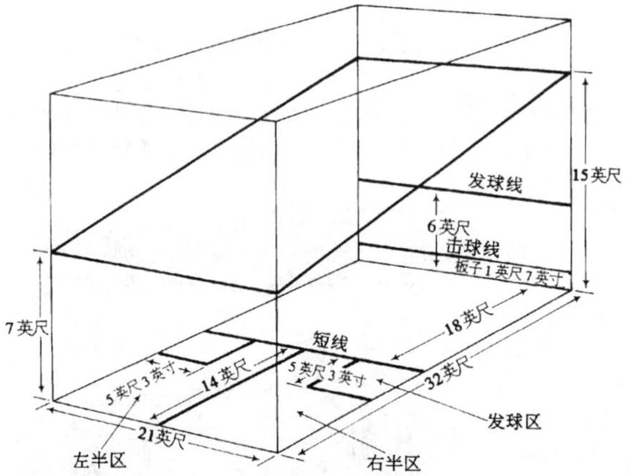

标准英式软式墙网球场图示

比赛 国际式的软式墙网球是在一个长9.75米、宽6.4米的长方形封闭场地上进行。球场的主要特点是前壁离地43厘米处有一条发球线，发球时必须把球打到这条线的上方。发球线下是木板或金属板，球员如将球打到这块板上就会被判失分或输球。在前壁和边墙上还有限制击球高度的另一条线。地面上的“短线”表示发球后球必须落在这条线后面的地上。短线后方的区域被分成两个较小的长方形发球区，发球人必须站在一个发球区内发球，发出的球必须落在另一个发球区的地上。

这项运动的目的是将球打在前壁或令其反弹在前壁上，同时设法使对方接球时够不着或不能把球打在前壁上。在发球和任何其他时候，可以将球直接打在前壁上，也可以先打到边墙或后墙上然后反弹到前壁上。球（从前壁弹回之后）在被击回之前可在地上弹跳一次，弹跳一次以上就算死球。球员必须给对方一个公平的打球机会，也就是说，他在击球后要给对方击球让道。按照英国规则，只有发球一方才能得分；发球一方如未能赢得一分，则对手取得发球权。连续获胜可以连续发球。美国的打法是，无论哪一方发球，每一回合的胜方得分，每一局可以是9分或15分。如比分出现8平、13平或14平，则用平分决胜的办法决出胜负。软式墙网球的球小，反应高度灵敏，打在前壁上回弹的速度非

在标准美式单打球场上进行的软式墙网球比赛
供图：U.S. Squash Racquets Association, New York

常快，因而比赛节奏也相当快；球员利用娴熟的技术控制落点，并改变球速力图不让对手打到球。这项运动要求眼与手很好地协调，尤其要求快速反应。

软式墙网球的球拍同墙网球的球拍相似，但拍柄较短，美国的球拍比英国的重些。球是用橡胶或丁基橡胶合成物制成。标准的英式球场四周的墙通常是木制的。球场的尺寸和标记如图所示。前壁下面的板子或显示器是由金属薄板或其他能产生共鸣的材料制成，当被球击中时产生出一种明显异样的声音。标准的美式球场比英式的狭窄得多，只有5.6米宽，其他的尺寸也略有出入。双打球场长13.7米，宽7.6米。参阅 **Sporting Record**：Squash rackets。

squash tennis　单打式墙网球　类似软式墙网球(**squash rackets**)的运动，只能由2人在四周是墙的场地上用一种大小与网球相同的充气球来进行。单打式墙网球弹跳得很

单打式墙网球
宾夕法尼亚大学供图

快，要求球员迅速做出预测和转身。单打式墙网球场和软式墙网球场的规则一样，只是在划线标记上稍有不同，例如后墙的"界外"线比软式墙网球低2英尺。运动员使用比草地网球拍柄短1英寸的球拍和同草地网球相似但略小的绿色充气球。记分办法与美国软式墙网球相同，只有发球一方能得分。直到1954年，记分办法才作了改动，使接球一方也能得分。单打式墙网球对于运动员追球时腿部力量的要求比软式墙网球低一些，但是运动员需要有更加灵活的步法以及转身和旋转时更快的反应。球在前墙、侧墙和后墙之间弹来弹去，使人眼花缭乱。球的飞行路线千变万化，有时会从前墙弹到后墙，然后再从后墙弹回前墙。软式墙网球除了用臂发力外，主要是手腕的功夫和击球感。而单打式墙网球的打法则更像草地网球的挥臂抽球。不论是软式墙网球还是单打式墙网球，截击空中球的技术(即在球触地之前把球打回去)都很重要。

squatter　牧场占用者　指19世纪澳大利亚在居民点外非法占用皇家土地的牧人。他们的行动有助于扩大澳大利亚的羊毛工业，并形成一个强大的社会阶层。19世纪40年代末，政府向他们发放租契，租期14年。此时，他们之中许多人已富有。19世纪50年代大量移民和矿工拥入，强烈要求获得土地。各殖民地立法议会通过土地"选择"法，许多牧场落入小农场主手中，遂在牧场占用者与新定居的农场主之间产生敌对关系，他们粗犷的拓荒者的气质也难以适应社会和政治的变化。

squatter sovereignty(U.S. history)　**占地者主权论**　参阅 **popular sovereignty** 人民主权论。

squatters' rights　占地者优先购买权　参阅 **preemption** 公地优先购买权。

Squaw Valley　斯阔谷　世界著名冬季运动场所。位于美国加利福尼亚州东部普莱瑟县。为一州立游乐区中心。1960年冬季奥林匹克运动会曾在此地举办。有溜冰设施、运送滑雪者上山坡的吊索设备及通斯阔峰(2 731米)坡道。斯阔谷的南面有阿尔派恩草原滑雪场。

squawfish　褶唇鱼　褶唇鱼属(*Ptychocheilus*)几种食用鱼的统称，见于北美西部江河，为北美鲤科(Cyprinidae)鱼中最大的种类。形似狗鱼，体长，口大，肉食性，性贪婪，

大褶唇鱼(*Ptychocheilus grandis*)
绘图：Gilbert Emerson

是较活泼的游钓鱼。最大的褶唇鱼是科罗拉多河褶唇鱼(白鲑，尖头褶唇鱼，*P. lucius*)长达约1.5米，曾有重达36千克的记录；由于生境的改变，数量已显著减少，被视为濒危种。

Squibb, E(dward) R(obinson)　斯奎布(1819-07-04，美国特拉华威尔明顿～1900-10-25，纽约布鲁克林)　美国化学家和制药商。曾提出制造纯净可靠药物的方法，并创立生产此类药物的公司。在担任美国海军舰上军医的四年间，看到供应海军的药品质量低劣。他说服海军当局不要同出价最低的商人订约买药，而自造药物。1851年受命到布鲁克林海军医院服务，设立一家药厂，并建成第一个制造麻醉剂乙醚的蒸馏器。用通过蛇管的水汽代替危险的明露火焰来加热乙醚。对这一制造法(此后所有的发明也一样)，斯奎布并没有申请专利，而于1856年在《美国药学杂志》上发表了他的设计。从海军辞职后，1858年他从朋友处借得1 300美元，在布鲁克林设立药厂。不足一月，因乙醚爆炸，药厂烧成灰烬。他抢救出实验记录，但自己烧成重伤。一年后药厂重建，他寄出通函，广泛宣传38种制剂。到1883年，他制作324种药品向全球销售。他协助修订了美国《药典》。自1882年到去世前，他还写文章、出版有关实用情报和新发现的期刊，以更新《药典》。他还发明了自动滴定管(自零开始)和比重计。

squid　枪乌贼　枪乌贼目海产头足类软体动物，大多数具有10腕。见于沿岸水域或远洋，游泳迅速，亦可在海洋中飘浮。枪乌贼体长约1.5～20厘米(包括触手)。体躯呈椭

枪乌贼(*Illex coindeti*)
供图：Douglass P. Wilson

圆形，颈短，头部与躯干相连。有二腕延伸为细长的触手，尖端有四行吸盘，内有角质环。体表为坚韧而柔软的外套膜，内埋有骨质内壳，眼几乎与人眼一样复杂，位于头部两侧。人们对枪乌贼的生活史所知甚少。多数把卵产于飘浮的水草上，有些则产于海底；孵出的幼体有些与成体相似，有的要经过浮游幼体阶段。枪乌贼在海洋中为数众多，是多数动物包括抹香鲸、硬骨鱼类以及人类的食品。部分枪乌贼具多数发光器，可能用于招呼同类或吸引猎物。

Squier, E(phraim) G(eorge)　斯奎尔(1821-06-17，美国纽约伯利恒～1888-04-17，纽约布鲁克林)　美国报纸编辑、外交家、考古学家，与医师兼考古学家E.H.戴维斯共同首次对哥伦布以前时期北美洲筑墩人遗址进行重要研究。

斯奎尔原是去俄亥俄州腹地农村办报，其时开始发掘史前遗址。1845～1847年间，斯奎尔与戴维斯共同发掘墓冢200处，研究约100处，采集到大批手工品，载入其著作《密西西比流域古代文物》(1848)中。该书插图精美，是史密森学会第一部出版物，被视为美国考古学巨著，其学术价值至今不减。斯奎尔后来又研究纽约州墓冢，写成了另一部富有价值的著作《纽约州土著民族文物》(1851)。1849年斯奎尔赴尼加拉瓜任美国驻中美洲代办，达成由美国在尼加拉瓜开凿两洋运河的协议，但未被批准。此行使他得以遍游格拉纳达和尼加拉瓜湖上各岛，探索古物，写成了《尼加拉瓜：民族、风光、文物和拟议中的两洋运河》(2卷，1852)。其后20年间一面从事洪都拉斯铁路开发工作，一面写出了有关洪都拉斯、尼加拉瓜和萨尔瓦多考古、民族和语言的若干著作和大量论文。1863～1865年任美国驻秘鲁专员，得有机会访问许多古迹，其中有当时尚未了解的前印加奇穆文明遗迹，著有《秘鲁：旅行见闻和印加人地域考察》(1877)。

squill　绵枣儿　或称海葱。百合科绵枣儿属(*Scilla*)植物。约100种，原产于欧亚大陆温带地区。具鳞茎。叶基生，狭窄，有时禾草状。花小，白色、蓝色或紫色，数朵排成顶生

秘鲁绵枣儿（*Scilla peruviana*）
供图：A to Z Botanical Collection

总状花序，花梗无叶。春天开花的种可栽作庭园观赏花卉。

squinch 内角拱 又称突角拱、跨墙角拱。在建筑中因上部结构形状变化（如在方形平面上建造圆穹顶，或下部为方形上部做成八角形时）在室内转角处用悬挑或其他作法建造的上部结构的支承部分。内角拱的形式很多，有逐层挑出的叠涩作法或做成各种拱式或龛式。拜占廷建筑中常用拱式内角拱，这种作法是由罗马帝国晚期和波斯萨珊王朝时期的建筑师们几乎同时发展起来的。意大利罗马式建筑中的内角拱或为圆锥形（如米兰的圣安布罗焦教堂），或为拱式；而法国奥弗涅的罗马式建筑中常用带有壁龛和小柱的较为复杂的形式。伊斯兰教建筑继承了萨珊王朝的传统，大量采用内角拱（参阅 **pendentive**）；较晚的伊斯兰建筑的一个显著特征是具有*钟乳石状装饰*（**stalactite work**），其实质是一种内角拱壁龛的装饰性组合。在哥特式建筑中，内角拱常用于方塔以支承其上的八角形尖顶。

squint（eye disorder） 参阅 **strabismus** *斜视*。

squint（architecture） 参阅 **hagioscope** *圣坛观察孔*。

Squire, Sir J(ohn) C(ollings) 斯夸尔（1882-04-02，英国德文普利茅斯～1958-12-20，萨塞克斯拉什莱克格林） 英国新闻记者、剧作家。"乔治王朝诗派"的著名诗人和有影响的评论家及编辑。曾在剑桥大学求学。先后任《新政治家》周刊和《伦敦信使》月刊（后成为乔治王朝诗派的非正式刊物）编辑。著有《讽刺性仿作诗集》（1921）、《一卷诗集》（1926）、《诗选》（1948）和《诗集》（1959），这些作品表现了作者高超的诗歌技巧，给读者以轻松愉快的讽刺性仿作诗的乐趣。还与 J. L. 鲍尔德斯顿一起把 H. 詹姆斯的《过去的意念》改编成轰动一时的剧本《伯克利广场》（1926 年上演）。

Squires, Sir Richard Anderson 斯夸尔斯（1880-01-18，纽芬兰格雷斯港～1940-03-26，圣约翰斯） 纽芬兰总理（1919～1923，1928～1932），以善于投机、挥霍浪费和贪污受贿闻名，但他促进教育和工业的发展，为纽芬兰自由党在 1949 年纽芬兰与加拿大合并后成为该省的主要政治力量奠定了基础。原为人民党员。1909 年选入纽芬兰立法会议。1914～1919 年在立法委员会任职，其中 1914～1917 年任司法部长和总检察长。1917～1918 年任殖民地部长。1918 年自由党人 W. 劳埃德任总理时，他离开战时联合政府。次年起任总理，竭力发展教育和工业，但 20 世纪 30 年代的大萧条使他的事业失败。1921 年封爵士。

squirrel 松鼠 啮齿目松鼠科动物的统称，但有时仅指本科为人熟悉的尾多毛的树栖种。松鼠几遍布全世界，生境包括森林、荒漠、平原和冻土带。有50属，260种，其中有

欧亚红松鼠（*S. vulgaris*）
供图：Schunemann—Annan Photo Features

地松鼠、旱獭和花鼠。许多松鼠树栖，有些（如旱獭）地栖，也有些（飞鼠）用连接前后腿的有毛的皮膜在树间滑翔。松鼠的后腿强有力，尾大，多毛。毛色和斑纹变化很大。形态从细长（飞鼠）到粗壮（旱獭）各异。体长从约 10 厘米（非洲倭松鼠［*Myosciurus pumilio*］）到 90 厘米（亚洲的巨松鼠属［*Ratufa*］）。除飞鼠外，所有松鼠都在白天活动。树栖种行动敏捷，居于树洞或用树叶、细枝筑成的窝内，终年活动。地栖种居于地穴，其中有许多进行冬眠或夏眠。松鼠主要以植物为食，嗜食种子和坚果。有些吃昆虫，或偶食动物蛋白质。一年产一窝或一窝以上，妊娠 22～45 天，每产 1～15 仔。松鼠属（*Sciurus*）约 55 种，分布在欧亚大陆和新大陆的大部分地区，包括欧亚红松鼠（普通松鼠，*S. vulgaris*）、美国中东部的灰松鼠（卡罗来纳松鼠，*S. carolinensis*）和狐松鼠（黑松鼠，*S. niger*）等人们熟悉的种。该属主要在树上活动，偶尔下地觅食和埋藏坚果。体长约 20～30 厘米，尾与体等长。灰、浅灰、浅黑褐色或微红褐色，腹部白至浅红褐色。欧亚红松鼠的耳具丛毛。灰松鼠及狐松鼠常见于城市中的公园及庭园，其肉可食，为小型狩猎动物；已引进北美洲西部，灰松鼠还传入英国和南非。欧亚红松鼠原产于英国到日本一带，在气候较寒冷的地区有时被捕猎以取其越冬的厚毛。英国一些地区欧亚松鼠已被灰松鼠取代。北美的红松鼠（红松鼠属［*Tamiasciurus*］）为浅红褐色，叫声响亮；主要栖息在针叶树林，常采集大量松果以备冬用。红松鼠属有 2 种：云杉松鼠（红松鼠、哈得孙河红松鼠，*T. hudsonicus*）分布于阿拉斯加到新墨西哥和南卡罗来纳州一带；体长 20 厘米，尾长 10～15 厘米，腹部为白色；道格拉斯松鼠（*T. douglasii*）分布于不列颠哥伦比亚到加利福尼亚州一带，体稍小，腹部为浅红褐色。非洲也有许多树栖松鼠，著名的有：斯坦格氏非洲巨松鼠（巨森林松鼠，*Protoxerus stangeri*）浅褐色或浅黑色，有斑点；非洲条纹松鼠属（*Funisciurus*）约 12 种，背部具有一或多条纵向长纹；非洲丛薮松鼠属（*Paraxerus*）为浅灰黄至亮浅红褐色，有斑点，有或无斑纹；太阳松鼠（*Heliosciurus*）为单色，有时为浅绿色。亚洲也有不少树栖松鼠，如亚洲具有条纹的棕榈松鼠（棕榈松鼠属［*Funambulus*］）形似花鼠，灰褐至浅黑色；4 种巨松鼠（或岩松鼠，巨松鼠属［*Ratufa*］）行动敏捷，毛色多种多样，白、黑、浅黄、浅红褐色或灰色；东方树松鼠（丽松鼠属［*Callosciurus*］）约 20 种，毛厚，颜色鲜艳，分布于亚洲东部。关于地栖松鼠，参阅 **chipmunk**；**marmot**；**prairie dog**。关于滑翔松鼠，参阅 **fly squirrel**。

squirrel corn（*Dicentra canadensis*） **松鼠谷** 即加拿大荷包牡丹。原产北美东部和中西部林地的一种野花，属于荷包牡丹科（紫堇科）。因根茎上有结节状黄色突起，似松鼠

松鼠谷（*Dicentra canadensis*）
供图：G. Tomsich—Shostal/美国不列颠百科全书公司

收藏的谷粒，故名。叶似蕨类，叶柄和花柄从块茎抽出，花似与之有亲缘关系的荷包牡丹（*D. spectabilis*），花冠二裂，花朵迎风摇曳。株高约 30 厘米。

squirrel monkey 松鼠猴 卷尾猴科松鼠猴属（*Saimiri*）2 种（或更多种）树栖猴类的统称。是中美洲、圭亚那和亚马孙河盆地的河岸森林中是常见的灵长类动物。群居，有时一群达几百只。松鼠猴漂亮，体长 25～40 厘米；尾粗大而不能卷曲，长 37～47 厘米。脸小而富表情。眼大，耳大而常具丛毛，被毛短而柔软。吻色深，面白色，尾梢黑色。毛色灰绿至橄榄绿色，腹部灰白，臂、掌和脚为黄或橙色。普通松鼠猴（*S. sciureus*）具橄榄色或浅灰色的毛冠。红背松鼠猴（巴拿马松鼠猴，*S. oerstedii*）毛冠黑色，背部微红。松鼠猴白天活动，跟随首领集成一路纵队，沿树上一条常走的路径前进。睡觉时用尾盘绕身体，在树枝上挤作一团。杂食性，吃果实、昆虫和小动物。妊娠期为5.5～6个月，每胎一仔，

普通松鼠猴(*S. sciureus*)
供图:© Gerry Ellis Nature Photography

幼仔负在雌猴或雄猴的背上。松鼠猴娇弱怕冷,但是很好的实验动物。饲养中的松鼠猴可活10年或10年以上,群养时寿命似乎更长。可成为清洁、亲切、温顺的玩赏动物,喜玩弄毛发。

squirrelfish 松鼠鱼 又作soldierfish。又称兵鱼。即鳂鱼。金眼鲷目鳂科约70种大眼、美丽的岩礁鱼类的统称。遍布于热带,可食用。鳍具强棘,鳞粗糙多刺,一些种类颊部

松鼠鱼(*Myripristis jacobus*)
供图:Carl Roessler

具锐棘,大多数种类为红色,多并有黄、白或黑色斑纹。最大的种可能是太平洋的有棘真鳂(*Holocentrus spinifer*),长达约60厘米。鳂为肉食性,夜间活动,白天藏于礁岩间。

squirting cucumber (*Ecballium elaterium*) **喷瓜** 葫芦科蔓生草本植物。原产于地中海地区,已引种到其他地区用作庭园观果植

喷瓜(*Ecballium elaterium*)
供图:G. Tomsich—Shostal/美国不列颠百科全书公司

物。茎粗,多毛,粗糙,伸展可达60厘米。花钟状,黄色。果蓝绿色,约长4～5厘米,有长柄;成熟时从柄上脱开并爆裂,将棕色种子弹出,弹射距离可达3～6米。

śrāddha 祖灵祭 又拼shraddha。印度教的祭祖仪式,凡是男性印度教徒(一部分遁世者除外)都必须履行这种社会义务和宗教义务。祖灵祭祭祀的对象是已故的父母、祖父母和曾祖父母。其用意是供养、保佑和帮助亡灵步步高升,直到投胎转生。第一次祖灵祭于亡者死后第11天至第31天举行,具体日期依种姓传统而定;以后定期举行。亡者死后一周年时也要举行祖灵祭,使死者亡灵与祖先亡灵会合。

Sranantonga 斯拉南汤加语 又称塔基塔基语或宁格雷-汤加语。为南美洲东北部苏里南(前荷属圭亚那)通行的一种皮钦语,源自英语。操此语者为在苏里南种植园作工的非洲血统的奴隶。这种皮钦语既受到奴隶的本族语即非洲诸语言的强烈影响,也受到圭亚那原种植园主即葡萄牙犹太人的葡萄牙语的影响。后来葡萄牙犹太人为英国人所取代,英语也成为斯拉南汤加语的基础。17世纪通行斯拉南汤加语的圭亚那地区被荷兰人接管,此种语言又受到荷兰语的强烈影响。目前通行的斯拉南汤加语与荷兰语、葡萄牙或英语几乎无明显相似之处。例如斯拉南汤加语的典型句子"Mek konu gi-em moni en bai sani, dan eng sa go kir eng"(让国王给他钱去买东西,他将去杀它)。萨拉马卡语是圭亚那丛林黑人讲的另一种混杂语,也是以英语为基础并曾受葡萄牙语影响。然而,与斯拉南汤加语相比,萨拉马卡语受非洲语言影响较大而受荷兰语的影响较小,而且保持了非洲语的音调系统,高语调(用高重音标示)与低语调有别。

Sraosha 斯拉奥沙 琐罗亚斯德教义中至高之神阿胡拉·玛兹达的使者、神谕的化身、人与神之间的媒介。他的形象是健壮而圣洁的青年,负有保祐世人的责任;每夜三次降临人间,与恶魔作斗争。

Śrauta-sūtra 《天启经》 印度教礼仪手册中的一卷,供主持吠陀大祭的祭司使用。大祭需3堆祭火,有专职祭司多人参与。此类经书直接以据说根据神灵启示写成的吠陀经典为基础,故名。《天启经》、《家经》和《法经》一起,共称《劫波经》。

Śrāvastī 舍卫城 巴利语作Sāvatthi。古印度城市,在今北方邦东北的拉布蒂河畔。公元前6世纪至公元6世纪为拘萨罗王国首都贸易和宗教中心。三条大路在此处会合,把它同印度东部、北部和西部的大城市连接起来。它与佛陀及后来的佛教重要人物有密切关系。最重要的宗教名胜是祇园精舍。其他名刹有拉加卡拉玛和普尔伐拉玛。此城也是耆那教的重要中心。

Srbija 参阅 **Serbia 塞尔维亚**。

Sredna Mountains 斯雷德纳山脉 保加利亚中部的山脉。断断续续地位于巴尔干山脉南部,东-西走向。地质上为罗多彼山脉之一部,两山之间为色雷斯平原。在斯雷德纳

斯雷德纳山脉中的农场
供图:Art Resource

和巴尔干山脉之间有几个大盆地,自西向东分别为索非亚、皮尔多普、卡尔洛沃、卡赞勒克和斯利文。斯雷德纳山脉由西向东分为伊赫蒂曼山、苏希廷斯卡山和瑟尔内纳山三部分。伊赫蒂曼山位于最西部,索非亚东南32千米处。山峦起伏,林木茂盛,人口稀少。托波尔尼察河位于其东。自该河至斯特里亚马河68千米处有苏希廷斯卡山。由侵入岩形成的山脊更显陡峭,最高峰海拔1 604米。斯特里亚马河河谷东面为瑟尔内纳山,最高峰1 236米。该山脉有少量金属矿得到开采。皮尔多普附近托波尔尼察河岸有大型炼铜厂。

Srednerusskaya Vozvyshennost (Russia) 参阅 **Central Russian Upland 中俄罗斯高地**。

Srednesibirskoye Ploskogorye (Russia) 参阅 **Central Siberian Plateau 中西伯利亚高原**。

Srednyaya Tunguska River (Russia) **中通古斯卡河** 参阅 **Podkamennaya Tunguska River 石泉通古斯卡河**。

Sremski Karlovci 斯雷姆斯基卡尔洛夫齐 德语作Karlowitz(卡尔洛维茨)。匈牙利语作Karloca(考尔洛曹)。塞尔维亚伏伊伏丁那自治省城镇。濒临多瑙河,位于贝尔格莱德至苏博蒂察及匈牙利的公路、铁路线上。1698～1699年间曾在此召开72天会议,签订《卡尔洛夫齐条约》,结束了奥斯曼帝国与欧洲各国家之间的战争。1848年伏伊伏丁那塞尔维亚人在此召开会议,宣布该地区脱离匈牙利统治而独立。斯雷姆斯基卡尔洛夫齐一带为丰产的农业区,出产粮食、饲料,有果园、葡萄园。人口约8 900(2004)。

Śrī (Hindu goddess) **室利** 参阅 **Lakṣmī 吉祥天女**。

Sri Aman 实里阿曼 旧称Simanggang(成邦江)。东马来西亚集镇。濒临卢帕河。地处本州一主要农业区,为木材、橡胶和胡椒贸易中心,设有简易机场。与西北偏北129千

米外的古晋通公路。人口4 552(1980)。

Sri Gangānagar(India) **斯里根加纳格尔** 参阅 **Gangānagar** 根加纳格尔。

Sri Indraditya **西·因达迪耶**(活动时期约1240～1260) 泰国第一个独立国家素可泰王国的奠基人和统治者。原名邦克朗陶,是素可泰附近的一个小侯国的首领。约1245年,他与巴孟联合反抗作为吴哥高棉国王代表的素可泰总督,占领了宋加洛。从此邦克朗陶便以西·因达迪耶的称号治理国家。在随后的一个世纪中,特别是在因达迪耶的第二个儿子兰坎亨统治下,素可泰在该地区发展为杰出的泰人国家。

Sri Jayewardenepura Kotte **斯里贾亚瓦德纳普拉·科特** 斯里兰卡法政(立法与司法)首都,位于行政首都科伦坡东南约8千米,属于科特镇郊区。1982年启用的崭新的国会大厦群坐落在经过整治的沼泽区及一个湖心岛上。斯里贾亚瓦德纳普拉是根据15世纪僧伽罗王朝都城科特(**Kotte**)的名字命名的。

Sri Lanka **斯里兰卡** 全称斯里兰卡民主社会主义共和国,僧伽罗语为Sri Lanka Prajathanthrikā Samajavadi Janarajaya,旧称锡兰。为印度洋中的岛屿国家,与印度半岛的东南岸隔保克海峡相望。该岛呈梨形,位于北纬5°和10°(从北到南约432千米),东经79°和82°(从东到西约224千米)之间。首都科伦坡。面积65 610平方千米。人口约19 218 000(2004)。

土地 斯里兰卡可分为4个不同的自然地理区:中部高地、西南部、东部和北部低地。中部高地平均高度为1 500米以上,它决定着全岛的地势。全国既有高耸的山脉和高原,也有狭窄的峡谷以及深深的河谷。在接近这一地形的中心处,有全岛的最高点皮杜鲁塔拉格勒山,高2 524米。西南部亦是多山地区,有中部高地的拉克沃讷山脉延伸到这里。东部是起伏的平原,孤立地点缀着一些小山。北部低地是平坦、广阔而肥沃的平原,有数条小河流贯其间,偶然可见一些山脊。马哈韦利河向东流至中部高地的北面,为境内第一大河。

斯里兰卡属赤道气候,几乎无季节性的气温变化。平均气温从低地的22～33 ℃到山区的7 ℃不等。在大多数地方全年相对湿度都很高。既濒临海洋又接近印度次大陆的位置,使得该国的赤道气候深受季节性转换的季风影响,以致各地降雨变动幅度颇大,年平均降雨量在北部和东部的干燥区不到1 000毫米,而在西南部的潮湿区高达3 750毫米以上。自然植被覆盖了全岛的1/3。东北有耐旱的混生常绿林(乌木和椴木等),西北和东南多荆棘丛,东部则类似热带大草原。野生动物有鹿、豹、熊、野猪、象和各种猴子。

斯里兰卡的矿物资源有石墨、铁矿石、钛铁矿(钛矿石)、瓷土以及宝石等。在西南部拉特纳普勒城附近的砂砾冲积层中,发现有大量的蓝宝石、红宝石、黄玉、石榴石、月长石和锆石等。

人民 僧伽罗族是最大的种族集团,大约占总人口的3/4。其他种族集团还有泰米尔人和穆斯林(部分是阿拉伯航海者的后裔,有时被误称为摩尔人)。僧伽罗语和泰米尔语为官方语言。英语的使用亦很广泛。2/3以上的人(多数是僧伽罗人)信奉佛教,近1/6的人(泰米尔人)信奉印度教。其他宗教信仰集团还有穆斯林和基督教徒。

人口增长率是南亚地区最低的国家之一,主要原因是出生率相对较低。但是,斯里兰卡的人口密度极高。为缓和人口密度太高带来的社会和经济压力,政府已经采取措施降低生育水平,同时在人口迁入和迁出上设法保持平衡。

作为一个发展中国家,这里的婴儿夭折率和人口总的死亡率都比较低,人的平均预期寿命(男子69岁,女子73岁)在南亚国家中也是最高的。尽管如此,政府还在努力改善医疗保健制度,特别要进一步减少产妇和婴幼儿的死亡。

大约有1/5的人口居住在城市。这一数字在21世纪还会迅速增加。政府的报告显示,城镇地区在快速发展,而农村地区的发展步伐却不尽如意。

经济 斯里兰卡经济尚在发展之中,是主要以农业、服务业和轻工业为基础的(国营和私营)混合经济。1971年后对许多工业实行了国有化。经济发展一直严重依赖国际货币基金组织、亚洲开发银行、美国及日本的资助。荷兰、德国和中华人民共和国也曾在多方面提供过援助。新的工作机会的创造尚不及人口增加的速度快。失业现象十分普遍。国民生产总值增加的速度比人口增加快,但是按世界标准衡量,人均国民生产总值仍然很低。

农业产值占国内生产总值的近1/4,占用了2/5的劳动力。农产品可分为经济作物和主要作物。前者一般在种植园中生产,后者则靠农民的小块土地生产。土地改革曾把许多种植园划分成小块,今天小土地所有者生产的橡胶和茶叶数量十分可观。该岛1/3的土地是可耕地。为提高土地的生产能力,政府已经在兴修马哈韦利河流域的水利工程。斯里兰卡虽然已有两千年修建水库和运河的历史,但其灌溉潜力仍未充分开发。

主要作物水稻的产量尚不能满足国内需求。增用肥料已经促进了稻米的生产,产粮首先用作供应口粮。稻田面积很少有超过2公顷的。茶叶产于中部高地,为主要出口品。橡胶和椰子产于海拔较低的地方,也是赚取外汇的重要物资。

斯里兰卡因出口多种宝石而著称于世。该岛还出口大量优质石墨,在石墨生产方面居世界领先地位。自1971年后,政府通过国家石墨公司将石墨生产控制在本国手中。

制造业的产值约占国内生产总值的1/7,雇用了全国劳力的1/8。主要生产纺织品、陶瓷、石油制品、菜油、肥料、水泥等。多数大规模工业由政府经营,私营部门则主要生产消费品和若干资本货物,如机械工具和建筑材料等。为了通过各种免税手段来吸引外国投资,70年代后期在科伦坡以北建立了一个投资开发区。

电力供应几乎完全靠水力发电。80年代建成了几个新的水电站,使得该岛的发电能力大为提高。

服务业收入构成国内生产总值的最大部分,吸收了全国劳力的1/3。政府为促使斯里兰卡成为南亚的国际金融中心做了很大努力,1979年允许外国银行在该国开设分行。

20世纪70年代中期以来,斯里兰卡的贸易一直长期入超。在国外工作的斯里兰卡人的汇款是国家外汇的主要来源。公有企业控制着进口,而私营公司则掌握着大部分出口。主要的进口物品供应国和地区是日本、伊朗、美国、台湾和英国,日本同时也是重要的斯里兰卡物资出口市场。

美国不列颠百科全书公司供图

政体与社会状况 斯里兰卡是一个社会主义共和国。总统由直接选举产生,任期6年。1978年颁布的宪法给予总统以较前更大的行政权力。他既是国家和政府首脑,又是武装部队总司令。总统在一个委任的内阁的协助下行使职权。立法权归一院制的议会所有。议会由225个成员组成,直选产生,任期6年。总统可以在任何时候召集和解散议会。议会有权制定有追溯效力的法律和修正宪法。大党派有统一国民党、泰米尔联合解放阵线和斯里兰卡自由党。司法系统由总统指定的最高法院、上诉法院、高等法院和各种低等法院组成。

斯里兰卡的社会福利计划对暂时失去劳动能力者、失业者、老人、残疾人和永久丧失劳动能力者提供现金补贴及死亡抚恤金,但仅能顾及有限的社会成员。医疗服务在政府医院中是免费的。只是这种服务由于缺乏人员和设施而效能有限。营养不良和各种胃肠疾病始终是严重问题,然而疟疾、天花、霍乱和鼠疫等却已绝迹。住房不足问题在科伦坡及其周围地区极其严重。政府的住房政策考虑的主要是低收入者的住房建设、卫生设施的扩充和贫民窟的拆除。

斯里兰卡的成人识字率,男性近90%,女性在80%以上,比大多数南亚国家高。各级教育均为免费,并对5～15岁少年儿童实行义务教育。此外,还有中等教育、技术和职业教育以及高等教育。

宪法保证新闻自由,但是政府依照反恐怖主义法,可以实行直接新闻检查。报纸使用僧伽罗文、泰米尔文和英文。斯里兰卡广播公司(无线电台)播送有关国家、商业和教育的节目。1979年试验性播出电视,1982年开始正常在全国播送节目。

文化生活 斯里兰卡具有丰富的文化遗产,其历史可上溯至公元前3世纪。该国的艺术传统大部分集中于佛教和印度教的宗教艺术和舞剧。民族舞剧有3种主要形式:戈兰(泰米尔语"戏装")舞,一种假面舞剧;鬼舞,一种跳给精灵的舞蹈,希求解除病痛或不幸;康提舞,一种异常重要的民族舞蹈,多以神话、历史和自然为主题。传统雕塑、绘画和建筑的代表作可见于遗留下来的古代作品,如巨大的佛像、寺院(特别是在康提周围)和寺庙绘画。斯里兰卡代代相传的其他艺术形式还有象牙雕刻、金工制作、涂漆木器和条编技术等。

历史 该岛最早的定居者可能是从亚洲南部移来的土著居民,属原始澳大利亚种族集团。他们被公元前5世纪左右自北印度来到该地的印-欧人所同化,发展成僧伽罗人。泰米尔人可能是以后来自达罗毗荼印度的移民。他们的移民活动从公元初一直延续到公元1200年前后。

佛教在公元前3世纪传入,阿努拉德普勒城建成为主要的政治和宗教中心。随着佛教的普及,阿努拉德普勒王国的政治控制在锡兰扩张开来(约公元前200～约公元1000)。在公元993～1070年之间,僧伽罗人失去对锡兰的控制,让位于朱罗人(来自南印度的入侵者)。但是在波隆纳鲁沃时代(公元1070～1200),僧伽罗人又建立起牢固的统治。从1200～1505年,僧伽罗人的势力逐渐转到该岛西南部。与此同时,一个南印度王朝在北方崛起,并于14世纪建立了一个泰米尔王国。在13、14和15世纪,发生了来自印度、中国和马来亚的入侵。

1505年,一支葡萄牙船队到达锡兰。葡萄牙人获准建立一个要塞,并于1518年取得贸易特许权。他们同当地的国王们结成各式同盟,乘王国之间的嫌隙以渔利,利用一切机会将自己的被保护人扶上王位。到1619年,通过主动侵占和与王室立约,葡萄牙人控制了该岛的大部分领土。

康提王国借助荷兰人的帮助,把葡萄牙人赶了出去,但锡兰却最终落入了荷兰东印度公司的手中,直到1796年英国人取而代之。1802年,锡兰成为英国政府的直辖殖民地。1830年以后,锡兰的经济发展主要为兴旺无比的咖啡种植业,直到一场叶子病摧毁了所有的种植园。19世纪80年代试种茶树获得成功,茶叶旋即成为该地的种植园作物。

20世纪初期,锡兰民族主义扩展到宗教、社会和教育等领域。1919年,锡兰国民大会党统一了僧伽罗和泰米尔各派组织。1920年,英国人颁布了一系列宪法,以迎和民族主义的要求。1948年,该殖民地获得自治领地位。统一国民党掌握了政府,直到1956年被斯里兰卡自由党赶下台。后者致力于维护僧伽罗族的同一性。泰米尔人强烈反对这一时期的僧伽罗民族主义。1965年,统一国民党重新掌权。1970年,斯里兰卡自由党与各马克思主义政党组成联盟,在大选中获得压倒性胜利。斯里兰卡自由党政府在20世纪70年代初期和中期实行了许多经济和社会改革。政府在1972年颁布的宪法中将锡兰更名为斯里兰卡。1977年统一国民党再度执政。它从根本上修订宪法,建立了一个总统制政府,改国家名称为斯里兰卡民主社会主义共和国。此后,尽管僧伽罗和泰米尔社团之间的种族关系再趋紧张,该党的政治和政府改革还是进行得相对平稳。1981年暴力冲突发生,泰米尔领袖开始要求拥有单独的泰米尔人自己的国土。为在该岛北部和东部建立自主的泰米尔国,泰米尔社团的一部分人发动了游击战争。暴力活动一直延续到20世纪90年代。1993年,斯里兰卡总统遇刺,据称即泰米尔极端势力所为。1994年,C.库马拉通加当选为斯里兰卡历史上第一位女总统。叛乱活动仍在继续,1999年,库马拉通加在一次暗杀活动中受伤,同年再次当选总统。2004年12月,斯里兰卡遭受靠近印度尼西亚的印度洋中部地震引发的巨大海啸的袭击,北部、东部和南部沿海岸区损失惨重,有数万人丧生。2005年11月,库马拉通加卸任总统职务。现任总统为拉贾帕克萨。

斯利那加市的舍利默尔花园
供图:Harrison Forman

Śrī-Nāthajī 圣主像 印度教名词,指该教所崇奉的神灵黑天的像,主要为伐腊毗派所推崇。该像安置于拉贾斯坦邦的讷德瓦拉黑天庙内,日常供奉礼仪甚为复杂。印度北部和西部印度教徒居家和店铺都陈设此像,该像饰有花环和其他华丽饰物。

圣主像,19世纪中叶拉贾斯坦绘画风格
供图:P. Chandra

Srihatta(Bangladesh) 参阅 **Sylhet 锡尔赫特**。

Srīkākulam 斯里加古兰 又称奇卡科尔。印度南部安得拉邦东北部城市。濒临纳加瓦利河。历史名胜有清真寺(1641)。城内设有安得拉大学的几所附属学院。人口约88 684(1991)。

Srīnagar 斯利那加 印度西北部查谟和克什米尔邦印度控制区的城市,为该区夏季首府。位于克什米尔谷地中,濒临杰赫勒姆河,海拔1 600米。四周有湖泊与高山,多寺庙与花园,旅游业日益发展。穿过市中的杰赫勒姆河上有七座木桥,另外还有许多运河、水道,水中有平底游船。斯利那加以拥有许多清真寺和寺庙闻名。有一清真寺还保藏有先知穆罕默德的头发。斯利那加还有各类市场及零售店。建有地毯厂、丝织厂、银器厂、铜器厂、皮革厂和木雕厂。设有克什米尔大学(1969)。有航空线通德里与阿姆利则。克什米尔谷地土地肥沃,为查谟和克什米尔人口最稠密地区。其余地区大多森林茂密。人口:市894 940;都会区971 357(2001)。

Srīrangam 斯里兰格姆 印度东南部泰米尔纳德邦中东部城镇。位于高韦里河与戈莱

斯里兰格姆市主要寺庙的千柱厅
供图:Tom Putnam

伦河分岔处的岛上，靠近蒂鲁奇奇拉帕利市，为印度南部香火最盛的印度教朝圣中心之一。其主要的一个寺庙由7个长方形围场构成，一个套一个，最外面的一个其周边长达3千米。该寺庙最突出的特色是它的千柱厅及其后腿直立的群马列柱。寺庙及千柱厅建于维查耶那加尔时代（1336～1565）。人口约746062（2001）。

Srirangapatnam（India） **斯里伦格伯德讷姆** 参阅 **Seringapatam** 塞林伽巴丹。

Srisaket（Thailand） 参阅 **Sisaket** 四色菊。

Śrīvaiṣṇava 室利毗湿奴派 印度教重要教派，盛行于印度南部。崇奉大神毗湿奴，遵行罗摩拏阇的教诲。该教派在10世纪末或11世纪达到全盛。14世纪末该派内部发生争论，结果分裂为现在的北学派和南学派。室利毗湿奴派排他性强。该派的婆罗门热衷于学术，因此号称阿阇梨（导师）。参阅 **Teṉkalai；Vaḍakalai**。

Srivastava, Dhanpat Rai（Indian author） **斯里瓦斯塔瓦** 参阅 **Prem Chand** 普列姆昌德。

Śrivijaya empire 室利佛逝帝国 7～13世纪在马来群岛兴盛一时的海上商业王国。王国兴起于苏门答腊的巨港，不久就向外扩张，控制了马六甲海峡。该王国的势力基于对国际海上贸易的控制。它与群岛诸国和中国、印度都建立了贸易关系。室利佛逝也是该地区的宗教中心。信奉大乘佛教。中国佛教徒前往印度时在此停留。到公元1000年室利佛逝已占领爪哇岛的大部分地区。但不久就被印度人的海上和商业王国朱罗夺走。1025年朱罗人夺取巨港，俘虏了国王，带走了他的财宝，并进攻王国的其他地区。到12世纪末室利佛逝已衰落成为一个小王国。

Srong-brtsan-sgam-po 松赞干布（约617～649或650） 藏族吐蕃王国的创建者。中国唐代汉文史籍译为弃宗弄赞、弃农赞或弃苏弄赞。穷哇达则（今西藏山南地区穷结）人。

中国大百科全书出版社供图

629年，继位为赞普，迁都逻些（今西藏拉萨）。削平内乱，统一青藏高原各部族。制定法律和度量衡制度，命学者参考中亚文、汉文及天竺（印度）文字创制藏文。641年与唐文成公主联姻，引进唐朝的工农业生产技术和文化。文成公主和松赞初娶的尼泊尔尺尊公主都虔信佛教，西藏佛教因而兴盛。松赞死后追谥为"干布"（大德之意），西藏文史书籍尊称为"松赞干布"（庄严大德王）。

Śruti 天启 根据神灵启示而写成的一类印度教经书，是至为神圣的典籍。据说此类经籍是圣人传达自己所获神灵启示之作，不同于根据人的追忆而著的传承。天启权威性较高，但在现代印度教中实际上传承更具有影响力。

śruti 斯鲁蒂 梵语，意为"听见的"。印度和巴基斯坦音乐中可察觉到的最小音程单位。印度乐理中把8度分成22个斯鲁蒂。这种分音法并不绝对平均，但是这些微分音单位可与西欧乐制中的1/4音相比拟，后者是8度的24等分。此词既可指一个特定的音，又可用作一个测量单位，表明两个音之间的音程大小。

SS 党卫军 德语Schutzstaffel的缩写。别名黑衫队。德国纳粹党身穿黑色制服的精锐部队。为1925年4月希特勒作为个人卫队建立，人数不多。该组织随着纳粹运动的得势而扩大，获得极大的警察和军事权力，实际上成为国中之国。自1929年至1945年解散，始终由希姆莱（**Himmler, Heinrich**）领导。他把一支不足300人的队伍发展到1933年纳粹上台时的5万余人。1934年希特勒利用党卫军清洗冲锋队后，它遂成为一支独立的队伍，通过希姆莱只对希特勒个人负责。到1939年，党卫军人数已达25万名。主要分为普通党卫军和武装党卫军。普通党卫军负责警察和"种族"事务。其最重要的部门是中央保安局，下分治安警察和安全警察。安全警察又分为刑事警察和缪勒领导下令人生畏的盖世太保（**Gestapo**）。中央保安局还包括保安处，负责搜集外国和国内情报、进行间谍活动。武装党卫军又分：①近卫团，为希特勒私人卫队；②骷髅队，管理集中营；③战斗队，在第二次世界大战中扩充到39个师，与正规军并肩战斗。党卫军成员的受训内容是培养种族仇恨和对人残忍的心理。他们曾大批屠杀政治上的反对派、吉卜赛人、犹太人、波兰领导人、共产党领袖和苏联战俘。1946年设在纽伦堡的盟军军事法庭宣布党卫军为犯罪组织。

SS-Angehörigen, Organisation der Ehemaligen（German: Organization of Former SS Members） 参阅 **Odessa** 地下党卫队。

Ssu-ma Ch'ien（Chinese historian） 参阅 **Sima Qian** 司马迁。

Ssu-ma Hsiang-ju（Chinese poet） 参阅 **Sima Xiangru** 司马相如。

Ssu-ma Kuang（Chinese chronicler） 参阅 **Sima Guang** 司马光。

Ssu-mao（China） 参阅 **Simao** 思茅。

Ssu of Ch'en, Prince 陈思王 参阅 **Cao Zhi** 曹植。

Ssu-p'ing（China） 参阅 **Siping** 四平。

Ssu-shu（Confucian text） 参阅 **Sishu** 四书。

Staatliche Kunstsammlungen Dresden 国立德累斯顿艺术收藏馆 位于德国德累斯顿的艺术博物馆。藏有绘画、雕刻、版画、实用艺术品和钱币等。尤以绘画陈列馆著称，该馆于1560年由奥古斯特亲王建立，但最受欢迎的还是后来收集的18世纪以来的作品。有12个附属艺术陈列馆，包括一个现代艺术陈列馆。第二次世界大战期间出于安全的考虑，博物馆将其藏品疏散，但仍然散失损坏了许多作品，博物馆的一些设施也遭破坏，现大部分已得到重建。

Staatliches Bauhaus 参阅 **Bauhaus** 包豪斯。

Staatsoper 参阅 **Vienna State Opera** 维也纳国家歌剧院。

Stabiae 斯塔比伊 意大利坎帕尼亚古城镇，公元79年维苏威火山爆发时被毁。位于那不勒斯湾东端海岸。原为奥斯坎居民点，公元前90年参加同盟者战争（公元前90～

斯塔比伊出土的罗马壁画——阿耳忒弥斯神像
那不勒斯国家博物馆供图

前88）反抗罗马。公元前89年为苏拉毁灭。斯塔比伊以泉水具有疗效闻名，后成为旅游胜地。发掘出来的罗马壁画可与庞贝和赫库兰尼姆两处的壁画媲美。

stabile 静态雕刻 一种静止型的抽象雕刻，为20世纪美国艺术家考尔德所倡导，特征是以薄金属片做成简单的形式。静态雕刻这个名称(相对动态而言)是J.阿尔普在1931年针对考尔德的作品而起的,后来用于其他艺术家的类似作品上。考尔德创作的静

A.考尔德的彩绘薄金属片静态雕刻作品《鲸鱼Ⅱ》(1964)
纽约现代艺术博物馆供图

态雕刻对20世纪后半叶公共艺术的复兴起着重大作用。突出的例子有:《火烈鸟》(芝加哥,1974)、《特奥德拉皮奥》(意大利斯波莱托,1962)、《火红的太阳》(墨西哥城,1968)。

stability　稳定性　数学中,系统受到轻微干扰时不致引起瓦解性影响的条件。一个函数$f(x)$作为一个微分方程解说是稳定的,如果方程的任意另一个解只要在$x=0$处充分接近$f(x)$,就在以后的x值处仍然接近于它。如果当x无限增大时这两个解的差趋向于零,就说这个解是渐近稳定的;如果一个解不稳定或不渐近稳定,就说它是不稳定的。例如,方程$y'=-y$的解$y=ce^{-x}$是渐近稳定的,因为当x增加时,任意两个解c_1e^{-x}与c_2e^{-x}之差$(c_1-c_2)e^{-x}$永远趋向于零。另一方面,方程$y'=y$的解$y=ce^x$是不稳定的,因为任意两个解的差等于$(c_1-c_2)e^x$,当x无限大时它无限增大。对一个方程来说,同时可有稳定解与不稳定解,如,方程$y'=-y(1-y)(2-y)$有解$y=1$,$y=0$,$y=2$,$y=1+(1+c^2e^{-2x})^{-1/2}$以及$y=1-(1+c^2e^{-2x})^{-1/2}$(见图)。除$y=1$外,所有这些解

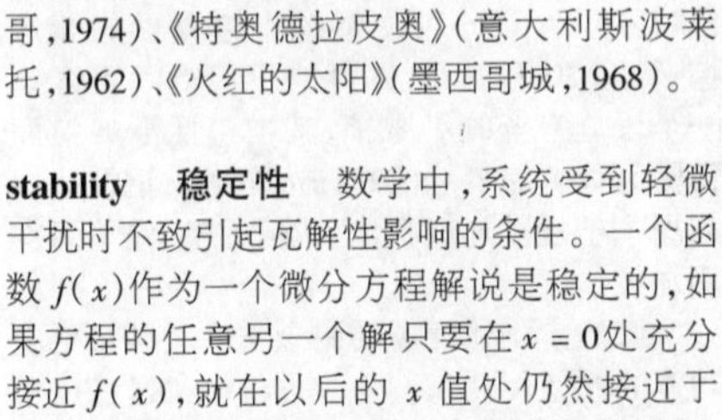

稳定解与不稳定解

都是稳定的,因为对任意的c值,只要开始时很接近,当x无限增大时它们都趋向于$y=0$或$y=2$;而解$y=1$是不稳定的,因为它和另一个与它很接近的解之差等于$(1+c^2e^{-2x})^{-1/2}$,当x增大时它趋向于1,不管在开始时它与解$y=1$多么接近。解的稳定性在物理问题中十分重要,因为如果由于测量的不可避免的误差引起数学模型的轻微变化并不对应于解的轻微影响,那么数学方程就不能对未来的结果作出准确的预报。预报人口增长的困难之一就在于,它由函数$y=ce^{ax}$来描述,这是方程$y'=ay$的一个不稳定解,原来的人口统计数c或繁殖率a的轻微误差,即使不致出现紊乱,也会引起预报中很大的差错。

stabilizer　稳定器　参阅**economic stabilizer 经济稳定器**。

stable fly (*Stomoxys calcitrans*)　**厩蝇**　又称厩螫蝇。双翅目蝇科(Muscidae;有时旧属另立的螫蝇科[Stomyxyidae])的一种凶恶的吸血昆虫。平时见于阳光充足的开阔地,但天

厩蝇(*Stomoxys calcitrans*)
供图:Richard Parker

气坏时也入室内。常被称为叮人家蝇,能传布炭疽等动物疾病。卵产在腐败或发酵的禾秆中,雌蝇产卵前需吸血。生活史约3周。最好的防治措施是清除其孳生地。

Stace, W(alter) T(erence)　斯塔斯(1886-11-17,英国伦敦～1967-08-02,美国加利福尼亚拉古纳比奇)　英国出生的哲学家。曾试图调和宗教经验与自然主义。他的功利主义理论强调以经验为基础,却承认必须将神秘的解释和精神的解释相结合。曾受教于爱丁堡巴思学院、费蒂斯学院和都柏林三一学院。1910～1932年在锡兰的英国行政机构中担任地方行政官和法官,并在该地研究印度教和佛教。1932～1955年在普林斯顿大学讲授哲学。由于受黑格尔的影响,他发表了许多探索与宗教经验有关的人类思想中共同之物的作品。主要著作有:《黑格尔哲学》(1924)、《知识和存在的理论》(1932)、《道德概念》(1937)、《时间与永恒》(1952)和《神秘主义和哲学》(1960)。

Stachanov (Ukraine)　参阅**Stakhanov 斯达汉诺夫**。

Stade　施塔德　德国西北部下萨克森州城市。濒临施温格河,距其与易北河汇合处5千米。12世纪设建制,为汉萨同盟成员。曾为易北河下游的主要港口。1648～1712年由瑞典统治;然后转到丹麦手里,1715年归汉诺威。现旧城许多地区是由瑞典人重建和设防的,仍有护城河围绕,为商业中心。有哥特式的圣维尔哈迪教堂等高大建筑。博物馆中有早期日耳曼人文物。通铁路和海运。工业有造船和炼油业等,并生产食品和化工品。人口约45 103(1998)。

Städel Art Institute and Municipal Gallery　施塔德尔艺术馆和市立美术馆　德国美因河畔法兰克福艺术博物馆。1816年建立,建馆资金来自银行家J.F.施塔德尔的捐献。他捐出自己的财产和艺术收藏,建立了一座艺术馆和一所艺术学校。该馆于1817年对公众开放。藏有中世纪以来大多数西欧画派的作品,尤其丰富的是16～18世纪德国、荷兰、佛兰德斯与意大利的作品。

stadholder　执政　又拼stadtholder。15～18世纪期间,低地国家各省的行政长官。在荷兰共和国时期,这一官职拥有广泛的权力。执政最初由中央政府任命的贵族担任,职责是主持省议会、指挥省军队和任免某些官员。1568年起,执政改由议会选举产生。反对西班牙哈布斯堡王朝而赢得独立的7个省份一直保持这个传统。但重归西班牙统治的各省,执政又由王室任命。荷兰共和国成立后,执政职务一直由奥兰治-拿骚家族包办。荷兰共和国有过两个无执政时期(1650～1672和1702～1747),5个重要省份官职空缺,而由荷兰寡头政治集团控制共和国的命运。1795年,执政制度随同旧共和国的垮台而消亡。

Stadion(-Warthausen), Johann Philipp (Karl), Graf von　施塔迪翁(1763-06-18,美因茨大主教管区美因茨[德国]～1824-05-15,奥地利维也纳附近巴登)　奥地利政治家和外交家。1783～1787年任帝国枢密官。后来在奥地利驻斯德哥尔摩大使馆工作。1790年施塔迪翁被派往伦敦,在那里深受伯克保守哲学的影响,极力反对法国大革命,并要求成立奥普俄三国联盟。1801年任驻柏林大使,1803年任驻圣彼得堡大使,两次使命导致1804年签订奥俄防务协定。1806年任外交大臣。他认为只有煽动日耳曼民族主义情绪才能战胜拿破仑的法国。1809年由于在瓦格拉姆战役中,奥地利被拿破仑打得惨败,他辞去大臣职务。1813年,拿破仑即将垮台,他引导奥地利参加反法联盟,并在各盟国中担任奥地利特命全权大使。1816年又任财政大臣,曾创办奥地利国民银行和采用均一土地税法。

stadium　体育场　具有可供体育比赛和其他表演用的宽敞的场地,同时为大量观众提供座席的建筑物。体育场这个名称是从希腊度量衡单位演绎而来的。斯泰特(stade)是原来希腊赛跑(180米)的路程。在奥林匹亚举办的古代奥林匹克运动会上赛跑的路程恰好是一个斯泰特。这个度量衡单位先被用来表示赛跑的意思,后来又用来表示赛跑的场地。作为一种建筑物,体育场在20世纪建筑技术上起过重要作用。

古典体育场 第一座希腊体育场是狭长的，呈马蹄形。有些体育场是将山坡削切而成的，如在底比斯、埃皮达鲁斯和始于公元前8世纪的奥林匹克运动会会址奥林匹亚的体育场就属于这一类。希腊人还建造马车赛场，跑道宽阔，可容4匹马拉的马车进行比赛。参阅 **hippodrome**。

巴西里约热内卢市的马拉卡尼亚体育场
供图：Manchete Press Agency—Pictorial Parade

罗马人继承并发展了希腊的体育场设计，建成两种体育场：马戏场和圆形竞技场。马戏场是罗马式的竞技场，呈发夹形，用于马车赛。在罗马的大竞技场（**Circus Maximus**）是最大、最精美的马戏场。圆形竞技场和马戏场不同，它四面都是全封闭的，最富有罗马建筑的特点。由于圆形竞技场是用来做格斗表演的，因此场地的面积大小并不重要，设计上要考虑提供尽量多的观众席并为观众提供最佳的视线条件。罗马帝国衰亡后，圆形竞技场继续存在一段时间，直到城市本身衰落，其中的景物也就随之消失。大约2 000年以后，这种建筑形式才得以复活。在这2 000年间，出现了一些小得多且往往是临时性的场地，但这也足以容纳如欧洲中世纪勇士比赛那样一些表演性的运动会。参阅 **amphitheatre**。

19世纪，随着城市的发展，体育竞赛重新引起公众兴趣，大规模观赏性体育活动逐步获得新生。具有象征意义的是，1896年奥林匹克竞赛的复兴为设计现代体育场提供了巨大的动力。

现代体育场 第1届现代奥林匹克运动会在雅典举行。这届奥运会使用的体育场是把H.阿提库斯用大理石修建的一座古老体育场进行改建而成，而那座古老体育场是在雅典的一个更古老的体育场的旧址上修建起来的。尔后历届奥林匹克运动会便成为发展现代体育场的主要焦点。自第1届现代奥运会后，通常每4年就由东道国兴建一座永久性的体育场来纪念奥运会。1908年在伦敦的“牧羊人丛林”里为第4届奥运会盖起第一座现代类型的体育场。体育场的部分观众席上方有屋顶，可供50 000多观众入座。在第二次世界大战前所建造的奥林匹克运动场中，在建筑方面值得一提的有：斯德哥尔摩体育场（1912）、科隆布体育场（1924）、阿姆斯特丹体育场（1927）以及柏林体育场（1936）。1940年为第12届奥运会在赫尔辛基修建了一座体育场，但那次奥运会由于第二次世界大战爆发而被取消，后来这座体育场于1952年被用作第15届奥运会会址。

20世纪前半叶在几个城市建造了在规模上可与古罗马体育场相媲美的体育场，其中主要有布拉格的斯特拉霍夫体育场（1939，可容24万人）、里约热内卢的马拉卡纳市体育场（20万人）、格拉斯哥的哈姆登公园体育场（14.95万人）、伦敦北区的文布利体育场（12.6万人）、墨尔本板球场（11.6万人）、莫斯科（列宁）中央体育场（10.3万人）、英格兰布拉德福德的奥德萨尔体育场（10.25万人）、墨西哥城的阿兹特克体育场（10万人）、美国加利福尼亚州帕萨迪纳的蔷薇体育场（104 091人）、美国密歇根体育场（101 701人）。当然这些数字是指可“容纳”的观众人数，正式的“座位”容量则要小得多。

橄榄球启发人们设计出一种新型的体育场，1914年在康涅狄格州纽黑文第一次盖起了一座称做“耶鲁碗”的呈椭圆形体育场。这种式样的体育场后来也在其他几个地方出现，包括蔷薇体育场和密歇根大学体育场。由于碗状结构完全不适合棒球等主要的美国体育项目，于是又演变出另一种为棒球而设计的美国式体育场。这种场地旨在提供尽量多的有遮盖的座席，以使观众免受日晒。最早反映这一趋向的是1923年建于纽约的扬基体育场，它有三层观众席。

设计上的创新 由于体育场是为了多种用途而修建的，体育场的形状也有各式各样。有的是带卷角的长方形，有的呈椭圆形或马鞍形。在20世纪期间，混凝土的使用大大地促进了大型体育场的建造；这种材料使得原先结构上承受不了的设计上的大胆创新成为可能。

建造有屋顶的体育场，最难解决的问题是支撑屋顶的支柱挡住了观众视线。1959年洛杉矶的道奇体育场是第一座所有观众席位都没有立柱挡住视线的阶梯式体育场。1964年又在纽约出现了希阿体育场，它在场内增加了活动座位，以便把棒球场改成橄榄球场。还有几座专为棒球赛建造的著名体育场，如密苏里州圣路易斯的布什纪念体育场和佐治亚州亚特兰大的亚特兰大体育场。

20世纪中叶的一个重大发展是建于得克萨斯州休斯敦的透明圆顶体育场，这是第一座全部有屋顶覆盖的大型体育场。在这以前也修建过比较大的室内体育场，主要有1890年在纽约市建成的麦迪逊广场花园和1928年在芝加哥建成的芝加哥体育馆，后者可容17 500观众。为在罗马召开1960年奥运会，著名的意大利建筑工程师P.L.内尔维设计了罗马体育中心，其中包括一座带有用筋条支撑的圆顶体育宫。然而，相比之下休斯敦的圆顶体育场要大得多，它拥有62 000观众的座位，中间还有一个大型赛场。这个体育场的圆顶由透明的塑料块拼成，用钢框支撑，跨度为196米，高度为63米，场内全部设有空调。然而不到10年，这个体育场就显得不如1975年在新奥尔良建成的“超级圆顶体育场”。这座新的圆顶体育场有69 065个正式的观众座席（但是实际能容纳更多人）。它是一座30层的建筑物，其钢筋屋顶的净跨度为200米。

用柔性钢缆支撑跨度很大的屋顶是一大改进。使用钢缆大大加快了建造进度，减轻屋顶的重量，并节省了造价。在明尼苏达州圣·保罗的明尼阿波利斯建成的大都市圆顶馆就是这样一种现代体育场。这种钢缆结构能解决大跨度的屋顶问题。美国工程师L.泽特林设计了一种用钢缆支撑屋顶的棒球馆，可容20万观众，体育馆下部空间可容纳一个设施齐全的小城镇，其中包括沿着斜面行驶到体育馆外墙的高速火车道。钢缆结构的屋顶把墙壁连成整体，减轻重量，使下面空间加大。

修建室内体育场的概念与使之具有更多功能的愿望促使人们为改进材料和建造技术而进行探索。包括航空航天工业在内的现代技术，已经可以将几千英尺跨度的建筑物用屋顶盖起来。正因为现代体育场设计概念具有巨大潜力，所以人们已对把整个曼哈顿岛用屋顶覆盖起来的建议进行了认真的讨论。把今天那些设有许许多多的餐馆、展览大厅和其他辅助设施的室内体育场看成是明天完全用屋顶覆盖起来而不受气候影响的城市的先驱，并不是一个脱离实际的想法。

stadtholder 参阅 **stadholder** 执政。

Staël, Germaine de 斯塔尔（1766-04-22，法国巴黎～1817-07-14，巴黎） 原名热尔曼娜·内克，全名 Anne-Louise-Germaine Necker, Baronne(baroness) De Staël-Holstein，别名斯塔尔夫人。原籍瑞士的法国女作家、政治鼓动家、交际家。她集中体现了她那个时代的欧洲文化，架起一座从新古典主义到浪漫主义的思想史桥梁。她主持的沙龙是当时知识界名流的聚会场所，因而颇有名望。她的作品有小说、戏剧、伦理和政治论文、文艺批评、历史、自传体回忆录及一些诗篇。她在文学方面最重要的贡献是作为浪漫主义的理论家。

早年生活与家庭 她原名安妮-路易斯-热尔曼娜·内克。父母都是瑞士人，她本人在巴黎出生。父亲杰克·内克是日内瓦银行家，后任路易十六的财政大臣。母亲苏珊·屈尔绍是原籍瑞士的法国牧师的女儿，她为协助丈夫的事业，在巴黎创办了一个出色的文艺和政治沙龙。

年轻的热尔曼娜·内克很早就在天生丽质之外以聪明和谈吐而崭露头角。当她还是个孩子的时候，就经常在母亲的沙龙上露面。她抱着强烈的求知欲，不但聆听、甚至参加进

供图：Giraudon—Art Resource/美国不列颠百科全书公司

这里的谈话，这成了她最引人注目的气质。16岁时，原想考虑嫁给小皮特，但因不愿在英国生活而作罢。她于1786年与瑞典驻法大使斯塔尔-霍尔斯坦男爵结婚。但这种实用主义的婚姻于1797年就正式中止。他们生有子女3人：奥古斯特（1790年生，后来主编了他母亲的全集）、阿尔贝（1792年生）及阿尔贝蒂娜（1796年生）。据说，阿尔贝蒂娜的父亲是作家B.贡斯当。

政治观点 热尔曼娜·斯塔尔在21岁前写了一部浪漫剧《索菲，情感的秘密》（1786）和一部受N.罗启示而写的悲剧《简·格莱》（1790）。但使她一举成名的是《论卢梭的性格与作品》（1788）。她的思想是卢梭的热情奔放与孟德斯鸠的理性主义的不可调和的奇怪混合体。在她的崇拜孟德斯鸠的父亲的影响下，她的政治观点是英国式的君主立宪制。由于同情法国大革命，她又获得了雅各宾派的名声。在国民大会——这个废除了君主制的民选机构内，温和的吉伦特派最投合她的思想。

在丈夫的外交官身份的庇护下，她在巴黎一直平安无事，直到1793年才躲避到日内瓦附近的科佩，那里有她老家的住宅。她在那儿为西欧知识界的一些著名人物建立了一个聚会的场所，使她的声名广为人知。自1789年起，她就是路易十六最后几位大臣之一的L.德·纳博讷的情妇。1792年纳博讷到英国避难，1793年她到英国去与他团聚。她住在萨里郡米克勒姆附近的朱庇特庄园，这座宅第是法国侨民于1792年租下的。她在这里结识了芳妮·伯尼，即后来的达布莱夫人，但由于斯塔尔夫人的政治观点和伦理观点在英国上流社会不受欢迎，因而两人的友谊只是昙花一现。

她于1794年大恐怖结束时经科佩回到法国。这时，她的事业的辉煌时期开始了，她的沙龙宾客如云，她还发表了几篇政治和文艺文章，其中著名的是《论激情对个人与民族幸福的影响》（1796），这篇文章成了欧洲浪漫主义的重要文献之一。她又着手研究特别是在德国兴起的新思潮。她阅读了瑞士老一辈评论家邦施泰滕、德国语言学家洪堡、特别是施莱格尔兄弟的著作。他们当时都是德国最有影响的浪漫派人士。

但是，最直接影响她喜爱德国文化的，则是她的新情人、作家和政治家贡斯当。她和贡斯当之间起伏不定的暧昧关系开始于1794年，持续了14年之久，虽然1806年以后贡斯当对她的钟情已大为减退。

文艺理论 大约在19世纪初，斯塔尔夫人的文艺思想与政治思想的特点已经明确。她的重要文学论点出现在《论文学与社会建制的关系》（简称《论文学》，1800）一书中。这部内容复杂的著作，虽不能说是完整的，但至少对法国来说，是有许多新思想和新观点的。它的基本理论是：一部作品必须表达产生它的这个民族的道德与历史的现实，即时代精神。泰纳的实证主义对此有进一步的陈述和发挥。她还认为，北方的观念和古典的观念基本上是对立的，而她是支持北方的，虽然她本人的趣味仍然是强烈的古典主义的。她的两部长篇小说《黛尔菲娜》（1802）和《高丽娜》（1807）在某种程度上表达了她的文艺理论，前者具有浓厚的社会学观点，而后者却表现了北方与南方思想的冲突。

逐出巴黎 她也是一位重要的政治人物，被当时的欧洲看作是拿破仑个人的敌人。她和贡斯当及他的朋友们一起组织了一个自由派反抗中心，这使拿破仑十分恼怒，并于1803年把她驱逐到距巴黎64千米以外去住。从那时起，科佩成了她的总部；她于1804年开始撰写一本她称之为《十年的流放生活》的书。从1803年12月到1804年4月她作了一次穿越德国的旅行。访问魏玛是这次旅行的顶点，这里当时已成为歌德和席勒的圣地。她在柏林还遇见了奥古斯特·施莱格尔，1804年后他成了她经常的同伴和顾问。然而在德国为她作向导的却是在耶拿读书的英国青年鲁宾逊。她的1804年的旅行被父亲去世的消息打断，他是她一向极其崇拜的人。父亲的死使她深为悲恸，但她1805年又去游意大利，这次有施莱格尔作陪，还有一位导游是日内瓦经济学家S.德·西斯蒙迪。1805年6月回来后的7年，即她被放逐远离巴黎的大部分时间是在科佩度过。

如果说，《高丽娜》是她旅游意大利的结果；那么，她访问德国的收获却包含在她的最重要的著作《论德国》（1810）一书中。这是一本关于德国的风格、文学与艺术、哲学与道德以及宗教的严肃著作。她在这本书中向她的同时代人介绍了狂飙突进运动时期（1770～1780）的德国。它的唯一缺点是，忽视德国浪漫主义的强烈民族主义面貌，提供了一幅不真实的画面。拿破仑认为此书是一本反法兰西的著作，因此将1810年的法文版（10 000册）予以没收和销毁。这本书最后于1813年在英国出版。

这段时期，斯塔尔夫人还受到警察的迫害，于是逃离了拿破仑统治的欧洲。1811年她与年轻的瑞士官员"约翰"罗卡结婚，1812年5月去奥地利，此后又访问俄罗斯、芬兰和瑞典，1813年6月到达英国。她在英国受到了热情的接待，虽然也遭到拜伦等自由派人士和托利党人两方面的责难。前者说她反拿破仑反得有些过分，而后者则认为她太自由派。她在英国的导游是苏格兰政论家J.麦金托什。她在游历中为写《论英国》收集了材料，但始终没有动笔，这些材料见诸1818年出版的《对法国革命中重要事件的思考》一书中；这说明她又回到了内克的思想，主张以英国的政治制度作为法国的榜样。

1814年波旁王朝复辟后，斯塔尔夫人回到了巴黎。但使她大失所望的是，拿破仑倒台之后，随之而来的是外国占领，根本没有在法国重建自由。在"百日"事件期间她逃到科佩，1815年9月又再度去意大利访问。1816年她回到科佩度夏，在此见到了拜伦，那时拜伦刚从婚姻挫折中逃了出来，两位作家在此结下了深厚友谊。

斯塔尔夫人的健康后来越来越差。拜伦离去后，她回到巴黎过冬。虽然受到归来侨民的冷遇和政府的猜疑，但她整个冬天和初春照旧主持她的沙龙。1817年4月以后，她病倒了；同年7月在巴黎逝世。

评价 热尔曼娜·斯塔尔夫人在文学上的地位远不及她在思想史方面的地位。她的长篇小说和剧本现在大部分已被人忘却，但她的文艺批评和历史著作的价值却是不能否认的。虽然她不注意细节，但对更为广泛的问题及文化的成就则具有清晰而明确的观念。她深深卷入了她那个时代的重大事件，并了解其趋势，这就造成了她的独特地位：可以说，她帮助了19世纪初期对自身作出评价。

staff 谱表 又拼stave。在西方音乐记谱法中，谱表是带有谱号的五条平行的横线，用来表示音符的音高。习惯上把谱表的发明归功于阿雷佐的圭多（约1000年），虽然在他以前的手抄本中已有在一或两根线上排列**纽姆符（neume）**以便为歌唱者定位的。圭多采用3或4根不同色彩的线。今天仍用四线谱表来记录素歌。标准的五线谱出现于1200年左右的复调音乐中。

Staff, Leopold 斯塔夫（1878-11-14，奥匈帝国朗贝尔［今在乌克兰利沃夫］～1957-05-31，波兰斯卡日斯科-卡缅纳） 波兰颇有影响的诗人，与19世纪末的青年波兰运动有联系。在勒武夫完成学业。1901年，他的30多卷诗集的第一卷《权力梦》在华沙出版。两年后《灵魂之日》（1903）问世。最后一本诗集于1954年问世。此外，还译过一些作品，写过几个剧本，但不如他的诗有名。

Stafford 斯塔福德 英格兰斯塔福德行政、历史郡一城镇和区。位于索河沿岸。包括农业地区和斯通及斯塔福德两个城镇。1206年获特许状，发展为集镇。为斯塔福德历史郡首府。当地的天鹅旅馆曾接待过19世纪文豪C.狄更斯和G.博罗。斯塔福德地处伦敦-伯明翰-曼彻斯特公路和铁路线上。有电机、机械等工业，并生产盐和鞋类。面积599平方千米。人口：城镇61 885（1991）；区约126 600（1998）。

Stafford, Edward 斯特福德 参阅 Buckingham, Edward Stafford, 3rd Duke of 白金汉公爵(第三)。

Stafford, Sir Edward William 斯塔福德(1819-04-23,苏格兰爱丁堡～1901-02-15,英国伦敦) 土地所有者和政治家,三届新西兰总理(1856～1861,1865～1869,1872)。爱尔兰地主家庭出身。1843年在新西兰开始从事养羊业。1853年当选为纳尔逊省督。1855年由该省选入总议会。1856年第一次组阁,在任期5年间谈判英国政府、新西兰公司和各省之间的财政安排,并使议会通过立法,建立3个新省,以加强中央对各省的控制。第二次内阁主要关注的问题是依靠英军对付毛利族的敌对行动,引起公众对英军造成的财政重负的反对,致使他的政府倒台。第三任内阁不足1个月(1872-09-06～10-04)。后继续担任众院议员至1875年退出政界。1878年返回英格兰,次年受封爵士。

Stafford, Henry 斯特福德 参阅 Buckingham, Henry Stafford, 2nd Duke of 白金汉公爵(第二)。

Stafford, Jean 斯塔福德(1915-07-01,美国加利福尼亚州卡温纳～1979-03-26,纽约州怀特普莱恩斯) 美国长短篇小说作家。以善于刻画小说人物性格闻名。她从博尔德的科罗拉多大学毕业(1936年获文学士,同年获文学硕士学位)后,攻读于德国的海德堡大学(1936～1937)。回国后在波士顿定居。她呕心沥血4年之久,于1944年出版的小说《波士顿险遇》售出40万本,成为畅销书。从此她开始了她的文学生涯,并且在文坛上有了不同寻常的地位。后又出版了两部长篇小说:《山狮》(1947)和《外圈装倒钩的车轮》(1952)。此外,她写作了几本儿童读物。她的《琴·斯塔福德短篇小说集》(1969)获普利策奖。她也常为《纽约客》、《凯尼恩评论》、《派性评论》和《哈泼斯集市》这类杂志撰稿。斯塔福德的个人生活颇为不幸,她常为酒精中毒和疾病所苦;先后与罗伯特·洛威尔、奥利弗·詹森和A.J.利布林有过3次不美满的婚姻。

Stafford, Thomas P(atten) 斯塔福德(1930-09-17,美国俄克拉何马韦瑟福德～) 美国航天员。曾两次参加"双子座"会合飞行

美国国家航空和航天局供图

(1965～1966),并于1969年指挥"阿波罗"10号飞行,在载人登月前对"阿波罗"系统作最后的试验,以及于1975年指挥"阿波罗"与苏联的"联盟"号在太空对接。斯塔福德1952年毕业于海军军官学校,后调入空军。在空军试飞实验学校学习。他是1965年12月15日发射的"双子座"6号上W.M.希拉的副驾驶员。他们与以前发射的"双子座"7号会合是世界上第一次成功的太空会合。1966年6月3日他任指令长,同E.A.塞尔南乘"双子座"9号发射到太空。他3次与目标火箭交会,但因目标火箭上的保护罩未能脱离,对接没有成功。斯塔福德同塞尔南、J.W.扬乘"阿波罗"10号于1969年5月18日发射,3天后到达绕月轨道。这次飞行除了未在月球着陆外,对登月的每一阶段都进行了演习。他和塞尔南在登月舱中降到离月面不到15千米处。"阿波罗"10号在返回地球以前完成了31圈绕月轨道飞行,5月26日在太平洋溅落。1975年他退出航天计划,担任空军飞行试验中心主任。1978年晋升为中将,并担任美国空军负责研究与发展的副参谋长。1979年退役。

Stafford, William 斯塔福德(1914-01-17,美国堪萨斯哈钦森～1993-08-28,俄勒冈莱克奥斯韦戈) 全名 William Edgar Stafford。美国诗人,其作品探索人与自然的关系。曾就读于堪萨斯大学(文学士,1937;文学硕士,1945)和艾奥瓦大学(博士学位,1955)。第二次世界大战期间在户外劳役营服劳役。硕士论文《在我心底》于1947年出版。1968年在俄勒冈州波特兰的路易斯与克拉克学院任教,被长期聘任为英语教授。为美国国会图书馆诗歌顾问(1970～1971)和俄勒冈州桂冠诗人(1975～1990)。在探索普遍主题的同时,他经常描写美国西部。1960年出版第一部诗集《在你城市之西》。《黑暗中旅行》这部诗集揭示出他对自省和发现的迷恋,于1962年获国家图书奖的诗歌奖。他还撰写文艺评论文章,并主编了几部诗文选集。

Staffordshire 斯塔福德郡 英格兰中西部米德兰兹的行政、地理和历史郡,从伯明翰都会区向北延伸。行政、地理和历史郡在面积上略有不同。行政郡包括8个区:坎诺克蔡斯、利奇菲尔德、南斯塔福德、斯塔福德高沼地、东斯塔福德、纽卡斯尔安德莱姆、斯塔福德和塔姆沃斯。地理郡包括整个行政郡和特伦特河畔斯托克单一政区。历史郡包括除了3小块地方之外的全部地理郡。在东斯塔福德区,罗斯特的达夫河以东地区和特伦特河以东特伦特河畔伯顿部分地区均属德比历史郡;在塔姆沃斯区,塔姆河以东和安科河以南地区属沃里克历史郡。但是,斯塔福德历史郡的范围超出地理郡,包括了西米德兰兹都会郡的许多地方,其中有伍尔弗汉普顿都会自治市和沃尔索尔自治市,以及达德利、桑德威尔和伯明翰自治市的部分地方。地理郡位于英国第三大河特伦特河上游的两岸,该河源于靠近柴郡边界的比达尔夫沼泽,向东南流动,在转向东北形成德比数英里长的边界之前流经该郡。该郡从北到南可分成5个自然地理区。北部高沼区由沙砾和石灰岩组成,构成奔宁山脉的南端。其南面紧靠煤田区,主要是夹杂着煤层的砂岩、黏土和页岩。中部农业带,包括斯塔福德镇,主要是沙石和泥灰。再向东南是裸露的砾石层,石南丛生,称坎诺克蔡斯。这个地区从前是皇家森林,海拔180～200米。斯塔福德地理郡的一个河湾从坎诺克蔡斯南部和西米德兰兹都会郡的西部延伸到塞文河支流斯陶尔河的上游。这一地区农田肥沃,郊区发展很快。新石器和铜器时代的遗迹依然存在,特别是在东北部,那里有长形低矮的新石器墓冢。著名的铁器时代山丘要塞包括坎诺克蔡斯上的要塞圆环和斯塔福德附近的贝里圆环。罗马人修建了穿越覆盖历史郡森林的道路,包括现在所称的沃特灵古道和赖克尼尔德古道,在利奇菲尔德附近交叉。罗马人居民区建于道路两旁。7～9世纪该地区是麦西亚的盎格鲁-撒克逊王国的中心。塔姆沃斯是该王国的政治中心,利奇菲尔德是当时的宗教中心。在9世纪末丹麦人劫掠了该地区,在整个10世纪和11世纪的大部分时间里,该郡经历了多次战斗,包括反抗威廉一世(征服者)的起义。据《末日审判书》(1086)记载,当时这里是一个人口稀少、土地贫瘠的地区。在宗教改革时期,斯塔福德是一个支持罗马天主教的地方。该郡此后的历史主要是发展地方工业。从13世纪始,煤矿和铁矿在特伦特河上游和坎诺克蔡斯周边地区得到开采,但这些矿产的重要性直到18世纪末才得到体现。斯塔福德北部历史悠久的陶器工业也闻名于18世纪。特伦特河畔伯顿的酿酒业在19世纪也很著名。到19世纪中叶黑区和伯明翰附近(即今日的西米德兰兹都会郡)已经成为主要工业区,建有许多煤矿和炼铁厂,但到了20世纪末煤矿开采已经停止。斯塔福德历史郡大部分地方至今仍是农田,饲养乳牛尤为重要。适于垦殖的农田主要生产饲料作物。林业委员会在坎诺克蔡斯的许多地方种植了针叶树。蔡斯和奔宁高地在皮克区国家公园的部分,成为西米德兰兹都市人口的娱乐中心。地理郡最重要的工业区是城市周围的金属加工和建造区,特伦特河畔斯托克单一政区的陶瓷和玻璃工业也很重要。行政郡的大部分城镇都有一些工业:斯塔福德有轻型机械和制鞋厂,利克生产真丝织品和人造丝织品,特伦特河畔伯顿现在仍以当地的啤酒闻名。基尔大学位于纽卡斯尔安德莱姆自治市。面积:行政郡2 624平方千米;地理郡2 717平方千米。人口:行政郡809 700;地理郡1 061 200(1998)。

Staffordshire figure 斯塔福德郡塑像 从18世纪开始,英国斯塔福德郡制作的陶瓷塑像。最早的塑像制于1740年,躯体自然而生动,如教友群像,或坐在高背椅上的塑像;这些都是上盐釉的炻器。斑驳的铅釉陶器出现后,雕塑效果特别好,其中使用了一系列柔和的淡雅颜色——如黄、绿、淡棕色及各种灰色。作品中有音乐家、动物、牧羊人、古典的圣像、寓言中的人物及肖像等。知名的艺术家有陶工大拉尔夫·伍德、小拉尔夫·伍德和塑型师让·沃耶兹等。19世纪的塑像,大多

约 1780 年的斯塔福德郡陶塑人物
伦敦维多利亚和艾伯特博物馆供图

数是英美要人的肖像，例如维多利亚女皇和乔治·华盛顿。这些塑像富有生气，色彩艳丽，但比较粗糙。19世纪的塑像多以戏剧中人为原型，现在最常见到的即属此类；不过，政治家、传教士、运动员和罪犯也是当时雕塑的流行题材。

Staffordshire Moorlands　斯塔福德郡高沼地　英格兰中部斯塔福德行政、历史郡的一区。位于特伦特河畔斯托克市以东。东北部伸入到皮克区国家公园，这里的特点是有许多荒凉的粗砂岩和石灰岩高沼地。在奔宁山脉南端范围内，高沼地为从西北向东南延伸的山岭，中间有深谷切割。斯塔福德郡高沼地自北(1 600 英尺以上)向南(约 600 英尺)倾斜，形成一片起伏平缓的沃土带。区内极西南有丰富的耐火土，极西有丰富的煤，18 世纪末和 20 世纪初之间都进行了开采。西部至今仍在开采煤，因此留下极大的碎石堆。对耐火土的开采则留下又大又深的坑，极易受到洪水之灾。区内高地有牧羊业，南部谷地普遍饲养乳牛，西端继续开采煤。南部、西部的城镇比达尔夫、利克(行政中心)和奇德尔生产多种纺织品，也是当地农产品集散中心。洞穴探索(地下洞穴)是东南部石灰石高沼地很普遍的运动项目。面积 576 平方千米。人口约94 400(1998)。

Staffordshire terrier　斯塔福德郡㹴狗　㹴狗的一个品种，19 世纪于英格兰育成，用于在斗兽场与其他狗争斗。斯塔福德郡㹴狗系将斗牛狗(随后是一个腿更长、更敏捷的狗品种)与㹴狗(可能是猎狐㹴狗或称为英格兰的㹴狗，黑间黄褐㹴狗等古老品种之一)杂交而育成。一度被称为斗牛狗㹴狗、对半㹴狗、斗兽场斗牛㹴狗。该狗体低矮结实，肌肉发达，强壮有力。体高 43～48 厘米，重约 14～23 千克。被毛硬而短，毛色多样，为单一色或者杂色。

Staffordshire ware　斯塔福德郡陶瓷器　一种铅釉陶器和无釉或盐釉炻器，从 17 世纪起，产于英国斯塔福德郡。由于当地出产大

J. 瓦耶 1788 年设计的斯塔福德郡陶水罐
伦敦维多利亚和艾伯特博物馆供图

量黏土和煤，导致陶瓷工厂云集，使斯塔福德郡成了欧洲最有名的陶瓷中心之一。瓷器最早是约于1750年在朗顿庄园制作的。该郡著名的工厂有斯波德、明顿、韦奇伍德及纽霍尔等。

stag beetle　锹甲　又作 pinching bug。又称鹿角甲虫。鞘翅目锹甲科昆虫，约 900 种。雄虫的上颚发达，形似牡鹿的角。许多种角上有复杂的分支和齿，角长可与体长相当，人被钳夹后可出血。但有的情况下颚太大，反成累赘。体粗壮。黑或褐色。夜间向光。某些色彩鲜艳的锹甲的形象曾见诸邮票：智利的 *Chaisognathus granti* 绿色有金属光泽或红色有虹彩光泽；澳大利亚的 *Phalacrognathus muelleri* 洋红色，有金属光泽，边缘绿色。锹甲长 8～40 毫米，但印度东部的驼鹿齿颚锹甲(*Odontolabis alces*)雄虫长度超过 100 毫米。印度和爪哇的长颈鹿锹甲(*Cladognathus giraffa*)的雄虫长度亦近 100 毫米，而其上颚约占体长之半。多数锹甲生活在朽木周围，吸食汁液。

stage design　舞台设计　舞台戏剧演出中由灯光、布景、服装、音响、舞台建筑和舞台机械装置等舞台技术创造的美学构图。欧洲文化中舞台演出的发展被看作是在古典希腊和罗马剧场所建立的原则基础上的演变。在希腊化时代，从公元前 4 世纪起，希腊剧场已在其固定的半圆形结构之内使用一些活动的布景成分，一般认为其中已包括有画屏、带轮的平台和一些能使演员“飞翔”的起重机械。

文艺复兴时期室内舞台演出中出现的大部分创新均来自意大利剧场。在其重新创造的古典式舞台上加强了布景，运用了绘画领域中最新发现的透视技法。最初只是描绘平面的街道布景，但随着弓形台口的发展，出现了更为复杂的透视性建筑式背景，包括绘出的背景幕布和舞台两侧的景片侧幕。视觉效果变得日益精巧，常常在观众眼前做出许多布景变化。

在这个传统之外还有英国伊丽莎白时代的剧场，随着舞台向纵深发展，其后部出现了永久性建筑结构，从而使得戏剧表演既可上下在不同的高度进行，又可左右在不同的方向进行。虽然演员已广泛地使用道具，但剧情发生的地点仍是由诗体台词暗示出来而并非用绘画布景去表现。这样就使剧情发展迅速，而这在换景麻烦的剧场里则是不可能的。

在巴罗克时期，意大利的影响从 17 世纪起就遍及欧洲。对布景的壮观场面的追求意味着要有一个能容纳最新机关布景和精巧效果的深度舞台，它很快就在歌剧和芭蕾舞演出中占主导地位。意大利的舞台艺术于 1605 年由建筑师 I. 琼斯介绍到英国，他根据在意大利的见闻设计出许多宫廷假面剧。

随着浪漫主义运动兴起及其具有伤感性的特征，风景画布景普遍替代了建筑式布景，布景画家变得日益重要。19 世纪最常见的舞台艺术样式，就是由一系列平面布景或剪裁的画景构成一个穿越整个舞台的自然半圆形，观众透过它们可以看到一个全景式背景。

剧场建筑的变化和舞台机械的改良导致了 19 世纪末一种新的自然主义布景的出现，部分应归功于萨克森·迈宁根公爵的倡导。他的剧团在整个欧洲巡回演出，其布景细节常常是根据考古学研究而不是由艺术想象所决定。在英国，这种倾向则反映在一种奢华但带有历史准确性的古典式演出和现代戏剧的现实主义镜框式布景之中。美国舞台演出人 D. 贝拉斯科把现实主义推向极端，竟把活的动物搬上舞台演出。

正如透视画家曾影响过文艺复兴时期的剧场一样，立体主义派和表现主义派在 20 世纪早期反现实主义的戏剧中也留下了自己的标记。强调的重点从幻觉转向风格化。A. 阿皮亚和 G. 克雷格等设计家均采用了更大胆、更具象征性的形状以体现戏的情调和气氛。演出中简化布景意味着演员的地位变得突出，而以前演员总是被舞台布景所左右。在英国，这种简化的结果使得莎士比亚戏剧几个世纪以来第一次能够不受阻碍地连续流畅地演出。20 世纪 20 年代法国导演 J. 科波重新发现了舞台上光秃平台的优点。到了 60 年代，J. 格罗托夫斯基在波兰介绍了一种“朴素戏剧”，摒弃了精美的服装、化妆和布景，根据每出戏的需要去决定演员与观众之间的一种更为合理的安排，常常是演员和观众占据了几乎相同的空间。对 20 世纪舞台演出产生重大影响的其他因素是德国剧作家 B. 布莱希特推行的“间离效果”。他将舞台设备暴露在观众面前，以防止观众被剧场的魅力所控制而失去客观性。

对舞台演出和布景设计的最大影响之一是舞台灯光的发展。直到 16 世纪以前，戏剧还主要是一种户外活动。文艺复兴时期室内剧场的舞台照明是用火炬、兽油烛和无罩油灯提供的。17 世纪时使用反射器来加强灯光照明，18 世纪末出现了玻璃罩油灯，但照明水平仍然很低。演员为使其形象特征更为突出，就使用化妆品进行面部化妆。煤气灯于 1803 年被用于伦敦舞台，不仅明亮得多，并且易于调节。随着 1879 年 T. 爱迪生发明电灯，1880 年巴黎歌剧院就率先把电灯用于舞台照明，其他剧院也很快效法。20 世纪早期聚光灯的发展使得舞台照明成为一种讲究的艺术。虽然让观众看清楚演员，一直被视为舞台照明的首要功能，但是现代技术已使得设计师能完全掌握舞台空间的灯光控制，能够“用光作画”，能根据需要随意使用，而且不需要把舞台弄湿就能将其擦洗得十分明亮。与此类似，化妆技巧也变得更为精细，而

在较小的剧院中演员常常不用化妆。今天，灯光设计师可以随意使用各种强力聚光灯和泛光灯，以及可以模仿出水、云、火等效果及其他活动形象的幻灯。灯光控制盘利用电子计算机也取得很好的效果，无论如何复杂的灯光设计和如何众多的指令都能轻而易举地进行操纵。现代舞台灯光几乎具有无限的可能性，已经成为舞台演出中统一所有视觉艺术成分的有力手段。

由于希腊和罗马剧场的观众席十分庞大，戏装常常是因袭陈规、固定不变的，所以戴有假面具的戏剧人物，观众可立即认出。文艺复兴时期的剧院中，古典的服装式样尽管显得夸张并富有装饰，但却是戏剧服装的主要灵感之作。在17世纪晚期的巴罗克歌剧和芭蕾舞中，戏剧服装的夸张和幻想达到了更高的水平，但到18世纪末又出现一种追求历史真实的倾向。20世纪服装设计中最富于想象力的革新出现在舞蹈领域，它们常常吸引了不少先锋派艺术家。今天，服装设计师可在真实的和诠释性的服装间进行选择。因此，一部古典戏剧可以采用一种时期不明的服装，以暗示这出戏的普遍性。

stage machinery 舞台机械装置 为取得剧场演出效果而设计的装置，诸如为迅速换景、灯光、音响效果及神秘或魔术般的幻觉等设计的装置。早在公元前5世纪就开始使用。当时希腊人发明了*舞台机关送神*（**deus ex machina**）装置，它能使一个演员从空中降落到舞台上。在希腊化时期，希腊人还使用可移动的布景，装上轮子或旋转的三棱柱，被称为*旋转式三棱柱侧景*（**periaktos**）。罗马人对这些装置又加以发展，增添活动台板出入口（参阅**trap**）和地下抽水机系统。中世纪的神秘剧也使用舞台机械装置（包括活板门、地狱口，使魔鬼得以出现），以及供天使使用的空中飞行机械装置。14世纪晚期，意大利的艺术家、建筑家和工程师们开始为教堂里圣日表演的惊人场面设计精巧的机械装置。"天国"就是这种装置之一，由绳子和滑轮组成的装置系统，使整个天使歌唱队从一朵浓重的白云中降落。17世纪，英国假面剧设计师琼斯和意大利一位伟大的舞台工程师托雷利，发明过许多重要的舞台装置，其中有些至今仍在使用。照明方法在19世纪有巨大改进，如新发明的*灰光灯*（**limelight**）可对演员进行聚光照明，并创造出诸如日光和月光这类特殊效果。魔术般的幻景在19世纪英国舞台上也得到高度发展，在运用活板门和反射镜装置以模仿魔鬼和幽灵方面达到非常精巧的程度。总之，19世纪晚期"画框"式舞台通过使用踏车、可移动的全景画及其他舞台机械装置，能够使异常生动的场面、现实主义的或其他形式的舞台布景达到精湛的程度。20世纪初，尤其是在德国，回旋的转台和水力升降舞台大量使用，许多复杂的布景可以事先在上面装置好，需要时就呈现到观众面前；但这种机械装置过于昂贵、复杂。而现在，演员与观众之间应有日益亲密的关系。这种倾向导致20世纪下半叶转向敞开型舞台和环形剧场，从而很少要求布景或任何种类的舞台机械装置。

stage wagon 驿站运输马车 美国早期的四轮马车，用于客运和货运，是驿站马车的前身。最初的驿站运输马车是没有弹簧、木凳和顶篷的平板车。后来加装了可以向上卷起的皮门帘、平板车顶和有减震装置的靠背座椅。1771年有一种驿站运输马车，其车主称为"飞车"，在一天半之内可从纽约到费城，行程90余英里。在英国，驿站运输马车指大型封闭式货车，大概在16世纪中叶首先用于货运，后来也搭载那些付不起驿站马车车资的旅客。经过改进，到19世纪初，驿站运输马车演变为驿站马车。

stagecoach 驿站马车 沿固定路线定期在驿站间行驶的公共马车。至少1640年已在伦敦使用，约20年后巴黎也有了这种马车。在英国和美国，19世纪是驿站马车的极盛时

约1868年的驿站马车
亨利·福特博物馆供图

期，因为这两个国家当时新铺设的碎石路使车辆行驶更快也更舒适。在美国，它甚至是长途陆上旅行的唯一交通工具。1828年，英国仅莱斯特至伦敦每天就发出12趟驿站马车。驿站马车的车速相当快，在伦敦至爱丁堡400英里路线上平均时速为10英里。W.欧文的随笔《驿站马车》，对乘坐驿站马车在英国旅行进行了生动的描述；狄更斯的许多小说也以怀恋的心情，表现了驿站马车的伟大时代。除闭塞的地方外，19世纪40年代后驿站马车渐为火车所替代。参阅**Concord coach; diligence**。

staged rocket 多级火箭 由几个按垂直方向组装的火箭系统所驱动的运载器。多级火箭最下面的一级，即第1级火箭首先点火，使运载器加速上升，直到推进剂耗尽时抛掉第1级，以减轻运载器的重量，并点燃第2级，使运载器进一步加速。大多数航天运载火箭由3级组成。

Stagg, Amos Alonzo 斯塔格（1862-08-16，美国新泽西西奥兰治～1965-03-17，加利福尼亚斯托克顿） 美国大学橄榄球教练，橄榄球运动史上任期最久（71年）的教练。1943年81岁时荣获该年度最佳大学橄榄球教练称号，从事教练工作直到98岁，是唯一被选入全国橄榄球名人堂的运动员兼教练员，在发展大学校际篮球运动方面也曾起重要作用。1892～1932年任芝加哥大学橄榄球教练41年期间，所训练的岛民队6次获西部联合会（十大学联合会）冠军（1899、1905、1907、1908、1913、1924）。他为芝加哥大学各队设计了几种新战术，如底线后卫绕跑，场上常有一名跑动中人员，比赛过程中队员集在一起磋商和同等换位，以及用人形帆布袋练习阻挡、擒抱等。70岁被迫脱离芝加哥大学退休。

Stagg, James Martin 斯塔格（1900-06-30，苏格兰中洛锡安郡达尔基斯～1975-06，英格兰） 英国气象学家。毕业于爱丁堡大学，1924年在英国气象局任助理。1932～1933年带领英国极年探险队赴加拿大北极地带。1939年任基尤植物园气象台台长。1943年授予上校军衔，任盟军最高司令艾森豪威尔首席气象顾问。领导气象专家委员会在诺曼底登陆前数周预报英吉利海峡天气状况。登陆计划于6月5～7日任何一天开始，但6月的头几天海上雨云低布，暴风骤起，跨越海峡的两栖进攻可能受阻，而且盟军在登陆海滩的空中掩护可能搁浅。进攻部队虽已在海峡港口登船，而6月4日清晨天气依然恶劣。艾森豪威尔决定登陆日期由5日推迟至6日。6月4日晚斯塔格通知艾森豪威尔天气暂时好转，6月6日可以发起进攻。第二天早晨艾森豪威尔决定6月6日实施登陆。当日，天气未严重干扰登陆行动，但却麻痹了德军，使之误以为盟军此时不可能登陆。1954年受封爵士，并担任气象局天气预报部主任至1960年。1959年担任英国皇家气象学会主席。1971年出版日记节选，书名《为1944年6月6日霸王行动预报天气》。

staghead 鹿角 一种*顶死*（**dieback**）形式：树的枝条由顶部向下缓慢死亡。

staghorn fern 鹿角蕨 水龙骨科鹿角蕨属（*Platycerium*）植物。因外形奇异，常植于温室等处用作观赏植物。附生。叶有两种形状：一种长形，直立或悬垂，数次分叉，形似鹿角；另一种扁平或碗状，紧贴在植株生长的依附物上。某些种的碗状叶上的凹处积聚腐殖质，并有根从叶上生入其中吸收养分和水分，

鹿角蕨属（Rlaty cerium）植物
供图：John Kohout from Root Resources—美国不列颠百科全书公司

这样的叶称为斗篷叶。孢子囊在叶下表面的排列方式因种而异。鹿角蕨亦指原产亚热带和南温带的微羽里白属(格莱肯氏蕨属，*Gleichenia*)植物，该属10种，密生于阳光充足之处，叶的裂片细小。

Stagnelius, Erik Johan **斯塔格奈利乌斯**(1793-10-14，瑞典厄兰岛～1823-04-03，斯德哥尔摩) 瑞典浪漫主义诗人中最怪僻、最浪漫的一个。曾就读于乌普萨拉大学，在斯德

供图：Svenska Portrattarkivet Stockholm

哥尔摩当公务员。他的作品和生活都反映出一种强烈的色情冲动与严格禁欲的宗教立场之间的冲突。在他短暂生命的最后几年里，发表了两个剧本《殉道者们》(1821)、《酒神的女祭司》(1821)和一册宗教抒情诗集《沙仑的百合花》。死后不久，他的包含大量未出版的材料的《文集》问世(1824～1826)。

Stahl, Franklin W. **斯塔尔**(1929-10-08，美国马萨诸塞波士顿～) 美国遗传学家。他与M.梅塞尔森一起在1958年阐明DNA的复制方式，即双链螺旋分开后，每一股指导构建一个新的姐妹链。曾在哈佛大学和罗切斯特大学受教育并获得博士学位。1955～1958年在加州理工学院、1958～1959年在密苏里大学从事研究工作。1959年加盟俄勒冈大学分子生物研究所，从1985年起还任美国癌症协会的研究教授。他的后期工作最主要的是对细菌病毒及其基因重组的大量研究。斯塔尔得到的荣誉很多，1975年和1985年两次被授予古根海姆研究基金。

Stahl, Georg Ernst **施塔尔**(1660-10-21，法兰克尼亚安斯巴赫～1734-05-14，柏林) 德国医生和化学家，燃素论的创始者。他最早对燃烧及与此有关的呼吸、发酵和腐烂等现象做出了全面的解释。然而他也有时迷信于炼丹术和泛灵论。他的燃素论统治化学界几乎达一个世纪之久，后被拉瓦锡理论取代。早年，施塔尔曾在耶拿学医，他的老师G.W.威德尔(1645～1721)是化学医学学派的创始人，探索用化学概念解释生命过程。后来施塔尔打破了化学和医学之间的界限，坚信这两门科学具有内在联系。在耶拿期间，他与同学F.霍夫曼(1660～1742)建立了深厚的友谊。1684年毕业。1687年被萨克森-魏玛公国君主任命为宫廷医生。1694年哈雷大学成立，应F.霍夫曼之邀，一起组建了哈雷大学的医科学校，并共事20多年。在此期间，施塔尔讲授医学理论、生理学、病理学、营养学、药理学和植物学。霍夫曼讲授医学实践、解剖学、物理学和化学。后来在理论上与霍夫曼逐渐发生分歧。霍夫曼认为生命机体是可以用经典力学定律解释的一种机械形式。

供图：Bildersammlung des Universitatsarchivs, Martin-Luther-Universitat Halle, Wittenberg, E. Ger.

施塔尔则用医疗化学观点把生理过程视作一种化学变化。但是他认为不管是机械论也好，化学论也好，着眼点应在于能对生命现象作出充分解释。他认为有机体活着是有一种力的作用，他称之为“活力”。1716年施塔尔到柏林，任普鲁士国王威廉一世的御医。施塔尔对科学做出了卓越的贡献，他具有超凡的思考能力和见解。他的燃素理论架起了两个世纪的桥梁，是对化学变化首次作了系统化的解释，但是没有涉及原子和电子的概念。他指出：燃素具有一种可燃的属性；在燃烧过程中燃素会逸去，但是与富有燃素的物质(如煤)接触时，燃素又可被重新获得。施塔尔在古代哲学思想基础上建立了实用的理论，澄清了一些基本化学概念。

Ståhlberg, Kaarlo Juho **斯托尔贝里**(1865-01-28，芬兰奥卢省苏奥穆萨尔米～1952-09-22，赫尔辛基) 芬兰宪法的设计师和芬兰独立后第一任总统。1904年加入立宪党，并被

芬兰首相府供图

选为议会议员。1905年进入自治的芬兰大公国政府，1907年辞职。1908～1918年任赫尔辛基大学行政法教授。他始终坚持民主观点，为提倡平等和普选权的先驱。1917年他起草的共和国宪法草案成为1919年正式宪法的基础。芬兰独立后政党改组时加入了国民进步党。1919年当选为新共和国总统。内战后他努力缩小“赤”党与“白”党两者之间的鸿沟。任期届满(1925)后引退。1931和1937年两次总统选举中均以一两票之差而失败。

stained glass **着色玻璃** 艺术上用于装饰窗户和其他透光物体的彩色玻璃。它本身同其他着色玻璃并无区别，都是利用金属氧化物产生颜色。形容词“着色的”传统上一直用来描述建造画窗的玻璃。着色玻璃纯属西方奇迹，当12～13世纪与哥特式建筑相结合产生鲜明生动的效果时，便取得美术的地位。着色玻璃产生的视觉效果不在于彩色玻璃本身，而决定于透过玻璃的光线以及看到的光线所处的背景。对比是产生这种效果的主要因素，这就是为什么中世纪哥特式大教堂的窗户能使宽敞暗淡的教堂显得如此金光灿烂的原因。光线随时间、季节和气候不断变化，着色玻璃的效果也几乎瞬息万变，一定的光效果产生一定的色调，光强度也从暗淡、柔和变为光彩夺目。着色玻璃在某些方面像画，但也许更同将细小的单个着色组件拼接成统一完整图案的镶嵌艺术相似，也更同上珐琅艺术特别是景泰蓝工艺相似。在早期基督教时代就已有着色玻璃，过了很久才发展为一种重要的装饰艺术。最早的画窗现存德国奥格斯堡大教堂。其他著名的12世纪着色玻璃是为巴黎附近的圣丹尼斯隐修院制造的。1226～1250年，巴黎圣徒小教堂的墙壁装有色彩鲜明的着色玻璃，15扇窗户排成一周，上面绘有1 134幅故事画。英国坎特伯雷大教堂保存有13世纪最美的着色玻璃。中世纪的着色玻璃是将各种色彩的薄玻璃割成小片，然后将各色玻璃小片固定在铅条内拼组成图案或图画；用黑色玻璃釉在玻璃小片上绘出图画的细微部分，最后将各个拼组好的铅条嵌板装入铁制窗户框架内。有的画窗很大，如沙尔特教堂内描绘耶稣一生事迹的面积达23.2平方米以上。绘画的主题大都取材于《圣经》，有圣徒、先知、耶稣和圣母马利亚的生平，以及《最后的审判》和《启示录》等。13世纪后，作为一种艺术形式，着色玻璃开始衰落，虽然直到16世纪前还创作了一些精品；原因是着色玻璃艺术家为了追求文艺复兴时期画家所表现的现实主义题材而不再利用玻璃的强折光性所产生的效果。19世纪，随着哥特式建筑风格的复兴，中世纪着色玻璃也重新引起艺术家的兴趣。在英国，由艺术家E.伯恩-琼斯设计，美术-工艺运动的领袖W.莫里斯创作了许多璀灿的玻璃画窗；在美国L.C.蒂法尼也有类似的创作。新艺术运动扩大了着色玻璃在装饰方面的用途，F.L.赖特在许多建筑工程中都使用这种玻璃。20世纪画家H.马蒂斯、M.夏加尔和F.莱热都设计过这种色彩鲜明的玻璃。

stainer(insect) 参阅 **red bug** 红蝽。

Stainer, Sir John **斯坦纳**(1840-06-06，英国伦敦～1901-03-31，意大利维罗纳) 英国管风琴演奏家、教堂音乐作曲家、杰出的早期音乐学家。16岁任坦伯利地方培训教堂音乐家的圣迈克尔学院管风琴乐师。1872～1888年任圣保罗大教堂管风琴乐师，因视力衰退而辞职。他是音乐协会(1874，现为皇家音乐协会)的发起人。1876年国立音乐训练

学校开办后他在该校任教。1888 年封为爵士,翌年任牛津大学音乐教授直到去世。所作浪漫派风格的教堂音乐现在主要在英国演出,但他最负盛名的清唱剧《耶稣受难》(1887)亦有在其他英语国家演出的。作品有歌曲、康塔塔礼拜歌曲、赞美歌及其他教堂音乐作品。还曾发表管风琴论文和音乐理论著作,并与他人合作出版一本音乐词汇字典。贡献最大的是他编辑的《早期博德利音乐》一书,它提供从 12 ～ 16 世纪的音乐范例。此外还有由他的孩子协助编辑并于 1898 年开始出版的 15 世纪音乐集《迪费和他同时代人》一书。以上两书为研究中世纪与文艺复兴时期的音乐创造了必要条件。

Staines　斯泰恩斯　英格兰萨里行政郡的斯佩尔索恩区城镇。属米德尔塞克斯历史郡。位于泰晤士河左岸。为大伦敦西缘居住区。自古罗马时代起即为伦敦通往不列颠西南大道的泰晤士河渡口。附近有大水库,抽泵泰晤士河水、净化、储存,供伦敦大都会使用。人口51 167(1991)。

stainless steel　不锈钢　通常含有10%～30%铬的一类合金钢的总称。铬与低碳含量相配合,可显示出明显的耐腐蚀性和耐热性。还可加入镍、钼、钛、铝、铌、铜、氮、硫、磷和硒,以提高对特殊环境的耐腐蚀性和抗氧化性,并赋予特殊性能。大多数不锈钢先在电炉或氧气顶吹转炉中熔化,然后在另一炼钢炉中精炼,主要为了降低碳含量。在氩-氧脱碳法中,将氧和氩的气体混合物喷入钢水中。改变氧与氩的比例,通过将碳氧化为一氧化碳而不使昂贵的铬氧化和损失,来将碳含量降低到控制的水平。因此,在初始的熔化操作中可使用较便宜的原料,如高碳的铬铁。不锈钢分为三大类:奥氏体不锈钢、铁素体不锈钢和马氏体不锈钢。奥氏体不锈钢含有16%～26%铬和35%以下的镍,通常具有最高的耐腐蚀性,不能通过热处理进行强化,并且无磁性;最常见的类型是 18/8,或称 304 级,即含有 18%铬和 8%镍;典型的用途包括飞机工业、乳制品和食品加工工业。标准的铁素体不锈钢含有 10.5%～27%铬,而不含镍,由于碳含量低(0.2%以下),不能通过热处理进行强化,仅用于防腐蚀要求不高的场合,如建筑和汽车装潢方面。马氏体不锈钢通常含有 11.5%～18%铬和 1.2%以下的碳,有时也含镍,可通过热处理进行强化,具有中等的耐腐蚀性,用于刃具、外科用具、扳手和涡轮机。

Stainville, Étienne-François de Choiseul, Count(comte)de　斯坦维尔伯爵　参阅 **Choiseul, Étienne-François de Choiseul, Duke de 舒瓦瑟尔公爵**。

stair-step moss(*Hylocomium splendens*)　**楼梯藓**　即光亮塔藓。真藓目植物。分布北半球,覆盖在针叶林地面,也见于沙丘、岩礁和冻原。蕨状的新梢多分枝,拟茎体浅红色,有光泽;拟叶体长达 0.3 厘米;蒴柄长约 2 厘米。

staircase　楼梯　又称阶梯。两层楼面之间的一系列踏步。中国泰山有许多古代石阶。最早的阶梯可能两边都有墙,例如公元前2000年埃及神庙牌楼门中两边都有墙的阶梯。克里特岛上克诺索斯和费斯托斯的古代宫殿(约建于公元前 1500)都有阶梯。公元前 9 或前 8 世纪亚述的塔庙设有宏伟的阶梯。公元前 6 世纪波斯波利斯宫殿的台基有双向阶梯。古罗马人善于使用宏伟的阶梯。20 世纪应用钢材和钢筋混凝土作成各种形状的楼梯,具有大胆的曲线和奇异的轮廓,是现代建筑设计中的重要特征。传统的楼梯用木、石、钢铁制成。踏步的水平板称为踏板,垂直板称为竖板。踏步设在依楼梯角度倾斜的楼梯侧板之间,楼梯侧板支在立柱上,立柱也支承楼梯扶手和栏杆。

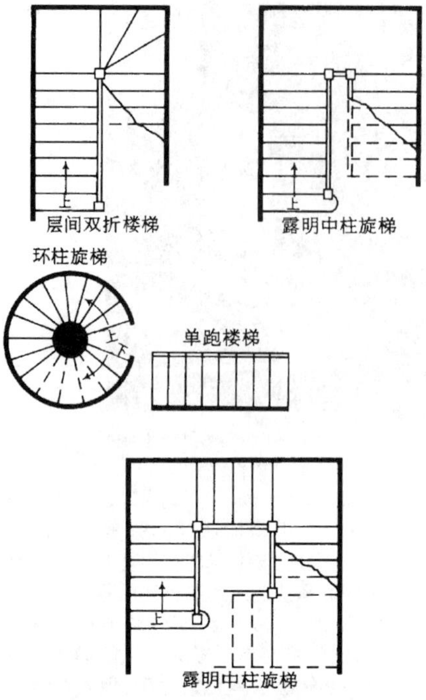

几种式样的楼梯俯视图

staircase shell(snail)　参阅 **wentletrap** 梯螺。

Staked Plain(United States)　**斯塔克德平原**　参阅 **Llano Estacado** 埃斯塔卡多平原。

Stakhanov　斯达汉诺夫　又拼 Stachanov。乌克兰东部卢汉斯克州城市。1978 年前称卡季耶夫卡。位于顿涅茨煤田北部。19 世纪,从一个煤矿开采区发展起来。1935 ～ 1943 年称谢尔戈。现为顿涅茨煤田主要采煤镇之一,但因矿源已趋枯竭,其他燃料比重增加而地位下降。设有焦化厂、铁合金冶炼厂以及人造纤维厂。该城市于 1978 年以苏联著名劳动模范矿工 A.斯达汉诺夫的名字重新命名。人口约112 700(1991)。

Stakman, Elvin Charles　斯塔克曼(1885-05-17,美国威斯康星阿尔戈马～ 1979-01-22,明尼苏达圣保罗)　美国植物病理学的先驱和教育家。建立鉴定和防治小麦及其他粮食作物疾病的方法。1906 年获明尼苏达大学文学士学位,1910 年获该校文学硕士学位,1913 年获该校博士学位。1909 年任新建的植物病理学系的讲师。1940 年任系主任直至退休(1953)。在这些年里他同时在美国农业部负责组织和指导联邦谷物锈病实验室的研究工作,他对谷物叶锈病的发生及其控制非常关心并进行了富有成果的研究。他对粮食作物多有研究,并在国际科学事务中起积极作用。1941 年任洛克菲勒基金会专家小组成员,负责就基金会与墨西哥政府间合作改进作物生产一事提供意见,其结果是在 1943 年建立了一个改良玉米的研究站。在国际玉米和小麦改良中心(在改善发展中国家粮食生产中做过许多工作)的支持下,该站发展成为世界范围的研究站网。直到逝世前不久,他一直为洛克菲勒基金会工作。除发表大量科学论文外,曾与 J.G.哈拉尔合著《植物病理原理》(1957),并与在洛克菲勒基金会同任农业规划顾问的 R.布雷德菲尔德和 P.曼格尔斯多夫合著《反饥馑运动》(1967)一书。

stalactite and stalagmite　石钟乳和石笋　滴水缓慢进空洞时由所溶各种矿物淀积而成的狭长形体。石钟乳像冰柱一样由洞顶或洞壁向下悬垂。石笋好像颠倒的石钟乳,由洞底向上生长。由洞顶向下悬挂的石钟乳通常具有中心管,或显示曾有过管道的痕迹,管径与借表面张力悬起的一个水滴的大小相等。石钟乳末端的水滴只围绕其边缘淀积。边缘向下生长构成空管。因此,最简单的石钟乳是一根薄壁石质吸管,在气流未严重妨碍其生长的地方,这种脆性石管长度可达 0.5 米或更大。较常见的石钟乳呈倒锥状,形体单纯地由从悬垂的石钟乳外部流下的水膜的矿物淀积而变得更粗大。石笋相对较粗,来源与石钟乳相同的水滴通过岩石内开阔空间自由下落后,其中的矿物质淀积下来而在洞穴底部向上生长。并非所有的石钟乳都有对应的石笋,很多石笋上方并无石钟乳。但是,在二者成对出现之处,最终可能连成石柱。这类沉淀物的主要矿物是方解石(碳酸钙),以石灰岩和白云岩溶洞中的形体为最大。可能淀积的矿物还包括其他碳酸盐、蛋白石、玉髓、褐铁矿和某些硫化物。有利淀积的条件是:①洞穴上方有可提供淀积物质的岩石;②雨水的下渗;③窄小而连通的通道,使水得以缓慢下滴;④空洞有充分的空间,使水能蒸发,或二氧化碳能从水中逸出,以降低水的溶解能力。

stalactite work　钟乳石状装饰　又称蜂巢状装饰。伊斯兰建筑中内角拱上的一种装饰,形状和钟乳石相似。由很多小壁龛组成,逐层向上挑出,或为成行成列凸出的棱柱体,其顶端用小型的内角拱相连。形式很多,大致可分为三类:①由若干个壁龛组成,以其凹入的曲面为特点;②以壁龛之间的很多竖直边缘为特点;③以复杂交错的小拱为特点。前二类常见于叙利亚、摩尔人以及土耳其的建筑中。波斯建筑中的这类装饰形式较简单。第三类则是典型的波斯风格,也见于印度的莫卧儿帝国建筑中。钟乳石状装饰在伊斯兰教艺术中发展较晚,在早期的叙利亚、埃及和北非建筑中都没有这种作法。似乎12

西班牙格拉纳达艾勒汉卜拉宫内的钟乳石状装饰

供图：Archivo Mas, Barcelona

世纪初突然出现于伊斯兰建筑艺术中，14、15世纪发展到极盛期，成为用在门头、壁龛、檐口下和尖塔上的普遍装饰形式。最华丽的棱柱体钟乳石状装饰可见于西班牙的摩尔人建筑，特别是在宫殿中用木材和石膏所作的装饰，例如格拉纳达的艾勒汉卜拉宫（14、15世纪）和塞维利亚的阿尔卡萨尔宫。在土耳其有一种呈晶体状多面体的钟乳石状装饰，常用于柱头上。此种装饰亦用于伊斯兰式家具和陈设上。

Stalin, Joseph　斯大林（1879-12-21，俄罗斯帝国格鲁吉亚哥里～1953-03-05，俄罗斯莫斯科）　苏联共产党总书记（1922～1953），苏联政府首脑（1941～1953），他在1953年去世前

供图：Sovfoto

的1/4世纪里所行使的政治权力，大概比历史上其他任何人所行使的都大。他使苏维埃社会主义共和国联盟实现工业化，强迫实行农业集体化，通过严密的警察恐怖组织巩固其地位，在1941～1945年帮助打败德国，并将苏联的控制扩大至东欧国家一带。作为苏联极权主义的主要缔造者和一个玩弄权术的异常残酷的组织者，他摧残了仅有的一点个人自由而未能增加个人的财富，但却创建了一个强大的军事-工业综合体，并领导苏联进入核子时代。

斯大林的个人经历长期以来被捏造的、苏联所宣传的“传奇”弄得含混不清，把他的勇敢的行为夸大为英雄般的天生的叛逆者和苏联缔造者列宁的忠实信徒。在他的顶峰时期，他被欢呼为是全世界的天才、“光芒万丈的太阳”、“生活的支柱”和“伟大的导师和朋友”（特别是在他最残酷地迫害的地区），他甚至曾被俄罗斯正教的一位大主教作为“我们的父亲”公开地祈求他的保佑。通过他的半身塑像、全身塑像和画像，这位独裁者随处可见，成为狂热崇拜的对象；但在私下里，人们却可能以一种玩世不恭的态度对待他。

年轻的革命家　约瑟夫·斯大林是格鲁吉亚——不是俄罗斯——血统，取名约瑟夫·维萨里昂诺维奇·朱加什维里，是高加索格鲁吉亚乡土气很浓的城镇——哥里的一个贫穷的鞋匠之子，高加索当时是俄罗斯帝国的殖民地。喝醉酒的父亲野蛮地殴打他的儿子。家里只会讲格鲁吉亚语。约瑟夫进哥里神学校（1888～1894）读书时，学习俄语——他讲俄语时总带有格鲁吉亚口音。接着他进入梯弗里斯神学院，在那里他秘密阅读国际共产主义首要理论家卡尔·马克思的著作和其他禁书。根据“传奇”的说法，他因参加革命活动而被学校开除；而根据溺爱他的母亲的说法，他是由于身体不好而离开学校的。他母亲是一个虔诚的洗衣妇，梦想着她的儿子成为教士。但是约瑟夫·朱加什维里的外表和外貌很凶暴，不像教士。他身材不高但结实，黑发，眼睛凶狠，一条手臂比另一条长，他的黝黑的脸上有童年时期留下的天花的斑痕。他体格健壮，富有惊人的自制力，从小就学会不动声色，等待时机；这与高加索民族之间仇杀的传统相一致，他在策划对侵犯他的人进行长期的报复时是毫不宽容的。

1899年12月，朱加什维里成为梯弗里斯气象台的一名职员，为时很短。根据记载，这是他在政治工作以外所担任的唯一的领取薪金的职业；也没有关于他从事体力劳动的记载。1900年，他参加地下政治活动，在高加索主要工业中心煽动工人举行示威和罢工，在推动受哄骗的工人与警察发生流血冲突中，他的过激的热情使他与他的同谋者形成对抗。在俄罗斯帝国社会民主工党（马克思主义革命派）于1903年分裂成对立的两派——孟什维克和布尔什维克时，他加入了后者，这是两派中更富战斗性的一派，并成为这一派的领袖列宁的信徒。1902年4月～1913年3月，朱加什维里因革命活动而7次被捕，一再被监禁和被放逐。宽大的判刑和因看管的放松使得这个年轻的谋反者得以一再成功地逃脱，导致这一未经证实的推测，即朱加什维里曾一度被帝国政治警察收买成为奸细，似乎显得可信。

攫取权力　朱加什维里在党的统治集团内上升缓慢。他参加俄国社会民主工党的3次决策性秘密会议——一次在塔墨尔福斯（今芬兰的坦佩雷，1905），一次在斯德哥尔摩（1906），一次在伦敦（1907），没有留下多大的印象。但他在幕后很活跃，帮助策划于1907年6月25日（旧历6月12日）在梯弗里斯（今第比利斯）进行惊人的拦路抢劫，以便为党而“没收”资金。1912年2月（旧历1月），他第一次获得了政治上的高升，列宁——当时移居国外——增选他为第一届布尔什维克党中央委员会委员，该党终于最后与其他社会民主工党党员分裂。翌年，在列宁的指示下，朱加什维里发表了一篇论马克思主义和民族问题的重要文章。这时，他采用斯大林的名字，这个字从俄语“钢”演变而来；他并短暂地主编新创办的布尔什维克报纸《真理报》，随即被流放至西伯利亚，这是他最长的一次流放，从1913年7月至1917年3月。

大约在1904年，斯大林与一位虔诚的格鲁吉亚姑娘叶卡捷琳娜·斯瓦尼泽结婚。约3年后她即去世，留下一个儿子雅可夫。他父亲轻视他，20年代末他自杀未遂之后，他父亲称他为懦夫。第二次世界大战期间，雅可夫成为德国人的俘虏，斯大林拒绝了德国提出的交换他的儿子的建议。

1917年3月25日（旧历3月12日），斯大林从西伯利亚抵达彼得格勒，重又编辑《真理报》。他短暂地拥护布尔什维克与中产阶级自由主义者的临时政府合作，这个政府接管了二月革命中废黜最后一个沙皇时建立的不稳定的政权。但在列宁的影响下，斯大林很快转而采取由布尔什维克武装攫取政权的更富战斗性的政策。1917年11月（旧历10月）政变爆发，他发挥了重要作用，但却不像他的主要对手托洛茨基那样突出。

1918～1920年内战期间，作为政治-军事领导人，斯大林活跃于前方各条战线，并在新成立的布尔什维克政府中担任两个部长职务：民族事务人民委员（1917～1923）和国家监督人民委员（即工农检查；1919～1923）。从1922年起直至他逝世为止，他担任党的中央委员会总书记，正是这一职务提供了他进行独裁统治的权力基础。除了领导书记处外，他还是有权力的政治局的委员和其他许多连锁的与重叠在一起的委员会的委员——一位官僚首脑，他暗地里策划挫败有才能的对手，包括托洛茨基和季诺维也夫在内，他们两人鄙视这类庸俗的组织工作。由于这个脸上有麻子的格鲁吉亚人显然缺少教养，因此他们认为他愚蠢无知，这是一个严重的错误，对他们来说，实在是一个致命的错误。

从1921年起，斯大林蔑视病中的列宁的愿望，为此，列宁在去世前一年写了一份政治“遗嘱”；这份“遗嘱”广为流传，要求调换斯大林总书记的职务。由于是来自列宁的，这一文件可能毁灭斯大林的一生，但是他惯常有的好运和善于玩弄手段，使得这一文件在他一生中都未受重视。

列宁的继承人　1924年1月列宁去世后，斯大林发起了对这位死去的领袖过度的，类似拜占廷式的崇拜。作为列宁主义的总教士，斯大林并于第2年通过把察里津改名为斯大林格勒（今伏尔加格勒），激发人们对他自己的崇拜。他的主要对手托洛茨基（曾是

列宁的法定继承人)现在已经黯然失色,为季诺维也夫、加米涅夫和斯大林的3人执政所罢黜。此后不久,斯大林与右翼领导人布哈林和李可夫结成同盟,矛头直指他的前3人执政中的其他两人。这位总书记提出"在一国首先建成社会主义"的主张,相信苏联有能力建立这一可行的政治制度而不必等待国际革命给予支持。这一主张在精明而讲求实际的党的管理人中很受欢迎,他把这些人提升至在中间派统治集团中担任有影响的职务。他的最强大的对手全都被免职了,继季诺维也夫和加米涅夫之后,布哈林和李可夫很快也被贬黜,并被投入政治监狱,随即处决。1929年斯大林将托洛茨基驱逐出苏联,派人于1940年在墨西哥将他暗杀掉。

1928年斯大林废除了列宁的准资本主义的新经济政策,主张通过连续几个五年计划实现冒险的由国家组织的工业化。这实际上是一次新的俄国革命,其后果较之1917年更具破坏性。这位独裁者对农民的打击最为严重,约2 500万农户被迫在数年内并入集体农庄或国营农场。不愿并入的农民们拼命反抗,遭到军队和国家政治保卫局部队(政治警察)的镇压。不愿合作的农民被称之为富农,悉遭逮捕,或被枪杀、放逐,或被送进迅速扩大的斯大林集中营网,在恶劣的条件下劳动至死。集体化在乌克兰造成了大饥荒。但斯大林仍将储备的粮食出口,而只要稍为不那么残酷的领导人都会把这些粮食紧急送至灾区。在这些年里,由于执行他的政策而死亡的农民达到约1 000万人。

急速的工业化所造成的灾难性后果要小一点,但也包含着巨大的失败;为此斯大林在一连串公开审讯中审问了工业管理人员。被告们被吓得供认犯下了莫须有的罪行,成为由于总书记的政策而造成的大灾难的自我痛斥的替罪羊。但斯大林在使一个落后的国家迅速实行工业化方面是成功的,这为同时代的热心的外国见证人(包括希特勒和著名作家诸如威尔斯和萧伯纳等)所广泛公认。

在那些力求缓和斯大林的政策但却徒劳的人中,有他的年轻的第2个妻子纳杰日达·阿利卢耶娃,斯大林与她于1919年结婚,她于1932年自杀。他们有两个孩子。儿子瓦西里,在苏联空军中获得了不应有的高级军衔后,因酗酒而暴卒。女儿斯韦特兰娜成为她父亲脾气恶劣和感情变化不定的发泄对象。斯大林死后,她移居国外,后来写有回忆录,阐述斯大林完全不为人知的私生活。

大清洗 1934年末,正值斯大林主义的最险恶的暴行似乎已经使他们自己耗尽精力时,总书记发动了一场反对正是把他扶植上台的那些共产党员的新的政治恐怖运动。他的借口是,12月1日他的最主要的同事和潜在的对手基洛夫在列宁格勒遭暗杀。在1956年第20次党代表大会上,党的第一书记赫鲁晓夫在斥责斯大林的讲话中强烈暗示,正是斯大林自己安排了对基洛夫的谋杀,以此作为发动大规模杀戮的借口。

斯大林利用对共产党领导人的公开审讯作为他展开新恐怖运动的一种手段。1936年8月,季诺维也夫和加米涅夫被带至法庭,重复编造的供词,被判处死刑后,立即枪决;接着在1937年1月和1938年3月举行了两场更为重大的审讯。1937年6月,当时最有影响的军方人士图哈切夫斯基元帅和其他主要将领据报道被指控犯有叛国罪而受到军事审判,并被枪决。

这些是众所公认的重大迫害事件,使斯大林得以驯服苏联共产党和整个苏联上层社会。他不仅"肃清了"半独立的老布尔什维克,并且还有许多完全屈从于他的党的头目、军队领导人、工业管理人员和政府高级官员。其他的受害者包括在苏联领土上的外国共产党人,以及这时称之为内务人民委员部(NKVD)的政治警察组织的成员。苏联上层社会所有其他阶层——文艺界、学术界、法律界和外交界——也同普通老百姓一样,在以逼供信为基础的半任意的和迅速进行的迫害中,受到迫害的人占有很大比例。受牵连的受害者甚至为数更多,直至斯大林自己对恐怖稍作收敛为止,但他始终没有放弃这种恐怖活动。斯大林的政治牺牲者以千万计。据推测,他的主要动机是把他的个人权力扩大到最大限度。

在第二次世界大战中的作用 第二次世界大战期间,在经过了似无胜利希望的开始阶段之后,斯大林成为交战国中所产生的最为成功的最高领导人。1939年8月在他试图与西方强国结成反希特勒同盟未成之后,他同希特勒签订条约,这项条约怂恿这个德国独裁者进攻波兰,第二次世界大战于是爆发。在他的背信弃义的德国新盟友仍忙于西线战事时,斯大林急于加强其西部边境,吞并了波兰东部、爱沙尼亚、拉脱维亚、立陶宛和罗马尼亚的一些地区;他并且进攻芬兰,强行租借芬兰领土。1941年5月,有鉴于德国进攻苏联日益增长的危险性,斯大林任命他自己为人民委员会主席(政府首脑),这是自1923年以来他担任的第一个政府职务。

德国的闪电战暴露了斯大林的战前国防措施软弱无力,希特勒于1941年6月22日向苏联发动突然袭击后,德军深入苏联腹地。赫鲁晓夫称,斯大林当时被这场猛烈的进攻震惊得一时无所适从;但即使如此,他仍很快重新振作起来,任命自己为最高统帅。当德军于1941年冬逼近莫斯科时,他留在危急中的首都,督促组织大规模反攻。在斯大林的最高指挥下,苏军在斯大林格勒战役(第2年冬)和库尔斯克战役(1943年夏)中获胜;德军撤退,苏军转入反攻,1945年5月德国投降。作为战时领袖,斯大林始终对各条战线、军队后勤和战时经济实施他个人的严密控制。像希特勒一样,这位苏联大元帅起初过多地通过电话下达不适当的命令进行干预,后来才渐渐学会通过作出军事决定的办法来进行。

斯大林参加过盟国高级会议,包括与丘吉尔和罗斯福在德黑兰(1943)和雅尔塔(1945)举行的"三巨头"会议。作为一个令人敬畏的谈判者,他智胜这些外国的政治家们,他的高超的外交手腕备受当时英国外交大臣艾登的赞赏。

晚年 战后,斯大林对东欧实施一种新的殖民控制形式,这种控制以名义上独立、实际上屈从于他的该国共产党政权为基础。这样,他把他的臣民增加了约一亿人。1948年铁托领导的南斯拉夫对苏联阵营的背叛,对于斯大林统治的磐石般的国际共产主义是一个严重的打击。为阻止其他附庸国效法铁托的榜样,斯大林指使在当地举行公开审判。像30年代在俄国进行"大清洗"时所举行的公开审判那样,这些共产党卫星国的领袖们在审判中供认犯有铁托主义罪行,许多人因而被枪决。

现在斯大林不再继续他与美国和英国在战时结成的同盟关系,而把这些国家,特别是美国,看做是希特勒死后他所需要的主要敌人。在国内,重又刺耳地鼓吹马克思主义思想意识至高无上的地位。斯大林的主要思想意识心腹、中央委员会书记日丹诺夫在苏联文艺界和知识界重又掀起恐怖浪潮,外国的成就被恣意诋毁,宣扬俄国人第一,事实上是一切领域的发明者和开拓者。战争期间在苏联普遍激起的战后在国内休养生息的希望可悲地消失了。

斯大林晚年愈加多疑和不信任人,1953年1月他宣布克里姆林宫的一些医生——大部分是犹太人——犯有用医疗手段谋害包括日丹诺夫在内的苏联各领导人的罪行,下令逮捕他们。显然这个独裁者正在准备以这一"医生阴谋"为借口,发起另一次巨大的恐怖运动。这场运动将威胁到他所有的高级伙伴,但据官方报道,他于1953年3月5日猝然去世;他的去世对他的随从们来说非常及时,因为他正怀疑他们在策划谋杀阴谋,对此已有所表露。

评价 斯大林是个彻头彻尾的一心搞党派政治的人,他几乎没有私人生活或家庭生活,仅在即兴的自助晚餐上才找到一点乐趣,他邀请党的高级官员、将军、前来访问的外国统治者参加。在这种场合,这位独裁者喝少量的酒,怂恿别人作出过分放肆的行动,使他们窘态毕露,从而他得以利用。他还戏弄他的客人,诙谐与恶毒在他的言谈举止上得到了巧妙的平衡,斯大林的主要心腹、说话口吃的外交部长莫洛托夫常常是这种粗暴戏谑的对象。斯大林的刻薄挖苦的幽默感常常使他的客人泄气,而不是使他们感到愉快。

斯大林的最大的成就是使这个在1928年他全面掌权时与世界主要工业国家相比仍明显落后的国家实行工业化。到1937年,即这个极权主义的独裁者进行统治还不到10年,他把苏联的工业总产量增加至仅次于美国的地步。人们记得,1913年俄国的工业总产量仅居世界第5位,此后这个国家经受了许多年的较之世界其他主要工业国家在同时期内遭受的更大的浩劫——世界大战、内战、饥荒和瘟疫,如果以此来衡量,则这一成就大可赞赏。而在第二次世界大战中,苏联遭到了尤为骇人听闻的破坏,但在斯大林的领导下,却能为打败希特勒发挥重大作用,同时保持其仅次于美国的世界第2大工业强国——今军事强国的地位。1949年,斯大林主义的俄国爆炸了一颗原子弹,标志着它已成为世界第2个核强国。

在这些巨大的成就面前,必须指出当时苏联存在着一个严重的缺点。诚然,在斯大林领导下,工业产量很高,但苏联老百姓从中得到的消费品或供生活享受的物品却微乎其微。

国家财富相当大的一部分——这一部分在任何和平时期资本主义国家的历史上都无法比拟——由国家拨作军费、警察机构费用和进一步工业化之用。还须指出,类似程度的工业化,在差不多任何可以想象得出的社会制度下都会发生,当然不是采用那么残酷的办法,这种社会制度的发展可以取代斯大林主义。

斯大林的农业集体化却没有产生积极的经济效果,与苏联工业所获得的效果相比相差甚远。但作为对政治上不顺从的农民进行控制的一种手段,集体化自有它的道理,并且坚持了数十年,成为这个独裁者的最为持久的成就之一。此外,斯大林所创立的、密集的城市化的进程,在斯大林去世后仍继续进行,因当时苏联与其他任何主要工业国家相比,仍以农业人口为主。1937 年,按照登记的数字,56%的人口从事农业或林业;到 1958 年,这一比例下降至 42%,这主要是斯大林政策的结果。

这位独裁者的另一个成就是,创立了由他精心设计的官僚化行政机构,它是以共产党机关、政府各部、立法机构、工会、政治警察和武装力量的互相连结以及以一系列紧密配合的控制手段为基础的。在这位独裁者死后的数十年里,这些继续成为统治苏联社会的主要杠杆,经常继续处在个别人的控制之下,这些人是在斯大林恐怖时期被提升至显要地位的。但绝对个人独裁的因素并没有使斯大林以其最极端的形式存在下来。他去世后的一个结果是,共产党作为权力的主要中心,在这一组织与苏联所有其他机构一起服从于一个人的狂想的那些年月过去之后,重又复活。然而,尽管斯大林的继承者们作为党的领导人行使巨大的权力,他们在寡头统治的范围内不过仅仅是拥有统治权的人物而已。他们已不再能发展成为只向他们自己负责的统治者,就像在 1/4 的世纪里事实上未受到任何挑战的统治者斯大林那样。

斯大林的制度以其全部精髓在其创建者死后持续了如此长的时间,部分原因正是由于这个大暴君的极度的残酷性。他的手段不仅压制了苏联行政官员的首创精神,在肉体上消灭了许多人,并且留下一笔使人心有余悸的遗产是如此强烈,以至人们对斯大林死后继续施加的限制忍气吞声,逆来顺受。如果人民对难以描述的残暴镇压不是记忆犹新的话,那么他们对这种残酷将更加激烈地愤恨,甚至起而反抗。就像战时希特勒对苏联人民的残忍狠毒使斯大林成为真正的民族英雄——成为反对较之他的恐怖统治尤为可怕的外国恐怖统治的苏联战士一样,斯大林的继承者们之所以能把他们的制度稳定下来,部分原因是由于他们的统治与在这位专制暴君统治下的情况相比是好得多的,这种比较在许多人的头脑里依然印象十分强烈。

可以论证的是,斯大林较之历史上任何其他人物对更多的人的命运产生过更大的影响。但对斯大林的全部成就的评价,在他死后的数十年里,仍是个有着很大争议的问题。历史学家们对他的成就的评价没有能够达成任何明确的共识,可能以后也难以达成。美国学者凯南认为,斯大林是一个伟大的人,一个在"令人难以置信的犯罪行为上……在实际上没有限制的犯罪行为上"伟大的人;美国苏联问题专家 R.C.塔克把斯大林描写为是20世纪的伊凡雷帝。英国历史学家卡尔认为,这个格鲁吉亚的独裁者是一个残酷无情而精力充沛的人物,但却是个缺少独创性的人,一个相对地说无足轻重的人,是被他在其中进行领导的大革命的不可抗拒的进军投入到伟大之中的。托洛茨基传记和斯大林传记的作者、已故的 I.多依彻——他也像卡尔一样,广泛接受托洛茨基把斯大林说成是一个多少有点平庸的人的说法——认为,斯大林代表了马克思主义演进中的一个可悲的变异的分子。无论是多依彻或卡尔都没有找到斯大林的真正令人震惊的记录,足以留给人以深刻的印象对俄国十月革命的历史成就的根本价值提出质疑。

除这些观点外,另有一种意见,即认为斯大林决不是一个只知苦苦工作的平庸之辈,而是一个有着极高的、全面超凡的智慧的人。但他的特殊的才智却被狭窄地用于专门的目的,禁锢在创造性的政治操纵的严酷的单一领域之内,在这个领域里,仍无人能超过他。当其他布尔什维克领导人仍在害怕他们的革命将被一个军人出卖时,斯大林是第一个认识到官僚政治的潜力的人。斯大林的政治才能远不止仅仅运用策略,他能调动广大的社会力量来达到他的经济目标和扩大他个人的权力。

Stalinabad(Tajikistan) **斯大林纳巴德** 参阅 **Dushanbe** 杜尚别。

Stalingrad(Russia) **斯大林格勒** 参阅 **Volgograd** 伏尔加格勒。

Stalingrad, Battle of **斯大林格勒战役** (1942 夏~1943-02-02) 第二次世界大战期间,德国对俄罗斯苏维埃联邦社会主义共和国斯大林格勒(今伏尔加格勒)不成功的进攻,标志着德军向东方推进的最远点。斯大林格勒作为一个主要的工业中心,本身具有重要的价值;它能控制伏尔加河,切断苏联来自高加索的石油供应线。1942 年夏,德国人推进到斯大林格勒郊区,但在红军的坚强防御下,尽管保卢斯指挥的第 6 集团军和克莱斯特指挥的一部分第 4 装甲集团军一再发动进攻,仍然未能攻下这座城市。9 月,德国人推进到市区中心,遭到崔可夫将军指挥的苏联第 62 集团军的顽强抵抗。到 10 月中旬,苏联防御部队几乎被逼到伏尔加河畔,但德国人的供应开始接济不上,他们的坦克在巷战中无用武之地,并且冬天已经来临。11 月 19 日,苏军以南北钳形运动开始反攻;到 23 日,已包围第 6 集团军和第 4 集团军之一部。12 月中旬,德国援救保卢斯的企图失败。在希特勒的命令下,保卢斯继续战斗,终于使克莱斯特的遭到围攻的部队得以从高加索逃脱。1943 年 1 月 31 日,保卢斯未服从希特勒的命令,而向苏联投降;其属下余部 9.1 万人则于 2 月 2 日投降。德军在斯大林格勒的损失估计达 30 万人。

Staliniri(Georgia) **斯大林尼里** 参阅 **Tskhinvali** 茨欣瓦利。

Stalinism **斯大林主义** 从1929年至苏联共产党与国家领导人斯大林 1953 年死亡时为止的统治方法或政策。斯大林主义与恐怖政权和极权统治经常相提并论。

在 1917 年布尔什维克党人发动政变前夕,斯大林曾谴责那些老是注意俄国社会主义的"伟大人物"所订的意识形态先例的人。在一个由知识分子与雄辩家支配的政党中,斯大林赞同以较实际的方式来达成革命,而无意识形态的情绪。一旦布尔什维克党人当权,党的领导阶层遂乐意将政党与国家运作等枯燥细节交付给斯大林。1924 年列宁死亡后的权力斗争证实,斯大林的政敌的智力和吸引魅力与斯大林直接控制党组织所巩固的实际权力无法匹敌。到 1929 年,其主要对手均被击败,而斯大林在权力斗争过程中多次改变的政策亦趋稳定。在权力斗争中,出现了斯大林主张坚如磐石的政党理论,他谴责那些容许对党政策进行讨论或持有异议的"腐败自由主义"。列宁发表过的声明,除了那些批评斯大林的言论外,均被奉为金科玉律,不得有所质疑。凡反对这些新教条者,均被控以叛党罪名。斯大林自称为列宁的继承人,而逐渐被承认是党意识形态的唯一与绝对正确的诠释者,个人崇拜的行为亦发展成型。

斯大林主义的基本理论是"一国社会主义"学说,主张不放弃世界无产阶级革命的社会主义目标,在大部分资本主义世界包围下,在苏联境内,却可建立一个实际的无阶级社会。斯大林以诉诸社会主义革命的热情及俄国民族主义的方式,于 20 年代末期展开前所未有的大规模工业与农业发展计划。以贫农之名,对富农发动了一场"阶级战争",使俄国农业在面临农村相当的阻力下,得以迅速集体化,以符合城市工业的需要。在工业方面,由于需要专业人才与效率,延缓了布尔什维克革命的平等主义目标之追求。斯大林公开指责"平等主义者",并实施奖励制度,建立有利于技术性知识分子的社会经济阶层。为确保俄国未来经济不受制于资本主义邻国,故特别强调重工业。

当社会主义意识形态预见到一旦无阶级差别的社会实现时,国家即会"凋谢",斯大林则认为在国家理论被放弃前,必须积极地发展国家权力。斯大林主义认为社会主义在俄国国内外的敌人,将试图扭转革命的最后胜利。他辩称为面对这种压力并保护理想,国家必须要强大。权力愈来愈集中于斯大林,他还于 30 年代末期,对所有他认为可能危及苏联的人发动血腥整肃。为斗争那些他所认为的政敌,斯大林将政治反对视为叛逆,而以之作为斗争托洛茨基、布哈林及其两人的支持者的武器。到 1939 年 2 月,那些曾经在 1917 年发动俄国革命的老布尔什维克党人大部分均已遭到杀害。更有数百万人(估计有 700 万至1 500万人不等)被送至斯大林使之组成部分苏联经济的劳动营中。30 与 40 年代期间,对斯大林的崇拜达到了国家宗教的程度。官方的宣传将斯大林与俄国历史英雄伊凡和彼得两位沙皇相提并论。在艺术、科学、教育,在整个学术领域,甚至在历史著作中,斯大林的话就是真理,与它相反的就是异端邪说。

在斯大林于1953年去世的3年后，以赫鲁晓夫为首的苏联领导阶层公开谴责斯大林崇拜，以及其统治期间所实施的恐怖主义。他们视斯大林主义为苏联社会主义发展过程中的短暂错误，其他人则视其为发展过程中一个残酷却必经而无可避免的阶段，此外还有其他人认为斯大林主义是苏联与革命理想之间一次无法消弭的决裂。

1989年苏联历史学家麦德维杰夫估计，因劳动营、强迫农业集体化、饥荒及处决而致死的人约为2 000万。还有2 000万人成为监禁、流放及强迫迁徙他地的牺牲品。

Stalino（Ukraine） **斯大林诺** 参阅**Donetsk** *顿涅茨克*。

Stalinogorsk（Russia） **斯大林诺戈尔斯克** 参阅 **Novomoskovsk** *新莫斯科斯克*。

Stalinsk（Russia） **斯大林斯克** 参阅**Novokuznetsk** *新库兹涅茨克*。

stalk-eyed fly **突眼蝇** 双翅目突眼蝇科昆虫。特征为眼位于触角旁的长柄上。这样虽便于视物，却造成空气阻力。北美仅一种，即短角突眼蝇（*Sphyracephala brevicornis*），该种有时见于臭菘上。其他均为热带种。

Stalwart **顽固派** 美国历史上，共和党内反对R.B.海斯总统的改革文官制度政策、争取U.S.格兰特竞选第三次连任总统未遂的政治派别。19世纪70和80年代，顽固派（正统共和党人）同比较开明的杂牌共和党人争夺党的领导权。顽固派领导人有纽约州R.康克林和J.A.加菲尔德总统任内的副总统C.A.阿瑟。

Stamboliyski, Aleksandŭr **斯塔姆博利伊斯基**（1879-03-01，保加利亚斯拉沃维察～1923-06-14，斯拉沃维察） 保加利亚农民党领袖，第一次世界大战中支持协约国反对亲

美国不列颠百科全书公司供图

德的国王，战后任政府首相（1919～1923）。早年在德国农业学院学习。后转入新闻界，1902年任农民联盟机关报编辑。一生维护农民利益。1908年作为农民党领袖进入国会，经常与斐迪南国王发生争论。1915年因反对国王准备站在德国一方参战，被关入监狱。1918年9月获释。第一次大战将结束时，保加利亚军队崩溃，他领导起义，迫使斐迪南退位，宣布成立共和国。尽管他被斐迪南的儿子鲍里斯击败，君主制度复辟，他于1919年1月入阁，10月出任首相，11月签署丧失很多国土的《讷伊条约》。条约虽不受欢迎，但他仍在1920年的大选中获得胜利。他的政府反对城市化和工业化，但向农民重新分配土地，改革司法制度，支持农民合作社、普选和地方自治。他与波兰和捷克斯洛伐克的农民领袖建立联系，企图成立一个与共产党"红色国际"相对抗的"绿色国际"，但未能如愿。1922年与南斯拉夫签订《尼什条约》，企图建立一个南部斯拉夫人的联邦。1923年在大选中获胜。但他的国内政策、反战主义与南斯拉夫接近的立场引起军方的不满。1923年6月发生军事政变，他被处死。

Stambolov, Stefan Nikolov **斯塔姆博洛夫**（1854-01-31，鲁梅利亚特尔诺沃[今保加利亚大特尔诺沃]～1895-07-18，保加利亚索非亚） 保加利亚政治家、专横的首相（1887～

保加利亚驻伦敦大使馆供图

1894），被视为保加利亚的俾斯麦。客栈主之子。早年参加保加利亚反抗土耳其统治的地下革命运动。1875和1876年领导小规模的反土耳其起义。1878年保加利亚获得自治，他被选入新成立的议会，1884年为议长。1886年亚历山大大公退位后，他粉碎了俄国的干涉，拥戴萨克森-科堡-哥达的斐迪南亲王为保加利亚大公。新大公即位后由他组织内阁，执政期间继续反对俄国，与土耳其敦睦邦交，并在马其顿扩大保加利亚的势力范围。他采用恐怖手段对付此起彼伏的反朝廷阴谋和兵变。斐迪南大公夺回君权，他被迫辞去首相职位（1894-05-31）。后来，在索非亚街头被仇人杀死。

Stamford **斯坦福** 英格兰林肯行政、历史郡南凯斯蒂文区一城镇（堂区）。临韦兰河。1462年建集市城镇。用当地石灰石建造房屋，大部地区仍保留许多传统特点和建筑特色。有圣马利亚、圣马丁等著名教堂，并有圣伦纳德隐修院和加尔默罗会隐修院遗迹。人口17 492（1991）。

Stamford **斯坦福** 美国康涅狄格州西南部费尔菲尔德县城市，面积同斯坦福镇。位于里波瓦尔姆河口，濒临长岛湾。1641年建镇。1893年建市。原为一农业社区。19世纪40年代通铁路，规模扩大，工业兴起。1949年市镇合并。20世纪60年代前为纽约市郊住宅区，有些工业和几家工业研究所。70年代早期，几家大公司总部迁此，城市日趋繁荣。至80年代末已为全美最大公司总部中心。设有康涅狄格大学分校和惠特尼美国艺术博物馆分馆。人口：市约108 056；斯坦福都会统计区约353 556（2000）。

Stamitz, Carl（Philipp） **斯塔米茨**（1745-05-07，巴拉丁领地曼海姆[德国]～1801-11-09，萨克森耶拿[德国]） 德国最后一代曼海姆交响乐乐派作曲家之一，曼海姆乐派创始人约翰·斯塔米茨之子。1762年在曼海姆宫廷管弦乐团中演奏小提琴，又是中提琴和抒情维奥拉琴演奏家。曾在英、俄巡回演出，1785年定居巴黎。1794年任耶拿管弦乐团指挥。创作了大量器乐作品，包括交响乐、协奏曲和协奏式作品、四重奏、三重奏和奏鸣曲。

Stamitz, Johann（Wenzel Anton） **斯塔米茨**（1717-06-19，波希米亚德意志布罗德[今在捷克哈夫利奇库夫布罗德]～1757-03-27，巴拉丁领地曼海姆[德国]） 德国作曲家。他创立了曼海姆交响乐乐派，对莫扎特有重大影响。早期从父学习音乐，曾任卡尔·狄奥多尔王子（1743年后为巴拉丁领地选侯）室内音乐家，1745年任曼海姆宫廷管弦乐团首席指挥。他把曼海姆管弦乐团的精确性和表现幅度提高到当时无可比拟的水平。渐强与渐弱的管弦乐效果虽非他首创，却成为他的风格的一个标志，为后来作曲家所仿效。另一风格特点是采用"叹息式"留音法，特别是在终止式处。这些特点已融合到整个欧洲的洛可可风格的音乐中去。他把小步舞曲和三声中段用作四乐章交响曲的第三乐章的做法也同样为古典主义作曲家所采纳。他对古典奏鸣曲形式的发展也作出了贡献。虽然当时在柏林、维也纳和意大利的作曲家也同样发展了这些特点，但是曼海姆乐派的第一代作曲家（斯塔米茨和他的伙伴们）对确立18世纪中叶管弦乐创作风格有着最重大的影响。

stammering **结巴** 参阅**stuttering** *口吃*。

Stammler, Rudolf **施塔姆勒**（1856-02-19，黑森阿尔斯费尔德[德国]～1938-04-25，德国韦尔尼格罗德） 德国法学家和教师。20世纪早期，尤其在德国、西班牙和拉丁美洲，他被认为是最有影响的法律哲学家之一。曾先后在马尔堡（1882～1884）、吉森（1884）、哈雷（1885～1916）和柏林（1916～1923）担任法律教授。他把纯粹是形式上的定义的法律概念与实现公平正义的法律理念区别开来。和19世纪大多数法律哲学家不同的是，他强调寻求法律应与之符合的理想。在他看来，这些理想不是一成不变的，而是反映在特定的时间和地点的社会可能协调一致的程度。其主要著作之一《正义理论》（1902）由艾萨克·赫西克译成英文（1925）。

Stamp Act **《印花税条例》**（1765） 美国殖民史上，英国议会为减轻法国-印第安人战争（1763）及庞蒂亚克战争（1763～1764）造成的浩大军费开支而通过的向殖民地直接征税的条例，征税范围包括殖民地所有商业、法律文书、证件、报纸、书刊、入场券、年历和投骰赌博。但遭到殖民地人民的坚决抗议，他们拒

贴印花税券,举行暴乱,焚毁印花税券并威胁印花税券发行人,《印花税条例》遂名存实亡。殖民地人民坚持他们已经享有一个半世纪的传统:只有通过他们自己的代表议会才能作

1765 年 10 月宾夕法尼亚《日报》中反对《印花税条例》的宣传画
纽约公共图书馆供图

出征税决定。除殖民地商人达成抵货公约外,纽约印花税大会(九个殖民地温和派代表于 1765 年 10 月举行)向英王和议会请求废除该项条例。英国议会主要屈从于英国商人和制造商的压力(他们的出口贸易受到殖民地人民的抵制),于 1766 年初将该条例废除,但同时通过公告,重申议会在帝国范围内任何地方有直接征税的权利。殖民地反抗《印花税条例》的运动大大促进了团结的精神和组织,为 10 年后的独立战争吹响了进军的号角。

stamp collecting　集邮　收集邮票的嗜好。参阅 **philately**。

Stampa, La　《新闻报》　都灵出版的晨报,意大利最有影响的报纸之一。1868 年创刊时名为《皮埃蒙特日报》。是意大利解放和统一斗争的重要喉舌。1895 年由该报两位编辑 L.鲁和 A.弗拉萨蒂购下,改称《新闻报》。1926 年墨索里尼上台时,该报仍以语调开明、维护民主而闻名。因拒绝支持法西斯,弗拉萨蒂将该报售出,脱离报业。该报遂由一个法西斯班子接管,成为宣传法西斯政策的工具。第二次世界大战后该报一度易名为《新新闻报》,恢复战前传统,重新成为一份高质量的报纸。该报一贯关注意大利的社会问题。

standard atmosphere　标准大气　给定温度、压强和湿度垂直分布的大气模式,它通过国际协定取自世界各地的这些参量的平均值。在确定标准大气时,假设大气遵守理想气体定律并处于静力平衡状态(没有垂直方向的空气加速度);空气是干燥的;重力加速度随高度不变。在这些条件下,给定海平面的压强和密度值,并根据给定的温度垂直分布,就可以确定压强和密度的垂直变化。即使真实大气与假设的标准大气会有明显的不同,但标准大气对于诸如气压高度表的校准、飞机和导弹的设计、弹道轨迹和其他一些问题是有用的。在这些用途中,真实大气与标准大气的偏离,不会引起计算中的严重误差。

standard deviation　标准差　统计学中,一组数据的离散度的一种度量。它定义为一组数据的平方偏差的算术平均的平方根。所谓数据的平方偏差就是数据中的每一个数与这组数据的算术平均之差的平方。

Standard Limited, The　《旗帜报》　旧称《东非旗帜报》,是肯尼亚内罗毕出版的英文日报。1902 年由帕西人 A.M.吉万吉与英国记者 W.H.蒂勒在蒙巴萨创办,当时名《非洲旗帜报》,是周刊。1910 年改为日报,并改名为《东非旗帜报》,迁往内罗毕出版。此时其所有权已全归英方拥有。创刊之初该报维护肯尼亚白人居民的利益;但到 20 世纪 70 年代已转而对新闻报道持不偏不倚态度,并赢得写作优美、印刷精良的声誉。肯尼亚独立后该报获得出版自由,但不得批评政府的唯一执政党及其领导人。除星期日外每天出版。

standard model　标准模型　将粒子物理学的两种理论结合为单一框架,以描述亚原子粒子间除引力以外的全部相互作用。标准模型的两个组成部分是通过电磁力和弱力描述相互作用的*电弱理论*(**electroweak theory**),和*量子色动力学*(**quantum chromodynamics**)即强核力理论。这两个理论都是规范场理论,它们以交换中介传递子描述粒子间的相互作用,这些传递子的内禀角动量或自旋为 1。除了这些传递力的粒子以外,标准模型还包含构成物质的两个亚原子粒子族,它们的自旋为 1/2。这些粒子是夸克和轻子,它们各有 6 类或 6"味",并按质量的增大顺序配对组成 3"代"。日常物质由最轻一代成员组成:"上"或"下"夸克组成原子核内的质子和中子;电子在原子内循轨道运行并参与将原子结合成为分子和更复杂的结构;而电子-中微子起放射性作用,因而影响物质的稳定性。较重的夸克和轻子在研究高能粒子的相互作用时,既在使用粒子加速器的科学实验室中,也在大气层内高能宇宙线的自然反应中被发现。标准模型高度精确地预言了夸克和轻子的相互作用,已证实为很成功的框架。然而它有许多弱点,致使物理学家去寻找更为完满的关于亚原子粒子及其相互作用的理论。例如现时的标准模型不能解释为什么夸克和轻子有三代;它既不能预言夸克和轻子的质量,也不能预言各种相互作用的强度。物理学家希望通过对标准模型的详尽探索和高度精确的测量,将会发现标准模型开始失败的一些方面并由此找到一个更完满的理论。这可能证明是大统一理论,它用单一的理论结构描述强力、弱力和电磁力。

standard of living　参阅 **living, standard of** *生活水平*。

Standard Oil Company (Indiana)　印第安纳标准石油公司　参阅 **Amoco Corporation** *阿莫科公司*。

Standard Oil Company (New Jersey)　新泽西标准石油公司　参阅 **Exxon Corporation** *埃克森公司*。

Standard Oil Company and Trust　标准石油公司和托拉斯　曾译美孚石油公司和托拉斯。美国的石油企业组织。在 1870～1911 年间,它是 J.D.洛克菲勒及其同伙的工业帝国,它几乎控制了美国全部石油的生产、加工、销售和运输。1870 年标准石油公司在俄亥俄州成立。到 1880 年它已控制 90%～95%美国所产石油的提炼业务。1882 年标准石油公司与生产、提炼和销售石油的关联公司联合而成立标准石油托拉斯。1899 年托拉斯被迫解散,而成立新泽西标准石油公司作为持股公司,以前托拉斯的资产和股权都转入该公司。1911 年美国最高法院勒令该公司分散成为 33 家独立的公司。分散时,仍有 8 家公司保留"标准石油"作为商号。1931 年纽约标准石油公司和真空制油公司(另一家托拉斯)合并,组成索科尼-真空公司,到 1966 年又更名为美孚石油公司。印第安纳标准石油公司 1939 年吞并了内布拉斯加标准石油公司。加利福尼亚标准石油公司 1961 年购入肯塔基标准石油公司。新泽西标准石油公司 1972 年更名为埃克森公司。1987 年英国石油公司 PLC 收购了俄亥俄标准石油公司。1999 年埃克森公司与美孚石油公司合并。过去属于美孚石油托拉斯而现在还存在的石油公司,计有:大西洋-里奇菲尔德公司、巴克艾管道公司、切斯伯勒-庞茨公司、彭佐尔公司、联合油车公司等。

Standard Oil Company of California　加利福尼亚标准石油公司　参阅 **Chevron Corporation** *雪佛龙公司*。

standard time　标准时　一地区或国家居民共同使用的法定时。19 世纪后期采用的概念,以便结束每个地区使用各自的太阳时所造成的混乱。随着迅捷的铁路运输的发展,因地方时随经度而变化,造成了火车时刻表上要使用多种不同的地方时间的混乱情况,因此,采用标准时就变得越来越需要了。美国和加拿大对标准时的需求感受尤深,因为那里有几条漫长的铁路线,其所经各地的地方时可相差若干小时之多。19 世纪 70 年代后期,加拿大铁路工程师 S.弗莱明提出了一种世界范围时区划分的方案。1884 年 27 个国家的代表在华盛顿集会,同意采用一种基本上与现行时区相同的时区制度,即从格林尼治本初子午线开始,采用 24 根标准子午线,各线相隔 15 度。这些子午线理论上是 24 个标准时区的中心,但实际上在很多情况下,为居民使用方便起见,时区还可再分小区或改变其范围。每一区内时间均相同,与作为国际法定和科学时间基准的协调世界时相差一定整数的小时而分、秒相同。在少数地方,也有法定时间与这 24 个标准时区不同的,而是相差半小时或一刻钟。

Standardbred　标准种马　19世纪在美国育成的一种马,主要用于马车赛跑。它是以

1788年输入美国的英国纯血马“信使”(1780～1808)为种马而育成的。其后裔之善小跑者又与其他品种(尤其是摩尔根马)杂交,育成能快速小跑及溜蹄的品种。“信使”的曾孙哈姆

标准种马的母马和马驹

供图:Grant Heilman

布尔托尼安(1849～1876)是一匹杰出的标准种种马,现代的标准种多为其后裔。标准种体壮耐劳,形酷似纯血马而较小,躯体较长较矮,肋较平,骨骼较粗大。身高体重变化甚大,平均身高152～163厘米,体重410～450千克。多为栗色,亦可为棕、黑、红棕或灰色。在本品种培育之初,符合某些速度标准(如小跑速度每2.5分钟达1英里)的马匹即登记于1871年建立的官方的血统纪录簿上,标准种马由此得名。美国快步赛马协会登记标准种马。

standardization　标准化　标准在工业中的发展和应用,以期能够大量生产出毋需修整即可毫无困难地装配到其他部件上的零部件。标准化可使工业生产者与供应者交往畅通,并为降低成本和以可互换零部件为基础进行生产创造了条件。标准是一种经过选定的典型,供其他物体或运动与之进行对比。工业标准可以是用来校准产品颜色、尺寸、重量及其他属性的仪器和装置,也可以是实际模型。标准还可以是书面形式的数学或符号的描述、图形或公式,用以规定所要生产的物体或所要完成的动作的重要特性。工业装配采用的标准包括工程标准,如材料性能、公差与配合、专门术语、绘图惯例;还包括产品标准,用以描述制造项目的属性与成分,体现在图样、公式、材料表、技术说明或模型中。厂商之间需要一些基本标准,以避免相互矛盾和重复工作。政府部门、贸易团体、技术团体的标准化工作可以部分满足国家标准的需要,但是还需要有一个专门的标准化机构来协调许多不同类型机构的各种标准化工作,促使一些基本标准得到普遍采纳。在美国,美国国家标准学会(ANSI)就起着这种作用。它并不制定标准,而是提供手段使国家的工程、安全、工业标准得以协调。一切有关团体都可以参与决策过程,而遵照国家标准则出于自愿。国际上行使这一职能的机构是国际标准化组织(ISO)。由于代表性广泛,并且有种种不同的需要和观点必须协调,制定一项国际标准面临更大的挑战。

standing to sue　起诉资格　在法律上,指这样一个条件,即起诉的人必须是可以要求法院对该诉讼所涉及的问题作出判决的合格当事人。传统上使用的标准是,该当事人与争讼结果上是否有个人利害关系,以及争讼是否触及有互相冲突的法律权益的各方当事人之间的法律关系。美国最高法院在“弗拉斯特诉科恩”一案(1968)中指出,“与资格问题有关的只是要求作出判决的争讼是否将以双方当事人对抗的形式提出,以及是否以一种从历史上看来可能获得司法解决的方式进行”。声称受到人身伤害或经济损失的原告人显然具备这种资格。在美国,直到20世纪60年代为止,法院对资格问题一直采取一种相当严格的态度。例如,在“弗罗辛厄姆诉梅隆”案(1923)中,原告人起诉说,由于1921年的保护母亲法令的施行,她的纳税义务将要增加;最高法院认为,这个原告人没有对这项法令提出异议的资格。20世纪60年代期间,在首席大法官厄尔·沃伦领导下的最高法院,放宽了对资格的要求,以致一个联邦初审法院在认定原告人有资格对中央情报局的开支的保密性提出异议时发表评论说,最高法院“现在已经几乎完全放弃了”起诉资格这一概念。在首席大法官沃伦·伯格的领导下的最高法院则明确表示,它无意完全放弃这个概念。在撤销初审法院对上述案件即“美国诉理查森”一案(1974)的裁决时,首席大法官伯格代表大多数大法官起草的意见否定了理查森的起诉资格,指出理查森是企图“利用一个联邦法院作为讲坛,以散布他对政府的活动的普遍不满”。

standing wave　驻波　两束频率与振幅都相同的波沿相反方向传播所产生的组合波。此现象是由于波相互干涉的结果。波在相同方向传播的情况下,干涉产生行波;对于反方向传播的一些波来说,干涉会产生固定于空间的振荡波。如图所示,一端缚牢的振动着的绳会产生驻波;波列(线 *B*)达到绳的固定

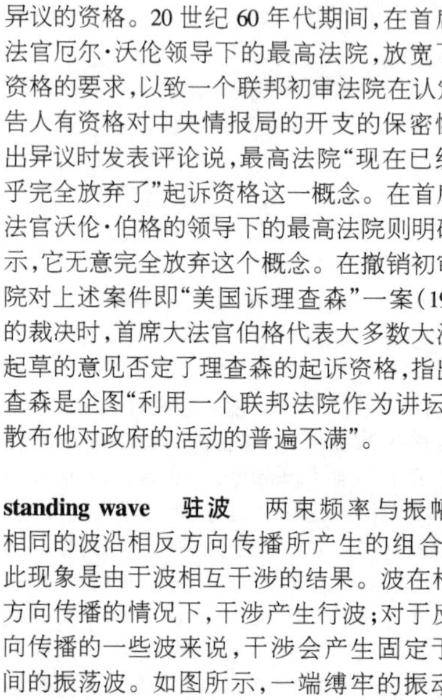

驻波中固定波节的位置

点时,就会反射回来,并在同一平面内作为另一波列(线 *C*)和它自身重叠。由于这两束波之间的干涉,它们的合成振幅 *R* 是两束波各自的振幅之和。图中的Ⅰ显示波列 *B* 和波列 *C* 重合,因而驻波 *R* 的振幅是它们单个的两倍。图中Ⅱ显示在1/8周期后,*B* 和 *C* 各移位1/8波长。图中Ⅲ表示又过1/8周期后当组分波 *B* 和组分波 *C* 的振幅恰好方向相反时的情况。整个过程中,绳上有一些根本没有移动过的位置 *N*,称为波节;在该处两波列总是处于相反位置。在一个波节的两边各有一个振动着的波腹 *A*,波腹的位移方向交替地变化,以使任何瞬间,绳子恰如线 *R* 所表示的,颇似数学函数正弦所显示的图像。纵波(如声波)和横波(如水波)都能形成驻波。

Standish, Myles　斯坦迪什(约1584,英格兰兰开夏～1656-10-03,马萨诸塞达克斯伯里)　英属美洲殖民地居民和普利茅斯殖民地军事领袖。他早年在尼德兰作战时可能遇见过

美国国会图书馆供图

一些英格兰的清教徒移民。1620年他与这些清教徒前辈移民同乘“五月花”号航行美洲,并且在新英格兰建立普利茅斯殖民地时任当地的军事领袖。他学习印第安人的语言。曾几次袭击敌对的印第安部落。1627年他成为殖民地中向伦敦的投资者买下产权的一批人的领导人。1628年他协助瓦解了T.莫顿在梅里芒特附近建立的殖民地,因为该殖民地完全不符合普利茅斯殖民地的清教徒准则。1644～1649年任助理总督和殖民地财务官。1631年迁居达克斯伯里直至去世。美国诗人朗费罗的诗作《迈尔斯·斯坦迪什的求婚》中所述他央请J.奥尔登代他向P.马林斯求婚之事,并无史料可证。

Stanfield, Robert L(orne)　斯坦菲尔德(1914-04-11,加拿大新斯科舍特鲁罗～2003-12-16,渥太华)　加拿大政治家,作为新斯科舍进步保守党人协会的领袖而出任新斯科舍省的总理(1956～1967)。1939年毕业于哈佛大学法学院,1940年获得律师资格。1939～1945年在哈利法克斯政府的战时物价和贸易管理局任职。1947年任新斯科舍省进步保守党人协会主席,当时该协会在省内的立法会议中尚无席位。次年成为全省的党派领导人。1949年选入科尔切斯特县的立法会议。他领导进步保守党于1956年在选举中获胜,从而结束了自由党连续23年当政的历史。他出任省总理兼省司库和省教育部长。1967年辞职。1968～1979年为哈利法克斯县立法会议的议员。直到1976年止,他在联邦众议院中一直是保守党领袖,不断攻击P.特鲁多总理的经济政策。后曾任公共政策研究所所长。

Stanford, Sir Charles Villiers　斯坦福(1852-09-30,都柏林～1924-03-29,伦敦)　祖籍英

格兰的爱尔兰作曲家、指挥家和教师。他对后一代英国作曲家有很大影响，R.V.威廉斯、A.布利斯、G.霍尔斯特等人均出自其门下。曾就读于都柏林三一学院和剑桥女王学院。

伦敦国立肖像画陈列馆供图

1874～1877年在莱比锡和柏林分别师承K.赖内克和F.基尔。1883年任伦敦皇家音乐学院作曲教授，1887年任剑桥大学音乐教授。1885～1902年指挥伦敦巴赫合唱团，1901～1910年指挥三年一次的利兹音乐节管弦乐团。1901年被封为爵士。斯坦福是多产作曲家，特别以所作管弦乐作品（著名的有5首《爱尔兰狂想曲》）、歌曲和歌剧著称。他的音乐反映出19世纪末的浪漫主义风格，并在其中加入了爱尔兰民歌因素。

Stanford, (Amasa) Leland 斯坦福（1824-03-09，美国纽约沃特弗利特～1893-06-21，加利福尼亚帕洛阿尔托） 加利福尼亚州的美国参议员、第一条美国横贯大陆铁路建设者之

斯坦福大学供图

一。1848～1852年曾在威斯康星州华盛顿港做律师。迁居加利福尼亚州萨克拉门托之后，经营采矿用品和杂货零售业获得成功。他积极参与当地的政事。作为共和党人，他于1861～1863年任加利福尼亚州州长。他大量投资于建设横贯大陆铁路的计划，1861年中央太平洋铁路公司组成时任总经理（1861～1893）。在公司向东扩建铁路并于1869年与联合太平洋铁路公司在犹他州普罗蒙特里角的铁路接通的成就中，他起了作用。他还在整个加利福尼亚和美国西南部的铁路发展上发挥了主要作用。1855～1893年任美国参议员。1885年与妻子简创建斯坦福大学。

Stanford University 斯坦福大学 美国加利福尼亚州帕洛阿尔托的一所私立男女合校高等学府。1885年由铁路大王利兰·斯坦福及其妻子简（娘家姓莱思罗普）创办，以纪念他们亡故的独子小利兰。1891年开学，当时有559名学生。大学校园主要由斯坦福以前的帕洛阿尔托农场构成。两位创办人还捐出2 100万美元。纽约市中央公园的设计师F.L.奥姆斯特德设计的校舍，风格类似加利福尼亚昔日的西班牙教会式样建筑，为柔和的暗黄色砂岩建成，带有宽敞的列柱廊，红瓦覆顶。斯坦福大学在法国、意大利、德国、奥地利和美国都设有分校。本科生中约有一半前往这些海外分校学习半年。在日本、中国台湾和其他一些国家设有高级研究中心。大学各系组成法学、医学、教育、工程、商业、地球科学及人文学科和自然科学等学院。1921年，斯坦福大学食品研究所成立。由斯坦福大学校友H.胡佛在第一次世界大战期间创立的胡佛战争、革命与和平研究所，收藏有100余万件论述20世纪国际关系的印刷品和手稿。1961年，国会拨款1.14亿美元，用于在校园修建一个2英里长的加速器，斯坦福线性加速器中心得以建立。1959年竣工的斯坦福医学中心现有550余张床位。

Stang, Frederik 斯唐（1808-03-04，挪威斯托克～1884-06-08，西拜鲁姆） 挪威法理学家、政治家。他是早期鼓吹挪威转变到资本主义经济的人，也是瑞典-挪威联盟中挪威的首席国务大臣。19世纪30年代任大学法律教授。他很早就鼓吹在挪威对主要由国家指导的农业经济实行经济自由主义。1845年任新成立的内政部大臣，一心致力于挪威经济体制的改造。又与议会议员A.M.施韦高合作，采取措施发展自由贸易、自由选择职业、建设全国铁路和海上运输系统，使私人企业普遍增长。在政治上他赞成维持瑞-挪联盟和由挪威的内阁对国王负责。1872年又劝说国王撤销受人非议的挪威总督一职，是年受命为首席国务大臣。但他反对议会多数派关于内阁对议会负责的主张。这个主张是议会制政府的前奏，对联盟构成公开的威胁。在这个问题上经过十年斗争之后，当议案于1880年6月成为法律时，斯唐即辞职引退。

Stanhope, EARLS 斯坦厄普伯爵 斯坦厄普家族中封有爵位的英国贵族，按年代顺序分列于后，并各以●为标记。

● Stanhope, James Stanhope, 1st Earl 斯坦厄普伯爵（第一）（1673，巴黎～1721-02-05，伦敦） 英国军人和政治家，乔治一世在位前期（1714～1721）的主要大臣。他的联法政策保持了和平，并且最大限度地减少了外国企图在英国复辟斯图亚特王朝的对詹姆斯党人

伦敦国立肖像画陈列馆供图

的支持。斯坦厄普的祖父是切斯特菲尔德伯爵（第一）。父亲是外交官。他于1691年进入军界。在西班牙王位继承战争（1701～1714）中，于1708年任驻西班牙英军总司令，曾攻占梅诺卡。1710年12月战败，被法军俘虏。1712年8月获释回国并重返下院。他于1701年起任辉格党下院议员，并且在该党1710年反对H.萨谢弗雷尔的活动中起主要作用。乔治一世即位后辉格党掌权，他出任主管南方事务的国务大臣。他在与R.沃波尔共同领导下院时显示出外交天才。1717年由他谈判结成英法荷三国同盟，次年又拉奥地利加入。他利用四国同盟迫使西班牙解决其与奥地利的争端。他的联法政策使英国在15年时间内充当了欧洲的外交仲裁人。此后他转向北欧，解决英国与瑞典之间的冲突，使英国继续获得瑞典宝贵的海军补给品。他善于使用最高级外交的手法。1716～1717年，沃波尔及其同党C.汤森辞去政府职务，以示反对斯坦厄普卷入欧洲事务的外交政策。1717～1718年，斯坦厄普任财政委员会首席委员，后任国务大臣。1717年被封为子爵，1718年晋封伯爵。

● Stanhope, Charles Stanhope, 3rd Earl 斯坦厄普伯爵（第三）（1753-08-03，伦敦～1816-12-15，英格兰肯特郡切弗宁） 即马洪勋爵。英国激进派政治家和著名实验科学家。第2代斯坦厄普伯爵菲利普（1786年卒）

伦敦国立肖像画陈列馆供图

之次子和存世的长子。1763～1786年称马洪子爵。伊顿公学毕业。1780年起成为下院议员，直至继承贵族爵位时止。他是1788年成立的革命协会的主席，这个协会极力主张议会民主化。他自称"公民斯坦厄普"，同情法国的共和派，并且反对英国与革命的法国作战。他对政府于1794年停止实行《人身保护法》、1800年英国与爱尔兰议会实行联合，以及英国海外领地内的奴隶贸易等均表示反对。他是早期对电学进行实验的科学家，曾发明两种计算机、1种印刷机、1种显微镜、1种凸版印刷机、1种蒸汽车、1种比普通灰泥更坚固的水泥、1种人造石瓦。他设计了一条从布里斯托尔海峡到德文郡霍尔斯沃西他的庄园的运河，并对提高或降低运河驳船水位的方法做了实验。著有：《防止在金币上进行欺诈行为的方法》（1775）、《电学原理》（1779）、《致伯克的信，包括对他最近有关法国革命的演说的简短回答》（1790），以及支持C.J.福克斯1792年的诽谤议案的小册子和1800年反对与爱尔兰议会实行联合的小册子等。

● **Stanhope, Philip Henry Stanhope, 5th Earl 斯坦厄普伯爵(第五)**(1805-01-30,英格兰肯特沃尔默～1875-12-24,汉普郡伯恩茅斯) 即马洪子爵。英国政治家和历史学家。英国国立肖像画陈列馆的主要创建人。牛津大学基督堂学院毕业。1830年进入议会。1842年议会通过《版权法》主要应归功于他。其中规定书籍作者的版权终生再加七年时间受到保护。他是不列颠博物馆的受托管理人。1856年建议创建国立肖像画陈列馆。1846年以后任文物学会主席。著有《西班牙王位继承战争史》(1832)、《英格兰从乌得勒支和约到凡尔赛和约的历史》(1836～1854)和《威廉·皮特传》(1861～1862)。

Stanhope, Philip Dormer 斯坦厄普 参阅 **Chesterfield, Philip Dormer Stanhope, 4th Earl of** 切斯特菲尔德伯爵(第四)。

Stanhope, William 斯坦厄普 参阅 **Harrington, William Stanhope, 1st Earl of** 哈林顿伯爵(第一)。

Stanislaus of Kraków, Saint 斯坦尼斯瓦夫(克拉科夫的),圣(约1030,波兰什切巴诺夫～1079-04-11,克拉科夫) 波兰的主保圣人,追谥为圣徒(1253)的第一位波兰人。他出身贵族,在波兰格涅兹诺、可能也在巴黎求学。后在克拉科夫担任牧师会会员和布道师,经教皇亚历山大二世提名,选为克拉科夫主教(1072)。时值波兰政局十分动荡,出现反对波兰国王博莱斯瓦夫二世的反对势力,他也加入这个由国王兄弟弗瓦迪斯瓦夫·海尔曼领导的反对派。1079年被控叛国。皇家法庭判他有罪,处以肢解极刑。临刑时,执刑骑士迟疑不敢下手,国王在圣米迦勒教堂亲自把他杀死后便逃往匈牙利。这个惨剧一直是无法解答的谜,波兰历史学家相信他参与了废黜国王、拥戴弗瓦迪斯瓦夫登位的波希米亚-德意志阴谋,而波兰天主教作家则把这次杀害描述为卑鄙的报复行为,因这位神圣的主教曾把残酷的无法无天的国王判处绝罚。

Stanislavsky, Konstantin (Sergeyevich) 斯坦尼斯拉夫斯基(1863-01-17,俄罗斯莫斯科～1938-08-07,莫斯科) 原名康斯坦丁·谢尔盖耶维奇·阿列克谢耶夫。苏联演员、导演及演出人,莫斯科艺术剧院创始人(该剧院建于1898)。他因创立"斯坦尼斯拉夫斯基表演体系或表演法"(Stanislavsky system 或 Stanislavsky method)而闻名于世。

父为制造商,母为法国女演员之女。孩提时代即常去观看马戏、歌剧和芭蕾舞演出,14岁开始在双亲的业余演出中登台表演,随后加入家庭组织的剧团阿列克谢耶夫表演团。尽管起初他的表演还不熟练,但很快就令人惊讶地克服了声音、台词和形体动作方面的缺点。在演出中能周详地对各方面预先进行完善的深思熟虑,使他不同于阿列克谢耶夫剧团的其他成员,从而逐渐成为该剧团的中心人物。他也参加其他剧团的演出,戏剧渐渐成为他生活的主要内容。1885年他采用斯坦尼斯拉夫斯基为艺名,1888年同中学教师玛丽娅·佩列沃希科娃结婚,后来她成为斯坦尼斯拉夫斯基的忠实弟子和终生伴侣,并且成为著名女演员,艺名为莉莉娜。

斯坦尼斯拉夫斯基在《三姊妹》(1901)剧中扮演韦尔希宁的剧照
莫斯科艺术剧院博物馆供图

斯坦尼斯拉夫斯基认为戏剧是具有社会意义的艺术。他相信戏剧对人民具有强有力的影响,演员应该担负起人民的教育者的责任。他的结论是,只有组成一个永久性剧团,才能保证具有高水平的演出技巧。1888年他与别人一起成立文艺协会,附设一个永久性的业余剧团。斯坦尼斯拉夫斯基具有杰出的表演才能、音乐天才、动人的相貌、活跃的想像力和敏锐的直觉等天赋条件,并开始发展其形体的可塑性和拓宽自己的声音表现能力。有名的外国演员开始赞扬他,一些杰出的俄国女演员也邀请斯坦尼斯拉夫斯基与她们配戏。在这种鼓励下,他于1891年演出其第一部独立制作的托尔斯泰的《启蒙之果》,为当时莫斯科戏剧界一件大事。这场演出对于具有光辉前程的作家和导演聂米罗维奇-丹钦科(1858～1943)具有重大意义,后来他与斯坦尼斯拉夫斯基的合作对戏剧产生了极大影响。

1897年他们的历史性会面之前,聂米罗维奇-丹钦科一直追随斯坦尼斯拉夫斯基的活动,这年他们共同草拟了建立人民剧院的计划。这个剧院将由文艺协会最有才华的业余演员和聂米罗维奇-丹钦科指导的音乐戏剧学校才艺最出众的学生所组成。作为莫斯科艺术剧院,它成为斯坦尼斯拉夫斯基的改革实验场所。聂米罗维奇-丹钦科负责文学与行政事务,斯坦尼斯拉夫斯基则负责舞台演出与戏剧制作。

1898年10月14日莫斯科艺术剧院开幕,首场演出为托尔斯泰的《沙皇费多尔·伊凡诺维奇》,但斯坦尼斯拉夫斯基对那场表演非常失望。他发现那次演出只不过是对形体动作、语音语调和导演的思想概念的模仿。他反省说:要具有重要的思想并影响观众,舞台上的人物必须是活生生的,仅是演员的外部表演并不足以表现人物的内心世界。为了寻找人物行为依据,斯坦尼斯拉夫斯基转向科学。他开始实验发展表演中的第一元素,后来则以斯坦尼斯拉夫斯基表演法著称。他从纯外部的方法转向纯心理的方法。一个剧本需经过几个月的详细讨论。在教育演员方面他十分严格,毫不妥协。他坚持舞台表演的真实性和完整性,在连续数小时的重复排练过程中,他令演员敬畏的批评是:"我难以相信你。"

斯坦尼斯拉夫斯基成功地上演了安东·契诃夫的《海鸥》,这次成功的经历更坚定了他发展戏剧的信念。《海鸥》1896年在圣彼得堡演出时遭到失败,他艰难地说服契诃夫准许重新上演此剧。他和聂米罗维奇-丹钦科共同执导此剧,于1898年大获成功,预示着莫斯科艺术剧院的诞生,给戏剧界注入了新的力量。当初契诃夫失败之后曾决心不再创作剧本,这时被公众誉为杰出的剧作家,接下来写出《三姊妹》(1901),1903年又特别为莫斯科艺术剧院创作剧本《樱桃园》。在上演契诃夫剧本的过程中,斯坦尼斯拉夫斯基和聂米罗维奇-丹钦科发现了一种新的表演方式:强调整体配合及每个演员服从整体,使导演和演员们的演出体现剧作家的意图。斯坦尼斯拉夫斯基认为演员必须有共同的训练,必须能在内心强烈地认同所饰演的角色,同时不受该角色所支配以符合剧本整体之所需。他反抗19世纪末高度形式化的戏剧传统,转而在每场表演中寻求真实情感的再现。

1902年斯坦尼斯拉夫斯基成功地上演了高尔基的两部剧作《小市民》和《底层》,后者是与聂米罗维奇-丹钦科合作导演的。他本人扮演的重要角色有《万尼亚舅舅》(1899)中的阿斯特洛夫、《樱桃园》(1904)中的加叶夫、易卜生《人民公敌》(1900)中的医生斯多克芒及《底层》中的萨廷。作为演员和导演,他在呈现戏剧心理型态方面有非凡的灵敏性,并在塑造嘲讽性角色时展现了出众的才华。他赢得了追随者和对手双方的尊敬,成为对当时俄国知识阶层的一种主要影响。1912年他成立了"第一实验培训所",许多年轻演员在那里采用了他的创新技法。1918年出任大歌剧研究剧院的指导,该院继而被命名为斯坦尼斯拉夫斯基歌剧院。1922年他在那里将柴可夫斯基的《叶甫根尼·奥涅金》搬上舞台,被誉为歌剧的一大改革。

1922～1924年莫斯科艺术剧院去欧洲和美国巡回演出,由斯坦尼斯拉夫斯基任其管理人、导演和主要演员。他的表演体系激起了公众的巨大兴趣。在此期间他撰写了自传《我的艺术生活》。内容和形式问题一直烦扰着斯坦尼斯拉夫斯基,书中承认他所鄙视的"表现戏剧"还是能产生出色的演员,而以深度的内涵和活泼的戏剧形式结合而演出的戏剧才是最好的。1917年他为"第一实验培训所"监制了莎士比亚的《第十二夜》,1921年监制了果戈理的《钦差大臣》,鼓励演员迈克尔·契诃夫塑造出光彩而可笑的人物形象。他导演的奥斯特洛夫斯基《炽热的心》(1926)和博马舍《费加罗的婚礼》(1927)两剧,表明了他在戏剧性方面日益大胆的尝试。他导演的伊凡诺夫关于俄国革命的不朽之作《铁甲列车14-69》,成为1927年苏维埃戏剧的里程碑,而他导演的《死魂灵》则是果戈理杰作的辉煌再现。

1928年10月29日为莫斯科艺术剧院成立30周年,它上演《三姊妹》;他在其中扮演角色时,受到心脏病的威胁。他从此放弃表演,专门从事导演及对演员和导演的教育工作。

斯坦尼斯拉夫斯基表演法或表演体系的发展过程长达40余年。他尝试各种实验，把时间精力集中于他认为对演员工作有最重要的贡献之处——将一个演员自己过去的情绪通过角色带进戏中。但他对实验结果常常是不满意的和失望的。他依然继续他探索"从意识达到下意识"的工作，即寻找演员的情绪。1935年他接受现代科学概念，认为大脑与形体是相互作用的，于是开始发展一种他称之为"形体动作方法"的最后技巧。它指导情绪创造，鼓励演员从形体上和心理上去感受他们在任何特定时刻塑造的人物的情绪。这种表演法还致力于影响剧作家的剧本的结构。

Stanislavsky method　斯坦尼斯拉夫斯基表演法　又称斯坦尼斯拉夫斯基表演体系。由苏联演员、导演和表演艺术理论家康斯坦丁·斯坦尼斯拉夫斯基经过多年的反复实验而发展起来的具有重要影响的话剧训练体系。开始，他努力寻找一种表演风格，使之更加适用于20世纪中较大流行的现实主义，从而有别于19世纪的戏剧表演风格。然而，他从不有意去发展一种新的表演风格，而是想在教学和表演体制中让那些曾使许多杰出演员在创作中一直取得成功的方法系统化，而不论其占主导地位的表演风格如何。他的表演法要求演员除运用其他方法外，还要运用情绪记忆，即对他过去经历和情绪的回忆。演员走上舞台不是作为一个人物去开始一种行动或生活，而是作为他先前经历情境的规定性延续。演员曾经进行过精神集中和感觉判断的训练，因而能对整个舞台环境自如地作出反应。透过在许多不同场合对人的移情作用的观察，他力图发展一种广泛的情感领域，从而使他在舞台上的行动和反应显得是真实世界的一部分，而不显出在作假或作戏。使用斯坦尼斯拉夫斯基表演法也有一种危险，当表演者运用内在冲动为基础的角色体现方法时，一场戏就可能出人意料地呈现出新的方向（但斯坦尼斯拉夫斯基本人是反对这种诱惑的，他要求演员要将自己置于剧本控制之下）。为此，有些导演倾向于反对这种表演法，因为他们感到这会使演出失去控制。可是，许多人却发现这种方法在排练时特别有用：可借以揭示人物或戏剧行动的未察觉到的细微感情差别。除苏联外，这种方法还在美国得到广泛应用，20世纪20年代开始试用，并继续在许多戏剧表演学校和专业工作室应用，其中包括著名的纽约市演员排演场。

Stanisław　斯坦尼斯瓦夫　英语作Stanislaus或Stanislas。波兰国王名，按年代顺序分列于后，并各以●为标记。

● **Stanisław I　斯坦尼斯瓦夫一世**（1677-10-20，波兰勒武夫［今乌克兰利沃夫］～1766-02-23，法国吕内维尔）　本名斯坦尼斯瓦夫·莱什琴斯基。波兰国王（1704～1709，1733），统治期间政局混乱多事，使他成为外国统治波兰野心的牺牲品。出身波兰贵族。其教育是在旅行西欧时完成的。1702年瑞典国王查理十二人侵波兰，这是北欧列强间一系列不断冲突的一部分。查理强迫波兰贵族废黜波兰国王奥古斯特二世（1704），把斯坦尼斯瓦夫扶上王位。弱小而分裂的波兰成为异国铁蹄恣意蹂躏、横行无忌的地方。1709年查理被俄军战败，退回瑞典，斯坦尼斯瓦夫失去支持。奥古斯特二世复位，斯坦尼斯瓦夫定居于法国阿尔萨斯。1725年斯坦尼斯瓦夫的女儿玛丽嫁给法王路易十五。1733年奥古斯特去世，斯坦尼斯瓦夫潜返华沙，被选为国王；但他登基前，俄、奥怕他投入瑞典-法国联盟而出兵波兰，他再次被废黜，由萨克森选侯腓特烈登位，称奥古斯特三世。他退到格但斯克市等待法国援助未到。于该市陷落前逃往普鲁士的柯尼斯堡，在此指挥反对新王及其俄国支持者的游击战。1738年《维也纳和约》确认奥古斯特三世为波兰国王，但允许他保留国王头衔，并给他洛林和巴尔两省为封邑。他在洛林出色地进行治理，并推动经济发展。他的吕内维尔宫廷成为著名的文化中心，他在南锡建立科学院，还建立一所军事学院。1749年出版《以言论自由确保自由》，是他所主张的波兰宪法改革的大纲。

● **Stanisław II August Poniatowski　斯坦尼斯瓦夫二世**（1732-01-17，波兰沃乌琴～1798-02-12，俄罗斯圣彼得堡）　原名斯坦尼斯瓦夫·波尼亚托夫斯基。独立的波兰王国的末

波兰托伦博物馆供图

代国王（1764～1795）。俄、奥、普3国瓜分波兰，他处于无能为力的境地。出生于波兰贵族之家。青年时期曾旅行西欧。1757年威势显赫的母系家族派他去圣彼得堡，寻求俄国支持他们废黜波兰国王奥古斯特三世的计划。虽未达到目的，但他却成为未来女皇叶卡捷琳娜二世的情人。1763年奥古斯特三世去世后，叶卡捷琳娜看中了他是个得心应手的爪牙，便使用俄国军队和影响，让他中选为波兰国王，于1764年9月7日即位，称斯坦尼斯瓦夫二世。即位后试图巩固王权，提高政府行政效率和加强议会制度。这些改革受到部分波兰贵族的反对。叶卡捷琳娜也加以反对，并威吓要废黜他。于是改革被放弃，而叶卡捷琳娜则进一步干预波兰内政，甚至强迫他给予非天主教的分离宗派以完全权利。随后，天主教徒于1768年发动叛乱，费时四年犹未完全平定，结果使他更加依赖俄国的支持。1772年俄、普、奥三国各自并吞一部分波兰领土而不顾他向西方大国的呼吁。在第一次瓜分后的几年里，他眼看个人权力受削弱和被限制，起而反抗，成功地加强了他的地位，并实现了波兰教育的全面改革。经过长期而热烈的辩论，色姆（国会）终于在1791年5月3日通过新宪法。部分波兰贵族在俄国支持下组成塔尔哥维查同盟以反对新宪法。接着俄国派兵入侵，尽管弱小的波兰军队进行英勇的抵抗，俄军终于压制了新宪法运动。他被迫在1793年参加俄国控制的格罗德诺色姆（国会）。国会同意俄国和普鲁士第二次瓜分波兰，导致1794年波兰起义，起义中T.柯斯丘什科横扫一切王权。俄军镇压起义后，波兰第三次被俄国、普鲁士和奥地利瓜分，三国吞并了全部领土。斯坦尼斯瓦夫在1795年11月25日宣布逊位。著有《回忆录》两卷（1914～1924）。

Stanisławów（Ukraine）　**斯坦尼斯拉沃夫**　参阅 **Ivano-Frankovsk** *伊万诺-弗兰科夫斯克*。

Stanley　斯坦利　澳大利亚塔斯马尼亚州西北部城镇，位于伸人巴斯海峡中的一条海角环形岬（瑟丘勒角）的东岸。原是罪犯拘留地，1826年成为范迪门土地公司在该州的第一个移民点，起初名为瑟丘勒角，城镇于1833年据当时殖民大臣斯坦利勋爵的名字易为今名。斯坦利正当巴斯公路的尽头，也是从东南方朗塞斯顿来此的170千米长的铁路线终点，从而替该地区出产的木材（在城镇内锯开）、乳酪、马铃薯及萝卜的运输服务。当地有家包装厂加工大螯虾和鲨鱼。人口588（1986）。

Stanley　斯坦利　又称斯坦利港（Port Stanley）。南大西洋英属福克兰群岛的首府（始于1842年）和唯一的城镇。位于东福克兰岛东北岸、威廉港水湾的南岸。因适合航船停靠，早为英国人拓居。第二次世界大战时为英国海军基地，又是南极捕鲸的基地，现进出船只以商船居多。福克兰群岛的一半人口居住在斯坦利。输出羊毛、羊皮、海豹油，输入食品、煤、石油、服装和木材。有教堂、医院和市政厅。在击败阿根廷入侵之后，1983年一支英国卫戍部队驻扎在斯坦利附近。有一个小型的国际机场位于斯坦利附近。人口1 989（2001）。

Stanley, Edward　斯坦利　参阅 **Derby, Edward（George Geoffrey Smith）Stanley, 14th Earl of** *德比伯爵（第十四）*。

Stanley, Francis Edgar; and Stanley, Freelan O.　斯坦利兄弟（弗朗西斯 1849-06-01，美国缅因金菲尔德～1918-07-31，马萨诸塞伊普斯威奇；弗里兰 1849-06-01，美国缅因金菲尔德～1940-10-02，马萨诸塞波士顿）　美国发明家，孪生兄弟。最著名的蒸汽动力汽车制造商。1883年弗朗西斯发明照像干底版工艺，此后两兄弟开始制造底版。1897年他们开始研制蒸汽汽车，他们开办的斯坦利汽车公司直至20世纪20年代一直生产斯坦利蒸汽汽车。1902～1909年间他们参加车速竞赛，经常战胜大型汽油发动的汽车。1906年两兄弟造出的蒸汽汽车以28.2秒行驶1英

坐在早期型号斯坦利蒸汽汽车上的斯坦利兄弟
国立美国历史博物馆供图

里(相当于时速 205 千米),创造了该年度世界车速最高纪录。

Stanley, Sir Henry Morton **斯坦利**(1841-01-28,威尔士登比郡登比～1904-05-10,英格兰伦敦) 原名罗兰,刚果语别名"碎石好汉"。原籍英国,入籍美国后又回英国的探险家。曾深入中非探险,以救出苏格兰传教士和探险家利文斯敦、发现刚果并加以开发而闻名于世。1899 年被英国封为爵士。

英国布里斯托尔城市艺术陈列馆供图

斯坦利原是约翰·罗兰和伊丽莎白·帕里的私生子,在亲戚的白眼和圣阿萨救济院中长大。他自称在院中受虐待,并戏剧性地出逃。但据今人研究,认为此说纯系虚构。他15 岁离开救济院并非出于什么特别事故。他在院中受过良好教育。当然,慈善机构中受凌辱的心态和母亲对他毫不关心,的确在他性格上留下深刻烙印。他在投靠亲戚后不久,就从利物浦搭船出发,充当客舱服务员,于 1859年来到新奥尔良。罗兰在这里得到商人斯坦利(Henry Hope Stanley)的帮助,罗兰这个孩子采用商人的第一个和最后一个名字作为自己的姓名,努力以此作为自己开始新的生活的证明。"莫顿"(Morton)则是后来加上的。斯坦利本人写的《自传》中关于这段时期的叙述有许多不实之处,特别是在斯坦利夫妇的思想动机和他们同小罗兰的亲密程度方面。此后多年,斯坦利过着漂泊不定的生活,当过兵,参加过美国南北战争,在商船上当过水手,在美国海军舰只上当过水兵,在开拓西部边疆早期还当过记者,甚至还去过土耳其,这些经历在他写的《我在美洲和亚洲早期旅行探险记》(1895)中有记载。1867 年斯坦利被《纽约先驱报》聘用,由贝内特任命为前往埃塞俄比亚讨伐特沃德罗斯二世的英国远征军的随军特派记者。斯坦利首先报道了1868 年乌格达拉的陷落。后来他又被派往西班牙,采访西班牙内战。1869 年又被派往中东,任务中包括去寻找利文斯敦博士。利文斯敦从 1866 年前往非洲探险以来,一直杳无音信。利文斯敦的任务是寻找尼罗河水的源头。1871 年 1 月 6 日,斯坦利到达桑给巴尔,这是深入非洲内陆勘察的起点站,他想抓到一点独家新闻。3 月 21 日他出发时没有向外界宣布此行意图。行踪诡密引起了当局的疑虑,特别是英国领事柯克爵士,他一直找不到利文斯敦的下落。斯坦利在得到美国资助后,率领一支装备精良的车马旅行队,到达战乱不息、疾病流行的坦噶尼喀湖上的乌吉吉地区,这是利文斯敦到过的最后一站。斯坦利找到了这位老英雄,他正处于患病缺药的境地。斯坦利向他问候道,"阁下就是利文斯敦博士吧?"从此两人开始倾心交往。斯坦利回到海岸后立刻运去新的给养,让利文斯敦继续勘探工作。一年之后,老博士寻找尼罗河源头的打算只好结束,因为他已在班韦乌卢湖的沼泽中死去,而这一带正是刚果(扎伊尔)河的源头。1872 年夏末,斯坦利回到英国后,不久就出版了《我是怎样找到利文斯敦的》一书。此书问世引起议论纷纷。英国皇家地理学会会员议论说,探险家利文斯敦的下落一直使他的朋友们费尽力气打听,都未能找到线索,却由一位美国新闻记者找到,因而大为恼火。然而斯坦利还是接受了地理学会颁发的巴顿金奖。1873 年斯坦利又被《纽约先驱报》派往阿散蒂(在今加纳境内)任战地记者。1874 年他又出版了《库马西与马格达拉:英国在非洲两次战役故事》。

1873 年利文斯敦去世后,斯坦利决心完成他勘探非洲的未完成事业。早期的探险家只部分地解决了尼罗河源头和中非洲湖泊性质的问题。斯坦利从《纽约先驱报》和伦敦《每日电讯报》得到考察经费后,于 1874 年 11 月 12 日率领车队离开桑给巴尔,前往维多利亚湖。他从前拜访过乌干达国王穆蒂萨一世,因此获得许可于 1877 年让英国传教士可以进入这一地区,并最终使得英国在乌干达建立一块保护地。斯坦利在环维多利亚湖航行之后,证实了探险家斯皮克对此湖面积与价值的估计。由于湖岸有些部族对这批人心存疑虑,导致小小厮杀和伤亡,英国对勘探队不满,说他们这帮旅行家外貌像记者,方法却很粗暴。在坦噶尼喀湖再度勘察后,发现此湖与尼罗河水系毫无关系。斯坦利率领队员又西行到卢阿拉巴河(利文斯敦认为此河就是尼罗河,实际上此河只是刚果河的源头)。他们在这里和阿拉伯商人提普·提卜一行汇合。提卜陪同斯坦利队员向下游走了几程后,又离开他们,让斯坦利先到斯坦利水塘(现名马勒博水塘),然后又到下游的大瀑布群,他命名为利文斯敦瀑布。1877 年 8 月 12 日,斯坦利探险队到达大西洋海岸。他将此次史诗性艰险行程,写进了《穿过黑暗大陆》(1878)一书。由于得不到英国人投资开发刚果,斯坦利找到比利时国王利奥波德二世,恰好国王正企图把刚果据为自己领地。从 1879 年 8 月到 1884 年 6 月,斯坦利一直在刚果河流域经营开发。他从刚果河下游修建公路,直达斯坦利水塘,让汽船能通航到刚果河上游(正是在这段时期他克服重重困难的精神,使他的部下为他加上"碎石好汉"的绰号)。这块地区原来受到国际监管,斯坦利为之铺路搭桥,后来建成刚果自由邦,归利奥波德国王管辖。斯坦利辛勤开发的过程,写进了《刚果如何建成自由邦》(1885)一书。

斯坦利最后一次非洲探险,是为了营救埃及赤道省省长艾敏帕夏。当时他被 1882 年马赫迪(Mahdist)叛乱分子围困在艾伯特湖地区,与外界隔绝。斯坦利受命率领营救队伍通过刚果抵达艾伯特湖,原来估计提普·提卜会提供搬运杂工。斯坦利于 1887 年 1 月离开英国,于 3 月到达刚果河口。远征队 6 月抵达通航河段的站口雅布亚。斯坦利留下一个殿后部队,要他们在这里等待提普·提卜派来的搬运工。殿后部队未能与主力会合,后来引起人们议论纷纷,影响了斯坦利的名望。营救队伍最后在艾伯特湖集合,找到了省长。虽然艾敏开头不愿离开他的本省,1889 年 4 月 10 日大约1 500名营救人员向东海岸出发,于 12 月 4 日到达巴加莫约,途中探险家们首次发现鲁文佐里山脉就是托勒密王朝所谓的月亮山脉,塞姆利基河与爱德华湖和艾伯特湖相连。这样就弄清了尼罗河源在地理上的少数疑点。《最黑暗的非洲》(1890)是斯坦利自己撰写他最后一次勘探非洲的记述,他曾获得皇家地理学会的特别金质奖章。斯坦利 1890 年 7 月 12 日与坦南特结婚,他们收养了一个儿子,取名邓齐尔。斯坦利 1885 年 5 月 15 日取得美国公民资格,1892 年又归化为英国公民。从 1895 到 1900 年以自由联合党员身份从北兰贝斯郡选入议会。1897 年他访问南非,写成《穿过南非》(1898)一书。1899 年获巴斯大十字奖,成为斯坦利爵士。晚年大部时间在萨里郡皮尔布莱特附近的富兹山的一所 1898 年购得的小庄园中度过。

Stanley, James **斯坦利** 参阅**Derby, James Stanley, 7th Earl of 德比伯爵(第七)**。

Stanley, Thomas **斯坦利**(1625,英格兰哈特福德郡坎伯洛～1678-04-12,伦敦) 英国诗人、翻译家、第一位英国哲学史史学家。受教于 W.费尔法克斯,后者是意大利诗人托尔魁托·塔索的译者之子。斯坦利成为一位优秀的经典学者,热心钻研法国、意大利和西班牙诗歌。1639 年,他就读于剑桥的彭布罗克书院(后改称学院),后又进牛津大学,1641 年毕业,获文学硕士学位。斯坦利与许多诗人交往甚密,本人是一位多产的翻译家和诗人。在前后的英国内战时期,他在欧洲大陆旅行。回国后,定居于伦敦的中寺区,从事文学工作。他的第一本诗集于 1647 年问世。随后出版了他翻译的阿那克里翁、彼翁、D.M.奥索尼乌斯、B.瓜里尼、G.马里诺、彼特拉克、P.德·龙萨等诸人诗作。1651 年,他译的阿那克里翁体的诗歌出版,其中也收了他译的皮科·德拉·米兰多拉的《柏拉图式爱情观讲稿》。他的《哲学史》于 1655～1662 年出版,长期被认为典范之作。他所编的埃斯库罗斯作品集附拉丁文译文及评注于 1663 年出版。作为抒情诗人,他的诗才俊逸然而有限。作为翻译家,可谓多才多艺,成就颇高。

Stanley, Thomas Stanley, 2nd Baron 斯坦利男爵(第二) 参阅 **Derby, Thomas Stanley, 1st Earl of** 德比伯爵(第一)。

Stanley, Wendell Meredith 斯坦利(1904-08-16,美国印第安纳里奇维尔～1971-06-15,西班牙萨拉曼卡) 美国生物化学家,因提纯并结晶了病毒并从而阐明其分子结构,而与J.

伯克利加利福尼亚大学供图

诺斯拉普及 J.萨姆纳共获 1946 年诺贝尔化学奖。1932～1948 年在新泽西州普林斯顿洛克菲勒医学研究所(今洛克菲勒大学)工作。1935 年他使烟草花叶病病毒(TMV)结晶,并证实它是蛋白质及核酸分子聚集而成的杆状结构。这发现使科学家们得以利用 X 射线衍射的方法来确切地查明多种病毒的精细的分子结构及繁殖方式。1948～1971 年任伯克利加利福尼亚大学生物化学教授及病毒研究室主任。他还研究过流感病毒,研制成一种流感疫苗。

Stanley Cup 斯坦利杯 颁给世界职业冰球锦标赛冠军的奖杯。这个锦标赛就是全国冰球联盟赛季中每年一次的决赛。斯坦利杯是北美洲职业运动员所能够赢得的最古老的

斯坦利杯
全国冰球联盟供图

奖杯。首次颁发是在 1893～1894 年赛季,由加拿大总督斯坦利勋爵 F.阿瑟捐赠,故名。如决胜赛确定的那样,原先的意图是将此杯奖给决赛中表现杰出的加拿大队,第一个获奖者是蒙特利尔业余体育协会。早年还有业余选手参加争夺,但是,随着职业队的增加,业余队退出了比赛。1926 年此奖杯即为全国冰球联盟所独有。参阅 **Sporting Record**: Ice hockey。

Stanley Falls 斯坦利瀑布 参阅 **Boyoma Falls** 博约马瀑布。

Stanley Pool 斯坦利湖 参阅 **Malebo Pool** 马莱博湖。

Stanleyville 斯坦利维尔 参阅 **Kisangani** 基桑加尼。

Stann Creek(Belize) **斯坦克里克** 参阅 **Dangriga** 丹格里加。

stannite 黄锡矿 一种锡的硫化物矿,化学式 Cu_2FeSnS_4。常与其他硫化物矿伴生于锡矿脉中,如在英格兰的康沃尔、澳大利亚塔斯马尼亚州的齐恩和玻利维亚所发现的那样。黄锡矿是硫化物黄铜矿族的一种,其晶体呈四方形对称。化学式和详细物理性质,参阅 **sulfide mineral**(表)。

Stanovoy Range 斯塔诺夫山脉 俄罗斯阿穆尔州与雅库特地区之间的山脉。东-西走向,连接外贝加尔山地和朱格朱尔山脉,是北冰洋与太平洋之间的分水岭的一部分,将勒拿河流域和阿穆尔河流域分开。山势一般不高,东部达2 412米。密布沼泽林或泰加林,以落叶松为最多,但更高的山顶上无树木。蕴藏着金、煤和云母。连接西伯利亚大铁路和雅库特的阿穆尔-雅库特公路和西伯利亚大铁路至南雅库特的铁路线均经过该山脉。

Stans 施坦斯 瑞士中部下瓦尔登半州首府,在卢塞恩东南。1172 年首见记载。1481 年施坦斯会议在此举行。1798 年,施坦斯发生暴动反对海尔维第共和国,受到法国的镇压。教育家 J.H.裴斯泰洛齐把战争中的孤儿收容起来办起第一座学校。著名的建筑物有教区教堂(1641～1647)、市政厅(1715)和一座历史博物馆。"公民大会"露天选举,举手投票,每年在市广场举行。施坦斯四周是果园,是一旅游中心,有一条缆索铁路通到附近的施坦瑟山(1 898米)的山顶。人口6 637(1998)。

Stans, Diet of 施坦斯会议(1481-12-22) 瑞士邦联各州避免内战的一次会议。1477 年,5 个乡村州(乌里、施维茨、翁特瓦尔登、楚格和格拉鲁斯)与康士坦茨主教管区缔结一项共同公民条约。卢塞恩、伯尔尼和苏黎世 3 个城市州立即同弗里堡城和索洛图恩城缔结类似的条约。乡村州对此表示反对,主要因为这会打破原有 5:3 乡村州占压倒优势的格局。双方争论不休,邦联大有分裂的危险。1481 年 11 月在施坦斯召开会议,也没有什么结果。12 月 22 日请上瓦尔登州的隐士尼克劳斯·冯·弗吕出面调停,他劝说双方各自放弃所签订的条约,8 个州同弗里堡、索洛图恩两城一起成立一个新联盟。结果大大加强了联盟的力量,而把讲法语的弗里堡纳入以前完全流行德语的邦联,对瑞士的未来发展具有极其重要的意义。

Stansfield, Grace 斯坦斯菲尔德 参阅 **Fields, Dame Gracie** 菲尔茨。

Stansgate(of Stansgate), Anthony Neil Wedgwood Benn, 2nd Viscount 斯坦斯盖特子爵(第二) 参阅 **Benn, Tony** 本。

Stanthorpe 斯坦索普 澳大利亚昆士兰州东南部城镇。位近新南威尔士州界。1872 年发现锡矿,城镇因以发展。1880 年又发现铅、铝矿。1902 年设镇。现为周围牧羊、水果、蔬菜种植地区的服务中心。有石灰石采掘业;锡矿 1900 年停止开采,现又恢复生产。地处"花岗岩地带"的中心,地质构造蔚为壮观。为游览胜地。人口4 154(1996)。

Stanton, Edwin M(cMasters) 斯坦顿(1814-12-19,美国俄亥俄斯托本维尔～1869-12-24,华盛顿[哥伦比亚特区]) 美国 A.林肯总统时期的陆军部长,在南北战争(1861～

布朗兄弟公司供图

1865)中曾不遗余力地指挥庞大的联邦军事机构。斯坦顿于 1836 年在俄亥俄州操律师业,后成为声誉卓著的律师。1847 年迁往匹兹堡,几年后再迁往华盛顿特区,在联邦法庭中经常出庭执业。在这段时期斯坦顿一直是坚定的民主党人,但后来就越来越公开支持废奴运动。1860 年 12 月他被 J.布坎南总统任命为司法部长。受命之后,南北两方关系日益紧张。他反对联邦部队放弃南卡罗来纳州查尔斯顿萨姆特要塞的港口。为了抵制脱离联邦派的影响,他曾将内阁活动秘密通知共和党领导人。他对新当选总统林肯持严厉批评态度,然而他仍然出任林肯的陆军部长 S.卡梅伦的法律顾问。卡梅伦受批评辞职后不到一年,斯坦顿即受命接替陆军部长职务(1862-01-13)。在南北战争后期,他成为处事干练、精力充沛的行政官员。他坚持严格管理部务,对那些要求照顾的人一律铁面无私、刚直不阿;他继续指挥战争,几乎同每位

联邦军司令官都发生过激烈的争吵。1865年4月林肯被刺后,斯坦顿主持调查审讯工作,实际上在人心惶惶的首都曾短期指导过政府活动。他同意在A.约翰逊总统治下留任原职,妥善安排了联邦军队的复员工作。但斯坦顿不久便因对战败南方的重建政策和约翰逊争吵起来。斯坦顿利用他的地位对南部采取严厉的重建措施,约翰逊则主张宽厚一些。此外,斯坦顿还在内阁中充当国会激进派共和党人(总统的死敌)的秘密代理人。最后事态发展到约翰逊要解除他的职务,而顽固的斯坦顿拒绝解职。他援引了1867年激进派共和党人在国会通过的任职法案,可以否决总统要他解职的权力。约翰逊坚持己见,导致众议院对总统提出弹劾。参议院表决结果以一票之差弹劾失效,斯坦顿被迫于1868年5月26月辞去职务,离职后继续执律师业。他于U.S.格兰特总统任命他为最高法院法官4天后去世。

Stanton, Elizabeth Cady　斯坦顿(夫人)(1815-11-12,美国纽约约翰斯敦～1902-10-26,纽约州纽约)　母家姓Cady。美国女权运动领袖,曾在1848年提出美国第一项要求妇女选举权的运动纲领。早年在父亲的律师事务所学习法律,其父丹尼尔·卡迪是国会议员,以后担任纽约最高法院法官。伊莉莎白学到歧视女性的法律,就下定决心,为妇女争取平等权利。1840年与律师、废奴主义者H.B.斯坦顿结婚。1848年她散发呼吁书,促使纽约州通过立法保护已婚妇女财产权。1848年7月19～20日,她和L.莫特夫人领导了在纽约州塞尼卡福尔斯召开的美国第一次争取妇女权利大会,其后数日该会在罗彻斯特继续召开。在这次会上,斯坦顿夫人提出了一整套要求改善妇女地位的议案,其中包括一项莫特夫人所反对的争取妇女选举权的提案,大会悉予通过。1850年,斯坦顿夫人与S.B.安东尼合作出刊女权刊物《革命周刊》(1868～1870),两人又与M.J.盖奇合著《女权运动史》(六卷,1881～1922)之前三卷。斯坦顿夫人的自传题名《八十余年的生涯,1815～1897》于1898年出版。

Stanton, Frank (Nicholas)　斯坦顿(1908-03-20,美国密歇根马斯基根～　)　美国富有革新精神的广播及电视经理人。1946～1971年任哥伦比亚广播公司(CBS)总经理。曾入俄亥俄卫斯理大学和俄亥俄州立大学。写博士论文时,以测量广播听众对广播节目之反应为题,因此获得利用暑假为广播公司工作的机会。后来他在广播系统中的地位上升很快,38岁时已成为哥伦比亚广播公司总经理。斯坦顿的工作经历中有过几次坚决果断的行动。20世纪50年代后期当电视竞答节目中有些流言蜚语破坏许多著名人士的名誉时,他便中断了这家公司余下的电视竞答节目。1960年,他无视联邦通讯委员会关于任何候选人可获同等免费广播时间的规定,只广播了他认为重要的肯尼迪和尼克松两位总统候选人之间的辩论。10年后,他拒绝将哥伦比亚广播公司为有争议的纪录片《出售五角大楼》所准备的材料提交国会。1971年在华盛顿的意见听取会上辩论,他认为广播应当与新闻报纸一样,根据美国宪法第一修正案享受同样的自由。他曾接受很多荣誉,包括1960及1970年电视艺术和科学学会两次评奖;1986年他被选入纽约名人纪念堂。从哥伦比亚广播公司退休后,于1973～1979年担任美国红十字会主席。

Stanwyck, Barbara　斯坦威克(1907-07-16,美国纽约布鲁克林～1990-01-20,加利福尼亚圣莫尼卡)　原名Ruby Stevens。美国电影和电视女演员。15岁时为合唱队队员,接着在夜总会和巡回表演团表演舞蹈,1926年被选中在百老汇舞台剧《绞索》中饰演餐馆舞蹈女郎。这时她改名巴巴拉·斯坦威克。1927年因主演《笑闹剧》而步人影坛,1929年在影片《锁住之门》中首次扮演主角。此后她共演出80多部影片,其中尤为著名的有《太平洋联盟》、《金童》(以上两片1939年上映)、《会见约翰·多伊》(又译《群众》)、《夏娃女士》(以上两片1941上映)、《玛莎的奇恋》(1946)、《夜间冲突》(1952)和《经理室》又译《纵横天下》(1954)。她因在《史黛拉恨史》(1937)、《火球》(1941)、《双重保险》(1944)和《对不起,号码错了》(1948)中的演出,四度获得奥斯卡金像奖提名,但直到1982年才获得奥斯卡荣誉奖。她扮演过多种不同类型的人物,但最擅演意志坚强、独立而个性复杂的女人。60年代和70年代初期,她以电视演出为主,以在西部系列片《大峡谷》(1965～1969)中扮演巴克利氏族女族长—— 一个骄傲的寡妇而著名。

stanza　诗节　一首诗的单位,包含两行或两行以上的诗,按照内容和形式组成,常在诗中以同样的模式反复出现。诗节的结构取决于诗行数目、主要格律和押韵方式。因此,一个韵式为abab的五音步抑扬格的有四行的诗节,可以说是一个四行诗节。一些最常见的诗节形式由每一单位的诗行数目来命名,如三行诗或八行诗。其他形式则以诗节的创造者或完善者的名字命名,如斯宾塞诗节或《悼念》诗节,丁尼生的《悼念》一诗使这种诗节流行开来。

Staphylococcus　葡萄球菌属　微球菌科Micrococcaceae的一属。其中人们熟悉的一些种普遍并大量存在于人类及其他温血动物的黏膜和皮肤上。葡萄球菌呈球形。在培养不久的培养物中为革兰氏阳性,不形成芽孢,不能运动,兼性厌氧。直径平均1.0微米,经常聚成一簇如葡萄状。金黄色葡萄球菌*S. aureus*是创伤感染、疖痈及人类其他皮肤感染的主要病原菌,并为食物中毒最常见的病原,又能引起人及家畜的乳腺炎。因对多种抗生素有耐药性,可在医院中引起难控制的交叉感染。表皮葡萄球菌*S. epidermis*是一种较温和的条件致病菌。

Staple Singers, the　斯特普尔歌手乐队　美国声乐队,为从福音歌曲向流行歌曲过渡时期最成功的演唱组合之一。成员包括罗巴克·斯特普尔、梅维斯·斯特普尔、克丽奥萨·斯特普尔、珀维斯·斯特普尔和伊沃娜·斯特普尔。A.弗兰克林在圣歌与世俗歌曲之间留下的壁垒都为梅维斯那扣人心弦的女低音所荡平。斯特普尔歌手乐队由梅维斯的父亲吉他手罗巴克于50年代初创立,歌手包括她的妹妹克丽奥萨、伊沃娜和哥哥珀维斯(70年代初离开)。罗巴克从少年时期深受传奇吉他手C.佩顿及其他先锋布鲁斯音乐家的影响。50年代中期,他的简练主吉他和全家超凡脱俗的和声使他们成为最杰出的福音合唱队。1959年推出令人难忘的《阳光灿烂的日子》和其他经典圣歌唱片。1968年与斯塔克斯唱片公司签约,进入世俗歌曲领域,发行了一系列风格各异的提倡乐观主义的作品。1971年的《压力带来快乐》是第一张世俗热门歌曲,《尊敬你自己》(1971)和《我会带你一起去》(1972)等许多单曲都登上流行乐和节奏与布鲁斯的排行榜。1984年的专辑《圆滑的人们》也相当轰动,乐队一直活跃到90年代。此外,从60年代起,梅维斯同时还积极从事独唱。罗巴克的布鲁斯独奏专辑《父亲,父亲》获得1994年格莱美当代最佳布鲁斯专辑奖。1999年斯特普尔歌手乐队入选摇滚乐名人堂。

Stapledon, Sir (Reginald) George　斯特普尔顿(1882-09-22,英格兰德文诺瑟姆～1960-09-16,萨默塞特巴斯)　英国农学家,草原科学的先驱。1904年毕业于剑桥大学,1906年回剑桥开始研究植物科学。1910年于赛伦塞斯特皇家农学院任教。1912年到阿伯里斯特威斯的威尔士大学学院任农业植物学顾问。第一次世界大战时试图设计一些技术,以从商业种子中分离莠草种子,因此建立伦敦种子试验站。1919年回威尔士大学学院,并任威尔士植物育种站站长直到1942年。他在该站培育并改良了燕麦、车轴草和其他禾草的品系,这些品系在英联邦大多数温暖地区均能种植。他后来在沃里克郡德雷顿建立了另一个农业站,在此全力从事英国草原的改良。至1946年退休。政府根据他的改良成果而在伯克郡的赫利设立草原研究站。1939年被封为爵士并被选为皇家学会会员。

Stapledon, (William) Olaf　斯特普尔顿(1886-05-10,英格兰默西赛德利物浦附近威勒尔半岛～1950-09-06,柴郡)　英国小说家、哲学家。他的"未来故事"对当代科学幻想小说有重大影响。作为一位和平主义者,第一次世界大战期间,曾参加公谊会救护队,荣获十字军功章。在利物浦大学获哲学和心理学博士学位。1929年发表了《现代伦理学理论》,并似乎注定要从事学术研究。但是,由于小说《后人与今人》(1930)获得成功,转向小说创作。他在《后人与今人》中阐明了自己的信念,即强调体力排除智力,或强调智力排除体力,必然招致灾难。他利用古代的主题和从前的神话去创作未来的神话。他还为专业学术杂志撰写过伦理和哲学方面的论文。

star　恒星　由内部产生辐射能源而发光的大质量、自发光球状含气体的天体。宇宙间有无数的恒星,其中只有很小一部分能用肉眼看到。距太阳系最近的恒星是半人马座的比邻星,离太阳大约 4.3 光年。最远的恒星则在几十亿光年以外的银河系。恒星可能单个存在,如太阳。但更普遍的则是成对的,或是有几个成员的聚星体系,或是有众多子星的星团。此外,恒星在其亮度、颜色、温度、质量、大小、化学成分以及年龄上都有极大不同。

恒星的特性 恒星的观测亮度以目视星等表示,目视星等每降一等相当于其亮度增加 2.512 倍(即一等星的亮度是二等星亮度的 2.512 倍)。有些星非常亮,因而星等为负数,如天狼星的亮度是 -1.5 等。肉眼能见的恒星是 6 等或更低的等级。一颗恒星的目视星等并不是其发光度的直接指示。这种本身亮度是以绝对星等来表示的,绝对星等是假设该星在离地球 10 秒差距(32.6 光年)处加以观测而具有的星等。各个恒星的颜色差别很大,从蓝白到红。恒星的颜色可以用几种方法测量。最普遍的是使用光电光度计,它能够借助滤光器来测量恒星的颜色。恒星的大气温度(表面温度)可以由观察其光谱型来估计,因为温度大致上可从所呈现的吸收谱线的类型来确定。在几乎所有的恒星中,氢是最为丰富的元素,但是温度超过 25 000K 的恒星,其外层的氢已经完全离子化,因此实际上不会产生吸收谱线。温度约 10 000K 的较冷恒星中,许多氢原子尚未离子化,有充分的氢原子被激发到较高的能级,产生很强的吸收谱线(如巴耳末系)。表面温度更低的恒星的光谱显现出各种不同的吸收谱线型式。普遍使用的光谱分类体系是将恒星按温度递减的顺序分为 7 大类:O、B、A、F、G、K、M。这种 O～M 的光谱顺序也是颜色的顺序。例如,O 型恒星是极热的星体,其表面温度估计在 25 000K 以上,颜色是蓝白的。G 型恒星,包括太阳,温度较冷,介于 5 000～6 000K 之间,呈白到黄色。M 型恒星是一些最冷的恒星;其特点是温度在 3 500K 以下,为深红色。O～M 的恒星分类常常由 C 型(R 与 N)和 S 型恒星予以补充,这些类型的恒星在化学成分上是与其他恒星不同的。光谱分析对星体的成分提供了许多信息。除极热恒星的离子化氢等一些例外,只有恒星上较为丰富的构成元素的原子才能产生可以观察到的吸收谱线。如 G 型恒星的光谱是以铁、钙、纳、锰、钛等金属的谱线为主。除非是在可见双星(即在光学望远镜中可以看到是双星的星体)的情况下,恒星的质量是难以直接确定的。双星,特别是那些由一颗矮星和一颗超巨星组成的双星,可以提供最详尽的星体尺度资料。20 世纪 20 年代,用 A.A.迈克耳孙的恒星干涉仪对超巨星的角直径进行了测量。这种基于光干涉原理的仪器为测量亮星的巨大角直径提供了有效的手段,不过它不适用于表观尺寸较小的星体。几十年之后,天文学家研究出了适用于测量这种恒星直径的相关光干涉测量法。自 20 世纪 60 年代晚期开始,研究人员已经能够借助另一种"斑纹干涉测量法"来模拟红超巨星的真实平圆面。关于恒星之性质与演化的一些重要规律,可以从某些观察到的特性之间的相互关系和统计结果中求得。光谱与绝对星等(光度)之间的相互关系是其中特别重要的关系。通常用一种称作赫罗图的图表来表示恒星的绝对星等与其光谱类型之间的关系。恒星会在图的某些部分聚集在一起。绝大多数恒星分布在一条从左上方(热而亮的星)到右下角(暗而冷的星)的"主序"窄带上。主序上的恒星(包括太阳)都是矮星。另外一些数量相当多的恒星聚集在图的右上部分主序的上方。这些明亮的恒星是巨星,其亮度约为太阳的 100 倍。还有一些更亮的恒星——超巨星,则位于图的顶端。在图的左下方主序的下面是白矮星,表面温度很高,但亮度较低。

恒星的演化 一团氢和宇宙尘粒的稠密星际云在其本身引力的影响下向内塌缩而形成恒星。随着云的凝聚,其密度和内部温度逐渐增加,达到白热,发出微弱的红色光亮。在这个阶段,恒星因其本身引力收缩产生的能量而发光。随着其内部升温到几百万度,氘(重氢)首先被破坏,接着锂、铍和硼转变为氦。其核心区的温度继续升高,达到足以进行热核反应(质子-质子链或碳循环)的水平。此时,恒星停止收缩,进入主序阶段,大部分生命阶段就一直保持这样。随着时间的推移,恒星的化学成分有了变化。核心部分的氢转变成氦,中心的温度逐渐升高。其成分随着恒星的结构、大小和光度变化而改变。当核心部分所有的氢耗尽,中心部分几乎完全是惰性氦时,围绕核心的一层薄壳开始产生能量。恒星的质量逐渐增加,但体积收缩,因为惰性元素的持续增加是通过燃烧氢的壳来达成的。恒星的外层显著地扩大和变冷,使恒星的颜色变红。与此同时,恒星收缩产生的能量使周围区域的氢变热,加速了核反应,从而增加光度。恒星演化的最后阶段基本上依靠两个因素:①星体的质量。②它是否是一个密近双星体系的成员。一个小于 1.4 个太阳质量的单星,当它的外层逐渐散去只剩下一个炽热而密实的核时,通常会由红巨星变成白矮星。这种致密核构成了白矮星,暂时围绕着它而不断扩大的气体外壳称为行星状星云。一对密近双星中轻量级的恒星达到白矮星阶段而其伴星成为红巨星时,它就会从后者的外层获得物质。这种物质在白矮星的表面聚积,最后激发热核反应。在短暂但猛烈的爆炸中,当由这些反应产生的能量在一次短暂但剧烈的爆炸中炸掉聚积的物质时,白矮星就变成一颗新星。质量大于太阳 5 倍以上的单星在耗尽它们的氢储备以后能够靠熔化继续产生能量,因为它们的引力位能使它们能够在内部深处产生极高的温度与压力。这样,它们能够持续在其核心创造像铁一样重的元素。不过,一般认为引起铁熔化的反应是恒星核心发生毁灭性塌缩的结果。这样一颗重质量恒星外层的剧烈爆炸将产生一颗超新星,发出比正常恒星高 109 倍的光亮达几个月之久。重于铁的元素是由爆炸本身的中子捕获反应产生的,丰富了未来形成新星的星际介质。超新星产生以后,核心部分仍可成为中子星。这种中子紧密挤在一起的恒星,其密度大于太阳许多倍,但是它的直径只有约 20 千米。许多中子星以短脉冲的形式按非常有规律的间歇发出无线电辐射。这种星体通常称作脉冲星。如果超新星的残留质量大过太阳质量两三倍,一般认为还会继续向内塌缩,最后形成一个黑洞,这个黑洞有着非常强大的引力场,任何形式的物质或能量(即便是光)都无法逃脱它。

star apple (*Chrysophyllum cainito*) **星苹果** 山榄科金叶树属热带乔木,原产西印度群岛及中美洲,为栽培果树。果实大小及形状如苹果,果心呈星状,故得名。果实表面光滑坚实,果肉及果皮味甜可口,色泽多样,由白色到紫色均有。株高 7.5～15 米,花紫白色。

星苹果(*Chrysophyllum cainito*)
供图:Walter Dawn

star catalog **星表** 恒星的表册,通常按位置、星等(亮度)列出,有时也包含其他特征(如光谱型)。现已有多种星表,其中有些对恒星天文学至关重要。一颗恒星可出现在几个星表中并可有不同的名称。喜帕恰斯在公元前 129 年编制了第一个星表,表中给出了 850 颗恒星的赤经和赤纬。亚历山大城的天文学家和数学家托勒密在他的《天文学大成》(约公元 140)中对该星表作了增补和改进。1420～1437 年间,帖木儿的孙子兀鲁伯(1394～1499)在撒马尔罕城(今乌兹别克斯坦)自己的天文台中编制了一个在 16 世纪欧洲闻名的星表。该表于 1665 年正式出版。在望远镜未发明前,最后和最好的星表是由精于观测的丹麦天文学家第谷(1546～1601)编制的,此表后由数学天文学家 J.开普勒编制的《鲁道夫星表》加以扩充增补。第谷的星表率先用希腊字母表示每个星座中各恒星的相对亮度。1725 年英国天文学家 J.弗拉姆斯蒂德(1646～1719)发表了他编制的星表《不列颠天体史》。表中的一些星名一直沿用至今,例如,天鹅座 61 就是因为该星按赤经大小居第 61 位而得名。1859～1862 年,德国的 F.W.A.阿格兰德编制出版了《波恩星表》(BD),其中载有324 000多颗恒星。《波恩星表》的增补星表有《科尔多瓦星表》和《好望角照相星表》。19 世纪末 20 世纪初,哈佛大学天文台编制的《亨利·德雷伯星表》(HD)开现今按恒星光谱型(哈佛)分类的星表之先河。

Star Chamber, Court of **星法院** 在英国法中,指中世纪时代从作为补充普通法法院常规审判的御前会议发展而来、由若干法官和枢密院顾问组成的法院。在亨利八世统治时期,该法院由于能够执行法律,提供法律援助,颇有威望;因为当时其他法院由于贪污腐化而不能坚持执行法律,为民排难解纷,或者提供的援助不适当。但是当它被查理一世用来推行不得人心的政治与宗教政策时,它就成了压迫议会和反对查理与威廉·劳德大主教的清教徒的象征。因此,该法院于 1641 年被长期议会废除。由于星法院得到国王特权(最高权力与各种特权)的支持,而且不受普通法的约束,所以它的诉讼程序使它比普通法法院具有更大的优势。它较少受刻板形式的拘束,它无论是起诉还是定罪都不依靠陪审团。它可以根据控告人的申诉或者根据收到的告发状进行审理,可以命令被告人宣誓并对控诉人提出答辩和回答具体问题;但另一方面,它缺少普通法诉讼程序中为臣民的自由权利而提供的保障方法。在 14 和 15 世纪,议会虽然承认这些方法偶尔需要和有用,但是又力图把这些方法的适用范围限制在普通法法院的管辖范围和权力以外的诉讼。大法官托马斯·沃尔西在任时期(1515 ~ 1529),星法院的审判活动得到了迅速发展。除了暴乱之类的犯罪之外,他还利用星法院有力地对付伪证罪、诽谤罪、伪造罪、诈骗罪、违反法律和国王文告以及任何可以被认为是扰乱治安的犯罪行为。他还鼓励控告人一审就向星法院起诉,而不要在普通法法院未能给予有效援助之后再向它申诉。星法院采用御前会议的诉讼程序,根据申诉书和告发状开始进行诉讼。它向证人收集证据,但不用陪审团。它施用各种专横的刑罚,如监禁、罚金、枷刑、鞭刑、烙印和断肢,但从不施用死刑。星法院在整个詹姆斯一世时期一直很有威望,但是到了 17 世纪 30 年代开始引起普通法法院的反对,后者把星法院视为竞争对手;同时还引起了议会中反对查理一世抛开议会的派别的反对;清教徒也反对星法院,因为他们曾受到星法院最严厉的惩罚。星法院被用来强制执行查理国王发布的数量越来越多的文告,例如强制执行禁止圈地和惩办拒绝征集造舰税的郡长的文告。星法院也遭到贵族的强烈反对,这些贵族反对政府的中央集权,反对对清教徒施用枷刑和肉刑。清教徒中有许多是绅士,他们在普通法法院则不会受到这样的对待。因而当长期议会于 1641 年开始成立时,它最早颁布的法律之一就是把星法院和其他特权法院一起废除。

star cluster　星团　一种恒星集团,它们中的成员恒星因有共同起源而在物理上相关,并由彼此之间的相互引力而保持在一起。星团共有两大类,一是疏散星团(曾称银河星团),一是球状星团。参阅 **stellar association**。疏散星团和球状星团的最主要区别在于它们的物理性质和它们的空间分布。它们存在于有太阳及行星在内的银河系的不同区域。在河外星系中,已发现也有大量的星团,例如,在本星系群和室女星系团中都有。在银河系中迄今已发现了1 000多个疏散星团,它们大多分布在沉陷于银盘中的旋臂内和旋臂附近。它们在其他旋涡星系中的分布也和银河系内的类似。它们之所以称为疏散星团,都是由于星团中的成员恒星要比致密的球状星团中的成员恒星松散得多。银河系中的全部已知的疏散星团内的成员星数从 10 个左右到多达几百个,它们全都是星族 Ⅰ 天体(即较为年轻的恒星)。为人所熟知疏散星团如金牛座中的昴星团和毕星团、巨蟹星座中的鬼星团,以及北冕星座中的后发星团。天文学家已在银河系内证认出约 100 个球状星团。它们的大多数均出现在银盘上、下空间,即银晕内。球状星团中的恒星远比疏散星团中的多得多,从10 000个到 100 万个。成员恒星彼此靠近,在星团中心部分,彼此靠得更紧,在空间分布成对称的、近圆的球形。它们的成员恒星和疏散星团中的正相反,都属于星族 Ⅱ 天体(即老年恒星)。由于球状星团都离太阳系很远,其中远的在60 000光年以外,所以它们的绝大多数都不能肉眼可见。半人马座 ω 星团、武仙星座 M13 以及另外少数几个虽然不用望远镜也能见,但仅呈模糊不清的光斑状。70 年代中期以来,环地轨道卫星运载的望远镜探测到多种不同的球状星团的 X 射线脉冲暴。这一天象使人推测在这类恒星集团的中心存在大质量黑洞,即具有强引力场的不可见天体。

star finch　星雀　草雀(**grass finch**)的一种。

Star of Africa　非洲之星　又称"库利南" Ⅰ 号(Cullinan Ⅰ),从库利南钻石(**Cullinan diamond**)琢磨加工的一块最大的(530.2 克拉)宝石。

Star of India　印度之星　一颗大型的磨成弧面形的星彩蓝宝石,灰蓝色,略带卵形。是已抛光但没有翻光面的宝石,重 536 克拉,发现于锡兰(今斯里兰卡)。它由 J.P.摩根赠送给纽约市的美国自然历史博物馆。

Star of South Africa　南非之星　又称达德利钻石(Dudley diamond)。在南非发现的第一个大金刚石。它是 1869 年由本地的牧童在奥兰治河岸发现的,以宝石从布尔移民手中换来 500 只羊、10 头牛和 1 匹马。粗料重约 84 克拉,它被琢磨加工后重 48 克拉。这钻石特大形体的消息传到欧洲,引起一场到南非抢购钻石热。称它为达德利钻石是因为达德利伯爵收购了它。不应当与更大的、由库利南钻石琢磨成的非洲之星相混淆。

Star of the South　南方之星　带玫瑰色辉光的白色无瑕疵的钻石,重 129 克拉。是巴西迄今所发现的最大宝石之一。粗料约重 262 克拉。1853 年由一个农奴妇女在巴加任河边(米纳斯吉拉斯州)发现,她因此而获得自由并领到一笔奖金。

Star-Spangled Banner, The　《星条旗之歌》　美国国歌。美国律师 F.S.基在 1812 年战争中目睹英军炮击马里兰州麦克亨利要塞(1814)后作词。曲调取自英国作曲家 J.S.史密斯为伦敦的阿那克里翁会社所作祝酒歌《献给天国里的阿那克里翁》。1814 年首次发表时曲名《麦克亨利要塞保卫战》。后以活页乐谱出版时改名。风行一个世纪以后,1931 年由国会明令定为国歌。多年来经过无数次出版,歌词与音乐方面均有所变动。J.P.苏泽为美国陆海军编订了一个正式版本。

Star Wars(military technology)　**星球大战**　参阅 **Strategic Defense Initiative** 战略防御倡议。

Stara Zagora　旧扎戈拉　保加利亚中部城镇。在斯雷德纳山南麓,富庶的旧扎戈拉平原边缘。工业有棉花、纺织品、化学原料、化肥、农具、机床、香烟、酿酒、罐头等。有水电站。镇内和周围有葡萄园和柏属植物园、无花果园、杏树园、石榴树园等。城西北有温泉,过去曾为罗马和土耳其浴场。有优良的文化尤其是歌剧传统。1370 年陷入土耳其人之手。俄土战争(1877 ~ 1878)中被土耳其人摧毁。1878 年解放。1945 年后有计划重建,发展较快。人口约158 151(1989)。

Starachowice　斯塔拉霍维采　波兰东南部圣十字省城镇。在历史上,濒临维斯图拉河支流卡缅纳河。古波兰盆地工业区的工业中心,在斯卡日斯科-卡缅纳和桑多梅日铁路线上。经济多年以铁矿、汽车和机器工业为主。16 世纪始有采矿居民点。1789 年因建铸铁厂而有发展,到 1920 年成为波兰主要工业中心之一。其工业大多毁于第二次世界大战,战后建有汽车装配厂。自 20 世纪 90 年代经济下滑,1997 年建经济区以缓解高失业率。人口约54 615(2002)。

Staraya Russa　旧鲁萨　俄罗斯西北部诺夫哥罗德州旧鲁萨区首府、河港。濒临波利斯季河。1167 年始见记载。19 世纪为重要的矿泉疗养地,第二次世界大战后重建矿泉浴场。现有木材加工、化工、机械制造和纺织工业。人口约41 700(1991)。

Starbuck Island　斯塔巴克岛　旧称沃伦蒂尔岛。太平洋西南部莱恩群岛中南部的珊瑚环礁。在檀香山以南3 200千米。海拔仅 5 米。陆地面积 21 平方千米。所环潟湖长 9 千米,宽 3 千米。1856 年美国宣布对该岛拥有主权。1866 年为英国兼并。1979 年归新独立的基里巴斯。现无人居住。

starch　淀粉　所有绿色植物都能产生的白色颗粒状有机化合物。是不溶于冷水、醇或其他溶剂的软而无味的白色粉末,化学式 $(C_6H_{10}O_5)_n$。淀粉是由以 α,1→4 键相结合的葡萄糖单体组成的多糖(**polysaccharide**)。淀粉的最简单形式是线型聚合物直链淀粉,支链淀粉则是分枝形式的。植物的绿叶在光合作用时从过量的葡萄糖制造淀粉,并作为植物的食物储备。淀粉以颗粒形式贮存在叶绿体中,也贮存在诸如木薯类植物的根部、马铃薯的块茎、西米的茎髓以及玉米、小麦和大米的种子等器官中,当需要时,淀粉会在某些酶和水的存在下,分解为它的组分单体——

葡萄糖单元，并从细胞扩散出去，使植物组织获得营养。在人和其他动物中，淀粉分解为其组分糖分子，然后为人体等组织提供能量。尽管也能用小麦、木薯和马铃薯制造淀粉，但大多数商品淀粉用玉米制造。将含淀粉的块茎或种子破碎并磨细，把浆状物与水混合成糊剂，除去残留的杂质进行干燥，最后得到淀粉。淀粉除了用作基本的营养品之外，也用于酿造业；在烘烤食品和甜食中用作增稠剂；淀粉用于纸张生产，以增加纸的强度，也用于纸的表面上胶，还用于波纹纸版、纸袋和纸箱的生产以及纸张和纸条的粘接；在纺织工业中，大量淀粉用作经纱上浆剂，使经纱在纺织时增加强度。

stare decisis　遵循先例　在英美法中，指某个问题已为法院考虑和作出回答，则法院以后面对相同的问题必须作出同样的回答的原则。英国要比美国更为严格地遵守这项原则。由于法院的判决不可能具有普遍适用性，在实际上法院不得不经常作出决定：先前的判决不适用于某个特定案件，即使这个案件的事实及争议与已有判例非常相似。严格使用“遵循先例”原则，将会导致僵化和法律上的吹毛求疵，但是过于灵活又会造成法律的不稳定性。

starets　长老　东正教隐修生活中的灵性领袖。东派教会认为隐修生活体现未来的天国生活。长老既是过来人，因而就是具有神授能力的灵性导师，能帮助他人在灵修方面获得进步和成功。静修派于4、5世纪传遍埃及、巴勒斯坦、叙利亚等地，根据该派惯例，隐修生活中的服从美德主要体现在门生对长老的关系上。根据拜占廷教会的隐修制度，长老的亲身传授通常是与隐修院院长的管教结合进行。长老一般虽未受神职，但长老主持个人告解的事却是常例。这种传统从拜占廷传到俄罗斯，涌现不少有名的长老，如拉多涅日的圣塞尔吉乌斯（约1314～1392）和圣尼尔·索尔斯基(1433～1508)。在教会被许多人目为官僚机构的时代，俄罗斯的长老向人们昭示基督教教义精神，对果戈理、霍米雅科夫、索洛维约夫和托尔斯泰等作家和学者发挥着直接的影响。

starfish　星鱼　又作sea star。又称海星。棘皮动物门海星纲(Asteroidea)海栖无脊椎动物。身体由中央盘和从此辐射出的腕组成。虽名为星鱼，但并不是鱼。现存1 800种，分布于各海洋；北太平洋的种类最多。多数种的直径为20～30厘米，某些种仅为1厘米，另一些种可达65厘米。腕数通常为5，腕中空，与中央盘一样覆以短刺和叉棘；口面（向下的一面）从口到各腕的末端伸出一条步带沟，沟内有数列管足，管足末端可具吸盘，一个或更多的腕损失后仍能再生。星鱼能用管足向任何方向爬行或攀附在陡直的表面上。原始的星鱼借纤毛将落到体表的有机质颗粒扫入步带沟，再扫入口中。较高级的类型能将胃翻出到猎物（双壳类软体动物，珊瑚虫的水螅体，其他棘皮动物）身上，进行外消化或将猎物整个吞下。星鱼的内骨骼由石灰质的小骨片构成。呼吸通常通过皮肤进行。腕的末端有感光的眼点。星鱼多为雌雄异体，有些种类为雌雄同体；少数星鱼可借中央盘的分裂进行无性生殖。某些种类会对卵和

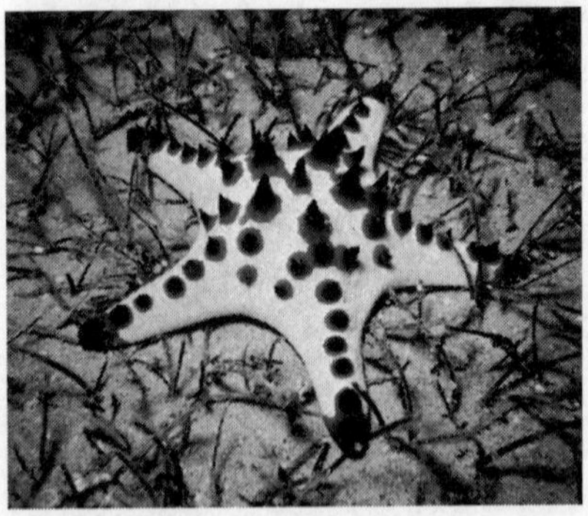

多刺海星(*Protoreaster nodosus*)
供图：Douglas Faulkner

幼体进行孵育；不孵育的种类每次产入海中的卵数可达2 500万枚。星鱼可分为3目：显带目(Phanerozonia)，有棘目(Spinulosa)和钳棘目(Forcipulata)。显带目缘板星鱼的腕上具两行明显的边缘板，因此质地较硬；管足具吸盘；可能无肛门。大部分深海的星鱼属于此目，许多种能挖穴。*Albatrossaster richardi*曾在佛德角群岛附近6 035米深处发现过。泥海星(*Ctenodiscus crispatus*)直径约10厘米，腕短，末端钝，中央盘宽，色黄；全世界北方地区沿岸海域的泥底数量丰富。许多分布于整个北半球的属具较长、更尖、边缘有刺的腕；这些属包括槭海星属(*Astropecten*)，平滑海星属(*Psilaster*)，砂海星属(*Luidia*)。最大的西印度星鱼——网纹瘤海星(*Oreaster reticulatus*)直径可达50厘米。指海星属(*Linckia*)主要分布于印度洋-太平洋地区，腕的一小片也可以发育为一个新个体。有棘目的种类（棘海星）通常有成簇的棘，管足具吸盘，无叉棘。常见的例子如欧洲多石海底的驼背海燕(*Asterina gobbosa*)。海蝙蝠(*Patiria miniata*)通常具有蹼的腕；常见于从阿拉斯加到墨西哥的海域。轮海星属(*Crossaster*)和太阳海星属(*Solaster*)的种类俗称太阳星鱼，常见于北方海域；腕数多，中央盘宽，形似光芒四射的太阳。*S. endeca*分布广泛，具10条腕，有时直径可达50厘米。棘轮海星(*C. papposus*)极常见，具15条腕。环北极分布的翅海星属(*Pteraster*)俗称垫海星，形丰满，具5条短、钝、有蹼的腕，棘成簇突起。钳棘目种类（钳棘海星）具钳状或剪刀状的叉棘，其功能为保护，有时有摄食功能。多数种类的腕长，基部带圆形；中央盘小。

星鱼包括世界性分布的普通浅海种类，其中有北欧的变红海盘车(*Asterias rubens*)，分布范围从拉布拉多到长岛海峡的普通海盘车(*A. vulgaris*)，从缅因到墨西哥湾的福布斯氏海盘车(*A. forbesi*)，和从中国黑龙江（阿穆尔河）到朝鲜的阿穆尔海盘车（多棘海盘车，*A. amurensis*）；这些种类捕食双壳类——如蛤、蚌和牡蛎；用具吸盘的管足拉开贝类的壳，然后将胃翻出，并分泌消化液将猎物消化。短棘豌豆海星(*Pisaster brevispinus*)是世界上最大的星鱼之一，直径可达65厘米；栖于北美西海岸；以沙钱（饼海胆）为食，沙钱会挖穴逃遁。美国太平洋沿岸最常见的星鱼可能是赭黄豌豆海星(*P. ochraceus*)，具5条腕，直径有时可达35厘米，通常为浅红色，但也有其他色型。向日葵星鱼（向日葵样多腕海星，*Pycnopodia helianthoides*）分布范围从阿拉斯加至加利福尼亚，具15～24条腕，通常直径60厘米。日海星属(*Heliaster*)种类的中央盘宽，腕短，腕数可达50条；分布于中美洲西海岸。参阅 **brittle star**；**feather star**；**crown-of-thorns starfish**。

Stargard Szczeciński　什切青旧城　波兰西北部西滨海省城市。濒临伊纳河。12世纪见于记载。17世纪的三十年战争中遭严重破坏，1648年受勃兰登堡控制。第二次世界大战中许多古迹和城市的75%被毁。圣马利亚教堂（13～15世纪）和16世纪的市政厅战后重建。该市是一个重要的铁路枢纽。有铁路车辆厂、面粉厂、制糖厂和农具厂。人口71 367(2002)。

stargazer　瞻星鱼　鲈形目两个近缘科䲢科（电瞻星鱼）和指䲢科（沙瞻星鱼）鱼类的统称。体长，习惯藏身于水底沙中。体向后端渐细，头大而扁，口斜向上，唇具穗突，眼位于

南方瞻星鱼(*Astroscopus y-graecum*)
绘图：Richard Ellis

头顶，故名。电瞻星鱼约有25种，广泛分布于世界热、温带海域。有些种肩部两边各具一大棘，有些星䲢属(*Astroscopus*)种类头顶有发电器官。本科最大的个体可重达9千克。沙瞻星鱼共约有24种，分布于新大陆热带大西洋与太平洋中，体型小，长约10厘米或更小。

Starhemberg, Ernst Rüdiger, Fürst von　施塔勒姆贝格(1899-05-10，奥地利埃弗丁～1956-03-15，施伦斯)　奥地利准军事组织保安团司令。1934～1936年任政府支持的右翼政党联盟（祖国战线）的首脑。1923年曾参加纳粹的慕尼黑（啤酒店）暴动，但后来与希特勒和纳粹主义决裂，但他并不放弃法西斯主义。1930年9月成为保安团全国司令。同月任内政部长。1934年5月任副总理。1934年7月陶尔斐斯被暗杀之后，施塔勒姆贝格成为祖国战线首脑，是奥地利第二号最有权势的领袖。他试图在奥地利建立一个法西斯与极权主义的政权，但又独立于纳粹德国。1936年因与总理舒施尼格意见分歧，被赶出政府。1938年纳粹德国吞并奥地利后他移居国外。1942年前往阿根廷，在那里侨居到1955年回国。

Starij Oskol(Russia)　参阅 **Stary Oskol 旧奥斯科尔**。

Stark, Johannes　斯塔克（1874-04-15，德国希肯霍夫～1957-06-21，特劳恩施泰因）　德国物理学家，因1913年发现电场能使发光物质发出的光谱线分裂（斯塔克效应），获1919

供图：Historia-Photo

年诺贝尔物理学奖。1900年任格丁根大学物理学讲师，1917年起先后任格赖夫斯瓦尔德大学和维尔茨堡大学物理学教授，1922年退职。他是希特勒的支持者，反犹太的种族主义理论家，1933～1939年任帝国物理技术研究所所长。1947年反纳粹法庭判处他在劳动营服苦役4年。

Stark, John　斯塔克（1728-08-28，新罕布什尔伦敦德里～1822-05-08，美国新罕布什尔曼彻斯特）　美国独立战争时期美国的杰出将领。1754～1759年参加法国印第安人战争，初任中尉，后任上尉。独立战争之初升为上校，转战于邦克山（1775-06-17）、加拿大及新泽西等地。1777年3月辞职。是年英将J.伯戈因入侵纽约，斯塔克受命为民军准将，8月16日在佛蒙特州的本宁顿附近击溃英国和黑森分遣队，因功转为大陆军准将。10月伯戈因战败后撤，斯塔克率众断其哈得孙河上退路，萨拉托加一役迫使英军全部投降。1779年斯塔克在罗得岛驻防，1780年参加新泽西斯普林菲尔德战役，不久即担任军法官，1783年9月晋升少将。

Starck, Philippe　斯塔克（1949-01-18，法国巴黎～　　）　法国设计师、建筑师。其设计作品范围广泛，从室内设计到家居用品、游艇和手表，无所不包。曾就读于巴黎的尼西姆·德卡蒙多学院，1968年自办公司，生产充气物品。20世纪70年代为几个夜总会进行内部装修设计，声誉鹊起。1983～1984年为法国总统密特朗整修爱丽舍宫的专用房间，在国际上引起关注。在为巴黎、东京、墨西哥城和马德里等地的著名饭店以及纽约的两个大酒店进行室内装修设计后，世界各地的酒店纷纷委托他设计。其设计中有某些不变的特点，如偏爱流畅、朴实的形式以及饶有情趣的微妙细部等。20世纪末，其广泛的工业设计同样赢得国际声誉。为各种世界著名品牌设计的游艇、矿泉水瓶、厨房用具、牙刷、皮箱、办公家具、电视机、钟表、眼镜等，具有与其室内装修设计同样的流畅、朴实特色，体现出他的大众化想象力。产品的价位适中，通常都在大众市场销售。他的设计决不是单纯为了追求美或者作为财富的象征，而是希望能够改善人们的生活，为日常生活，如刷牙和做饭，添加一些情趣和新奇。他也承接过许多日本建筑的委托。其中最著名的有东京的朝日啤酒大楼等办公楼。

Stark effect　斯塔克效应　当辐射的原子、离子或分子受到强电场的作用，光谱线发生分裂的现象。这种效应与塞曼效应（即光谱线的磁致分裂）类似，是德国物理学家J.斯塔克于1913年发现的。早期实验未做成的原因在于发光气体或蒸气的电导率高，在传统的分光光源中难以保持强电场。斯塔克所观察的是在阳射线管的凿孔阴极紧后面的氢的发射光谱。他把第二个荷电电极平行地置于很靠近阴极之处，从而在几毫米的空间内产生了强电场。当电场强度达到100 000伏/厘米时，斯塔克用分光镜观察到了氢的标识光谱巴耳末线分裂成若干间隔对称的组分，有些线偏振的组分，其电矢量与力线平行；其余组分的偏振方向垂直于电场，沿电场方向看时是例外。这种横向斯塔克效应在某些方面类似于横向塞曼效应，但是，由于斯塔克效应的复杂性，在分析复杂光谱或原子结构时，相对地说，它的价值较小。从历史上看，斯塔克效应的圆满解释（1916）是早期量子力学的一个重大胜利。

Starley, James　斯塔利（1830-04-21，英格兰萨塞克斯阿尔伯恩～1881-06-17，沃里克郡考文垂）　英国发明家、自行车工业之父。1857年迁居考文垂，曾发明几种新型缝纫机，并取得专利，这些机器的许多特点都应用在现代缝纫机上。他在制造出第一辆"考文垂"牌自行车之后，1871年又造出"爱丽尔"牌自行车。这种车因采用中心枢轴转向装置而著名，在自行车制造史上许多人认为这是第一辆真正的自行车。"爱丽尔"自行车是以后10年中设计自行车的标准，普通高轮自行车就是直接从它演变而成的。他发明并制造了辐条沿切线方向接到轮毂上的切线辐条轮，这是对径向辐条轮的重大改进，至今仍被采用。1876年他制造了高度成功的考文垂三轮自行车，次年又在这种车上安装了用链条传动的差速齿轮。1885年他的侄子J.斯塔利设计制造了"漫游者"牌自行车，被认为是第一辆成功的安全自行车及现代一切自行车的原型。

starling　椋鸟　雀形目椋鸟科的大部分鸟类。尤指紫翅椋鸟（普通椋鸟，*Sturnus vulgaris*）。紫翅椋鸟体长20厘米，矮壮，结实，黑色，有虹彩光泽，嘴锐而长。已从欧亚引入世界大部地区（除南美洲外）。在北美洲有数百万只，是1890～1891年在纽约市释放的100只鸟的后代。尽管也吃害虫，但常损坏果实和谷类收成，还侵占当地鸣禽的巢穴。在地上觅食，密集成群飞行；整年鸣叫，模仿其他鸟的音调，亦发出本身的呼啸声。印度到爪哇的裸眼椋鸟（杂色椋鸟）又称鹩哥（**mynah**，*S. contra*）黑、白和红褐色相间，眼皮黄色。光泽椋鸟羽衣具明显的虹彩光泽，包括东非的华丽椋鸟（栗头丽椋鸟，*Spreo superbus*）以及太平洋岛屿和澳大利亚东北部的闪光椋鸟（楔尾灰椋鸟，*Aplonis metallica*），羽衣有强烈的虹彩光泽。东非的金胸椋鸟（*Cosmopsarus regius*）体长36厘米，绿、蓝和黄色相

（上）华丽椋鸟（*Spreo superbus*）；（下）普通椋鸟（*Sturnus vulgaris*）

供图：（上）Eric Hosking；（下）George W. Robinson from Root Resources— 美国不列颠百科全书公司

间，尾长。肉垂椋鸟（*Creatophora cinerea*）呈褐、灰和白色相间，繁殖期雄鸟头顶无毛露出鲜黄的皮肤，在头顶和喉部长出黑色的大肉垂。

Starling, Ernest Henry　斯塔林（1866-04-17，伦敦～1927-05-02，牙买加金斯敦港）　英国生理学家。当时第一流的科学家之一。对机体功能，特别是体液平衡、内分泌的调节

供图：Mansell Collection

作用及对心脏功能的机械调节等多有研究。1889～1899年任伦敦盖伊医院讲师，从事淋巴分泌的研究。1890年获医学博士学位。1896年提出：毛细血管壁可视为一种半透膜，能容许盐类溶液自由通过；使溶液进入组织的流体静压为毛细血管中的胶体（蛋白质）溶液所产生的渗透压所平衡，从而使组织中液体被吸收入毛细血管（这理论后称斯塔林假说）。1899～1923年任伦敦大学学院生理学教授，开始与W.贝利斯合作，成绩卓著。1899年即阐明神经对肠蠕动波的控制。1902年又分离出一种物质并称之为分泌素，该物

质自十二指肠上皮细胞释出，进入血液，又反过来刺激胰消化液的分泌。1904年斯塔林创“激素”一词，意指现代概念上的内分泌激素。第一次世界大战中参加了政府主办的关于毒气防护的研究，后创造了一种离体的心肺标本来进行实验，1918年提出“心脏定律”，说明心脏的收缩力与肌肉延伸的长度成正比。1924年从事肾功能的研究，发现肾小球滤液中的水分、氯化物、碳酸氢盐和葡萄糖又在肾小管重吸收。1912年著《人体生理学原理》，该书一直作为国际性的标准教材，多次修订再版。

Starover（in Russian Orthodoxy） 参阅 **Old Believer** 旧礼仪派。

Starr，Bart 斯塔尔（1934-01，美国亚拉巴马蒙哥马利～ ） 美国大学和职业橄榄球前卫球员、职业教练。全国橄榄球联盟格林贝包装工队获五届联赛冠军和两届超级橄榄球赛冠军（1967～1968），斯塔尔发挥了主导作用。他善于在赛场上指挥队员，运用战术，在各赛季后的比赛中表现尤为突出。在六场全国橄榄球联盟的正式比赛中，他传球145次，成功84次，前进1 090码，只有一次被对方截获。在两次超级季后比赛中也起突出作用，由于他的表现被提名为最有价值运动员。1962、1966和1968～1969年传球成功率居全国联盟之首位。1962、1964和1966年在传球前进总距离上名列第一。1966～1968年在平均前进码数上名列前茅。1964～1965年传球294次，未被对方截获，这项纪录一直保持至20世纪80年代。1972年退出赛坛，任包装工队副教练，1975年升为主教练。1977年入选橄榄球名人堂。

Starr，(Myra) Belle 斯塔尔（1848-02-05，美国密苏里华盛顿县～1889-02-03，俄克拉何马布里亚镇附近） 母家姓 Shirley。美国得克萨斯州和俄克拉何马印地安准州的亡命之徒。她从两岁开始在密苏里州的迦太基度过童年，15岁时随父母移居达拉斯城附近的一个农场。1866年她与亡命之徒杨格弟兄集团的C.杨格相遇；他可能是她的第一个孩子珀尔的父亲，她对他终生不忘恋情。一年后，她与另一亡命之徒J.里德姘居，他是她第二个孩子爱德华的父亲。此后，他们移居加利福尼亚州。1869年他们返回得克萨斯，不但盗牛盗马，还干小偷小摸。她以“盗匪皇后”自居，或者身穿天鹅绒衣服，头戴羽翎；或者身穿鹿皮衣服，脚下登鹿皮靴子。1874年里德被一同伙杀死。她与许多情夫鬼混之后，于1880年与一个叫做S.斯塔尔的切罗基族印第安人同居。他们住在俄克拉何马州布里亚镇附近的一个大牧场里，将这个牧场改名为“杨格酒家”，成为亡命之徒们的藏身之处。1883年她和斯塔尔以盗马罪被判刑，在底特律的联邦监狱中坐牢数月。1886年斯塔尔在一次枪战中被击毙。她马上又姘上一个克里克族印第安人长发青年吉姆·朱利。1889年2月3日，她在大牧场附近被人从身后开枪打死。虽然一个名叫威尔逊的邻居和她自己的儿子爱德华都是嫌疑犯，但凶手终未查明。

Starr，Ellen Gates 斯塔尔（1859，美国伊利诺伊莱奥纳～1940-02-10，纽约萨芬） 美国社会改革家。1878年毕业于罗克福德女子书院后，在芝加哥一女子学校教书。1888年和J.亚当斯到伦敦参加一个在贫民区开展福利工作的社会团体，和城市贫民生活在一起以进行社会改革。1889年两人在芝加哥建立赫尔堂。她们致力于改革童工法，为移民工人争取较多的工资和较好的劳动条件。她在赫尔堂工作近30年，期间培养社区贫民欣赏艺术的兴趣和创作冲动。她坚持认为从事艺术或手工艺工作能使“人类更幸福更理智”，可以缓解工厂内重复单调工作所产生的意志消沉。20世纪初建立一个装订厂，亲自教工人装订技术。1930年退隐到一所天主教隐修院，10年后去世。

Stars and Stripes 星条旗 又称“古老的荣耀”或“星光闪烁的旗帜”。美国国旗，由靠旗杆一边上端蓝色长方形内的白星（1960年7月4日起为50颗）与旗底上7红6白相间的13道条纹组成。50颗星代表合众国的50个州，13道条纹代表最初的13个州。美国独立战争爆发后，第一面非正式的国旗——被不同地叫做“大联邦旗”、“大联合旗”、“剑桥旗”，或“大陆旗”——于1776年1月1日在波士顿郊外升起，可能是在萨默维尔的希望山，也可能是在剑桥；看来是由乔治·华盛顿将军下令升起的，他的指挥部设在附近。旗上有7红6白的横条，靠旗杆一边上端为不列颠国旗（联合王国国旗的前身）。它在要塞和海军舰只上使用。另一面早期广为使用的旗帜是第一面海军旗，旗上有13道条纹，一条从头到尾的响尾蛇和格言“不要践踏我”。由大陆会议于1777年6月14日正式通过的第一面国旗是星条旗。靠旗杆一边上端蓝色方区内有13颗星，但对星的排列未作规定，因此有几个图案。第一面飘扬在地面作战中的这样的星条旗是“76旗”，是在本宁顿战役（1777-08-16）中使用的。把13颗星排列成钻石形状的星条旗被认为是由科尔多华皮革鞣制者、地方行政官J.赫尔伯特设计的；把13颗星排列成一个圆圈的星条旗被认为是罗斯（夫人）（**Ross，Betsy**）设计的，但这两种说法都有问题。1795年5月1日前，星条旗一直没有变化。这一天，加上了两颗星和两道条纹，以反映佛蒙特州和肯塔基州加入联邦（这就是弗朗西斯·斯科特·基1814年9月在麦克亨利堡所看到的“星光闪烁的旗帜”，激起他写下爱国诗篇）。1818年在另外5个州加入联邦后，国会通过一项法案，规定从此以后，旗上的条纹须保持为13道，而星的数目则始终与州的数目相等，以后每接纳一个州，即于此后的7月4日加上一颗新星。从此这成为一项制度。1777～1960年（在接纳了夏威夷之后），星条旗上的变化共有27次，其中25次仅仅是星数目的变化。1912年10月29日颁发了一道行政命令，对旗帜各组成部分的比例和相应大小予以标准化；1934年对颜色的确切浓淡程度也予以标准化。美国南北战争期间，南部邦联于1861年3月5日使用了它的第一面国旗——星与条旗；不久并使用南部邦联战旗；1863年5月1日使用一面新的国旗——无污点旗。（第“三”面国旗是无污点旗的修改，约于1865年4月战争结束前一个月投入使用。）

见图200页。

Stars and Stripes，The 《星条旗报》 为美国军人出版的报纸，自美国南北战争（1861～1865）时出版单张，以后或为周报，或为日报。1918年成为驻欧美军的日报，1919年停刊，1942年复刊，先为周报，后成为日报，欧洲版延续至今。1945年发行太平洋版，亦延续至今。美国参加第二次世界大战时，欧洲版销售量曾达约100万份。许多杰出的作家、编辑和摄影师都曾为该报工作。组织上它属于美军新闻处。该处系负责公共事务的助理国防部长办公室的组成部分。从隶属军方的角度来看，它在军事检查和控制下所享有的相对自由相当可观，有时引起争议。

startle reaction 惊跳反应 当机体突然受到意外的强烈刺激后，如大声、强光等，发生的极为迅速的生理心理反应。人类惊跳反应的行为特点主要是肢体下意识地屈曲和头部的痉挛性躲避动作。一秒钟之内肌肉系统即可恢复正常，但心率、呼吸、皮肤导电性的恢复稍迟。以比较一致的方式进行测验时，惊跳模式见于所有正常人和所有哺乳动物。这种模式通过学习仍难消除或矫正，尽管刺激反复出现或刺激的出现在意料之中时，反应的强度可以降低。惊跳反应似为一种自我防御的本能机制，在人类可能是包括动作表现和意识经验的一般情绪反应的启动因素。人类最典型的惊跳反应是3～4个月婴儿的拥抱反射。

Stary Oskol 旧奥斯科尔 又拼 Starij Oskol。俄罗斯别尔哥罗德州城市和旧奥斯科尔区首府。1593年建为防御克里米亚鞑靼人的要塞，当时名为奥斯科尔，1655年改用现名。有采矿、农业机械和食品加工业。市内有大型水泥厂和大型钢铁联合企业。市西南有库尔斯克地磁异常铁矿床。设有地质学院和医学院。人口约216 000（2002）。

Stasi 国家安全部 德意志民主共和国（东德）的秘密警察，从1950年开始直至1990年德国重新统一为止。第二次世界大战结束后不久，德国共产党在苏联的帮助下于德国苏占区建立了秘密警察机构，1950年这一机构成为新成立的国家安全部。从1957年起，在埃里希·米尔克的领导下，国家安全部负责国内政治监视和国外间谍活动，后者主要指西德及其北约盟国。40年来，国家安全部在其活动方面树立了令人生畏的名声。在国外行动部门长时间的头目马库斯·沃尔夫的管理下，它广泛地渗入西德统治集团及军事和情报部门。1974年4月发现西德总理维利·勃兰特的高级助手京特·纪尧姆实际上是东德的一名间谍，这一发现终于导致勃兰特于两星期后宣告辞职。根据在1989～1990年东德共产党政权崩溃后从该机构内部案卷中所收集到的情况，国家安全部在其顶峰时，曾在39个部门中雇用8.5万名专职官员。它保存

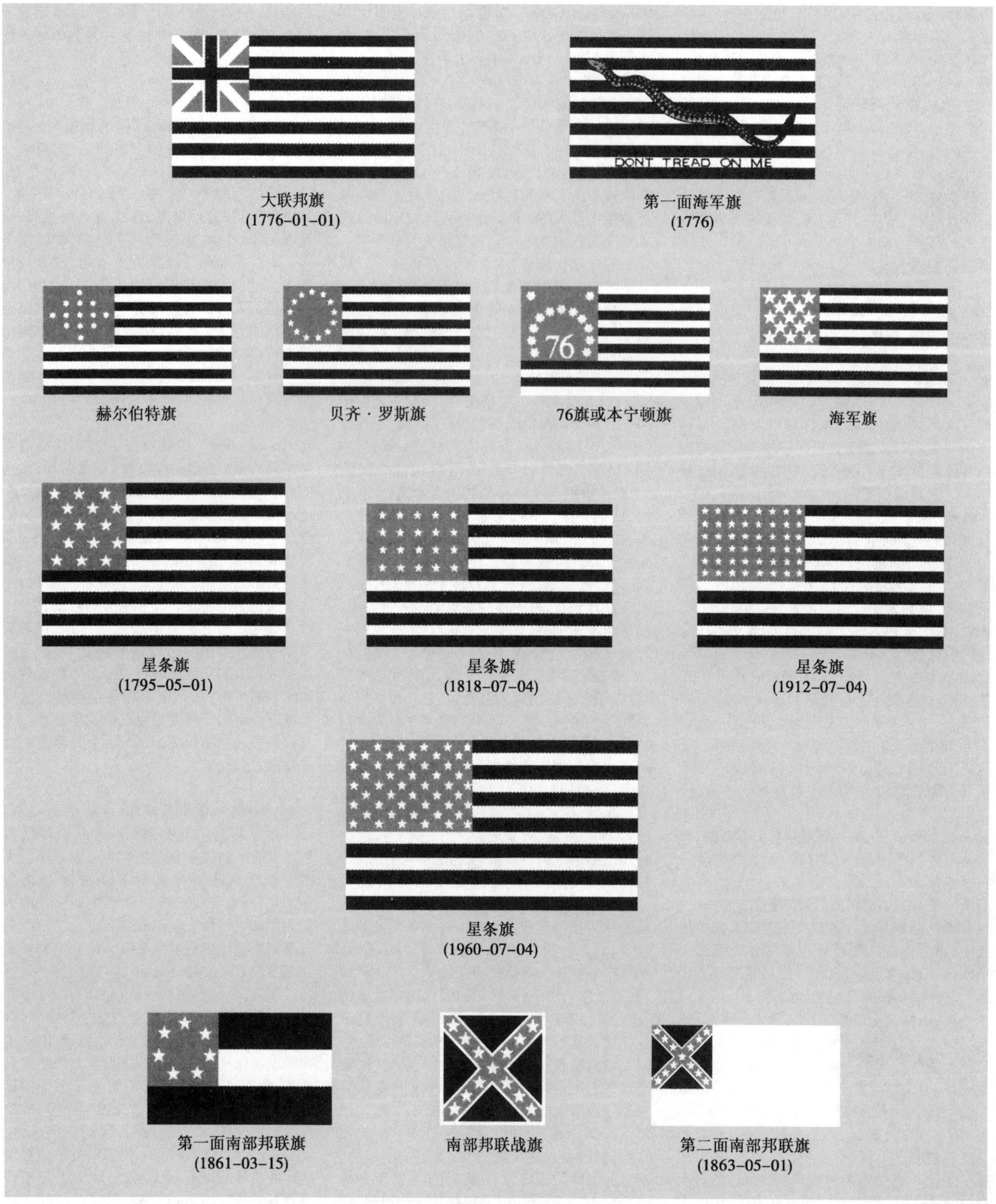

星条旗与有关旗帜

了500万份东德公民(占全部人口的1/3)的档案,依靠数十万名通报者来监视东德公民。国家安全部除了在西德设有大量的密探外,并极力采用高度精密的电子仪器来对西德政府的通讯系统和军事通讯系统进行窃听。它把它的一些情报提供给苏联的克格勃(KGB,苏联国家安全委员会),与其保持密切的关系。国家安全部还与许多恐怖主义组织,特别是西德红色军团有联系。1990年东德与西德重新统一后,国家安全部为德国政府所解散。

stasis dermatitis　郁滞性皮炎　侵犯小腿下段的一种皮肤炎症。病因为长期的静脉血流不畅,导致皮肤肿胀,在此基础上产生比较急性的刺激,可使皮肤产生溃疡。早期改善腿部血液循环可预防郁滞性皮炎。参阅 **dermatitis**。

State College　斯泰特科利奇　美国宾夕法尼亚州森特县自治镇。在尼塔尼谷地。在布拉德伊格尔山(西北)和塞文山(东南)之间,邻近州地理中心。1859年建立,得名于1855年建立的宾夕法尼亚州立学院。该校旧主楼(1859)内有美国最大的壁画之一。现为大学服务中心和周围地区农畜产品的转运地。1896年设建制。人口:自治镇38 098(2002);斯泰特科利奇都会统计区135 758(2000)。

State Planning Committee 参阅 **Gosplan** 国家计划委员会。

State Shintō 国家神道 日语拉丁文转写作 Kokka Shintō。日本从明治维新到第二次世界大战结束时的国定宗教形式。国家神道的理论基础是日本传统的"祭政一致"思想，根据这种思想，神、帝、民、国都同出一根；政治顺应神意则万事亨通。中古时代佛教盛行，神道逊色，同时幕府跋扈，皇权不振。明治维新后，政府着手控制神社，建立神道省，并限制其他宗教。虽然 1889 年宪法规定宗教自由，但参拜神社则被推崇为爱国主义义务。全国 10 多万神社由政府管辖。灌输神道思想的修身课定为各类学校的必修课，政治当局神化天皇。国家神道先于 1945 年被盟国占领军取缔，后为日本宪法所禁止，国家神道改为神社神道(**Shrine Shintō**)。

Staten Island 斯塔滕岛 美国纽约州东南部纽约市岛屿和自治镇。位于曼哈顿以南的纽约港内。与数小岛组成里士满县（1683）和纽约市斯塔滕岛自治镇。岛成三角形，海岸线约长 56 千米，面积近 155 平方千米。有轮渡同曼哈顿相通，与新泽西和布鲁克林则有数座大桥相连。1630 年荷兰人开始向该岛殖民，但直至 1661 年才有永久居民。托滕维尔的比洛普厅或称会议厅曾是大陆会议代表与英方谈判（1776-09-11）的会场。现为住宅区和工业区，有相当规模的制造业，如造船、炼油及金属加工业。岛上有瓦格纳学院（1883 建于罗切斯特，1918 迁此）、纽约市立大学斯塔滕岛社区学院、纽约圣约翰大学斯塔滕岛分校。岛上还有斯塔滕岛艺术和科学学会、雅克·马尔谢西藏艺术中心、斯塔滕岛植物园、斯塔滕岛动物园及海罗克公园自然保护中心。岛上有纽约市最大的垃圾处理厂，也有该市最大的公园。人口 443 728（2000）。

States General（France） 参阅 **Estates-General** 三级会议。

States General 总议会 又译三级会议。荷兰共和国(1579～1795)各省代表组成的机构。15 世纪由勃艮第公爵设置，后来的哈布斯堡王朝仍予保持。总议会按照中央政府的命令召开，目的在于协调各省缴纳国库的金额数目。1579 年乌得勒支同盟规定了总议会和各省议会的职权范围。同盟以总议会为共和国的中央机关，因而它应负责外交和军事方面的责任。但是，非经组成总议会的七省代表全体一致通过，对于全国性的重要问题不得作出任何决定。因此，荷兰共和国的每个省份都拥有主权，这个主权的任何部分都没有交给总议会。在内政方面，总议会负责对七省以外地区进行管理和课税。由于在共和国存在的 200 年中一直有强烈的地方独立主义，总议会很少能发挥它的积极作用。1795 年共和国垮台后，总议会仍保留了一年，1796 年才由国民议会代替。1814 年建立的荷兰王国两院制议会重又使用总议会这一名称。

states' rights 州权 联邦的各个州根据联邦宪法的规定保留的全部政府权利或权力。在美国、瑞士和澳大利亚，宪法中列举了中央政府的各项权力，除此以外就是各州的权力。另一方面，在加拿大和德国，联邦和州这两级政府的权力都由具体的宪法条文分别予以规定。

在美国，州权这个词曾被广泛用于各种政治纲领。在南北战争以前，它是反对北方授意制定的关税和反对北方提出的废除或限制奴隶制的建议的南方人士的口号。关于州有权使联邦政府的某项法令在该州范围内无效的理论被称为州对联邦法令的否认原则(**Nullification**)。南部各州辩称，根据州的主权，州有权脱离联邦。这个宪法问题只是在南北战争(1861～1865)中北方获胜而得到解决。在 20 世纪后半叶，"州权"成为那些反对在公立学校内取消种族隔离和反对联邦政府为实现这种取消种族隔离而努力的人的口号。

在联邦制国家中，各州政府实际保留的政府权力的程度相差很大。这种权力在美国也许是最大的；而在墨西哥和巴西这样的国家里则是最小的，在这些国家里，大部分权力集中在中央政府，各州只不过是一些行政机构。1900 年以后，州权在美国迅速削弱，在加拿大和澳大利亚也或多或少有类似的情况。在美国，这种趋势的主要原因是：中央政府通过国会控制州际贸易的权力，通过给各州政府或其下属机构以联邦财政补助，通过采取全国性措施对付经济萧条，以及通过参加第一次和第二次世界大战，加强了中央政府的活动。

一般地说，州权在像美国这样的国家里，受联邦政府财政补助的损害大于受商业条款的损害。这些补助有时候导致中央政府实际上控制了一些未被包括在列举的联邦政府权力之内的领域。如果州政府拒绝补助，就可能使它的地区财政受到损害。20 世纪后半叶在美国实行财政补助的结果是联邦政府对下列各方面施加了不同程度的影响，从相当大的影响到决定性的影响，这些方面是：职业教育、公众住房、机场修建、污水处理厂的建造、州和地方的公路建设、鱼类和野生动物的保护，以及其他只要读一读宪法就会清楚地表明属于州的权利的领域。加拿大和澳大利亚在 20 世纪有类似的经验，即中央政府通过补助介入州或省的许多活动领域。

无论如何，州权还会长期存在。在三个联邦制国家(美国、澳大利亚和加拿大)里，一些研究委员会得出的结论是，保持州政府或省政府的自治权是可取的。他们举出的理由有：通过州和地方的自治政府使公民受到民主程序的锻炼，在联邦制度下有更多的机会使政府的政策适合特定的地区的需要，联邦制可以防止权力集中。

States' Rights Democrat（U.S. political group） **州权民主党人** 参阅 **Dixiecrat** 迪克西民主党人。

Statesman, The 《政治家报》 加尔各答出版的英文日报，与《印度时报》和《印度教徒报》同为印度最有影响的报纸。1875 年由 R. 奈特创建，其前身为 1817 年创刊的《印度之友报》。1890 年奈特逝世后，由他的两个儿子保尔和罗伯特接管，该报不久成了印度最重要的英语报纸之一。它实行自由独立的办报方针，以公正地报道不同观点而赢得声誉。读者对象包括印度社会各界有舆论影响的人物和知识分子。与印度其他大报一样，该报以大量篇幅报道国际新闻。

Statia（Netherlands Antilles） **斯塔蒂亚** 参阅 **Sint Eustatius** 圣尤斯特歇斯岛。

statics 静力学 物理学中力学的小分支。它涉及平衡条件下处于静态的物体所受的力。早在2 200多年前，古希腊的数学家阿基米德等人就奠定了这一学科的基础。那时他们研究了杠杆和轴这种简单机械的增力性质。静力学在设计房屋、桥梁、水坝及起重机等机械时特别有用。为计算出这些结构与机械的尺寸，建筑师和工程师首先必须求出作用于它们相互连接部件上的力。静力学提供了在确定与描述这些未知力时所需要的解析法和图示法。静力学假定它所讨论的物体都是理想的刚体。同时认为静止状态下物体受到的所有力的和必须为零(即力必须互相抵消)，并且必须不使物体绕任何轴发生转动。这些条件是互相独立的，它们的数学表述式就构成一些平衡方程。当所有的力都处于同一平面上时，就只有 3 个方程，从而也就只有 3 个未知力能被算出。如果有 3 个以上的未知力存在，那就表示在建筑物或机械中有多于支撑负载所需要的分力，或者有多于使物体不运动所需要的约束。这些不需要的分力或约束都是多余的(例如 4 条腿的桌子有一条多余的腿)，这种力系就是静不定的。由于忽略负载物体的变形，静力学中可用的方程数受到限制。这种限制是下列基本前提的直接结果：即任何固体都是理想刚体，在各种条件下其外形和尺寸都不会改变。

stationary rings（gymnastics） **静止环** 参阅 **rings** 吊环。

statistical mechanics 统计力学 物理学的分支，把经典力学与量子力学的定律和统计学的原理及方法结合起来。其目的是根据宏观系统的微观组分的性质和行为来推断和解释宏观系统的可测性质。例如统计力学把热能看作是处于无序状态的原子粒子的能量，把温度看作是这些粒子中如何分配能量的定量量度。统计力学深深植根于概率定律，因而它不着重于宏观系统中每一单个粒子的性质和行为，而着重于大量同类粒子的平均性质和行为。统计力学的数学结构是由美国物理学家 J.W.吉布斯在他的著作《统计力学的基本原理》(1902)一书中确立的。但是一般认为更早的英国物理学家 J.C.麦克斯韦和奥地利的 L.玻耳兹曼以他们在热力学方面的著作发展了这门科学的基本原理。多年间统计力学方法被用于布朗运动(即液体或气体中悬浮微粒的无规运动)和固体导电性这类现象；也用于把多种固体和液体的性质同分子动力学的计算机模拟联系起来。

statistics　统计学　根据从总体中随机取出的样本里所获得的信息来推断关于总体的性质的一门学科。统计学有两个主要的部分，描述统计学和理论统计学。分析从样本中获得的数据时，第一个任务是要把数据化为相对较少的一些能粗略描述样本的关键量，称之为“统计量”。最重要的统计量是样本均值，也就是样本值的算术平均。它可以作为样本的典型成员所在位置的一种度量。另一种位置的度量是中位数，在它的上下差不多各有一半样本值。当样本中出现有几个样本值太大或太小，以致对平均值的影响太大时，需要应用中位数。有时还需要另一种样本成员间相互关系的描述。例如样本值关于样本均值的离散度有多大，为此最常用的统计量是方差及其平方根——标准差。样本值减去样本均值的差称离差，方差是离差的平方在某种意义下的均值，而标准差是方差的平方根(取正值)。定义了样本的位置和离散的度量以后，就可以给出总体的位置和离散度量的相应的定义。用样本均值和标准差可以对相应的总体特征作出估计。一般说，总体均值和标准差并不能给出总体的完全的描述；不同的总体分布可以分别具有相同的均值和标准差。但是对正态总体，用均值和标准差来描述是足够的。这种总体值的分布是由一个钟形曲线来描述的。我们把总体值表示为标有刻度的 x 轴上的点。如果总体很大，则点是相对稠密的，同时把平面上这样的曲线定义为“密度函数”，其在 x 轴之上的高度就是总体值的密度，即 x 轴上单位长度中点的个数。一个正态总体具有下列性质：密度在均值处最高，从均值处往两个方向对数地下降(见图)。这时密度完全由均值和标准差决定。事实上，总体值的68%落在与均值相距一个标准差单位的范围内，95%落在相距两个标准差的范围内，几乎100%落在相距三个标准差单位内。并非一切总体都在这种意义下是正态的，但是已经发现在许多总体以及许多不同类型的数据中出现了这种正态的形式。

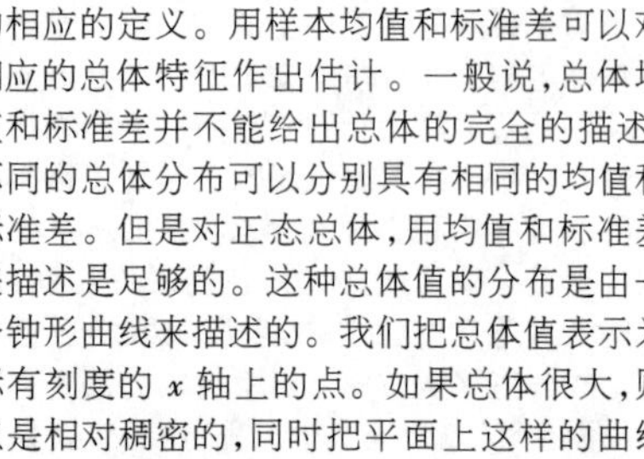

统计学的数学理论称数理统计学，是建立在概率论以及对总体和样本概念的下述理想化的基础之上的。把总体想象为一只缸，其中装有用手触摸不能区分其差别的许多球，这些球代表总体中的成员。随机地从缸中取出一个或几个球，所谓“随机”就好像瞎子那样从缸中取出球来，这种方式下任一个球有同样的机会被选入样本。总体中感兴趣的特征可以理想化为缸中球的物理性质。例如，这些特征可以是两种颜色，红和蓝，或者几种颜色，或是标明的数字。例如，假定研究一个群体关于某件事的意见，而把特征描述为对相应的政策的赞同。具有这种特征的群体部分认为是红球，而没有这种特征的群体部分认为是蓝球。要研究的问题通常叙述为：具有规定颜色或数字的球的比例是多少？例如，希望检验一下是否群体中的大多数成员赞同所考虑的政策。

自17世纪以来概率论的研究已经证明当随机抽取样本时，样本成员的状况是由总体的组成状况决定的。统计学利用这些概率论的法则从样本的组成来推断总体的特征。这看起来有点令人惊讶。单个的样本只是许多可以抽取的东西中的一个，如果抽出其他的样本，可能导致其他不同的推断，这完全是可能的。例如，缸中大部分球是蓝色的，但是所取出的特定的样本中可能大部分是红球，于是可能会得出结论：缸中多数是红球。统计学理论就是要使人们能正确评价一个统计方法的性能，即由样本推断总体特征的能力。下面作一些数值的说明：考虑一个装有非常多的球的缸，其中红、蓝球的比例为 $P:(1-P)$，P 是某个未知的比例数($P\leqslant1$)。一次从缸中抽出5个球，这是一个样本。设 p 是所有的样本(每个样本含五个球)中红球比蓝球多(即至少有3个红球)的比例数($p\leqslant1$)。由初等概率论的计算可以证明 P 和 p 的关系如下：

P	.1	.2	.3	.4	.5	.6	.7	.8	.9
p	.01	.06	.16	.32	.50	.68	.84	.94	.99

因此，如果缸中红球的比例数低到0.1，则样本中大多数球是红球是极不可能的，上表说明100个样本选取中只有一个是这样的。

统计学中有两种类型的统计推断方法。第一种类型是估计。它包括决定诸如总体的每个成员具有规定的属性或某种数值测量的平均值那样的总体特征的未知值，显然由于抽样的关系估计会带有可能的误差。总体特征的估计一般带有估计的标准误差，它们决定了由于下述事实而产生的可能误差，即估计是在随机取样而不是在对总体普查的基础上进行的。第二种类型的推断是假设检验。其中，把“原假设”定义为一组可能的总体值的集合，并定义了“备择假设”集合。有许多统计方法可以根据样本来决定真的总体特征是属于“原假设”的值集还是属于“备择假设”的值集。统计学不仅用于科学研究，还用于商业和工业。统计理论中值得注意的一个事实是：对于非常大的总体，标准的统计方法所需要的样本的大小和作为基础的总体的大小完全无关。民意测验者们可以根据相对于总体的大小说来是很小的样本非常精确地估计出选民们对不同的候选人及政策的赞成的比例数。它在消除重大的疾病方面也起着作用。研究疫苗对小儿麻痹症的有效性的方法就是以统计抽样方法为基础的。统计学也一直是关于抽烟和肺癌之间的关系的长期争论的中心。因为数据并未表明这两者之间的直接的因果关系，所以断言这两者之间的联系一直是受人怀疑的。然而，这种断言是建立在统计方法的基础上的。尽管并非每个抽烟的人必然得病，也非每个不抽烟的人都一定有免疫力，但是调查表明，疾病在抽烟者中的流行率就是比在不抽烟的人中的流行率高得多。因此，抽烟者得病的机会就大得多。在政治和法律领域中，诸如陪审团的选举以及雇佣方面的消除种族歧视中，统计学也起着它的作用。通常陪审团是从一群选民中用随机抽样的方法选出来的。因此如果抽样是不偏不倚的，则在全体选民的种族构成和陪审团全体陪审员的种族构成之间就存在着一种很明确的统计关系。如果陪审团种族成分的确切构成和全体选民中的种族成分的确切构成差得太多，那么抽样过程的有效性可能就会发生疑问。通过直接应用统计理论，人们可以对很可能会选出的陪审团全体陪审员的种族构成作出简单的估计。

英文 statistics 统计学这一术语是由 state(国家、政府)一词演化而来的，使用这一术语已经有几百年了。而作为建立在概率论理论基础之上的一个数学分支，却是相对地比较晚近的事。早期的奠基者是英国的统计学家K.皮尔孙(1857～1936)和R.A.费希尔(1890～1962)。对统计学理论作出重要贡献的人中还有A.瓦尔德(1902～1950)和J.奈曼(1894～1981)。

Statius　斯塔提乌斯(约45，意大利奈阿波利斯～96，大概在奈阿波利斯)　全名普布柳斯·帕皮尼乌斯·斯塔提乌斯。拉丁文学白银时代主要罗马史诗和抒情诗诗人之一。他的应景诗收于《诗草集》中。除了文学上的成就，其价值还在于描写图密善皇帝在位期间富有和追求时髦的自由民阶级的生活方式。他自幼就被培养成诗人。生平不详。只知他居于罗马，在图密善治下做过宫廷诗人。在89或90年曾受皇帝奖赏。可是94年左右在罗马朱庇特神庙的赛诗会上失败，不久返回故里。宫廷诗人的角色对他似乎是合适的，他惯于阿谀逢迎，但这在图密善治下也是无法避免的。所写5卷本的《诗草集》是他的最佳之作。在32首诗歌中，有5首是献给君王及其亲信宠臣的。另一组诗吟咏他的亲朋好友的别墅和林苑的景致。他的12卷的《忒拜战纪》，描述了波吕尼刻斯和厄忒俄克勒斯争夺古希腊忒拜城(一译第比斯)的王位的故事，诗中许多情节均借自维吉尔的作品，但是过于夸张。《阿喀琉斯纪》是他的另一部史诗，仅完成两卷，描写阿喀琉斯早年的教育，故事颇吸引人。但是写到阿喀琉斯被奥德修斯带至特洛伊时，因诗人逝世未能完篇。

Statius Caecilius　斯塔提乌斯·凯基利乌斯
参阅 **Caecilius, Statius** 凯基利乌斯。

Statler, Ellsworth Milton　斯塔特勒(1863-10-26，美国宾夕法尼亚萨默塞特县～1928-04-16，纽约市)　美国旅店老板、斯塔特勒旅店联号的创始人。在宾夕法尼亚州萨默塞特县和俄亥俄州布里奇波特度过童年。因家境贫困，13岁时即在西弗吉尼亚州惠灵市一旅店作侍童，后升职员，学习簿记和旅店经营管理。数年后在惠灵自营便餐馆和弹子房。1896年移居纽约州布法罗，购入埃利科特广场大厦的餐馆。两年后，布法罗被指定为1901年泛美博览会的会址。他在博览会址附近建成他经营的第一家旅店，内有2 100间客房。由于事业成功，又于1904年为在圣路易斯举行的路易斯安那购地博览会建造英萨特旅店，同年在布法罗建立斯塔特勒旅店，营业规模迅速扩大，发展成为遍布底特律、克利夫兰、圣路易斯及纽约市的旅店联营企业。他经营旅店的口号是："顾客有理"。在旅店中不遗余力地为顾客提供舒适和方便。布法罗的斯塔特勒旅馆是美国第一家客房设有自来水和洗澡间的旅店。到 20 世纪 20 年代中期，斯塔特勒旅馆全部财产成为美国私人企业中最大的一家。1927 年他在波士顿创设最后一家旅店，翌年死。

Statue of Liberty（New York Harbour，U. S.） 参阅 **Liberty, Statue of** 自由女神像。

status, social 参阅 **social status** 社会地位。

statute labour 法定劳动 法律规定的在公共事务方面进行的无偿劳动。在罗马帝国统治下，一些阶级对国家或私有主负有个人服役的义务，例如，以劳动偿付道路、桥梁和堤坝保养税；隶农和获释奴隶在土地主庄园里所从事的无偿劳动；为维持各地区的驿站交通网而征用的劳力等。封建徭役制就是从这种罗马传统发展而来的。日本 7 世纪的赋税制度中就包括把强制劳动加于农民的"庸"制。埃及人几百年来通过徭役制获得劳力以清除因尼罗河上涨而潴留在各水道里的淤泥。在各地以及各个时期当以现金支付方式不能为公共事务提供足够的劳力时，就实施徭役制。战时，则通过徭役加强正规部队的后勤力量。徭役制与强迫劳动不同。徭役制是普遍的和定期的短期义务；强迫劳动则往往是长期的或不定期的，并且是一种惩罚方式或是歧视条件下的产物。

Statuto Albertino 《阿尔贝特宪法》（1848-03-04） 皮埃蒙特-撒丁国王阿尔贝特颁布的宪法。1861 年意大利在皮埃蒙特领导下统一后，它成为意大利王国的宪法。这部宪法规定三权分立，即由国王掌握行政，由参众两院掌握立法，由国王任命的人员掌握司法。起初国王权力很大，他控制对外政策，并有权任免国务大臣。但宪法迭经修改，逐渐削弱了国王的权力。1948 年意大利共和国宪法生效后，《阿尔贝特宪法》即正式废除。

Staubach, Roger(Thomas) 斯托巴赫（1942-02-05，美国俄亥俄辛辛那提～ ） 美国大学和职业橄榄球运动员前卫球员。1963 年成为全美优秀橄榄球运动员；被评为最佳大学运动员，获海斯曼杯。在篮球和棒球方面也战绩斐然。1965～1969 年服海军预备役。1969～1979 年为全国橄榄球联盟达拉斯牛仔队队员；在此期间，除 1974 年外，该队每年参加最强队之间的决赛，并 4 次参加超级季后比赛（1972、1978 胜；1976、1979 负）。在 1971、1973、1978、1979 年各赛季中，斯托巴赫在传球率上居全国联盟首位。在斯托巴赫参加下，牛仔队曾有 14 次比赛都是在两队相持不下或局势显然不利于己方的情况下于最后两分钟扭转战局而获胜的。1979 年斯托巴赫宣布退出橄榄球运动，在建立起房地产生意之前做过短时间的体育播音员。

Staudinger, Hermann 施陶丁格（1881-03-23，德国沃尔姆斯～1965-09-08，西德布赖斯高地区弗赖堡） 德国化学家。对开发塑料作出了贡献，获1953年诺贝尔化学奖。1903

供图：Bavaria-Verlag

年在哈雷大学获博士学位，在几个学院任职之后，1926 年任弗赖堡大学教授，1940～1951 年间任研究主任。施陶丁格证明，小分子形成长链结构的高聚物是由于化学反应，而不是简单的物理集聚。他认为，这些线型分子可用不同的方法合成，虽经化学改性但仍各有其特性。他还进一步证明如何构成高聚物网状结构，他还确定了高聚物的黏度与其分子量之间的关系。

Staudt, Karl George Christian von 施陶特（1798-01-24，罗滕堡的帝国自由直辖市～1867-06-01，巴伐利亚埃朗根） 德国数学家。发展了射影几何学中的虚点、虚线和虚面的第一套完整的理论。1827～1835 年任纽伦堡工业学院数学教授。1835 年任埃朗根大学教职。他发现一种只用圆规作圆内接正 17 边形的方法，创造了不依赖于一切度量的位置几何学。还研究了伯努利数的算术性质。施陶特-克劳森定理一部分是因他命名的。发表的著作有《位置几何学》（1847）、《位置几何学基本原理》（1856～1860）。

Stauffenberg, Claus, Grat (Schenk) von 施陶芬贝格（1907-11-15，德国耶廷根～1944-07-20，柏林） 德国军官，曾企图暗杀希特勒，未成。北非战役中为陆军上校、装甲师师长，1943 年 4 月受重伤（左眼失明、失去右手及左手两指），调往柏林后备队参谋部。在陆军军官反希特勒密谋中他起带头作用，并自己承担执行暗杀的任务。1944 年 7 月 20 日在拉斯滕堡希特勒大本营内安置一枚炸弹，但未能杀死独裁者。事后同其他密谋者一道被处死。

Stauning, Thorvald 斯陶宁（1873-10-26，哥本哈根～1942-05-03，哥本哈根） 丹麦社会民主党政治家。曾两度出任首相（1924～1926、1929～1942）。他促使重要的经济与社会福利立法获得通过而扩大了他的党的基础。他原是烟草工人和工联主义者，1898 年当选社会民主党书记。1906 年为下议院议员。1910 年任党的主席。1916～1920 年间在卡尔·泰奥多尔·萨勒的激进-自由党内阁工作。斯陶宁首届政府的币制改革加重了工农业不景气，导致 1926 年竞选失败。1929 年重新工作后，任社会民主-激进-自由党联盟

供图：Nationalhistoriske Museum Paa Frederiksborg, Denmark

的首脑，提出削减军事开支、改革国家刑法等措施，很快得到支持。1931 年与反对党达成妥协，通过扩大税收向农场主和失业工人提供救助。他领导社会民主党取得1935年选举的最大胜利。但 1939 年他提出修改宪法、建立一院制议会案却遭到失败。1939 年 5 月他的政府与德国签订了互不侵犯条约，但德军于翌年即占领了丹麦。他继续充当德国占领下的联合政府首脑直到逝世。

Staunton 斯汤顿 美国弗吉尼亚州西北部城市、奥古斯塔县县城（1738；行政独立）。位于夏洛茨维尔西北 72 千米处，濒谢南多厄河，东面是谢南多厄国家公园，西面为乔治·华盛顿国家森林。1736 年创建。1784 年前为西北准州首府。1801 年设镇。1871 年建市。独立战争中弗吉尼亚立法机关曾设于此。为南北战争时期重要的补给地，两次被联邦军队占领。是美国最早实行市政府市行政官计划的城市（1908）。为水果、家禽、牛羊、谷物、蔬菜的市场与转运站。多种产品中有刮面刀、家具、纺织品和空调器。市内有玛丽鲍德温学院（1842）、弗吉尼亚聋盲学校（1938）。W.威尔逊总统出生于此，故居（1846）被辟为国家历史胜地（1941）。附近有一座纪念 1831 年发明收割机的 C.H.麦考密克的纪念馆。人口约23 853(2000)。

Staunton, Howard 斯汤顿（1810～1874-06-22，英国伦敦） 英国国际象棋大师、象棋棋子设计家，被认为是 19 世纪 40 年代世界优秀棋手。1841 年创办第一份英文国际象棋杂志。1851 年在伦敦倡导第一届现代国际象棋比赛，他本人在其中仅获第四名。他起初曾任演员，并著有关于莎士比亚的著作。1843 年同法国名手阿芒进行 21 局比赛获胜，被宣布为欧洲最优秀棋手。1858 年借口编订莎士比亚剧本拒绝同莫尔菲比赛，一般论者认为，他如与莫尔菲比赛必致失败。约于 1835 年开始设计的棋子于 1849 年登记，这种棋子今日仍为重大比赛所使用。

Staupitz, Johann von 施陶皮茨（1468 或 1469，韦廷兰茨莱斯尼希附近莫泰尔维茨[德国]～1524-12-28，奥地利萨尔茨堡） 天主教奥古斯丁会代理总会长。1483～1489 年先后在科隆大学和慕尼黑大学学习，可能在慕尼黑大学加入奥古斯丁会。1500 年获神学博士学位，协助创办维滕贝格大学，1502 年任该校神学院第一任院长，次年当选奥古斯丁会

代理总会长。1508年在维滕贝格与路德建立密切关系，给予路德以精神指导。路德忠实支持施陶皮茨，特别支持他反对免罪罚券。路德在施陶皮茨鼓励下获博士学位并任教师，后来路德继施陶皮茨任维滕贝格大学圣经神学教授。1520年施陶皮茨辞去奥古斯丁会代理总会长之职，1522年在萨尔茨堡加入本笃会，其后任圣彼得隐修院院长。最后施陶皮茨不再同情路德的主张，谴责路德为异端。

staurolite　十字石　在像云母片岩、板岩和片麻岩这些岩石中因区域变质作用而产生的硅酸盐矿物，在这些岩石中它通常与其他矿物，如蓝晶石、石榴子石和电气石共生。十字

产自美国新墨西哥州(左)和南卡罗来纳州(右)的十字石
供图：Floyd R. Getsinger

石是硬性、脆性的矿物，具有暗淡的光泽。它的晶体通常呈暗褐色，且常呈十字形双晶(叫做仙人十字架)，可以用来制成装饰品。十字石产在加拿大，美国的北卡罗来纳州、弗吉尼亚州和佐治亚州，巴西，法国的布列塔尼，以及瑞士，特别是圣哥达山口沿线。化学分子式及详细物理性质，参阅 **silicate mineral**(表)。

Stavanger　斯塔万格　挪威西南部罗加兰郡首府和海港城市。西濒挪威海，东临加纳湾。8世纪时始有人定居。12世纪成为大主教区中心。1425年获王室授权为贸易城镇，但发展缓慢。现主要经济活动有食品加工(特别是沙丁鱼罐头和其他鱼类产品)、造船、航运，1971年开采北海石油。已成为发展中的北海石油和天然气开采业的服务中心。是挪威距英国最近的重要港口。有罐头食品制造学校、孔格斯戈中学(原皇家驻地)、瓦尔贝格托恩瞭望塔、美术馆，以及博物馆(内藏民俗、航海、考古、自然史等收藏品)。诺曼和哥特风格的圣斯威辛大教堂是旅游名胜。该市也是通向其南部耶伦农业区的门户。人口：城市区约99 764(1992)。

stave(music)　参阅 **staff** 谱表。

stave church　木构教堂　中世纪挪威的一种木构基督教教堂。最早建于11世纪初，当时基督教开始在挪威传播。12世纪大约建有500～600座这样的教堂。后来由于参加礼拜的人数增加，而改用罗马风格式教堂。木构教堂以石料作基础，在其上平放4根木梁，再在四角立4根木柱，木柱顶上再架4根横梁，形成教堂的箱形框架。从这框架上再向四周伸出木料，以支承一系列直立的木杆。这样在中堂四周均有开敞的侧堂。祭坛设在自中堂一端伸出的一间披屋内。外墙用直立

挪威海达尔的木构教堂
挪威新闻中心供图

的木板。可以竖立4排或更多的木杆，其上有若干层逐步缩小的三角形屋架。位于博尔贡的教堂(约建于1150年)是现存的24座木构教堂之一，其6层的双坡屋顶与形似贝壳的木板外墙以及有龙形和其他传说题材的精细雕刻，使这座典型的木构教堂，具有非凡的美丽如画和刚健的外貌。现存最大的木构教堂在海达尔，建于1250年。

Stavenhagen, Bernhard　施塔芬哈根(1862-11-24，罗伊斯-格赖茨格赖茨[德国]～1914-12-25，瑞士日内瓦)　德国钢琴家、指挥家。以李斯特式的精湛风格进行演奏，是李斯特最后一批学生(1885～1886)之一，曾在李斯特葬礼上发表演说。1886～1900年在欧洲大部分国家和美国巡回演出。1895～1898年在魏玛、1898～1907年在慕尼黑任宫廷指挥。自1907年起直至去世，在日内瓦音乐学院教钢琴，并指挥日内瓦市政厅管弦乐队。以诠释肖邦作品而著称；为贝多芬的第二和第三钢琴协奏曲所作华彩乐段，至今仍偶尔有人演奏。

Staver Island(Kiribati)　**斯塔弗岛**　参阅 **Vostok Island** 沃斯托克岛。

Stavisky affair　斯塔维斯基事件　1933年法国财政丑闻，由于触发右翼骚动，结果酿成第三共和国(1870～1940)历史中的一次重大危机。1933年12月，金融家A.斯塔维斯基在巴约讷创办一信托机构，其发行的股票证明毫无价值，丑闻遂败露。1934年1月，发现斯塔维斯基业已死亡。警官说是自杀；但法国右翼人士却认为是他杀，以阻止丑闻宣扬、把包括部长和议员在内的显要人物卷进去。政府企图掩盖这一事件，却更使人相信议会制的根本腐败。反共和的团体逐渐兴起，主要有准法西斯组织法兰西行动和火十字团。它们领导群众性的示威游行，希望推翻现政府。这次骚动终于酿成了1934年2月6日的暴乱，有15人在众议院门外被杀。动乱蔓延，迫使两届左翼联合政府的首相相继辞职。1934年2月，由前总统G.杜梅格领导的中间色彩的民族团结政府成立，恢复了公众的信任，结束了对共和国的威胁。

Stavropol(city, Samara *oblast*, Russia)　**斯塔夫罗波尔**　参阅 **Tolyattigrad** 陶里亚蒂格勒。

Stavropol　斯塔夫罗波尔边区　俄罗斯西南部一边疆区。位于大高加索山北侧。面积80 600平方千米。该区从海拔4 046米的栋巴伊乌尔根山伸展，越过沟谷纵横的山岭和广阔的前陆(称斯塔夫罗波尔高地)，直至马内奇洼地和里海洼地一带的低原。构成边疆区内卡拉恰耶夫-切尔克斯共和国的山区，浓密的树林覆盖山坡，下坡为落叶林，上坡为针叶林。在此以上为高山草甸，以及岩石和冰雪。前陆和低地大多是肥沃的草原，现已大部耕犁。干旱的东部(诺盖草原)多属半沙漠地带，为蒿属植被。农业高度发达，盛产小麦、玉米、饲料和经济作物(向日葵、亚麻和蓖麻等)。畜牧业发达，夏季在高山牧场、冬季在诺盖平原放养大量牛羊。工业大部为农产品加工业。1910年首次发现大储量天然气矿床。所采天然气除用于当地涅温诺梅斯克化工工业外，还通过管道输送远至莫斯科等地。高加索山麓下有许多矿泉，建有一些矿泉疗养和旅游城镇。人口约2 926 500(1991)。

Stavropol　斯塔夫罗波尔　俄罗斯西南部斯塔夫罗波尔边疆区城市和行政中心。位于斯塔夫罗波尔高地，临格拉乔夫卡河源头。1777年建为要塞。当罗斯托夫—巴库铁路通车绕过该城时，它原来的主要公路及行政中心的作用就削弱了。1935～1943年该市称为伏罗希洛夫斯克。现以农产品加工(面粉、葡萄、肉类等)为主，机械制造和化工、服装业也很重要。市内街道树木成行。有医学、农业、语言和师范等学院及牧羊研究所。人口约328 500(1991)。

Stead, Christina Ellen　斯特德(1902-07-17，澳大利亚悉尼罗克代尔～1983-03-31，悉尼)　澳大利亚女小说家。作品以政治洞察力以及严谨和突出的个人风格为特色。曾在新南威尔士师范学院读书，游历甚广，先后在美国、巴黎和伦敦居住。20世纪40年代初期，任米高梅影片公司编剧，1952年与美国历史小说作家W.布莱克结婚后定居伦敦。1974年回澳大利亚。第一部作品是短篇小说集《萨尔茨堡故事》(1934)。同年稍后出版的《悉尼七穷人》，描写一群青年革命者，还勾画出悉尼海边的一幅迷人景象。她最优秀和最受称赞但实际上未被认可达25年之久的作品是《爱孩子的人》(1940，1965再版)，把婚姻描写成为一种野蛮和持续的交战状态；丈夫的表现基本上是法西斯主义的，与他自认为自己是文明之士相差甚远；而他的妻子成了一个凶悍的泼妇。小说主题概括了作者对于人类渴求两种似乎无法调和的品质——个人自由和爱情。斯特德被普遍认为是一个女权主义作家，但她回避这一称号。其他作品有《美人与复仇女神》(1936)、《万国之家》(1938)、《仅仅为了爱》(1944)、《喝点茶，聊聊天》(1948)、《带狗的人》(1952)、《心中的暗角》(1966，英国版名：《科特的英国》)、《小旅店》(1973)和《赫伯特小姐》(1976)。《斯特德文选》于1979年出版。

Stead, William Thomas 斯特德（1849-07-05，英国诺森伯兰恩布尔顿～1912-04-15，北大西洋海上） 英国记者、主编和发行人。创建著名的《评论的评论》月刊（1890）。12岁进韦克菲尔德的锡尔科茨学校。1870年前后开始向自由党的《北方回声报》投稿。翌年应邀任该报主编。1880年前往伦敦，担任由J.莫利（后封子爵）主编的《蓓尔美尔街新闻报》的副主编。莫利进入国会后，他接任主编，使《蓓尔美尔街新闻报》成为生气勃勃、不落俗套的报纸。率先使用插图等现代新闻技术，还开创访问记的新闻写作形式。他的报纸宣传促进了许多改革，包括英国海军防御力量的改进。1890年决定放弃日报的工作，而致力于他创建的《评论的评论》月刊。以热心宣传英俄友谊、废除雏妓、改革英格兰刑法以及维护国际和平等各种主张而闻名。他撰写了有关通灵现象、唯灵论和其他许多题材的文章。他在乘英国轮船"泰坦尼克号"旅行时因船沉而死。

steady-state theory 稳恒态理论 宇宙学中的一种理论，它认为宇宙总在膨胀，但平均密度保持不变，当老的恒星和星系由于距离和后退速度的增加而逐渐看不见时，新的物质就以同样的速率不断产生出来，形成新的恒星和星系。稳恒态宇宙在时间上无始无终，而且在大尺度范围内的平均密度和星系的分布都相同。各种年龄的星系都互相掺杂在一起。这一理论是詹姆斯·金斯爵士于1920年前后首先提出的，H.邦迪和T.戈尔德于1948年作了改进。弗雷德·霍伊尔爵士随后又加以发展，并同大爆炸假说提出的问题联系起来，但50年代以来的观测发现有许多同稳恒态模型矛盾，但却支持**大爆炸宇宙模型（big-bang model）**的证据。

stealth 隐身技术 旨在使敌方雷达或其他电子探测设备几乎无法发现己方运载工具或导弹的军事技术。雷达发明后不久，人们就开始研究反探测技术。第二次世界大战中，德国在潜艇通气管上涂有雷达吸波材料。战后，人们对雷达回波性质进行了研究，以确定影响雷达回波或电磁辐射波束的多种因素。人们尤为关注飞机的隐身技术，到80年代美国研制出多种隐身技术模型，包括一种隐身轰炸机的原型机。虽然关于隐身技术的细节仍属机密，但隐身技术的一般知识是人所共知的。例如，表面材料和涂层可以吸收雷达波，减少反射。采用更为光滑的表面和圆滑的外形也可以减少反射。如果飞机采用保形方式携载导弹和其他武器，即将它们收藏在飞机结构内部，就不易被发现，阻力也会减小。发动机废气是飞机红外信号产生的主要根源，如果将其屏蔽起来，就可使飞机更难被探测到。虽然保形武器携载方式有利于提高飞机的空气动力性能及隐身性能，但采用隐身技术也必然会带来一些副作用。表面圆滑通常并不是最佳的设计方案，吸波材料增加了飞机的重量，这会减少飞机的航程或有效载荷。使机身上的舱门或口盖减至最小可使表面更加光滑，特别是用了几年之后有所磨损，更加有利，但却增大了维护工作的难度。实际上所有上述措施都使飞机的成本上升。

steam 水蒸气 由水蒸发而形成的无嗅、看不见的气体，通常混有微小水滴，因而呈白色云雾状。在自然界，水蒸气多由地下水经火山过程加热而产生，并从温泉、喷泉、喷气孔或某些类型的火山中冒出。水蒸气也由工艺系统如燃烧矿物燃料的锅炉、核反应堆中大量产生。蒸汽动力构成现代工业社会的一个重要能源。在发电厂，水加热变成蒸汽，压缩后的蒸汽驱动涡轮发电机发电；蒸汽的热能转化为机械能又变成电能。用于驱动涡轮发电机的蒸汽提供世界上大部分电力。蒸汽还广泛用于冶炼金属如钢、铝、铜和镍，生产化学产品，炼油等。家庭中长期以来一直用蒸汽烹饪和取暖。

液态水转变成蒸汽过程中的几个阶段如图所示。A～E表示一个含有一定量水的柱形罐，由重W的可移动活塞对水施加恒定的压强。A′～E′是在曲线图上压强和体积变动范围中的相应点，其中该特定水体可以全部是液体，全部是汽体，还可以是两相混合体。A和A′表示一定压强、体积和温度下，该系统的水完全处于过冷液态（即温度低于通常压强下的沸点）。B和B′表示水经过加热，略微膨胀直到其温度达到沸点；这时，水处于饱和液态。若再加热即出现沸腾，液体开始变成蒸汽，更快地推动活塞上行，如图中C所示。当水和蒸汽在任意比例下并存时，就称系统处在图线的两相区。在这个区域内，水、汽混合体保持在沸点温度，加热仅使更多的水变成蒸汽，而排热则使部分蒸汽凝结为水。虽然温度不变，但体积取决于水和蒸汽的比例。若加入足够的热使水完全蒸发干，则蒸汽将充满全部容积，如D和D′所示；此时的蒸汽称为饱和蒸汽。由于没有液体可再供蒸发，所以再加热就会使蒸汽的温度和体积增大。在D′点右方任一点E′，图线代表过热蒸汽（即加热到凝结温度以上的蒸汽）。由E可见，相同压强下过热蒸汽的体积大于相同质量饱和蒸汽的体积。

水的沸点温度取决于压强，如在标准大气压（101 325帕斯卡，绝对压强）下，沸点是100 °C。压强减小，沸点下降。压强增大，水分子需要更多的分子活动能量才能从水中逸出而进入气态，因而需要更多热量，故沸点升高。单位质量饱和液体蒸发为饱和蒸汽所需要的热量称为汽化潜热。这个潜热随压强而变化：低压下最大而在临界点上减小为零。临界点包括温度和压强，在临界点以上液体和其蒸气不可区分。水的临界温度为374.15 °C，临界压强为218.2大气压（22.1兆帕）。在其临界点上，水的比容为0.001 805 米^3/千克（即密度为554.1千克/米^3）。参阅 **water**。

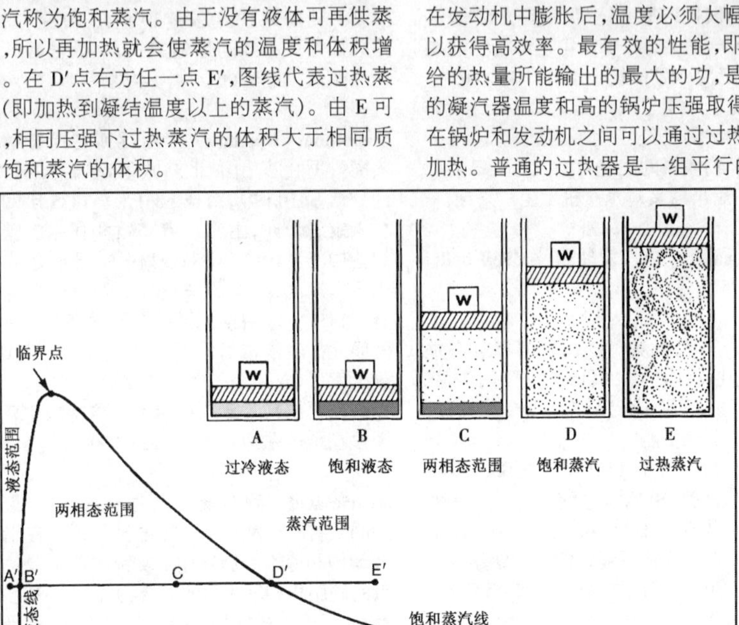

一定质量水在压强和体积变化下的状态（液体、蒸汽或二者均有）；在两相区（C）既有饱和液体又有饱和蒸汽

steam engine 蒸汽发动机 利用蒸汽的热能做机械功的机器。在发动机内，通常由锅炉（**boiler**）供应的热蒸汽在高压下膨胀，部分热能转化为功。剩余的热可以排放，或者蒸汽可在单独的凝汽器中于较低的温度和压强下冷凝，以便获得最大的蒸汽机效率。蒸汽在发动机中膨胀后，温度必须大幅度地下降以获得高效率。最有效的性能，即相对于供给的热量所能输出的最大的功，是靠利用低的凝汽器温度和高的锅炉压强取得的。蒸汽在锅炉和发动机之间可以通过过热器进一步加热。普通的过热器是一组平行的管子，其

早期蒸汽发动机
美国国会图书馆供图

表面暴露在炉膛的热气中。利用过热器可以把蒸汽加热到沸水温度以上。在往复式蒸汽机，即活塞汽缸式蒸汽机中，高压蒸汽经阀门机构进入汽缸。当蒸汽膨胀时，推动连在飞轮曲轴上的活塞而产生旋转运动。在双作用蒸汽机中，从锅炉来的蒸汽交替进入活塞的两侧。在单式蒸汽机中，蒸汽仅在一个汽缸中膨胀；而在复式蒸汽机中，则有两个或更多个尺寸逐渐加大的汽缸，以增大蒸汽的膨胀比而提高效率。第一个最小的活塞用最初的高压蒸汽推动，第二个活塞用第一级排出的低压蒸汽来推动。在汽轮机中，蒸汽通过喷嘴高速喷出，然后流经一系列定叶片和动叶片，使转子高速旋转。汽轮机比在复式蒸汽机更紧凑，通常允许更高的温度和更大的膨胀比。汽轮机是发电的通用设备。

最早的蒸汽发动机是公元1世纪希罗的科学新事物，如*汽转球*（**aeolipile**），但直至17世纪时才企图驾驭蒸汽以供实用。1698年，T.萨弗里获得了带手动阀的泵的专利，它用冷凝蒸汽产生的吸力将水从矿井提升。约在1712年，另一个英国人T.纽科门研制出更有效的蒸汽机，用活塞把水和冷凝蒸汽隔开。1765年，J.瓦特大大改进了T.纽科门的蒸汽机，他采用了单独的凝汽器以避免每一冲程对汽缸又加热又冷却。随后瓦特研制出新的蒸汽机，它可以转动一根轴而不是使泵简单地上下运动，他还作了很多其他的改进，从而造出了实用的动力设备。早在1769年，法国的N.-J.居纽建造了第一辆笨重的蒸汽汽车。英国的R.特里维西克是第一个在铁道上使用蒸汽机车的，1804年他制造了一辆蒸汽机车，行驶于威尔士以前的马车道上。1829年，英国工程师G.斯蒂芬森的“火箭”号机车，使蒸汽机用于铁路而获得商业上的成功。第一艘实用的蒸汽机船是W.赛明顿建造的“夏洛特·邓达斯”号拖轮，于1802年在苏格兰的福思-克莱德运河作了试航。R.富尔顿1807年在美国客轮上采用了蒸汽机。虽然蒸汽机作为车辆推进工具已经让位给内燃机，但由于内燃机中矿物燃料的燃烧对空气污染日益严重，20世纪后半期又对蒸汽机发生了兴趣。

steam generator　蒸汽发生器　参阅 **boiler** *锅炉*。

steamboat　蒸汽机船　泛指任何靠蒸汽推进的船，较狭义地是指19世纪广泛用于内河（尤其是美国密西西比河及其主要支流）航行的浅水明轮蒸汽机船。

美国的J.菲奇于1787年最先做了蒸汽机船的成功试验，R.富尔顿随后也做了有益的实验。但是直到1811年，富尔顿和R.R.利文斯顿才在宾夕法尼亚州的匹兹堡建成专门用在密西西比河下游航行的“新奥尔良”号。根据与奥尔良地区签订的一份专营合同，他们两人于1812年开始经营一家往返于新奥尔良与密西西比州纳奇兹之间的定期蒸汽机船服务公司，船的航速为顺水每小时8英里，逆水每小时3英里。1816年，路易斯安那地区什里夫波特的H.M.施里夫下水了他的“华盛顿”号，从而打破了富尔顿-利文斯顿公司对蒸汽机船内河航行的垄断。施里夫对蒸汽机船做了多项改革，使其适应于内河的浅水，从而获得了密西西比河航行之父的称号。他的这些实验就成为后来所有密西西比蒸汽机船的蓝本。从那时起直至1870年前后，蒸汽机船在美国中部各地的经济、农业和商业中一直占据主导地位。在1814年间，到达新奥尔良的蒸汽机船不足20个航班，其后20年之内，这一数字增长到了1 200。

柯里尔和艾夫斯的绘画——“罗伯特·李”号与“纳奇兹”号蒸汽机船从新奥尔良到圣路易斯的航行竞赛

供图：BBC Hulton Picture Library

蒸汽机船运输的主要货物是棉和糖，也搭载旅客。多数较大的蒸汽机船都设备豪华，有些则以堪与旅馆饭店相比的各种设施和服务项目而自诩。蒸汽机船驾驶员必须牢记或熟练估计漫长河道中的水深和各种可能的障碍物，以保证航行安全。由于建造和维修质量欠佳，被暗礁或其他障碍物撞沉和锅炉爆炸等原因，蒸汽机船的平均寿命为4～5年。但是航速则逐年提高。1816年，施里夫从新奥尔良到路易斯维尔用了25天，到1853年已缩短为四天。两艘蒸汽机船的船长常常自发地互相竞赛，是导致1810～1850年间约4 000人因蒸汽机船失事而丧生的主要原因。蒸汽机船在被南北战争中断一段时间之后又重新兴旺起来。但是到19世纪70年代，铁路已成为更有效的运输方式，从而导致几乎所有蒸汽机船逐渐从内河中退役。

Steamboat Springs　斯廷博特斯普林斯　美国科罗拉多州中北部城市，鲁特县县城。地处落基山脉中，海拔2 061米。1875年即有白人定居于此，主要从事畜牧和伐木。曾为商业中心。1912年挪威移民C.豪厄尔森引入冬季运动，组织冬季狂欢节和跳台滑雪比赛。1955年随着斯托姆山斯廷博特度假地的发展而扩建该市滑雪场。20世纪90年代获更大发展，成为美国西部主要滑雪场地之一。经济主要依赖常年的旅游业。鲁特国家森林紧挨在该市东边。人口9 815(2000)。

stearic acid　硬脂酸　又称十八烷酸。最普通的长链脂肪酸之一，以结合形式存在于天然动物和植物的脂肪中。商品硬脂酸是约等量的硬脂酸和软脂酸的混合物，其中还有少量油酸，用于生产蜡烛、化妆品、刮面皂、润滑剂和医药品。在自然界中，硬脂酸主要与其他长链酸成混合甘油三酸酯或脂肪以及与脂肪醇成酯的形式存在。动物脂肪中硬脂酸含量远高于植物脂肪，猪油和牛油通常含硬脂酸高达30%。把脂肪碱性水解或皂化可得到的肥皂，就是脂肪酸的钠盐或钾盐。用结晶法、真空蒸馏法或色层分离法从混有硬脂酸或硬脂酸适当衍生物的混合物中分离纯硬脂酸是困难的。纯硬脂酸可进行羧酸类典型的化学反应。它是无色、几乎不溶于水的蜡状固体。

steatite　块滑石　致密状的*滑石*（**talc**）矿物。

steatitis（animal disease）　**脂肪组织炎**　参阅 **myopathy** *肌病*。

Stebbins, George Ledyard　斯特宾斯（1906-01-06，美国纽约劳伦斯～2000-01-19，加利福尼亚戴维斯）　美国植物学家和遗传学家，因将现代综合进化论应用于植物而著称。首次人工合成能在自然条件下繁生的植物新种。曾就读于哈佛大学，1931年获生物学博士学位。后在纽约州哈密尔顿的科尔盖特大学任教，并在伯克利的加利福尼亚大学任教至1973年。1950年到戴维斯加利福尼亚大学，在该处创办了遗传学系，并广泛研究该地区的植物分布情况。人们认为他是系统阐述现代综合进化论并将其应用于高等生物的科学家之一（该理论区分开各种基本过程，如突变和重组、自然选择、染色体结构和数量的变化以及生殖隔离等等）。1950年发表《植物的变异和进化》一书，这表明他是首先把这一理论应用于植物进化的生物学家。他和他的同事E.B.巴布科克一起研究了显花植物中的多倍体。他利用人工染色体加倍新技术从几种野草中育成多倍体，并于1944年在自然环境中培育多倍体 *Ehrharta erecta* 成功。1966年出版《生物进化过程》一书。后又出版《显花植物：在种水平上的进化》（1974）及《进化》（1977，与T.多布赞斯基、F.阿亚拉、J.瓦伦丁合著）。

Stebnitsky（Russian author）　**斯捷布尼茨基**　参阅 **Leskov, Nikolay Semyonovich** *列斯科夫*。

Stedelijk Museum　市立博物馆　位于荷兰阿姆斯特丹，1895年建立。藏有19和20世纪的著名绘画和雕刻，尤以所藏凡·高油画著称。还藏有精美的素描、版画、实用艺术品、照片和影片。其图书馆藏书1.5万余册和目录7万册。

Stedman, Edmund Clarence　斯特德曼（1833-10-08，美国康涅狄格哈特福德～1908-01-18，纽约州纽约）　美国诗人、评论家、编辑。作品在19世纪末流行于美国。曾在耶鲁大学念书，后被开除。先后当过报纸所有人和股票经纪人，同时从事写作。作为评论家，斯特德曼在《维多利亚时代诗人》（1875）和《美国诗人》（1885）两书中论及当代的一些作家。他还编辑过爱伦·坡和W.S.兰多的著作，是纽约文坛的一个重要人物。其他作品包括诗集《诗作》（1875）、《霍桑及其他诗》（1877）、《抒情诗和田园诗及其他》（1879）、《梅特·科罗纳塔》（1900）。

steel　钢　铁和碳的合金，其含碳量约2%以下。这种加入微量碳所生成的物质，具有高的强度、硬度及其他可贵的力学性能；这些性能再加上它的生产成本低和原料(铁矿石和废铁)资源丰富等优点,使钢成为应用最广的结构金属。例如,可用于建造高层建筑和桥梁、制造汽车和其他车辆以及从大型器具和金属器皿到餐具和炊具等大部分家庭用具。

由于铁的同素异形现象或可变的晶体结构,钢具有多种多样的性质。当铁冷却至熔点1 538°C以下时,其原子排列成体心立方(bcc)结构,即它们形成的立方体中,每个角有一个原子,中心有一个原子。这种bcc形式的铁称为铁素体。当铁冷却至1 394°C以下时,成为奥氏体,具有面心立方(fcc)结构,其特征为立方体的每个角有一个铁原子,六个面的中心各有一个铁原子。低于912 °C时,原子的排列又恢复铁素体结构。

纯铁大致与铜一样软,用作结构材料的意义不大,但加入小量碳后就变硬很多(钢含碳2%以下;含碳量更高则生成铸铁,性质则大不相同)。碳在奥氏体中比在铁素体中容易保持溶解状态,因为奥氏体比铁素体的晶体结构中有更大的空间(铁原子间的空隙)来容纳碳原子。当含碳约0.77%的钢冷却经过奥氏体阶段后而呈铁素体形式时,所含过量的碳原子即以碳化铁(又称渗碳体)的形式沉淀出来并形成珠光体,它是由铁素体和渗碳体片晶交替组成的一种较硬的钢。采用稍高的含碳量(如1.05%),则可生成一种更硬的钢,由珠光体以岛状分布在渗碳体的连续网络中而组成。因此,调节含碳量是改变钢硬度的最简单方法,因为钢的基本显微组织取决于含碳量和钢冷却的速度。每种特殊的显微组织都有相应的硬度、强度、韧度、耐腐蚀性和电阻率。一种钢的性质可通过热处理、低温或高温下的机械加工或加入碳以外的其他合金元素等方法而进一步改变。这些合金元素包括锰、硅、镍、铬、钼、钒、钨、铌和锆。这些元素在精炼过程中加入,以赋予钢特殊的性能,如很高的强度、硬度、耐用度或耐腐蚀性能等。

根据合金元素的含量,钢可分为三大类:碳钢、低合金钢和高合金钢。碳钢是应用最广的钢,约占世界钢产量的90%。它们含有0.015%以下到略高于2%的碳。碳钢广泛用于制造汽车车身、器械、机器、船舶、容器和建筑结构。低合金钢含合金元素可达8%,强度特别高,用于制造机械部件、飞机起落架、轴、手工具、齿轮和建筑、桥梁构件。高合金钢含有8%以上的合金元素,因其性能优越而被珍视。其代表就是不锈钢,用于要求耐腐蚀和抗氧化的场合,如制造喷气发动机部件、化学装置、餐具和炊具,以及切削刀具等。不锈钢含有16%～26%的铬和35%以下的镍。

从原理上看,炼钢是在约1 600°C下进行的熔化、净化(精炼)和合金化过程。将生铁和废钢在炉中精炼可得到钢,然后经过一系列的进一步精炼,可制得具有所需特殊性能的金属。钢可在碱性氧气顶吹转炉、平炉或电弧炉中生产。碱性氧气顶吹转炉和平炉是由液态(即熔融)的高炉铁和不同量的废钢炼出钢来,而电弧炉则是将废钢重新熔化或将直接还原的铁矿石团块加以精炼而制成钢。精炼主要包括燃烧除去过量的碳和硅、锰和磷等杂质,以气体或熔渣形式由钢水中分离出去。精炼也是一个加入所需合金元素的阶段。使钢水流入钢水包中,以进行进一步的精炼——最重要的是除去溶解的气体并加入合金元素。钢水由此可浇入铸模,以铸成钢锭;然后钢锭可重新加热并先轧成半成品,如钢坯或钢板,然后再加工成成品,如钢条、钢板、钢管、圆钢或钢丝。采用连续浇铸法可省去铸锭的某些步骤,这时让钢水由钢水包流入铸型,逐渐抽成长条,即时进行切割、加工和处理,形成一连续操作。

将半成品钢加工成制造用和结构用成品型钢的方法主要有两种——冷加工和热加工。热加工主要包括高温加热条件下对钢进行锤击、冲压、轧制和模压。锤击和冲压合称锻造,其历史可上溯到原始炼钢年代。锤击起初用手进行,后来改用水力,现在则利用汽锤。冲压现用液力锻压机所产生的压力推动冲模向下冲压钢板。模压依靠施加压力推动热钢通过一压出室,室的一端为一模具,模孔呈所需的形状。热钢通过此模孔时需要很大的力。轧制(**rolling**)是应用最广的钢加工成型方法。该法主要是使钢在两个速度相同而旋转方向相反的轧辊之间通过。轧钢的温度、轧辊的间距和压力、轧制的速度决定轧制的结果。

冷加工包括轧制、挤压和拉制(将钢拉过模具而不是像挤压那样推过模具),通常用于制造具有较高的机械加工性能、特别的尺寸精度和光亮表面的钢条、钢丝、钢管、钢板和钢带。用冷加工法可以更经济地制得较细薄的钢制量规。冷轧通常在热轧后进行,以制得更精制的产品。

钢水也可直接铸成多种多样的产品,如小阀门和巨大的气轮机叶片。许多钢制品,特别是由钢板制成的,可通过镀铬、镀锌或镀锡而在表面覆盖上一耐腐蚀涂层。

steel drum　钢鼓　一种由船用金属桶加工而成的敲击乐器。表面用锤击成凹形。上凿槽沟,以勾划出一块块区域,这些槽沟具有重要的音响学意义。演奏时用橡皮头锤子敲击。钢鼓源于20世纪特立尼达(西印度群岛),在合奏或钢鼓乐队演奏,其演奏人数可从4人到100人。钢鼓通常制成从低音到高音的4种尺寸。

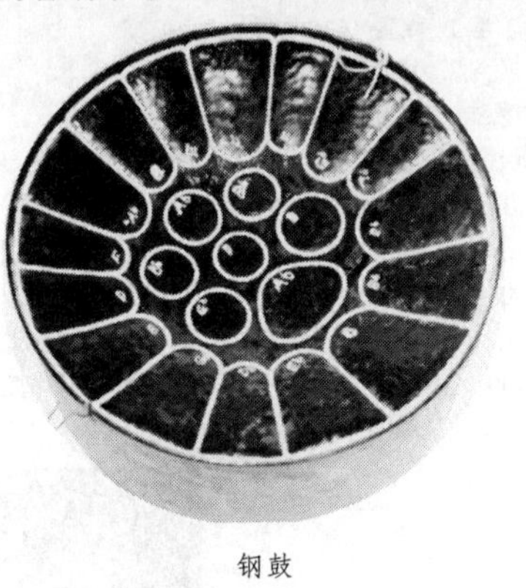

钢鼓

供图:Saunders and Associates

Steele, Sir Richard　斯梯尔(1672,爱尔兰都柏林～1729-09-01,威尔士卡马森郡卡马森)英国散文作家、剧作家、报刊撰稿人和政治家。与J.艾迪生一起以《闲谈者》和《旁观者》的主要撰写人而闻名。斯梯尔所写的喜剧对18世纪人们的情感曾经产生不小的影响。安妮女王在位的最后10年中,他为辉格党撰写和编辑政治性小册子,这使他名扬全国,并获爵位。作为个人和作家,斯梯尔是当时最引人注目的人物之一。5岁丧父后由舅父监护和扶养。1684年前往查特豪斯公学学习,在那里结识艾迪生,成为好友和合作者,直到1719年艾迪生逝世前不久才因政见不合而分手。1689～1691年,斯梯尔在牛津大学基督堂学院和默顿学院学习。在威廉三世发动对法战役时辍学从军,1697年被任命为军官,1699年被提升为上尉。但因缺少获得重要提升的金钱和关系,1705年离开军队。1701年出版宣传宗教道德的小册子《基督教英雄》。同年,写了他第一部喜剧《葬礼》,该剧在特鲁里街剧院上演成功,使他获得了声望,并引起国王威廉和辉格党领导人的注意。1703年写了第二部喜剧《撒谎的情郎》,1705年写了第三部喜剧《温柔的丈夫》。1709年4月12日,他创办了每周3期的散文杂志《闲谈者》,用爱萨克·彼克斯塔夫的笔名撰写教诲道德和供消遣娱乐的文章。在总共271期中,大部分文章由斯梯尔撰写,艾迪生撰稿46篇并与人合写了另外几篇。可能由于某些文章在政治上对托利党不利,斯梯尔受到压力,停办了《闲谈者》。1711年3月1日和艾迪生合作,另行创刊声明非政治性的《旁观者》杂志。斯梯尔出了许多好主意,如关于罗杰·德·柯夫雷这个人物的构思。斯梯尔文风轻松动人,和艾迪生较沉稳、雕琢的文字、有见解的著述相得益彰,使该刊获得极大成功。该刊555期中,251期由斯梯尔撰写。此后,他还办过一些其他期刊,如《英格兰人》、《卫报》、《情人》、《舞台》等,其中都包括了他的一些精彩作品。1710～1714年成为在野的辉格党的主要新闻撰稿人。1713年被选入议会,但由于他发表了反对执政的保守党的小册子,一度被逐出下院。但乔治一世继位后,于1714年被任命为特鲁里街剧院经理,1715年被授予爵位,同年重新被选入议会。他最后的,也是最成功的喜剧《自觉的情人》,是18世纪最受欢迎的剧本之一,并可能是英国感伤喜剧的最好典范。1724年因身体欠佳,在威尔士乡居,直至逝世。

伦敦国立肖像画博物馆供图

steelhead　硬头鳟　虹鳟(**rainbow trout**)的咸水种类。

Steely Dan 斯蒂利丹乐队 美国摇滚乐队，融合了美国各种音乐风格，创作出20世纪70年代一些最有灵性的综合流行音乐。1967年由吉他手W. 贝克和歌手兼键盘手D. 费根创立。1968年到纽约市为一部电影配乐，并为一部巡演的老戏演奏背景音乐。1971年到洛杉矶为ABC唱片公司作曲。同时与吉他手J. 巴克斯特和D. 迪亚斯等人组合成一个乐队。1972年推出首张专辑《买不到激动》，其中的单曲《再来一次》和《跌跌撞撞的一年》广受欢迎。1973年发行第二张专辑《灵魂出窍倒计时》后，乐队逐渐放弃巡回演出，成为影片公司的正规音乐班子。1974发行专辑《德国人的逻辑》和1985年推出的《凯蒂·利德》使乐队达到顶峰。贝克和费根把作品压缩成三分钟简单易懂的小插曲，主要描写破裂的友情、丧失的希望和苦恼的刚愎，将流行音乐引入现代阶段。费根以他那尖锐的嗓音能够将一些最强烈的抒情歌词汇入流行音乐之中。1976年的《皇家故事》和1977年的《阿贾》使他们二重奏的名声急剧上升。然而制作《加乌乔的牧人》(1980)的艰辛使他们决定乐队偃息，转为从事个人事业的发展。费根的独奏专辑《午夜飞行》(1982)恢复了乐队的实力；90年代初他们二人都推出新的独奏专辑，偶尔也在舞台上合演，1995年又作为斯蒂利丹乐队巡演。1998年重返影片公司，2000年《两个不合情理的人》问世。2001年斯蒂利丹乐队入选摇滚乐名人堂。

Steelyard, Merchants of the 斯蒂尔雅德商人 指中世纪后期旅居伦敦的汉萨同盟成员，他们住在斯蒂尔雅德，即汉萨同盟驻伦敦办事处，故名。从盎格鲁-撒克逊时代起，这些来自科隆、后来又有来自吕贝克和汉堡的东德意志商人在伦敦享有特权，不受英格兰法律制裁。英格兰商人常对他们的特权不满。但他们向英格兰国王提供有用的贷款，他们的往来贸易也有利于英格兰经济。16世纪后期英格兰贸易发展后，斯蒂尔雅德即于1598年被伊丽莎白女王封闭。

Steen, Jan (Havickszoon) 斯滕（约1626，尼德兰莱顿～1679-02-03，莱顿） 荷兰画家，所作日常生活情景画仅次于伦勃朗和哈尔斯。他的某些圣经画和古典画可能受了当时

斯滕绘《颠倒了的世界》(1663)
供图：Kunsthistorisches Museum, Vienna

舞台的启发。所作的演说家的肖像显示出他对业余演员的兴趣。1646年就读于莱顿大学。早年曾师事风俗与风景画家A. van 奥斯塔德和风景画家霍延。其风景画中的人物，小而朴实，让人想起奥斯塔德兄弟的作品。晚年作品，人物变大，布局适中，较多个性刻画，如玩扑克、玩九柱木或闹饮取乐，并常以小酒店作背景。善于捕捉面部微妙表情，特别是孩子们的面部表情。其最佳作品技法熟练高超，擅长色彩处理。晚年作品画面日趋优雅，但气势减退，滋长浮夸，已深受法国影响，预示18世纪洛可可艺术的来临。

Steensen, Niels 参阅 **Steno, Nicolaus** 斯蒂诺。

steeple 尖塔 装饰性的高塔，有时为钟塔，常附在宗教建筑或公共建筑上。一般为逐层缩小的多层建筑，不一定包括尖顶、小圆顶或其他构造，通常系指整体。

steeple cup 尖顶杯 杯颇高；盖上有一个独具特色的方尖形尖顶饰物（有时顶端置一人像），从一个卷形托架上竖起。杯体和盖呈鸡蛋形或球形，有一个柱状的短把和一个喇

英格兰T. 特里1625年制作的金质尖顶杯
伦敦维多利亚和艾伯特博物馆供图

叭状的长脚。这种杯子流行时间很短，大约1590年至17世纪30年代在英国出现过。通常用银或银镀金制成，可能在某些场合下曾作为圣餐杯，有几个是从教堂餐具收藏品中发现的。尖顶杯的杯体和杯盖通常饰以浮雕、錾刻或镂雕的纹饰，包括各种花卉和古典图案，以及网带状图案。

steeplechase 越野障碍赛马 骑马越过障碍物的一种比赛。公元前4世纪希腊文学家、史学家色诺芬曾记述这种比赛，目前这个名称却来自18世纪爱尔兰骑马猎狐者的一种即兴比赛，在大自然的野外，把教堂的尖塔当作跑道的地标。这种比赛长期是骑兵军官所爱好的运动，现盛行于英格兰、法国和爱尔兰，美国也有人喜爱，但不太流行。参加越野障碍赛的马匹须有耐力，因此多选成年马匹，以10龄或更老的马参加比赛者屡见不鲜。许多参加越野障碍赛的马匹并非纯种马。最著名的障碍赛马是每年在英格兰利物浦附近安特里举行的全国大赛，赛程7 180米，设有三十多处障碍。此外还有爱尔兰全国大赛和巴黎越野障碍大赛。美国全国大赛马里兰狩猎杯赛，1894年首次举行于马里兰州格林登。

steeplechase 障碍赛跑 田径运动项目，在设置诸如水沟、明沟、篱笆等障碍物的场地上进行赛跑。源起于1850年英国牛津大学的一种越野赛跑。1900～1908年列为奥运会

障碍赛跑
供图：Don Chadez

项目，1920年奥运会把赛程规定为3 000米，即在400米环形跑道上跑7圈半。运动员跳越7道水沟，跨栏28次。栏的高度为3英尺，其中一个置于12英尺见方的水沟前。参阅 **Olympic Games**。

steer roping 套牛 骑马放牧人竞技项目。与赛者骑马追逐一头成年公牛，掷绳将它套住，抓住它的两角，将绳拴在鞍上；突然停马，

套牛
供图：E. W. Marugg Photography

将牛摔倒在地,随即下马,缚住牛的三条腿,举双手表示动作完成。整个过程都计算时间,所用时间最少者胜。

steer wrestling 搏牛 又作 bulldogging。骑马放牧人竞技项目。与赛者骑马追逐一匹发育完全的小公牛,从马背跳到牛身上,抓住牛角,然后站稳脚跟将牛拉住,扭倒在地。计时比赛,最速者胜。

搏牛

供图:E. W. Marugg Photography

Stefan DUŠAN 杜香(1308 ～ 1355-12-20) 英语作 Stephen Dushan。又称斯蒂芬·乌罗什四世。塞尔维亚国王(1331 ～ 1346),“塞尔维亚人和希腊人皇帝”(1346～1355),中世纪塞尔维亚最伟大的君主。他提高了国威,颁布了新法典。斯蒂芬·乌罗什三世之子。早年随父母在拜占廷首都君士坦丁堡寄居数年。约1320年,全家返回塞尔维亚。1322年其父加冕为国王;杜香成为王储,治理沿海诸省。他在对邻国波斯尼亚的多次战争中获得宝贵的军事经验。1330年在反对保加利亚人的大战役中战功卓著。这次胜利虽然使塞尔维亚摆脱了保加利亚和拜占廷联合进攻的巨大危险,但是杜香不久即和父王不睦。1330年秋,父子开始交战。1331年春,父子讲和。但是和约墨迹未干,杜香就再度举兵将父王废黜,1331年9月开始掌握朝政。1332年他与保加利亚皇帝J.亚历山大的妹妹海伦结婚。从此,他同保加利亚一直相安无事。1334年杜香发动征服拜占廷的战争。他深入拜占廷领土,兵临萨洛尼卡城下。1334年8月同拜占廷皇帝安德罗尼卡三世缔和,把自己的国土扩大到今希腊北部边界。1341年安德罗尼卡三世卒,杜香再度起兵,直抵萨洛尼卡城下。当时,拜占廷的将军坎塔库泽努斯自立为皇帝,请求与杜香结盟。1343年这一同盟破裂,两人成为死敌。同年,杜香征服阿尔巴尼亚和马其顿的大部分地区。1345年秋,杜香征服顽强抵抗的城市塞雷以后,开始自称“塞尔维亚人和希腊人皇帝”,1346年春加冕为皇帝。他把塞尔维亚大主教提升为牧首,并推行拜占廷政制。1348年征服拜占廷帝国的伊庇鲁斯和色萨利后,他成为从萨瓦河和多瑙河到科林斯湾、从亚得里亚海岸和爱奥尼亚海岸到爱琴海之间的广阔领土的主人。1349 ～ 1354年他颁布新法典。杜香计划征服君士坦丁堡,因而同威尼斯建立亲密的关系,晚年还同阿维尼翁的教皇维持友好关系。他死后15年,塞尔维亚的版图就缩到比他开始征服时还要小。在19世纪民族觉醒和解放战争时期,杜香的威望最高,恢复杜香帝国成为当时塞尔维亚政治的理想目标。

南斯拉夫辞书出版社供图

Stefan, Josef 斯特藩(1835-03-24,奥地利圣彼得～ 1893-01-07,维也纳) 奥地利物理学家,1879年得出黑体的辐射能与它的温度的四次方成比例的定律。黑体是一种理论上的物体,它能吸收落在它上面的所有辐射。该定律朝着理解黑体辐射迈出了重要的一步,由此产生了关于辐射的量子思想。1858年任维也纳大学数学物理学讲师,1863年升为物理学首席教授。1866年任物理学研究所所长。在他得出该经验定律5年之后,奥地利的L.玻耳兹曼作了理论的推导,因此称为斯特藩-玻耳兹曼定律。

供图:Osterreichische Nationalbibliothek, Vienna

Stefan-Boltzmann law 斯特藩-玻耳兹曼定律 1879年奥地利物理学家J.斯特藩作为实验结果提出的一条定律,其内容是:从某一表面发射的总辐射热能与该表面的绝对温度的4次幂成正比。1889年,另一位奥地利物理学家L.玻耳兹曼也从热力学论点导出同一定律,即:如果 E 为单位面积上每秒发射出的辐射热能,T 为热力学温度(以开为单位),则应有 $E=\sigma T^4$,式中的 σ 是比例常数,称为斯特藩-玻耳兹曼常量,其值为 $5.670\,4\times10^{-8}$ 瓦/(米^2·开^4)。这一定律只适用于绝对黑体,即吸收全部入射热的理想表面。

Štefánik, Milan (Rastislav) 什特凡尼克(1880-07-21,奥匈帝国斯洛伐克米亚瓦附近科萨利斯加～ 1919-04-04,捷克布拉迪斯拉发附近维诺尔) 斯洛伐克天文学家、将军。1918 ～ 1919年与T.马萨里克、E.贝奈斯共建一个新的捷克斯洛伐克国家。1904年在布拉格大学得哲学博士学位,后到法国的默东天文台工作。曾去非洲、美洲和大洋洲进行科学考察。后入法国籍。第一次世界大战时参军。后来投身于捷克斯洛伐克的解放运动。1918年任捷克斯洛伐克临时政府陆军部长。翌年死于空难。

Stefano DI GIOVANNI 斯泰法诺 参阅 Sassetta 萨塞塔。

Stefánsson, Davíd 斯特凡松(1895-01-21,冰岛埃亚峡湾法格里斯考格尔～ 1964-03-01,阿克雷里) 冰岛诗人、小说家,以博爱诗人闻名。写有一本有影响的社会小说《索隆岛》(1940)及一个成功的剧本《金门》(1941),但与他的诗相比,则不免黯然失色。早期诗集有《黑羽毛》(1919)、《诗集》(1922)、《问候》(1924)和《新作集》(1929),它们包含他的民间故事和爱情诗。后期诗作突出了社会讽刺,充满了反对资本主义和有组织的宗教的改造热忱。他的抒情诗轻柔如摇篮曲,可是他的英雄诗显示出一个史诗诗人应有的那种雄浑刚毅。

Stefansson, Vilhjalmur 斯蒂芬森(1879-11-03,加拿大马尼托巴阿尔内斯～ 1962-08-26,美国新罕布什尔汉诺威) 美国探险家和人种学家。在加拿大广大的极地区从事创记录的连续五年的考察生涯,适应了爱斯基摩人的生活方式。祖籍冰岛,1906 ～ 1907年在爱斯基摩人当中生活了一年,熟习他们的语言和文化并建立了信心,认为欧洲人在极地区采用爱斯基摩人的生活方式,就可以在露地里生活。1908～1912年,同加拿大动物学家鲁道尔夫·安德森在加拿大西北地区的马更些爱斯基摩人和科罗内申湾的科帕爱斯基摩人当中进行人种史和动物学的研究。1913～

美国不列颠百科全书公司供图

1918年，将考察计划扩大到加拿大西北地区，考察队分成两组，南方的一组由安德森率领，从事由阿拉斯加往东到科罗内申湾大陆北岸的测量与科学考察；而北方的一组广泛旅行了西北地区，发现了最后一批人们还未知道的加拿大的群岛：博登、布罗克、米恩及朗希等岛。斯蒂芬森对加拿大极地区的了解，使他预言该地区将在经济上成为重要的地区。在第二次世界大战中任美国政府顾问，调查阿拉斯加的防卫条件，为军队编写了报告和手册。1947年起任新罕布什尔州汉诺威达特茅斯学院的北极顾问。著作有：《我和爱斯基摩人生活》(1913)、《友善的北极》(1921)、《北极之谜》(1939)及《发现》(1964)。

Steffani, Agostino 斯特凡尼(1654-07-25，托斯卡纳自由堡～1728-02-12，美因河畔法兰克福) 作曲家、歌唱家、教士和外交官，以两声部的康塔塔作品闻名。在威尼斯、罗马和

供图：Osterreichische Nationalbibliothek, Vienna

慕尼黑学习音乐，1674～1688年在慕尼黑为巴伐利亚选侯服务。1681年任室内乐总监。后离开慕尼黑而去在汉诺威选侯的不伦瑞克公爵府任职。在继续从事音乐活动的同时，他成为一位重要的外交官，曾肩负多种外交使命，并一度短期任驻布鲁塞尔大使。正是他劝说韩德尔在汉诺威定居。1680年受神职，此后成为北德意志天主教教廷最高书记。写有约20部歌剧。他的大量康塔塔形式的室内乐二重唱在全欧赢得声誉，现在所知的有100余首。

Steffano, Giovanni de (Baroque painter) **斯特法诺** 参阅 **Lanfranco, Giovanni 兰弗兰科**。

Steffen, Albert 施特芬(1884-12-10，瑞士穆尔根塔尔～1963-07-13，多尔纳赫) 瑞士小说家、剧作家。早期作品充满同情心，现代技术文明和人类关系中的世俗化思想所造成的灾难性后果使他震惊。他被这些问题所驱使，于1907年参加民智诱导运动(参阅 **Steiner, Rudolf**)，定居在该运动的中心——巴塞尔附近的多尔纳赫。后来是民智诱导协会主席，并担任该会刊物《歌德研究》的编辑。从那时起，他的许多作品就成为描写一个为善与恶的形而上力量所浸透的世界的幻象。他的作品有《同盟的革新》(1913)、剧本《希拉姆和扎洛莫》(1927)、《马内斯对死的体验》(1934)以及随笔《东西方之间的艺术家》(1925)等。

Steffens, Henrik 斯特芬斯(1773-05-02，挪威斯塔万格～1845-02-13，柏林) 挪威哲学家和物理学家。他把科学思想同德国唯心主义形而上学结合在一起。曾就读于哥本哈根大学，后在基尔、耶拿和柏林等大学进行研究。到1799年，已闻名于德国文学界和哲学界并与谢林、歌德和F.施莱艾尔马赫相友善。1801年发表《地球内部自然史论文集》之后，在哥本哈根大学任讲师(1802)，1804年在哈雷大学任矿物学教授，1811年在布雷斯劳大学任物理学教授。1832年起任柏林大学物理学教授，直到去世。他的成人生活几乎都在德国度过，他将德国看作自己的故乡，甚至狂热地支持德国的民族主义，曾随普鲁士军队征战拿破仑(1813～1814)。他在《自然科学的哲学特点》(1806)一书中，对自然哲学的阐述表现出深刻的科学知识与谢林式思辨的典型结合。另著有《人类学》(两卷，1824)和自传《我的经验》(十卷，1840～1844)。

Steffens, (Joseph) Lincoln 斯蒂芬斯(1866-04-06，旧金山～1936-08-09，美国加利福尼亚卡梅尔) 美国新闻记者、演说家、政治哲学家，是T.罗斯福所称的“黑幕揭发者”中的一位重要作家。在加利福尼亚大学念书后，先后在莱比锡和巴黎随W.冯特和夏尔科学习心理学，确立了实证论倾向。到1901年，他在纽约报界已工作9年，发现企业家为谋取特权收买政治家的大量证据。1901年任《麦克卢尔杂志》主编，开始发表有影响的文章，后来这些文章汇编成《城市的耻辱》一书(1906)。他在全国各地旅行时作了多次演讲，赢得人们的赞赏。他提出问题而不是回答问题，用喜剧式的讽刺而不是用道义上的声讨，使听众得知公众事务中谋取私利的荒

美国国会图书馆供图

谬现象。墨西哥和俄国革命使他把注意力从改革转移到革命。1919年去彼得格勒旅行后，他在给一个朋友的信中写道：“我看到了未来，它行得通。”他那非正统的言论，使他在20年代失去了美国的听众。他继续在欧洲研究革命政治，成为移居国外的年轻人心目中一个近乎传奇式英雄的人物。1931年他的《自传》获得巨大成功，后来他曾支持过共产党的许多活动，但一直拒绝加入任何党派，也不信奉任何学说。

Steglitz 施泰格利茨 德国柏林南部一区。面积30平方千米，泰尔托运河贯穿其间。第二次世界大战中为柏林破坏最严重的部分之一。现北部已都市化，施洛斯大街有商业中心。植物园多按植物产地分类陈列。离柏林中心较远的南部较开阔，多单门独户的住宅。利希特费尔德有19世纪90年代O.利林塔尔进行滑翔飞行试验的土丘——利林塔尔山，已辟为纪念地。人口约184 655(1989)。

Stegosaurus 剑龙 被甲恐龙的一种，属于剑龙属(*Stegosaurus*)。生活于晚侏罗纪(1.59亿年前～1.44亿年前)，尾具尖刺，沿背部有大型三角形骨质板，借此即可辨认。身长通常可达6.5米，有些个体可达9米。头颅和脑与如此庞大的身躯相比则相对较小。前肢

S.切尔卡斯1986年制作的剑龙(*Stegosaurus*)模型

供图：© Stephen Czerkas

比后肢短得多，这使背部呈特征性的拱形。足短而宽。有许多假说试图解释剑龙身上的骨片为何如此排列以及它们的用途。古生物学家很久以来一直认为剑龙有两排平行的骨板，或交错排列或成对排列；这些骨板可保护其脊骨和脊髓。但新的发现和对现存20世纪70年代以来的化石标本进行的重新检查表明，这些骨板沿背部交错排列；即使在同一个体身上也没有两块骨板的形状和大小是完全相同的。因为这些骨板含有许多血管，这种交错排列的方式似乎与体温调节假说相符。该假说认为，骨板起散热器的作用，能将体热释放到较为凉爽的周围环境中；反过来，这些骨板又可以像太阳电池板一样转向太阳用以吸收热量。尾端有两对骨质尖刺。推测是防御武器，但也可能有装饰作用。骶部的脊髓膨大，事实上比脑还要大，此事实导致一种误解：即剑龙有两个脑。更可信的解释是骶腔主要用以储存糖原，如同许多现在的动物一样。

剑龙及与其有亲缘关系的种与甲龙近缘，这两类恐龙不仅都覆有皮甲，还有其他一些共同特征，包括牙小、单排、排列成曲线形。剑龙和甲龙均自体形较小的有甲恐龙家系演化而来，这些恐龙如早侏罗纪(2.06亿年前～1.8亿年前)的盾甲龙属(*Scutellosaurus*)和腿龙属(*Scelidosaurus*)种类。这些早期的恐龙两胁也有皮甲，但在剑龙的两胁上皮甲已消失。不同种类的剑龙的骨板排列方式各异：有些剑龙的骨板似为平行排列而非交错排列，而另一些种类，如 *Kentrurosaurus* 属，则沿着背部前侧排列着骨板而沿着背部后侧和尾部排列着尖棘。这些变异使人们怀疑剑龙的骨板有强大的体温调节功能的假说，因为并非在所有的剑龙身上这样的结构都最适合收集或释放热量。此外，为什么其他剑龙和其他恐龙缺乏复杂的体温调节结构，这点仍令人迷惑。这些骨板的功能依然最可能是炫示和物种辨认，但调查研究这样的假说也很困难。

Steichen, Edward 施泰肯(1879-03-27，卢森堡～1973-03-25，美国康涅狄格西雷丁)

美国摄影界先驱，与施蒂格利茨同为摄影决裂者组织的领导人。其风格既有画家印象主义的渊源，也具有第一次世界大战后鲜明的写实主义的特色。20世纪20和30年代他所

供图：Joanna T. Steichen

拍摄的艺术家和名流的肖像格外传神。1955年在他举办的"人类大家庭"展览会上展出了从世界各地送来的200余万张照片中选出的503帧作品。1882年随父母移居美国，早年习画，但爱好摄影，1900年有几张照片在费城和芝加哥展出。早期作品受过去学画的影响，经常用画笔点染银盐和其他化合物，以消除或增加底片或相片上的影像，从而获得渲染绘画那种柔和、朦胧和散漫的效果。大多数评论家认为这些像薄雾笼罩的照片是当时摄影艺术的最高成就，甚至从来不对底片或照片进行任何处理的著名摄影家施蒂格利茨也表示首肯。1902年施蒂格利茨邀请施泰肯和另外11位摄影家共同创办摄影决裂者组织，其宗旨在于促进摄影成为一种艺术。1905年该组织在纽约市第5街291号的"小画廊"成立。施泰肯多次组织展出过雕塑家罗丹的作品，还组织展出过画家马蒂斯、克雷格、韦伯、塞尚和毕加索的绘画以及布朗库西的雕塑。291号"小画廊"第一次在美国展出了许多先锋派艺术家的作品，比首次全面展示现代欧洲艺术的军械库展览会(1913)早8年。摄影决裂者的事业取得辉煌的成就，他们的作品，特别是施泰肯的作品第一次在美国与油画和绘画并列为艺术作品。第一次世界大战期间，施泰肯领导美国空军摄影队的工作。在战争中写实主义是他摄影的唯一宗旨，经验使他的艺术表现形式发生了重大变化，抛弃印象派摄影，致力于创作准确而清晰的写实主义作品。1923～1938年，他在纽约开设一家专门拍摄人像和广告插图的照相馆，立即获得成功。以他作为画家对艺术和构图的理解，加上熟练的摄影技巧，使他拍摄的文学家、艺术家和社会名流的肖像，令人过目难忘。同时，他于1923年担任时装杂志《时尚与名利场》的首席摄影师。他在20和30年代的作品构成了一幅生动的美国文化的图片记录，他创作了如蒙面纱的斯旺森、嘉宝半身像和微笑的卓别麟等动人的形象。第二次世界大战爆发后，他为美国海军组建拍摄海战照片的摄影队。1941年日本袭击珍珠港之后不久，他在纽约市现代艺术博物馆举办名为"胜利之路"的影展，3年后举办类似的"太平洋上的军事力量"影展。1947～1962年任现代艺术博物馆摄影主任，1955年根据一本林肯传记中人类大团结的主题，举办了一次盛况空前的影展"人类大家庭"，并曾在世界各主要博物馆巡回展出，参观人数达900万以上。早年他否认在美国摄影界有一个美学体系，后来感到这种认识只能限制并妨碍创造性摄影家的发展，因此通过组织影展、收购照片等方法，支持各种风格的摄影家，特别是资助青年摄影家的创作活动。他一生致力于促进美国摄影事业的繁荣和发展。

Steiermark　施泰尔马克　英语作Styria(施蒂里亚)。奥地利中部偏东南的州。南与斯洛文尼亚接壤。面积16 387平方千米。北部上施泰尔马克北起莱姆斯通阿尔卑斯山，向中央阿尔卑斯山东部群峰延伸，中间经过穆尔、米尔茨、萨尔察及上恩斯诸河谷地。南部下施泰尔马克高地及丘陵地带，包括以格拉茨"平原"为中心的中段穆尔河谷，西缘为高达2 000米以上的科尔阿尔卑斯与帕克阿尔卑斯山峰，东部则为砂砾、壤土所覆盖的丘陵地带。自石器时代起就有人居住，早在青铜器时代便开始采矿业。为诺里库姆王国的一部分，约公元前15年并入罗马帝国。公元5世纪时经常受日耳曼部落侵扰，后来阿瓦尔人和斯洛文尼亚人又接踵而至。8世纪时被巴伐利亚人征服。日耳曼人殖民日益增多，在1300年左右，除南部乡村外，全部实行日耳曼化。哈布斯堡家族的较小分支在1379～1439年和1564～1619年两度对这个地方进行统治。第一次世界大战后，施泰尔马克南部的6 032平方千米土地割给南斯拉夫。此后，除德国兼并奥地利的时期(1938～1945)外，施泰尔马克一直是州。居民为日耳曼族，大部分信奉天主教。古代的民间传说、歌曲、舞蹈依然在山区流行，灰绿色的施泰尔马克服几乎成为奥地利的民族服装。主要城镇为格拉茨(首府)、布鲁克、克夫拉赫、丰斯多夫。矿业资源对经济发展起决定性作用。埃尔茨山矿供应该国所需的大部分铁矿石。丰斯多夫和克夫拉赫有褐煤矿，谢尔阿尔卑斯山有菱镁矿。盛产石墨、云母、石膏、食盐。既有使用褐煤作燃料的火力发电厂，又有在穆尔河与其他河流上的水力发电厂。重工业集中在丰斯多夫以下的穆尔河流域及米尔茨河流域。金属加工及机器制造、锯木、造纸和纤维素工业居重要地位，也生产化工、纺织、皮革、食品等。40%以上的劳动人口从事农业。畜牧业分布广泛。东南部种植玉米和水果。山区有很多旅游胜地，旅游业颇发达。人口1 184 593(1991)。

Steiger, Niklaus Friedrich von　斯泰格尔(1729-05-17，伯尔尼～1799-12-03，德国奥格斯堡)　瑞士政治家，伯尔尼州最高长官。在旧瑞士邦联的最后年月里是最杰出的政界人士。出身贵族家庭。曾在德意志的哈雷和荷兰乌得勒支留学。1754年回伯尔尼，充任小官吏。1787～1798年任伯尔尼最高长官。他极端仇视法国大革命，因此准许英国、西班牙和撒丁在瑞士招募雇佣军。1798年3月5日，法国军队在格劳霍尔茨击败伯尔尼的军队，邦联瓦解后他逃往巴伐利亚。他领导瑞士流亡者团体，策划推翻法国卵翼下的海尔维第共和国，恢复旧邦联。

Stein, Sir (Mark) Aurel　斯坦因(1862-11-26，布达佩斯～1943-10-26，阿富汗喀布尔)　匈牙利裔英国考古学家及地理学家。在中亚各地，特别在中国新疆地区的旅行和研究，

伦敦皇家地理学会供图

揭示了中亚细亚在历史上的战略作用。1888～1899年在印度旁遮普省任拉合尔(今属巴基斯坦)东方学院院长。1892年刊印梵文版《王河》，该书是唯一流传下来的印度历史著作，著者是公元12世纪的迦尔诃那。斯坦因的英译本题名《克什米尔诸王编年史》，于1900年出版。同年开始其首次中亚之行，经过中国西部边地到和阗。在这次及以后3次(1906～1908、1913～1916、1930)考察过程中，他取道古代中西商队来往路线，对所知甚少的地区作极有价值的观察，收集文献资料及器物甚多，从新石器时代的石器至公元8世纪的随葬品和纺织品。在敦煌附近发现千佛洞，所藏绘画、寺庙旗幡和文件极富，都是11世纪时封存的文物。考察结果写成《古代和阗》(2卷，1907)、《塞林迪亚》(5卷，1921)和《亚洲腹地》(4卷，1928)等书。1910～1929年任印度考古局督导时期，又对希腊-佛教遗物和亚历山大大帝东征路线发生了兴趣。1926年在印度河畔皮尔萨赖伊发现亚历山大东征古战场奥尔纳斯岩故址。为阐明美索不达米亚文明与印度河文明的关系，他调查了伊拉克和俾路支斯坦的丘墟。他还在伊拉克作过罗马边境的航空摄影调查。1904年入英国籍，1912年受封为爵士。

Stein, Charlotte von　施泰因(夫人)(1742-12-25，萨克森-魏玛埃森纳赫～1827-01-06，魏玛)　德国女作家。歌德的密友，对歌德影响极大。是《伊菲格涅亚在陶里斯》中伊菲格涅亚和《威廉·迈斯特》中娜塔莉的灵感之源。始终是歌德心目中的女性理想。是魏玛宫廷典礼官的长女，嫁给奥古斯特公爵的侍从武官施泰因(1764)。歌德抵达魏玛时(1775)，他们之间的"神交"对歌德的生活和创作影响巨大；歌德给施泰因夫人的书信和诗表露了这种亲密情谊。歌德从意大利回来(1788)后，由于同C.符尔皮乌斯的关系使他们的友谊彻底破裂。后歌德与C.符尔皮乌斯结了婚。施泰因夫人的著作包括：《里诺》(1776)，一本写歌德和宫廷仕女的幽默小书；以及一本散

供图：Historia-Photo

文体的悲剧《狄多》(1792;1867 出版)，这部作品在很多地方暗示她同歌德的决裂。

Stein, Edith 施泰因(1891-10-12，德国布雷斯劳［今波兰弗罗茨瓦夫］～1942-08-09 或 10，波兰奥斯威辛)　教名十字架的德肋撒·本尼狄克塔。改奉天主教的德国犹太人、加尔默罗会修女、哲学家、神学著述家。生于正统犹太教家庭，1904 年背弃犹太教，信无神论。在格丁根大学学习时，认识德国哲学家

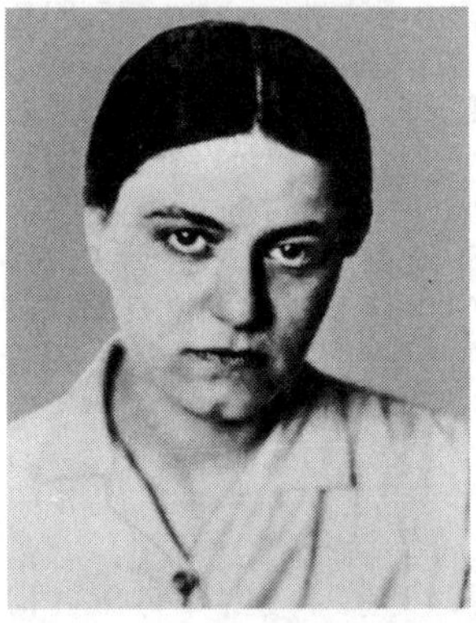

供图：Archiv fur Kunst und Geschichte, Berlin

胡塞尔，开始研究他的哲学现象学，这种哲学主张凭感性知识反映现象而不从理论上探索其原因。施泰因逐渐对天主教义发生兴趣，1921 年返布雷斯劳度假时读神秘主义者圣德肋撒自传后，不久信奉天主教。1922 年受洗，不再为胡塞尔担任助手，前往施派尔任多明我会女子学校教师(1922～1932)。1932 年任明斯特市教育学院讲师，次年由于纳粹政府颁行排犹法律被迫辞职。1934 年入科隆市加尔默罗会隐修院。1938 年纳粹排犹加剧，她被调往荷兰境内埃赫特市加尔默罗会隐修院。1942 年纳粹德国占领下的荷兰各主教谴责纳粹排犹，希特勒下令一律逮捕非雅利安族的天主教徒。施泰因与其妹罗莎(也已改奉天主教)被盖世太保逮捕，押送奥斯威辛集中营。从该集中营死里逃生的人们说：施泰因热心帮助难友，最后姊妹二人被害于毒气室。

Stein, Gertrude 斯泰因(1874-02-03，美国宾夕法尼亚阿勒格尼～1946-07-27，巴黎)　美国先锋派作家、怪人和自封的天才。她在巴黎的家是第一次和第二次世界大战之间主要艺术家和作家的沙龙。在维也纳和巴黎度过幼年，在加利福尼亚州奥克兰度过少年。在拉德克利夫学院学习时，随哲学家 W.詹姆斯攻读心理学。在约翰斯·霍普金斯大学医学院进修学成后前往巴黎。在那里先后同兄弟利奥、终身伴侣 A.B.托克拉斯(1877～1967)住在一起。她和利奥最早收藏立体派画家和当时法国其他实验画家的作品，如毕

纽约大都会艺术博物馆供图

加索、马蒂斯、布拉克等，其中有些人成了她的朋友。他们在她的沙龙里同移居国外的美国作家，如安德森、海明威，以及其他一些慕名而来的客人聚会。斯泰因的文艺评论亦受到人们的尊重，她随便讲的话就可以使人成名，也可以使人名誉扫地。她在自己的作品中，力图仿效立体主义理论，如着重渲染现时刻，运用略微变化的重复以及极端简单化和片断化的手法。她根据自己在牛津和剑桥大学的讲义而写成、在 1926 年发表的随笔《作文与解释》，最清楚地说明了她的写作理论。她受立体主义影响最深的作品是《柔软的侍者》(1914)，这本书把片断化和抽象化推进到不可理解的程度。她发表的第一本小说是《三个女人的一生》(1909)，讲工人阶级三个妇女的故事，被称为一部小型杰作。长篇小说《美国人的成长》(1925 年发表)，对一般读者来说文字过于复杂和晦涩。她唯一为广大读者欢迎的书是《艾丽斯·B.托克拉斯的自传》(1933)，实际上是她本人的自传。她写的《三幕剧中四圣人》(1934)由作曲家 V.汤姆森配乐，编成歌剧，在美国大获成功，因而使斯泰因在 1934～1935 年回美国作了一次凯旋式的演讲旅行。汤姆森还为她的第二部歌剧《我们大家的母亲》(1947 年发表)配了乐，该剧根据女权主义者 S.B.安东尼的生平写成。斯泰因成了巴黎的一个传奇人物，特别是在她熬过了德军占领法国的时期，并同许多去拜访她的年轻美国军人结交为友以后。她在《布鲁西和威利》(1946)一书中描写了这些士兵。

Stein, Johann Andreas 施泰因(1728-05-06，斯派尔海德斯海姆［德国］～1792-02-29，巴伐利亚奥格斯堡［德国］)　德国钢琴、管风琴和拨弦键琴制造家，著名钢琴制造家族中的第一人。1748～1749 年，从著名乐器制造家 J.A.西尔伯曼当学徒。曾在巴黎居住，但在奥格斯堡时最为活跃，既为教堂管风琴手，又从事乐器制造。1777 年，莫扎特曾热烈称赞施泰因制造的钢琴。其特征包括用以提起制音器的膝式杠杆和设计巧妙而敏感的控键装置。约 1770 年后，他的琴键机械在德国被普遍仿制，成为维也纳式机械装置的典范。他制造的几架钢琴至今仍在博物馆或由私人保存。施泰因去世后，他的产业由女儿玛丽亚·安娜和儿子马特乌斯·安德烈亚斯继承。

Stein, (Heinrich Friedrich) Karl, Reichsfreiherr vom und zum 施泰因(1757-10-26，拿骚拉恩河畔拿骚［德国］～1831-06-29，威斯特伐利亚施洛斯卡彭堡［德国］)　出生于莱茵兰德的普鲁士政治家，普鲁士首席大臣(1807～1808)，俄国沙皇亚历山大一世的私人顾问(1812～1815)。拿破仑战争时期，他在普鲁士推行广泛的改革，并促成欧洲最后一次反拿破仑联盟。贵族家庭出身。1773 年在格丁根大学攻读法律，还学习统计学、经济学和历史。1777 年毕业后用 3 年时间研究韦茨拉尔和维也纳帝国最高法院的法律程序。1780 年由于同普鲁士矿业大臣冯·海因尼茨的私人关系获得一个合意的官职。在柏林工作几年后，长期驻在威斯特伐利亚，先后任矿山经理和该省省长。1804 年应召到柏林，任制造业和经济大臣。他要求实行不受国王个人内阁干涉的大臣制，国王腓特烈·威廉三世予以拒绝，1807 年将他免职。他退居拿骚城堡，撰写关于普鲁士国家改革的综合性计划，即著名的《拿骚备忘录》。其基本原则是，一个健康的高效率的国家必须在人民与政府之间建立有机联系，并使市民负责地参与国家事务。1807 年夏，拿破仑普鲁士国王解除大臣哈登贝格的职务，任命施泰因为首席大臣。他一上任便着手进行普鲁士行政改革。同年 10 月 9 日颁布的法令，名为《关于放宽土地占有的条件限制和自由使用地产以及农村居民的人身关系》，把农民从奴隶状态下解放出来。这项"十月敕令"是普鲁士人获得公民自由、在法律面前平等的决定性步骤，在经济上允许自由买卖土地和自由选择职业。1808年

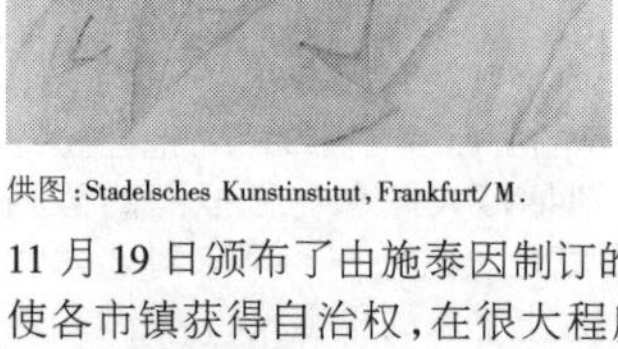

供图：Stadelsches Kunstinstitut, Frankfurt/M.

11 月 19 日颁布了由施泰因制订的城市规程，使各市镇获得自治权，在很大程度上通过市民来处理当地事务。这就为全德意志的市政发展指明了途径。施泰因有效地使整个普鲁士政府机构现代化，设立了各部门(外交部、内务部、财政部、司法部和军政部)，组织了政府中层机构的活动，并设全省的正式首脑，即省长职，直接向中央政府负责。1808 年 8 月拿破仑的特工人员截获施泰因轻率提及可能与法国交战的一封信；11 月 24 日普鲁士国王在法国的压力下将施泰因解职。此

后，他避居奥地利帝国。1812年应俄国亚历山大一世之召，任其政治顾问。1812年冬，拿破仑入侵俄国惨遭失败后，施泰因敦促越过俄国疆界追击撤退的法军。1813年参加俄国与普鲁士的《卡利什条约》谈判。在解放战争和维也纳会议期间他运用他的道义权威为德意志各邦国的政治联合而努力。退休后，1819年在美因河畔法兰克福创立德国早期历史学会。晚年致力于出版德意志历史文献丛书。

Stein, William H. **斯坦**(1911-06-25,美国纽约州纽约～1980-02-02,纽约) 美国生物化学家,因对胰酶核糖核酸酶的研究而与S.穆尔、C.B.安芬森共获1972年诺贝尔化学奖。斯坦1938年获纽约市哥伦比亚内科和外科医师学院博士学位,同年人纽约市洛克菲勒医学研究所(今洛克菲勒大学)任职,1954年晋升为教授。1949～1963年,斯坦与穆尔(当时在洛克菲勒研究所的同事)解释了核糖核酸酶如何催化食物的消化。他俩发展了由蛋白质得出的氨基酸和肽的分析方法,然后用这些步骤来测定核糖核酸酶的结构,由此他们获诺贝尔奖。斯坦和穆尔研究出脱氧核糖核酸酶(比核糖核酸酶复杂一倍的分子)的全部结构顺序。

Stein-Leventhal syndrome **斯坦-利文撒尔氏综合征** 又称多囊卵巢综合征。以雄性激素水平升高和无排卵为特点的女性内分泌疾病,是最常见的激素紊乱疾患之一,也是女性不育症最主要的病因。在高水平雄性激素的影响下,患者表现多毛和顽固痤疮。无排卵常可导致月经周期不规律、闭经、经血过多、不育症和肥胖症。卵巢增大、卵泡囊性变十分常见,但并不绝对。本病多始于育龄前期,但因症状轻微,故常因婚后不育而就医。另因本病之症状和体征相当散乱且无特异性,故有人认为本综合征并非是一种病,而是同时并发有几种病症。雄性激素分泌过多是斯坦-利文撒尔氏综合征发生和发展的主线原因。为平衡雄性激素的作用,机体就要分泌更多的雌激素,其直接后果就是月经周期紊乱。产生过量雄性激素的部位可有多处,但卵巢还是最主要的源头。不过,卵巢何以大量分泌雄性激素,尚未完全了解。本病的治疗思路是减少雄性激素的分泌。对于那些无生育要求的妇女来说,口服避孕药可对多毛症有效。不育症患者可投以枸橼酸氯芪酚胺,这是一种诱导排卵药。有时可采用腹腔镜手术治疗。

Steinamanger (Hungary) **施泰纳曼格** 参阅 **Szombathely** 松博特海伊。

Steinbeck, John **斯坦贝克**(1902-02-27,美国加利福尼亚萨利纳斯～1968-12-20,纽约) 美国小说家。最著名的小说是《愤怒的葡萄》(1939)。小说概述大萧条10年的苦楚,唤起人们对飘泊不定的农业工人的悲惨命运的普遍同情。1962年获诺贝尔文学奖。1920～1926年,斯坦贝克曾断断续续就读于斯坦福大学,但未获得学位。在其作品取得成功之前,在写作的同时曾长期以体力劳动谋生。亲身的经历使他笔下的劳动者真实可信。一生大部分时间在加利福尼亚州的蒙特雷度过,他的一些小说即以此地为背景。第一部小说《金杯》(1929)写海盗摩根。继其之后为《天堂的牧场》(1932)和《献给一位无名的神》(1933),均未获得成功。成名作为满怀深情地描写墨西哥血统的美国人生活的小说《托蒂亚平地》(1935)。在继而发表的小说《胜负未决的战斗》(1936)中,温和的幽默语气变成一种冷酷无情的语气,真实可信地描写了农业工人们举行的一次罢工及组织这次罢工的两个马克思主义工会领袖。中篇小说《芸芸众生》(1937)改编成了戏剧和电影,是写两个流动农业工人之间奇特而又复杂的关系的悲惨故事。《愤怒的葡萄》获普利策奖和全国图书奖,1940年拍成电影,风靡一时。小说写失去土地的一家人从俄克拉何马州灰盆地区迁到加利福尼亚州,以及他们后来在残酷的农业经济制度下所遭受的剥削。《愤怒的葡萄》获得成功并成为畅销书之后,斯坦贝克与自由撰稿人、生物学家里基茨前往墨西哥采集海洋生物。两人合著研究加利福尼亚

美国不列颠百科全书公司供图

湾各种动物的《科尔特兹之海》(1941)。第二次世界大战时,斯坦贝克写过一些很有作用的宣传作品,其中包括《月落》(1942),描写挪威人民在纳粹占领下的境遇。同时,还当过战地记者。战后不久发表的作品《罐头厂街》(1945)、《珍珠》(1947)和《任性的公共汽车》(1947),包含其社会批评的熟悉成分,但态度较缓和,语气较伤感。《罐头厂街》的主人公多克与死于1948年的里基茨极其相似。斯坦贝克的后期作品为重要性相对较低的消遣性作品和报刊文章,期间曾作过3次认真的努力以图恢复其作为主要小说家的地位。这就是1950年的《旺火》、1952年的《伊甸园以东》和1961年的《我们的不满的冬天》。但评论界认为,这3部小说均逊于他早先的成就。《伊甸园以东》是作者寄予厚望的一部叙事诗,写一个加利福尼亚农民与他两个儿子之间的伦理关系,1955年被拍成一部令人难以忘怀的电影。斯坦贝克还亲自将其小说《珍珠》和《红马驹》(1949)改编成电影剧本。在他直接为电影所写的剧本中,著名的有《被遗忘的村庄》(1941)和《万岁萨帕塔!》(1952)。斯坦贝克的声誉主要建立在其20世纪30年代创作的无产阶级题材的自然主义小说之上。正是在这些小说中,他构造的丰富的象征性结构及他表达人物神话般的和典型的特性的努力最为成功。

Steinberg, Saul **施泰因贝格**(1914-06-15,罗马尼亚勒姆尼库塞拉特～1999-05-12,美国纽约州纽约) 原名S.扎科布松。罗马尼亚出生的美国漫画家和插图画家,以其优雅、古

供图:© Arnold Newman

怪涂抹的线描画著名。曾在罗马尼亚的布加勒斯特大学攻读社会学和心理学,在米兰攻读建筑学。1936～1939年在意大利杂志上发表漫画。1942年定居纽约。主要投稿于《纽约客》周刊。

Steinberg, William **斯坦伯格**(1899-08-01,德国科隆～1978-05-16,美国纽约州纽约) 德国出生的美国指挥家,1952～1976年指挥匹兹堡交响乐团。曾在科隆歌剧院O.克莱姆珀雷手下当学徒,1924年成为该剧院的首席指挥。1936年与B.胡贝尔曼建立巴勒斯坦交响乐团(后为以色列爱乐乐团)以前,历任布拉格歌剧院(1925～1929)、法兰克福歌剧院(1929～1933)指挥。1938年赴美,成为美国全国广播公司交响乐团指挥托斯卡尼尼的助理。除指挥匹兹堡交响乐团外,还兼任伦敦爱乐乐团(1958～1960)和波士顿交响乐团(1969～1972)音乐总监。在把匹兹堡交响乐团建成美国最杰出的一个音乐团体之后,于1976年从该乐团音乐总监职位退休。

Steinberger, Jack **施泰因贝格尔**(1921-05-25,德国巴特基辛根～) 德国出生的美国物理学家,与L.M.莱德曼和M.施瓦茨因他们有关中微子的共同发现而共获1988年诺贝尔物理学奖。施泰因贝格尔1934年移居美国。在芝加哥大学学习物理学,1948年在该校获哲学博士学位。1950～1971年任纽约市哥伦比亚大学物理学教授。自1968年起为瑞士日内瓦欧洲核研究组织(CERN)的一名物理学家。在20世纪60年代早期,施泰因贝格尔与他哥伦比亚大学的同事莱德曼和施瓦茨一道,利用纽约州布鲁克黑文国家实验室的加速器,设计了粒子物理中的一项里程碑的实验。这三位研究人员获得了第一束实验室产生的中微子(不带电荷且几乎没有质量的亚原子粒子)流。在研究过程中,他们发现了一种新类型的中微子,称为μ子中微子。他们产生出来的高能中微子束成了亚原子粒子和核力研究的一种基本工具。特别是,这种中微子束的应用,为研究那些涉及弱核力(或弱相互作用,是自然界四种基本力之一)的放射性衰变过程开辟了道路。

Steinem, Gloria **斯坦恩**(1934-03-25,美国俄亥俄托莱多～) 美国女权主义者、政治活动家、期刊主编,是20世纪末妇女解放运动的代言人和积极倡导者。1956年毕业于

史密斯学院，后去印度留学，开始在报纸上发表文章。1960年在纽约市以一名作家兼新闻工作者的身份开始工作，到60年代末，她已深深卷入妇女解放运动及其他自由激进的活动之中。1971年她参与筹建全国妇女参政会，鼓励妇女竞选公职；1972年她创办《妇女》杂志并自任主编。这份杂志针对女权运动的发展远景，探讨当前问题，成为一种能"开风气之先"的刊物。20世纪70～80年代，她又创建了其他几个政治上活跃的妇女组织。斯坦恩把她的论文及报刊文章汇集成书，题名《暴行与作乱》，于1983年出版。另著《内在的革命》，于1992年问世。

Steiner, Jakob　施泰纳（1796-03-18，瑞士乌岑斯多夫～1863-04-01，伯尔尼）　瑞士数学家，现代综合几何或射影几何的创建人之一。14岁才开始读书，18岁时显示出他有非凡的

供图：PRO HELVETLA, Zurich

几何直观能力。后到海德堡和柏林学习，靠做家庭教师谋生。1824年发现了称之为反演几何的几何变换，但没有发表。A.克列尔的杂志创办（1826）后，他才有机会发表他的其他几何上的发现。1832年获柯尼斯堡大学名誉博士学位。两年后任柏林大学为他特设的几何讲座教授，直至逝世。他的《几何形的相互依存性的系统发展》（1832）透彻地讨论了对偶原理这一射影几何的原理，即两个对偶理论如果有一个是正确的，那么另一个也是正确的。他极不愿意使用代数和分析，认为这是演算代替思维，而纯粹几何应刺激思维。他只用综合方法证明了三次曲面只包括27条直线，而这个定理看来似乎只能用分析来证明。他被认为是阿波罗尼奥斯以后最伟大的几何学家，其著作被认为是综合几何学的经典著作。他对射影几何贡献了许多基本概念和结果；发现了施泰纳曲面，该曲面上有一个双无限的圆锥截面。他还提出了施泰纳定理，即两个线束是射影相关的，如果从它们中的两个点射影产生一条二次曲线。还提出了彭赛列-施泰纳定理，说明任何欧几里得的图形只需一个有圆心的圆和一根直尺即可作出。他的其他著作主要涉及代数曲线和曲面的性质以及极大和极小问题。他的著作收为全集（2卷）发表。

Steiner, Rudolf　斯坦纳（1861-02-27，奥地利克拉列维奇～1925-03-30，瑞士多尔纳赫）　奥地利出生的科学家、编辑、灵智学（又译人智学）的首创者。灵智学是现在仍然活跃于欧洲和美国的精神运动，它认为存在着一个灵界，此灵界可以通过纯洁思想而了解，但只能通过最高智能进入其中。青年时代斯坦纳为德国作家歌德的著作所吸引，遂编辑了诗人的科学著作并于1889～1896年在魏玛编定歌德全集标准版。在此期间撰写《自由哲学》（1894），然后前往柏林编辑文学期刊

供图：Bild-Archiv, Osterreichische National-bibliothek, Vienna

《文学杂志》，并在一所工人学院授课。1912年创立灵智学会。他认为，过去人能够通过如梦的意识更充分地参与世界的精神进程，后来由于迷恋物质而受到限制。为了恢复对精神事物的感觉，需要锻炼人的悟性，使其不受物质的吸引。运用智力达到这一目的，从理论上说是人人生而有之的能力。1913年斯坦纳在瑞士境内巴塞尔附近多尔纳赫城建立名为歌德学园的精神科学学校。根据歌德学园的经验而兴起的瓦尔多夫学校运动，到1969年在欧美共有学校约80所，就读儿童25 000多人。经过斯坦纳努力而兴办的工程还有残疾儿童学校多处，瑞士阿尔莱施海姆的一所医疗中心，科学数学研究中心多处，戏曲、语言、绘画、雕塑学校多处。斯坦纳的各种著作还有《精神活动哲学》（1894）、《神秘学大纲》（1913）和《我生活的故事》（1924）。

Steinert, Otto　施泰纳特（1915-07-12，德国萨尔布吕肯～1978-03-03，西德埃森-韦尔登）　德国摄影家、教师和医师，战后德国**摄影图形社（Fotoform）**运动的创始人。1934～1939年在几所大学学医，第二次世界大战期间任军医，约1947年放弃医学，从事摄影，成为一名肖像摄影家。从1952年起，他在萨尔布吕肯和埃森各学校教授摄影学，培养了整个一代年轻的德国摄影师。1949年，他以摄影图形社的创始人和有才华的导师著称。翌年他在科隆摄影展中展出了他富有创新精神的作品。1951、1954和1958年他3次举办影响更大的摄影展览（每次都称为主观摄影），展出了西德自第二次世界大战以来一完整系列摄影作品。20世纪60年代后，施泰纳特继续为杰出人物摄影，举办重要的展览会，并为德国报刊撰写了大量有关摄影学的论文。

Steingrímur Bjarnason Thorsteinsson（Icelandic poet）　**斯泰因格里米尔·比亚尔纳松·索尔斯坦松**　参阅**Thorsteinsson, Steingrímur Bjarnason** 索尔斯坦松。

Steinhart Aquarium　斯坦哈特水族馆　旧金山金门公园内的一所公共水族馆，因展览革新闻名。1923年开放，归加利福尼亚州科学院领导。约有近350种5 000尾鱼，还有200多种两栖动物和爬行动物、3种海洋哺乳动物和60种海洋无脊椎动物。1963和1977年两次改革展览方式，使之现代化。最近的一次改革是设置环形鱼箱（能放海洋鱼种的巨大环形玻璃水箱，观众站在环形水箱中间的空地上，就会产生周围都是海水的错觉）。收集的海洋哺乳动物包括稀有的被视为濒危种的亚马孙海牛。水族馆研究水族馆科学、海洋和淡水生态学，还提出积极的研究计划。

Steinitz, Wilhelm　施泰尼茨（1836-05-18，奥地利帝国波希米亚布拉格［今在捷克共和国］～1900-08-12，美国纽约沃兹岛）　奥地利国际象棋大师。1866年战败安德森获世界冠军，至1894年败于拉斯克，成为保持世界冠军时间最久的棋手。施泰尼茨12岁左右时向一位同学学习下棋。1858年入维也纳工业学院，不久退学，专门研究国际象棋；1862年以奥地利国家选手身份初次参加全国性锦标赛，同年移居英国，1883年移居美国，在那里最终被拉斯克击败。他长于防守，晚年尤为重视防守。为了要把自己的棋术理论化，他花费很多时间精力进行解说。败于拉斯克后，精神崩溃致病，曾在莫斯科住院调养。一度健康情况好转，但终于反复，贫病交加而死。

Steinkjer　斯泰恩谢尔　挪威城镇，北特伦德拉格郡首府。位于贝特斯塔峡湾顶端。1857年连同附近几个农业区建为港口城镇。有鞣革、羊毛及木材等工业部门。参观城西的古代墓葬和钓鲑鱼是旅游业的主要项目。人口：城市区约20 480（1986）。

Steinman, David Barnard　斯坦曼（1886-06-11，纽约市～1960-08-21，纽约市）　美国工程师，由于他对风速和气流的研究，才有可能设计出在空气动力学上稳定的桥梁。1911年在哥伦比亚大学发表博士论文《亨利·哈得孙钢拱纪念桥的设计》，20多年后，在哈勒姆河上建筑了他设计的这座桥梁。1914年，他协助G.林登塔尔设计并建筑了纽约赫尔盖特拱桥和俄亥俄河上的赛欧托维尔桥。他和美国的H.D.鲁宾逊一道在巴西建筑了弗洛里亚诺波利斯大桥，这是他们长期合作的开始。这座桥是当时南美洲最大的桥梁，采用了新式的加固桁架和新的钢索结构。他在工程界是长期引起争论的人物，尤其是在华盛顿州的塔科马海峡桥于1940年倒塌后的争论更为激烈，他认为这次倒塌本来是可以避免的。他设计了400多座桥梁，其中有连接密歇根州两部分的麦基诺桥、纽约市亨利·哈得孙大桥和特里巴勒大桥以及澳大利亚悉尼港大桥。他还设计了拟议中的里斯本的塔格斯河大桥、连接西西里和意大利的墨西拿海峡大桥和在伊斯坦布尔连接亚洲与欧洲的博斯普鲁斯大桥。著有《索桥的空气动力问题及其解决》（1954）、《麦基诺的神奇大桥》（1957），与沃森合著《桥梁及其建筑师》（1941）。

Steinmetz, Charles Proteus　施泰因梅茨（1865-04-09，普鲁士布雷斯劳～1923-10-26，美国纽约斯克内克塔迪）　原名为Karl August Rudolf Steinmetz。德国出生的美国电气工程师，他在交流电系统方面的思想有助于

开创美国的电气纪元。1883年入布雷斯劳大学就读，参加了大学生社会主义俱乐部，成为德国社会民主党党员并任该党党报《人民之声》的编辑。他写的一篇文章被当局认为具

供图：Union College，Schenectady，New York

有煽动性，1888年被迫离开布雷斯劳前往苏黎世。1889年迁居美国，并改用现在的名字。不久，在纽约州扬克斯的一家小电气公司找到工作。他在工厂里建立了一个小型实验室，在那里做了许多科学研究。他做的许多有关电机中磁材料里的功率损失实验，使他总结出一项非常重要的研究成果——磁滞定律。该定律涉及在所有电气设备中当磁的作用转换成无用的热量时出现的功率损失。利用磁滞定律，电气工程师在开始制造消耗电力的机器之前，就能在设计中计算并设法减少由于磁的作用而造成的电功率损失。1892年，施泰因梅茨向美国电气工程师学会提交了两篇关于磁滞损耗新定律的论文，并因此项经典的成就而获得声誉。

施泰因梅茨的第二项重要成就是创立了计算交流电路的实用方法。利用这种数学工具设计电力系统，可预估系统的运行情况，而无须先耗资建造无把握的系统，再测试其效率。他研究出一种计算交流电现象的符号法，极大地简化了非常复杂问题的处理方法，对交流设备迅速商品化起了很大作用。1893年，施泰因梅茨在国际电力会议上作了交流电计算法的报告。1897年，他与E.J.伯格合著的《交流电现象的理论与计算》出版时，只有很少人能读懂。为了提高电气工程师的数学水平，他专门出版了《工程数学》(1911)并将其1897年的原著扩大成3卷。通过他的写作、讲课和指导，其计算方法逐渐被全世界的交流电工作者所采用。

施泰因梅茨的第三项重要成就是有关电瞬变现象(即电路中持续时间极短的变化)的研究及理论探讨。闪电是电瞬变现象的最初实例，施泰因梅茨对闪电的研究总结出他的行波理论，并对研制保护大功率输电线免遭雷电袭击的器件开辟了途径。在此项工作中，他还设计了能产生1万安的放电电流和超过10万伏高压的发电机，相当于1/100 000秒内可超过100万马力(1马力约合736瓦)的功率。

施泰因梅茨晚年参与不少社会事务，曾任纽约州斯克内克塔迪的教育局局长和市议会主席，并在1901～1902年出任美国电气工程师学会主席。

Steinway, Henry Engelhard　斯坦韦(1797-02-15，不伦瑞克沃尔夫斯海根～1871-02-07，纽约市)　德国出生的美国钢琴制造家。斯坦韦父子公司创办人，该公司在1972年以前一直属家族财产。曾参加滑铁卢战役(1815)。1835年在不伦瑞克公爵领地开始制造钢琴，现存他最早的钢琴制于1836年。1849年带3个儿子移居纽约市。1853年在美国设厂，多次获得技术革新奖。1855年展出采用铁构架和钢丝斜向交叉的方形钢琴。1856年制出第一架三角钢琴，1862年制出第一架立式钢琴。1865年，他的儿子狄奥多尔加入此公司。这个父子公司分别于1875和1880年在伦敦与汉堡设立分公司。

stela　石碑　古代竖立的石板，主要作为墓碑，也作纪念和定界用。虽然起源不详，但早在迈锡尼和几何形时期(约公元前900～约前700)，东方和希腊都已习用石板作为墓碑。祭祀用的石碑可溯自青铜时代晚期的迦南宗教，从哈杰尔的小型石碑到迦太基神庙和祭坛中的大量石碑。古埃及法老阿肯那顿

约公元前370年的古希腊石碑——狄亚诺的墓碑

供图：Hirmer Fotoarchiv，Munchen

建立新都时，将沙漠边缘上的崖石刻成石碑以示新都的位置。希腊阿提卡的石碑数量最多，多用作墓碑。这种早期的墓碑为矩形高石柱，刻有浮雕，顶上有凹圆线脚和狮身怪兽像，常有矩形底座。公元前530年左右，墓碑趋向简化，碑身较矮，碑顶仅作棕榈叶形的顶端饰，碑面刻有阴纹像并加施彩色。4世纪时，碑身矮而宽，雕刻较复杂，上面也许还有近似立体的群像圆浮雕。墓碑上所刻死者像均按生前形象，男子表现为战士或力士，妇人周围有儿童，儿童身旁还有爱畜和玩具，很少有悲伤的表示，人物呈静态，恍如梦境。少数表现悲伤与死亡的石碑颇为动人，说明希腊雕刻家具有表现人类情感的能力。在古巴比伦王国时期，著名的汉穆拉比法典被刻在一块高大的闪长岩石碑上，顶上为汉穆拉比立像。另一座著名的石碑为西藏拉萨大昭寺前的唐蕃会盟碑，以藏汉两种文字记载了821～822年唐蕃会盟的盟文。马雅文化中亦有大量的石碑，最著名的是在科潘古城(现洪都拉斯)的那些雕刻有精致图形的巨大石碑。

Stella, Frank(Philip)　斯特拉(1936-05-12，美国马萨诸塞莫尔登～　)　美国画家。极简抽象派艺术运动的一个主要人物。曾在菲利普斯学院学习绘画，在普林斯顿大学学习历史(1958年获文学士学位)。他最初作画具有抽象表现主义的风格，但是，在20世纪50年代末期移居纽约市后，开始创作一系列富有革新精神的画，特点是构图极为简单。这些“黑画”确立了他的名声。画面还配合一系列对称的细白线条，当对着黑色背景看时，它们重复了画布的形状。在60年代初期，斯特拉以框架已确定的图案为主题，画了一系列越来越复杂的作品，为此目的，他不但使用金属油色，而且使用不规则形状的画布。60年代中期，斯特拉开始在一系列有影响的绘画中采用多色画法，特点是几何图形与曲线形交错，颜色活泼而和谐，有些颜色发荧光。在70年代末期，他放弃了以前作品中棱角分明的风格，而开始制作颜色悦目的混合媒体的浮雕，以怪诞的图案，法国式的曲线和其他有机图形为特征。

Stella, Maria　斯泰拉　参阅 **Maria Stella 玛丽亚·斯泰拉**。

stellar association　星协　具有类似的光谱型和共同起源的一种十分庞大而松散的恒星群。星协是大多数恒星的诞生地。星协中的恒星组合比疏松星团和球状星团的密得多。星团由其成员之间的引力束缚在一起。星协由年轻的恒星组成。约90%恒星存在于星协。它们的大多数位于银河系的银道面上。银河系就是太阳在其中的星系。已知的星协的绝大多数都在银河系的旋臂内，在距离太阳不到10 000光年的近处。星协有着不同的大小，但都趋向于越变越大。在太阳附近的那些直径约100～200光年，但在银河系其他区域的星协的典型大小是跨径约700光年。星协只含有相当小量的恒星，从10个左右到最常见的几百个，所以它们的总质量最多只有几百个或几千个太阳质量。通常根据星协中占主要地位的成员划分为3种类型：OB星协、R星协和T星协。OB星协中占大多数的是光谱型为O和B的十分年轻而质量大的恒星(约为太阳的10～50倍)，它们的绝对光度约是太阳的10万倍。在许多情况下，在这类星协的中心附近，往往有一个或多个小型疏散星团。例如，英仙 ζ 星协中的英仙双星团 h 和 χ。OB星协中也可能拥有多种不同的天体，例如，超巨星、双星和气体星云。R星协由年轻的、明亮的中等质量恒星(质量为太阳的3～10倍)组成，这种星协的恒星由反射和吸收星云的光的尘埃围绕，这种星协有时又称反射星云。T星协中含有大量的金牛T型星，它们是质量小、温度低、

新诞生且仍处在收缩过程中的恒星。很有可能，星协都会在一个较短的天文期间，或许是在短于1 000万年的时间内，弥散解体。某些恒星非常快速地消耗它们的氢燃料，在100万年内就耗光用完。根据当代的天体物理理论，这类恒星应该是不久之前才从星际物质中诞生的。事实上，星协正是基本上在同一时间、在同一天区、从同一星际云中形成的一群极年轻的恒星。OB星协是最大质量恒星的形成地；R星协是中等质量恒星的诞生地；T星协是小质量恒星的诞生地。

Stellarton 斯泰勒顿 加拿大新斯科舍省北部城镇。位于新格拉斯哥正南，临伊斯特河。1798年发现煤矿，连续采掘至1957年枯竭。曾在该镇发现世界最厚煤层之一。1839年加拿大第一辆蒸汽机车"萨姆逊"号开始在矿区与伊斯特河之间拖运煤炭。1854年另一辆机车"阿尔比恩"号投入使用，现陈列在矿工博物馆。人口5 237(1991)。

Stellenbosch 斯泰伦博斯 南非开普省西南部城镇。位于开普敦以东，肥沃的伊斯特河谷。建于1679年。是仅晚于开普敦的南非第二个最早的居民点。以拥有18～19世纪的开普荷兰式建筑物以及街道橡树成行而著名。为阿非利堪斯语的文化和学术中心，有斯泰伦博斯大学(1918年成立)及其所属研究所、图书馆、博物馆。也是肥沃的葡萄园、果园地区和锯木工业的中心。人口38 602(1985)。

Stelvio Pass 斯泰尔维奥山口 德语称斯蒂尔夫瑟山口。阿尔卑斯山的山口(2 756米)。位于意大利北部，近瑞士边界。连接阿迪杰河上游河谷和阿达上游河谷。1820～1824年建

意大利特拉福伊谷地及斯泰尔维奥山口
供图：Titus—C.I.R.I.

的蜿蜒道路可望见附近风景如画的冰川。

stem 茎 植物的主轴或树木的主干，上生芽和枝叶，根连于茎的基部。茎能将水分、矿物质和其他营养物质输导到植物其他部分，亦可用以储存养分，绿色的茎本身亦可制造养分。在大部分植物，茎是其主要的地面部分的支柱，某些植物的茎不明显，另一些植物的茎变态，形似其他植物部分(如地下茎的外形可与根相似)。在植物的胚中当根开始伸出时，茎也从种子中出现。幼茎顶端的生长部分是植物的顶芽，通过顶芽及其邻近组织的继续发育，茎的高度也在增加。茎上间隔一定距离有节，侧芽和叶着生于节上。节与节之间的部分称为节间。节上着生的叶数取决于植物种类，多数节上着生一片叶，但某些种类可着生两片乃至更多的叶。在生长季节之末，叶从茎上脱落，因连接茎和叶的维管束断裂，在茎上留下一个瘢痕。当茎继续生长时，会产生侧芽，侧芽发育为侧梢，侧梢的结构与母干大致相似，该植株的分枝系统最终取决于侧梢的情况。在乔木上这些侧梢发育为枝条，枝条上又生成其他侧梢(称为小枝或桠枝)。叶从茎分出的部位称为叶腋。芽可在已形成的叶的叶腋处生出，此种芽称为腋芽，腋芽就如叶一样，由茎的组织形成。在腋芽发育的过程中，维管束在其内部形成，并与茎内的维管束相连续。茎的基本功能为：给叶提供支持；将水分和矿物质输导到叶，这些物质在此由光合作用转变为可利用的营养物质；将这些营养物质从叶输导到植株的其他部分，包括根部。水分和有营养价值的矿物质在根部被吸收，通过茎内*木质部*(**xylem**)的维管组织输送到叶。在叶内合成的营养物质主要通过茎内另一种维管组织——*韧皮部*(**phloem**)输送到植物的其他组织。营养物质和水分也经常贮存于茎内。可贮存营养物质的茎包括特化的变态茎，如块茎、根状茎、球茎，以及乔木、灌木的木质茎。仙人掌的茎能贮存大量水分。

双子叶植物和裸子植物幼株的茎中，维管束围绕中心的海绵状的髓部排列成一环。维管束外围以一层组织，称为皮层，其厚度因种类而异。皮层外围绕着一层组织，构成茎的最外层，称为表皮。在具有木质茎的植物中，除这些初生组织外，另有各种次生组织。最重要的次生组织包括排列成一环的分生细胞，此分生细胞又产生维管形成层。维管形成层位于初生木质部和初生韧皮部之间，可向外生成次生韧皮部，向内生成次生木质部；次生木质部即树木中的木材。

所有绿色的茎均如叶一样能进行光合作用，大部分仙人掌光合作用主要由茎进行。其他主要由茎部合成营养物质的植物包括天门冬。许多植物为一年生，在一个生长季节内即完成其生活史，然后整个植株(包括茎部)死亡。在二年生植物，第一个生长季节后茎的下部依然存活并有芽着生，到第二个生长季节直立茎从芽上发出。在多年生植物，许多年内短茎上都可以抽出新的枝芽。能产生木质茎的植物称为乔木或灌木。灌木从地面处或靠近地面处发出枝条，而乔木具有明显的主干。

一般说，茎的习性是直立和向上生长的，但有些植物(如番薯和草莓)的茎平卧于地上生长。茎也可以通过气生的小根攀缘于岩石或其他植物上；如常春藤；另一些藤本植物具缠绕茎，螺旋形地缠绕在支持物上，如牵牛花、忍冬和忽布。有些攀缘植物靠卷须支持，葡萄和西番莲的卷须是特化的茎。热带的缠绕植物常有粗大的木质茎，称为热带木本藤，而在温带地区一般生长为草本藤。匍匐茎弯向地面生长，接触到潮湿的地方后便生根，并形成直立的茎，最终形成一个独立的植株。地下茎包括*根状茎*(**rhizome**)、*球茎*(**corm**)和*块茎*(**tuber**)。在某些植物，茎在其发育的早期阶段并不伸长，却形成一种短圆锥形的结构，在此结构的顶端叶生长成丛，此种茎和叶一道可形成鳞茎(见于洋葱和百合)、叶球(见于甘蓝、莴苣)或莲座(蒲公英、车前)。

stem cell 干细胞 一种未分化的细胞，能分裂产生子代细胞和特化细胞。是分化细胞的来源，分化细胞可修补组织和器官。用干细胞可替换由多种疾病或创伤造成的有缺陷或损坏的细胞。干细胞有两种主要类型：胚胎干细胞和成熟干细胞，后者也叫组织干细胞。胚胎干细胞(常称作ES细胞)来自哺乳动物胚胎早期的内细胞群。多数研究是用鼠胚胎干细胞进行，第一次报告发表于1981年。在有白血病抑制因子存在的条件下，这种干细胞可以无限期培养。被认为是万能的——即可产生成熟生物体的任何类型的细胞。鼠胚胎干细胞广泛用于基因改良鼠。人类疾病的"鼠模型"用于疾病病理学及新治疗方法的研究。鼠胚胎干细胞的大量经验，使得科学家们从人类早期胚胎中培育人类胚胎干细胞成为可能，1998年培育出第一个人类干细胞系。人类胚胎干细胞在许多方面与鼠胚胎干细胞相似，但不需要白血病抑制因子来供养。胚胎生殖细胞(EG)从原生殖细胞中分化而来，有胚胎干细胞的许多特性。人类胚胎干细胞的应用涉及伦理问题，因为在获得干细胞时会破坏胚胎。人类胚胎干细胞的应用在某些国家允许，而在另一些国家则禁止。成体内的某些组织，如皮肤表皮、小肠内膜和骨髓，需要持续的细胞更新。它们具有无限期持续存在的干细胞及大量的"短暂扩充细胞"，后者来自于干细胞。皮肤有角化细胞层，只在真皮层以下的基底层细胞分裂。这些细胞中许多是干细胞，但大多数是短暂扩充细胞。骨髓细胞移植是唯一普遍应用的细胞疗法。对实验动物研究显示，骨髓甚至造血干细胞移植有时也能克隆其他组织，生成神经元、肌肉细胞或上皮细胞。研究显示，脑组织中也存在干细胞。哺乳动物出生后很少再形成新的神经元，但是嗅球和海马的某些神经元是持续生成的。这些神经元来自神经干细胞，它们可在试管中以神经细胞球的形式培育。这种类型的干细胞被研究用于治疗帕金森氏病和中枢神经系统其他退行性变化或损害。

Stemann, Poul Christian 斯特曼(1764-04-14，哥本哈根～1855-11-25，哥本哈根) 丹麦首相，他拥护君主专制制度，反对自由主义改革的澎湃浪潮。他原为大土地所有主，受过律师教育。18世纪80年代晚期参加政府工作，任索勒县长官。以善于治理享有盛誉。1826年任首相及其他要职。此后20年一贯坚决反对改革。他是专制国王腓特烈六世最亲信的顾问，对继承人克里斯蒂安八世也大有影响。斯特曼仇视自由主义者，对之毫不退让。他本人特别反对农民的土地与政治要求。1848年3月民族主义者举行大示威，国王被迫接受成立民选内阁等要求时，斯特曼即辞去首相之职。

Stemonitis 发网菌属 黏菌纲(Myxomycetes)发网菌目(Stemoniales)的一个大属。子实体微小,呈羽状,下端着生于柄上,内部是复杂的孢网结构。孢网上着生孢子,孢子铁锈色至黑色。教科书多以该属作为黏菌的代表,包括一些子实体最美观的种类。

Sten gun 司登枪 全称司登冲锋枪(Sten submachine gun)。9毫米口径的冲锋枪。第二次世界大战中英联邦军队的制式武器,直到60年代还在服役。在大战中曾给欧洲各处的地下运动者提供了几十万支。由于这种枪到处可见,人们几乎把司登枪作为冲锋枪的通称。枪长76.2厘米,枪管长19厘米,射速每分钟550发,有一个32发子弹的弹匣,但装弹超过30发就会卡住。枪托为一钢架。枪托和枪管都很易拆卸,以便于藏匿。空枪稍重于2.7千克。

Sten Sture 斯顿·斯图勒 参阅**Sture, Sten, the Elder** 斯图勒(老);**Sture, Sten, the Younger** 斯图勒(小)。

stenciling 模版版画 在视觉艺术中,使油墨或漆漏过在硬卡纸或金属版上所镂刻的空隙印制图像的一种技法。在中国,模版版画早在8世纪时已为人所知;巴芬岛上的爱斯

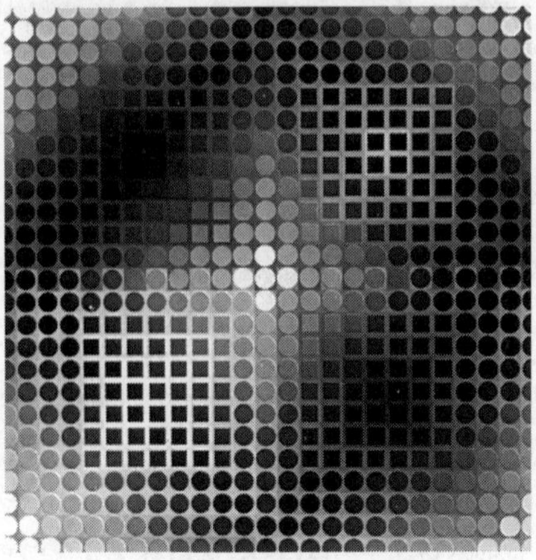

V.瓦萨列里1968年绘制的绢网画
供图:Denise Rene, Paris

基摩人在与西方文明接触之前就使用海豹皮作镂花模印。模版版画在20世纪则用于制作油印品及精细的油画,如20世纪的波普绘画中美国美术家R.利希滕斯坦就在一张薄金属片上均匀地打上小孔,施抹颜料印出类似铜版网目的花纹。镂花模版(法文 pochoir)版画与普通的模版印刷不同,它是一种能够制作精度很高而印数不多的模版印画技法,通常称之为手工着色法或手绘插图法。20世纪画家毕加索和米罗亦曾用此法为书籍作插图。镂版版画的不便之处在于,当一图像完全围封着另一图像之内时便不能镂制,因为这样一来,内中的一个图像便会无所支连而脱落出来。遇到这类情况则只得当作两块相互交搭接连着的半图版来处理。如果模版的各个部分用线网连结起来,就会方便得多。丝网或细金属丝网除用胶类物质涂敷而成为"阻挡"颜料透过的部位外,其余部分都能渗透颜料。采用此法可印刷商业性的大量生产的产品,例如纺织品之类,称为丝网(silk screen)印刷。当美术家自行设计、制作并印刷本人的作品时,这种方法被称为绢网印花术(serigraphy),而成品则称为绢网画(serigraph)。采用丝网作模版印刷的方法有好几种。最流行的方法叫做封闭模印法(blockout-stencil method)或除胶模印法(glue-cutout-stencil method),即在不需要渗透颜料的部位上涂以水溶性的胶料,用平版的解墨(一种油脂墨汁)或蜡笔绘成的线条可保存下来,其后可用松节油将它从胶中洗掉。另一通行的方法叫做照相丝网法(film-stencil method),所用的模版系用覆上玻璃纸的彩漆薄片镂刻而成。这时,图案的镂刻只透过漆层,再将镂成的模版固定在丝网下面,然后再将玻璃纸从模版上揭去,便可以印出图像。照相转印在线条和色调浓淡上都可以通过感光乳剂在丝网上定影,乳剂的曝光是光通过图画或阳图底片进行的。当代美国画家R.劳申伯格、A.沃霍尔和L.里弗斯等人已将照相丝网法用来进行创作。丝网版画是由橡皮滚子的斜叶片把液体油墨强行刮过丝网而印出的图画。因为此类油墨大多数是不透明的,所印制的树胶水彩画十分精致。透明颜料和水质颜料亦可用于印制;水质颜料通过丝网时会被塑料阻隔。自1938年起丝网印刷开始用于非商业性的目的,当时一批在联邦艺术设计局工作的美国美术家曾采用此项技法进行实验,后来组成全国丝网版画学会加以推广使用。丝网版画已被当代许多美术家加以发展,它不仅作为版画艺术品,而且也用于雕塑品的支座上。

Stendal 施滕达尔 德国中部萨克森-安哈尔特州城市。位于马格德堡北面,乌赫特河畔。最早居民为下萨克森人、文德人、尼德兰人和莱茵兰人。1160年被授予设立市场权,同年设市。13～15世纪发展成为纺织中心。18世纪考古学家和艺术评论家温克尔曼生于此地,法国小说家马里-昂利·贝尔可能是以这个城名为自己的主要笔名斯丹达尔(司汤达)。城内有中世纪和文艺复兴时期的许多建筑物,包括大教堂(1188)、圣玛丽教堂(1447)和市政厅。中世纪城门依然存在。现为铁路枢纽。工业有制糖、食品加工、金属和化学品制造。人口约38 064(2003)。

Stendhal 斯丹达尔(1783-01-23,法国格勒诺布尔～1842-03-23,巴黎) 又译司汤达。马里-昂利·贝尔的笔名。19世纪上半叶法国最具独创性、最复杂的作家之一。主要以长篇小说闻名于世。他的最优秀的小说是《红与黑》(1830)和《巴马修道院》(1839)。

生平 斯丹达尔只是昂利·贝尔采用的许多笔名中的一个。他的父亲谢鲁宾·贝尔是格勒诺布尔高等法院的律师。母亲在他7岁时去世,失去母亲给了他很大刺激,增加了他的孤独感和对父亲的怨恨。虽然他一生都在强调母亲去世后家中的气氛沉闷压抑,但是没有理由相信,他在家中失去了爱。他在作学生时,对文学和数学产生了兴趣。1799年,他前往巴黎,表面上是准备参加综合工科学校的入学考试,实际上是为了离开格勒诺布尔和摆脱父亲的控制。

他怀着一个秘密的抱负来到巴黎,即想成为一个有成就的剧作家。但是他的几个官居高位的亲戚,达吕家族的人,却为他谋得一个驻意大利的法军少尉的职务。这使他得以亲临皮埃蒙特和伦巴第,并在米兰经历了种种欢乐,发现意大利的文化和景色,从心理上和主题上都对他的生活和创作起了决定性作用。.

1802年,19岁的昂利·贝尔回到巴黎,并着手实施若干项写作计划,但没有一项是完成了的。他一心想成为当代的莫里哀,参加了戏剧班,努力纠正自己的外省口音,并且爱上了一个二流女演员梅兰尼·卢松,跟随她一直到了马赛。这时,他开始写日记(去世后,以《日记》的名称出版),并写了一些论述个人种种想法的文章。

1806年是一个转折点。担任了拿破仑军队总监的皮埃尔·达吕伯爵将他的这位年轻的被保护人派往德国城市不伦瑞克任助理军事代表。这是他在法国军队后勤部门供职的开始,此后还到过德国和奥地利的一些地方。他在军队中的职务给了他直接体验拿破仑统治和欧洲战火的机会。他目睹了莫斯科在大火中燃烧,亲历了法国军队从俄国的撤退,并在回到法国后帮助组织多菲内省的军事防御。1814年法兰西帝国垮台后,他决定移居意大利。

自从在米兰定居下来那一时刻起,他的文学事业是不可改变了。他同米兰的自由派人士和烧炭党爱国者交上了朋友,首次读到了《爱丁堡评论》,研究了音乐和美术,并出版了他的第一批著作:《海顿、莫扎特和梅塔斯塔齐奥传》(1814)和《意大利绘画史》(1817)。昂利·贝尔在这些早期著作中并非能始终摆脱抄袭,但是这些抄袭却有着不同凡响的独到见解。他的游记《1817年的罗马、那不勒斯和佛罗伦萨》(1817)也出版了(后来的一个版本出版于1826年),这是他第一次采用斯丹达尔这个笔名。斯丹达尔在米兰的定居以感情深受挫折而告终:梅蒂尔达·登博夫斯基抛弃了他这位情人,而这个女人却使他终生难以忘怀。在奥地利占领者当局的眼中,他的政治上的友谊也使他受到了损害,他们终于在1821年命令他离开米兰。

1821～1830年,斯丹达尔在巴黎的社会生活和创作活动是非常活跃的。他在一些沙龙中以能言善辩著称。他的机智和不落俗套的观点很受赏识,结识了一些著名人物,并同女人有过风流韵事。1822年,他发表了《论爱情》,这篇文章宣称是不动情感地、客观地研究爱情的作用,但是这可以理解为斯丹达尔本人在情感的经验和追求方面的秘密忏悔。他的《拉辛和莎士比亚》(1823,1825)是出现在法国的首批浪漫派宣言之一。斯丹达尔在其中发挥了一个中心思想,即每个历史时期在它那个时代都是"浪漫主义的",浪漫主义是每个文化时期的有生命力的方面。斯丹达尔这个时期的文学创作是十分多样的。除了定期给英国刊物写稿外,他发表了《罗西尼传》(1823)、第一部小说《阿芒斯》(1827)以及游记《罗马漫步》(1829)。在此期间,他还写了他的两部名著之一,发表于1830年的长篇小说《红与黑》。

1830年的七月革命使立宪君主路易-菲力普登上法国王位，这一年标志着斯丹达尔生活中的又一新的转折点。他被任命为法国驻教皇国奇维塔韦基亚港的领事。在这个小城中，他感到厌烦和孤立，每天忙于无休止的行政事务，很难有持续写作的机会。为了寻找消遣，他常常离开领事馆，前往附近的罗马。孤独感和意识到年纪渐老以及健康的日益衰退，他越来越感到有写自传的必要，于是动笔写《自我主义者的回忆》(1892)和《昂利·勃吕拉传》(1890)以及一部新的大型自传体小说《吕西安·娄凡》(1894)。虽然这些作品是在他去世后出版的，但均未写完。现在一般认为，这些作品应列入斯丹达尔最出色的作品行列。

格勒诺布尔市立图书馆供图

斯丹达尔在担任领事期间，在罗马发现了一些关于文艺复兴时期因情欲和残忍谋杀而犯罪的未发表的记录。这些材料启发他写了一些短篇小说，后来编成一本《意大利遗事》予以出版。但这只是他再次在巴黎定居后才得以实现的，此时他获得了一次长期休假的机会(1836～1839)，使他能投身于新的大型文学创作。他写了《一个旅行者的见闻录》及第二部名著：长篇小说《巴马修道院》，并开始写一部新的小说《拉米埃》(1889)，但由于不久后去世而未能写完。他患中风死于1842年，这是他又一次在巴黎度假的时候。

著作 斯丹达尔在世时，他的名声多半来自他那些关于艺术和旅游(这个名词还是他帮助介绍到法国来的)的著作以及他的政治性文章和能言善辩的本领。他的不落俗套的观点，他的为表示道德和政治义愤的能力所冲淡的享乐主义倾向，他的爱开玩笑的天性，以及他对平淡乏味的憎恶——所有这一切都为他的同时代人构成了一个充满刺激性矛盾的混合体。但是，一个更为真实的斯丹达尔是在别处发现的，而且首先是在一组十分可爱的思想中：即反对"理想的美"的概念、现代性的概念以及对活力、激情、自发行为的赞扬。他的个人哲学强调"追求幸福"的重要性，手段是热情与适度的怀疑态度相结合，清醒的神志与蓄意向奔放的情感屈服相结合。他为自己的这种哲学取名"贝尔主义"(采用他的真名)。按照他的理解，"贝尔主义"意味着在发展掩藏和保护情感的艺术的同时，培养一种个人的情感。

斯丹达尔的思想首先在他的长篇小说中以及他的自传性著作中(他的这两种文学活动一直是相互交替的)表现得最为充分。但是，就是这些作品也令人感到困惑。一眼可以看出，它们那平淡的、讽刺性的文体，掩盖了斯丹达尔热烈的想象和深奥的观点。

《阿芒斯》(1827)是一部有几分难解的小说，书中男主人翁的性无能是波旁王朝复辟后法国因循守旧的高压社会的象征。个人和社会之间的对抗则是《红与黑》的中心主题。这部现实主义小说描写的是第二次复辟时期(1815～1830)法国的社会秩序。故事集中在一个木匠的儿子于连·索累尔身上，他是个敏感、聪明但又野心勃勃的年轻人，他发现拿破仑垮台后在军队谋求权力之路已被断绝，于是努力使自己在教会中出人头地。他看出自己是一个从不感情用事的机会主义者，便使用勾引的手段以达到往上爬的目的。他的第一个勾引对象是瑞那夫人，当时他受雇于她，当了她的孩子的家庭教师。自那以后，他在神学院度过了一段时间，便离开外省前往巴黎，他在巴黎又勾引上了贵族小姐玛特尔，他的第二个雇主的女儿。这本书的结尾是，于连因瑞那夫人破坏了他同玛特尔已订的婚约，企图杀死她，结果被判处死刑。

《红与黑》这个书名明显地涉及于连性格中的紧张状态，也涉及他为了追求成功所面临的互相冲突的选择：军队(用红色象征)或教会(用黑色象征)。当他决心不惜一切代价使自己从当前的低贱地位爬升时，其他种种截然相反的选择也在引诱这个野心勃勃的年轻主人翁：是外省还是巴黎，是温柔的爱情还是性的征服，是通过抱负和成就得到幸福，还是通过幻想和培植利己主义得到幸福。不顾一切地谋求发迹、政治上的机会主义、复辟时期法国存在的恐惧和告密风气、对资产阶级实利主义价值观念的批判，所有这些在作品中都有巧妙和淋漓尽致的描写，而小说所依据的只是当时的一桩情杀案的新闻报道。于连·索累尔这个中心人物，是对心理的复杂现象的一种研究，他既吸引读者，又让读者反感。这个既胆怯又放肆，既敏感又冷酷，既脆弱又野心勃勃的于连，终于在监狱中认识到尘世功名的虚幻，认识到爱和丰富的精神生活的崇高价值。《红与黑》还创造了两个女人的优美形象，母性的瑞那夫人和充满浪漫情调的年轻贵族小姐玛特尔·德·拉·木尔。这本小说在每一点上都是向传统习俗的挑战，并谴责了社会价值的虚伪。作为文学上的成就，它的非同寻常之处是将喜剧、讽刺和带有幽默的抒情风格糅合成一个整体。

没有写完的《吕西安·娄凡》也许是斯丹达尔小说中最具自传色彩的一部作品。对梅蒂尔达·登博夫斯基的回忆始终徘徊在年轻的主人翁吕西安·娄凡和夏斯特勒夫人之间的关系上面。这本对路易·菲力普统治时期的法国社会和政治作了辛辣评价的小说，也描写了父与子之间的根本冲突，这种冲突同两个截然不同的历史时期在社会的精神特质上的冲突是一致的。就作品本身而言，尽管存在着缺陷，而且也没有写完，但《吕西安·娄凡》却有着斯丹达尔关于心理分析和社会分析的若干最出色的篇页，以及对唤醒一个年轻恋人的种种激情所做的优美描述。

《巴马修道院》是斯丹达尔的另一名作。它将文艺复兴时期的史料、虚构的和历史的资料、近代的历史事件(拿破仑在意大利的统治、滑铁卢战役、奥地利占领米兰)及将当代现实转换成小说中时代的充满丰富想象的、近乎梦幻般的手法融合到一起。小说主要以19世纪初意大利的巴马宫为背景。法布利斯·台尔·唐戈是一个年轻贵族、拿破仑的热烈仰慕者，他前往巴黎加入法国军队并参加了滑铁卢战役。此后他回到巴马，并在他的姑姑桑塞维利纳公爵夫人的倡议下，为了尘世的利益进了神学院，公爵夫人此时是巴马的首相莫斯卡伯爵的情妇。在同一个女歌手的风流韵事发生后，法布利斯失手杀死了自己的对手，他被捕入狱，后来逃出监牢并得到赦免。在监狱中，法布利斯爱上了古堡监狱总管的女儿克莱莉娅·龚第。在她出嫁后，他继续同她保持着暧昧关系，并且当上了职位很高的传教士和令人羡慕的说教者。在他们的孩子夭折后，克莱莉娅不久也死了，这使法布利斯退隐到巴马修道院，并死在那里。

在《巴马修道院》一书中，抒情风格和强烈的喜剧因素，现实主义和梦幻般的气氛的不协调的、然而又总是和谐的结合，使作者能以漫画手法表现拿破仑以后欧洲的那些小小的暴政统治，对公共道德提出质疑，以及维护在爱情上干出荒唐行为的特权。作品中人物的描写优美精致，有年轻幼稚的理想主义者法布利斯·台尔·唐戈(在滑铁卢战役中表现出众)，有他的勇敢、热情的姑姑桑塞维利纳公爵夫人，有她的情人、仁慈的马基维利式的政界人物莫斯卡伯爵，以及爱上了法布利斯这个漂亮囚犯的监狱长的女儿、年轻天真的克莱莉娅·龚第。激情在这部小说中是以各种形式反复出现的主旋律。而且这位年轻的主人翁，在被从牢房救出的过程中，再一次更加深刻地懂得了精神、爱情和自由。

也许，《巴马修道院》最为出色的一面是它那十分复杂的心理描写。斯丹达尔拒绝接受心理构成是不变的、定型的传统看法，他从不去详细解释自己的人物，而是在人物的变化过程中描写他。他的写作手法(他作为作者的解释、他叙述时的即兴语调)似乎是授予他的人物以显示自己的自由。斯丹达尔全神贯注于自由的各种形式，这或许可以解释他为什么反复地探索监狱形象的模棱两可的含意。在斯丹达尔看来，一旦监禁成了梦想和渴望的内心世界的象征，真正的自由就出现在牢房的环境中。他的小说就是以这样的隐喻手法描绘社会需要和个人需要之间的根本冲突的。

斯丹达尔的自传体著作《自我主义者的回忆》、《昂利·勃吕拉传》是他的最富独创性的成就。在这些作品轻松活泼的内容及其迷人的题外话的背后，是一个戴着各种假面具的软心肠的人、一个基本上缺乏信心的人的焦灼不安。特别是《昂利·勃吕拉传》，这是一部讽刺性的自我检讨和自我创造的杰作，其中童年的回忆同无拘无束的写作乐趣紧紧地交织在一起。

作为斯丹达尔的作品及其本人个性的标志，是他那引人注目的不受约束的心态。他是一个同浪漫主义保持距离的浪漫主义者；是一个怀念革命前的世界的反权力主义者；是一个梦想家和软心肠的热心人，却要把自已装扮成玩世不恭者。他的作品将奔放的激情同一个理性主义者对分析的热衷结合在一起。可是,斯丹达尔的同时代人却发现,很难理解他那机智与嘲讽的敏感。小说家巴尔扎克在1840年发表在《巴黎杂志》上的论《巴马修道院》的著名文章,是唯一一位承认他的小说家天才的人。斯丹达尔的文学声望迟至19世纪末才来到,而这一死后的声望自那时以来已经在稳步上升,这主要是由于那些真正崇拜他的"贝尔主义者"或"斯丹达尔主义者"的热爱,他们把他当成真实的崇拜对象。如今,斯丹达尔已经被承认是19世纪伟大的法国小说大师之一。

Steneosaurus 狭蜥鳄 早期鳄类的绝灭属。化石见于南美、欧洲、北非的侏罗纪(2.08亿年前至1.44亿年前)地层。头骨很轻很窄,具大孔及窄长的口鼻部。口鼻部尖端的鼻孔靠骨质长管与喉咙连通。有许多尖齿,很可能靠鱼生存。

Stengel, Casey 斯坦格尔(1891-07-30,美国密苏里堪萨斯城～1975-09-29,加利福尼亚格伦代尔) 美国职业棒球运动员、领队。1910年开始棒球生涯,1965年退出。他是左

供图:AP/Wide World Photos

手持球的外场手。1932年任教练员,后任领队,先在布鲁克林道奇队(1934～1936),后在波士顿勇士队(1938～1943),1949年任扬基队临时领队。在他的领导下,12年中该队10次夺得美国棒球联盟冠军(其中5次连续夺冠),7次夺得世界系列赛冠军(其中5次也是连续夺冠)。退出球坛一年后又加入处境不利的纽约梅茨队,1965年改任梅茨队副董事长。1966年入选美国棒球名人堂。

Stenmark, Ingemar 斯滕马克(1956-03-18,瑞典拉普兰约瑟斯尤～) 瑞典高山滑雪运动员,专长回转滑雪。1976年获包含障碍滑雪赛、大型障碍滑雪赛和速降滑雪赛等项目的世界杯高山滑雪赛冠军,是取得此项冠军的第一名斯堪的纳维亚运动员。1977～1978年再次获此项冠军。共在国际比赛中获6枚金牌;在1979年世界杯比赛上获13个单项冠军,打破法国运动员基利保持的赛季纪录。到1984年,他已在75次世界杯赛中获胜,超过任何其他滑雪运动员。斯滕马克5岁开始在泰纳比滑雪。8岁第一次取得全国比赛胜利。1974年底首次获世界杯比赛胜利。在1976年冬季奥运会上获大型障碍滑雪赛铜牌,在1980年冬季奥运会上获障碍滑雪赛和大型障碍滑雪赛金牌。1980年转为职业运动员,定居摩纳哥。

Stenness 斯滕内斯 苏格兰奥克尼群岛梅恩兰岛一个地方。为新石器时代斯滕内斯立石群的所在地。原立石呈环形排列,约为12块,现仅有4块仍直立。环形直径约61米,四周凿有沟壕。

Steno, Nicolaus 斯蒂诺(1638-01-10,丹麦哥本哈根～1686-11-26,什未林[德国]) 丹麦语 Niels Steensen 或 Stensen。丹麦地质学家和解剖学家,所作的早期观察大大推进了地质学的发展。1660年到阿姆斯特丹研究人体解剖学,在该处发现腮腺管,又名斯滕森氏管。1665年往佛罗伦萨,任费迪南德二世大公的医生。曾周游意大利,1669年在《N.斯蒂诺关于固体由自然过程封闭在固体中的论文导言》中发表了他的地质观察。这部著作是地质学文献的一个里程碑,他在书中为结晶学奠定了基础。指出石英晶体在外观上虽然差别很大,但在相应晶面之间的角度相同。此外还提出革命性的见解:化石是古代生命机体的遗骸,许多种岩石是沉积的结果。他第一个认识到地壳包含着地质事件的编年史,细心研究地层和化石,就可以把这部历史解读出来。他否定了山岳像树木那样生长的想法,提出山是由地壳变动形成的。由于受到宗教偏执和教义的桎梏,他不得不把全部地质史挤在6 000年时间内。1667年他成了天主教徒,为宗教而放弃了科学。1675年受神职,1677年升为主教,并被任命为德国北部和斯堪的纳维亚地区的(代表教皇的)名誉主教。

stenography 参阅 **shorthand** 速记。

stenolaemate 窄唇苔虫 苔藓动物门窄唇纲(Stenolaemata)海生无脊椎动物。已知约550属。4目:仅环口目(Cyclostomata)有现存种,其余泡孔目(Cystoporata)、变口目(Trepostomata)及隐口目(Cryptostomata)均已绝灭。窄唇苔虫是最古老的苔藓动物,于早奥陶世(5.05亿年前至4.78亿年前)即已出现。群体由个体组成,个体呈管状,如狭窄的圆柱体,有时极为细长,体壁钙化。象牙棒苔虫(*Crisia eburnea*)分布于北美太平洋沿岸及大西洋沿岸的潮池中,生于藻类及其他海草上,形成高约1.25～2.5厘米、白色的浓密的丛。

Steno's law 斯蒂诺定律 任何一种固体的化学的或矿物的晶体其两相应晶面之间的夹角均为一恒量,并代表该晶体的特性。通过对每个晶面引一垂线就可测得夹角的大小。这一定律又称面间角不变律。对任意两块晶体,不论其大小、产地,天然的或人造的,这一定律都适用。这一关系是1669年丹麦地质学家N.斯蒂诺发现的,他注意到石英晶体虽然外观各不相同,可是相应面之间的夹角却总是相等。1772年法国矿物学家J.-B.L.罗默德利斯勒证实了斯蒂诺的发现,并进一步注意到面间角能代表物质的一种特性。通常称为结晶学之父的法国结晶学家R.-J.阿维于1774年指出,只要晶体是由许多现在叫作晶胞的微块所构成,那么面间角就可算出。

stenosis 狭窄 参阅 **atresia and stenosis** 闭锁及狭窄。

Stenotaphrum 钝叶草属 早熟禾科的一属,含约6种低矮、丛生成垫状的多年生禾草,原产于全世界热带和亚热带地区。圣奥古斯丁草(*S. secundatum*)又称紫筒草、野牛草,原产于美国南部到中美洲一带,已在世界各地许多沿海地区归化;在澳大利亚和北美一些地区栽作质量不高的草坪草。有一个变种,叶上具条纹,可栽作观赏植物。

stenotypy 按音速记机 一种机器速记系统,其音节、词、短语和标点符号用单个字母或一组字母按语音来表示。这种机器常用于商业单位和法庭报告中。机器使用时几乎没有声音,而且每分钟可以速记250个以上的词。这种机器由若干字母键,一个空格键,一个校正键和一个数字装置组成。操作时可以两手并用,同时按下数键,一次可打出一个完整的词。与其他速记体系相对比,按音速记机记录下来的东西任何熟悉它的人都能阅读它,因为它不要求做个人修订。

Stensen, Niels 参阅 **Steno, Nicolaus** 斯蒂诺。

Stentor 喇叭虫属 异毛目的一个属。喇叭形、全身有均一的纤毛、身体能收缩的原生动物。见于淡水,自由游动或附着在沉水植物表面上。游泳时,喇叭虫属呈椭圆或梨形。

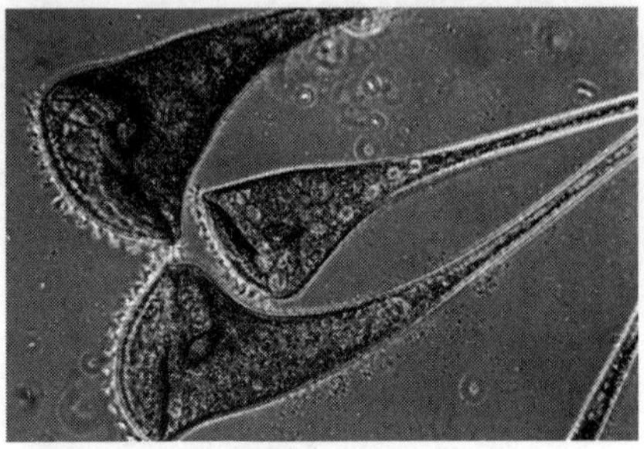

蓝喇叭虫(*S. coeruleus*)(放大)

供图:Eric V. Grave

在其大的一端,围绕着通口孔的地方螺旋形地排列着许多纤毛小膜。纤毛用以将食物颗粒扫入胞口。有一种大的蓝喇叭虫(*S. coeruleus*)长达2毫米,因其外质中含有蓝色素(喇叭虫素)而呈蓝色。喇叭虫属以再生能力著名,不足成虫大小1/100的一个小片段可以生长成完整的个体,因具此种能力,喇叭虫成为研究原生动物再生的理想材料。

step cut 阶梯形琢型 又作 trap cut 或 cushion cut。对带色宝石的刻面方法。刻出的宝石相当平坦,成阶梯状或成行,四面的翻光面平行其腰棱(宝石的最宽部分),由于翻

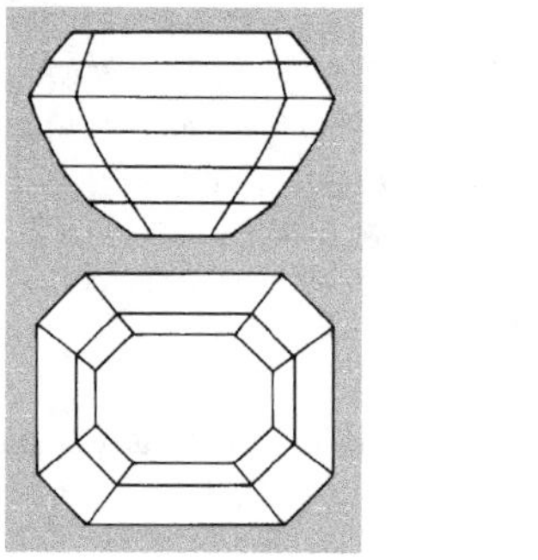

阶梯形琢型图示

光面平行其腰棱，所以除了在转角部分外，它们通常是长而窄的。主要翻光面与腰棱平面之间的角度能对宝石的多面形光泽产生很大的影响。祖母绿、电气石、黄玉、紫晶常常以这种方式琢磨加工。

Stepanakert　斯捷潘纳克特　阿塞拜疆西南部城市。位于卡拉巴赫山脉东麓。十月革命后建于汉肯德村旧址。1923 年改现名。工业多样化，食品加工、酿酒、丝织尤为重要，并产家具和鞋靴。设有音乐学校、卫生学校和地方文化博物馆。1978 年巴库一第比利斯一巴统铁路支线已通达。人口约55 200(1991)。

Stephan G. Stephansson(Icelandic poet)　**斯特凡·G. 斯特凡松**　参阅 **Stephansson, Stephan G.** 斯特凡松。

Stephanian Series　斯蒂芬统　分布在东半球大多数地区的晚石炭世地层最顶部的主要划分单元(晚石炭世为 3.2 亿年前至 2.86 亿年前)。斯蒂芬统是石炭系最上面一个统，位于威斯特法统之上。在欧洲大陆上分布有限，仅发现于个别山间沉积盆地中。该统是陆相的，主要含植物化石。可以同该统对比的海相地层，含有以特殊的腕足类和珊瑚为其特征的海生动物群化石。

stephanite　脆银矿　一种含硫盐矿物，银和锑的硫化物(Ag_5SbS_4)。呈黑色、光亮的斜方晶体、细粒或少量的块体，产于许多银矿脉中。曾是内华达州卡姆斯托克矿脉的重要银矿石；也发现于美国西部的其他地方以及捷克共和国、德国、挪威、玻利维亚和墨西哥。关于详细的物理性质，参阅 **sulfosalt**(表)。

Stephanotis　黑鳗藤属　萝摩科的一属，含约 15 种攀缘植物，原产于东南亚及马达加斯加。为藤本或灌木；植株无毛；叶革质，不分裂，对生。花簇生于叶腋，花柄短；萼片叶状，5 枚；花冠管状，基部膨大，花瓣 5 枚。本属最为人熟知的种为马达加斯加茉莉(蜡花，多花黑鳗藤，*S. floribunda*)，该种原产于马达加斯加；为木质缠绕藤本；叶广椭圆形，革质，长达 10 厘米；花蜡质，白色，直径可达 5 厘米，极为芳香，簇生。马达加斯加茉莉在热带和亚热带地区露天栽种，在其他地区只能栽种于具备热带气候条件的温室内。

Stephansdom(Vienna)　参阅 **Saint Stephen's Cathedral** 圣司提反大教堂。

Stephansson, Stephan G.　斯特凡松(1853-10-03，冰岛斯卡加峡湾基尔立霍尔～1927-08-10，加拿大艾伯塔马克维尔)　冰岛诗人，几乎所有他的诗作都在移居北美后写成。自幼熟读《圣经》和北欧传说。20 岁移居美国，后来成为冰岛移民文学领导人物。他的大部诗作是在一天劳动之后写出的。主要诗集为《不眠之夜》(6 卷，1909 ～ 1938)。他反对社会的经济统治和教会统治。作品洋溢着对故国的眷恋以及对美国的热情。

Stephen　斯蒂芬　又译司提反或斯特凡。统治者之名，按国别或教皇系谱分列于后，并各以●为标记。

与此字相等的外语：

匈牙利语	István
拉丁语	Stephanus
波兰语	Stefan
罗马尼亚语	Ştefan
塞尔维亚-克罗地亚语	Stefan

英格兰

● **Stephen　斯蒂芬**(约1097～1154-10-25，英格兰肯特郡多佛尔)　又称斯蒂芬(布卢瓦的)。英格兰国王(1135 ～ 1154)。布卢瓦和沙特尔伯爵斯蒂芬与征服者威廉一世国王之

大印玺上的斯蒂芬骑马甲胄像
剑桥国王学院供图

女阿德拉的第三子。由舅父英王亨利一世抚养成人，在英格兰、诺曼底和布洛涅得到大量领地。他和其他许多权贵一起立誓支持亨利的女儿马蒂尔达(**Matilda**)继承王位。然而许多英格兰贵族却不愿接受一个女统治者，而亨利的诺曼臣民又对马蒂尔达与安茹家族的成员结婚不满。因此，1135 年 12 月亨利去世后，当斯蒂芬横渡英吉利海峡要求继承王位时，一些首要的贵族和主教对他表示欢迎。为了回报教皇的支持，他让教皇扩大了对英格兰政治的影响。他虽然英勇而又精力充沛，但他那和蔼可亲、温文尔雅的性格却使他不能实行坚强的领导。马蒂尔达的异母兄弟格洛斯特伯爵罗伯特于 1138 年拿起武器支持马蒂尔达的王位要求。起初斯蒂芬在军事上取得几次胜利，但由于他逮捕索尔兹伯里主教罗杰及其亲属，因而失去了教会的支持。马蒂尔达趁机入侵英格兰(1139-09)。1141 年初，安茹的军队在林肯的一次战斗中俘虏了斯蒂芬。11 月，用斯蒂芬来交换被勤王军队俘虏的格洛斯特。斯蒂芬渐渐占了上风，1148 年马蒂尔达撤出英格兰。斯蒂芬虽名义上控制了王国大部分地区，但无力对付各种不法行为和平息贵族之间的争斗，只求让其子尤斯塔斯继位。但马蒂尔达的儿子安茹的亨利亦提出王位要求，并于 1153 年 1 月入侵英格兰。8 月尤斯塔斯去世。斯蒂芬灰心丧气，乃签署一项条约，指定亨利为他的继承人。他死后亨利即位，为国王亨利二世。

匈牙利

● **Stephen I　斯蒂芬一世**(约970至975，匈牙利埃斯泰尔戈姆～1038-08-15，埃斯泰尔戈姆)　又译伊斯特万一世。匈牙利王国创建者，第一位国王，匈牙利历史上最著名人物之一。马扎尔人大酋长盖佐之子。原为异教徒。后受洗成为基督徒。996 年与巴伐利亚公爵亨利二世之女吉塞拉联姻。997 年开始平定国内异教徒叛乱，翌年取得决定性胜利。1000 年圣诞节即匈牙利王位。教皇授以王冠，这王冠成为匈牙利国宝(参阅 **Saint Stephen's Crown**)。他的加冕表明匈牙利已加入欧洲基督教大家庭。在位时按照德意志模式建设自己的王国：设主教区、建隐修院和教堂、促进农业发展、用严刑竣法保护私人财产、建立常备军。但他没有触动农奴制度。他是匈牙利的主保圣人。

● **Stephen V　斯蒂芬五世**(1239～1272-08-06)　匈牙利国王(1270 ～ 1272)。原为贝洛四世的王储，因在波希米亚战争中为父王效劳，1262 年向父王强索 29 个州。这样实际上使匈牙利分成两个王国。后来当他夺取马乔南部地区时，父子之间又发生一场新的战争。结果他取得胜利。1268 年他侵入保加利亚，称保加利亚国王。1270 年继承匈牙利王位。1271 年击败入侵的波希尼亚国王鄂图卡二世。不久，突然死去。

摩尔达维亚

● **Stephen　斯特凡**(1435～1504-07-02)　摩尔达维亚大公(1457 ～ 1504)，以长期抗击土耳其人驰名欧洲。1457 年即位。当时虽然受强邻威胁，但他在 1467 年击退了匈牙利人的入侵。在土耳其苏丹穆罕默德二世前来进犯时，他在瓦斯卢伊附近(1475)和阿尔巴谷(1476)两次打败入侵者。他曾发誓"砍掉异教徒的右手"，这一决心赢得了罗马教皇西克斯图斯四世的赞赏，称他为"基督的壮士"。1484 年以后他不仅要抗击土耳其新发动的进攻，而且要防范波兰和匈牙利灭亡摩尔达维亚的阴谋。1503 年他同土耳其苏丹巴耶塞特二世签订一项条约，该约保证摩尔达维亚的独立，但规定摩尔达维亚必须向土耳其每年纳贡。斯特凡的长期统治当中虽然战争不断，但摩尔达维亚的文化取得一定的进步。

罗马教廷

● **Stephen I, Saint　司提反一世，圣**(?，罗马～257-08-02)　教皇(254 ～ 257 在位)。他一生最著名的事是三场争论。有两名西班牙主教因被控在罗马皇帝德西乌斯迫害基督教期间变节叛教而被撤换，司提反一世则命令他们复职。西班牙各主教不服，向以西普里安主教为首的非洲各主教申诉，西普里安认

供图：Rizzoli Photoarchive

为不可为这两人复职。再者，高卢地区的主教指责阿尔勒主教马西安努斯追随敌对教皇诺瓦替安，分裂教会。西普里安写信表示赞成高卢各主教的立场，要求任命新人接替马西安努斯，但司提反一世则拒绝照此办理。司提反一世与西普里安的第3次争论尤其严重。原来，司提反一世宣布，非洲各主教（包括西普里安在内）必须停止为改悔的异端分子重新施洗礼，违者一律处以绝罚。西普里安著文为自己辩护，此文经过256年的迦太基会议批准，激烈抨击司提反一世。西普里安又派使者前往罗马，扬言不惜造成教会分裂局面。西普里安认为主教为本教区之主，司提反一世则强调教皇地位至高，并称西普里安的使者为异端分子。此时罗马皇帝瓦莱里安开始迫害基督教，司提反一世死于其时，但不见得是殉教。

● **Stephen(Ⅱ)　司提反（二世）**（？，罗马～752-03-25，罗马）　教皇（752-03-23～752-03-25在位）。原为司铎，3月23日当选，应继教皇扎迦利之位，但数日后即死于中风。因未经过正式祝圣礼，教皇名册和《教皇志》均不收其名。

● **Stephen Ⅱ(or Ⅲ)　司提反二世（或三世）**（？，罗马～757-04-26，罗马）　教皇（752～757在位）。753年在帕维亚与伦巴第国王艾斯杜尔夫谈判失败，乃前往高卢（他是历史上第一位越过阿尔卑斯山北上的教皇）。754年与法兰克国王丕平会见，丕平允诺收复伦巴第人所占土地并归还教会。同年他在法兰西圣但尼隐修院为丕平及其子查理曼和卡洛曼行抹油礼，授罗马人之王称号。丕平遂率领法兰克贵族攻入意大利境内，围困艾斯杜尔夫于帕维亚。次年司提反二世返回罗马，丕平返回高卢。756年艾斯杜尔夫再向意大利开战，司提反二世再次向法兰克求助，当年丕平父子重返意大利，征服伦巴第人，将拉韦纳、罗马大公领地以及威尼斯和伊斯特里亚一带土地授予教皇，教皇国从此成立。同时，教廷得以脱离君士坦丁堡帝国政权的管辖，教皇从此成为国家元首。法兰克统治者成为教廷的保护者。

● **Stephen Ⅲ(or Ⅳ)　司提反三世（或四世）**（720？，西西里～772-01-24，罗马）　教皇（768～772在位）。767年教皇保罗一世死，内皮公爵托托进行活动，使其弟（尚未受神职）当选为教皇，称康斯坦丁（二世）。伦巴第国王狄西德里乌斯派兵进驻罗马，杀托托而废康斯坦丁（二世），另立修士腓力为教皇，不久腓力亦被废。768年本笃会修士司提反当选，即位后通报法兰克君主查理曼和卡洛曼兄弟。司提反三世曾企图阻止法兰克王国与伦巴第两国结盟。771年司提反三世与伦巴第结盟，其后罗马的法兰克派要人被害。司提反三世批准东派教会敬拜圣像。

● **Stephen Ⅳ(or Ⅴ)　司提反四世（或五世）**（？，罗马～817-01-24，罗马）　教皇（816～817在位）。即位后立即命令罗马市民向神圣罗马帝国加洛林王朝皇帝路易一世宣誓效忠，并向路易一世报告自己当选并请求会见。同年在兰斯为路易一世及其妻埃尔曼加德加冕，分别授神圣罗马帝国皇帝和皇后称号。司提反四世返回罗马后不久死去。

● **Stephen Ⅴ(or Ⅵ)　司提反五世（或六世）**（？，罗马～891-09-14，罗马）　教皇（885～891在位）。登位后，神圣罗马帝国皇帝查理三世不予承认，并派使者宣布将他废黜，但司提反五世的当选合乎教会法，查理三世无奈而让步。司提反五世不承认佛提乌为君士坦丁堡牧首，力劝拜占廷皇帝巴西尔一世将他撤换。巴西尔一世死后，司提反向继位的皇帝利奥六世提出同样请求，886年利奥六世放逐佛提乌。同时，司提反请求利奥六世支援以抗击侵扰意大利内地的萨拉森人，利奥六世未允。当时意大利内乱外患频仍，萨拉森人侵扰南部，匈牙利人进攻北部，境内各诸侯则相互倾轧，争夺霸权。司提反五世请求东法兰克国王阿尔努夫出兵戡乱，阿尔努夫迟迟不决，直到894年才兵临意大利，时司提反五世已死，新教皇福尔摩苏斯在位。斯波莱托公爵居伊于888年自封为法兰克国王，次年又加意大利国王称号。890年司提反五世承认路易三世为普罗旺斯国王。司提反五世原支持阿尔努夫，但可能是出于顾虑，却于891年转而为居伊加冕，授神圣罗马帝国皇帝称号。

● **Stephen Ⅵ(or Ⅶ)　司提反六世（或七世）**（？，罗马～897-07或08，罗马）　教皇（896～897在位）。当选时正值局势动乱，罗马贵族以及那不勒斯、贝内文托、托斯卡纳和斯波莱托等地统治者互相争夺，形成派系角逐。司提反六世本人就出身于斯波莱托当权家族。891年司提反五世（或六世）不得已而为斯波莱托公爵居伊加冕，授神圣罗马帝国皇帝称号，其后教皇福尔摩苏斯又为居伊之子朗贝尔加冕，授联座皇帝称号。896年福尔摩苏斯背弃斯波莱托，立东法兰克国王阿努夫为神圣罗马帝国皇帝。教皇卜尼法斯四世在位仅两星期，当时任阿纳尼主教的司提反当选为教皇。于是斯波莱托派控制罗马，司提反六世受朗贝尔指使演出教廷史上最骇人听闻的一幕，即“僵尸会议”。斯波莱托派对福尔摩苏斯恨之入骨，897年由司提反六世下令发掘福尔摩苏斯之墓，为已埋葬9个月之久的尸体着教皇礼服，支撑在教皇法座上，对其进行审判。司提反六世宣布废黜福尔摩苏斯，撤销其所颁谕令，命令拖尸游街示众，最后投尸台伯河。几个月后，司提反六世在暴乱中被废并被绞死。

● **Stephen Ⅶ(or Ⅷ)　司提反七世（或八世）**（？，罗马～931-02，罗马）　教皇（929～931在位）。可能是依靠控制罗马的豪门狄奥费拉克特家族之女马洛奇亚的势力当选。他优待法兰西和意大利境内的隐修院。可能是死于暗杀。

● **Stephen Ⅷ(or Ⅸ)　司提反八世（或九世）**（？，罗马～942-10，罗马）　教皇（939～942在位）。在位期间受制于实际统治罗马的独裁者斯波莱托公爵阿尔贝里克二世。他支持加洛林王朝末代君主路易四世，承认他为法兰克国王，有不服者即处以绝罚。他支持克吕尼隐修院倡导的改革运动。

● **Stephen Ⅸ(or Ⅹ)　司提反九世（或十世）**（约1000，洛林～1058-03-29，佛罗伦萨）　教皇（1057～1058在位）。原名腓特烈（洛林的）。在位时值前代教皇利奥九世所发动的整顿教会的运动日益发展深入。他在罗马召开会议，谴责买卖神职的行为，重申神职人员独身的原则，并宣布整顿工作应在统一领导下进行。司提反九世筹划阻止诺曼人进犯意大利南部和通过谈判结束东西两派教会之间的分裂，但未及实施即去世。

波　兰

● **Stephen　斯特凡**　参阅**Stephen Báthory**斯特凡·巴托里。

塞尔维亚

● **Stephen　斯蒂芬**　参阅**Stefan Dušan**杜香。

Stephen, SAINT　司提反，圣（？～约公元36，耶路撒冷）　耶路撒冷基督教会执事，基督教第一个殉教士。他的演说激怒了听众，他被带出城外用石头打死。他在犹太教公会上发表的为基督教辩护的演说明确地揭示了原始基督教的信仰。他的名字是希腊词，《使徒行传》第7章说他是出生于海外而操希腊语的犹太人。他住在耶路撒冷，改信了基督教。操希腊语的犹太人或许形成了基督徒中的一个少数群体，他们抱怨他们中间的老年寡妇没有得到照顾。使徒们把这问题提交全体会众，并以自身所负职责过重为理由，指示教会众推选7位执事负责此事。执事选出后经过按立，司提反是其中最有名望者，大家发现他具有传福音的特殊才干。他参加耶路撒冷海外出身犹太人会堂成员中间的宗教讨论会。犹太人信基督教的人越来越多，包括"许多祭司"；这种情况激起了一些人的反感。司提反被传唤到耶路撒冷犹太教最高司法机关犹太教公会，罪名是诽谤"圣所和律法"。

司提反在答辩中激烈反对耶路撒冷圣殿和该地的祭献礼仪。他尊重摩西律法，但认为圣殿崇拜不合摩西律法。司提反所提出的是当时一派有势力的解经学观点：摩西是"作首领，作救赎"的(《使徒行传》7:35)，他传达了"活泼的圣言"即真正的律法；摩西还预言，上帝必兴起另一位先知(耶稣)，就像他兴起摩西一样(《使徒行传》7:37)。司提反似乎是认为耶稣是"摩西之道的匡复者"。他把亚伦同摩西、圣殿同会幕、所罗门同接受意见不建圣殿的大卫互相对立起来。在司提反看来，建造圣殿是一种拜偶像的行为，可与亚伦铸金牛犊相比，因为"至高者并不住人手所造屋宇"(《使徒行传》7:48)。

司提反对圣殿的感情似乎较之早期一般基督徒都更为趋于全面否定。一般基督徒包括保罗，仍旧经常参拜圣殿。圣殿的祭礼以种种方式被用来从神学方面解释耶稣舍生救世的教义。一方面，司提反根本没有赋予耶稣的死以教义意义，另一方面，可以说他是第一位提出耶稣复临的人；他在结束申辩词时满怀喜乐，说他看见天开了，"人子站在上帝的右边"。"人子"这个称号具有强烈的末世论-启示论意味，在《新约》中只有耶稣本人用来自称，司提反这次使用是仅有的一次例外。保罗认为耶稣解救人脱离"律法的咒诅"。在司提反看来，人得救仍须待摩西传统恢复纯洁。他固然一心一意地追随耶稣，但是他的信仰却依然是新旧参半。对于司提反的被害，扫罗(日后改名保罗)当时是赞成的。司提反的言论代表先于保罗的基督运动，其参加者绝大多数是犹太人，其确切信仰难考，因为后来经历了重重的变化。在古代教会中，司提反的影响微乎其微，难以察觉。

Stephen Báthory　斯特凡·巴托里(1533-09-27，特兰西瓦尼亚锡拉吉索姆留[今在罗马尼亚]～1586-12-12，波兰格罗德诺附近)　波兰语作Stefan Batory。特兰西瓦尼亚君主(1571～1576)、波兰国王(1575～1586)，成功地反对了谋求波兰王位的哈布斯堡王朝候选人，击退俄军侵犯，保卫波兰东部波罗的海诸省，并试图统一波兰、莫斯科大公国和特兰西瓦尼亚以建立一强大国家。特兰西瓦尼亚总督斯特凡·巴托里之子，1556年为新独立的特兰西瓦尼亚君主约翰·西格蒙特·佐波尧服务。后任军队总司令。尽管哈布斯堡王朝反对，匈牙利人仍选他为特兰西瓦尼亚君主，他在1571年5月25日继承佐波尧登位。1575年，波兰贵族抵制候选人哈布斯堡王朝皇帝马克西米连二世，而选他为波兰国王。他安排其弟克里斯托弗继任特兰西瓦尼亚君主后，即赶到克拉科夫，于1576年5月1日加冕登基。但直到1577年底征服格但斯克后才平定全国。此后便倾力面对主要敌人——企图向波罗的海找寻出海口的莫斯科大公国。他与土耳其共谋休战，在常备军基础上招募哥萨克人以加强波兰军队，遂于1579年攻打沙皇伊凡四世，于**利沃尼亚战争(Livonian War)**结束时，订立《亚姆·扎波尔斯基停战协定》，并据此逼令割让波洛茨克和利沃尼亚给波兰(1582-01-15)。他虽容忍不同宗教观点，但本人是一个意志坚强的人和天主教徒。实行反宗教改革和加强王权时，遭到臣民的抗拒，但亦决不因国内困难而放弃对外扩张的野心。他的目标是统一波兰、莫斯科大公国和特兰西瓦尼亚，由他进行统治。临死前他还在准备再次进攻俄国，并计划讨伐奥斯曼帝国。他是波兰历史上最强大最有野心的国王之一。

供图：Missionary Fathers, Krakow, Pol.

Stephen Dushan (Serbian emperor)　参阅 **Stefan Dušan 杜香**。

Stephen Harding, Saint　参阅 **Harding, Saint Stephen 哈丁**。

Stephen Nemanja　斯蒂芬·内马尼亚(?～1200)　塞尔维亚国家的缔造者。约1167年为拜占廷统治下的拉什卡的大族长。曾与威尼斯人结盟，后被拜占廷人打败，但得到原谅。他征服了斯科普里、普里兹伦、泰托沃。尽管再一次被打败，但仍保有科索沃、佩奇、普里兹伦、巴尔、斯库台和科托尔。1196年退位，和儿子萨瓦一道进入隐修院。

Stephen of Blois　斯蒂芬(布卢瓦的)　参阅 **Stephen(England) 斯蒂芬(英格兰)**项下的 **Stephen 斯蒂芬**。

Stephen of Perm, Saint　斯捷潘(彼尔姆的)，圣(约1345，弗拉基米尔-苏兹达尔大公国大乌斯秋格[今在俄罗斯]～1396-04-26，莫斯科)　俄罗斯正教会传教士。13和14世纪正值俄罗斯正教会向北方和西方扩展，斯捷潘先在罗斯托夫任修士13年，后于1370年到伏尔加河以东乌拉尔山以南济良人地区传教。他把希腊文《圣经》和祈祷文译成济良文，并创建语言学校和神学院。1383年任第一任彼尔姆主教。

Stephen, Sir James Fitzjames, 1st Baronet　斯蒂芬(1829-03-03，伦敦～1894-03-11，英格兰萨福克郡伊普斯威奇)　英国法律史学家、英属印度的行政官员、法官以及著名的刑法改革倡议的发起人。他的《可起诉罪法案》(19世纪70年代末)虽然未曾在英国通过，但一直影响着英联邦国家和其他英语国家中改革刑法的设想。他是文学评论家L.斯蒂芬爵士的哥哥，从1854年起从事律师职业并且向各种期刊特别是《蓓尔美尔报》撰写题材广泛的论文。他的《英国刑法总论》(1863)是继W.布莱克斯通爵士的《英国法释义》(1765～1769)之后系统地阐述英国刑法学原理的第一次尝试。他的《英国刑法史》(1883)更是一部巨著，尽管有教条主义和偶尔有不加批判地使用原始材料的现象，但终究是一部颇有影响的著作。在《自由、平等、博爱》(1873)一书中回答J.S.穆勒的《论自由》一书时，他详细阐述了他的反民主的政治哲学。作为英国在印度的总督委员会负责法律事务的官员(1869～1872)，他致力于编纂印度的法典和改革印度的法律。此后，他筹划汇编英国的证据法(1876)和刑法(1877)。来自政治上的反对妨碍了他的《可起诉罪法案》在下议院的提出(实际上这是一部综合性的刑法典)。1879～1891年任英国高等法院法官。1891年封准男爵。

伦敦国立肖像画陈列馆供图

Stephen, Sir Leslie　斯蒂芬(1832-11-28，伦敦～1904-02-22，伦敦)　英国文人、评论家、《英国人物传记词典》的首位编辑。出身于著名的知识分子家庭。曾就学于英国伊顿公学、伦敦大学国王学院和剑桥大学三一学院。他通过其兄詹姆斯(《星期六评论》撰稿人)的介绍进入文坛，为许多期刊撰写文章。1871年出任《康希尔杂志》编辑，撰写文学评论。后来，这些文章在3卷本《图书馆时光》(1874～1879)中重新发表。斯蒂芬是最早对小说进行严肃评论的人。他的作品至今仍值得文学评论史学家们参酌。T.哈代、R.L.斯蒂文森、E.戈斯和H.詹姆斯等人均曾得到过他的鼓励。其所著《十八世纪英国思想史》(1876)是他学术上的最大成就。《伦理科学》(1882)是他关于唯理论传统的哲学著作。而他最有永久价值的贡献则是1882～1891年编辑的《英国人物传记词典》的前26卷，并为此书撰写了378篇传记。为了表彰他在文坛上的贡献，1902年被授予二级巴斯勋位和其他荣誉。他的《十八世纪英国文学与社会》(1904)是从社会学角度研究文学的先驱之作。

Stephen Uroš IV (Serbian emperor)　**斯蒂芬·乌罗什四世**　参阅 **Stefan Dušan 杜香**。

Stephens, Alexander H(amilton) 斯蒂芬斯 (1812-02-11,美国佐治亚威尔克斯县～1883-03-04,佐治亚亚特兰大) 美国政治家,南北战争期间(1861～1865)任南方联盟副总统。1834年进入律师界,政治地位不断上升,先后

美国国家档案馆供图

选任佐治亚州众议员(1837～1841)、州参议员(1842～1843)、美国众议员(1843～1859)。他是辉格党人,主张兼并得克萨斯并支持《1850年妥协案》和《堪萨斯-内布拉斯加法案》(1854)以扩大美国领土上的蓄奴范围。他维护奴隶制,但反对解散联邦。1861年随佐治亚州退出联邦,不久被选为南方联盟副总统。整个战争期间他反对南方联盟总统J.戴维斯行使超越宪法的战时权力,主张在南方维持立宪政治,并谴责林肯政府的毁宪行径,以争取和加强北方的反战势力;1864年力主无条件释放联邦战俘。1865年2月率南方联盟代表团赴弗吉尼亚州汉普顿锚地议和未果。南方联盟崩溃(1865-05)后曾被监禁5个月。1866年由佐治亚选入美国参议院,但因该州未循国会准则进行改组而被否定议员资格。后于1873～1882年任美国众议员,1882～1883年任佐治亚州州长。著有两卷集《南北战争的宪法观》(1868～1870),对南方在州权和脱离联邦问题上的立场作了详尽的阐述。

Stephens, Alice Barber 斯蒂芬斯(1858-07-01,美国新泽西塞勒姆附近～1932-07-13,宾夕法尼亚罗斯瓦利) 原名Alice Barber。美国插图画家。其作品经常出现在那个时代最受欢迎的书刊中。自幼即开始绘画。1870年,还在公立学校读书时,便在费城女子设计学校学习。15岁时开始向《斯克里布纳月刊》、《哈珀斯周刊》、《哈珀斯青年》和当地的《妇女话语》等期刊出售木刻画以自给。1876年开始在费城宾夕法尼亚美术学院师从画家T.伊肯斯。不久即放弃木刻改作插图,她的炭画、油画、水彩画等常见于《世纪》和《哈珀斯周刊》等杂志。1886～1887年,她在巴黎学习,并访问意大利。回美国后,经常为书刊作画和插图,其中有H.W.朗费罗的《迈尔斯·斯坦迪什的求婚》(1858)等。1890年与C.H.斯蒂芬斯结婚,后来在女子设计学校任教。以后的作品一般都是炭画和淡水彩画。1926年停止工作。1929年她参与成立的费城造型俱乐部为她举办了回顾展。

Stephens, Ann Sophia 斯蒂芬斯(1810-03-30,美国康涅狄格汉弗莱斯维尔[今西摩]～1886-08-20,罗得岛纽波特) 婚前名Ann Sophia Winterbotham。笔名Jonathan Slick。美国编辑和作家。1831年与E.斯蒂芬斯结婚。婚后定居缅因州波特兰。1834年他们创办妇女刊物《波特兰杂志》。1837年迁居纽约。1841～1842年间她在当时由E.A.坡主编的《格雷厄姆杂志》工作。1842～1853年在《彼得森杂志》工作。期间她经常为这些及其他主要的妇女杂志撰稿,其通俗闹剧般的传奇故事和历史著作经常以分期连载的形式发表。1856年创办自己的杂志《斯蒂芬斯夫人插图新月刊》。她在杂志上以分期连载的方式发表的作品后来大多出版成书。事实证明这种版式特别受欢迎。1860年比得尔公司将她原本于1839年分三期发表的系列书重印出版,作为新的廉价小说系列的第一部。《玛莉斯卡:白人猎手的印第安人妻子》成了一部重要的畅销书,确保了廉价小说的成功。连载小说《迈拉,领养的女儿》(1860)和《阿默的阴谋;或,总督的印第安孩子》(1863?)后也被重印出版。

Stephens, James 斯蒂芬斯 (1880-02-09?,都柏林～1950-12-26,伦敦) 爱尔兰诗人和故事作家,其泛神论哲学观点表现在以他童年时代都柏林贫民窟为背景的童话和充满同

供图:BBC Hulton Picture Library

情心的动物诗歌中。早年曾在一家律师事务所当职员,结识了爱尔兰诗人艾(G.W.罗素),后者鼓励并帮助他于1909年发表了第一本诗集《叛乱》。其第一本小说《女佣的女儿》于1911年刊登在他当年帮助创办的《爱尔兰评论》上。第二本小说《金罐子》(1912)由于主题富有浓厚的凯尔特色彩而使他成名。他作品中严酷的讥讽类似他的朋友J.乔伊斯。他用这种笔调写了《神人》(1914),但是《黛特》(1923)一书却是以更为严谨和更有节奏的散文体写成的。其他作品有短篇小说和抒情诗。斯蒂芬斯积极参加爱尔兰民族主义运动,但至40年代住在伦敦,逝世前经常在伦敦发表广播讲话。

Stephens, John Lloyd 斯蒂芬斯 (1805-11-28,美国新泽西什鲁斯伯里～1852-10-12,纽约市) 美国旅行家及考古学家。1839～1840年在中美,1841～1842年在墨西哥考察马雅人古遗址,从而开创中美考古学。由于厌倦律师业务,又有人劝他旅行改善体质,乃在1834年出发游历东欧和中东,深为许多考古遗址所吸引。根据经历著书两部,其一为《埃及、阿拉伯山地及圣地旅行记》(2卷,1837),另一为《希腊、土耳其、俄罗斯及波兰旅行记》(2卷,1838),由英国插图画家兼考古学家F.卡瑟伍德画图,两书深受大众欢迎。有关中美洲及尤卡坦半岛古代遗迹的报道引起其好奇心,乃前往探索。通过与范布伦总统的关系,1839年被派为美国驻中美洲代办,偕同卡瑟伍德前往。他们向洪都拉斯的科潘前进,先是受到当地动乱的威胁,继而遇到穿行于稠密黑暗的丛林中极端艰难与危险,对他们寻找的目标几乎失望之际,他们的坚忍不拔终于获得广泛的酬报。一次偶见一墙,不知何用,及发现为一巨大雕刻石碑,惊讶不已。继之又不断发现其他石碑、平台、梯级和饰有奇异花纹的墙壁。斯蒂芬斯以50美元"购买"大片遗址,铲除丛林荆棘而后挖掘。卡瑟伍德则在此地和墨西哥乌斯马尔和帕伦克等其他地方,着手临摹马雅人遗迹。第一次考察报告名为《中美洲、恰帕斯及尤卡坦旅行记》(2卷,1841),与相继出版的卡瑟伍德精绝写生,在公众中和学术界轰动一时,大大促进了对早期和为人们忽略的关于马雅地区记载的研究,这些记载均出于西班牙征服者和探险家们的手笔。斯蒂芬斯和卡瑟伍德第二次考察后著有《尤卡坦旅行记》(2卷,1843),记述遗址44处。斯蒂芬斯的最后岁月致力于指导第一家横渡大西洋的美国轮船公司业务和开发横跨巴拿马地峡的一条铁路。

Stephens, Olin James, II 斯蒂芬斯(第二) (1908-04-13,纽约市～2008-09-13,新罕布什尔汉诺威) 美国造船工程师。1931年在横渡大西洋和法斯特内特杯两项比赛中获胜的帆船"多拉德"号就是由他所设计并由他任船长和导航员。1937年获美洲杯的J-型帆船"巡游者"号也有他参与设计并任替补舵手。保持美洲杯冠军称号的许多帆船都是由斯蒂芬斯为股东的斯帕克曼-斯蒂芬斯公司设计的。除了这些船舶以外,斯蒂芬斯还设计了一批远洋赛船。

Stephens, Uriah Smith 斯蒂芬斯 (1821-08-03,美国新泽西开普梅～1882-02-13,费城) 美国空想改革家,曾参与创建美国第一个全国性工会——劳动骑士团。1845～1853年在费城当裁缝,后取道西印度群岛、中美洲、墨西哥去加利福尼亚旅行。1858年返回费城,他卷入南北战争前的改革运动,主张废除蓄奴制和提倡空想社会主义。1862年组织费城服装裁剪工人协会。1869年该协会解散,他与另外6人创建神圣劳动骑士团。劳动骑士团接纳所有劳动人民,被视为生产者的一种自愿联合组织。他们集合在这个兄弟般互助团体之中,以旧式的合作经济制度代替新工业时期丑恶的实利主义。按照斯蒂芬斯观点,劳动骑士团近似某种世俗教会,要把形形色色的成员联合在一起,就得严守秘密和履行复杂仪式。当劳动骑士团成为最强有力的劳动组织时,斯蒂芬斯本人及其信仰日益成为攻击的目标。保密与仪式是争论的中心问题。他的继任人T.V.鲍德利在保密问题上与他发生激烈冲突。1881年鲍德利获胜,劳动骑士团否定了保密的规则,删去组织名称中的"神圣"字样。在鲍德利的领导下,该团到1886年(斯蒂芬斯死后4年)吸收了70万名成员,但它与斯蒂芬斯想象中的合作性质的福利组织已截然不同。

Stephenson, George 斯蒂芬森(1781-06-09,英国诺森伯兰郡怀拉姆～1848-08-12,德比郡切斯特菲尔德) 英国工程师、铁路机车的主要发明家。早年做工,没有受过学校教育。19岁时操作纽科门蒸汽机,工余时间参加夜校学习并坚持自学。1813年他在附近煤矿观摩了J.布伦金索普研制的、用来从煤矿拉煤的"装有轮子的蒸汽锅炉",这个笨重的装置由于在光滑的木轨上无法牵引,因此加装一个棘轮,使棘轮在有齿的第三条轨道上滚行。斯蒂芬森回去后研制了布卢彻机车,能以6千米/小时的速度牵引8辆装有30吨煤的货车。但他并不以此为满足,继续研究提高机车功率的方法,采用了蒸汽鼓风法,把废汽导

伦敦科学博物馆供图

引向上喷出烟囱,带动后面的空气,从而加强了通风。这个新设计使蒸汽机车进入实用阶段。以后,他又制造了几台机车,并因发明煤矿安全灯而获得声誉。1821年计划从斯托克顿到达灵顿修筑供马拉车用的铁轨,以加速煤矿的开发。他听说这个计划后,在达灵顿会见了该计划的发起人E.皮斯,皮斯委托他制造一台机车。1825年9月27日当第一列由斯蒂芬森设计的机车牵引的列车运载450名旅客,以24千米/小时的速度从达灵顿驶到斯托克顿时,铁路运输事业就从此诞生了。利物浦与曼彻斯特各界人士请他在这两座城市间修建一条长64千米的铁路,1829年当利物浦—曼彻斯特铁路线即将建成时,曾举行一次机车比赛,斯蒂芬森的新机车"火箭"号,以58千米/小时的速度获胜。铁路建设在英国、欧洲和北美洲迅速展开,而斯蒂芬森继续作为这种革命性的运输工具的主要指导者,解决许多铁路建筑、桥梁设计、机车和车辆制造的问题,并在国内外许多铁路工程中担任顾问。

Stephenson, George Robert 斯蒂芬森(1819-10-20,英国诺森伯兰郡泰恩河畔纽卡斯尔～1905-10-26,格洛斯特郡切尔滕纳姆) 英国早期铁路工程师。曾在威廉国王学院受教育。1837年受雇于他叔父乔治·斯蒂芬森的曼彻斯特—利兹铁路,后来又在新西兰任铁路建筑顾问。回到英国后协助J.霍克肖爵士修筑东伦敦铁路,他帮助堂兄罗伯特建造了跨越加拿大圣劳伦斯河的维多利亚管桁桥并在英国和国外设计了许多铁路桥梁。1859年罗伯特死后,他继任纽卡斯尔机车厂厂长。

Stephenson, Robert 斯蒂芬森(1803-10-16,英国诺森伯兰郡威灵顿码头区～1859-10-12,伦敦) 英国维多利亚时代杰出的土木工程师。建造了许多座大跨度铁路桥梁,最著名的为北威尔士梅奈海峡的不列颠大桥。他是铁路机车发明者G.斯蒂芬森的独生子,曾在布鲁斯学院和爱丁堡大学学习。1821年协

伦敦科学博物馆供图

助父亲测量了斯托克顿—达灵顿铁路,后来又测量了利物浦—曼彻斯特铁路。他对火车机车作过许多改进。1833年任伦敦—伯明翰铁路的总工程师,负责建筑了几项大工程,如布利斯沃思的挖掘工程和基尔斯比隧道。接着建设从纽卡斯尔到贝里克的新铁路线,在泰恩河上建筑了一座6拱铁桥,用J.内史密斯新发明的蒸汽锤筑桥基。负责在梅奈海峡建筑连接安格尔西岛和威尔士大陆的坚固的铁路大桥时,他设计了一座独特的管桁桥,由于取得成功,他在英国和其他国家又建造了几座管桁桥。

Stephenson, William (Samuel) 斯蒂芬森(1896-01-11,加拿大马恩波因特道格拉斯～1989-01-31,百慕大帕吉特) 绰号无畏战士。加拿大出生的百万富翁工业家。第二次世界大战期间担任西半球英国情报工作领导人,这段经历记述在《称作无畏战士的人》(1979)一书中。父亲是木材厂厂主。斯蒂芬森从大学退学到加拿大皇家工兵部队(1914～1915)和驻法国的英国皇家飞行兵团(1915～1918)服役。战后从事各种工商企业并有所发明,开始了一位工业家的经历,制造五花八门的产品,诸如无线电、留声机、汽车和飞机;他还投身建筑、不动产和钢铁行业。斯蒂芬森通过他的许多业务交往,获知了30年代有关德国军备集结和伊尼格默密码机研制的可贵情报。他把这一情报告知英国特工部门。W.丘吉尔1940年出任首相时,派斯蒂芬森到纽约市去领导以美国为基地的英国安全协调组织。斯蒂芬森统一调派在西半球的所有英国海外间谍活动,招募特工人员,在加拿大建立一个秘密基地训练特工人员到敌后活动,并在英国安全协调组织和美国政府之间充当联络,直到1942年战略情报局承担起美国情报的责任时为止。斯蒂芬森本人为英国安全协调组织的许多活动提供资助。1945年受封爵士。战后斯蒂芬森返回企业界,主要以牙买加为基地从事经营,1968年退职后去百慕大。

Stepnoy(Russia) **斯捷普诺伊** 参阅**Elista 埃利斯塔**。

Steppe, the 干草原 广阔的大草原,始于匈牙利,向东逶迤,越过乌克兰和俄罗斯南部进入中亚,最终延伸至中国东北,某些地方为山脉所截断。在有记载的历史上,它是民族扩展和文化模式传播的途径。

大草原地带可分为西干草原和东干草原,西干草原从多瑙河平原向东延伸4 000千米至阿尔泰山脉;东干草原从阿尔泰向东逶迤到大兴安岭,长2 400千米。西部只有不很高的乌拉尔山脉阻隔,很容易骑马越过。这一地区河流众多,一般流向南方,为进入较暖地带的通道。西干草原气候有明显的季节性变化,冬季寒冷,夏季炎热,降雨量自西往东逐渐减少。东干草原的条件则严峻得多。海拔较高,气候较冷,降雨不经常,故牧场较少。因而在历史上,东干草原的游牧民族前去中国北部或西干草原寻找更好的牧场。

史前时期,干草原的居民逐渐放弃他们采集食物的生活方式,定居务农。然而在公元前2000年左右,随着马匹的驯化,他们的生活方式再次改变,因为在大草原上饲养牲畜是流动性的。他们先组成部落,最后组成大部族,选出大族长,他能够迅速地聚集起强大的军队。在公元前1700年后,这种军队开始大举侵入中东。游牧民族的骑兵是很厉害的,因为他们流动性大,能够靠他们的牲畜为生。在公元前700年后不久,希腊人所称的辛梅里安人和西徐亚人从他们在乌克兰的基地袭击小亚细亚;西徐亚人于612年洗劫了尼尼微城,促使亚述帝国灭亡。在以后数百年中,游牧民族的骑兵对西面的波斯王国和东面的中国形成经常性的威胁。

与西徐亚人同族的安息人在公元前3世纪侵入塞琉西王国。安息人占领农田后,靠他们佩戴盔甲的骑兵保住了这些土地,使游牧民族以后转而侵犯别处。

随之而来的是一段稳定时期,沙漠商队在此时期往返于罗马和中国之间,横跨亚洲载运货物和交流思想。始于公元200年左右的骚乱时期接踵而至。在4世纪,匈奴人(可能是土耳其血统)入侵罗马帝国。他们的人侵迫使欧洲的日耳曼部族背井离乡,进入罗马领地,从而使罗马帝国西部陷于分裂。在东面,中国一再受到说土耳其语、说蒙古语和其他语言的游牧民族的袭击。在550年,先在阿尔泰后在中亚立足的大土耳其部族兴起,一些部族接连被赶往西方,从高加索迁往匈牙利的阿瓦尔人是其中的第一批。土耳其人自己依靠南面的波斯;他们逐渐信奉了伊斯兰教和接受了中东的文化。他们是仍住在干草原也信奉伊斯兰教的游牧民族的桥梁。在远东,中国和佛教势力对蒙古人产生类似的影响,蒙古人采用中国的行政管理方法,成立以成吉思汗为首的游牧民族帝国,到13世纪统一了欧亚干草原上所有的民族。西面的土耳其人(先是塞尔柱人后是奥斯曼人)征服了拜占廷帝国,为奥斯曼帝国打下基础。

贸易和文化交流十分繁荣,但由于被征服的各民族同化了远征的部族,团结终于瓦解。到16世纪,俄国开始入侵和征服大部分干草原,并对之实行殖民统治。到20世纪,在游牧民族一度控制的广大地区,只有很少的干草原游牧民族留存下来。

steppe cat 干草原猫 参阅**Pallas's cat 兔狲**。

steppe murrain（cattle disease） **草原兽瘟** 参阅 **rinderpest** 牛瘟。

steptoe 岩流竖趾丘 意大利语称dagala。高起的孤丘，像小岛一样矗立在周围熔岩荒野之上，这种地貌是*熔岩原孤丘*（**kipuka**）的一个类型。岩流竖趾丘根据美国华盛顿州科尔法克斯附近哥伦比亚高原熔岩流上的石英岩突出物——竖趾山命名。

steradian 球面度 国际单位制中立体角的测量单位，1球面度定义为面积等于球半径平方的球面所对应的球心立体角。一点的全立体角等于4π球面度。steradian一词来源于希腊文"立体"和"弧度"，它实际上也就是立体弧度。弧度在国际单位制中是平面角的测量单位，1弧度定义为弧长等于圆半径的圆周所对应的圆心角。

Stercorariidae 贼鸥科 鸻形目的一科，为中到大型掠食性海鸟，包括*贼鸥*（**skua**）和*猎鸥*（**jaeger**）。

Sterculiaceae 梧桐科 锦葵目的一科，约12属，乔木、灌木或草本。原产热带或亚热带。叶互生，单叶或掌状复叶。花常单性，单生或簇生；萼片3～5，花瓣5或无；雄蕊通常多数，分离或联合成柱；子房上位，2～5室。

东贝氏木（*Dombeya calantha*）
供图：Walter Dawn

果为干果或肉质，通常为蒴果。重要的种有可可（*Theobroma cacao*，可可和巧克力的原料）、可乐果（*Cola nitida* 和 *C. acuminata*，用为可乐饮料的兴奋性成分及调味剂）及苹婆属（*Sterculia*）的一些种，特别是刺激苹婆（*S. urens*，产刺梧桐树胶，是黄蓍胶的重要代用品）。有些属含观赏植物，如瓶树（瓶木属[*Brachychiton*]）、东贝氏木（东贝氏木属[*Dombeya*]）、梧桐（梧桐属[*Firmiana*]）、法兰绒木（滑榆属[*Fremontodendron*]）和苹婆（苹婆属）。在地质时期，梧桐科植物的分布范围较广，远远超出现在的热带和亚热带，如分布到阿拉斯加。

stere 斯蒂尔 体积或容积的米制单位，等于1立方米或1 000升。斯蒂尔源于希腊文*stereos*，意为立体。最初在1793年由法国用法律规定并采用，主要用作木柴的计量单位。英制科德与米制斯蒂尔的对应关系：1标准科德（128立方英尺的木柴堆）等于3.625斯蒂尔。在荷兰则用韦斯（wisse）代替斯蒂尔。1斯蒂尔分为10个分斯蒂尔（decisteres），10斯蒂尔为1赫克托斯蒂尔（hectostere）。特别大的体积则用千斯蒂尔（kilosteres）表示，它等于1 000斯蒂尔。国际单位制中并未使用斯蒂尔这一体积单位的名称。

stereophonic sound system 立体声系统 采用两条或两条以上独立声道的录、放声设备。录声时使用多个单独的传声器，放声时使用多个单独的扬声器；经过适当安排，以产生声源的空间分布的感觉。早在1933年就演示过立体声放声。50年代，双声道立体声磁带进入家庭；1958年，立体声唱片（在一条纹路中录有两条独立声道的声音）进入家庭。70年代初又有四声道立体声系统上市，它采用四条独立的声道，以产生更强的真实感。后来又由此产生了"环绕声"系统。

stereoscopy 体视术 对二维图样或照片进行处理，使之在双眼观察时犹如存在于三维空间内的科学技术。体视术的通俗用语为立体术。体视照片是成对制作的，其中的两张照

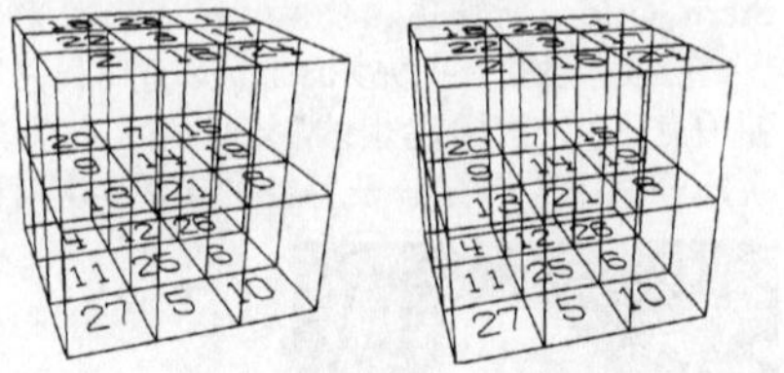

计算机生成的魔方体视图

片各从稍有不同的角度表现同一景物，而这两个角度则对应于人在观看景物本身时两眼的视角。体视术之得以实现，全靠双目观察；它要求左眼和右眼以不同的角度感受到物体的像。大脑把两眼各自的感受合并起来，将其解译为所看到的不同的点和物体的不同距离。观看体视图像时，需采用某种手段以使右眼像呈现于右眼，左眼像呈现于左眼。有经验的成对体视照片的观察者，可能不用专门的目视仪器（例如体视镜）即可正确地聚焦和合成，不过通常都需要使用某种装置使每只眼睛只看到成对照片中专属于它的图像。为了在电影中产生三维效应（参阅**3－D**），采用了各种各样的系统。它们都是使左、右两眼图像同时投射到屏幕上，两个图像靠不同的颜色或偏振来区分，观众则需使用双目观影滤光镜，以感受两眼各自专属的图像。在全息术中则是两眼看两个重建像（光干涉图样），犹如平常从两个略有不同的角度观看成像物体一样。

stereotype 铅版 18世纪后期发展起来的广泛用于凸版印刷、报纸印刷及其他高速印刷机的印版。把报纸的整面活版（由各栏文字、图版、广告版组成）装在框内，压成纸型，烘干后作为版模，用熔化的金属浇铸，即成为铅版。铅版比活版的耐印率高，但正逐渐被光敏塑胶和平版所取代。

sterilization 绝育 通过手术方法切除或阻断使精子及卵子得以相遇的解剖通路，达到永久避孕目的的医学措施。输卵管结扎是最古老的手术绝育方法，现仍是应用最广泛的方法之一。和最初的做法一样，现在仍用丝线将输卵管结扎，使通道闭塞。单纯结扎的失败率很高。现在的手术方法是结扎的同时加上挤压或割断一段输卵管，使再通的可能性变小。也可以通过电凝一段输卵管或用化学黏合剂使管道不通。再有就是用器械关闭输卵管，如用金属夹子等夹死管道。这样做对输卵管的损伤较小，而且是可复性处置，但失败率也极高。输卵管结扎术可在腹腔镜下完成。男性绝育（输精管切除术）比妇女绝育风险小，方法简便和花费低。这个手术是通过阴囊一个小切口切断输精管。本法从20世纪50年代就已应用，现在是许多国家永久绝育的最常用的手术方法。因为绝育的人可能在某种情况下要求再育，绝育作为避孕方法最大的缺点就是不可逆转。70年代发展起来的显微外科技术能使有些管道再通，但它的难度大而且费用昂贵。恢复生育能力有限，因当初绝育时同时带来的其他损害会阻止受孕成功。输精管切除术后手术再通比较成功，现已达到80%的再通率，但再通后的受孕率仍然不高。

Sterkfontein 斯泰克方丹 南非境内相邻的3个考古遗址之一（另两个是斯瓦特克朗和克罗姆德莱），曾出土化石人科遗存。斯泰克方丹位于约翰内斯堡以西约50千米的克勒普河附近一座洞穴遍布的石灰石小山上，这一带土地干旱，杂草丛生，丘陵起伏。1936年和1947～1949年间，在这里开采的石灰石里找到了纤细型南方古猿化石，称为南方古猿非洲种。斯泰克方丹以东3.2千米的克罗姆德莱遗址，曾出土另一种南方古猿化石，当时（1938）命名为南方古猿粗壮种。斯泰克方丹以西1.6千米的斯瓦特克朗遗址，1948～1953年间也出土了许多粗壮种南方古猿化石标本；这里还出土了另外两个个体的碎骨化石，后来划归直立人。

Sterling 斯特灵 美国科罗拉多州东北部城市，洛根县县城（1887）。濒临南普拉特河，海拔1 204米。1881年通联合太平洋铁路后创建。1884年设市。现为一重要铁路分段站，是牲畜、甜菜、谷物（小麦和玉米）及乳制品市场和装运中心。1950年丹佛-朱尔斯堡盆地发现石油，成为许多石油和天然气机构总部。其他工业有制糖、肉类加工及钢桶、矿渣砖、混凝土等制造业。有科罗拉多东北初级大学（1941）。东北面有波尼国家牧场。人口约11 360（2000）。

sterling 标准纯银 用作银纯度的标准。标准纯银表示纯银含量至少占92.5%的银合金。关于这个字的来源有多种说法。一种推测是此名称来源于著名的伊斯特林家族（Easterling）——来自东部日耳曼国家的造币者，在亨利二世时期（1154～1189）被召到英格兰以改进货币质量。一种似乎更为有理的推断是来自古英语词steorling（"带一个星的货币"），因为在某些诺尔曼便士上有一些小星。在货币的意义下，标准纯银一词过去曾

用来形容英国货币的法定含银量或特质。英国的基本货币单位称为英镑。英镑的起源可追溯到盎格鲁-撒克逊时代，当时把1磅重的银铸成240个便士。这些便士用含有925‰的银和75‰的铜的合金制成。这个比例一直保持到1920年，此后，铸币中银的比例下降到500‰。1946年，英国停止在硬币中使用银，而完全代之以铜和镍。1821年英国采用金本位，至今银价已长期与英国通货没有任何直接联系。

sterling area　英镑区　以前一些国家将其大部分外汇储备存于英格兰银行，作为回报，它们可以利用伦敦资本和货币市场，这些国家，统称英镑区。1931年9月英镑贬值后，英国和其他继续与英镑保持平价并在伦敦存有储备的国家称为英镑集团。当第二次世界大战导致外汇管制和预期的外汇短缺（特别是美元短缺）时，那些与伦敦联系非常密切的国家采用了平行的货币合作政策。20世纪50年代后期逐渐恢复英镑的兑换，但英国对海外英镑区以外的一切长期性国外投资仍保持限制。20世纪60年代反复出现的金融危机使这些限制有所加紧，但海外英镑区国家仍继续获得优惠待遇。60年代后期，英镑区除英国及其剩下的几个属地和保护领地外，主要包括那时或以前的英联邦国家。加拿大不是英镑区的成员国，但澳大利亚和新西兰还有二十几个国家仍是。1973年英国参加欧洲经济共同体后，英镑区突然缩小。随着英国和其他主要贸易国实行浮动汇率后，英镑区外汇保证便逐步取消。1980年英镑外汇管制的最后残迹消失了，英镑区便告结束。

Sterlitamak　斯捷尔利塔马克　俄罗斯西部巴什科尔托斯坦城市。位于别拉亚河与斯捷尔利亚河汇流处。原为小居民点，1781年建市，1940年后随伏尔加-乌拉尔油田和当地食盐及石灰石的开采而繁荣起来。现生产合成橡胶、化学制品、纯碱、苛性钠和水泥。设有师范学院。人口约254 000（1992）。

Stern Magazin　《明星画刊》　德国出版的周刊新闻杂志，是战后德国最大的杂志。创刊于1948年，原名《明星》，1968年改名为《明星画刊》。很快便以其精美的图片和雅俗共赏的报道而闻名。该刊刊载图片报道、名人剪影、访谈记录等材料，把有关性与暴力的耸人听闻的照片同通常的新闻特写和图片结合在一起。该刊对有关性爱题材的大胆处理，超过欧洲其他国家的大多数刊物，使之具有广泛的吸引力。

Stern, Elizabeth　斯特恩（1915-09-19，加拿大安大略科博尔特～1980-08-18，美国加利福尼亚洛杉矶）　婚后名Elizabeth Stern Shankman，故又译香克曼夫人。美国病理学家。出生于加拿大。以对细胞癌变各阶段的研究著名。曾在多伦多大学学医，后赴美学习。1943年入美国籍。是最早的细胞病理学家之一。1965年后任加利福尼亚大学流行病学教授。1963年发表据认为第一例将具体病毒（单纯疱疹病毒）与具体恶性肿瘤（宫颈癌）联系起来的病例报告。1973年首次报告，长期服用避孕药与宫颈癌的发生有肯定的关系。她研究了宫颈脱落细胞，发现正常细胞要经过250个阶段才达到宫颈癌晚期，从而促进了宫颈癌早期诊断和预防技术的研究。

Stern, Isaac　斯特恩（1920-07-21，俄国克列梅涅茨～2001-09-22，美国纽约州纽约）　美国小提琴家，被公认为世界最伟大的小提琴家之一。1岁时随父母去旧金山。1928～1931年在旧金山音乐学院学习，1932～1939年又师事俄罗斯小提琴家N.布林德。11岁首次登台演出。1939年在纽约一次非常成功的音乐会后迅速获得承认。1948年在欧洲首次演出，此后开始经常巡回演出，在世界各国和所有大音乐节上露面。P.兴德米特、G.罗奇伯格和K.彭德雷茨基的一些作品由他首演。除音乐会演出外，还在电台及电视台演出并录有许多唱片、音带。1979年访问中国，摄制了文献纪录片《从毛泽东到莫扎特》。他活跃在提倡艺术的各种组织中，成为卡内基音乐厅公司董事长，并于1964年支持国家艺术基金会的成立。

Stern, Otto　斯特恩（1888-02-17，德国索劳［今在波兰佐里］～1969-08-17，美国加利福尼亚伯克利）　德国出生的物理学家，因发展了分子束作为研究分子特性的工具，并测量

卡内基理工学院供图

了质子的磁矩，获1943年诺贝尔物理学奖。1920～1921年他和W.革拉赫在汉堡大学完成了他们历史性的分子束实验（参阅 **Stern-Gerlach experiment**）。1933年斯特恩用分子束测量了质子磁矩，发现它的实际值约为理论值的2.5倍。1933年纳粹掌权后被迫离开德国，到美国任匹兹堡卡内基理工学院物理学研究教授，直到1945年退休。

Stern, Robert A. M.　斯特恩（1939-05-23，美国纽约州纽约～　）　全名Robert Arthur Morton Stern。美国后现代派建筑师。曾就读于哥伦比亚大学（1960年获学士学位）及耶鲁大学（1965年获硕士学位）。1969～1977年间与J.哈格曼合作，后来成立自己的建筑师事务所，很快成为一位出众的私宅别墅设计师。其建筑多见于东汉普顿和纽约等地的名胜地区，体现出有历史渊源的后现代派特点。20世纪80和90年代与迪斯尼公司密切合作，为该公司建成许多重要活动场所，并于1992～2003年担任该公司董事。同时也受到建筑界一些人的批评。他还是建筑史学家，著有《年轻的建筑天才》和《美国建筑新方向》等具有创新精神的著作。1986年主持公共广播公司播出的系列记录片节目《建筑精华：构筑美国之梦》。1970年开始在哥伦比亚大学任教，1998年任耶鲁大学建筑学院院长。

Stern Gang　斯特恩帮　巴勒斯坦犹太复国主义者的恐怖组织。正式名称为"以色列自由战士"，1940年由亚卜拉罕·斯特恩（1907～1942）建立。该组织狂热地反对英国人，不断袭击在巴勒斯坦的英国人员，甚至求助于轴心国。1942年2月英国警察在斯特恩所住公寓内将他杀死作为报复，随后，该帮首领多已被捕。1948年以色列国成立后，斯特恩帮被禁止活动。

Stern-Gerlach experiment　斯特恩-革拉赫实验　证实具磁极性的原子粒子和亚原子粒子的空间取向受限制的实验，1922年由德国物理学家O.斯特恩和W.革拉赫完成。实验时以一束中性银原子穿过一组排成直线的细缝，再通过一个非均匀磁场而射到冷玻璃板上。电中性的银原子实际是一个原子磁体：不成对电子的自旋使原子像磁针一样有南北极。在均匀磁场中，银原子磁体仅有旋进；但在非均匀磁场中，作用在两磁极的力不相等，银原子磁体将受微弱合力的作用而偏转。合力的大小和方向与原子磁体在非均匀磁场中的取向有关。当不存在非均匀磁场时，穿过仪器的中性银原子束会在玻璃板上形成与细缝形状相同的细线。加上非均匀磁场，这条小细线就要在纵向明显分裂成两条细痕，相当于银原子仅有的两种相反的空间取向（如果银原子在空间无规取向，板上的细痕一定会展宽成一片，相当于银原子的种种不同的偏转）。这种受限制的空间取向称为空间量子化，在合适的非均匀磁场作用下，其他原子和非零自旋的亚原子粒子，由于它们的磁极性，也有这种性质。

Sternberg, Josef von　斯登堡（1894-05-29，维也纳～1969-12-22，好莱坞）　电影导演，他的影片画面丰富多彩，摄影技巧纯熟。童年时移居美国，早在1911年就在一家电影服务公司工作。1923年，在好莱坞任编剧和摄影师。他的第一部获得好评的影片《求救的人们》（1925）是一幅码头生活的真实图画，几乎全由不动的镜头组成。他执导的《下层社会》（1927）是当年杰出的影片之一。这部具有精心制造的气氛、吸引人的布光效果和丰富多彩的性格刻画等特点的电影，成为其后描写罪犯世界的影片的先导。这类影片有《一网打尽》（1928）和《纽约的码头》（1928）。由德国性格演员E.扬宁斯主演的《最后命令》（1928）进一步提高了他的声望。默片末期，他通过画面的统一，而不是通过剪辑和蒙太奇去保持连贯性的那种电影形式已经成型。他最著名的影片是《蓝天使》（1930），由玛琳·黛德丽主演。作为第一次世界大战后淫荡堕落的象征，该片把耽于声色肉欲的风流韵事、背景的真实细节、场景的流畅转换以及音乐歌曲，融为一体。他把黛德丽带到美国，让她主演了他的影片《摩洛哥》（1930）、

卡尔弗图片公司供图

《名誉不佳的夫人》(1931)、《金发维纳斯》(1932)、《上海快车》(1932)、《红色女皇》(1934)和《魔鬼是个女人》(1935)。《美国的悲剧》(1931)和《罪与罚》(1935)是他在30年代的另外两部重要影片。由于他越来越重视画面,而对影片情节和性格刻画越来越不关注,声望日衰。自传《一家中国洗衣店的趣闻》于1965年出版。

Sterne, Laurence　斯特恩(1713-11-24,爱尔兰蒂珀雷里克朗梅尔～1768-03-18,伦敦)　爱尔兰出生的英国小说家、幽默作家。所著小说《特里斯特拉姆·尚德》(1759～1767)的故事从属于叙述者的自由联想和题外话。还因《在法国和意大利的感伤旅行》(1768)而知名。他的小说不落俗套,几乎没有情节,充满富于同情的幽默感,偶然也有尖锐的嘲讽。今天他被认为是现代心理小说的先驱。父亲是下级军官,他从小随军迁徙。青年时受亲友资助,入剑桥大学耶稣学院学习,那时就染上严重的肺结核病。毕业后接受神职,在约克郡北部任牧师20年。他的讲道极受欢迎,还曾在两个教会法庭任法官。1759年在一场教会争论中写下了《一段政治传奇》,对教会

供图:Chichester Photographic Service

法庭中的权贵们进行嘲讽。该书使教会人士感到难堪,在他们的命令下被焚毁。这一事件使斯特恩失去神职晋升的机会,但却发现了他的真正天才。他于是把教区工作交给副牧师,自己专心写作小说《特里斯特拉姆·尚德》。该书的初稿可能因为讽刺过于尖刻遭到出版商的拒绝。此时,斯特恩个人生活亦遭到不幸。母亲和叔父相继去世,妻子精神失常。他继续写他的喜剧小说,但他说每个句子"都是在最沉重的心情下写出的"。在这种心情下,他将书中的讽刺改得较为婉转,并同情地写到特里斯特拉姆的主张、他怪僻的亲属和他悲惨的童年,行文幽默,有时引人哄笑,有时又令人凄然。1759年末,小说头两卷在约克郡出版,并运到伦敦出售,立即获得成功。恰在此时,他被任命为科克斯沃尔德教区牧师。斯特恩愉快地回到北方,把他的新居叫作"尚德庄",继续写作《特里斯特拉姆·尚德》。他曾两次到法国旅行,收集的材料写成了《感伤旅行》(1768)。

Sternheim, Carl　施特恩海姆(1878-04-01,莱比锡～1942-11-03,布鲁塞尔)　德国剧作家,因写作讽刺中产阶级的价值观念和抱负的喜剧而著名。犹太银行家的儿子。曾在慕尼黑、格丁根、莱比锡和柏林大学攻读哲学、心理学和法律,曾在骑兵团服役。他自己和他两个前妻遗留的财产使他得以自由写作,一生大部分时间漫游各地。15岁开始写剧本,但均无新意。他最好的一些剧本创作于1911～1916年,结集成册总题名为《资产阶级英雄生活片断》。第一个剧作《裤子》(1911发表,同年公演时更名为《巨人》,因柏林警察当局认为原名有伤风化)其主要人物为T.马斯克。马斯克和他家的其他成员也在《势利小人》(1914发表并公演)、《1913年》(1915发表,1919公演)和《化石》(1925发表,1923公演)中出现,这4个剧本组成马斯克四部曲。把这一家描写成一些谋求名利不择手段地向上爬的人,资产阶级礼节不过是面具(马斯克)而已。早期剧作中的电报式语言是F.魏德金德(其女儿是施特恩海姆的第三个妻子)和布莱希特间的桥梁。后期作品不大成功。他常被人称作表现主义剧作家,可是他严肃地坚持认为他是个现实主义者。他的评论著作和社会著作里的排犹主义背叛了他的出身,他的这些著作描写了为希特勒上台准备了条件的德国社会形势。自传《战前欧洲在我生活的映像中》于1936年发表。

sternum　胸骨　又作breastbone。陆生脊椎动物胸部正中的长形骨。连接和支持肩带上的锁骨与肋骨。其进化起源还不清楚。胸骨在某些蝾螈中已出现,大多数其他四足动物也都有,但无腿的蜥蜴、蛇和龟(龟甲提供所需的支持)则没有。在鸟类胸骨上出现龙骨突起,飞行肌肉附于其上;蝙蝠的胸骨为适应飞行亦已龙骨化。哺乳动物的胸骨从前往后分成三部分:①胸骨柄,与锁骨及第一肋骨相关接;②胸骨体,常分为一系列胸骨节,与其余的真肋连接;③剑突,在最后。人的胸骨长而扁,从颈基部到腹上端心口部都可摸到。胸骨柄略呈四边形,有浅窝与锁骨及第一对肋骨相连。胸骨体由四个胸骨节组成,儿童或青年时期就愈合在一起,形狭长,沿两侧边沿有多数小关节面与肋骨相连接。剑突较小,通常为软骨质。胸骨从几个中心骨化,剑突在中年时可骨化并与胸骨体愈合,胸骨柄和胸骨体之间的关节要到老年时方能愈合。

steroid　类固醇　又称甾族化合物。以17个碳原子排列成4个环的分子结构为特征的一类天然或合成有机化合物。类固醇在生物学、化学和医学方面具有重要意义,包括性激素、肾上腺皮质激素、胆汁酸、固醇、抗炎药物、促蛋白合成剂和口服避孕药。在类固醇的母体结构(叫做类固醇核)中,17个碳原子和28个氢原子连结。类固醇核是三维结构,不仅所连结的基因性质各异而且核本身的构型及各基因的位置也各不相同。对类固醇分子结构作少许修饰可使其生物学活性产生显著差别。化学家已从植物和动物中分离出上百种类固醇,通过化学处理天然类固醇或人工合成又制备了上千种。已用几种物理方法确定了类固醇的分子结构,最重要的方法是色谱法——分离物质组分的一种方法,是以被分离物在由适宜物质组成的层状或柱状床上的选择吸附为依据,更为精确的分析可将色谱法与质谱法联用。从天然资源中分离出类固醇需用有机溶剂。最丰富的类固醇即固醇,可先用碱处理再用非水溶性溶剂如己烷或乙醚萃取。用这些方法可在实验室中制取高纯类固醇,工业上大量的类固醇通常是通过从溶剂中反复结晶进行提纯。在植物和动物中,类固醇似乎是通过类似的反应而合成:从乙酸开始,通过一种类型的酶催化而进行。广泛存在于自然界的一种叫做角鲨烯的化学物质被认为是制备所有类固醇的起始物质。角鲨烯酶催化转换可生成动物中的羊毛甾醇和植物中的环阿屯醇,在动植物中两者均可生成胆固醇。在动物中胆固醇转化成胆汁酸和类固醇激素,而在植物中胆固醇则转化成类固醇,如生物碱。类固醇的工业和实验室合成通常是从含单环的起始物质如醌开始,由此建造其他的环。类固醇的全合成已被证实在工业上是可行的,但通过修饰自然界大量存在的其他类固醇来制取所需的类固醇则更为现实,某些微生物能使部分类固醇分子发生转化,常使用化学和微生物技术相结合的方法来制备工业用类固醇。所有的性激素和皮质类固醇(皮质甾类,来源于肾上腺皮质)都是从最广泛存在的一种类固醇即胆固醇衍生而来。皮质类固醇通过各种激素功能,帮助生物体去适应、增强和平衡体液的离子成分,故皮质类固醇起着维持生命的必不可缺的作用。存在于哺乳动物中的胆汁酸,在消化期间可起乳化脂肪的作用。胆固醇除充当类固醇激素的前体之外,还是细胞膜的重要组分。不幸的是,在有些人的体内,血清胆固醇含量过高,使动脉壁有沉积物形成,致使动脉粥样硬化。血浆内胆固醇含量升高与食物富含饱和脂肪有关。类固醇的第一个治疗用途可追溯到18世纪,当时曾发现洋地黄的提取物对某些心脏病有疗效。这些制剂的有效成分即洋地黄苷如今仍被使用,它是一种类固醇糖苷,即分子内的类固醇与糖基连结。许多植物类固醇均为强心苷,大剂量使用会致命,植物用它抵挡掠夺性昆虫。有些蟾蜍能分泌类固醇糖苷,也可起防御作用。皮质类固醇及其合成的类似物如脱氢皮质醇和地塞米松都可用作治疗药物以控制风湿病以及其他炎症。促蛋白合成类固醇有时给手术后病人和老年病人吃可促进肌肉生长和组

织再生。近年来，为数不断增加的业余爱好和职业运动员已在服用这些药物以促进肌肉发展和增进体力。医学研究人员已确认促蛋白合成类固醇对仍在发育的年轻人尤其有害，继续和长期服用会导致心脏病、肝损伤、性器官畸形以及其他反常现象。然而最广泛使用的类固醇药无疑是20世纪60年代初开始服用的口服避孕药，通过抑制排卵而起作用的这些合成药物主要从薯蓣皂苷配基制取，后者是取自野薯蓣的植物类固醇。

steroid hormone　类固醇激素　属于甾族化合物的激素，已知有30种左右。正常时由肾上腺皮质、睾丸、卵巢、胎盘及黄体分泌。胚胎时期，这些"类固醇腺体"密切相连，并同中肾相接，均来自中胚层。睾丸、卵巢主要是产生生殖细胞的器官，但肾上腺皮质的唯一功能即为激素分泌。组织学上，肾上腺皮质是上述三器官中分化程度最低的，但其分泌的激素却是多种多样。30多种类固醇激素可按其主要生理活动分为5组：①雄激素（如雄甾酮、睾酮）。睾丸的特有产物，起维持男性第二性征的作用。②雌激素（如雌二醇）。主要由卵泡产生，起维持女性第二性征的作用。根据释入血流内激素量的多少，动物可出现动情期或非动情期的变化。动情期即为性欲冲动期，子宫及其他雌性生殖道器官出现高度增殖的变化，并有接受雄性的行为。③促孕激素（如孕酮）。专由卵巢黄体分泌，直接作用于子宫为受精卵着床作准备，并维持妊娠。某些促孕激素，特别是合成的羟炔诺酮，对排卵有很强的抑制作用，可以作为治疗性控制生育的重要药物。④糖皮质激素（如17-羟-11-脱氢皮质酮、皮质醇）。由肾上腺皮质分泌，可使蛋白质转为糖和肝糖原。剂量过大时，血糖极高，可导致糖尿病。但同时，机体糖原的贮存亦由于蛋白质的消耗而增加。这些激素可产生欣快感，可使许多炎症性疾病（如虹膜炎、关节炎）的症状缓解。⑤盐皮质激素（如脱氧皮质酮、醛固酮）。对维持水-电解质平衡有极重要的作用，在肾上腺皮质出现病理性萎缩（参阅 **Addison's disease**）或外科切除后，肾对钠、氯及水的滤过增多，因而使尿量及其中所含的盐增高。患者或动物的症状在一定程度上可用供给大量水和盐缓解。过去艾迪生氏病的预后极差，现在可用脱氧皮质酮及皮质醇控制。醛固酮于1954年发现。糖皮质激素的分泌受垂体促肾上腺皮质激素（ACTH）调节；盐皮质激素的释放受血清中钠、钾、氯、水的浓度的调节。因此，垂体切除对水-电解质平衡并无明显影响。低盐饮食时，醛固酮分泌量迅即增高，血清钠不致过低。可能三种类固醇腺体均用胆固醇制造激素。能产生类固醇激素的部位，其分布有许多令人惊异的特点。大多数（可能全部）脊椎动物的卵巢，不仅产生雌激素，亦产生雄激素，且其量足以使产生明显的异性特征。雄性动物的睾丸不一定都能产生雌激素，但至少人类男性和雄马的睾丸能产生相当量的雌激素。男性及女性的肾上腺皮质均几乎经常合成少量雄激素，如果在女性雄激素合成过量，则导致不同程度的男性化，其主要表现有声音变粗、身体生长过度及面部多毛。

Stesichorus　斯特西科罗斯（公元前632或前629～前556或前553）　希腊抒情诗人，在作品《达夫尼斯》中首创田园诗体，并被认为是希腊式传奇诗先导的两首诗《卡律凯》和《拉丁尼》的作者。斯特西科罗斯的作品主要是以神话为题材的叙事诗，用多利斯方言写成。古罗马作家贺拉斯和昆体良称他为严肃诗人，但现存他的诗作不到100行。人们甚至不能肯定他是否用过被认为是他所首创的三诗节写诗。他主要在西西里的希梅拉活动。柏拉图在《斐德罗斯篇》中提到斯特西科罗斯在写诗指责特洛伊的海伦行为不端后眼睛被弄瞎，但在写公开认错的《改正诗》以后又被治愈。

Stessel, Anatoly Mikhaylovich　斯特塞尔（1848-06-28，俄罗斯圣彼得堡～1915-01）　Stessel 又拼 Stössel。俄国将军，日俄战争期间为旅顺驻军司令。1866年毕业于巴甫洛夫斯克军事学院。曾参加俄土战争（1877～1878），指挥一个旅参与镇压义和团运动（1900～1901）。1903年8月任驻旅顺俄军卫戍司令，从1904年1月起任驻旅顺第三西伯利亚军团司令。日俄战争爆发后不久，日本人封锁旅顺（1904-04）。围困148天之后，斯特塞尔不顾其他高级军官的决定和人员与物资的充分补给，向日本人投降，交出要塞（1904-12）。1906年9月被解职，翌年受军事法庭审判，判处死刑，后减为10年徒刑，1909年5月由沙皇赦免。

stethoscope　听诊器　听诊（**auscultation**）用的医疗器械，主要用于听取心脏和肺脏产生的声音，系R.T.H.拉埃内克所发明。他在1819年描述了一种钻孔的木质圆筒，可将声音从患者胸部传到医生的耳朵。这种单耳听诊器以后几经改革，现几全为双耳听诊器所取代。双耳听诊器由两根可弯曲的橡皮管、胸件、弹簧部及两根带耳件的金属管组成。胸件有两种，一种为钟型，适于听低频声音，另一种为膜型，适于听高频声音，听心音时需将两型结合使用。现在广泛使用具有两种胸件，通过转动开关即可迅速转换的听诊器。最近还设计了一种立体声听诊器，但仍未广泛应用。

Stetson, Augusta Emma Simmons　斯特森（1842-10-12，美国缅因沃尔多伯勒～1928-10-12，纽约罗切斯特）　婚前名 Augusta Emma Simmons。美国宗教领袖。1864年与F.J.斯特森结婚。1882年她在波士顿进入布利什演讲学校，有意成为职业演讲人和朗诵演员。1884年入M.B.艾迪的马萨诸塞玄学院。1885年，被召回波士顿成为艾迪教会的五位布道人之一。1886年奉派前往纽约市成立基督教科学教会，1890年正式授予牧师职（后改为"第一读经师"），任纽约市基督教科学第一教会牧师。1891年成立纽约市基督教科学院培训信仰疗法术士，极富吸引力。1899年开始在第96街和中央公园西路交叉处兴建新的花岗石大厦，造价超过百万美元。1903年落成启用。次年她也迁入相邻会众为她所建的豪宅。这些和其他成功的事例引起了母教的焦虑，怀疑她想取代艾迪。1902年艾迪教会发出了一个谕令，将基督教科学读经师的任期限定为三年。于是她辞去纽约读经师的职务，但影响未见减弱。1909年她的基督教

美国不列颠百科全书公司供图

科学教师和信仰疗法术士的许可被吊销，理由是她教人各种异端，包括性事和生育是罪恶，和欲图利用精神手段加害于人。11月，她和一群核心追随者被驱逐出教。但她继续住在她的家里，并保留了她的纽约市基督教科学院院长的职务，还继续宣称完全忠于艾迪。后来逐渐解释她的所为是一种通向基督教科学更高形式的召唤，是"胜利教会"。1910年艾迪死后，她预言艾迪会重生（后来她又宣称自己会永生）。在富有的追随者支持下，她继续宣讲她的版本的基督教科学直至死去。

Stettheimer, Florine　斯泰特海默（1871-08-29，美国纽约罗切斯特～1944-05-11，纽约）　美国画家。1892～1895年在纽约市艺术学生联盟学习，接受绘画训练。1906年移居欧洲，继续学习绘画，同时接触到象征派和后印象派画家的作品。1914年第一次世界大战爆发，返回纽约，开始在家中举办沙龙。最常见的客人中有艺术家M.杜尚和M.哈特利，以及作家、批评家范韦克滕。她常为那些著名的来客画像，这些人也是她的主要观众。1916年一次不成功的画展之后，她很少公开展出她的作品，而是私下进行艺术创作，形成了一种独特的风格。她的画作以鲜艳的色彩、有意的天真、离奇的幽默和风格迥异的人物为其特色，常用来讥讽社会现象。油画表现的是城市特权阶层，却依然保持一种批判的意味。1932年，作品选入惠特尼美国艺术博物馆第一届当代美国画家双年展。1934年也因其为V.汤姆森和G.斯泰因的歌剧《三幕四圣人》所作的布景和服装设计而得到赞许。她最富雄心的创作是一组四副油画，画中她称颂并评论了现代城市大教堂式的建筑：金融区、戏院、百货商店和艺术博物馆。临死还在画艺术大教堂。

Stettin（Poland）　**斯德丁**　参阅 **Szczecin** 什切青。

Stettinius, Edward Reilly, Jr. **斯退丁纽斯(小)**(1900-10-22,芝加哥～1949-10-31,美国康涅狄格格林尼治) 美国实业家,曾在F.D.罗斯福总统手下担任最后一任国务卿

美国国会图书馆供图

(1944～1945),在联合国创建方面发挥过突出作用。斯退丁纽斯曾在弗吉尼亚大学求学。1926年任通用汽车公司副总经理助理。1931年任该公司副总经理。1934年进入美国钢铁公司,1938年任该公司董事长。一年后任战争资源委员会主席。1940年任国防顾问委员会主席。1941年曾就任生产管理局确定优先分配的领导人,后继任《租借法》监督。1943年罗斯福任命他为副国务卿,翌年任国务卿。他忠实地执行总统的外交决策,但在决策过程中他的作用甚小。雅尔塔会议期间任罗斯福顾问。他参与联合国的奠基工作,于1945年率美国代表团参加旧金山会议。罗斯福逝世后他任美国首任驻联合国代表,1946年辞职。著有《罗斯福和俄国人:雅尔塔会议》(1949)。

Steuart, HOUSE OF 参阅 **Stuart, House of 斯图亚特王室**。

Steuart, Sir James **斯图尔特** 参阅 **Denham, Sir James Steuart 德纳姆**。

Steuben, Frederick William (Augustus), Freiherr von **施托伊本男爵**(1730-09-17,普鲁士马格德堡[德国]～1794-11-28,美国纽约雷姆森附近) 德意志军官,将美国革命军改

供图:Independence National Historical Park Collection, Philadelphia

变为一支训练有素的战斗力量,为美国的独立作出了贡献。军人家庭出身,16岁入伍。七年战争(1756～1763)期间,在普鲁士军中晋级上尉,一度在国王腓特烈大帝的参谋机构供职。战后退役任霍亨索伦-黑兴根亲王廷臣,封男爵。美国驻法国代表B.富兰克林和S.迪恩发现他是可用之才,向G.华盛顿将军举荐,1777年12月抵美。经华盛顿推荐,国会任命他主持宾夕法尼亚福吉谷驻军的冬训工作。施托伊本建立和指挥的模范军训连以及该年冬编写的《美国军队队形和训练规程》迅速在全军推广和采用。1778年5月,经华盛顿推荐,被任命为陆军总监,领少将衔。1780年接受实战指挥任务。在弗吉尼亚任师长,参加约克敦围城战役,英军于是役被最后战败。战后定居纽约城,生活豪奢,挥霍无度,虽国会数度奖以大笔赠款,纽约州奖授6 000公顷土地,依然债台高筑。1790年国会投票决定授予他2 500美元的终生养老金,维持他在农庄的生活。

Steuben Glass Company **斯托本玻璃公司** 1903年由T.G.霍克斯和F.卡德尔在纽约州科宁创设的玻璃工厂。1918年为科宁玻璃厂收买,但仍由卡德尔经营至1933年。这家公司以生产各种绚丽多彩的玻璃器皿而驰名,特别是一种称为奥里内的彩虹色半透明玻璃制品;另一种特产是镶嵌玻璃器皿,在水晶玻璃器皿上交搭镶嵌彩色柔软材料。20世纪30年代,公司开始生产由科宁玻璃厂研制成功的无色铅晶质玻璃。此后,斯托本的精美玻璃制品,几乎全是用这种玻璃制造的。

Steubenville **斯托本维尔** 美国俄亥俄州东部城市,杰斐逊县县城(1797)。濒临俄亥俄河。有桥梁与西弗吉尼亚州韦尔顿连接,形成一个都市区。东距匹兹堡63千米。1765年为临时居民点。后建要塞。美国独立战争中曾有殖民军在此受训。是俄亥俄州最早的社区之一。1797年建永久定居点。1805年设村,1851年设市。为钢铁中心。工业制品有化工品,铁合金和纸张等。该市设有斯托本维尔学院(1946)和杰斐逊工学院(1968)。人口:市22 125;斯托本维尔-韦尔顿都会统计区142 523(1990)。

Steudner, Hermann **施托伊德纳**(1832,西里西亚格赖芬贝格[德国]～1863-04-10,苏丹瓦乌) 德国医生及探险家。调查过苏丹西部的尼罗河支流,参加对埃塞俄比亚的系统勘探。1862年从米齐瓦(濒红海)横跨埃塞俄比亚到塔纳湖,再翻越喀土穆以北的埃塞俄比亚高原。次年同荷兰探险家A.蒂南一起上溯加扎勒河(白尼罗河西岸主要支流),进入苏丹西南部。后在此死于热病。

Stevenage **斯蒂夫尼奇** 英格兰赫特福德行政、历史郡新城镇和区。位于伦敦都市区北缘,在大北干道上。《1946年新城镇法》公

斯蒂夫尼奇镇的新建住宅

供图:J. Allan Cash—美国不列颠百科全书公司

布后,成为英国第一个新城镇,借以吸收伦敦过剩的人口。旧镇现为一个街区,有旧驿车客栈、12世纪教堂、16世纪中学和市场等。新镇有汽车不得入内的大购物中心。主要工业有A1公路沿线的电子设备制造业。面积26平方千米。人口约78 500(1998)。

Stevens, Albert William **史蒂文斯**(1886-03-13,美国马里兰贝尔法斯特～1949-03-26,加利福尼亚雷德伍德城) 美国陆军军官、气球飞行家、早期航空摄影家。曾拍摄了第一张地球曲面的照片(1930),并在日蚀时拍摄了第一张月球在地球上阴影的照片(1932)。1935年11月11日他和O.安德森上尉(后为中将)在南达科他州的拉皮德城创造了气球升高纪录,达到22 066米的高度。这个纪录保持到1956年才被打破。

Stevens, Alzina Parsons **史蒂文斯(夫人)**(1849-05-27,美国缅因帕森斯菲尔德～1900-06-03,芝加哥) 婚前名Alzina Ann Parsons。美国女劳工领袖、新闻工作者,以对工会组织及儿童福利改革作出贡献著称。因家境贫寒,13岁即入纺织厂,18岁学会印染技术。1877年她在芝加哥成立第一劳动妇女联盟。1882年前后迁居俄亥俄州托莱多市,参加劳动骑士团的工作,组织女骑士团,到1890年已成为22个地方劳动骑士团的领袖。1892年迁回芝加哥。1893年任伊利诺伊州副工厂视导员,促使该州通过改善童工待遇和义务教育的法令,又进行疏通活动使该州通过成立少年法庭的立法,并于1899年实施,在美国为首创。

Stevens, George **史蒂文斯**(1905,美国加利福尼亚奥克兰～1975-03-08,加利福尼亚兰开斯特) 美国电影导演,以卓越的摄影技巧和在影片中善于美化生活著称。他的双亲都

供图:AP/Wide World Photos

是演员,他曾任他父亲剧团的舞台监督,到好莱坞担任摄影师。他拍过很多两本长的、早期劳莱与哈代搭档的喜剧片,以刻意求工而崭露头角。1935年,因导演《艾丽斯·亚当斯》和《安妮·奥克莱》成名。此后,他继续执导一系列喜剧片,其中包括由G.罗杰斯和F.阿斯泰尔主演的歌舞片《摇摆乐的节奏》(1936)以及《快活的夫人》(1938)、《年度夫人》(1942)、《全城的话题》(1942)等。他后期的影片中,最受人赞赏的是独具匠心的摄影技巧和画面上的整体构图,音乐和画面的奇妙结合,以及对情感主题的出色处理。他战后的第一部影片《我记得妈妈》(1948)虽然对过去流于美

化,但仍因其背景真实和情感含蓄而受到称誉。他因《显赫地位》(1951)获得奥斯卡最佳导演奖,这是根据T.德莱塞的小说《美国的悲剧》改编而成的影片;1956年又因《巨人》获得此项奖。还有值得一提的影片是:《原野奇侠》(1953),这部西部片现在被视作经典作品。他的最后一部影片是《城中唯一的猎物》(1969)。

Stevens, J(ohn) P(eters) **史蒂文斯**(1868-02-02,美国马萨诸塞北安多弗～1929-10-29,新泽西普兰菲尔德) 美国商人。他创建的J.P.史蒂文斯公司是美国纺织业最大的企业之一。其祖父和叔父相继经营纺织业。史蒂文斯开始时在波士顿一家纺织品代理行工作。1899年他已具备了足够资本,遂在纽约开设了J.P.史蒂文斯公司,代售其叔父公司的产品,生意兴隆。他还购进新英格兰许多纺织公司的股权,成为在南方纺织厂大量投资的首批纺织工业家之一。他兼任6家纺织厂的董事。

Stevens, John **史蒂文斯**(1749,纽约市～1838-03-06,美国新泽西霍博肯) 美国律师、发明家和发展运输用蒸汽动力的倡导人。根据他的申请,美国国会于1790年通过了

霍博肯史蒂文斯理工学院供图

《专利法》,这是美国现行专利制度的基础。由于仰慕美国研制汽船的先驱人物J.拉姆齐和J.菲奇的成就,他设计了多种锅炉和发动机。为了保护自己的发明权,他向国会提出专利法草案。1802年他建成第一艘用螺旋桨推进的汽船,船上还装有多管锅炉。一年后经改进的双螺旋桨汽船制造成功,并在哈得孙河上顺利航行。由于他以前设计的船采用高压蒸汽机,容易发生危险,于是开始设计用于明轮船的低压蒸汽机。1807年,在他设计的船尚未建成前,美国发明家R.富尔顿建造的明轮船"克莱蒙特"号已经建成下水。但史蒂文斯仍坚持建成了船身长达30米的"凤凰"号,并于1809年下水。由于富尔顿已获得在哈得孙河上航行的垄断权,他只好将"凤凰"号由海路驶往费城,汽船在海上航行,这是第一次。1812年他出版了题为《关于铁路运输远较运河航行优越的资料》的小册子,对铁路运输的各个方面作了概括的说明。为了证明铁路的实用性,他在1825年制造了美国第一台蒸汽机车。可是它从未作商业应用,只行驶于霍博肯他自己庄园内的一条800米长的环形轨道上。1815年他从新泽西州的立法机关获得美国第一张铁路特许证。

Stevens, John Frank **史蒂文斯**(1853-04-25,美国缅因西加德纳附近～1943-06-02,北卡罗来纳南派恩斯) 美国土木工程师和铁路行政官员,自1905年后期至1907年4月任巴拿马运河总工程师,为工程的胜利完成奠定了基础。1875年成为工程师,开始为几条铁路工作,1895年任大北铁路总工程师,在复杂的地形上指导数千英里的铺轨工作。1905年被任命为地峡运河委员会总工程师,负责巴拿马运河的工程和建设。任命之初,运河的建设工程步履蹒跚,他迅速制定有条理的施工计划,着手消灭地区内传播黄热病的蚊虫,大力扩大为工程服务的铁路网,改善食品供应,使运河区大体适合美国工人生活。更重要的是协助说服T.罗斯福总统在运河上灵活地采用组合船闸,以及为大多数地峡运河委员会成员国赞同的用拦蓄的人工湖代替海平面运河。罗斯福批准了在运河上建筑船闸的计划,保证了运河胜利建成。1907年4月他辞职后由G.W.戈瑟尔斯接任,此后史蒂文斯在美国几家铁路公司任行政官员和工程顾问。

Stevens, John Paul **史蒂文斯**(1920-04-20,美国伊利诺尹芝加哥～) 美国最高法院大法官(1975年起)。1947年获得律师资格,在参加芝加哥市的一个法律事务所专门从事反托拉斯法业务以前曾给拉特利奇大法官当书记。他还从事教学和在一些政府委员会中任职。1970年尼克松总统任命他为第七巡回区上诉法院的巡回法官,他的法学成就使他赢得了声誉。福特总统于1975年任命他为最高法院大法官。他是一个有独立见解的法官,在最高法院中持中立的立场。

Stevens, Nettie Maria **史蒂文斯**(1861-07-07,美国佛蒙特卡文迪什～1912-05-04,马里兰巴尔的摩) 美国女生物学家、遗传学家。她曾在斯坦福大学学习,1899年获文学士学位,次年获文学硕士学位。后在宾夕法尼亚州布林莫尔学院受业于德国生物学家博韦里,1903年获哲学博士学位,自1903年至1912年在该校任实验形态学研究员兼副教授。史蒂文斯研究细胞学,特别致力于生殖细胞的分析以及真涡虫类和水螅类繁殖过程中的组织结构变化。1906年她同E.B.威尔逊分别发现性别由X、Y两种染色体决定。这一发现建立了细胞学同遗传学之间的关系,从而对遗传学的研究具有重大意义。其后史蒂文斯考察甲虫、苍蝇、植物和蚜虫的性别形成,在某些昆虫体内发现多余染色体,并发现苍蝇、蚊虫染色体的对偶状态。

Stevens, Robert Livingston **史蒂文斯**(1787-10-18,美国新泽西霍博肯～1856-04-20,霍博肯) 美国工程师和船舶设计师,发明广泛使用的倒T形铁轨和铁路道钉。他试验了第一艘螺旋桨汽船,这艘汽船是他的父亲J.史蒂文斯建造的。他还协助父亲建造了"凤凰"号轮船,并亲自参加了1809年"凤凰"号从纽约到费城的历史性海上航行。他是船舶设计方面的杰出人物,曾给"新费城"号汽船研制"假艏"以提高船速,使它能在早晨离开纽约州奥尔巴尼,而在黄昏前到达纽约市。1822年他建造了渡轮"霍博肯"号。1830年设计了倒T形铁轨,并发现在铁轨和枕木下面用碎石或砾石铺筑路基比以往任何方法都优越。他设计的铁轨和路基在美国被普遍采用。他还在机车前面加装排障器;为了更好地牵引,把驱动轮增加到8个。1846年他设计了"玛丽亚"游艇,20年来一直是世界上最快的游艇之一。

Stevens, Thaddeus **史蒂文斯**(1792-04-04,美国佛蒙特丹维尔～1868-08-11,华盛顿[哥伦比亚特区]) 美国南北战争后重建时期(1865～1877)激进派共和党人的国会领袖,曾为争取自由奴隶的权利进行战斗,并坚持

美国国家档案馆供图

战后南部各州在重新加入联邦时必须履行严格的条件。1816年在宾夕法尼亚州开业当律师,早年起即强烈憎恨奴隶制并无偿地为逃亡奴隶进行辩护。1833～1841年为州议员,支持银行界、国内改革和公立学校,反对共济会、杰克逊民主党人和奴隶主。1849～1853年为国会辉格党众议员,主张增加关税,反对《1850年妥协案》中有关逃亡奴隶的条款。19世纪50年代中期参加新建的共和党,反对将奴隶制扩展至西部领土;1859～1868年再次进入国会,并成为"公认的当然领袖"。他口才流利,议会政治手腕娴熟,出任赋税委员会和拨款委员会主席后充分发挥了领导才能。战后他大力争取公正对待黑人,并对战前南部白人统治势力重新掌权深自警惕。1865年12月国会开会时他带头拒绝接纳战前南部参、众议员。他作为两院重建联席委员会成员,在起草《宪法第14条修正案》和1867年军事重建法规上起了重大作用。1868年因A.约翰逊总统对南部持"宽容"态度而提出弹劾总统决议案,任弹劾条款起草委员会主席,还极力主张没收南部种植园,将部分土地分给黑人自由民,结余收入抵偿国家战争债款,然未获国会支持。史蒂文斯遗嘱死后葬于宾夕法尼亚州兰开斯特一黑人公墓。自撰的墓志铭阐明他之所以选择这个地方是为了"用死亡来说明"他"毕生所提倡"的原则——"在造物主面前人人平等"。

Stevens, Wallace **斯蒂文斯**(1879-10-02,美国宾夕法尼亚雷丁～1955-08-02,康涅狄格哈特福德) 美国诗人。他的作品探索现实和人们心目中对现实的理解两者之间的相互

作用。直到晚年才有较多的人承认他是一个重要诗人。曾在哈佛大学读过3年书，一度为纽约《先驱论坛报》工作。1904年在纽约法学院获得学位后，在纽约市开业当律师。最

供图：© Rollie Mckenna

早发表的诗1914年刊登在《诗刊》上。1916年加入康涅狄格州哈特福德保险公司，1934年升任副董事长，任该职直至逝世。第一本诗集《簧风琴》(1923)只卖出不到100本，却获得评论界好评，1931年和1947年曾重印。他在其中提出了想象与现实的主题，后来他毕生的创作都贯穿这一主题，使他的作品俨然像一个整体，30年后，他曾考虑把他的几本诗集统称为"完整的簧风琴"。他在第一本诗集中表现出词藻绚丽的语言才华。后来，他倾向于放弃表面上的华丽，以保持哲学上的严谨。收入《簧风琴》中的《扮演字母C的喜剧演员》探讨了诗人(即富于想象力的人)与社会的关系。在20世纪30年代和40年代初，这一主题重现在斯蒂文斯的诗集《关于秩序的思想》(1935)、《携蓝色吉他的人》(1937)和《世界的组成部分》(1942)中。在组诗《罪恶的美学》中，他认为美与罪恶是不可分割地联系在一起的。1950年出版《秋天的晨曦》，1954年又出版了《诗集》，获普利策奖。评论文集《必要的天使》出版于1951年。死后S.F.莫尔斯编有其《遗作集》(1957)，收入先前未辑录出版的诗歌、剧本和散文。

Stevens Point　史蒂文斯波因特　美国威斯康星州中部城市，波特奇县县城(1867)。濒临威斯康星河。位于阿普尔顿西北偏西109千米处。1839年开始有人定居。1858年建市。19世纪70年代威斯康星中央铁路支线修通后得以发展。波兰移民对这里的文化发展起过重要作用。现生产纸制品、家具、捕鱼设备和啤酒。设有威斯康星-史蒂文斯波因特大学(建于1894年，原为师范学院)。人口24 551(2000)。

Stevenson, Adlai E(wing)　史蒂文森(1835-10-23，美国肯塔基克里斯蒂安县～1914-06-14，芝加哥)　美国民主党律师和议员，曾升任美国副总统(1893～1897)。初在伊利诺伊州梅塔莫拉城当律师。1858年在伊利诺伊州参议员竞选运动中听到林肯和道格拉斯之间的著名辩论，深受鼓舞，随即参加政治活动。1860年任衡平法院院长。1865年当选为州检察长。两次当选为美国众议员(1875～1876，1879～1880)。他主张实行低额关税和纸币政策。1885～1889年任邮政部长第一助理。G.克利夫兰4年后再任总统时，他任副总统。届满后，由W.麦金利总统派往欧洲以一个委员会主席身份为国际复本位制工作。曾竞选副总统(1900)和伊利诺伊州长(1908)均告失败。

Stevenson, Adlai E(wing)　史蒂文森(1900-02-05，洛杉矶～1965-07-14，伦敦)　美国政治领袖和外交官，曾协助建立联合国，任美国驻联合国首席代表(1961～1965)。富机智，有辩才，1952和1956年作为民主党候选人竞选总统，但均告失败。曾步祖父A.E.史蒂文森副总统(1893～1897)后尘操律师业(芝加哥，1926)，并致力于公益服务事业，先后领导芝加哥律师协会民权委员会及援助盟国保卫美国委员会芝加哥分会。1941～1944年任美国海军部长特别助理，1943年率领对外经济管理署代表团去意大利执行美国的救济与复兴计划。两年后为国务卿助理，并任美国

供图：AP/Wide World Photos

代表团顾问出席创立联合国的旧金山会议，继为出席伦敦第一次联合国大会美国代表团高级顾问(1946)及出席纽约两次大会的代表(1946～1947)。1948年以历史上最多票当选为伊利诺伊州州长，任内实现一系列有深远影响的改革：建立州警察考绩制度，改善州立精神病院中的护理与医疗，增加州对学校的资助以及恢复公职人员选拔制度。1952年芝加哥民主党全国代表大会上被提名为总统候选人。1956年再次被提名，然两次均为深孚众望的D.D.艾森豪威尔将军所击败。1960年J.F.肯尼迪当选总统后，被任命为美国驻联合国阁员级大使衔首席代表，任此职直至去世，任内对缓和由于联合国的财政困难、冷战以及亚非新生国家对传统西方领导地位的敏感所造成的险恶国际紧张局势作出贡献。著作有《伟大的召唤》(1954)、《余之所见》(1956)、《友与敌》(1958)、《向外看：联合国的危急年头》(1963)。

Stevenson, Matilda Coxe Evans　斯蒂文森(1849-05-12，美国得克萨斯圣奥古斯丁～1915-06-24，马里兰奥克森希尔)　婚前名Matilda Coxe Evans。美国民族学者。在她的研究领域，尤其是在祖尼人宗教研究方面，是重要的学者之一。1872年与J.斯蒂文森结婚。1879年随丈夫去新墨西哥州考察，为美国民族局承担研究祖尼人的项目。曾几次去祖尼人住地，研究他们的家庭生活，特别是研究祖尼妇女在家庭中担当的角色、职责和宗教礼仪。第一篇重要的论文《祖尼儿童的宗教生活》发表在美国民族局1883～1884年度报告上，在儿童研究方面开辟了人类学一个全新的研究领域。1885年参与创建美国妇女人类学协会，并担任首任主席。1888年3月研究"祖尼宗教"的重要论文发表在《科学》杂志上。美国民族局1901～1902年度第23届年度报告中刊登了她长达600页的论文《祖尼印第安人：他们的神话、神秘的兄弟会以及宗教仪式》，这是她最重要的著作。1908～1909年度第30届年度报告中刊登了她的论文《祖尼印第安人的民族植物学》。

Stevenson, Robert　史蒂文森(1772-06-08，格拉斯哥～1850-07-12，爱丁堡)　英国土木工程师。1797～1843年在苏格兰灯塔修建部门工作期间，他设计、修筑灯塔，并发明闪光灯和水样采收器。著有《贝尔罗克灯塔记》(1824)一书，该塔是他和J.伦尼合作在一个孤立的地点修建的著名的灯塔(1807～1812)，也是苏格兰第一座这样的灯塔。

Stevenson, Robert Louis (Balfour)　斯蒂文森(1850-11-13，爱丁堡～1894-12-03，萨摩亚瓦伊利马)　苏格兰随笔作者、诗人和小说、游记作家，以其小说《金银岛》(1881)、《绑架》(1886)、《化身博士》(1886)和《巴伦特雷的少爷》(1889)著称。他的作品种类繁多、构思精巧，其成熟小说富有独创性和力量。出身于爱丁堡一个土木工程师家庭。1867年进爱丁堡大学攻读土木工程，后改学法律。1875年取得律师资格，但从未开业。早年便表现出写作欲望，10多岁时曾有意模仿著名作家的诗文进行习作。惜自幼体弱，后又患肺病，不得不经常易地疗养。1873年起曾给比他年长的F.西特韦尔夫人写过许多信，起初向她求爱，后来满足于她的友谊。这些信件至今犹

布朗兄弟公司供图

存，但尚未完全发表。1878年发表《内陆之行》，1879年发表《驴背旅程》，记述了他两次旅游法国的印象。1882年发表《新天方夜谭》故事集。他最脍炙人口的小说《金银岛》，最初在杂志上连载，后于1883年成书问世，使他一举成名。这部小说的写作技巧高超，气氛、人物和情节十分合拍，既是男孩子喜爱的惊险故事，也是对人的行为动机的暧昧性所

作的诙谐评论。他对苏格兰的风土人情感情浓厚,曾深入研究18世纪苏格兰历史,写了一系列以苏格兰为背景的小说,如《黑箭》(1888)、《绑架》、《巴伦特雷的少爷》、《卡特里昂娜》(1893)以及未完成的杰作《赫米斯顿的韦尔》(1896)。他的道德寓意深刻的惊险小说《化身博士》,描写一个昼善夜恶的双重人格的人物,确立了他在普通读者中的声望。他的《儿童诗园》(1885)极为忠实地追述了儿时的印象和感情,在英国文学中别开蹊径。他的苏格兰方言诗也显露了特殊才能。因健康关系,1887年与妻子、母亲和继子前往美国。1888年携全家到南太平洋群岛旅行。1890年10月起定居于萨摩亚岛,直至去世。他尽了极大努力去了解那里的风土人情,写了观察深入和笔锋尖锐的报道文学,并以当地的故事为素材写了短篇小说集《岛上夜谭》(1893)。1894年因脑溢血突然逝世。斯蒂文森是一个不知疲倦的书信作者,他的书信由S.科尔文编辑出版,提供了作者及其一生的生动写照。逝世以后,长期被认为只是一个模仿他人风格的散文作家和儿童读物作家,直到20世纪50年代才被有识者推崇为具有独创性和才能的作家。

Stevin, Simon **斯蒂文**(1548,布鲁日~1620,荷兰海牙或莱顿) 荷兰数学家,促进了十进制小数使用的标准化,否定亚里士多德关于重的物体坠落比轻物体快的说法。他

莱顿大学图书馆供图

是一个商店的伙计,后来成为公共工程委员和拿骚的毛里斯亲王部队的军需总监,他设计了一套水闸系统,利用水淹以驱赶敌人,这是荷兰的一种重要防卫手段。他还发明一种26座的挂帆马车,用于海滨。他在《静力学和流体静力学》(1586)中发表了力的三角形定理,这种力的三角形与力的平行四边形图解等价,给静力学研究以新的推动,而过去静力学是以杠杆理论为基础的。他还发现液体的下压力与容器的形状无关,而仅由高度和底面积决定。1585年他发表了小册子《十分之一》,其中对十进制小数及其日常应用作了浅显而透彻的说明。尽管十进制小数并非他发明的,用的符号也不方便,但是他确立了它们在日用数学中的应用。他宣称普遍采用十进制的币制和度量衡只是时间问题。同年他又在《小数》中谈论同一问题。1586年发表了他的试验报告:两个铅球,其中一个的重量为另一个的10倍,从30英尺的高度同时落地。尽管他的发现比伽利略论重力的第一篇文章早3年,比伽利略论自由落体的理论著作早18年,但没有受到重视。

stew **煨炖菜** 将肉、禽或鱼与蔬菜一并放入有盖的器皿内,加水后用文火煨炖而成的菜肴。煨炖菜从不沸煮,保持在88 °C慢慢煨炖,以使韧质食品软化并渗透香味。将要炖的肉切成小方块,家禽肉切成带骨的大块,鱼则切成厚片或薄片。做走油红烧肉时,肉块(有时和部分蔬菜)在加水之前,在热油中过一下。家禽肉常是白煮不红烧。嫩小牛肉、羊羔肉亦然。通常在汤中加根菜(如胡萝卜、洋葱、芜菁、防风草、马铃薯)及番茄、芹菜等。熬得的菜汤可把蔬菜煮烂而变稠或用面粉、蛋黄增稠。法国的红烧浓味肉块是用蒜、番茄、香草提味的红烧煨炖菜,而煨炖羊肉是羊肉或羔羊肉做的红烧浓味肉块。鲜菜炖羊肉是放入新马铃薯、胡萝卜、豌豆、洋葱和芜菁为配菜的煨炖羊肉。煨炖肉块和白汁肉块是白炖家禽肉和小牛肉或羊羔肉,并且以蘑菇、嫩青菜和香草提味,汤汁则以蛋黄、奶油增稠。全世界所有食谱都有煨炖菜。如匈牙利烹饪法中的四大名菜(菜炖牛肉、泡菜炖猪肉、红辣椒炖肉、托考伊煨炖菜)均为煨炖菜。波兰猎人的一种煨炖菜 bigos,用各种新鲜肉和腌肉、野味、卷心菜或酸辣泡菜、有香味的青菜煨制。爱尔兰煨炖菜是白煮羊肉、洋葱和马铃薯。希腊的浓味蔬菜炖肉是用红酒、洋葱、番茄、月桂叶、大蒜提味的煨炖牛肉,也可加羊奶酪。两种美国煨炖菜:不伦瑞克煨炖菜(源于弗吉尼亚不伦瑞克县)用松鼠肉、兔肉(现在多用鸡)和甜玉米、利马豆、番茄、秋葵荚和洋葱入料。肯塔基煨炖菜配料近似,但加牛肉、马铃薯、胡萝卜、芜菁及其他菜蔬。炖鱼汤可用淡水鱼或海水鱼,有时还用各种贝壳类。

Steward, Julian H(aynes) **斯图尔德**(1902-01-31,华盛顿[哥伦比亚特区]~1972-02-06,美国伊利诺伊厄巴纳) 美国人类学家,20世纪中叶著名的新进化论者之一及文化生态学理论的奠基人之一。他也研究过北美肖肖尼印第安人和各种南美印第安人的农村社会组织及人种志,同时也是一位早期的地区研究的倡导者。1925年获得康奈尔大学理学士学位,1929年获伯克利加利福尼亚大学哲学博士学位,其后在几所大学任教。1935年参加史密森学会美洲人种局工作,相继担任高级人类学家(1938)及社会人类学研究所所长(1943~1946)。斯图尔德将人类学、考古学、历史学、生态学及人种志等学科汇为一家之说,曾主编过7卷本《南美印第安人手册》(1946~1959),这是一部由美洲人种局与国务院合作出版的一套不同文化的调查汇编。斯图尔德的主要理论著作是《文化演变论:多线进化方法论》(1955),试图证明社会制度产生于劳动模式,劳动模式则取决于一个民族适应其自然环境的技术。尽管存在社会变革中多种文化的相似性,不同自然条件和历史背景的需要,就会产生不同的社会体制,斯图尔德将此过程归纳为"多线进化"之说。同样,他在《水利文明》(1955)一书中也说明,干燥气候条件下,集体劳力及中央政权需要水力灌溉,从而导致不断的社会分工,而最终造成世界不同地区内国家的出现和发展。斯图尔德于1946~1952年在哥伦比亚大学任教,后于1952年在伊利诺伊大学任教,1967年成为名誉教授。

steward, lord 参阅 **lord steward** 王室总务长。

steward, lord high 参阅 **lord high steward** 加冕事务长。

Stewart, House of 参阅 **Stuart, House of** 斯图亚特王室。

Stewart, Alexander **斯图尔特** 参阅 **Albany, Alexander Stewart, duke of** 奥尔巴尼公爵。

Stewart, Alexander Turney **斯图尔特**(1803-10-12,爱尔兰安特里姆郡利斯本~1876-04-10,纽约市) 美国纺织品商人。他的店铺发展成为一家巨大的批发、零售商行。爱尔兰出生。1823年从爱尔兰携带3 000美元的爱尔兰花边来纽约,开设一家小纺织品商店,取得稳步发展。1846年兴建一座名为"大理石宫"的庞大建筑来经营零售、批发业务。他对所有货物均明码标价,不与顾客讨价还价,这在当时是一种创新。他对雇员严谨,照制度办事;实行低工资及失职罚款办法。南北战争爆发,他与政府签订巨额合同,向联盟军供应廉价制服。1862年开设世界最大零售商店,不仅在欧洲6个国家设有办事处与仓库,而且购买了许多纺织厂的控股权。斯图尔特在纽约房地产上有巨大投资。他做过一些慈善事业。

Stewart, Arabella 参阅 **Stuart, Arabella** 斯图亚特。

Stewart, Balfour **斯图尔特**(1828-11-01,爱丁堡~1887-12-19,爱尔兰德罗赫达) 苏格兰气象学家和地球物理学家,因对地磁和辐射热的研究而知名。在任基尤观象台的助理前曾从事商业10年,后在爱丁堡大学任福布斯的助教,进行了辐射热的研究。1859年任基尤观象台台长,1870年在曼彻斯特的欧文斯学院任自然哲学教授。在辐射热的研究中,斯图尔特首先发现物体辐射和吸收同样波长的热;但他在这方面的工作很快就被德国物理学家G.基尔霍夫超过。在关于地磁的研究中,他发现磁场的逐日变化可以用高层大气的气流来解释,这种气流起着导体作用,当它从地球磁场中穿过时,能产生电流。著有《看不见的宇宙》(与P.泰特合写,1875),还有关于当时科学发现方面的其他许多通俗读物。

Stewart, Donald Ogden **斯图尔特**(1894-11-30,美国俄亥俄哥伦布~1980-08-02,伦敦) 美国幽默作家、演员、剧作家兼电影剧本作家。1940年因将《费城故事》改编为电影剧本而获奥斯卡奖。1916年毕业于耶鲁大学。第一次世界大战中曾应征入伍。他的《历史大纲仿作》(1921)一问世即获成功,很快便被接纳为"阿尔贡金圆桌会"这一文艺团体的会员。该会会员有帕克、本奇利等,这些人均以

妙语横生、幽默风趣而著称于世。1928 年首次在纽约市登台，饰《假日》中的波特。尔后，创作了第一部剧作《重新振作起来》(1930)，并亲自参加演出。他的电影改编剧本获得了巨大成功，其改编之作具有对话风趣幽默而又忠实于原作的特色。还独自或与人合作，写了《温普尔街的巴雷特一家》(1934)、《那种不确定的感情》(1941)、《与爸爸一起生活》(1947)和《卡斯·蒂姆伯兰》(1947)等剧。他是一位直言不讳的社会主义者，曾任好莱坞反纳粹同盟和美国作家左翼同盟主席，因此成为 20 世纪 50 年代美国反共狂的迫害对象，后重返英国。自传《时来运转》于 1975 年问世。

Stewart, Douglas (Alexander)　斯图尔特 (1913-05-06，新西兰埃尔瑟姆～ 1985-02-14，澳大利亚悉尼)　澳大利亚诗人、剧作家、评论家。他在自己的剧作中对往事进行神话般的再创造，帮助确立了澳大利亚民族传统。曾在维多利亚大学学院学习，后离校从事新闻工作。1937 年自费出版第一部诗集《绿狮》。后前往伦敦报界谋职，但未能如愿以偿。1938 年回澳大利亚后，1940 ～ 1961 年任《公报》文学副刊"红页"的编辑。1961 ～ 1972 年担任悉尼安格斯-罗伯逊出版集团顾问。他在戏剧方面的最大成就是广播剧，而不是舞台剧。剧作《雪上之火》于 1941 年播出，描写斯科特 1912 年的南极探险。随后播出的是根据毛利人传说改编的《黄金爱侣》(1944；后与《雪上之火》一起出版)。此外，还有三部历史剧《奈德·凯利》(1943；1944 首演)、《船难》(1947；1948 上演)和《渔夫的幽灵》(1960；1961 上演)。他的《诗集：1936 ～ 1967》出版于 1967 年，《诗选》出版于 1972 年。《红发女郎及其他故事》出版于 1944 年。评论著作有《肉体与灵魂》和《宽广的溪水》(1975)。

Stewart, Dugald　斯图尔特 (1753-11-22，苏格兰爱丁堡～ 1828-06-11，爱丁堡)　哲学家和苏格兰"常识"哲学学派的主要阐述者。曾在爱丁堡大学学习。其父为该校数学教授。

苏格兰国家肖像画陈列馆供图

斯图尔特 19 岁时开始在该校教书。1775 年继承父职。10 年后被任命为道德哲学教授，直到 1820 年。学生时期受苏格兰实在论者 T.里德的著作，特别是《根据常识的原则探讨人的心灵》那部著作(1764)的影响。和里德一样，他认为哲学是一门科学性的学科，不应受形而上学的思辨和范畴的束缚。喜用科学方法研究哲学问题，这一点反映在他从事的数学事业上。常将数学的原理同人类思想的规律加以类比。其主要著作是：《人类心灵哲学原理》(3 卷；出版于 1792、1814 和 1827)。其他著作汇集为 11 卷，包括《道德哲学纲要》(1793)、《哲学论文集》(1810)和《人类积极力量和道德力量的哲学》(1828)。

Stewart, Frances Teresa　斯图尔特　参阅 **Richmond and Lennox, Frances Teresa Stuart, Duchess of 里奇蒙和伦诺克斯公爵夫人**。

Stewart, Henry　斯图亚特　参阅 **Darnley, Henry Stewart, Lord 达恩利勋爵**。

Stewart, James　斯图尔特　参阅 **Moray, James Stewart, 1st Earl of 莫里伯爵(第一)；Moray, James Stewart, 2nd Earl of 莫里伯爵(第二)**。

Stewart, James (Maitland)　斯图尔特 (1908-05-20，美国宾夕法尼亚印第安纳～ 1997-07-02，加利福尼亚贝弗利希尔斯)　又译史都华。美国著名电影明星，以扮演腼腆羞怯但

卡尔弗图片公司供图

正直坚决的人物而著称。斯图尔特是普林斯顿大学建筑专业毕业生，参加马萨诸塞州法尔茅斯的大学演员协会，与亨利·方达和玛格丽特·沙利文这些未来的影星在一起。30 年代中期移居好莱坞。他说话慢慢腾腾和不太流利的特点，使导演安排他担任什么角色最合适颇费心思，但他的朴实而吸引人的风度很快就为常看电影的观众所接受。他的第一部影片是《谋杀者》(1935)。30 年代后期，演出了轰动一时的喜剧片，如 F.卡普拉的《浮生若梦》(1938)和《史密斯到华盛顿》(又译《民主万岁》，1939)。1940 年因主演《费城故事》(又译《旧欢新宠》)获得电影艺术与科学学院颁发的奥斯卡金像奖。第二次世界大战期间，斯图尔特在美国陆军航空队从二等兵晋升至上校，在担任轰炸机领航员时，曾多次飞临德国上空执行任务。《美妙生活》(1946)是他战后演出的第一部影片。在这部影片中，他扮演乔治·贝利，一个茹苦含辛的理想主义者，尽管他的计划一再受挫，装出阔人架子而实际已经很穷，但仍要夸耀他对他的家庭和所在社区是何等的重要。

在斯图尔特许多令人难忘的演出中，以在如下影片中所饰主角最为突出：《哈维》(1950)；A.希契科克(又译希区柯克)的惊险片《后窗》(1954)、《知道得太多的人》(1956)和《眩晕》(又译《迷魂记》，1958)；O.普列明格的《一件谋杀案的剖析》(又译《桃色血案》，1959)。他在一些传记片中扮演美国在人文方面的英雄，包括在《格伦·米勒的故事》(1953)中扮演乐队领队格伦·米勒和在《圣路易斯之魂》(1957)中扮演飞行员查尔斯·林白。他后来的影片主要是西部片，如《谢南多厄》(1965)、《稀有种类》(1966)和《神枪手》(1976)等。

Stewart, John　斯图尔特　参阅 **Albany, John Stewart, 2nd Duke of 奥尔巴尼公爵(第二)；Atholl, John Stewart, 4th Earl of 阿索尔伯爵(第四)**。

Stewart, J. I. M.　斯图尔特 (1906-09-30，苏格兰爱丁堡～ 1994-11-12，英格兰萨里郡科尔斯登)　英国小说家、文学评论家和教育工作者，他塑造了约翰·阿普尔比这个人物，一个以其文雅的幽默和巧妙的词语而闻名的英国侦探。曾在牛津大学奥里尔学院求学。1930 ～1935 年在利兹大学教英语。1935 ～ 1945 年任澳大利亚阿德莱德大学英语教授，在赴澳途中开始写一部侦探小说《总统官邸的命案》，该书于 1936 年出版。这是他用笔名迈克尔·英尼斯写的近 50 部小说中的第 1 部，其中最著名的有《阿普尔比的结局》(1945)和《和平女神计划》(1951)等。他还用原名写过一些其他小说并担任过各种教职。他著有论述莎士比亚、T.哈代和 R.吉卜林的文学评论。自传《我自己和迈克尔·英尼斯》出版于 1987 年。

Stewart, Martha　斯图尔特 (1941-08-03，美国新泽西泽西城～　　)　婚前名 Martha Helen Kostyra。美国企业家和家庭生活方式革新家。将餐饮公司发展成为国际性的媒体和家庭装饰公司——马莎·斯图尔特生活全媒体公司。从小就学习烹调、缝纫、保存和加工食品、家务和园艺等传统技艺。曾就读于巴纳德学院，1963 年获文学士学位。1961 年与 A.斯图尔特结婚(1990 年离婚)。1976 年与人合伙开办一家餐饮公司，她的创新和演示才能吸引了一大群有声望的顾客。她的第一本书《消闲》(1982，与 E.霍斯合著)为她后来的作品定下了基调：高雅的艺术，华丽的陈设，精致的膳食和优美的设计。另外，她监制的《哥伦比亚广播公司正餐经典》是一系列名曲的汇编，为野餐、鸡尾酒会、星期日聚餐或异国风情的饮宴提供适当的背景音乐。随着《马莎·斯图尔特小吃》(1984)和《婚礼》(1987)等作品的连续走红，时代出版公司与她在 1990 年合作出版《玛莎·斯图尔特生活》月刊。1993 年，她开始主持在许多电视台同时播放的电视节目，并且最后于 1997 年从时代、华纳公司买下那份杂志。以她的名字命名并由她兼任董事长和首席执行官的玛莎·斯图尔特生活全媒体公司于 1999 年在纽约股票

交易所上市。她成了亿万富翁，公司也成为公众关注的焦点。2001 年 12 月，斯图尔特卖出一个好朋友公司的股票4 000股，时间是在公众获知公司信息因而股票价格暴跌的前一天，为此他被指控进行内部交易。2004 年被认定有罪，判处监禁 5 个月，然后在家软禁 5 个月。

Stewart, Mary　斯图亚特　参阅 **Mary** (Scotland)玛丽(苏格兰)项下的 **Mary** 玛丽。

Stewart, Potter　斯图尔特(1915-01-23,美国密歇根杰克逊～1985-12-07,新罕布什尔汉诺威)　美国最高法院大法官(1958～1981)。1941 年在纽约州和俄亥俄州获得律师资格，第二次世界大战后定居辛辛那提市;在该市市政委员会工作并担任副市长。后来在 1954 年被任命为第六司法区上诉法院法官。1958 年艾森豪威尔总统任命他为最高法院大法官。他一般跟随保守集团投票，在 60 年代期间，人们常说，当最高法院对政府权力的行使要作出裁决时，若双方票数接近，他便是一个“动摇不定的人”。在“谢尔顿诉塔克”一案中，他代表多数派大法官所写的意见认定，要求教师登记其全部社会关系是违宪的。他还在一些涉及个人自由的案件中写下了一些值得注意的不同意见，这些案件包括:“恩格尔诉瓦伊塔尔”案、“格里斯沃尔德诉康涅狄格州”案和“米兰达诉亚利桑那州”案。在这些不同意见中，正如他所讲的一样，他力求限定而不是否认政府权力的行使。他于 1981 年从最高法院退休。

Stewart, Robert　斯图尔特(或斯图亚特)　参阅 **Albany, Robert Stewart, 1st Duke of** 奥尔巴尼公爵(第一); **Castlereagh, Robert Stewart, Viscount** 卡斯尔雷子爵; **Robert** (Scotland)罗伯特(苏格兰)项下的 **Robert II** 罗伯特二世。

Stewart Island　斯图尔特岛　新西兰第三大岛。在太平洋西南部，南岛南方。面积 1 746平方千米。地势起伏，海岸曲折，林木茂密，多风。1867 年至 19 世纪 90 年代，人们几度蜂拥来此采金、采锡，均告失败。现岛上人烟稀少，以夏季旅游业和捕捞牡蛎、螯虾为生。在哈夫穆恩贝(原名奥本)有轮渡，横越福沃海峡到南岛布拉夫。人口约 540(1987)。

stewartia　紫茎　山茶科紫茎属(*Stewartia*)灌木或小乔木，约 8 种，原产于东亚及北美洲东部。在温暖地区栽作观赏植物，以观赏其艳丽的形似山茶的花朵及色彩鲜艳、会剥落的树皮。日本紫茎(*S. pseudocamellia*)亦称假山茶，为乔木，高达 15 米，树皮浅红色，易剥脱;花朵极为绚丽，形大，花瓣白色，中有橘红色的雄蕊，色彩对比明显。丝光紫茎(丝光山茶，*S. malacodendron*)又称弗吉尼亚紫茎，为灌木，高可达 3.5 米;花白色，雄蕊紫色。山地紫茎(*S. ovata*)又称卵圆叶紫茎或山地山茶，是另一个美洲种，亦为灌木，几乎仅分布于阿巴拉契亚山脉南部。单雄蕊紫茎(*S. monadelpha*)、具锯齿紫茎(*S. serrata*)以及中国紫茎(*S. sinensis*)均为原产亚洲的乔木，花形稍小。

Stewartry　斯图尔特里　苏格兰西南部邓弗里斯-盖洛韦行政区一区。1975 年设置，由前柯库布里郡中部地区组成。面积1 670平方千米。北部山地高度超过 750 米，雨量充足，低地气候湿润，适宜牧草生长，多牧场。所产牛奶大量输往苏格兰中部和英格兰北部城市市场。北部山地大面积造林，粗放的牧羊业已减少。仅有与农业有关的制造业和旅游服务业。行政首府设在临迪河河口的柯库布里。人口约23 600(1991)。

Steyn, Marthinus Theunis　斯泰恩(1857-10-02,奥兰治自由邦里特方丹[今在南非]～1916-11-28,布隆方丹)　奥兰治自由邦领袖、南非战争(1899～1902)前及其间该邦总统。在布隆方丹和荷兰代芬特尔受教育。1889 年入自由邦高等法院工作。1896 年 2 月在总统选举中获胜。推行经济独立和保护荷兰语文不受外来影响政策，促成自由邦与德兰士瓦结盟(1897)。为制止英国与德兰士瓦发生冲突，1899 年 5～6 月主持召开 P.克留格尔总统与英国专员 A.米尔纳之间的布隆方丹会议，未获成果。9 月参加南非战争。1900 年 3 月英军占领布隆方丹后，领导游击队继续作战。他因健康状况不佳，未在《弗里尼欣和约》上签字。后健康受损，无法继续执政，但极力抵制德兰士瓦总理路易斯·博塔提出的调停纲领。

Steyr　施泰尔　奥地利东北部上奥地利州城市。在林茨东南，恩斯河和施泰尔河汇合处。10 世纪在一城堡周围建立。中世纪时为奥地利炼铁工业中心。在旧城中心有教区教堂(1443～1522)、市政厅(1765～1778)和中世纪时布梅尔宫。郊区有 1305 年建立的医院、格莱因克隐修院和加斯滕隐修院。现仍为钢铁工业中心，并生产卡车、汽车、拖拉机、轴承、猎枪及机械。人口39 337(1991)。

Sthānakavāsī　斯陀那迦派　印度耆那教白衣派的近代支派。它与母派的区别在于不拜像和不在庙中礼拜。该派于 18 世纪由苏拉特地方的拉瓦所创。拉瓦原是不拜像的郎迦派的信徒。该派主张在僧人聚会处等世俗场所即斯陀那迦礼拜，不在寺庙礼拜，故名。

stibnite　辉锑矿　锑的硫化物矿物(Sb_2S_3)，为锑的主要矿石矿物。辉锑矿具有明亮的金属光泽，呈铅灰色至钢灰色，很容易熔化(熔点约 525 °C)。辉锑矿以大块形式出现在片麻岩和花岗岩内。也见于石灰岩内，推测可能是由温泉堆积的。已发现的重要辉锑矿矿床位于中国湖南省、日本四国岛，以及美国西部(爱达荷州、加利福尼亚州和内华达州)。辉锑矿同与其相似的砷的和铋的硫化物(分别为雌黄和辉铋矿)形成一族具有相似物理性质的矿物(参阅 **sulfide mineral**[表])。辉锑矿用于制造火柴、焰火和雷管，古人并以其作为化妆品用于使眼睛显得大。其晶体属斜方晶系。

stichomythia　轮流对白　古希腊戏剧中有时使用的一种对话形式，其中两个人物可以轮流使用单句的诗体警句。这种对白通常被用来表现处于激烈争论中的人物，或提高一个场景中的情感强度。人物可以轮流表达针锋相对的见解，或者可以互相接说对方的台词，暗示出另外的意义或使它们具有双关意义。通过塞内加的影响，轮流对白也被英国伊丽莎白戏剧所采用，在莎士比亚《爱的徒劳》和《理查三世》中均有表现。20 世纪 20 年代散文剧中缩短的警句式语言，象征着一种似“短兵相接的搏斗”或“刺砍与闪避”的类型，如在科沃德的散文剧中所见。

stick insect　蛸　参阅 **walkingstick** 竹节虫。

stickball　棍球　在街道或在其他有限场地用棍(如拖把柄或扫帚柄)击硬橡胶球的游戏。于 18 世纪后期在英格兰发展起来。现代棍球主要见于纽约市内街道上。以街道防火栓或废弃汽车为赛垒，还可以利用这些东西作档球墙，常以下水道口的盖子为垒。为了便于握拿，棍的一端用胶布缠裹。棍球可以分两队比赛，也可以由一个击球员和几个守场员比赛，没有统一规则。这个游戏的特点是击球员把球尽量击得远些，然后设法在守场员重新拿到球之前到达一垒。击球员在下列任何一种情况下出局:守场员用球击中他;触杀他或比他先跑到本垒。

stickleback　刺鱼　刺鱼目刺鱼科约12种产于北半球温带区的鱼类的统称。体型小，最大长约 15 厘米。一些种生活于淡水;一些种生活于海水;还有一些种在淡水或海水中

三棘刺鱼(*Gasterosteus aculeatus*)

供图:G.E.Hyde from Natural History Photographic Agency—美国不列颠百科全书公司

都有。本科特征是背部在背鳍鳍部前方有一行棘。腹鳍各具一锐棘;尾柄细长，尾鳍方形。无鳞，体侧有数目不定的硬甲片。刺鱼以其生殖行为而闻名。通常在春季繁殖。此时雄鱼通身红色，以植物质为原料，用肾脏分泌的黏液丝粘合在一起筑成一巢，然后诱哄和驱赶雌鱼进巢，产卵，随之进行授精。雄体会选择一条以上的雌鱼入内产卵。当巢中产满卵后，雄鱼就守卫看管，给卵供氧，直到孵化，并主动攻击侵害卵和幼鱼者。有几种刺鱼为人们所熟悉并且产量丰富。三棘刺鱼(三刺鱼，*Gasterosteus aculeatus*)是北半球淡水和海水中常见种，背棘三个，体型小，5～10 厘米长。还有九棘刺鱼(九刺鱼，*Pungitius pungitius*)形亦小，但背棘数多，是另一广泛分布种。其他还有北美淡水产的溪刺鱼(*Culaea inconstans*)和北美主要为海产的四棘刺鱼(四刺鱼，*Apeltes quadra-*

cus)以及欧洲沿岸所产的细长多棘的海刺鱼(十五棘刺鱼,*Spinachia spinacnia*)等。

Stickley, Gustav 斯蒂克利(1858-03-09,美国威斯康星奥西奥拉～1942-04-21,纽约锡拉丘兹) 美国家具设计师、制作师,教会式样家具的主要创制者。他在1900年前后设计出一种新型硬橡木家具,其朴素、实用、构造稳固的优点在他看来是民主价值的表现。1901年,他在锡拉丘兹设立工场,并出版《工艺师》月刊,以推广他的设计思想和图样。尽管受到英国艺术和手工艺运动的影响,但他仍是一位很有创新精神的家具设计师。他不仅设计家具,还设计各种装饰性的附件。《工艺师》最受欢迎的特色之一是发表了一系列适合收入较低的人们使用的房屋设计构思。15年后,他所设计的家具声誉日蹙。1916年《工艺师》停刊,同时他把濒于破产的工场交给两个弟弟经营。他们继续照他的设计生产家具。许多仿制者也利用他的设计成果。

Stiegel, Henry William 斯蒂盖尔(1729-05-13,科隆附近～1785-01-10,美国宾夕法尼亚查明福吉) 铁器制造商、玻璃制造商和市镇建设者。因他所生产的高质量蓝、紫、绿色和像水晶一样透明的玻璃器皿,他在美国早期工业界中惊人的暴起暴落,至今犹在人们记忆中。1750年,他到达费城,1760年成为国内最富有的铁器制造商之一,在宾夕法尼亚兰开斯特县办起"伊丽莎白熔炉"铁工厂,在伯克斯县查明福吉开办第二家铁工厂。1762年,他在兰开斯特县买进一大片土地,投资建设一个市镇,取名曼海姆。他受抵制英国货的爱国风的鼓舞,于1768年在曼海姆开设玻璃厂(以后叫作美利坚燧石玻璃厂),从威尼斯、德国和英国招来玻璃工人,制造实用的器皿和精美的餐具。因为他生活豪华(号称"男爵"),加上战争逼近所引起的玻璃业萧条,同时殖民地人民喜欢进口餐具,终于使他陷于破产。1774年,他债台高筑,把玻璃厂卖掉。他在"伊丽莎白熔炉"铁工厂当工头,直到这家工厂也宣告破产。以后他充当传教士,在学校教书并教音乐,过简朴的生活,直至去世。曼海姆的非英国国教信义宗教堂的土地是以5先令和"一朵红玫瑰"的代价从斯蒂盖尔手中购得的,从1892年起每年举行一次"交付玫瑰日纪念仪式"。

Stieglitz, Alfred 施蒂格利茨(1864-01-01,美国新泽西霍博肯～1946-07-13,纽约市) 热情提倡摄影是一种艺术的美国摄影家,同时也是在美国展出现代艺术的早期组织者。1902年创办富有朝气的摄影决裂者组织,以反对当时因循守旧的摄影界。1883年在柏林工业大学攻读机械工程,不久改习光化学,并开始其摄影生涯。在柏林,他有许多朋友是画家,为了使人们承认摄影像绘画一样也是一种创造性的艺术,他决定为此而奋斗。他天真地相信要得到这种承认,最好的办法是成为一位摄影权威;而要成为摄影权威,则必须给自己的作品规定最高的标准,并尽可能地赢得奖金和奖章。早期作品(约1883～1910)反映了他的奋斗目标,其标志就是不断地进行当时人们认为不大可能的技术革新,例如首次成功地拍摄了雪景、雨景和夜景,并最先系统地使用小型手提式照相机,到1910年这些照片已获得许多重大的奖励。认识到仅仅靠本人的早期声望不可能使人接受摄影

供图:Imogen Cunningham

是一种艺术的观点,并且相信集体的努力或许可取得更好的效果。1902年他创办摄影决裂者组织,作为领导人,团结一批有才华的美国摄影家在他的周围,为其理想而献身。1905年在其密友施泰肯的创议和协助下,在纽约建立摄影决裂者组织的"小展厅",或以其门牌号码称为"291展厅"。人们通常认为是著名的军械库展览会(1913)把现代艺术介绍到美国,但早在1908年施蒂格利茨已在"291展厅"首先展出了雕塑家罗丹、画家马蒂斯的作品,并相继展出了画家土鲁斯-劳特累克、亨利·卢梭、塞尚和毕加索的作品。他坚信,美国当代的艺术家也能作出与历史上的名家同等的成就,创造出不朽的艺术作品,因此,在将欧洲现代艺术介绍到美国的那几年里,他也为美国画家马林·哈特利、德夫和韦伯举办了画展。当"291展厅"于1917年关闭前,他还率先向美国人展出了雕塑家布朗库西、纳德尔曼,画家皮卡比阿、麦克唐纳-赖特和乔治亚·奥基夫的作品(施蒂格利茨于1924年与奥基夫结为伉俪)。观众对大多数展览抱着嘲笑和不友善的态度,他编辑出版的激进杂志《摄影作品》(1903～1917)记录了这段新旧思潮冲突的历史。"291展厅"和《摄影作品》都没有度过第一次世界大战的艰难岁月,均于1917年停办,施蒂格利茨又有了时间从事摄影创作。1917～1937年期间他的杰出成就是以奥基夫的肖像和以表现各种情绪感受的抽象云景为主题的两组各有400余幅照片的作品。施蒂格利茨打破了美国艺术博物馆对摄影作品的壁垒,他拍摄的照片是被波士顿、纽约和首都华盛顿的著名博物馆作为艺术品接受的第一批照片,与其他著名的绘画作品悬挂在一起,一同展出。他有天赋的领导才能、敏锐的眼光、灵活而善于思考的头脑以及为革命信念斗争的坚强性格。他不仅在摄影界,而且在绘画和雕塑界几乎是单枪匹马地把他的国家推向20世纪的艺术世界。他第一次向公众展出现代艺术的最佳作品,用摄影机、笔和慷慨激昂的演说,激励美国人摒弃19世纪以来专事模仿欧洲学院式艺术的传统,并且为承认当代美国艺术家是国际艺术界的一支生力军而奋斗。

Stieglitz, Julius 斯蒂格利茨(1867-05-26,美国新泽西霍博肯～1937-01-10,芝加哥) 美国化学家。曾按照价理论阐明有机化合物的性质和结构,并将物理化学的方法应用于有机化学。在柏林大学取得博士学位(1889)。主要在芝加哥大学工作,曾任该校化学系主任(1915～1933)。研究过分子重排、催化、化学指示剂理论和有机氮化合物结构。将电离和化学平衡理论引入其《元素定性化学分析》教科书(两卷本,1911～1912)中。

Stieltjes, Thomas Jan 斯蒂尔吉斯(1856,荷兰兹沃勒～1894,法国图卢兹) 生于荷兰的法国数学家,对级数理论有显著贡献,被认为是连分数分析理论的创始人。他父亲是土木工程师。他早年在代尔夫特上学。曾在莱顿天文台工作6年,后在格罗宁根大学任职。1885年迁居法国,次年获博士学位,并成为图卢兹大学数学教授。除研究发散级数和条件收敛级数外,斯蒂尔吉斯在黎曼函数论、数论以及球面调和函数理论等方面都取得了进展。他还提出了一种重要的积分定义,现称斯蒂尔吉斯积分。

Stiernhielm, Georg 谢恩赫尔姆(1598-08-07,瑞典维卡～1672-04-22,斯德哥尔摩) 瑞典诗人、学者,常被称作"瑞典诗歌之父"。出身矿工家庭,早年就读于乌普萨拉大学,后

供图:Svenska Portrattarkivet, Stockholm

又求学于德国一些大学。他最重要的作品是寓意说教的史诗《海格立斯》(约1647写成,1658发表)。这部诗作是文艺复兴后期古典主义作品的优秀范例;它充满了人道主义精神,相当于一篇关于道德、荣誉的布道文。谢恩赫尔姆学识渊博,著述主要探讨语言学、历史学、哲学等方面的问题。在他的自然哲学方面的著作片断中,可以看出他是以柏拉图式神秘主义的传统作为基础,阐述宇宙进化的学说。

Stif(Algeria) 参阅 **Sétif 塞提夫**。

stiff neck(congenital disorder) 参阅 **torticollis 斜颈**。

stifftail 硬尾鸭 雁形目鸭科针尾鸭族(*Oxyurini*)的几种小型鸟类。体圆,翼短,尾

羽长而尖。北美洲的红鸭(牙买加尖尾鸭,*Oxyura jamaicensis*)是常见的典型的硬尾鸭。大多数种类于繁殖期雄鸟有鲜艳的淡红色羽毛和鲜蓝色的喙,在非繁殖期的体羽则为黄褐色。雌鸟的羽色单调,个体较小,有1或2条贯眼纹。硬尾鸭用其特化的尾羽在水下把握方向以寻觅食物。很少上陆活动。与大多数水禽一样,在水面上睡觉。雄鸟食管可膨大,颈内可能有气囊,在吵闹而精致的求偶表演时便膨胀起来(有些种类用嘴敲打膨大的颈部)。常在沼泽地建造由芦苇构成的坚实的巢。每窝产4～5枚表面粗糙的卵,在水禽中,其卵相对最大。雄鸟协助育雏,这是鸭类中罕见的特性。大多数硬尾鸭生活于南半球的温暖地区,多生活淡水中。见于地中海至土耳其斯坦的白头鸭(白头硬尾鸭,*O. leucocephala*)是欧洲仅有的一种硬尾鸭,雄鸭褐色,脸全白,蓝色嘴的基部有瘤状突。东非的非洲硬尾鸭(*O. maccoa*)和澳大利亚的蓝嘴鸭(南方硬尾鸭,*O. australis*)有淡红色羽毛和黑色的头。热带美洲和西印度群岛的花脸硬尾鸭(*O. dominica*)的雄体有白色的腹和淡红色的上体,脸黑色。还有澳大利亚南部和塔斯马尼亚的麝鸭(*Biziura lobata*)和南美洲南部的寄生性的黑头鸭(*Heteronetta atricapilla*)。

Stifter, Adalbert　施蒂弗特(1805-10-23,奥地利上普兰～1868-01-28,林茨)　奥地利小说家。他创作了一些近乎古雅的纯朴的小说,歌颂了简朴生活中谦卑的品德。他是亚

供图:Bild-Archiv, Osterreichische Nationalbibliothek, Vienna

麻布织造商的儿子,儿时在乡下的体验,为他的作品提供了背景材料,那时四周都是农民手艺人。曾在维也纳大学攻读法科,未取得文凭。他多年来生活艰难,当过家庭教师、艺术家和作家。1840年开始发表短篇小说《兀鹰》(1840)、《野花》(1841)、《曾祖父的记事册》(1841～1842)。在小说《布里吉塔》(1844)中,开始显现他主要作品的基本结构:自然景色和人的内在统一也应决定故事的形式。后又写有故事集《素描集》(6卷,1844～1850)和《彩石集》(1853),使他成名。1848～1850年的政治动荡期间,他深深卷进关于教育作用的辩论之中。1850年他从维也纳迁往林茨,任督学。小说《晚来的夏日》(1857)是他最伟大的作品,描写一个正在学习和成长的年轻人。他的史诗般的《维提科》(1865～1867)利用中世纪的波希米亚历史象征人类争取一个公正与和平秩序的斗争。此后还写有一些其他小说,但因重病在身,无法完成把《曾祖父的记事册》扩写为长篇小说的计划,只写完第一卷。

Stigand　斯蒂甘德(?～1072-02-22)　坎特伯雷大主教。1043年任埃尔马姆主教,同年英格兰国王爱德华之母埃玛王后失宠时,他因是王后的顾问而被免职。1044年又复原职。1047年为温切斯特主教。1052年为国王爱德华和戈德温伯爵斡旋和平,并被任为坎特伯雷大主教,接替已经逃亡的罗伯特(朱梅热的)。但未放弃温切斯特职位。由于他的前任仍然在世,他的任职被认为不合教规,直到1058年他才从敌对教皇本尼狄克十世手中接受大主教披肩。1059年本尼狄克十世被废,他被教皇尼古拉斯二世处以绝罚。1070年他被废黜。

Stigler, George J.　施蒂格勒(1911-01-17,美国华盛顿伦顿～1991-12-01,伊利诺伊芝加哥)　美国经济学家,因其对市场行为和政府调节效果的深刻而非正统的研究获1982年诺贝尔经济学奖。1931年毕业于华盛顿大学,1932年在西北大学取得工商管理学位,1938年在芝加哥大学获经济学博士学衔。1936～1938年在艾奥瓦州立学院、1938～1946年在明尼苏达大学、1946～1947年在布朗大学、1947～1958年在哥伦比亚大学、1958年起在芝加哥大学执教;1963年起任美国多所院校的查尔斯·R.沃尔格林讲座杰出教授,1981年成为荣誉退休教授。1977年在芝加哥创建经济与国家研究中心。他对经济学突出的贡献包括:信息经济学的研究对传统的理解——有效率的市场如何运作,作出了重要而详尽的阐述;政府调节的研究,他的结论是:政府调节最乐观的前景是不产生什么影响,但经常有损于消费者的利益。著作有:《价格理论》(1946)——微观经济学教科书、《知识分子与市场》(1964)、《经济学史论文集》(1965)、《公民与国家》(1975)、《鼓吹者的经济学家及其他论文集》(1982)等。

Stiglitz, Joseph E.　斯蒂格利茨(1943-02-09,美国印第安纳加里～　)　美国经济学家,与A.M.斯彭斯、G.A.阿克洛夫因为信息不对称市场理论打下基础而同获2001年诺贝尔经济学奖。毕业于马萨诸塞州阿默斯特学院(文学士,1964)和麻省理工学院(哲学博士,1967)。后在耶鲁、哈佛、斯坦福等大学任教。他是克林顿总统经济政策班子的活跃分子;美国经济顾问委员会委员(1993～1997),1995年出任委员会主席,1997～2000年任世界银行高级副总裁与首席经济学家。2001年成为纽约哥伦比亚大学经济学、商学和国际关系学教授。他的研究集中于在信息不对称的市场中,信息不灵通的人和经营者如何改善其地位。他发现他们可以间接地通过筛查和自选来设法得到信息。这一点他是通过其对保险市场的研究来阐明的。在保险市场中,各(不了解情况的)公司缺乏对其每一个(了解情况的)客户风险状况的信息。分析表明,运用对保险单持有人的激励措施使其公开信息,保险公司就可以将他们分为不同的风险等级。利用筛查的过程,可使保险公司有选择性地签发保险合同,从而可以较低的费率换取较高的免赔额度。

stigma(biology)　参阅 **eyespot** 眼点。

stigmata　圣痕　单数为stigma。基督教神秘主义名词,指对应于耶稣基督被钉十字架惨死时所受创伤的伤痕或疼痛部位——在手上、脚上、头上(耶稣曾戴荆棘冠冕)、肩上或背上(耶稣曾背负十字架并受鞭笞)。据说圣痕是在人处于宗教狂喜状态出现。相传圣方济各是第一位带有这种因神迹而出现的伤痕的人。据说,1224年,方济各在自己的祈祷室中思念基督的痛苦,突然出现一位撒拉弗,给他身上留下了5处基督的伤痕。教皇亚历山大四世和其他人都作证说,在方济各生前和死后他们都亲眼见过他身上的这几处伤痕。在14世纪,相传同样的神迹发生在多明我会修女凯瑟琳(锡耶纳的)身上。据她的传记说,她经常发作癔病性颠痫。23岁病发时身上出现了第一批圣痕。从14到20世纪,至少有330人经辨认曾带有圣痕。

Stijl, De　风格派　1917年阿姆斯特丹的荷兰艺术家团体。最著名的画家是蒙德里安,其艺术植根于神智学的神秘主义思想,1914年前在巴黎因接触分析立体主义而深受影

T.van 杜伊斯堡的风格派绘画《玩牌者》(1917)

供图:Haags Gemeentemuseum, The Hague

响,但认为立体主义远未达到纯抽象的高度或他所谓"纯造型的表现"(后来他称之为"新造型主义")。他追求一种能够表现其宗教与哲学信念的工整明确的艺术,排除一切表现的成分,将绘画减到只有几种因素:直线、平面、矩形和混以中间色(黑、灰、白)的原色(红、黄、蓝)。作为一个运动,风格派的影响波及绘画、装饰艺术(包括家具设计)、印刷和建筑,主要是建筑,因为它除可实现风格派的理想外,还可使各种艺术实现彼此密切的协作。风格派美学在20世纪20年代越出荷兰国界,在德国的包豪斯和国际风格中也得到表现。

Stikine River　斯蒂金河　加拿大不列颠哥伦比亚省西北部及美国阿拉斯加州东南部河流。源出不列颠哥伦比亚省西部斯蒂金山脉的数条溪流,向西南流动,穿过峡谷,沿斯帕齐济高原荒野区和埃齐扎山省立公园边缘而过,接纳最大支流伊斯库特河,在美国阿拉斯加州的兰格尔以北注入太平洋。全长540千米。1834年由哈得孙湾公司人士发现。1896

年克朗代克淘金热期间为重要水上通道。该河有270千米河段可通航。

stilbite 辉沸石 沸石族中的一种矿物，与片沸石(heulandite)类似。

stiletto fly 剑虻 双翅目剑虻科昆虫，约670种。成虫细长，多毛或有刺毛，多见于牧场等开阔地。幼虫在土壤或腐败物质中，与成虫同为掠食性。幼虫扭动行进，易误认为蠕虫。

Stilfser, Joch (Italy) **斯蒂尔夫瑟山口** 参阅 Stelvio Pass 斯泰尔维奥山口。

Stilicho, Flavius 斯提利科(约365～408-08-22) 西罗马帝国摄政者(394～408)，曾辅佐罗马皇帝霍诺留，西罗马最后的伟大统帅之一。曾数度出征反对蛮族入侵。罗马人和

约公元400年的双连书写板上的、据认为是斯提利科的乌木浮雕像
供图：Alinari—Art Resource

汪达尔人的混血儿。383年出使波斯国王沙普尔三世的宫廷。约385年任宫内伯(皇帝亲兵指挥)，约393年晋升两军主帅(罗马军队总司令官)。因与鲁菲努斯意见不和，二人遂成政敌。狄奥多西一世死前，任命他和鲁菲努斯分别辅佐两个皇子，狄奥多西一世死后，由斯提利科任军队统帅。当西哥特人在酋长阿拉里克领导下开始造反、劫掠色雷斯和马其顿的时候，斯提利科率兵开进色萨利。然而，正当他要与阿拉里克交战时，东罗马皇帝阿卡狄乌斯在鲁菲努斯的授意下，命令斯提利科分出一部分人前往君士坦丁堡。395年11月，调往君士坦丁堡的军队杀死了鲁菲努斯。397年斯提利科率兵开进希腊，但阿拉里克不肯出战，他只好撤回意大利。同年，阿非利加伯吉尔多背叛罗马，禁止非洲粮船向罗马行驶。斯提利科当机立断，从高卢和西班牙输入谷物。翌年，他派马斯塞泽尔率兵前往非洲，击败并处死了吉尔多。398年斯提利科的女儿玛丽娅嫁给皇帝霍诺留。不久，斯提利科成为400年的执政官。401年阿拉里克和西哥特人入侵意大利，直逼米兰。斯提利科自莱茵河边境和不列颠调集军队。402年他与哥特人在波伦提亚交锋。斯提利科虽然未能大获全胜，但夺取了哥特人的营帐。之后阿拉里克向伊特鲁里亚进兵，但经过谈判，他同意撤出意大利。403年，阿拉里克再次入侵意大利，进攻维罗纳，斯提利科又与阿拉里克交锋，获得胜利。阿拉里克向北逃窜。405年下半年，一大群日耳曼人，主要是东哥特人，在异教徒拉达盖苏斯率领下，向佛罗伦萨进攻。斯提利科进行抗战，迫使日耳曼人退到菲耶索莱。在这里，斯提利科切断了日耳曼人的供给线，随后又进行一次大屠杀。斯提利科念念不忘吞并伊利里亚，407年开始执行这一计划。他关闭意大利的港口，禁止东罗马舰队出入。408年初霍诺留又娶了斯提利科的另一个女儿特尔曼提娅。但斯提利科的影响下降。流言说他欲立其子为东罗马皇帝，并称其部下已有动作。霍诺留把他囚禁起来，8月22日将其斩首。

Still, Andrew Taylor 斯提耳(1828-08-06，美国弗吉尼亚琼斯伯勒～1917-12-12，美国密苏里科克斯维尔) 美国按骨疗法的奠基者。他认为，可以通过手法使身体得到适当调节，并结合药物和手术从而达到治疗疾病的目的。斯提耳从其父和堪萨斯的大学里受到一些医学训练。约1849年开始在堪萨斯和密苏里各阶层中行医。他积极反对奴隶制度，1857年被选入堪萨斯地区的立法机构；并参加过南北战争。他的三个孩子都死于一次流行病，这促使他加紧研究。1874年，他论述了按骨疗法的原则。起初遭到人们的反对，1892年终于在科克斯维尔建立了美国按骨疗法学院，该校系科克斯维尔按骨医学院(1971年名)的前身。斯提耳还于1894年创办了《按骨医学杂志》。

Still, William Grant 斯蒂尔(1895-05-11，美国密西西比伍德维尔～1978-12-03，洛杉矶) 美国作曲家、指挥家，第一个指挥专业交响乐团的美国黑人。歌剧、芭蕾舞剧、交响曲和其他作品的多产作家，最著名的作品是《美国黑人交响曲》(1931)。初习医，后转而学习音乐。曾在奥伯林音乐学院学习作曲，又在波士顿新英格兰音乐学院师从保守的G.W.查德威克，后又在E.瓦雷兹的最激进的先锋派时期成为他的学生。20世纪20年代为舞蹈乐队领队P.怀特曼和布鲁斯作曲家W.C.汉迪编曲，于是他的音乐训练进一步多样化。早期为室内管弦乐团创作的管弦乐作品有《黑暗的美国》(1924)和《来自黑人区》(1926)。他对美国黑人社会地位的关心在许多作品中均有反映，除《美国黑人交响曲》外，还有芭蕾舞剧《萨赫德吉》(1930)、《莱诺克斯大街》(1937)、歌剧《动乱的岛国》(1938，1949上演)和《美国1号公路》(1963与1977上演)等，均为著名作品。他在30年代中期的创作表明，爵士乐队是对他的折衷主义音乐风格的一种较大影响。

still-life painting 静物画 描绘无生命物体的形态、色彩、质地和构成等特征的绘画。以静物为题材的装饰性壁画和镶嵌画在古代虽也偶有出现，但直到文艺复兴时期静物画才成为一种独立的绘画形式。早期的尼德兰静物画以头盖骨、蜡烛和沙漏寓意死亡，以四季鲜花和果实象征大自然的循环。观察并进而如实地描绘周围实物细节的兴趣，希望以

J.菲特绘《静物》
马德里普拉多博物馆供图

艺术作品装饰家庭的富裕中产阶级的兴起，以及由于宗教改革的长期影响，人们对肖像画以外的世俗性绘画的需求不断增长，这都是导致静物画在16、17世纪兴起的因素。一般认为第一幅静物画是意大利画家巴尔巴里于1504年所创作的。然而静物画的“黄金时代”是17世纪，其地点则在苏格兰低地。从18世纪到第二次世界大战后非写实主义绘画兴起，法国成为静物画的中心。

still rings (gymnastics) **静止环** 参阅 rings 吊环。

Stillbay industry 静湾石器工艺 首先发现于南非共和国开普省的旧石器时代晚期的石器组合，距今大约3万～5万年。这种石片工具文化的分布范围，北起埃塞俄比亚，沿

东部海岸南下，直到南非，包括各式各样的石器。静湾石器工艺被比作北非和欧洲的莫斯特文化期的石器工艺，是介于最早期的石器与克罗马农人的高度复杂的石器之间的一种类型。这类石器通常是用勒瓦娄哇石片制作技术生产的，方法是先制备一个石核，再打制出锐利的石片，大概用作矛头或者剥兽皮的石刀。此外，静湾石器工艺中还有叶形双面尖状器。

Stiller, Mauritz　斯蒂勒（1883，赫尔辛基～1928-11-08，斯德哥尔摩）　瑞典电影导演，20年代初期瑞典电影在国际上深孚众望时的代表人物之一。他受到美国导演大师的影响，如D.W.格里菲思的史诗体风格以及T.H.英斯对景物的整体处理，但最主要的影响来自S.拉格洛夫小说中典型的瑞典式神秘主义和对大自然的热爱，他把这位小说家的很多作品搬上银幕。受过舞台表演的训练，1912年自演自导第一部影片《母与女》。他据拉格洛夫小说改编的影片《阿尔内爵士的财宝》（1919）是最杰出的瑞典无声片之一，它以优美的画面和突出的性格刻画受到举世赞扬。根据拉格洛夫小说改编的影片《根纳·海德斯传奇》（1922），对自然风光作了充满诗情画意的处理，如其中把驯鹿驱赶进深山的场面非常动人。在他最出名的影片《戈斯塔·贝尔林传奇》（1923）中重复了这种手法。1925年他应邀去好莱坞，并把他所提拔的女演员G.嘉宝也带到美国。他在那里导演《帝国饭店》（1927）、《受审判的女人》（1927）和《罪恶之街》（1927）后，于1928年回到瑞典。

Stilling, Heinrich（German writer）　**施蒂林**　参阅 **Jung-Stilling, Johann Heinrich** 容-施蒂林。

Stillman, James　斯蒂尔曼（1850-06-09，美国得克萨斯布朗斯维尔～1918-03-15，纽约市）　美国金融家与银行家。当其任总经理时，纽约国民城市银行（现为花旗银行）成为美国最强大的金融机构。开始时在纽约一家商号就业，得到当时的富商和银行家M.泰勒的提携。1891年洛克菲勒家族购得国民城市银行的控制股权后不久，斯蒂尔曼继泰勒的女婿任该行总经理。该行在1893年金融大恐慌中，仍能保持业务繁荣，存款额增长一倍以上；在美国银行界居于支配的地位。斯蒂尔曼1891年开始任职时，该行存款额为1 200万美元，到他去世时，已增至6.38亿美元。他个人财产估计在1亿美元以上。

Still's disease　斯提耳氏病　儿童期的类风湿性关节炎，与成年期的类风湿性关节炎的主要不同点在于能影响骨生长的速度。典型病变为脊柱畸形。药物和物理疗法配合休息和应用骨科矫正器常能防止骨结构发生病残性变化。

Stillwater　斯蒂尔沃特　美国明尼苏达州东部城市，华盛顿县县城（1840）。临圣克鲁瓦河。位于圣保罗东北32千米处。建于1839年。1844年设镇，1854年设市。为明尼苏达准州成立大会（1848）会址和该州第一座城镇。设有州监狱（1851）。主要行业为乳品加工、制鞋和生产通风扇。旅游业在当地经济中起重要作用。圣克鲁瓦河畔有砂岩化石裸露。人口15 143（2000）。

Stillwater　斯蒂尔沃特　美国俄克拉何马州中北部城市，佩恩县县城（1907）。位于斯蒂尔沃特河畔。1884年初建，1891年设镇，1895年设市。1891年建立的俄克拉何马农业机械学院（1957年改为俄克拉何马州立大学）促进了该市经济和社会发展。出产牛、小麦和天然气。附近布莱克韦尔湖（1 300公顷）是俄克拉何马中部土地利用工程的核心。人口39 065（2000）。

Stilo Praeconinus, Lucius Aelius　斯提洛·普雷科宁努斯（约公元前154，罗马附近拉努维乌姆～前74，罗马？）　又称埃利乌斯·斯提洛（Aelius Stilo）。古罗马第一个一贯致力于拉丁语文、文学、罗马和意大利古代文物的学者、评论家和教师。一个著名骑士世家的成员。曾教过瓦罗和西塞罗。据西塞罗的说法，他属斯多葛派。所写著作仅留存若干片断。他写过关于萨利依僧的赞美诗的评注，他或许还写过关于《十二铜表法》的评注。他的最重要著作是考证普劳图斯喜剧的真伪，其中他认可的有25部。

Stilpōn　斯提尔波（活动时期约公元前380～前300）　希腊哲学家。他属于欧几里得（希腊美加拉人，活动时期约公元前300）所创立的美加拉学派。大多数美加拉哲学家所以知名，主要是因为他们十分重视运用辩证法技巧，以及他们对斯多葛派逻辑学的影响，而不是因为他们自己在伦理学方面的明确主张。可惜他的对话，除其他作家所引用的断片外，均已失传。他最为闻名的学生中，有斯多葛主义创始人基提翁的芝诺。

stilt　长腿鹬　鸻形目反嘴鹬科几种滨鸟的俗称。腿和嘴细长。体长约35～45厘米。生活于温暖地区的池塘周围，在泥滩和芦苇丛生的浅水中觅食甲壳动物和其他小型水生动物。普通长腿鹬（*Himantopus himantopus*）体呈黑白两色，其间的比例不等，腿粉红色，眼红色。其亚种有旧大陆的指名亚种黑翅长腿鹬（*H. h. himantopus*）和新大陆的黑颈长腿鹬（墨西哥普通长腿鹬，*H. h. mexicanus*），新西兰还有颜色极深的种类。澳大利亚的斑长腿鹬（*Cladorhynchus leucocephala*），体白色，翼棕色，胸部有淡红色带，腿呈淡黄色。

墨西哥黑颈长腿鹬（*H. h. mexicanus*）
供图：G. W. Robinson—Root Resources

stilt　高跷　一副带有脚蹬的长杆，可以固定在脚下行走。本来是供涉水和过沼地使用，曾为老幼均宜以及沼泽地和水淹地区居民的娱乐工具。比利时的那慕尔市早先常遭桑布尔河和默兹河水淹，多少世纪来以那里的踩高跷闻名。不仅城镇居民，而且士兵们也使用高跷。儿童游戏用高跷已有很长历史，这种跷不用绑在腿上，踩跷者把上端夹在腋下，两手握柄以支撑身体。

stilt bug　跷蝽　异翅目跷蝽科（Berytidae，或锤角蝽科[Neididae]）昆虫，百余种。不好动，褐色，植食性。常见于世界各地稠密的植被中，5～9毫米长。美国东部的刺跷蝽（*Jalysus spinosis*）危害谷物、桃和番茄。威克姆氏刺跷蝽（*J. wickhami*）见于美国东部。

Stilton　斯第尔顿干酪　英国产蓝色干酪，以亨廷顿郡一村庄名命名。斯第尔顿村显然从未生产过这种干酪，现在采用这个商标的限于莱斯特郡、德比郡和诺丁汉郡所生产的干酪。采用短角牛的奶制作，具有浓郁香味，没有罗克福尔奶酪咸，质地半软、湿润或含大量奶油。乳黄色，带有青霉菌芽胞蓝绿色纹理。圆柱形，高9英寸（23厘米），直径8英寸。米色外壳起皱并发硬。4～8个月成熟，有时稍长。在英国，人们习惯用它与饼干、红葡萄酒和水果共食。

Stilwell, Joseph W(arren)　史迪威（1883-03-19，美国佛罗里达帕拉特卡～1946-10-12，圣弗朗西斯科）　第二次世界大战时期的美国陆军将领，曾在远东大陆统率美军与中国国民党军队共同抵抗日本的进攻。1904年在纽约州西点军校毕业，1944年晋级陆军上将。先在菲律宾服役，第一次世界大战期间参加美国赴欧洲远征军，后任西点军校教官。他学过中文，曾在天津服役（1926～1929），在北京任武官（1935～1939）。第二次世界大战爆发时，蒋介石聘他为中国军队的参谋长，命其指挥在缅甸的中国第5军和第6军。1942年为日军所败，率残部退至印度。大战期间指挥在中国、缅甸和印度境内的全部美军。1945年初连接**缅甸公路**（**Burma Road**）的盟军供应公路——莱多公路，改名为史迪威公路。后被任命为太平洋战场美国第10军司令，于1945年8月在琉球群岛接受10多万日军的投降。1946年3月后，在旧金山任第6军司令，直至去世。

Stilwell Road　史迪威公路　原名莱多公路。把印度东北部地区与通往中国的**缅甸公路**（**Burma Road**）连接起来的公路，全长769千米。为第二次世界大战时的战略军用公路。美国陆军工程队修筑。1942年12月开始动工。公路一端是莱多（阿萨姆，现在印度阿鲁纳恰尔邦内），另一端是莫冈（缅甸）。中国军队也参加了修建。1945年1月修通时，蒋介

1943年，中国军队正在缅甸境内的史迪威公路段上筑桥
供图：Bernard Hoffman—Time-LIFE Picture Agency

石用美国史迪威将军之名为其更名。1945年10月美国放弃这条公路，但它仍为一条重要的内陆通道。

Stimson, Henry L(ewis)　史汀生（1867-09-21，纽约市～1950-10-20，美国纽约亨廷顿）美国政治家。对20世纪30和40年代美国外交政策有强大影响。1911～1945年间先后

供图：Giles—Black Star/美国不列颠百科全书公司

在5位总统的政府中任职。1891年在纽约取得律师资格，1906～1909年为纽约州南区美国地方检察官。1911～1913年任塔夫脱总统政府陆军部长。第一次世界大战中任炮兵军官在法国作战。1927年奉柯立芝总统之召赴尼加拉瓜调停国内纠纷，获得圆满解决。1927～1929年任菲律宾群岛总督。在任胡佛总统政府国务卿期间（1929～1933），曾于1930年率美国代表团出席伦敦海军会议。1931年日本占领满洲，他向日本与中国发出内容相同的照会（1932-01-07），声明凡有损美国条约权利或使用违反《巴黎公约》（1919）的手段而造成的任何局势、条约或协定，美国均无意承认其具有法律效力。此一政策后被称为史汀生主义。第二次世界大战开始时，积极鼓吹干涉主义，并为援助盟国保卫美国委员会的领导成员。虽终生为共和党党员，但1940年罗斯福总统仍任命他为陆军部长，以增强两党对外交政策的支持。史汀生也是罗斯福总统和杜鲁门总统的原子政策主要顾问，曾向杜鲁门建议向日本重要军事城市投掷原子弹。后来，他以人道主义的理由为轰炸广岛、长崎辩解，认为原子弹的使用加快了日本的投降，从而拯救了更多的生命。史汀生于1945年9月离职。写有关于美国外交政策的著作数种，1948年由M.邦迪协助撰写自传《在和平与战争中服役》。

stimulant　兴奋药　能兴奋机体功能的药物。通常所说的兴奋药指神经系统兴奋药，而以中枢神经系统兴奋药为主。中枢兴奋药大致可分两个类型：一类具警醒作用，对情绪仅有次要影响；另一类则兴奋情绪而被称为抗抑郁药。常用的中枢兴奋药有3大类：①抗抑郁药。生效慢，甚至3～4周后才见效。又分为两类：单胺氧化酶抑制剂和三环类。前者包括苯乙肼、异唑肼、环苯丙胺、优降宁、尼阿拉米等。三环类包括丙咪嗪、阿米替林、去甲丙咪嗪及去甲替林等；治疗抑郁症约70%见效，且副作用少，故优于单胺氧化酶抑制剂。②苯丙胺类药物。是人工合成制剂，可致肾上腺样药理作用，如心动过速、血压升高、肌糖原增加、呼吸快、增加通气；但同时抑制食欲、消化、排泄等功能。口服迅速见效，表现为精神焕发、情绪高涨，故常用于提神消倦，如士兵或驾驶员执行长期任务时。但长期服药后，耐受性迅速发生而不得不增加药量，而一旦停药时反出现严重的抑郁，故本药不用于治疗抑郁症。大量使用后还可诱发一种苯丙胺精神病，其表现一如类偏执型精神分裂症。此类药可用于控制儿童多动症；因可抑制食欲又用于控制体重；还曾用于治疗发作性睡病。但最值得注意的是，因它可引起欣快感，故已成为重要的毒品。主要副作用有：恶心、激越、震颤、厌食、便秘、心律不齐、发热、幻觉、惊厥和昏迷等。苯丙胺的戒断症状主要有长时间乏睡、抑郁、精神性厌食等。本药可致大脑永久性损害。③甲基黄嘌呤类。包括咖啡因、茶碱和可可碱等。存在于咖啡、茶叶、可可及可乐饮料中。作为常用饮料的成分，它们是服用最多的药物。其中以咖啡因兴奋中枢的作用最强，可促进联想和鉴别能力、缩短反应时间和解除疲劳困倦。可兴奋呼吸中枢，故常用于对抗巴比妥类及吗啡中毒。茶碱舒张支气管及兴奋心脏，常用于治疗哮喘和心力衰竭。甲基黄嘌呤类还有利尿作用。因咖啡因有助收缩脑部血管，故可缓解脑内血管扩张所致的头痛，咖啡因是头痛片中最常用的成分之一。

stimulated emission　受激发射　在激光作用中，用人为方式使受激原子释放能量。按照A.爱因斯坦的理论，在正常的温度平衡下处于较高能态的原子多于较低能态的原子（参阅 **population inversion**）时，用和自发辐射相等的能量激发它们，就有可能促使这些原子返回未受激态。在受激发射中，所发射的光波与入射波相干（即同相，参阅 **coherence**）。在激光作用中，受激发射触发链式反应，一个原子的辐射激发另一个原子，直到系统中的所有受激原子全都返回正常状态，从而发出单色相干光。

stinging coral　参阅 **millepore** 多孔螅。

stingray　刺魟　一些尾上有长尖刺的扁体软骨鱼类的统称。有时均归入魟科，但常分属于两科：魟科和裸尾魟科。体盘状，尾长，渐尖而柔韧，多数种的尾部有一或多个锯齿形毒刺。魟科的刺魟亦称鞭尾魟，栖于各大洋和南美某些河流；尾细长，鞭状；体型大小各异。萨宾魟（*Dasyatis sabina*）形小，产北大西洋西部，成体宽约25厘米；但据报道澳大利亚的短尾魟（*D. brevicaudata*）可宽达约2米，

一种圆型刺魟——黄刺魟（*Urolophus jamaicensis*）
供图：© Mickey Gibson/Animals Animals

长可达4米。裸尾魟科种类亦称圆刺魟，体较小，最大的长约75厘米；尾较短，尾鳍发达，产于太平洋及大西洋西部。刺魟均底栖，常常部分躯体埋于浅滩。分布于暖温带和热带水域，有时数量很丰富。以蠕虫、软体动物及其他无脊椎动物为食，有时严重破坏经济贝类养殖场。被踩踏时，即甩动尾鞭，大型种类的力量甚大，足以使尾刺钉入木船。毒刺伤人可致剧痛，如果伤在腹部，可致死亡。某些其他魟类也具有尾刺，如某些魔魟（蝠鲼）和雕魟（鲼）。鲼科有几个属产于暖海或温带沿海水域，尾鞭细长，与其他魟类不同，头部突出于体盘之外。鲼科中值得提出的种类有斑点鸭嘴鲼（鸭嘴鹞鲼，*Aetobatus narinari*），是大西洋与太平洋的大型种，其尾刺可致深创。蝙蝠刺魟（加利福尼亚鲼，*Myliobatis californicus*）为太平洋种，以毁坏旧金山湾贝类养殖而著名。燕魟科（蝴蝶魟）与牛鼻鲼科（牛鼻魟）均分布于热带及暖温带沿岸浅海区，体宽可达2米。可能还存在一个由深水种刺魟组成的科，1981年于南非沿岸发现的六鳃魟（*Hexatrygon bickelli*）为其代表，该种适应深海生活，命名人为之另立新科及新亚目。

stinkbug　蝽　异翅目蝽科昆虫，5 000余种。特征为能分泌一种恶臭的液体，沾在停息过的植物、水果或叶上，闻之令人作呕。其颜色（褐色、绿色或有金属光泽）和形状（卵形、体宽、微突）与所栖息的树皮或叶相似。头和前胸构成一个尖端向前的三角形，有的种类此三角形区很大，遮住整个腹部。体长一般为5～12毫米。黄角蝽（*Oncomeris flavicornis*）为例外；此种世界性分布，长5厘米以上，色红、

蓝、黑或橙,鲜艳。有的蝽雌雄异形。在凉爽地带蝽以成虫越冬;温暖地区则在冬季不甚活跃。雌虫每次产卵100枚或更多,卵桶状,表面有纹饰;成排或成簇。有的雌虫守候在

(上)盾蝽(*Elasmostethus interstinctus*);(下)蝽(*Edessa rufomarginata*)

供图:(上)Sven Samelius;(下)E. S. Ross

卵或初孵若虫旁。有些种,如东方的多乳突荔蝽(*Tessaratoma papillosa*)都有发音器,受惊时发出嘈杂的声音;还能把臭液喷出15～30厘米远。蝽以植物为食,可使果实变色或生斑;有的吃其他昆虫。最重要的害虫之一是哈乐根卷心菜蝽(卷心菜斑色蝽,*Murgantia histrionica*)。稻绿蝽(南方绿蝽,蔬菜绿蝽,*Nezara viridula*)为世界性分布,危害豆类、浆果类、番茄及其他蔬果。北美的稻蝽(*Oebalus pugneax*)可造成水稻严重减产。蝽科昆虫之间差异很大,故有的学者将其分成不同的科。盾蝽科(Scutelleridae)种类长8～10毫米,胸部盾形,几乎遮住整个腹部。如中东和中亚的谷物害虫扁盾蝽属(*Eurygaster*)。蝽类并非都是害虫。刺益蝽属(*Podisus*)捕食马铃薯叶甲的幼虫和其他植物害虫。中国的纯蓝蝽(*Zicrona caerulea*)捕食甲虫成虫和幼虫。墨西哥、非洲和印度的某些地区还有人以蝽为食物。蝽类的防治方法为施用杀虫剂,消除其越冬地和互换寄主。

stinkdamp 臭气 具特殊臭鸡蛋味的无色、有毒含硫(**sulfur**)气体化合物。

stinkhorn 鬼笔菌 鬼笔目(Phallales)真菌类。形似阴茎。地下组织卵形,产孢组织(孢体)在一小时内即破土而出,常令人感到突然。子实体黏稠,有恶臭。以引诱蝇类及其他昆虫借以传播孢子。温带属有鬼笔属(*Phallus*)、蛇头菌属(*Mutinus*)、竹荪属(*Dictyophora*)、柄笼头菌属(*Simblum*)、笼头菌属

白鬼笔(*Phallus impudicus*)

供图:Franklin K. Anderson

(*Clathrus*)等。

stinking nutmeg(tree) **臭肉豆蔻** 参阅 **California nutmeg** 加利福尼亚肉豆蔻。

stinking smut (plant disease) **腥黑穗病** 参阅 **bunt** 腥黑粉病。

Stinnes, Hugo 施廷内斯(1870-02-22,德国米尔海姆～1924-04-10,柏林) 德国工业家。第一次世界大战后成名,被称为"企业大王",拥有煤矿、钢铁厂、旅馆、电器工厂、报纸、航运公司、航空公司及银行。1808年起,施廷内斯家族一直经营煤矿,采出的煤由自家的航运公司运往莱茵河上游,运回的货物由自家的贸易行出售。20岁时继承其父企业的股权。1893年成立煤业辛迪加。他利用销售煤炭所获的利润购买钢铁工业以及鲁尔区电力、煤气及自来水公用事业的股权。通过不断购买和联合,他实现了自家企业的垂直合并。他的公司掌握从伐木到报纸出版,从煤炭、铁砂采掘到将汽车、工具、机械运往全世界的各个环节。第一次世界大战时期他是德国军用物资的主要供应商。战后开始办报。迄1922年已拥有60多家报纸和许多其他报纸的股权。他在恢复德国工业方面颇具影响。为提高生产率,他力争取消8小时工作日,抵制工业的社会化。他去世之前,在德国、瑞士、奥地利、巴尔干各国、俄国及阿根廷均拥有企业。

stipulatio 口头约定 罗马法中的契约形式,以简单的问答语词为缔约根据。这一形式,在其他法律体系中没有与之对应的例证。口头约定最初是伴随着严格的规章发展起来的。尽管不需证人证物,但订约双方在整个协议过程中都必须亲自在场,而其程序也一定是一个持续的法律行为。这种契约是口头的而非书面的,且必须使用拉丁语。立约的一方要问,"你答应(一定履行这些条件)吗?"另一方则要表示允诺,回答说,"我答应(一定履行这些条件)。"这种形式,只能在罗马公民中使用,对于非罗马公民,则另有其他契约模式。口头约定的各种规章,后来流于松弛。订约的过程增加了另外一些形式,取消了用拉丁语进行交谈;问话和答话之间只需要一项基本的事实协议。公元4世纪时,书面契约开始取代口头契约。

Stirling 斯特灵 苏格兰中部政务会辖区。卡特琳湖和福斯河以南地区位于斯特灵历史郡境内,以北地区属珀斯历史郡。西以洛蒙德湖为界,横跨高地边缘断层,该断层北部为高地,西部为低地。在某些地方从低地突起,约300米高的陡坡是火山作用形成的,形成侵入岩的坎普斯山岗。低地向福斯河排水,有厚厚的冰川沉积覆盖,沿福斯河形成的冲积扇两旁是升高的河滩。年降雨量从西北部高地的2 500毫米减少到福斯沿岸的760毫米。在较为潮湿的北部和西部,一派田园风光;牛膘肥体壮,乳品业非常重要。在东南部,尤其是在冲积平原,农场主种植农作物并饲养牲畜。东南部的煤田在19世纪形成斯特灵镇及周边地区重工业发展的基础,现在基本上资源枯竭,煤矿开采在斯特灵政务会辖区已经停止。但是,大多数人口仍然居住在东南部。服务业现在是最重要的经济部门。金融服务业在斯特灵镇很重要,旅游业在景色秀美的高地是最重要的经济部门。政务会辖区是电子产品制造的中心,并且有造纸、麦芽酿酒、啤酒酿造和蒸馏酒酿造等行业。斯特灵是政务会辖区的行政中心和最大城镇。面积2 196平方千米。人口84 700(1999)。

Stirling 斯特灵 苏格兰中南部斯特灵政务会辖区敕准自治市。属斯特灵历史郡。为斯特灵历史郡首府和斯特灵政务会辖区的行政中心。位于福斯河右岸。约1130年建为皇家自治市。另一特许状是1226年由苏格兰的亚历山大二世颁发的,他将城堡拨作皇家住宅。附近曾发生两次苏格兰击败英格兰的著名战争:斯特灵桥战役(1297)和班诺克本战役(1314)。自此时起直到16世纪中叶,斯特灵曾十分繁荣,与爱丁堡共享首府特权。城堡成为斯图亚特各代国王经常住地。1603年苏格兰和英格兰联合后,斯特灵在国家事务中不再扮演重要角色。旧城地势较高,保存有许多16、17世纪精美住宅和城墙遗迹。19世纪,特别是通铁路后,成为一广阔而繁盛农区的商业中心。新城大部与此同时在旧城南平地上建立。服务业特别是金融服务业,是当地的经济支柱产业。其他行业包括电子产品、食品加工。公路四通八达,因此也是旅游中心。人口30 515(1991)。

Stirling, James 斯特林(1692,苏格兰斯特灵加登～1770-12-05,爱丁堡) 苏格兰数学家,在无穷级数和微积分理论方面取得重大成就。因为与保王党通信,被逐出牛津大学,1715年去威尼斯学习;在那里他揭穿了威尼斯玻璃制造商的工艺秘密,后来发表《用落水法的吹火机概述》。1725年回伦敦,次年被选为皇家学会会员。1735年任苏格兰采矿公司经理。他的《牛顿的三次曲线》(8卷,1717)对牛顿列举的72种三次曲线作了补充。其他著作包括《微分法兼论无穷级数的求和与插

值》(1730),《论地球的形状和地表的重力变化》(1735)。有一种级数展开,虽然是由A.棣美弗最先推导的,但习惯上被称为斯特林公式。

Stirling, James 斯特林(1926-04-22,苏格兰格拉斯哥～1992-06-25,英格兰伦敦) 英国建筑师、城市规划师,因他的非传统设计和摆脱国际式功能主义的运动而闻名。在利物浦

J. 斯特林与 M. 威尔福德设计的德国斯图加特新州立美术馆(1977～1984)
供图:Richard Bryant/ARCAID

接受教育,1945～1950年在利物浦大学建筑学院学习建筑。50年代初在伦敦开业,1956～1963年与J.高恩合伙,1971年起与M.威尔福德一起工作。他早期的作品主要是低层住房规划。他以一种被认为是新粗野主义的风格进行设计。他用这一风格设计的三大工程,特别是莱斯特大学工程系大楼(1959～1963),引起国际重视。到70年代后期,斯特林的建筑风格已发展为所谓"高技术"。他的伦敦南门住宅项目(1972～1977)包括颜色明亮的塑料墙。他对德国斯图加特新州立美术馆(1977～1984)的设计是古典主义与抽象几何的后现代派的结合体,这一设计被许多人认为是他最伟大的成就。在他设计的其他著名的建筑物中,有福格艺术博物馆(1979～1984)和A.M.萨克勒博物馆(1985),两者都在哈佛大学内。1981年,斯特林获普里茨克建筑奖。

Stirling, Robert 斯特林(1790,苏格兰珀斯郡～1878-06-06,艾尔郡高尔斯顿) 苏格兰神职人员,斯特林外燃发动机的发明者,并以此闻名。他还发明了光学设备和其他仪器。斯特林于1816年获得第一项专利,斯特林发动机在1818～1922年不断生产,供农田提水及发电使用。后来继续努力开发这种发动机的商业性用途,基本上未获成功。但是由于它无噪音、可使用多种燃料、效率高、低污染和高功率密度,因而研究人员仍然十分重视它的潜力。

Stirling, William Alexander, 1st Earl of 斯特林伯爵(第一)(约1576,苏格兰克拉克曼南郡门斯特里～1640-02-12,英格兰伦敦) 又称威廉·亚历山大。苏格兰宫廷宠臣、政治家、诗人,加拿大新斯科舍地区的开拓者。1603年苏格兰国王詹姆斯六世即英格兰王位时进入伦敦宫廷。1604年写著名诗篇《黎明》。1607年任王储侍从。同年恩赐开采门斯特里矿藏的权利。翌年为王室收1547～1588年在苏格兰的债务,得到其中50%。1614年所著诗作《最后审判日》使詹姆斯国王命他参加《圣经·诗篇》的翻译。1621年获得圣克鲁瓦河以北土地,成为新苏格兰(新斯科舍)的所有者,开始移民活动,1629年建立第一个居民点。但法国不承认苏格兰在新斯科舍的权利,遂爆发战争。根据英、法同意共同重建该地区的《苏萨条约》,1631年英王迫使斯特林把苏格兰移民从新斯科舍撤出,使他负债累累。1630年及1633年,先后受封伯爵、子爵和勋爵。

Stirling Range 斯特林岭 澳大利亚西澳大利亚州西南部境内山脉。起自奥尔巴尼市以北65千米处一片较低的高原,同海岸平行绵延80千米,在布拉夫山达到山岭的最高点

斯特林岭的布拉夫山区
澳大利亚图片图书馆供图

(1 096米)。此岭在1802年被弗林德斯观测到,用该州首任总督詹姆斯·斯特林爵士的姓命名。1957年该岭及部分相邻平原被辟为一座面积1 157平方千米的国家公园,园内有陡峭的岩石山峰、优美的海滨景色和种类繁多的花草树木。

Stirlingshire 斯特灵郡 又作Stirling。苏格兰中部历史郡。西部与洛蒙德湖为界并包括高地的一部分。向东延伸到福斯河与凯尔温河之间的米德兰谷地。在斯特灵郡中部火山作用形成的坎普斯山岗与基尔赛斯山丘和加贡诺克山丘构成低地当中一个高起的山岗。该郡在东部濒临福斯河河口湾。北部位于斯特灵政务会辖区境内。在西南方伦诺克斯地区的凯尔温河沿岸是东邓巴顿郡的一部分,基尔赛斯周围地区位于北拉纳克郡。斯特灵郡东南构成福尔科克政务会辖区。考古研究发现了新石器时代人类在斯特灵郡居住的证据。安东尼墙在当地称为格雷厄姆土堤,公元142年由罗马人所建;它将福斯河与克莱德河连在一起并穿过斯特灵郡东南部。在凯里堡和卡梅伦发现了许多罗马时期遗迹。罗马人撤离之后,当地的皮克特人在盎格鲁-撒克逊人和苏格兰人的进攻下步步退却。斯特灵约于1130年得到大卫一世授予的皇家许可证,成为一个贸易中心。斯图亚特诸国王从斯特灵堡开始统治,直到英格兰和苏格兰王室合并。斯特灵郡在争取苏格兰独立的斗争中起过突出作用,是威廉·华莱士爵士和罗伯特一世取得几次卓越战功的地方——斯特灵大桥战役(1297)、福尔柯克战役(1298)和班诺克本战役(1314)。索奇伯恩战役(1488)之后詹姆斯三世被刺死于米尔顿村一个农舍里。誓约派1645年在基尔赛斯遭到惨败。查理·爱德华王子(小王位觊觎者)1746年在福尔柯克取得的短暂胜利是在该郡发生的最后一场重要战斗。东南部的煤田为18世纪末和19世纪该地区,特别是在福尔柯克,重工业的发展打下了基础。1790年穿越斯特灵郡南部的福斯-克莱德运河完工,进一步刺激了工业的发展。到1800年福尔柯克附近的卡伦铁厂是当时欧洲最大的炼铁厂。在20世纪煤矿开采和钢铁生产急速下滑,但石化工业在该郡主要港口格兰奇茅斯发展起来,轻工制造和服务业也在该郡多个城镇发展起来。

Stirner, Max 施蒂纳(1806-10-25,巴伐利亚科罗伊特[德国]～1856-06-26,普鲁士柏林) 约翰·卡斯帕·施密特的笔名。德国哲学家。19世纪末和20世纪的许多无政府主义者从他的著作找到思想的灵感。有时也把他的思想看作20世纪存在主义的一个来源。曾在柏林女子预科学校任教,后来作翻译工作,曾将亚当·斯密的《国富论》译成德文,又曾为《莱茵报》撰写文章。著有《论自我及其所有物》(1845)。他认为没有什么客观的社会实在是独立于个人的。社会阶级、国家、群众以及人性都是抽象概念,因此无须认真对待。他主要是为工人阶级中的读者而写作,他说人人都可以有那种使自己成为"自我主义者",或真正个人的自我意识。

stirrup 马镫 挂在马鞍上的一对轻便框形物,供骑马人上马和在乘骑时蹬脚用。大约是在公元前2世纪时起源于亚洲大草原,它极大提高了马的军事价值。当踢马刺在公元8世纪传入西欧时,马镫和长矛、盔甲结合

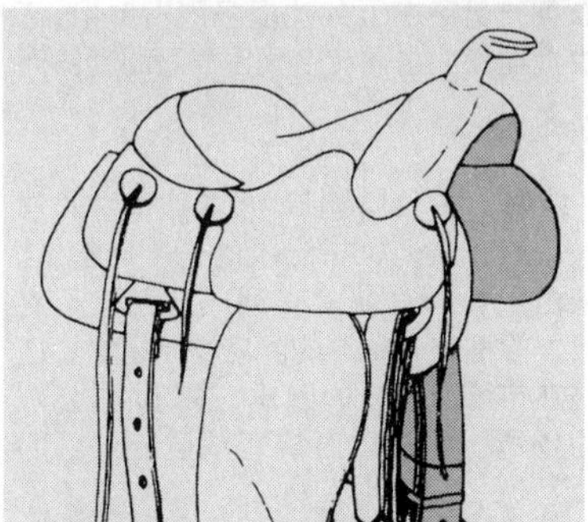

西部马鞍上的马镫

使用,产生出一种新型的战法,即骑士的马上冲击搏斗,在冲撞时马镫有助于骑士保持骑乘姿势。参阅 **saddle**。

stirrup cup 饯别酒杯 原意是指献给为狩猎而上马欲行人的饯别酒，现在则用来表示酒杯本身。通常许多与狩猎有关的杯子系由银制且刻有狩猎格言。饯别酒杯常呈狐狸头

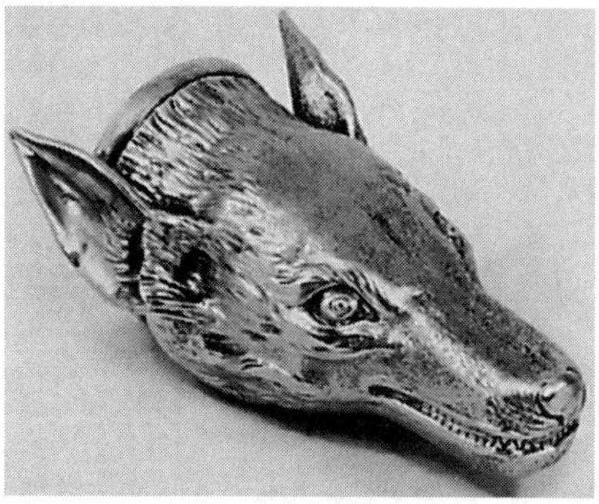

英格兰镀银狐头形饯别酒杯，可能由T.皮兹设计制作，1771年

供图：Christie，Manson，and Woods

形，较珍贵的呈灵猩头形或兔头形。18世纪后期和19世纪初期的许多饯别酒杯留存下来，由于收藏家把它作为收藏品，所以现代银匠们仍继续制作。玻璃制作的饯别酒杯采取无脚玻璃酒杯的形式。

stirrup fixation 镫骨固定 耳硬化症的一种表现：内耳海绵状骨增生，并侵犯卵圆窗，妨碍镫骨的活动，影响声波传递，使听力减退。治疗以手术为主：在迷路壁作人工开孔（开窗术），或切除镫骨而代之以人工镫骨，亦可两种方法并用。若耳硬化的范围过于广泛，若神经或内耳毛细胞已受累则不宜手术。

stishovite 斯石英 又称超石英。二氧化硅（SiO_2）的高压准稳定多形变体，具有金红石型四方晶系结构，硅与氧成六次配位，每个氧原子为3个硅原子所共有。其密度为4.29克/厘米^3，而石英的密度为2.65克/厘米^3，二氧化硅的另一高压多形变体柯石英的密度为2.91克/厘米^3。斯石英首先发现于亚利桑那州流星陨石坑中已玻璃化的砂岩中，它与柯石英一起存在于其他很多陨石坑中，证明它由大规模冲击而传给周围岩石的动能而形成。

stoa 柱廊 古希腊建筑中，单独建立的穿廊式人行道。原词也指开敞的长条形建筑。其屋顶由平行于后墙的一列或几列柱子支撑。典型的例子有雅典的阿塔罗斯柱廊。柱廊围绕在市场和神庙的四周，是交易和公众散步的场所。柱廊后面常建单层或二层的房屋。

stoat 扫雪 鼬科动物，常称鼬獾（**ermine**）。

stochastic process 随机过程 概率论（**probability theory**）中研究得最普遍的对象之一。一个随机过程指的是一族随机变量，它们由另外的某个集合指标化，并具有下述性质：对于指标集的每个有限子集，带有对应指标的随机变量的集合都有一个联合概率分布。这些分布是相容的，这是一种性质，它保证存在某个概率空间和定义在这个空间上的某族随机变量，这族随机变量实现原来的那个随机过程。例如马尔可夫过程（**Markov process**）、泊松过程和时间序列过程。所谓时间序列过程，是一类非常一般的随机过程，其中一族随机变量以时间作指标。这种指标化可以是离散的或连续的，令人感兴趣的是这些变量随时间变化的性质。

stock 紫罗兰 十字花科紫罗兰属（*Matthiola*）约50种植物统称，原产欧亚及非洲南部，以某些种的花芳香而知名。灰白色紫罗兰（*M. incana*）常称紫罗兰、海紫罗兰、

三尖紫罗兰（*M. tricuspidata*）

供图：A.J.Huxley

洋丁香，原产于欧洲西南部和亚洲西部，常生于海边悬崖；二年生，花穗高60～80厘米，从狭卵圆形深绿色叶丛中长出，花四瓣，丁香色至白色。有红色、大红色、黄色、深紫色以及重瓣园艺变种。深波状缘紫罗兰（*M. sinuata*）亦原产于西南欧，更耐寒，较矮，花色较深。夜香紫罗兰（*M. longipetala bicornis*）原产欧洲东南部及亚洲，一年生，植株矮，多分枝，夜间开花，粉红色到紫色，香气浓郁。

stock 股份 一家公司或股份有限公司的认购资本，常分成若干股份，并用可转让的凭证来表示。该凭证详述公司与股东间的约定关系，并阐明风险分担、收入分配和企业管理的责任。普通股：许多公司只有一种股份，常称为普通股。这种股份具有公司的剩余所有权，即在公司偿付有限债权后，对公司的收益和资产享有无限股权。普通股东除特殊者外，可通过投票权以控制公司。普通股东在公司发行新股票时，为保持其股东权益的比例，有优先认购权。股息常随收益多少而变动，且公司管理部门往往要保留部分收益用于扩充企业和增加股东的权益，因此付给普通股的股息常不稳定。普通股市价主要取决于投资者对未来收益的预期，因此常有大幅度的波动。优先股：许多公司为了吸引希望能定期获得股息的投资者而发行优先股票。这种股票有权要求公司优先发放股息，并在公司解散时优先用公司资产偿还股本。有一种优先股叫参与优先股，在优先股得到规定的股息后，其股东还可和普通股东一样，共同分享公司收益。优先股还可分为累积优先股与非累积优先股。如为累积优先股，则某年未付清的股息，必须累积到次年股息之中，在发放普通股息前补付。

stock-car racing 普通型汽车赛 流行于美国的汽车比赛，参加的车辆外形应符合美国市场上销售的标准车型。比赛一般在经过铺设的椭圆形跑道进行。据说普通型汽车赛的起源是在美国禁酒时期（1919～1933），当时非法制酒者为逃避法律制裁，需要超常速度的私人汽车运输蒸馏酒，于是把普通载客汽车改装成能跑得更快的车。后来这些车就用来比赛玩乐，特别在美国东南部几个州，该项运动最为盛行。1939年宾夕法尼亚州兰霍恩开始举行第一次有组织的普通型汽车赛。1947年在佛罗里达州代托纳比奇建立了第一个正式组织全国汽车比赛协会（NASCAR）。到20世纪70年代包括美国汽车俱乐部在内的若干组织都主办普通型汽车赛。人们普遍认为普通汽车比赛的结果可以影响买主对新型汽车的选择，所以汽车制造商往往资助比赛队、选手和设计师参加比赛。

stock company 固定剧团 拥有固定剧场、轮演保留剧目的专业剧团。每晚演出一个不同的保留剧目。固定剧团从伊丽莎白时代起就在英国流行。美国的主要城市如纽约、费城和波士顿从19世纪初也已拥有这类固定剧团。至19世纪末，多数大城市的固定剧团都受长期演出的剧目的影响而衰落，后者在大城市的剧院里显得更经济、实惠。参阅**repertory theatre**。

stock exchange 证券交易所 在欧洲大陆又称作bourse。买卖股票、公司债券、公债等有价证券的有组织的市场。在发达的资本主义国家中，证券交易所具有重大的作用：它是证券的常设市场，可保证证券的流动性，从而鼓励人们将存款引向公司的投资；它是股票的定价机构，它利用给股票定价为手段（价格可反映各公司股票真正投资价值）在各企业之间分配资本。交易有各种方式：持续拍卖，通过经纪人向证券经销商买进卖出，通过某种股票的专门家来进行。各国证券交易所的会员资格，要求各不相同，它取决于会员多少、银行的参与程度和会员资格的严格性。交易所会员资格也和政府参与交易所管理的程度有关。例如伦敦证券交易所，是独立的机构，不受政府立法影响。在美国，证券交易所虽无政府直接参与，却受特殊立法的限制。而欧洲其他国家的证券交易所会员则常由政府任命，并使其具有半政府性身份。

Stock Market Crash of 1929 1929年股票市场大崩溃 又称大崩溃（The Great Crash），是加速大萧条到来的美国经济灾难。大萧条是波及所有西方工业国家、持续约有10年的经济衰退。在20世纪20年代的中期至末期，美国的股票市场迅速扩张，1929年8月底达到了顶峰。9月间和10月初价格开始下降而投机买卖仍在继续。10月18日证券市场开始急剧下跌。真正恐慌的第一天是10月24日，被称为“黑色星期四”；这一天交易的股票有12 894 650股。虽然有许多大银行和投资公司为了力图抑制恐慌而收购了大宗股

票，可是它们的努力并未奏效。“黑色星期一”，恐慌在继续；“黑色星期二”（10月29日），交易的股票达1 600万股，股票市场彻底崩溃了。股票市场崩溃的原因是多种多样，而且是错综复杂的。比较明显的迹象有：相当长时间的狂热的投机，持股公司和投资托拉斯的激增（这些本质上都是产生债务），以及大批不能清算的巨额银行贷款。参阅 **Great Depression**。

stock option 股票买卖特权 一种契约性协议，它使持有者拥有在规定时期内按指定价格买卖某项证券，并在此期间不受其市价变动影响的权利。它的形式很多，例如股票出售权是给予持有者以固定的售价（即使市价下降）出售给另一方股票的特权。另一方面，股票购买权是给予持有者按固定购价（尽管市价上升）向另一方购进股票的特权。另一种形式是公司发出的购股单，它赋予其所有者按特定价格（购股单上的认购价格）购买普通股票的权利。股权选择权就是给股东下列选择：①在特定期内（通常短于购股单的有效期限）按低于现行市价购买增发的股票；②在市场出售股权。它们是履行股东先买权（优先认购任何增发的股票以保持其在公司成比例的股东权益和控制权）的惯用方法。美国公司常发行雇员购买特权的股票，当作鼓励高级职员的一种补偿形式。实行这种优惠的理论是：股票买卖特权能刺激雇员努力工作以改进公司地位，从而提高股票价格。

Stockbridge 斯托克布里奇 美国马萨诸塞州西部波克希尔县城镇。位于伯克希尔丘陵，邻近胡萨托尼克河，在皮茨菲尔德以南19千米处。1737年J. 萨金特和T. 伍德布里

传教团会所（原为萨金特住宅），建于1739年（现为博物馆）

供图：© Kindra Clineff/THE PICTURE CUBE

奇在此建立了基督教传教团机构，后成为印第安人城镇。1739年设建制，并以英国的斯托克布里奇命名，1785年之前该地一直是美国土著的定居地。神学家J. 爱德华兹是当地的本堂牧师和传教士（1751～1757）。从19世纪初起该镇经济主要是制造业，但到20世纪旅游业占主导地位。插图画家N. 罗克韦尔在他生命的最后25年一直居住在斯托克布里奇，1993年该城镇一个扩建的博物馆开放，展有这位画家的工作室和大量作品。切斯特伍德是雕塑家D. C. 弗伦奇（1931年死于斯托克布里奇）的工作室和仓库展馆，陈列有他的石膏模型、工具和其他一些个人物品。著名房屋还包括S. 怀特于1885年设计的瑙姆金戈；传教团会馆（1739，原为传教士J. 萨金特住宅）。面积62平方千米。人口2 276（2000）。

Stockelsdorf faience 施托克尔斯多夫彩陶 一种锡釉陶器，产于德国吕贝克附近的施托克尔斯多夫。施托克尔斯多夫早些时候可能是生产炉砖的工厂，到1771年才开始生产彩

施托克尔斯多夫彩陶罐，A. 莱哈默绘制，约1775年

伦敦维多利亚和艾伯特博物馆供图

陶，特别擅长制造茶盘和火炉。画家亚伯拉罕·莱哈默尔曾画过中国风格的人物画和田园景色，采用的颜色有翠绿、黄、紫罗兰和红色。也有在白底的陶器上以朴素的蓝色绘画人物的，效果极佳。在这种风格的制品上署名者为画家克罗伊茨费尔特（创作时期1776年）。1788年以后，生产开始衰落。

Stöcker, Adolf 参阅 **Stoecker, Adolf** 施特克尔。

Stockerau 施托克劳 奥地利东北部下奥地利州城市，位于维也纳西北约20千米处，在多瑙河一条支流的河畔。施托克劳1012年称为镇，1893年始建制为市。此城是铁路枢纽，有机器、金属器具、化工产品和玻璃等制造业。人口12 679（1981）。

Stockhausen, Karlheinz 施托克豪森（1928-08-22，德国科隆附近默德拉特～2007-12-05，库尔滕） 德国作曲家，电子音乐和序列音乐的重要创作者与理论家，对20世纪50年代至80年代末的先锋派作曲家影响很大。1947～1951年就读于（科隆）国立音乐专科学院和科隆大学。1952年赴巴黎师事作曲家O. 梅西昂，一度还曾随D. 米约学习。1953年返回科隆后加入该市著名电子音乐工作室“西德广播”，并于1963～1977年间任该室艺术指导。所作《电子音乐练习曲I》（1953）是第一首借助正弦波声音而作的音乐作品，而《电子音乐练习曲Ⅱ》（1954）则是第一首记谱并出版的电子音乐。1954～1956年，施托克豪森在波恩大学学习语音学、声学和信息理论，这些都对他的作曲有所影响。自1953年起在达姆施塔德的新音乐夏

供图：Clive Barda/P. A. L.

季讲习班讲学，1957年在那里开始教作曲，1963年又在科隆建立一系列类似的研讨会。他在欧洲和北美各地讲解自己的音乐并举行音乐会。1971～1977年任科隆国立音乐专科学院教授。

施托克豪森对音乐中的基本的心理因素和声学因素所作探索是极有主见的，绝对不受外界影响。序列主义（以一个依次排列的音的系列为基础的音乐，无视传统调性）是他的一条指导原则。但是，如果说A. 韦伯恩和A. 勋伯格等作曲家的序列原则只限于音高方面的话，那么施托克豪森从他的《十字形游戏》（1951）开始便将序列主义扩展至其他音乐要素。例如，他在音乐作品中将配器、音区与强度、旋律形式以及时值加以编排，从而几乎具有几何图形般的组织。50年代施托克豪森又开始运用磁带录音机和其他机械，用电子方法处理声音的基本要素即正弦波，对声音进行分析和研究。从这一点出发，他着手开创一种新的、极端序列化的态度来对待音乐的基本要素及其组织方式。电子的和传统乐器的手段他兼而用之，并以缜密的理论思考和彻底的音乐记谱革新来支持这一新态度。总的说来，施托克豪森的作品都是由一系列具有独特性格的小单元构成的，这些单元或者是一些“点”（单独的音）、或者是一些“音群”或“时段”（互不关联的音乐片段），可由听众各个欣赏，不一定成为音乐发展中一个更大的戏剧性线条或布局的一部分。这种“开放形式”的一个典型例子是作于1962年的《时段》（女高音、四组合唱和13名演奏员）。在其他此类作品中，例如《钢琴曲XI》（1956），施托克豪森提供几种可能的顺序，演奏者可选用其中一种来演奏指定的一组独特时段，因为无论按什么顺序出现，它们都是同样有趣的。因此偶然的决定在许多作品中起着重要作用。某些因素被用来互相对立（同时或相继）。在为10件乐器而作的《对位》（1953年首演）中，成对的乐器和极端的音符时值在一系列戏剧性冲突中互相对抗；在《群》（1958，3个管弦乐队）中，号角花彩和不同速度的经过句从一个乐队抛到另一个乐队，给人以空间运动的印象；而5件木管乐器的《速度》（1956）则以各种加速度和减速度相互对照。

施托克豪森的电子音乐将这种并列情况作了更进一步的发展。早期作品《少年之歌》

(1956)中,一个男孩声音的录音和尖端复杂的电子音响结合在一起。《接触》(1960)表现电子音响与器乐之间的撞击,重点在于它们的相似的音质。在《扩音器Ⅰ》(1964)中演奏者借助高增益的扩音器和电子滤波器在一面大锣上产生非常丰富多彩的声音。施托克豪森为6名歌手加扩音器而作的《调音》(1968)中所用歌词包括德文和英文的名字、单词、星期几,以及德文和日文的诗歌摘选。电子音响的《赞美诗》(1964～1966)将几个国家的国歌组合成一首普世性的颂歌。在《曼坦罗》(1970)和《黄道带》(1975～1976)之类作品中他开始重新加入比较传统的旋律形式。实际上他1977年以后所作的全部作品都是雄伟的7集歌剧套曲《光》中的一部分,他意欲使这部浸透灵性与神秘性的作品成为他的杰作。

Stockholm　斯德哥尔摩　瑞典首都,位于梅拉伦湖和盐湾(波罗的海一个海湾)汇合处,在芬兰湾对面。该城修建在许多岛屿和大陆的乌普兰和南曼兰地区。斯德哥尔摩城

斯德哥尔摩市旧城中的利达尔岛

供图:Dan Brinzac—Peter Arnold, Inc.

于1252年首见记载,大部分为瑞典统治者雅尔伯吉尔所建,因与日耳曼城市吕贝克订立贸易协议而得到迅速发展。该协议保证吕贝克商人的货物在瑞典豁免关税并有权于此城定居。斯德哥尔摩多年为丹麦人和瑞典人所争夺,1523年古斯塔夫一世解放该城,并定为瑞典首都。17世纪该城发展迅速。1634年成为独立的行政单位并进行大规模改建。18世纪间,斯德哥尔摩大部分毁于火灾,于是以石质建筑物代替旧时的木结构房舍。当时此城已是瑞典的文化中心,许多文学、科学组织机构都是当时成立的。19世纪工业化使该城发展进入一个新的阶段。1859年由市政府组织的大扫除和1861年改善卫生条件使城市人口迅速增加,从那时起,城市不断扩大,建设了多处郊区和卫星城镇。最初市中心区是旧城,包括斯塔斯岛(即城市岛)、赫尔金德斯岛和利达尔岛。这个地区的建筑物大多建于16、17世纪。斯塔斯岛上有王宫、斯托基尔坎(亦称圣尼古拉大教堂或圣尼古拉教堂)、日耳曼教堂、上议院、政府办公楼、证券交易所和其他大型建筑物。利达尔岛上的主要建筑物是利达尔岛教堂。议会和国家银行在赫尔金德斯岛上。斯德哥尔摩是瑞典的重要工业区。主要工业有金属和机器制造、造纸和印刷、食品和化工品生产。该城还是重要的商品零售中心,建有仅次于哥特堡的瑞典全国第二大港口。公共交通有公共汽车和发达的地下铁道网,与邻近地区来往主要通过火车,有铁路线通马尔默、哥特堡、翁厄和韦斯特罗斯。城北面的阿兰达机场为国际航班机场,国内及租赁航班飞机在城西面的布罗马机场起落。斯德哥尔摩是瑞典最大的教育中心,有数十所学术和科学机构,其中包括建于1877年的斯德哥尔摩大学。文化机构有皇家剧院(歌剧院)、音乐协会(斯德哥尔摩交响乐团)和皇家剧院。人口:城市约750 348(2000);大斯德哥尔摩约1 660 700(2000)。

Stockholm　斯德哥尔摩　瑞典中东部一省。濒波罗的海并环绕首都和省会的斯德哥尔摩市,但行政上不属该市。斯德哥尔摩省为一片肥沃的低地,众多湖泊星罗棋布。同时,深凹的曲折海岸线以外有许多小岛。在东北部地区有铁矿藏。有冶金、造纸、机器制造和机电设备制造等工业。人口约1 838 882(2001)。

Stockholm Bloodbath　斯德哥尔摩血案　(1520-11-08～09)　丹麦国王克里斯蒂安二世(1513～1523在位)大批屠杀瑞典贵族的血案。它导致瑞典脱离由丹麦支配的卡尔马联合的战争的最后阶段。由于以小斯图勒为首的瑞典反联合派监禁联合派大主教特罗勒,1519年丹麦国王克里斯蒂安在教皇支持下率领大批雇佣军侵入瑞典,1520年9月占领斯德哥尔摩。11月8～9日克里斯蒂安在特罗勒的煽动下处死80多名瑞典贵族。随后又在瑞典和芬兰各地进行大屠杀。卡尔马联合似乎获得巩固,但1522年古斯塔夫一世(1523～1560年在位)在农民和汉萨同盟的支持下,将丹麦人赶出瑞典并解散了卡尔马联合。

stockinette stitch(knitting)　**隔行正反针编结法**　参阅 **plain stitch** 平针组织。

Stockmar, Christian Friedrich Baronl (Freiherr) von　斯托克马尔男爵(1787-08-22,萨克森-科堡-哥达科堡[德意志]～1863-07-09,科堡)　德意志医生。曾任比利时国王利奥波德一世的秘书和英国维多利亚女王及其丈夫艾伯特亲王的顾问,在两国的政治中均有影响。他极力主张实行宪政,促使维多利亚决心严格按宪法行事。原为萨克森-科堡的利奥波德亲王的医生兼秘书。1831年利奥波德亲王成为比利时国王。1831～1837年斯托克马尔任这位国王驻英格兰的代表。后来成为萨克森-科堡-哥达的阿尔贝特亲王的顾问,奉命安排亲王与维多利亚女王的婚事(1840)。斯托克马尔留在英国宫廷,直到1857年退休回到德意志。他参加过德意志法兰克福议会(1848)和爱尔福特议会(1850),并主张扩张普鲁士的势力。

Stockport　斯托克波特　英格兰大曼彻斯特都会郡东南都会区和都会自治市。该自治市大部分,包括历史上著名的斯托克波特镇,位于柴郡历史郡,但包括兰开夏历史郡境内泰姆河以西和默西河以北的地区。1220年获特许状。19世纪,棉纺织业为当地主要工业。制帽业可追溯至18世纪。现工业多样化,生产服装、电子器件、重型机械等。现代斯托克波特是曼彻斯特的居住区,有大片新住宅。面积126平方千米。人口约292 800(1998)。

Stockton　斯托克顿　美国加利福尼亚州中部城市,圣华金县县城(1850)。临圣华金河。为该州两个内陆港之一。1847年创建。1850年设建制。以1846年宣布加利福尼亚为美国所有的R.斯托克顿的名字命名。由于靠近圣华金河,1849年淘金热中成为矿业供给点。当地建起灌溉系统和联通太平洋中央铁路(1869)后,成为中央谷地农产品和葡萄酒的市场。1933年凿成深水河道后,成为主要港市和美国太平洋战区补给品储存地。现经济以农业为主。亦有多种工业。设有太平洋大学(1851年创办于圣何塞,1924年迁此)、汉弗莱斯学院(1896)和圣华金三角洲初级学院(1935)。人口:市约221 867;都会统计区约509 244(1993)。

Stockton, Frank Richard　斯托克顿(1834-04-05,美国宾夕法尼亚费拉德尔菲亚～1902-04-20,华盛顿[哥伦比亚特区])　美国受欢迎的长、短篇小说家,作品主要是幽默小说,尤以短篇小说集《女士或老虎》(1884)最为著名。因不愿按父亲的意愿学医,斯托克顿成为一个木刻家。他为《家园》杂志撰稿并成为其编辑部成员。1873年任《圣尼古拉杂志》助理编辑。他最早的小说是为儿童写的,最受欢迎的儿童故事收入《丁零故事集》和《漂流王子和其他童话》(1881)。他的《鲁德·格兰奇》(1879)最初连载于《斯克里布纳月刊》,叙述一个住在运河小船上的家庭荒诞可笑的冒险经历。这部小说的成功鼓励他写出另外两部续篇:《鲁德·格兰奇一家在国外》(1891)、《波莫纳游记》(1894)。《莱克斯夫人和艾莱欣夫人漂流记》(1886)讲了两个中年妇女在赴日本途中因船只失事漂流到一个荒岛上的故事。续集《杜桑特斯》于1888年出版。他虽然继续写一些儿童读物,但1887年以后主要为成人写作。他还写了一本历史著作《出没于沿海一带的海盗》(1898)。

Stockton, Robert F(ield)　斯托克顿(1795-08-20,美国新泽西普林斯顿～1866-10-07,普林斯顿)　美国海军军官、公众领袖,在墨西哥战争(1846～1848)中协力征服加利福尼亚。斯托克顿早年参加海军,参加了1812年战争和反对柏柏尔海盗的战争(1815)。1828～1838年积极参加美国殖民协会工作。1838年任地中海舰队旗舰指挥官,与造船设计师J.埃里克森合作绘制第一艘螺旋桨驱动的战舰"普林斯顿"号的设计图,并亲自设计当时美国舰队中最大的大炮。与墨西哥的战争爆发后统率陆、海军于1846年8月13日攻占墨西哥要塞洛杉矶。4日后成立文官政府,正式把加利福尼亚并入美国,自任州长,后推荐J.C.弗雷蒙特代行其职。1850年辞去海军职务,返新泽西州。1851～1853年任美国参议员,后任特拉华—拉里坦运河公司董事长。

Stockton & Darlington Railway　斯托克顿-达灵顿铁路　世界上第一条行驶蒸汽动力客、货车的英国铁路。1821年，E.皮斯打算从沿海的斯托克顿到达灵顿建设一条长12.9千米的铁路，用马牵引，装运当地富产的煤炭。G.斯蒂芬森对皮斯说，在铁轨上，蒸汽机车牵引的重量相当于马的50倍。他的话打动了皮斯，同意让他为铁路提供装备。1825年9月27日，当第一辆机车从达灵顿驶往斯托克顿时，火车前面有一个人在马上高举旗帜，上面写着"为了公众的福利不顾个人安危"。当骑马人让开后，斯蒂芬森打开总汽门，让这列载有450人的火车以每小时24千米的速度向前行驶。

Stockton-on-Tees　蒂斯河畔斯托克顿　英格兰克利夫兰郡自治市和区。位于蒂斯河左岸，离北海上的河口19千米。乔治·斯蒂芬森修建的斯托克顿—达灵顿铁路是世界第一条公用铁路。比灵赫姆有石化、化肥等工业，斯托克顿镇有炼铁厂，蒂斯河畔桑那比有重型机械厂。面积200平方千米。人口约176 600(1992)。

Stoddard, Richard Henry　斯托达德(1825-07-02，美国马萨诸塞欣厄姆～1903-05-12，纽约州纽约)　美国诗人、评论家、编辑。作为文坛人物，他在19世纪末纽约文学界中的重要性超过他写的诗。他写的诗《亚伯拉罕·林肯，一首贺拉斯式颂歌》(1865)和《夏之歌》(1857)的部分章节以及《东方之书》(1867)，至今读来仍饶有兴味。斯托达德童年的大部分时光在纽约市度过，后来他当过铁匠、铁模型工，直到1849年才不干手艺活，改行写作。他曾担任过纽约一些报刊的文学评论员和编辑。他的妻子伊丽莎白是一位小说家和诗人。在19世纪后期的30年间，他们的家成了作家和艺术家的主要聚会场所。斯托达德的自传《个人与文学界的回忆》一书于1903年出版。

Stoecker, Adolf　施特克尔(1835-12-11，普鲁士哈尔伯施塔特[德国]～1909-02-02，德国伯岑格里斯)　Stoecker 又拼 Stöcker。德国教士、保守派政治家、改革家。他创建德国的基督教社会党并推进了德国政治上的反犹主义。普法战争(1870～1871)期间任随军牧师，后任柏林大教堂的宫廷传教师。为使工人阶级脱离社会民主运动自由派现实主义重新回到基督教来，创建了基督教社会工人党(1878)，后改名为基督教社会党(1881)。由于创建人提倡反犹主义、该党在柏林小资产阶级中不乏影响。1881～1893和1898～1908年间任帝国议会议员，鼓吹保守派政治。后弃教从政，于1890年创建两个基督教社会-政治组织——信义会社会福利会及德国信义会工人联合会。1892年参与制定保守党新政治纲领——蒂沃利纲领，使保守党公开实行反犹主义路线。及至1896年，施特克尔因提出的改革计划与保守派的农业利益矛盾，遂退出该党。

Stœ̆ng Trêng　上丁　又拼 Stung Treng。柬埔寨东北方城镇、省会。位于桑河、公河及湄公河的汇流处。有一条国家公路连接首都金边、老挝及邻近省份。上丁周围地区居住着山地孟-高棉人、谷地高棉人及寮-泰人。主要农产品有稻米、木薯、甘薯，也种植香蕉。有大片竹林，林区拥有优质硬木如青龙木、野枣木、桃花心木、柚木，还有浆果、豆类及橡胶树。本地区的玄武岩风化红土地有利于橡胶树生长。矿藏资源有煤、铁、铜和金。人口约4 173(1971)。

stoichiometry　化学计量　化学术语。确定元素或化合物相互反应的比例关系。确定化学计量关系所遵循的规则是质量和能量守恒定律以及化合量或化合体积定律。

Stoicism　斯多葛哲学　在古希腊和罗马时期兴盛起来的一派思想，西方文明史册上最崇高、最卓越的哲学之一。斯多葛派总是鼓励人们参与人类事业，相信一切哲学探究的目的都在于给人提供一种以心灵平静和坚信道德价值为特点的行为方式。

如果按照苏格拉底的哲学论点，认识的目的在于认识自我，那么，推理力作为对自我范围外的事物有所作为的唯一手段，则是斯多葛信仰的一个标志。只有理智能够揭示宇宙秩序的恒常性和坚强不变的价值的源泉。因此，理智乃是人类存在的真正模式。斯多葛派认为美德是世界的内在特点，它和人的牢固关系，正如自然规律和人的关系一样。

斯多葛派相信知觉是真知的基础。世界是由物质性的东西组成的；但在一切事物中不能削减的元素是"正确的理性"，它如"神火"一样遍布于世界。一切物质的或有形的物体都受这种理性或命运的支配，而美德就寓于其中。这个世界是一个令人敬畏的庞然整体。它井然有序的布置显示出它的宏伟壮观，可作为人类安排生活的标准。所以，人的目标就是要按照自然去生活，以期与世界的设计相一致。斯多葛派的道德理论也是建立在这样一个观点之上的：世界如同一个伟大的城市，是一个统一体。作为一个世界公民，人对这个大城市中的一切事物都承担义务。因而道德价值、义务、公正成为斯多葛派人所特别强调的重点；与此同时，也要有坚强的理智。他们认为有道德的人，既非仁慈为怀，也不显示怜悯，因为二者都会引人偏离义务和主宰世界的必然性。

关于斯多葛派哲学的历史：它的创始人是基提翁(塞浦路斯)的芝诺(公元前340～前265)，因为他通常在雅典集市的画廊柱下讲学，所以这一派人被称为画廊学派或斯多葛派。芝诺的活动时期是在公元前3世纪早期，曾在柏拉图死后的"学园"受教，对柏拉图思想颇为精通。他将哲学分为逻辑学、物理学、伦理学三部分；并提供了下面一些命题作为斯多葛哲学的基本构架：①逻辑学本身是手段而不是目的；②人类的幸福是顺应自然而生活的结果；③物理学在于提供决定正当行为的方法；④感觉是确实知识的基础；⑤智慧的人，是人类的全德的范型；⑥一切存在物的基本实体是神火，世界就是一场大火，时时更新；⑦相信事物间的因果关系；⑧世界主义；⑨人的职责或义务仅仅是选择那些与自然相一致的行动。

芝诺之后的斯多葛派的主要首领，依次是《宙斯颂》的作者克莱安西斯、克里西波斯、帕奈提奥斯、波塞多尼奥斯。后两人也称中期斯多葛派。

以后则是公元后罗马时代的后期斯多葛派，著名人物有罗马政治家塞内加，被尼禄皇帝释放的奴隶爱比克泰德，罗马后期五贤王之一安东尼努斯(中国汉代史上称为安敦王)。第一位著有《道德论文集》和《道德通信集》，第二位著有《手册》，第三位著有《沉思录》，留传至今；对于传播和发展斯多葛派哲学，起了巨大作用。他们已经开始和新兴的基督教思想作斗争，但基督教也吸收了斯多葛派的很多思想。

基督教圣保罗的《哥林多前书》中提到"良心"(中文《圣经》作"本性")，《新约·约翰福音》中提到"道"显然是受斯多葛派哲学的影响；教父时代，如安布罗斯、德尔图良、奥利金等人虽然反对异教，但他们却深受斯多葛派的影响。中世纪关于自然法、国家法、公民法三者的区别的讨论，主要是根据斯多葛派的理论。

文艺复兴时期，有很多人道主义者根据斯多葛哲学来反对中世纪神学，例如16世纪的佛兰芒学者利普修斯，意大利学者蓬波纳齐、布鲁诺以及西欧的埃拉斯穆斯、蒙泰涅、格劳秀斯，英国的T.莫尔、培根以至常被称为自然神论之父的赫尔巴特，这些人都称赞斯多葛哲学，采用斯多葛哲学中一些基本原理。斯宾诺莎的泛神论虽然直接承继布鲁诺，但也间接接受斯多葛哲学。

当代哲学家中很多人都注重人和整个宇宙有紧密的、本质的联系，注重全人类休戚相关的关系，注重理性的作用，这些都是斯多葛哲学留下的传统。

Stojadinović, Milan　斯托亚迪诺维奇(1888-07-23，塞尔维亚查查克～1961-10-24，布宜诺斯艾利斯)　Stojadinović 又拼 Stoyadinovitch。塞尔维亚政治家，南斯拉夫财政大臣(1922～1926)，南斯拉夫首相兼外交大臣(1935～1939)。1910年从贝尔格莱德大学毕业，后赴德、英、法三国留学。1919年任贝尔格莱德大学经济学教授，1922年任财政大臣。1935年6月任首相，在外交方面抛弃盟友捷克斯洛伐克和法国而靠拢纳粹德国。1937年同宿敌意大利和保加利亚订立条约。1939年辞去首相职务。1940年因有为轴心国当傀儡政权首脑的嫌疑被捕入狱。1941年秘密逃出南斯拉夫。1949年移居阿根廷，编辑出版过一份经济学杂志。所写回忆录《非战非和》于1963年出版。

Stoke-on-Trent　特伦特河畔斯托克　英格兰斯塔福德地理、历史郡城市和单一政区。包括称为陶乡的陶器生产工业区。制陶业是该区的主要工业，采煤、炼铁和橡胶工业也占有重要地位。1951年在此设英国陶器研究会实验所。设有北斯塔福德工业大学(1949)，后于1962年改名为基尔大学。出生在汉利的小说家A.本涅特在他的许多小说中就使用"五城镇"地区作背景。面积93平方千米。人口约251 500(1998)。

Stoke Poges　斯托克波吉斯　英格兰白金汉郡村庄,在伦敦以西35千米处。诗人T. 格

斯托克波吉斯的教堂
供图:A. F. Kersting

雷葬于该地。其著名的《墓园挽歌》(1751)即以此为背景。

stoker　加煤机　向炉膛加煤或其他固体燃料的机器,通常在燃烧过程中维持燃料供应。完善的加煤机能提供燃烧所需的空气、调节燃烧速度以及排除大设备中的炉灰。使用加煤机比人工加煤大为节省燃料。燃料可以在移动的链条炉篦上送入炉膛,小锅炉则用旋转螺杆来输送。加煤机通常用电动机驱动,由变速或间歇的传动机构来控制燃烧。

Stoker, Bram　斯托克(1847,都柏林～1912-04-20,伦敦)　爱尔兰作家,所写恐怖故事《德拉库拉》很受人们欢迎。虽然幼年身体孱弱,7 岁时还不能站立和走路,但入都柏林大学以后,竟锻炼成一个杰出的运动员。毕业后,在都柏林总督府工作 10 年,在此期间还是都柏林《邮报》不拿薪金的戏剧批评家。后结识他所崇拜的著名演员亨利・欧文,从 1878 年至欧文去世的 27 年间,他一直为其经管事务,每天代写书信达 50 封之多,并陪同去美国演出。晚年致力于写作小说,1890 年出版《蛇路》,他的杰作《德拉库拉》出版于 1897 年。这部受人欢迎的作品改编成剧本和电影后,也取得同样成功。所写其他小说有《大海的秘密》(1902)、《七星宝石》(1904)和《裹尸布夫人》(1909),但无一像《德拉库拉》那样受欢迎或达到那样的水平。

Stokes, Carl　斯托克斯(1927-06-21,美国俄亥俄克里夫兰～1996-04-03,克里夫兰)　全名 Carl Burton Stokes。美国律师、政治人物。幼年丧父,靠打零工帮助维持家庭生计。中学退学到铸造厂工作。第二次世界大战时期入伍。战后继续求学,1954 年获明尼苏达大学学士,1956 年获克里夫兰-马歇尔法学院学士。1957 年进入律师界,翌年担任克里夫兰市助理检察官。在此期间不断参与民权活动,并加入民主党。1962 年当选俄亥俄州议会议员。1965 年竞选克里夫兰市市长以微弱选票差数落选。1967 年选举获胜,成为首位美国大城市非洲裔市长。任职期间努力提高克里夫兰市下滑的经济,并营造种族团结。1968 年格伦维尔骚乱使其工作遭到损害。1969 年再度当选,但 1971 年退出政界。后移居纽约,担任电视新闻节目主持人并获得艾美奖。返回克里夫兰后,任联合汽车工人工会总顾问(1980 ～ 1983)。1983 年当选市法院法官。1994 ～ 1995 年任美国驻塞舌尔大使。1973 年出版自传《权力的希望》。

Stokes (of Leyland), Donald Gresham Stokes, Baron　斯托克斯(1914-03-22,伦敦～2008-07-21,多塞特普尔)　英国汽车实业家。1930 年进莱兰汽车公司为见习工程师,1963 年升任常务董事。20 世纪 60 年代他在海外作著名的推销旅行,使莱兰汽车公司由生产小型卡车和公共汽车的厂商转而成为世界上重型卡车最大的出口商。他领导莱兰公司的 5 年中,销售量翻了一番。1968 年在首相威尔逊的推动下,斯托克斯主持了莱兰汽车公司与英国汽车持股公司的合并,组成英国莱兰汽车公司,成为英国最大的汽车制造商,但合并后的新公司问题成堆,斯托克斯对此也缺少对策,1975 年该公司由英国政府改为国有,斯托克斯成为没有实权的董事长(1975 ～ 1979)。1965 年受封为爵士。1969 年成为终身上院议员。

Stokes, Sir George Gabriel, 1st Baronet　斯托克斯(1819-08-13,爱尔兰斯莱戈斯克利恩～1903-02-01,英国剑桥郡剑桥)　英国物理学家和数学家,因对黏性流体特性的研究,特别是描述固体小球在流体中运动的黏度定律和作为矢量分析基本定理的斯托克斯定理而著名。1849 年任剑桥大学卢卡斯数学教授之前,曾发表过关于流体运动和不可压缩流体的定常运动的论文(1842 和 1843)以及他对流体在运动中的摩擦和弹性固体的平衡与运动的研究成果(1845)。他研究荧光(首创这个术语),并用来研究紫外线;证实石英与普通玻璃不同,对紫外线是透明的。他提出光的波动说以及假定光必须赖以传播的以太观念。为了试图解释以太的显然互相矛盾的性能,他提出以太性状很像蜡,它是刚性的,但是在缓慢施加的定常力(如沿轨道运行的行星所施加的力)的作用下,就会流动。此外,他还假定行星依靠摩擦作用会拖带着一部分以太。他是大地测量学(研究地球的尺寸、形状和它的引力场)的先驱,在 1849 年发表了关于地球表面上引力差异的论文,1851 年被选入皇家学会,三年后任学会秘书,前后共 30 年,直到被选为学会主席为止。成为牛顿以后兼卢卡斯教授、皇家学会秘书和主席三者于一身的第一人。1854 年提出,夫琅和费线可能是由于太阳外层的某些原子吸收了一定波长的光而引起的。但是,他没有深钻这个问题,当德国物理学家 G. R. 基尔霍夫发表了对夫琅和费线的解释时,他不承认自己在这以前已有发现。1889 年被封为从男爵。他的数学和物理学论文编为 5 卷发表,前 3 卷是由他自己于 1880、1883 和 1901 年编就的,后 2 卷的编选则出自 J. 拉莫尔之手。还著有《论光》(1887)和《自然神学》(1891)。

Stokes, William　斯托克斯(1804-10-01,都柏林～1878-01-10,都柏林附近霍斯)　爱尔兰医师,爱尔兰解剖诊断学派的杰出代表(该学派强调在诊断过程中应对患者作临床检查),公认的当时欧洲最伟大的医师。1825 年获爱丁堡大学医学博士学位,后回都柏林行医及教学,在米斯医院继续进行 R. J. 格雷夫斯数年前开始采取的教育改革。鼓励学生在教师监督下进病房工作,以获得临床经验,并鼓励他们除医学知识外要掌握普通知识,为独立工作打下基础。他积极采用巴黎诊断学派设计的临床诊断新方法。其科学著作达百余种,最著名的为《胸部疾病的诊断与治疗》(1837)及《心脏与主动脉的疾病》(1854)。写过一本关于听诊器使用的早期英语著作。描述过许多医学现象,如切恩-斯托克斯氏呼吸(切恩是苏格兰医师,在都柏林行医,曾发表对节律性呼吸观察的论文)及亚当斯-斯托克斯氏综合征(脉缓、全身性抽搐发作)。

Stokes lines　斯托克斯线　在与荧光和拉曼效应(**Raman effect**)相伴随的线状谱中出现的特殊波长的辐射。以 19 世纪英国物理学家 G. G. 斯托克斯的姓氏命名。斯托克斯线的波长比导致荧光或拉曼效应的激发辐射的波长总要长一些。当物质的原子或分子已经处于激发态(如在高温中),则在荧光和拉曼光谱中会发现反斯托克斯线。在这种情况下,辐射线能是激发前能量和从激发辐射中所吸收的能的总和。因此,反斯托克斯线的波长总要比产生它们的光的波长短一些。出射光与吸收光的频率之差或波长之差称为斯托克斯移位。

Stokesay　斯托克赛　英格兰什罗普行政、历史郡南什罗普夏区一行政堂区。以 1240 年的城堡闻名。该城堡是英格兰最著名的设防的领主宅邸之一。16 世纪取代其古老的入口城楼者是半露木架结构的门楼。

Stokes's law　斯托克斯定律　小球粒在流体介质中下沉速度的数学方程。此定律由英国科学家 G. G. 斯托克斯于 1851 年首先提出。该定律是根据小球粒在重力作用下在液柱中下沉时,作用在它上面的全部力推导得出的。沉降的阻力等于 $6\pi r\eta\nu$,其中 r 为球粒半径,η 为液体黏度,ν 为沉降速度。沉降作用力等于 $\frac{4}{3}\pi r^3(d_1-d_2)g$,其中 d_1 为球粒密度,d_2 为液体密度,g 为重力加速度。当沉降阻力(向上)和沉降作用力(向下)相等时,则沉降速度恒定。由上述两式建立方程,并求解 ν,即得到沉降速度公式:

$$\nu=\frac{2}{9}(d_1-d_2)gr^2/\eta,$$

此即斯托克斯定律。斯托克斯定律在一些领域中,特别是淡水中沉积物的沉降和流体黏度的测量问题上得到了应用。因该定律只当微粒的运动不会在流体中引起湍流时才适用,所以以后又陆续提出了各种修正。

Stokowski, Leopold (Antoni Stanislaw Boleslawawicz)　斯托科夫斯基(1882-04-18,伦敦～1977-09-13,英格兰汉普郡下瓦洛普)　英国出生的美国指挥大师,以其热烈激情的表演才华和管弦乐队的圆润音响以及作为古典主义音乐普及者的影响著称。曾在伦

敦皇家音乐学院和牛津女王学院学习。任辛辛那提交响乐团指挥(1909～1912)之前,是一名管风琴手。1912～1936年任费城管弦乐团音乐总监,获得国际声誉。他推动青年

美国不列颠百科全书公司供图

音乐会,演奏马勒、E.瓦雷兹及斯特拉文斯基等当代作曲家的作品,并指挥了C.艾甫斯《第四交响曲》的世界首演。他还对管弦乐队中不同演奏组的座位排列进行试验,偶尔还将所指挥的音乐中的配器加以改动。作为全美青年管弦乐团的组织者,他与托斯卡尼尼一同指挥过美国全国广播公司交响乐团(1941～1944),并在纽约市中心举办票价低廉的音乐会(1944～1945)。1946～1950年在纽约爱乐乐团、1955～1962年在休斯敦交响乐团任指挥。1962年在纽约市建立美国交响乐团。著有《我们大家的音乐》(1943)一书。并将巴赫的作品改编为交响乐曲。

STOL airplane　短距起降飞机　STOL为short takeoff and landing的缩写,即能在比常规飞机所需短得多的跑道上起飞和着陆的固定翼飞机。大多数这样的飞机所需跑道长度小于150米,约为常规跑道平均长度的1/10。研制这类飞机是为了满足诸如丛林和荒野飞行的需要,因为在这种地方飞行,陡上升角、陡进场角和低着陆速度比大巡航速度更为重要。上述能力依靠一组空气动力装置来提供,例如环量可控机翼,它是20世纪80年代才开始采用的,包括机翼全翼展前缘开缝翼和后缘双缝襟翼。操纵这些装置和吹气管道系统,就可利用空气湍流和螺旋桨滑流来增大升力和阻力。第一种现代短距起降飞机于1954年由美国海军试飞。以后,美国和英国军队都曾采用短距起降飞机进行战斗任务。70年代初开始,加拿大和其他几个国家都曾用这种飞机作短程商业飞行。

Stolberg - Stolberg, Friedrich Leopold, Graf zu　施托尔贝格(1750-11-07,荷尔斯泰因布拉姆施泰特～1819-12-05,汉诺威奥斯纳布吕克附近松德米伦城堡)　德国"狂飙突进"时期和早期浪漫主义时期的抒情诗人。伯爵。曾在哈雷和格丁根攻读法律,并成为"格丁根林苑派"的成员。他和弟弟克里斯蒂安深受当时革命情绪的感染,写下一些激动人心的自由和祖国的颂诗。两人的《诗集》于1779年出版。但弗雷德里希的诗句还有牧歌气质,使他的诗作归于浪漫派。1777年进入外交界工作。他的宗教情绪日益增长,1800年改宗天主教。在一群威斯特伐利亚的天主教徒中为发展浪漫主义而积极工作。除诗歌外,还写有游记和文学理论文章,并翻译荷马的《伊利亚特》(1778)和埃斯库罗斯的悲剧(1802)。他最后一部作品是卷帙浩繁的《耶稣基督教史》(15卷,1806～1818),包括基督教直到公元430年的发展。这部著作后由克尔兹和布里沙尔续写(53卷,1825～1864)。

Stolbovo, Treaty of　《斯托尔博沃条约》(1617)　瑞典和俄国之间缔结的和约。它结束了瑞典对俄罗斯内政的干涉,但切断了俄国与波罗的海的联系。1610年莫斯科大公国在农民起义的冲击下,将俄国的皇位让给波兰国王西格蒙德三世的儿子弗瓦迪斯瓦夫。这激怒了正在同波兰交战的瑞典人。瑞典即向俄国宣战,要求俄国把皇位让给瑞典王子菲利普。1610年秋瑞典军队侵入俄国北部,次年7月占领诺夫哥罗德。俄国解除国内危机以后,新沙皇米哈伊尔·罗曼诺夫派兵将瑞典人赶出诺夫哥罗德地区。双方在荷兰和英格兰的调停下签订《斯托尔博沃条约》,恢复和平。条约规定瑞典将诺夫哥罗德及其在俄国北部占领的其他土地归还莫斯科大公国,但保留在爱沙尼亚和芬兰之间的卡累利阿和因格里亚,从而切断俄国通往波罗的海的通道,俄国向瑞典赔款2万卢布,瑞典王子菲利普放弃继承俄国皇位的要求。双方共同遵守这一条约直至1656年。

stole　圣带　天主教的助祭、司铎和主教以及基督教安立甘宗、信义宗或其他派别的若干教牧人员所佩的绸带。宽5～10厘米,长约240厘米,其颜色须与同一场合所着礼服

现代司铎所佩的圣带
供图:Algimantas Kezys, S.J.

一致。天主教助祭把圣带披在左肩上,其两端交接于右腋之下;司铎和主教则佩在领部,两端自左右下垂,司铎如穿白袍则使其两端交叉在前胸。圣带在举行祝圣礼时授予,象征永生。其起源难考,但或许从手帕或表示身分地位的普通披巾演变而来。4世纪,东派教会辅祭戴圣带,后来西派教会亦采用。最初叫做"口巾",或许是为擦拭口部而用。拉丁词stola始用于9世纪。东正教司祭和辅祭所佩圣带形式略有不同。

stolon　匍匐枝　生物的水平生长的细长分支器官。在植物为贴地面水平生长的茎;又称长匍茎;通常纤细,沿地面蔓生;具无性繁殖功能,在特化的部位(节)上能生出根和垂直的气生枝。在某些无脊椎动物(如刺胞动物门水螅纲动物)是从身体向外伸出的结构,可通过出芽形成新个体。真菌通过水平的丝状体(菌丝,亦称匍匐枝)蔓延。

Stolp(Poland)　**施托尔普**　参阅**Słupsk**斯武普斯克。

Stolypin, Pyotr Arkadyevich　斯托雷平(1862-04-14,萨克森德累斯顿～1911-09-18,基辅)　俄国保守政治家。1905年俄国革命后,倡议颇富远见的土地改革,期望通过改善

供图:H. Roger-Viollet

农民的法律地位和经济状况,促进帝俄的经济与政治稳定。1902年任格罗德诺省省长,1903年任萨拉托夫省省长。因坚决镇压农民叛乱而博得尼古拉二世的宠信,1906年5月任内务大臣,7月又提升大臣会议主席(即首相)。1906年7月解散第一届国家杜马,发布命令推行其土地改革:给农民以选举代表参加地方政务会议的权利,取消限制农民参与常规司法程序的措施,最重要的是允许农户退出村社,将其份地归为己有,以便形成一个保守、忠君的富农阶级。他建立军事法庭网,专门审判被控为叛乱者的群众,几个月内就以"斯托雷平的领带"(绞索)处死数千人。1907年第二届国家杜马没有批准他的土地改革方案,他立即将杜马解散,并发布反动的新选举法。在十月党人的帮助下,他批准并实施了他1906年提出的土地改革。他还强加给芬兰苛刻的俄罗斯化政策。他在陪同沙皇去看歌剧时被革命党人博格罗夫暗杀。

Stolypin land reform　斯托雷平土地改革(1906～1917)　俄国政府允许农民个人占有土地的措施,目的在于建立富农阶级,使其成为拥护专制制度的稳定的农村支柱。1861年俄国解放农奴以后,土地归村社所有。但由于连年歉收和农民起义,不得不废除村社的土地使用权而代之以个人土地所有制。1906年11月22日首相斯托雷平发布法令,允许各农户退出村社,将其份地归为己有。1910年和1911年杜马又批准了扩充改革内容的法令。但土地改革的成效不大。到1916年末,只有不到20%的农户对他们的土地有所

有权，改革未能把农民变成专制政府需要的社会支柱。1917年各地的农民参加了革命，没收了属于斯托雷平富农的财产。

stomach 胃 动物消化系统中食管与小肠之间的囊状膨大部分。大多数脊椎动物的胃均位于腹腔前部。其功能为暂时贮存食物，有些动物胃中尚含消化腺，某些化学消化过

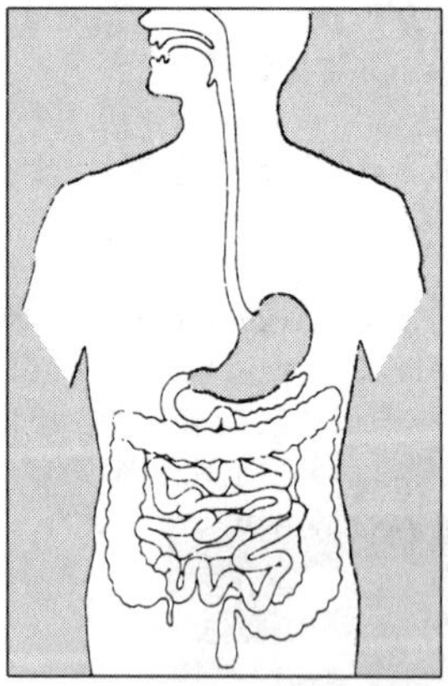

人的胃图示

程亦于此进行。人的胃分为四部分：①贲门，与食管相连；②胃底，位于贲门上侧的膨出部；③胃体或中间部，位于胃的中部，是容积最大的部分；④幽门（**pylorus**），胃与小肠相连处的狭窄部分。贲门及幽门均含括约肌，除食物通过时外，能使胃与邻近的消化管隔离。胃能按其中容纳的食物量扩张或者收缩。收缩时内壁形成许多皱褶，胃壁扩张时皱褶消失。胃黏膜厚，充满小型的腺体——胃腺（**gastric gland**），能分泌消化酶及盐酸的混合物，用于对蛋白质及脂肪进行初步消化。人胃的肌肉几乎始终处于活动状态，食物进入时胃肌暂时松弛，然后又开始收缩。胃肌周期性地收缩，将食物搅拌、搓揉，形成半液状的食糜，又有节律性的蠕动波，将食物推向幽门及小肠。胃排空后即持续进行蠕动性收缩，收缩逐渐加剧，可引起痛感——饥饿痛。这种感觉可能与血糖水平有关，血糖水平显著降低时即出现饥饿感，而与胃的活动无关。在胃中，食物、水、电解质的吸收事实上微不足道，但铁及易溶于脂肪的物质（如酒精和某些药物）可直接由胃吸收。胃的分泌及运动受迷走神经及交感神经支配。情绪激动可影响胃的正常功能。胃部常见的疾病有消化性溃疡、胃癌、胃炎等。动物的胃与人迥异，有的为复胃，有的具特异的适应性变化。牛及大部分反刍动物的胃分四室。食物咽下先入瘤胃，在此与黏液混合，纤维素被分解。然后返回口中重新仔细咀嚼，接着再度咽下，通过蜂窝胃、重瓣胃，水分于此被吸收。最后，食物进入皱胃，由酶消化。鸟类的胃分三室：①食物先进入嗉囊，在此贮存或被软化（浸软）；②真正的胃是腺胃，能分泌消化液；③砂囊，结构坚硬如齿，中含砂砾，可将食物磨碎。啮齿类只有一胃。许多啮齿动物需将食物吞吃两次方能吸收。食物被咽下，通过下消化道，于此囊以代谢产物来帮助分解。粪便又被动物吞食，与新觅的食物相混合。曾从消化管通过的粪质中含酶及水分，在胃内酶及水分与新觅的食物相混，有助于它们的消化。最后排出干燥的粪粒。海星能将胃翻出口外以吞食蛤等贝类柔软的身体。骆驼及羊驼能将胃内容物反吐出来，喷向走近的敌人。蝲蛄胃中能产生多数胃石，贮存于此，到蜕皮时方为胃重新吸收，用作形成新甲壳的原料。

stomach cancer 胃癌 亦作 gastric cancer。一种以胃细胞生长异常为特点的疾病。自20世纪早期以来，在冷冻已经取代盐腌、烟熏、泡渍等食物保存方法的国家，该病发生率已大幅降低，而在这些方法仍然广泛使用的国家，发生率依然偏高。95%的恶性胃癌起于胃的上皮细胞黏膜，这些肿瘤称为腺癌。其他可能起于周围的免疫细胞、激素制造细胞或结缔组织。许多致危因素已经获得确认，包括富含盐腌、烟熏、泡渍食品的饮食，受幽门杆菌感染，抽烟和喝酒，家族有胃癌史。其他因素为先前的胃部手术、A型血、年老（60～70岁）或慢性胃炎。男性罹患的比例约为女性的两倍。症状普遍见于其他许多疾病，还可能包括腹痛或不适、体重无端减轻、呕吐、消化不良或腹部可见的肿胀。没有特定的实验室检验法，所以通常结合几种目视方法诊断。医师能以内视镜来检视胃的黏膜。也可利用显像技术，特别是在认定癌症已经扩散时。一旦诊断出来，即应决定病期。胃癌分期相当复杂，其根据是癌症在胃壁扩散的程度和受到影响的淋巴球数量（如果有的话）。如果早期诊断出来，病人5年以上存活率很高。但早期仅少部分胃癌患者受到确认和治疗。如果癌症已经扩散到身体远处组织，存活率则会变得很低。治疗的唯一可行方法是外科手术，虽然放射疗法和化学疗法可以同时用来减轻症状。放射疗法和化学疗法会产生多种副作用。胃癌无法完全预防，但可以少吃盐腌、烟熏、泡渍食品而多吃蔬菜水果，以减少致病的危险。不抽烟、少喝酒也有助于降低患胃癌的风险。

stomacher 衬胸 15世纪末至18世纪后期，男女穿在胸前的装饰性衣物。15世纪末，男式上衣常有V字形开领，酌情增添装饰性胸片或衬胸；女式长外衣用带子系在袒露的胸衣之上，胸衣里也有衬胸，衬胸可以是刺绣的、带珠宝的或饰以蝴蝶结。经过一段时间以后，衬胸逐渐变得硬挺，用纸板或硬麻布增加硬度。进入18世纪，人们依然喜欢穿衬胸，直到硬挺妇女服装不时兴为止。

stomate 气孔 又作stoma。叶和幼茎表皮上的小孔。一般在叶的下表皮气孔较多。气孔为外界与叶内交织成网的细胞间隙进行气体交换提供通道。气孔由两个香肠形的保卫细胞组成，细胞的内壁厚于外壁（与表皮细胞相连一面的壁），细胞充水时体积膨胀，内压增高，较薄的外壁凸起而拉开内壁，并使气孔张开。保卫细胞的作用是控制水分的过度损失。气孔于天气干热或刮风时关闭，而情况有利于气体交换时即张开。气孔通常在早晨张开，并迅速增大，近午达最大程度；其后因水分丢失保卫细胞内压降低，气孔又逐渐关闭；然后再次开启，入夜又复关闭。空气中二氧化碳的浓度亦可调节许多植物气孔的开闭。当二氧化碳浓度低于正常值（约0.03%）时，保卫细胞即膨胀，并使气孔扩大。

Stommel, Henry Melson 斯托梅尔（1920-09-27，美国特拉华威尔明顿～1992-01-17，马萨诸塞波士顿） 美国海洋学家和气象学家。50年代以其大西洋环流理论而闻名世界，他认为地球自转是产生北美洲沿岸湾流的原因，并创立向北流的暖流必须与其下面向南流的寒流相平衡的理论。他提出全球环流的型式：表层海水在北极地区下降，以补充海洋深处向南流的洋流；而在南极地区的海水上升，以补充沿南、北美洲东海岸向北流的洋流，这种理论大部分已得到证实。除洋流外，他还研究海洋学和气象学的各种问题。他未获博士学位却破格升任正教授。1942年获耶鲁大学理学士学位，任该校数学和天文学讲师（1942～1944）。1944～1959年在马萨诸塞州伍兹霍尔的海洋学研究所任助理研究员，1959年任麻省理工学院海洋学教授，1960～1963年在哈佛大学任教，后又回到麻省理工学院。斯托梅尔建立了几所研究洋流的观测站。1962年被选为国家科学院院士，1989年获国家科学勋章。

stone 英石 英制重量单位，相当于14常衡磅（6.35千克）。起初，任选一块大小适中的石块就可以作为地方标准；因此，尽管英石的数值随商品种类和地区而有差异，这种重量单位却在贸易中获得了广泛的应用。14世纪，英格兰对佛罗伦萨的原毛出口贸易需要一个固定的标准，于是1389年的一项皇家法令规定：1包羊毛为26英石，1英石羊毛为14磅。贸易上英石的重量仍有差异，例如，玻璃的英石就只有5磅。目前英石还常用作人和大牲畜的重量标准。

Stone, Barton W(arren) 斯通（1772-12-24，马里兰查尔斯县［美国］～1844-11-09，美国密苏里汉尼拔） 基督教基督会的创始人之一。1798年受按立为长老会牧师，1801～1803

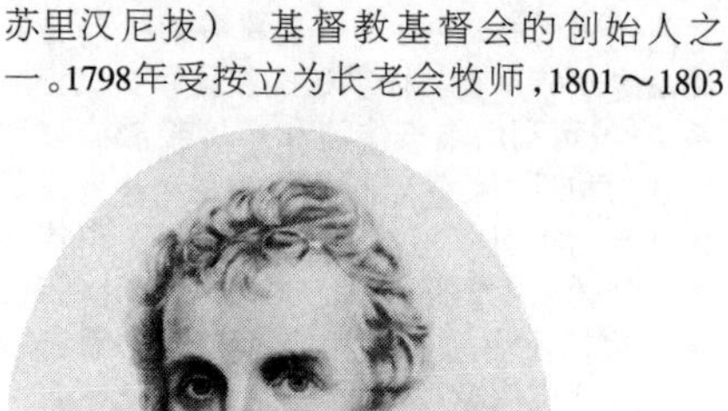

费城自由图书馆供图

年在肯塔基州帕里斯市附近凯恩里奇教堂任布道员，当时该教堂成为第二次大觉醒运动的中心。19世纪20年代结识浸礼会牧师坎贝尔，两人的追随者于1832年联合组成基督会。这次联合之所以实现，据说主要出于斯通的主动，但基督会由比较年轻的坎贝尔担任领导。

Stone, Edward Durell 斯通(1902-03-09,美国阿肯色费耶特维尔～1978-08-06,纽约市) 美国建筑师,曾主持设计过许多重要的现代建筑物。1920～1923年在阿肯色大学学习艺术,后在哈佛大学和麻省理工学院攻读建筑。1927年获奖学金,赴欧洲学习两年,与欧洲的现代建筑运动有所接触。1930年进入纽约的一家建筑事务所,设计了广播城音乐厅。1936年自立事务所,1937年设计了纽约市第一座国际式建筑——现代艺术博物馆。第二次世界大战后,曾任耶鲁大学建筑学副教授(1946～1952)。在美国的作品有阿肯色大学美术中心(1948)、纽约现代艺术馆(1959,今纽约文化中心)、首都华盛顿的全国地理学会总部大厦(1961年完成设计)和肯尼迪表演艺术中心(1971),摩天楼有纽约市50层的通用汽车公司大厦(1964年完成设计)和芝加哥80层的印第安纳美孚石油公司大楼(1974,今阿摩科公司大楼)。在国外最著名的作品有巴拿马城的巴拿马旅馆(1946)、新德里的美国大使馆(1954)、巴基斯坦伊斯兰堡的核研究中心(1966)。大使馆以精致的花格作建筑外围,内有庭院、水池、喷泉、绿化岛,很受人们的赞赏。1958年设计了布鲁塞尔世界博览会中的美国馆,为圆形建筑,直径达104米,上有半透明屋顶。他的自传《一个建筑师的成长》于1962年出版。

斯通设计的纽约文化中心(旧称纽约现代艺术馆)
纽约文化中心供图

Stone, Fred(Andrew) 斯通(1873-08-19,美国科罗拉多丹佛附近瓦尔蒙特～1959-03-05,加利福尼亚好莱坞) 美国受大众欢迎的舞台剧演员和舞蹈演员。11岁首次登台演出。后随一马戏团到各地巡回演出。19世纪90年代,与蒙哥马利搭班演出并获得极大成功,以后,在电影风行时,他们仍能谢绝签订一项有利可图的电影合同,而继续在纽约市上演合法的舞台剧。他在《奥兹的巫士》(1903)中饰演的稻草人更是红极一时。后来在百老汇上演的剧目有《进身之阶》(1923)、《乱七八糟》(1926)、《笑脸》(1932)等。他拍过几部有声和无声电影,如《阿丽丝·亚当》和《西部人》。他曾领导过演员协会的前身——美国白老鼠协会,因此在他表演杂耍剧的时候即上了黑名单,还短期任过全美杂耍艺术家协会主席。他的妻子和两个女儿曾与他一起在几部舞台剧和电影中露面。

Stone, Harlan Fiske 斯通(1872-10-11,美国新罕布什尔切斯特菲尔德～1946-04-22,华盛顿[哥伦比亚特区]) 美国最高法院大法官(1925～1941)和美国第12任最高法院首席大法官(1941～1946)。有时候被认为是一个自由主义者,经常支持自由意志论的观点,他主要认为司法界应当自我约束,政府为了适应20世纪社会和政治情况的变化而做的努力,只应当根据是否违宪而不应根据是否可取来加以限制。斯通于1898年在哥伦比亚大学法学院获法学学位。1899年起在该校执教,1910年起任法学院院长。与此同时在纽约市私人开业当律师。柯立芝总统任命他为美国司法部长(1924)和最高法院大法官(1925),罗斯福总统则把他提升为首席大法官(1941)。尽管他通常支持州的立法者们为了改变他们州内的经济秩序所做的努力,但是当州的税收、禁令和其他控制办法似乎会影响到州际贸易时,他就投票反对这些措施。在涉及联邦新政立法的重大案件——"美国诉巴特勒"一案(美国《联邦报告》第297卷,第1页[1936])中,他反对法院大多数人认为《农业调整法》无效的意见,并且指出,司法权从其固有的性质看,甚至比立法权更难以控制。在"美国诉卡罗伦产品公司"一案(美国《联邦报告》第304卷,第144页[1938])中,斯通写下了司法史上最著名的解释之一;他建议说,在适用宪法第1条和第14条修正案中关于"正当程序"和"法律上的同等保护"的条款时,最高法院不应该判断经济上的限制措施是否合理,而只应判断对公民权和信仰自由所施加的限制是否合理。

美国国会图书馆供图

Stone, I(sidor) F(einstein) 斯通(1907-12-24,费城～1989-06-18,波士顿) 原名伊西多尔·法因斯坦。富有生气、别具风格的美国新闻工作者。所编《I.F.斯通周刊》(后为《I.F.斯通双周刊》)由于作者兼具机智、博学、人道主义和政评尖刻的特点而深受读者欢迎。上中学时即从事新闻业。后入宾夕法尼亚大学(1924～1927),不久离校,为《费城问询报》工作。后移居纽约,供职于《纽约邮报》(1933～1939)及《费城记事报》。1938年任《民族》主编(1940～1946),同时在其他报刊兼职,直到1952年决定自行创立周刊。《I.F.斯通周刊》(1952～1967)及《I.F.斯通双周刊》(1967～1971)的影响远远超出它的读者范围。早期订户中有A.爱因斯坦、B.罗素和E.罗斯福夫人等著名人物。该刊工作人员只有斯通夫妇,由斯通亲自进行调研、撰写和编辑工作。该刊确立了极高的新闻标准,因此成为美国一些最著名的政治家、学者和新闻工作者所喜爱的读物。他以支持反潮流事业而闻名。他很早就支持公民权利,从一开始就反对杜鲁门的冷战政策和麦卡锡主义;他是最早反对美国介入越南战争的人士之一。其著作包括有关美国最高法院的《法院解决》(1937)、批评美国对第二次世界大战缺乏军事准备的《照常营业:防御的第一年》(1941)等。他的专栏作品收入《难忘的五十年代》(1963)、《痛苦时期》(1967)和《论战与预言,1967～1970》(1971)。

Stone, Irving 斯通(1903-07-14,圣弗朗西斯科～1989-08-26,洛杉矶) 美国通俗历史传记作家。最初因发表一部描述名画家凡·高的传记体小说《渴望生活》(1934)而成名。1923年在伯克利加利福尼亚大学获文学士学位,1924年在南加利福尼亚大学获硕士学位,此后开始创作剧本,并以撰写侦探小说为生。1934年,《渴望生活》在被17家出版社拒绝之后终于被接受出版。除《渴望生活》以外,他还写有许多通俗作品,其中包括《为人辩护的克拉伦斯·达罗》(1941);《他们也参加了竞选》(1943),记述19个失败的总统竞选者的生平;《永生之妻》(1944),讲述探险家J.弗里蒙特之妻杰西·本顿的故事;《总统夫人》(1951),根据美国第7任总统的妻子雷切尔·杰克逊的生平写成;关于玛丽·托德与A.林肯的婚姻的故事《爱情永恒》(1954);描述文艺复兴时期艺术家米开朗琪罗生平的《苦恼与狂喜》(1961);写S.弗洛伊德的《心中的激情》(1971);写达尔文的《起源》(1980)。

Stone, Lucy 斯通(1818-08-13,美国马萨诸塞西布鲁克菲尔德～1893-10-18,马萨诸塞多切斯特) 美国女权运动先驱。在俄亥俄州奥伯林学院毕业后(1847),担任马萨诸塞州反奴隶制协会的宣讲人。协会允许她每周利用部分时间进行她个人争取女权的宣传活动。19世纪50年代她在组织争取女权会议方面起到重大作用。1855年她与俄亥俄州废

美国国会图书馆供图

奴主义者 H.B.布莱克韦尔结婚,婚后保留了自己的姓氏,作为对已婚妇女不平等法律的抗议,因此人们称之为斯通夫人。他们在新泽西州居住,为争取妇女选举权工作十多年之后,便移居波士顿。1869 年在该地参与创办美国女权运动协会及《妇女杂志》周刊。

Stone, Nicholas　斯通(1586,英格兰德文郡伍德伯里～1647-08-24,汉普郡温切斯特?)英格兰 17 世纪初最著名的石雕家。曾于 1606～1613 年在阿姆斯特丹随凯泽学习。1619～1622 年在 I.琼斯手下任石雕师。1622 年在伦敦成为著名的墓碑石雕师。1632 年任皇家首席石雕师。其艺术风格从自然主义逐步向古典主义发展,如《弗朗西斯·霍利斯纪念碑》(1622,威斯敏斯特大教堂)就是证明;但这也表明他很受米开朗琪罗的朱理亚诺·德·梅迪契墓雕的影响。赫特福德郡沃特福德镇圣马利亚教堂的《查尔斯·莫里森爵士纪念碑》(1619)是其自然主义风格的代表作。牛津大学马格达伦学院的《利特尔顿纪念碑》(1634)则是其古典主义风格的代表作。他创作了一些在英国整个 17 世纪极负盛名的纪念碑和雕刻品。

Stone, Sir Richard　斯通(1913-08-30,英国伦敦～1991-12-06,剑桥郡剑桥)　全名 Sir John Richard Nicholas Stone。英国经济学家,因发展一种可用以追查国家规模(后来是国际规模)经济活动的会计模型而于 1984 年获得诺贝尔经济学奖。有时人们称他为国民所得会计之父。斯通起初在剑桥大学研读法律,但在经济学家 J.M.凯恩斯的影响下,于 1935 年取得经济学学位(1957 年获理学博士)。1936～1940 年他在伦敦一家经纪商行工作,1940 年应凯恩斯的邀请加入英国政府的中央统计处。第二次世界大战后至 1955 年,他任剑桥大学新设立的应用经济学系系主任。1955～1980 年他成为剑桥大学财政与会计学利克讲座的教授,1980 年以后成为荣誉退休教授。1978 年被授予爵位。1941 年首次按照斯通的方法编制出英国国民所得与支出的正式概算。斯通的工作大部分是在 50 年代做出的,当时他提出了测算投资、政府开支和消费的第一套具体的统计方法;这些测算模型实际上就形成了一套国民簿记制度。后来他又继续修改模型,使之适用于像联合国之类的国际组织。他同 J.E.米德合著有《国民所得与支出》(1944),该书 1977 年第 10 版是他和 G.斯通(Giovanna Stone)共同修订的。他本人的其他著作有《投入-产出与国民会计》(1961)、《社会科学的数学及其他文选》(1966)、《经济的数学模型及其他文选》(1970)等。他还是《1962～1974 年发展规划》(1962～1974)丛书的撰稿人之一和总编辑。

Stone, Toni　斯通(1921,美国明尼苏达圣保罗～1996-11-10,加利福尼亚阿拉梅达)　原名 Marcenia Lyle。美国棒球运动员。作为美国黑人联盟的印第安纳波利斯队队员,是第一个正式参加大联盟的女职业棒球运动员。15 岁开始在一个男子半职业球队圣保罗巨人队打球。高中毕业后移居加利福尼亚,很快就在美国联盟队打中外场。后到旧金山海狮队,击球率达到 0.280,得以进入黑人联盟的全明星队。1949 年在小联盟的新奥尔良克里奥尔人队当二垒手,1953 年加入印第安纳波利斯丑角队。她百米跑的速度是 11 秒,击球率保持在 0.243,曾将名投手 S.佩奇投出的一个快球击出一个一垒打。在丑角队打过 50 场后转到堪萨斯市王室队,1954 年赛季后退役。退役后主要照顾比她大 40 来岁的丈夫 A.阿尔贝加,直到 1987 年阿尔贝加去世。1991 年入选棒球名人堂,1993 年入选女运动员名人堂。

Stone Age　石器时代　人类发展的史前文化阶段或水平,以制造和使用石制工具为特点。根据工具的形状和使用的复杂程度,石器时代通常划分为 3 个独立的阶段。参阅 **Paleolithic Period; Mesolithic Period; Neolithic Period**。

stone bass　石巴斯鱼　参阅 **wreckfish** *多锯鲈*。

stone chest(coffin)　参阅 **cist** *石箱(墓葬)*。

stone chimes　石钟　又称石琴(lithophone),指一组石制乐器,击之可发铿锵之声,其中每块石头称作"响石"。这类乐器见于南太平洋和南美洲以至非洲和远东地区。石钟在埃塞

中国石钟——编磬
供图:Chinese Classical Music Association, Taipei

俄比亚教堂和科普特教派教堂中用作钟铃或用于成套排钟。越南某些庙宇中采用大型石乐器,1949 年在越南发现的石琴是现存最早的石琴之一。其他古代石乐器则见于中国出土文物,早在周朝(约公元前1122～前 256 或 255)史料中即有所述及。中国的石乐器称作"磬",常作钝角"人"字形,用各种材料制成,如大理石、软玉、玉等。由 16 只磬编成一组的编磬原用于儒教祭祀乐队,在朝鲜祭祀音乐中沿用至今,称作"特磬"(teuk kyeng)。1841 年英国一石匠所制石琴一度用于音乐会演奏,称"哈莫尼孔石琴"。

stone curlew(bird)　**石勺鹬**　参阅 **thick-knee** *厚膝鸻*。

Stone of Scone　参阅 **Scone, Stone of** *斯昆石*。

Stone-tool industry　石器工艺　反映人类早期制作技术的器物群,始于 200 多万年以前。考古学家根据其器形和用途划分出不同的石器工艺。最早的石器工艺是古人类学家 L.S.B.利基和 M.D.利基于 20 世纪 30 年代在坦桑尼亚奥杜威发现的,称为奥杜威工艺,年代约为 180 万～120 万年前,与能人相关,石器有两石互击而产生刃口的砍砸器。其遗存也见于北非和欧洲。比较进步的石器工艺是阿舍利工艺,见于奥杜威峡谷的,年代早到 140 万年前。这时打制石器的方法是早期两石互击技术的发展,但石材选择较精,除燧石外,还用石英、石英岩等。随着阿舍利工艺的进步,出现一种两面打制的切割工具,叫做手斧,其刃部比先前的砍砸器长、直而锋利。最早的手斧用硬石打制。大约从 100 万年前起,开始使用软锤,这通常是鹿角。已发现的阿舍利工艺工具总计有 18 种,如凿、锥、砧、刮削器、石锤、石球。再往后是穆斯特工艺,这是一种石片工艺而不是石核工艺,它与尼安德特人及撒哈拉沙漠以北、东到亚洲的古人类相关。在非洲撒哈拉以南,还发现法乌司密斯文化期和山果文化期两种石器工艺,这时石片工具发展成为石叶,其长度至少为宽度的两倍。旧石器时代晚期,工具更为复杂。在欧洲的佩里戈尔文化期和奥瑞纳文化期工艺中,出土工具多达 80 个类型,据信用于狩猎、屠宰、制衣等等,有些堪称现代工具的原型。到 4 万年前,人类制造了骨角柄把的工具。再往后,克罗马农人制作带有雕刻的骨制工具,这些大概仅仅是艺术品或礼仪用具。梭鲁特文化期制作的月桂叶形和柳叶形石刀,今天被视为艺术珍品。

stonechat(species *Saxicola torquata*)　**黑喉石䳭**　欧亚和非洲的一种鸫(雀形目鸫科)。其鸣声似卵石相击,故得名。体长 13 厘米。雄鸟体上面黑色;颈有白块斑;下体白

黑喉石䳭(*Saxicola torquata*)
供图:A.J.Deane—Bruce Coleman Inc.

而带淡红色。雌鸟淡褐色,羽冠色深。该鸟在地上营巢,习性像鹟,见于野草丛生的牧场和沿岸荒原。

stonecress　岩芥菜　十字花科岩芥菜属(*Aethionema*)约 35 种蔓生低矮草本植物,原

产地中海地区的白垩质干燥土壤区域，少数原产东亚。可种在岩石花园或沿边花坛以观赏其花及叶。叶狭；花四瓣，丁香色、粉红色或白色。波斯岩芥菜（大花岩芥菜，*A. grandiflorum*）多年生，花玫瑰色带淡紫色，植株高30余厘米。黎巴嫩岩芥菜（心形叶岩芥菜，*A. cordifolium*）花玫瑰色带粉红色，株高10～25厘米。

stonecrop（plant） 参阅 **sedum** 景天。

stonefish 石鱼 毒鲉科及毒鲉属（*Synanceja*）少数几种有毒海产鱼类的统称，分布于印度洋-太平洋热带浅水中。底栖，行动迟钝，生活于岩礁、珊瑚间以及泥底或河口。体

玫瑰毒鲉（*S. verrucosa*）

供图：Douglas Faulkner/Sally Faulkner Collection

粗短，头和口大，眼小，皮肤不光滑，被以疣状肿块，或又具肉垂，为危险鱼类。伏于水底不动，体形与颜色常同周围环境混为一体，不易察觉。当被人误踩上时，可通过背鳍棘的沟将大量毒液注入对方体内，引致创伤和剧痛，甚至有时致命。代表种为玫瑰毒鲉（*S. verrucosa*），体长可达约33厘米。毒鲉科还包括几种其他粗壮多疣块的鱼类，亦有毒，但不如石鱼恶名昭著。鲉形目鲉科几种鲉鱼也俗称岩鱼或石鱼。

stonefly 石蝇 襀翅目（Plecoptera）昆虫，约1 550种。成虫体长6～60毫米以上，触角长，咀嚼口器不发达；膜翅两对，后翅一般较前翅宽而短，静止时折成扇状。翅虽发达，但

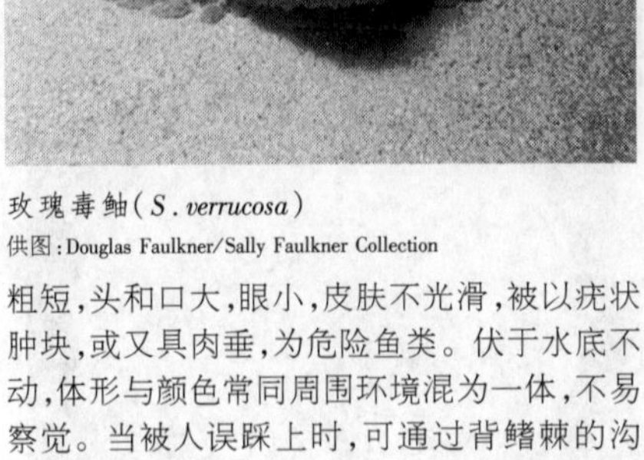

石蝇（Plecoptera）

供图：William E. Ferguson

不善飞行。体灰、黑或褐色，与其环境相称。生活史尚不十分清楚。产卵数可多达约6 000枚，卵产出后成块状落入溪流。稚虫似成虫，

英格兰巨石阵

英国旅游事业管理局供图

但无翅，体壁及腹部有外鳃；取食植物、腐败的有机物质和其他昆虫。稚虫的寿命1～4年，成虫仅活数周。

Stonehenge 巨石阵 又译圆形石林。将巨大石块竖立按圆形排列的纪念物，周围环以土堤。建于史前时代，约从公元前3100年开始。坐落在英国威尔特郡索尔兹伯里以北约13千米处。现代对此纪念物的解释主要依据1919年以来、特别是1950年以来所进行的发掘。

今日旅游者所见的巨石阵已经毁损得相当严重。许多石块在中世纪和近代初期被陆续偷走（巨石阵周围21千米内没有天然建筑石材）。它的整体建筑结构也遭受几十个世纪的风蚀雨浸和摧残破坏。这一纪念物由若干结构因素组成，其中大多平面呈圆形。外侧是一圆形壕，壕的内面直起一堤。壕和堤均在东北方被一入口中断，入口处通林荫道。石阵在圆圈的正中央，由一些高高竖立的砂砾石柱（第三纪砂岩）组成，排成马蹄形，其周围又环绕一圆圈高高竖立的砂砾石柱，所有的石柱顶端原来均覆以平卧的砂砾岩楣石。在砂砾石柱的圆圈内还配置一些较小和较轻的蓝砂岩（由辉绿岩、流纹岩和火山灰形成的火成岩），但是这些蓝砂岩多已不存。另外添加的巨石有所谓的祭坛石、屠宰石、两块驻守石和踵石。踵石立在入口外的林荫道上。紧贴堤的内缘，有两个小的圆壕，壕内是平坦的地面，中心各有一个空的石洞。这两个区域称北坑和南坑。

1950年以后的考古发掘表明：有3个主要建筑时期，即石阵Ⅰ、Ⅱ和Ⅲ，第3期分为几个阶段。

在石阵Ⅰ（约公元前3100）中，新石器时代的土著居民用鹿角挖出一个直径约98米的大致圆形的壕，壕宽约6米，深1.4～2米。挖出的白垩碎石用于修筑圆壕内侧的高堤。他们还在东北入口处立两块巨石，平列为门（其中一块即屠宰石，现仍存在）。紧靠圆堤内侧，又挖了一圈浅穴，共56个，以其发现者17世纪古文物研究家奥布里的姓氏命名，称奥布里洞穴。两块驻守石大概也属于这一时期，但无确定的证据。石阵Ⅰ使用了约500年，然后又回复灌木丛林地的原状。

在石阵Ⅱ（约公元前2100）时期，建筑群的模式彻底改变。在场地中央树立约80根蓝砂岩柱，每根重达4吨，形成两个同心圆，但两圆形结构并未完成。蓝砂岩原产威尔士西南部的普雷塞利山脉，经海、河和陆路直接运输，距离约385千米，或是间隔很久分两次运来。这个最早的蓝砂岩巨石阵的入口与夏至那天的日出之处大致成一直线，新修并加宽的一条大道（称林荫道）连同一对踵石亦沿此直线延伸。

在石阵Ⅲ的第一阶段（约从公元前2000开始），将从北边30千米的莫尔伯勒唐斯运来的30块砂砾岩巨石竖立起来形成一个圆圈，上面连续覆盖一圈楣石。在这一环形内，由5个巨石牌坊构成一马蹄形，每个牌坊由两块直立的巨石架一块楣石组成，今仍可见其遗迹。砂砾岩巨石长达9米，重达50吨。表面经过仔细加工，用石锤敲击得很光滑。楣石与直立巨石的企口接合，以及一圈楣石相互间的企口接合都采用同样技术。楣石不是矩形，略带弧形，整体形成一个圆圈。石柱向上逐渐变细。石头的接合可能是模仿当时的木工工艺。

石阵Ⅲ的第2阶段可能紧接前一阶段之后，不超过一个世纪。在这一阶段，将石阵Ⅱ的约20块蓝砂岩巨石加以整修，竖立在砂砾岩巨石的马蹄形内，大致成椭圆形结构。约在公元前1550年左右，砂砾岩圆巨石阵外侧挖有两个同心圆的洞穴群（即Y洞穴和Z洞穴，现已不存）；意图是要把石阵Ⅱ剩余的那60根蓝砂岩石柱栽立在这些土坑中，但是计划始终没有实现。两圈洞穴一直敞着，在随后的若干世纪中任凭泥土淤塞。中央的椭圆形石阵也被拆除了。

石阵Ⅲ的最后建筑阶段大概几乎紧接前一阶段。建筑者们在砂砾岩的马蹄形内以加过工的蓝砂岩巨石构成一个新马蹄形，蓝砂岩巨石紧密排在一起，一根石柱挨着一个方尖碑，交替排列。其余60余块未修整的蓝砂岩巨石则在砂砾岩巨石圆圈内（但在砂砾岩巨石马蹄形结构以外）排成一个石柱圈。所有蓝砂岩巨石中最大的一块，历来被误称为祭坛石，大概是立在轴线上的高柱。

公元前1100年左右，林荫道从巨石阵向东扩展，然后转向东南达埃文河，距离约2 780

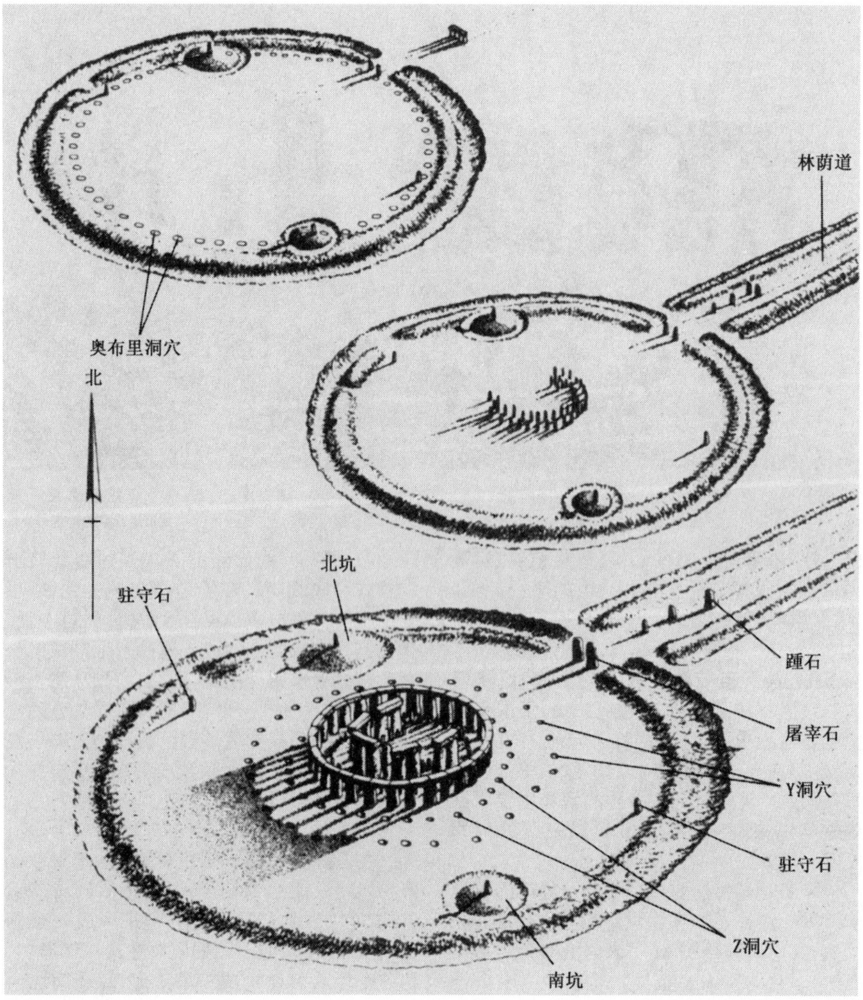

巨石阵:(上)约公元前 3100 年;(中)约公元前 2100 年;(下)约公元前 1550 年
供图:English Heritage

米。这说明在那时期,巨石阵仍在使用中。

建造巨石阵的目的不明。不过,很可能是作为一种拜神活动场所而修筑的。有人认为那是给德鲁伊特人或罗马人修的神庙,但这是不可能的,因为直至巨石阵最后一次营造以后很久,上述两种人才到达那个地区。20世纪初,英国天文学家诺曼·洛基尔爵士证明巨石阵的东北轴线与夏至那天的日出之处成一直线,因此,另外一些学者推断巨石阵建造者是太阳的崇拜者。1963 年美国天文学家霍金斯声称巨石阵是一台预报月食和日食的复杂的计算机。但是,大多数巨石阵考古学家对这些猜测均给予了严厉批评。"关于巨石阵所写的文章,大多是无稽之谈或者主观猜测",加的夫大学学院的考古学家阿特金森说,"没有一篇文章能对巨石阵的重要意义提供线索"。

Stones River, Battle of　斯通斯河战役 (1862-12-31 ～ 1863-01-02) 又称穆弗里斯伯勒战役。美国南北战争中在田纳西进行的残酷但非决定性的战斗。B. 布雷格将军指挥南部邦联军队的 3.8 万名士兵在穆弗里斯伯勒附近的斯通斯河与 W.S. 罗斯克兰斯将军指挥的 4.5 万名联邦军将士对垒。经过第一天激烈的拉锯战后,遭受猛击的联邦军濒于退却,但罗斯克兰斯决定顽强抵抗。1 月 3 日,布雷格率领业已精疲力竭的南部邦联军撤向南方。是役,联邦军伤亡12 900人,南部邦联军队损失11 700人。

stoneware　炻器　一种在大约1 200°C高温中烧成达到玻璃化(即类似玻璃而不渗透液体)的陶器。虽然炻器通常是不透明的,但有些炻器由于很薄而具有半透明性。因为炻器是致密的,所以不需要上釉,即使上釉也只是为了装饰的目的。釉料主要有3种:铅釉、盐釉和长石质釉(与瓷器坯釉的原料相同)。早在公元前 1400 年(商朝)中国就开始生产炻器。汉朝(公元前 206 ～公元 220)生产一种白色细炻器,至唐朝(618～907)达到完美的程度,上有橄榄色或棕绿色的长石质釉,属青瓷类。宋朝(960～1279)的炻器尤以造型美观、釉彩鲜艳著称。17世纪时,中国向欧洲出口了江苏宜兴制造的炻器,这种炻器色红至深棕,不上釉,但经雕琢、刻面和磨光。在欧洲用作茶具的宜兴酒壶受到高度珍视,德国、英国和荷兰都相继复制和仿造。大多数留存下来的上釉炻器可能都是施盐釉的。这些炻器从 15 世纪开始在莱茵兰制造,而从 17 世纪开始又在英国出现。

10 世纪的中国越窑炻器花瓶
波士顿美术博物馆供图

约 1715 年的德国赤炻器茶壶,J. F. 伯特格尔制作
伦敦维多利亚和艾伯特博物馆供图

约 1540 年的盐釉炻器胡子罐
伦敦维多利亚和艾伯特博物馆供图

stonewort　轮藻　轮藻纲(Charophyceae)绿藻。特征是形成碳酸钙沉淀,如轮藻属(*Chara*)。这些沉淀分布可十分广泛,形成湖泊钙质泥灰岩的主要部分。轮藻的外观似高等植物:具根状假根和按一定间隔出现的轮生分枝,直立的圆柱形中轴外围以由小细胞组成的鞘。有性生殖时,每一雌性生殖器官(卵囊)含一个大型的不活动的卵细胞,而每一雄性生殖器官(精子囊)产生一个小的具两条鞭毛的精子。繁殖器官外被一层不育细胞组成的包被。不形成动孢子。轮藻很可能是绿藻高度特化的一支。水生,固着于淡水或半咸水的河流或湖泊的泥底。除轮藻属是鱼

轮藻(*Chara*)(高倍放大)
供图:William H. Amos—Helen Wohlberg Inc.

类孵化场有害的杂草外,其余与人类关系甚微。

Stoney, George Johnstone 斯托尼(1826-02-15,爱尔兰金斯郡奥克利帕克～1911-07-05,英国伦敦) 物理学家,命名基本电荷单位为电子。1848年任天文学家W.P.罗斯的助手,经罗斯推荐,他于1852年获得加尔韦女王学院自然科学教授职位。1857年任都柏林女王大学秘书。在分子物理学和气体动理论工作中,估算了标准条件下一定体积气体的分子数。虽然他估算电子电荷值的方法是合理的(1874),但由于对1克氢的原子数存在错误的概念,他得到的结果是错误的。斯托尼还对氢、氦逃逸地球重力场及月球上没有大气等现象作过解释。

Stonies(people) **斯通尼人** 参阅**Assiniboin** *阿西尼博因人*。

Stonington 斯托宁顿 美国康涅狄格州东南部新伦敦县城镇。濒临长岛湾及罗得岛州界。范围包括斯托宁顿自治镇和米斯蒂克、波卡塔克两村。1649年始有人定居,1666年取现名。造船和捕鲸业一度繁荣。现为渔业和游览中心,有些轻型制造业。该地有许多18和19世纪的房屋和老式灯塔博物馆。面积100平方千米。人口17 906(2000)。

Stonington Island 斯托宁顿岛 南极洲帕默半岛以西、玛格丽特湾东部的岛屿。该岛长约760米,宽约300米。1820年帕默观察南极洲所乘的小帆船"英雄"号,是从康涅狄格州斯托宁顿港出发的,该岛因此被称为"斯托宁顿岛"。20世纪30年代后期,R.E.伯德率领的美国南极探险队曾将该地用作空中考察的东部基地。

Stony Brook 斯托尼布鲁克 美国纽约州东南部萨福克县布鲁克黑文镇未设建制的村庄。位于长岛北岸。1655年始有居民。19世纪当地造船业兴盛。现为长岛北岸一旅游和教育中心,是南北战争以后重建时期的社区的典范。村内有几处艺术和历史博物馆,马车博物馆收藏着300多辆各国马车。纽约州立大学斯托尼布鲁克分校1962年迁此。人口13 727(2000)。

Stony Point 斯托尼波因特 美国纽约州东南部罗克兰县无法人地位的村庄和城镇。位于哈得孙河西岸。南距纽约市中区约61千米。斯托尼波因特战场保留地(帕利塞兹州际公园一部分)为纪念美国独立战争时的1779年7月A.韦恩将军率领的美军攻克工事坚固的英军驻地而设立。当地的"叛逆之室"(现已拆毁)是B.阿诺德将军与J.安德烈少校1780年9月21日筹划向英方叛卖西点的处所。本地开采玄武岩和石膏。斯托尼波因特滑雪场为冬季吸引人的场所。城镇面积72平方千米。人口14 244(2000)。

Stony Tunguska(Russia) 参阅**Podkamennaya Tunguska River** *石泉通古斯卡河*。

Stonyhurst College 斯托尼赫斯特学院 设在英格兰坎布里亚郡克利瑟罗的天主教男校。由耶稣会管理。其前身系1593年在圣奥梅尔(法国)为英国少年创办的一所学院,后校址迁往布鲁日,继而又迁往列日。1794年迁入现址斯托尼赫斯特会馆。斯托尼赫斯特学院的天文台因造就了许多遐迩闻名的天文学家而著称。曾在学院任教的名师有诗人G.M.霍普金斯(古典文学)、天主教现代主义者G.提勒尔(哲学)及天体物理学家P.A.塞奇(天文学)。

stool 凳 无扶手无靠背的单人坐具。埃及人、古希腊人和罗马人,以及维金人(北欧海盗)使用座部用毛皮或织物制成的折叠式凳子以及座部用木头或蒲草制成的结实的框式凳子。这些凳子有4条直腿,或4条交叉成X形的腿。其构造的不同,主要表现在座部的软硬或支架装饰上。在使用上,从古代至中世纪,凳子始终是一种普通的坐具,几乎没有什么变化。中世纪末期的凳子形似小长凳,叫做板凳。它被标准的折凳所代替;这种折凳于17世纪问世,装有座垫,与椅子和脚凳一起组成一套家具。凳子的使用常常反映一种社会礼节,在欧洲,从中古到17世纪对凳子的使用有严格的规定;在非洲,凳子通常是部落首领办事地点的标志,并具有宗教象征意义。到19世纪凳子主要成为一种乡村用的或装饰性的家具。只有酒吧凳例外,它是一种中心固定在一根立柱上的高凳,可装也可不装扶手和靠背,用于酒吧和鸡尾酒会。

stop 塞音 又称破裂音。语音学术语,一种以口腔短暂闭塞为特征的辅音。完全的阻塞音一般分为三个阶段:成阻(内破裂),即阻碍作用的开始形成;持阻(闭塞);和除阻(破裂),即再打开空气通道。塞音有别于*擦音*(**fricative**),发塞音时气流通路完全闭塞,而不是部分闭塞。闭塞可以出现在发音系统从声门到嘴唇的各个不同部位;因此,塞音是按其发音部位来划分的——喉塞音、软腭塞音、腭塞音、齿龈塞音、齿塞音、双唇塞音等等。英语中*b*和*p*是双唇塞音,*d*和*t*是齿龈塞音,*g*和*k*是软腭塞音。英语没有可用来表示喉塞音的字母,但这种喉塞音却出现在苏格兰方言、伦敦方言和布鲁克林方言中,如bottle(瓶,bo'l)的*tt*的发音;在其他语言中(例如阿拉伯语),表示喉塞音的字母上有一种单独的符号,以示区别。

Stopes, Marie Charlotte Carmichael 斯托普斯(1880-10-15,苏格兰爱丁堡～1958-10-02,英格兰萨里多金附近) 英国节制生育的提倡者,1921年创办联合王国第一个指导避孕的门诊所。她于1904年获慕尼黑大学植物学

供图:BBC Hulton Picture Library

博士学位,随即任教于曼彻斯特大学。曾最先发现节制生育有助于婚姻的圆满,可以免除妇女因生育过多而操劳过度。1918年与阿弗罗飞机公司创办人之一A.V.罗结婚,罗对她当时开始进行的事业给予赞助。3年后,他们共同在伦敦霍洛韦区建立了第一个节制生育门诊所。她著有《婚后之爱情》及《明智的父母之道》,均在1918年出版,曾被译成多种文字。另著《避孕:它的理论、历史和实践》(1923年初版,1931年再版)一书,征引繁博,初发行时,为同类作品之冠。第二次世界大战后,她在远东各国提倡节制生育。

stoping 回采 在采矿工程中,开凿大型地下硐室或回采工作面以采掘矿石的工艺。回采应用于周围岩石坚硬的地下采矿作业中,以承受凿岩和爆破,并保证在采出矿石后不会垮落。在岩石不需要人工支撑处的作业称为空场采矿。常见的空场采矿法是房柱式采矿法,即留下矿柱以支撑平伏矿体上面的岩石。在许多采矿作业中,回采工作面必须用人工支撑。在急倾斜矿体中实行的主要人工支撑采矿法是分层充填采矿法,即采出每层矿石后将空场用废料回填。在称为留矿回采的另一种人工支撑采矿法中,只采出一部分炸碎的矿石,而留下其余矿石以支撑回采工作面的岩壁和充当下轮凿岩和爆破时的工作台。

Stoppard, Tom 斯托帕特(1937-07-03,捷克斯洛伐克兹林～) 捷克出生的英国剧作家。他的作品,特别是根据莎士比亚《哈姆雷特》剧中人物所写的《罗森克兰茨和吉尔登斯特恩都已死去》一剧突出表现了作者卓

越的语言技巧、精心的动作安排和巧妙的戏剧结构。其父受公司派遣于1938～1939年驻新加坡。日本发动侵略战争后，父亲被杀，母亲携2子逃往印度，改嫁一英国官员。斯托帕特在新加坡和印度长大，1946年随家迁居伦敦并改随继父姓氏。最初从事新闻事业，1960年开始撰写剧本。1965年作为5名新作家之一，其短篇小说被选入《作品介绍(2)》(1964)。第一个剧本《漫行水上》于1963年在电视上播放，接着又在柏林、维也纳和伦敦上演。他的剧本《罗森克兰茨和吉尔登斯特恩都已死去》1967年成为英国国家剧院的正式上演剧目。该剧在百老汇、东京和布宜诺斯艾利斯等城市上演后都曾引起巨大轰动。《跳跃者》妙趣横生地表现了危机四伏的学术界，在1972～1973年伦敦演出期间备受欢迎并取得重大成功。其他剧本还有《黑夜与白昼》(1978)和《真情》(1982)等。《真情》是他第一部浪漫主义喜剧。《阿卡迪亚》于1993年首演于德比郡。他还写过一些电影剧本，如《浪漫的英国女人》(1975)、《绝望》(1978)和《巴西》(1985)等。1991年他将《罗森克兰茨和吉尔登斯特恩都已死去》改编为电影剧本并出任该片导演。

Stora Sjöfallets National Park　大湖瀑布国家公园　在瑞典北博滕省，邻近挪威边境。占地1 380平方千米。建于1909年。瀑布在吕勒河上游，落差40米，飞过岩顶，直入隆奥斯湖。园内有广大山地和冰川区，被阿卡和阿饶勒两湖纵向分隔为几个地区。植被和野生动物种类繁多。

Storace, Stephen(John Seymour)　斯托雷斯(1762-04-04，伦敦～1796-03-19，伦敦)　作曲家。他的喜歌剧在18世纪英国极为流行。约1776年去那不勒斯学小提琴，几年后去维也纳，据信曾师事莫扎特。1787年回伦敦，此后毕生为特鲁里街剧院写作喜歌剧，最成功的是《鬼塔》(1789)、《海盗》(1792)和剧终余兴曲《没有歌声，没有晚餐》(1790)。他还出版了室内乐、歌曲和一本《斯托雷斯收集的原版拨弦键琴曲选集》(1787～1789)。所作歌剧既表现出维也纳的意大利风格的影响，又有莫扎特的影响。

storage　储存　保存商品供日后应用的方法。粮食或许就是第一种需要储存的物品，在收获季节要储藏起来以备寒冬食用。为防止食物在储存中腐烂，可以有许多不同的处理方法，如干燥、烟熏、腌泡或密封于不透水、不透气的容器中，或收藏于阴凉、黑暗的地窖内。现代的制冷技术可使农产品在储存之中极少改变其自然状况。

商业是造成需要储存设施的另一重要原因。商业储存中的主要目的是防止商品经受气候的影响、动物(如鼠、虫)的破坏及盗窃。储存设施还必须充当储备库以适应季节性的和变化不定的需求。为提高货物运输的效率，时常需要在储存中积累储备物资(名叫囤贮)。囤贮对于发挥最高的生产效率常常也是必要的，因为这样可使工厂在调整生产线以生产另一种产品之前(转换生产程序常常是耗时费钱的)，多多地生产某一项商品，免得卖出多少就生产多少。所以，在商业过程中储存是生产与销售中间的环节——保管。另一种储存叫终端运输，利用管道将流体产品从工厂直接运送到储存的地点。

运输，尤其是慢速的长距离运输(如水运)，从技术上看可以认为是储存的一个方面。利用绕航装运托运货物是满足即期市场需求的有效方法，如“滚动仓库”的应用在化工和木材行业中是屡见不鲜的。

运输货物中经验性的规则是：一次装运的数量愈大，则每项货物的费用愈小。所以，在多批装运的经济核算中，必须衡量为储存多项货物以供一次装运的费用多寡。销售过程中，运输和储存具有所谓时-地价值，当货物能适应时间和地点的要求而恰如其分地出现，则可获得这种时-地价值。在制造过程中也是同样，要重视储存原料、部件和机械等生产上需要的各种物品，以便在需要时一应俱全。

典型的大公司都是在许多不同的地方制造不同而互相有关的部件，很少在一个工厂生产成套的产品。公司通过名为分配中心的储存机构的运作，就能够向顾客提供全套可供选择的产品，立即发运整批混合订货，而不是从各个工厂一件一件地发运。

在分配中心，产品应该连续而有秩序地流动，储存空间不要被无用的项目所占有而浪费，因此要成功地管理分配中心必须要有精确的市场预测。要进一步加强货物流动程序还得靠公共仓库。许多公司都向公共仓库发运货物，买主在同一批次就能从公共仓库购得各式各样的商品。当然，在公共仓库储存货物时，制造商在处理产品和与顾客交往的某些方面无法控制。这种不利条件必须与私营企业易受需求波动影响而产生的人员和设施的利用率不足加以比较，权衡其利弊得失。

有些货物可以跟其他品质、规格相同的同种货物散装储存在一起，不必按生产者区分。这样，来自不同生产商的大宗货物，如标准化工产品和粮食，就可以储存在仓库的同一液体库或地下库之中。那么，这些产品由于不需单独储存和小量搬运而节约，每种产品的售价就低廉得多。同样，两家零售商买了同样的产品也可以继续储存在一起，然后在给各个市场发货时再将货物分开并盘点列单。这种储存是动态的，即产品流动相当经常，因此必须要有储存货物的来源。

保管储存是一种静态的储存。价值高的货物如业务档案、个人物品等都是要长时间保存完好而无需搬运的。储存容量和安全是最重要的因素。

储存设施是根据货物来源、安全和气候的需要而建造的。冷冻空间必须精心设计，加热的面积也必须切实地筹划。一切储存设施最好使用混凝土和钢铁之类的防火材料。这些材料容易制成预制件，有良好的绝缘性和传音性。

仓储是货物储存的动态方面，多是便于存货轮转而设计的自动化过程。轮转是利用设备的组合，如储存场内的堆垛起重机、垂直和水平运货的遥控叉车和重力流动货架，托盘在其中排成一条线自动替换。许多仓库由调度塔的计算机控制。

storax　野茉莉　又称安息香。野茉莉科(Styracaceae)野茉莉属(*Styrax*)植物。约100种，落叶灌木或乔木，多产热带或温带地区。叶互生，有短柄。花白色，花穗顶生而下垂，花冠5裂。最著名的栽培种有：日本野茉莉

药用安息香(*S. officinalis*)
供图：Edward F. Anderson

(*S. japonicum*)，原产东亚，株高约9米；玉铃花(*S. obassia*)，原产日本，高9米；美洲野茉莉(*S. americana*)，原产北美东南部，高1.8～2.7米；药用安息香(*S. officinalis*)，原产欧洲东部及小亚细亚，高约6米，产安息香树脂，可用以制熏香。

Store Bælt(channel, Denmark)　参阅 **Great Belt 大贝尔特海峡**。

Storey, David(Malcolm)　斯托里(1933-07-13，英国约克韦克菲尔德～　)　英国小说家、剧作家。他短暂的职业橄榄球员生涯以及卑微出身，为他那简洁有力的散文提供了素材。他的这种散文很早就使他被确认是一位有才能的故事作家和剧作家。最初的7部作品写成后，都被他搁置一边，直到他写了第8部小说《如此体育生涯》(1960)，才正式发表。这一小说描写一个职业橄榄球队员与其寡妇女房东之间的恋爱，斯托里为此获麦克米伦奖。后来斯托里又将小说改写为电影剧本。接着写了其他小说《飞向坎登》(1960；1961年获约翰·卢埃林·里斯纪念奖，1963年获毛姆奖)、《拉德克利夫》(1963)、《帕斯莫尔》(1972)以及描述一个矿工的儿子如何舍弃农村生活的自传性小说《萨维尔》(1976，获布克奖)。后来出版的小说有《浪子》(1982)。他同时还享有剧作家的声誉。其第一个剧本《阿诺德·米德尔顿的复职》(1966年上演)立即受到公众赞誉。《庆祝》(1969年上演；电影，1974)由安德森导演，此剧又恢复到斯托里作品中最经常的主题：过去对现在的影响及一个人不可能与自己下层阶级的出身和经历完全割裂。早期剧作还有《承包商》(1969)、《家》(1970)、《更衣室》(1971)和描写一个失意的美术家的《生活之课》(1974)。后

来的剧作有《母亲节》(1976)、《姐妹》(1978)和《年轻的时候》(1980)。

Storia della Scienza, Museo di 科学史博物馆 位于佛罗伦萨。意大利科学仪器与地图收藏馆,1929 年开馆,陈列说明自古以来科学进展情况的文物。许多藏品原属梅迪契家族的旧藏。有一个炼金术士的工作室模型、一个滴漏,还有各种度量器械收藏品。陈列品包括钟表、指南针、象限仪和六分仪、计算器、地球仪、日晷和 18 世纪的外科器械。伽利略用以发现木星卫星的望远镜以及他使用的其他仪器也都保存在这里。同时还有一件爱迪生于 1890 年制造的最早的圆柱体留声机。

stork 鹳 鹳形目鹳科17种长颈的大型鸟类。与鹭、红鹳和鹮有亲缘关系。体高 60 ~ 150 厘米。头的全部或部分以及上颈部可能没有羽毛,且颜色鲜艳。鹳的鸣管不发达,所

(上)非洲林鹳(*Ibis ibis*);(下)白鹳(*Ciconia ciconia*)

供图:M. P. Kahl

以不发声或几乎不发声,但有些种在兴奋时击嘴发出大声。飞行时颈向前伸,脚向后伸直,交替地拍动翅膀和滑翔。主要分布于非洲、亚洲和欧洲,有一个种,即黑颈鹳,也见于澳大利亚。新大陆的 3 种产于佛罗里达和阿根廷之间。除在繁殖期离群配对外,多数鹳均成大群。白天进食,多数种类捕食浅水和田野中的小动物。有些种类(非洲的秃鹳和印度的大秃鹳)主要以腐肉为食。雌雄两性用树枝筑成大平台形的巢,常在树上和岩石突出部结群营巢。白鹳营巢于屋顶和烟囱上。每窝产 3 ~ 6 枚粉白色的卵。孵化期约 5 周,双亲共同抱卵。鹳分为典型鹳(鹳亚科[Ciconiinae])和林鹳(林鹳亚科[Mycteriinae])。林鹳亚科的林鹳属(*Mycteria*)含一种,鹮属(*Ibis*)含 3 种,曾合称为林鹮,嘴向下弯,与鹮相似。典型的鹮嘴直或近乎直。印度和东南亚产的大秃鹳(*Leptoptilos dubius*)和小秃鹳(爪哇秃鹳,*L. javanicus*)是典型的腐食鸟,头和颈上的皮肤裸露,绯红色。非洲林鹳(黄嘴鹳、黄嘴鹮鹳,*Ibis ibis*)高约 100 厘米,嘴淡黄色,面部皮肤红色。欧、亚、非洲的黑鹳(*Ciconia nigra*)高约 100 厘米,体羽黑色,腹部有一白斑,红嘴和红脚。热带非洲的非洲钳嘴鹳(开口鹳、食螺鹳,*Anastomus lamelligerus*)和亚洲南部的亚洲钳嘴鹳(*A. oscitans*)形小,食水生螺类。嘴闭合时,除嘴尖外留有宽的隙缝,这可能是叨住螺类的一种适应。鞍嘴鹳(塞内加尔鞍鼻鹳,*Ephippiorhynchus senegalensis*)热带非洲产,色彩鲜艳,体高超过 120 厘米,腿和颈极为细长;嘴红色,向上翘;有一条宽的黑带斑横过,在眼前方有一黄色小骨板。白鹳(*Ciconia ciconia*)繁殖地跨越欧洲和亚洲,向南到南非越冬;高 100 厘米,身体羽毛呈白色,具黑色飞羽,嘴深红色,腿淡红色。白鹳种群正在减少,部分原因是由于人类对其栖息地的破坏,亚种东方白鹳(*C. c. boyciana*)是濒危种类。新大陆的美洲林鹳(*Mycteria americana*)常被误称为"裸颈鹳",分布范围自美国南部到阿根廷。体羽白色,翅和尾黑色,嘴向下弯曲。

storksbill 鹳嘴牻牛儿苗 又称 heronsbill。牻牛儿苗科(Geraniaceae)牻牛儿苗属(*Erodium*)的几种植物的统称,广布全世界。许多种是野花,可种于花园坛边上和岩石庭园中;一些种用作饲料;有不少种是杂草。因其蒴果 5 纵裂,呈长喙状,故得名。英语中 storksbill(老鹳嘴)一词有时也指在温室和花园里常见的天竺葵属(*Pelargonium*)植物。参阅 **geranium**。

storm 风暴 以气压低、云量大、降水、大风,以及可能发生雷电为特点的剧烈大气扰动。风暴是一个普通名词,普遍用来形容各种各样的大气扰动,包括从平常的阵雨和雪暴,到雷暴、风和风有关的扰动如大风、龙卷风、热带气旋和沙暴。在气象学中风暴严格地指有一个强低压中心的气旋,风速达 103 ~117 千米/小时,并伴有强降水,有时还伴有雷电。关于特种类型的风暴,参阅 **thunderstorm; tornado; tropical cyclone**。

Storm, (Hans) Theodor Woldsen 施托姆 (1817-09-14,石勒苏益格胡苏姆~ 1888-07-04,哈德马尔申) 德国诗人、小说家。他的中短篇小说在德国文学中堪称佳作。他是德国诗歌现实主义的代表,以后期浪漫派和 E. 默里克为典范。默里克同 G. 凯勒、P. 海泽和屠格涅夫一样是施托姆的朋友,他们之间常有书信来往。施托姆的早期抒情诗(《诗集》,1852)风格上很像歌曲,其特色是内容简朴、形式优美。主题是爱情、大自然以及对家乡的挚爱。施托姆曾在胡苏姆从事法律工作直至 1853 年,丹麦占领石勒苏益格期间,他被迫迁居波茨坦。他的强烈的爱国主义感情就抒发在这一时期的诗作里。1864 年丹麦人退出石勒苏益格,施托姆返回故乡。一年以后他的妻子去世,使他在诗集《浓黑的阴影》(1865)中达到了抒情诗的顶峰。此时他开始专心写作中短篇小说。初期最重要的作品之一是《茵梦湖》(1850),书中描写了已经消逝的童年时代的幸福,抒发了缠绵的思乡情绪。随着写作技巧的成熟,他的中短篇小说显示出更深邃的内心洞察力、更贴切的现实主义和更广泛的题材——包括阶级矛盾、社会问题以及宗教迷信——这表明他不断关心人的孤立以及同命运所作的斗争。1880 年他退休到哈德马尔申,写出他最后的也是最伟大的小说《骑白马的人》(1888),书中主人公坚强有力,文笔简洁客观,想象力活泼,叙述能力高超。施托姆的主要作品中尚有动人的故事《木偶戏子波勒》(1874)、历史中篇小说《淹死的人》(1875)和中篇小说《城堡里》(1861)。

Storm and Stress (literary movement) 参阅 **Sturm und Drang 狂飙突进**。

Storm Bay 斯托姆湾 澳大利亚塔斯马尼亚州东南部塔斯曼海海湾。长约 16 英里、宽 25 英里。西连北布鲁尼岛,东接塔斯曼半岛,东北通诺福克湾和弗雷德里克亨利湾。有德文特河口湾自西北,穿过霍巴特,注入斯托姆湾。

storm petrel 海燕 鹱形目海燕科(Hydrobatidae)约 20 种海鸟。或单列为海燕科(Oceanitidae)。海燕体长 13 ~ 25 厘米,体深灰或褐色,有时下体色淡,腰白色。与大多数鹱形目种类相比,海燕翅短,翅尖呈圆形;嘴长适中;鼻管(所有鹱形目种类常见)与上嘴的表面融合一起;除后趾外,均具蹼,后趾小而高位;尾长或中等长度,方形、叉形或楔形。海燕按行为及结构分为两类。在南方海洋繁殖的大多数种类,翅较短,尾方形,腿长,趾短。两翅张开,劈拍地飞过水面,好似在"行走",攫起小型海生动物,例如威尔逊氏海燕(黄蹼洋海燕,*Oceanites aceanicus*),在沿南极大陆和南极圈附近小岛上繁殖,6 ~ 9 月在北大西洋越冬。北方的大多数种类翅较长,尾叉形或楔形,腿较短而趾较长;觅食时,像小燕鸥一样自水面掠过,偶尔降落水面。例如利奇氏海燕(白腰叉尾海燕,*Oceanodroma leucorhoa*)在北大西洋繁殖,也繁殖于太平洋岛上(南至北纬 28°)。其他几种叉尾海燕见于太平洋北部。英国海燕(*Hydrobates pelagicus*)繁殖于欧洲沿岸的陡崖和海岛上。海燕成群繁殖,营巢于软土上自掘的洞穴或岩石裂缝中。在南、北美沿岸,以及大西洋东部和南部及整个太平洋海岛上繁殖。每窝产白色卵 1 枚,双亲共同抱卵,夜间进出巢洞,因此难以被人类及其他可能的掠食者发现。结群的海燕叫声很大。如大多数鹱形目的幼雏一样,在羽毛完全长出前一周,双亲就离开幼雏。双亲在海上换羽时,幼雏发育成熟,即离洞

穴，自行出海觅食。

Storm Troopers（Nazi Germany） 参阅 **SA** *冲锋队*。

Stormberg Series 斯托姆山统 非洲卡鲁纪地层和年代划分单元。相当于三叠纪晚期（三叠纪开始于2.25亿年前，延续约0.35亿年），位于博福特统之上。该统进一步划分成4个次级单元，自下而上为：①莫尔泰诺层，由砂层、页岩和煤层组成，厚约610米；②红层，由浅红色砂岩和页岩组成，含有鳄鱼化石和恐龙化石；③卡夫砂岩，为块状白色砂岩，含有恐龙、鳄鱼和硅化木；④德雷肯斯火山岩，为极厚的玄武岩熔岩。

Størmer, Fredrik（Carl Mülertz） 斯托末（1874-09-03，挪威希恩～1957-08-13，奥斯陆） 挪威地球物理学家和数学家。发展了极光现象的数学理论。1903～1946年任克

供图：Norsk Telegrambyra

里斯蒂安（1924年后为奥斯陆）大学的纯粹数学教授。他研究数学是从级数、函数论和数论开始的，写了许多相当重要的纯粹数学论文。1895年他证明了方程式 $m\mathrm{tg}^{-1}(1/x)+n\mathrm{tg}^{-1}(1/y)=k\pi/4$ 只有4个非平凡解，其中 m、n、k、x 和 y 都是整数。1903年他对K.伯克兰用电子轰击磁化球体所得到的类极光效应的试验感到兴趣。他以H.庞加莱关于带电粒子在单磁极区运动方程为起点，从事伯克兰试验的理论研究，1904年发表了他的一系列论文中的第一篇，他继续这项研究并发表关于极光现象的理论直到1950年。除了对极光形成的解释有宝贵贡献外，他的工作对研究宇宙线及其在地球附近的性能方面也有重要应用。1909年，他开始了极光观测计划，他在两个或多个相距较远的地点通过电话联络同时拍照，以精确测定大气中极光的位置和形状。后来他在挪威设立了一个常设的观测站网，用来研究极光和特种类型的云。他的《极光》（1955）一书是对他的理论研究和实地观测的宝贵记录。1951年被选为英国皇家学会外国会员。

Störmer, Horst L. 施特默（1949-04-06，德国美因河畔法兰克福～ ） 全名Horst Ludwig Störmer。德国出生的美国物理学家。因发现并解释了"分数量子霍尔效应"而与崔琦、R. B. 克劳林共获1998年诺贝尔物理学奖。1970年毕业于德国法兰克福大学，1977年获德国斯图加特大学物理学博士学位。迁居美国后，1978年进入贝尔实验室。1982年与崔琦在那里研究出他们的发现成果。1992～1998年任贝尔实验室物理研究室主任，1998年成为哥伦比亚大学教授。两人的研究基于霍尔效应。他在接近绝对零度的温度和极强的磁场下观察到半导体中的霍尔效应。1982年他们观察到：在这些条件下，霍尔效应不仅逐步变异，也以分数的形式增加。1983年美国物理学家克劳林解释了这个难解的现象，他提出：两人造出的强力磁场中的电子形成了一种量子流体，由拥有分数电荷的准粒子组成。早在1998年，三人就因发现分数量子霍尔效应而共获富兰克林物理学奖。

Stormont 斯托蒙特 北爱尔兰政府所在地贝尔法斯特市东郊。位于占地120公顷的地区内，内有议会大厦和北爱尔兰总理官邸。议会大厦建于1928～1932年间，是希腊古典式建筑。

斯托蒙特的议会大厦

供图：G. F. Allen—Bruce Coleman

Stormovik 参阅 **Ilyushin Il-2** *伊尔-2*。

Storni, Alfonsina 斯托尼（1892-05-29，瑞士萨拉卡普里阿斯卡～1938-10-25，阿根廷马德普拉塔） 阿根廷女诗人。她的第一本作品《玫瑰树丛的不安》（1916），使她在布宜诺斯艾利斯的文学圈子里崭露头角。然而，使她获得广泛成功的，却是她的诗集《甜蜜的创伤》（1918）。虽然她痛恨男人，却强烈渴望爱情；她把这种紧张和激越的感情矛盾表现在诗歌中，诗句既朴素又具有强烈的性感。后期诗歌《七口井的世界》（1934）和《假面具与三叶草》（1938）风格更为精美，然而却缺乏早期作品的质朴和激情。知道患有不治之症后，于1938年自杀身死。

Stornoway 斯托诺韦 苏格兰外赫布里底群岛的市、最大城镇和港口，西部群岛行政区首府和区首府。在刘易斯-哈里斯岛上。18世纪后发展成为渔镇，现主要生产哈里斯花呢。至苏格兰主岛最快海上航行需4½小时。与格拉斯哥和因弗内斯之间有班机。人

斯托诺韦港口的渔船

供图：Tourist Photo Library

口13 409（1981）。

Storr, Paul 斯托尔（1771，伦敦～1844-03-04，伦敦） 英国金匠，以其制造装饰华丽的作品，尤其是银制礼品的精湛技艺而著名。令人瞩目的例子是他制造了一只礼品杯子，赠送给英国海军上将纳尔逊勋爵，以纪念他在1798年尼罗河战役的胜利（现存伦敦格林尼治国家海洋博物馆）。他跟瑞典裔餐具匠

斯托尔1812年制作的银质水果托盘

伦敦维多利亚和艾伯特博物馆供图

福格尔贝里学艺，期满后于1796年自己开业，1807年开始与王室金匠商行的朗德尔和布里奇合作。他为这家商行完成许多作品，从简单的餐具到使他成名的装饰华丽的作品。在许多场合，这家商行只需要他的制作技艺，设计工作有别人担任。他有一些设计以古罗马银器为蓝本，也有一些是复活的洛可可风格。1819年，他与那家商行决裂，3年后和莫蒂默合伙经营，直到1838年。

Storstrøms 斯托海峡州 丹麦最南端一州。1970年由原马里博州和普赖斯特州组成。面积3 396平方千米，包括西兰岛东南部、洛兰岛、法尔斯特岛和默恩岛，以及一些小岛。西兰岛上的斯泰温斯崖和蒙斯陡崖有壮观的石灰岩峭壁。土壤肥沃，有综合性农业和乳制品业，还有渔业和肉类罐头厂。主要居民中心有首府尼克宾法尔斯特（**Nykøbing Falster**）、奈斯特韦兹（**Næstved**）、沃尔丁堡（**Vordingborg**）、马里博和纳克斯考。人口约261 188（2002）。

Story, Joseph 斯托里（1779-09-18，美国马萨诸塞马布尔黑德～1845-09-10，马萨诸塞剑桥） 美国最高法院大法官（1811～1845）。他和首席大法官约翰·马歇尔一起，对美国工

美国国会图书馆供图

业国有化主义的发展给予法律上的支持。他在哈佛大学讲授法律时（1829～1845），把讲稿加工成一部划时代的9卷集法律注释书，其中有些具有国际影响。从哈佛毕业后，他在马萨诸塞州塞勒姆执律师业（1801～1811），在杰斐逊的共和（后称民主）党中很活跃，1805年被选入州议会，1808～1809年任美国众议员，1810年重返马萨诸塞州众议院，1811年被选为议长。1811年11月，在他年仅32岁时，麦迪逊总统任命他为最高法院大法官。他在"马丁诉亨特的承租人"一案（1816）中为最高法院所写的意见，树立了最高法院在所有涉及联邦宪法、法令和条约的民事案件中有高于州的最高法院的上诉管辖权。他从1835年7月至1836年3月主持最高法院工作。在"普里格诉宾夕法尼亚州"一案（《彼得报告》第16卷第539页，1842）中，他反对奴隶制度，维护联邦1793年的《逃亡奴隶法》，以便撤销有关重新逮捕逃亡奴隶的州的法令。1829年，他接受了哈佛大学法律学院的"戴恩"法律学教授职务（由一位法学作家内森·戴恩专门为他而设立的）。戴恩捐赠的基金用来出版他的评论著作：《保释》（1832）、《论宪法》3卷（1833）、《法律之抵触》（1834）、《衡平法法理学》2卷（1836）、《衡平法的申诉与答辩》（1838）、《代理》（1839）、《合伙》（1841）、《汇票》（1843）和《期票》（1845）。他的关于衡平法的著作使他与纽约州衡平法院法官J.肯特一起成为美国衡平法法理的奠基人。他的冲突法著作影响了拉丁美洲各国的许多法令和条约。

Story, William Wetmore 斯托里（1819-02-12，美国马萨诸塞塞勒姆～1895-10-07，意大利瓦隆布罗萨） 美国雕刻家，当时一批文学、戏剧和社会名流中的核心人物，其作品有《埃及女王克娄巴特拉》雕像。N.霍桑在其小说《玉石雕像》（1860）中对这座雕像的描述使它在美国和英国相当出名。纽约大都会艺术博物馆藏有这一作品的复制品。从1856年直至去世，斯托里一直住在罗马，H.詹姆斯所著《威廉·韦特莫尔·斯托里及其友人》（1903）一书引人入胜地描述了斯托里在罗马的生活情景。

Storyville 斯托里维尔 美国路易斯安那州新奥尔良市一个包含38个街段的区域。1897～1917年它是美国最出名的红灯区。1897年1月，当A.S.斯托里响应公众抗议新奥尔良市内猖獗的卖淫活动，成功地使市政参议会通过了一条法令，将妓院、沙龙及其他各种罪恶行业都限制在规定地区内，就建立了该区。该区（令他沮丧的是，竟非正式地取他的姓为名）终于包括边维尔街、孔蒂街、海关大楼街和圣路易斯街各5个街段，以及马雷街、北巴赞街、北富兰克林街、北罗伯逊街、特雷梅街和维勒尔街各3个街段。全区到处迅速增多的幽会房舍，从25美分的贱价妓院到北巴赞街上极为雅致的青楼，应有尽有。1917年当美国参加第一次世界大战时，陆、海两军都发布命令，禁止在军事场所周围5英里以内卖淫。联邦政府下令将斯托里维尔区关闭，新奥尔良市在强制之下只得勉强同意。当地各界人士依法抗议，官司一直打到美国最高法院，也未能改变这道命令。

Stoss, Veit 施托斯（1438或1447，士瓦本［德国］～1533，纽伦堡） 16世纪德国最伟大的雕刻家及木刻家之一。其作品形体瘦骨嶙峋，表现了现实主义的明细和灵巧的木刻技法，综合了佛兰德斯和多瑙河地区艺术的雕刻风格与荷兰雕刻家格哈尔特的情感力量和戏剧性的现实主义，对德国的晚期哥特式雕刻，特别是纽伦堡的雕刻有巨大影响。施托斯在纽伦堡成长。1477～1496年在波兰、波希米亚及匈牙利工作。主要作品是波兰克拉科夫圣马利亚教堂内以橙木制成并彩绘的高大祭坛（1477～1489）及为卡齐米日四世国王和奥莱希尼茨基大主教雕刻的墓碑（一在克拉科夫大教堂，一在格涅兹诺大教堂）。晚年回纽伦堡，这一时期的作品有：纽伦堡圣塞巴尔德教堂（1499，1520）和圣洛伦兹教堂（1513，1518）的重要木雕、石雕，以及班贝格大教堂（1523）的圣坛。这些晚期作品作风更

施托斯的木雕《天使长拉斐尔》（1516～1518）
供图：Germanisches Nationalmuseum, Nurnberg

为严谨，构图更为明晰。

Stössel, Anatoly Mikhaylovich（Russian general） 参阅 **Stessel, Anatoly Mikhaylovich** 斯特塞尔。

Stothard, Thomas 斯托撒德（1755-08-17，英国伦敦～1834-04-27，伦敦） 画家、设计家和插图家，以创作优美、典雅的书籍插图而闻名。斯托撒德曾为《克拉丽莎》、《特里斯丹·香蒂》、《鲁滨逊飘流记》、《天路历程》、《威克菲尔德的牧师》、《夺发记》等出版物，以及莎士比亚、拜伦、弥尔顿和其他作家的作品绘插图。其作品一般尺寸不大，手法运用自如，色彩丰富、鲜明。他最有名的画是《坎特伯雷的朝圣者》，该作品预示了拉斐尔前派风格的出现。

Stoughton 斯托顿 美国马萨诸塞州东部诺福克县城镇。位于波士顿南部27千米处。1713年创建。1726年设建制。构成《独立宣言》基础的《萨福克决定》曾在此起草。现在主要为住宅区。除纺织工业外，还有鞋靴、塑料、机床和橡胶制品工业。面积41平方千米。人口约27 149（2000）。

Stour, River 斯陶尔河 英格兰东部河流。全长76千米。源出剑桥郡东部，向东流，在哈里奇经潮汐河口湾注入北海，英格兰有其他几条次要河流与之同名。

stout 黑啤酒 酒味浓郁的深色啤酒，在英国和爱尔兰十分流行。参阅 **beer**。

Stout, George Frederick 斯托特（1860-01-06，英格兰达勒姆南希尔兹～1944-08-18，澳大利亚悉尼） 英国心理学家、哲学家，曾提

出一个强调心理意向的心理学体系。在剑桥大学学习时，即师从 J.沃德，也从哲学上来探讨心理学。提出灵魂是肉体的形式这一概念（与亚里士多德类似），并与沃德一起反对流行的联想主义理论。他先后在剑桥圣约翰学院、阿伯丁大学、牛津大学、圣安德鲁斯大学任教，1896 年出版了他第一部、也许是最富创造性的著作《分析心理学》（2 卷）。他认为，活动在智力过程中起作用，这一观点后由 J.皮亚杰用实验证实。1899 年出版《心理学手册》，其中许多原理后为格式塔心理学派的实验所发展。1931 年出版重要著作《精神与物质》。

Stout, Rex (Todhunter)　斯托特（1886-12-01，美国印第安纳诺布尔斯维尔～1975-10-27，康涅狄格丹伯里）　美国作家，写有不少高雅的侦探小说，作品的中心人物是文质彬彬、性格反常、幽居独处的侦探尼罗·沃尔夫和他爱说俏皮话的助手阿尔奇·古德温。1912 年开始偶尔给杂志写稿之前，斯托特曾做过零工。在写了 4 部成就不大的长篇小说以后，改写侦探故事。他在《矛头蛇》（1934）一书中塑造了大腹便便、很有才能的唯美主义者尼罗·沃尔夫。沃尔夫处理犯罪案件时并不离开他在纽约市的褐砂石住房。沃尔夫，像斯托特一样，喜欢珍馐美味和园艺。这一侦探故事是由沃尔夫同外界联系的助手古德温叙述的。斯托特共写了 46 部有关沃尔夫的侦探故事，深受读者欢迎。

Stout, Sir Robert　斯托特（1844-09-28，苏格兰设得兰群岛勒威克～1930-07-19，新西兰惠灵顿）　新西兰政治家、法官。19 世纪 70 年代后期，他统一了自由党；作为总理（1884～1887）他扩大了小农场主的发展机会。1863 年移居新西兰，曾任教员，1871 年任最高法院律师。1875 年选入议会。以反对取消省制驰名。1878 年任检察总长，并在 G.格雷内阁中任土地和移民部长，参加起草第一部《土地税法》（1878）。在 5 年的律师和新闻工作之后，于 1884 年重返政坛，任总理、总检察长，后又兼教育部长。1887 年因克服经济萧条政策无效而下台。同年受封为爵士。后重操律师业。1893～1898 年任议会议员。1899～1926 年任首席法官，1926～1930 年任立法议会议员。1903～1923 年，他还任新西兰大学校长。

stove　火炉　用于取暖或炊事的设备。据史料，第一座火炉于 1490 年见于阿尔萨斯，砖结构，其中包括烟道。稍晚些的斯堪的纳维亚火炉，炉体修长，空心的铁烟道含有一些铁挡板延长逸气的过程以获取最大的热量。俄罗斯火炉有多达 6 面的砖砌烟道，它通常置于内墙的结合处可供暖 4 个房间，当火把火炉及烟道烧热后即可熄灭，封炉以蓄热，这种炉子多用于俄国北方地区。1642 年最初制造的铸铁火炉没有炉篦。约在 1740 年 B.富兰克林发明"宾夕法尼亚式火炉"，这种火炉由于体积较小可以安装在大壁炉内，也可置于室内中央与烟道连通使用，在炉篦上燃烧木柴，并有通风口，在美国城乡和边远地区广泛使用。它的设计影响到直至 20 世纪一些人家仍在使用的大腹取暖炉。第一座用于炊事的带炉篦的圆形铸铁火炉于 1800 年由 I.奥尔在费城造出。1833 年 J.A.莫特设计出使用无烟煤的底燃火炉。20 世纪火炉的主导功能是炊事，而中央供暖已成为发达国家的标准。铁炊事炉使用木柴、木炭或煤，其大量的辐射热使厨房在夏季热不可耐。20 世纪这些炊事炉已被用天然气作燃料或用电作热源的多孔炉灶所代替。

Stow, John　斯托（1525，伦敦～1605-04-06，伦敦）　伊丽莎白时代最著名的古物收藏家之一，名著《伦敦概况》（1598，1603 年修订）的作者。1565～1570 年以前，斯托以裁缝为业，生意兴隆，随后专门搜集珍本书和手稿，最终落得穷困不堪。斯托于 1561 年出版乔叟的著作，1565 年出版《英国纪年概要》。他自己写的第一部著作是《英格兰大事记》（1580），1592 年修订为《英格兰编年史》。他孜孜不倦，自学成材，与当时著名的古物收藏家结交为友，坎特伯雷大主教 M.帕克聘请他编纂中世纪编年史。以勘察记录形式写成的《伦敦概况》详细记载了从中世纪向现代过渡这一时期伦敦生活的全貌，并介绍了伦敦的起源和沿革。

Stow, (Julian) Randolph　斯托（1935-11-28，澳大利亚西澳大利亚杰拉尔顿～　）　澳大利亚小说家、诗人。以文笔精练、描写动人著称。所写第一部长篇小说《鬼祟之地》（1956）是一个近似哥特式的恐怖故事，在他从西澳大利亚大学毕业的同年出版。1957 年开始在阿德莱德大学教英语，并写出第二部小说《旁观者》，对第一部小说中的主题又有了进一步的发展。后为圣公会在澳大利亚西北部土著居民中传道，在新几内亚为人类学家做助手，游历过英国、苏格兰、马耳他。曾先后在英国利兹大学、西澳大利亚大学任教。1963 年另一部奇特的、描写生动的恐怖小说《电气石》问世，1965 年出版《海上旋转木马》。其他小说有《上海岛去》（1958；修订版：1981）、《来访者》（1979）和《绿得像接骨木花的姑娘》。诗集有《第一幕》（1957）、《前驱》（1962）、《虚伪的沉默》（1969）。他还与赖特和哈特-史密斯编有《澳大利亚诗歌》（1969）。还写有一本儿童读物《半夜》（1967）和 2 部音乐剧《唱给疯国王的八支歌》（1969）和《唐尼索恩小姐的狂想》（1977；1974 年首演）。1957 和 1958 年获澳大利亚文学协会金质奖章；1966 年获不列颠澳大利亚奖；1979 年获怀特奖。

Stowe　斯托庄园　白金汉公爵坦普尔家族过去的庄园，位于英国白金汉郡。1697 年开始兴建，1775 年重修。现为斯托学校校址。参与修建这处庄园的著名建筑师、设计师和装饰师有 J.范布勒、R.亚当、G.吉本斯和 W.肯特。这所 18 世纪著名花园中有多处由 J.吉布斯设计的古典式神庙。花园原为规整式布局，后来逐渐改为风景园林。参阅 **jardin anglais**。

Stowe, Calvin E(llis)　斯托（1802-04-26，美国马萨诸塞内蒂克～1886-08-22，康涅狄格哈特福德）　美国圣经学教授。对美国公共教育的发展有很大影响。1808 年丧父，生活贫困，勉力获得充分的预备教育，后入缅因州布伦瑞克市鲍登学院，1824 年以优异成绩毕业；翌年在马萨诸塞州安多弗市安多弗神学院开始宗教学习，1829 年毕业。曾编辑宗教报纸《波士顿记事报》，直到 1831 年任坐落在新罕布什尔州汉诺威市的达特茅斯学院希腊文教授时为止。1833 年到辛辛那提，任莱恩神学院圣经文献教授。积极地促进美国西部普通学校的发展。主要由于斯托热情支持而于 1833 年创立的辛辛那提师范学院，力主大规模推行普及公共教育。1836 年调查英国和欧洲的公共教育，并发表《欧洲初等教育报告》，力主俄亥俄州以普鲁士为榜样，由国家支持教育和教师培训。俄亥俄州议会给该州每一学区订购了一份报告，其他几个州的议会也散发了这一报告。在鲍登学院任职两年后，到安多弗神学院任圣经文献教授，直到 1864 年辞职。19 世纪 50 年代他和妻子 H.B.斯托作过三次成功的欧洲旅行，这与他的妻子写过世界闻名的小说《汤姆叔叔的小屋》有关系。除著名的《报告》外，他还写了《圣经评注及诠释入门》（1835）、《教育中的宗教要素》（1844）、《经籍的正确解释》（1853）和《圣经各书的由来和历史》（1867）等书。

Stowe, Harriet (Elizabeth) Beecher　斯托（1811-06-14，美国康涅狄格利奇菲尔德～1896-07-01，康涅狄格哈特福德）　美国女作家、慈善家。《汤姆叔叔的小屋》（又译《黑奴

供图：The Stowe-Day Foundation

吁天录》）一书的作者。该书在启发民众的反奴隶制情绪方面起过重大作用，被列为美国南北战争的起因之一。父亲是著名公理会牧师莱曼·比彻尔。她离开学校后，在哈特福德和辛辛那提教书，积极参加当地的文学界和教育界的活动直至 1836 年学校停办。同年和卡尔文·埃利斯·斯托结婚。丈夫是牧师兼神学院教授，还是一位有名的圣经学者，鼓励她从事文学创作。由于丈夫体弱多病，他们陷于贫寒和焦虑的境地，但是她不断地写作，1843 年发表《五月花》一书。她在辛辛那提住了 18 年，与蓄奴的村镇仅一河之隔。她接触到一些逃亡黑奴，并通过朋友和她本人数次访问南方，了解到南方的生活情形。1850 年丈夫任鲍登学院教授，全家迁居缅因州的布伦瑞克。她开始在华盛顿（哥伦比亚特区）一

家反对奴隶制的报纸《民族时代》上连续发表她的《汤姆叔叔的小屋,或卑贱者的生活》。在南方,她的名字成了一个受诅咒的对象。但是在别的地方,这本书受到无与伦比的欢迎,至少被译成 23 种文字。《汤姆叔叔的小屋》改编成剧本上演时,场场满座。为了证明这部小说言之有据,她又发表了《汤姆叔叔的小屋背景材料》(1853),列举了大量反对奴隶制的文件和证据。1853 年她到欧洲旅行,在英国被誉为名流。但是 1869 年在杂志上发表《拜伦生活真相》,列举细节指责诗人拜伦与妹妹有过乱伦的恋爱关系,遭到英国舆论攻击。1856 年她发表《德雷德:阴暗的大沼地的故事》,描写一个建立在奴隶制基础上的社会的堕落。次年《大西洋月刊》创刊,成了她经常发表作品的园地。她还在其弟亨利·沃德所编的《独立派》和《基督教联盟》上发表作品。从那以后,她一直过着文人生活,写有几本小说,其中以《牧师的求婚》(1859)最为有名。

Stoyadinovitch, Milan (Serbian statesman)
参阅 **Stojadinović, Milan 斯托亚迪诺维奇**。

Strabane 斯特拉班 爱尔兰语作 An Srath Bán。北爱尔兰的区(1973 年设立)和区府,城镇。原在蒂龙郡内。濒临莫恩河。为斯特拉班区和爱尔兰共和国多尼戈尔郡的市场和就业中心。斯特拉班南 5 千米的锡永米尔斯镇久为亚麻纺织中心,现亦有大型的合成纤维纺织厂。区面积 862 平方千米。区内低地区有畜牧业,饲养牛、羊和猪。区内许多河流有鲑鱼,捕鱼业十分发达。西面的卡斯尔德格以制造花呢闻名。人口:城镇10 340;区34 371 (1981)。

strabismus 斜视 又作 squint 或 heterotropia。一种眼病,表现为两眼视轴不能对准所视目标。可根据眼位偏斜方向分内斜视、外斜视、上斜视及下斜视。眼睛不论注视哪一方向均表现有同等的斜视,则称共同性斜视;如果斜视程度随所视方向而变化,则称非共同性斜视。斜视常由神经调节的某种异常所致,这种异常可发生于视网膜对图像的感受,亦可发生在通向脑高级中枢的传导通路上或调节眼肌的运动神经上。由于肌肉本身的缺陷而造成的斜视很少见。婴儿出生时,两眼独自地行使功能,且只能感受光和运动。中心凹(视网膜上视觉敏锐的区域)在出生时发育不全,大约从生后 3 个月起,方具有功能。同时眼睛亦开始具有根据视物距离而调节晶状体形状的能力,且能够两眼对称地注视同一物体。至此,融合反射亦发育完全。神经冲动与眼肌运动共同促使两眼注视同一物体,使两视网膜上的图像并为同一印象。视器官的任何障碍(如角膜瘢痕、晶状体先天混浊或肿瘤)均可干扰视器官对图像的感受,造成融合反射的障碍,进而导致婴儿内斜视或外斜视(外斜视较不常见)。这种由视觉器官障碍造成的斜视为共同性斜视。非共同性斜视是由于支配眼球运动的肌肉麻痹,即眼肌不能接受运动神经传来的冲动并行使功能所致。眼睛在注视某一特定方向时,可以表现正常,当变换所视方向时,斜视便会出现。斜视的主要危险是单眼视觉缺失。这是因为两眼运动不平衡,使其中一只眼发生偏斜,由于斜眼视觉受到抑制,而逐渐发生功能上的视觉缺失。

在治疗斜视时,常常将患儿的正常眼睛蒙盖一段时间,使废用眼睛通过使用而恢复视力,然后,再行矫正手术。

Strabo 斯特拉博(公元前64或前63,本都阿马西亚~公元 23 以后?) 希腊地理学家和历史家。所著《地理学》是奥古斯都时期涉及各民族、国家的唯一巨著。著作引述大量文献,描绘了希腊各城邦的地理和历史情况。他母亲出身名门,其家庭成员于米特拉达梯五世(公元前 150 ~前 120)等治下曾历任高官。他的第一任老师曾经是庞培(公元前 106 ~前 48)儿子的家庭教师。公元前 44 年移居罗马,初与亚里士多德学派成员交往,后转向斯多葛学派。在罗马至少住到公元前 31 年,写成了第一部主要著作——47 卷的《历史概论》,该书约在公元前 20 年出版。书已佚失,仅存少量引文。《历史概论》叙述了从公元前 145 年到前 31 年已知的世界历史,即从罗马征服希腊时开始,至奥古斯都大帝开始执政时为止。公元前 29 年,斯特拉博游历了爱琴海岛屿。公元前 25 或前 24 年曾泛舟于尼罗河,远达菲莱。他晚年编纂了第 2 部重要著作《地理概论》。《地理概论》第 1 ~ 2 卷以批判的方法对地理学的研究目的和研究方法进行了探讨,批评了希腊学者厄拉多塞尼设计的地图准确性不够,也批评了希腊天文学家喜帕恰斯忽视了对地球的研究,但赞赏当时历史学家波利比奥斯所著有关欧洲的地理著作。斯特拉博倾向于以垂直投影法绘图。第 3 ~ 6 卷叙述伊比利亚、高卢、意大利等地理情况;第 7 卷描绘了多瑙河流域及黑海的欧洲沿岸情况;第 8 ~ 10 卷叙述希腊情况,重点在于鉴别希腊史诗《伊利亚特》中所提到的城市;第 11 ~ 14 卷描绘了黑海的亚洲沿岸——高加索、伊朗北部和小亚细亚;第 15 卷叙述印度和波斯的地理情况;第 16 卷叙述美索不达米亚、叙利亚、巴勒斯坦和红海的情况;第 17 卷叙述地中海的非洲沿岸以及毛里塔尼亚的情况。

斯特拉博游历不广,著作中直接观察所得的第一手材料比重极小,但他善于选择运用前人的材料,构成自己著作的主要内容。诸如城市之间的距离、国界、省界,以及工农贸易、政治法规、人种特征、宗教活动等材料往往引自别人有用的材料。他对古代希腊、罗马的城邦颇有研究,凡城邦建立时的背景、有关的神话传说、所经历的战争、城邦的盛衰兴替、有关的知名人士,以至于火山爆发、潮汐涨落、石油资源等自然情况,在他的著作中都有描述。斯特拉博对于荷马作品里提到的地名考证详尽,对于希腊文化传统的研究有突出贡献。

Strachan, John 斯特罗恩(1778-04-12,苏格兰阿伯丁郡阿伯丁~ 1867-11-01,多伦多) 加拿大圣公会教士、教育家。1799 年自苏格兰移居加拿大,1825年任约克(今多伦多)

多伦多安大略档案馆供图

总会吏,1827 年创办多伦多大学。努力维持圣公会在加拿大的特殊地位。1839 年多伦多教区成立,斯特罗恩任第一任主教,在任期间使教堂增加一倍并开办学校多处。1843 年任国王学院院长,1849 年国王学院脱离教会,他又于 1851 年开办三一学院大学,并创立加拿大圣公会大会。

Strachey, John 斯特雷奇(1671-05-10,英格兰马格纳乔乌~ 1743-06-11,格林尼治) 英国早期地质学家。最先提出成层岩石建造的理论。著有《对不同层的土壤和矿物的观察》(1727)。他指出地形特征和岩石构造之间是相关的,这一看法直到一个世纪以后才被普遍接受。

Strachey, (Evelyn) John (St. Loe) 斯特雷奇(1901-10-21,英国萨里郡吉尔福德~1963-07-15,伦敦) 英国社会主义作家和工党政治家。以其对左倾思想做出的贡献和任粮食大臣时在和平时期实行粮食配给制而闻名。其父为《旁观者》周刊发行人和主编。他与自己家庭对保守党的忠诚决裂,1923 年在牛津大学上学时加入激进的独立工党,次年开始编辑该党刊物《社会主义评论》,并主编英国矿工联合会的刊物《矿工》,1926 年总罢工中为矿工事业辩护而闻名。1929 年选入议会。1931 年初离开工党,靠近共产主义。1931 年开始写作并发表演讲。1939 年第二次世界大战爆发后与共产党人分道扬镳。战争期间历任空袭民防队员、新闻发布员、无线电广播评论员、空军联队指挥官。1945 年选入议会,任工党新政府的空军部次官。1946 年 5 月任粮食大臣,开始实行面包配给制,1950 ~ 1951 年任陆军大臣。他创造性地、详征博引地解释马克思主义的思想。其著作属于其信仰共产主义时期的有:《即将到来的争夺权力的斗争》(1932)、《资本主义危机的性质》(1935)、《社会主义的理论与实践》(1936)、《我们将怎么办?》(1938)。属于其温和左倾思想时期的有:《进步纲领》(1940)、《当代资本主义》(1956)、《帝国的末日》(1959)、《论防止战争》(1962)。

Strachey, (Giles) Lytton 斯特雷奇(1880-03-01,伦敦~ 1932-01-21,英格兰伯克亨格福德附近哈姆斯普雷宅) 英国传记作家、批评家。他第一次世界大战结束时,开创了传记文学的新时代。他主张传记要写得"简明扼要,排除一切多余的东西,保留一切有意义的东西"。以著有《维多利亚女王时代名人传》

而闻名，此书描述维多利亚时代受人崇拜的人物枢机主教曼宁、F.南丁格尔、T.阿诺德和戈登将军。1899～1903年在剑桥大学就读，后在伦敦居住，成为由艺术、知识和文学界人士组成的*布卢姆斯伯里团体*（**Bloomsbury group**）的领袖。继《维多利亚女王时代名人传》（1918）和《维多利亚女王传》（1921）之后，他又写了《伊丽莎白和埃塞克斯》（1928）和《人物小传》（1931）。他常被人物的个性和动机所吸引，喜欢戳穿伟人的虚伪，把他们描写得略低于实际，尽管这种写作手法接近于漫画，而且有时由于选材带有倾向性，也难免失真，但他告诫传记作家注意形式和背景，并提高了他们批评的敏锐性。作为传记作家，他的缺点主要是对人生的看法有局限性。他把政治主要视为阴谋诡计，把宗教视为荒唐可笑的时代错误，把人与人的关系则看作是人生的极端重要方面。尽管他生前和死后都曾遭到猛烈攻击，但他仍不失为英国文坛上的非凡人物、超群的幽默作家和才子。

Strachwitz, Moritz (Karl Wilhelm Anton), Graf von　施特拉赫维茨（1822-03-13，西里西亚彼得维茨～1847-12-11，维也纳）　德国诗人。因写有《新诗》而为人们铭记。该集收有像《天空蔚蓝》这样独具特色的诗，以及一首民族爱国歌曲《日耳曼尼亚》。曾在布雷斯劳和柏林读书，后定居摩拉维亚的庄园，从事写作。他同柏林一个文学俱乐部"施普雷河上的隧道"有联系。从意大利旅行归国途中死于维也纳。他是当时最有前途的年轻抒情诗人。他的《一个觉醒者的歌》（1842）尤能显示他写抒情诗的天才。《新诗》（1848）透露出浪漫主义倾向，以及德国诗人和戏剧家A.普拉滕的影响。他的政治抒情诗有一种贵族倾向。诗集《歌曲和歌谣全集》出版于1912年。

stracittà　超级城市运动　第一次世界大战后兴起的意大利文学运动。M.邦滕佩利是运动的领导人。他要求打破传统的写作风格。他的作品反映出对超现实主义和魔幻现实主义这些现代文学形式的兴趣。stracittà一词是由stracittadino（超级城市）一词逆构而成，用以强调该运动遵循欧洲文学发展的总趋势。

Stradbroke Island　斯特拉德布鲁克岛　澳大利亚昆士兰州东南部莫顿湾外的岛屿，为南北二岛所组成。南斯特拉德布鲁克长约14英里，宽约0.5英里；北斯特拉德布鲁克长约24英里，宽达7英里，面积123平方英里，隔湾与布里斯班相望。过去为流放地，现有几个游览城镇。出产硬木材。还从海滩砂子中收集金红石、锆石和钛。

Stradella, Alessandro　斯特拉代拉（1642，教皇国蒙费斯蒂诺～1682-02-28，热那亚）　意大利作曲家、歌唱家和小提琴家。曾在摩德纳、威尼斯、罗马和佛罗伦萨住过，是优秀的室内康塔塔作曲家，为宗教典礼作了200首以上这种康塔塔（如《圣诞康塔塔》）。他的器乐特别有趣之处是：在一些戏剧音乐作品和清唱剧中，把大协奏曲的结构巧妙地应用到咏叹调的伴奏中。他传奇般的生活是19世纪中8部歌剧和至少一部小说的题材。

Stradivari, Antonio　斯特拉迪瓦里（1644?，米兰公爵领地克雷莫纳～1737-12-18，克雷莫纳）　意大利小提琴制造家。他使小提琴制作工艺达到极为完美的地步。1666年还在阿马蒂家当学徒时即在所制小提琴上贴上自己的标签。最初按阿马蒂的较小模型仿制。1684年开始制造较大型号，采用色彩较深的清漆，并就乐器的细部制作进行试验。1690年制作长型号，对琴身比例进行了彻底革新。1700年起又据原有样式予以加宽，并在其他方面加以改进。另外还制作过一些精致的大提琴和中提琴。他的小提琴制造方法成为后世的典范。他设计了现代小提琴的琴马，并确定了琴身的比例，较扁的琴身能发出比以前的琴更嘹亮、更具穿透力的声音。人们一直认为斯特拉迪瓦里的音色完美的小提琴的奥妙在于他所用的漆，其配方至今仍不为人所知。但近代的研究已分析出一些影响小提琴音色美的因素，诸如其木质面板和背

供图：J.P.Ziolo

板的厚度、木头的毛细孔的状态，最后才是清漆。他的成功可能是因为他在设计中充分考虑到上述这些方面以及其他一些因素。其子弗朗切斯科（1671～1743）和奥莫博诺（1679～1742）也是小提琴制造家。

Strafford, Thomas Wentworth, 1st earl of　斯特拉福德伯爵（第一）（1593-04-13，伦敦～1641-05-12，伦敦）　即T.温特沃思。英格兰国王查理一世的主要顾问。约克郡一地主之子。剑桥大学圣约翰学院毕业，后入中殿律师学院。1611年受封爵士。他与坎伯兰伯爵的女儿结婚，从而与在北方仍有势力的一个古老的权贵家族建立了联系。因此在1614、1621和1624年均被选入议会。虽然他由于批评王室开支和反对与西班牙进行战争，并且拒交强征的战争贷款，曾一度遭到逮捕，但迫切希望在北方巩固地位的查理一世仍封他为男爵（1628），并任命他为北方总督。1629年任枢密顾问官。在枢密院中他主张严格监督地方治安官，大力推行《济贫法》，反对圈地的法令。在任北方总督期间，他因坚持其作为国王代表的权威，树敌甚多，但他的治理是公正而有效的。1633年任爱尔兰总督。他削弱地主集团的势力，扩展英格兰的殖民区，改进耕作方法，增加农业产量，并刺激工商业的发展。他的最终目标是使爱尔兰的法律符合英格兰的制度，使爱尔兰成为英格兰王室收入的来源。1639年国王查理召其回国，要他去平息苏格兰人的起义。1640年受封为伯爵。但是，他所率领的英格兰军并未

供图：Earl Fitzwilliam

能阻止苏格兰人侵扰英格兰北方各郡。他成为两国的主要攻击目标。1641年3月英格兰对他开始审讯，主要罪名是暗中破坏法律，以及提议利用爱尔兰军队镇压英格兰的反国王分子。对他的指控大多与他对爱尔兰和北方的治理有关。他为此进行了非常老练的辩护。但议会通过了皮姆提出的一项可由议会立即处死罪犯的法案。国王也不敢再保护他。1641年5月12日他在大批欢腾的群众面前走上断头台。

Stragorodsky, Ivan Nikolayevich　斯特拉戈罗茨基　参阅**Sergius** *塞尔吉乌斯*。

straight-line evolution　直线进化论　参阅**orthogenesis** *直生论*。

straight-rail billiards　直轨台球　在没有落球袋的台上用三个球（一红、两白）打的台球游戏，目的是用主球连击两个的球。参加游戏的人可用任何一个白球作为主球，但不能用比赛开始时放在台面白球点上的那个白球，也不能用被击出台后放回白球点的球。当两个的球都处在台角的小三角内时，最多只能连击两球三次并得分。在第三次连击两球时，必须把一个或两个的球都打出小三角，否则将失去击球权。其他规则与*台球*（**billiards**）相同。

strain　应变　在物理学与工程学中，描述弹性、塑性、流质材料受力时发生相对形变或形状与大小的变化的数值。用应变表述的形变遍及整个材料，由构成材料的粒子（分子、原子、离子）对正常位置的微小位移引起。根据引起形变的力，应变分为法向应变与剪应变。法向应变是由与材料的各个平面或截面垂直的力引起的。例如在所有侧面都受到压力的物体中，或沿纵长方向受到拉伸或压缩的棒中就是这种应变。剪应变是由与材料的各个平面或截面平行或在截面上的力引起的，例如在绕纵轴扭转的金属短管中的应变。对于受压时体积的形变，法向应变的数学表述为体积的变化除以原有体积。在沿纵长拉伸或压缩的情况下，法向应变等于长度的变化除以原有长度。在上述两种情况下，两个

量纲相同的量相除的商本身是无量纲的纯数。有些应用中,对压缩,体积或长度的变化(减小)取负值;而对拉伸则取正值。依据这一惯例,压应变为负,而拉应变为正。在剪应

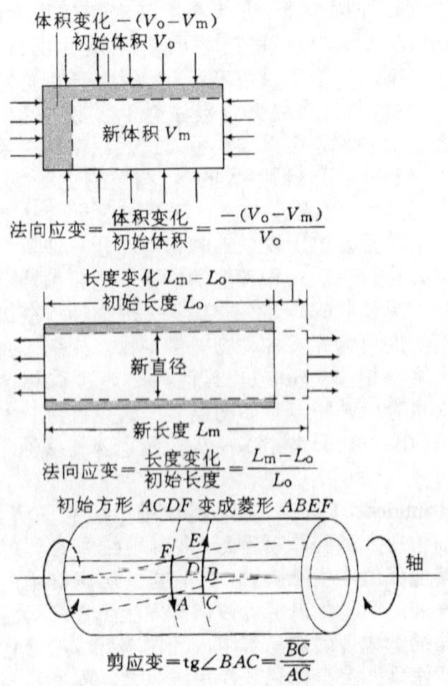

(上)压力下的体积变化;(中)张力下的铁丝截面;(下)受到扭力的金属管

变中,材料内部的一些直角形结构发生变化,正方形变成菱形,例如在金属管受扭转时,未受扭力时的直角 *CAF* 就变成了锐角 *BAF*。因此,直角的变化等于角 *BAC*,其正切,根据定义,是 *BC* 除以 *AC* 的比值。这一比值就是剪应变。它在无形变时为零,并随角 *BAC* 的增大而增大。剪应变也没有量纲。

strain gauge　应变计　测量固体内点与点之间因物体形变而发生的距离变化的装置,用来获得计算物体内应力(内力)的资料,或在测量力、压强和加速度等物理量的装置上用作指示元件。直到 20 世纪 30 年代,大多数应变计利用复合的机械杠杆系统或光学杠杆制成。放大倍数常高达1 200∶1,可以测量小到约 1 微米的形变。这些仪器的标距为 1¼～2½厘米。由于尺寸和重量较大,它们不能如实地反映由动态负载产生的起伏应变。在实验应力分析中,电阻应变片是一种有用的工具。它的工作原理(铜丝或铁丝在受到拉伸或压缩时电阻会发生变化)是英国物理学家W.汤普森在1856年发现的。图示

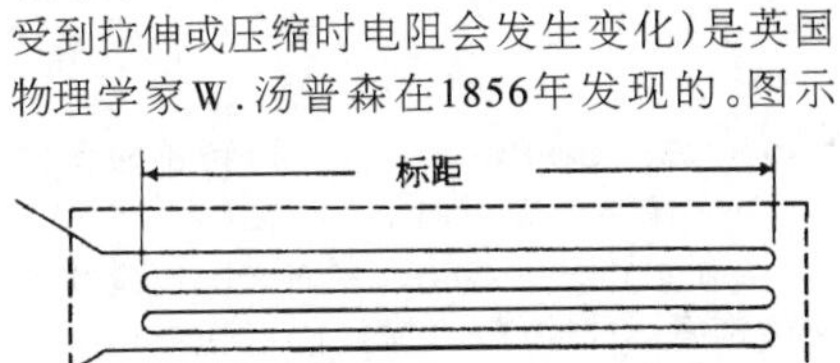

应变计

的电阻应变片系由一段极细的金属丝构成;金属丝盘绕成格栅形后黏结在两片极薄的纸片之间。测量时将应变片牢固地黏结在待测物体的表面,并接通电源。当物体变形时,应变片随着物体表面的形变而伸长或缩短,因此电阻发生相应变化。这种变化经放大并换算为应变。电阻应变片可制成各种形状、尺寸和型式,多数与邮票大小相似,有的标距可短到 0.038 厘米,可检测小至 10^{-6} 的应变。这类应变片可用于几乎任何固体材料的表面或埋设在混凝土内部,它们因重量轻而特别适用于测量快速变化的应变和旋转轴上的应变。电阻应变片可以归入把机械位移转换为电信号的换能器一类。测量物体应变的另外两种方法是光测弹性力学和应力分析全息摄影。光测弹性力学提供了一种观测物体应变的直观方法,它是将双折射材料黏结在物体上而观察它的偏振光效应。试验物体受应力时,双折射材料中的条纹图像即代表物体中的应变区。用应力全息摄影也可对物体的应变作直观观测。在将物体的全息图与物体重叠时,只要原来的物体与全息图一致,就看不到任何图像,而当物体受应力时,就会形成可据以确定物体应变的条纹图像。

strain theory　张力学说　化学术语。1885 年德国化学家 A. von 拜耳提出的一种假说:碳环化合物(即分子结构包括 1 个或多个碳原子环的化合物)的稳定性取决于两个化学键间的夹角与在不含这种环的化合物中测得的值 109°28′的差值。该差值是环张力的量度,张力愈大,碳环愈不稳定。拜耳假定这些环均为平面型的,并得出结论说,在三元环、四元环、六元环以及更多原子环中,都有张力存在,而且这种张力随环的尺寸增大而增大。张力最小的环是 5 个碳的环戊烷,键角为 108°。拜耳假说虽仍被认为基本上是正确的,但后来又有很大发展。另一位德国化学家 H.萨克泽在 1890 年提出,在六碳原子环或更多碳原子环中,如果环不是平面型,而是像在环己烷中所谓椅式或船式那样的折叠构型,则张力可完全消除。因而这些大环应和五碳原子环一样稳定,这个结论后来已为实验所证实。例如,人们发现环中含 30 个碳原子的环三十烷和环中仅含 5 个碳原子的环戊烷,从稳定性上看它们的张力没有明显的差别。

Straits Question　海峡问题　19和20世纪欧洲外交关系中,关于限制军舰通过黑海和地中海之间的博斯普鲁斯海峡和达达尼尔海峡而一再发生的争端。1833 年俄国打败土耳其人后,为了保护本国,防范南部的攻击,强迫他们同意俄国的要求:封锁海峡,非黑海国家的军舰不得通过,即《洪基阿尔·伊斯凯莱锡条约》。这项条约因 1841 年 7 月 15 日签订《伦敦海峡公约》而作废。该公约经所有主要欧洲国家同意之后规定:非土耳其军舰在和平时期不得通过海峡。但在克里米亚战争(1853～1856)期间,与奥斯曼土耳其结盟的英法却曾派遣军舰通过海峡攻击俄国。1841 年的公约一直有效,到第一次世界大战后被《洛桑公约》(1923-07-24)所取代。《洛桑公约》允许一切军舰自由通过海峡。苏联和新成立的土耳其共和国对此不满。后来《蒙特勒公约》(1936-07-20)修正了《洛桑公约》,重新确认土耳其对海峡设防拥有全权,并限制非黑海国家的海军进入海峡。这一条约迄今仍然有效。

Straits Settlements　海峡殖民地　英国以前在马六甲海峡的直辖殖民地,包括 4 个贸易中心:槟榔屿、新加坡、马六甲和拉布安。原由英国东印度公司建立或接管。1867 年前三处建为直辖的海峡殖民地。1912 年拉布安自新加坡分出,成为该殖民地的第 4 部分。海峡殖民地在第二次世界大战时期被日本人占领。新加坡于 1946 年成为英国直辖殖民地时海峡殖民地解体。1959 年新加坡获得完全内部自治,1963 年成为马来西亚的一部分,1965 年成为独立的共和国。拉布安在 1946 年与北婆罗洲(后为沙巴州)合并,1963 年成为马来西亚的一部分。槟榔屿和马六甲于 1946 年并入马来亚联邦,1948 年归属马来亚联合邦,1963 年归属马来西亚。

Straits Times, The　《海峡时报》　新加坡出版的晨报,公认为是远东最具影响的英文报纸之一。1845 年创刊时为单张周报,1858 年改为日报。1869 年报馆毁于大火,但该报一期不缺地继续出版。20 世纪初,亚历山大·威廉·斯蒂尔任主编期间,该报大力推动当地事业,包括为华人、印度人和马来人接受较高教育而呼吁。它的版面颇似英国报纸风格。它还力求均衡地报道当地和世界新闻以尽量争取更多的读者。1956 年在吉隆坡开办马来文版《新海峡时报》。

Stralsund　施特拉尔松德　德国东北部梅克伦堡-西波美尼亚州城市,波罗的海港口。濒临施特雷拉海峡,与吕根岛相望,有公路和铁路长堤与该岛相连。原是村庄,1234 年建市,1293 年加入汉萨同盟。1648 年归瑞典,1807 年为法国人占领,1814 年又被丹麦人占领,1815 年转属普鲁士。第二次世界大战中虽受严重破坏,但仍保存有哥特式教堂和市政厅,后进行修复。2002 年市历史中心被联合国教科文组织列为世界遗产。第二次世界大战后,港口设施和造船厂均有发展。主要经济为捕鱼业和鱼类加工业。人口约 59 140(2003)。

Strålsund faience　施特拉尔松德彩陶　一种锡釉陶器,1755～1792年在瑞典的施持拉

18 世纪下半叶敷施高浮雕花卉的施特拉尔松德彩陶罐
伦敦维多利亚和艾伯特博物馆供图

尔松德(现德国施特拉尔松德)制造。其制品与马里贝里陶瓷大同小异。全白的花瓶,装饰着另行模塑后敷施上去的高浮雕花卉,还有"镂雕"盘子,都是施特拉尔松德彩陶的典型产品。所用的典型颜色是深紫罗兰色。自1770年起,该厂即深陷困境,1792年终于停业。该厂的产量不大,但产品质量甚佳。

strambotto 斯特拉姆博托诗体 复数 strambotti。意大利最古老的诗体之一。由6行或8行单一诗节构成,每行11个音节。在文艺复兴时期的西西里和托斯卡纳特别盛行。起源不详。8行诗的变体包括西西里八行诗,韵式为abababab;八行诗,典型韵式为abababcc;还有里斯佩托诗体(一种托斯卡诗体),韵式通常为ababccdd或同八行诗。六行诗变体的韵式通常为ababab、ababcc或aabbcc。主题通常为爱情,有时为讽刺。

Strand, Paul 斯特兰德(1890-10-16,纽约市～1976-03-31,巴黎附近) 摄影家,其作品强调抽象性和客观性,对20世纪美国摄影术起过很大作用。17岁时师从海因学习摄影术,后以所拍摄的工业工人和移民的照片而闻名。在海因的催促下,他经常出入纽约的"291"各展览厅。在那里,他遇到摄影决裂者组织的领袖施蒂格利茨,并深受毕加索、塞尚和布拉克的先锋派绘画的影响,使他在照片中强调抽象的形式和抽象的图案,如《影子图案,纽约》和《华尔街》就是显著的例子。这个

斯特兰德拍摄的《白色栏杆》(1916)
供图:Paul Strand

时期,他的一幅最大胆的照片《白色栏杆》(1916)有意识地打破透视法,用色调平面和匀称造型来创立强有力的构图。这时,他并不打算像摄影决裂者那样,通过对底片或照片加工来仿效绘画,而是严格地依靠摄影的方法。他认识到,照相机的客观性,既有其局限性,又有其主要优点。他所拍摄的以城市为题材的照片,被施蒂格利茨刊登在他的杂志《摄影作品》上。斯特兰德在科罗拉多州(1926)和缅因州(1927～1928)当自由电影摄影师时,利用空余时间从事静物摄影,以表现自然美。在魁北克的加斯佩半岛(1929)和新墨西哥州(1930)时,他对自然风景有了新的理解。在那里所拍摄的照片,显示了对所谓的"地方精神"的深刻认识。1933年他被墨西哥政府任命为首席摄影师和电影师后,拍摄了一部关于墨西哥渔民的影片《海浪》。1937年,他成立了一个非营利性公司,拍摄纪录影片。第二次世界大战后,他的作品主要刊登在《在新英格兰的岁月》(1950)、《法国的侧面》(1952)等画册中。

Strang, James Jesse 斯特朗(1813-03-21,美国纽约州锡皮欧～1856-07-09,威斯康星沃里) 耶稣基督末世圣徒教会(摩门教)异派领袖,原企图继任该教首脑未成,遂另立斯特

克拉克历史图书馆供图

朗派。1844年该教创始人史密斯被杀,其后斯特朗出示据说是史密斯所写书信,该信指定斯特朗为继位人,并声称在异象中蒙上帝指定为摩门教的"先见、启示者、先知",结果被逐出教会。率领一派人移居威斯康星州沃里,另立门户。据说1845年他在该地根据约柜中的金片铭文译成《主的律法之书》(借助于天使赠给他的法术眼镜)。随即组成秘密团体,成员宣誓效忠于他,遵守清教派戒规。迫于部下内讧,斯特朗于1847年把他的定居地迁到北密歇根湖中的比弗岛,1849年在岛北岸建成圣詹姆斯城。次年斯特朗又通过"拉班金片"获得启示,准许实行一夫多妻制,他一举娶妻四房。他还宣称,这项启示批准他加冕,7月称国王詹姆斯一世。两次任密歇根议会议员,1856年他的信徒已有千余人,不久他被两名叛离分子枪杀。

Strange, James Stanley, Baron 斯特兰奇男爵 参阅 **Derby, James Stanley, 7th Earl of 德比伯爵(第七)**。

strange particle 奇异粒子 含有一个奇异夸克(strange quark)的亚原子粒子,可以是介子,也可以是重子。

Strangford Lough 斯特兰福德湾 爱尔兰语作 Loch Cuan。爱尔兰海海湾。在北爱尔兰阿兹区和唐区之间,长约26千米,宽6千米。入口狭窄。沿岸多鼓丘和大量早期居民点的遗迹。

Strangford Treaty 《斯特兰福德条约》(1810) 葡萄牙政府(当时流亡在巴西殖民地)与英国(以大使斯特兰福德勋爵为代表)签订的条约。条约规定:英国向巴西输出工业品,巴西向英国输出农产品;英国军舰可在巴西各港口补充供应;英国基督教新教徒在巴西享有礼拜的自由;有关英国在巴西的侨民的案件,只能由英王指定的法官审判。条约为英国提供在巴西的主要商业权益。开始对巴西制造业影响很大,但从长期看,对巴西商业有利。

strangler fig 绞杀榕 多种热带榕树,因其常致寄主死亡而得名。常见于全球热带森林。约150种新大陆榕树中,多数为绞杀种。绞杀榕的黏性种子由动物(如鸟、蝙蝠或猴)带到高处树枝上,幼苗即生长在树的表面。随着生长,其根沿寄主树干向下到达地面,进入土壤。一些根缠绕在一起,围绕着寄主树干形成网状,最终完全包住树干。寄主的根系也受到绞杀榕根的竞争。这足以使寄主致死,最终剩下一颗巨大的榕"树",寄主的"树干"实际上已成为木桩。绞杀榕对热带林的生态是重要的。绞杀榕的中空部分有许多大洞,可为蝙蝠、鸟和其他动物提供栖息和繁衍处。更重要的是,绞杀榕是"关键物种",在饥荒时期可为许多种动物提供食物。绞杀榕属于桑科榕属(*Ficus*)。其他科的热带森林植物也有绞杀特点。如南美盛产的克鲁希亚木属(*Clusia*)、旧大陆 *Schefflera* 属也含绞杀种。

strangles 腺疫 由马链球菌引起的马病。细菌侵入鼻腔和咽喉腔,在淋巴结和身体的其他部位产生脓疡,它是马瘟疫疾病群中的一种。小马最易感。该病常发生于许多马匹同饲于厩舍内的马群中。死亡率低。治疗包括使马匹完全休息及使用抗生素。隔离病畜及清洁厩舍有助于减少该病的传播。

Stranitzky, Joseph Anton 施特拉尼茨基(1676,奥地利格拉茨?～1726-05-19,维也纳) 奥地利演员兼奥地利地方民间剧院经理,即兴剧人物汉斯沃斯特的创造者。戏剧生涯始于在巡回演出剧团中当木偶操纵人。约于1705年到维也纳后自建剧团,用德语表演当时流行的滑稽剧和闹剧。他和他的十分受人欢迎的剧团于1711年驻入克恩滕托尔剧院,从而使它成为用德语演出喜剧的第一个永久性剧院。他的成功有赖于他所饰演的汉斯沃斯特一角,这是一个狡狯、机敏的维也纳仆人。他创作的14部剧现仍存在,每一出剧均有汉斯沃斯特进行即兴表演的场面。这个人物身穿红色短上衣,衣服上有一个大蓝心,其上印有汉斯沃斯特的开头字母"H. W.",下穿有吊裤带的黄色短裤,头戴绿色尖顶帽,满脸络腮胡子。他到处受到欢迎,从服饰到其他一切,均为全奥地利和德国的喜剧演员所仿效。只是被人模仿的汉斯沃斯特变得更粗鲁、更庸俗;直到18世纪末才由舒赫加以改变。

Straparola, Gianfrancesco 斯特拉帕罗拉(约1480,米兰公国卡拉瓦乔[意大利]～1557后) 意大利最早和最重要的一部传说故事集的作者。他的作品《愉快的夜晚》(1550～1553),包括75篇情节紧凑的小故事。这些故事后来被莎士比亚、莫里哀和其他作家用作创作素材。这部书把20篇民间故事引入欧洲文学,其中包括《美人和野兽》、《靴子里的猫》。

strapwork 带状饰 平凸面上的浮雕装饰,做成窄带折叠形或交织成涡卷形、编带形、盾形等纹样,常带有圆形或椭圆形孔隙。有时两边有凸起的平线脚。整个连续式图案都在

英格兰诺福克布利克灵宅邸内的带状饰样天花板，1626 年

供图：A. F. Kersting

同一个面上，好像由窄带上刻凿出来固定在表面上一样。常用木材、金属或石膏制作，偶而也雕刻在石料上，如美因河畔法兰克福的盐业公会（16 世纪晚期）。由伊斯兰金属制品的扁平涡卷装饰发展而来，在 16 世纪至 17 世纪初期流行很广，成为风格主义的装饰特征。在佛兰德、荷兰和德国得到充分发展。在低地国家（荷兰、比利时、卢森堡等地）的建筑和家具中，常是唯一的装饰形式。16 世纪晚期由佛兰德和德国的木工传入英国。法国路易十四时期的宫廷设计师 J. 贝雷因采用了这种装饰，成为法国 18 世纪流行的装饰形式。

Strasberg, Lee　斯特拉斯伯格（1901-11-17，奥匈帝国布德扎诺夫［今乌克兰布达诺夫］～1982-02-17，美国纽约州纽约）　戏剧导演、教师和演员，美国著名的“形体动作方法”或*斯坦尼斯拉夫斯基表演法*（**Stanislavsky method**）的主要代表。这种方法鼓励演员在准备“演活”一个角色时使用他的感性经验和记忆。7 岁随家移居美国，在纽约东区长大。15 岁开始在克里斯蒂街新居文教馆演出。后来又到美国实验剧院学习，其教师 R. 波莱斯瓦夫斯基和 M. 奥斯彭斯卡娅曾在莫斯科从斯坦尼斯拉夫斯基学习。20 年代在戏剧公会开始他的专业活动。1931 年与克勒曼及克劳福德一道组建同仁剧团，历时 10 年，演出了许多优秀的实验剧目，包括获普利策奖的戏剧《穿白衣服的人《（1934）。1941 ～ 1948 年在好莱坞工作。1948 年加入演员排演场，这是由前同仁剧团的同事卡赞、克劳福德、刘易斯创建的。他逝世前一直任演员排演场艺术编导。

Strasbourg　斯特拉斯堡　德语作 Strassburg。法国东部阿尔萨斯大区下莱茵省城市和省会。位于莱茵河西面 4 千米的德、法边界上。该城历史上为阿尔萨斯最重要的城市，现在是欧洲委员会和一个主教辖区所在地，还是一个大学城和国际联络中心。城东面莱茵河上的港口经运河与罗讷河和马恩河相通。该城是法国谷物运输的主要港市，也运输燃料油、食品和工业产品。第二次世界大战后，该市因建炼油厂、金属冶炼厂和食品加工厂而成为一工业中心。伊尔河穿城而过，又分流形成一个岛，旧城及多数著名建筑物

斯特拉斯堡市的罗昂别墅

供图：Art Resource

位于岛上。城内建于 11 ～ 15 世纪的圣母大教堂于 1870 年及第二次世界大战中被毁，现已得到精心修复。该教堂用红色孚日山沙岩建成，虽然各部分建筑风格不一，但整体上和谐匀称。其不对称的正面主要建于 13 世纪，有雕刻精美的门道，但只有一座塔楼。塔楼高达 139 米，15 世纪式的尖顶典雅美丽。该教堂中的一些雕塑品以及法国其他古老教堂中的文物陈列于大教堂旁边的圣母院中。建于 18 世纪的罗昂别墅原为一主教宅邸，现其中有 3 个博物馆。城内称为小法兰西的一个区有保存得十分完好的旧街道和木质房屋，还有一些风景秀丽的运河。该城原为一凯尔特人的村庄。罗马人统治时期成为一驻防城，称为阿让托拉蒂姆。5 世纪时被法兰克人占领，称之为斯特拉特布吉姆，该城现在名称由此而来。842 年西法兰克国王秃头查理二世和东法兰克国王日耳曼人路易一世在此宣誓结盟。斯特拉斯堡誓词是法国最古老的书面文献。欧洲中世纪时，市民与主教争夺该城的统治权，其后此城成为神圣罗马帝国中的自由城市。宗教改革运动后，该城主要信奉基督教新教，但 1618 ～ 1648 年的三十年战争中谨慎地避免了宗教冲突的发生。1681 年法国的路易十四在和平时期占领了该城并通过《赖斯韦克和约》（1697），使此一专横行为得到认可。该城的特权一直保持到法国大革命。1792 年，法国诗人、音乐家和士兵李尔在此地谱写了莱茵军队赞歌，以后称为《马赛曲》。1870 ～ 1871 年的普法战争中，德军围困该城 50 日之后占领及并吞之。第一次世界大战后，斯特拉斯堡归还法国。第二次世界大战中，1940 ～ 1944 年德国又占领此城。1979 年欧洲经济共同体成员国代表在此召开欧洲议会，提高了这座城市的国际声誉。人口264 115（1999）。

Strasbourg Ⅰ, Ⅱ, and Ⅲ, Universities of　斯特拉斯堡第一大学、第二大学、第三大学　法语作 Universités de Strasbourg Ⅰ, Ⅱ, and Ⅲ。设于法国斯特拉斯堡的国立自治高等学府。根据法国 1968 年改革高等教育的《方向法》，于 1970 年创办，以继承原斯特拉斯堡大学。原斯特拉斯堡大学是在德国统治该地区时期由基督教新教徒于 1537 年创办的，是一所德国大学预科学校（即准备进大学的中学），于 1566 年成为专科学校，1621 年改为大学。学校在创办初期就受到基督教改革运动的影响，后来又受到法德两国争夺控制阿尔萨斯省而进行的长期斗争的影响。1681 年学校随同斯特拉斯堡归属法国。1792 年在法国大革命中被关闭，19 世纪初期一些校系被松散地合并成新的大学。1871 年普法战争后，法国将斯特拉斯堡割让给德国后，德国将大学改组，成为斯特拉斯堡威廉皇帝大学（1872 ～ 1918）。1919 年城市复归法国，大学随之改建为法国的自治大学。在 1939 ～ 1945 年第二次世界大战被德国占领期间，学校各院系迁到法国中部的克莱蒙费朗大学，1945 年又迁回斯特拉斯堡。J. 施图尔姆（1507 ～ 1589）是大学的主要创建人，他领导预科学校达 40 余年。他采用的按年级分设课程的方法在欧洲中等学校被普遍推行。歌德曾于 1771 年在斯特拉斯堡读完法学课程。L. 巴斯德曾任该校化学教授。1905 ～ 1913 年 A. 施韦策在此研究过医学。现在这几所大学由若干教学和研究单位组成，每个单位在行政上和学术上享有自主权。路易·巴斯德大学（斯特拉斯堡第一大学）是医学和科学学校，设有相关的研究中心和天文台。人文科学大学（斯特拉斯堡第二大学）设有语言、文学、哲学和神学（包括天主教神学和新教神学），以及若干辅助研究中心。斯特拉斯堡第三大学又称司法、政治和社会科学大学。

Strasbourg ware　斯特拉斯堡陶瓷　1721～1780 年在汉农家族经营下生产的陶瓷器，大部分在法国斯特拉斯堡制造。工厂由查理-弗朗索瓦·汉农创建，1730 ～ 1760 年间由其子保罗-安东尼管理，1762 ～ 1780 年间由保罗之子约瑟夫-亚当管理。彩陶（锡釉陶器）和瓷器是汉农家族企业的主要产品。斯特拉斯堡彩陶制品包括由保罗设计的南瓜和卷心菜等形状的大盖碗，以及一些自然写实的动

物雕像。保罗的作品范围,上自装饰华丽的洛可可式器物(如钟壳),下至以较简单质朴的花卉图案装饰的盘碟。约瑟夫则偏爱造型类似于篮、筐等编织物的器皿。汉农家族是

P.-A.汉农 1749～1760年制作的斯特拉斯堡陶瓷洗手盆
伦敦维多利亚和艾伯特博物馆供图

法国釉上彩绘饰的早期从业者。斯特拉斯堡陶瓷的色彩设计往往以浓重的胭脂红为主。汉农工厂的瓷器生产,主要是由于约翰·雅各·林格勒于1753年来到该厂才得以发展的;林格勒在维也纳学到了制造瓷器的诀窍。由于塞夫尔皇家瓷厂在1753年禁止法国的其他工厂生产瓷器,保罗于1755年把他的工厂迁到了德国的弗兰肯塔尔。1766年该项禁令放宽,保罗之子约瑟夫在斯特拉斯堡恢复了瓷器生产。但他未获成功,于1780年负债潜逃。

Strasburger, Eduard Adolf 施特拉斯布格(1844-02-01,俄罗斯帝国波兰华沙[今在波兰]～1912-05-18,德国波恩) 德国植物细胞学家,阐明了植物细胞核分裂的过程。曾就读于巴黎大学和波恩大学,1866年获耶拿大学博士学位。曾在华沙大学(1868)、耶拿大学(1869～1880)及波恩大学(1880～1912)任教,并使波恩大学成为当时世界上最大的细胞学研究中心之一。最初继续德国植物学家威廉·霍夫迈斯特的工作,研究植物的世代交替现象。最先准确地描述了裸子植物和被子植物的胚囊,并证实了被子植物的双受精现象。1876年发表《论细胞形成和细胞分裂》一书,论述了有丝分裂的基本原理。在第2版中又修订了该理论。在该书的第3版(1880)中,他阐述了现代植物细胞学的规律之一:新细胞核只能由另一细胞核分裂而来。1882年他提出了"细胞质"和"核质"两术语,以分别描述细胞体和细胞核。此外他还证明,在有花植物受精期间,细胞核是与遗传有关的主要结构。1888年提出被子植物的生殖细胞核要经过减数分裂。后研究植物体内液质的向上运动,证明这种运动是物理过程而非生理过程。他和其他杰出的植物学家一起撰写了《植物学课本》(1894)一书。

Strassburg (city, France/Germany) 参阅 **Strasbourg** 斯特拉斯堡。

Strassburg, Gottfried von (poet) **斯特拉斯堡** 参阅 **Gottfried von Strassburg** 戈特夫里德(斯特拉斯堡的)。

Strasser, Gregor; and Strasser, Otto 施特拉瑟兄弟(格雷戈尔1892-05-31,德国盖森费尔德～1934-06-30,柏林;奥托 1897-09-10,德国温茨海姆～1974-08-27,慕尼黑) 德国国家社会主义工人党(纳粹党)初创时期居领导地位的兄弟俩。他们的左倾和反对希特勒使他们在希特勒掌权前不久垮台。出身于巴伐利亚中产阶级家庭。格雷戈尔1920年加入纳粹党,1923年参加希特勒的慕尼黑啤酒店暴动;在希特勒遭监禁期间,领导过被宣布为非法组织的纳粹党。希特勒获释后,他开始主持德国北部纳粹党的组织工作,并被选入议会(联邦下院),在他弟弟奥托和戈培尔的帮助下展开群众运动。兄弟俩以国家主义和种族主义的言词鼓吹社会主义,对中下层阶级和无产阶级颇具吸引力,促成纳粹在1928年的选举中获胜。当奥托认识到国家社会主义工人党既不是社会主义的,又不是工人的政党时,他对希特勒的幻想也随之破灭了。1930年,奥托脱离该党,组织"黑色阵线"。格雷戈尔则继续与希特勒在一起,30年代初期担任纳粹政治组织的领导,成为党内左派领袖。他反对希特勒结交大工业企业并反犹,赞成激进的社会改革。1932年他终于辞去党内职务。在1934年清洗勒姆时,希特勒下令杀害格雷戈尔。奥托潜逃出亡,侨居加拿大,1955年返回德国。

Strassmann, Fritz 斯特拉斯曼(1902-02-22,德国博帕德～1980-04-22,西德美因茨) 德国物理化学家,与O.哈恩共同发现了中子诱发的铀裂变(1938),从而开拓了原子能的领域。1929年获汉诺威工科大学哲学博士学位。他参与建立了广泛用于地质年代学中测定年代的铷-锶法。1934年初,参加哈恩和L.迈特纳关于中子轰击铀所形成的放射性产物的研究。他对分析化学的熟练掌握,对他们鉴别铀原子分裂产物的工作做出了贡献(中子轰击铀原子可分裂成两个较轻的原子)。在汉诺威和威廉研究所(毁于1944年)短期任职后,1946年任美因茨大学无机和核化学教授,建立了无机化学研究所(后改为核化学研究所)。1945～1953年任普朗克化学研究所化学部主任。

Strategic Arms Limitation Talks (SALT) **限制战略武器会谈** 美国和苏联旨在削减制造能携带核武器的导弹的谈判。第一批被称为限制战略武器会谈第一阶段和第二阶段谈判(SALT Ⅰ和SALT Ⅱ)的协定分别于1972年和1979年由美国和苏联签订,企图制止装核武器的战略(远程或洲际)弹道导弹的武器竞赛。限制战略武器会谈首先由约翰逊总统在1967年倡议,1968年夏季两个超级大国都同意,1969年11月开始全面会谈。

第一阶段谈判产生的一套协议中,最重要的是限制反弹道导弹系统条约和限制战略进攻性武器的临时协定和草约。双方于1972年5月26日由美国总统尼克松和苏联共产党总书记勃列日涅夫在莫斯科的最高级会议上签字,这次会议是美苏关系缓和的顶点。

反导弹条约规定的反弹道导弹(ABM)是指理论上能用于摧毁另一个超级大国发射来袭的洲际弹道导弹(ICBM)的导弹。条约限定每方只准部署一个反弹道导弹区(即导弹发射场)和100枚截击导弹。这种限制就使得每一方只能保卫整个领土的一小部分,使双方仍然保留对对方战略部队的威慑作用。反弹道导弹条约于1972年8月3日经美国参议院批准。临时协定规定,在更详细的第二阶段谈判之前,5年内在现有水平上冻结各自的洲际弹道导弹和潜射弹道导弹(SLBM)的数量。作为一项行政协定,它不需要美国参议院批准,只要美国国会以联合议案的形式批准就可以了。

第二阶段会谈自1972年后期开始,谈判延续了7年。谈判的基本问题是两国战略力量不对称,苏联一直致力于大当量弹头的导弹,而美国则发展高精度的小型导弹。关于正在发展中的新技术、有关技术装备的定义以及核查方法等方面也产生了问题。

谈判结果,第二阶段限制战略武器会谈的条约中对战略导弹发射器限定了数目(也就是说,导弹可以装分导式多弹头,即MIRV),其目的是拖延时间,因为双方的陆基洲际弹道导弹系统在对方这种导弹的袭击下都是很脆弱的。条约在分导式多弹头洲际弹道导弹、分导式多弹头潜射弹道导弹、重型(即远程)轰炸机的数量上,以及战略导弹发射器的总数上都有了限制。条约规定了每一方这些武器的总数共约2 400件。1979年6月18日第二阶段限制战略武器会谈的条约由卡特总统和勃列日涅夫在维也纳签字,随即送交美国参议院批准。但是在苏联人侵阿富汗之后,超级大国之间又重新紧张起来,促使卡特在1980年1月把条约从参议院研究中撤回。不过以后几年中苏联和美国自愿遵守第二阶段谈判中双方同意过的武器限制。与此同时,1982年两个超级大国在日内瓦重开谈判,并更名为削减战略武器会谈(**Strategic Arms Reduction Talks**)或简称START。

Strategic Arms Reduction Talks (START) **削减战略武器会谈** 美国和苏联之间为减少两国核弹头和能运送核弹头的导弹和轰炸机总数而进行的谈判。削减战略武器会谈是20世纪70年代限制战略武器会谈的继续。1982年,为恢复与苏联的战略武器谈判,美国总统里根重新命名这个会谈为削减战略武器会谈(START),并建议每个超级大国对现有导弹和弹头的库存作根本性裁减而不仅仅是限制。削减战略武器的谈判在1983～1985年中断一段时间后,又重新开始,到1991年7月终于在美国总统布什和苏联领导人戈尔巴乔夫双方同意下达成全面的削减战略武器协议。建议的条约内要求苏联把它的核弹头和核炸弹总数从11 000件左右减少到8 000件左右(减少25%),而美国则把它的核弹头武器和核炸弹总数从12 000件左右减少到10 000件左右(减少15%)。裁减内容中还专门规定每一方能拥有的战略导弹、重型轰炸机和机

动式发射架的数量。在苏联解体后,美国和俄罗斯、乌克兰、白俄罗斯及哈萨克斯坦的谈判导致于1992年5月23日签署一项补充协议,按照该协议有关各方声明遵守1991年条约,同时乌克兰、白俄罗斯与哈萨克斯坦同意或者销毁它们的战略核弹头,或者将它们交给俄罗斯。

Strategic Defense Initiative(SDI) 战略防御倡议 别称"星球大战"(Star Wars)。美国提议的战略防御系统,以对付来自苏联的潜在核打击。1983年3月23日,里根总统在全国电视演说中首次提出战略防御计划。由于里根倡议的防御系统中有些部分将部署在空间,所以设想的系统依同名的流行影片而得别名"星球大战"。

战略防御倡议打算在导弹飞行的各个阶段加以拦截,以保卫美国不受苏联洲际弹道导弹的袭击。为了进行拦截,战略防御计划需要有待研究和发展的非常先进的技术系统。防御系统可能的组成部分包括无基和地基的激光作战站,它们综合利用多种方法将具有杀伤能力的光束向运动中的苏联导弹照射。利用其他非核杀伤手段的空基导弹平台和陆基导弹构成防御系统的后续梯队,主要部署在诸如美国洲际弹道导弹发射井那样的重要目标周围。用来探测苏联袭击的传感器将部署在地面、空中和空间,使用雷达、光学和红外的威胁探测系统。

虽然战略防御倡议最初的经费已经在80年代中期得到美国国会的批准,但该计划却引起了军事专家和政府官员就其军事和政治含义以及技术可行性等问题上展开激烈的争论。战略防御倡议的支持者断言,一定能最终克服技术障碍,一个更为有效的防御系统将遏制苏联可能发起的袭击。该计划的批评者认为,这项计划不切实际,它只会鼓励进一步的军备竞赛,破坏已经达成的军备控制协议,并使达成进一步的军备控制协议的前景暗淡。与战略防御倡议有关的许多装置与能力的试验在继续进行中。

strategic weapons system 战略武器系统 任何用于打击敌人军事、经济或政治力量源泉的武器系统。实际上,这就意味着摧毁一个国家的城市、工厂、军事基地、交通运输与通信系统以及政府所在地。战略武器系统使用原子弹或热核武器,因为只有这种武器才有巨大的爆炸威力,可以轻而易举地迅速摧毁一个大国进行战争的全部能力。战略武器系统一词不仅指爆炸装置本身,也包括能使弹头到达目标的一套投送系统。当然,战略武器系统的显著特征就是它有将热核弹准确地从一个洲投送到另一个洲的能力。

战略武器系统包括下列投送系统中的任何一种:洲际弹道导弹(ICBM),也就是射程大于3 500英里(5 630千米)的导弹;某些中程弹道导弹(IRBM),也就是射程在600～3 500英里(965～5 630千米)之间的导弹;潜射弹道导弹,它实际就是从潜艇上发射的中程弹道导弹;巡航导弹,这是一种能从飞机、军舰或潜艇上发射,并能达到战略纵深的近程导弹。所有这些投送系统都能携载热核弹头。另一种重要的战略武器系统是远程重型轰炸机即战略轰炸机,它能进行洲际飞行,投掷装备核弹头的自由下落炸弹或发射巡航导弹。

涉及到这些武器的储存、维护和准确投送的问题很多,导弹本身需要维护,还需要保证推进系统和推进剂的安全,维护弹载制导系统,弹内计算机(如果有的话),有效载荷,再入飞行器(RV)或弹头。如果导弹载有分导式多弹头(MIRV),那么风险性也增加了许多倍。此外,还需要注意架设导弹的发射井、潜艇或飞机。如果是后者的话,还要关心它的基地,一旦需要是否能立即运作。还要考虑每个弹头计划要打击的目标的最新资料,发射控制程序,以及连接系统的复杂的通信网。

20世纪后期,全世界有5个国家拥有这种系统,它们分别是:美国、俄罗斯(苏联的后继者)、中国、英国和法国,但只有前2个国家拥有庞大的导弹武器,足以满足非常复杂的战略武器系统的要求。

20世纪后期,西方国家对中国的战略武器系统知之甚少。在中国西部至少部署了60枚中程弹道导弹,据说还有少量的洲际弹道导弹。中国也拥有一种潜射弹道导弹(SLBM)。法国在20世纪后期保持两种战略武器系统,一种是携带一个热核弹头的两级固体燃料中程弹道导弹;另一种是部署在潜艇上的三级固体燃料中程弹道导弹。英国则拥有装备老式美国北极星导弹的潜射导弹系统。

美国有两种现役的洲际弹道导弹系统,即950枚民兵导弹以及50枚更新式的MX导弹。美国拥有从潜艇、水面舰只、陆上以及从战略空军(SAC)的轰炸机上发射的巡航导弹。美国其他的导弹系统,如过时的北极星导弹、海神导弹和三叉戟导弹,都是潜射导弹系统。美国所有的导弹系统都使用固体推进剂。战略空军有2种战略轰炸机,即B-52和新型的B-1。

20世纪后期,俄罗斯拥有数量众多的从地下发射井发射的洲际弹道导弹系统,美国将它们命名为SS-11、SS-16、SS-17、SS-18、SS-19、SS-20、SS-23、SS-24和SS-25。俄罗斯还有潜射系统和战略轰炸机。与以往的液体燃料导弹不同,最新型的俄罗斯洲际弹道导弹采用了固体推进剂。

大多数导弹都有弹内计算机,所有导弹都能够携带热核弹头,大多数导弹都能携带3至14枚甚至更多的分导式多弹头。巡航导弹则只能携带一个弹头。

每种武器系统在人与携带氢弹的导弹之间建立了复杂的通信网络。在设计、工程制造和程序控制方面精心地采用各种故障防护技术意味着最大限度地减少因计算机故障或某些简单的事故造成重大事故。出于这一原因,在战略武器系统维护与使用中最为关心的问题是在政府和军队指挥员之间建立稳定可靠的通信,并且提供"备用"计算机和其他设施,因为一个部件出现故障就可能会导致致命的后果。

strategus 将军 指古希腊的军事将领,但往往兼有更多的要职;也指中世纪拜占廷的高级官吏。在克利斯提尼改组部落制度(约公元前508)时,雅典开始实行每年一届的10将军联席会议,10个部落在军队中各有一名将军指挥一个团队,作为各自部落的代表。公元前490年马拉松战役期间,10名将军组成一个议事会,给督军当顾问。公元前487年执政官改由抽签选出,此后将军便代替督军作为军队指挥官,而团队的指挥权下放给他们部下的团队长官。通常是委派数名将军执行某一军事行动。有时是一名将军单独受命指挥一个小规模战役。偶尔,10名将军也一齐去指挥一次重大的战役。当一个以上的将军共同指挥一项战役时,他们在法律上是平等的,如果其中一人占有任何突出地位,那取决于个人的品质。公元前5世纪,将军产生政治影响,特别是在外交方面。他们可能享有参加为公民大会准备议程的五百人会议的特权,有时他们负责和外国进行谈判,但签订条约则要经过公民大会批准。他们常被指定为代表国家宣誓订立条约的官员。将军与抽签选出的政务官不同,他们由选举产生并且可以无限期连选连任,因此,众望所归的人由于能够连选连任,可以利用这一职位为自己树立极大的权势。在希腊化时期,将军在大多数联盟和同盟(例如亚该亚同盟和埃托利亚同盟)中担任最高级的负责人。亚历山大大帝和他的将领以及马其顿诸王也任命过带有这个头衔的官吏。作为各州文职长官,几乎完全失去军事性质的将军出现于公元前3世纪的埃及,并且在罗马的统治下一直持续到公元4世纪。

strategy 战略 在战争中,动用国家的全部军事、经济、政治和其他资源以达到战争目的的科学或艺术。这是现代的定义,反映了需要采取军事和经济总动员来进行战争。但是在18世纪和19世纪初期这一名词开始流行时,战略是指在战争中计划和指导战役以及调动和部署军事力量的艺术。

战略在传统上在下列诸方面区别于战术:①战略涉及战争的全局,并运用战役去赢得战争,而战术则主要涉及运用军队和装备去赢得战役;②战术只研究在战场上运用军队,而战略则研究把这些军队放在最有利的位置上,作为战役的前奏。

虽然像亚历山大大帝、汉尼拔和凯撒这些历史上伟大的将军曾因为他们有远见地周密计划战役而被尊崇为现代战略艺术的先驱者,但古代作战艺术的基础是战术和战役。只有到了19世纪的早期,产生了职业军队和拿破仑式战役,才形成现代战略的原则。拿破仑的作战战略的主要内容包括:在关键地点集中全部兵力对敌,在行动之前精心准备,联合各部队将压倒优势的打击力量用于一次突然袭击,以及选择有利于己方军队的战场。所有这些战略形成经典的例证,后来的一些军事科学家如C.冯·克劳塞维茨等,可以根据这些例证找到现代战争的根本规律。克劳塞维茨断言,军事战略和政治战略必须双管齐下,通过在战场上摧毁敌人的军队而不是单纯地占领敌人的领土来取得战争的胜利。他也是第一个把战略定义为运用战役以达到战争目的的人。

美国内战标志着战略转变到一个新纪元，例如，远射程步枪的准确火力破坏了拿破仑战略鼎盛时期的迅速集中步兵攻击的效能。人口较多，工业化程度较高的北方战胜务农的南方，也说明了在战争中经济资源和人力资源对战略的重要性正在继续增长。

19世纪后期和20世纪初期，兴起了几种战略思想的学派，从德国军事领袖强调用决定性战役和熟练的进攻行动来取胜，到美国的A.T.马汉强调使用海上力量和随之而产生的对世界贸易的控制来进行经济战。但是，当时所有的战略学说实际上都被第一次世界大战的现实弄得无所适从。在该次大战中，像机关枪和大火力野战炮这些现代武器的压倒优势的火力，使得经典的军事行动如正面攻击等都暂时变得无用了。进攻作战让位于消耗战和静态防御，或用海上封锁使敌人受饥挨饿和得不到原材料，以及有计划地动员国家全部人力和物质资源经过长期努力来摧毁敌人的斗志和作战能力。

在两次世界大战之间，战略学说在两种说法之间动摇不定，一种是法国的防御思想，另一种是飞机、坦克等新兵器的日益增多的拥护者的思想。后一种思想在第二次世界大战头几次战役中就被证明是正确的，当时德国的空中力量和急速运动的坦克纵队相结合，形成一种新的突击形式(闪击战)，从而打破了防御的优势。同盟国采取的对抗战略是利用业经证实的新式机动兵器的效能，并依靠优势的工业和人力资源来扭转战局。在这次战争中有一个重大的发展，是对敌国心脏地区进行旨在摧毁工业生产能力和瓦解人民斗志的战略轰炸。但是最后的战略(和战术)上的创新是美国对日本广岛和长崎两城市使用原子弹——这一事件从根本上改变了现代大战略的前提。随后发展了威力更大的热核武器和能在几分钟内打击世界上任何目标的洲际弹道导弹，使得全面战争的前景几乎可以肯定是参战双方互相毁灭。因此，新的核战略的主要目的不是赢得战争(这是过去所有军事战略的目的)，而只不过是防止爆发核战争(威慑战略)。要威慑敌方，使其不敢首先发动核突击，被当作目标的国家就以大规模报复的威胁来达到这一目的。战后接踵而来的超级大国之间的军备竞赛，代表了他们企图保持能遏制对方进行成功的核侵略所需要的破坏能力在数量上和技术上的均势的战略思想。

Stratemeyer, Edward　斯特拉特迈耶(1862-10-04，美国新泽西伊丽莎白～1930-05-10，新泽西纽瓦克)　美国作家。专写供少年阅读的通俗小说。他开办的斯特拉特迈耶文学辛迪加(1906～1984)出版了《罗弗家的男孩们连续小说》、《哈代家的男孩们连续小说》、《汤姆·斯威夫特连续小说》、《鲍勃赛家的双生子连续小说》以及《南茜·德鲁连续小说》。斯特拉特迈耶高中毕业后，曾当过店员，工余写作短篇小说，专事摹仿H.阿尔杰和一些通俗惊险小说作家。他的短篇于1888年首次在杂志上发表。随后10年中，他任《好消息》(1893～1895)杂志的编辑，并为该杂志写作儿童故事。同时，他编订了自己的日记《好时光》并于1896年出版。他的第一本书《理查德·戴尔的冒险事业》于1894年问世，它是一组连续小说的第一部。约在1896年，他开始同时写几组连续小说，诸如开始于1899年的《美国青年读物：罗弗家的男孩们连续小说》和开始于1906年的《小猎人们连续小说》。他前后写了数百本这类读物和故事。1906年，他创建了斯特拉特迈耶文学辛迪加，出版他和别人创作的少年系列读物。有时一组连续小说由几位作家写作，用同一个笔名发表。1930年，他死后，他的公司主要由其女儿哈丽雅特·斯特拉特迈耶·亚当斯(1893？～1982)主持。她用笔名为《南茜·德鲁》、《戴纳家的姑娘们》、《哈代家的男孩们》、《鲍勃赛家的双生子》各组连续小说写作。1984年，西蒙与舒斯特出版公司获得了这个辛迪加的全部权利。

Stratford　斯特拉特福　加拿大安大略省东南部城市，珀斯县首府。濒埃文河，位于奶牛场区中心。该城以莎士比亚诞生地命名。1953年以来，每年夏季举办斯特拉特福节，

斯特拉特福市的节日剧院
供图：Malak，Ottawa

该市因此闻名遐迩。在节日剧院、埃文剧院及第三舞台演出节日剧目，尤其是莎士比亚戏剧。20世纪初，通过筑坝拦截埃文河水建成维多利亚湖，现为市公园中心，面积71公顷。经济以铁路修配、工程工业、轻工业以及与之相结合的艺术、旅游业为主。1853年设村；1858年设镇；1885年设市。人口27 666(1991)。

Stratford (England)　**斯特拉特福**　参阅 **Stratford-upon-Avon 埃文河畔斯特拉特福**。

Stratford　斯特拉特福　新西兰北岛中西部城镇(区)，在帕蒂阿河畔，1877年已为此城镇划出土地，5年后建镇。1898年正式宣布为自治城镇，最初为了对莎士比亚表示敬意，命名为帕蒂阿河畔的斯特拉特福。当地许多街道以莎士比亚戏剧中的角色命名。斯特拉特福位于新普利茅斯—旺阿努伊的公路和铁路线上，是高地地区羔羊和牛的交易市场。也是西面埃格蒙特山地区的旅游中心，位于从卡普尼油田至奥克兰的天然气输送管线上。有各种轻工业。人口约10 050(1990)。

Stratford　斯特拉特福　美国康涅狄格州东南部费尔菲尔德县城镇。濒临长岛湾和胡萨托尼克河。原为印第安人区域。1639年始有欧洲人拓居。1685年划定地界。经济原以造船和牡蛎捕捞业为主。现生产飞机引擎、直升飞机、工业机械和机床。保存有独立战争以前的建筑。美国莎士比亚剧院位于该地。面积46平方千米。人口49 976(2000)。

Stratford (de Redcliffe), Stratford Canning, Viscount　斯特拉特福子爵(1786-11-04，英国伦敦～1880-08-14，萨塞克斯弗兰特)　代表英国驻奥斯曼宫廷的外交官，在1810～1858

伦敦国立肖像画陈列馆供图

年间断断续续将近20年，对土耳其政策曾产生强烈影响。他是英国外交大臣(1807～1809，1822～1827)和首相(1827)乔治·坎宁的堂兄弟，先后从伊顿公学和剑桥大学国王学院毕业。1807年从事外交工作。1810～1812年任驻君士坦丁堡代办和实际大使时，他促成土耳其和俄国缔结《布加勒斯特条约》(1812-05-28)，从而使俄军得以脱身，去抵御拿破仑一世率领的法国侵略军。1814～1818年任驻瑞士公使，曾提出瑞士邦联永久中立的计划，1815年3月20日由维也纳会议批准执行。此后任驻美国公使(1820～1823)。1825～1829年和1831年任驻君士坦丁堡大使，在此期间参加希腊争取脱离土耳其的独立运动。后来又两次任驻君士坦丁堡大使(1841～1846，1848～1851)，成为苏丹阿卜杜勒·迈吉德一世和政治家穆斯塔法·赖希德的亲密朋友。他支持"坦志麦特"——土耳其有限欧化改革纲领。1848年以后吁请土耳其政府保护L.科苏特等从匈牙利和波兰前来避难的民族主义者。1852年受封子爵，1853年再次出使君士坦丁堡。他支持苏丹反对俄国加强干涉奥斯曼事务的野心，同时努力防止爆发克里米亚战争，却没有成功。在这次战争中，英国站在土耳其一边。他于1858年离开土耳其后，一直过半退休的生活。仅有一子，已先他去世，因此他死时爵位绝传。

Stratford-on-Avon　埃文河畔斯特拉特福　英格兰沃里克郡南部一区。面积977平方千米，约占郡的一半。大部为农村。主要名胜

埃文河畔斯特拉特福的莎士比亚故居
中国大百科全书出版社供图

是莎士比亚故乡埃文河畔斯特拉特福镇。人口约114 700(1998)。

Stratford-upon-Avon　埃文河畔斯特拉特福　又称斯特拉特福。英格兰沃里克郡一城镇(教区),莎士比亚的出生地。位于罗马大道与埃文河相交处。1553年获皇家特许

埃文河畔斯特拉特福的皇家莎士比亚剧院
供图:Kenneth Scowen

状。几个世纪来一直是一个集市城镇,因与莎士比亚有关联,遂成为繁忙的旅游中心,为英国主要旅游名胜之一。莎士比亚1564年诞生在当地亨利街一所房子里。在该镇中学读书。1597年从伦敦回来,住在称为纽普莱斯的房子里。1616年就在这座房子里去世。其墓在圣三一堂区教堂中。河滨的莎士比亚中心为现代化建筑群,包括图书馆、艺术画廊和剧院(1932年开张)。每年在莎士比亚逝世纪念日4月23日(和他诞生日很接近)有纪念活动。每年3～10月皇家莎士比亚剧院演出他的剧作。人口22 231(1991)。

Strathclyde　斯特拉斯克莱德　英国历史上不列颠土著王国。这个王国自6世纪已扩展到克莱德河流域和邻近的西部沿海地区(即以前的艾尔郡),首都为邓巴顿(当时称阿尔克卢特)。斯特拉斯克莱德这一名称是9或10世纪才开始使用的。斯特拉斯克莱德人在6世纪初已信奉基督教。他们在6世纪末与坎布里亚人一起发动战争,反对仍信奉异教的伯尼西亚王国。7世纪诺森伯里亚人称霸整个坎布里亚。但直到756年斯特拉斯克莱德才被彻底打垮。870年北欧海盗蹂躏并破坏了邓巴顿。10世纪前半叶斯特拉斯克莱德臣服于英格兰的盎格鲁-撒克逊国王,945年英格兰国王埃德蒙一世又把它让给苏格兰王马尔科姆一世。斯特拉斯克莱德王奥文曾在1016年协助马尔科姆二世打败英格兰人。他死后,斯特拉斯克莱德成为苏格兰的一个省份。

Strathclyde　斯特拉斯克莱德　苏格兰西部一区。1975年设置。面积13 773平方千米,下分20个区:包括格拉斯哥市、阿盖尔-比特、邓巴顿、哈密尔顿等区。斯特拉斯克莱德原为古代不列颠王国名(地域南达今英格兰西北部)。1975年设为行政区,以格拉斯哥市行政区为主。人口约2 283 700(1995)。

Strathcona and Mount Royal (of Mount Royal and of Glencoe), Donald Alexander Smith, 1st Baron　斯特拉思科纳男爵(第一)(1820-08-06,苏格兰马里郡福里斯～1914-01-21,英格兰伦敦)　即D.A.史密斯。加拿大毛皮商、金融家、大力提倡兴建铁路的人和政治家。1838年入哈得孙湾公司当学徒,在拉布拉多从事毛皮贸易多年。1870～1874年任该公司在加拿大的主管,1889～1914年成为公司主要股东后,任公司董事。1870年进入政界,当选为马尼托巴省立法会议议员。1871年成为加拿大众议院议员。在太平洋丑闻(1873)事件中,他撤销了对保守党领袖J.麦克唐纳的支持,促使保守党内阁倒台。他促成了建设从圣保罗、明尼阿波利斯通往马尼托巴的铁路,但由于麦克唐纳的反对,他未能成为1880年为修建加拿大太平洋铁路而组建的辛迪加的正式成员。然而,对该企业来说他的财政支持是至关重要的,因此他在1885年得到在不列颠哥伦比亚省克雷格拉奇钉入最后一个道钉的荣誉。1887年任蒙特利尔银行董事长,1905年为荣誉董事长。1887～1896年再度进入议会工作。1896年任加拿大驻伦敦高级专员。1886年在伦敦被封为爵士,1897年被授予贵族爵位。

Strathkelvin　斯特拉斯凯尔文　苏格兰西部斯特拉斯克莱德地区一区。在格拉斯哥东北。1975年设置。由前邓巴顿、斯特灵、拉纳克等郡部分地区组成。该区包括工业和居民城市毕晓普布里格斯、柯金蒂洛赫(区首府)和一些农业区。面积164平方千米。人口约89 420(1989)。

stratification　层理　大多数沉积岩和地表形成的火成岩(如熔岩流和火山碎屑沉积物)中出现的成层构造。层厚从几毫米至几米不等,层的形态变化也很大。可从覆盖许多平方千米的薄层到横向延伸只有几米的厚透镜体。各岩石层之间的裂开面(分离面)称为层理面。当沉积物作为平坦层而沉积时,层理面是水平的,在沉积地点是斜坡面的地方,层理面呈倾斜状。岩层的底面大致与下伏表面不规则性相一致,但是岩层顶部的层理面趋于水平。沉积岩中的层理可能是沉积作用期间结构和成分变化的结果;也可能是沉积间歇的结果,这就使得较老的沉积物在附加的沉积物掩盖它之前就遭到了变化。所以,岩层层序可以出现粗粒物质与细粒物质的互层,或由于矿物成分不同造成的一系列颜色的变化,或只是以清楚的分离面把性质类似的岩层分开。岩层的厚度和范围与沉积作用的速度或代表的时间之间没有直接的关系。例如,2.5厘米厚的石灰岩层可能比3米厚的砂岩层形成的时间更长。形成层理的最常见的原因是沉积营力搬运能力的变化。水和风根据颗粒大小、重量和形状来分选沉积物,这些沉积物呈比较均一的层而沉积下来。由于不同沉积物源所造成的成分上的差异,以及由于沉积营力变化带来的沉积物的变异,也导致层理的产生。在岩层受到变形的地方,层理中就保存着过去地球表面运动的记录,这记录使得有可能解释地质事件,并用于确定有用矿物矿床、油田及地下水贮层的位置。沉积岩中的层理在显著程度和构造细节两方面都有很大的变化。一般说来,在细粒沉积物中层理最发育,而在粗粒物质(例如砾岩)中层理最不明显也最不稳定。作为认识特定环境的特征,层理有两种重要而清楚的构造类型。这便是交错层理(常见于河流和风成沉积物中)和递变层层理(反映密度流或浊流搬运或某种情况下的季节性沉积物)。火山岩中的层理与沉积岩中的层理在某些方面是不同的。火山碎屑物在飞扬时,由于重力、颗粒大小和风的影响产生分选。降落之后,可以形成分选很好的岩层。如果落到湖泊和海洋中,就形成类似任何其他水成碎屑物质的层状。液态熔岩的连续流动或者熔岩流与降落火山灰之间的互层也都可以形成层理。不是所有的沉积物都是成层的。例如,那些仅仅由冰搬运的沉积物、山崩堆积物、残积土壤就不显现层理。原生层理可以受到植物或动物的破坏,受到石灰岩重结晶作用或受到沉积作用以后的其他干扰而被破坏。

stratigraphy　地层学　关于岩层顺序描述及按照总的时间尺度对岩层顺序加以解释的学科。它为历史地质学提供了基础,它的原理和方法在诸如石油地质学和考古学这样一些领域里获得了应用。地层学研究主要涉及沉积岩,但也可包括成层的火成岩(例如由连续的熔岩流所产生的)或变质岩,这变质岩由这类喷发的火成岩物质或由沉积岩形成。地层学研究总的目标是把一系列岩层划分为可制图的单位,确定所涉及到的时代关系,并将这层序中的单位或将整个层序与别处地层相对比。19世纪后半期,国际地质学大会(IGC,创立于1878年)欲将地层表标准化的尝试失败之后,国际地质科学联合会(IUGS,创立于1961年)组建了地层学委员会,为此目标而工作。传统的地层学纲要依赖于两个

标度:①时间标度(用宙、代、纪、世、期和时),对于此时间尺度来说,每一个单位都由它的起点与终点所限定;②岩层层序对比的标度(用系、统、阶和时带)。这些纲要当与其他测

美国爱达荷州伯奇克里克附近一洞窟底部挖掘出的、时间跨度约1万年的地层壕沟
爱达荷州立大学博物馆供图

年方法,诸如放射性测年法(放射性衰变测定)、古气候测年法及古地磁测定法(一般说来,它是20世纪后半期发展起来的)结合起来使用时,就导致了在命名上稍少一些的混乱,并导致更可靠的作为地球历史结论之基础的信息。因为石油和天然气几乎总是产在成层的沉积岩中,所以,利用地层学的概念与年代数据,就使确定储油圈闭地点的过程大大地简便了。地层学运用于考古学的一个重要原理是层序律,也就是说,在任何未经扰动的沉积层中,最老的层在正常情况下总是位于最低的层位。所以,可以推想,每个后一代的遗存物总是留在前一代的废墟上。

Straton OF LAMPSACUS　**斯特拉顿(兰萨库斯的)**(?～约公元前270)　Straton又拼Strato,拉丁语全称Strato Physicus。希腊哲学家。继泰奥弗拉斯托斯之后,成为逍遥学派(宗亚里士多德的学说)的领袖,以其虚空说而著名(虚空说认为一切实体均包含虚空,不同实体在重量上的差异即由于其虚空的扩展范围不同所造成)。这一学说便是亚历山大的赫罗在其著作中所描述的希腊化时期的风动机和蒸气机结构的理论基础。作为一个正统的亚里士多德主义者,他一方面坚持因果律和唯物论,以此调整老师对自然的解释,另一方面则否认在自然进程中有任何神学力量发生作用。他的著作均已失传。

stratosphere　平流层　对流层之上几乎呈等温的大气层(等温度层)。其下边界高度约为6～17千米,上边界(平流层顶)高约50千米。参阅**atmosphere**。

Stratton, Charles　斯特拉顿(1838-01-04,美国康涅狄格布里奇波特～1883-07-15,马萨诸塞米德尔伯勒)　美国侏儒表演者。美国马戏演出人巴纳姆曾用他招徕观众。生于一个正常身高的家庭,6个月后停止长高。20岁以前,身高仍为0.6米,体重15磅;后来长到身高1米,体重70磅。巴纳姆雇他到展览馆来的时候,他还不满5岁,但巴纳姆把他宣传为一个11岁的英国侏儒,并取名"托姆大拇指将军"。1863年闻名国内外的斯特拉顿和巴纳姆的另一侏儒沃伦(1841～1919)结婚,在纽约市格雷斯圣公会教堂举行了盛大的婚礼。

Stratton, Dorothy Constance　斯特拉顿(1899-03-24,美国密苏里布鲁克菲尔德～　)美国教育家、海军军官、政府官员。1920年毕业于渥太华大学,1924获芝加哥大学硕士学位,1932年获哥伦比亚大学博士学位。1933年任印第安纳州珀杜大学女生部主任及心理学副教授,1940年升正教授。1942年在第五军区陆军妇女服务队甄选委员会工作,同年末加入海军妇女服务队,授上尉军衔。1942年11月奉派至海岸警卫队司令部,为海岸警卫队妇女预备队制定计划和准则。11月底根据海岸警卫队的座右铭"时刻准备着"为妇女预备队取名"SPARS"(斯帕丝),并被任命为妇女预备队少校主任。1946年离开该岗位时已升为上校。其后出任华盛顿哥伦比亚特区国际货币基金组织人事部主任(1947～1950)和美国女童子军全国执行主任(1950～1960)。1962年任总统残疾人就业委员会委员和卫生教育与福利部的职业保健顾问。

Straus FAMILY　**施特劳斯家族**　美国的犹太移民家族,其家人作为纽约市梅西百货公司的所有者在事业上取得成功,并在公益慈善事业方面表现突出。原居巴伐利亚。族长L.施特劳斯于1852年移居美国,住在佐治亚州的托尔伯顿。他的妻子携儿子伊西多、内森和奥斯卡·所罗门也随后前来。南北战争期间支持南方,战后他们移居纽约市,开设了施特劳斯父子百货公司。1888年伊西多和内森将此商店并入梅西公司。1896年他们控制了梅西百货公司的全部股份。伊西多一度任美国众议员(1894～1895),后从事慈善事业;1912年因所乘邮轮"泰坦尼克"号失事溺死。他的儿子杰西·伊西多于1919年任梅西公司总经理,后由其子杰克·伊西多继任(1939～1956)。内森以热心慈善事业和改善穷苦儿童的健康与营养闻名。其弟奥斯卡·所罗门是美国内阁中的第一位犹太人,曾长期代表美国出任驻土耳其使节。

Straus, Nathan　施特劳斯(1848-01-31,巴伐利亚奥特贝格[德国]～1931-01-11,美国纽约州纽约)　纽约市梅西百货公司的股东,

纽约历史学会供图

公共卫生和儿童福利的先驱。一般认为,他在20世纪前25年为纽约市的福利事业做出了很大贡献。早年经商,成绩卓著。1896年与兄弟共同经营R.H.梅西公司。1892年经济萧条时他开始从事慈善事业,在纽约市分发食物和煤,并在美国36个城市中给幼儿分发消毒牛奶,从而降低了婴儿死亡率。到1920年他已在美国和国外设立了297个施奶站。1909年在新泽西州莱克伍德建立了第一个儿童结核病防治所。1914～1915年的严冬他在纽约市为贫民提供食物。在其生命的最后20年里,他主要在巴勒斯坦从事公共卫生工作,建立了两处大规模的保健中心和许多儿童福利站。

Straus, Oscar　施特劳斯(1870-03-06,奥地利维也纳～1954-01-11,巴特伊施尔)　奥地利作曲家,以所写轻歌剧《巧克力士兵》闻名。1927年前一直住在柏林,师承M.布鲁赫,后在奥地利和德国任剧院指挥。1939年入法国籍。1940～1948年在纽约市和好莱坞居住,后返回欧洲。《巧克力士兵》(1908)系根据萧伯纳的剧作《武器与人》写成。其他轻歌剧有《圆舞曲之梦》(1907)和《一切围绕着爱情》(1914)。曾为影片《圆舞》(1950)配乐。

Straus, Oscar Solomon　施特劳斯(1850-12-23,巴伐利亚奥特贝格[德国]～1926-05-03,美国纽约州纽约)　美国第一个犹太人内阁成员,3次担任驻奥斯曼土耳其使节、W.威

纽约历史学会供图

尔逊总统的顾问。慈善家、纽约梅西百货公司业主内森的弟弟。1887～1900年间曾两次出使君士坦丁堡。1902年起4次任海牙常设仲裁法庭法官。1906年T.罗斯福总统任命他为商业和劳工部长;3年后任美国驻土耳其第一任大使。1919年在凡尔赛和会上他协助威尔逊总统把国际联盟的条款纳入《凡尔赛条约》,并极力主张对欧洲犹太少数民族采取保护措施。著有回忆录《在四届政府内阁中工作——从克利夫兰到塔夫脱》(1922)。

Strauss, David Friedrich　施特劳斯(1808-01-07,符滕堡路德维希堡[德国]～1874-02-08,路德维希堡)　新教哲学家、神学家和传记作家。1825～1831年在蒂宾根大学和柏林大学学习期间受到黑格尔学说的影响,因而提出以发展观点研究基督教的形成过程,指出固有的、互相对抗的力量和解经方法相互作用,从而引起宗教融合。他根据这种分析方法撰写了《耶稣传》,否定福音书的历史价值,并批判福音书的超自然叙述,认为它是

历史神话，是2世纪作家不自觉地表现原始基督教徒的普遍愿望的传奇式作品。这部书在德国基督教内引起轩然大波，他乃不得不采取较为缓和的提法：这种说法不会大大损害基督教，因为任何宗教都是以观念而不是以事实为基础的。尽管如此，他还是先后被拒之于蒂宾根大学和苏黎世大学的门外。后来曾撰写几位政界和学界人物的传记，1872年发表《新旧信仰》一书，以科学唯物主义即拟人化的达尔文主义取代基督教义。此书的出版标志着他的宗教生涯结束。

Strauss, Franz Josef　施特劳斯(1915-09-06，德国慕尼黑～1988-10-03，联邦德国雷根斯堡)　德国政治家，长期任巴伐利亚基督教社会联盟领袖。曾就读慕尼黑大学，是与纳粹党相左的天主教青年组织的积极分子。1939年应征入伍，后被美军俘虏。1945年获释，任巴伐利亚内政部长顾问，1946年美国占领当局任命他为雄高行政区副县长。1945年协助创立巴伐利亚基督教社会联盟，1949年8月被选为联邦议院议员。1953年9月重新当选后，任阿登纳政府不管部长。1955年任原子事务部部长兼国防委员会副主席。1956年10月任国防部长。他指导德国重整军备，在建立国防军和获得战术核武器方面起了主要作用。1961年成为基督教社会联盟主席。1962年12月因《明镜周刊》事件辞去内阁职务。后重返内阁任财政部长(1966～1969)。1978年11月当选为巴伐利亚州总理。曾被在野党提名为1980年联邦德国总理候选人，但竞举失败。他继续批评社会民主党的总理施密特的国内外政策，但在80年代改变立场，主张东、西欧加强经济往来。著有《宏伟的设计》(英译本，1965)、《挑战与应战》(1968)、《财政政策理论与现实》(1969)、《德国的前途》(1975)、《论形势》(1979)、《自由的戒律》(1980)等书。

Strauss, Johann, THE ELDER　施特劳斯(老)(1804-03-14，奥地利维也纳～1849-09-24，维也纳)　维也纳圆舞曲主要作曲家之一。曾在轻音乐作曲家M.帕默的伴舞乐队中任中提琴手，后为兰纳管弦乐队指挥，1826年在"双鸽"花园演出《鸽园舞曲》，成为以后许多维也纳圆舞曲以首演地点命名乐曲的先河。1830年在利奥波尔德斯塔特"施佩尔舞厅"当指挥，确立了维也纳圆舞曲作曲家的声誉，被奉为崇拜的偶像，音乐界甚至称他为"奥地利的拿破仑"。1834年任第一维也纳民兵联队军乐队指挥，翌年任皇宫舞会指挥。1833年是他许多次去欧洲巡回演出的首次，1838年访问伦敦。在他18首进行曲中，《拉德茨基进行曲》极为风行。老施特劳斯的全部作品除圆舞曲外，还包括加洛普舞曲、波尔卡舞曲、方阵舞曲和其他一些舞曲，都由其长子小约翰于1889年出版。这些节奏热烈、旋律富于魅力的作品代表了全盛时期的维也纳舞蹈音乐风格。他的另外两个儿子约瑟夫(1827～1870)和爱德华(1835～1916)也都是著名的指挥家。

Strauss, Johann, THE YOUNGER　施特劳斯(小)(1825-10-25，奥地利维也纳～1899-06-03，维也纳)　作曲家，以所写维也纳圆舞曲与轻歌剧闻名，老约翰·施特劳斯之长子。有"圆舞曲之王"之称。由于父亲反对他学习音乐，起初曾任银行职员。但他瞒着父亲学习

供图：Historisches Museum der Stadt Wien

小提琴，并于1844年在维也纳一家餐馆指挥自己的伴舞乐队。1849年老约翰去世后，他把自己的乐队和父亲的乐队合并，在欧洲，包括俄国(1865～1866)和英国(1869)，进行巡回演出，赢得很大声望。1870年将乐队交与弟弟约瑟夫和爱德华领导，以便悉心作曲。1872年在纽约市和波士顿指挥音乐会演出。他最著名的作品是《蓝色多瑙河》(1867)，其主要主题成为19世纪音乐中最著名曲调之一。其他还有很多旋律优美而受人喜爱的圆舞曲，包括《晨报》(1864)、《艺术家的生活》(1867)、《维也纳森林的故事》(1868)、《醇酒、女人和歌曲》(1869)、《维也纳气质》(1871)和《皇帝圆舞曲》(1888)。他创作了近500首舞曲，其中150多首是圆舞曲。他的歌剧作品中，《蝙蝠》(1874)成为维也纳轻歌剧的典范之作；《吉普赛男爵》(1885)也同样成功。其他轻歌剧有《罗马狂欢节》(1873)、《威尼斯之夜》(1883)等。

Strauss, Joseph B(aermann)　斯特劳斯(1870-01-09，美国俄亥俄辛辛那提～1938-05-16，加利福尼亚洛杉矶)　美国土木工程师，旧金山金门桥的建造者。1892年在辛辛那提大学毕业，后来成为桥梁工程师R.莫德耶斯基的主要助手。他创办工程公司，专门设计活动桥梁，发明了仰开桥和垂直升降桥。20世纪20年代初期，当赞成在金门(旧金山湾入口处)修建一座大桥的舆论成熟时，他提出了一个设计方案，得到热情但又谨慎的支持，因为它的跨度比当时已有的桥梁长一倍以上。他原来的设计方案是悬索桥和悬臂桥的结合体，最后修改为单一的悬索桥，主孔跨度为1 280米。这座大桥于1937年竣工，在60年代纽约市修建维拉扎诺海峡桥之前，一直是世界上最长的悬索桥。

Strauss, Leo　施特劳斯(1899-09-20，德国基希海因～1973-10-18，美国马里兰安纳波利斯)　德国出生的有影响的政治哲学家和古典政治理论的阐释者。第一次世界大战期间，他在德国军队中服役。从汉堡大学获得哲学博士(1921)后，成为柏林犹太人研究学院的助理研究员(1925～1932)。后以洛克菲勒基金会会员身份在英国和法国工作。1938年移居美国(1944年加入美国籍)。先后在纽约市社会研究新学院(1938～1949)、芝加哥大学(1949～1968)、克莱尔蒙特(加利福尼亚)人类学院(1968～1969)和安纳波利斯的圣约翰学院(1969～1973)任政治学教授。写作了大量关于霍布斯、马基雅弗利、斯宾诺莎和苏格拉底等政治哲学家的论著。最著名的著作有《论暴政》(1948)；《自然权利与历史》(1950)，此书因分析深刻而广受读者赞誉；《迫害与写作艺术》(1952)；《什么是政治哲学?》(1959)。他还与人合编了《政治哲学史》(1963)。施特劳斯的著作文体明晰、眼光锐利、富于挑战性，这些著作主要是为其他学者而不是为一般读者而写的。他在美国的学术史上占有重要地位，培养了好几代政治科学家。当人们对古典政治哲学家的研究被能量派政治科学家和行为派政治科学家们弄得黯然失色时，他为在大学课程中复兴并坚持这种研究做出了贡献。

Strauss, Richard (Georg)　施特劳斯(1864-06-11，德国慕尼黑～1949-09-08，加米施-帕滕基兴)　19世纪末、20世纪初德国杰出浪漫派作曲家。19世纪90年代所作交响诗和

柏林国家博物馆供图

其后10年所作歌剧在整个20世纪的标准保留曲目中始终是不可或缺的主要部分。

生平　施特劳斯的父亲弗朗茨是慕尼黑宫廷管弦乐队的首席圆号演奏员，公认为德国第一流圆号演奏大师。其母出身于普斯科尔著名酿酒世家。在接受普通教育过程中，施特劳斯将大部分时间和精力倾注于音乐。1882年自学校毕业时，已作有140余首作品，包括59首利德(艺术歌曲)及各种室内乐和管弦乐曲，这些少年习作反映出他父亲对他的音乐教育；他父亲尊崇古典音乐，厌恶瓦格纳的为人和作品，尽管他演奏瓦格纳歌剧中的圆号片段身手不凡。通过父亲的关系，施特劳斯一毕业就得以结识当时一些杰出音乐家，其中包括指挥家毕洛，毕洛约请他为迈宁根管弦乐队创作《13件管乐器组曲》，并请他指挥该曲于1884年11月在慕尼黑首演。在这次成功的指挥首演之后，毕洛即聘任他为迈宁根管弦乐队助理指挥。从此以后他作为指挥家出类拔萃，作为作曲家扶摇直上，二者

相得益彰。担任过的指挥职务有：慕尼黑歌剧院第3指挥(1886～1889)、魏玛宫廷管弦乐队总监(1889～1894)、慕尼黑第2指挥、后又任首席指挥(1894～1898)、柏林宫廷歌剧院指挥(后任总监)(1898～1919)，以及维也纳国家歌剧院院长之一(1919～1924)。在迈宁根时施特劳斯与作曲家里特尔邂逅，里特尔加强了施特劳斯以前因怕父亲不高兴而不敢公开表示对瓦格纳音乐的仰慕之情。他劝说施特劳斯放弃古典曲式而以交响诗或音诗的手法表达自己的乐思。就像李斯特所做的那样，为了掌握这一曲式，施特劳斯还得艰苦探索，而根据他首次访问意大利的印象所作的"交响幻想曲"《意大利之行》(1886)则是这一探索途中的一个中间站。1889年11月他在魏玛指挥他的交响诗《唐璜》的首演。作品一举成功，获得好评，群众欢呼瓦格纳后继有人，从此开创了施特劳斯一帆风顺的作曲生涯。1894年，也是在魏玛，他指挥了自己第一部歌剧《贡特拉姆》的首场公演，由其未婚妻波琳·德·阿娜饰演女高音主角。她于1887年开始跟他学唱，二人于1894年9月结婚。波琳的强烈个性与其丈夫的超然离群、孤高淡漠恰成鲜明对比。他们的婚姻是成功而牢固的，55年后一起与世长辞。施特劳斯的两首最雄心勃勃的音诗《堂吉诃德》和《英雄的一生》分别于1898与1899年首演。1904年他偕同波琳(她是他的歌曲的最杰出表演者)赴美国巡回演出，在纽约指挥其《家庭交响曲》的首演。翌年在德累斯顿以取材于王尔德的《莎乐美》一剧获得第一次歌剧的成功。虽然有人认为《莎乐美》有亵渎神灵和诲淫诲盗之弊，但它在所有大歌剧院中都凯歌频传，只有维也纳是例外，那里的检查官禁止马勒上演该剧。1909年的歌剧《厄勒克特拉》是施特劳斯与奥地利诗人兼剧作家霍夫曼斯塔尔的第一次合作。其后20年中，施特劳斯作曲，霍夫曼斯塔尔写台本，共同创作了5部歌剧。1911年他们的第2部歌剧《蔷薇骑士》的首演获得空前成功。另外几部歌剧相继为《阿里阿德纳在纳克索斯》(1912)、《没有影子的女人》(1919)和《埃及的海伦》(1928)。但1929年霍夫曼斯塔尔在创作歌剧《阿拉贝拉》期间弃世，施特劳斯只落得孤掌难鸣。1908年以后，施特劳斯卜居巴伐利亚的加米施。他在柏林担任指挥，直到1919年；那一年他同意与沙尔克一起担任维也纳国家歌剧院院长。这次任命是不幸的，因为这时大战刚结束，当时的思想倾向把施特劳斯和其他浪漫派晚期作曲家一律贬入"老式"作曲家的范畴。施特劳斯对政治(无论是国家大事还是音乐纠纷)既不感兴趣，又缺乏韬略，便于1924年辞去维也纳国家歌剧院的职务。1933～1935年间担任德国国家音乐部长，1935年与纳粹政权发生矛盾。自霍夫曼斯塔尔于1929年去世后，施特劳斯曾与犹太剧作家茨韦格合作喜歌剧《沉默的女人》(1935)。这一合作是纳粹政权所不能容忍的。歌剧上演4场后即遭禁演，施特劳斯不得不与一位非犹太裔的台本作者格雷戈尔合作。第二次世界大战期间他一度寓居维也纳，但深居简出，至1945年前往瑞士。同盟国肃清纳粹分子法庭最终宣布他无罪；1949年他返回加米施，在85岁诞辰后的3个月去世。

作品 施特劳斯的第一大成就是将瓦格纳的硕大无朋的歌剧乐队的表现力用于音乐会大厅。虽然他的某些门德尔松式的早期作品诸如小提琴协奏曲(1882)和第一圆号协奏曲(1882～1883)现仍有人演奏，但真正的施特劳斯却是随着交响诗《唐璜》(1889)而崭露头角的，在那里他的激越的旋律天赋、诗情画意的才智和对配器法的精通第一次一览无遗地表现出来。交响诗《死与净化》(1888～1889)叙述一个垂死的人回顾自己的一生与理想，高潮处的和声益发丰富。音诗《蒂尔·奥伊伦施皮格尔的恶作剧》(1894～1895)中用到回旋曲式；施特劳斯在这里找到了确切的乐器音响和色彩来刻画这个14世纪的无赖蒂尔的种种冒险行径。《查拉图斯特拉如是说》(1896)表面上是在向哲学家尼采表示敬意，但实质上是一首乐队协奏曲，曲中人与大自然的本质以对立的调性来说明和对照。为了阐明堂吉诃德的业绩，施特劳斯在音诗《堂吉诃德》(1897)中采用变奏曲式，充满诗情的音乐魔术般地描绘出羊、风车和飞马。《堂吉诃德》之后是准自传式的音诗《英雄的一生》(1898)，在这里施特劳斯的敌手是音乐评论家们(以莽撞的木管乐器加以刻画)，在一场表现惊人力度和精湛技艺的搏斗场面中，他克敌制胜，然后和妻子一起退隐乡居去思考他的"和平业绩"(引用他的一系列音乐旧作)。其后的二首音诗被冠以"交响曲"的题名而身价倍增。在《家庭交响曲》(1903)中，一个庞大的乐队描写施特劳斯一家24小时的生活。在《阿尔卑斯山交响曲》(1911～1915)中，一个更大的乐队(演奏员达150余人之多)描绘巴伐利亚地区阿尔卑斯山中的一日，重点突出雷暴、飞瀑以及从山巅看到的景色。像他的杰出的同时代人马勒一样，施特劳斯既善于夸夸其谈地为大乐队写作，也能够细腻入微地处理室内乐织体。不过，马勒的音乐是在探索他本人精神上和心理上的困惑，而施特劳斯的音乐则比较客观，它所关注的是人的七情六欲和日常生活，而不是精神上的折磨和死亡。施特劳斯的丰富多姿的配器因和声上的辛辣而淡化。他具有无可比拟的描绘力和不同凡响的表达心理细节的才力。这后一特点在其歌剧中尤为明显。他的第一部歌剧是受瓦格纳影响的《贡特拉姆》(1892～1894；1940修订)。其次的讽刺喜歌剧《火荒》(1900～1901)运用调皮的幽默来嘲笑小城镇的假道学和伪善。在《莎乐美》(1903～1905)中他把处理管弦乐音诗的工力用之于歌剧，以超群绝伦的艺术激情描写莎乐美对施洗者约翰的天真欲望及其继父希律王宫中的腐化堕落。下一部歌剧《厄勒克特拉》(1906～1908)是又一部研究女性人魔心态的重磅炸弹式的独幕剧，这次的内容是复仇。在这部音乐中，施特劳斯尽量向无调性靠拢。《厄勒克特拉》之后是取景于18世纪维也纳的"音乐喜剧"《蔷薇骑士》(1909～1910)，它描写了一连串与剧本时代不符的华尔兹和元帅夫人、奥克斯伯爵、奥克塔文以及人见人爱的莎菲等角色。虽然其中有些片段比较单调乏味，它至今是施特劳斯最受欢迎的舞台剧。他有两个音乐上帝——莫扎特和瓦格纳；在其创作中他们力争要支配施特劳斯的艺术灵魂。这种搏斗在歌剧《阿里阿德纳在纳克索斯》(1912；1916修订)中表现得最有说服力，最势均力敌；施特劳斯的轻快的、滑稽模仿的特色和他的英雄风格在这里融于一体而互相调和。处于另一极端的是《没有影子的女人》，这是莫扎特《魔笛》的一个瓦格纳式的版本，要求歌唱的规模足以与剧本的宏伟主题构思和演出布景旗鼓相当。对出身寒微的染匠巴拉克及其泼妇妻子的刻画是1918～1923年的《间奏曲》的一个先兆，剧中的男女主人公是略略乔装打扮的施特劳斯和波琳。这部歌剧起初并未引起重视，勋伯格是最早确认其高超技艺和严肃性的人之一。在剧中施特劳斯完善了他的传统的旋律性宣叙调。在与台本作家霍夫曼斯塔尔合作的最后一部歌剧《阿拉贝拉》(1929～1932)中，他们重新回到维也纳，回到极富浪漫色彩和抒情性的爱情纠葛。他与茨韦格合作的歌剧《沉默的女人》是一部人们喜闻乐见的喜剧，最近才流行起来。在他与格雷戈尔合作的3部歌剧中以《达夫尼》(1936～1937)最为优秀。为他的最后一部歌剧《随想曲》(1940～1941)，施特劳斯和指挥家克劳斯就歌剧中词曲的相对重要性问题写了一篇灵感十足的"交谈"。在剧中音乐和歌词这两个媒体分别被拟人化为诗人和作曲家，二人是情敌，都追求孀居的伯爵夫人。伯爵夫人一角是施特劳斯笔下最后一个极其值得回味的女声角色。这最后一部歌剧标志着作曲家"夕阳无限好"的晚晴时期。他在又一首圆号协奏曲(1942)、双簧管协奏曲(1945～1946)、二首木管小奏鸣曲(1943～1945)和单簧管与大管小奏鸣曲(1947)中重新捕捉到青年时代的朝气。他还创作了23件独奏弦乐器的练习曲《变形》(1945～1946)，这也是一首为纳粹分子所破坏的德国音乐生活而唱的挽歌。施特劳斯为女高音和管弦乐队而作的配器富丽、辛酸怀旧的《4首最后的歌》(1948)是他的以200首歌曲作为重要组成部分的创作生涯的圆满结束。

作为一位青年作曲家，当他的技巧和想象力已磨砺就绪，正可大显身手的时刻，施特劳斯受到了瓦格纳、柏辽兹和李斯特的影响。从音诗《意大利之行》开始，就可看出他的风格是集后浪漫主义盛大、华美、灵活乐风之大成而在19世纪末、20世纪初主宰了听众。他虽曾被公认是一位先锋派作曲家，但在《蔷薇骑士》之后却成了保守派，与世隔绝地寻求自己的音乐发展，而不受周围各种进展和实验的影响。他在生命的最后38年中不断提炼和完善自己的风格，常常为小型管弦乐队写作，这一方面是出于实际考虑(为了保证剧院中所唱歌词的清晰度)，另一方面也是因为浪漫派大型音乐织体正越来越无人问津。晚年风格更趋古典化，有莫扎特之风。歌剧《随想曲》和其他一些晚期作品可说是做到了晚期德国浪漫派和新古典派的完美统一。

Stravinsky, Igor (Fyodorovich) 斯特拉文斯基(1882-06-17，俄罗斯圣彼得堡附近奥拉宁鲍姆[今在罗蒙诺索夫]～1971-04-06，美国纽约州纽约) 俄国出生的作曲家，其作品对于第一次世界大战前后的音乐思想和鉴赏力起过革命性的冲击作用，在其漫长创作生涯中始终是现代主义的试金石。

生平和作品 父亲是当时俄国杰出歌剧男低音歌唱家之一。在斯特拉文斯基家族

供图：University of Texas at Austin

中，音乐界、戏剧家和文学界人士五方杂处，对这位作曲家产生了经久不褪的影响。但他本人音乐才智的显露却比较迟缓。童年时他曾学过钢琴与音乐理论。但后来就在圣彼得堡大学修习法律与哲学（1905年毕业），逐渐意识到自己具有音乐创作的气质。1902年他把几首早期作品送给里姆斯基-科萨科夫（其子符拉季米尔与斯特拉文斯基是法学院同学）过目，给这位作曲家留下深刻印象，同意收他为私人学生，并劝他不要进音乐学院接受传统的文化课教育。里姆斯基-科萨科夫主要是辅导他配器法，并担任这个初露头角的作曲家的导师，每一首新作都和他一起讨论，提出建议。他还利用自己的影响使这个学生的作品有机会演出。斯特拉文斯基的几首习作曾在里姆斯基-科萨科夫作曲班每周一次的集会上演奏，还有二首管弦乐曲、《降E大调交响曲》和为普希金诗谱曲的声乐套曲《牧神和牧羊女》于1908年由宫廷管弦乐队演出。1909年2月，二首篇幅短小但却光彩夺目的管弦乐小品《幻想谐谑曲》和《焰火》首演于圣彼得堡；当时出席音乐会的演出经纪人佳吉列夫对于斯特拉文斯基作为作曲家的发展前途留下极深印象，迅即约请他为他在巴黎的俄罗斯芭蕾舞团夏季演出改编数首管弦乐曲。1910年芭蕾演出季之前，佳吉列夫再次造访斯特拉文斯基，约他根据《火鸟》题材创作一部新的脚本芭蕾舞剧的音乐。《火鸟》于1910年6月25日在巴黎歌剧院的首演取得令人眼花缭乱的成功，使斯特拉文斯基一举成名，霎那间成为年轻一代作曲家中最才华横溢的人物之一。这部作品显示出他已充分掌握绚丽的浪漫主义风格和管弦乐调色板。《火鸟》是斯特拉文斯基和佳吉列夫公司一系列合作中的第1部作品。他们的合作，取得辉煌的成果。第2年（1911）俄罗斯芭蕾舞团于6月13日首演芭蕾舞剧《彼得鲁什卡》；斯特拉文斯基的音乐总谱的剧名主角由尼津斯基主舞。此时，斯特拉文斯基设想要写一部交响乐形式的异教仪礼音乐，题为《大献祭》，但佳吉列夫说服他把它写成芭蕾舞剧，结果便是《春之祭》，它的创作延续二年之久（1911～1913）。1913年5月29日在香榭丽舍剧院的首演引起音乐史中最著名的初演骚动。这部匠心独运的作品因其频繁变换的大胆的节奏和不加解决的不协和音而被认为是标志着音乐中现代主义运动的开端。从此以后，斯特拉文斯基便以“《春之祭》的作曲者”和出类拔萃的革故鼎新的现代主义者而为人所知。但他自己已经在摆脱此类后浪漫主义的过度夸张，其后几年更加剧了这一过程。斯特拉文斯基在巴黎俄罗斯芭蕾舞团取得的成功导致他背离圣彼得堡而移居他乡。他于1906年与表妹诺森科结婚，1910年《火鸟》首演后他即携妻携子去往法国。1914年第一次世界大战的爆发大大扰乱了俄罗斯芭蕾舞团在西欧的活动；斯特拉文斯基发现他不再能依靠这家公司来为他的新作寻找正规的出路。战争的大部分时间他和家人都是在瑞士度过的。1917年10月的俄国革命最后破灭了他返回祖国的希望。

到1914年，斯特拉文斯基开始探索一种比较有节制而朴实无华，但却同样节奏活泼的音乐创作。在其后几年中他的作品主要是一套套短小的器乐和声乐曲，或取材于俄罗斯民歌内容和乐汇，或以雷格泰姆、欧洲流行音乐和舞蹈音乐的其他风格典范为依据，五光十色，纷然杂陈。他又将这些实验之作中的某些乐曲扩展为大型戏剧音乐。动笔于1914年但由于对配器一直举棋不定而直到1923年才完成的芭蕾康塔塔《婚礼》，是根据俄罗斯乡村婚礼习俗而写成的。“农家场院滑稽歌舞剧”《狐狸》（1916）也是以俄罗斯民间语汇为依据；而采用说白、哑剧以及由7件乐器的乐队伴奏的舞蹈等混合效应的《士兵的故事》（1918）则兼收并蓄地在接连几个富有感染力的器乐乐章中把雷格泰姆、探戈和其他现代音乐语言结合在一起。第一次世界大战后，斯特拉文斯基音乐中的俄罗斯民歌格调逐渐消失，但《管乐交响曲》（1920）却还是这种类型的一部杰作。斯特拉文斯基第一个成熟阶段的作品——从1913年的《春之祭》到1920年的《管乐交响曲》——运用源自俄罗斯的调式乐汇，其特点是对于不规则节拍和切分节奏的深奥微妙的感情和辉煌的管弦乐熟巧。但是，把佩戈莱西的某些音乐改编成“即兴喜剧”式芭蕾舞剧《普钦涅拉》（1919～1920）的工作促使他重新考虑自己的美学立场，结果导致他音乐中的一大改变：放弃早期风格的俄罗斯特色，而以新古典主义乐汇取而代之。此后30年中斯特拉文斯基的新古典主义作品通常以过去的欧洲音乐中的某一基准点——某一特定作曲家的作品或巴罗克或另一历史风格——作为起始点，来进行高度个性化的、非正统的处理。斯特拉文斯基一家于1920年离开瑞士去法国，在那里一直逗留到1939年，在此期间他大部分时间住在巴黎（他于1934年入法国籍）。他在20和30年代创作的作品大多是为他自己在音乐会上演奏钢琴和指挥之用。20年代初的器乐作品有《管乐八重奏》（1923）、《钢琴与管乐协奏曲》（1924）、《钢琴奏鸣曲》（1924）和《A调钢琴小夜曲》（1925）。这些作品在风格上采取新古典主义手法，而其线条和织体则似乎呈现出自觉的朴素严谨。虽然在后来的器乐作品如《D大调小提琴协奏曲》（1931）、《二架独奏钢琴的协奏曲》（1932～1935）、《降E调协奏曲》（又称《敦巴顿橡树园协奏曲》，1938，由16件管乐器演奏）中这种手法的干巴巴文绉绉风味有所缓和，但某种超然的冷漠仍然滞留不去。1926年斯特拉文斯基经历了一场宗教上的再皈依，对他的舞台音乐和声乐产生巨大影响。在一些重大作品中宗教韵味显然可见，例如歌剧清唱剧《伊底帕斯王》（1927；台本为拉丁文）和康塔塔《诗篇交响曲》（1930，这是一首取材于圣经经文的明显的圣乐）。芭蕾舞剧《缪司的指挥者阿波罗》（1928）和《仙女之吻》（1928）以及《帕赛芬尼》（1934）也都显示出宗教感情。这一时期斯特拉文斯基音乐中的俄罗斯因素没有完全消失。芭蕾舞剧《仙女之吻》取材于柴可夫斯基音乐；而《诗篇交响曲》虽用拉丁文歌词，却具有俄国东正教圣咏的某种古朴之风。第一次世界大战后几年，斯特拉文斯基恢复了与佳吉列夫及其俄罗斯芭蕾舞团的联系，但关系远不如以前密切。佳吉列夫约他创作的唯一芭蕾舞剧是《普钦涅拉》（1920）。《缪司的指挥者阿波罗》是佳吉列夫上演的他的最后一部芭蕾舞剧，于1928年首演，翌年佳吉列夫去世，他的芭蕾舞团亦即解散。1939年秋他曾访美，在哈佛大学举办诺顿讲座，该讲座讲稿后以《音乐的诗学》为书名出版。1940年在好莱坞定居，1945年成为美国公民。

第二次世界大战期间，斯特拉文斯基创作二部重要交响乐曲：《C调交响曲》（1938～1940）和《三乐章交响曲》（1942～1945）。前者是交响乐曲式中新古典主义原则的一个总结，而后者则成功地将协奏曲的主要特色与交响曲相结合。1948～1951年间斯特拉文斯基创作了他唯一的长篇歌剧《浪子的历程》，这是一部新古典主义作品，取材于英国画家贺加斯的一组说教的版画，台本由奥登和美国作家卡尔曼撰写。《浪子的历程》是一部用18世纪末的大歌剧风格写作的假装严肃的仿作，但它的光泽、睿智和精致却是斯特拉文斯基所特有的。这几部后期作品的成功掩饰了斯特拉文斯基音乐中的一个创作危机，而这一危机的解决将会在20世纪后半叶产生最令人瞩目的一大批晚期作品。第二次世界大战以后，一种新的音乐上的先锋派在欧洲出现，它摈弃新古典主义而声称拥戴维也纳作曲家勋伯格、伯格以及特别是韦伯恩的系列主义（即12音体系）作曲技巧。据1948年开始与斯特拉文斯基一家交往、直至作曲家去世始终是他的亲密伙伴的美国指挥家兼学者克拉夫特说，当斯特拉文斯基意识到自己在人们眼中成了“失效的力量”时，他陷入了创作上严重的消沉；但是，在克拉夫特的帮助下，他摆脱这种状态，而以极其特有的方式开始了系列主义作曲的阶段。一组试验的作品写成，包括《康塔塔》、《七重奏》、《纪念迪伦·托马斯》，接着便是二首杂交的杰作：芭蕾舞剧《竞赛》（1957完成）和众赞歌《圣曲》（1955），它们都保留着一定的调性框架。从这二首作品又进而发展到为圣经中哀悼耶利米的经文谱曲的《哀歌》（1958）；曲中将严格的12音作曲法用于圣咏式素材，这一素材的内在特色使人回想起《婚礼》和《诗篇交响曲》等早期合唱曲。在钢琴和管弦乐队的《乐章》

(1959)和管弦乐《变奏曲》(1964)中,斯特拉文斯基进一步提炼自己的风格,追求各种深奥难解的系列技巧来支持他的越来越密集简练的音乐,并具有一种耀眼的、钻石般的光泽。他的系列作品一般都比调性作品更简短,但音乐内容更为浓密。虽然一直体质羸弱(1956年曾患中风),他坚持不遗余力地从事创作,直到1966年。他的最后一部力作《安魂圣歌》(1966)深刻动人地将现代系列技巧用之于一个深深扎根于其俄罗斯特性的个人的幻觉。对于一位已是80高龄的作曲家来说,能写出这样的作品,其创作活力是惊人的。

评价　像许多音乐大师一样,斯特拉文斯基也是只靠他的少数几部作品和一两件辉煌成绩而名垂千古,这是不恰当的。在《春之祭》中他指出了一个新的音乐概念,其中涉及不断变化的节奏、节拍上的不平衡、卓绝的独辟蹊径的配器法,以及极不协合的和弦(它们在20世纪以来不断得到回响)。后来他被看作一个典型的流离颠沛的逃亡者,一个在创作上反复无常的人,他可以从一种风格跳到另一种风格,但却再也没有重新获得他早期杰作的创作深度。但是,《春之祭》的豪华壮丽的现代主义手法却是从穆索斯基到里姆斯基-科萨科夫期间俄罗斯民族主义音乐演化发展的结果,而作品的"原始动力感"则是20世纪初大量音乐的时代特征。《春之祭》的不和谐和弦在1913年也并非创新之举,虽然斯特拉文斯基是把德彪西那种单纯从感官出发的和弦处理法用之于本身并不十分优美的和声的第一人。不过,《春之祭》的强烈打击乐和粗俗刺耳的音色确实掩盖了一种可见之于斯特拉文斯基后来所有作品(无论它们表面上标榜什么风格)的新的节奏敏感性和对待音响的实验主义态度。之所以说他采取实验主义态度,是因为他不愿接受约定俗成的音乐发展手法,而宁可将音乐素材按他个人的方式加以试验。他没完没了地在钢琴上试验各种和弦结合与间隔,探索不对称的复拍子模式,采用延长和省略技巧以打破对称分句法的传统。在以这类音响作为基本声音实体的条件下,节奏便被视作一个累积过程,即把这类实体积聚而成为形形色色的组合;这同古典音乐中那种把正规组合细分成形形色色分支的基本做法截然相反。这个程序和斯特拉文斯基在其新古典主义作品中所借鉴的过去时代的音乐风格往往背道而驰,这是毫不足怪的。这也许正是它们在节奏上偏离正轨而引人入胜的原因,正如他对待和弦的试验性态度造成了古典和声的古怪畸变一样。事实上,斯特拉文斯基终其一生都以同样的方式工作,《哀歌》和《安魂圣歌》同《彼得鲁什卡》和《春之祭》渗透着同样的结构原则和动力原则。他对后来作曲家们感受脉动、节奏和形式的方式影响巨大。德国人认为主题发展是严肃写作的唯一基础,对此斯特拉文斯基坚决反对,他宁取雕塑式手法。在这种手法中,声音客体是首要的,大的音乐结构以累积法来完成,其中采用大量因内部细节的巧妙变奏而形成的重复。在篇幅较长的作品特别是宗教音乐和戏剧音乐中,这就往往造成仪礼的效果。像《春之祭》一样,《伊底帕斯王》和《诗篇交响曲》的活力是一种庄严再现的活力,而斯特拉文斯基的最有力、最富灵感之处正是他对此类庄严仪式的运行及其特定重要性的认识。

straw　秸秆　禾草类,尤其是谷物如小麦、燕麦、黑麦、大麦及荞麦的茎秆。该术语又可作集合名词,指上述植物的经干燥并脱去谷粒的茎秆。人类自古以来即将秸秆用作牲畜的草垫或饲料、粗糙的垫褥乃至衣服。用秸秆铺成的屋顶至今仍用于世界上某些地区,由厚度至少0.3米的秸秆层构成,用结实的绳索扎牢,秸秆纤维排列的方向利于雨水流泄。秸秆亦可用以编织篮筐或草帽。在某些地区,本色的或染上艳丽色彩的秸秆用以编织草席,铺于地面或家具之上。在现代工业中,秸秆可用化学方法制成纸浆,以制造粗糙的纸张或一种卡纸板(草纸板),用以生产价廉的纸箱。秸秆亦一直用以制造晒干砖。晒干砖的制法是:将黏土弄湿、揉捏,然后加入切碎的秸秆,再于阳光下晒干或在简陋的窑中烘干。用秸秆制砖在《旧约》中已经提及。

strawberry　草莓　蔷薇科草莓属(*Fragaria*)植物,8种,果实可食。原产北半球温带地区,南半球亦广泛栽培。栽培的品种主要来自两个种——弗吉尼亚草莓(*F. virginiana*)

弗吉尼亚草莓(*F. virginiana*)
供图:Grant Heilman—美国不列颠百科全书公司

和智利草莓(*F. chiloensis*)。两个种均原产于美洲。植株为低矮草本;须根系;基生叶从根部生出;复叶,小叶3枚,叶缘齿裂,叶面被毛。花通常白色、稀淡红色,成小簇生于纤细的花柄上,花葶像匍匐茎一样从叶腋生出。根系老时木质化,母株根颈部长出纤匐枝,触地生根而蔓延。草莓果并不是真正的浆果,是由许多瘦果部分嵌入膨大的茎端(花托)而形成。草莓富含维生素C、铁及其他矿物质。常作为餐后水果和果馅,亦可制成各种保藏食品。用新鲜草莓以及海绵状蛋糕掼奶油做的草莓酥饼是美国的传统点心。栽培的大果草莓于18世纪起源于欧洲。19世纪,多数国家已培育出了适应当地气候、日照、海拔以及具体地区需要的品种。草莓适应各种土壤和环境,对土壤肥力的要求也不高,但对干旱敏感,须注意保持土壤水分。用沟渠灌溉或喷灌。纤匐枝在初秋种植,次年即可收果。若在冬天或春天种植,则应摘去其花,以免第一年歉收。植株通常保留1～4年,间隔种植的植株的纤匐枝可以除去,或留下一定数量的纤匐枝使之沿母株形成一行垫状生长的植株。每英亩种植7 000～17 000株,在冬天酷寒的地区,植株春天发芽,入冬须用稻草等物覆盖。商业性栽培的草莓用以立即消费或加工(冷冻,制罐头,蜜饯,果汁等)。在所有生产国,由于草莓易腐烂,又不能机械化采收,所以多种植在消费地点或加工中心附近劳力充足的地方。采下的草莓立即放入小篮中,然后装入板条箱供市场销售,或放在托盘内送去加工。用玻璃或塑料覆盖可提早成熟。草莓普遍种植在美国和加拿大大部分地区;欧洲的法国、意大利、英国、保加利亚和波兰;非洲南部和东部;新西兰、澳大利亚和日本等地。

Strawberry River　斯特罗伯里河　源于美国犹他州中北部沃萨奇县,向东流约110千米后在希伯以东31千米处与杜申河交汇。源头附近筑有斯特罗伯里大坝(1913),形成的斯特罗伯里水库将水从犹他分水岭的一侧引到另一侧,以供灌溉。1985年大坝报废破除,中央犹他水利区管辖的水库总面积扩大到约6 946公顷。

Strawson, Sir Peter (Frederick)　斯特劳森　(1919-11-23,英国伦敦～2006-02-13,牛津郡牛津)　英国哲学家和以L.维特根斯坦为代表的语言分析学派的阐述者和改革者。1948～1968年在牛津大学学院任教,后去马格达伦学院,不久又到牛津大学担任韦恩弗利特讲座形而上学哲学教授。他将形而上学的研究同语言哲学联系起来,研究的范围超出比较着重经验的学者们所定的界限。在试图描述人关于世界的观念的实际结构时,他使用了生存、同一和统一等一般概念。斯特劳森的主要著作有:《个体:论描述的形而上学》(1959)、《哲学逻辑》(1967)、《逻辑语言学论文集》(1971)、《自由与愤懑》(1974)、《逻辑和语法中的主词和谓词》(1974)以及《怀疑主义和自然主义:某些变体》(1985)。他还曾主编《思想和行为的哲学研究》(1968)。1977年获封爵位。

Strayhorn, Billy　斯特雷霍恩(1915-11-29,美国俄亥俄代顿～1967-05-31,纽约州纽约)　美国钢琴家、作曲家。全部音乐生涯都是在同作曲家和管乐队领队埃林顿"公爵"合作并为他抄谱中度过。就学于私人教师,1938年以所作《奢华生活》一曲为凭证向埃林顿申请谱写歌词的工作。1939年埃林顿录制了斯特雷霍恩作品的第一张唱片,其中包括风行一时的《乘上A号列车》和《切尔西大桥》,后者是他细腻印象派风格的优秀典范。他亦是一位技艺高超的钢琴家,但很少能充分发挥自己的才华。他的作曲与埃林顿的写作互相缠结,以致最后两人中谁也说不出对他们的合作成果各自做出了什么贡献。

Štrbské Pleso　什特尔布斯凯普莱索　斯洛伐克东斯洛伐克州小冰碛湖。在起自波普拉德的电气化窄轨铁路终点。海拔1 358米。

为上塔特拉山脉最著名的湖泊。湖岸有一村落，与该湖同名，风景如画，为游览、滑雪和疗养中心。该地区有100多个湖泊和几处瀑布。附近有塔特拉国家公园里的高峰。低于湖面几百英尺的湖南，有一重要隘口，位于比利瓦赫与波普拉德两河之间。

streak 条痕 某种矿物在其粉末形态中显示的颜色。通常将该矿物在无釉瓷砖等白色坚硬面上摩擦，使产生一条细粉末线，得到条痕。对于特定种类的矿物，其条痕颜色通常是固定的，即使该矿物在其产地呈现的颜色可能有很大不同。的确，条痕颜色同该矿物未碎成粉末时的颜色可能差别很大。条痕是颇为有用的鉴定特征之一，因为它是迅速区分外观上相似的两个不同种类矿物的一种办法。

stream of consciousness（literature） 参阅 **consciousness, stream of** 意识流。

streambed 河床 又称河槽（stream channel）。陆地上由流水形成的狭长而倾斜的凹地。河床宽狭不等，从一条小溪的几英尺到大江大河的几千英尺。任何时候，河槽中可以有流水，也可以没有，有些河槽非经常性有水。河床可以切割在基岩上，也可以切穿砂子、黏土、淤泥或其他未固结的物质，后者一般是早期的河流沉积物。切割在基岩上的河槽大致皆较稳定，常具有陡峻的坡岸，不太宽，河床比降具有很大的局部变化，普遍出现急湍和瀑布，它们往往发生在上游地区，显得平直，因为它们多是伴随断层、节理或其他脆弱的构造因素产生的。江河或溪流的下游段，一般是冲积性河槽，坡度较和缓，一般没有岩石出露。这类河槽经常作垂直与横向移动，多河曲、汊流网或沼泽，很少呈直线形式。狭窄而多曲折的冲积性河床所含粉砂与黏土的成分高于宽广而平直的河床。砂质河床有赖于植被以稳定其河岸。一条河床的形态或河床横断面，决定于这条河流的流量、输送沉积物的数量和体积大小、基岩或河岸与河底冲积物抗拒侵蚀的力量。大河（流量也较大）的下游段，河宽与河深比值也较大。边坡视沉积物的泥沙对黏土的比值和流水的侵蚀力而定。陡峭的河岸通常发生在黏土成分高的场合。在多数情况下，一条河溪的横断面几乎是梯形的，顺着河流流程的曲线前进呈不对称形，河流的最深部位出现在曲线外侧。

streamlining 流线型化 在空气动力学中，为了减小物体（如飞机机身）所受流体阻力或在流体中运动的阻力的物体外形设计。运动的物体使空气以一定的流型流过其四周，流型的组元称为流线。物体四周平稳、匀称的气流称为层流，表明物体在空气中的运动只引起极小的空气扰动。当空气受到扰动从运动物体的表面分离时便产生湍流，结果在物体的尾迹中形成一个涡旋区，表示运动物体上沿顺流方向的压强降低，这是产生流体阻力的主要原因。因此，流线型化是指飞机或其他物体的造型使其所产生的湍流尾迹降至最低。根据气流的性质，亚声速流线型化有两条原则：①物体的前部呈球形，②物体从中段至渐细的尾段逐渐向后弯曲。因此效率高的流线型体呈与水平面倾斜的泪滴形。超声速飞机或其他物体采用的流线型不同于亚声速飞机，因为前者的速度比它所产生的压力脉冲的速度快。由于压力波不能向超声速飞机的前方传播出去，便积聚在飞机的头部，形成压缩波或激波，而在超声速飞机的中段和尾部有更多的激波产生。激波的强度取决于气流方向变化的大小，而气流方向变化的大小又取决于飞机前端和机身其他表面的锐度或角度。因此超声速飞机有尖锐的机头和机尾，狭直的机身，以减少激波强度（和伴随的阻力）。

Streator 斯特里特 美国伊利诺伊州中北部拉萨尔县的城市。临弗米利恩河。在附近发现煤矿后，1868年设置村庄。由于溯流而上的艰难，最初被起名为哈特斯克莱伯，意为难攀登。南北战争后，改名为联邦城或尤宁维尔。1872年又以弗米利恩煤炭公司总裁的名字斯特里特命名，该公司即在该处开矿。矿源枯竭后，利用当地的陶土、页岩和石英砂等资源转而制造砖、陶土管和玻璃等。该市经济仍以工业为主，农业为辅。1870年建村，1882年建市。人口约14 190(2000)。

Střední Slovensko 中斯洛伐克州 斯洛伐克中部一州。西南毗连西斯洛伐克州，西北与捷克共和国交界，北邻波兰，东靠东斯洛伐克州，南接匈牙利，面积17 982平方千米。境内多山，从南部的斯洛伐克矿山山脉上升至东北的上塔特拉山(全国最高山脉)。仅南部伊佩尔河河谷和里马瓦河河谷为低地。上塔特拉山和下塔特拉山之间有瓦赫河和赫龙河，然后自东向西流，形成国内两大谷地。森林覆盖面积约占全州面积的一半，北部高山主要产云杉，南部山脉产山毛榉、橡树、冷杉。伐木业为主要行业，有数家造纸厂。其次是采矿业，矿产有菱镁、铜、铅、锌、银、锑、汞、珍珠岩(玻璃砂)、金、石灰石、褐煤等。瓦赫河和奥拉瓦河上一连串水坝所发的电力为全州主要能源。工业大部集中在瓦赫-奥拉瓦河流域，生产机械设备、化工品、钢铁、电子产品、合成橡胶、纺织品、食品。赫龙河流域工业中心有赫龙河畔日阿尔、兹沃伦、班斯卡-比斯特里察、斯洛伐克柳普恰等。全州面积仅有1/6为耕地，大部在南部谷地，种植小麦、大麦、裸麦、玉米、葡萄、烟草、蔬菜等。州南部和瓦赫河河谷为全国主要牧羊区。北部山区旅游业为重要经济活动，有矿泉疗养、冬季运动、垂钩钓鱼等活动。首府班斯卡-比斯特里察有冬夏体育馆。马丁为传统的文化中心，有国家博物馆和图书馆。全州大多为斯洛伐克人，少量人属匈牙利少数民族。人口约1 609 806(1991)。

Středočeský 中捷克州 捷克语，意为“中波希米亚”(Central Bohemia)。捷克共和国中北部一州。面积10 994平方千米，不包括行政上独立的州首府布拉格。南部为山区，主要有南北走向的中捷克高地和其他高地。北部为拉贝河(易北河)和伏尔塔瓦河(莫尔道河)两大水系构成的低地。主要农作物有玉米(用作饲料)、甜菜、小麦、大麦、燕麦、饲草、马铃薯、苜蓿。北部低地主要产甜菜、小麦、大麦；南部丘陵适于种植燕麦、裸麦、马铃薯、亚麻。拉科夫尼克、梅尔尼克、克拉德诺等县所产蛇麻子供国内酿造啤酒并出口。北部地区种植苹果、李、梨、樱桃和胡桃等。拉贝河和伏尔塔瓦河流域也以产葡萄著名。主要饲养猪、牛和家禽，奶牛占牛的存栏总数的2/5。主要位于西部县份的林地占全州面积1/4稍强，有冷杉、云杉、松、栎、山毛榉等，经营伐木和造纸业。克拉德诺、斯拉尼、梅尔尼克附近产烟煤；拉科夫尼克一带开采烟煤、硬煤、耐火土。普日布拉姆为铅、锌、银、铀开采业主要中心。东北布尔迪山下的姆尼谢克为铁矿开采中心。库特纳霍拉开采铅、锌、银。重工业集中在北部。克拉德诺-斯拉尼为布拉格以西的主要工业中心，生产钢材、工程机械、电子产品、纺织品和食品等。布拉格北面的内拉托维采和伏尔塔瓦河畔克拉卢皮有重要的化工业，克拉卢皮还有炼油厂，生产石油化工产品、合成橡胶。梅尔尼克和拉贝河畔科斯泰莱茨有制糖业，大波波维切和贝纳绍夫产啤酒。东北的姆拉达-博莱斯拉夫为大型斯科达汽车制造厂所在地。科林-库特纳霍拉有炼油厂，生产石油化工产品、钢材、纺织品，加工食品；科林也是拉贝河的河港。布拉格西南的贝龙-王宫村产钢材、水泥、棉织品、石灰岩。南方大多数城镇有传统的轻工业。大多数文化机构位于布拉格，其他一些城镇也有此类设施。20世纪初在波杰布拉迪修建热矿泉疗养地。伏尔塔瓦河上拦坝建成的水库促进了航运，同时开发成游览胜地。居民主要为捷克人，西部和拉贝河地区有少量斯洛伐克人居住点。人口约1 128 674(2003)。

Streep, Meryl 斯特丽普(1949-06-22，美国新泽西萨米特～　) 原名Mary Louise Streep。美国电影女演员，以演技娴熟、精通方言和面部表情丰富而闻名。12岁时开始嗓音训练，上高中时开始学表演。1971年毕业于纽约波基普西的瓦莎学院，获戏剧和服装设计学位。在剧院工作一段时间后，去耶鲁大学攻读戏剧，1975年获美术硕士学位。后移居纽约市，开始职业演员生涯。初在百老汇演出，接着演出电视剧《死寂季节》(1977)与《大屠杀》(1978，获艾美奖)。在出演《猎鹿人》(1978)、《曼哈顿》(1979)及《克莱默夫妇》(1979，获奥斯卡奖)后，跻身美国一流影星之列。之后出演的电影有《苏菲的抉择》(1982，获奥斯卡奖)、《西尔克伍德》(1983)、《走出非洲》(1985)、《暗夜哭声》(1988)、《廊桥遗梦》(1995)和《卢纳莎之舞》(1998)。

Street, George Edmund 斯特里特(1824-06-20，英国埃塞克斯伍德福德～1881-12-18，伦敦) 英国维多利亚盛期建筑师，以设计仿哥特式教堂闻名。曾随建筑师G.G.斯科特工作5年，1849年自行开业，一生设计了约260座建筑物，大多是宗教建筑。他创造性地汲取了13世纪法国和英国哥特式建筑风格，其作品风韵各异，多彩多姿，有的精致、华丽，有的简朴、庄严。作品遍及英国各地，最为驰名的是伦敦法院(始建于 1874 年)。19 世纪后期一些英国名建筑师,如 W.莫里斯、P.韦布、R.N.肖,都在他的事务所受到培养。他亦曾任皇家学院建筑学教授,是很多地方主教区的建筑师。1881 年被选为皇家建筑师学会主席。他的著作《中世纪的砖与大理石》(1855)和《西班牙哥特式建筑概论》(1865),都附有自制的插图,被广泛用作仿哥特式建筑细部设计的参考资料。

Street, Picabo　斯特里特(1971-04-03,美国爱达荷特里厄姆夫～　　)　美国高山滑雪运动员。20 世纪 90 年代最成功的滑降运动员,两次世界杯滑降冠军(1994 ～ 1995,1995 ～1996),以其天赋才能与随和魅力而闻名。6 岁就开始参加比赛,曾获全国少年组第一。1990 年夏因环境和气候恶劣,离开美国滑雪队。后重新归队,1993 年世界杯赛中得到几项好成绩,包括世界高山滑雪锦标赛的一项亚军。1994 年冬奥会获滑降银牌。世界杯 1994 ～ 1995 赛季成绩突出,在巡回的 9 次滑降比赛中胜 6 次。1995 ～ 1996 赛季又成为世界杯滑降比赛冠军,在世界高山滑雪比赛中获超大回转第三名,速降第一名。1996 年 12 月膝部重伤,因必须进行手术,退出比赛。1997 ～ 1998 赛季复出,出人意料地赢得 1998 年冬奥会超大回转金牌。

street film　街头影片　20世纪20年代在德国流行的一种现实主义影片类型,反映经济萧条时期普通人的生活,其中城市街景场面(通常是在摄影棚内精心设计的布景中拍摄的)起着重要作用,故以此得名。在这些影片里,街头不仅仅是暴力事件的发生地点,而且也是这样一个地方:那种显然已被中产阶级社会抛弃的美德,在妓女和各种流浪汉中间却依然得到发扬。影片主人公通常是离开传统家庭的安适环境,在街头寻求冒险经历,然后又回到惯常的生活中去。《街道》(1923)成了这类影片的原型,紧接着出现了一系列同类型影片,其中有《没有欢乐的街》(1925)、《街头惨剧》(1927)和《沥青路》(1929)。作为街头影片典型特征的社会解体和传统价值的回归预示了 30 年代向独裁主义的演变。

street piano　参阅 **barrel piano** 手摇钢琴。

streetcar　有轨电车　又作 tram 或 trolley car。在街道轨道上行驶的车辆,通常为单车,并用电动机牵引。早期曾用马拉或者以昂贵而效率低的蓄电池作动力。1834年,美国佛蒙特州布兰登的一位铁匠 T.达文波特制造了一台用蓄电池供电的小型电动机,驱动小型车辆在轨道上作短程运行。1860 年,美国人 G.F.特雷恩在伦敦开辟了三条电车道,同年在伯肯黑德又开辟了一条。后来在索尔福德(1862)和利物浦(1865)也建立了有轨电车线路。发电机的发明使电车可利用传输的电能,电车线路从此在英国、欧洲和美国日益扩展。1873 年旧金山的萨克拉门托和克莱街采用了 A.哈利迪发明的缆车。车辆由一根循环缆绳牵引,缆绳设置在轨道间的槽沟中,由动力房的蒸汽驱动轴驱动。这种系统适用于陡峭的山丘地带,在旧金山和西雅图应用得很广泛,运行起来比早期的电车平稳得多,但只能用恒定的速度行驶,且缆索的断裂和故障会使所有的车辆停在线路上。约从 1900 年起,大多数有轨电车为无轨电车取代,但西雅图缆车系统到 20 世纪 30 年代才被更换,旧金山的一部分线路继续运行到 20 世纪后期。从 19 世纪 90 年代到 20 世纪初的 20 年间,有轨电车在欧、美代替了马拉有轨车;并出现在亚、非、南美的许多大城市中。英国有轨电车多为由两人操作的双层车,其中一人负责收费,按区定价。欧洲的有轨电车和英国相似,但多为单层。欧洲的有轨电车通过弯曲的弓架,从架空线供给电源或者通过可调的折叠式弓架供给电源,与美国普遍采用的单触轮杆方式不同。第一次世界大战期间,许多城市改用公共汽车作为交通运输工具。20 世纪 30 年代,有轨电车在美国开始被私人汽车和公共汽车取代,这种趋势在 40 和 50 年代进一步加快。30 年代,英国由于发展了双层公共汽车,加速了对有轨电车的淘汰。伦敦在 50 年代初期最终淘汰了有轨电车,格拉斯哥虽保留了一条主要的有轨电车线路,但改用比较现代化的双层车。巴黎在 30 年代取消了最后一批有轨电车线路,在法国其他地方和意大利的许多城市都已改用公共汽车。20 世纪后期,在中欧、东欧和俄罗斯的一些城市还有有轨电车行驶。80 年代,美国城市如圣迭戈、圣何塞、萨克拉门托、波特兰和布法罗开始采用行驶现代电车的轻轨铁路,造价比高架铁路或地下铁路低廉。

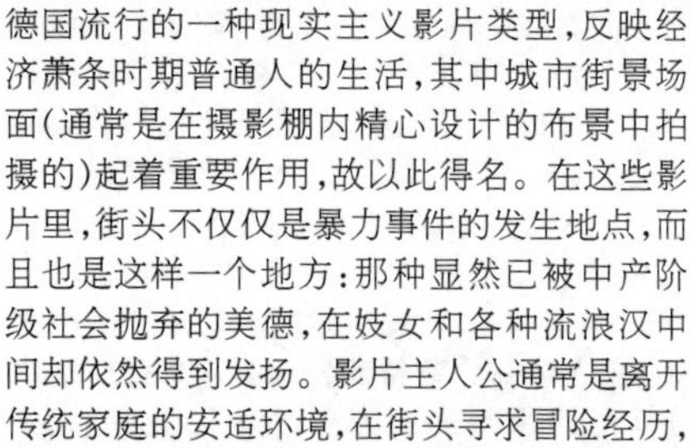

约 1925 年的美国罗得岛州首府普罗维登斯的有轨电车

贝特曼档案馆供图

Streeter, Burnett Hillman　斯特里特(1874-11-17,英国萨里克罗伊登～ 1937-09-10,瑞士巴塞尔附近)　英国神学家和圣经学家,对福音书的起源有独创性的探讨。曾就读于牛津大学女王学院,1899 年授神职,1928 年任祭司,1933 年任院长,1922 ～ 1937 年任英国圣公会大主教教义委员会成员。他撰写了十多卷关于宗教哲学、比较宗教学和新约研究的著作。其中最重要的是《四福音书探源》(1924),书中提出"四种文献假说"(包括一部原始的《路加福音》),以解决"同观福音书"问题。他还提出,在《新约全书》传抄过程中产生互相差异的地区文本的说法。1929 年发表《原始教会》,论证早期基督教会中有三种管理制度,而不只是一种。

Streicher, Julius　施特赖谢尔(1885-02-22,德国弗莱恩豪森～ 1946-10-16,西德纽伦堡)　纳粹煽动政治家,因在 30 年代最恶毒地鼓吹迫害犹太人而臭名昭著。第一次世界大战时期服兵役,战后在纽伦堡执教。1921 年加入纳粹党,成为希特勒的密友。1925 年任法兰克尼亚行政区长官。1933 年纳粹掌权后其主要管区为纽伦堡。身为反犹主义的新闻周刊《冲锋》的创办人(1923)和主编,他在纳粹德国有财有势。该刊物猛烈的反犹辱骂是希特勒的种族迫害政策的集中点。1940 年,经一个委员会调查他在商业交易和私人生活上的丑行后,被剥夺党内职务。由于希特勒的保护,仍任刊物主编。1945 年 5 月 23 日被美军捕获。1946 年 10 月 1 日纽伦堡国际军事法庭以违犯人道罪将其判处绞刑。

Streisand, Barbra　史翠珊(1942-04-24,美国纽约布鲁克林～　　)　又译斯特赖桑德。原名 Barbara Joan Streisand。美国女歌手、作曲家、女演员、导演和制片人。许多人认为她是她那一代人中最受欢迎的歌手。她是犹太女演员,是能够演绎多种角色的第一个女明星。她对城里少数民族人物作了敏锐的刻画,从而为 20 世纪 60 和 70 年代的女明星重新定位。是演艺界里最有影响力的女性之一,并以她的自由政治观点和慈善之心而闻名。最初她渴望成为一名话剧演员,曾参加纽约穆尔登桥的夏季剧团,在念高中时就开始学习表演。毕业后搬到纽约曼哈顿,1960 年在当地一家小夜总会里唱歌,并赢得业余才能比赛。她签约在格林尼治村夜总会餐馆唱歌后,在百老汇音乐剧《我可以全部给你》(1962)中担任一个喜剧小角色,引起轰动。从 1963 年开始,出版了一系列畅销专辑,特色是充满活力和对流行歌曲的原始诠释。第一张独唱专辑《芭芭拉·史翠珊专辑》赢得格莱美年度专辑奖和最佳女声表演奖,这是许多奖项里的前两项。在音乐剧《妙女郎》(1964)中她扮演 F.布赖斯,这是一个奠定其职业歌手地位的角色,使她成为百老汇大牌明星。1965 年的《我的名字叫芭芭拉》使她赢得两项艾美奖,是一系列获得巨大成功的电视特别节目中的第一个。1968 年首次在电影中露面,重演《妙女郎》中的角色布赖斯获得奥斯卡奖。20 世纪 60 和 70 年代主演了若干部音乐剧电影,包括《妙女郎》的续集(1975)、《我爱红娘》(1969)、《姻缘订三生》(1970)和《星梦泪痕》(1976)等。在《俏冤家》(1970)和《爱的大追踪》(1972)等喜剧片中出演一个疯疯癫癫的女主角,在特别受欢迎的《往日情怀》(1973)中担任浪漫女主角。1983 年首次导演电影《杨朵》,这是根据 I.B.辛格的故事改编的,讲一个年轻女子为了继续她的研究而女扮男装的故事。在后来的影片,如《我要求审判》(1987)、《潮浪王子》(1991)以及《越爱越美丽》(1996)中,她大部分扮演正直的戏剧人物;后两部还是由她导演的。尽管史翠珊以电影制作人身份而受人赞赏,但喜爱她的影迷或许更多地把她当作歌手来崇拜。除了她的电影原声带专辑和电视专辑节目外,其最流行的唱片包括《芭芭拉·史翠珊专辑》(1963)、《第二张芭芭拉·史翠珊专辑》(1963)、《第三张专辑》(1964)、《人民》(1964)、《芭芭拉·史翠珊》(1966)、《史东尼结局》(1971)、《史翠珊超人》(1977)、《罪恶》(1980)、《百老汇专辑》(1985)和《回到百老汇》(1993)等。她避开现场表演多年,但在20世纪90年代现身一系列现场音乐会,打破了以往的票房纪录。1995年获得格莱美终身成就奖。

Streisand, Barbra　斯特赖桑德(1942-04-24,美国纽约布鲁克林～　)　美国女歌唱家、演员。20世纪60年代以来最走红的声乐家和电影喜剧演员之一。斯特赖桑德高中毕业后学过一段时间的表演,后成为夜总会歌手。1962年在百老汇舞台首次露面,演出《我能用批发价替你把它弄到手》。在百老汇音乐剧《有趣的姑娘》(1964)中的演出使她登上明星宝座。自1963年开始她发行了一系列流行歌曲唱片集。电影生涯以《有趣的姑娘》的影片版(1968)开始,还演出了《晴朗的日子你能看个没完》(1970)、《猫头鹰和小花猫》(1970)、《为了彼特》(1974)、《一个明星的诞生》(1976)等。斯特赖桑德在这些影片中表现出来的旺盛精力和蓬勃生气使她成为70年代好莱坞头牌女演员之一。1983年首次自导自演《延特尔》一片。

Streitberg, Wilhelm (August)　施特赖特贝格(1864-02-23,德国拿骚吕德斯海姆～1925-08-19,德国莱比锡)　德国历史语言学家,曾同勃鲁格曼创办期刊《印欧语研究》(1891),这是1份在印欧语研究中很有影响的刊物。施特赖特贝格写有关于日耳曼语比较语言学和历史语言学的著作多种,包括《原始日耳曼语语法》(1896)、《哥特语入门》(1897)及《哥特语圣经》(1908～1910),最后一书中曾提供哥特语《圣经》,是现在仅存的哥特语经文。他曾先后在弗赖堡大学(1889～1898)、明斯特大学(1899～1909)、慕尼黑大学(1909～1920)及莱比锡大学(自1920年直到去世)担任教授。

Strelitziaceae　旅人蕉科　姜目的一科。多年生草本至乔木状。包括旅人蕉属(*Ravenala*)、*Phenakospermum* 属、鹤望兰属(*Strelitzia*)3属,共7种。旅人蕉(**traveler's tree**, *R. madagascariensis*)原产于马达加斯加,茎干棕榈状,叶扇形,叶基可贮水,故能耐旱。*Phenakospermum* 属仅一种,乔木状,似旅人蕉,生于南美洲沼泽地。鹤望兰属原产南部非洲,一些种株形似棕榈树;另一些是草本种,花形奇特,如鹤望兰(**bird-of-paradise flower**, *S. reginae*)。*S. augusta* 高达5米余,果实似香蕉,茎干似旅人蕉。该科植物花大,包于佛焰苞内,叶和苞片排列成2纵列。

streltsy　射击军　俄国在16世纪中叶建立的兵种,在此后100年间构成俄军的主力。为沙皇提供贴身警卫,而且,在17世纪末期具有很大的政治影响力。原由平民组成,到17世纪中叶成为世袭的武士阶层。他们分别住在自由民村,要到莫斯科及他们驻扎的边境城镇担负警察和保安工作。他们也往往从事商业和手工业活动。1681年时射击军约有5.5万人,其中3.25万人驻扎在莫斯科。到17世纪下半叶,由于政府以土地代替他们的军饷,他们表示不满,从而卷入1682年开始的彼得一世与伊凡五世两派的夺权斗争。他们支持伊凡,发动反对纳雷什金家族的叛乱,拥立伊凡和彼得共为沙皇,由伊凡的姐姐索菲娅摄政。1698年射击军被沙皇解散。其中数百人被处决或流放。尽管彼得大帝为参加大北方战争(1702)而一度恢复了射击军,其后该兵种仍逐渐并入正规军。

strengite　红磷铁矿　相似于磷铝石(**variscite**)的磷酸盐矿物。

strepsipteran　捻翅虫　又称蝙。捻翅目(Strepsiptera)昆虫,有时视为鞘翅目芫菁科(Meloidae)的一部分。约400种。寄生于蜡蝉、叶蝉、角蝉、沫蝉、蜂及其他昆虫身上。雌

正在寄主蜂(*Andrena complexa*)腹部交配的太平洋捻翅虫(*Stylops pacifica*)
供图:E.S.Ross

性成虫通常无翅,囊状。雄性有翅,后翅大,扇状,前翅小,棒状;眼突出,触角梳状。眼蝙属(*Stylops*)的幼虫多毛,足长;被蜜蜂类从花上带到蜂巢内,最初钻入蜂的幼虫体内寄生,其后寄生于成蜂。雌捻翅虫留在寄主体内,居于最后一次幼虫皮形成的围蛹内,只是将头从成蜂的腹部伸出。有翅的雄捻翅虫从寄主体内出来,通过雌捻翅虫头下方的围蛹的开孔使之受精。幼虫在雌捻翅虫体内发育,并从同一开孔逸出,被蜂带到花上。被寄生的蜂寿命几乎正常,但生殖器官不发育。

Streptelasma　扭心珊瑚　珊瑚类(单体而不是群体类型)的绝灭属。化石见于海相奥陶系到泥盆系(年龄为3.6亿年至5.05亿年)。每个角状标本代表一个个体。动物的

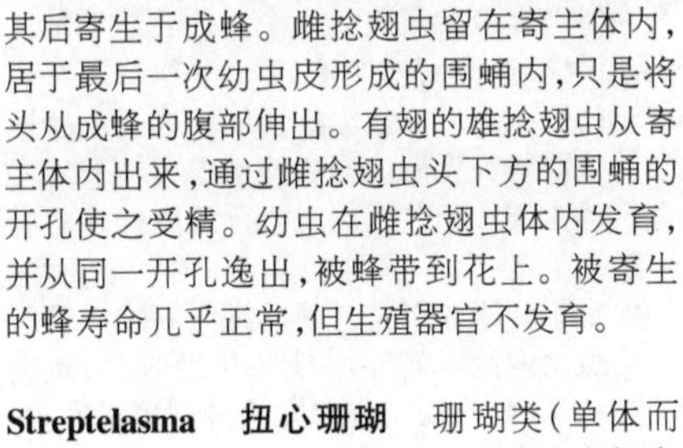

奥陶系的扭心珊瑚化石(*Streptelasma*)
不列颠博物馆供图

硬体部分由碳酸盐的骨架组成,骨架的形态和构造独特。

streptobacillary fever　链杆菌热　又称黑弗里尔热、流行性关节红斑。念珠状链杆菌引起的急性传染病,人被鼠咬或食人污染食物而受染。发病突然,表现为寒战、发热、呕吐,随后出现皮疹及关节炎。鼠咬伤处可见溃疡。偶于重症见脑、心肌等处有脓肿形成。青霉素治疗有效。1926年在马萨诸塞州黑弗里尔首次描述了86例本病患者,显系饮用未消毒的污染生牛奶而受染。黑弗里尔热一词有时专指无鼠咬伤史的病例。参阅 **rat-bite fever**。

streptococcus　链球菌　复数 streptococci。链球菌科、球形细菌属所有成员之涵称。链球菌的希腊语词冠 strepto-意为"扭捩"、词干-cocc(o)-意为"浆果",顾名思义,是为聚集成串珠样排列的细菌。链球菌属中有众多成员,其中有些是人类和动物的致病菌,而有些则是发酵产品制造业的重要工具菌。在微生物学上,链球菌为革兰氏阳性、无动性、兼性厌氧菌,菌体形态为球形、卵圆形,直径小于2微米,常聚集成对或聚成链状。在分类学上,根据在血琼脂中培养时的溶血能力,可将链球菌分为四种:酿脓性链球菌、草绿色链球菌、粪链球菌(肠球菌)和乳链球菌。酿脓性链球菌(即溶血性链球菌)可致风湿热、猩红热、丹毒、化脓性咽喉炎、化脓性扁桃体炎和其他上呼吸道感染。草绿色链球菌和粪链球菌分别为咽喉和肠道的寄生菌,但很少致病。乳链球菌种中有两个成员(乳链球菌和乳酪链球菌)常可作为商用酵母用于生产黄油、酸奶、干酪等。兰斯菲尔德氏分类法(链球菌沉淀反应分类法)是根据细胞壁内所含碳水化合物的类型对链球菌进行分类。

Streptomyces　链霉菌属　放线菌目链霉菌科丝状菌属,共含500多个菌种,广泛存在于土壤和水中。很多菌种在土壤有机物腐解过程中发挥重要作用,土壤和腐叶所散发的气味部分就是源于它们,土壤肥力也少不了它们的作用。有些菌种之重要性源于它们能自然产生多种广谱抗生素,这是可以杀灭或抑制其他细菌生长的化学物质。在微生物学上,链霉菌属各菌种为革兰氏阳性需氧菌,形态复杂。它们多聚集在一起形成丝网状的菌丝体,成熟时,菌丝上长出成串的孢子。菌丝分支的直径约在0.5～1.0微米。能产生抗生素的链霉菌种有生金链霉菌(产金霉素)、龟裂链霉菌(产土霉素,参阅 **tetracycline**)、灰色链霉菌(产链霉素)、红霉素链霉菌(产红霉素)、委内瑞拉链霉菌(产氯霉素)。

streptomycin　链霉素　由土壤微生物灰色链霉菌合成的一种抗生素,继青霉素之后研制成功的第一个抗微生物药及第一个治疗结核病的有效抗生素。作用机制为干扰微生物的蛋白质合成。对链霉素具有敏感性的微生物除结核杆菌外,还有引起肺炎、脊膜炎和伤寒的各种细菌。由于链霉素能增加细胞遗传物质改变的可能性,致使许多原来具有敏感性的微生物对之产生抗药性。

Stresa　斯特雷萨　意大利西北部皮埃蒙特区诺瓦拉省城镇。位于诺瓦拉市北部马焦雷湖西岸。为疗养和旅游胜地,气候宜人,风景如画,各种会议都喜在此召开。1935年意大

利、英国和法国在此举行会议，试图对付希特勒不顾《凡尔赛条约》规定而发表重新武装德国的声明，但未能取得成功。仁爱学院创始人罗斯米尼-塞尔巴蒂于1855年卒于此。人口约4 945(2001)。

Stresemann, Gustav　斯特来斯曼(1878-05-10，德国柏林～1929-10-03，柏林)　德国魏玛共和国总理(1923)和外交部长(1923，1924～1929)。第一次世界大战后使德国恢复国际地位的主要人物。因其主张和解和谈

供图：Bildarchiv Preussischer Kulturbesitz BPK, Berlin

判的政策，与法国外交部长白里安于1926年同获诺贝尔和平奖。出身于小商人家庭。先在柏林大学和莱比锡大学读文学和历史，后转学经济，获得博士学位。毕业后在商业团体工作，任德国巧克力制造商协会管理人员，1902～1911年任萨克森制造商协会法律代表，擅长组织活动和谈判，在经济界崭露头角。1903年加入国家自由党，主张实施社会福利，因此常与党内右翼发生冲突。1906～1912年成为德累斯顿市议员，同时编辑《萨克森工业》杂志，以经济问题作家和市政专家闻名。1907年选入帝国议会为议员，他竭力维护商业中产阶级的利益，因主张加强社会福利立法，而与党内右翼代表发生矛盾，1912年被排挤出党的执委会。同年失去议员席位，去美国考察经济。他参加德国殖民联盟，拥护建设强大海军计划，支持德国政策的帝国主义目标，热烈欢迎第一次世界大战爆发。1914年在特别选举中获胜，再次进入帝国议会。战争期间，大力宣扬泛日耳曼主义，捍卫德国在东面对波兰和俄国、在西面对法国和比利时的广泛领土要求。1916年后成为最高司令部兴登堡元帅和鲁登道夫将军的喉舌，赞成无限制发挥潜艇攻势。1917年他领导倒阁运动，迫使贝特曼·霍尔韦格总理下台；同年国家自由党领袖巴塞尔曼亡故，未几被选为该党主席。1918年11月德国战败，君主制垮台，这对他是一个意外的打击，但是他很快就适应了共和国的现实，组织右翼的开明的德意志人民党，一反过去的保皇立场，而与共和国合作。1919～1920年的制宪会议，他是代表之一。他虽然反对德国新宪法，反对《凡尔赛和约》，但1923年8月与社会民主党等组成"大联合"政府时，他出任总理。同年11月政府垮台，改任外交部长。他对魏玛共和国的命运施加了决定性影响，成为欧洲的政治家。当时，法国与比利时强索赔款，派兵占领鲁尔。消极抵抗的政策加速了通货膨胀，使财政濒临崩溃。他当总理后的第一个决定就是放弃消极抵抗政策。在内政上他严酷对待共产党的活动，而对极右派的企图，如1923年11月9日希特勒发动的政变，则表现宽大的态度。在当时国内的政治危机中斯特来斯曼政府稳定货币才恢复秩序，复苏经济。他在新的三届联合政府中任内当外交部长。他的方针是与西方强国特别与法国和解，力求降低赔款金额和坚持法军撤出莱茵河以西地区，使德国获得平等权利，恢复战前在欧洲各国中的地位。他利用英法和英苏的紧张关系，努力通过谈判来达到目的。1924年签订由美国提出的《道威斯计划》，以减少赔款，稳定德国财政。1925年的《洛迦诺公约》，包括接受新的法德边界，协议仲裁与其他国家的争端，免除第一次世界大战战胜国实行新的制裁。1926年协约国军首次从莱茵兰地区撤军，准许德国加入国际联盟，与苏联订立互守中立的《柏林条约》。1928年德国在非战的《凯洛格-白里安公约》上签字。1929年由美国提出进一步减少赔款的扬计划。他在生命垂危时仍参加谈判。对于斯特来斯曼的评价，意见不一。共产党人把他看作垄断资本主义的代表，希特勒的先驱。有一位晚近的传记作家则认为他是个"务实的保守派"，以纵横捭阖手腕，恢复了德国的经济政治实力。

stress　应激　又称紧张刺激、紧张状态。在心理学和生物学中指任何可致机体正常功能紊乱的过劳或干扰因素。人类将心理防御和生理防御结合起来，形成对物理和心理应激的反应。如果应激过程过强或防御反应不当，就会造成心身疾病或精神障碍。应激是生活中不可避免的，而且是现代技术社会中一个特别复杂的现象。一个人能否成功地控制应激情境，无疑对其心理和生理状态都有深刻的影响。人对应激的应对能力是心身医学的重要研究课题。冠心病的高发人群与A型行为有统计学联系。A型行为者的性格特点是缺乏耐心，总感时间紧迫，拼命地竞争，心中只想到职业以及有关的期限要求。多种策略成功地用于解除心理和生理应激：运动和放松法(如瑜伽功或东方的各种放松方式)可解除中度应激。重度应激就需要进行心理治疗——找到并排除潜在的应激源。生物反馈是一种行为疗法，它可使患者更多地意识到其身体内部的生理过程，以便获得对应激进行某种躯体反应的控制力。有时，变换环境或生活条件也会收到治疗效果。

stress　应力　物理学与工程学中，材料内部由于受外力作用、受热不匀或永久形变而产生的单位面积上的力，它可用来精确描述材料的弹性、塑性和流变性状。应力用力除以面积的商表示。应力有许多种。由与材料截面垂直的力引起的是法向应力，由与截面平行或在截面上的力引起的是剪应力。如果棒的截面积为10厘米^2，每端沿纵长方向受拉力10 000牛顿，棒内的法向应力就等于1 000牛顿/厘米^2。由张力产生的特定法向应力称为拉应力。如果两个力都反过来，也就是沿纵长方向压缩这根棒，这时的法向应力就称为压应力。如果受的力处处与材料的所有表面垂直，像物体浸没在液体中的情况，材料就受到压缩，这时的法向应力就称为流体静压强或简称压强。地表下，把岩石压缩成高密度的应力称为地静压强。固体中的剪应力是像金属棒受到拧紧螺丝那样绕纵轴的扭力作用而产生的。液体中的剪应力是液体和气体流过管子、金属表面在液体润滑剂上滑动，以及飞机在空气中飞行这样一些作用产生的。加在真实流体上的剪应力不管多小，都会引起连续的形变或流动，流体成为一层层不同速度的流动层，就像一摞纸牌散开成单张那样。当弹性固体内部受的力去掉时，对应力的反作用使它们回复原有形状。屈服应力标志着固体由弹性性状转变为塑性性状，它是固体不再需要增加外力就能发生永久性形变或塑性流变的最小应力。地球对于由地震而产生的应力显示出弹性响应，它传播地震波；在巨大的地静压强下，地表下产生塑性形变。

stress　重读　语音学术语。表述时特别用力加大话语中某个音节的强度，使之比较响亮。这种发音中的强调方式可以仅是语音方面的(即足以引起听者的注意但与词义无涉)，例如法语中的重音，只是有规律地出现在词或短语的结尾；另一方面，这种强调方式也可以用来区别词义，例如英语permit一词的重音，就可以起到区分名词与动词两种不同意义的作用。

stress(music)　参阅 **accent 重音**。

Streuvels, Stijn　斯特勒弗尔斯(1871-10-03，比利时库特赖附近赫勒～1969-08-15，库特赖附近英奥伊海姆)　弗兰克·拉特尔的笔名。比利时小说家。他的作品属于佛兰芒语散文杰作之列。他是佛兰德司铎兼诗人G.赫泽勒的侄子，在阿弗尔海姆上学时便显露出文才。在阿弗尔海姆当了15年烤面包工人，挤时间学习德语、英语、丹麦语和一点俄语。1892年后，开始创作第一批短篇小说。他向《今日与明日》杂志投稿，1899年，第一本选集《青春年华》问世，并使他成名。他的作品取材于与世隔绝的农业区佛兰德西南部的乡村生活。他恰到好处地引用方言土语和民间传说，确切地描写了他所要写的地方，但他不只是个纪事作家。他观察敏锐，想象力丰富，善于渲染气氛，又长于运用语言；写作得心应手时他是个擅长刻画人物性格的大师，特别是描写跟土地和命运作斗争的农民和农业工人，如《沿着大路行》(1902)以及杰作《亚麻田》(1907)。

striated muscle　横纹肌　又称随意肌、条纹肌或骨骼肌。身体三种肌肉中最常见的一种。附着于骨骼上，收缩时产生身体各部分之间相对位置的移动。横纹肌与平滑肌及心肌不同，其动作由意志控制。横纹肌纤维长而细，有独特的红白相间的条纹，故名。参阅 **smooth muscle**。

Strickland, William　斯特里克兰(1787，美国新泽西纳夫辛克～1854-04-06，田纳西纳什

维尔） 美国折衷主义建筑师、工程师，19世纪上半叶希腊复古式建筑的领导人之一。1803～1805年随B.拉特罗布学习建筑。作品有费城的共济会堂(1810)、美国第二银行

耶鲁大学美术陈列馆供图

(1819～1824)、商业交易楼(1834)、美国海军医院(1826)、国家造币厂(1829)、海关大厦以及罗得岛普罗维登斯的一座图书馆(1836～1838)等，均为希腊复古式风格。他取得了比老师更大的成功，因为他倾向于建筑语汇的直接表述，摒弃了拉特罗布所坚持的矫揉造作。他在工程方面具有和建筑上的成就同等的声誉。1825年曾赴欧洲学习，回国后在宾夕法尼亚州铁路建设上颇多建树，还受政府委托负责特拉华防波堤工程，逝世时，正在纳什维尔担任着田纳西州议会大厦的建设工作。许多人认为该大厦是其最佳作品。他是美国最早讲授建筑学的教师之一，著有几本关于他领导的建设项目中的建筑与工程技术问题的书籍。

strigiform 鸮形目 鸟纲鸮形目(Strigiformes)任一成员，所有枭均归于此。180种夜行性猛禽，而隼形目(Falconiforms)则为昼行性。参阅**owl**。

Strigonium(Hungary) 参阅**Esztergom埃斯泰尔戈姆**。

Strijdom, Johannes Gerhardus 斯揣敦 (1893-07-14，开普殖民地威洛莫尔～1958-08-24，开普敦) Strijdom又拼Strydom。南非联邦总理(1954～1958)，以其强烈的阿非利堪人倾向著称。1914年移居比勒陀利亚。3年后获比勒陀利亚大学法律学位。在德兰士瓦为律师，关注阿非利堪人同胞权利。1929年作为瓦特贝格国民党议员选入议会，保持议席至去世，人称"瓦特贝格之狮"。他是总理和国民党领袖J.B.M.赫尔佐格的忠实信徒。1948年支持纯正国民党人D.F.马兰组阁，任土地灌溉部长6年，极力鼓吹在南非白人至上。马兰引退后，1954年12月3日他继任党魁，出任总理，标志党内较偏激的德兰士瓦派对温和的开普派的胜利。任内推行严格的种族隔离政策。1957年12月病倒，死后由H.F.维沃尔德继任。

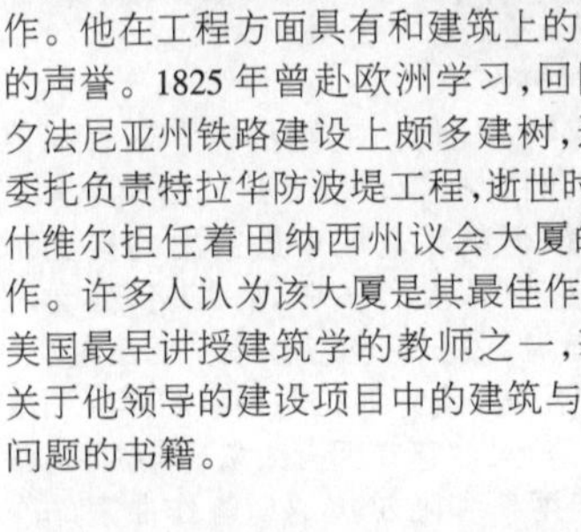

供图：Archiv fur Kunst und Geschichte, West Berlin

strike 罢工 雇员集体拒绝在雇主所要求的条件下工作。引起罢工的原因很多，有的是由于工资和雇佣条件的争执，有的是同情其他罢工工人，有的是由于两个工会之间的权限争端，又有的是为了纯粹的政治目的。未经工会中央机构认可的罢工(自发罢工)既可能是针对雇主的，也可能是针对工会领导的。尽管有些国家要求在未罢工前做出一系列具体努力进行调解，有些国家禁止纯政治性罢工、禁止公务雇员罢工，但几乎所有工业国家在原则上都给予工人以罢工权利。多数罢工和罢工威胁，都是工会由于雇主不能满足工资及其他要求而要使雇主承受某种代价所采取的。另一方面，日本工会发起的罢工并不打算长时间停止生产，而是更近似于示威行动。有时罢工是由政治激发起来的。

strike 走向 在地质学中，走向是断层、岩层或其他面状要素与水平面交线的方向。走向可指示诸如断层、岩层、节理和褶皱等线性构造要素的产状或位置。趋向(trend)是岩层层面与地表面交线的方向；但如果地表面与水平面相平行，趋向和走向就是一样的。倾角(dip)是岩层层面与水平面的夹角，它在垂直于层面走向的垂直面上度量。倾伏(plunge)是水平面与一个形体的最大延伸线或延伸轴所成的垂直向上的夹角。倾伏是沿褶皱轴度量的，倾角则是沿褶皱的翼度量的。倾伏角(pitch)是层面的轴与包含该轴的平面的走向间的夹角。

Strimón, Potamós(Greece - Bulgaria) **斯特里蒙河** 参阅**Struma River斯特鲁马河**。

Strindberg,(Johan) August 斯特林堡 (1849-01-22，斯德哥尔摩～1912-05-14，斯德哥尔摩) 瑞典剧作家、长篇小说家和短篇小说作家。他将心理状态与自然主义结合进一种新式的欧洲戏剧之中，这种戏剧后来发展成表现主义戏剧。其主要作品有《父亲》(1887)、《朱丽小姐》(1888)、《债主》(1888)、《一出梦的戏剧》(1902)和《鬼魂奏鸣曲》(1907)。

早年 其父卡尔·奥斯卡是个破落贵族，当过轮船代理商，其母曾作过侍者。童年生活贫困且动荡不安，祖母为宗教狂，这些均在其著名的自传体小说《女仆的儿子》(1886～1887)中有所叙述。他曾断续地在乌普萨拉大学学习，但未能得到学位。为了谋生，曾在斯德哥尔摩任自由撰稿人并从事其他各种工作。与此同时，他努力完成了第一部重要作品历史剧《奥洛夫老师》(1872年出版)，这部

供图：Munch-Museet, Oslo

以瑞典宗教改革为主题的戏剧受到莎士比亚戏剧和易卜生剧本《布兰德》的影响。皇家剧院拒演《奥洛夫老师》加深了他的悲观主义，并进而激起他对官方制度和传统的蔑视。他在数年里不断修改这部剧本，后来终于被承认为瑞典第一部现代戏剧。但这件事延迟了他发展成为一个写当代问题的戏剧家的进程。

1874年他成为皇家图书馆的图书管理员。1875年他与芬兰裔瑞典人锡丽·冯·埃森相遇，两年之后他们结婚。他们之间紧张而灾难性的关系于1891年以离婚告终，使斯特林堡伤心的是失去了对他们4个孩子的监护权。不管怎样，起初，这桩婚姻促进了他的写作，1879年他发表了第一部长篇小说《红房间》，讽刺斯德哥尔摩社会的陋习和欺诈，这在瑞典小说中是新事物，从而使他闻名全国。

他还写了几部剧本，其中《幸运的彼得的旅行》(1881)一剧对社会批评极为犀利。接着发表《新王国》(1882)，对当时的瑞典作了令人目瞪口呆的讽刺。1883年斯特林堡带领全家离开斯德哥尔摩，接下来的6年里不停地在欧洲大陆迁移。虽然这时他精神接近崩溃状态，但还是创作了一大批剧本、长篇小说和短篇小说。1884年出版他第一部短篇小说集《结婚集》，因而被控犯了亵渎罪。虽然被宣告无罪，但精神上受了很大打击，他想象自己受到迫害，甚至受到锡丽的迫害。

他又以新的激情回到戏剧创作，两性之间的冲突激发他在这个时期写出了《父亲》、《朱丽小姐》和《债主》。这些作品全面反抗当时的社会传统。在这些大胆而矛头集中的作品中，他将戏剧的自然主义手法——包括毫不做作的对白、简朴而非豪华的布景、具有象征意义的道具——与他自己心理学的概念相结合，从而发起了欧洲剧坛上一场新运动。《赫姆索的人民》是一部有关斯德哥尔摩岩石岛的朝气蓬勃的小说，这一直是斯特林堡灵感的最幸福的源泉之一，也是在这个具有强烈激情的创作阶段中的作品。

1889年回到瑞典之后的年代里他十分孤单和不幸。尽管他已被作为著名作家而受到

尊敬,并已成为现代瑞典的喉舌,但此时他已染上酗酒恶习而难以找到固定工作。1892年他再次离开瑞典,去了柏林。他的第2次婚姻是1893年与一位年轻的奥地利记者弗里达·乌尔结合。最后他们于1895年在巴黎分手。

晚年 他的新的信念带有神秘主义色彩,使他重新成为一位作家。其最直接的结果是一部由3部分组成的戏剧《到大马士革去》。他在剧中把自己描写为"陌生人",一个寻求精神上宁静的流浪汉,最后终于在"夫人"这个角色的身上找到了这种宁静,而这个角色与他妻子锡丽和弗里达都相像。

此时斯特林堡已经又回到瑞典,起初住在隆德,然后于1899年在斯德哥尔摩定居直到去世。夏天常常在他心爱的岩石岛上度过。他认为生活受惩罚性的、但却是正义的"势力"所支配,这一观点反映在始于1889年的一系列历史剧中。《古斯塔夫·瓦萨》是其中的最佳作品,以结构紧凑、人物塑造突出和富于生气的对白见长。1901年与年轻的挪威演员H.博斯结婚,1904年离异,斯特林堡再次失去他的孩子,他的第5个孩子。

然而,这次婚姻被他称为"冬天里的春天",启示他写出了《死魂舞》、《一出梦的戏剧》以及富有魅力的自传《孤单》和一些抒情诗。与他最后一个妻子离异重新燃起的苦痛激发他写出了怪诞讽刺小说《黑旗》(1907),抨击了他所见到的斯德哥尔摩文学界的腐朽与愚昧。为茵蒂默小剧场写的《室内剧》在戏剧技巧上有新的发展,斯特林堡曾一度与青年演出人A.法尔克一起经营这家小剧场。《鬼魂奏鸣曲》是他最奇特的一部剧作,对后来的欧洲戏剧有很大影响。他的最后一部剧作《大路》写于1909年,是对自己一生的象征性写照。

评价 到晚年,斯特林堡写了一些论辩文章,对当时的社会和政治观念进行评论,又回到他青年时代的激进观点。与此同时,他的哲学观在其格言式著作《精神领域》(1907～1912)中得到深入发展。他的去世和他在世一样均被瑞典科学院所忽视,而其国人却把他作为最伟大的作家进行追悼和怀念。他在文学界和瑞典人的生活中发挥着持久的影响。人们赞赏他的独特创造性、他强大的生命力和非凡的想象力,这些力量使他能将个人的生活素材转化成为极其光辉的戏剧作品。

他的早期小说,特别是短篇小说,富有创造性的、通俗口语体的风格,给瑞典散文风格带来一种期待已久的新生。《女仆的儿子》也许是其中具有最强大力量的作品。然而,他的最大影响是在戏剧领域。通过他那具有批判精神的文章(如《朱丽小姐》的序言)、他的剧本及剧本演出计划都发挥出强有力的影响。写于1887～1893年间的《朱丽小姐》及其他剧本中连续而严峻的剧情和极其写实的对话,使自然主义戏剧达到前所未有的高度。

斯特林堡以他晚期梦幻般剧本《到大马士革去》、《一出梦的戏剧》和《鬼魂奏鸣曲》等作品,领导了对舞台写实主义的反叛,从而导致表现主义戏剧的产生。1912年之后主要在德国发展起来的表现主义戏剧,影响了奥凯西、赖斯、奥尼尔、皮兰德娄和拉格尔克维斯特这样一些现代剧作家。

string puppet 参阅 **marionette** 提线木偶。

string quartet 弦乐四重奏 由两把小提琴,一把中提琴和一把大提琴所演奏的乐曲,通常包括4个乐章。它是约自1750年以来室内乐中占统治地位的体裁。参阅 **quartet**。

stringcourse 腰线 建筑物外墙上的横条装饰。有些有线脚,有些为平面,常由砖、石砌成。西方建筑中,从古罗马至盎格鲁撒克逊地区,从文艺复兴至现代的各种风格均有这种装饰。常用作多层建筑中分层的标志。在古典建筑和新古典主义建筑中常作为一排窗户的上、下缘的延伸。如罗马的万神庙和意大利文艺复兴时期的许多府邸建筑以及16世纪中叶至19世纪初期英国的许多庄园宅邸等。

佛罗伦萨斯特罗齐宫前立面上的腰线,1489年始建
供图:Alinari—Art Resource/美国不列颠百科全书公司

stringed instrument 弦乐器 指任何通过弦线振动而发声的乐器。弦线可用羊肠、植物纤维、塑料或金属制成;演奏时或拨,或击,或以琴弓在弦上移动以产生共鸣,运弓的力度因作品所要求的声音类型和力度而异。弦乐器可分成4大类:①弦线直贯琴身的齐特琴类,例如大扬琴、日本古琴;②弦线紧张在共鸣箱和琴颈上的诗琴类,例如小提琴、吉他;③弦线架越共鸣箱而装接到一个由两臂和一根横木构成的轭架上的里尔琴类,例如古希腊里尔琴和基萨拉琴;④所有弦线处于同一平面但与共鸣箱形成一个角度的竖琴类。

在西方,弦乐器是管弦乐队的第一组。演奏最多的是提琴族、吉他和竖琴。钢琴是一种受人喜爱的张弦**键盘乐器**(**keyboard instrument**)。①提琴族由小提琴、中提琴、大提琴和低音提琴组成,小提琴最小(但音域有4个8度);和中提琴一样,演奏时琴置于颏下。大提琴下设一支柱,夹在演奏者两腿之间。演奏低音提琴时或站立或坐在高凳上。阿马蒂(约1520～1578)被认为是制作现代提琴族乐器的鼻祖,是他制定这些乐器的标准形式,并开创了意大利克雷莫纳及其周围布雷西亚和北方地区提琴制作师的一代王朝。但古往今来最优秀的提琴却出自斯特拉迪瓦里(1644?～1737)之手;他制作的提琴结构精美,髹漆亮丽,声音圆润饱满。图尔特(1747～1835)则把原来比较粗壮外凸的琴弓规范化成细长内凹的形式。弦乐器是交响乐队的主体,亦可组成和谐悦耳的弦乐四重奏(两把小提琴、一把中提琴和一把大提琴)。小提琴的演奏曲目浩如烟海,包括古典音乐及爵士、民间音乐。在提琴族中,低音提琴和维奥拉达甘巴(意为"腿上维奥尔琴")关系最为密切。像维奥尔琴一样,它具有斜肩,按4度(而非5度)调音,演奏时靠在腿上或夹在两腿之间,而不是放在手臂上,背板往往较平,而不是呈拱形;它又是提琴族中采用外凸琴弓时间最久的乐器。维奥尔琴与小提琴共处共存,直到18世纪;它与小提琴还有其他相异之处,例如6弦(而非4弦)、指板上有弦格。低音维奥尔琴是现今最常用的维奥尔琴。②吉他呈蜂腰形,6弦,有弦格,演奏时用指甲、指尖、拨子轮奏或拨奏。历史悠久,现在多用于为西班牙弗拉明科歌曲伴奏和演奏流行音乐,虽然它亦拥有大量经典曲目,诸如维拉-洛博斯和阿尔贝尼斯等作曲家的作品。至20世纪塞戈维亚又把许多古典音乐改编为吉他曲。吉他的音色柔美,能展现雄浑力度与丰富表情。诗琴的设计与吉他相似,同为拨奏乐器,持琴方式亦同。琴身呈梨形,常用镶嵌精致的木料制作。16世纪时常用于为牧歌伴奏。中世纪的游吟诗人和游方艺人亦使用诗琴。曼多林琴亦属此类,但琴背更圆,且用金属弦。指板设弦格,用拨子演奏。另一重要拨弦乐器为里尔琴(lyre),此琴源自古希腊,双手拨奏,但一手持拨子。③竖琴与其他弦乐器关系不大。它的构思原来十分简单(将包含6½个8度的若干弦线垂直张于上下两端,各弦定音因长度而异),后添置7个踏板而变得更为复杂(踏板能将奏出的音改变全音或半音)。竖琴设计华丽,渊源古远,在许多早期绘画中都曾有描绘。琴身下设底座,演奏时斜倚于演奏者肩部。

全世界有许多民族弦乐器,在西方主要以齐特琴或诗琴类最著名;中国古琴、日本古琴和三味线、印度锡塔尔琴(源自波斯,设有弦格与共振弦)和萨朗基琴(用弓演奏,有许多共振弦)均属此类。

Stringocephalus 鸮头贝 大型腕足动物的绝灭属。其化石见于海相泥盆系(年代为3.6

亿年前至4.08亿年前）。□头贝的化石分布广，产于北美西部、亚洲、北欧。有几种已知的类型。该贝壳以具发育完善、弯曲、像鸟嘴的喙为特征。

strip-mining 剥离法开采 特别是煤矿开采中的露天开采。参阅 **surface mining**。

striped muscle 条纹肌 参阅**striatedmuscle** 横纹肌。

striped polecat 条纹艾鼬 参阅**zorille** 非洲艾虎。

stripping reaction 剥裂反应 核物理学中的一种过程。原子核在擦边碰撞时，吸收掠射粒子的一部分，剩余的部分继续它的双曲线库仑轨道。剥裂反应的一个实例是d,p剥裂反应，其中包括一个铝27核和一个氘核，氘核擦过铝核，铝核俘获氘核的中子而成为铝28，剩下的质子继续以接近入射氘核的速度运行。

Strobane 氯化松节油 用作杀虫剂的一种含氯有机化合物的商品名（参阅 **toxaphene**）。

strobilus（botany） **球穗花序** 参阅**cone** 球花。

stroboscope 频闪观测仪 对旋转物体或振动物体进行间歇照射，以研究物体的运动或确定其旋转速度或振动频率的仪器。早期的频闪观测仪利用间歇目视或断续光线照射的方法，它是用一个旋转的或振动的圆盘，上面沿径向开一条狭缝，使物体只有经过规定的时间间隔才能被看到，或者只有在依次出现的瞬间内才让光线照射物体，即在某个精确的时刻，物体到达其运动的某一预定点时，才让它显现出来。现代电子频闪观测仪用一个充气式放电灯，产生极短促的、反复出现的、明亮的闪光。闪光持续时间通常为1微秒，频率为每分钟110次至15万次。采用特殊设备，闪光频率可达每分钟50万次以上。

Strode, William 斯特罗德（约1599～1645-09-09，伦敦） 反对英格兰国王查理一世的清教徒领袖。1642年国王企图控告的5位下院议员之一。1624年进入国会。1629年通过强烈谴责国王的宗教和财政政策的3项决议中因起了重要作用，坐牢11年。1640年1月获释后，立即成为国王最激烈的反对者。同年11月成为长期议会议员。他主张大臣由议会任命，民兵由议会控制，议会每年召开一次。他支持1641年11月的大抗议书。当查理一世企图以叛国罪名逮捕他和另外4位议员时，人们好不容易才劝他逃离下院。他反对与国王妥协，力主准备战争，并参加了埃奇丘陵战役（10-23）。他强烈反对W.劳德大主教，1644年要求上院尽快通过处决大主教的法令。死后葬于威斯敏斯特教堂。查理二世复辟后坟墓被掘。

Strode, Woody 斯特罗德（1914-07-28，美国加利福尼亚洛杉矶～1994-12-31，加利福尼亚格伦多拉） 原名Woodrow Wilson Woolwine Strode。美国性格演员。是导演J.福特的御用演员之一，出演了他的10多部影片。短期做过职业橄榄球运动员，是最早在美国国家橄榄球联盟里踢球的黑人之一。曾是加州大学洛杉矶分校足球队的明星球员。1946年，与另一位黑人球员K.华盛顿一起与洛杉矶公羊队签约，成为职业球员。此外，他还在加拿大踢球并做过一段时间的职业摔跤运动员。1941年首次出演电影《落日浴血记》。不过直到20世纪50年代，他才经常出演电影。他在《十诫》（1956）中饰演埃塞俄比亚国王，并在《斯巴达克思》（1960）和《西部往事》（1968）中有令人难忘的表演。还出演了福特导演的《雷克军曹》（1960）、《浴血双雄》（1961）和《双虎屠龙》（1962）。1968年主演了以非洲民族主义领袖P.卢蒙巴为原型的意大利影片《黑耶稣》。

Stroessner, Alfredo 斯特罗斯纳（1912-11-03，巴拉圭恩卡纳西翁～2006-08-16，巴西巴西利亚） 巴拉圭军事领导人，1954年通过军事政变成为巴拉圭总统，是20世纪在拉丁美洲国家中由一人连续统治时间最长的总统。德裔移民之子，早年考入亚松森军事学院。1932年在巴拉圭陆军中任军官，后逐级晋升到将军，1951年任武装部队总司令。1954年推翻查维斯总统后作为唯一候选人当选总统。他设法安抚乡村贫民和城市劳动者，并维护大地主和商人的利益。他的政府稳定了货币，缓和了通货膨胀，新建了一些学校、公共卫生设施和道路。但是为了维持他的统治，他把全部国民收入的一半都用于军队。他在任期间巴拉圭参与兴建了巴西巴拉圭边界的伊泰普大坝。斯特罗斯纳的支持者在议会和法院占居主导地位，两次修改宪法使他6次连选连任总统。1988年他第8次连任总统，但在1989年的一次军事政变中被推翻，逃往国外。

Stroganov FAMILY **斯特罗加诺夫家族** 俄国富商家族，祖先可能是鞑靼人，以16～17世纪在乌拉尔和西伯利亚从事拓居和殖民活动闻名。15世纪文件有该家族在诺夫哥罗德省从事贸易活动的记载。1515年阿尼卡·斯特罗加诺夫在索里维切哥茨克开办盐矿。1558年伊凡雷帝把卡马河和楚索瓦亚河上游的大片土地划给格里戈里·斯特罗加诺夫。他的家族在那里建立新居民点和城市，组建了自己的武装保卫队，并被免税20年。他们发展盐铁矿、木材和毛皮贸易。1574年伊凡雷帝又把西伯利亚沿图拉河和托博尔河的大片土地划归斯特罗加诺夫家族所有。1581年这个家族发起叶尔马克远征，为沙俄吞并西伯利亚奠定了基础。1598～1613年间，他们为拥立米哈伊尔·罗曼诺夫登上皇位提供必要的资金。1688年，G.D.斯特罗加诺夫（1650～1715）成为这个家族的庞大产业的唯一主人。他出资为彼得大帝建造两艘军舰。彼得封他为男爵。1798年保罗一世又封他的后嗣为伯爵。在整个18世纪和19世纪，这个家族产生过许多政治家和继续从事贸易的著名人物。这个家族对俄国艺术的发展也做出过重要贡献，他们曾出资修建许多教堂，在16世纪和17世纪曾建立圣像画的斯特罗加诺夫画派。

Stroganov school 斯特罗加诺夫画派 16世纪后期及17世纪盛行于俄罗斯的圣像画派。其赞助人原为富有的斯特罗加诺夫家族，俄罗斯东北部的开拓者；但这些画家的艺术却是在莫斯科为沙皇及其家族服务时才臻于完善。所谓斯特罗加诺夫画派虽然代表了17世纪末叶以前，即俄罗斯艺术西方化以前的中世纪绘画最后一个重要阶段，但它仅仅创造了一种圣像画类型，而未能形成首尾一贯的风格。这种类型的圣像画是特为私人使用而创作的，其特点是尺寸小，技术精湛，细节描绘高雅细腻。斯特罗加诺夫画派的圣像画固然保留了受拜占廷启发的俄罗斯形式，但也显示出一种完全背离俄罗斯绘画传统中备受珍视的许多特点；宏伟气派让位于精湛的技巧，深厚的情感亦为高雅的装饰所取代。斯特罗加诺夫画派的影响一直持续到17世纪末，但约自1650年以后已逐渐衰退，并失去其原有的精致。1703年沙皇彼得一世创建新都圣彼得堡标志了俄罗斯艺术的转折点：尽管圣像画在整个19世纪都还继续承袭俄罗斯-拜占廷的传统，但主要艺术活动已转向世俗的艺术和西方的巴罗克风格。

斯特罗加诺夫画派一画家绘《圣鲍里斯与圣格列布》，17世纪

供图：Novosti Press Agency, Moscow

Stroheim, Erich von 施特罗海姆（1885-09-22，维也纳～1957-05-12，巴黎附近） 又译斯特劳亨。第一次世界大战后最受评论界推崇的电影导演之一。他的影片以严肃的现实主义风格和细节尽善尽美知名。他还写作电影脚本，并被公认为一名十分出色的演员，他所塑造的性虐待狂、戴着单片眼镜的普鲁士军官形象，使人难忘。在1914年到美国以前，做过军官、新闻记者、杂志撰稿人、铁路工人、船夫、书商、杂技演员和剧作家。在早期名片如《一个国家的诞生》（1915）和《党同伐异》（1916）中，他既是演员，又是导演D.W.格里菲思的助手。他独立执导的第一部影片是自编自演的《盲目的丈夫》（1919）。这部影片

明确表示婚姻不幸的妇女有权另寻爱人，开创战后道德观念变化的先声。影片《魔鬼的万能钥匙》(1920)和《愚蠢的妻子》(1922)中，现实生活气息使角色栩栩如生，从而提高了他的声望。最杰出的作品《贪婪》(1924)是根据F.诺里斯的小说《麦克梯格》(1899)改编而成，说明金钱足以使人腐化堕落。这部影片是现实主义电影的里程碑，充满冷酷无情的嘲弄和一针见血的坦率，并未因乐观和怜悯而失去棱角。影片原长10个小时，剪辑后仍保持其魅力，因是依靠精心结构的细节而不是靠场面的组合来表现每场戏的含义。这是一部经典作品，对其后的导演如K.维多和J.冯·斯登堡产生强烈影响。此后的《风流寡妇》(1925)、《婚礼进行曲》(1928)和《女王凯莉》(1928)虽然卖座率很高，但由于过于追求豪华的场面，不从经济角度考虑而盲目热中于艺术上的完全自由，还由于他喜对一些有争议的题材作深奥莫测的处理，因而结束了他的好莱坞生涯。他回到欧洲后重操演员生涯，最著名的角色是在J.雷诺阿的影片《大幻灭》(1937)中扮演战俘营长官，后曾因在《日落大道》(1950)中的出色表演获奥斯卡奖提名。

斯特罗海姆在影片《愚蠢的妻子》(1922)中的剧照
布朗兄弟公司供图

stroke　中风　又称卒中(apoplexy)或脑血管意外(CVA)。因供应部分脑实质的血管血流减少或颅内出血造成的突发脑功能障碍。产生的后果包括：一过性或持久性的一侧或双侧肢体瘫痪，言语或进食困难，或肌肉协调功能丧失。中风可造成脑梗死——一部分脑组织死亡。吸烟、高胆固醇饮食、糖尿病、老化和遗传缺陷都可增加中风的风险。中风时至少存在下属4种情况之一：①脑血管中有血栓形成。这是最常见的原因。②血栓形成于体内他处，经血流至颅内卡于脑血管中。这称为栓塞。心肌梗死、心瓣膜损伤，以及心房纤颤都可形成血栓造成栓子到达脑部。这前两型血栓都可减少或终止脑细胞的血液供应。在这两种原因造成的中风早期阶段中，还可夹杂血液或体液渗至周围组织的情况(水肿)。③因暂时性血管痉挛或血液流经动脉硬化狭窄处发生血球凝聚现象而造成的间歇性脑供血不足。动脉硬化通常是因动脉壁上脂质沉积所致。④动脉破裂出血。这通常是因动脉硬化或先后天动脉瘤造成动脉壁弱化而致。脑动脉壁还可因高血压而弱化(高血压还可加速动脉硬化过程)。所谓“小中风”是指深穿入脑实质的细长动脉因动脉硬化而阻塞，使周围组织失去血液供应。组织继而萎缩，形成小洞穴，称腔隙。多年间连续小中风可使脑部多处受伤，导致类似阿尔茨海默氏病的痴呆状态。

后果　中风一开始可以影响广泛，短时间内，常在几小时或几天内造成大范围的偏瘫，不能说话，昏迷，或死亡。另一方面，也可以是一连串的一过性小中风，发作时患者感到一侧上肢、下肢或面部无力或发麻。可有暂时性言语困难，思维混乱或视力障碍。这些小中风可多次复发，但最后终于出现更广泛而持久的瘫痪。受影响的肌肉和神经直接反映了受损的脑组织。如左侧脑(大多数人的优势侧)受损伤，因为大部神经要交叉到对侧去，所以右侧肢体出现瘫痪。但不同症状和体征可有无数种组合。出血性中风常和高血压发生在一起。常引起广泛神经系统体征，死亡也比血栓-栓塞性中风更常见。但出血性中风也可以范围很小并且是复发的，逐渐才造成大范围损害。

治疗　要鉴别中风和肿瘤或因其他原因造成的脑损伤，必须听取详细的病史和进行准确的身体检查，特别要寻找神经系统改变。还应判断中风是由于血栓或栓塞还是由于出血。常需要检查脑脊液中有无血液。影像学检查(如计算机辅助断层造影[CAT])可明确诊断。确诊很必要，因为抗凝血药现广泛用于治疗因血栓或栓塞造成的中风，但在因出血造成的中风却属禁忌。一例中风可能既有凝血又有相当的出血成分，这就造成难题。许多中风是由于两个颈动脉之一被封闭。如果堵塞段不长，可试用手术截除或加入一段移植的或合成的分流管。许多中风患者还可再活10到20年或更久，所以决不应让患者陷于不必要的病残状态。因此早期开始持之以恒的康复措施极为必要，这包括物理疗法和言语训练。中风后一两天内就应开始治疗，以避免发生痛苦的挛缩和畸形。

stromatolite　叠层石　由蓝绿藻(原始单细胞生物)生长所形成的，主要成分是石灰岩的层状沉积。这种结构的特点往往是黑白相间的薄层，薄层可以是平坦的或波状起伏的，也可以是穹丘状的。黑白相间层的产生是由于在一些情况下暴风雨时洗刷下的沉积物被捕获，在另一些情况下蓝绿藻又产生石灰岩沉积。叠层石在前寒武纪(距今5.7亿多年以前)时很普遍。存在于35亿年前古老岩层里的叠层石，记载了地球上最早的一些生命体。目前在世界上，某些地区仍在继续形成叠层石，在澳大利亚西部的沙克湾生长得最茂盛。蓝绿藻的席状层能够生长在浅水沉积物表面上，蒸发作用使浅海处的含盐量大大增高，阻止了螺蛳和其他动物吃食这种藻。

Stromboli Island　斯特龙博利岛　拉丁语作Strongyle。意大利西西里岛东北地中海中第勒尼安海的利帕里群岛的最东北面岛屿。行政隶属意大利西西里区墨西拿省。面积12平方千米。为火成岛。斯特龙博利岛上火山仍在活动，虽然最后一次喷发发生在1921年，但熔岩仍不断从火山口流到海里。种植水果、橄榄、海枣等。旅游业兴旺。人口382(最新统计)。

stromeyerite　硫铜银矿　铜和银的硫化物矿物($CuAgS$)。呈致密块体，与铜及铅的矿物一起产于俄罗斯西伯利亚的阿尔泰、智利的圣地亚哥和美国蒙大拿州的比尤特山。硫铜银矿是硫化物矿物之一，在高温时它成等轴晶系晶体，但冷却时呈其他晶系。硫铜银矿的低温形态(低于93 °C)是斜方晶系。详细物理性质，参阅**sulfide mineral**(表)。

Strömgren, Bengt(Georg Daniel)　斯特龙根(1908-01-21，瑞典哥德堡～1987-07-04，丹麦哥本哈根)　瑞典天体物理学家，提出宇宙中气体星云现代认识的先驱者。他是出生在瑞典的丹麦著名天文学家S.E.斯特龙根的儿子，早年就已对天文学发生兴趣。他同父亲一起进行过几项天文研究，1940年接替其父任哥本哈根皇家天文台台长。1936～1938年，在芝加哥大学先任助教后任副教授。40年代后期曾在美国很多地方任职，1951年应聘为叶凯士天文台台长和得克萨斯州的麦克唐纳天文台台长。很久以来，人们设想宇宙中亮气体星云的光来自于它们里面的恒星的辐射。但斯特龙根发现，许多星云是电离氢，外包一层非电离氢，因而电离氢被局限在一个界限分明的特定区域内。斯特龙根是一位博学多才的天文学家，曾研究过天文学许多领域的问题。他测定过宇宙中氢、氦和其他化学元素的丰度，其结果同今值差别很小。他还研究过恒星内部结构，对太阳大气的研究作出重要贡献。从1951年起，斯特龙根进行了一项用光电技术广泛测定恒星光谱的计划，在此之前，恒星光谱分类主要依靠估计。1957年，他成为普林斯顿高等研究所的成员，10年后回哥本哈根大学，担任天体物理学教授。1970～1973年任国际天文学联合会主席。

供图：AP/Wide World Photos

Strömgren sphere　斯特龙根球区　星际气体被中心热量加热并电离的理论球形区域。因瑞典天体物理学家B.斯特龙根于20世纪30年代预测了该区域的存在而得名。表面温度高于20 000K的亮星一般都被这种气体球所包围。电离气体的密度从每立方厘米几个原子到约1 000个原子，温度约10 000K。这种气体球的半径从几光年到几百光年，视中心热星的温度和气体密度而定。在斯特龙根球区的边界,中性氢原子电离的速率同自由电子和原子核复合成为中性原子的速率正好平衡。

Strong, Anna Louise 斯特朗(1885-11-24,美国内布拉斯加弗伦德～1970-03-29,中国北京) 美国新闻记者和作家,曾根据她在新生的苏联和后来在中国各处旅行和对它们的第一手了解,出版了多部有关这两个国家发展的著作和文章。1903～1904年在(宾夕法尼亚)布林莫尔学院就读,1905年毕业于(俄亥俄)奥柏林学院。1908年获芝加哥大学哲学博士学位。1914～1916年受聘为美国儿童局安排展览。1916～1918年在华盛顿州西雅图市教育局任职,1918～1921年任《西雅图工会记事报》编辑。1919年出版《西雅图大罢工史》。担任美国之友服务委员会驻波兰和俄罗斯通讯员一年后,被国际新闻社任命为莫斯科通讯员。根据她在欧洲的观察,写出了《历史上的第一次》(1924)和《革命儿女》(1925)。她成为俄罗斯进行共产主义试验的热心支持者。1925年回到美国,作为一个不取报酬的代理人,在企业界人士中鼓动去俄罗斯进行工业投资和开发。她在中国和亚洲其他地区的旅行反映在《中国千百万大众》(1928)、《撒马尔罕的红星》(1929)和《通往古老的帕米尔高原之路》(1931)等书中。1930年回到莫斯科,参与创办《莫斯科新闻》,这是那里的第一份英文报纸。任主编一年,后为作者。并继续出版书籍:《苏维埃人征服小麦》(1931)、《〈千百万中国大众〉修订本:1927～1935年的革命斗争》(1935)、自传体的《我改变生活天地:一个美国人的改造》(1935)、《这个苏维埃世界》(1936)以及《苏维埃宪法》(1937)。1936年再次回到美国。继续为《大西洋月刊》、《哈珀斯杂志》、《民族》和《亚细亚》杂志写稿。数度去西班牙后,写出了《战斗的西班牙》(1937);而几度中国之行则有了《人类的五分之一》(1938)。1940年出版了《我的故乡》。后来的著作包括《苏联人的指望》(1941),以俄罗斯为背景的小说《奔腾的河流》(1943),《苏联的人民》(1944),根据她随同红军占领波兰时发自波兰的报道写成的《我看到了新波兰》(1946),以及三本有关共产主义革命在中国成功的书。1949年去中国途中,在莫斯科被捕,以间谍罪被驱逐出境。1955年前在苏联一直是不受欢迎的人。1958年,永久移居中国。在中国,她到处旅行,并主编英文月刊《中国通信》在全球发行,直至将近去世。并出版了《中国人民公社的兴起》(1960)和《金钱与暴力在老挝和越南》(1962)。20世纪60年代政治动乱中,她一直受到中国政府的尊重和信任。1946年她第一次在延安的窑洞里对毛泽东进行了采访,成为他的好友。

Strong, William 斯特朗(1808-05-06,美国康涅狄格萨默斯～1895-08-19,纽约明尼沃斯卡湖) 美国最高法院法官(1870～1880),19世纪最受人尊敬的法官之一。1832年取得律师资格,在宾夕法尼亚州雷丁市操律师业,并任美国众议院议员(1847～1851)。原为民主党人,但在宾夕法尼亚州最高法院工作期间(1857～1868)改变了政党关系而成为共和党人。1870年2月7日共和党人格兰特总统提名斯特朗接替老年法官格里尔的职务。在他被提名的同一天,最高法院宣布了它对"赫伯恩诉格里斯沃尔德"一案(1870)的判决,该案涉及1862年《法定货币法》是否合宪的问题。法院以5票对3票的多数撤销了《法定货币法》,从而否定国会有权发行纸币作为法定货币。次年,新组成的最高法院又以5票对4票推翻了赫伯恩案的判决。斯特朗代表多数法官发言,坚持政府有权通过《法定货币法》,并根据宪法的"必要和适当"条款保障这一权力。这是他的第一个重要的意见。他任法官十载,成绩卓著,以其才能与公正赢得法律界的尊敬。

Strong Island (Caroline Islands) 斯特朗岛 参阅 **Kosrae** *科斯拉伊*。

strong nuclear force 强核力 在物质的基本粒子之间起作用的一种基本力,由一种称为"色"的性质所引起。这一性质与平常讲的颜色无任何联系,而是有点像电荷。正如电荷是电磁力之源一样,色是强力之源。"无色"粒子(诸如电子和其他轻子)对强力无"感觉";带色粒子(主要是夸克)对强力有"感觉"。*量子色动力学*(**quantum chromodynamics**)是描述强相互作用的量子场论,因"色"这一主要性质而得名(参阅 **quark**)。

强力把夸克成簇地束缚在一起,形成诸如质子和中子等更为熟悉的亚原子粒子。强力也使原子核结合在一起不破,并且构成含有夸克的所有粒子之间相互作用的基础。这就是为什么当两簇足够近时,一簇内的夸克能与另一簇内的夸克相互作用的道理。质子和中子是重子的例子,它们含有三个夸克,其中每一个具有色的三个可能值(红、蓝和绿)之一。夸克也能与具有相反色的反夸克结合在一起,形成介子,如π介子和K介子。重子和介子的净色均为零,看来强力只允许零色的组合存在。试图敲出个别的夸克,例如在高能粒子碰撞中,只能导致产生新的"无色"粒子(主要是介子)的结果。

在强相互作用中,夸克交换胶子。胶子是强力的载体。胶子像光子(电磁力的传递粒子)一样,为无质量、内禀自旋为1的粒子。然而,胶子与光子不同,光子不带电,因而对电磁力无感觉;胶子带色,因而对强力有感觉,在胶子之间能产生相互作用。这个差别的一个结果是在短程内(约10^{-15}米,大致等于质子或中子的直径),强力会随着距离的增大而增强,这是强力与其他力不同之处。

当两夸克之间的距离增大时,它们之间的作用力增强,正像一根橡皮筋的两端被拉开时产生的张力那样。最后,橡皮筋会断裂,变成两段。夸克与上述情况有点相似,当其能量足够大时,从簇中拉出的不是一个夸克,而是夸克-反夸克对。因此,夸克好像总是被锁定在可探测到的介子和重子内,这一现象称为禁闭。在可与质子的直径相比的距离下,两夸克之间的强相互作用约为电磁相互作用的100倍。然而,在较小的距离内,两夸克之间的强力变得较弱,夸克的性状开始像独立粒子,这一效应称为渐近自由。

Strongyle (Italy) 参阅 **Stromboli Island** *斯特龙博利岛*。

strontianite 菱锶矿 一种碳酸盐矿物。其成分是碳酸锶($SrCO_3$),是锶的原始的和主要的来源。菱锶矿以放射状纤维的白色块体而存在,虽然也有淡绿色、黄色或灰色的。菱锶矿形成软的、脆性的晶体。通常与重晶石、天青石及方解石伴生于低温矿脉中。菱锶矿的著名产地有德国北莱茵-威斯特伐利亚州、苏格兰的斯特朗申以及美国加利福尼亚州锶山。菱锶矿在制造烟火信号弹中用于添加红颜色,还在糖的精制过程中作为一种澄清剂。详细物理性质,参阅 **carbonate mineral**(表)。

strontium 锶(Sr) 化学元素,周期表IIa主族碱土金属。红色信号弹药的成分,放射性散落物中主要的健康危害物。锶是类似于铅的软金属,新切开的表面有银色金属光泽。在空气中,迅速反应而呈淡黄色,因此应贮存于煤油中。自然界无游离态锶。锶约占整个地壳的0.04%,主要存在于菱锶矿(碳酸盐)和天青石矿(硫酸盐)。1787年,苏格兰科学家W.克鲁克香克在苏格兰阿盖尔地区的斯特朗申镇的菱锶矿中首次发现锶。1808年,H.戴维以汞作阴极电解潮湿的氢氧化锶(或氯化锶)和氧化汞的混合物,然后从所得锶汞齐中蒸发汞分离出金属锶。可用接触阴极电解法制取金属锶棒,在这种方法中,作阴极用的冷却铁棒刚好接触氯化钾和氯化锶熔融混合物表面,而当锶在铁棒上凝固时便上提。因为与锶很相似的钙和钡比锶丰富得多,故工业上不大量生产锶。锶具有延展性并是电的良导体。锶的四种天然存在的同位素为锶88(82.56%)、锶86(9.86%)、锶87(7.02%)和锶84(0.56%)。通过核反应已制出12种锶的人造同位素,其中寿命最长的是锶90(半衰期28年)。这种由核爆炸形成的同位素,被认为是放射性散落物中一个最危险的组分。锶能取代食物中的一些钙,最后浓集于骨骼和牙齿,并继续放射出引起射线伤害的电子。控制量的放射性锶已用于骨癌治疗。锶衰变产生的热可转变为电能,这种电源寿命长、重量轻,可用于航海浮标、偏僻气象站、航天飞船等方面。锶在其化合物中成为Sr^{2+}离子,表现其唯一的+2氧化态,它是一个很活泼的还原剂,易与卤素、氧和硫反应生成卤化物、氧化物和硫化物。锶化合物的应用价值不大,因为能用于相同目的的相应钙、钡化合物更为便宜。但是已发现锶在工业及其他方面有少数应用。卤化锶、硝酸锶[$Sr(NO_3)_2$]和氯酸锶[$Sr(ClO_3)_2$]极易挥发,并能使火焰呈亮猩红色。因而它们用于各种警戒装置、照明弹和曳光弹中。氢氧化锶[$Sr(OH)_2$]有时用于从糖浆中提取糖分,因为它能形成一种可溶性锶的糖化物,通过后者与二氧化碳反应,可以很容易使糖再生。硫化锶[SrS]可用作脱毛剂和用于某些发光涂料中。锶原子序数38。原子量87.62。熔点769°C。沸点1 384°C。比重2.54。化合价2。

电子组态 2,8,18,8,2 或(Kr)$5s^2$。

Strophanthus 羊角拗属 或称毒毛旋花属。夹竹桃科的一属,含 40 余种观赏和药用植物,为木质藤本、灌木或小乔木,原产热带非洲和东南亚。有些种的花瓣外伸呈长丝

羊角拗(*S. preussii*)
供图:W. H. Hodge

状。有些藤本种的茎皮和种子含有毒生物碱,称为羊角拗甙(毒毛旋花素),可用为强心药或箭毒。长匍茎羊角拗(*S. sarmentosus*)用制可的松。

strophe 诗节 诗歌中一首诗内形成一明显单元的一组诗行。该词有时用作诗节(stanza)的同义词,通常指品达体(Pindaric)颂歌或没有固定格律和韵律格式的诗,如自由诗。在古希腊戏剧中,该词指歌咏队所唱颂歌的第一诗节,歌咏队一边唱一边从舞台一侧向另一侧走动;接着是唱第二诗节(antistrophe),格律结构相同,唱时歌咏队向相反方向走动;接下去唱结构不同的第三诗节(epode),唱时站在原地不动。

Stropheodonta 齿扭贝 小腕足动物类的绝灭属。其化石见于海相泥盆系(年代为大约

在美国纽约州伊利县发现的齿扭贝(*Stropheodonta concava*)化石
布法罗科学博物馆供图

4.08 亿年前至 3.6 亿年前)。齿扭贝具有特殊的内部构造,其凹凸型的壳面上具有线状和弓形的纹饰。是重要的腕足类——扭月贝类——所特有的,是有用的泥盆纪标准的化石。

Strophomena 扭月贝 腕足动物的绝灭属。化石见于海相中及上奥陶统(延续年代为 4.78 亿年前至 4.38 亿年前)。壳由形状不同的两瓣组成,一瓣极凸,另一瓣凹。壳的边缘沿弓形生长线有特殊的层状模式。该属为重要的化石腕足类——扭月贝类——的代表。

Strossmayer, Joseph George 斯特罗斯马耶(1815-02-04,斯拉沃尼亚奥西耶克~1905-04-08,贾科沃) 天主教主教,曾领导克罗地亚民族党开展南斯拉夫民族主义运动。1838 年授圣职,在维也纳讲授神学。1850 年为波斯尼亚和锡尔米乌主教。他坚决爱国,极力宣扬斯拉夫民族主义。曾帮助克罗地亚政治、军事领袖 J. 耶拉契奇反对匈牙利人(1848~1849)。后成为反匈牙利霸权的领袖。1860~1873 年任克罗地亚议会议员。1867 年创办南斯拉夫人学院,1876 年参加改组达尔马提亚和克罗地亚-斯洛文尼亚的全部教育制度。曾在贾科沃建造一座主教宫和大教堂,在波斯尼亚为克罗地亚人开办神学院,出版一些民歌和故事集。他兴建许多女隐修院、学校和图书馆。主张天主教和俄罗斯正教会的重新联合。

Stroud 斯特劳德 英格兰中南部格洛斯特行政、历史郡城镇和区。位于郡的中南部,在西南的布里斯托和北面的格洛斯特之间。西界塞文河。东部为石灰岩科茨沃尔德丘陵(海拔 180~250 米),西部为接近海平面的伯克利谷和格洛斯特谷。14~18 世纪时,科茨沃尔德丘陵为英格兰羊毛业中心。现今斯特劳德区内的村庄因饲养羊或编织和染色羊毛变得十分繁荣昌盛。许多旧石灰石建筑即说明了其早期昌盛的情况。现今牧业以饲养牛(不是羊)为主。区首府斯特劳德镇及其附近社区有多种制造业,生产矿山设备、塑料、电子仪器、钢琴、毛织物、弹子台布等。塞文河谷的伯克利镇有一座保存得很好的阴森森的中世纪城堡。1796 年发现牛痘接种法的 E. 詹纳就出生在伯克利。面积 454 平方千米。人口:城镇38 835(1991);区 109 000(1998)。

Stroud, Robert(Franklin) 斯特劳德(1890,美国华盛顿西雅图~1963-11-21,密苏里斯普林菲尔德) 别名阿尔卡特拉斯的禽学家(Birdman of Alcatraz)。美国杀人犯,被囚 54 年(其中 42 年系单独囚禁),在狱中自学,成为禽学家。斯特劳德 1909 年 8 月 23 日因杀人罪被判 12 年徒刑,监禁于皮尤吉特湾麦克尼尔岛联邦监狱。1912 年因刺伤同室犯人,被转移到堪萨斯州莱文沃思监狱单独囚禁,开始自学大学函授课程。1916 年 3 月 26 日,他又因刺死一名警卫人员被判绞刑,1920 年 4 月 15 日威尔逊总统命令将他改判终生单独监禁。从此,大部时间他被单独囚禁,便开始饲养金丝雀和其他鸟类,拼凑实验设备,研究鸟类疾病、饲养和护理方法,一些研究成果被偷偷送出监狱发表。1943 年发表的《斯特劳德鸟类疾病摘要》成为该研究领域内的重要著作。但在 1942 年,他被转移到阿尔卡特拉斯,获准继续进行研究,但不得出版。1959 年,再被转移到密苏里州斯普林菲尔德的联邦囚犯医疗中心,4 年后死去。

Stroudsburg 斯特劳兹堡 美国宾夕法尼亚州东部自治镇和避暑胜地,门罗县县城。临布罗德黑德河,地处波科诺山区,与东斯特劳兹堡毗邻。1769 年斯特劳德上校来此定居。1806 年规划。1815 年设建制。镇内仍保留有斯特劳德大厦(1795)。山区多林木、河谷和湖泊,景色宜人。镇东有风景秀丽的特拉华河峡谷。镇南有野生动物养殖场。旅游业、综合性农业和轻型制造业为主要经济项目。设有宾夕法尼亚大学东斯特劳兹堡分校(1893)。人口5 312(1990)。

Strouma River(Bulgaria-Greece) 参阅**Struma River 斯特鲁马河**。

struck jury 选定陪审团 参阅**blue-ribbon jury 蓝绶带陪审团**。

structural geology 构造地质学 研究各种规模岩石变形的科学分支。其研究范围很广,从亚显微状的晶体点阵缺陷到地壳的断层构造和褶皱系统。构造地质学的研究方法几乎像整个地质科学一样变化多端。研究小规模构造特征可以采用与岩石学中所使用的同样普遍的技术,就是把岩石薄片磨得很薄,粘在玻璃片上,然后用偏光显微镜来观察研究。研究大规模构造,则采用野外地质学技术。这包括标绘诸如断层、节理、劈理和小褶皱这类构造要素的方向。在大多数情况下,目的在于通过利用地面所获得的信息来解释地表以下的构造。在涉及到山脉、大陆、洋盆及其他大规模构造要素的地方,采用的方法主要是地球物理的,包括地震的、磁法的及重力的技术。并且,因为引起岩石变形的作用过程很少能直接观察到,所以必须通过计算机模拟来研究,通过这种模拟,能够用数学方法再现它们。

structuralism 结构主义 法国人类学家 C. 莱维-斯特劳斯在文化人类学中开创的一个学派。这个学派把各种文化视为系统,并认为可以按照其诸成分之间的结构关系加以分析。根据他的理论,文化系统中的普遍模式是人类思想中恒定结构的产物。莱维-斯特劳斯认为,他所进行的范围广泛的有关亲属、神话模式、艺术、宗教、礼仪及烹饪传统等分析中,尽管也都存在这类结构,但最主要的结构是指心智上的结构。莱维-斯特劳斯学说的基本框架来自结构语言学理论。在莱维-斯特劳斯所提出的体系中,人类的思想被看做是各种自然物质的一个贮存库,从中选择成对的成分,就可以形成各种相异的结构。对立的两种成分可以分开,各成单一成分,这些单一成分又可构成新的对立成分。莱维-

斯特劳斯在分析亲属关系名称和亲属关系系统时,曾提出其基本结构或基本单位有4种类型:兄妹关系,夫妻关系,父子关系,舅甥关系,其他所有亲属系统都建立在此基础之上。莱维-斯特劳斯强调指出,对亲属关系结构的分析,必须把重点放在人类的意识上,而不是放在客观的血统联系上或者亲族关系上。莱维-斯特劳斯认为,社会生活的一切形态都体现为普遍法则的作用,而此种普遍法则是可以控制思维活动的。

structuralism　结构主义　20世纪致力于研究结构主义诸原理的几个语言学派中的任何一派,主要认为语言是一种独立的关系结构,这种关系结构的各个成分因在文章或话语中的分布状况与对立关系而显示其存在并获得价值。结构主义原理是由瑞士语言学家索绪尔(1857～1913)首先用于语言学的。布拉格学派、语符学和其他欧洲学派从各个不同方面进一步发展了索绪尔的学说。在美国,凡涉及F.博厄斯(1858～1942)和E.萨丕尔(1884～1939)及其弟子们的作品时,结构主义或结构语言学这一术语与当时欧洲的含义颇有相似之处。但是在目前,结构主义这个术语常狭义地用来指称所谓后布龙菲尔德语言分析学派,该学派曾继承L.布龙菲尔德1930年后发展起来的研究方法。他们的主要研究领域是音系学(研究语音系统)和形态学(研究词的结构)。结构语言学派不以语义学的研究为课题,他们认为语义学难以捉摸,不易描述。

structuralism　构造主义　由W.冯特创立并经E.B.铁钦纳形成的一个心理学的体系。旨在分析成人心理经验(从出生到目前的全部经验的总和)的构成元素以及各种元素之间相互结合的方式和规律。构造主义心理学的主要方法是内省法(由训练有素的观察者用含义明确的心理学术语在有对照的条件下进行仔细的观察分析)。铁钦纳认为经验只应作为存在的事实去评价而不应分析该经验的意义或价值。他认为,"心理的解剖学"与心理"如何"或"为何"行使功能的问题无关。他在其主要论著《心理学教科书》(1909～1910)中说,描述意识经验只需要感觉和情感两种元素。思维的过程实质上被视为对当前经验的感觉和对过去经验的情感。虽然构造主义体现了心理学已作为不同于哲学的学科而出现,但铁钦纳去世后构造主义却丧失了它的大部分影响。然而构造主义却导致了其反对派运动(如功能主义、行为主义以及格式塔心理学派)的发展,使它们遍及欧洲并渗入到实验心理学的领域。行为和人格都超出了构造主义的范围。构造主义将经验的意义和事实加以区分,反对F.布伦坦诺的动作心理学的现象学传统,反对格式塔派心理学以及功能主义派和J.B.沃森(又译华生)的行为主义,但它却促进了功能主义的产生(铁钦纳、J.杜威、J.R.安吉尔)。构造主义在美国心理学界始终是"少数派"。

Struensee, Johann Friedrich, Graf von(count of)　**施特鲁恩泽伯爵**(1737-08-05,普鲁士哈雷[德国]～1772-04-28,丹麦哥本哈根)　德国医生、政治家,由于控制了低能的国王克里斯蒂安七世,因而在1770～1772年间拥有绝对的权力。施特鲁恩泽于18世纪60年代在丹

供图:Svenska Portrattarkivet, Stockholm

麦阿尔托纳(当时属丹麦,现属德国)城市行医。由于结识丹麦的某些宫廷近臣,奉命伴随患有精神病的克里斯蒂安七世旅游欧洲(1768～1769)。1769年受命为宫廷御医。他在控制了国王之后,于1770年成为王后卡罗琳·玛蒂尔达的情夫。他迅即废除政务会议和挪威总督(1770)。1771年6月他设法使国王任命他为枢密院大臣,7月又封伯爵。1771年3月～1772年1月间陆续颁布了一系列改革政令,包括出版自由、减轻农民劳役、单一司法制度、改组哥本哈根市政府等。但因树敌过多,后来成为1772年1月阴谋事件中的牺牲者。被捕后以与王后私通罪遭酷刑至死。

struma fibrosa　纤维性甲状腺肿　参阅 **Riedel thyroiditis** 里德尔氏甲状腺炎。

struma lymphomatosa(endocrine disorder)　**淋巴瘤性甲状腺肿**　参阅 **Hashimoto's disease** 桥本氏病。

Struma River　斯特鲁马河　Struma又拼Strouma。希腊语称斯特里蒙河(Potamós Strimón)。保加利亚西部和希腊东北部河流。源出保加利亚境内罗多彼山脉中维托沙山。向东南偏南流,经佩尔尼克注入爱琴海,全长415千米,流域面积10 898平方千米,其谷地为索非亚通爱琴海重要交通要道。主要支流有杰尔曼河、里拉河、安吉蒂斯河和斯特鲁米察河。斯特鲁马河谷为保加利亚主要褐煤产地。1930年,该河下游希腊鲁珀尔隘口以南开凿成了运河。下游为辽阔的农业地区。

Strumen River(Ukraine and Belarus)　**斯特鲁缅河**　参阅 **Pripyat River** 普里皮亚季河。

Struthiomimus　似鸵龙　恐龙类的属,形似鸵鸟。化石见于北美的白垩纪(1.44亿年前至0.664亿年前)。长约2.5米,是一种轻捷纤长的两足行走动物。具有很像鸟脚的发育完善而又强壮的三趾后肢,明显适应于迅速运动。小而轻的头骨位于较细长、很易弯曲的脖子上。前肢较细长,末端为具尖爪而适于抓取的三指前掌。细长的尾巴很可能在奔跑时用于平衡身体和脖子。颌部无齿,可能覆盖一层颇像鸟嘴的角质喙。有人提出似鸵龙及与之相关的类型以其他恐龙类的蛋为食。参阅 **Ornithomimus**。

Strutt, John William(English scientist)　**斯特拉特**　参阅 **Rayleigh (of Terling Place), John William Strutt, 3rd Baron** 瑞利男爵(第三)。

Struve, Friedrich Georg Wilhelm von　斯特鲁维(1793-04-15,丹麦阿尔托纳[今在德国]～1864-11-23,俄罗斯圣彼得堡)　19世纪最伟大的天文学家之一,著名的4代天文世家(斯特鲁维家族)中的第一代,现代双星研究的创始人。为逃避拿破仑征兵,他于1808年逃离德国,先到丹麦,后辗转到俄国。1813年在多尔帕特(今爱沙尼亚的塔尔图)大学任天文学和数学教授,4年后任多尔帕特天文台台长。1824年他得到一架口径为24厘米的折射望远镜,这在当时是最好的设备。

供图:Archiv fur Kunst und Geschichte, Berlin

用它对双星作空前广泛的巡天研究:从北天极到南纬15°这一范围内,他共观测了12万颗恒星并从中测出3 112颗双星,其中有75%以上是前人所不知道的。他把他的发现编成星表并出版了《双星的测微计测量》一书,成为双星天文学的经典著作之一。1835年,沙皇尼古拉一世委派他去普尔科沃组织和筹建新天文台。1839年他任普尔科沃天文台台长并继续研究双星。1838年他测出织女星的视差(从两个距离很远的地点观测天体位置的视变化),这是最早进行的这种测量之一。

Struve, Gustav von　施特鲁沃(1805-10-11,慕尼黑～1870-08-21,维也纳)　德国革命者、政治鼓动家,与其妻阿梅莉·迪莎尔积极参加1848～1849年巴登起义。其父是俄国驻卡尔斯鲁厄代办。1846～1848年在曼海姆执律师业,创办并主编《德意志观察家》杂志,鼓吹建立共和制度。1847年9月参与起草《巴登人民十三条要求》,次年4月12日又向该地区人民发表宣言,号召武装起义。革命失败后,到纽约避难,著有《世界通史》9卷(1853～1860)。在美国南北战争期间曾参加联邦军(1861～1862),1863年返回欧洲。

Struve, Otto　斯特鲁维(1897-08-12,俄罗斯哈尔科夫～1963-04-06,美国加利福尼亚伯克利)　俄罗斯出生的美国天文学家,以对恒星光谱学的贡献,尤以发现氢和其他元素在宇宙中普遍存在而闻名于世。他是天文世家斯

特鲁维家族最后的一员，是著名俄国天文学家 F.G.W.斯特鲁维的曾孙。原先在哈尔科夫大学上学，1916～1918 年因在沙皇军队中服役而中断学业。俄国革命后，斯特鲁维于 1919～1920 年又去白俄军队中服役。白军崩溃后，他在土耳其艰难地度过数月，最后于 1921 年移居美国，在美国他先到叶凯士天文台工作，开始研究恒星光谱学，对恒星物理的研究作出了卓越的贡献。通过研究猎户座 δ 和其他恒星，斯特鲁维发现来自距离遥远的热星的光谱有时有一条钙的暗线（吸收线），尽管这样，他认为不能由此得出恒星本身有钙的结论。1925 年，他认为这条固定不动的钙线是由主要位于银河平面附近的巨大钙云产生的。1932 年他任叶凯士天文台台长，同年组织筹建得克萨斯州麦克唐纳天文台，随后任台长。经过两年多的探索，1938 年提出星际空间中有氢，这一发现对后来射电天文学的发展至关重要。他还指出，许多恒星绕自身的轴迅速旋转，有些恒星的自转周期为一天或不足一天。斯特鲁维对变星、双星、聚星和特殊星的光谱也做过深入研究。1947 年他辞去叶凯士天文台台长和麦克唐纳天文台台长的职务，到芝加哥大学任天文系主任。1950 年任伯克利加利福尼亚大学勒施奈天文台台长。1959～1962 年任国立射电天文台台长。1948～1952 年任国际天文学联合会副主席，1952～1955 年任主席。在任职期间，他努力防止天文学联合会因冷战而遭到破坏。他共发表了 700 多篇文章，主要著作有《恒星演化》(1950)和《宇宙》(1962)。

Struve, Pyotr Berngardovich　司徒卢威（1870-02-07，俄罗斯彼尔姆～1944-02-26，巴黎）　俄国自由主义经济学家和政治学家。在圣彼得堡大学学习经济理论和历史时，成了马克思主义者。1894 年，他在《俄国经济发展问题评述》中对俄国资本主义进行的马克思主义分析，使他在左翼知识分子中赢得了声誉。19 世纪 90 年代末，他主编几种马克思主义刊物（包括有影响的定期刊物《新言论》）。与 G.普列汉诺夫和列宁结识后，他应邀为新建立的俄国社会民主工党撰写宣言。1901年被捕并放逐出俄国后，他与革命的马克思主义决裂，转向激进的立宪自由主义，并对沙皇政府采取强烈的批判态度。作为 1902～1905 年间在国外出版的非法刊物《解放》的主编，他或许是一位最有影响的人物。它鼓吹在俄国应允许有充分的公民权利并建立立宪君主制。此时，司徒卢威逐渐转向社会主义运动的右翼。1905 年革命后，他回到俄国参加新建的立宪民主党。1907 年他被选入第二届杜马，但他的温和观点和对革命意识形态的辛辣批判疏远了其他俄国进步人士。第一次世界大战期间他支持俄国的战争努力，并继续主编独立的温和派刊物《俄国思想》。他反对 1917 年的十月革命，有一个时期还参加了反对布尔什维克的白卫军。后移居巴黎，主编反苏的侨民刊物。1928 年移居贝尔格莱德，在该地任教并研究俄国问题。

Struwwel, Peter　施特鲁韦尔　参阅 **Hoffmann, Heinrich** 霍夫曼。

Stry　斯特雷　乌克兰利沃夫州城市。位于斯特雷河畔。历史久远，1396 年即见于记载。通铁路后成为重镇。现有各种机器制造与工程业、食品工业与轻工业。亦为周围地区天然气工业行政管理中心。有农机学院和医学院。人口约68 200(1991)。

strychnine　士的宁　一种有毒生物碱，提取自马钱子树和其他相关的马钱属植物的种子。1918 年，法国化学家 J.-B.卡芳杜和 P.-J.佩尔蒂埃首先在菲律宾木质藤本植物圣依纳豆（吕宋豆）中发现。现在的主要商用药源植物是印度马钱子树。士的宁的分子式为 $C_{21}H_{22}N_2O_2$；不溶于水，只溶于酒精等有机溶剂；味极苦。士的宁曾用作杀鼠药，小剂量亦用作兽医兴奋剂。脊髓对士的宁具有高度选择的感受性，治疗剂量的士的宁可提高脊髓反射的兴奋性。据信，士的宁可使机体运动神经元的正常抑制作用减弱，从而导致骨骼肌剧烈挛缩，最常见的中毒症状是角（背）弓反张。口服或肌注后，士的宁迅速被机体吸收入血，药物所致症状常在 20 分钟之内出现。最早出现的症状是痛性痉挛，而后很快发展成强直性惊厥、角弓反张，中毒者十分痛苦；几分钟后即可缓解，但稍有触动、声响或其他刺激，便会再次发作。呼吸肌持续性痉挛可使呼吸停止于最大吸气状态，中毒者常因窒息而死。

Strychnos　马钱子属　胡蔓藤科的一属。约 150 种热带木本植物。许多种为乔木。花小，通常白色或奶油色。有些种是重要的药品或毒物的来源。士的宁（马钱子碱）从马钱子(*S. nux-vomica*)等几个种的种子获取。箭毒(**curare**)来自南箭毒树(*S. toxifera*)等的树皮。少数种，如刺马钱子（纳塔尔橘，*S. spinosa*）及 *S. unguacha*，果实味甜，在产地供食用。

Strydom, Johannes Gerhardus　参阅 **Strijdom, Johannes Gerhardus** 斯揣敦。

Stuart, HOUSE OF　斯图亚特王室　Stuart 又拼 Stewart 或 Steuart。1371 年起为苏格兰王室，1603 年起为英格兰王室。1649 年由于共和政体的建立而中断，1660 年复辟。1714 年英格兰王位传给汉诺威王室，斯图亚特王室告终。这个家族能追溯到 11 世纪的布列塔尼，他们在那里至少 4 代是多尔伯爵的管家。12 世纪初，他们在英格兰出现。多尔的第四代管家的第三子沃尔特投效苏格兰王戴维一世，后被任命为国王管家。1157 年国王马尔科姆四世批准他家世袭这个职位。1315 年第六代管家沃尔特（1326 年卒）与国王罗伯特一世的女儿马乔里结婚。1371 年他们的儿子罗伯特成为国王罗伯特二世，即苏格兰的第一代斯图亚特国王。斯图亚特的各代国王往往暴卒。有 7 代在未成年时即位。1542 年詹姆斯五世死后，直系男嗣断绝，由他的女儿玛丽为苏格兰女王。1567 年，玛丽与达恩利伯爵亨利·斯图亚特的独生子詹姆斯六世继承王位。由于他的曾外祖母玛格丽特（都铎）是英格兰国王亨利七世的女儿，他于 1603 年继承英格兰王位，称詹姆斯一世。1649 年詹姆斯的儿子查理一世被处死后，斯图亚特家族被排斥在王位之外，直到 1660 年查理二世复位。1685 年查理二世由他的天主教徒兄弟詹姆斯二世（1701 年卒）继位。詹姆斯二世是如此地不得人心，1688 年臣民请求奥兰治亲王威廉前来"拯救英格兰的法律和宗教"。詹姆斯逃跑。根据任何天主教徒不得继承王位的《权利法》(1689)和《王位继承法》(1701)，他和他的后代永远不得继承王位。然而，斯图亚特家族在英格兰和苏格兰仍然进行统治，因为威廉是查理二世的妹妹玛丽的儿子，而他的妻子玛丽是詹姆斯二世的长女。他们成为共同统治者威廉三世和玛丽二世。他们没有子女，根据《王位继承法》，玛丽的妹妹安妮（1714 年卒）继承王位。她去世时无子女，王位传给詹姆斯一世的孙女、汉诺威选侯之妻索菲娅。索菲娅的儿子成为乔治一世，是为英格兰的汉诺威王室的第一代。英格兰王室世系的斯图亚特家族最后的男嗣是詹姆斯二世的儿子老王位觊觎者詹姆斯·爱德华（1766 年卒）和他的两个儿子——小王位觊觎者查理·爱德华（1788 年卒）和枢机主教、约克公爵亨利（1807 年卒）。王室谱系表见 285 页。

Stuart, Arabella　斯图亚特（1575～1615-09-25，英格兰伦敦）　Stuart 又拼 Stewart。英格兰女贵族。她要求获得她的堂兄詹姆斯一世国王（苏格兰国王詹姆斯六世）的王位，结果

爱丁堡苏格兰国家肖像陈列馆供图

导致悲惨的死亡。她是詹姆斯一世的叔父伦诺克斯伯爵查理·斯图亚特的女儿，亨利八世国王的姐姐玛格丽特（都铎）的曾外孙女。伊丽莎白一世女王在位末期，她被承认是居于詹姆斯六世之后的第 2 位英格兰王位继承人。有些人认为她比詹姆斯更有资格统治英格兰，因为她具有英格兰血统，并在英格兰长大。1603 年詹姆斯即英格兰王位后，他请斯图亚特住在王宫中。但詹姆斯显然害怕她与外国统治者的结合会给他的地位造成威胁，因此，当 1609 年她企图离开英格兰，可能是要与一不知名的巴尔干王子结婚时，她被逮捕并暂时监禁。获释后，她很快钟情于威廉·西摩（后为萨默塞特公爵），而西摩本人也是一个王位要求者。这一对情侣违抗詹姆斯的命令，于 1610 年 6 月 22 日秘密结婚。国王获悉这个消息后将西摩监禁于伦敦塔，将斯图亚特软禁起来。这对情人逃出了监禁地，但未能按计划会合。西摩逃往奥斯坦德（现属比利时），斯图亚特却在英吉利海峡的一条船上被俘获。她被囚禁于伦敦塔，最后于1615

斯图亚特王室（苏格兰和英格兰的）

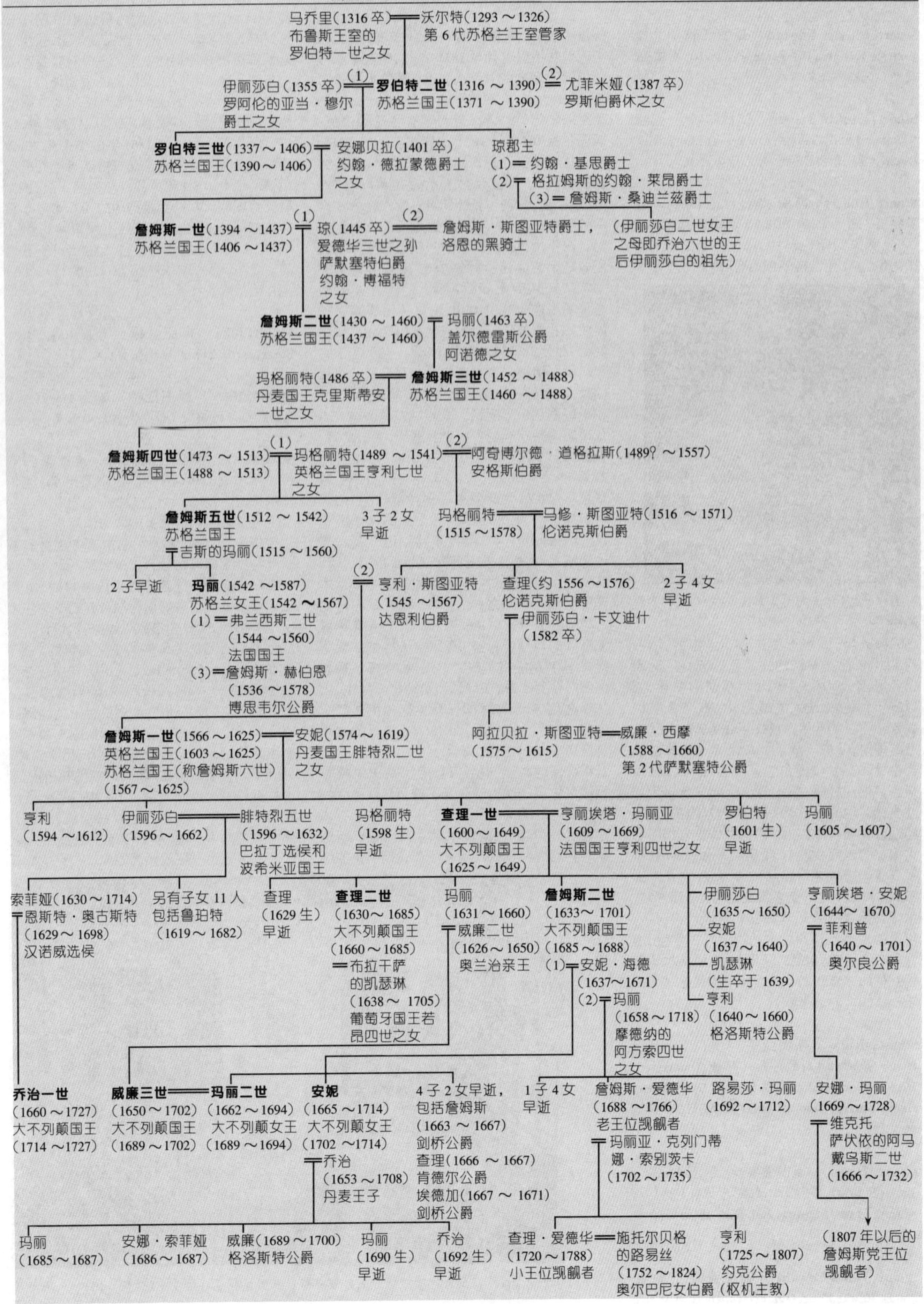

年死去。

Stuart, Charles Edward **斯图亚特** 参阅 **Charles Edward, the Young Pretender** 查理·爱德华(小王位觊觎者)。

Stuart, Frances Teresa **斯图尔特** 参阅 **Richmond and Lennox, Frances Teresa Stuart, Duchess of** 里奇蒙和伦诺克斯公爵夫人。

Stuart, Gilbert **斯图尔特**(1755-12-03,美国罗得岛北金斯敦～1828-07-09,马萨诸塞波士顿) 美国画家,当时大肖像画家之一和美国肖像画特有风格的创始者。他成长于罗得

斯图尔特绘《耶茨夫人肖像》(1793～1794)
美国国家美术陈列馆供图

岛的纽波特,并在这里打下了绘画的基础。约1771年他陪同访问纽波特的苏格兰画家C.亚历山大到爱丁堡,1年后回到罗得岛。1775年到伦敦,进入美国艺术家B.韦斯特的画室工作了约6年。1782年在伦敦开设了自己的画室,并取得成功。1787年为躲债避至都柏林,6年后从爱尔兰到美国,并很快取得声誉。他在费城约生活了12年,1805年定居波士顿。他的作品受到同时代人的赞美,所画近1 000幅肖像中,最有名的是波士顿图书馆保存的未完成的G.华盛顿头像(1796),藏于华盛顿国立艺术馆中的R.耶茨夫人肖像和《溜冰者》,马萨诸塞州伍斯特市伍斯特艺术博物馆收藏的P.莫顿夫人肖像,以及私人收藏的J.亚当斯肖像。他虽无正式学生,但许多青年画家,包括J.范德林、J.尼格尔等都得到他的慷慨指教。其肖像画的风格对美国下一代画家颇有影响。

Stuart, Henry **斯图亚特** 参阅 **Darnley, Henry Stewart, Lord** 达恩利勋爵; **Gloucester, Henry Stuart, Duke of** 格洛斯特公爵; **York, Henry Stuart, Cardinal Duke of** 约克公爵(枢机主教)。

Stuart, James **斯图亚特** 参阅 **Moray, James Stewart, 1st Earl of** 莫里伯爵(第一); **Moray, James Stewart, 2nd Earl of** 莫里伯爵(第二)。

Stuart, James Edward **斯图亚特** 参阅 **James Edward, the Old Pretender** 詹姆斯·爱德华(老觊觎王位者)。

Stuart, Jeb **斯图尔特**(1833-02-06,美国弗吉尼亚帕特里克县～1864-05-12,弗吉尼亚里士满附近耶洛塔尔维纳) 美国南北战争时期(1861～1865)的南军骑兵军官,他提供的敌军部队行动的情报对南军有特殊的价值。斯图尔特1854年毕业于美国西点军校。1864年4月当弗吉尼亚退出美国联邦时,他辞去官职,参加了保卫弗吉尼亚的战斗。是年7月,在第1次布尔溪战役(南方称之为第1次马纳萨斯战役)中,因英勇善战而荣立赫赫战功。同年稍后,晋升为准将,负责指挥北弗吉尼亚陆军骑兵旅。就在1862年6月打响的里奇蒙保卫战(七日战)之前,他被南军R.E.李将军派往侦察由G.B.麦克莱伦将军率领的北军右翼部队的位置。他不仅胜利完成了使命,而且策马绕麦克莱伦部队一圈,向李将军提供了情报。接着在袭击北军交通运输线的战斗中,他还有幸缴获一份敌军编制文件,使李将军从中了解到北军的实力和部署。不久斯图尔特晋升为少将,担任骑兵军司令官,又参加第2次布尔溪战役(即1862年8月第2次马纳萨斯战役),并再次包围了北军,缴获军马1 200匹。此后在马里兰战役中,由于他指挥英明,扼守住了南方山脉的一个山口(克兰普顿山峡),从而使李将军得以及时集结部队对付麦克莱伦将军部队的进攻。到1862年冬,斯图尔特作为情报军官的卓越才能得到了人们的充分认可,为此,李将军称他为"军队的眼睛"。1862年12月,在弗雷德里克斯堡的战斗中,他的骑兵炮队挡住了北军对T.J.杰克逊将军部队的进攻,发挥了极大作用。翌年5月,在钱瑟勒斯维尔一战中,因杰克逊负伤,李将军即任命他担任第2军司令官。在下一个战役,即1863年7月的宾州葛底斯堡战役之先,骑兵于6月9日在布朗迪军事基地打了一仗。这一仗,斯图尔特和他的部队第一次遭遇到北军骑兵部队的激烈对抗。他的骑兵部队据守陆军右翼的所有通道,掩护南军部队向波多马克河北进。斯图尔特在葛底斯堡的行为曾成为长期争论的题目。斯图尔特虽然是受李将军之命部署他的骑兵作为掩护部队,同时为前进中的南军搜集情报,但他却未能在一次突袭中出击,由于延误到达葛底斯堡时为时过晚,未能及时向李将军提供北军阵地及运动的重要情报。当斯图尔特于7月2日终于和李将军的部队会合时,战斗已经打响,他的部队疲惫不堪,很少有所作为。1863～1864年的整个冬季,他不断向南军司令部提供北军部队运动的准确情报。但是,1864年的战役开始后不久,P.谢里登将军的北军骑兵就把他的骑兵军自李将军的部队中引开。为了阻止敌军接近里士满,在人们通常所说的斯波西尔韦尼亚县城的交战中,他的部队吃了败仗(05-11),次日他在近战中身负致命重伤。

Stuart, John **斯图尔特** 参阅 **Bute, John Stuart, 3rd Earl of** 比特伯爵(第三)。

Stuart, Mary **斯图亚特** 参阅 **Mary (Scotland)** 玛丽(苏格兰)项下的 **Mary** 玛丽。

Stuart style **斯图亚特风格** 英国斯图亚特王朝即1603～1714年期间(奥利弗·克伦威尔护国时期除外)创造的视觉艺术。这一时期的英国艺术家深受德国和佛兰德斯巴罗克风格影响,后受意大利帕拉第奥主义影响逐渐与学院派风格融合。詹姆斯一世当政时(1603～1625)英国艺术处于过渡时期,20年后才重获发展。詹姆斯时期最有远见的艺术家是I.琼斯,他作为皇家工程监督,设计了一批意大利文艺复兴风格的皇家建筑物,白厅的宴会大厦(1619～1622)是其杰作。在查理一世(1625～1649)执政时期,琼斯继续以皇家首席建筑师的身份为斯图亚特王朝的假面舞会设计了成套装置。佛兰德斯画家鲁本斯来到英格兰,为宴会大厦设计了天顶装饰。另一佛兰德斯画家凡·戴克继之而来,创造了一种英格兰肖像画类型,成为其后两个世纪的模式。1660年查理二世从法国流放归来,法国的情趣和思想立即开始支配英格兰艺术。查理二世时期最显著的成就是克里斯托

I.琼斯设计的威尔特郡威尔顿府邸内斯图亚特风格的沙龙(模型),1625～1650年
芝加哥美术学院供图

弗·雷恩爵士主持的伦敦重建(1666年伦敦曾遭火灾破坏)。雷恩将文艺复兴、意大利巴罗克和当代法国的风格熔于一炉,创造了个人的建筑风格,这种风格一直延续至乔治统治时期(参阅 **Georgian style**)。在威廉和玛丽(1689～1702)以及安妮(1702～1714)统治时期,出现了一批值得重视的纪念性建筑物;与此同时,精美的家具和其他装饰艺术创造也反映出英国工艺的成长。

Stubbs, George 斯塔布斯(1724-08-24,英国利物浦～1806-07-10,伦敦) 英国杰出的动物画家和解剖制图家。富裕制革商之子,曾短期给画家当学徒,但基本上是自学。早年

斯塔布斯绘《狮子袭击马》(约1762)

供图:Yale Center for British Art, Paul Mellon Collection

即对解剖发生兴趣,这一兴趣成为他终生热烈追求的目标之一。现存最早作品是为J.柏顿博士的《走向全新的接生制度》(1751)一文所作的18幅蚀刻铜版插图。18世纪50年代,他对马的解剖作了详尽的分析。他在林肯郡一个遥远的村庄租一农舍,18个月期间辛辛苦苦解剖了无数标本。1760年定居伦敦后为《马的解剖》(1766)作蚀刻铜版插图,此书变成博物学家和画家双方的一部主要参考资料。不久,他便确立了画马大师的声誉。描绘猎马和赛马的神技给他带来无数的订件。他所画的自由自在三五成群的马,例如《风景中的母马和小马》(1760～1770?,伦敦塔特陈列馆藏),大概比单匹马的肖像给人留下更深刻的印象。他还画过许多其他动物,包括狮子、老虎、长颈鹿、猴子和犀牛,他能够在私人动物园中进行观察。据画家O.汉弗莱讲,斯塔布斯极端相信观察的重要性,他1754年访问意大利只是为了加强自然高于艺术的信念。在他最有名的图画中,有几幅描绘一匹马见到狮子害怕或被狮子袭击的状态(如《受狮子惊吓的马》,1770),着重前者的疯狂恐怖和后者的捕食威力。在斯塔布斯的作品中,历史画属于最不成功的一类。他在18世纪70年代所绘的一些农村日常活动的图景则比较引人注目得多。不幸的是,他作油画时喜欢薄施油色,因而现存作品很少完整无损。晚年生活相当困苦。去世前的几年从事解剖分析的最后一部著作《人体结构与老虎和家禽结构的比较解剖说明》,并为此书制图百幅和刻版18块。1975年出版《乔治·斯塔布斯解剖著作集》。

Stubbs, William 斯塔布斯(1825-06-21,英国约克郡纳尔斯伯勒～1901-04-22,牛津附近卡勒斯登) 英国有影响的历史学家。他开创了对中世纪英国政治体制历史的系统研究。曾任牛津大学钦定讲座历史教授(1866～1884)、切斯特主教(1884～1888)和牛津主教(1888～1901)。成名作为《英格兰政治体制的起源与发展史》,共3卷(1873～1878),讲述由条顿人侵到1485年之间的英格兰政治机构的发展情况。现在学术界公认他的最杰出的著作是19卷英格兰中世纪编年史。

stuccowork 灰泥粉刷 建筑中在室内或室外用灰泥做成各种饰面。可做成立体的装饰,也可作为油漆或湿壁画(**fresco painting**)的底面。现在该词通常专指外墙上的毛面的灰泥粉刷。历史上的各种建筑都曾使用灰泥做饰面材料,成分通常为石灰、石膏和细砂。使用灰泥装饰的例子,在墨西哥的阿兹特克建筑以及北非和西班牙的伊斯兰建筑都能见到。古希腊早在公元前1400年就在神庙的内外墙面上使用灰泥粉刷。古罗马的建筑师将灰泥粉刷用于大型建筑的粗石墙或砖墙上,如蒂沃利的哈德良别墅(约120～130)中的浴室。他们也喜欢将灰泥做成浅浮雕花饰。文艺复兴时期的设计师也常用光洁的灰泥粉刷墙面与转角和门窗洞口的粗面石块取得对比效果。在16世纪意大利建筑师兼画

E.Q.阿萨姆设计建筑的韦尔登堡隐修院教堂内的灰泥粉刷雕塑,约1721年

供图:A.F.Kersting

家拉斐尔及其门徒的作品中,多在外墙上用灰泥作各种花饰。文艺复兴以后复杂华丽的建筑风格更多采用灰泥装饰,这比石料便宜且便于制作。18世纪晚期和19世纪初期,多用于室外,特别是在英国。20世纪多用在小型居住建筑的外墙面上。在美国,特别在气候温暖地区,20世纪20年代用灰泥饰面的单层小住宅还普遍存在。灰泥粉刷还可以和其他材料,如砖石或木材结合使用。由于可作多种形式处理,如易于着色或油漆,或在拌和时加入颜料,或在面层上加以粗砂或细卵石以形成各种质地,灰泥粉饰至今仍被广泛使用。

studbook 优良畜种登记簿 纯种牲畜(特别是纯种马和狗)族系的正式登记册,通常由全国性育种协会或类似调节机构刊印公布。优良畜种登记簿大多以1791年最先由韦瑟比编印出版的英国《通用畜种登记簿》为范本。他的子孙后代继续代表赛马俱乐部出版此登记簿。虽然韦瑟比明确否认他的登记簿内容齐全、无一差错,但很快此登记簿仍成为纯种牲畜族系登记方面的权威。多年来只有载入《通用畜种登记簿》的马才有资格在领有营业执照的英格兰各赛跑马场参加比赛。但从1948年起,这种规定稍有放宽。

Studebaker, Clement 史蒂倍克(1831-03-12,美国宾夕法尼亚派恩敦～1901-11-27,印第安纳南本德) 美国制造商,创办了世界最大的马车制造厂,并在汽车制造业中居领先地位。1858年,史蒂倍克同他的两个兄弟联合组成马车制造厂,在满足美国中西部日益繁荣的农业市场对马车的需要方面,作出了显著成绩。由于在美国南北战争期间获得大笔政府合同,1868年扩建为史蒂倍克兄弟制造公司。1870年在圣约瑟夫设立了第一家分公司,为西部移民服务。他的另外两个兄弟也先后加入了该公司。史蒂倍克兄弟制造公司总共制造了75万多辆马车,并于1897年开始试制汽车,1902年制成电车,1904年制造出汽车。

student aid 学生补助金 帮助学生交纳教育费用的一种补助形式。一般地说,这种补助分奖学金、研究员薪金或贷款三种;按欧洲的用法,小额的奖学金称 exhibition,助学金则是发给经济困难的学生的补助金。许多补助性质是长期低利率贷款。许多国家的政府减少或取消学费、宿费、膳费和其他费用。另有一些国家则除了发给学生这些最低的生活必需费用外,还给予其他消费补贴。甚至在一些学费可观的国家,如在英国,政府和大学提供资助的奖学金计划卓有成效地负担了大多数学生在这一方面的费用。20世纪下半叶全世界高等教育的惊人发展便是极大地得益于各种学生补助金计划。过去限于经济的和社会的上层人士享受的高等教育机会,如今日益为贫困而有前途的学生所获得。在所有国家中,接受某种形式的私人或公共资助的学生,构成大学人学人数的重要部分,而在有些国家甚至占压倒多数。美国学生除了从大学获得资助外,还从公司、基金会和宗教团体、民间团体及其他团体获得更多的资助。

Student Nonviolent Coordinating Committee (SNCC) 学生非暴力行动协调委员会 又称全国学生协调委员会(1969年后)。在20世纪60年代民权运动中曾发挥核心作用的美国政治组织。1960年初成立于北卡罗来纳州的罗利,旨在利用南方大学城黑人学生静坐抗议浪潮取得的成果。这一非暴力抗议形式引起全国对该组织的关注,使公众对南方白人种族主义有所了解。在其后的年月里,该委员会加强其社区组织工作,支持1961年自由乘车运动和1963年进军华盛顿,并为《民权法案》(1964)的通过积极活动。1966年正式支持更广泛的越战抗议活动。由于在政治上更加积极,其成员面对的暴力行为日益增加。20世纪60年代中期后,作为萌芽期的

黑人民权运动倡导者，其理念由非暴力变为好斗。这一转变在接替 J.刘易斯于 1966～1967 年担任委员会主席的 S.卡迈克尔时期有所体现。组织成员初期多为白人，后来因强调黑人身份而使种族隔离扩大，致使部分白人社区惊恐不安。组织中更为激进的分子倾向于另立黑豹党等新组织。20 世纪 70 年代初被解散。

Students for a Democratic Society(SDS) **学生争取民主社会组织** 20世纪60年代中后期颇为兴盛的美国学生团体，特别以积极反对越南战争而闻名。成立于 1959 年，起源于社会民主主义教育团体工业民主联合会的学生分支。1960 年在密歇根州安阿伯召开大会，哈伯当选为主席。开始该组织在全国的分支参与民权运动。它根据《休伦港声明》的原则活动，这是 1962 年海登和哈伯起草的一份宣言。这个组织在美国卷入越南战争迅速升级(1965)之前发展缓慢。1965 年 4 月，它组织了一次到华盛顿(哥伦比亚特区)的全国进军，从那时以后，该组织的斗争性迅速增强，特别是在有关战争的问题上，诸如征召学生入伍问题上。采取的策略包括全国各地在校园内占领大学和学院的行政大楼。到 1969 年该团体已分裂成几个派别，声名最差的是“气象人”，或称“地下气象”，他们在活动中采取恐怖策略。其他派别把注意转向第三世界，或致力于黑人革命活动。该组织的不断分裂和越南战争逐渐降级是它解体的两个原因。70 年代中期，这个组织便销声匿迹了。

Student's t-test **学生 t 检验** 统计学中，t 检验是当标准差为未知数时从正态分布的总体中抽出小样检验其假设均值的一种方法。英国人 W.S.哥色特以“学生”为名发表了他开发的 t 检验和 t 分布。t 分布是弧线的一族，其中自由度的数目表示出一特殊弧线。当自由度很大时，t 分布接近标准正态分布。因此，检验一样本均值大于 30 时，通常用正态分布。一般，首先制定一零的假设，指出在观测中的样本均值与假定总体均值之间没有实际差别。也就是说，任何差别是偶然的。然后作另一选择性的假设，这也许是两面的，说明均值不相等，观测中的均值是大于还是小于假设均值。于是计算出 t 统计量。如果观测到的 t 统计量比临界值(由适当的参考分布决定)更接近极限，就拒绝零假设。t 统计量的适当参考分布就是 t 分布。临界值有赖于检验的显著性水平。例如一个研究者要检验从一个总体均值为 $\mu = 75$ 中随机获得的一组样本，其样本容量 $n = 25$，均值 $\bar{x} = 79$，标准差 $s = 10$。用求 t 统计量公式：

$$t = \frac{\bar{x} - \mu}{s/\sqrt{n}}$$

得出 t 等于 2.00。以显著性水平 $\alpha = 0.05$，t 分布临界值 24 自由度作两面检验得出 -2.064和 2.064。计算出的 t 统计量不超过这些数字，所以零假设可以有 95% 的信心来接受(信心水平为 $1 - \alpha$)。

Study of Chinese Architecture, Society for the **中国营造学社** (1929～1946) 中国研究古代建筑的专业性学术团体。1929 年成立于北平。创办人兼社长朱启钤。1930 年后由著名学者梁思成、刘敦桢主持工作。中国营造学社工作的重点是研究历代重要建筑遗物，整理古代建筑专著和古文献中的建筑史料，编纂中国建筑通史、专史、古代建筑辞典等，为当代建筑设计提供资料和借鉴。先后在《中国营造学社汇刊》上发表对重要古建筑的调查报告和建筑史料综合研究论文多篇，出版《清式营造则例》、《牌楼算例》、《建筑设计参考图集》等专著。研究项目还有《营造法式图注》、《清工部工程做法图注》、《中国古塔》、《江南园林志》等。抗日战争后迁至四川，调查研究了大量西南地区古建筑和民居。1946 年后停止活动，所存图纸、资料分别保存在清华大学建筑系和古代建筑修整所。营造学社在研究、保护古代建筑、传播古代建筑著作方面作了大量工作。1949 年梁思成提出的保护古建筑名单就是根据营造学社多年研究成果编制的。

study of Confucian classics **经学** 阐释中国儒家经典之学。经典包括《易》、《诗》、《书》、《礼》、《乐》、《春秋》等“六经”。《乐》有声无书，“六经”实际只有“五经”。经学起源于战国后期，汉武帝罢黜百家独尊儒术后，列为官方哲学，从此成为中国传统社会文化的正统。汉代学者传习的经书，大都用隶书书写，称今文经。而用篆书书写的经书，称古文经。董仲舒将今文经《春秋公羊传》糅合阴阳五行说形成神学化的经学体系，用以巩固中央集权专制制度。西汉后期，王莽又利用刘歆提倡的古文经《周礼》作为改制依据。经学从此分化。今文经学结合谶纬更趋神学化；古文经学也承认神学原理，但在文史整理方面表现出人文主义倾向。由于两派激烈相争，今文经学派通过白虎观辩论由皇帝制成定论，整理编撰《白虎通义》，确保今文经学在思想上的统治地位。东汉末年郑玄集两汉经学之大成，把古文经学和今文经学调和起来。经学在魏晋南北朝时期地位有所降低，至唐代又迅速回升。唐代称“三礼”(《周礼》、《仪礼》、《礼记》)、“三传”(《左传》、《公羊传》、《穀梁传》)及《易》、《诗》、《书》为“九经”。到宋代经学更发展为理学，重新占有绝对统治地位。宋代称《易》、《诗》、《书》、《论语》、《孟子》、《孝经》、《尔雅》，连同三礼、三传为“十三经”。清乾隆、嘉庆时一些学者继承古文经学家训诂方法整理古籍、文字。1840 年鸦片战争后，今文经学盛于一时，康有为借今文经学说提倡变法维新。1919 年五四新文化运动批判传统文化后，经学始告终结。经学对中国传统社会的政治、哲学、文学、史学影响很大，经学著述是研究中国传统社会史的重要资料。

Study of Democratic Institutions, Center for the **民主制度研究中心** 1959 年在加利福尼亚州圣巴巴拉成立的非营利性教育机构，1988 年迁往洛杉矶。由教育家 R.M.哈钦斯(**Hutchins, Robert Maynard**)创建并领导达 25 年。宗旨是研究民主社会所面临的基本问题，由世界许多国家的学者、官员和活动家与中心的少数专职人员开会讨论当代的各种问题，诸如现代技术、生态问题、大众媒体的责任与控制、少数民族与宪法权利以及世界和平。成立以来不时遭遇财政困难，1979 年在新的资助单位加利福尼亚大学圣巴巴拉基金会之下改组为该校“独立思想与评论中心”。1988 年再度改组，合并了全国战略研究所并接管了《新展望季刊》的出版工作。

Stuhlweissenburg (Hungary) **施图尔韦森堡** 参阅 **Székesfehérvár** 塞克什白堡。

Stuka **斯图卡** 又称俯冲轰炸机。德文 Sturzkampfflugzeug 一词的缩写。德国单发动机下单翼俯冲轰炸机，尤指 1937～1945 年德国空军使用的 Ju－87 俯冲轰炸机。该机在第二次世界大战前半期曾发挥重要作用。俯冲轰炸机设计目的是运用美国海军早先提出的俯冲轰炸战术，即向目标垂直俯冲，在俯冲中投弹，然后拉起，进入直线飞行脱离战斗。该机有减速板供俯冲时减速，使飞行员有较多的时间瞄准投弹。它的外弹架是铰接的，当飞机急俯冲时，弹架向下并向外摆动，使炸弹投下后不致撞坏螺旋桨。该机装备 4 挺 7.9 毫米机枪，其中两挺由后座机枪手操纵，战争后期，后部两挺机枪改为一挺 13 毫米机枪。机身下带一枚 500 千克或 250 千克的炸弹，机翼下各挂两枚 50 千克炸弹。该机在西班牙内战中由德国飞行员首先使用，以后又用于入侵波兰、低地国家和法国。飞机俯冲时的呼啸声对地面人员起恐吓作用，加上飞机和炸弹上都装有鸣笛，更加强了这种效果。在战争中斯图卡曾不断改进并一直用到战争结束，但其最大速度却只有 335 千米/小时，无法与英国装有预警雷达的快速战斗机相匹敌。

Stukeley, William **斯图克莱**(1687-11-07，英格兰林肯郡霍尔比奇～1765-03-03，伦敦) 英格兰古物收藏家兼医师。研究过斯通亨季和威尔特郡埃夫伯里新石器时代与青铜器时代间的古迹环形叠石，将这些古迹和古凯尔特巫士相联系，提出怪诞理论。但他仍不失为优秀的野外考古家。著有《访古纪行》(1724)。

stump work(embroidery) **浮雕绣制品** 参阅 **raised work** 凸绣制品。

Stumpf, Carl **施通普夫**(1848-04-21，巴伐利亚下法兰克尼亚维森特海德[德国]～1936-12-25，柏林) 德国哲学家、理论心理学家。因其对音乐和声调心理学的研究而闻名。在维尔茨堡大学时曾受动作心理学创始人 F.布伦坦诺的影响。1870 年任格丁根大学无薪讲师。三年后写成其第一部重要著作《空间知觉的心理起源》。后任维尔茨堡大学、布拉格大学、哈雷大学和慕尼黑大学教授，并进行声调心理学实验，写成《声调心理学》二卷(1883～1890)。本书修正了一些心理物理学的概念。1894 年任柏林腓特烈·威廉大学哲学教授和实验心理学研究所所长，进入他一生中最有影响的阶段。在继续研究声调心理学的同时，1898 年创办《声学和音乐学文集》

杂志,1900 年建立了一个原始音乐档案室。他还是柏林儿童心理学会(1900)的创始人之一。1907 年发表两篇重要论文,强调感觉和意象经验(如表象、声音、颜色)的实验研究是研究心理功能(如知觉、意志、欲望)的先决条件。这样就把自己的现象论(集中考察意识现象的哲学)观点引进心理学。他的学生后来发展出一门实验现象学。

Stumpf, Johannes **施通普夫**(1500-04-23,巴登布鲁赫萨尔[德国]～1578,瑞士苏黎世) 瑞士编年史家和神学家,瑞士宗教改革运动的主要人物之一。1521 年参加圣约翰骑士

伯尔尼瑞士国家图书馆供图

团,一年后任苏黎世布比康隐修院院长,他立即公开声明他赞成宗教改革并忠诚地为此目标奋斗直至 1562 年退休。施通普夫以撰写瑞士编年史出名。

Stung Treng (Kampuchea) 参阅 **Stăeng Trêng** 上丁。

stunt **矮缩** 植物病害的一个常见症状,表现为植株矮小并丧失生机。病毒、细菌、真菌或线虫侵染,以及水分过多或不足;土壤养分失调;光线过度;物理化学损伤;昆虫咬食;栽培过深等非侵染性方法,都会引起矮缩。感染所致的矮缩于发现时往往已无法处理,而非生物因子所致者于纠正病因后可治愈。

stunt flying **特技飞行表演** 驾驶飞机时做非凡技术和高难度动作表演。早期著名的特技飞行员是 L. 比琪(1887～1915),他起初驾驶气球,后驾驶飞机进行表演。为了宣传飞行术发明家 G. 柯蒂斯,他驾机作特技飞行飞遍全美国。他曾在 15 万观众面前驾机向尼亚加拉瀑布峡谷内俯冲,穿过国际桥下。第一次世界大战时的空中混战为后来的特技飞行员提供了训练场地。战后,除驾机进行的特技动作表演和跳伞表演外,又表演了走机翼。有桥(特别是多桥相邻)的城市,如伦敦和纽约,是特技飞行家大显身手之处。第二次世界大战后,这种特技飞行让位给实验飞行器协会(1953 年成立)成员的种种表演,他们每年在威斯康星州奥什科什市驾驶老式民用飞机和改装的军用飞机进行老式的特技飞行和精度飞行表演。参阅 **aerobatics**。

stūpa **窣堵波** 佛教纪念性建筑物,通常收藏与佛陀或其他圣者有关的神圣遗物。印度的窣堵波采取半球体形式。例如桑吉(sānchi)的窣堵波(建于公元前 2～前 1 世纪),有一圆形底座,底座上为巨大半球形主体,并突出一伞盖;四周有栏杆,开 4 门;栏杆和门上刻有佛本生故事和民间神话浮雕。其他地方的窣堵波有各种形式,如斯里兰卡的钟形塔;爪

印度中央邦的桑吉 3 号窣堵波及其门道建筑

供图:Holle Bildarchiv

哇婆罗浮图的台层形庙宇;中国西藏地区的藏传佛教佛塔以及中国内地、朝鲜和日本的多层宝塔。礼拜窣堵波的方式是按照太阳运行的方向围绕它行走。亚洲各地还用微型窣堵波和小塔作为还愿的供品。耆那教徒也建窣堵波以纪念圣人。

Stupino **斯图皮诺** 俄罗斯莫斯科州一个区的中心和城市。位于莫斯科市东南,临奥卡河,隔河与卡希拉相望。1938 年建市。有金属加工、电力和棉纺织等多种工业。人口约74 600(1991)。

Sturbridge **斯特布里奇** 美国马萨诸塞州中南部伍斯特县城镇。濒临奎那博格河。东北距伍斯特市 35 千米。城镇范围包括菲斯克代尔村在内。约 1729 年创建。1738 年设建制。为农业中心。老斯特布里奇村系按 19 世纪新英格兰村庄原规模重建,有店铺、磨坊、房舍、百货店、客店和聚会所。面积 101 平方千米。人口7 837(2000)。

Sturdza, Dimitrie Alexandru **斯图尔扎**(1833-03-10,摩尔达维亚米克勒乌谢尼～1914-10-21,布加勒斯特) 罗马尼亚政治家、首相,从统一前到 1907 年农民起义在国家事务中起主要作用。大贵族出身。1857～1858 年参加摩尔达维亚组织委员会,筹划罗马尼亚的统一。1866 年参加秘密委员会,策动废黜罗马尼亚大公 A. 库扎,拥戴卡尔为新大公,称卡罗尔一世。在 I. 吉卡和 I. 布勒蒂亚努的内阁中历任大臣。1883 年在担任外交大臣时与奥匈帝国和德国签订密约。1892 年起任自由党主席,曾 4 次出任首相(1895～1896,1897～1899,1901～1904,1907～1909)。1907 年残酷镇压农民起义,屠杀 1 万人。1909 年起任罗马尼亚科学院秘书长。

Sture, Sten, THE ELDER **斯图勒(老)**(约 1440,瑞典～1503,瑞典) 瑞典摄政(1470～1497,1501～1503)。他抵抗丹麦的统治,建立了强大的中央政府。出身权贵家庭,1471 年率军在布伦克贝格战役中彻底击败了丹麦国王克里斯蒂安一世,打破了他控制瑞典的企图。1467 年辅助瑞典国王查理八世恢复王位。1470 年查理逝世,斯图勒受命摄政。立即采取措施限制德意志对瑞典地方政府的影响,加强全国司法机构,并建立乌普萨拉大学(斯堪的纳维亚半岛上的第一所大学)。斯图勒执政时期始终和乌克森谢纳家族领导的贵族集团进行斗争,后者希望与丹麦结成以丹麦国王为首的联盟和维持一个软弱的王室政府。15 世纪 90 年代中期他削弱了贵族把持的政务会议的权力,加强对政府的控制并扩大了他的土地。丹麦国王约翰虽在 1483 年被政务会议承认为瑞典国王,但斯图勒推迟了约翰的加冕日期。1495 年莫斯科大公伊凡三世与丹麦国王结盟入侵瑞典的领土芬兰。1497 年败于丹麦军队后他被迫承认约翰为瑞典国王,但他不久又推翻了丹麦国王(1501),亲自摄政直至逝世。他的努力为 16 世纪瑞典君主国的稳定奠定了基础。

Sture, Sten, THE YOUNGER **斯图勒(小)**(约 1492,瑞典～1520-02-03,梅拉伦湖) 瑞典摄政(1513～1520)。他凭借反对丹麦统治的农民的支持,从贵族把持的政务会议夺取了权力并控制了教会。1513 年夺得政权,取代了联合(亲丹)派领袖埃里克·特罗勒而任摄政。他设法使其摄政权凌驾于政务会议和教会之上。在摄政晚期斯图勒发动内战,反对政务会议的首脑、联合派的领袖大主教古斯塔夫·特罗勒,1517 年他把特罗勒投入监狱,因此被罗马教皇开除教籍,并招致丹麦的军事进攻,但被其击退。1518 年他再次击败丹麦国王克里斯蒂安二世,但在 1520 年对抗庞大的丹麦军队时战败身亡。遗孀克里斯蒂娜·于伦斯蒂纳继续领导反对丹麦统治的斗争,直到是年 9 月被迫投降。

Sture, Svante (Nilsson) **斯图勒**(约1460～1512-01-02,瑞典韦斯特拉斯堡) 瑞典摄政(1503～1512),斯顿·斯图勒(老)的继承人。1482 年任参议员。他反对老斯顿·斯图勒,于是为丹麦国王约翰征服瑞典提供借口。但他终与老斯顿·斯图勒言归于好,继承他成为瑞典摄政。晚年日益爱国,拒绝丹麦对瑞典的主权要求。在处理内政上他缺少坚定的意志,被迫对议会(政务会议)屡屡作出让步。在斯图勒突然逝世后议会在全国取得了主导地位。

Sturge, Joseph **斯特奇**(1793-08-02,英格兰格洛斯特郡埃尔伯顿～1859-05-14,沃里克郡伯明翰的埃奇巴斯顿) 英国慈善家,基督教教友派和平主义者,政治改革家,反奴隶制运动领袖。原为谷物商,1836～1837年去西

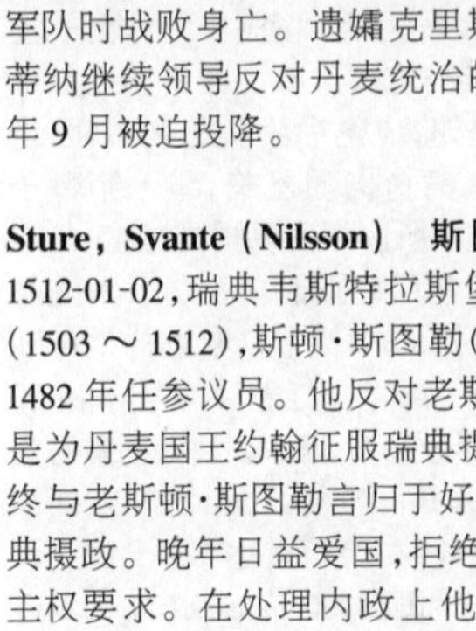

不列颠博物馆供图

印度群岛了解1833年英国废除殖民地奴隶制的法令的实施情况。1837年提出黑人继续受虐待的证据，并在下院就这一问题作证。1838年5月英国议会通过一项法案，完全废除了英属西印度群岛的奴隶制。后来，斯特奇通过英国与外国反奴隶制协会，为在全世界废除奴隶制进行工作。1841年与诗人、废奴主义者J.G.惠蒂埃一同访问美国南方的蓄奴各州。此后曾参加各种国际和平大会。1854年前往俄国，企图防止克里米亚战争的爆发，但未成功。

sturgeon　鲟鱼　鲟科多种北半球温带水域鱼类的统称，与桨吻鲟(**paddlefish**)和多鳍鱼(**bichir**)有亲缘关系。体侧有5纵列骨板；尾鳍不对称；吻长，无牙；吻下具四条触须，用以

鲟鱼(Acipenser)
供图：Russ Kinne—Photo Researchers

搜寻水底的无脊椎动物、小鱼和其他食物。鲟鱼可达到极大的体型并且寿命很长，欧鳇可活200～300年。大多生活于海中，于春夏季上溯入河(可能几年一次)产卵。卵小，黏性，数多。幼鱼生长迅速，成熟后生长速度减慢，但生长持续数年。鲟鱼肉质肥美，卵可制鱼子酱，鳔可制作鱼胶，所以很容易捕捞过度，故在一些地区捕鲟受到严格限制。普通旧大陆鲟(普通鲟，*Acipenser sturio*)产于从斯堪的纳维亚半岛到地中海一带。尖吻鲟(*A. oxyrhynchus*)是一种形态与普通鲟很相似，且极近缘的类型，有些专家认为是独立种，产于北美东部沿岸。这二者通常长约3米，重达227千克。最有价值的鲟之一俄国鲟(*A. guldenstadtii*)，与欧洲普通鲟大小约相同，特别产于流入黑海和里海的河流中。另一较小的小体鲟(*A. ruthenus*)栖于黑海及里海，长约0.9米时食用价值最高。闪光鲟(*A. stellatus*)产于黑海、里海及亚速海系统的江河中，吻尖长，似小体鲟，其肉、鱼子酱及鳔胶均具有很高的价值。湖鲟(岩鲟，黄鲟，*A. fulvescens*)产于北美密西西比流域、大湖区和加拿大，重90千克以上。白鲟(俄勒冈鲟，萨克拉门托鲟，高首鲟，*A. transmontanus*)产于北美太平洋沿岸，是北美鲟类中最大的，体重达818千克。大白鳇(鳣鱼，欧洲鳇，*Huso huso*[或*A. huso*])为另一大型鲟类，可长达8.5米，重1 300千克；产于黑海、里海及亚速海；价值小于体型较小的鲟类。本科还包括铲鲟属(*Scaphirhynchus*，铲头鲟或铲鼻鲟)，特点是吻长宽且平扁，纵列骨板于近尾部处愈合。共有4种，全部生活于淡水中，1种为密西西比和其他北美江河的常见种，另3种均产于亚洲东部。

Sturgeon, William　斯特金(1783-05-22，英格兰兰开夏郡惠廷顿～1850-12-04，兰开夏郡普雷斯特威奇)　英国电气工程师，最先研制成吸力超过自重的电磁铁。有了这种装置才发明了电报机、电动机，以及构成现代技术基础的其他许多设备。斯特金自学电学和自然科学，曾长期讲课并指导电学实验，1824年成为皇家军事学院的科学讲师。次年他展出了他的第一个由单个电池供电的电磁铁，自重200克，能吸持4千克重的铁块。1832年斯特金制造了电动机并发明了大多数现代电动机不可缺少的整流器。1836年他创办《电学年刊》。同年他最先发明悬圈电流计，他还改进了伏打电池并进行温差电理论方面的研究。通过对500多只风筝的观察，他证实在天气晴朗时大气层的电荷对大地一定是正电，而且随着高度的增加正电越来越强。

Sturgeon Bay　斯特金贝　美国威斯康星州东北部多尔县县城(1861)。位于格林湾东北约70千米处，是斯特金湾源头的一个湖港，该湾是多尔半岛西北侧格林湾的一个入水口。联邦政府现在管理着一条修建于1880年的运河，该运河穿过半岛把格林湾与密歇根湖的其他部分连接起来。该地区最初有印第安人居住。19世纪50年代发展成一个伐木区，因湖中一度盛产鲟鱼而得名。造船、餐饮设备制造、乳品业以及樱桃种植与加工对当地经济很重要，由于当地景色秀美，旅游业成为主打产业。斯特金湾周围的水域提供了许多娱乐机会，包括垂钓和用于寻找沉船的水下呼吸机潜泳。历史和海洋博物馆保存了该市的历史。斯特金湾建有东北威斯康星技术学院分校。人口9 437(2000)。

Sturgeon Falls　斯特金福尔斯　加拿大安大略省中东部城镇。位于尼皮辛湖出口的斯特金河畔。19世纪为商业性鲟鱼捕捞中心，斯特金意为"鲟鱼"。现为农业、乳制品业、伐木业以及狩猎和游览疗养中心，但鲟鱼和鱼子酱仍驰名遐迩。斯特金福尔斯的其他工业有纸浆、锯木、木材加工和石榴石研磨等。人口5 895(1986)。

Sturges, Preston　斯特奇斯(1898-08-29，芝加哥～1959-08-06，纽约市)　原名埃德蒙·P.

供图：AP/Wide World Photos

拜登。美国电影导演，以20世纪40年代初期的一系列讽刺喜剧片知名。曾从事过多种工作。20年代开始成为剧作家，写出在百老汇风行一时的《奇耻大辱》(1929；1931拍片，1951重拍)和《曼哈顿之子》(1931；1933拍片)以后，前往好莱坞，不久便成为知名的剧作家。《伟大的麦金迪》(1940)是他自编自导的第一部影片，获得奥斯卡最佳剧本奖。此后是一系列讽刺性影片，涉及坦慕尼协会政治(参阅**Tammany Hall**)、广告招徕、英雄崇拜、小城镇生活、在美国成名立业的故事和好莱坞的大公司制度等。影片的特点是对白机智、动作干净利落，还有令人难忘的小人物。受人欢迎的影片包括《七月里的圣诞节》(1940)、《夏娃小姐》(1941)、《沙利文游记》(1942)、《棕榈滩故事》(1942)、《摩根溪奇迹》(1944)、《向得胜英雄欢呼》(1944)、《您的不忠实的》(1948)。这些影片可能是这一时期好莱坞的最佳喜剧片，他后来虽然还拍过几部影片，但却无法与那些40年代机智幽默的喜剧片相提并论。

Stürgkh, Karl, Count (Graf) von　施蒂尔克(1859-10-30，奥地利格拉茨～1916-10-21，维也纳)　奥地利首相(1911～1916)、伯爵。他的专制政权因本人被暗杀而告终。初为极端保守的帝国议会议员。他极力反对1907年的奥地利选举改革。1908～1911年任教育大臣。1911年11月出任奥地利首相。1914年3月，他中止奥地利帝国议会，此后以发布命令实行统治。1916年10月被左翼社会党人F.阿德勒枪杀。

Sturluson, Snorri (Icelandic writer)　**斯图鲁松**　参阅**Snorri Sturluson 斯诺里·斯图鲁松**。

Sturm, (Jacques-) Charles-François　斯图谟(1803-09-29，日内瓦～1855-12-18，巴黎)　法国数学家，他的斯图谟定理是对方程论的重要贡献。在巴黎作为德布罗依家族的家

巴黎科学院档案馆供图

庭教师(1823～1824)会见了许多第一流的法国科学家和数学家。1826年和瑞士工程师D.科拉东一起对声在水中的速度做了第一次精确测定，一年后写的关于可压缩流体的论文获奖。斯图谟定理第一次出现在《论数字方程》(1829)中，对求代数方程在变数的某一给定范围内的根的数目问题提供了一个完全的解法。1834年发表的他在二阶微分方程理论方面的工作获法国科学院数学科学大奖。1836年当选为院士。1838年任巴黎综合

工科学校数学教授，两年后接替 S.-D.泊松任巴黎理学院力学讲座教授。虽然他以研究数学分析为主，但对射影几何以及曲线和曲面微分几何也作了重要贡献。对几何光学也有重要的研究，他的《综合工科学校分析教程》(2卷，1857～1863)和《综合工科学校力学教程》(2卷，1861)死后才被发表，直到20世纪初还在广泛应用。

Sturm, Der　突击　英语作 The Assault。20世纪初期赫瓦特·瓦尔登为其在柏林创办的提倡艺术最新倾向的期刊和画廊所起的名称。《突击》创刊号在1910年出版，是一份文学和评论周刊。《突击》刊印过康定斯基和考斯卡等艺术家的精印画选(也有原版木刻、明信片、连环画，以及画廊艺术家作品的大幅彩色复制品)。到1918年，其活动已扩展到其他几个方面：创办"突击晚会"，即沙龙；举行关于视觉艺术和诗歌的演讲和讨论；开办"突击学校"，专授舞台艺术、绘画、诗歌和音乐；建"突击剧院"，系实验性的表现主义剧场。活动全盛时期曾是柏林的现代艺术中心。画廊于1924年关闭，期刊自1914年起改为月刊，后又改为季刊，1932年停刊。

Sturm, Johannes　施图尔姆(1507-10-01，于利希施莱登～1589-05-03，施特拉斯堡)　德国教育家。他在施特拉斯堡办的拉丁文大学预科学校成为宗教改革时期新教各国中等学校的样板。曾在列日的"共同生活兄弟会"的学校及卢万大学就学，并曾在后一学校任教。1530～1536年在巴黎讲学。之后应邀去施特拉斯堡任新建的预科学校的校长。1538年指导各校合并成一所大的预科学校。他在施特拉斯堡改信新教，让所办各校课程全为古典课程，宗教仅被置于次要位置。他认为拉丁文不仅是不可少的文化教养，也是职业生涯之所必备，在当时流利而优雅的拉丁语和表达能力是求职获得成功的先决条件。教育为现实世界服务从而成为他的宗旨。古典学习的方式——仿效古代雄辩家如西塞罗及狄摩西尼等致力于修辞及文体——在全德和英格兰被广泛袭用，不过这一方式往往蜕变成为死记硬背地学习拉丁文，而忽略其他科目。曾写过若干拉丁文教科书及关于教育理论与实践的论著。

Sturm-Liouville problem　斯图谟-刘维尔问题　数学中，求解给定的二阶微分方程的过程中要确定某些常数的值，使得被确定的解不仅满足微分方程，还满足一组特定的辅助条件(通常称为边值条件)。解这个问题的原理是由法国数学家 C.-F.斯图谟和 J.刘维尔在19世纪30年代建立的，在20世纪这些原理被用来发展量子力学，用以求解薛定谔方程及其边值。这种问题的简单例子是求方程 $y''+c^2y=0$ 的解 $y(x)$，使得当 x 等于零或另一个数 a 时它等于零。函数 $y=\sin cx$ 满足这方程，但只有当 $c=\pm n\pi/a$ 时它才适合辅助条件，其中 $n=0,1,2,\cdots$。这些问题也称为特征值问题，并且有更加一般的提法：求方程 $[p(x)y']'+[q(x)-kr(x)]y=f(x)$ 的解，它满足辅助条件 $a_1y(a)+a_2y'(a)=0$，$a_3y(b)+a_4y'(b)=0$，其中 a_1、a_2、a_3、a_4 是常数。为了决定这个问题什么时候有解，首先考虑相应的齐次方程，即方程中的已知函数 $f(x)$ 等于零，如果函数 p、q、r 满足适当的条件(像上述最简单的例子那样)，方程就有一族解(称为特征函数)，对应于 k 的某些值(称为特征值)。因此，若 k 在原来的非齐次方程中的值不同于这些特征值时，问题有唯一解。当 k 等于这些特征值之一时，问题或没有解或有一整族解，这取决于函数 $f(x)$ 的性质。

Sturm und Drang　狂飙突进　英语作 Storm and Stress。18世纪后期德国的文学运动。赞扬自然、情感和人的个性，力图推翻启蒙运动的理性主义崇拜。歌德和席勒是作为这一运动的杰出成员走上文坛的。狂飙突进运动是德国浪漫主义的早期阶段，它产生于对法国古典主义趣味的支配地位日益增长的不满，其追随者深受卢梭和 J.G.哈曼思想的影响，认为生存的基本真理可通过信仰和感官的体验所领悟。青年作家还受到英国诗人 E.扬以及 J.麦克弗森的伪史诗《莪相集》和新译出的莎士比亚作品的影响。狂飙突进运动同青年歌德关系密切。他在斯特拉斯堡大学求学时，即认识哈曼以前的学生 J.G.von 赫尔德，哈曼使他对哥特式建筑、德国民歌和莎士比亚作品产生兴趣。在赫尔德的思想启发下，歌德进入一个非凡的创作时期。1773年，他写了一部以16世纪德国骑士为题材的剧本《铁手骑士葛兹·封·贝利欣根》；与赫尔德等人合作写出小册子《论德意志特性与艺术》。后者被视为狂飙突进运动的宣言书。小说《少年维特之烦恼》(1774)使歌德不仅蜚声世界，而且引起众多的模仿者。狂飙突进运动最具特色的成果是戏剧文学。运动本身即以 F.von 克林格的剧本《狂飙与突进》得名。他把人物性格置于结构考虑之上，拒斥 J.C.von 戈特舍德引进的法国新古典主义规范，力图在剧台上展现具有莎士比亚式壮丽色彩的人物。随着席勒剧本《强盗》(1781)的上演，狂飙突进运动的戏剧又进入一个新的阶段。自律并非狂飙突进派的原则，该运动不久就精疲力竭了。它的两位最有才华的代表人物歌德和席勒，继续创作他们的伟大作品，而这些作品却成了德国古典文学的主体和灵魂。

Sturmabteilung(Nazi Germany)　参阅 **SA 冲锋队**。

Sturmer, Boris Vladimirovich　施图尔默(1848-07-28～1917-09-03，俄罗斯彼得格勒)　第一次世界大战期间的俄国首相、内务大臣和外交大臣。在当首相以前，历任宫廷典礼官、内务部司长、雅罗斯拉夫尔省代理省长。第一次世界大战期间，1916年2月尼古拉二世亲临前线，将朝政委托给皇后亚历山德拉和目不识丁的拉斯普廷，这时施图尔默在皇后和拉斯普廷的支持下出任首相。但他并没有什么治国之才，一切朝政皆由皇后和拉斯普廷决定。1916年3月施图尔默兼任内务大臣，在他治理下，全国物价飞涨，交通陷于瘫痪，食品严重短缺，他束手无策，听之任之，直至辞去内务大臣的职务。但为时不久，7月21日又当上更加显要的外交大臣。他对这一职务同样不能胜任，而且人民称他为亲德分子。毫无疑问，在第一次世界大战期间，他确实由于无能而帮了德国的大忙。1916年11月召开杜马时，施图尔默受到代表们的猛烈攻击，同时他也开始失去皇后和拉斯普廷的支持。1916年11月23日，他终于被迫辞职。1917年被布尔什维克逮捕，死于狱中。

Sturnidae　椋鸟科　雀形目鸣禽亚目一个鸣禽科，由大约107种分布于整个欧亚大陆、非洲和北美洲的活泼、富进攻性的鸟类(椋鸟，鹩哥，牛椋鸟)构成。体长16.5～42厘米。嘴微下曲，翼长而尖，腿和脚粗壮。主要为黑色，有金属光泽。一些有冠或有供炫耀的垂肉，或皮肤有裸斑。在飞行或栖息时不停地鸣啭，经常大群地聚集在一起。分布广泛的紫翅椋鸟(普通椋鸟，*Sturnus vulgaris*)捕食大量的昆虫，但也吃谷物和小果实，与其他鸣禽剧烈地争夺食物。自从1890年引进北美(纽约中央公园)以来，此鸟已成群地增长，在城郊和市区普遍被视为害鸟。亚洲的丘陵鹩哥(*Gracula religiosa*)是著名的能学话的笼鸟。非洲的牛椋鸟属(*Buphagus*)种类从大动物皮毛中啄食扁虱。有几种椋鸟现已绝灭，其中最奇怪的当属神秘椋鸟(辉椋鸟，*Aplonis mavornata*)，1774年在太平洋的某个地方捕到一只，此后便未再见到。

Sturt, Charles　斯特尔特(1795-04-28，印度孟加拉～1869-06-16，英格兰格洛斯特郡切尔滕纳姆)　澳大利亚探险家，他对马兰比吉与墨累两河的探险(1829～1830)被认为是澳大利亚历史上最伟大的探险之一。这次探险使新南威尔士和南澳大利亚的大片土地以后得到开发。曾在英格兰受教育。18岁参加英国陆军。此后13年驻在西班牙、加拿大、法国和爱尔兰。1827年到澳大利亚新南威尔士，给总督拉尔夫·达林爵士当军事秘书。1828～1829年进行第一次探险，考察麦夸里河、博根河和卡斯尔雷河，并发现达令河。在第二次探险马兰比吉河时发现墨累河，并追溯到阿德莱德附近该河的源头，沿途和许多原居民保持和平友好的关系。由于旅途劳累和食物恶劣，双目几乎失明，1832～1834年回英格兰休养，写了《深入澳大利亚南部内陆的两次探险，1828～1831》(1833)，该书引起当局选择将南澳大利亚作为新的英国殖民地。1834年返澳，获得5 000英亩土地的奖赏。1844～1846年又率探险队从阿德莱德往北，一直到辛普森沙漠的边缘地区。虽然没有发现肥沃之地，且被炎热和坏血病驱赶返回，但他的探险队还是最先深入大陆中心的。在担任总注册官与殖民地财务官的短期职务之后，再度离开澳大利亚返回英国(1847)，写了《澳大利亚中部探险记》(1849)。1853年永久定居英格兰。

Sturtevant, Alfred Henry　斯特蒂文特(1891-11-21，美国伊利诺伊杰克逊维尔～1970-04-05，加利福尼亚帕萨迪纳)　美国遗传学家。1913年研究出果蝇染色体特定基因的定位技术。1914年获哥伦比亚大学哲学博士学位。1915～1928年任华盛顿(哥伦比亚特区)卡内基学会研究员时,证明可防止果蝇交换(即染色体间的基因交换)的发生。1928年到加利福尼亚理工学院任职,直至去世。他是对核弹试验后放射性尘埃造成的公害首先提出警告的人之一。

Sturtian Series 斯图尔特统 澳大利亚中南部前寒武纪晚期的地层划分单元(前寒武纪开始于大约38亿年前终止于5.7亿年前)。斯图尔特统为翁倍拉塔纳群下部,由辨识出的冰溜面而将它部分地解释为冰川起源的产物。一般从覆于石英岩上充满漂砾的层位开始,冰碛岩(胶结了的冰碛物)位于斯图尔特统较高的层序,包括许多冰川漂砾,即有冰川擦痕和磨光面的花岗岩、片麻岩、石英岩、页岩和灰岩巨砾。还有细层状甚至呈冰川纹泥状的粉砂质页岩。在阿德莱德北部和东北部,斯图尔特统变厚,可以厚达6 000米,在斯图尔特统冰川沉积之上,覆有蓝灰色页岩、长石砂岩、页状砂岩、粉砂岩和白云岩。斯图尔特统在澳大利亚中南部前寒武纪沉积盆地阿德莱德地槽中分布最广。在欧莱里地区,斯图尔特统被大量花岗岩体侵入,而在埃弗拉德山发现玄武岩流和冰碛岩共生。斯图尔特统上覆的马利诺统同样也包含冰川沉积层序。

Sturzkampfflugzeug(German aircraft) **俯冲轰炸机** 参阅 **Stuka 斯图卡**。

Sturzo, Luigi 斯图尔佐(1871-11-26,西西里卡尔塔吉罗内～1959-08-08,罗马) 意大利教士、公务员和政治组织家,曾建立成为基督教民主运动前驱的政党。早年在神学院

供图:B. Pellegrini

学习。1894年受神职为司铎。后获神学博士学位。19世纪90年代开始政治活动,创办《君士坦丁十字报》。1905～1920年任卡尔塔吉罗内市长,修建许多公共住宅和公共工程。1919年创建意大利人民党,任政治书记;在同年11月的选举中,这个新党取得众议院508个席位中的101席。1922年拒绝支持墨索里尼的法西斯政权,1923年隐退,1924年流亡。1946年回国,把人民党改组为**天主教民主党**(**Christian Democratic Party**)。1952年任终身参议员。著有《教会和国家》(1939)、《真实的生活》(1943)、《社会的内在规律》(1944)、《当代的精神问题》(1945)和《意大利和未来的世界》(1945)。

Stüssi, Rudolf 施图西(?～1443-07-22,苏黎世附近) 苏黎世自治市市长(1430～1443)。其扩张主义野心造成瑞士邦联第一次内战。当苏黎世对吐根堡的领土要求遭到反对以后,它立即对表示反对的各州实行经济制裁。这样就酿成战祸。结果苏黎世在埃特策尔(1439)和普费菲康(1440)均惨遭败北。1442年施图西与奥地利缔盟。邦联要求废止这一协定,次年5月各州间战端又启,他在苏黎世城外圣雅各布战役中阵亡。

stuttering 口吃 又称结巴或语言困难。影响说话节奏和流利性的言语缺陷,其特征为非自愿地重复语音或音节以及语音、音节或词汇的间歇性受阻或延长的征象。口吃者高声朗读所指定的材料时,会有95%的词出现口吃情状。如果他们对过去的说话困难情况有所意识,就会对某些词预感其难说,而由此所产生的回避口吃的行为,实际会引起口吃。口吃者一贯地对下列类型的词产生困难:词首为辅音的词;句中开头的词;实义词(与代词和介词等功能词相反的名词、动词、形容词);含有几个音节的词。因为这些词也会使正常人说话时产生某些犹疑现象,所以在口吃和正常的不流畅(停顿和重复)之间似乎就有某些联系。虽然某些家族中有重复出现口吃的倾向,但是研究材料表明,家庭中亲子之间代代相传的轻微口吃倾向,多出自神经病学或环境因素的影响而很少具备遗传特征。口吃者并没有官能上的缺陷,而通常所说强迫变换左右手的使用会引起口吃的见解是错误的。相反,在任何情况下对于儿童正常的言语不流畅现象过分注意,似乎会适得其反,造成缺陷。因之,口吃倾向的出现,多由于父母对儿童正常停顿或重复话语时反应过分强烈所致。这也可以解释为什么口吃者多为独生子女或出现于年龄相差悬殊的兄弟姐妹之中。有意识培养说话流利程度的做法,也能助长发生口吃的可能性。例如,在重视演讲能力的西非伊博人中,其口吃者几乎为全世界口吃者平均数的3倍(约占大多数人口中口吃者的1%)。在西方社会中,男孩口吃者是女孩的5倍,这可能是由于人们对男性的举止行动要求更严而造成的。在古罗马时期,人们认为口吃者是恶魔缠身,必须予以驱除。中世纪的人们则认为舌为口吃的病源,曾以热烙铁及香料治之。现在我们已经知道,有约80%的口吃者通常在成年时代的早期或到青年时期无需任何治疗就能恢复正常。这可能是自尊心增长、不回避这个问题及由此而能使自己说话时不紧张的结果。

Stuttgart 斯图加特 德国西南部的巴登-符腾堡州东北部一行政区。其北面和东面与拜恩(巴伐利亚)州接壤,南与蒂宾根行政区交界,西与卡尔斯鲁厄行政区毗邻。该区是巴登-符腾堡州4个区中最大者,面积10 558平方千米,范围与历史上更大的**士瓦本**(**Swabia**)地区和**法兰克尼亚**(**Franconia**)地区的几个部分相等。从12世纪起,符腾堡伯爵控制了这片领土的大部分。符腾堡的领地先后成为公国、王国和共和国。1952年西德的3个在第二次世界大战后设的州——符腾堡-巴登州、符腾堡-霍亨索伦州、巴登州——合并成现在的巴登-符腾堡州。大致拥有现今斯图加特行政区的原符腾堡-巴登州的东部,成了新州的北符腾堡行政区的东北部。1973年的行政改革变更了北符腾堡行政区的边界,并根据该区行政中心兼该州的最大城市和首府的城市名,将其改名为斯图加特。

斯图加特位于内卡兰境内,后者是由三种主要自然地形构成的区域:①高高原地区;②考依波阶砂岩丘陵;③里阿斯统前陆。高高原区的开阔低地从本区介于黑林山和施瓦本山之间的西南角向东北延伸,逐渐变宽,并与下法兰克尼亚的法兰克尼亚高原和谐地汇合起来。向北流的内卡河的深谷和其支流恩茨、科赫尔和亚格斯特,以及陶伯河等,将本区域分割成一系列覆盖着黄土的肥沃平原,平原的景色主要是可耕地包围着的密集的农村。这些平原因受到黑林山高地的屏障,气候比较干燥、温暖,使甜菜、啤酒花、烟草、马铃薯、天门冬属和其他各种大田作物都能生长。小麦、大麦和玉米也有生产。

高高原地区在南面和东面的顶端紧贴着考依波阶砂岩丘陵的悬崖。河谷已将考依波区域切削成为许多分开的山岭。丘陵上几乎完全覆盖着由云杉构成的、杂有山毛榉和橡树的针叶林。悬崖沿线较低的山坡上有葡萄园和果园,丘陵之间的陡峭山谷则覆盖有草地。里阿斯统前陆是一带开阔的耕地,位于本区考依波阶砂岩丘陵和施瓦本山之间的南部边界。水果和制作泡菜用的大白菜是当地特产。施瓦本格明德镇在贵重金属和珠宝首饰制作方面有传统的专门技艺。阿伦则以光学仪器厂著称。

工业绝大部分集中在人烟稠密的内卡河谷及其东岸的支流菲尔斯和雷姆斯两条河沿岸。斯图加特市已成为德国西南部最大工业区的中心和重要运输枢纽,尽管该市所处位置交通不便。该市位于一个为考依波阶丘陵所包围的盆地内,只有东北面通往内卡河谷的唯一出口。斯图加特市的工业生产各种汽车、电气设备、机械、精密仪器和纺织品。为居于领先地位的图书出版中心,并开展广泛的水果和葡萄酒交易。海尔布隆是本区第二大城市,位于斯图加特城以北、已改造成运河的内卡河畔。该市制造机械、汽车和电气设备;为重要葡萄酒生产区的中心,并对来自富饶的高高原地区的农产品进行加工。

士瓦本文化区和法兰克尼亚文化区之间分界线的走向大致从海尔布隆向东,顺树木繁茂的考依波阶丘陵的北边到克赖尔斯海姆。斯图加特区南半部的居民为斯维比人的后裔士瓦本人。斯维比人原是从公元3世纪起占领这片地域的一支日耳曼族人。斯图加特区北部的法兰克尼亚人是法兰克人的后裔,法兰克人是从6世纪初期起就在本区域定居的一支日耳曼族人。巴登-符腾堡州境内的三种主要日耳曼方言有两种在斯图加特区内通用,南部用士瓦本方言,北部用法兰克

尼亚方言。高原地区农村的主要住宅格局是一种人口密集的村庄。在考依波阶丘陵的树林里，则小村子和分散的耕地更为常见。本行政区内的高等教育机构都集中在斯图加特市内，其中有斯图加特大学、霍亨海姆大学、一所职业教育学院和几所艺术专科学院。每年9月下旬，坎什塔特民间音乐节都把许多游客吸引到市里来，特别是士瓦本人的后裔们。本区居民大多数是新教徒。人口约3 547 234(1989)。

Stuttgart　斯图加特　德国西南部巴登-符腾堡州首府、城市。跨内卡河两岸，四周是森林、葡萄园、果园。在黑林山（西）和施瓦本山（南）之间。在巴特坎施塔特地区有史前居民点和罗马城堡。约950年建立时，为种马农场。后发展了酿酒工业，13世纪属符腾堡伯爵后，获得市政权。约1320年成为伯爵的主要居住地。1482年后，一直为符腾堡伯爵领地、公国、王国和州的首府。第二次世界大战期间市中心几乎完全被毁。历史建筑物多为1945年后重建，其中有旧城堡（13世纪；1553～1578年重建），内有州博物馆、新宫（1746～1807）、罗森施坦宫（1824～1829），现为自然历史博物馆。现代建筑有魏森霍夫

斯图加特市的新宫与安拉根剧院花园
供图：Archiv fur Kunst und Geschichte, Berlin

庄园（1927）、市政厅（1954～1956）、193米高的电视塔（1955）和斯图加特音乐厅（1954～1956建）。市内有理工学院和斯图加特大学等院校、州立美术馆、天文台、气象台、歌剧院、威廉马植物园和动物园等。戴姆勒-奔驰和梅赛德斯-奔驰汽车厂和博物馆在郊区下蒂克海姆。巴特坎施塔特和贝格山等郊区为疗养中心，有许多矿泉，矿泉水装瓶出口。每年秋季在坎施塔特草地庆祝著名的坎施塔特民间节日。斯图加特是沟通多瑙河与德国北部、莱茵河天然通道上的重要铁路枢纽。有港口和国际机场。德国西南部最大工业区的中心，常举办各种商品交易会和会议。经济以电机、汽车和机器制造业为主。也生产纺织品、精密仪器（照相机、光学仪器）、啤酒、木器、皮货、鞋、乐器、化学品和纸张等。著名的图书中心，有为数众多的印刷厂和200多家出版社。全国最大的酒类生产地之一，酒类和水果贸易量很大。人口：市589 161；大都会区2 672 000(2000)。

Stuttgart　斯图加特　美国阿肯色州中东部城市。阿肯色县北区城市。1878年始有人定居。1889年设市。一直是农业和贸易中心。有稻谷和大豆加工、锯木、化肥、灌溉和

斯图加特市郊的稻田
美国不列颠百科全书公司供图

农业设备制造等行业。生物技术在当地日益重要。为著名的猎鸭基地。市东南有怀特河国家野生动物保护区。人口9 745(2000)。

Stuttgart Ballet　斯图加特芭蕾舞团　德国斯图加特市的一个历史悠久有固定演出场所的芭蕾舞团。20世纪60年代成为国际驰名的舞团。当今的斯图加特芭蕾舞团系由1609年符腾堡公爵宫廷皇家芭蕾舞团演变而来。从17到19世纪，它一直是受皇家庇护并由市政厅资助的团体，一度曾吸引过像让-乔治·诺维尔（1760～1767）这样一些欧洲著名编导担任艺术指导。20世纪中叶的斯图加特芭蕾舞团是一个由不同国籍、不同学派训练出来的演员组成的小团体。J.克兰科（1961～1973任该团团长）把他们汇集成一个具有引人注目、令人惊异的风格的舞团。该团尤以对古典舞剧作出的高度戏剧性处理著称，如《驯悍记》（1969）、《叶甫根尼·奥涅金》（1965）、《罗米欧与朱丽叶》（1962）。1976年，M.海蒂被任命为该团团长。

Stutthof　施图特霍夫　德国纳粹集中营和灭绝营，位于波兰但泽（格但斯克）以东36千米处。1939～1943年，该营为但泽及波兰北部其他地区犹太人的强迫劳动和转运营。1944年初，全部余下的犯人转移至奥斯威辛死亡集中营。该营扩建为灭绝营，在附近增设了若干卫星营，主要关押从波罗的海国家、波兰、匈牙利和德国各集中营运来的犹太妇女。约有5万犹太人因饥饿、疾病、毒气死于该营及其卫星营。

Stuyvesant, Peter　斯特伊弗桑特（约1592，尼德兰弗里斯兰谢彭塞尔～1672-02，今美国纽约州纽约附近）　荷兰殖民总督，曾试图抵制英格兰人夺取纽约。加尔文宗牧师之子，约1632年进入荷兰西印度公司。1643年成为在库拉索、阿鲁巴和博内尔殖民地的分公司经理。在与葡萄牙人争夺圣马丁岛时失去右臂。1645年任北美洲和加勒比海地区全部荷兰属地的总督。1647年到达新阿姆斯特丹（即后来的纽约市）后，与居民的矛盾就开始了。1653年以荷兰城市为样板成立新阿姆斯

纽约历史学会供图

特丹市政府。后来，成功地把瑞典人逐出沿特拉华河的荷兰领地，并与该地区的印第安人和平共处。1664年8月因居民不予支持，他被迫把新荷兰交付英国人。余生在其农场度过。

sty　麦粒肿　又称睑腺炎。眼睑腺体的感染，可分为两种。外麦粒肿为睑缘皮脂腺的感染，常为葡萄球菌引起；患眼畏光多泪并有异物感；感染部位先变红，然后肿胀形成小脓疱，中心有黄点；给予热敷可促使溃破排脓。内麦粒肿是迈博姆氏腺的葡萄球菌感染；因患部挤在眼球及睑板之间，疼痛较外麦粒肿严重；通常多由眼睑内面破溃排脓。内麦粒肿有时亦称霰粒肿；但霰粒肿一词多指睑板腺的一种无痛性肿物——内含液体或半固体的肉芽性囊肿，又称睑板腺囊肿，由新生的瘢痕组织构成。霰粒肿的出现有时无明显原因，有时为内麦粒肿的后果。

Style Moderne（visual arts）　**现代风格**　参阅 **Art Deco** 装饰派艺术。

stylistics　风格学　对于表达风格的语言手段（如修辞格和句法模式）的研究。自古以来，风格就是一种研究对象。亚里士多德、西塞罗和昆体良都把风格看成是思维的恰当的修饰。根据流行于文艺复兴时代的这种观点，风格手段是可以分成类别的。作家或演说家都希望借助范句构思，规定适合其话语方式的“修辞格”类型。J.斯威夫特谈及风格时有句名言：“恰当场合的恰当的词”（《给某位后来任圣职的青年绅士的信》，1721）。这恰是那种认为风格即附加于思维的一些恰当的色调的论点，与瑞士语文学家C.巴利（1865～1947）所倡风格学思想形成对比。据巴利的弟子们的观点，语言的风格起因于可供选择的多种表达形式中存在着选择的可能性。例如，在children（儿童）和kid（幼儿），youngster（少年）和youths（青年）之间，每个词都有不同的表情价值。这个理论，正如E.萨丕尔所说的那样，强调风格和语言学的联系，萨丕尔在其《语言》（1921）一书精彩的结尾篇章中曾论及以形式为基础的文学（A.C.斯温伯恩、P.魏尔兰、贺拉斯、卡图卢斯、维吉尔以及许多拉丁文学）和以内容为基础（荷马、柏拉图、但丁、莎士比亚）的文学，同时强调前者之不可转译性。文体风格也常看成是性格的

标志。布丰在其《风格论》(1753)一书中有一著名警句"风格即人"，叔本华对风格所下的定义是"心灵的外观"。这些都说明，不管作者怎样精心选择，他的风格总要打上其个性的烙印。经验丰富的作家，凭借他惯于选择语音、词语和句法模式的能力，来表达他的个性或基本观点。

stylite　柱头修士　住在柱顶进行灵修的基督教修士。首创这种修行方法的是大柱头修士西门，他于423年在叙利亚某地以一根柱子的顶上为家。许多人效法他，其中最著名者有他的门徒但以理(409～493；君士坦丁堡)、小柱头修士西门(517～592；安条克附近羡慕山)、阿利皮乌斯(7世纪；阿德里安堡附近)、路加(879～979；卡尔西顿)和拉撒路(968～1054；以弗所附近加莱西昂山)。柱头修士长期栉风沐雨，仅靠头顶上小棚遮盖。他伫立方寸之处，日以继夜，周围绕以栏杆，靠门生缘梯送饭维持生命。他主要是祈祷，但有时也向围聚的众人传教。在柱顶修行的时间可以短暂，也可以很长，据说阿利皮乌斯曾在柱顶苦修67年。

Stylites，Saint Simeon　参阅**SimeonStylites，Saint** 西门(柱头修士)，圣。

stylolite　缝合线　次生(化学)沉积构造，是由一系列交替连结的齿状小石柱体组成；常产于石灰岩、大理岩和类似的岩石中。柱体从不单独出现，而是一个接一个相互穿插出现，在岩石的横切面显出穿过岩石表面的之字形缝合线。关于它的成因一直有许多争论，地质学家一般偏重野外证据，支持次生成因理论；认为缝合线是由于地下水通过固化岩石的裂缝环流，产生差异性化学溶解而形成的。

stylus　尖笔　书写和作记号用的尖锐器具，古代用尖笔在纸莎草纸或羊皮纸上书写。早期希腊人用金属、骨或象牙制的尖笔，在涂蜡的黄杨木板上刻字。中世纪欧洲的学童也用类似的笔在涂黑蜡或绿蜡的木板上写字。尖笔写出的白色字迹，可以用圆的一头擦去。现代用尖笔刻油印或其他复制法用的蜡纸。在留声机工业中，用它来刻唱片的纹道。英语stylus一词也指留声机中使用的唱针。

Styne，Jule　斯坦恩(1905-12-31，英国伦敦～1994-09-20，美国纽约州纽约)　原名朱利叶斯·克尔温·斯坦(Julius Kerwin Stein)。美国歌曲作曲家。出身于乌克兰犹太移民家庭，1912年随父母移民美国，在芝加哥定居。自幼即表现出音乐天分的斯坦恩开始学习钢琴，并在夜总会和旅行演出的管弦乐队中弹奏。第一首一炮打响的歌曲发表于1926年。30年代初改名朱尔·斯坦恩，以避免与另一位音乐名人朱尔斯·斯坦混淆。1934年移居纽约市，1937年迁往好莱坞，在那里为多部电影音乐剧配乐。40年代初与词作家S. 卡恩合作为F. 西纳特拉写了许多风行一时的叙事歌；接着二人又合作电影音乐剧《起锚》(1945)和百老汇舞台音乐剧《高帮鞋》(1947)。斯坦恩的第二部百老汇杰作是L. 罗宾作词的《绅士喜欢金发女郎》(1949，1953拍成电影)。音乐剧《铃儿响叮当》(1956，1960拍成电影)是与A. 格林和B. 康姆顿合作的；《吉普赛人》(1959，1962拍成电影)则是与词作者S. 桑德海姆合作的。他的最后一部百老汇成功之作是《逗人发笑的姑娘》(1964，1968拍成电影)，由R. 梅里尔作词。斯坦恩的戏剧音乐与C. 钱宁、M. 马丁、J. 霍利德、E. 默曼和B. 斯特赖桑德等第一流女歌唱家的才华相得益彰。他单独创作或与人合作的歌曲达1 500余首。

styrene　苯乙烯　一种液体烃，属芳香族有机化合物。其重要性主要在于很容易聚合。用于生产塑料、树脂和橡胶，这些物质是由单个小分子(单体)结合成非常大的分子(聚合物)构成的。还用于制备聚酯和乳胶漆。纯苯乙烯无色透明，可燃，稍具毒性。沸点145°C，凝固点-30.6°C。分子式C_8H_8。早在1850年之前就有过从安息香(天然香脂)分离出苯乙烯和苯乙烯聚合反应的报道。但直到20世纪30年代末，苯乙烯才投入工业生产和使用。生产苯乙烯的方法是乙苯脱氢，大部分乙苯由来自石油的乙烯和苯制取。苯乙烯是合成橡胶的重要组分，在第二次世界大战中其生产迅速发展。20世纪末，苯乙烯年产量约900万吨。游离基催化剂可使苯乙烯迅速转变成**聚苯乙烯**(**polystyrene**)——一种广泛用于模塑和挤压成型的塑料。合成橡胶SBR、GR-S或Buna-S就是苯乙烯和丁二烯混合物反应生成的一种共聚物，其分子中含有这两种化合物的链节。其他一些单体也能与苯乙烯共聚生成有用的塑料或树脂。

Styria(Austria)　**施蒂里亚**　参阅**Steiermark** 施泰尔马克。

Styron，William　斯蒂伦(1925-06-11，美国弗吉尼亚纽波特纽斯～2006-11-01，马塞诸塞马撒葡萄园岛)　美国小说家。以擅长处理悲剧题材并以辞藻华丽、有古典风格知名于世。斯蒂伦1947年毕业于北卡罗来纳州达勒姆杜克大学之前，曾在美国海军陆战队服役。20世纪50年代是美国旅居巴黎侨团的一分子。1953年起任《巴黎评论》顾问编

供图：Nancy Crampton

辑。他的第一部小说《在黑暗中躺下》(1951)，以他的故乡弗吉尼亚州海岸涨潮地带为背景，描写一位得不到爱的中产阶级家庭妇女在冷漠环境中的坎坷经历，她想恢复理智不成，终于自杀。他的第二部作品是中篇小说《漫长的行军》(1956)，记述一个海军陆战队军营里强迫新兵行军的事件。小说《把这房子烧掉》于1960年出版。斯蒂伦的第四部小说《奈特·特纳的忏悔》(1967)描写一桩历史事件，写主角特纳1831年在领导奴隶起义中的故事。它用第一人称讲出特纳的观点，写一个敏感、聪明、心地善良的人因为处于奴隶地位被剥夺了一切正常人的人间幸福，他在被人疏远的愤愤不平中拔刀而起，进行抗争，结果被人抓捕，处以极刑。本书是对19世纪早期美国奴隶制度罪恶的生动描绘，剖析了错综复杂的心理因素，曾获得1968年普利策奖。斯蒂伦后来的作品中有一个剧本《在板屋中》(1972)和小说《莎菲的选择》(1979)，后者描写一个年轻南部作家和一个从奥斯威辛纳粹死亡营中幸存的波兰姑娘的友情。《这些静静的尘埃》(1982)则是综述斯蒂伦小说中心思想的论文集，于1982年出版。

Styx　斯提克斯　希腊神话中的冥河。字面含义为"可恨的"，表示对死亡的厌恶。在荷马史诗里，诸神凭着这条河的河水起誓，以示誓言最有信用；如果一个神自己起了伪誓，他在一年内就会变得知觉全无，然后再被驱出神界，九年内不得返回。赫西奥德把此河拟人化，说它是俄刻阿诺斯的女儿，竞争、胜利、权力和力量的母亲。后来人们又把它等同于马夫罗奈里河(希腊语："黑水")，这条河在阿卡迪亚的阿罗阿尼亚山的诺那克里斯(今在索罗斯附近)附近。古人认为它的水是有毒的，盛水的任何器皿都会被它溶化，例外的只有用马蹄或驴蹄制作的一个器皿。还有一个传说说亚历山大大帝便是被斯提克斯河水毒死的。

Su Bingqi　苏秉琦(1909-10-04，中国河北高阳～1997-06-30，北京)　中国考古学家。1934年于北平师范大学毕业后即进入北平研究院史学研究所工作。在陕西渭河流域从事田野考古，发掘了宝鸡斗鸡台墓地，开创了先

中国大百科全书出版社供图

周先秦文化的考古学研究。著有《瓦鬲之研究》(1941)和《斗鸡台沟东区墓葬》(1948)。1949年后，任中国社会科学院考古研究所研究员和北京大学历史系考古专业教授，是中国考古学高等教育事业的创办人。先后主持指导洛阳、华县、邯郸、山东、张家口、辽西、内蒙古及山西中部的大规模田野考古工作。他将中国史前期考古学文化分为六大区，创立了中国考古学文化区、系、类型论。他曾主持

指导过若干区域考古学的课题，如环渤海考古的课题，不只是中国北方沿海与内陆文化的问题，而且与东北亚考古有密不可分的关系，因此，他提出了要从世界的角度来认识中国，只有把中国考古学置于世界考古学体系之中，才能真正显示出中国考古学在世界文化史上的地位。苏秉琦主张中国史前文化在经历了古文化、古城、古国的发展阶段后，才进入中国的文明社会。他认为考古学是历史学的一个组成部分，中国史前考古学研究应当升华为中国史前史的研究，并提出根据考古学的研究成果，重建中国史前史，重建中国古史的远古时代。曾任中国考古学会理事长，中国国家文物委员会委员。著有《苏秉琦考古学论述选集》(1984)、《重建中国古史的远古时代》(1991)、《重建中国史前史的思考》(1991)等专著和论文。

Su Buqing　苏步青(1902-09-23，中国浙江平阳～2003-03-17，上海)　中国现代数学家。中学毕业后去日本求学。1927年毕业于日本东北帝国大学数学系，1931年获理学博士学位。同年回国后，历任浙江大学数学系教授、系主任，复旦大学教授、教务长、数学研究所所长、研究生部主任、副校长、校长和名誉校长。20世纪50年代初参与筹建中国科学院数学研究所。他是中国科学院院士，曾任中国数学会副理事长和名誉理事长。主要研究领域是微分几何学。早期对仿射微分几何学和射影微分几何学的研究有突出成就。他建立独特的方法，用几何构图来表现曲线和曲面的不变量和协变图形，得到国际上的高度评价。40～50年代开始研究一般空间微分几何学，特别是一般面积度量的二次变分的计算和K展空间。60年代开始研究高维空间共轭网理论，取得重要成果。70年代又把微分几何应用于工程中的几何外型设计，从而在中国开创了计算几何这一新的学科。主要专著有《射影曲线概论》(1954)、《射影曲面概论》(1964)、《一般空间微分几何学》(1958)、《计算几何》(1981)等。

中国大百科全书出版社供图

Su-chou(China)　参阅 **Suzhou** 苏州。

Su-chou embroidery　苏绣　中国江苏苏州一带的刺绣。苏州地处江南蚕桑产区，刺绣工艺一向发达。苏绣色调典雅，针法多达40种。明清以来苏绣即成为富有独特风格的产品，是中国刺绣的重要品种。中华人民共和国建立后，成立了苏州刺绣研究所，集中优秀艺人创新刺绣工艺，创造的双面绣具有正反两面的艺术效果，体现了刺绣艺术的发展。苏绣多制作各种室内装饰品。产品远销国外。

苏绣操作

中国大百科全书出版社供图

Su Dongpo　苏东坡　参阅 **Su Shi** 苏轼。

Su-pei Canal(China)　参阅 **Subei Canal** 苏北灌溉总渠。

Su Shi　苏轼(1037-01-08～1101)　又拼 Su Shih。中国北宋文学家、书画家。字子瞻，号东坡居士。眉山(今属四川)人。父苏洵、弟苏辙都是著名古文家，世称“三苏”。嘉祐进士，任凤翔府签判，主张改革弊政。神宗时反对变法，但在密州、徐州任上抗洪灭蝗，赈贫救孤，颇多政绩。后以“谤讪朝廷”被贬黄州。哲宗时任翰林学士，出知杭、颍、扬、定四州，官至礼部尚书。后又被贬惠州、儋州。徽宗初遇赦召还。诗、词和散文都代表北宋文学最高成就。诗大都抒写仕途坎坷的感慨，也有反映民生疾苦、揭露现实黑暗之作。诗风豪迈清新，尤长于比喻。与黄庭坚并称“苏黄”。词题材广泛，记游、怀古、赠答、送别、说理无不入词，对严格的音律束缚也有所突破，促进了词的发展。名作有《念奴娇》(“大江东去”)、《水调歌头》(“明月几时有”)等，开豪放词派的先河，与辛弃疾并称“苏辛”。散文中议论文汪洋恣肆，记叙文结构谨严、明白条畅，如《石钟山记》、《放鹤亭记》等与《赤壁赋》、《后赤壁赋》同为传诵名篇。与欧阳修并称“欧苏”，是“唐宋古文八大家”之一。文学思想强调“有为而作”，崇尚自然，摆脱束缚，“出新意于法度之中，寄妙理于豪放之外”。致力提拔后进，黄庭坚、秦观等均出其门下。擅长行、楷书，与黄庭坚、米芾、蔡襄并称“宋四家”。他曾遍学晋、唐、五代名家，得力于王僧虔、李邕、徐浩、颜真卿、杨凝式，而自成一家。自云：“我书造意本无法”；又云：“自出新意，不践古人。”黄庭坚说他：“早年用笔精到，不及老大渐近自然”；又云：“至黄州后掣笔极有力。”晚年又挟有海外风涛之势，加以学问、胸襟、识见处处过人，而一生又屡经坎坷，其书法风格丰腴跌宕，天真浩瀚。擅画墨竹，师文同，比文更加简劲，且具掀舞之势。米芾说他：“作墨竹，从地一直起至顶。余问：何不逐节分？曰：竹生时，何尝逐节生？”亦善作古木怪石，米芾又云：“作枯木枝干，虬曲无端；石皴硬，亦怪怪奇奇无端，如其胸中盘郁也。”均可见其作画很有奇想远寄。其论书画均有卓见，论画影响更为深远。如重视神似，主张画外有情，画要有寄托；反对形似，反对程式束缚，提倡“诗画本一律，天工与清新”，并明确提出“士人画”的概念等，为其后“文人画”的发展奠定了理论基础。存世书迹有《黄州寒食诗》、《赤壁赋》、《答谢民师论文》与《祭黄几道文》等。存世画迹有《古木怪石图卷》；又近年发现的《潇湘竹石图卷》当亦系他的作品。诗文有《东坡七集》，词有《东坡乐府》等。清王文诰有《苏文忠公诗编注集成》。中华书局有汇校本《苏轼诗集》(1982)。

Suakin(The Sudan)　参阅 **Sawākin** 萨瓦金。

Suakoko　苏阿科科　利比里亚中部城镇。为政府的中央农业试验站(1946)所在地。圣公会的卡廷顿大学学院是利比里亚第一所提供农业方面学位的学院，学院的博物馆有非洲艺术品的著名收藏。附近有苏阿科科麻风区和培训护士的费布医院。当地的克佩勒人主要从事水稻种植。人口10 896(最新统计)。

Suanjing Shishu　《算经十书》　英语作 Ten Mathematical Manuals。指中国古代十部数学名著。唐国子监算学馆规定10部数学书为学生必修课本。10部书是：《周髀算经》、

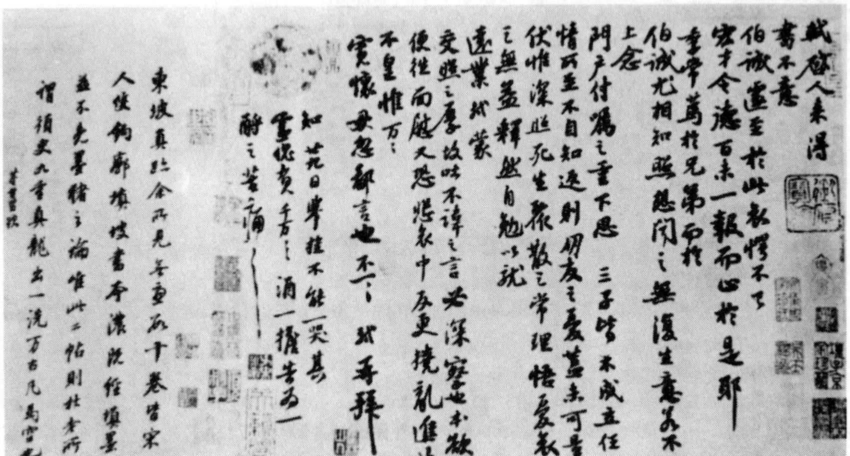

苏轼书《人来得书帖》

中国大百科全书出版社供图

《九章算术》、《孙子算经》、《五曹算经》、《夏侯阳算经》、《张丘建算经》、《海岛算经》、《五经算术》、《缀术》、《缉古算经》。北宋元丰七年(1084)秘书省刊刻这10部算书时，《缀术》已

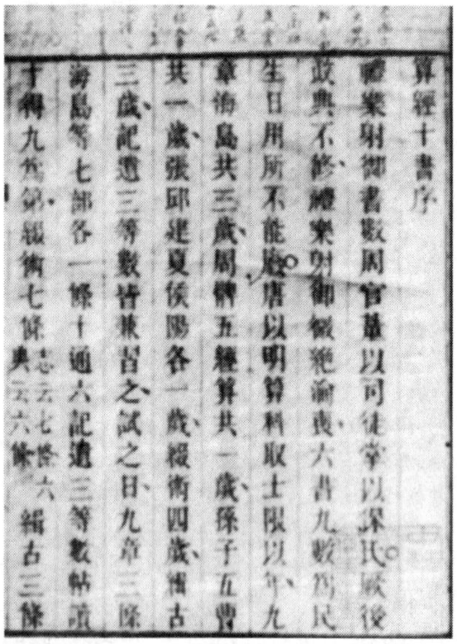

算經十書序

清刻本《算经十书》书影
中国大百科全书出版社供图

失传，代以另一部汉唐间算书《数术记遗》。1773年清代学者孔继涵重新整理这10部算书，刻入《微波榭丛书》，题为《算经十书》。

Suao 苏澳 中国台湾省东北部宜兰县的城镇及重要港埠。面积89平方千米。位于宜兰(兰阳)平原南部，东濒太平洋，在县治宜兰市东南约21千米处。原为古老小渔港，系台湾东部海岸天然良港之一。台湾光复后逐渐发展，迄20世纪70年代末期已具规模。自1974年起又进行拓港工程，完工后成为台湾东部深水商港及重要渔港。港域广阔，由北方澳、苏澳和南方澳三水域组成，成为台湾五大商港之一。该镇现有水泥、渔产加工、木材、食品罐头等工业，并有云母、铜、锰及二氧化硅等矿藏。交通便利，苏花公路、北回铁路和西部纵贯铁路宜兰支线均经该镇。镇内有苏澳冷泉、炮台山等胜地，邻近的南澳乡有太平山原始森林区，为台湾三大林场之一。人口47 239(1999)。

苏澳港
台湾中华书局供图

Suárez, Francisco 苏亚雷斯(1548-01-05，西班牙格拉纳达～1617-09-25，里斯本) 别名Doctor Eximius。西班牙出生的天主教耶稣会神学家和哲学家、国际法奠基人之一。人们常常认为他是圣托马斯·阿奎那之后最杰出的经院哲学家。他是一位富裕的律师之子，1561年开始在萨拉曼卡学习法律，1564年离去，参加耶稣会。1571年起讲授哲学。1580年在罗马(后来在阿尔卡拉)耶稣会学院任神学讲师。1597年获博士学位。1597～1616年在科英布拉担任教授。他是一位学问渊博、治学很有条理的学者，其著作单是不完全的巴黎版(1856～1878)就有28卷之多。他在哲学方面的主要研究著作是《形而上学论文集》(1597)，此书成为欧洲大多数大学(无论是天主教的还是新教的)的课本达百余年。这部著作专门讨论人的意志问题和一般现象同特殊现象的概念问题。在书中，他援引了亚里士多德和阿奎那的学说，也涉及到其他经院哲学家的论述。他脱离了阿奎那的立场，因此，人们就把他的体系单独称为苏亚雷斯主义。曾应教皇保罗五世等人之请，写了一些为基督教国家性质作辩护的著作，用以反对英国圣公会神学家的说法，即国王有权利要求以上帝在人间的代表身份进行统治。这一君权神授之说当时由英王詹姆斯一世提出，他后来将苏亚雷斯的《辩护书》烧毁在伦敦圣保罗大教堂的台阶上。苏亚雷斯在《辩护书》和《论法律》(1612)中阐述其政治理论和法律哲学。他在驳斥君权神授之说时宣称，政权最初是属于人民自身的；国家由人民所同意的一项社会契约产生。他为一个人对于生命、自由和财产所拥有的自然权利进行辩护，而对亚里士多德认为某些人生来就要受奴役的看法予以驳斥。在《论战争和印度群岛》中批评了西班牙殖民当局的所作所为。他认为印度群岛在世界各国的大家庭中如同其他国家一样，也是主权国家，在法律上和西班牙是平等的。

Suárez González, Adolfo 苏亚雷斯·冈萨雷斯(1932-09-25，西班牙阿维拉附近塞布莱洛斯～) 西班牙首相(1976-07～1981-01)，就职时仅43岁，为20世纪西班牙最年轻的首相。小官吏家庭出身，16岁入萨拉曼卡大学，21岁获法学士学位，后又获马德里大学博士学位。1968～1969年任塞哥维亚省长和"国民运动"的省负责人，后任国家广播电视局局长。1975年3月任国民运动副总书记，12月任总书记(部长级)。同年参加创建西班牙人民联盟(国民运动内的一个温和改良主义政治团体)，后任主席。1976年6月，他在议会中坚决拥护承认各政党合法的新法律。同年7月，他被任命为国王卡洛斯一世时代西班牙第2届政府的首脑，引起各种不同的反响。他就任后实行温和的政策，宣布社会党和共产党为合法政党，并主持了自1936年以来西班牙第一次自由选举。他组成包括社会民主党人和自由党人的中央民主联盟，在1977年选举中获胜，赢得4年任期。但他的政府因一些地区要求自治和巴斯克恐怖活动加剧而遇到麻烦。1979年大选中他的中央民主联盟未能获得议会多数，他仅凭信任投票得以保住权力。1981年1月他辞去首相和中央民主联盟的领导职务。1982年8月另组新党社会民主中心。

Suassuna, Ariano 苏亚苏纳(1927-06-16，巴西若昂佩索阿～) 巴西戏剧家、小说家、巴西东北地区"纹章运动"的倡导者，该运动致力于发现和重新开辟该地区葡萄牙-巴西文化的历史渊源。曾任美学和戏剧理论教授，后转向剧本创作和剧团管理。他是伯南布哥联邦大学学生剧院的创建人，并被任命为那里的文化教育中心主任。他恢复了中世纪伊比利亚半岛的道德剧、神秘剧，把它们搬上20世纪舞台，写了《慈母之剧》(1955)、《十字架约翰之剧》(1950)等作品。他还吸取了16世纪葡萄牙G.维森特确立的传统，写成《一个披着阳光的妇女》(1947)、《锡安山的竖琴在鸣唱》(1948)等作品。他广泛采用东北地区的民间诗歌和音乐形式，创造出一种"马戏团戏剧"。他还出版过一部小说。

sub 参阅 **submarine** 潜艇。

Sub-Atlantic Climatic Interval 亚大西洋气候期 全新世(约自1万年前延续至今)的分期。位于亚北方气候期之后，延续至今。根据放射性碳年代测定，大约开始于公元前225年。特点是雨量增多、气候较凉和较潮湿，以山毛榉林占优势。动物群实质上与现代的相同，不过因人类活动而大为减少。该气候期与孢粉带IX相关联。这个时期的海水普遍后退，但北美例外。

Sub-Boreal Climatic Interval 亚北方气候期 全新世(约自1万年前延续至今)的分期。位于大西洋气候期之后，亚大西洋气候期之前。据放射性碳方法测定，其年代大约开始于5 100年前，结束于2 200年前。该气候期与孢粉带VIII相关联。气候温暖而干旱。森林以栎、榉为主，其中首次出现人类大规模焚烧和清理森林的证据。驯养动物同野生动物一样丰富。

subacute thyroiditis 亚急性假结核病 参阅 **granulomatous thyroiditis** 肉芽肿性甲状

腺炎。

subalpine forest 亚高山林 参阅 **coniferous forest** 针叶林。

subarkose 亚长石砂岩 砂岩的变种，其中5%～25%的砂粒系由长石组成的。参阅**arkose**。

Subarnarekhā River 苏伯尔讷雷卡河 印度东北部河流。发源于比哈尔邦南部，向东流经铜矿区，并经洪德鲁格巴格瀑布而流出焦达纳格布尔高原；继续东流，经西孟加拉邦注入孟加拉湾。全长470千米。主要支流有坎奇河与卡尔卡利河。

subatomic particle 亚原子粒子 又称基本粒子，是物质和能量自持的单元的统称。现已发现200多种亚原子粒子，而且每一种看来都有其反粒子，后者是与前者相对应的反物质，它们具有相同的质量和相反的电荷、磁矩或自旋。许多世纪以来，原子就被公认为物质的基本组元。电子(1897)和原子核(1911)的发现，确证原子实际上是由电子云环绕着一个微小的重核所构成的复合系统。20世纪30年代初期，确定原子核本身是由称为质子和中子的更小的粒子组成。到70年代初期，深入细致的研究成果揭示，这些质子和中子也是由更为基本的单元——夸克——所构成。20世纪末期，大多数物理学家认为，夸克及另一类称为轻子的亚原子粒子是一切物质的基本结构单元。夸克(和反夸克)是重粒子，具有半整数自旋并带有分数电荷。它们有5(也或许6)种。其中只有两种(称为“上”夸克和“下”夸克)存在于普通物质的质子和中子内。其他3种称为“奇异”夸克、“粲”夸克和“底”夸克，只存在于一些不稳定的粒子内，这些粒子在不到几亿分之一秒内就会自发衰减掉。第六种夸克(“顶”夸克)目前尚未观测到。由夸克构成的粒子合称强子。由3个夸克构成的像质子和中子那样的粒子称为重子；由夸克和反夸克构成的其他粒子称为介子。轻子也分几种类型，最熟悉的轻子是电子。其他较重的轻子为μ子和τ粒子。和电子一样，这两种粒子都有负电荷及半整数自旋。每种轻子都有与之相应的中微子——即电子中微子、μ子中微子和τ粒子中微子——它们拥有电荷但可能没有质量。同参与强相互作用的夸克形成对照，轻子只对电磁力、弱核力和引力发生响应。亚原子粒子的第三大类是由玻色子组成的粒子。与夸克和轻子不同，玻色子不是物质的结构单元，而是宇宙中力的传递者。例如，“电弱”力(统一形式的电磁力和弱核力)是通过发射和吸收光子以及发射和吸收称为W玻色子和Z玻色子的重粒子，由相互作用的轻子和与它们相应的中微子来维持。其他的玻色子还有胶子，它传递强核力，该力把强子内的夸克联结起来。胶子没有质量，有自旋，并以光速行进。此外，当众胶子从一夸克行进到另一夸克时，可以增多，从而增大它们所传递的力的强度。夸克间交换的胶子数量越大，夸克之间的结合力就越强。

Subayṭilah (Tunisia) **苏贝提拉** 参阅**Sufetula** 苏费土拉。

Subbiluliuma I 参阅 **Suppiluliumas I** 苏皮卢利乌马斯一世。

subbituminous coal 亚烟煤 又名黑褐煤(black lignite)，介于褐煤与烟煤之间的褐黑到黑色的煤。亚烟煤常有丝的光泽，有时用肉眼无法同烟煤区别。亚烟煤没有褐煤的纤维状组织，但许多亚烟煤与烟煤相似，具有暗亮交替的条带状结构，它比褐煤硬得多。尽管它的热值较低，但硫的含量也极低，通常小于1%。因此，美国一些用煤发电的电站，由用烟煤改为含硫量低的亚烟煤和褐煤。参阅**bituminous coal；lignite**。

subduction zone 俯冲消减带 大陆边缘的海沟区。根据板块构造学理论，在这个地区里，老的海底俯冲在大陆块下面，同时把海沟里堆积的沉积物向下拖入上地幔。因此，消减带是洋中脊的对立物；新的海底在大洋中脊处由上地幔生成，侧向向外扩张，并最终在大洋盆地的边缘被消减或消失。

Subei Canal 苏北灌溉总渠 又作Su-pei Canal。中国淮河下游新辟的大型人工渠道。具有灌溉、排洪、航运、发电的综合效用。在江苏省北部。淮河原来独流入海。1194年黄河夺淮入海，淮河下游被黄河泥沙淤塞成为废黄河，淮河水流便经高宝湖、里运河等流入长江。夏秋之间每遇江淮同时涨水，淮河下游及里运河一带便泛滥成灾。苏北灌溉总渠(1951年动工，1953年竣工)西起洪泽湖边的高良涧，向东在淮安穿过里运河，再东到滨海县扁担港入黄海，全长168千米。设计灌溉流量500立方米/秒，排洪流量700立方米/秒，灌溉面积172万公顷。渠道上兴建有高良涧进水闸、运东分水闸、阜宁腰闸、海口六垛挡潮闸等大型水利工程建筑，以充分发挥灌渠的效益。配套工程还有渠首抽水、发电两用站。

苏北灌溉总渠鸟瞰
中国大百科全书出版社供图

subgraywacke 亚杂砂岩 一种深色的沉积岩，含有65%～95%的单体石英，其颗粒直径为0.06～2毫米，由含泥量低和往往含碳酸盐量高的基质固结在一起。有些地质学家赞成规定杂砂岩(**graywacke**)中的单体石英不超过75%，从而他们把以下岩石归入亚杂砂岩：①不稳定物质(即长石和岩石碎屑)在25%以上；②岩石碎屑比长石多；③开放孔隙空间或矿物质(常常是碳酸盐)胶结物比黏土或泥质基质多。第一类亚杂砂岩呈巨厚沉积层出现于大型的下沉的地槽中，在地槽中，它或者在岩石系列中占优势地位，或者作为次要组分与硅质较少的杂砂岩在一起。这些岩石或是由有许多富石英岩石的地区产生的，或是由沉积物沉积之前强烈化学风化作用清除了不稳定的物质的地区产生的。第二类亚杂砂岩产于各个地质时代的岩石系列中，在地质柱状图中占砂岩的1/3以上。一般由分选好的圆形颗粒组成，它们的层次常与总的层面斜交。它们很可能是由异重流(高度浑浊的底流)沉积的，由以沉积岩和浅级变质岩占主要地位的地区产生的。因为它们出现在煤系沉积中，所以可能部分是非海相成因；有些被认为是在沿岸泛滥平原和三角洲或类似的环境下堆积而成的。泥岩和页岩常常与这些岩石呈互层产出形式。

subḥah 念珠 又译赞珠。特指伊斯兰教徒祈祷用的珠串。念珠用木、骨或宝石制成，每串100、25或33颗不等，代表安拉的不同名字。穆斯林逐个触摸念珠时要念诵赞美安拉之词，最常用的是“赞美安拉”。人可以默祷，因此就也可以边与他人谈话边拨动念珠表示连声赞颂安拉。尽管大多数穆斯林认为用念珠是虔诚举动，但也有人持异议，如创立于18世纪的瓦哈比派就禁止信徒使用念珠。

Subiaco 苏比亚科 意大利中部拉齐奥区罗马省城镇。濒阿涅内河，海拔410米，在罗马东73千米处。约494年圣本尼狄克在当地的神洞做隐士，在该地区建了12座隐修院。圣本尼狄克神洞和神洞下的教堂内有13世纪的壁画。13和14世纪锡耶纳画派的耶稣生平画收藏在神洞上的教堂内。1464年在圣斯科拉丝蒂卡教堂内建立了意大利第一个印刷所。全镇最高建筑为1073年建的罗卡城堡。苏比亚科为重要的农业中心。有造纸厂和采石场。人口:城镇区约9 156(1990)。

Subic Bay　苏比克湾　菲律宾吕宋岛西南部南中国海的海湾。位于马尼拉湾入口西北56.3千米处,向北延伸至吕宋岛海岸线。1901～1992年期间,美国曾在该湾的东南海岸建过海军基地,称苏比克湾海军基地,为菲律宾最大的海军军事设施。该地区最大的居民点是奥隆阿波。在第二次世界大战中曾遭受严重的破坏,1942年被日本占领,1944年又被盟军夺回。该美海军基地靠近中南半岛(印度支那半岛),在越南战争(1955～1975)中曾起重要的供给和维修作用。该地区产稻米、玉米和香蕉。海湾周围有次生林。

Subirà, Margarita Xirgu I　苏维拉　参阅 **Xirgu, Margarita** 希尔古。

subjective idealism　主观唯心主义　建立在如下前提之上的一种哲学:世界上除了心灵与精神及其知觉或观念之外,无其他事物存在。人感受到物质事物,但物质事物却不能独立于有知觉的心灵而存在;因而物质的东西便仅仅是一些知觉而已。外在世界的实在性要依认识者而定。18世纪的英国爱尔兰哲学家G.伯克利曾简要地提出他的基本命题:"存在即被感知"。主观唯心主义的更极端的形式是唯我主义,它认为只有"我"存在着。

sublimation　升华　物理学中指物质从固态不经过液态而直接转变为气态的现象。常压常温下固态二氧化碳(干冰)直接转变为气态就是一例。这种现象是由蒸气压与温度关系决定的。食物防腐的冻干法就是利用高真空下冷冻食物中冰的升华。参阅 **vaporization; phase diagram**。

sublime　崇高　在文学评论中,指伟大的文学作品所特有的崇高的思想、感情和精神。为一篇未完成的论文《论崇高》的题目,长期以来一直认为是3世纪希腊哲学家朗吉努斯所著,但现在一般认为它的作者是1世纪时的一位无名作家,被称为假朗吉努斯。论文作者为崇高下的定义是:"优美的语言"、"伟大精神的表达"和能激起"狂喜"的力量。传统的古典文学评论试图把文学作品的成就归功于某些技巧因素——措辞、思想、隐喻、音乐感等——之间的平衡,而这篇论文的作者则认为崇高的源泉存在于作者的道德、感情和想象力的深处,这种崇高情愫的表达也是天才的灵感来临时一瞬间的产物,而决不是按照常规所能产生的。这个概念至17世纪末和18世纪在英国影响最大,在此之前对当代文学评论影响很小。这种时尚同对莎士比亚的戏剧重新感兴趣是一致的,成为浪漫主义文艺评论的一个重要根据。

Sublime Porte　高门　又作Porte。欧洲人一度对奥斯曼土耳其政府的称呼。在伊斯坦布尔,政府主要各部形成一个建筑群,在进入建筑群时必须通过此门,故名。土耳其语是巴比亚里(高门或主门),Sublime Porte是法文的译名。17世纪奥斯曼帝国的首相官邸在此,高门遂成为政府的实际中心。另外,这里还有外交部和国务委员会。在20世纪,这里为省长驻地。

submachine gun　冲锋枪　使用能量较低的手枪子弹并且从腰部或肩部射击的轻型自动武器。大多数冲锋枪利用简单的枪机后座作用。冲锋枪子弹口径为0.45英寸或9毫米,通常有装弹10～50发的盒形弹匣,偶尔也有装弹更多的盘式弹匣。冲锋枪属短程武器,有效射程很少超过200码(180米)。射速高达650发/分或更高,重量6～10磅(2.5～4.5千克)。冲锋枪于第一次世界大战中研制成功。第二次世界大战时,由于需要增强单兵在短兵相接情况下的火力,对冲锋枪的需要更为迫切。德国最早研制出这类武器,在一定程度上仿造了意大利的双管维拉·佩罗萨或VP型枪,这种枪于1915年发明,射速极快,能在2秒内发射完弹匣内的所有子弹。德国人把他们制造的第一种真正的冲锋枪命名为MP18或贝格曼枪,这种武器在第一次世界大战的最后一年即1918年首次使用。英国的冲锋枪称为卡宾枪,德国的称为微型冲锋枪,美国的称为冲锋枪。一种重要的美国型冲锋枪是**汤普森式冲锋枪**(**Thompson submachine gun**)或称汤米枪,于1920年获得专利。1925年以后,有多种改进型冲锋枪问世,其中有:德国的伯格曼34型和施迈瑟28II型;意大利的贝雷塔38型和匈牙利的43型。第二次世界大战中以及战后,出现了许多新的种类及型号的冲锋枪,其中有:英国9毫米司登冲锋枪;苏联的7.62毫米波波莎M1941和波波斯M1943型;德国的施迈瑟MP38和MP40;以色列的**乌齐冲锋枪**(**Uzi submachine gun**);捷克斯洛伐克的23型;美国的0.45英寸口径的M3型,这种枪重9磅,由于装有类似给汽车加油脂润滑的装置,得别名"黄油枪"。冲锋枪射击时,典型的工作过程是,膨胀气体将冲锋枪子弹向前推,同时气体也将沉重的枪机向后推压缩弹簧。当弹匣弹簧将另一颗子弹推出上膛时,也将空弹壳退出并抛掉。扣压扳机不放可以使枪机后面的强力弹簧保持住压力,直至所有子弹用完。新型冲锋枪采用了许多新的设计思想,以减轻枪重,提高安全性以及使维护更简便。

德国基尔港湾中的U-218潜艇(1941)
选自 J. P. Mallmann Showell, *U-Boats under the Swastika*(1987)

submarine　潜艇　又作sub。一种能在水下持续作战一段时间的军舰。两次大战中,潜艇在海上作战中发挥了重要的作用,德国潜艇(参阅 **U-boat**)发挥了特别重要的作用。常规动力潜艇在水面航行时,以柴油发动机为动力;在水下航行时以蓄电池供电的电动机为动力。这些潜艇用鱼雷将敌商船击沉。柴油机电力推进潜艇通常在水面航行;下潜后,以高速航行只能持续几个小时。虽然许多小国海军仍在建造常规动力潜艇,但一次能在水下高速航行数月之久的核动力潜艇已经成为更重要的武器系统,某些海军战略家视之为所有海军战舰中最有潜力的武器系统。

构造特点　为了在水下航行及作战,潜艇具有能保护乘员、机器和某些设备的耐水压的加固钢质船体。一般采用双层壳体,内壳(耐压艇体)与外壳之间的空间可作为压载水舱、燃料箱和导弹发射管。潜艇壳体上端为指挥塔,放置伸缩式潜望镜、雷达和电台天线、柴油机通气管,而且当潜艇在水面航行时指挥塔可作为领航军官和观察员用的平台或桥台。

一般来说,向压载水舱注水实现零浮力,然后在向前运动时使用小水平舵(有点像旋翼)使潜艇下俯,潜艇便可下潜。大多数潜艇都有艉水平舵,指挥塔导流罩上或艏部也装有一对辅助水平舵。潜艇在向前运动时使用水平舵使其上仰,同时借助压缩空气将水从压载水箱中排出,潜艇便可升至水面。

探测器　潜艇的主要探测器是声呐、潜望镜和雷达。潜艇的声呐有2种,即被动式声呐(声音探测与测距)和主动式声呐。被动式声呐侦测另一艘潜艇或水面舰船产生的噪声;主动式声呐发出声波脉冲,脉冲遭遇其他舰船时便反射回来。潜艇将声呐用于探测敌舰船、进行海底和冰下航行、引导鱼雷攻击。潜望镜是处于下潜状态的潜艇为搜索水面其他舰船而采用的观察装置。现代潜望镜长约12米,顶部为直径约2.5厘米的锥形管,以降低在水面被发现的可能性。雷达主要用于在沿岸海域航行。

推进装置 常规潜艇装有用于水面推进并为蓄电池充电的柴油发动机,电动机用于水下推进,由蓄电池提供动力。柴油机电力推进潜艇需定期起升通气管装置,向柴油发动机和乘员供空气,并将废气排出。潜艇一旦下潜,柴油机便关机;电动机开始工作,带动同一螺旋桨轴转动。电动机由蓄电池提供能源,没有燃烧过程,因而潜艇即使没有空气供应也能照常工作。电动机另一优点是噪声低,这是潜艇作战中的重要因素。

核动力潜艇的动力装置是一个通过核裂变能产生巨大热能的原子反应堆。初级冷却剂(一般是高压水)将热能带至蒸汽锅炉,然后锅炉将热能传输至次级水系统,该系统产生的蒸汽带动潜艇涡轮机旋转。更换核反应堆铀芯就是为核动力装置"加注燃料"。目前核潜艇上的堆芯在更换前可使潜艇持续航行64万千米。

武器 潜艇的主要武器历来是鱼雷,鱼雷是由潜艇发射,在水中运动,命中其他舰船时起爆的自航式水下导弹。现代潜艇装备有直径53厘米、长6.4米的内置式鱼雷发射管,该发射管水平置于潜艇艏部或舯部,某些潜艇也装有艉部发射管。每个发射管两端为门,内门打开时,外门便关闭,反之亦然,因而发射和装填鱼雷时海水不会灌入艇内。目前大部分鱼雷都用于打击其他潜艇。它们既能使用自主式主动声呐以目标的声波信号寻的,也能以电子指令制导。潜艇发射线导鱼雷时,鱼雷尾部放出导线,通过该导线向鱼雷传递制导指令。

另一种反潜武器是火箭发射的深水炸弹。潜艇处于潜航状态时发射深水炸弹,炸弹离开水面并沿弹道在空中飞行,尔后在距发射艇位约40～48千米处再入水,其核弹头起爆后可将1.5～3千米范围内的潜艇全部摧毁。

水下发射巡航导弹用于近距离(720千米)突击水面舰船或中距离(2 500千米)突击陆上目标。美国的"战斧"和苏联的SS-N-21都属于中程巡航导弹,它们可携载20万吨级的核弹头。

潜射弹道导弹是突击城市及其他陆上固定目标的战略武器。核潜艇可称为"战略"潜艇,以区别于消灭舰船和消灭潜艇的"攻击型"潜艇,只有核潜艇才可以携载弹道导弹。潜射弹道导弹在水下从指挥塔艉部的垂直发射管中发射。为了容纳多达24枚潜射弹道导弹,战略潜艇比大部分现代化潜艇大得多。美国的"三叉戟"Ⅱ潜射弹道导弹的射程可达12 000千米,载有14个分导式弹头,每个弹头装有1个15万吨级的核装置。苏联的SS-N-20潜射弹道导弹射程达8 300千米,可携载10个10万吨级的弹头。现代战略潜艇每艘上装备的这种武器的杀伤力比第二次世界大战中所有参战国所用的全部炸弹总和的威力还要大。

submarine canyon 海底峡谷 切入大陆坡、谷壁陡峻、横剖面呈V形、类似陆上峡谷的海底狭窄谷地。常有许多支谷汇入而成树枝状。谷壁常有沉积物覆盖,但也时有基岩露头。谷道蜿蜒。大多数谷壁高出谷底数百以至上千米。海底峡谷长度有的达320千米(200英里)以上,大多数小于48千米(30英里),通常延伸到大陆坡最陡部分的坡麓以外。有的海底峡谷宽度与深度一样,但较典型的宽为数千米。巴哈马海底峡谷深5千米,最宽处宽37千米(23英里)。海底峡谷的谷底坡降比陆上峡谷为大,平均约为每千米57米(每英里300英尺)。许多海底峡谷近岸谷首的坡度很大,有时达45°。据潜水舱在一个海底峡谷中2 100米(7 000英尺)以下深度观察:多见直立、甚至垂悬的谷壁;谷壁常有沟槽或磨光面,宛如被冰川所研磨;谷底常覆盖大砾石或其他粗粒沉积,局部地方基岩裸露;据遥控摄影,有些地方在3千米(2英里)以下尚有波痕;谷底坡度变化很大。海底峡谷受到活跃的海洋作用。谷壁岩石大都性质松软,易受侵蚀。也有些海底峡谷切入很硬的岩石(如石英岩)中。海底峡谷出现在大陆坡上。大陆坡上部和缓之处则少见。在欧亚大陆北部朝向北冰洋的大陆坡上尚未发现。它们集中在斯里兰卡周围、下加利福尼亚尖端、哈特勒斯角以北的美国东岸、地中海西北岸。世界上最长最大的海底峡谷在白令海。海底峡谷与附近陆上河谷的关系尚难以概括。美国东岸外各海底峡谷的谷首远离大陆。海岸附近的海底峡谷与陆上河谷的关系较易判断。根据对57条近岸的海底峡谷的研究,有46条直接位于河谷外,其余的在大陆一侧没有河谷。有的海底峡谷因陆上河口发生迁移(例如法国阿杜尔河口)而与之失去联系。许多河流的河口虽被更新世冰川融化引起的海面上升淹没,但其河口湾与海底峡谷谷首的关系仍可对照出来。

海底峡谷中搬运沉积物的作用因素有:①沙流,发生在坡度大于30°的谷壁上;②向下运动的水流,流速可达每小时1.6千米(1英里),能搬运沙、形成沙坡;③强大的密度流(浊流),是洋水因含沉积物变得重于周围洋水、沿坡下流而成(沉积物来自波浪作用或大陆棚和大陆坡上沉积物的滑动),能搬运大砾石、自谷壁落下的石块、装置在谷首的仪器、甚至破旧的汽车身,曾记录到其流速为3节;④滑坡作用。通过上述多种作用,沉积物被搬运到海底峡谷出口处,堆积成巨大的海底扇。据测量,有些扇的体积远远超过海底峡谷被切割所产生的体积,说明扇体物质大都来自陆上,是沿海底峡谷向下移动堆积而成。海底扇上有较浅的扇上谷地,谷两侧有高出谷底30米(100英尺)余、高出扇面许多米的天然冲积堤。扇上谷地还可发育成曲流。海底峡谷的形成,主要由于密度流的搬运与侵蚀作用。例如1929年地震时,横贯大西洋的海底电缆在大浅滩岸外被高速密度流(流速在每小时97千米以上)拉断。又如,美国西岸拉霍亚(La Jolla)海底峡谷的谷首每年大约向陆地溯源侵蚀0.3米(1英尺)。形成海底峡谷的另一原因,还有谷底沉积物蠕动,但不起主要作用。海底峡谷年龄,从峡谷口外巨大海底扇的形成来判断,大概已发育了几百万年。对巴哈马海底峡谷的钻探和调查,发现它很可能在上新世就已存在。

海底谷地,除了真正的海底峡谷以外,还有下述类型。①海底断裂谷——同陆上的类似,底部较平,谷壁直而陡;②大陆棚谷地——较浅,且谷底向外方倾斜,无支谷,又可分为两类:一类是冰期低海面阶段的河流切割出来的河谷残迹,部分已被充填;另一类出现于冰川作用的海岸以外,是冰川槽谷的尾端或峡谷的延伸,深度比前一类大,可达数百米;③大陆坡沟谷——源头和谷口均在坡上不同深度处,由近代沉积和发生滑坡而成;④三角洲前缘槽谷——呈宽槽形、横贯大陆棚,下伸到附近洋底,似乎与三角洲的形成作用有关;⑤深海沟槽——切入周围洋底数十米,谷底宽平,沉积物中有沙,表明有强大浊流在起作用。

submarine fan 海底扇 陆源沉积物在深海底的堆积体,形状像很矮的圆锥的一部分,其顶点位于切入大陆坡的海底峡谷的下游谷口。海底峡谷的水道很陡,两壁很高,偶尔有水和陆源沉积物的稠浆(浊流)通过,向深海底汇集。浊流一旦到达深海底,由于突然失去梯度和束缚,速度减慢,粗大的悬浮物开始下沉。当浊流顺海底扇向下减速时就沉积了越来越细的颗粒,因而海底扇的沉积物主要由连续渐变的砂质层组成,这些砂质层的每一层向上都过渡到较细的物质。海底扇上通常有带天然冲积堤的高差不大的沟谷,向外向下分叉,分支沟谷通过侧向迁移,将浊流沉积物分布到整个海底扇上,就像河流三角洲上的支汊一样。几个海底扇可侧向联合,形成大陆隆。

submarine fracture zone 海底断裂带 狭长形的,一般分割大洋脊的海底线状多山构造带。其深度不一样,深者可达1.5千米。位于东太平洋的一些最大的断裂带,长几千千米,宽100～200千米,地势起伏相差几千米。太平洋的每个断裂带实际上都是长几百千米、宽几十千米的海岭与相间的海槽构成的复合体。大西洋中许多较短的断裂带都与大西洋中脊紧密相联。在大西洋和太平洋里,断裂带都近似平行,几乎是东西走向。对印度洋的测深资料还研究得不够,但已经在那里勾画出几条与东太平洋的特征可以相比拟的南北向断裂带。洋底具有明显规则的磁力异常的条带状模式,显示出相对于洋脊或隆起轴的走向镜面对称。洋脊沿断裂带明显错开可同磁异常条带错开一样。在北美洲海岸外面,太平洋底并没有洋中脊,但是那里的磁异常条带也显然错开了,沿门多西诺断裂带错开达1 175千米之多。除了使洋脊或洋底隆起的轴错开的地方而外,沿断裂带不发生地震。断裂带同磁异常及地震现象之间的关系可以用**板块构造学(plate tectonics)**理论来解释,并且显然也可根据海底扩张机制来解释。根据这个理论,洋底隆起和洋脊是扩张中心,来自地幔的火山物质沿扩张中心不断上涌,并且作为一个接一个的直立岩块排起来,当每个岩块凝固和冷却的时候,新洋壳里的磁性矿物就按照当时主要磁场方向磁化。新形成的岩块沿扩张中心连续地裂开,每一半变成了两个互相分开的刚性板块的一部分。断裂带沿错开的洋脊轴部分就是两个反向移动板块之间的边界断层。称为脊-脊式转换断层。沿转换断层的差异运动同通过地震分析确定的断层活动情况一致。在错开的范围以外，差异运动和地震都不存在，因为断裂带两侧的海底都是统一运动的一个岩石圈板块的组成部分。

submarine gap 海底深沟 又称深海沟（abyssal gap）。两壁陡峭、横切海底山岭或海隆的沟；这种海底通道的坡度比其两头所连接的深海平原为陡。以深海平原间峡谷知名的沟槽就存在于许多海底深沟中；峡谷中的沉积物连续地分级。这些分级沉积物连同深海沟的斜坡与形成沟状的地形，表明浊流通过深海沟从较高处的深海平原流向较低处的平原。浊流一面侵蚀平原间峡谷，一面输送并不均匀地沉积出层积物。

submarine mine 水雷 遇到目标会自行爆炸的水中武器。参阅 **mine**。

submarine plateau 海下高原 参阅 **oceanic plateau** 海底高原。

submarine slump 海底滑塌 在海底峡谷中或大陆坡上，沉积物和有机碎屑偶尔发生的顺坡向下的迅速塌落，缓慢地形成不稳定或勉强稳定物。在加利福尼亚州拉霍亚附近海域内的斯克里普斯海底峡谷中，一次滑塌搬运沉积物的最大距离为120米。在峡谷中发生一次滑塌之后，往往还要继续塌落，形成一系列的滑塌堆，直到沉积物整体坡度较小、较稳定时为止。一次滑塌可能触发其他一些滑塌，也可能造成由冲积物和水构成的稠浆作为浊流向坡下流动。

submissive behaviour 顺从行为 一种动物行为，在这种行为中个体通过让步的表示以避免被本种内占优势地位的成员所伤害。让步表示一般见于有良好武力为后盾的（如食肉类）和社会性的物种。即使是雄性成体进行的让步表示，也往往采取幼体行为（例如狼在地上打滚和乞求食物），或交配前行为（例如狒狒把臀部举向一群之主）的形式。有时候顺从动物向优势动物展示其最易受伤害的部位，例如咽喉。顺从表示及其对优势动物的平息效应之所以进化出来，是由于这种行为可避免能引起群体成员间的不必要的伤害的角斗，而群体的共同利益有赖于彼此互助。参阅 **dominance hierarchy**。

suboscine 亚鸣禽 雀形目阔嘴鸟亚目（Eurylaimi）、霸鹟亚目（Tyranni）和琴鸟亚目（Menurae）种类的统称。燕雀亚目（Passeres）的种类则统称鸣禽类或鸣禽（**songbird**）。一般认为鸣禽是特化程度最高的鸟类，而亚鸣禽一词意味着这些种类在解剖构造及行为方面较鸣禽原始，这种说法大抵正确。

Subotica 苏博蒂察 塞尔维亚伏伊伏丁那自治省城镇。位于邻近匈牙利边界的贝尔格莱德—布达佩斯铁路线上。是巴奇卡地区的商业中心。巴奇卡地区为一肥沃的农业区，特产辣椒。该城也是工业中心，有一大型热电站，金属制品、化肥及家具为主要产品。有数所高等职业学校和若干经济、法律系科。1391年首见记载。17世纪末土耳其人被击退后，该城被纳入奥地利军事前线地区。有很多匈牙利人后裔。人口99 981(2002)。

subpoena 传证令 又译证人传票。指经法院、大陪审团、立法机关或委员会，或者经正当授权的行政机关发出的、命令某人在特定的时间前来以口头或书面为文件中指名的一方当事人作证的正式文件。传证令仅用于普通法法系的国家，但是它类似于民法法系或教会法中的传票或债权人找债务人出庭。应当事一方的请求由法庭发出的传证令，要求收受人到庭提供某种证据，通常是为顺利解决某项争议所必需的文件或证件。

Subrahmaṇya (Hindu god) **苏婆罗摩尼耶** 参阅 **Skanda** 塞犍陀。

Subrahmaṇya C., Bharati (Tamil writer) 参阅 **Bharati, Subrahmaṇya C.** 苏比拉马尼亚。

subsidence 沉降 地球表面因地质或人为的原因而下沉。当大的地带沉降为沉积物堆积的凹槽时，形成的这种构造要素就称为地槽。非线性沉降则产生盆地和不规则的洼地。洞穴形成时的地下溶解，可能在地面上产生一系列沉降特征，这些特征集合起来就称为喀斯特地形。采矿或用井抽取水或石油，也能产生类似的效应。对冲积作用形成的处女地进行灌溉，也产生沉降。水的最初渗透，引起组成颗粒的重新定向，其结果使潮湿地区沉积物变得致密。参阅 **geosyncline**。

subsidy 补贴 政府为了促进公益，对私营企业、家庭或其他政府部门直接或间接给予金钱补助、经济特权或特殊优惠。就广义而言，补贴既包括为改善收入分配不均而支出的福利费，也包括政府为缓和市场力量的影响而安排的其他规划。补贴无论采取何种形式，目的均为改变不合公共政策目的的经济效果；其作用是使受补贴的工业比不受补贴的工业得到更大的发展，从而改变经济社会对资源的使用。补贴制度历史悠久，早在工业革命前重商主义时期各国政府已广泛应用。当时的思想认为保持对外贸易顺差以积累金银是保护本国的制造业的需要。然而，人们对这种保护的说法是持怀疑态度的。尽管如此，目前世界上多数国家，仍然把保护政策作为国家经济政策的一部分。有的国家具有强有力的中央政府，能直接指导国内物价和生产，则不实行补贴而代之以综合经济计划。实行补贴方式很多，如：①直接支付现金或实物；②按低于市场正常价格提供货物或劳务；③按高于市场价格购买货物或劳务；④减免税款和其他类似办法。此外，政府所采取的许多政策，如削弱竞争的管理规章、要求向享受优惠的生产者或国家购买货物的规定保护性工资和价格法则，也无不具有补贴的作用。所有国家都认为海运、空运是国防和外交政策的重要工具，而陆路运输尤为发展国内经济的先决条件。因此，无论过去和现在各发达国家对运输业都广泛实行直接补贴以促进其发展。间接补贴来自：政府直接从私有生产者以高于市价购入；通过市场操纵维持高价；对私有企业以低于成本价提供劳务；或特别让税。创立补贴制度原为公众的利益，但其结果会造成消费品税额和价格的提高，鼓励低效率的生产者维持现状、不图改进。检验补贴政策适当与否必须根据比较公众所获得的利益（通常分散且难以测定）与所付出的代价而定，用这个标准来衡量，补贴往往是得不偿失的。

subsistence farming 生存农业 一种农业生产方式：所种的庄稼和所养的禽畜用以维持一个农民及其家人的生存，完全没有或几乎没有剩余可供出售或交换。世界各地工业化以前的农业人口传统上进行的就是生存农业。某些进行生存农业的人口耗尽了土壤的能力后便从一个地方迁到另一个地方。越来越多的城市中心建立起来之后，农业生产也变得更专业化，商业性的农业得到发展，农民生产相当数量的某些庄稼，用来交换各种制品或出售以换取现金。生存农业今天在世界上许多地区，包括非洲撒哈拉以南的许多地区，仍以相当大的规模存在。实行生存农业的农场面积通常不过数英亩，生产技术往往十分原始，产量一般很低。

substantive dye 参阅 **direct dye** 直接染料。

substitution 代替 在希腊语或拉丁语韵律学中一韵律元素被另一韵律元素在所要求或预期的某一特定地方所代替。后一韵律元素在表示时间的量上与前者大致相等。在现代韵律学中，指一音步中格律系列的代替，而不是指格律系列中音步的代替。无声也可代替预期的声音，并占用一个音步或一个音节的时间。早期美国诗人A．布拉德斯特里特在《作者致辞》中下列诗行中使用了代替，并取得极好的效果：I stretched thy joints to make thee even feet, Yet still thou run' st more hobbling than is meet。参阅 **inversion**。

substitution reaction 取代反应 一个分子中的一个原子、离子、原子基团或离子基团被另一原子、离子或基团所代替的一类化学反应。例如氯甲烷分子中的氯原子被羟离子置换而形成甲醇的反应：

$$CH_3Cl + {}^-OH \rightarrow CH_3OH + Cl^-$$

如果该氯原子被其他基团——例如氰离子（^-CN）、乙氧基离子（$C_2H_5O^-$）或氢硫基离子（HS^-）——所取代，则氯甲烷分别转化为乙腈（CH_3CN）、甲乙醚（$CH_3OC_2H_5$）或甲硫醇（CH_3SH）。因此，烷基卤之类的有机化合物可通过与适当试剂的取代反应而生成多种类型的有机化合物。取代反应分为三大类，取决于起取代基作用的原子或基团的类型。第一种类型取代基是多电子的，并提供电子对与底物（被转化的分子）相化合，反应类型为亲核取代，亲核试剂有卤素负离子（Cl^-、

Br^-、I^-)、氨(NH_3)、羟基、烷氧基(RO^-)、氰基和氢硫基等。第二种类型取代基缺少电子,并且与底物化合所用的电子对来自底物本身,反应类型为亲电取代,亲电试剂有水合氢离子(H_3O^+)、卤化氢(HCl、HBr、HI)、硝鎓离子(NO_2^+)和三氧化硫(SO_3)。亲核底物通常是烷基卤,而芳香族化合物是最重要的亲电底物。第三种类型包括自由基与适当底物的反应,自由基型试剂有卤素自由基和由过氧化合物衍生的含氧试剂等。

subtitle 副标题 次要的,通常是解释性的标题。能说明作品的形式,如S.T.柯尔律治的《悔恨:5幕悲剧》;能给出主题或作品的内容,如G.艾略特的《米德尔马奇:关于外省生活的调查报告》;也可以只是一个供替换的标题,可能是对作品的评论,也可能不是,如S.理查森的《帕美勒,或,美德受到了奖赏》和M.雪莱的《弗兰肯斯泰因,或,现代普罗米修斯》。

subtropical high 副热带高压 位于南北纬35°附近洋面上的半永久性高气压区。这类高压的起因显然是由于动力作用而不是热力作用,在夏季最强,而且所处纬度较高。围绕高压的环流在北半球是顺时针方向,而在南半球则反时针方向。风还有穿越等压线向低压运动的分量。尤其是在对流层(由地面至10千米高度的大气层)下部副热带高压的东边和赤道一侧,这种穿越等压线的分量最明显。这种低空辐散运动的上空有流向中心的补偿运动,在这上下层相互补偿气流区域内是广大的下沉气流区(尤其高压东半部最显著)。下沉使空气压缩增温,与一般在副热带大陆西海岸外冷洋流上面变冷的底层空气共同形成显著的逆温(冷空气在暖空气上面),即信风逆温。这种逆温层犹如一个盖子阻挡空气的对流,造成在副热带大陆西海岸的气候干旱,雾的出现频繁(尤其在夏季)。

Subud 苏布教派 源起于印度尼西亚的教派,强调自发追求精神升华。创始人是通称巴帕克的印度尼西亚人苏布。该运动在20世纪50年代自印度尼西亚传到外国。苏布教派的主要特点是每周两次举行一小时拉蒂翰礼拜,其时信徒男女分室,听任真主之能力自由表现为各种自发动作,如即席歌唱、随意舞蹈、纵情呼喊和大笑。参加拉蒂翰礼拜的人声称获得大喜乐大解脱,达到心身康复。苏布教派相信神力和拉蒂翰礼拜所体现的高级意识中枢,此外再无教义理论。

subway 地下铁道 又作underground,tube或métro。城市或郊区运输大量乘客的地下电气铁道系统。为了建筑方便,地铁常建于城市街道下面,但也可能取捷径,往往还须穿越河底。地铁系统在市郊区常引至地上,成为一般的铁道或高架铁道。地铁列车一般由多辆车编组并靠多重机组系统开动。1860年在伦敦帕丁顿的法灵顿街和毕晓普路之间建造的第一条长6千米的地铁开工,采用开挖回填的方法建造。1863年1月10日全线通车,运行第一年就载运了950万旅客。

1976年开始运营的华盛顿市地铁中心站

供图:Stuart Cohen—Comstock, Inc.

1866年伦敦利用J.H.格雷特黑德研制的隧道盾构钻挖"管式"路线。隧道开得很深,以避免影响建筑物基础或市政管道,施工时也并未阻断街道交通。原计划用缆索操作,后改用电力牵引。1890年第一条5千米的电气地铁开始运转。1900年伦敦开始建造更多的管式地铁,并对开挖回填式线路进行电气化改造。在第一及第二次世界大战期间,地铁车站发挥了防空掩蔽所的作用。其他许多城市都效法伦敦的榜样。1896年布达佩斯开辟了一条4千米长的地铁线路,这是欧洲大陆上的第一条地下铁道。由于采用钢梁平板顶,因而位置较浅,节省了大量资金。1898年

修筑伦敦地铁的工人们正在挖掘隧道,约1900年

供图:Mary Evans Picture Library

巴黎开始建造一条长10千米的地铁,于1900年开始运行。由于法国工程师F.比安弗涅对开挖回填法的改进,加快了建设速度。新法是沿着线路按间隔开挖竖井,再从竖井向两侧开凿隧洞,洞内用砖砌筑基础以支承

北京地铁建国门站

中国大百科全书出版社供图

紧贴路面的木模板。这种建造顶拱的方法对地面交通干扰较少。1895～1897年波士顿建成美国第一条地下铁道,长2.4千米。起初用有轨电车及无轨电车,后改为电气火车。1904年10月27日,世界最大的地铁系统在纽约市通车。费城和芝加哥的地下铁道分别于1907及1943年开通。20世纪30年代,莫斯科建立了地铁系统。1954年,加拿大多伦多市地铁通车。60年代在蒙特利尔采用巴

1938～1939年建成的莫斯科市地铁马雅可夫斯基站

供图:© J. Messerschmidt from Bruce Coleman, Inc.

黎型轮胎车建筑了第二个地铁系统。在南美,布宜诺斯艾利斯地铁于1913年开放。日本的东京、京都、大阪、名古屋等地先后于1927、1931、1933和1957年建成地下铁道。在少数世界大都市中,出现了利用遥控和计算机技术操纵的自动火车,如伦敦地铁系统的维多利亚线区(1971年建成)。1976年,美国旧金山海湾区建成采用全自动操纵的第一条高速地下铁道。同年,具有自动控制系统的首都华盛顿地铁正式开放。至于带有空调设备的轻型铝车厢,由于改进铁轨和车厢支承系统而运行更加平稳、迅速,以及地下车站注意建筑美观和乘客安全等都是现代地铁建设的特色。

succession(law) 参阅**inheritance**遗产继承。

succinic acid 琥珀酸 又称丁二酸。一种二元羧酸,分子式$C_6H_6O_4$。广泛存在于几乎所有植物和动物组织,在中间代谢过程中起重要作用。为无色晶体,溶于水,熔点185～187°C。琥珀酸最初作为琥珀的一种蒸馏产物而获得,故得名。合成琥珀酸的常用方法是顺丁烯二酸或其酸酐的催化加氢。琥珀酸用于某些药物、农业和食品生产及工业中。

succubus 女梦淫妖 女性形态的梦淫妖(**incubus**)。

succulent　肉质植物　任何具有适于贮水的肉质而肥厚的组织的植物。某些植物，如仙人掌，仅用其茎贮水，无叶或叶退化；另一些植物，如龙舌兰，主要靠叶贮水。多数肉质植物具有深或宽大的根系，生长于荒漠或具有半干旱季节的地区。

Suceava　苏恰瓦　罗马尼亚东北部一县。面积8 555平方千米。北邻乌克兰。西部2/3地区为东喀尔巴阡山和外喀尔巴阡山。东部有苏恰瓦高原。锡雷特河向东南流，形成东部县界。苏恰瓦河和比斯特里察河亦向东南流。县首府为苏恰瓦（Suceava）市。该市及其他城镇有木材、纺织、制革和食品工业。农业有家畜饲养和谷物种植。有几座外墙饰以壁画的隐修院。人口约700 800（1992）。

Suceava　苏恰瓦　罗马尼亚东北部苏恰瓦县首府。14世纪前建于苏恰瓦河右岸上方的一片阶地上，自1375～1565年，一直是摩尔多瓦首都，1565年迁都雅西。15世纪，在斯特凡大公统治期间，苏恰瓦发展成了贸易中心和关税点，有许多货栈和一座坚固的城堡。在16世纪受土耳其人蹂躏之后，该城市的重要性开始下降。1775年土耳其人将苏恰瓦连同布科维纳其余地区一并让与奥地利。1918年该城重归罗马尼亚。古迹有已发掘的城堡、14世纪的米勒乌齐教堂、16世纪的圣乔治教堂（有精美壁画）和圣德米特里教堂（有一巨大钟塔）。城内有一所地区博物馆和图书馆。有肉类加工、木材、纸浆制造和造纸等工业。人口约114 355（1992）。

Sucellus　苏塞鲁斯　凯尔特人所崇奉的神灵，他有大能，广泛受崇拜。他的像常一手执长柄槌，一手握奠酒浅杯，表明他能保人平安，颁赐饮食。有时他的像携带大桶和酒器，表明他是为阴间筵席置备酒肴的诸神之一。他常带狗，狗是凯尔特宗教中的重要动物。

约200年的苏塞鲁斯青铜塑像
供图：Musee du Vin de Bourgogne, Beaune, France

Suchan（Russia）　**苏城**　参阅 **Partizansk** 游击队城。

Süchbaatar（Mongolia）　参阅 **Sühbaatar** 苏赫巴托尔。

Suchet, Louis-Gabriel　絮歇（1770-03-02，里昂～1826-01-03，马赛）　巴伦西亚的阿尔武费拉公爵，法国元帅，拿破仑麾下一位优秀的将军，以其在半岛战争中指挥阿拉贡军而驰名。父为丝织商。1792年志愿参加国民自卫军骑兵，颇具军事才干，因而升迁很快。1793年土伦之围时任营长。1799年7月成为少将，在意大利任B.儒贝尔将军的参谋长。翌年任A.马塞纳的副手。在马伦戈战役中，他曾帮助拿破仑胜利地跨越阿尔卑斯山。1805～1806年，他参加奥斯特利茨、萨尔费尔德、耶拿、普乌图斯克和奥斯特罗文卡诸战役。1808年3月19日封伯爵，并奉命去西班牙。1809～1810年在玛丽亚、莱里达先后击败两支英国军队。1812年攻克巴伦西亚，封公爵。当形势变得不利于法国时，他一步步地捍卫他所征服的地方，直到被迫退回法国境内。后由路易十八封为法国贵族。但由于在"百日"期间投奔拿破仑，1815年被褫夺贵族称号。

Suchos（Egyptian god）　参阅 **Sebek** 塞贝克。

Suchow（China）　参阅 **Xuzhou** 徐州。

sucker　吸口鱼　亚口鱼科（胭脂鱼科，Catostomidae）淡水鱼类的俗称，与鲤科鱼近缘并相似。约80～100种，除少数在亚洲外，全部产于北美。多数吸口鱼与米诺鱼难以区分，但可以从其口部来辨认，其口位于腹侧，有突出的唇，适于吮吸取食。生活于湖泊和缓流溪水的底部，从水底吸取无脊椎动物及植物为食，通常行动迟缓。个体大小因种而有很大不同。如湖吸口鱼（*Erimyzon sucetta*）形小，体长25厘米；大口水牛鱼（*Ictiobus cyprinellus*）形大，长达90厘米，重33千克。吸口鱼多刺，但不仅被商业性捕捞，而且还多少用作游钓鱼。本科有许多属的种另有俗名，如猪吸口鱼（黑猪鱼属[*Hypentelium*]）、水牛鱼（水牛鱼属[*Ictiobus*]）、吸口鲤（鲤形亚口鱼属[*Carpiodes*]）、红马鱼（红马鱼属[*Moxostoma*]）等。

吸口鱼（胭脂鱼属，*Catostomus*）
供图：Grant Heilman—美国不列颠百科全书公司

suckerfish（fish）　参阅 **remora** 印鱼。

Suckert, Kurt Erich　苏克尔特　参阅 **Malaparte, Curzio** 马拉帕尔泰。

sucket fork　蜜饯叉　用来吃甜食或蜜饯的小金属餐具，柄的一端是一个带有2～3个齿的叉子，另一端通常为茶匙大小的勺子。在爱德华六世1549年的家具清册中记有一个蜜饯叉，但留存下来的英国和美国制品大多是17世纪后期所制的银器。

sucking　吸吮　在口腔内形成负压从而将液体吸入口内的过程。哺乳动物的乳儿即靠吸吮动作来摄食乳汁，稍长后才能摄食较为浓稠的食物。吸吮时，舌缩向口腔后部，形成部分真空，舌背紧贴口盖，使液体能吸入口腔前部。口腔充满液体后，舌肌松弛，液体流向口腔后部，并被咽下。

sucking louse　吸虱　吸虱亚目（Anoplura）昆虫，400多种，世界性分布。体小，扁平，白至黄色，无翅。哺乳类的外寄生虫，有刺吸口器，吮吸血液和组织液。卵粘于寄主毛发上。渐变态。有寄主专一性。在近缘的寄主类群身上寄生着近缘的虱类，这现象表明寄生虫的演化与寄主的演化是平行地进行的。在卫生条件差的地方可见人虱（*Pediculus humanus*）。看来人虱是人类从其远祖继承下来的。人虱（**human louse**）叮咬不但致痒，更严重的是传播斑疹伤寒、回归热及战壕热等疾病。阴虱（**pubic louse**）见于腋毛、眉毛、胡须和阴毛上。侵袭家畜的重要吸虱属于血虱属（盲虱属和长颚毛虱属）两属，如猪虱（猪血虱，猪盲虱，*Haematopinus suis*）、短鼻牛虱（牛血虱，牛盲虱，*H. eurysternus*）、马虱（驴血虱，驴盲虱，*H. asini*）、长鼻牛虱（犊毛虱，犊长颚虱，*Linognathus vituli*）和狗虱（犬毛虱，犬长颚虱，*L. setosus*）。DDT和林丹等粉剂是有效的灭虱剂，衣服上的虱可用加热、毒气或化学溶液等方法除去。家畜可撒药粉或用药液浸泡去虱。捕食性的螨类也有助于虱的防制。

suckling　吮乳　哺乳动物从乳头把乳腺中的乳汁吮吸到口中的现象。人类的哺乳亦称喂奶或母乳喂养。哺乳是养育新生哺乳动物的方式。在某些啮齿动物中，哺乳期仅持续10～12天，而海象则超过2年。在幼体生长期间，乳汁成分也随营养需要的变化而相应地变化。鲸在水下哺乳，靠环绕乳头的特殊肌肉来完成，当幼仔触及乳头时，这些肌肉便收缩，使大股乳汁喷射到幼体口中。断奶就是停止哺乳的过程，在这一过程中幼体逐渐地习惯于成体的饮食。这时母体以攻击行为来对待企图近前吮乳的幼仔，从而使之断奶。失去了这种吮吸的刺激后，乳腺也就停止泌乳。

Suckling, Sir John　萨克林（1609-02，英格兰米德尔塞克斯惠顿～1642，巴黎）　英国骑士派诗人、戏剧家和朝臣，以所写抒情诗著称。曾在剑桥大学受教育。1627年入格雷律师学院，1630年受封爵士，成为宫廷显要人物。1639年苏格兰的战争爆发时，出资建立骑兵，随查理一世出征苏格兰。骑兵队服饰华丽却不堪一击，一时成为笑柄。1641 年参与营救囚禁在伦敦塔中的斯特拉福德伯爵，事情败露后，逃亡法国，据说自杀身亡。一生写有剧本4部，其中最能表现他的才华的是

剑桥阿什莫尔博物馆供图

悲剧《阿格劳拉》，1637 年举行盛大的演出，颇为壮观，1638 年自费出版。他最为成功的作品则是生动活泼的喜剧《妖精》（1638）。《诗人盛会》（1637；1646 年出版）是一部有趣的讽刺剧，也许是从意大利作家博卡利尼的一部作品得到启发，但成为 17、18 世纪一系列同类作品的原型。他的杰作无疑是《婚礼歌谣》，系按当时街头谣曲的风格和韵律写成。尚存的信札以生动活泼的口语体散文写成，开王政复辟时期的才子们的先河。

Sucksdorff, Arne　苏克斯多夫（1917-02-03，瑞典斯德哥尔摩～2001-05-04，斯德哥尔摩）　瑞典电影导演。世界公认他在拍摄大自然时匠心独具，因而在第二次世界大战后瑞典电影复兴时期占有重要地位。他把精心拍摄下来的花、鸟、虫、兽组合到影片中去，在他的影片里，自然风光主宰一切。人只不过是造物主的另一种生物而已。曾攻读自然科学，后转向绘画，但他的主要兴趣是摄影。他的第一部短片《八月狂想曲》（1939）获得国家奖后，瑞典的主要影片公司斯文斯克电影公司与他签订了一项合同（1939～1953）。他早期短片的特色是对大自然的热爱，这是瑞典优秀默片特有的传统。最突出的有《海鸥》（1944），记述波罗的海海鸟世界，以海鸥为反派角色；《雪地上的黑影》（1945）是关于在森林中猎熊的故事；《城市的节奏》（1946）获得奥斯卡最佳短片奖；《分裂的世界》（1948）的场景设在冬夜里的瑞典森林中；《广阔的道路》（1948）展示瑞典吉卜赛人的生活；《风与河流》（1950）是在印度拍摄的。第一部故事片《森林探险》（1953）是由他本人编剧、导演、剪辑并制片的，描绘一个瑞典农庄上的生活，没有起用职业演员。这部影片进一步提高了他的声誉。他后来的影片有：《笛与箭》（1957）、《树上少年》（1961）和《我的家在科帕卡巴那》（1965）。

sucrase　蔗糖酶　又称转化酶。一类存在于酵母及动物的小肠黏膜、能催化蔗糖水解为葡萄糖及果糖的酶。蔗糖酶颗粒位于小肠绒毛刷状缘内。若体内缺乏蔗糖酶，则机体对蔗糖有过敏反应，此时膳食中可用其他糖类（麦芽糖或乳糖）代替蔗糖以提供足够的营养。

Sucre　苏克雷　玻利维亚法定首都。在富庶的卡奇马约河谷，海拔2 790米。1539 年建立。1561 年成为上秘鲁查尔卡斯区首府。1624 年成立圣方济各·沙勿略大学，是南美最古老的大学之一。1839 年成为玻利维亚首都。1898 年因迁都拉巴斯问题引起内战。之后达成妥协，该市为名义上和法定的首都，设有最高法院。政府和立法机构迁往拉巴斯。独立宫内的博物馆保存有玻利维亚独立宣言。该市拥有许多西班牙殖民时期的典型建筑，1991 年被联合国教科文组织列为世界遗产。有铁路通波托西，公路通科恰班巴，输油管通卡米里油田，是日益重要的农业和商业中心。有炼油厂和水泥厂。人口约193 873（2001）。

Sucre　苏克雷　哥伦比亚北部一省。位于加勒比海沿岸平原。1966 年建立。除北部有丘陵外，全省均为低地。养牛业在全省分布广泛，主要农作物有稻米、玉米、香蕉和烟草。拖网渔船在莫罗斯基约湾中捕虾。卡塔赫纳—麦德林公路从北到南纵贯全省，并经省会**辛塞莱霍**（**Sincelejo**）。面积10 917平方千米。人口约749 152（1997）。

Sucre　苏克雷　委内瑞拉东北部一州。西、北濒加勒比海，东临帕里亚湾。面积11 800平方千米。虽西部地势崎岖，气候干旱，但该州仍为国内重要的农业州之一。主要产可可、甘薯、香蕉、椰子和咖啡。加勒比海的渔业很重要，特别是州首府**库马纳**（**Cumaná**，商业港口和地区工业中心）已发展有重要的海产食品加工业。矿产资源有瓜诺卡湖的沥青、阿拉亚半岛的盐和马库罗附近的石膏。人口799 935（1997）。

Sucre, Antonio José de　苏克雷（1795-02-03，新格拉纳达库马纳～1830-06-04，贝鲁科斯）　厄瓜多尔解放者，拉美反西班牙独立战争中最受尊重的领袖之一。15 岁即在委内瑞拉和哥伦比亚参加独立斗争，显示出卓越的军事才能。26 岁时成为将军，被西蒙·玻利瓦尔派去解放大哥伦比亚南部地区（今厄瓜多尔）。他沿海岸向瓜亚基尔推进，宣布该地区为哥伦比亚的保护领地。后到达基多，1822 年 5 月 21 日在该地击败保皇军。在继续向东南推进途中，他在玻利瓦尔及其5 800人军队支持下于 1824 年 8 月取得了胡宁战役的胜利，并在秘鲁的阿亚库乔击溃9 000人的保皇军，迫使西班牙总督将军队撤出秘鲁。1825 年初，按照玻利瓦尔的命令前往驱逐盘踞在上秘鲁（今玻利维亚）查尔卡斯的少数顽抗分子。他根据玻利瓦尔起草的宪法建立了玻利维亚政府并担任总统。他试图在玻利维亚建立稳定的政府，但不久即遭到其他各政治派别的反对。1828 年在丘基萨卡发生的一次地方起义和秘鲁军队的入侵使他辞去总统职务，返回厄瓜多尔。翌年他应召前往抵抗秘鲁军队，保卫大哥伦比亚。1829 年击败了入侵者。1830 年再次应召前往主持在波哥大举行的“名人会议”，为保持厄瓜多尔、哥伦比亚和委内瑞拉的统一进行了最后的努力，但终于失败。返途中被刺。据传刺客是反对玻利瓦尔的哥伦比亚军人何塞·马里亚·奥万多指使，但此说一直未得到证实。

sucrose　蔗糖　参阅 **sugar 糖**。

suctorian　吸管虫　吸管虫目原生动物，包括淡水和咸水的种类。在自然界分布极为广泛。幼体期自由游泳；成体无纤毛，一般不游动（固着），用触手而不用口摄取食物。触手

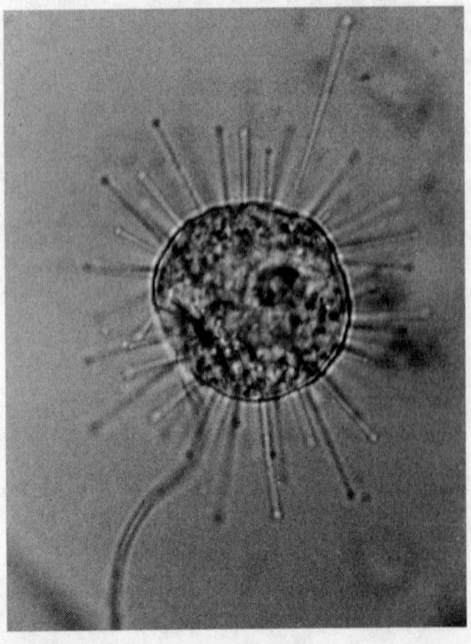

固着足吸管虫（*Podophrya fixa*）
供图：Walter Dawn

或分布全身，如足吸管虫属（*Podophrya*）；或分布在不同区域，如睫枝虫属（*Ophryodendron*）的触手成束状，位于“臂”端。吸管虫成体一般用无伸缩性的柄附生于一物体上，用触手捕捉其他纤毛虫和轮虫并吸食其内容物。猎物一经捉住，即被麻痹。吸管虫以内出芽或外出芽产生幼体。但多数为分裂生殖。接合（个体间互换核质）颇为习见。少数属，例如腊肠体虫属（*Allantosoma*）、内球虫属（*Endosphaera*）寄生于缘毛虫。杯形虫属（*Cyathodinium*）是豚鼠肠道中的寄生吸管虫。

Sudan　苏丹　至少从12世纪以来就使用的名称。泛指撒哈拉南缘和热带雨林北缘之间、横跨非洲的开阔热带稀树草原广大地区。西起大西洋的佛得角，东至埃塞俄比亚高原和红海，东西绵亘5 500多千米。南北在北纬 8°～ 16°之间。北邻撒哈拉，南抵西非和刚果河流域的森林。平均年降雨量差异很大，北部为 250 毫米，南部为1 500毫米。全年温度很高，通常 6 ～ 9 月最热，且为漫长的干旱季节。植被各不相同，撒哈拉附近为半沙漠的干旷草原和荆棘灌丛；往南是广阔的热带草原；再向南则为疏树草原，长草与矮树共生，稀树草原林最后混入赤道雨林。在旱季，树木落叶，河流（除最大者外）干涸，野火经常烧尽草丛。水分蒸发很快，不少地区的农业依靠灌溉。大部地区为海拔 330 ～ 415 米的高

原，但也有很多地区更高（有的高至3 050米以上），如埃塞俄比亚北部和苏丹共和国西部。主要河流有塞内加尔河、尼日尔河和尼罗河。乍得湖是内陆排水区的中心。居民主要是操班图语的黑人，也有相当数量的人操阿拉伯语和柏柏尔语。多为穆斯林。人烟稀少，畜牧业为主要经济活动。不少人仍过着游牧或半游牧生活。历史上曾有过一些强国，其中最大和历时最久的国家位于苏丹西部，沙漠贸易路线终点。古加纳是约在公元300年由犹太或柏柏尔居民在廷巴克图（通布图，在今马里）建立，最强盛时期是由黑人统治的索宁克（萨拉科勒）王朝。此后，11世纪穆拉比人进攻，削弱了王朝的力量，以尼日尔河上游为中心的马里（或曼丁哥）帝国取代了古加纳。15世纪后叶，马里帝国被桑海（或加奥）帝国推翻。1591年，摩洛哥军队占领了桑海人的一些城镇。桑海帝国为众多的黑人王国所取代。19世纪中期和末期欧洲人（主要是法国人和英国人）进入，建立政治控制。到20世纪50和60年代初，出现了一些独立国家。在东部地区，古埃及同苏丹地区，特别是努比亚的联系密切。努比亚帝国被穆斯林推翻，成立一些小王国。此后埃及侵入，1899年建立英埃共管。1956年建立了独立的苏丹共和国。

Sudan, The　苏丹　全称苏丹共和国。非洲最大国家，位于非洲东北部。南北长约2 040千米，东西最宽处约1 577千米。北邻埃及，东北濒红海，东连埃塞俄比亚，南与刚果（金）、乌干达和肯尼亚交界，西与乍得和中非共和国接壤，西北与利比亚相连。首都喀土穆。面积2 503 890平方千米。人口约39 148 000（2004）。

土地　苏丹全境为一巨大的平原，北部为撒哈拉岩漠，西部为起伏的沙丘，南部和中部为黏土平原，有许多沼泽和孤零零的山脉。基涅提山（海拔3 187米，为苏丹最高峰）位于该国南部与乌干达交界处。尼罗河为国内主要河流，从南到北蜿蜒流经全境。苏丹所有河流均注入，或流向尼罗河及其主要支流。

苏丹气候炎热，北部沙漠地区为热带大陆气候，南部是赤道气候。年降雨量各地差异很大，北部几乎无雨，最南部则超过了1 465毫米，雨季长达8到9个月（4月至11月）。

苏丹的植被由北向南逐渐增多，北部是沙漠，中南部是半干旱的灌木林和热带草原，最南部是热带雨林。野生动物有狮、豹、象、长颈鹿、斑马、河马、黑猩猩和羚羊。北纬12°以南有舌蝇。

人民　苏丹人口增长的速度与整个非洲人口的增长速度大体相当。全国人口密度普遍较低，但在尼罗河及其主要支流沿岸和首都喀土穆人口密度要高出很多。由于人口自然增长率高，全国主要是年轻人，2/5以上的人口年龄不足15岁。苏丹人的预期寿命属世界最低之列，仅为50岁。主要城市喀土穆和恩图曼均位于尼罗河沿岸。

苏丹的种族构成复杂，但概括起来可分为两部分：阿拉伯穆斯林住在北部和中部2/3的地区；尼罗人和苏丹人住在南部，信奉万物有灵论或基督教。阿拉伯语为官方语言，全国有一半人口讲这种语言，其余则讲100种其他语言。逊尼派穆斯林是主要宗教团体，信徒约占人口的3/4，不到1/5的人口信奉非洲传统宗教，不到1/10的人口是基督教徒。

经济　苏丹经济属发展中的混合型经济，主要以农业为基础。自20世纪70年代后期以来，由于几个大型开发项目的失败导致农业生产停滞并欠下巨额外债，经济严重滑坡。国民生产总值的增长慢于人口增长；人均国民生产总值属世界最低之列。

美国不列颠百科全书公司供图

农业占该国国内生产总值的1/3和出口值的大部分，雇用2/3的劳动力。苏丹拥有非常广阔的可耕地，但由于水源不足和运输困难，仅有15%的土地可供耕作。杰吉拉工程现在可以为白尼罗河和青尼罗河之间的农田供水，是世界最大的灌溉工程之一。棉花是该国主要经济作物，一般占出口值的最大比例，有些棉花也用于本地纺织业。其他经济作物有花生、芝麻和高粱。苏丹还是阿拉伯树胶（一种从合欢树提取的水溶性胶质）的主要生产国。主要粮食作物有高粱和小米、小麦、玉米和大麦也有少量种植。

覆盖该国大部分地区的广大半干旱平原和热带大草原，可放牧牛、绵羊、骆驼和山羊。大部分饲养的骆驼和绵羊出口到埃及和其他阿拉伯国家。尼罗河的支流是主要的渔业资源。森林覆盖面不到国土的1/5，北部林区基本上已被砍伐一空。

苏丹的制造业仍相对较小。制造业约占国内生产总值的1/10，雇用的劳动力很少。政府于1980年放弃了对1970～1971年实行国有化企业的控制以后，私人投资增加。食品加工、饮料和烟草以及轧棉、植物油和肥皂的生产是工业的核心。苏丹的矿藏很少，仅在南部有一些石油蕴藏，可是该地区内战不断，妨碍开采。

全国一半的电力来自尼罗河各支流的水力发电厂，其余由热电厂生产。在20世纪70年代公路网急剧扩展以前，全国大部分货运由铁路承担，而现在已由公路承担。

苏丹的贸易收支长期呈现逆差，在国外工作的苏丹人寄回的汇款只可抵消部分逆差。出口商品主要是农产品。进口商品主要有机动车辆和机械、石油和石油制品、化学品和小麦。沙特阿拉伯已成为苏丹粮食和其他出口商品的主要消费国，而沙特阿拉伯、欧共体国家和美国则为苏丹提供了大部分进口商品。

政体与社会状况　苏丹自1956年取得独立后，成立了不稳定和缺少效率的议会制政府，其间多次为军人统治所控制，最长的一次是尼迈里将军领导的军人政府（1969～1985）。现在的军人政府受革命指导委员会的领导。该政府于1989年夺取政权后，解散了国民议会和一切政党及工会，撤销了民事法院，关闭了所有民间报纸。政府声称其目的是要把苏丹变成一个伊斯兰国家，因此国家法典也应当改变。但在南部，政府现在正面临以苏丹人民解放军为代表的万物有灵论和基督教势力的反叛。

医疗设施和人员均严重短缺，导致疟疾、胃肠传染病、结核病和性病广泛流行。该国的一些问题是由营养不良造成的。住房不但数量不足，质量和卫生设备也很差，这个问题由于内战造成大量国内难民逃离南部而加剧。苏丹人口的识字率很低，约占总人口的25%。教育系统包括小学、初中和高中。高等教育有喀土穆大学和其他几所大学。政府的广播电台和电视台每天用阿拉伯语和英语播送广播节目及一些进口和本国制作的电视节目。

苏丹的文化基本上是伊斯兰传统和非洲传统的混合体。阿拉伯语是苏丹的主要文学语言，记载了与伊斯兰教及其学术成就相关的丰富内容。萨利赫是苏丹著名小说家。音乐在该国文化生活中也起着重要作用，形式多种多样，有阿拉伯部落歌曲也有传统的古兰经吟诵。

历史 黑人狩猎者和采集者（约公元前30000～前20000年）是努比亚已知最早的定居者，努比亚即今苏丹北部地区。到大约公元前3000年，这些居民已经开始驯养动物。从公元前4千纪末期开始，努比亚多次被埃及占领，努比亚文化遂带有埃及的情调。从公元前11世纪至公元4世纪，努比亚是库什王国的一部分，这是一个埃及化的努比亚帝国，公元前713～前671年曾经短期统治过埃及本土。

6世纪，基督教传教士进入苏丹，使该地区的三个主要王国皈依基督教。这些黑人基督教王国后来与埃及的阿拉伯穆斯林邻邦共存了许多世纪。然而，在13～15世纪期间，阿拉伯游牧民族逐渐增多的人口从埃及向南移居到苏丹北部，导致该地区的基督教王国垮台。1500年左右，一个阿拉伯联盟使苏丹最南部的基督教王国阿尔瓦彻底灭亡。于是，苏丹北半部就成为多民族混合居住地，但主要是穆斯林和阿拉伯人。尽管如此，苏丹中部大部分地区从16世纪初到19世纪初仍由一个神秘的民族芬吉人所占据，他们既不是阿拉伯人，也不是穆斯林。

19世纪初，埃及统治者打算把苏丹并入一个领土包括整个尼罗河流域的国家。为达此目的，埃及于1821年开始不断进行军事远征，并于1874年占领了整个苏丹，置苏丹于埃及的统治之下。埃及总督伊斯梅尔帕夏（任期1863～1879）为鼓励欧洲人资助他的雄心勃勃的计划，雇用欧洲基督教徒（包括英国将军戈登）去摧毁在苏丹西部和西南部发展很快的大规模贩卖奴隶活动。戈登的狂热引起穆斯林的反感，导致穆罕默德·艾哈迈德的反叛，他于1885年攻占喀土穆并在苏丹建立起一个穆斯林神权国家，直到1898年。那年马赫迪派的军队在恩图曼战役中被英军击败。

英国于1882年入侵并长期占领埃及之后，又于1898年接管了苏丹，后来又实行英-埃共管。英国人力图发展苏丹的经济，在尼罗河流域广泛种植棉花，这种作物最终成为一种主要的出口商品。

20世纪30～40年代，苏丹的民族主义兴起。1951年，埃及废除了它与英国达成的协定，称自己是苏丹唯一的统治者。英国人和埃及人随后在1953年达成一项协定，允许苏丹成立自治政府。在当年举行的苏丹议会选举中，民族联盟党赢得多数选票，1956年独立的苏丹共和国宣告成立。

苏丹独立后的特点主要是效率不高的议会制政府频繁更换（如在1956～1958、1965～1969和1986～1989年等时期），其次是较长时期的军人统治。北方穆斯林多数派一直企图把中央政府的权威强加给以万物有灵论者和基督教徒为主的苏丹南部居民，导致内部冲突不断。这种紧张关系使南部苏丹人从1963～1971年以及从80年代中期开始不断奋起反抗中央政府。北方人控制的军人政府于1989年上台后，受伊斯兰原教旨主义的影响很深，拒绝接受该国南部反叛势力的要求。连年不断的南北冲突使苏丹为发展本国经济和养活不断增长的人口而做出种种的努力受阻，结果导致80和90年代南部一些地区遭受饥荒。1989年救国革命指挥委员会夺取政权后，废除了1985年的过渡宪法、国民议会、所有政治党派和工会，通过颁布法令统治国家。1993年任命奥马尔·哈桑·艾哈迈德·巴希尔为新政府的总统之后，救国革命指挥委员会解散。他在1996和2000年连任，2005年7月再次就职。1998年颁布了新宪法，要求将伊斯兰教的法律作为该国所有法律和法规的基础。1999年重新允许实行多党派政治。为便于行政管理，苏丹重新划分为26个州，每个州由一名州长负责管理。

Sudanic languages 苏丹诸语言 非洲语言，通行区域东起埃塞俄比亚西至尼日利亚，包括不同语群中互无关系的一些语言，某些早期学者常常根据地理条件及其他非语言学特征而把完全不存在系属关系的诸语言算作苏丹语言。原来划为苏丹语的诸语言现在常被划为尼罗-撒哈拉诸语言（也有少数被分入闪-含语和尼日尔-刚果语）。参阅 **Chari-Nile lauguages**。

Sudbury 萨德伯里 加拿大安大略省东南部城市，萨德伯里区首府。位于拉姆西湖岸。1883年，加拿大太平洋铁路修筑期间，由于发现铜和镍矿，该市及周围地区发展加速。现为世界上最富有的矿业中心之一，其人口的大多数从事矿业。萨德伯里及周围地区镍矿开采量占世界的1/5，安大略省的铜几乎全部产自这里。金、银、铂、钴、硫磺和铁矿开采量亦很可观。其他工业有制材、木器、机械加工厂和砖厂。位于横贯加拿大公路和两条横贯大陆铁路线上，现为地区商业批发和零售中心。有建于1960年的劳伦琴大学。1893年设镇；1930年设市。人口：市92 059；都会区160 488（1996）。

Sudbury 萨德伯里 英格兰萨福克行政、历史郡巴伯区一城镇。位于斯陶尔河畔。中世纪时为一重要的羊毛城镇，现为繁荣的乡村服务中心。1554年建镇。精纺毛纱业衰落后，引进丝织技术和椰壳纤维编织法。磨面粉和酿酒都成了重要行业。18世纪英国画家T.庚斯博罗诞生于此，其故居现为艺术中心。人口19 512（1991）。

Sudbury 萨德伯里 美国马萨诸塞州东部米德尔塞克斯县城镇。紧邻萨德伯里河，在波士顿以西，包括萨德伯里和南萨德伯里的几个村落。1638年沃特顿居民和英国殖民者来此定居，1639年设建制并定名为萨德伯里。今日的萨德伯里是该州最富有的居民区之一。当地建有防务承包公司雷西昂的制造和设计实验室。在南萨德伯里坐落着修复过的韦赛德旅店（约建于1705年），该旅店在美国经营时间最长，诗人H. W.朗费罗的《路畔客舍的故事》（1863）即以该地为背景。该旅店在一个修复的18世纪"村落"中非常引人注目。大草原野生动物保护地沿萨德伯里河穿过该镇。面积65平方千米。人口16 841（2000）。

Sudd, As- 苏德 苏丹中南部沼泽低地。宽320千米，长400千米。白尼罗河的河源流过，西部称加扎勒河，中部称山尼罗河。苏德的居民为从事畜牧的尼罗努埃尔人。20世纪80年代，该地修建了一运河，绕过苏德，连接詹加利和白尼罗河（在马拉卡勒），排泄沼泽，发展农业。

sudden infant death syndrome（SIDS） 婴儿猝死综合征 又称摇篮死亡。即外表健康婴儿的意外死亡。SIDS呈世界性分布，是工业国家中2周至1岁间婴儿的最常见死因。95%的SIDS病例是2至4月的婴儿。婴儿猝死综合征几乎永远发生在夜眠时。原因至今不明。由第一次明确此病以来，学者已提出一系列解释——有一个学说（这在20世纪60年代很流行，但后来又受到怀疑）认为由父母疏忽造成，直到各种建议如说SIDS是由免疫注射、血液疾患或睡眠中呼吸暂停而诱发——但进一步研究没有证实其中任一说法。80年代晚期，研究人员又开始检查婴儿的脑发育情况，他们推测说，婴儿必须学会对呼吸窘迫作出反应，若这个学习过程发生异常可以导致这个综合征。

Süddeutsche Zeitung 《南德意志报》 慕尼黑出版的日报，是德国最有影响的三大报纸之一。1945年在巴伐利亚注册并成为第二次世界大战后盟军占领当局批准的第一份报纸。原为每周两次，1949年改为日刊，很快成为全国性报纸。该报以精细准确的报道和对敏感问题采取明智的立场而赢得读者。基本上持自由派观点。1946年开辟"聚光灯"栏，登载重要新闻的简明评述。该报编辑人员训练有素，大部分有博士学位。20世纪50年代报社发展为出版公司，在出版业中占有重要地位。

Sudermann, Hermann 苏德尔曼（1857-09-30，东普鲁士马齐肯［今在立陶宛］～1928-11-21，德国柏林） 又译苏德曼。德国自然主义运动的主要作家之一。早年当过药剂师学徒，上过柯尼斯堡大学。在柏林当过短期家庭教师，后为记者，最后改写小说。早期小说中最有名的是《忧愁夫人》（1887）和《猫桥》（又译《小木桥》）（1889），《忧愁夫人》描写一个敏感的青年的成长。但使人名噪一时的是他的戏剧。《荣誉》(1889 年在柏林公演)是自然主义运动的里程碑。《故乡》(1893)使他闻名于世界,它描写一个著名歌剧演员玛格达回到她僻陋的故乡小镇后的内心冲突。苏德

供图:Staatliche Museen zu Berlin

尔曼后来的问题剧,特别是《幸福乡》(1895)、《莫里图里》(1896)、《好名声》(1913)等,当时几乎都很成功。但是,由于他的剧本往往是感伤的,以及他对当时社会的批评,通常被认为肤浅,因此现在很少上演。其他作品有《雅歌》(1908)、《立陶宛故事》(1917)、《我青年时代的画册》(1922)等。

Sudest Island　东南岛　又称塔古拉岛。巴布亚新几内亚路易西亚德群岛最大岛,位于太平洋西南部新几内亚岛东南 285 千米处。长 80 千米,宽 24 千米,陆地面积 800 平方千米。为火山岛,环有珊瑚礁。地势崎岖,最高点拉特尔斯内克山海拔 806 米。1889 年曾产金。出口椰仁干。人口约2 725(1990)。

Sudeten　苏台德山脉　捷克共和国(波希米亚东北部、摩拉维亚北部)与波兰接壤的东西向山脉的德文名。有三个分支:西苏台德由*卢萨蒂亚山脉*(**Lusatian Mountains**)、*伊泽拉山脉*(**Jizera Mountains**)和*巨人山*(**Giant Mountains**)组成;中苏台德由*奥尔利采山脉*(**Orlice Mountains**)和布罗乌莫夫斯克山脉组成;东苏台德由*耶塞尼克山脉*(**Jesenik Mountains**)的三部分组成。苏台德山脉是古代断层的残存片断,其山峰如巨人山的斯涅日卡峰(海拔1 602米)的山巅均为平顶。矿藏丰富,但一些小矿坑久已衰落。地势崎岖不平,农耕艰难。家庭手工业仍然流行。纺织业,尤其是棉纺织很普遍。当地特产有玻璃和瓷器,大半供出口。主要城镇有亚布洛内茨和利贝雷茨。旅游业为发展中行业,特别是在巨人山。

Sudetenland　苏台德　波希米亚北部和摩拉维亚的一部分,在苏台德山脉附近,第一次世界大战结束时,作为特区并入捷克斯洛伐克,居民以德国人为主,后来成为德国和捷克斯洛伐克争端的主要根源。1938 年慕尼黑会议参加者屈服于希特勒,将苏台德区让给德国。苏台德德国人为德国吞并苏台德作了大量工作。30 年代中期,他们日益欣赏苏台德德意志党(即纳粹)进行反捷、反犹的德国国家主义宣传,这个由汉伦领导的德意志党,利用当地失业工人的不满情绪和捷克官吏在当地推行的民族歧视政策,在 1935 年 5 月议会选举时,获得苏台德德国人近 2/3 的选票,并派出规模第二大的集团代表,参加捷克斯洛伐克议会。其后苏台德纳粹分子以苏台德归并德国为主要目标,加剧活动,制造暴动和挑衅事件。他们不仅使捷克斯洛伐克政府处境困难,而且使英法相信,苏台德形势是爆炸性的,必须说服捷克领导人采取果断行动,甚至把这一地区割让给德国,以避免战争。虽然捷克斯洛伐克政府同意苏台德德国人的申诉,使非纳粹集团感到满意(1937),并在 1938 年 9 月答应汉伦的几乎全部要求,但双方并没有取得谅解。后来法英两国商定与意大利和德国在慕尼黑会晤(9 月 29 ～ 30 日),向捷克斯洛伐克发出最后通牒,要求在 10 月 10 日前将苏台德割让给德国。第二次世界大战后,苏台德区归还捷克斯洛伐克,境内的大部分德国人被遣返德国,捷克人迁入该地区。

Sudirman Range　苏迪曼山脉　新几内亚岛中央高原的山脉,在新几内亚的印度尼西亚部分,称作伊里安查亚。地势崎岖,山口皆在海拔4 000米以上,查亚峰海拔5 030米,是全岛最高峰;恩加-皮林西峰海拔4 800米。从查亚维查亚山脉西部延伸到鸟头半岛底部,全长 320 千米。

Sudirohusoda, Mas Ngabehi Wahidin　参阅 **Wahidin Sudirohusoda, Mas Ngabehi** *瓦西丁·苏迪罗胡索多*。

Śūdra　首陀罗　印度瓦尔纳或社会等级中的第四等,亦即最低等,传统上是工匠和劳动者。首陀罗一词不见于最早的吠陀文献中,在初次使用时,它可能包括印度河流域全部被征服民族,因为他们被视为婆罗门(僧侣和教师)、刹帝利(贵族和武士)和吠舍(商人)三个等级的奴仆。首陀罗不能举行入法式,因为入法式是上面三个等级的成员取得通读吠陀经文并获得再生族身份的一种条件,首陀罗是不属于再生族的。首陀罗包括同族通婚的各集团,范围甚广,有占支配地位的土地持有者,也有近乎不可接触者。这种差别源于印度教的信念,认为某些行为方式和职业是不洁的,因此才有"清洁"的和"不洁"的首陀罗集团之分,例如洗衣匠、鞣革匠、制鞋匠、清扫夫、拾荒者等一度被列为"*不可接触者*"(**untouchable**)。有些观察者认为,按照种姓制度中群体流动的证据来看,许多种姓都逐渐由首陀罗种姓上升,自称为刹帝利及吠舍。参阅 **varna**。

Sue, Eugène　苏(1804-01-26,巴黎～1857-08-03,萨伏依阿讷西)　欧仁·苏是玛利-约瑟夫·苏的笔名。法国作家,报刊长篇连载小说的倡导人。其激动人心的小说多描写城市生活的阴暗面。作品虽有过分夸张之嫌,但最早涉及法国工业革命带来的社会弊端。曾任海军外科医生。早期作品,如《普利克与普洛克》(1831),充满海上生活气息。欧仁·苏也写历史小说,并当过新闻记者。继承父亲遗产后,他成了有名的花花公子。他的马车、马和猎犬以及奢侈的生活均成为巴黎人的话题。他是当时唯一一家法国赛马俱乐部首批成员之一。在《阿尔蒂尔》(1838)和《玛蒂尔德》(1841)中描写了当时的上流社会生活。

供图:H. Roger-Viollet

后者已显示了社会主义倾向,在《巴黎之神秘》(旧译《巴黎的秘密》)(1842)和《流浪的犹太人》(1844 ～ 1845)中,欧仁·苏更向这个方向转变。雨果的《悲惨世界》也曾受《巴黎之神秘》的影响。这些篇幅甚长,激动人心的小说曾在报上连载,使报纸发行量猛增。晚期作品成就不大。他参加过 1848 年大革命,1850 年当选塞纳省社会党议员。1851 年他反对路易·拿破仑政变,从而流亡到当时尚不属法国管辖的萨伏依的阿讷西直至去世。

sue, standing to(law)　参阅 **standing to sue** *起诉资格*。

Suebi　斯维比人　又拼Suevi,日耳曼民族的部落集团,包括马科曼尼人及夸迪人、赫尔蒙杜里人、森农人、伦巴第人。1 世纪末期这些部落大部分居住在易北河两岸。有些斯维比人被匈奴赶出家园后越过莱茵河,于 409 年进入西班牙,主要定居在西北部的加拉西亚。到 447 年时,斯维比人在国王雷西拉领导下已经遍布罗马帝国的卢西塔尼亚省和巴埃蒂卡省。448 年雷西拉正式即位为王,并改宗基督教。456 年他被狄奥多里克二世领导下的西哥特人打败。斯维比人的残余部分在马尔德拉斯(456 ～ 460 年在位)及其他国王统治下,维持到 585 年为西哥特人所兼并。

Sueca　苏埃卡　西班牙东部巴伦西亚自治区巴伦西亚省城市。濒临胡卡尔河。地处稻米产区,经济以稻米加工业为主,亦出口柑橘。许多房舍呈摩尔式。人口24 195(1981)。

Suess, Eduard　休斯(1831-08-20,英国伦敦～1914-04-26,奥地利维也纳)　又译修斯。奥地利地质学家。首先提出存在过一个巨大的南方大陆,即冈瓦纳古大陆。在中生代早期(距今2.25亿年前),古大陆分裂并逐渐漂

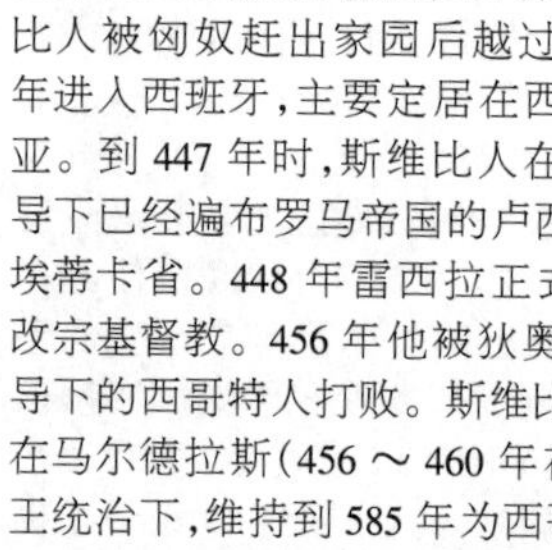

供图:Bild-Archiv, Osterreichische Nationalbibliothek, Vienna

移开来，形成了非洲、南极洲、澳大利亚、印度和南美洲。1852～1857年在维也纳霍夫博物馆任助理期间，发表了关于腕足类动物的解剖和分类的论文，建立了菊石类的分类，并描述了其他几种化石。1857年出版一本关于阿尔卑斯山脉成因的小书，否认山脉和大陆是由垂直隆起形成的，声称是由逆冲运动形成的，这种运动使地壳外表部分发生了褶皱和断裂。他认为火山在造山过程中起的作用不大，在《地球的面貌》（德文原著，1883～1888）一书中他论述了形成现代地表特征所必需的古代海陆变迁，并详细地叙述了古代海洋的进退、岩浆的上升以及其他有关的现象。1857～1901年任维也纳大学地质学教授。1869年任下奥地利议会议员；1873年起以维也纳自由党代表身份进入德国国会下院，历30余年。

Suetonius　苏埃托尼乌斯（约69，大概在罗马～约122后）　古罗马传记作家、文物收藏家。著作包括《名人传》（一部罗马著名文学人物的小传集）以及《诸凯撒生平》。特别是后一部作品收入涉及前11位皇帝生活的流言传闻，著者因此名声经久不衰。他的家庭属骑士阶层。他是小普林尼的朋友，似乎学过法律，后又放弃法律生涯。通过小普林尼的关系，获得军事护民官一职，后又放弃该职。或许曾伴同小普林尼出使小亚细亚的比希尼亚。在小普林尼死后，他找到另一位恩主克拉鲁斯，后来他把《诸凯撒生平》一书奉献给他。哈德良皇帝即位（117）后，他效力于皇帝。或许同时兼任帝国图书馆长、档案守藏史及皇帝的文化事务顾问。可能在121年被晋升为皇帝文牍秘书。122年左右，因其对宫廷礼节的疏忽而遭解职。此后，大概一直献身于文学研究。他的大部分著作是文物研究性的，即研究希腊人的文娱形式、罗马人的戏剧演出、咒词和符咒术及其起源、服饰名称、名妓、身体缺陷以及官职制度之演变。有一部百科全书式的著作，题为《牧草地》，后世认为是他所辑，该书类似老普林尼写的《自然史》。后世所传有关罗马知名作者生平的情况，几乎均出自他的《名人传》。该书仅存片断，例如贺拉斯、卢卡、泰伦斯和维吉尔等人的生平，即见于那些从苏埃托尼乌斯著作中引用史实的作家们的作品中。《诸凯撒生平》记述罗马社会及其领袖人物的概况，自凯撒迄于图密善，描写生动。传记按专题分写：王室背景、登基前的生涯、公务、私生活、仪表、人格及死亡。但对帝国的发展、行政管理以及防卫设施，大都不提。他对人物尽力按照罗马公众生活与社会的传统利益这一标准来衡量，但如普卢塔克，他一般惯于记述典型轶事而未去详尽考究它们的真实性。

Sueur, Eustache Le（French painter）　叙厄　参阅 **Le Sueur, Eustache 勒叙厄**。

Suevi（Germanic people）　参阅 **Suebi 斯维比人**。

Suez　苏伊士　埃及港口。位于苏伊士湾顶端和苏伊士运河南端。易卜拉欣港、陶菲克港以及东部沙漠的大部分地区与该港一起构成一都市省——苏伊士省，面积17 840平方千米。曾为古代贸易地点。原为希腊城镇克利斯马所在地。7世纪为穆斯林的克尔苏姆镇。被奥斯曼征服后，成为海军驻地。1869年苏伊士运河开放以前，港口衰落。现仍是海军基地和贸易中心。有公路和铁路通往开罗。主要是运输港，有炼油厂（油管通开罗）、运河工场和化肥厂。也是去麦加朝觐的出发站。1967年阿拉伯-以色列战争后，运河关闭，1973年以色列进攻该城，使其经济遭受严重打击。1975年运河重新开放，该城再度繁荣。1975年成为免税工业区。有纺织厂和制药厂。人口约376 000（1991）。

Suez, Gulf of　苏伊士湾　红海西北部的海湾。位于非洲本土（西）和埃及西奈半岛（东）之间。长314千米，宽度19～32千米不等。有苏伊士运河（北）通地中海，是重要的航线。20世纪70和80年代，在海滨和近海许多地区发现石油，使之成为仅次于红海油田的第二产油区。西奈沿海的阿布宰尼迈港为附近乌姆布季迈的锰矿服务。

Suez Canal　苏伊士运河　阿拉伯语作 Qanāt as-Suways。埃及从北至南贯通苏伊士地峡的海平面水路，连接地中海和红海，界于非洲大陆和亚洲之间。北起地中海的塞得港，南至苏伊士湾，长160千米，利用三个途经的湖泊：曼札拉湖、提姆萨赫湖和大小苦湖。法国人开凿的这条运河于1869年竣工，提供了欧洲和印度洋及西太平洋之间最短的水路。运河西面是尼罗河三角洲低地，东面较高，是崎岖不平和干燥的西奈半岛。从地形上说，地峡是不均匀的，一些阻力较大的石灰石和石膏地带分布在地峡南部，另一个突出的特点是一条狭窄的河谷从提姆萨赫湖向西南方向延伸至尼罗河三角洲中部和开罗。运河最初的水道底部仅深8米，宽22米，水面宽58米。在不断加宽和深挖后，到1963年，在低潮时，运河最小的宽度为55米，不间断的深度将近12米。20世纪末，平均每日有55艘船只通过运河。运河的建成使除苏伊士城外过去曾是几乎无人居住的干燥地区上的居民点有所增加。在1967年6月阿拉伯-以色列战争期间，几乎全部居民都撤走，大部分居民点遭到严重破坏或摧毁。然而1975年运河复航后，这一地区开始重建，到1978年大多数居民已返回家园。从1975～1980年，运河扩宽，现在可行驶吃水深度为20米的船只。在提姆萨赫湖的德维索瓦和塞得港开凿了新的旁支，运河的弯曲处已修直，弯度半径最小限度为5 000米，大小苦湖的停泊地区已扩大和加深。

Suez Crisis　苏伊士危机（1956）　中东现代历史上，由于1956年7月26日埃及总统加麦尔·阿卜杜勒·纳赛尔将苏伊士运河收归国有而引起的严重危机。危机的起因是美国和英国为了对埃及日益亲近捷克斯洛伐克和苏联作出反应而违背它们的诺言，决定停止对修建阿斯旺高坝提供资金。纳赛尔对美、英两国决定的反响是：宣布运河区实行戒严，夺取苏伊士运河公司的控制权，声明在5年之内船舶通过运河的税金作为水坝的建筑费。英、法两国担心纳赛尔关闭运河，切断波斯湾与西欧之间的石油运输。当处理危机的外交努力失败之后，英、法两国暗中准备采取军事行动，以便夺回运河的控制权，而且，如果可能的话，要废黜纳赛尔。它们发现以色列是一个天然的盟友。由于纳赛尔封锁亚喀巴湾的蒂朗海峡，受埃及支援的突击队在1955和1956年袭击以色列，以色列对埃及的敌意增加。1956年10月29日，以色列出动10个旅入侵埃及，击溃了埃及军队，向运河挺进。英、法两国按照他们的计划，要求以埃双方的军队从运河撤出。它们宣称要进行干预，强制执行联合国所下的停火令。11月5～6日，英、法两国军队在塞得港和福阿德港登陆，开始占领运河区。但是由于国内和联合国的反对声浪日益高涨，同时苏联扬言要出面干涉，英、法两国的行动遂立即停止。12月22日联合国撤走英、法军队，以色列军队也在1957年3月撤出。纳赛尔从苏伊士危机中成为一个胜利者，一个为民族主义事业而斗争的英雄。以色列没有取得使用运河的自由，但是重新获得了在蒂朗海峡的航运权。英国和法国则更加不幸，它们失掉了自己在中东的大部分影响。

Sufetula　苏费土拉　近代名为苏贝提拉或斯贝特拉。古罗马城市，位于今突尼斯的卡塞林之东偏东北31千米处。最初很可能是对努米底亚叛乱者塔克法里纳斯作战（公元17～24）时的一个据点，在罗马皇帝韦斯巴芗时代（公元69～79）改建为市，在马可·奥勒利乌斯时代（161～180）或其子康茂德时代改为征服区驻防地。在苏费土拉，正如在突尼斯内陆的其他地方一样，由于罗马人善于贮存和使用有限的水资源，以种植橄榄为主的农业遂趋于繁荣，但直至现代以前，盛况也未再现。该城市约在646年为阿拉伯人所毁，在它的广场周围留下一些令人难忘的遗物，其中有一座罗马皇帝安东尼·庇护（138～161年在位）的凯旋门和3座神庙。

sufficient reason, principle of　充足理由原则　在17～18世纪哲学家莱布尼兹哲学中，对某些单子的存在所作的解释，尽管它们有偶然性。莱布尼兹对存在的单子赋予了不可消灭性、自足性和不受外在因果作用的干扰之后，便把理性的真理和真实的真理加以区别。要是没有前者，就会包含矛盾；至于后者的存在，有赖于上帝的自由选择。而后者的实际存在，则由充足理由原则来解释。它断言，有适当的理由来说明每一个可以设想为不存在的事物的性质和存在。在这种情况下，最充足理由是上帝的自由选择。

suffocation　窒息　由各种原因造成的呼吸道闭塞，致使机体不能得到氧气的状态。主要原因有上吊、绞刑、食物呛入气管、环境空气中的氧气含量太低等等。参阅 **asphyxia**。

Suffolk　萨福克　英格兰东部东英吉利亚地区行政、历史郡，北与诺福克相连，西与剑桥为邻，南接埃塞克斯，东濒北海。行政郡下辖7个区：西为福利斯特西思和圣埃德门兹伯里，中为中萨福克，南为巴贝尔和伊普斯威奇，北海沿岸有萨福克海岸区和韦弗尼。行政郡范围几乎与历史郡相同，但历史郡还包括诺福克行政郡大雅茅斯自治市布雷敦沃特以南的地区。萨福克地形多种多样。海岸地带有沙滩、断崖（原邓尼奇镇被冲刷入海）、深三角湾和奥福德内斯岬。中部有低矮的起伏丘陵，西部是白垩山岭和广阔的荒野。西北角与诺福克和剑桥郡连接的地方形成芬兰（**Fenland**）的一部分，低于海平面。费恩的东面是布雷克兰（**Breckland**），是一个荒芜的沙区，一行行树木原先栽作防风林和狩猎掩护用。这一带早期就很繁荣。在布雷克兰发现有史前的燧石矿。现在不列颠博物馆展出的米尔登霍尔银器可追溯到古罗马时代。在盎格鲁-撒克逊时代，萨福克形成东英吉利亚王国的一部分，这时期的国王们的财富都埋葬在萨顿胡的船棺椁里，这是1939年在伍德布里奇发现的。该郡中世纪的繁荣一直持续到18世纪，这种繁荣主要基于羊毛服装业，可从许多大村庄教堂诸如在拉文纳姆、布莱斯堡和绍斯沃尔德等地教堂反映出来。有些羊毛织物就以林齐村和克西村命名。18世纪以来，农业一直是萨福克的主要经济活动。最主要的作物为谷物、甜菜和蔬菜；食品加工是很重要的行业。西面的纽马基特以赛马训练站而闻名。该郡早先即以产萨福克役马著称，这种役马矮小肥胖，又称萨福克驮马。洛斯托夫特是渔港，沿岸多度假胜地。英国加入欧洲共同体后，使伊普斯威奇港口得以迅速发展。面积3 802平方千米。人口约671 100（1998）。

Suffolk 萨福克 美国弗吉尼亚州东南部城市。位于楠西蒙德河的航运起点处。与朴次茅斯及切萨皮克毗邻。1720年始有定居，1808年设镇，1910年建市。1974年该市和前楠西蒙德县合并成单一行政单位，范围伸展到北卡罗来纳州边界。现为花生交易与加工的重要中心，亦经营茶叶，还制造砖、纸、木器、农业机械等。当地6个湖与大迪斯默尔沼泽地有钓鱼和划船设备。人口52 141（1990）。

Suffolk 萨福克马 又称萨福克矮脚驮马。一种原产于英格兰萨福克郡的小型挽马。是中世纪"大马"的后代。品种历史悠久，是和其他品系杂交较少的一种挽马。体形结实矮胖，颈、腿、背粗短，性温顺，但力大。肩高为157～168厘米，体重725～900千克，多为栗色。1880年大不列颠萨福克马协会成立，同年萨福克马出口至美国。

Suffolk 萨福克绵羊 黑脸无角的中细毛绵羊品种，1800～1850年间在英格兰以有角的诺福克母绵羊配南丘公绵羊育成。多产，早熟，胴体质优。体力好，外貌健壮。但不是理想的产毛品种。毛被的纤维短，重量轻，且有黑色纤维。1888年，萨福克绵羊引入美国，其羔羊肉在美国全国包括草原地区在内均受欢迎。

Suffolk, EARLS AND DUKES OF 萨福克伯爵和公爵 英国封爵贵族，属厄福德、波尔、布兰登及霍华德家族。按年代顺序分列于后，并各以●为标记。

● Suffolk, Robert de Ufford, 1st Earl of 萨福克伯爵（第一）（1298-08-09或10～1369-11-04） 即R.de厄福德。英格兰国王爱德华三世时代的军事指挥官和政治家。其父罗伯特1309年以贵族身分参加议会。自从1330年参加逮捕马奇伯爵以后，萨福克便成为爱德华三世最信任的指挥官和顾问。他是1337年爱德华加封的6名新伯爵之一，曾参加在克雷西（1346）、普瓦捷（1356）以及1340～1360年间在法国的几乎每次战役。

● Suffolk, William de la Pole, 1st Duke of 萨福克公爵（第一）（1396-10-16，英格兰萨福克卡顿～1450-05-02，肯特郡多佛尔附近） 即威廉·德·拉·波尔。英格兰陆军司令和政治家，1443～1450年操纵亨利六世的政府。1415年其父第2代伯爵在阿让库尔战役中阵亡后，他继承伯爵爵位。萨福克公爵曾参加1417～1422年间亨利五世对法国进行的全部战役，并成为亨利六世最信任的将军之一。1428年任驻法国英军总司令。1429年6月12日在雅尔若被贞德击败和俘获。后被赎回，仍任原职。1431年末被召回国。此后10年任皇家枢密顾问官和密使。1443年成为亨利六世的主要顾问。为了结束战争，萨福克公爵于1444年达成停火两年协议，但他将曼恩和安茹两省让给法国，引起国人不满。尽管如此，仍于1448年封萨福克公爵。1449年3月可能是经他同意，英军背信弃义攻占富热尔，重启战端。法军迅即重占几乎整个诺曼底。议会将失败归咎于他，国王被迫将他放逐5年。1450年5月离开英格兰，但在英吉利海峡被他的敌人截获后斩首。

● Suffolk, Charles Brandon, 1st Duke of 萨福克公爵（第一）（约1484～1545-08-24，英格兰萨里郡吉尔福德） 即C.布兰登。英格兰国王亨利八世的妹夫和权臣。其父威廉·布兰登1485年为亨利七世战死。萨福克身体魁伟而健壮，1513年与法国人作战时表现勇敢，被封为利勒子爵。但1523年和1542～1544年被委以司令之职却表现无能。1514年亨利八世封他为公爵。次年初派他去巴黎促进亨利之妹玛丽与法王弗兰西斯一世的婚事，他却冒叛逆的罪名而与玛丽结婚，从而惹怒亨利八世。但不久显然是经首席大臣沃尔西的劝解，萨福克又得宠。后为御前会议中举足轻重的成员。他的外孙女是曾作过9天名义上的女王（1553）的格雷郡主。

● Suffolk, Henry Grey, Duke of 萨福克公爵（约1517～1554-02-23，伦敦） 即H.格雷。格雷郡主之父，因反对女王玛丽一世以及参与T.怀亚特的叛乱而被处决。1530年承袭其父之爵，为第3代多塞特侯爵。1534年与第1代萨福克公爵唯一存活的女继承人弗朗西丝·布兰登结婚。1551年封为公爵。1553年支持诺森伯兰公爵拥立他的女儿简·格雷郡主为英格兰女王，但很快即告失败。玛丽女王赦他无罪。他因反对玛丽计划与西班牙国王结婚而卷入1554年T.怀亚特爵士的叛乱。后以叛逆罪被处决。

● Suffolk, Thomas Howard, 1st Earl of 萨福克伯爵（第一）（1561-08-24～1626-05-28，英格兰伦敦） 即T.霍华德。英格兰伊丽莎白一世时期攻击西班牙无敌舰队及其他对西战斗中的司令官。第4代诺福克公爵之子。1591年指挥海外远征。1603年被封为萨福克伯爵。1603～1614年任宫廷大臣。1614～1618年任财政大臣。后因盗用公款被撤职，并被星室法庭判重罚款，短时关入伦敦塔。其妻凯瑟琳也犯有接受西班牙贿赂的罪行。

Suffolk Coastal 萨福克海岸 英格兰东南部萨福克郡的地区。境内地势低洼。东临北海，海岸线长约51千米。滨海风光旖旎，有沙石海滩、危岩峭壁，还有许多稀有鸟类栖息的港湾。西北部内地有起伏的丘陵。内陆森林茂密，特别在南部从首府伍德布里奇到奥尔德堡一带。北部海岸的沃尔伯斯威克、邓尼奇和奥尔德堡数百年前为繁荣的港口。现这些城镇大部分地面已被海浪冲刷掉。艺术家、鸟类观察者和航海爱好者常来此地，音乐爱好者每年来参加1948年起举办的奥尔德堡音乐节。南端的费利克斯托是最大城镇，19世纪已发展为海滨胜地，现为全国最大集装箱港口之一。有轮渡连接比利时的泽布吕赫。内地出产谷物、甜菜、牛和猪。赛兹韦尔核电站也在这一地区。面积891平方千米。人口约111 300（1992）。

Suffolk Resolves 萨福克决定（1774-09-09） 美国殖民史上坚决抗议1774年英国议会颁布《不可容忍法》的一次最著名的集会。马萨诸塞殖民地地方代议制政府被解散后，波士顿及邻县萨福克各镇代表先后在戴德姆及米尔顿集会，宣告拒绝服从这些法规及执法官吏。会议敦促公民停止纳税，中止与英贸易并参加每周的民兵训练。决定经一致通过后，由P.里维尔携往费城，得到第一届大陆会议的认可。

suffrage 选举权 在代议制政府中，选举政府官员，采纳或否决所提的法案时的投票权。选举权或公民权的历史是从社会中有限的特权集团逐渐向全体成年人口扩展的历史。几乎所有的现代国家都已规定全体成年人享有选举权。这并不仅仅被看成是政府给其公民的一种特权；更为重要的是被认为是每个守法的公民所固有的、不可剥夺的权利。在民主政治下，选举权是使政府向其所辖人民负责的基本保证。选举权的基本条件各地基本相同，尽管国与国之间存在着微小区别。通常，只有国家的成年公民有法定投票权，最低年龄从18～25岁不等。大多数国家还要求选民必须隶属于一定的地区或选区。精神病患者，某些定了罪的阶层，以及那些因触犯选举法而受到惩罚的人一般都被剥夺选举权。在实行普遍选举权之前，多数国家均对选民资格定有特殊要求，例如18～19世纪的英国,规定以财产和收入为条件。有一段时期,仅男性享有选举权。在一些新独立的亚非国家,在从殖民地转到独立政府的过渡期内,曾把是否识字作为选举权的条件。有些国家限制某些种族或部族集团的选举权,例如在南非和美国旧南方就曾不准黑人投票。

suffrage, woman 参阅 **woman suffrage** *妇女选举权*。

Suffren de Saint-Tropez, Pierre André de 叙弗朗(圣特罗佩的)(1729-07-13,法国圣卡纳～1788-12-08,巴黎) 法国海军上将。美国革命战争期间,在印度水域与英国人作战,以敢于采用大胆的战术著称。他是马耳他骑士,曾在C.H.德斯坦海军上将麾下在美洲服务。1781年被派往印度支援法国的军事行动。1782～1783年,他在印度和锡兰海面上同英国海军上将E.休斯爵士进行了几次著名的海战。他没有遵循教科书中的规范,而是教导各舰长将敌舰分隔,各个消灭,从而获得不同程度的胜利。

Ṣūfism 苏非主义 又译苏菲主义。伊斯兰教中的神秘主义,其信奉者企图通过个人对真主的亲身体验以寻求神爱与知识。苏非主义包含多种神秘主义的"道路",这些"道路"是被设计来探知人和神的本质,并便于亲身体验神爱和神知在世界上的存在。阿拉伯语 *ṣūfī*("神秘主义者")源自 *ṣuf*(羊毛),可能与早期伊斯兰教苦行者所穿粗羊毛衣衫有关。苏非主义是产生于虔诚的穆斯林中的一个有组织的运动,是对伍麦叶王朝时期(661～750)的世俗主义的一个反动。由于渴望"人神合一",神秘主义者们发现,脱离了人的神学思想的教法学拘泥形式,是很不令人满意的,并日益归属于一个"道"("道乘")和一个目标("真理"),与教法或传统教法的那些提法不同。同样,苏非主义反对它在认识真主时运用直觉(内心的认识),而不是像正规的神学那样运用理智进行推论。苏非主义的主流争取保留在正统派内部,并宣称遵循教法是绝对必要的。确实,在早期他们企图发展一个由部分地互相对照的和部分地互相补充的两种不同情况的计划(例如"消灭与复原"、"陶醉与清醒"),以达到外形与内在的综合。但这两个方面的对立继续被强调。后来,在思辨神秘主义的影响下,伊本·阿拉比创立了一个体系,引起教法学与苏非主义的全面冲突。在伊斯兰教社会里,例如在伊斯兰教传入前就具有神秘主义深厚传统的伊斯兰教的印度,冲突变得更加广泛。苏非主义发展为托钵僧教团,直到最近它们还保持着很大影响。苏非主义在伊斯兰教信仰与文化史上的作用极为重要。苏非主义文学,特别是神秘主义爱情诗的兴起,在阿拉伯、波斯、突厥和乌尔都等语言中代表一个黄金时代。伊斯兰教在印度、中亚细亚、土耳其和撒哈拉沙漠以南的非洲的深入扩张,主要是通过苏非派传教士们的努力。在20世纪的后期,众多的苏非主义教团和支团遍布在穆斯林世界,在某些基本宗教功修方面各具特色。苏非主义的一个基本功修仪式是"齐克尔",即反复念诵真主的尊名或《古兰经》的某些词句。通过修炼和受天惠,"徒步旅行者"力求松解他的"低级自我"身上的一切束缚,直到他们被完全解开,使灵魂能够体验"真实"("真理"),即灵魂所自然向往的目标。

sugar 糖 构成最简单*碳水化合物*(**carbohydrate**)的水溶性化合物,味甜、无色,存在于种子植物的液汁和哺乳动物的乳汁中。最常见的为蔗糖或食糖,世界年产量在1亿吨以上,几乎全部用作食品。化学式为$C_{12}H_{22}O_{11}$。几乎所有蔗糖是由甘蔗和甜菜通过破碎法(将原料切碎,压出液汁,并在余渣中加水萃取)和浸提法(将原料切细后用热水或热汁溶解,分离糖分)提取的。混合液经蒸发而净化、浓缩,然后放入晶种以诱发出结晶糖。市场上纯度非常高的精砂糖含蔗糖99.9%。糖粉或糖霜是磨成粉末的蔗糖,为了防止结块,掺入3%的淀粉或约1%的磷酸钙。蔗糖的其他来源有糖槭树、枣椰树和蜂蜜。此外,化学家还鉴别出多种糖类,只有少数用作商业性生产,其中包括葡萄糖(又称右旋糖)和存在于水果和蜂蜜中的果糖;转化糖,由蔗糖通过化学合成而形成的葡萄糖和果糖混合体;由大麦发芽而制成的麦芽糖;乳糖,唯一来源于动物的食用糖。

Sugar Act 《食糖条例》(1764) 美国殖民史上,英国议会通过的法规,旨在取缔法属及荷属西印度群岛来美的糖和糖浆走私贸易,并为英帝国在法国印第安人战争后扩大的经费开支提供更多的税收。它给1773年的《糖浆条例》注入了新的活力。这项法规提高精制糖税和来自加勒比海地区非英属领地的糖浆的进口税,实际上把美洲市场置于西印度群岛英国甘蔗种植园主的垄断之下。殖民地人民尤其忌恨严格的存关保税规定,使船主经常面临被没收货物或被判刑的威胁。这项法规实施后,极大地遏制了原外国糖的非法贸易。

sugar apple 参阅 **sweetsop** *番荔枝*。

sugar beet(*Beta vulgaris*) **糖用甜菜** 即普通甜菜。仅次于甘蔗的一种糖料作物。种植于欧洲、北美和亚洲的温暖或寒冷的地区(甘蔗只能在热带或亚热带生长),及人口稠密的发达地区,其产量的大部分在产地被消耗。与甘蔗不同,甜菜的糖分贮存于根部。在用作糖料作物前很长时间内被栽培为蔬菜及饲料。甜菜栽培的历史远较甘蔗为短。1747年,德国化学家安德烈亚斯·马格拉夫试用甜菜制糖,但最早的甜菜糖厂则于1802年建于西里西亚。1811年英国封锁法国,切断了来自西印度群岛的粗糖供应,拿破仑鼓励用甜菜制糖。在其影响下,法国建立了40个甜菜糖厂。拿破仑失败后甜菜糖工业一度衰落,但19世纪40年代又得恢复,此后,甜菜糖的产量在欧洲迅速增长,至1880年,产糖吨数已超过蔗糖。目前甜菜糖产量几乎占欧洲大陆糖产量的全部,占世界糖总产量的近1/3。产量最高的主要国家为法国、德国、英国、荷兰及美国。糖用甜菜靠种子繁殖,一般于早春播种。光合作用的产物——蔗糖储存

糖用甜菜(*Beta vulgaris*)
供图:Grant Heilman

于根部。甜菜根可长至1～2千克,其重量的8%～22%为蔗糖。晚秋收获,先将叶和根的顶部割除,再用机械铲出其根。甜菜产量为每公顷15～115吨。

Sugar Bowl 糖钵橄榄球赛 每年元旦在美国路易斯安那州新奥尔良市举行的大学校际赛季后橄榄球赛。创始于1935年。赞助者捐赠3万美元,图兰大学免费提供比赛场地。1976年比赛移至新奥尔良的路易斯安那苏必多姆举行。东南联合会的冠军队通常应邀参加比赛。

Sugar Loaf 塔糖峰 巴西东南部瓜纳巴拉湾入口处的圆锥形花岗岩山峰。高395米。屹立于里约热内卢市与大西洋海岸之间,因形似塔糖而得名。峰顶与附近的乌尔卡山通索道缆车。乌尔卡山脚下设有里约热内卢联邦大学,即前巴西大学(1920)。

sugar maple(species *Acer saccharum*) **糖槭** 又作 hard maple 或 rock maple。又称硬槭、岩槭。槭树科高大乔木。原产北美东部,并广泛栽作观赏树和林荫树。是槭糖浆、槭糖和制造家具与地板的硬杂木的重要来源。一些糖槭的木材具特殊的纹理图案,如鸟眼槭具有像鸟眼的纹理,绉纹琴背槭具波纹状纹理。糖槭树高可达40米,树冠稠密,秋天变为深浅不同的金色到猩红色。叶3～5浅裂(加拿大国徽取作图案),于春天绿黄色的花开过后长出。果是成对的翅果。树干和枝条上光滑带灰色的树皮随着树龄的增加而形成沟纹。糖槭有几个品种,树冠圆柱形、卵形或金字塔形,叶深绿色、黄绿色或淡黄色,有些品种叶细裂。其中被认为是亚种的有落基山糖槭(大齿糖槭,*A. saccharum grandidentatum*)、白垩槭(白皮槭,*A. saccharum leucoderme*)和黑槭(*A. saccharum nigrum*)。

sugarcane(*Saccharum officinarum*) **甘蔗** 禾本科高大而粗的多年生草本植物。在全世界热带和亚热带都有栽培,汁液味甜,是糖和糖蜜的主要来源。甘蔗大概起源于现在的新几内亚。甘蔗栽培随着人口的迁移传布到东南亚、印度、波利尼西亚等地。甘蔗的茎秆实

心，紧密丛生，节间隔有规律，每节有一个芽。叶形优美，似剑，与玉米的叶相似。叶鞘裹在茎上，保护着芽。成熟的茎秆可高达3～6米，直径2.5～7.5厘米。颜色从白色到黄，

甘蔗(*Saccharum officinarum*)
供图：Ray Manley—Shostal Assoc.

深绿，紫，红或紫罗兰色。甘蔗需要每年1 500毫米以上的降雨或灌溉。有60种以上的病害，其中没有一种是普及全球的。亚洲生产甘蔗最多，其次是南美和北美。在美国，甘蔗是夏威夷、佛罗里达和路易斯安那主要的经济作物。甘蔗的成熟期至少需要9个月。在北美，甘蔗在凉爽月份收割，在古巴、夏威夷、哥伦比亚及其他主要产区，全年均可收割。全世界多数产区用手工收割甘蔗；机械收割自20世纪40年代引进路易斯安那以来已稳步增长。甘蔗的糖含量为甘蔗重量的7%～18%。甘蔗产量为每公顷36～190吨。甘蔗产区的工厂每年生产粗糖7 500万吨。糖蜜是糖从汁液中结晶分出后剩下的糖浆，用以制酒及用作牲畜饲料。纤维渣用作制糖厂的燃料，也用以造纸和胶合板。

sugarplum tree (species *Lagunaria patersoni*) **糖李树**　锦葵科乔木，原产于澳大利亚，在温暖地区栽培供观赏。生长匀称，枝条分布规则，有时也用作行道树。树高约15米；叶广椭圆形或甚似长圆形，互生。花淡粉红色，花径约6厘米。

Sugawara Michizane　菅原道真(845，日本～903-03-26，日本太宰府)　日本平安时代公卿和汉学家，后人尊他为"天神"，护佑学术研究和文学。他出身学者世家，幼年学习汉学；870年大比中科，入宫为学者和诗人。886年任四国岛上讃岐县(今香川县)知事。890年返京都，宇多天皇连续提拔他到高位，为了利用他同权门藤原抗衡。899年，宇多之子醍醐天皇任命他为右大人(朝中第二高位)。但是醍醐宠幸藤原家族，901年菅原的对手藤原时平向天皇告发菅原谋反，天皇听信，菅原被贬到九州岛上任地方官，两年后卒于该地。他死后，暴风、暴雨、火灾、凶死连续发生，人们认为是菅原怨气所致。为了安抚他的亡灵，他被平反，重封高官，后来又被尊为神。菅原著有一部日本史和两卷汉诗。每年7月25日大阪天满宫有隆重典礼纪念天神菅原道真。日本许多地方都有天神祠，每年春季入学考试期间，少年学生纷纷前往购买吉祥符佩戴。

Sugbuhanon language　苏格布哈农语　参阅 **Cebuano language** *宿务语*。

Suger　絮热(1081，巴黎附近～1151-01-13)　法国隐修院院长，充任法王路易六世及七世的顾问。曾主管圣但尼教堂的重建工作。有助于哥特式建筑的发展。絮热出身于农民家庭，自幼天资聪颖，后被送进圣但尼隐修院受教育。他同学中的一位密友就是后来的法国国王路易六世(1108～1137年在位)。后来他任圣但尼隐修院院长的秘书和国王的顾问。据传说是圣但尼将基督教传入法国，故被尊为法国的守护神。絮热认为以圣但尼为象征，可以把国王和各大贵族团结起来。1124年神圣罗马帝国皇帝亨利五世入侵法国时，国王便在军中树起圣但尼的旗帜，各地贵族纷纷起兵勤王，从而迫使亨利五世不战而退。1122年絮热被选为圣但尼隐修院院长，他着手整顿修士的纪律，改变了修士声名狼藉的局面。1137年路易七世继位后免去他的

法国圣但尼教堂12世纪彩色玻璃窗上的絮热画像
巴黎图片档案馆供图

枢密顾问职，此后5年他专心于重建圣但尼教堂的工作，实现了他在建筑艺术上的创新。他采用了尖拱、肋形拱顶和大量的彩色玻璃，正立面上还有圆花窗。1142年路易七世与法国最强大的诸侯香槟伯爵蒂博发生内战。国王年轻好胜，战势酷烈，絮热再次任枢密顾问，出面斡旋，终使双方握手言和，双方于圣但尼教堂奉献典礼上签订了和约。1147年路易七世参加第二次十字军东征，命他为摄政王。摄政时改善税制，镇压贵族的叛乱，保持了国内的安定。路易七世回国后，他归政于王。后来他计划再发动一次十字军东征，未及成行，因疟疾逝世。他在早期法国史中具有重要地位，但更受后人重视的是在建筑艺术上的成就。

suggestion　暗示　心理学术语。让人不加批判地相信或行动的过程。通常用语言暗示，也可用视觉等任何一种感觉方式来进行暗示。暗示可以是象征性的，例如对玫瑰花过敏的人可因翻阅种子目录册而引起哮喘发作。暗示在集体行为中起着重要作用，尤其是在社会动乱时；另外，暗示还是催眠术的中心环节(参阅 **hypnosis**)。

Suggs, Louise　萨格斯(1923-09-07，美国佐治亚亚特兰大～　　)　美国女子高尔夫球运动员，两届(1956、1957)女子职业高尔夫球协会主席，先后在该协会主办的联赛中50次获胜。原为业余运动员，以击球姿势优美著称，1948年获英国女子联赛冠军，同年转为职业运动员。1949和1952年获美国女子公开赛冠军。1957年在女子职业高尔夫球协会联赛中获冠军，同年因击杆次数少而获瓦尔奖(Vare trophy)，并于1953和1960年在获胜场次上居协会中领先地位。1961年后她限制自己参加巡回赛出场次数，但直到1980年仍继续出场比赛。1960年撰写了《女子高尔夫球运动》一书。

Suhag(Egypt)　参阅 **Sawhāj** *索哈杰*。

Ṣuḥār　苏哈尔　阿曼北部的城镇和港口。位于阿曼湾巴提奈海岸的马斯喀特西北约190千米处。苏哈尔起源于史前时代。其附近有一些古代铜矿遗址，其中几座可能追溯到公元前2500年。该城镇大概在先知穆罕默德在世期间即已成为伊斯兰教早期的前哨基地。苏哈尔城后发展为一个繁荣和著名的港口；据说，该地10世纪为阿拉伯世界最大和最重要的城市。随着波斯人和葡萄牙人先后相继入侵，苏哈尔的港口重要性降低。现代的苏哈尔港输出海枣、酥油、酸橙干、牛皮和羊皮等商品。马斯喀特与苏哈尔之间有一条沿着海岸铺修的公路。人口约84 300(1993)。

Suharto　苏哈托(1921-06-08，荷属东印度群岛[今印度尼西亚]爪哇岛克木苏阿加木尔加～2008-01-27，印度尼西亚雅加达)　印度尼西亚第2位总统(1967～1998)，以保守主义、民

供图：AP/Wide World Photos

族主义和反共政策而知名。中学毕业后一度在银行当职员，后参加荷兰殖民军队。1942年日本人占领印度尼西亚后，他加入日本人扶植的保卫团，接受军官的训练。日本投降后他参加游击队，为争取印度尼西亚从荷兰人手中独立而作战。1950年印度尼西亚成为共和国时，他为陆军中校。20世纪60年代在苏加诺总统与共产党人保持亲密关系期间，军队则强烈地一致反共。苏哈托作为陆军少将和印度尼西亚陆

军战略后备司令，于1965年9月30日率兵镇压一次所谓的共产党政变。在随后几个月，他指挥对共产党员和左翼人士的清洗，对共产党人进行了大屠杀。1966年3月12日苏哈托接管印度尼西亚政府，虽然苏加诺依然又当了一年名义上的总统。1967年3月协商会议任命苏哈托为代理总统，1968年3月选举他为总统，任期5年。苏哈托实行他称之为“新秩序”的政策，依靠在美国受过教育的经济学者，振兴印度尼西亚的经济，鼓励西方投资，扩大石油生产。苏哈托多次连选连任。他实行独裁统治，多年来公民自由受到严格限制。因国内发生排华骚乱，迫于反对派压力，1998年5月21日辞职，副总统哈比比继任。

Sühbaatar　苏赫巴托尔　又拼Süchbaatar。蒙古人民共和国北部城镇，位于首都乌兰巴托西北偏北260千米，在鄂尔浑河和色楞格河汇流处。1940年建立。是以蒙古革命领袖苏赫巴托尔的名字命名。苏赫巴托尔是色楞格河的起航点，1949年建成通往乌兰巴托的铁路，后又成为去俄罗斯的铁路终点站。苏赫巴托尔是贸易和工业中心。设有农学院。有热电站、面粉厂、火柴厂、酿酒厂、车辆修理场以及建筑和木工联合企业。人口22 300(1998)。

Sühbaatar, Damdiny　苏赫巴托尔(1893-02-02，蒙古车臣汗～1923-02-22，库伦[今乌兰巴托])　蒙古人民革命党(建立蒙古人民共和国的主要力量)的创始人之一和领袖。苏赫巴托尔早年从军，受过机枪手训练。在同亲日武装作战时，曾被授予“英雄”荣誉称号。退伍后，苏赫巴托尔学习当排字工，但不久便参与政治，1919年他组织革命小组。翌年与乔巴山领导的小组联合，并访问俄国。1921年他组织人民军，反对由温根-施滕贝格男爵率领、从俄国败退占领蒙古北部的反布尔什维克军队。1921年3月人民军打败中国人，7月6日人民军占领库伦(今乌兰巴托)，7月10日建立政府，他出任新政府的军事部长。

Suhl　苏尔　德国中部城市。在图林根州图林根林山中的劳特河畔。1239年首见于记载，1527年建制。1815年和选侯领地萨克森一同转属普鲁士。重要建筑物有建于16～17世纪的城堡和建于1731～1739年的巴罗克式圣十字教堂。工业产品有摩托车、机械、猎枪、精密仪器、电器、工具、瓷器和玩具等。人口约53 400(1996)。

苏尔市中心现代化建筑中的17世纪酿酒作坊，现为轻武器博物馆

供图：Eastfoto

Suhrawardī, as-　苏哈拉瓦迪(约1155，伊朗赞詹河附近苏哈拉瓦尔德～1191，叙利亚阿勒颇)　又称马克图勒或沙伊赫·伊什拉克。伊朗伊斯兰教神秘主义教义学家、哲学家。伊斯兰哲学启明学派的代表人物，试图将哲学与神秘主义综合起来。苏哈拉瓦迪在伊斯法罕学习后，到伊朗、安纳托利亚、叙利亚等地旅行。在阿勒颇得到该地统治者马立克·扎希尔的赏识；但是他的理论，特别是神秘主义理论中的泛神论倾向，引起正统派学者的反对，在他们的挑唆下，马立克·扎希尔将他处死。苏哈拉瓦迪的著述共50多种，分为两类：一类是教理和哲学，包括对亚里士多德和柏拉图著作的注释；另一类是短篇论文。他在亚里士多德哲学和琐罗亚斯德教的影响下，设法调和传统哲学与神秘主义。在《启明智慧》一书中，苏哈拉瓦迪指出，质产于知，没有客观实在或客观存在。他集中研究有与无两种概念，认为存在是单一的连续体，它的最高发展阶段是纯净之光即真主，各中间阶段是光与暗的混合体。苏哈拉瓦迪创建神秘主义伊什拉基教团。云游传教的努尔巴克赫希派也尊他为祖师。

Suhrawardīyah　苏哈拉瓦迪教团　伊斯兰教神秘主义苏非派教团。此派戒律森严，由阿布·纳吉普·苏哈拉瓦迪创立于巴格达，经其侄欧麦尔·苏哈拉瓦迪进一步发展。此派祈祷时反复背诵与七精灵相对应的真主七名，而七精灵又与七光相对应。该教团的主流派集中在阿富汗和印度次大陆，支派向西流传。

Sūi　苏伊　巴基斯坦南部俾路支省城镇。位于雅各布阿巴德东北。由于1950～1951年发现了世界最大天然气田之一，苏伊因而成为重要之地。1955年苏伊开始开发，铺设了输气管，向海德拉巴、卡拉奇和苏库尔的工业生产提供廉价燃料和动力。后来管道又伸延到木尔坦(1958)、拉合尔、费萨拉巴德以及哈达尔(1970)。除了发电外，苏伊的天然气还用于制造化肥，以及作为巴基斯坦日益发展的石油化学工业的基础。人口约5 000(1981)。

Sui——：　隋朝帝王　按在位年代顺序排列，并各以●为标记。

● Suiwendi Yang Jian　隋文帝杨坚(541～604)　中国隋朝(581～618)开国皇帝。年号开皇、仁寿。弘农华阴(今属陕西)人。北周时承袭父杨忠随国公爵位，女为周宣帝皇后。宣帝死，辅幼主静帝。581年废静帝代周称帝。改元开皇，国号隋，在位24年(581～604)。政制上废北周模仿《周礼》所置的六官，在中央确立三省六部官制；简化地方行政机构，把州、郡、县三级改为州、县两级；规定九品以上地方官概由中央任免；废除九品中正制，开始改行科举制；颁《开皇律》500条，刑律简要，基本上为后世所本。军事上改革

中国大百科全书出版社供图

府兵制，规定在州县落籍，从事生产，但保留军籍，轮番宿卫。经济上统一钱帛和度量衡，继续推行均田制，减轻赋役，免除盐酒商税，加强清查隐漏户口，实行输籍定样，保证国家财政收入。589年灭陈，统一全国，结束晋末以来的分割局面。晚年多猜忌，杀戮功臣，又罢斥名相高颎，废太子杨勇，重用杨素，立杨广为太子。仁寿四年(604)在病中被杨广杀害。

● Suiyangdi Yang Guang　隋炀帝杨广(569～618)　中国隋朝(581～618)第2代皇帝。弘农华阴(今属陕西)人。隋文帝次子。以阴谋夺得皇位，在位14年(604～618)。年号大业。即位后即营建东都(洛阳)，每月役丁200万；并在6年中(605～610)役使民力300万开凿南北大运河；以百万民工北筑

中国大百科全书出版社供图

长城。又年年巡幸，豪华奢侈，约计前后强征1 000万人充役。从611～614年对高丽发动三次大规模战争，均告失败。横征暴敛，兵役繁重，严重破坏生产，导致大业七年(611)各地农民大起义，隋朝瓦解。616年南下江都(今扬州)。618年禁军将领宇文化及等发动兵变时，隋炀帝杨广被缢杀。

Sui DYNASTY 隋(581～618) 中国历史上南北朝之后又一个统一的封建王朝。建都长安(今陕西西安)。历文帝杨坚、炀帝杨广、恭帝杨侑，凡3帝，共38年。隋朝统治时间虽短，但在中国历史中占有重要地位。隋朝结束了中国南北朝分裂近300年的历史，为强化中央集权进行了一系列重要改革。这一时期先后建立了三省六部官制、科举制和中央任免地方官制度，以及兵役制、赋役制和户籍管理法等，对后世王朝影响很大。隋初经济繁荣，全国人口增加到4 600万。还开凿沟通

山东嘉祥英山一号隋墓出土壁画《徐侍郎夫人出游图》(局部)
中国大百科全书出版社供图

中国南北的大运河，兴建举世闻名的首都大兴城(总面积84平方千米，后为唐长安城)。隋炀帝统治中后期游幸荒淫，政治腐败，征战不已，赋役繁重，刑罚严酷，在人民纷纷起义下灭亡。

Sui language 水语 又作Shui Language。中国水族使用的语言。属汉藏语系壮侗语族侗水语支。主要分布于中国贵州省黔南布依族苗族自治州的三都水族自治县以及榕江、荔波、独山、都匀、剑河、黎平和广西壮族自治区的南丹、融水等县。使用人口约25万。水语内部没有方言差别，只有三洞、阳安、潘洞3个土语。水语(三洞)的语音特点是声母复杂。包括有71个声母：其中包括双唇、舌尖中、舌面前、舌根小舌塞音各分清和清送气，有喉门塞音；舌尖前塞擦音也分清和清送气；有唇齿、舌尖前、舌面前、舌根、小舌、喉门擦音；双唇、舌尖中、舌面前、舌根鼻音分清、浊；有边音、舌面半元音各1个。有19个腭化辅音、10个圆唇化辅音、2个带鼻冠的复辅音和9个带前喉塞的复辅音。有55个韵母：其中包括7个单元音韵母、8个复元音韵母和40个带辅音韵尾的韵母(辅音韵尾由3个鼻音和塞音构成)。有8个声调：6个舒声调，包括中升(1)(括号内的数字为调类，下同)、低降(2)、中平(3)、中降(4)、高升(5)、高平(6)和2个入声调即高平(7短)高升(7长)和次高降(8短8长)。词类有名词、量词、代词、数词、动词、形容词、副词、象声词、叹词、介词、助词、连词、语气词13类，以虚词和词序表示句子成分的关系；名词前常冠以表示事物类别的量词；形容词后一般能带一个后附音节，表示程度加强；两个词义相同或相关副词可以分别加在谓语前后，表示强调；名词修饰语除量词外一般在名词后。句子主语在谓语前，宾语和补语在动词之后。

suiboku-ga 水墨画 又称墨绘(sumi-e)。日本单色墨画。这一技法最初是在中国宋代(960～1274)发展起来的，14世纪中叶由禅宗和尚传入日本，在室町时代(1338～1573)

雪舟的水墨画手卷《天桥立图》，约1502～1505年
东京国家博物馆供图

达到高峰，主要画家有雪舟等杨，雪村周继。题材主要取自禅宗。在德川幕府时期(1603～1867)水墨画还深受欢迎，但很快就由于缺乏奔放的气势，风格上流于形式主义。

suicide 自杀 一个人自愿或故意杀死自己的行为。由于此定义并未说明这种行为的结果，现在常区分为致命的自杀和未遂自杀或非致命的自杀。

历史上，不同的社会对自杀或是谴责或是称赞。伊斯兰教、犹太教及基督教认为自杀有罪，在几个国家里自杀未遂会受到法律的惩罚。印度的婆罗门则容忍自杀，印度寡妇理论上自愿自杀(殉夫自焚)，现已被法律禁止，但它在过去曾深受赞美。古希腊已定罪的罪犯可自行结束自己的生命，罗马对自杀的态度到了帝国晚期因奴隶自杀率高而强硬起来，奴隶自杀使其主人损失贵重的财产。日本人**切腹**(**seppuku**)的习俗长期以来一直被当作仪式来进行。武士阶层有特权因犯错误而这般自惩，也借此逃避失败的屈辱，或羞辱敌人，或向已故主人或天皇表示忠诚(强制性切腹已于1873年废止)。佛教僧尼也曾自杀牺牲，以自焚的方式表示对社会的抗议。

自欧洲的中世纪以来，西方社会曾先后使用教会法规和刑法来吓阻自杀行为。1789年法国大革命后，欧洲国家取消对自杀未遂科以刑罚的规定，英国则在1961年才最后跟进。但欧洲许多国家和美国许多州还采用法律惩罚帮助某人自杀。然而，改变自杀的法律地位无助于降低自杀率。

现代社会的宽容意味着对越轨行为的更大容忍，多少助长了自杀行为，尤其是用凭处方供应的药品服毒自杀增多。社会对自杀的态度也逐渐减少从道德和处罚的角度来考虑。现在更愿去谅解而非责难，但往往对自杀行为仍隐而不报。

致命的自杀行为通常会使与死者有关的人产生悲恸的反应和罪恶感。他们会觉得如果他们能给予死者更多的关怀和爱护，也许就能阻止自杀。如果是非致命的自杀，则能呼吁援助，引起补救；它可导致改善与企图自杀者的关系。自觉或不自觉地企盼这些反应，正是自杀行为发生的一个因素。

为解说自杀的原因，已提出若干理论。心理学方面强调人格和感情因素，社会学方面强调社会和文化压力对个人的影响。人们发现，孀居、无子女、居住大城市、高生活水平、精神失常及体弱多病等社会因素与自杀率明确相关。战时自杀率下降与将敌对行为从自身转移至共同敌人有关。而战时较亲密的人际关系也可减少社会孤离感，这种孤离感被认为是酿成自杀最重要的因素。

不能指望找到一种可极大降低自杀发生率的方法，但及早识别和治疗精神失常是重要的遏制途径。20世纪50年代以后，许多国家纷纷成立预防自杀的特别中心和组织。这些中心和组织大多不在医疗指导下，但都有医疗顾问。电话是孤独绝望、需要帮助的个人通常用来与日夜提供咨询意见者取得联系的工具。有证据表明这种服务有助于避免自杀行为。

suicide tree 自杀树 从哥斯达黎加到哥伦比亚北部一带原生林中的热带树，因此种树结实后即死亡而得名。成年树的特征是树皮薄、发红、有波纹，看似像绷紧、扭曲的肌肉。幼树的树干像一条紧紧缠绕在一起的绳子。该树底部树干宽大，属Papilionoideae亚科，高度常可达30米(100英尺)，叶片长5～10厘米(2～4英寸)。每年3～6月开花，从浅黄色到浅金黄色，呈穗状，长约12厘米(5英寸)。其种子附着在椭圆形的翼膜上，可随风而散。种子每年8月份发育成熟，到次年旱季(1～3月)才从树上脱落。因在其生命周期内只开一次花、结一次果而与众不同。此种现象在长寿植物中很奇特，在热带树木中几乎是唯一的。局部种群内每棵树开花要间隔4年。通过一次大量播种，避免了许多其他树种的常见问题——幼苗因病原体致死。当幼树长到中等大小，母树即倒下，在树冠层留下一个巨大缺口，被底部的幼树迅速占据。

suid 豕 偶蹄目猪科所有种的统称，包括野猪和家猪。体肥状；眼小；毛粗糙，有时稀。

红河猪(*Potamochoerus porcus porcus*)
供图：Ylla—Rapho/Photo Researchers

吻长而灵活，末端有一软骨圆盘，用以挖掘食物。有些种生有一对大獠牙。杂食性。群居。一胎2～14仔，妊娠期4～5个月。家猪饲于全世界，野猪原产于旧大陆。参阅 **babirusa; boar; bush pig; pig; swine; warthog**。

Suid-Afrika 参阅 **South Africa** 南非。

Suidger(pope) **苏伊格尔** 参阅 **Clement II** 克雷芒二世。

Suifenhe 绥芬河 中国黑龙江省县级市，边境口岸城市。位于省境东南绥芬河上游，故名，东与俄罗斯接壤。18世纪前为原始森林覆盖。清咸丰十年(1860)《中俄北京条约》使乌苏里江以东约40万平方千米中国领土

绥芬河市一角
中国大百科全书出版社供图

被沙俄吞占，一部分中国居民迁回到今绥芬河一带。1903年中东铁路通车，绥芬河成为对俄贸易口岸。1910年俄国在此设立领事馆。1915年绥芬河已有人口7 300人，有俄、美、英、朝、日、澳等18个国家和地区商人在此经商，悬挂各自国旗，曾有"旗镇"之称，并被誉为"国际商业都市"。1933年因日军占领，外商回国，经济急剧衰落。1948年为东宁县政府驻地。1951年成立绥芬河军政委员会，直属东北局。1975年设市，隶属牡丹江地区。1983年牡丹江地区撤销，绥芬河市改为省直辖，由牡丹江市代管。辖绥芬河、阜宁2个镇。面积427平方千米。有铁路、公路与俄罗斯相通，铁路口岸线已向俄罗斯开放。在市郊建起了2.4平方千米的经济技术开发区。工业有啤酒、纺织、陶瓷、制药等。人口60 000(2005)。

Suiko 推古天皇(554，日本大和～628-04-15，大和) 日本有文字记载以来的第一个女天皇。原为敏达天皇(572～585在位)的皇后。钦明天皇之女。585年敏达天皇逝世，用明天皇继位。不久用明天皇驾崩，苏我氏、物部氏和中臣氏为争夺继承权而互相仇杀。结果苏我氏战胜，拥崇峻天皇即位。但崇峻天皇企图摆脱苏我氏的控制，592年又为苏我马子所杀。马子立推古皇后为天皇，她是崇峻天皇的妹妹，苏我马子的外甥女。推古的统治象征着对男性继承传统的巨大破坏。由于苏我氏笃信佛教，推古天皇在位期间，佛教在日本确立了自己的地位，中国文化开始大量传入日本。中国和高丽工匠被招来日本，又引入中国历法并以中国官制代替日本的授爵世袭制度，确立了天皇的至高无上地位。

Suining 遂宁 中国四川省辖地级市。位于四川盆地中部，涪江中游。南朝齐(479～502)为小汉县，梁(502～557)改小溪县。西魏(535～557)改方义县。北周闵帝元年(557)为遂州治所。隋大业(605～617)初始为遂宁郡治所。北宋政和五年(1115)升为遂宁府，元至元二十年(1283)降为遂宁州。明洪武初年废县，洪武九年(1376)降遂宁州为遂宁县。1985年成立省辖市。辖船山、安居2区及蓬溪、射洪、大英3县。面积5 326平方千米，其中市区面积1 826平方千米。市境多丘陵，涪江沿岸有狭小平原分布。主产水稻、小麦、油菜籽、棉花及中药材白芷。为四川重要棉花产区。轻工业占工业总产值的4/5，纺织和食品工业是全市最大的工业部门。射洪的沱牌曲酒为中国名酒之一。318国道及成南、绵渝、遂广高速公路等过境。名胜古迹有唐代广德寺，全寺由26处殿阁亭榭组成。蓬溪的宝梵寺壁画和射洪金华山上的陈子昂读书台，都属四川省重点文物保护单位。人口：全市3 770 000(2005)；市区1 420 000(2004)。

Suir, River 舒尔河 爱尔兰河流。源出德弗尔斯比特山，向南穿过蒂珀雷里郡低地，过瑟勒斯后至诺克米尔当山下，接纳塔河，在库姆拉山西缘向北流，然后进入一条东西向的长峡谷。18世纪60年代，该河可通航至克朗梅尔。最后河流展宽形成河口湾，与巴罗河和诺尔河汇合。全长183千米。三条河均流入称作沃特福德港的宽阔河口湾。

Suisse 参阅 **Switzerland** 瑞士。

suit 套服 几件相配成一套的衣着。如以外衣、背心和长裤各一件配成的一套服装。从1666年法国路易十四和英国查理二世宫廷开始，西方男子由道布莱特上衣(**doublet**)转向现代的套装。改良后的款式为一件长上衣和一件背心，配以紧身马裤，和用袜带吊在膝下的长统袜。这种配套形式遂成为男子服装的固定样板。从法国大革命直至19世纪中，男套装则包括一件紧身短背心，一条稍过膝盖的马裤或长裤，一件长上衣和一顶大礼帽。现代套服的雏型出现于1860年，它是一种便服套装，包括长裤、马甲或背心和短外衣各一件。19世纪以来，男式服装基本固定不变。19世纪后半叶，由于骑自行车、骑马等运动的发展，女套装非常流行。线条简单、腰身服贴、装饰少的"成衣"服装在19世纪80年代得到发展，20世纪初广为流行。第一次世界大战以后，妇女离家外出工作时，常穿一条裙子和一件西服上衣。20世纪后半叶，妇女开始穿色彩相配的短上衣和裤子套装(配套女服)。这种套装随着男女平等化的潮流而更加流行。

Suita 吹田 日本本州大阪府城市。濒临淀川，在大阪市北。德川时代(1603～1867)初发展为河港和驿镇。19世纪末工业兴起，建有大型啤酒厂。现生产金属制品、化工品、纸浆。1923年建成大型铁路货场。1970年曾在吹田举办世界贸易博览会。人口342 760(1995)。

suite 组曲 在音乐中指由不同特性但通常用同一调性的若干自成起讫的乐章组成的一组乐曲。17和18世纪是组曲的全盛时期，这时期的组曲主要由舞曲乐章构成。在19和20世纪此术语亦可泛指各种器乐作品(它们主要采用小于奏鸣曲的形式)的组合，并且包括为音乐会演出而选用的戏剧配乐(例如比才《阿莱城姑娘》组曲，1872)和芭蕾舞音乐(例如柴可夫斯基《胡桃夹子》组曲，1892)。由相关的舞曲乐章组成的组曲起源于14～16世纪的成对舞曲，诸如帕凡舞曲与加利亚德舞曲或低步舞曲与萨尔塔列洛舞曲。这种成对的舞曲往往采用同样的主题，但以不同的拍子和速度处理。16、17世纪德国作曲家常将3或4首舞曲编为一个统一的音乐整体。而法国的时尚是出版一些只是由多至17或18首同一调性的乐曲(几乎都是舞曲)凑合而成的诗琴或键盘乐器的组曲。法国作曲家把这些舞曲逐渐改变成优美、精致的乐曲，并使各个舞曲体裁呈现鲜明的音乐特性。18世纪初曾以4种舞曲类型(其顺序为阿勒曼德舞[**allemande**]、库朗特舞[**courante**]、萨拉班德舞[**sarabande**]和季格舞[**gigue**])为组曲的惯常组合，法国作曲家则在此4种之外还引用了其他舞曲类型。这种基本组合是在17世纪后期由J.J.弗洛贝格于当时一般的德国排列法(阿勒曼德、库朗特舞和萨拉班德)中的库朗特舞之前或之后加进季格后，才在德国确立起来的。弗洛贝格的出版商后来重新调整了舞曲次序，才成为标准的组合形式。18世纪中期开始运用附加乐章(华丽曲)，如加沃特、布雷和小步舞曲，甚至还用了并非选自舞曲的抒情乐章，并常冠以各种不同题名的引子性的乐章，如前奏曲、序曲、幻想曲、辛福尼亚等等。在法国和德国之外，组曲乐章的排列顺序和选择比较自由。

Šuja(Russia) 参阅 **Shuya** 舒亚。

Sukabumi 苏加武眉 又拼 Soekaboemi。印度尼西亚爪哇岛西爪哇省城市和县。位于雅加达南 80 千米、庞朗奥火山麓。有公路和铁路西北通茂物和雅加达，东连万隆。居民大多是爪哇人。亦杂有少数巴厘人。多奉伊斯兰教。周围丘陵都是橡胶园。当地生产稻米、玉米、木薯和椰干。该市是这些农产品的贸易和转运中心。工业有纺织、机械、加工食品和碾米。手工业为木雕、蜡染印花、制作短剑等。当地海拔 600 米为疗养胜地。人口：市125 766；县1 517 657(1995)。

Sukarnapura(Indonesia) **苏加诺城** 参阅 **Jayapura 查亚普拉**。

Sukarno 苏加诺(1901-06-06，荷属东印度群岛爪哇泗水～1970-06-21，印度尼西亚雅加达) 印度尼西亚独立运动领袖和首任总统(1949～1966)，他废弃原有的议会制，代之

供图：Fred Mayer—Magnum

以独裁的"指导下的民主"，企图利用共产党抑制军队领导人；1966 年被苏哈托领导的军队推翻。出身于教师家庭。15 岁在泗水人中学。他语言才能出众，掌握爪哇、巽他、巴厘方言及阿拉伯、荷兰、德、法、英、日等外国语。对现代印尼语也多有创造。1927 年获得土木工程师学位。因反对荷兰殖民政府，被捕监禁两年(1929～1931)，后又流放弗洛勒斯和苏门答腊 8 年。1942 年 3 月日军侵占荷属东印度群岛，他把入侵者视为解放者。日军任命他为首席顾问和宣传家，他也甘心为之效劳。后来他利用人民民族独立的要求，向日本施加压力，于 1945 年 6 月发表"潘查希拉"，即印尼的五项原则(民族主义、国际主义、民主、社会繁荣和信奉真主)。日本投降前夕，苏加诺一度动摇，但在进步青年的威胁和劝导下，终于在同年 8 月 17 日宣布印尼独立，自任总统。在以后 4 年里成功地打退荷兰重占印尼的企图，迫使后者于 1949 年 12 月 27 日正式承认印尼的独立和主权。他住进华丽的前总督官邸，优游宴乐，挥霍无度，不久许多人公开批评他不关心国家政治、复兴和发展。在他执政时期，卫生、教育确有改善，民族自尊心亦大有提高，但付出了高昂的代价。1956 年后期苏加诺为消灭异己，解散了国会，提出"指导下民主"和"指导下经济"的政策，实际上实行独裁，使国家连续发生危机。1957 年起几次险遭暗杀；1958 年苏门答腊和苏拉威西爆发地方叛乱；通货膨胀严重。1963 年与美国关系恶化，以后又与苏联闹翻；1965 年 1 月因与马来西亚的纠纷退出联合国。他煽动印尼群众，称颂他为"伟大革命领袖"、"终身总统"。1965 年 9 月 30 日印尼发生政变，苏加诺显然也参预其事，一个共产党人和军队中阴谋分子组成的集团，绑架杀害 6 名高级将领然后宣布成立新政权。雅加达军区司令苏哈托迅速平定了政变，事后即与苏加诺争夺权力。当时约有 30 万共产党员和共产党嫌疑分子被杀。1966 年 3 月 11 日苏加诺被迫把政权让给苏哈托。苏加诺 69 岁时死于慢性肾病。苏哈托命令给予快速平静的葬礼。但仍有 50 万人(包括雅加达的所有政要人物)怀着矛盾的心情向他最后致意。次日在勿里达又有另外 20 万人参加官方仪式。苏加诺主义的思想意识遭到禁止，直到 70 年代末政府始恢复苏加诺的名誉。

Sukarnoputri, Megawati 苏加诺普特丽(1947-01-23，印度尼西亚雅加达～) 全名 Dyah Permata Megawati Setiawati Sukarnoputri，简译梅加瓦蒂·苏加诺普特丽。印度尼西亚政治家，第 5 任总统(2001～2004)。印度尼西亚第 1 任总统苏加诺之女，曾攻读心理学和农学，但没有取得学位。1987 年开始从政并入选人民协商会议(国会)，1993 年成为印尼民主党领导人。她逐渐对总统苏哈托(他于 1967 年取代了苏加诺)形成威胁。1996 年 6 月政府通过精心策划，使其不再担任印尼民主党首领，从而阻止了她参加 1998 年总统竞选。她的支持者 7 月在雅加达进行抗议，政府派兵镇压，造成首都 20 多年来最严重的骚乱和火灾。她被禁止参加 1996 年的议会选举。1998 年 10 月，在苏加诺辞职(5 月)之后，她和支持者成立了中间偏左路线的印尼民主斗争党。在 1999 年 6 月国会选举中，印尼民主党得到 34% 的选票，高于其他党派。当 B.J.哈比比(他接替苏加诺成为不得人心的临时总统)下台时，社会普遍认为人民协商会议会选举她当总统。然而在 10 月 20 日，会议却选举民族觉醒党的 A.瓦希德当总统，在全国引发她的支持者的抗议；第二天她当选副总统。由于政府面对日益增加的批评，瓦希德 2000 年将大部分日常工作交给了她，但他的困境依然存在。2001 年 7 月 23 日，人民协商会议撤销瓦希德的总统职务，任命苏加诺普特丽为总统。她在当日晚些时候宣誓就职。作为总统，她面临许多问题，包括经济下滑、亚齐省的分裂运动以及恐怖袭击。政府也受到腐败指责的困扰，因无法减少国内的高失业率而遭到批评。她和苏西洛(她的前任安全部长)在 2004 年总统选举的第一轮中领先，但后者在随后的决定性选举中轻松胜出，于 10 月接任总统职位。

Sukenik, Eliezer (Lipa) 苏肯尼克(1889-08-12，俄罗斯帝国波兰比亚韦斯托克～1953-02-28，耶路撒冷) 波兰出生的以色列考古学家，曾鉴定死海古卷的年代。他于 1912 年定居巴勒斯坦。1926 年在费城德罗普西学院获博士学位，同年参加希伯来大学工作，从事田野考古。1935 年担任讲师，1938 年任教授，讲授巴勒斯坦考古。曾任犹太古物博物馆馆长。1925～1927 年间曾主持耶路撒冷古城第三城墙遗址的清理工作。1930 年与 L.A.迈耶一起发表《耶路撒冷第三城墙》。他熟悉耶路撒冷犹太墓地的碑铭文字，其年代为第二神庙的最后一个世纪(约公元前 30～公元 70)，因此，他能够看出 1947 年库姆兰第一洞穴所出的古卷也属于这个时期。所著《死海古卷》一书于 1955 年发表。

Sukhāvatī 净土 大乘佛教名词，指《净土经》所介绍的无量寿佛(阿弥陀佛)的西方极乐世界。普遍流行于东亚的净土宗，该宗认为人诵念"阿弥陀佛"(**Amitābha**)之名，特别是在弥留之际，即可往净土。但是，妇人无论有多少功德也不能进入净土，她必须先转世成为男身方可。《净土经》写净土十分生动，谓该处是欢乐世界，平静安详，光明灿烂，百鸟歌唱，树上饰有珍宝和由金铃编成的彩环，铃声优美。净土中央的高台上有池，无量寿佛坐在池中莲花上，观世音和大势至两位菩萨侍立两侧。人死后入莲花蕾，待完全净化后莲花开放。他们永居净土福地，直到修成最后彻悟之时。参阅 **Pure Land Buddhism**。

Sukhomlinov, Vladimir Aleksandrovich 苏霍姆利诺夫(1848-08-16[旧历08-04]～1926-02-02，柏林) 俄国陆军大臣。对俄国过早而毫无准备地进入第一次世界大战负有重大责任。1877～1878 年参加俄土战争，任骑兵指挥官。1886～1897 年任圣彼得堡骑兵士官学校校长，1898 年擢升将军。1909～1915 年为俄国陆军大臣。当奥地利向塞尔维亚递交最后通牒时，他向沙皇政府保证俄军已作好战斗准备。1915 年 6 月解职。1916 年 4 月以渎职、贪污和叛国罪被捕，10 月获释。革命以后临时政府再次逮捕他，1917 年秋判处无期徒刑，后由布尔什维克大赦，移居德国，并撰写《回忆录》(1924)。

Sukhothai 素可泰 泰国中北部城镇，是一个古王国的历史都城，也是泰国最早、最具有重要历史意义的聚落之一。素可泰原是以吴哥为中心的高棉王国的一处乡下市镇，13

素可泰镇的13世纪佛像

供图：Hermann Schlenker—Photo Researchers

世纪获得独立，成为位于现今泰国中央平原上的第一个统一而独立的泰邦首都。王国的第三代统治者兰坎亨国王(约 1279～约 1298 在位)将其霸权往北扩展到现在的老挝，往西直抵安达曼海，往南到达马来半岛。这座古城据说约有 8 万居民。在兰坎亨国王统治下，开始大兴建筑，工程繁忙约达百年之久，

直到14世纪下半叶，素可泰的大部分寺庙皆已建成。1351年阿育他亚建为强大的敌对王朝的首都之后，素可泰王朝的影响开始衰落，1438年本城被攻陷，并入阿育他亚王国。一般认为素可泰在15世纪末或16世纪初被废弃。20世纪70年代，泰国政府得到联合国教科文组织的协助，进行修复素可泰旧址的工作，包括一些庙宇、佛塔遗迹、装饰性池塘与佛像。修复之后成为素可泰历史公园，面积约70平方千米，位于曼谷以北约450千米处，于80年代末开放。现代的素可泰市离历史遗址约13千米，建于居民稀疏的稻米种植区内，有纺织、木工、金工、捕鱼、服装、食品加工等企业。人口约19 794(1998)。

Sukhothai style 素可泰型 佛像的标准型式之一，14世纪兴起于暹罗(今泰国)，或许是素可泰城。泰国佛教人士认为，为求寺内佛像灵验常存，必须使佛像尽可能近似原始标准型，相传这种标准型是在佛陀在世时制造的。泰国几代国王曾进行至少3次重大努力以制定佛像"真正"标准，最先制定的是素可泰型，其后有乌通(也是地名)型和狮型。素可泰型直接受到斯里兰卡艺术的影响，斯里兰卡是上座部佛教的据点，唯有在斯里兰卡才能找到足以当作楷模的标准佛像。素可泰型佛像由有力的曲线和圆柱型构成，望去使人感到丰润飘逸而高雅。身体各部各有所似，如两肩如象的躯干，躯干如狮，鼻如鹦鹉

14世纪晚期至15世纪初期的素可泰型青铜佛像(头部)
供图：Collection William H. Wolff, New York

喙。面部和身材拉长，眉、眼、鼻、口用浓重曲线标出。头顶隆起如火焰，据说佛比常人多一脑腔。佛或坐如莲花，右手指地，或作行走状，一脚迈在前面，右手抬到胸间。行走佛是泰国的创造，在印度不作为标准型。

Sukhumi 苏呼米 格鲁吉亚阿布哈兹自治共和国城市和首府。位于黑海海岸。古代为希腊殖民地。气候温和，有海滨沙滩，多疗养院和度假营，为游览胜地。生产水果罐头和酿酒，有铸造和电气设备厂。设有植物园、师范学院和亚热带农学院。1993年阿布哈兹分裂主义者与市内格鲁吉亚驻军战斗期间受到严重破坏。人口约120 000(1991)。

sukiyaki 鸡素烧 日本烹调中，将牛肉和各种蔬菜在平锅中自制自食的一道菜肴，它出现在日式烹调中的时代较晚。因为佛教戒律禁止宰杀四足兽类为食，所以直到19世纪60年代开始与西方国家持续交往后，牛肉才被引入日本饮食中。鸡素烧是在餐桌上置于炭火或其他轻便热源上的平底浅铁锅中烹调的，其法是将牛肉薄片在油中炒成棕色，并加入高汤、酱油和糖配制的调味汁，然后再将豆腐、香菇、洋葱、魔芋粉条和各种蔬菜放入锅内快速烹调而成。进餐者食用时往往先将一箸一箸的食品放入打好的生鸡蛋中沾一下。

Sukkoth 住棚节 又作Feast of Tabernacles或Feast of Booths。犹太教三个朝圣节期之一，开始于赎罪日后第5天，即提市黎月15日(在9月或10月)，是双重感恩的节期。

B.皮卡尔1722年绘画中的住棚节场面
贝特曼档案馆供图

《圣经》中称此节为"收割节"(《出埃及记》23:16)，是收获季节之末；后称之为"住棚节"(《利未记》23:34)，纪念以色列人当年在旷野漂泊住棚之事。这个节期的特殊活动是用树枝搭棚并采集4种植物以为土产丰盛感谢上帝。节期的第7天要用4种植物扎成7重篱笆，围绕会堂，称为大和散那。第8天称作圣会市(所罗门集会第8天)。参阅 **Shemini Atzeret; Simhath Torah**。

Sukkur 苏库尔 巴基斯坦东南部信德省城市。位于印度河西岸，有悬臂桥与对岸的罗赫里相通。旧城有许多古墓和清真寺。新城则位于低矮的石灰岩山脊上。1862年设市。有铁路与公路干线通奎达、木尔坦、卡拉奇。为工业与贸易中心，有饼干、卷烟、榨油、灰窑、水泥、棉纺、丝织、线和面粉加工等工厂，造船业也占重要地位。苏库尔工业贸易区建于20世纪50年代，有加工羊毛、油籽和牛皮等土特产品的设施。该城有信德大学的几所学院。苏库尔周围地区为一巨大的冲积平原，只偶有灰岩丘陵。普遍生产皮革制品、陶器和金属制品以及棉布和丝织品，也生产烟袋锅、鼻烟盒和剪刀。印度河的苏库尔坝(1932)向几条灌渠供水。灌渠网灌溉的土地种植小麦、棉花、水稻、油料作物和果树。人口约329 176(1998)。

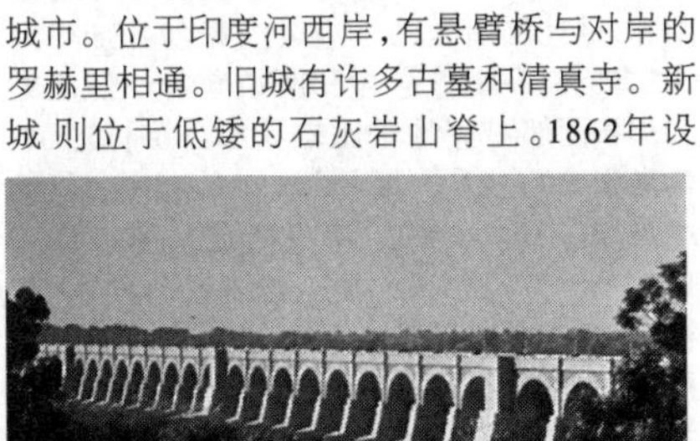

苏库尔市的苏库尔坝灌溉工程
供图：Frederic Ohringer from the Nancy Palmer Agency—美国不列颠百科全书公司

Suksaha 苏克萨哈(?～1667) 中国清初大臣。纳喇氏。满洲正白旗人。崇德六年(1641)因战功授牛录章京世职，晋三等甲喇章京。顺治十二年(1655)再立军功，擢领侍卫内大臣，加太子太保。年仅6岁的圣祖玄烨(康熙)继位后为辅政大臣之一。另一辅政大臣鳌拜专权，苏克萨哈与之多忤。后被鳌拜矫旨处绞。1669年康熙处置鳌拜后被昭雪。

Suku 苏库人 又称巴苏库人(Basuku)。住在刚果(金)西南部和安哥拉北部，操尼日尔-刚果语系的班图语。苏库人妇女种植木薯，男人狩猎。社会基层单位按母系血统组合。苏库人的住房长形，草顶。传统政治制度是国王授权给区域酋长，由区域酋长管理地方各酋长。

Sukulumbwe(people) 参阅 **Ila** 伊拉人。

Sukuma 苏库马人 居住在坦桑尼亚维多利亚湖以南姆万扎湾和塞伦盖蒂平原之间的班图语民族。苏库马人是坦桑尼亚最大的民族，在文化语言方面，与其南部的尼扬维齐人相似。苏库马人的混合经济以农业为主，也养牛。主要作物有黍类、高粱和玉米，近年来又以种植棉花为经济作物。通常按父亲传代、继承财产和传位。盛行一夫多妻制，婚媾需要聘礼，牛是理想的交换物。农村住户密集，少者5～6家，多者100家，由酋长管理。

1946年各酋长辖地合并，日后成为坦桑尼亚政府属下的一个行政单元。传统的宗教信仰主要是与祖灵相通并向祖灵献祭。

Sukunahikona 少彦名 又拼Sukunabikona。全称少彦名神（Sukunahikona no kami）。日本神话中的一位身材矮小的神祇。他辅佐大国主神建造世界，制订防御疾病和野兽的方法。此神司掌医治疾病和酿造米酒，特别关怀温泉。他最初乘树皮艇到出云国，身披鹅皮，与大国主神相遇，立即扇了大国主神一个嘴巴。但是两神成了挚友。许多关于侏儒和仙女的民间传说都是从有关此神的故事衍化出来的。最后，他攀缘到一株粟顶，粟茎把他弹到常世之国，离开了世界。

Sula 苏拉 印度尼西亚的群岛。荷兰语称索埃拉群岛。属于马鲁古省北马鲁古县，位于西里伯斯中部以东摩鹿加海（北）与班达海（南）之间。有三座大岛，塔利亚布岛（最大）、敏我里岛和萨纳纳岛，还有一些小岛，总面积4 850平方千米。塔利亚布和敏我里两岛多山，中隔扎帕卢卢海峡，森林稠密，人烟稀少；萨纳纳岛居民多，已开垦。群岛的居民和布鲁及塞兰岛相似，可能属来自东苏拉威西的南岛族，擅长航海、织纱笼、编席子。生产达玛树脂。萨纳纳岛种植稻米、玉米、烟草和甘蔗。西谷椰子是塔利亚布及敏我里岛居民的主要食品。萨纳纳岛东北岸的萨纳纳是主要城镇、港口及行政官员驻地。塔利亚布的主要城镇为勒基托比，敏我里的主要城镇是奥蓬希亚，皆在两岛的西南部。人口112 688（1997）。

Sulaimān Range 苏莱曼山脉 巴基斯坦中部的山地。从古马勒山口向南伸延到雅各布阿巴德以北不远，长约450千米。将西北边省、旁遮普与俾路支分开。该山北高南低，山峰平均高1 800～2 100米。最高峰为双联峰塔赫特苏莱曼山，其中较高一峰海拔5 633米。每年有许多人来这里的圣庙朝圣。北部多杜松与果松，中部多橄榄树，南部植被稀疏。

Sulawesi（Indonesia） **苏拉威西** 参阅 **Celebes 西里伯斯**。

Sulawesi Selatan 南苏拉威西 英语名称为南西里伯斯。印度尼西亚西里伯斯中部和西南部省份。南临弗洛勒斯海，西濒望加锡海峡，东为波尼湾。北面与中苏拉威西相连，东北与东南苏拉威西接壤。面积72 781平方千米，包括位于弗洛勒斯海的塞拉亚、坦博隆昂、卡劳、塔纳詹佩阿（巴都）、博内拉泰和卡劳托阿等岛屿。有一条南北走向的山脉纵贯该省，中部为坦佩湖谷地切断，山脉北部的蒂尼巴山岭和塔科莱卡朱山岭相互平行，占该省北半部的大部分，两山之间有陡峭的裂谷。西里伯斯岛群最高峰位于中北部的兰特孔博拉山，海拔3 455米。山脉东西两翼有瓦拉纳埃、萨当、卡拉马、科博、卡拉埃纳、科拉杜和孔孔等河川，经狭窄沿海低地入海。山脉覆盖茂密的赤道森林，其中有柚木、栎木、榕树、铁木和松树，在较高处森林逐渐稀疏。河川两岸多林木。居民以从事农业和海洋渔业为生。物产包括稻米、玉米、椰干、咖啡、香料、植物油、柚木、藤条、甘蔗、大豆和甘薯。工业有碾米、水泥、饮料、化工、橡胶制品、加工咖啡、棕榈油、织布、造纸、金属器皿、木雕、编草席和篮子。开采白银、锡、镍和铁矿。公路几乎与西部、东部海岸平行伸展。省会乌戎潘当，马杰内、马卡勒、帕洛波、巴里巴里、辛康和瓦坦波尼是主要城镇。主要居民有布基斯人和望加锡人。人口8 059 627（2000）。

Sulawesi Tengah 中苏拉威西 英语名称为中西里伯斯，印度尼西亚一省。由西里伯斯岛中北部、东北半岛以及北半岛一部分组成。西临望加锡海峡，北濒西里伯斯海，东傍托米尼湾和托洛湾，东北连北西里伯斯，东南接东南西里伯斯，西南接南西里伯斯。面积26 921平方英里（69 726平方千米）（包括托米尼湾的托吉安岛和托洛湾的邦盖和博沃坎岛群）。地形普遍多山，较高火山山峰有马利诺山（8 015英尺）、奥戈阿马斯山（9 557英尺）和诺基拉拉基山（10 863英尺）。地壳的隆起、断裂和下沉形成深谷和山峡，特别是在西里伯斯中北部，并有一些湖泊如波索湖。沿海低地狭窄，或呈局部分布，不连贯。托米尼湾和托洛湾有一大片珊瑚礁。常流河有帕卢、波索、拉南和邦卡等河。海拔1 000英尺以下的地区大部分为繁茂的热带雨林（有很多蕨类植物），在更高的地区有浓密的柚木、娑罗双树和铁木森林。经济以农业为主，产品包括藤条、松香、甘蔗、椰干和稻米。铁木和乌檀也是重要产品。行业有木雕、碾米、制药、编织草席和篮子、提炼棕榈油等。运输靠河流和公路（主要在沿海一带）。省会帕卢以及波索和卢武克有机场，连同道加拉、科洛诺达勒和托利托利都是重要城镇。人口2 218 435（2000）。

Sulawesi Tenggara 东南苏拉威西 英语名称为东南西里伯斯。印度尼西亚西里伯斯东南部的省份。西临波尼湾，东面和南面临班达海，西北面与南苏拉威西（南西里伯斯）省相连，东北面与中苏拉威西（中西里伯斯）省连接。面积为27 686平方千米，包括沃沃尼、布通、穆纳和卡巴那等岛和位于弗洛勒斯海与班达海的图康伯西岛群。唐盖阿西努阿山脉和默孔加山脉是该省西北部两条平行的山脉，默孔加山脉的一座火山峰默孔加峰海拔2 779米，多峭壁悬崖和断裂狭谷。低洼的东部和西部沿岸地带比较狭窄。拉林达、拉索洛和桑帕拉是主要河流，向东流注。穆纳和布通（东南面）的近海岛屿通常海拔约为1 006米。该省的高地覆盖着浓密的柚木、松树、藤树和栎树森林；河谷长满高高的青草、灌木和竹子。居民主要从事农业，产品有稻米、甘蔗和咖啡。松香、藤条和木材也是重要物产。行业有木雕、编织草席和篮子、加工食品、印刷、制革、碾米、制作金银丝饰品等。内地交通主要靠河流。省会肯达里有一机场；拉沃瓦、波尼、巴务巴务和科拉卡是主要城镇。布基斯人是主要的种族，占人口的大部分。人口1 821 284（2000）。

Sulawesi Utara 北苏拉威西 印度尼西亚西里伯斯东北部偏北省份。西面与中苏拉威西（中西里伯斯）省接壤，北临西里伯斯海，东临摩鹿加海，南临托米尼湾。面积19 023平方千米，包括西里伯斯海的塔劳和桑义赫群岛。境内多山，并有大面积的隆起和断层，以及许多活火山，著名的有萨普坦山。米纳哈萨半岛上的克拉巴特山海拔2 022米。沿海低地狭窄，土壤肥沃，近海有珊瑚礁。山地水多湍流，如米朗鄂河和玛萨河等。高原覆盖着栎木、栗树和针叶树的常青雨林；山坡上有大片浓密的草地和灌木林。农业是主要的生活手段。种植水稻、咖啡、甘蔗、肉豆蔻和椰子。晒干的咸鱼供出口。行业有食品加工、饮料、皮革制品、碾米、木雕、编草席和篮子，以及生产棕榈油等。开采镍和铁并加工乌檀木。公路大部分沿北面海岸伸展，把省会万鸦老与亚巫兰，通达诺，哥打莫巴古，林博托和哥伦打洛相连接。居民主要是万鸦老人（米纳哈萨人），他们中有很多人是基督教徒。人口2 652 300（1995）。

Sulaweski, Laut（Pacific Ocean） **苏拉威西海** 参阅 **Celebes Sea 西里伯斯海**。

Ṣulayḥid DYNASTY **素莱王朝**（1047～1138） 名义上归属埃及法蒂玛哈里发的一个穆斯林王朝，在也门恢复了伊斯兰教伊斯玛仪派（一个激进的穆斯林派）。由阿里·伊本·穆罕默德（1047～1067在位）创立。起初，他在也门山区建成一个国家。不到20年，他消灭了也门北部的纳贾王朝、萨那地区的扎伊德伊玛目（1063）和亚丁地区的马尼王朝（1064）。可是，到11世纪末阿里之子穆坎拉姆·艾哈迈德当政时期（1067～1084），素莱王朝的领地逐渐减少。后来由他的妻子赛伊达·阿尔瓦执政。法蒂玛王朝承认她是也门诸王之主，直至1138年她死去为止。

Sulaymānīyah, as- 苏莱曼尼亚 伊拉克东北部一省和省会。苏莱曼尼亚省为库尔德族自治区三省之一，建于1781年。面积15 756平方千米。地处与伊朗交界处，全部为山地。产烟草、水果和谷物，畜牧业也重要。1974年自治后，建起新的烟草加工工厂。设有苏莱曼尼亚大学（1968），用库尔德语、阿拉伯语和英语教学。1973年建立医学技术研究所。70年代后期该省有几家医院和保健中心。并有接纳旅游者的建筑设施。省会位于艾兹迈尔达格山脉低坡上，濒临坦杰罗河。冬夏两季温度差异悬殊。1781年创建。现为当地农产品贸易中心、巴格达与伊朗大不里士之间的商站。居民大多为库尔德人，该镇是库尔德民族主义运动中心。人口：镇约364 096（1987）；省1 124 200（1991）。

sulcus, cerebral 参阅 **cerebral fissure 大脑裂**。

Suleja 苏莱贾 原称阿布贾。尼日利亚中部尼日尔州城镇和世袭酋长国名。该镇临伊库河，为公路枢纽。酋长国面积2 980平方千米，地处热带多树草原。原为4个科罗人小酋长部落，臣服于豪萨人的扎藻王国。约1804年护教战争中的富拉尼人占领扎藻王国的首都扎里亚，国王穆哈曼·马卡乌带着他的科罗贵族们逃至该镇以南的祖巴镇。他的兄弟阿布贾于1828年建阿布贾镇，次年任阿布贾第一任埃米尔。1902年阿布贾领导人中断了洛科贾和扎里亚之间的商路，该镇被英国占领。1917 ～ 1944年始开采冲积锡矿砂。在该镇和马卡博洛河床发现的诺克文化（繁盛期约公元前900 ～公元200年间）的雕塑，证明诺克对伊费的约鲁巴艺术的影响。酋长国以豪萨族的格巴里（瓜利）人及科罗人为主。在1976年的行政区划改革中，阿布贾镇成为地方政府参议会的所在地。20世纪70年代末附近开始兴建尼日利亚联邦首都区后，改名苏莱贾，而新联邦首都取名阿布贾。该镇以出口格巴里陶器著称。有棉织、土法染布和编席等传统手工业。现经济以农业为主。当地贸易以农产品为主。除了著名的陶器中心外，还有公立中学和医院。人口：城镇约105 075（1991）。

Süleyman　苏莱曼　英语作Suleiman，Soliman或Solyman。奥斯曼苏丹名称，按年代顺序分列于后，并各以●为标记。

● **Süleyman I　苏莱曼一世**（1494-11或1495-04 ～ 1566-09-05或06，匈牙利锡盖特堡附近）　别称Süleyman the Magnificent。奥斯曼帝国苏丹（1520～1566）。他不仅在军事征

不列颠博物馆供图

战中扩展疆土，而且指导着被视为最有特征的奥斯曼文明在法学、文学、艺术和建筑学中取得巨大成就。苏丹谢里姆一世之子。祖父巴耶塞特二世在位期间，他任克里米亚的克法总督。其父谢里姆一世在位时期，他任小亚细亚西部的马尼萨总督。1520年9月继承父位。登基后立即开始对中欧和地中海地区基督教国家的战争，1521年攻占贝尔格莱德，1522年占领罗得岛，1526年8月在莫哈奇战役中大败匈牙利军队。1529年苏莱曼想要彻底排除哈布斯堡王朝的干扰，遂率兵前去围攻维也纳。然而，由于气候恶劣，给养不足，在基督徒的顽强抵抗之下，他不得不向后撤兵。苏莱曼与波斯进行了三次重大的战役。第一次战役（1534 ～ 1535）使奥斯曼人占领了小亚细亚东部的埃尔祖鲁姆地区，并使奥斯曼王朝对伊拉克的征服成为确定不移的事实。第二次战役（1548 ～ 1549）使凡湖周围的大片土地处于奥斯曼王朝的统治之下。但第三次战役（1554 ～ 1555）无异于警告奥斯曼人说：要想轻易征服萨非王朝的波斯是不可能的。在苏莱曼苏丹统治下，奥斯曼人有了强大的海军，由赫伊尔丁（西方称之为巴尔巴罗萨［红胡子］）担任海军统帅。1538年赫伊尔丁在希腊的普雷韦扎海域中打败了威尼斯与西班牙的联合舰队。这一重大胜利使奥斯曼人在1571年以前始终在地中海中掌握主动权。1551年奥斯曼人占领北非的的黎波里，1560年全歼进攻的黎波里的西班牙远征军。苏莱曼不仅拥有陆上和海上的威慑力量，而且拥有许多精明强干的政治家，如大维齐尔（首席大臣）易卜拉欣，鲁斯特姆和穆罕默德·索库卢。还拥有伊斯兰法学专家艾布·苏欧德和凯末尔帕夏扎德、大诗人巴基和建筑大师锡南。锡南曾经在首都伊斯坦布尔修建了几座著名的清真寺。苏莱曼大体上完成了将前拜占廷城市君士坦丁堡改变为伟大的土耳其伊斯兰帝国中心伊斯坦布尔这一巨大任务。晚年诸子争夺继承权使他不安。

● **Süleyman（İbrahim）II　苏莱曼二世**（1642-04-15，君士坦丁堡［土耳其伊斯坦布尔］～1691-06-23，奥斯曼帝国埃迪尔内［今在土耳其］）　奥斯曼苏丹（1687 ～ 1691）。虽然在位期间很短，但能开疆辟土，减轻赋税，厉行改革，改善臣民生活，从而加强了帝国的力量。他知人善任，1689年法齐·穆斯塔法当上首席大臣以后，不但恢复了国内的秩序，而且把奥地利人赶出保加利亚和特兰西瓦尼亚，1690年又夺回贝尔格莱德和尼什。

Süleyman Çelebi　苏莱曼·切莱比（奥斯曼帝国布尔萨［今在土耳其］～1429，布尔萨）安纳托利亚早期最著名的诗人之一。似乎是奥斯曼帝国穆拉德一世苏丹的大臣艾哈迈德帕夏之子。曾为哈尔瓦提托钵僧团的一个首领，后为奥斯曼苏丹巴耶塞特一世（1389 ～ 1402在位）宫廷中的伊玛目。君主死后任布尔萨一所著名清真寺的教长。伟大的宗教诗篇《先知诞生赞歌》是他仅存的名作。《赞歌》是其通俗书名，描述先知穆罕默德的出生、经历和死；他的奇迹和登霄。该书用15世纪简明的土耳其风格写成，充满宗教激情，常常在宗教仪式、特别是现代土耳其葬礼中背诵。每逢庆祝先知诞辰，人们都要吟唱这首诗。

sulfa drug　磺胺药　全称为sulfonamide drug。sulfa亦可写作sulpha。含有磺胺分子结构的合成抗菌药物，包括磺胺、磺胺嘧啶、磺胺吡啶、磺胺噻唑及其他药品。1932年德国细菌学家和病理学家G.多马克注意到一种红色颜料百浪多息对小鼠的链球菌感染有作用，这是首次观察到磺胺药的抗菌作用。法国研究人员首先证明了磺胺是这种颜料的活性成分。美国研究人员随后又为磺胺疗法奠定了理论基础。磺胺药是第一类系统用来防治人类细菌感染的化学药物。磺胺药是抑菌药，即抑制细菌的生长和繁殖而不杀死它们。磺胺药干扰细菌的正常代谢和生长所需的酶系统。虽然至今已制备和测试过5 000种以上的磺胺药，但因为抗药菌株的出现，只有不足20种仍有治疗价值。根据药物吸收和排泄的速度将磺胺药分为四组。磺胺药最常见的副作用包括恶心、呕吐和精神错乱。其他副作用还有：发热、皮疹、贫血、白细胞减少，以及肝肾受激惹现象。现在磺胺药已大部被更有力的药物所取代。它们仍用于治疗泌尿道感染。

sulfadiazine　磺胺嘧啶　磺胺类合成药。用以治疗微生物感染，尤其是尿路及胃肠道感染。从20世纪40年代起用于医药，已成为应用最广的磺胺药。副作用小，抗菌谱广。可口服或静脉注射；可单独给药，亦可与其他药物联合使用。常与磺胺甲基嘧啶及磺胺二甲基嘧啶组成三磺胺嘧啶（三磺）。这样联合使用磺胺药可减少食欲不振、恶心及皮疹等副作用。

sulfamidochrysoidine（drug）　**偶氮磺胺**　参阅**Prontosil** 百浪多息。

sulfanilamide　磺胺　又称对氨基苯磺酰胺、氨苯磺胺。一种磺胺药，磺胺类药物的母体化合物。是一种重要的抗菌药物，对链球菌、葡萄球菌、沙门氏菌及球虫等引起的感染有疗效。磺胺在1908年就已合成，但过了很久才发现它是百浪多息（**Prontosil**）的有化疗活性的分解产物。20世纪40年代开始口服及局部使用（如用于开放性创伤）。毒性较低的磺胺衍生物发现后，本药只用于兽医。磺胺衍生的药物有磺胺嘧啶、磺胺甲基嘧啶、磺胺二甲基嘧啶、磺胺噻唑、磺胺二甲基异噁唑及琥珀酰磺胺噻唑等。多数细菌能以较简单的原料合成所需的叶酸，而人及其他高等动物则需由食物供给叶酸。因而磺胺药能通过干扰叶酸合成来抑制侵入体内的微生物的生长，而对宿主无害。1939年在酵母中发现了一种物质能拮抗磺胺的抗菌作用。1940年确定该物质为对氨基苯甲酸，其结构与磺胺近似。后证明，磺胺药的作用机制为取代对氨基苯甲酸，从而阻止微生物体内叶酸的合成。磺胺药能抑制细菌的生长繁殖，并与机体的防御体系一起控制感染。细菌反复接触磺胺药后，将逐渐增加对磺胺的耐受性。磺胺药的作用受到脓液或普鲁卡因、对氨基苯甲酸之类化学药品的干扰时，耐药的菌株就会出现并存活下来。为增加磺胺药的溶解度，减少其毒性和对敏感患者的不良副作用，使用了复方磺胺药。高溶磺胺为磺胺药的混合物，其溶解度较混合物中等量的各个别成分均大：能有效地预防和治疗由于大剂量单独使用某种磺胺药所引起的肾结石。

sulfate　硫酸盐（酯）　又拼sulphate。由硫酸（H_2SO_4）衍生的两种化合物。由硫酸根（SO_4^{2-}）和带正电荷的离子（如钠、镁或铵）组成的是硫酸盐；而硫酸中的氢原子被含碳有

机基团[如甲基(CH_3)或乙基(C_2H_5)]取代而成的是硫酸酯。

sulfate mineral 硫酸盐矿物 sulfate又拼sulphate。天然产出的硫酸盐。矿物学文献中记载的硫酸盐矿物大约有200种,但它们中大多数是罕见的和局部出现的。硫酸盐矿物中含量丰富的矿床,如重晶石和天青石被开采来制备金属盐。许多硫酸盐矿床开采出来制备肥料和盐,纯的石膏矿床开采来制取烧石膏。所有硫酸盐的原子结构都建立在孤岛硫酸根(SO_4^{2-})四面体的基础上,即硫原子在四面体的中心,四个氧原子对称分布在四个角顶上。这些硫酸根四面体群没有聚合,而是作为单一的负电荷分子运转,或者是作为络合物。所以硫酸盐明显地与连接成链状、环状、层状或者架状的硅酸盐、硼酸盐不同。硫酸盐矿物至少已发现有四类:①原生硫化矿石的后期氧化物;②蒸发岩砂床;③存在于循环液体中的矿床;④由热水或火山喷发气体形成的矿床。许多硫酸盐矿物以碱性的铁、钴、镍、锌和铜的水化物出现在原生硫化物源或其附近。硫化物矿物通过风化作用和循环水的作用,发生氧化,硫化物离子变成硫酸盐,金属离子也变成某种高价状态。这样经氧化生成的矿层产在沙漠地区,例如智利的丘基卡马塔矿床就是由亮辉色的碱性铜和三价铁的硫酸盐堆积形成的。由氧化作用产生的硫酸盐阴离子也可与碳酸盐岩石反应形成石膏($CaSO_4 \cdot 2H_2O$)。由原生硫化物氧化形成的硫酸盐包括块铜矾、羟胆矾、胆矾、铅矾(硫酸铅矿)和铅铁矾。富含硫酸盐的卤水和封闭海洋的盐溶液的蒸发,使可溶性的碱性硫酸盐和碱土硫酸盐结晶出来。这样的卤水能形成经济上重要的卤化物、硫酸盐矿床、卤化物和平行的厚层状硼酸盐矿床,如德国施塔斯富特和美国西南部的钾盐矿床。许多硫酸盐矿物是由一种以上的金属的盐类组成的,例如杂卤石就是钾、钙、镁的硫酸盐结合而成。在蒸发沉积矿床中常见的硫酸盐矿物包括硬石膏、石膏、无水芒硝、泻利盐、钙芒硝、钾盐镁矾、水镁矾、芒硝、杂卤石。含硫酸盐阴离子的地下水与泥岩、黏土岩和石灰岩中钙离子反应形成石膏。块状的产物称为雪花石膏或烧石膏,如果该矿床埋藏深或者受变质(因受热和受压而发生变化),石膏可以脱水形成硬石膏。有许多通常是简单的硫酸盐,直接由喷气(火山喷发气体)通道和矿床后期裂隙系统的热水溶液形成。明显的例子是硬石膏、重晶石和天青石。

附表见319～320页。

sulfathiazole 磺胺噻唑 一种磺胺药,以前曾用以治疗细菌感染。20世纪40年代中期曾是应用最广的磺胺药。但到1969年,本药在系统性感染方面的应用,几乎完全被陆续发现的毒性更小的磺胺药、青霉素及其他抗生素所取代。在兽医方面本药仍用于治疗葡萄球菌、链球菌、巴斯德氏菌及志贺氏菌所引起的疾病。

sulfation 硫酸盐化 又拼sulphation。化学术语。生成硫酸盐或硫酸酯的过程。通常利用一种醇跟硫酸、三氧化硫、氯代硫酸或氨基磺酸作用制备硫酸酯。硫酸盐化这一术语常常意味着一个有害的影响,例如,由于空降的氧化物或硫磺对石料中含钙矿物的作用,在雕像上形成一层难看的堆积物。另一种不利的硫酸盐化过程是在铅酸蓄电池极板上积累起一层晶形硫酸铅。

sulfide 硫化物 又拼sulphide。含硫元素的三类化合物的总称。无机硫化物是含有带负电荷硫离子S^{2-}的离子化合物,这类化合物可以看作是很弱的氢硫酸的盐;某些无机硫化物是铅、铜和锌等金属的重要矿物。有机硫化物有时称为硫醚,其中每个硫原子以共价键与两个有机基团结合。有机磷化氢与硫反应生成硫化膦,其中每个硫原子均以一个既有共价性质又有离子性质的键与磷相结合。

sulfide mineral 硫化物矿物 sulfide又拼sulphide。含一种或多种金属的硫化物矿物。大部分硫化物矿物结构简单,结晶形式对称性高,具有许多金属性能,包括金属光泽和导电性等。硫化物矿物颜色显著,硬度低,比重大。

(上)产自德国弗赖贝格的辉银矿;(中)产自美国蒙大拿州比尤特山的黄铁矿;(下)产自德国阿恩斯贝格的辉锑矿

供图:(上)、(下)芝加哥菲尔德自然史博物馆;(中)Joseph and Helen Gutterman Collection

硫化物矿物的成分可以用A_mS_n这个一般化学式来表示。这里A是金属,S是硫,m和n是整数,可以产生A_2S、AS、A_3S_4和AS_2这样一些化学计量法。硫化物中最常见的金属是铁、铜、镍、铅、钴、银和锌。在硫化物结构中还可见到15种其他金属。

几乎全部硫化物矿物的结构属于六种基本类型,但其中四种最重要。这些结构都是金属和硫紧密堆积的组合物,同时还受到离子大小和荷电量的控制。

这四种重要的结构类型中最简单最对称的是氯化钠结构,每个离子在由六个带有相反电荷的相邻离子组成的八面体中占有一个位置。方铅矿(PbS)是这种结晶方式中最常见的硫化物。黄铁矿结构是氯化钠结构每个八面体中有两个硫化物离子的堆积类型。这是含铁硫化物,即黄铁矿(FeS_2O)高度对称结构的特性。第二种不同的结构类型是闪锌矿(ZnS),在这个结构中,每个金属离子被8个成4面体排列的带相反电荷的离子所包围。第三种大的结构类型是萤石类型。在这个结构中,每个金属阳离子被8个阴离子包围,每个阴离子又被4个金属阳离子包围。与此相反的结构,即每个金属阳离子为4个阴离子包围,而每个阴离子被8个金属阳离子包围,称为反萤石结构。这是更有价值的贵金属碲化物和硒化物中一些金属的结构。碲银矿(Ag_2Te),即含银的矿石是其中的一种。

实质上全部硫化物都是共价的,但其中有一些则具有金属性能。硫的共价特性使一些硫化物如黄铁矿中出现硫-硫结合和S_2配对。有些硫化物其中包括辉钼矿(MoS_2)和铜蓝(CuS)具有层状结构。有些稀有的硫化物品种具有**尖晶石(spinel)**结构。

硫化物的相关系极为复杂,许多固态反应发生于比较低的温度(100～300 °C),产生复杂的共生现象。对铁-镍-铜硫化物的试验研究曾给予特别的关心,因为它们和最常见的极其不同。它们也是确定矿体可能位置的重要地质标志,并为地温测温提供了低温反应。

硫化物产生于各类型岩石中。除了某些沉积岩石中的浸染之外,硫化物矿物趋向于产生在单独的集合体中,从而产生了诸如矿脉和破裂带充填物等矿体,或者包括以平伏层出现的早先岩石的交代矿床。硫化物矿床起源于两种主要过程,但这两种过程都具有还原条件:①基性岩浆结晶早期不混熔硫化物的分离;②水溶液在300～600 °C范围内和相对高压下的沉淀。在第一种过程中形成的硫化物矿床主要有磁黄铁矿、黄铁矿、镍黄铁矿和黄铜矿。大多数其他矿床则产生于后一种过程。风化作用对分散的硫化物可以起富集作用。

硫化物矿物是一些贵金属,尤其是金、银和铂的来源,也是工业中最常用的金属如锑、铋、铜、铅、镍和锌的矿石来源。其他一些具有工业价值的重要金属,如镉和硒在许多常见的硫化物中以痕量出现并在精炼过程中予以回收。

附表见321～323。

sulfite process 亚硫酸盐法 用酸亚硫酸氢盐溶液除去纤维素中的木质素,软化木材以制造纸浆的化学方法。采用亚硫酸盐法使用的亚硫酸盐蒸煮液含有二氧化硫4%～8%,亚硫酸氢盐2%～3%;二氧化硫可通过燃烧硫磺或焙烧黄铁矿获得。用亚硫酸盐蒸煮木材通常以分批法在压力容器内进行,容器外壳用钢制成,里面有一层耐酸衬里。参

硫酸盐矿物

名称 化学式	颜色	光泽	莫氏硬度	比重	习性	断口或解理面	折射率	结晶系 空间群	备注
明矾 $KAl(SO_4)_2\cdot12H_2O$ $NH_4Al(SO_4)_2\cdot12H_2O$ $NaAl(SO_4)_2\cdot12H_2O$	无色；白色	玻璃光泽	2～2½ ～3 1½	1.8 1.7 1.6	柱状或粒状块体	贝壳状断口	$n=1.453\sim1.466$ $n=1.436\sim1.448$ $n=1.456\sim1.469$	等轴 Pa3	略甜，味涩
明矾石 $KAl_3(SO_4)_2(OH)_6$	白色；浅灰色，浅黄色，浅红色，浅红褐色	玻璃光泽	3½～4	2.6～2.9	粒状到致密块体	贝壳状断口	$\omega=1.572$ $\varepsilon=1.592$	六方 R3m	强热电性
毛矾石 $Al_2(SO_4)_3\cdot18H_2O$	白色；浅黄或浅红	玻璃光泽到丝光泽	1½～2	1.8	纤维状块体和皮壳	一个完全解理面	$\alpha=1.459\sim1.475$ $\beta=1.461\sim1.478$ $\gamma=1.884\sim1.931$	三斜	辛辣，苦涩
铅矾 $PbSO_4$	无色到白色；常有灰、黄、绿或蓝色色调	金刚到松脂或玻璃光泽	2½～3	6.4	粒状到致密块体；板状或柱状结晶	一个良好、一个清晰解理面	$\alpha=1.868\sim1.913$ $\beta=1.873\sim1.918$ $\gamma=1.884\sim1.931$	斜方 Pnma	常常带荧光
硬石膏 $CaSO_4$	无色到浅蓝或紫色	玻璃到珍珠光泽	3½	3.0	粒状或纤维状块体，结核状（弯硬石膏）	两个完全和一个良好解理面	$\alpha=1.567\sim1.580$ $\beta=1.572\sim1.586$ $\gamma=1.610\sim1.625$	斜方 Amma	
块铜矾 $Cu_3(SO_4)(OH)_4$	翠绿到浅黑绿色；淡绿色	玻璃光泽	3½	3.9	厚板状结晶	一个完全解理面	$\alpha=1.726$ $\beta=1.738$ $\gamma=1.789$	斜方 Pnam	
重晶石 $BaSO_4$	无色到白色；多种颜色	玻璃到松脂光泽	3～3½	4.5	通常为板状结晶；玫瑰花形；块体	一个完全、一个良好解理面	$\alpha=1.633\sim1.648$ $\beta=1.634\sim1.649$ $\gamma=1.645\sim1.661$	斜方 Pnma	抗磁，常常为热发光和磷光；有时在紫外线下发荧光；生成向天青石发展的固溶体系列，其中 Sr 置换 Ba
赤铁矾 $MgFe(SO_4)_2OH\cdot7H_2O$	淡橙红到深橙红	玻璃光泽	2～2½	2.1	腰子形，葡萄串状或球形集合体	一个完全、一个良好解理面	$\alpha=1.523$ $\beta=1.530$ $\gamma=1.582$	单斜 $P\frac{2_1}{n}$	铁为 +3 氧化状态
羟胆矾 $Cu_4SO_4(OH)_6$	翠绿到浅黑绿色；淡绿色	玻璃光泽	3½～4	4.0	柱状到发状结晶和晶粒集合体，粒状块体，皮壳状	一个完全解理面	$\alpha=1.728$ $\beta=1.771$ $\gamma=1.800$	单斜 $P\frac{2}{a}$	
铅绿矾 $Cu_2Pb_5(SO_4)_3CO_3(OH)_6$	深灰绿色或浅蓝绿色	松脂光泽	2½～3	5.8	细长结晶的膜	一个完全解理面	$\alpha=1.815\sim1.821$ $\beta=1.863\sim1.869$ $\gamma=1.906\sim1.912$	斜方 Pnmm	
天青石 $SrSO_4$	淡蓝；白色，浅红，浅绿，浅褐色	玻璃光泽	3～3½	4.0	板状结晶，纤维状块体	一个完全、一个良好解理面	$\alpha=1.618\sim1.632$ $\beta=1.620\sim1.634$ $\gamma=1.627\sim1.642$	斜方 Pnma	生成向重晶石发展的固溶体系列，其中 Ba 置换 Sr；有时发荧光和热发光
胆矾 $CuSO_4\cdot5H_2O$	多种蓝色色调	玻璃光泽	2½	2.3	短柱状结晶；粒状块体；钟乳石状和腰子状块体	贝壳状断口	$\alpha=1.514$ $\beta=1.537$ $\gamma=1.543$	三斜 $P\bar{1}$	金属的、令人作呕味
针绿矾 $Fe_2(SO_4)_3\cdot9H_2O$	浅紫色到深紫色	玻璃光泽	2½	2.1	柱状和锥状结晶，粒状块体		$\omega=1.536$ $\varepsilon=1.572$	六方	味涩
泻利盐 $MgSO_4\cdot7H_2O$	无色；集合体为白色	玻璃到绢丝到土状光泽	2～2½	1.7	纤维状或发状皮壳；羊毛状盐霜	一个完全解理面	$\alpha=1.430\sim1.440$ $\beta=1.452\sim1.462$ $\gamma=1.457\sim1.469$	斜方 $P2_12_12_1$	弱抗磁性；咸味和苦味；在干空气中结霜
钙芒硝 $Na_2Ca(SO_4)_2$	灰色；浅黄	玻璃光泽到淡蜡光泽	2½～3	2.75～2.85	板状、双锥形或柱状结晶	一个完全解理面	$\alpha=1.515$ $\beta=1.535$ $\gamma=1.536$	单斜 $P\frac{2}{c}$	微咸

续表

名称 化学式	颜色	光泽	莫氏硬度	比重	习性	断口或解理面	折射率	结晶系 空间群	备注
石膏 $CaSO_4 \cdot 2H_2O$	无色；灰色，白色，浅褐色，浅黄（块体）	亚玻璃光泽	2（硬度标准）	2.3	拉长的板状结晶（有时长达 5 英尺；其他为缠绕状或弯曲状），粒状或纤维状块体，玫瑰花状	一个完全解理面	$\alpha = 1.515 \sim 1.523$ $\beta = 1.516 \sim 1.526$ $\gamma = 1.524 \sim 1.532$	单斜 $A\frac{2}{a}$	
铁明矾 $FeAl_2(SO_4)_4$ $22H_2O$	无色到白色	玻璃光泽	1½	1.7（镁明矾）～1.9（铁明矾）	发状结晶集合体	贝壳状断口	镁明矾 铁明矾 $\alpha = 1.475 \sim 1.480$ $\beta = 1.480 \sim 1.486$ $\gamma = 1.483 \sim 1.490$	单斜 $P\frac{2}{m}$	和镁明矾生成固溶体系列，其中 Mg 置换 Fe；味涩
黄钾铁矾 $KFe_3(SO_4)_2(OH)_6$	赭黄色到深褐色	亚金刚到玻璃光泽；断口为松脂光泽	2½～3½	2.9～3.3	细晶体；皮壳；粒状或纤维状块体	一个清晰解理面	$\omega = 1.820$ $\varepsilon = 1.715$	六方 R3m	强热电性
钾盐镁矾 $KMgSO_4Cl \cdot 3H_2O$	无色；灰、蓝、紫、浅黄、浅红	玻璃光泽	2½～3	2.2	粒状块体；结晶膜	一个完全解理面	$\alpha = 1.494$ $\beta = 1.505$ $\gamma = 1.516$	单斜 $C\frac{2}{m}$	味苦，味咸
水镁矾 $MgSO_4 \cdot H_2O$	无色；浅灰白色，浅黄	玻璃光泽	3½	2.6	粒状块体，与其他盐类共生	两个完全解理面	$\alpha = 1.520$ $\beta = 1.533$ $\gamma = 1.584$	单斜 $C\frac{2}{c}$	
青铅矿 $PbCuSO_4(OH)_2$	深天蓝	玻璃到亚金刚光泽	2½	5.3	拉长的板状结晶，或单独或成组	一个完全解理面，贝壳状断口	$\alpha = 1.809$ $\beta = 1.839$ $\gamma = 1.859$	单斜 $P\frac{2_1}{m}$	
芒硝 $Na_2SO_4 \cdot 10H_2O$	无色到白色	玻璃光泽	1½～2	1.5	短锥形；条状或板状结晶；皮壳或纤维状块体；粒状块体	一个完全解理面	$\alpha = 1.391 \sim 1.397$ $\beta = 1.393 \sim 1.410$ $\gamma = 1.395 \sim 1.411$	单斜 $P\frac{2_1}{a}$	味冷，再变成味咸，味苦
铅铁矾 $PbFe_6(SO_4)_4(OH)_{12}$	金褐色到深褐色	暗光到闪光或绢丝光泽	软	3.7	皮壳状，块状，由微细的六方片组成的致密块体	一个完美解理面	$\omega = 1.875$ $\varepsilon = 1.786$	六方 $R\bar{3}m$	滑石感
杂卤石 $K_2Ca_2Mg(SO_4)_4 \cdot$ $2H_2O$	无色；白色或灰色；常常因为包含有氧化铁而成为浅橙色	玻璃到松脂光泽	3½	2.8	纤维状到叶片状块体	一个完全解理面	$\alpha = 1.547$ $\beta = 1.560$ $\gamma = 1.567$	三斜	
无水芒硝 Na_2SO_4	无色；浅红、浅灰、浅黄或黄褐色	玻璃光泽到松脂光泽	2½～3	2.7	大晶体；皮壳，粉化	一个完全、一个完美解理面	$\alpha = 1.464 \sim 1.471$ $\beta = 1.473 \sim 1.477$ $\gamma = 1.481 \sim 1.485$	斜方 Fddd	

阅 **kraft process**。

sulfobromophthalein clearance test （medicine） 参阅 **Bromsulphalein test** 溴磺酞钠试验。

sulfonamide 磺酰胺 磺酰胺类化合物的通称。为油状液体或者结晶状固体，通常皆以磺酰氯与氨或某种胺，在苛性碱存在的条件下进行反应制备。磺酰胺包括用于治疗细菌感染、糖尿病、水肿、高血压以及痛风等疾病的几类药物。抑菌的磺酰胺类药物常称做磺胺药，包括磺胺（**sulfanilamide**）及其衍生物。根据磺胺衍生物的临床观察资料，研制出其他类型的磺酰胺类药物，如丙磺舒（**probenecid**）曾用作青霉素的增效剂，现在主要用于治疗痛风；乙酰唑胺以及速尿为利尿药；甲苯磺丁脲（**tolbutamide**）为降血糖药；氯噻嗪和氢氯噻嗪兼有利尿和降血压的作用。1932 年百浪多息（**Prontosil**）成为第一个作为药用的磺酰胺类。随着新磺酰胺的合成，人们又发现了许多疗效好毒性低的新药。其中有些口服不吸收，但可用于治疗胃肠道局部感染。另一些则吸收和排泄均较缓慢，因而作用时间较长。所有磺酰胺药均能引起药物中毒，有些患者对之高度敏感。最常见的副作用为恶心、呕吐及精神症状。过敏症状为发热及皮疹。中毒症状有贫血（由于红细胞破坏而引起）及白细胞减少（由于白细胞破坏而引起）。虽可出现肾损伤和尿路阻塞等反应，但可预防。

sulfonation 磺化 又拼 sulphonation。化学术语。制备磺酸方法的总称。重要的磺化反应有：硫酸、三氧化硫或氯代硫酸与芳烃的反应，有机卤化物与无机亚硫酸盐的反应，以及某些有机硫化合物特别是硫醇或二硫化物的氧化反应。

sulfone 砜 又拼 sulphone。由两个含碳基团与SO_2基联结而成的一类有机硫化合物的总称。最熟悉的是聚砜（**polysulfone**）树脂和

硫化物矿物

名称 化学式	颜色	光泽	莫氏 硬度	比重	习性和 形状	断口或 解理面	折射率或抛 光面资料	结晶系 空间群	备注
辉银矿 Ag_2S	浅黑色 铅灰色	金属光泽	2～2½	7.2～7.4	立方体或八面体结晶,往往为晶群;枝状或发状块体	亚贝壳状断口	弱非均质	等轴 Im3m	有一个斜方的多形体
毒砂(砷黄铁矿) FeAsS	银白色到钢灰色	金属光泽	5½～6	6.1	立方体或十二面体结晶,带有粗糙而弯曲的面;粒状或致密块体	一个清晰的解理面	强非均质	单斜 $P\frac{2_1}{c}$	具有正负热电性
斑铜矿 Cu_5FeS_4	铜红色到金色铜褐色,会很快褪色变为闪光紫色	金属光泽	3	5.1	柱状结晶;柱状、粒状或致密块体	断口参差不齐	部分均质,浅粉红褐色	等轴 Fd3m	
碲金矿 $AuTe_2$	黄铜黄色到银白色	金属光泽	2½～3	9.0～9.4	刃状、板状或柱状结晶;块体	亚贝壳状到参差不齐断口	明显的非均质;乳白色	单斜 $C\frac{2}{m}$ 或 C2	
辉铜矿 Cu_2S	浅黑色铅灰色	金属光泽	2½～3	5.5～5.8	短柱状或板状结晶	贝壳状断口	弱非均质	斜方	
黄铜矿 $CuFeS_2$	黄铜黄色,常褪色,彩虹色	金属光泽	3½～4	4.1～4.3	致密块体;正方体结晶	断口参差不齐	弱非均质,常常呈层纹状和聚片双晶	正方 $I\bar{4}2d$	
辰砂 HgS	胭脂红到浅褐色或铅灰色	金刚到金属光泽	2～2½	8.1	菱形、板状或柱状结晶;块体,土状壳体	一个完全解理面	$\omega = 2.756 \sim 2.905$ $\varepsilon = 3.065 \sim 3.256$	六方 $C3_12$ 或 $C3_22$	
辉砷钴矿 CoAsS	银白色到红色;钢灰色或浅灰黑色	金属光泽	5½	6.3	立方或五角十二面体结晶,带有条纹面	一个完全解理面		等轴 Pa3	具有正负热电性
铜蓝 CuS	靛蓝;高度闪光,黄铜黄色或深红	亚金属到松脂光泽(晶体);亚松脂到暗光(块体)	1½～2	4.6～4.8	块体,极少为六方板状	一个极完全的解理面	强非均质	六方 $P\frac{6_3}{m}mc$	
方黄铜矿 $CuFe_2S_3$	黄铜黄色到青铜黄色	金属光泽	3½	4.0～4.2	厚板状结晶,块体	贝壳状断口	非均质	斜方 Pcmn	强磁性
砷铜矿 Cu_3As	锡白色到钢灰色;褪色至浅黄褐色时,成为闪光的矿石	金属光泽	3～3½	7.2～7.9	腰子形或葡萄串状块体	断口参差不齐	均质	等轴 $I\bar{4}3d$	通常和微晶砷铜矿紧密共生
锑银矿 Ag_3Sb	银白色,常常褪色为铅灰色,浅黄色和浅黑色	金属光泽	3½～4	9.7～9.8	叶片状或粒状块体	二个清晰的解理面	弱非均质	斜方 Pmm	
方铅矿 PbS	铅灰色	金属光泽	2½～3	7.6	立方体结晶,带解理的块体	一个完全解理面	均质	等轴 Fm3m	
硫镉矿 CdS	各种黄色和橙色色调	金刚到松脂光泽	3～3½	4.9	土状壳层	贝壳状断口	$\omega = 2.431 \sim 2.506$ $\varepsilon = 2.456 \sim 2.529$	六方 C6mc	
斜方碲金矿 $AuTe_2$	银白色到浅黄铜黄色	金属光泽	2～3	8.6	短柱状结晶	一个完全解理面	强非均质;乳白色	斜方 Pma2	

续表 1

名称 化学式	颜色	光泽	莫氏 硬度	比重	习性和 形状	断口或 解理面	折射率或抛 光面资料	结晶系 空间群	备注
硫钴矿 Co_3S_4	浅灰到钢灰或紫灰，会褪色到铜红和紫灰	钻石金属光泽（刚开采出来时）	4½～5½	4.5～4.8	八面体结晶，粒状到致密块体	断口从参差不齐到亚贝壳状	均质	等轴 Fd3m	和其他几种 Co、Ni 形成系列，其一般化学式为：$(Co,Ni)_2(Co,Ni,Fe,Cu)S_4$
斜方砷铁矿 $FeAs_2$	银白色到钢灰色	金属光泽	5～5½	7.4～7.5	柱形或锥形结晶；块体	断口参差不齐	中强非均质	斜方 Pnnm	
白铁矿 FeS_2	锡白色，深部为青铜黄色	金属光泽	6～6½	4.9	板状或锥状结晶；矛状或鸡冠状结晶群	一个清晰的解理面	强非均质和多色晕；乳白色，亮浅黄白色和玫瑰白色	斜方 Pnnm	黄铁矿为其等轴多形体
砷镍矿 $Ni_{11}As_8$	浅红铂金灰色，会褪色到铜红色	金属光泽	5	8.0	板状结晶	断口参差不齐	弱非均质，浅粉红灰色	正方 $P4_12_1$ 或 $P4_32_1$	
黑辰砂 HgS	浅灰黑色	金属光泽	3	7.65	四面体结晶；块体	亚贝壳状断口到参差不齐断口	均质；浅灰白色；呈层纹状双晶	等轴 $F\bar{4}3m$	在 400～550℃温度下成为辰砂
针镍矿 NiS	淡黄铜黄色，会褪色为闪光灰色	金属光泽	3～3½	5.3～5.7	非常细长的到毛细管状结晶，呈放射状晶群，有时呈交织状	两个完全解理面	强非均质	六方 $R\bar{3}m$ 或 R3m	
辉钼矿 MoS_2	铅灰色	金属光泽	1～1½	4.6～4.7	六面板状体；叶状块体，呈鳞片状	一个完全解理面	很强非均质，多色晕，白色	六方 $C\frac{6}{m}mc$	油脂感；薄土层
红砷镍矿 NiAs	淡铜红色；会褪色到灰色到浅黑色	金属光泽	5～5½	7.8	腰子形块体；也有分岔形的	无解理面	强非均质	六方 $C\frac{6}{m}mc$	
雌黄 As_2S_3	柠檬黄，金黄，浅褐黄色	松脂光泽，解理为珍珠光泽	1½～2	3.5	叶片状、纤维状或柱状块体；腰子形或葡萄串状块体；粒状	一个完全解理面	$\alpha = 2.4$ $\beta = 2.81$ $\gamma = 3.02$	单斜 $P\frac{2_1}{n}$	
镍黄铁矿 $(Fe,Ni)_9S_8$	亮青铜黄色	金属光泽	3½～4	4.6～5.0	粒状集合体	贝壳状断口	均质	等轴 Fm3m	非磁性
黄铁矿 FeS_2	浅黄铜黄色	发亮到闪光的金属光泽	6～6½	5.0	立方体、五角十二面体或八面体结晶，带有条纹面；块体	贝壳状到参差不齐断口	均质；乳白色	等轴 Pa3	具有正负热电性；导电体；和钢撞击时会发出火花
磁黄铁矿 $Fe_{1-x}S$ $(x=0\sim0.2)$	青铜黄色到金色铜褐色，会很快褪色	金属光泽	3½～4½	4.6～4.7 4.8 （陨硫铁）	粒状块体；有时为扁平的或板状结晶	参差不齐到亚贝壳状断口	强非均质	六方 $C\frac{6}{m}mc$	磁性，陨硫铁的化学成分接近 FeS
雄黄 AsS	早霞红色到橙黄色	松脂到油脂光泽	1½～2	3.5～3.6	短的带有条纹的锥状结晶，粒状或致密块体，结壳	一个良好的解理面，三个较差的解理面	$\alpha = 2.486\sim2.538$ $\beta = 2.602\sim2.684$ $\gamma = 2.620\sim2.704$	单斜 $P\frac{2_1}{n}$	刚采出时透明，曝光后则分解为黄色粉末
碲铜矿 Cu_4Te_3	紫红色	金属光泽	3½	7.5	块体	不规则断口	强非均质和多色晕		

续表 2

名称 化学式	颜色	光泽	莫氏硬度	比重	习性和形状	断口或解理面	折射率或抛光面资料	结晶系空间群	备注
方钴矿 $(Co,Ni)As_3$	锡白色和银灰色	金属到发亮的金属光泽	5½～6	6.1～6.9	凸出的或翘起的，立方体或八面体的结晶；致密的到粒状的块体	贝壳状断口	均质；灰色，奶油色或金白色，强反射率	等轴 Im3	具有正负热电性
闪锌矿 ZnS	褐色，黑色，黄色；还有各种颜色	松脂到金刚光泽	3½～4	3.9～4.1	四面体或十二面体结晶；常呈曲面；带解理的块体	一个完全解理面	$n=2.320\sim2.517$	等轴 $F\bar{4}3m$	热电性；有时可摩擦发光；在紫外线和X射线下发荧光；会变成在1 020℃温度下呈六方的纤锌矿
黄锡矿 Cu_2FeSnS_4	钢灰到铁黑色	金属光泽	4	4.3～4.5	粒状块体	断口参差不齐	非均质	正方 $I\bar{4}2m$	
辉锑矿 Sb_2S_3	铅灰到钢灰色，会褪色到浅黑色	金属光泽	2	4.6	针状结晶的集合体；晶体很容易互相缠绕	一个完全解理面	$\alpha=3.184\sim3.204$ $\beta=4.036\sim4.056$ $\gamma=4.293\sim4.313$ 白色；强非均质	斜方 Pbnm	透明到红外
硫铜银矿 CuAgS	暗钢灰色，会褪色为蓝色	金属光泽	2½～3	6.2～6.3	假六方柱状体；致密块体	亚贝壳状到贝壳状断口	强非均质	斜方	
针碲金银矿 $(Au,Ag)Te_2$	钢灰色到银白色	钻石金属光泽	1½～2	8.1～8.2	短柱状，厚板状或刀刃状结晶	一个完全解理面	强非均质，多色晕；乳白色；呈聚片双晶	单斜 $P\frac{2}{c}$	
辉碲铋矿 Bi_2Te_2S	淡钢灰色，会褪色到暗光和闪光	金属光泽	1½～2	7.1～7.5	叶状到粒状块体；刃状结晶	一个完全解理面	弱非均质；白色，有时呈图案形共生	六方 $R\bar{3}$、R32 或 $R\bar{3}m$	具有正热电性；薄土层
红硒铜矿 Cu_3Se_2	深樱桃红色，会很快褪色的紫蓝色	金属光泽	3	5.6	小晶粒；小晶粒集合体	断口参差不齐	强非均质；暗红紫色；外观为单轴的		
纤锌矿 ZnS	浅褐黑色	松脂光泽	3½～4	4.0～4.1	锥形结晶；纤维状或柱状块体；同心的带状皮壳	一个很容易得到的解理面	$\omega=2.330\sim2.356$ $\epsilon=2.350\sim2.378$	六方 $P6_3mc$	可反向为等轴的闪锌矿

几种治疗麻风病的药物。

sulfonic acid 磺酸 含硫有机酸的总称。通式 RSO_3H，式中 R 是有机基团。磺酸在有机硫化物中最为重要，广泛用作有机合成催化剂。磺酸盐及其衍生物是制取酚类化合物、洗涤剂、水溶性染料、磺胺类药物以及离子交换树脂的主要成分。芳香族磺酸主要用作合成的中间体或原料。通常是用浓硫酸处理芳香族化合物制得的，此过程称**磺化**(**sulfonation**)。磺酸常以钠盐形式使用，磺化后要继之以氢氧化钠或碳酸钠进行中和。这一过程旨在大规模制备苯磺酸钠(以制取酚)、烷基苯磺酸钠(制合成洗涤剂)以及蒽磺酸钠(制茜素和其他染料)。脂肪族磺酸一般不太重要，也比芳香族磺酸难于制备，制备方法有：有机硫化合物的氧化，烷基卤化物与金属亚硫酸盐反应等。

sulfosalt 含硫盐类 又拼 sulphosalt。大部分是罕见矿物种的一大类矿物，在无机化学中以具有某些最复杂的原子结构和晶体结构而著称。其组成符合通用化学式 $A_mB_nX_p$，式中 m、n 及 p 是整数。A 可以是铅、银、铊或铜；B 可以是锑、砷、铋、锡或锗；而 X 可以是硫或硒。早先人们认为含硫盐类是假定的复杂硫代锑酸盐类或硫代砷酸盐类(例如 $HSbS_2$、$H_{18}As_4S_{15}$、H_3AsS_3)，但是X射线衍射分析表明，许多含硫盐类的原子结构是建立在较简单化合物的不完整结构的基础上，诸如建立在方铅矿块体和辉锑矿薄层的基础上。还没有完善的理论来合理说明这许多难以理解的化合物。这类矿物许多结构上的复杂性，显然是由于它们在低温下结晶和随后产生的金属原子的高度有序化造成的。在较高的实验温度下合成，往往使其结构比复杂的低温形式要简单。虽然含硫盐类比与它伴生的硫化物矿物少得多，但仍然有一些地方显著地蕴藏有这些含硫盐类矿物。在瑞士的伦根巴赫矿山，曾鉴定出 30 多种不同的含硫盐类矿物种，其中 15 种是其他地方所没有发现过的。大多数含硫盐类是在低温下、在开口洞穴中形成的，往往与铜-锌-砷的硫化物矿石伴生。它们经常产于方解石及白云石洞穴中，例如在伦根巴赫矿山。大多数含硫盐类矿物呈铅灰色，具金属光泽，性脆(很有延展性)，结晶质，而且如果不借助于 X 射线衍射分析和电子显微探针分析，很难加以区分。含铊的含硫盐常常是深红色和透明的，有时银的含硫盐也是这样。虽然在特殊环境下，某些含硫盐类可组成银矿石(即：淡红银矿、深红银矿及脆银矿)，其他的组成银(较少量)、汞、砷及锑的矿石(即硫锑铅矿、硫锑汞矿、硫砷铜矿及砷黝铜矿-黝铜矿)，但经济上的重要性不大。含硫盐类矿物除了是稀奇的矿物种外，因为它们的电子性质与半导体的电子性质有关，因而也使人感兴趣。

附表含硫盐类 324 页。

sulfoxide 亚砜 又拼 sulphoxide。含硫和氧的有机化合物的总称。通式 RSOR，式中 R 是碳和氢的原子团。亚砜是盐和极性化合物的良好溶剂，最常见的二甲基(或甲基)亚砜(DMSO)，是在二氧化氮的存在下，用空气氧化二甲硫制得的，二甲硫是造纸的副产品。二甲基亚砜在聚丙烯腈纤维生产、从炼油厂液流中提取芳烃、某些农药生产、工业清洗以及清除漆膜的各种工业过程中用作溶剂，也用作医药溶剂和局部抗毒剂，最后由于它具有特殊性能还用作动物组织的渗透剂。二甲基亚砜为无色无味液体，沸点 189 °C。能以任何比例与水、乙醇及大多数有机溶剂混合。

sulfur 硫(S) 又拼 sulphur。周期表 Ⅵ a 族氧族非金属化学元素，是所有元素中最活泼

含硫盐类

名称 化学式	颜色	光泽	莫氏硬度	比重	习性	断口式解理面	折射率或抛光面资料	结晶系空间群	备注
硫银锗矿 Ag_8GeS_6	浅蓝黑到浅紫黑色，刚产出时呈钢灰色	金属光泽	2½	6.1～6.3	晶体和结晶集合体；皮壳；致密块体	断口从贝壳状到参差不齐	紫灰白色，均质（硫银锡矿）或弱多色晕（硫银锗矿）	等轴 Im3m	与硫银锡矿生成固溶体系列，其分子结构中锡置换锗
车轮矿 $PbCuSbS_3$	钢灰色到铁黑色	金属光泽	2½～3	5.8～5.9	柱状到板状晶体；晶体集合体；粒状到致密块体	断口从亚贝壳状到参差不齐	白色；弱非均质和很弱的多色晕	斜方 $Pnm2_1$	
硫砷铜矿 Cu_3AsS_4	灰黑色到铁黑色	金泽光泽	3	4.4～4.5	板状晶体；粒状块体	一个完全解理面	灰色到淡玫瑰褐色；强非均质，弱多色晕	斜方 $Pnm2_1$	
硫锑铜银矿 $(Ag,Cu)_{16}Sb_2S_{11}$	铁黑色	金属光泽	2～3	6.0～6.2	板状晶体；块体	断口参差不齐	灰白色；中等非均质；弱多色晕	单斜 $C\frac{2}{m}$	
淡红银矿 Ag_3AsS_3	鲜朱红色	金刚光泽	2～2½	5.6	柱状晶体；致密块体	一个清晰的解理面	$\omega=2.979\sim3.088$ $\varepsilon=2.711\sim2.792$	六方 $R\bar{3}c$	
深红银矿 Ag_3SbS_3	深红色	金刚光泽	2½	5.8	柱状晶体；致密块体	一个清晰的解理面	$\omega=3.084$ $\varepsilon=2.881$	六方 R3c	
脆银矿 Ag_5SbS_4	铁黑色	金属光泽	2～2½	6.2～6.3	柱状到板状晶体；浸染晶粒；致密块体	断口从亚贝壳状到参差不齐	强非均质	斜方 Cmc2	
黝铜矿 $(Cu,Fe,Zn,Ag)_{12}Sb_4S_{13}$	燧石灰色到铁黑色或暗黑色	金属光泽	3～4½	4.6～5.1	四面体晶体；粒状到致密状块体	断口从亚贝壳状到参差不齐	灰色到绿褐色；均质	等轴 $I\bar{4}3m$	与砷黝铜矿生成固溶体系列，在其分子结构中砷置换锑

的元素之一。硫早为古人所知（在《创世记》中称作硫磺）。1777年，A.拉瓦锡首次确认硫为元素。硫在宇宙中的丰度估计居第九位，在地壳中约占0.06%，以硫化物、硫酸盐和元素硫的形式存在。硫是矿物的最丰富的组分之一，仅次于氧和硅。天然硫或游离硫主要存在于火山岩或沉积岩中，前者遍布全

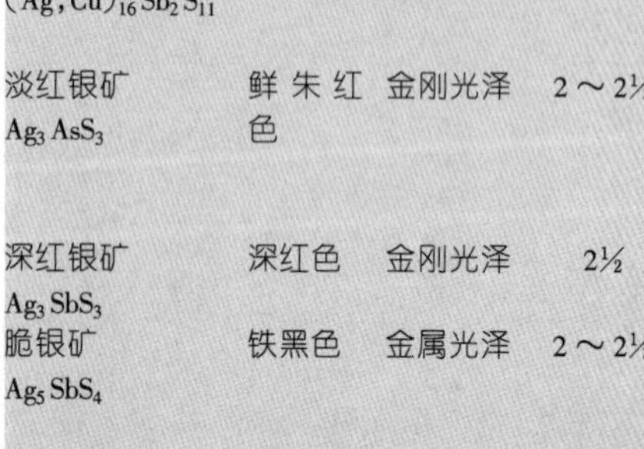

产自意大利西西里岛的硫晶体
伊利诺伊州立博物馆供图

世界，后者在美国得克萨斯州和路易斯安那州沿海地区尤为常见。煤、石油和天然气都含硫化合物。含硫矿物包括黄铁矿（二硫化铁）、方铅矿（硫化铅）、朱砂矿（硫化汞）、闪锌矿（硫化锌）和黄铜矿（硫化铜铁）等硫化物，以及石膏（硫酸钙）和重晶石（硫酸钡）等硫酸盐。靠墨西哥湾的海岸地区，硫存在于盐丘中，那里的硫可用***弗拉施法*（Frasch process）**回收。利用弗拉施法可以大量地制得纯度高达99.9%的硫，并使硫成为四大最重要的基本化工产品之一。往地下60～600米深处的硫层中开钻许多井，用15厘米粗的管子把这些井连接起来，管内还同轴地套装着一根空气管和一根较细的水管。把过热的水压入到7.5和15厘米管子之间的环形空间内，并通过管底的小孔穿透入顶板岩石中。当硫熔化时，便沉积在矿层的底部，通过中央的井管压入压缩空气，将液态硫压到地面上来。在墨西哥湾的海底就有好几座这样的井在开采中。从这些近海栈桥沿着海底把液态硫通过绝热管子压到几千米以外的陆上。硫收集在池子或液槽中，然后从那里转移到大桶或大箱中，使其固化以便贮存。这些大桶可能装下30万吨的硫。在美国大约每年还从天然气、石油炼气厂、硫化矿以及从铜、锌、铅等矿物的熔炼炉气体中回收400万吨的硫。在大多数情况下，硫是以硫化氢的形式跟其他气体分离，然后再通过所谓克劳斯法把硫化氢转化为单质硫。克劳斯法包括部分燃烧硫化氢生成二氧化硫，接着二氧化硫进一步跟硫化氢反应生成硫。硫的另一重要来源是燃煤蒸汽发电厂以及其他大量消耗煤的设备所排入到大气中的二氧化硫气体。在20世纪70年代初期就已经研究出了收集这些二氧化硫气体以及将它转化为有用的硫的许多技术。

纯硫是无嗅无味的淡黄色脆性固体，电的不良导体，不溶于水。单质硫有几种不同形态，其中最重要的两种是斜方晶体（常称正交硫）和单斜晶体。正交硫在室温下稳定。常见的硫磺、硫华（经升华而得细分散硫，升华系蒸气遇冷直接凝固成固体的过程）以及许多天然硫均为正交硫。将液态硫缓慢冷却时得到的单斜或棱柱硫由长的针状晶体组成。单斜硫在96～119 °C之间稳定，但在室温下会缓慢转变为正交硫。受热溶化的硫被突然冷却（如注入冷水中）时，会形成一种软而黏的可塑性硫即弹性硫，这是一种称作无定形硫的非晶态物质。正交硫和单斜硫均溶于二硫化碳，但无定形硫不溶。硫可以形成氧化态为－2（硫离子 S^{2-}）、＋4（亚硫酸根 SO_3^{2-}）和＋6（硫酸根 SO_4^{2-}）的化合物。它几乎能跟所有的元素化合。某些硫的化合物也能表现出跟另一相同原子成链的特性。这是除了碳以外具有这一不寻常性质的第二个元素。这就使得硫原子能形成环状体系以及链状结构。

现将一些较重要的硫化合物叙述如下：硫的一种最熟悉的化合物是硫化氢（H_2S，又叫臭气），它是一种无色、具有特殊的臭鸡蛋气味的极毒气体。在自然界，它由含硫的有机物腐败产生，通常存在于火山气体以及矿泉水的蒸汽中。石油脱硫时可以获得大量硫化氢，它在化学实验室中广泛用作分析试剂。除了金和铂以外，所有的金属都能跟硫化合生成无机硫化物，这类硫化物是含有带负电荷硫离子（S^{2-}）的离子型化合物。它们可以看作是氢硫酸的盐。有一些无机硫化物是铁、镍、铜、钴、锌以及铅的重要矿物。硫跟氧形成好几种氧化物，其中最重要的一种是二氧化硫（SO_2），它是一种密度较大、无色有毒的气体。二氧化硫主要用于制备三氧化硫（SO_3）；因而也是硫酸（H_2SO_4）的制备原料，它也可用作漂白剂以及工业用还原剂，另外还

可用于食品保存以及水果催熟等。硫跟卤素能形成各种各样的化合物。与氯化合生成硫的氯化物，例如二氯化二硫(S_2Cl_2)，一种具有腐蚀性的金黄色的液体，可用于制备化学试剂，它跟乙烯反应生成芥子气，跟脂肪的不饱和酸衍生物生成油状的润滑脂碱性组分。硫跟氟反应，生成硫的氟化物，其中最有用的氟化物是六氟化硫(SF_6)气体，它在各种电气设备中用作绝缘材料。硫还能形成卤氧化物，在这类化合物中，硫原子既跟氧原子也跟卤素原子结合。当命名这些化合物时，用术语"亚硫酰"表示化合物中含有SO单元，而用"硫酰"表示含有SO_2单元。亚硫酰氯($SOCl_2$)是一种密度较大、有毒的挥发性液体，在有机化学中常用于将羧酸和醇类转化为氯化合物。硫酰氯(SO_2Cl_2)是一种与亚硫酰氯物理性质类似的液体，主要用于制备某些含氯含硫的化合物。硫能生成16种含氧酸，但只能获得四五种纯的含氧酸。这些酸特别是亚硫酸和硫酸在化学工业上是相当重要的。二氧化硫通入水中就可以生成亚硫酸(H_2SO_3)。亚硫酸钠(Na_2SO_3)是它最重要的盐，这种盐在纸浆生产、摄影术及锅炉给水的除氧过程中用作还原剂。*硫酸*(**sulfuric acid**)是一种最有价值的化学品，工业上通过三氧化硫跟水反应制得硫酸，硫酸用于制造肥料、颜料、染料、药品、炸药、洗涤剂、无机盐类和酯类。硫的有机化合物构成了有机物质的一个丰富多彩的重要分支，主要的例子有含硫氨基酸（如半胱氨酸、蛋氨酸、牛磺酸），它们是激素、酶和辅酶的关键组分。同时，合成的有机硫化合物也很重要，其中包括许多药品（磺胺制剂、皮肤病药剂）、杀虫剂、溶剂以及用于制造橡胶和合成纤维等的许多原料。

硫原子序数为16。原子量为32.064。熔点：正交硫为112.8 °C，单斜硫为119 °C。沸点444.6 °C。密度(20 °C)：正交硫为2.07克/厘米^3，单斜硫为1.96克/厘米^3。氧化态 -2、+4、+6。电子组态2,8,6或$1s^2 2s^2 2p^6 3s^2 3p^4$。

sulfur bacterium 硫细菌 一群能使硫及其化合物进入代谢过程的微生物，它们在自然界的*硫循环*(**sulfur cycle**)中起重要作用。被这些细菌用作能源的常见含硫物质有硫化氢(H_2S)、硫和硫代硫酸盐($S_2O_3^{2-}$)。硫氧化的最终产物是硫酸盐(SO_4^{2-})。硫杆菌属(*Thiobacillus*)广泛分布于海洋和陆地，能将硫氧化成可供植物利用的硫酸盐；它们在地壳深层沉积物中能生成硫酸，硫酸能溶解矿石中的金属，又可腐蚀混凝土和钢铁。脱硫脱硫弧菌(*Desulfovibrio desulficans*)可将水淹土壤和污水中的硫酸盐还原为硫化氢，后者是一种遍布该地区有臭鸡蛋味的气体。发硫菌属(*Thiothrix*)常见于硫磺矿泉和污水中，硫化叶菌属(*Sulfolobus*)只存在于富硫的温泉中，二者均可将硫化氢转化为元素硫。着色菌科(*Chromatiaceae*，又称紫色硫细菌)和绿菌科(*Chlorobiaceae*，又称绿色硫细菌)中有许多种都能在无氧环境中利用光能，将硫及其化合物转化为硫酸盐。

sulfur-bottom whale 参阅 **blue whale** *蓝鲸*。

sulfur butterfly 黄粉蝶 又称硫磺蝶。鳞翅目粉蝶科昆虫。世界分布。粉蝶科亦包括白粉蝶及橙尖粉蝶。成虫翅展35～60厘米。许多种有花纹及颜色的性别和季节二态现象。蛹以一枚后刺及一条丝带附于小枝上。黄粉蝶一般呈鲜艳的黄色或橙色。有的种具两个色型；如苜蓿粉蝶(*Colias eurytheme*)通常为橙色，翅缘黑色，但某些雌虫为白色，翅缘黑色。幼虫以车轴草为食，可对作物造成严重危害。

sulfur cycle 硫循环 各种形式的硫在自然界的循环。硫作为某些氨基酸的组分，存在于一切生命物质中。它以蛋白质的形式富含于土壤中，通过一系列微生物转化，最后变为可被植物吸收的硫酸盐。在各种土壤生物作用下，含硫蛋白质降解为含硫氨基酸。在土壤中另一系列微生物作用下，氨基酸中的硫转化为硫化氢(H_2S)。在氧气存在下，硫化氢转化为硫，然后在硫细菌作用下，变为硫酸盐。最后，硫酸盐又转化为H_2S。硫化氢迅速被氧化成二氧化硫、三氧化硫，溶于水生成亚硫酸和硫酸。这些化合物是构成"酸雨"的主要成分，能杀死敏感的水生生物，并损坏大理石纪念物和石建筑物等。

sulfur dye 硫化染料 复杂的含硫不溶性合成有机染料的总称。以硫化钠碱性溶液作用于纤维中的纤维素。纤维中的这种染料在空气中可被氧化而回复到原来的不溶形态。硫化染料耐水洗、耐汗渍、耐光照，但不耐氯漂白。可染多种颜色，特别是浅色和深色、深黑色和海军蓝，但无鲜红和橙色。

sulfur oxide 氧化硫 硫和氧所组成的几种化合物中的任一种，其中最重要的是二氧化硫(SO_2)和三氧化硫(SO_3)，都是在制造硫酸的中间阶段中大量生产的。二氧化硫为亚硫酸酸酐（与水化合形成酸的化合物）。三氧化硫是硫酸酸酐。二氧化硫是重而无色的有毒气体，带有类似擦火柴时产生的刺鼻臭味。在自然界，二氧化硫存在于火山气体和某些温泉水中。在工业上，通常二氧化硫的制备方法是在空气或氧气中燃烧硫或黄铁矿和黄铜矿等硫的化合物。在含硫燃料燃烧过程中形成大量的二氧化硫；20世纪后半叶，广泛采取了控制二氧化硫对大气污染的措施。在实验室中制备二氧化硫的方法是，将硫酸(H_2SO_4)还原成亚硫酸(H_2SO_3)，或用盐酸等强酸来处理亚硫酸盐而形成亚硫酸，后者分解成水和二氧化硫。二氧化硫可在中等压力和室温下液化。在大气压力下，凝固点为 -73 °C，沸点为 -10 °C。虽然二氧化硫主要用于制备硫酸、三氧化硫和亚硫酸盐，但也用作消毒剂、致冷剂、漂白剂、食物特别是干果的防腐剂。三氧化硫为无色化合物，在室温下既可作为挥发性液体也可以三个同素异形体固体之一存在。该液体沸点为44.6 °C，凝固点为16.83 °C。其最稳定同素异形体熔点为62 °C。在催化剂存在下由二氧化硫与氧气反应制得的三氧化硫，遇潮湿空气会剧烈冒烟并溶于水，释放出大量的热而生成硫酸。三氧化硫的硫酸溶液称发烟硫酸。和硫酸一样，三氧化硫是很强的脱水剂，腐蚀性很强，并具很高的化学反应性。硫的其他一些氧化物包括：一氧化硫(SO)、三氧化二硫(S_2O_3)、七氧化二硫(S_2O_7)和四氧化硫(SO_4)。在低压下的二氧化硫和硫蒸气混合物经放电可得一氧化硫，它是一种不稳定的无色气体。一氧化硫遇冷凝固为橘红色固体，然后缓慢分解为硫和二氧化硫。将硫溶于液态的三氧化硫中制得三氧化二硫，是一种仅在15 °C以下才稳定的蓝绿色固体。在二氧化硫或三氧化硫和氧气的混合物中放电得到的七氧化二硫和四氧化硫，都是熔点约为0 °C的不稳定化合物。

sulfuric acid 硫酸(H_2SO_4) 又称矾油或硫酸氢。一种比重大、无色、油状的腐蚀性液体，是最重要的化学产品之一。工业上用三氧化硫与水反应制备。用*接触法*(**contact process**)或*铅室法*(**chamber process**)可以从二氧化硫与氧反应制备三氧化硫。不同浓度的硫酸可用于化肥、颜料、染料、药物、炸药、洗涤剂、无机盐类和无机酸的生产中，以及用于石油精炼和冶金过程。用作铅-酸蓄电池的电解液是人所熟知的用途之一。纯硫酸比重1.830(25 °C)，在10.37 °C时凝固。加热时纯硫酸部分分解为水和三氧化硫，后者以蒸气形式逸出，直到酸浓度降到98.3%时为止。在1大气压下，上述硫酸和水的混合物于恒定温度338 °C沸腾。市售硫酸浓度通常有三种，即78%、93%或99%。硫酸是很强的酸，在水溶液中完全电离，形成水合氢离子(H_3O^+)和硫酸氢根离子(HSO_4^-)。在稀溶液中，硫酸氢根离子进一步离解，形成更多水合氢离子和硫酸根离子(SO_4^{2-})。硫酸为氧化剂，在高温下易与很多金属、碳、硫以及其他许多物质发生反应；浓硫酸还是一种很强的脱水剂，它能跟水剧烈反应，因而能使木材、纸张或糖等许多有机物碳化，剩下含碳的残渣。发烟硫酸是三氧化硫溶于100%硫酸形成的溶液，其中一般含20%、40%或65%的三氧化硫，常用于制备有机试剂。

Sulitelma 苏里泰尔马 瑞典-挪威边境山脉。在瑞典拉普兰境内。长48千米。最高海拔1 914米，山顶终年积雪，并有冰川数条。

Suliyavongsa 苏里亚旺萨(1613～1694) 老挝澜沧王国鼎盛时期的国王。1637年即位时面临王朝冲突和不稳定。他恢复和平，划定澜沧国与邻国的边界。17世纪40～60年代有荷兰人和意大利的耶稣会士前来访问他的首都万象。根据他们的记述，当时的澜沧王国是一个繁荣昌盛的国家。但由于苏里亚旺萨处死王储，失去直系继承人，澜沧王国遂分裂。

sulky 单座两轮马车 原为一种单马四轮敞篷轻便车，只能供一人乘坐，据说是19世纪初一个英国医生发明的。这种马车经过改制成为两轮式，并在美国为医生和那些经常

单座两轮马车

供图:Hall of Fame of the Trotter, Groshen, N.Y.

单独外出的人所广泛使用。现在它主要用于两轮马车竞赛中。比赛用的马车用轻金属制成,由一根绕驭者座位、略呈 U 形的车辕构成。

Sulla (Felix), Lucius Cornelius 苏拉(公元前 138 ～前 78,那不勒斯附近普特奥利[波佐利]) 公元前 88 ～前 82 年罗马史上第一次全面内战的胜利者,其后任独裁官(公元前

供图:Alinari—Art Resource/美国不列颠百科全书公司

82 ～前 79),实行著名的宪政改革以图加强罗马共和国。苏拉是贵族家庭出身。早年就希望登上政治舞台。公元前 107 年任度支官,在马略麾下参加在非洲进攻努米底亚国王朱古达的战争。他施展巧计生擒朱古达,从而一鸣惊人。由于马略的嫉妒,他于公元前 103 年转到另一位指挥官手下任职。公元前 94 年担任行政长官。公元前 90 ～前 89 年参加同盟者战争。公元前 88 年取得罗马共和国的最高职务,成为两名执政官之一,负责指挥对小亚细亚本都王国米特拉达梯六世的反击战。到公元前 87 年春,他已控制希腊的大部分地区。公元前 86 年经过长期围困占领了雅典。公元前 85 年与米特拉达梯在赫勒斯滂海峡的达尔达努斯会晤,他使后者接受一项丧权辱国的条约,再度沦为罗马的藩王。苏拉在雅典逗留很长时期。公元前 83 年夏率 4 万人和大量战利品回到意大利南方的布伦迪休姆。但在外出期间,掌权的平民派宣布他是共和国的公敌,废除了他制订的法律,砸毁了他的家园,他的亲朋好友纷纷逃到希腊去投奔他。苏拉从布伦迪休姆开始向罗马进军,沿途不断有反对平民政治的人加入他的队伍。在此后发生的内战中,苏拉受到执政官卡波和小马略的不断抵抗。公元前 82 年底,苏拉在罗马北郊科利内大门取得了胜利。内战结束后任独裁官(公元前 82 ～前 79),拥有立宪、立法、司法和军事的大权,而对他的任期也没有限制。公元前 81 年初举行庆祝战胜米特拉达梯的典礼,自称菲利克斯。他推行宪政改革,重建元老院的优势地位。他的许多改革一直存在到共和制结束。他增设刑事法庭,颁新的叛逆法等。公元前 79 年初苏拉宣布退位,这一突如其来的行动使罗马人大吃一惊。此后他成为一个普通公民,继续撰写回忆录。

Sullana 苏亚纳 秘鲁西北部皮乌拉省苏亚纳区首府。临奇拉河。地处沿海沙漠。约建于 1821 年秘鲁脱离西班牙独立之时。1826 年建镇。现为该国一主要产棉区的商业中心。奇拉河疏通后,年水流量居秘鲁沿海河流之首。20 世纪初开始种植棉花,也收集金鸡纳树皮。市内有轧棉和棉籽油工厂。物产经派塔港(市西 75 千米处)输出。与该省省会皮乌拉之间通泛美公路。人口:城市89 037(1981);区约194 991(1981)。

Sullivan, Anne(teacher) **沙利文** 参阅 **Macy, Anne Sullivan** 梅西(夫人)。

Sullivan, Sir Arthur (Seymour) 沙利文(1842-05-13,伦敦～ 1900-11-22,伦敦) 作曲家。和 W.S. 吉尔伯特一起建立了具有特色的英国轻歌剧。吉尔伯特的讽刺挖苦和妙语连珠配以沙利文的优美旋律、艳逸才藻及其模拟意识,使两人的合作相得益彰,可谓绝无仅有,赢得了全世界经久不衰的赞誉。沙利文在伦敦皇家音乐学院学习,获门德尔松奖学金,后又在莱比锡音乐学院学习。1861 年在伦敦圣迈克尔教堂任管风琴师,翌年为《暴风雨》所谱音乐在水晶宫获极大成功。接着又写了《凯尼尔沃思》康塔塔(1864)、芭蕾舞剧《迷人岛》、《纪念》和《舞会》序曲以及大量歌曲。他谱曲的第一部喜歌剧是F.C.伯

伦敦国立肖像画陈列馆供图

南德的《考克斯与博克斯》(1867)。1871 年与吉尔伯特第一次合作的产品《泰斯庇斯》在欢乐剧院上演,反应平平。1875 年二人在皇家剧院经理 R.D. 卡特推动下再度合作,写成《陪审团的审判》,一鸣惊人,连续上演一年多。于是卡特创建喜歌剧团,着意于上演二人的大型轻歌剧。第一部是《魔法师》(1877),然后是《皇家海军舰艇围裙号》(1878,该剧最后取得辉煌的成功)和《彭赞斯的海盗》(1879,纽约)。在《忍耐》(1881)演出过程中,卡特将演出移至他新建的萨沃依剧院,后来的轻歌剧即在该院上演,包括《约兰特》(1882)、《艾达公主》(1884)、《日本天皇》(1885)、《船夫》(1889)等。他们合作的产品即以"萨沃依歌剧"闻名。由于沙利文不断申言吉尔伯特的剧情有故弄玄虚之弊,造成二人意见分歧,以致一度分手,后虽重新合作,但所作《乌托邦有限公司》(1893)与《大公》(1896)均未能再创辉煌。比较严肃的大作品有《回头的浪子》(1869)、《世界之光》(1873)、《安提阿的殉教者》(1880)、《黄金的传奇》(1886)和《艾凡赫》(1891)。赞美诗有《信徒精兵歌》,歌曲《失去的和弦》曾盛行一时。作为指挥十分活跃,特别是在利兹音乐节(1880 ～ 1898)。1883 年获爵士称号。

Sullivan, Ed 沙利文(1901-09-28,纽约市～ 1974-10-13,纽约市) 美国受人欢迎的电视节目"城里最受敬仰的人"(1948 ～ 1955)的主持人。该节目后改名为"埃德·沙利文节目"(1955 ～ 1971)。它包括各种不同的表演,由哥伦比亚广播公司电视播放。沙利文通常持沉默寡言的态度,使他获得"石头面孔"的绰号。起初从事新闻事业,担任体育新闻的撰稿。1932 年加入《纽约日报》,成为该报的百老汇专栏作者。善于发现令人感兴趣的新演员,并为之广泛宣传。在《纽约日报》主办的一次"收获季节满月"舞会,沙利文担任司仪,哥伦比亚广播公司将其当时的活动情况拍摄后,便雇佣了他。"城里最受敬仰的人"这个节目中,沙利文介绍了一位音乐会钢琴家、一位拳击裁判、一位歌唱的消防队员以及一些受人欢迎的著名人士,如作曲家和歌剧歌词作者 R.罗杰斯及 O.哈默斯坦第二,还有喜剧演员 D.马丁和 J.刘易斯。这个节目风行了 20 多年。

Sullivan, Harry Stack 沙利文(1892-02-21,美国纽约诺威奇～ 1949-01-14,巴黎) 美国精神病学家。曾提出一种以人际关系为基础的精神病学理论。他相信焦虑以及其他精神病症状,源出于个人与其周围人文环境之间的基本冲突,人格亦在与其他人的相互关系中形成。他的研究对于临床精神病学,尤其是对精神分裂症的心理治疗,作出了重要贡献。他认为精神分裂症患者的心理功能虽受压抑,但并非损伤到不可补救的地步,通过治疗是可以恢复的。他曾于华盛顿市圣伊丽莎白医院工作,接受了精神病学家 W.A.怀特的影响。怀特将弗洛伊德精神分析原理的应用范围,扩大到住院的重精神病患者,而不像当时的多数弗洛伊德派精神分析医师那样,只局限于治疗神经官能症的患者。1923 ～ 1930 年,沙利文在马里兰州汤姆森市谢泼德及伊诺克·普拉特医院从事临床研究时,结识了精神病学家 A.迈耶。迈耶倡导实践性心理治疗,强调精神病的基础,是心理及社会因素,而不是神经病理现象。1925 ～ 1930 年沙利文任普拉特医院研究主任期间,证明不管精神分裂症患者的行为多么古怪,只要与之有足够的接触,要了解他们还是可能的。他将精神分裂症解释为幼儿期人际关系出现障碍的结果。通过适当的心理治疗,这些行为

障碍的根源可以被认识并加以消除。在进一步发展他的理论基础上，他于1929年为男性精神分裂症患者，组织了特别的病房用以进行集体治疗。1930年他后主要致力于教学并阐述自己的观点。他将早期关于精神分裂症的概念扩大为人格理论，认为正常的和异常的人格，均代表了人与人之间的关系的持久型式；环境，尤其是人的社会环境，在人格的形成中起着重要的作用。他主张一个人的自我认同和个性的建立过程是一个以实现自身价值为目的的、以人际关系为背景的认知积累的过程；因此，不同年龄阶段的人有着不同的交际行为模式。对婴儿来说最重要的人是母亲，与母亲的关系如果出现障碍，会引起焦虑；随后儿童建立起一种往往能减轻焦虑的行为方式，形成一种持续到成年期的性格特征。1933年沙利文协助建立W.A.怀特精神病学基金会，1936年协助建立华盛顿精神病学院。第二次世界大战后协助建立世界心理卫生联合会，又与联合国教科文组织合作应用精神病学原则去缓和国际紧张局势。1938年沙利文创办并编辑《精神病学》杂志。晚年他将其观点译述于著作中，著有《人际关系的精神病学》(1953)、《精神病学与社会科学的融会》(1964)等。

Sullivan, John 沙利文(1740-02-17，新罕布什尔萨默斯沃思～1795-01-23，美国新罕布什尔达勒姆) 美国早期政治领袖和革命战争时期的军官，因在纽约西部击败易洛魁印第安人及其效忠派盟友而享有盛誉。原为律师，1774年选入新罕布什尔殖民地立法会议，同年参加在费城举行的第一届大陆会议。翌年6月出任大陆军准将，率兵支援波士顿包围战。1776年受命赴加拿大接替在魁北克战役(1775-12-31)中阵亡的指挥官，组织美军撤

美国国会图书馆供图

退，后与G.华盛顿将军会师，升为少将。1776年8月参加长岛战役，被俘；12月交换战俘中获释。1779年印第安人在英人唆使下在纽约的莫霍克谷地袭击美国部队，他奉命率领4 000人前往讨伐，在纽敦(今埃尔迈拉附近)一举击溃易洛魁人及效忠派的联军，焚烧其村庄，毁掉其庄稼。同年10月大陆会议予以嘉奖，但他因多病，不久即辞去军职。以后15年中历任大陆会议新罕布什尔代表(1780～1781)、州司法部长(1782～1786)、州长(1786～1787、1789)、主持州代表大会批准联邦宪法(1788)及美国地方法官(1789～1795)等职。

Sullivan, John Florence (U.S. entertainer) **沙利文** 参阅 **Allen, Fred** 艾伦。

Sullivan, John L(awrence) 沙利文(1858-10-15，美国马萨诸塞罗克斯伯里～1918-02-02，马萨诸塞阿宾顿) 象征着美国徒手拳击运动时代的职业拳击运动员，是最受人欢迎

合众国际社—美国不列颠百科全书公司供图

的最重量级冠军。从1878年沙利文开始起参加职业拳击赛。1882年2月7日在密西西比州密西西比市以9个回合击倒瑞安而获得徒手拳击最重量级冠军。1892年9月7日在新奥尔良经过21个回合败于科贝特。部分拳击史学家只承认他为美国冠军而不承认他为世界冠军。他的性情暴躁，力气惊人，其收入100多万美元最后竟挥霍一空。他原在拳坛嗜酒，但后来提倡禁酒并就此题多次讲演。

Sullivan, Louis (Henry) 沙利文(1856-09-03，波士顿～1924-04-14，芝加哥) 美国现代建筑(特别是早期摩天楼建筑美学)的奠基人。早年曾任职于芝加哥学派的建筑师W.Le

芝加哥历史学会供图

B.詹尼的事务所，后赴巴黎美术学院学习。1875年返回芝加哥任绘图员，1881年与D.阿德勒合组建筑事务所，共事达14年，设计了百余幢建筑，其中的许多作品，特别是商业建筑成为美国建筑史上的里程碑。芝加哥的会堂大厦(1889)是他早期的成熟作品之一，这是一幢10层的花岗岩和石灰岩大厦，附有一座17层的塔楼，兼作旅馆和办公楼。大厦呈U字形，环绕着一座有3 982个座位的歌剧院。外部形式朴素、淡雅，内部则装饰富丽、豪华。在这时期内，年轻的F.L.赖特曾作为他的学徒六年，受到他的影响。圣路易斯的10层的温赖特大厦是他最重要的摩天楼设计作品，通体采用钢框架，不用承重外墙。在立面处理上摆脱了历史风格而有所创新，以最下二层作为基座，其上各层强调直线条而尽量少用横线条，最上一层作为带装饰的檐壁，上覆简单檐口。他原先与阿德勒合作，后与阿德勒分开，而自行开业，但他不善于处理与顾客的关系，委托的业务逐年减少。他晚期的重要作品有芝加哥的施莱辛格-迈耶百货公司大厦，与上述温赖特大厦相反，采用了横向线条，其特点为矩形的"芝加哥式窗"，用大片固定玻璃窗扇，两旁有可开启的小窗。与上部简洁处理成对比的是最下二层的陈列橱窗，用丰富的铸铁装饰围成画框。这座大厦的装饰，特别是主要入口上方，表现了他在建筑装饰中的最高成就。他晚年由于业务清淡、生活拮据，贫病交加而死。逝世后美国建筑师学会很晚(1946)才给他颁发了金质奖章。

沙利文一生致力于建筑的革新，他反对建筑设计的历史折衷主义，他为使建筑师成为从事创造性工作的人物，作了很多努力。他自己的作品，具有装饰富丽、豪华的特征。与其建筑设计成就相媲美的，是他在建筑方面的著作。这些文章并没有具体的教条，而是阐明建筑发展的方向，并指出机械地理解艺术理论的危险性。他的名言是："形式从属于功能"，这并不是说设计建筑物时，应机械地按实用要求处理形式，相反，他认为建筑物除了反映其自身的功能及结构依据外，还必须与其环境相称并能够表现环境。他被认为是第一位有意识地考虑建筑与文化之间相互关系的美国建筑师。沙利文的著作以及实践都以摩天楼为主，他认为高层办公楼必须按其功能进行设计，如果功能没有变化，则形式也不应该变化。他最激动人心的摩天楼设计，是拟兴建于芝加哥的兄弟会堂大楼(1891年设计)，不幸并未修建。这是一幢上部向后退缩的对称大楼，中央部分为35层的高塔。他在装饰上也同样有所革新，他的装饰并不取材于历史程式而是以几何形状和自然形式为基础，具有独特的风格。

Sullivan, Mick 沙利文(1934-01-12，英格兰约克郡迪斯伯里～　) 英国橄榄球运动员，在其全部橄榄球经历中(1954～1964)48次代表英国参加国际比赛和世界杯赛，3次代表英格兰参加比赛。1954、1957和1960年参加世界杯赛，1958和1962年远征澳大利亚。1958年的比赛中创造底线得分38次的英国队远征纪录。1961年退出比赛。

Sullivant, William Starling 沙利文特(1803-01-15，美国俄亥俄哥伦布～1873-04-30，哥伦布) 美国植物学家，当时杰出的苔藓植物学家。研究苔藓植物，为美国对这些植物的进一步研究奠定了基础。曾就读于俄亥俄大学（阿森斯）和耶鲁学院。1823年其父逝世后为管理家产而中断学业。10年后对植物学发生兴趣，1840年发表第一部著作《俄亥俄州哥伦布市附近的土生植物和引入植物名录》。1856年发表《密西西比河以东的藓纲植物和苔纲植物》，总结其苔藓植物学的重要研究成果，书中插图精细。虽然他的采集考察仅局限于美国，但他从古巴、委内瑞拉及南、北太平洋地区得到许多植物标本。他最重要的著作《藓类图志》(1864)详细记述了北美东部的藓类植物。为纪念他，人们将他在俄亥俄州发现的一个苔藓植物属命名为 *Sullivantia* 属。

Sullom Voe 萨洛姆湾 苏格兰的石油管道终端站和港口，设在设得兰群岛梅恩兰岛北部。欧洲最大的石油终端和港口。20世纪70年代末，英国所产石油的75%在这里处理转运。这项工程包括管道终端设施、港口和储存设备以及发电厂和将原油与油气分离的加工厂等，是第二次世界大战以来西欧最大民用项目和苏格兰近海石油工业的一项主要成就。

Sully, Maximilien de Béthune, duc de 苏利公爵(1560-12-13，法国芒特～1641-12-22，维勒邦) 即 M. de 贝蒂讷。法国政治家。作为法王亨利四世信赖的大臣，对宗教战争(1562～1598)后法国的复兴作出巨大贡献。胡格诺派教徒。早年进入纳瓦拉的亨利(后为法国国王亨利四世)的宫廷。1572年随亨利到巴黎，在巴托罗缪惨案中仅以身免。内战期间为亨利效劳，肩负过特殊任务。他促成了亨利与玛丽·德·美第奇的婚姻(1600)，并参加谈判《萨伏依和约》(1601)。1603年任驻英王詹姆斯一世宫廷的特命大使。1596年任国王的财政委员会主任，成为唯一的财政总监。他制止征税的种种弊端，撤销一些重叠的政府机构。后来他的权势压倒大法官，成为真正的国王亲信。1606年受封公爵。他奖励农牧，主张产品自由流通，制止破坏森林，推动筑路和修排水工程，计划修建庞大的运河网，并加强军事机构，指导边防工事的建设。1610年亨利四世遇刺后，他在政治上的作用便随之告终。1611年1月引退。著有《回忆录》(1638)。

Sully, Thomas 萨利(1783-06-19，英格兰林肯郡霍恩卡斯尔～1872-11-05，费城) 美国19世纪最佳肖像画家之一。1792年随父母从英国到美国，定居于南卡罗来纳州的查尔斯顿。在波士顿时是 G. 斯图尔特的学生(1807)，在伦敦时是 B. 韦斯特的学生(1809)，并受到肖像画家 T. 劳伦斯的影响。是一位多产画家，作过2 000幅左右肖像画，以及许多细密画和500多幅历史画和主题画。其风格雅致，富于浪漫热情，强调形式与色彩的简练。晚年作品带有19世纪中期伤感色彩。

萨利绘油画《抹竖琴的女子：伊丽莎·里奇利》(1818)
华盛顿国家美术陈列馆供图

Sully Prudhomme 苏利·普律多姆(1839-03-16，巴黎～1907-09-07，法国沙特奈) 勒内-弗朗索瓦-阿芒·普律多姆的笔名。法国诗人，帕尔纳斯诗歌运动的重要人物。这一运动致力于恢复诗歌的优雅、平衡和美学的标准，反对浪漫主义的漫无节制。普律多姆在校时学自然科学，后因眼疾被迫放弃。他曾在一家工厂当办事员，1860年弃职去学习法律。1865年开始发表因失恋而写的流畅、伤感的诗。《长短诗集》(1865)内有他最佳的诗《破碎的花瓶》。《考验》(1866)和《孤独》(869)亦以这种感伤的笔调写成。不久，他弃绝个人抒情诗，转向帕尔纳斯派更客观的手法，力图在诗中表现哲理。《正义》(1878)、《幸福》(1888)是以这种风格写成的最著名的两部作品。《幸福》表现的是浮士德式的对爱和知识的探求。后期作品常显得晦涩难懂，表现了他对用诗表达哲学题材进行的幼稚探索。1881年当选为法兰西学院院士，1901年获诺贝尔文学奖。他是获得该奖的第一人。

供图：H. Roger-Viollet

Sulman, Henry Livingstone 苏尔曼(1861-01-15，伦敦～1940-01-31，英格兰萨里克罗伊登) 英国冶金学家。金属提炼前用以富集矿石的泡沫浮选法的创始人之一。他从伦敦大学学院毕业后，任布里斯托尔和伦敦几个化工厂的化学师或经理。1898年与 H. F. K. 皮卡德合作，在伦敦任冶金顾问，单独发明或共同发明了几种提取黄金的方法，其中包括溴化氰处理法，随后与皮卡德一起创造了泡沫浮选法。

Sulmona 苏尔莫纳 意大利中部阿布鲁齐区阿奎拉省城镇。在佩斯卡拉河上游的河谷中。原为帕伊利格尼人城镇，后属古罗马。是1世纪罗马诗人奥维德的出生地。13世纪并入那不勒斯王国。14和15世纪以产金器闻名。教皇英诺森七世亦诞生于此。最著名的建筑物有教堂(1706年地震后重建)、圣母领报宫(现为市博物馆)。苏尔莫纳现为铁路交通枢纽和农产品贸易中心。以产蜜饯著名，还制造熟铁制品。人口：城市区约24 016(1981)。

sulphides(glass) 硫化浮雕 参阅 **crystallo ceramie** 水晶陶瓷。

Sulpicius Rufus, Publius 苏尔皮西乌斯·鲁富斯(约公元前124～前88，拉丁姆拉维尼乌姆) 罗马演说家、政治家。公元前88年任保民官，曾实施以下几项法律：①把同盟者战争中解放的奴隶和新获得公民权的意大利人分配到35个部族中去；②凡负债超过2 000迪拉里的元老一律取消元老资格；③召回所有未经正式审判而放逐的人；④撤换与本都国王米特拉达梯六世作战的司令官苏拉，改由马略负责有关战事。驻扎在坎帕尼亚的苏拉立即向罗马进军，将苏尔皮西乌斯擒获处死。他的改革以"强行通过"为由被宣布无效。

Sulpicius Rufus, Servius 苏尔皮西乌斯·鲁富斯(公元前106～前43) 罗马法学家。他写了近180篇关于法律的论文。由于他的论文一篇也没有保存下来，所以有很多仅仅是在查士丁尼的《学说汇编》中引用到的其他作者的著作中被提到的。在跟随西塞罗研究了修辞学之后，他认定自己不可能成为优秀的雄辩家，便转而研究法律。在公元前63年，他是执政官候选人之一，但是被卢西乌斯·利奇尼乌斯·穆雷纳击败了。后来他控告此人行贿，而穆雷纳在这一诉讼中则由西塞罗替他进行了成功的辩护。他于公元前51年成为执政官。在尤利乌斯·凯撒与庞培进行的内战期间(公元前49～前46)，他经过相当长的犹豫之后决定支持凯撒，凯撒于公元前46年任命他为阿哈伊亚的地方总督。他在元老院派他出使马可·安东尼的期间死去。他有两封给西塞罗的信被保存了下来(西塞罗《论家庭》)，第一封是悼念伟大的雄辩家西塞罗的女儿图利娅之死的一封著名的信。

Sulpicius Severus 苏尔皮西乌斯·塞维卢斯(约363，高卢阿基塔尼亚～约420) 早期基督教虔修士、当时高卢和罗马史的主要权威。他曾受正规的法学教育，390 年受洗入教。丧妻之后在故乡图尔兴建教堂，后到阿基塔尼亚隐居著述，主要关注西方教会特别是其隐修体制。其最著名作品是《圣马丁传》。400 年着手撰述《圣迹通鉴》（两卷，约 402 ～ 404 年出版），叙事自创世到当代，但省略福音书内容。

Sulston, John E. **苏尔斯顿**（1942-03-24，英国剑桥～　　）英国生物学家。因发现基因通过一个关键的称作“程序性细胞死亡”的机制调控组织和器官发育的方法，与 S. 布伦纳和 H. R. 霍维茨一起获得 2002 年诺贝尔生理学或医学奖。先后从剑桥大学获得学士学位（1963）和博士学位（1966）。后在美国做博士后三年。1969 年加盟英国医学研究理事会布伦纳研究组。1992 ～ 2000 年，出任剑桥桑格研究中心主任。他的获奖项目是关于程序性细胞死亡的研究，即某些细胞在适当的时间和位置接受指令，实行自杀。这一过程对所有动物的正常发育都是至关重要的。在人类胚胎发育和器官成形过程中，必须要有大量细胞被消灭。如手指和脚趾胚胎成形，就必须要通过程序性细胞死亡除去原来存在于指（趾）间的多余组织才行。同样的过程也见于大脑成形早期，多余的神经细胞也需要程序性细胞死亡来清除。正常成人每天都有大约 1 万亿细胞在吐故纳新，以保持身体健康，并使机体免于细胞大量增生的负担。20 世纪 70 年代，苏尔斯顿绘制了秀丽隐杆线虫完整的细胞谱系图。这是一种亚微型土壤蠕虫，最早视其为理想的实验动物用于程序性细胞死亡研究的是布伦纳。苏尔斯顿记录了每一个细胞的传代过程：从受精卵、细胞分裂到成熟分化。研究结果显示：一条线虫发育到成虫的全过程中，共有 131 个细胞发生程序性细胞死亡。苏尔斯顿还确定了在此过程中发生的第一个基因突变。苏尔斯顿的工作对发育生物学的发展作出了重要贡献，并极大地加深了人们对某些疾病发病机制的认识和理解。

sultan **苏丹**　《古兰经》上原指道德或宗教权威人士；后指政治权力，自 11 世纪起成为穆斯林统治者的称号。伽色尼王朝的统治者马哈茂德（998 ～ 1030 在位）是称苏丹的第一位穆斯林统治者。在塞尔柱王朝统治下的安纳托利亚和伊朗，苏丹是统治者常用的称号。此后，哈里发经常将此称号授予各地的统治者。

Sultan Kudarat **苏丹库达拉**　菲律宾棉兰老岛西南部一省。建于 1973 年。西临西里伯斯海的莫罗湾。面积4 288平方千米。省会伊苏兰。西部为库拉曼高原，海拔1 904米。中部有布卢安河流向西北。东面有阿利普山脉。高原被森林覆盖。谷地产稻米、玉米、椰子、马尼拉麻和香蕉。居民大部分是穆斯林（摩洛人）和信奉天主教的米沙鄢人。哥打巴托马诺博人定居在库拉曼高原。人口303 784（1980）。

Sulṭān Muḥammad **苏丹·穆罕默德**（活动时期 16 世纪，萨非王朝伊朗）　波斯大画家，大不里士的萨非流派最著名的艺术家。1495～1522年期间土库曼画派最主要的代表人物。该派在黑羊王朝和白羊王朝的土库曼人统治下代表西伊朗的绘画趋势，特征是

苏丹·穆罕默德在《王书》中的细密画《迦尤马尔斯宫廷》
纽约大都会艺术博物馆供图

动态的气势，无条理的透视，隐蔽的奇异风格，强烈的色彩以及一种视夸大为优点的倾向。这种风格十分适合当时国王伊斯梅尔一世的狂热性格。但到 1522 年，赫拉特的老画家贝赫扎德带着他的一些门生弟子来到宫廷的时候，苏丹·穆罕默德开始为赫拉特流派的均衡、和谐及文雅的画风所影响。苏丹·穆罕默德还曾教伊斯梅尔一世的儿子年轻国王塔赫马斯普一世学画。1520 ～ 1538 年期间，与人合作共同创作了太美斯普统治者纳梅的画像。1526 ～ 1527 年和贝赫扎德的一个学生谢赫扎德一起为哈弗兹的一本波斯语诗集和土耳其诗人米尔·阿里·希尔·涅甫伊的一本诗集画过插图。1539 ～ 1543 年为国王塔赫马斯普在内扎米所写的《五卷诗》上画插图。嗣后不久，国王不再对绘画感兴趣，苏丹·穆罕默德似乎也不再绘画。那时他的儿子米尔扎·阿里（穆罕默德）已经是一名著名的艺术家，成为青年一代的主要画家之一。

同时代的人都把苏丹·穆罕默德看成是他们的大师。很显然，从构图、色彩、技巧、气势、才智和构思深度方面说，苏丹·穆罕默德都是伊斯兰世界最伟大的画家之一，与贝赫扎德齐名。

Sultanabad ware **苏丹纳巴德陶瓷**　苏丹纳巴德（现伊朗苏丹纳巴德）生产的伊斯兰陶瓷。作为一种风格，其巅峰时期是 13 和 14 世纪。受到人们喜爱的型式有米纳衣（一种通过焙烧保存颜色的方法）陶瓷，闪光陶器，绿色及深蓝色调的彩陶（上面常有模塑装饰），以及用光泽彩料装饰的瓷砖等。

Sultānpur（India）　**苏丹普尔**　参阅 **Kullu** 古卢。

Sultānpur **苏丹布尔**　旧称古瑟布勒或古什布赫文布尔。印度北部北方邦苏丹布尔县首府和城镇。濒临戈默蒂河。城镇古已存在，数度遭毁坏并重建。现镇在英军前哨基地上兴建起来。为农产品贸易中心。苏丹普尔县地处戈默蒂河两岸冲积平原。面积4 424平方千米。生产小麦、稻米和大麦。人口：镇76 567；县2 558 698（1991）。

Sulu **苏禄**　菲律宾苏禄群岛北部一省。西北有苏禄海，东南为西里伯斯海。该省各岛形状和大小各异，总陆地面积2 688平方千米。由苏禄群岛 7 个主要岛群中的 4 个岛群组成，它们是霍洛、萨马莱斯、塔普尔和潘古塔兰。霍洛岛为最大。省会为霍洛镇。因远离台风带，气候特别适于种植各种农作物。主要作物有水稻、玉米、椰子、香蕉和马尼拉麻。经济以农业和渔业为主，收入来源靠农业及有关行业（碾米、贝壳加工等）。深海捕鱼为唯一大规模行业。苏禄海为主要渔场。主要港口有霍洛和锡亚西。村镇工业发达，有造船、工具和武器制造、纺织及铜、金镶嵌贝壳和珊瑚的用具和装饰用品的设计等。矿藏和森林资源有待开发。交通靠航空与海运；公路很少，且为碎石路面，质量不佳。居民多为操萨马尔语的伊斯兰教徒。人口469 971（1990）。

Sulu Archipelago **苏禄群岛**　菲律宾西南部群岛。由数百个火山岛、珊瑚岛、无数岩滩和暗礁组成。从棉兰老西南的巴西兰岛向西南延伸270千米，至马来西亚的沙巴东海岸附近。其中重要岛屿有霍洛（**Jolo**）岛、塔威

苏禄群岛中为森林覆盖的岛屿
供图：Ted Spiegel—Rapho/Photo Researchers

塔威岛、桑阿桑阿岛、锡布图岛、锡亚西岛和卡雅延苏禄岛等，形成苏禄海与西里伯斯海之间屏障。陆地总面积2 688平方千米。岛上森林遍布，土壤肥沃，种植水稻、木薯、椰子和水果。行政上划分为苏禄（**Sulu**）和塔威塔威（**Tawitawi**）两省。岛民信奉伊斯兰教。海上养殖业为主要经济活动，仅霍洛有较大规模的农业。群岛中有许多养珠场；海洋资源丰富，有纽扣贝、珍珠母、珊瑚、鱼翅、海参、龟背、龟卵、海绵等。西部的海龟群岛以产海龟及其卵闻名。由于海洋资源未充分开发，仍需靠小规模农业和进口大米。矿藏资源有限，木材业也不发达。群岛上最大民族群为塔乌苏格人和萨马尔人。最大的居民点有霍洛港、锡亚西、锡坦凯、塔利帕欧。人口941 266（1990）。

Sulu Sea **苏禄海**　北太平洋西部海域。西南界婆罗洲，西和西北连菲律宾西南诸岛（包

括巴拉望岛），北接布桑加岛和民都洛岛，东至班乃岛和内格罗斯岛，东南达棉兰老岛和苏禄群岛。南北延伸约490英里，东西约375英里，面积10万平方英里。有些地方深达18 400英尺。曾是摩洛海盗的据点，现为周围岛际间贸易通道。渔业发达，海产有珍珠、珍珠贝、海参、鱼翅和龟蛋。

Sulzberger, Arthur Ochs　苏兹贝格（1926-02-05，纽约市～2012-09-29，纽约南安普敦）美国报纸发行人。《纽约时报》在他的领导下进行了许多改革。苏兹贝格在私立学校就学，第二次世界大战中在美国海军陆战队服役（1944～1946），战后入哥伦比亚大学，1951年获英语和历史学士学位。他是1896年购下《纽约时报》的A. S. 奥克斯（1858～1935）的外孙，1935～1961年主持该报的A. H. 苏兹贝格之子，于1963年成为该报社长兼发行人。在此之前他为这一职位做了十余年的准备。1952年他任《时报》见习记者，后去《密尔沃基新闻报》任记者和地方版编辑，后回到《时报》任国外版编辑和驻伦敦、巴黎和罗马记者。1955年回报社任助理发行人和助理财务主管。1963年才正式接手该报。他大力加强该报作为世界大报之一的声誉，同时对该报编辑机构实行现代化管理。1964年，他将一直分开出版的《纽约时报》与《纽约时报星期日版》统一起来，并在宗教、科学和妇女新闻等方面扩大编辑范围。

Sulzer, Salomon　苏尔兹（1804-03-30，奥地利霍恩埃姆斯～1890-01-17，维也纳）　原名Salomon Loewy。奥地利犹太教会堂唱诗队乐长。19世纪犹太教会堂音乐的最重要作曲家。自幼接受唱诗班领唱训练，曾在奥地利和瑞士学习。1820年起在霍恩埃姆斯任会堂合唱队乐长历时5年。在此期间，他使礼拜仪式现代化并在仪式中使用合唱音乐。1825年被召赴维也纳任唱诗班首席乐长，着手改革和重新组织仪式中的音乐部分，出版了重配和声的传统曲调歌集，从而使他赢得“现代犹太会堂音乐之父”称号。另一重要著作是为安息日、节日及圣日的综合音乐集《锡安山歌曲集》（1840～1866）。他写了不少世俗小品音乐，也是一位独唱家，演唱舒伯特的歌曲尤负盛名。一生在整个欧洲受到人们高度尊敬，对20世纪犹太教会堂音乐影响巨大。

Sulzer, William　苏尔泽（1863-03-18，美国新泽西伊丽莎白～1941-11-06，纽约市）　美国政治领袖，纽约州的民主党州长（1913），因与坦曼尼协会的民主党政治机器发生争吵而遭到弹劾并去职。1884年进入纽约律师界，以民主党人身分开始政治活动，曾任纽约州议员（1889～1894）和美国众议员（1895～1912），1912年在坦曼尼组织的支持下，当选为纽约州州长。但就职不久即与坦曼尼组织首领C. F. 墨菲发生冲突，遭受弹劾，州参议院认定他有罪，将他撤职（1913-10-18）。这一事件被认为是“政治私刑”，或为政治或政党的目的滥用弹劾程序的明目张胆的范例。在一次特别选举（1913-11-04）中苏尔泽又当选州议员，但他此后再未担任任何公职，一直从事律师业。

sumac　盐肤木　漆树科盐肤木属（漆树属，*Rhus*）植物。灌木或小乔木。原产于温带和亚热带，均含乳状或树脂状树液，某些种的树液可致接触性皮炎。从前盐肤木用作染料、

光滑盐肤木（*R. glabra*）
供图：Joan E. Rahn—美国不列颠百科全书公司

药品或饮料的原料，现在则用作观赏植物、固土植物及覆盖植物。用作风景树的盐肤木树形优雅，秋叶美观或果簇鲜艳。光滑盐肤木（*R. glabra*）亦称猩红盐肤木，是最常见的种。原产于美国东部和中部，高可达6米。树冠顶部平；枝条不多，粗壮而伸展。有一个栽培变种的叶缺刻极多，外形似蕨叶。鹿角盐肤木（*R. typhina*）亦称天鹅绒盐肤木，较高，可达9米。新抽出的枝条上有浓密的天鹅绒样的覆盖物，故得名。秋叶橘红色或紫色。也有一个变种的叶多深缺刻。毒盐肤木（毒接骨木，*R. vernix*）在某些分类系统中称为毒漆（*Toxicodendron vernix*），为株形美观、茎枝生长紧密的灌木或小乔木；原产于北美东部沼泽地的酸性土壤；核果带白色，果肉蜡质，果枝低垂。而其他盐肤木的果实带红色，有茸毛，集合成簇，果梗直立。毒盐肤木的树液澄清，遇空气即变黑色，对许多人毒性极大。植株较矮的有光泽盐肤木（有翼盐肤木或矮盐肤木，*R. copallina*）和柠檬盐肤木（芳香盐肤木，*R. aromatica*）。前者常栽作观叶及观果植物，叶有光泽，小叶以沿叶柄分布的小肋相连；果浅红色，鲜艳。芳香盐肤木的叶裂成三部分，受损伤后发出芳香；常栽作风景树，长成茎枝密生的低矮灌木。西西里盐肤木（鞣料盐肤木，*R. coriaria*）原产地中海地区，在意大利南部栽培以取单宁。

Sumanguru　苏芒古鲁（活动时期13世纪）西非一君主，曾征服西苏丹一些小国，使之融为一幅员颇广但寿命不长的帝国。由于苏芒古鲁主要是作战将领，他的统治并没有给西苏丹带来繁荣和政治稳定。在加纳帝国崩溃后，敌对王国之间的战争已使西苏丹遭到很大破坏。在此以前为苏苏（或称索索）人居住的卡尼亚加王国（位于今马里西南部）的君主。在占领北部和西部的许多小国后，约1203年攻占加纳帝国首都昆比，企图控制加纳帝国与北非穆斯林国家之间横越撒哈拉的贸易。但是不久索宁克人（加纳原居民）和北非商人便弃昆比而另建贸易中心于杰内和瓦拉塔。两地迅即取代了加纳旧都而成为苏丹的主要商业中心。在传说中，苏芒古鲁是残酷无情的暴君，一些历史学家说这造成大批商人迁离昆比。他未能控制苏丹商业，致帝国迅速衰亡。13世纪30年代，他的霸权受到南方康加巴王国威胁，该国居民曼丁哥人拒不承认苏苏人的宗主权。在约1235年的基里纳（临近今马里共和国库利科罗）战役中，曼丁哥人在孙迪亚塔统率下打败苏芒古鲁。西苏丹的霸权于是转至康加巴，该地遂成为新苏丹帝国马里的核心。

Sumarokov, Aleksandr Petrovich　苏马罗柯夫（1717-11-25，圣彼得堡～1777-10-12，莫斯科）　俄国新古典主义派诗人和剧作家，圣彼得堡第一家剧院经理（1756～1761）。写过几部喜剧和9部悲剧，包括《哈姆雷特》的改编本（1748）。他深受法国新古典主义戏剧的影响，把法国戏剧的方式、方法移植到俄国历史剧中，因此博得“北方拉辛”之美名。所写悲剧表现爱情与义务之间的矛盾，常以大团圆收尾，而喜剧总是讽刺愚昧无知和乡土观念。他的剧本早已无人上演，但抒情诗至今仍有人阅读。曾创办《勤劳的蜜蜂》杂志（1759），谴责腐败官僚和农奴制度。失宠于叶卡捷琳娜二世之后，在莫斯科退隐并在贫困潦倒中死去。

Sumatera Barat　西苏门答腊　英语作West Sumatra。印度尼西亚苏门答腊岛中西部之一省份。西临印度洋。北为北苏门答腊省，东北为廖内省，东南为占碑省，南为明古鲁省。面积19 220平方英里（49 778平方千米），包括明打威群岛中的西比路岛、北巴盖岛、南巴盖岛和锡普拉群岛。巴里桑山脉从西北向东南伸展，西海岸的南半部为低地，北半部为沼泽地。山脉东侧的巴东高地几乎伸展到省的东界。山系由几列平行的山岭组成，多活火山和死火山，有塔朗火山（8 516英尺）、默拉皮山（9 482英尺）和辛加朗山（9 449英尺）。沿海许多地方是淡水沼泽森林。低地生长的松树、柚木和桃花心木等常青雨林一直延伸到丘陵起伏的高地地区。经济以农业为主，生产稻米、玉米、木薯、茶叶、咖啡、橡胶、胡椒、烟叶、椰子和大豆。工业产品有水泥、饮料、食品、纺织品、橡胶制品、化学品和运输设备。公路经过该省全境，铁路越过中部。省会巴东。居民有米南卡包人、加约阿拉人和巴塔克人，还有少数印度人和华人。人口3 406 816（1980）。

Sumatera Selatan　南苏门答腊　印度尼西亚苏门答腊南部省份。南为楠榜省，西为明古鲁省，北为占碑省。东临卡里马塔海峡和爪哇海。面积103 688平方千米，包括位于爪哇海东北海岸外的邦加、勿里洞、利亚特、勒帕尔和门达南等岛屿。巴里桑山脉的一支明古伦山脉沿着南苏门答腊西部边境延伸，多火山锥，平均海拔2 400米，地势从高地急剧下降到广阔的平原，有一条240千米的沼泽地

带把平原和东北海岸隔开。穆西河、科梅灵河和奥甘河把自西部高地冲下来的物质带至中下游形成淡水沼泽、潮汐沼泽地以及沿海的河口湾。低洼的中部平原大部分覆盖着沼泽森林,海岸带是红树沼泽地。群山布满栎木、月桂树、蕨类植物、针叶树和柚木森林。经济以农业为主,主要产品有橡胶、木材、咖啡、茶叶、松香、香料、金鸡纳树皮、藤条、胡椒、玉米和大豆。也种植水果和蔬菜。工业产品有食品、饮料、卷烟、纺织品、木雕、家具、纸张、皮革和橡胶制品、化学品、非金属矿产品、金属制品、机械、电器、运输设备等。化肥厂和炼油厂坐落在省会巨港。公路和铁路主要位于中部低地和沿明古伦山脉山脚,把巨港与巴都拉惹、珀拉布穆利、麻拉埃宁、拉哈特、卢布林高连接起来。居民由米南卡包人、巴塔克人、勒琼楠榜人、万丹人和爪哇人组成。还有少数的印度人和华人。人口4 629 801(1980)。

Sumatera Utara　北苏门答腊　英语作North Sumatra。印度尼西亚苏门答腊北部省份。西临印度洋,东临马六甲海峡,北面和西北面与亚齐特区相连,南面与西苏门答腊省毗邻,南面和东南面与廖内省接壤。面积70 787平方千米,包括印度洋的尼亚斯、穆尔萨拉和皮尼等岛以及巴都岛群。巴里桑山脉的巴塔克高原为西北-东南走向,约占该省面积的2/3。高原上有活火山锥和死火山锥,包括锡纳朋山(2 451米),西巴亚克山(2 094米)和索里梅拉皮山(2 145米)。在高原中心附近海拔910米处是多巴湖和沙摩西岛。沙摩西岛长44千米,宽19千米,并由一狭窄的人造地峡与湖的西岸相连。高原西南侧为沿海低地,低地北面和南面为沼泽地。平坦的低地自高原的东北面向东北伸展,而该省的东南部则是一片宽广的沼泽地带。沿海地区多河口湾,海岸曲折,大部分低地村落都散布在那里。多巴湖的水从亚沙汉河流出,而巴鲁门河、比拉河和瓜拉河自高原的东坡直下均流入马六甲海峡。加迪斯河将西坡之水排入印度洋。高原覆盖着柚木、铁木和榕树热带雨林以及栎木、枫树、胡桃树和月桂树混合生长的亚热带森林。高地上竹子很普遍。沿海地区覆盖着潮汐沼泽和淡水沼泽森林,包括数千米宽的红树带。轮耕制的农业是该省的主要经济,生产稻米、木薯、烟草、橡胶、棕榈油、西沙尔麻、茶叶、咖啡、胡椒、水果和蔬菜等。工业有加工食品和烟草,并生产饮料、纺织品、木雕、皮革和橡胶制品、化学品、金属制品、机器和运输设备。公路和铁路与东北海岸平行伸展。主要城市有棉兰(省会)、丹戎巴来、直名丁宜、民礼、先达和实武牙。居民主要是亚齐人、巴塔克人和沿海马来人,也有华人和印度人。人口约10 132 300(1988)。

Sumatra　苏门答腊　印度尼西亚语作Sumatera。大巽他群岛之一,是印度尼西亚第二大岛(包括邻近岛屿在内,面积约473 606平方千米)。东北隔马六甲海峡与马来半岛相望,南隔巽他海峡与爪哇相望。西北-东南走向的巴里桑山脉绵亘1 600千米,葛林芝山海拔高达3 805米。向东为平坦的冲积土地,有许多河流蜿蜒其中;哈里河最长,通航里程480千米。多巴湖面积1 300平方千米,是许多山湖中最大者。除高地外,苏门答腊气候炎热,极为潮湿。植被有南洋松、大王花属、桃金娘、竹、杜鹃花属、兰花、棕榈树、栎树、栗树、乌木、硬质的树木、樟木、檀香木和生产橡胶的各种树。岛上的动物包括猩猩、各种猿类、象、貘、虎、独角犀牛、长臂猿、树鼩、飞狐猴、野猪和灵猫类。苏门答腊人属蒙古人种大洋洲支系,语言属澳斯特罗尼西亚(马来-波利尼西亚)语族。亚齐人住在苏门答腊西北部,加约人和阿拉斯人住在中北部山区,巴塔克人住在多巴湖四周及其南部,岛上最大的种族米南卡保人则住在巴东高地。巴东南部沿着西海岸则住有勒姜人和莱邦山民以及楠榜沿海居民。马来人是沿海岸和河畔而居的民族。他们在东海岸和南部广阔的平原占绝对多数,讲群岛上通用的混合语,这种语言是印度尼西亚国语的基础。米南卡保人和巴塔克人最善于接受西式教育。绝大多数苏门答腊人是穆斯林,不过有些苏门答腊人是基督教徒和万物有灵论者。主要城市有巨港、棉兰和巴东。约90%的人口居住在农村,苏门答腊东北部的棉兰一带人口密度最高。为了缓和人口过分拥挤的情况,爪哇已向苏门答腊南部的楠榜省移民。全岛划分为7个省:北苏门答腊、占碑、廖内、西苏门答腊、南苏门答腊、明古鲁和楠榜,还有一个亚齐特别区。苏门答腊对于中央政府未给予较大的财政回报时表不满,发生过叛乱和局部性运动。出口的农产品有橡胶、烟草、茶叶、咖啡、棕榈油、苎麻纤维、琼麻、椰干、槟榔子、木棉、花生和胡椒。北苏门答腊高地地区产蔬菜供出口。口粮作物有玉米、块根作物、蔬菜和稻米。约有1/3的印度尼西亚木材来自苏门答腊森林,森林还生产各种油类及纤维。苏门答腊及其邻近岛屿有石油矿藏、天然气、锡、铝土矿、煤、黄金、白银和其他矿藏。靠近沙哇伦多的翁比林煤田面积约105平方千米。在亚生山还有一旧煤田,而南苏门答腊的若干地方则正在开发新的煤矿资源。廖内省的杜马伊地区有若干印度尼西亚境内最高产的油井,在巨港和庞卡南-布郎丹也有一些地区开发油井。苏门答腊东北部、巴东高地和苏门答腊南部,都有很好的公路网,但其他地方则利用山间小路和河流通行。西北-东南走向的苏门答腊公路于20世纪80年代完成。苏门答腊北部、中部和南部有三条独立的不相衔接的铁路网。一家印度尼西亚航空公司为各大城市服务。11世纪时巨港的室利佛逝王国势力一直伸展到苏门答腊绝大部分地区以及其他岛屿和大陆区。1377年室利佛逝王国的首都沦入爪哇麻喏巴歇帝国之手,遂使王国从此在苏门答腊一蹶不振。自16世纪开始,欧洲列强,先是葡萄牙,继之以荷兰、英国先后在苏门答腊沿海地区与公国领地进行贸易、交战并建立若干要塞。1824年及1871年订立的英荷条约取消了英国对苏门答腊的领土要求,而荷兰则通过经济开发和行政手段,在整个19世纪逐渐把内地纳入自己的势力范围。经过30年战争,亚齐才在20世纪初期勉强被荷兰控制。第二次世界大战期间,苏门答腊被日本占领,1950年成为印度印西亚共和国的一部分。人口(包括邻近小岛在内)约40 969 000(1995)。

Šumava(central Europe)　**舒马瓦山**　参阅**Bohemian Forest** 波希米亚森林。

Sumba　松巴　荷兰语作Soemba;又称檀香岛。印度尼西亚东努沙登加拉省岛屿,小巽他群岛之一。位于印度洋。面积11 153平方千米。岛上有山,高达1 220米,无火山。河流大多不能通航。年降雨量1 625毫米。植被稀疏,大部分是草地,饲养优种马匹和翁戈尔种牛,这两种饲养业在东部都很普遍。该岛纺织的布以图案设计和工艺优良而闻名。玉米是主要作物,还种植稻米、咖啡、水果、烟草、椰子和蔬菜。出口椰干。岛西半部多种植水稻。居民大多数信仰泛灵论,一部分是穆斯林和基督教徒。上层阶级时兴一夫多妻制。檀香木森林在17世纪曾引起人们的兴趣,现在大部分消失。主要城镇瓦英阿普有一处优良的锚地和一机场。还有瓦伊卡布巴克为该岛西部行政中心,瓦伊凯洛为该地区主要港口。人口528 600(1999)。

Sumbawa　松巴哇　荷兰语作Soembawa。印度尼西亚西努沙登加拉省岛屿、小巽他群岛之一。面积15 448平方千米。有一些深海湾,还有优良的比马港。岛上多山,海岸多石,仅有几处小平原。坦博拉火山海拔2 851米,1815年喷发,死亡人数达5万,使3.5万人迁居。由于实行种植轮作继之以放牧,岛上许多地区只生长荆棘灌丛。农作物有水稻、玉米、豆类、块根作物、咖啡与椰子;饲养牛、羊和马,一部分出口。松巴哇城有一机场和一条只在好天气通行的公路连接伯沙和比马等主要城镇。居民属马来人,西部居民和龙目岛的沙沙人有近亲关系,东部的比马居民与望加锡人的语言和风俗习惯很相似,东部内地的巴布亚人(或称大洋洲黑人)特征显著。盛行伊斯兰教。第二次世界大战期间该岛曾被日本人占领。人口417 900(1999)。

Šumen(city, Bulgaria)　参阅**Shumen** 舒门。

Sumer　苏美尔　已知最早文明的发祥地,位于底格里斯河与幼发拉底河之间、美索不达米亚的最南部分,即后来成为巴比伦尼亚的地区(今伊拉克南部,从巴格达周围到波斯湾)。公元前4500～前4000年间最初有一种非闪族人(今称原始幼发拉底人或欧贝德人)来此定居。欧贝德人移入美索不达米亚以后,有不同的闪族渗入他们的领土,将自己的文化与欧贝德文化交融在一起,创造出一种高度的前苏美尔文明。苏美尔人大概来自安纳托利亚周围,约公元前3300年到达苏美尔,他们的语言成为当地流行的语言。到公元前3000年,这个地区至少有12个独立的城邦:基什、埃雷克、乌尔、西巴尔、阿克沙克、拉腊克、尼普尔、阿达卜、乌玛、拉格什、巴特-蒂比拉和拉尔萨。每个城邦有一个用墙围绕的城市,城郊是村庄和土地,它们各自奉祀自己的神祇,而神庙则为城市的中心结构。最初政权属于公民,但是随着各城邦的竞争日益加剧，每个城邦都采取国王制度。根据《苏美尔王表》，大洪水前有八个国王执政。第一个将独立的城邦统一起来的国王是基什的统治者伊坦纳（约公元前2800）。此后，基什、埃雷克、乌尔和拉格什各城邦争霸，达数百年之久，使苏美尔无力抵御外来的征服者。第一个征服者是埃兰人（约公元前2530～前2450），以后是由国王萨尔贡（公元前2334～前2279在位）率领的阿卡德人。尽管萨尔贡王朝仅延续约100年，他毕竟统一了各城邦，他建立的政府模式影响了整个中东文明。萨尔贡王朝结束后，各城邦重新获得独立。乌尔第三王朝的统治时期是苏美尔文明最后阶段的鼎盛时期，这个王朝的第一代国王乌尔纳姆颁布了在美索不达米亚所发现的最早的法典。公元前1900年阿莫里特人征服整个美索不达米亚以后，苏美尔人失去了他们的独立地位。但是，他们把自己的文化留给了他们的闪族继承者，他们在技术和文化方面对世界有许多贡献，其中包括最早的轮车和陶轮、最早的文字体系楔形文字、第一部法典、第一批城邦。

Sumerian language　苏美尔语　历史上最古老的书面语言，约公元前3千纪通行于美索不达米亚南部，以楔形文字书写。语言学界迄今尚未确定苏美尔语与任何一种已知语言之间的语系关系。

苏美尔语可划分为4个时期：上古苏美尔语，古苏美尔语（或古典苏美尔语），新苏美尔语及后苏美尔语。上古苏美尔语为约公元前3100～约前2500年间的语言，有商业及行政性质的文字以及学校课本之类的出土文物可资证明。上古苏美尔语仍未完全释读出来。古苏美尔语（古典苏美尔语）通行于约公元前2500～约前2300年间，主要文物为拉格什早期统治者的记载，包括商业、法律、行政等方面的文书以及还愿题词、信函、咒语等。学术界对古苏美尔语释读较多。

新苏美尔语通行时期，闪族的阿卡德人取得巴比伦尼亚地区的政治霸权，阿卡德语遂以压倒苏美尔语之势而得到推广。新苏美尔语末期约为公元前2000年，当时来自沙漠的闪族诸部落已将乌尔第三王朝消灭，并在伊新、拉尔萨及巴比伦等城市建立了闪族王朝。这些王朝存在时期被称为古巴比伦王国时期。

公元前2000年以后，苏美尔人已无政权可言，苏美尔语作为口语也渐趋消亡，终为阿卡德语所代替。但苏美尔语的书面语则一直延续至楔形文字的最后使用时期。这一时期的苏美尔语就是后苏美尔语。后苏美尔语时期的前一阶段中，曾留下大量书面文献，有法律、行政以及王室铭刻等资料，其中铭文往往使用苏美尔语与巴比伦语对照形式。

苏美尔语有丰富的文献，包括神话、史诗、赞美诗、哀歌、礼仪条规、咒语、谚语以及所谓机智或智慧作品。很多这类文献都是在巴比伦古王国时期首次见诸记载的。苏美尔语不再使用之后的数百年间，在巴比伦学校中仍讲授苏美尔语。到希腊化时期，有些楔形文字泥版上刻有以希腊字母译写的一些苏美尔语词。约公元1世纪初，有关苏美尔语的全部知识随着楔形文字的消亡而寂灭无闻。直到19世纪初楔形文字得到译解之后，苏美尔语才重新被发现。

苏美尔语是粘着型语言，使用前缀、中缀及后缀。同一词根往往兼作名词及动词之用，而以句法及不同词缀区别之。苏美尔语语音系统相对简单，有4个元音及16个辅音。古典苏美尔语的辅音，不以发声而以吐气区别其清浊。名词有数与格的变化。复数以后缀或重复形式表示。动词变化复杂，涉及前缀、中缀及后缀，均有严格规则。

已知苏美尔语有数种方言，其中有苏美尔人的官方用语，称为eme-gir方言（“吉尔方言”）；另有eme-SAL方言（“萨尔方言”）多用于赞美诗作及咒语的撰写。1976年，宾夕法尼亚大学的学者们开始编纂第一部标准的苏美尔语词典。

Sumerian writing　苏美尔文字　美索不达米亚南部古代苏美尔文明所使用的文字，是最早期的楔形文字（**cuneiform writing**）形式。

Sumgait　苏姆盖特　阿塞拜疆城市。濒临里海，位于阿普歇伦半岛北侧苏姆盖特河口。1944年建为巴库郊区，1949年设为市。利用阿普歇伦的石油和卡拉达格的天然气，很快发展为主要的化工和冶金中心。有规模宏大的现代化工厂，生产铝、石油、钢管、合成橡胶、化肥、洗涤剂、石油化工产品和钢。人口约236 200（1991）。

sumi-e（Japanese painting）　**墨绘**　参阅**sui-boku-ga** 水墨画。

Sumitomo GROUP　**住友集团**　日本一些独立公司的松散联合体。这些公司都是由一家庞大的、家族拥有的住友联合企业或称住友财阀所设立的，而住友财阀（第二次世界大战后被解散）却又是住友商号发展出来的。住友商号为德川时代（1603～1867）日本主要的商号之一。

1630年住友政友在京都开设一家销售医药和书籍的店铺，住友企业便由此发展而来。先此其姻亲已设立一小型炼铜厂，从铜矿石中提炼金银。后其婿在大阪设立炼铜厂，合并了双方家庭企业经营单位，使其成为日本制铜工业的中心。17世纪后期，公司在四国岛发现一处庞大的铜矿并着手开采、提炼。这座铜矿成为住友日后许多企业的基础。住友商号与德川幕府建立了密切关系。恐怕就由于这种关系，它才能够不顾海外贸易的总禁令而出口大量的铜。

在明治时期（1868～1912）的早期，与幕府的联系起初对住友有不利的影响，然而公司很快就赢得了新政府的支持。公司开展铜制品、炼钢、化工产品、机械等多种业务。1921年成立了家庭控制的持股公司——住友公司。在20世纪30年代，住友成为日本最大的财阀之一，到第二次世界大战结束之前，它控制了大约135家公司。持股公司在战后被占领军当局解散，以往的子公司都变成了独立的企业。

在50年代，这些企业开始重新联合。新集团与老的财阀迥然不同，它没有家族控制的持股公司作中心；而是在各公司总经理之间有非正式的政策协调，以及各公司在财务上有某种程度的相互依赖。住友集团由数十家公司组成。所有大公司都是位于东京或大阪的大跨国公司。

住友银行创建于1895年，现为日本重要的商业银行之一，也是世界上最大银行之一。

住友化学工业公司是该集团另一重要成员，1925年建立，1934年取现名。它原为从铜矿副产品中还原硫并生产化肥的工厂，现在可制造许多石油化工产品及其他化工产品。

住友电气工业公司和住友重机械工业公司都是从住友炼铜业的附属机构发展起来的。住友电气工业公司创立于1897年，1939年取现名。为日本电缆、电线的主要生产商。住友重机械工业公司，原从矿山的机械厂发展起来的；1934年成立为独立的公司。它是炼钢系统、批量生产机械、其他重型机械与设备以及船舶的主要生产商。

住友金属矿山公司、住友金属工业公司和住友轻金属工业公司这三家大公司都是从16世纪末建立的采矿场和熔炼厂发展形成的。住友金属矿山公司是原公司的后继企业，1950年改组成当前的形式。除有色金属（不包括铝）的开采、熔炼、加工等主要业务外，公司还制造电子器材、化学品和建筑材料。住友金属工业公司于1935年成立，战后占领时期取名为扶桑金属工业公司。它生产钢铁和各种钢材。住友轻金属工业公司原为住友金属工业公司的一个分部，1959年建立独立公司，主要从事于轧制铝材，拥有一家熔炼铝的子公司并在一些铝土矿拥有股权。

Sumiyoshi Gukei　住吉具庆（1631，日本京都～1705-04-25，江户［今东京］）　原名住吉广澄。日本画家。江户时代早期德川幕府首任画师，出身于世传大和绘的土佐家族，是住吉画派的创立人。其《洛中洛外图》对朝廷官员、城乡人民日常生活方式等描绘富有强烈的真实感及幽默感。

summary jurisdiction　简易审判　在英美法中，指由一名治安法官或法官在没有陪审团参加审判的条件下主持诉讼，进行审判，并作出判决或裁决。在晚近的普通法中，除审理藐视法庭罪案件外，陪审团审判制是唯一得到公认的审判形式，因此，简易审判可以说完全是制定法的产物。在美国，联邦宪法和州宪法都对保证陪审团审判的实施作出了规定，但是一般认为，某些像扰乱治安之类的轻微犯罪可以实行简易审判。审判这类案件通常不需要像审判严重犯罪案件那样，它可以更迅速而无需那样正规，而争执数额很小的民事诉讼案件也可以不设陪审团就进行审判。在英国，可以把犯罪区分为简易罪和可诉罪，前者由治安法院审理，后者则要求有陪审团参加审理。当然也有若干犯罪行为，在某种情况下无论采用哪一种方法都可以。自20世纪中叶以来，大部分要判处3个月以上监禁的轻微犯罪都要经过正式起诉才加以审理。此外，英国法还把某些民事诉讼列入治安法官简易审判的范围。

summation 总和 几个电刺激对神经肌肉接点(神经细胞与肌肉细胞的接头处)所起的叠加效应。单个刺激不能引起反应,但集合起来则引起反应。对一个神经细胞施加连续刺激便称为时间总和;同时间内来自几条传导纤维的刺激叠加则称为空间总和。

summer 夏季 一年中介乎春秋季之间气温最暖的季节。在北半球通常定为从夏至(一年中白昼最长的一天,即 6 月 21 或 22 日)到秋分(昼夜等长的一天,即 9 月 22 或 23 日);在南半球则定为从 12 月 22 或 23 日到 3 月 20 或 21 日。夏季与其他季节的温差只在中、高纬度地区显著;在赤道区域,温度逐月变化一般很小。在欧洲语言中,夏季的概念是与植物尤其是栽培植物的生长和成熟相联系的。夏季在雨量充足地区确是植物生长最旺盛的季节。在许多文化中,人们认为夏季对粮食生产有重要意义而以各种节日和仪式予以庆祝。在夏季,有一段时期的天气特别炎热,且往往湿度也很大,这段时期称作热浪。在北半球温带地区,夏季后期的热浪有时被称作伏天。

Summer, Donna 萨默(1948-12-31,美国马萨诸塞波士顿~2012-05-17,佛罗里达那不勒斯) 原名 Donna Adrian Gaines。美国创作歌手。被称为"迪斯科女王",但在 20 世纪 70 和 80 年代的节奏与布鲁斯、舞曲和流行乐方面亦很成功。她先后在波士顿的教堂和夜总会演唱。在西德慕尼黑工作时,结识了制作人兼作曲家 G. 莫罗德和 P. 贝洛特。三人合作写了几首欧洲流行乐热门单曲,后来创造出划时代的畅销单曲《喜欢爱你,宝贝》(1975),为她在美国十几首热门单曲中的第一首。招牌歌曲《最后之舞》,是 1978 年电影《狂热周五夜》中的插曲。

summer camp 夏令营 将娱乐和教育结合起来的设施,目的在于使城市儿童熟悉户外生活。最早的夏令营约于 1885 年发祥于美国,当时人们由于都市化的日益发展引起各种返回自然的运动,于是产生了夏令营。夏令营的时间不等,从 1～2 周到 8 周左右;参加的儿童年龄在 6～18 岁之间。早期的夏令营强调兄弟式的友爱和简朴的生活,其后又产生了许多不同形式而各有其重点的夏令营。有的夏令营是学生住帐篷、自己做饭的野营,也有的夏令营备有加热房、热水淋浴、游泳池和设备齐全的厨房。有些夏令营仅提供当地特有的水陆运动和一些工艺活动,另一些夏令营则以发展青少年的天赋或特殊兴趣为宗旨。例如有艺术夏令营、音乐夏令营和其他专门从事棒球、骑马、网球、帆船运动的夏令营。还有补课夏令营、减轻体重夏令营等。

Summer Offensive (World War I) **夏季进攻** 参阅 **June Offensive** 六月进攻。

Summer Palace 颐和园 中国著名的古典园林。位于北京市海淀区东南部。金贞元元年(1153)完颜亮设为行宫。元代为瓮山及瓮山泊(即后来的万寿山、昆明湖),明代建为

颐和园万寿山昆明湖
中国大百科全书出版社供图

好山园,清乾隆十五年(1764)改建为清漪园。1888 年慈禧太后动用军费重建,定名颐和园。1924 年辟为公园。总面积 290 公顷。大体分两部分:东北部宫殿区分布有多组宏伟绚丽的建筑物如仁寿殿、乐寿堂等;风景区位于宫殿区以西,著名的景点有长728米的

颐和园石舫
中国大百科全书出版社供图

彩绘长廊,横跨昆明湖的十七孔桥,泊于碧波中的汉白玉雕石舫,壁立于万寿山前金碧辉煌的佛香阁,富有江南园林特色的谐趣园等。整个布局集中国园林艺术之大成,并以西山、玉泉山为借景,使景观更为宏伟开阔,为中国园林的典范。1998 年被联合国教科文组织列为世界遗产。

summer squash 夏南瓜 南瓜(小果)(squash)的一个类型。

summer theatre 夏季剧院 在美国,指夏季诸月中(非专业剧院的演出季节)由专业巡回剧团进行的演出。一般都是在人们常去的游乐地附近的剧院里上演。演出的剧目通常以一个明星为号召,常常是前一个演出季里百老汇的成功之作,或者是已在百老汇舞台经过考验的新戏。夏季剧院开始于 19 世纪晚期,最初的用意是想让百老汇有才能的演员同不知名的青年演员结合起来,使后者在专业剧团中得到经验。美国有 300 多家夏季剧院。

Summerhill School 萨默希尔学校 设在英格兰萨福克郡莱斯顿的试验性初等和中等男女同校寄宿学校。这所创建于 1921 年的学校,以其校长尼尔的革命性教育理论而闻名。这个学校的教育方法和课程都有灵活性。重点是当代的需要,而不是传统的古典学科,不过这些课程也开设。学校是自治的(学生和教职员对学校政策问题均有发言权),上课是可以选择的;孩子们可根据自己的爱好自由活动,但与安全健康有关或干扰他人权利的事情除外。学校分六级,是根据能力而非根据年龄组织的。课程是为大学作准备的,非常强调艺术和手工艺。尽管有些人对其现代教育方法提出批评,但其目标仍属传统的性质:鼓励个人成就和良好的品德,并使学生为接受高等教育和专业训练作准备。

Summerside 萨默赛德 加拿大爱德华王子岛南岸城市。位于夏洛特敦西面 61 千米的贝德奎湾畔和诺森伯兰海峡。1780 年建。1840 年设有萨默赛德旅店,并以此取名。为渔港和避暑胜地。也是银狐、水貂饲养区和莫尔佩克湾牡蛎养殖业中心。阿卡迪亚博物馆收藏有 19 世纪初期农具。附近有机场和加拿大皇家空军训练基地。1877 年建镇。人口:市14 654;都会区16 200(2001)。

Summersville 萨默斯维尔 美国西弗吉尼亚州中南部城市,尼古拉斯县县城。西距查尔斯顿 72 千米,邻近高利河。1824 年创建。1897 年设市。1861 年 7 月南部邦联间谍 N. 哈特率部袭击该城,烧毁多数建筑,被俘,后逃跑;战后又回该城定居。城西南的科尼费克斯渡口州立战地公园位于高利河两岸,1881 年 9 月 10 日联邦军在此击败南部邦联的军队。高利河上的萨默斯维尔水库建于 1966 年,有防洪和游览之利。莫农加希拉国家森林有一部分位于市东。经济现以伐木业、木材加工业和农业(牛奶、马铃薯、玉米)为主。人口3 294(2000)。

Summit 萨米特 美国伊利诺伊州东北部库克县村庄。在芝加哥西,大湖区和密西西比河之间。1673 年该地被法国探险者用作水陆联运点。1890 年设建制。曾作为大湖区和密西西比河之间陆上转运线的西端,被辟为国家历史纪念地。原为印第安移民及毛皮商的交通干线,促进了芝加哥商业繁荣。现主要为住宅区,建有阿尔戈工厂(世界最大玉米加工厂之一)。人口10 637(2000)。

summons 传票 又作 citation。在法律上,指法庭为某一特定的目的而发出的、命令某人在特定的时间出庭的法律文书。传票可以直接送达个人,也可以发给必须执行该项命令的法律官员。传票的目的通常是要求某人对向他提出的控诉或控告作出答辩。传票也可以用以通知某人,由于他与正在进行的诉讼有利害关系,为了自己的利益,他应当出庭。

Sumner, Charles 萨姆纳(1811-01-06,波士顿～1874-03-11,华盛顿[哥伦比亚特区]) 美国南北战争期间致力于人类平等和废奴运动的政治家。1833 年毕业于哈佛法学院,曾为实现监狱改革、世界和平和 H. 曼教育改革等多方奔走。1852～1874 年任美国参议员期间曾激烈抨击《1850 年妥协案》。1856 年 5 月 19～20 日痛斥《堪萨斯-内布拉斯加法》是"彻头彻尾的骗局",并将其倡议人参议员 A. P. 巴特勒和 S. A. 道格拉斯斥为奴隶制的"迈密登"(追随者)。两天后众议员 P. S. 布鲁克斯闯入参议院,声言萨姆纳诽谤南卡罗来纳州及其叔父巴特勒,并用棍棒猛击萨姆纳,使之造成重伤。萨姆纳于 1861 年 3 月至 1871年3月期间任参议院外交委员会主席。

1837～1840年间旅欧时与英国著名人士如R.科布登、J.布赖特、W.E.格莱斯顿以及其他欧洲领袖建立的亲密关系，有助于他在国际事务方面获得非凡的洞察力和施加影响。

美国国会图书馆供图

他曾说服A.林肯总统释放1861年11月在“特伦特”号邮轮上逮捕的南部邦联特派员J.M.梅森和J.斯利德尔，从而维护了英国与美国之间的和平。萨姆纳在战后重建政策上始则反对林肯总统，后又反对A.约翰逊总统。他认为战败的南部作为被征服的地区不受宪法保护，南部邦联各州必须提供黑人享有平等选举权的宪法保证，然后才能重新加入联邦。1870年他协助挫败了U.S.格兰特总统并吞圣多明各的提案。结果他被免去外交委员会主席职务。为表示对战败南部的宽宏，萨姆纳于1872年提出参议院决议案，规定美军团队旗帜上不得加添南北同胞之间的战役名称。对此马萨诸塞州迅即作出强烈反应，州议会指责决议案构成“对忠诚的美国军人的侮辱”，受到“全州人民断然的谴责”。两年后州议会撤销了这一指控。萨姆纳获悉后不久，即因心脏病发作去世。

Sumner, James Batcheller　萨姆纳（1887-11-19，美国马萨诸塞坎顿～1955-08-12，纽约布法罗）　美国生物化学家，最先将酶结晶，从而证明酶是蛋白质，因此与J.诺思罗普、W.斯坦利共获1946年诺贝尔化学奖。1926年将尿素酶结晶，随即赴斯德哥尔摩，与H.von奥伊勒-凯尔平及T.斯韦德贝里共同研究，1937年将过氧化氢酶结晶，又将多种其他酶纯化。1929～1955年任纽约州伊萨卡康奈尔大学医学院教授，1947年担任专为他而建的康奈尔酶化学实验室主任。

Sumner, William Graham　萨姆纳（1840-10-30，美国新泽西帕特森～1910-04-12，新泽西恩格尔伍德）　美国社会学家和经济学学家，一生写有很多文章，宣传社会达尔文主义。1872～1909年在耶鲁大学执教，发表许多文章，鼓吹放任主义和个人自由，坚信人们生来就不平等。他认为，为财产和社会地位而竞争会导致有益的结果：既可以消灭不适者，又可以保持种族兴盛和文化繁荣；中产阶级的清教徒的勤俭自持是建立良好的家庭生活和完善的公共道德所不可缺少的因素。虽然他已预见到向福利国家发展的趋势，但是他认为贫困是天生劣质的必然结果。他反对一切带有家长制气味的改良方案，认为这会使中

耶鲁大学美术陈列馆供图

产阶级承受过多的经济负担。在他的名著《社会传统》（1907）中，阐明风俗和道德是由人们对饥饿、性欲、虚荣和恐惧等刺激的本能反应而产生的。他还强调指出社会传统的不合理性以及它对改革的抗拒作用。萨姆纳的笔记后由A.G.凯勒整理编订，题名《人类社会研究》（4卷），于1927～1928年刊行。

Sumo　苏莫人　尼加拉瓜东部沿海平原的印第安民族，与邻近的米斯基托人族源相近。20世纪70年代人口大约有2 000多。某些学者认为苏莫人的语言属奇布查语。苏莫人务农，主要作物是甜木薯，也种玉米、甘薯、南瓜、番茄和豆类。耕作属于烧荒型，种地用掘土棍。他们的居住地为小村落，以前人们共住公社大房，现在已改住一家一户的草舍。手工制品有篮子、织物、陶器和树皮布。衣着为半传统式，采用商品棉布及欧洲式样。他们信仰与自然有联系的神灵，每个村庄通常有一个萨满教僧。苏莫人有发达的口头文学，主要是神话和历史。参阅**Miskito**。

sumo　相扑　日本的一种摔跤运动。比赛最重要的是体重、个头和力气，快速和突然攻击也颇有用。选手尽力把对手推出直径约4.6米的比赛场以外，或迫使对手除两脚以外

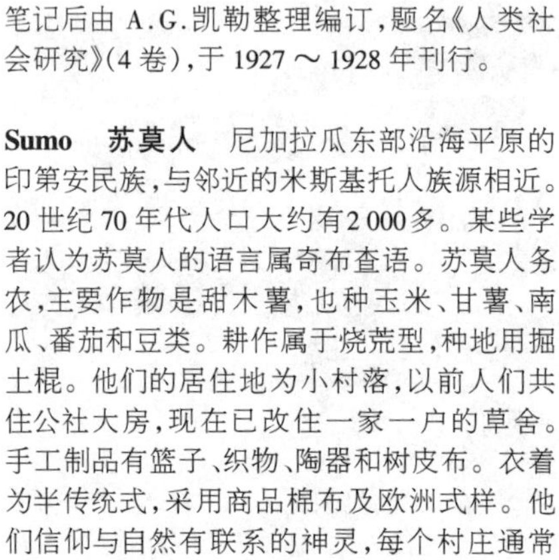

相扑比赛场上的运动员与裁判（左边穿袍者）
供图：Burt Glinn—Magnum

身体的任何部位触地。相扑运动员只身着兜裆布，互相紧握对方腰带。1600年之后日本有人以相扑为业。相扑常被称作日本的民族体育运动，每年举行六次大的锦标赛，吸引了大量观众，有数百名运动员以此谋生。

sump pump　浅池泵　从集液池即排水系统最低点排除积水或其他积液的装置。如果集液池只间歇地有液体（例如房屋的地下室积水），则使用自吸泵，通常带有一个随时能自动启动的装置。如果集液池内总是有液体（例如汽车发动机的油槽或矿井的聚水坑），则使用非自吸泵即可连续运转。

sumptuary law　节约法令　任何旨在限制过度的个人支出以防止奢侈浪费的法令。这个术语指那些通常出于宗教的或道德的原因而限制在食物、饮料、衣着和家庭设备上的奢华的法规。这些法规通常很难或不能长期执行。节约法令有古老的渊源。在古希腊便可找到很多例子。例如，拉科尼亚的斯巴达居民被禁止参加酒宴和被禁止拥有使用比斧和锯更精巧的工具制成的房屋和家具。斯巴达人还被禁止拥有黄金或白银，他们的法律只准许使用铁币。古罗马广泛地发展了一个节约法令的系统，从公元前215年开始颁布的一系列法令限制可以用于制作衣服的材料和参加宴会的人数并禁止某些食品的消费。从中世纪以后在很多欧洲国家里制定了节约法令，尽管并不比在古希腊或罗马执行得更有效。在法国，腓力四世颁布法规限制其王国内的几个社会阶层的服装和食品消费。在后来的一些法国国王的统治下，金银饰品、丝织品和优质亚麻布的使用受到限制。英国在爱德华二世统治时期发表了一项声明，反对“王国内的贵族们在其城堡中曾经食用并继续食用大量的和过多的肉食和佳肴”。除了经常的限制服装的法规外，爱德华三世在1336年试图限制商人们和绅士的仆人们每天只能吃一顿肉或鱼。1433年苏格兰议会颁布的一项法令对苏格兰所有社会阶层的生活方式作了规定，甚至限制拥有男爵以上称号的人食用馅饼和熏肉。这类法律在17世纪时被带到美洲殖民地，但一般说来没有在那里严格执行。在封建时期的日本，节约法令的频繁通过和琐细的程度在西方世界的历史上是无与伦比的。例如，在11世纪初，一项皇家敕令规定了房屋的大小，并对可以用来建造房屋的材料作了限制。在德川时代（1603～1867），节约法令通过之多令人不知所措，这些法令对个人生活中的细微末节都作了规定。在20世纪，民主化、工业的大规模生产和消费型社会的出现，综合在一起就使节约法令在大多数国家里变得过时了。

Sumter　萨姆特　美国南卡罗来纳州中东部城市，萨姆特县县城（1798）。1785年始有人定居，1845年设镇。为纪念独立战争将军萨姆特而得名。1887年建市。原为棉花种植园村庄，现主要为工业中心。棉花和烟草仍是重要经济作物。工业部门有食品加工、家具、手工工具、电池、汽车制动器、印染、棉籽油榨油以及化肥等。有莫里斯学院（1908）、萨姆特地区工学院（1962）及南卡罗来纳大学分校（1966）。市内天鹅湖蝴蝶花公园以花草、古柏闻名。市区附近有肖空军基地。人口约39 643（2000）。

Sumter, Thomas　萨姆特（1734-08-14，弗吉尼亚汉诺威县[美国]～1832-06-01，美国南卡罗来纳南山）　美国议员、独立战争时期的军官。曾在南卡罗来纳和北卡罗来纳指挥所

部抗击英军，博得"卡罗来纳斗鸡"的绰号。他曾在法国印第安人战争中服役，后移居南卡罗来纳。1780年查尔斯顿失陷后，他逃往北卡罗来纳，成为准将，指挥该州部队。在卡托巴和汉英罗克(兰开斯特县境)两次战役中曾击败英军，但在菲兴克里克(切斯特县境)一役中受挫。同年11月再战告捷，菲希达姆福特战役中重创M.威姆斯所部，布莱克斯托克战役中又将B.塔尔顿上校指挥的英军击退(两战场均在尤宁县境内)。战后历任美国众议员(1789～1793,1797～1801)及参议员(1801～1810)。查尔斯顿港的萨姆特要塞即以其姓氏命名。

Sumy 苏梅 乌克兰东北部一州。在中俄罗斯高地的西南边缘。面积23 800平方千米。北部杰斯纳盆地有混交林和大片沼泽。谢伊姆河以南为森林草原地带，土地极为肥沃，大部已开垦。农业经济占优势，主要生产谷物、甜菜、烟叶、大麻和马铃薯，并饲养大量家畜。1939年后，因以农业为生，人口总数有所减少，但城市人口有所增加。州内城市(包括首府苏梅在内)规模都很小，主要是加工农产品，特别是制糖。在南部的卡哈诺沃已发现石油。人口约1 424 700(1994)。

Sumy 苏梅 乌克兰东北部城市，苏梅州首府。位于普肖尔河畔。公元8～9世纪已有人定居。1652年为要塞，1780年成为城镇。残存古迹有18世纪的教堂。工业产品有化工机器、电子显微镜、抽水机、化肥和其他化学制品。轻工业有制糖、食品加工、服装、制鞋和家具。设有师范学院。人口约307 000(1993)。

Sun 太阳 地球和太阳系其他成员围绕着公转的恒星。它是主宰太阳系的中心天体，占整个太阳系质量的99%以上。太阳为巨大能量之源，其中一部分能量为地球提供维持生命所必需的光和热。

太阳为一发光气体球，直径1 392 000千米。其质量为1.99×10^{33}克，约为地球质量的330 000倍。太阳内核的核聚变反应以3.86×10^{33}尔格/秒的速率产生能量。虽然其核心的温度约15 000 000K，但其表面(光球)的温度仅约为6 000K。这仅为恒星温度的平均数，从各个方面来看，太阳是一个平均数的恒星。太阳是银河系内1 000亿个恒星中的一个，它被分类为G2光谱型的黄矮星，在赫罗图上，它位于主星序的中间偏下。太阳的视星等是-26.5等，其绝对星等仅为+4.6等，接近于肉眼可见的下限。绝对星等是处在10秒差距(32.6光年)的标准距离上呈现的亮度。地球上的观测者看到的太阳极其明亮，只因它是位于平均距离为149 600 000千米处的距地球最近的恒星。

太阳的质量巨大，致使其组成物质受到重力的强烈压缩。在太阳内核，受压缩的气体处在核聚变反应得以运作的高温下。太阳内部的主要产能核反应是质子-质子链式反应。在强热和高压条件下，质子(氢核)相互碰撞并彼此合并而形成稳定的氦核。氦核的质量比合并后产生氦核的原两质子的质量略小，多余的质量就作为能量释放出来。太阳每秒中将500万吨物质转化为能量，对于太阳的总质量而言，这是一个可以忽略不计的小数。能量首先以γ射线形式释放，但这种电磁辐射在溢出光球之前，要经历与内核外层的物质为数众多的相互作用。在几十万年之后，退化了的辐射能才主要以可见光和红外辐射(热)溢出太阳。质子-质子反应的一个副产物是中微子。由于这种粒子既无质量，也无电荷，所以它们以光速从太阳内逃逸。为检测到达地球的中微子而设计的最新实验却发现中微子的数量比理论预期的要少。这一差异可以解释为太阳内部的温度比15 000 000K略低，在内核真正混合的元素不同于从其表面各层探测出的成分，也或许是中微子与太阳物质互相作用，并转化为另一种不同类型的、不能察觉的中微子。

太阳辐射从光球向外溢出。精密的光谱研究揭示，光球区的成分是90%氢、9.9%氦，重元素(如铁、钙和钠)的混合物只占其余的微量。这一特征反映了构成太阳的物质的化学组成，尽管核聚变反应要改变太阳内部的混合物成分。

光球的观测表明太阳在缓慢地自转。由于它是一个气态天体，所以太阳的不同纬带以不同的速率转动，赤道带的自旋最快。自转一周，两极是36日，赤道只需25日。根据更精密的检验得知，光球处在永恒的运动中，随着能量释放，在1 000千米宽的米粒组织网络上，出现像气泡一样的上下起伏。近来已证实，每隔2小时40分钟，整个太阳表面上下振荡约4千米，约为预期的太阳振动共振周期的2倍。

光球的外貌随着黑子数目的增多或减少而连续地变化。长度可以大到50 000千米的太阳表面黑子区域是局域强磁场抑制光球正常对流运动的处所。太阳黑子内的气体约1 500K，比黑子的周边冷，所以黑子在太阳圆面上看上去暗黑。

磁性活动一直延伸到太阳大气内。向上运动的气体射流称为针状物，从色球中现出。色球是太阳的内层大气，它从太阳表面上延伸到7 000千米左右。针状物明显地沿着磁场的同一批环线运动，而磁场环线突破光球，产生出黑子。日冕是太阳的发光包层，它是太阳的外层大气。在日冕中，局域磁场的突然变化致使形成日珥，其中一种喷发型物是日冕物质的火舌式隆起物，由组成的原子和离子向俘获的电子发射光。另一种类型的日珥叫环状日珥，它是由太阳耀斑抛射到日冕中的物质产生的。而耀斑则是与光球黑子区内快速演变的磁场协同而生的猛烈喷发。这种喷发先是释放出高速电子和原子核流，随之则是大量的紫外、γ和X射线的次级发射。耀斑增加**太阳风**(**solar wind**，从日冕中连续向外流出的荷电粒子)的强度。太阳风以350～700千米/秒的速度穿过行星际空间，至少能深入到海王星轨道一带。

太阳活动周是每11年一个周期。每周内，太阳黑子、日珥和耀斑的数量从极小值增大到极大值，再又减小。这种活动周虽然几千年来有规律地周而复始，但太阳看来实际上保持不变。在今后的50亿年间，太阳不会发生剧烈的变化，但在那时以后，它将膨胀变成一个红巨星，从而进入它的生命的晚期阶段。

sun bear(species *Helarctos*, or *Ursus*, *malayanus*) **太阳熊** 又作bruang，honey bear或Malayan sun bear。又称布鲁昂熊、蜜熊、马来太阳熊。熊科中最小的种，栖息在东南亚的森林中。幼时常被驯养为玩赏动物，但成年后脾气变坏，会伤人。体重仅27～65千克，体长1～1.2米，尾长5厘米。前爪长而弯曲，利于撕扒或挖掘，以寻找集群的昆虫(尤其是蜜蜂、白蚁等)巢穴。杂食性，还食果实、蜂蜜和小脊椎动物。夜间活动，能爬树。胸前有一黄色的新月形斑纹，在传说中代表旭日。被毛短而粗，黑色，吻及足色浅。

太阳熊(*Helarctos malayanus*)
供图：Anthony Mercieca from Root Resources

Sun Belt 阳光地带 包括美国南部15州的地区。东南起自弗吉尼亚和佛罗里达，西南抵内华达，包括加利福尼亚南部。1970～1990年间，南部人口增长36%，西部51%，均高于全国平均水平。该地区冬夏季气候宜人，交通、通讯发达，吸引了大批退休者和从业者。20世纪70～80年代由于大批移民涌入、出生率高和人口外流减少，致使该地区人口激增、工业迅速发展。

sun bittern(species *Eurypyga helias*) **日鳽** 鹤形目日鳽科仅有的一种热带美洲的体形细瘦鸟类。在求偶表演和进行威胁时展开有明显翅斑的双翅。体长约43厘米，翅大，尾长，有褐、黄、黑、白色的美丽斑点。生活在潮湿森林的地面上，以其喙捕昆虫和甲壳动物

日鳽(*Eurypyga helias*)
供图：Kenneth W. Fink from Root Resources

为食。在树上筑很大的巢。每窝产2～3枚锈色至褐色的卵，卵上有较深色的块斑。

Sun Company, Inc.　太阳公司　美国主要从事石油的控股公司。1901年太阳公司在新泽西州成立，继承俄亥俄太阳石油公司。现公司于1971年在宾夕法尼亚州成立，总部在该州的拉德诺。该公司在勘探及提炼石油、推销成品油及天然气产品之外，在地热、能源及非能源如房地产、工业产品、机动运输方面也很活跃。它通过个别经销商出售汽油及其他提炼的机用油，主要在美国东部2/3地区和加拿大东部销售。此外，该公司还生产润滑油、脂及在北美和海外销售的特种油品。太阳公司也经营造船及重型工业设备的制造和修理业务。

sun compass　参阅 **solar compass** 太阳罗盘。

sun dance　太阳舞　19世纪北美大平原印第安人极为盛大和重要的宗教仪式。一般由每个部落在每年初夏举行一次，在这种场合，所有的人都可以和其他部落来的客人聚集一处，通过词语、仪式和象征物重申他们关于宇宙和超自然事物的基本信仰。在精心安排的表演中，先要组成一个巨大的露营圈，对祝酒人和他的同伴下达预备性指示，集中必要的供给品，用一根象征超自然力量源泉（如太阳）的中央杆子，建起一个舞蹈阵容。由其他人跳的序舞和圣坛的建立结束后，接下来是正式的太阳舞。这要断断续续地跳几天几夜；在这段时间里，还愿或寻求力量的舞蹈者不吃不喝，在狂乱和精疲力竭中结束祭礼。在有些部落中，仪式以自我折磨和肢体残缺而结束。为了控制这类风俗，美国政府于1904年宣布太阳舞为非法。在许多部落中，这种仪式以有益于健康的形式继续存在，通常作为美国独立日庆祝活动的一部分。

sun-grebe（bird）　**日鹛**　参阅 **finfoot** 鳍脚鹛。

Sun I-Hsien　孙逸仙　参阅 **Sun Zhongshan** 孙中山。

Sun-Joffe Manifesto　《孙文越飞宣言》　中国近代民主主义者、国民革命领袖孙中山和苏联政府全权代表越飞于1923年1月26日在上海发表的联合宣言。俄国十月革命后，孙中山逐渐认识到中国革命必须以俄为师，表示同意共产党人以个人身分加入国民党，欢迎苏联政府向国民党提供政治军事援助。宣言指出，孙中山认为现时“共产组织，甚至苏维埃制度，事实上均不能引用于中国”；对此，“越飞君完全同感”。越飞并表示苏联愿意援助中国实现国家的独立和统一，重申苏联准备放弃帝俄向中国强索的一切特权，还声明苏维埃政府无意在外蒙古实施帝国主义政策，或使其与中国分立。孙中山表示“俄国军队不必立时由外蒙撤退”，中东铁路问题应由中苏两国政府召开适当会议，在“不损害两方之真实权利与特殊利益”的基础上协商解决。该宣言奠定了联俄政策的基础。宣言发表后，孙中山派遣廖仲恺向越飞进一步了解苏联政治制度和对东方被压迫民族的政策，并派蒋介石赴莫斯科考察军事。苏联则派遣鲍罗廷、加伦等来华担任国民党的政治、军事顾问。

Sun King, The　太阳王　参阅 **Louis**（France）路易（法国）项下的 **Louis XIV**　路易十四。

Sun Li　孙犁（1913-04-06，中国河北安平～2002-07-11，天津）　中国作家。14岁考入保定育德中学。高中毕业后无力升学，流浪到北平。1936年在白洋淀畔的安新县任小学教

中国大百科全书出版社供图

师。抗日战争爆发后，在冀中人民自卫军政治部做宣传工作，后在冀中抗战学院、华北联合大学、延安鲁迅艺术学院任教；当过《晋察冀日报》记者。20世纪30年代末40年代初，先后有短篇小说《邢兰》、《走出以后》以及诗歌《白洋淀之曲》等问世。后写作了一系列风格独创的短篇小说，如《荷花淀》（1945）、《麦收》、《芦花荡》（1945）、《藏》（1946）、《碑》（1946）、《光荣》等，它们多半描绘白洋淀青年、妇女抗日的故事，文字简练，笔调抒情清丽。1949年发表中篇小说《村歌》，1950年出版短篇小说集《采蒲台》，1951年出版长篇小说《风云初记》。1957年出版中篇小说《铁木传》。1958年出版小说散文集《白洋淀纪事》，收入小说、散文54篇。患病多年，文化大革命中又受迫害。70年代末重新执笔，发表短篇小说、散文、杂文和文艺评论。先后出版有《晚华集》（1979）、《秀露集》（1981）、《澹定集》（1981）、《耕堂杂录》（1981）、《孙犁小说选》（1982）、《孙犁文集》（5册，1982）。孙犁的创作具有浓郁的乡土气息，富有诗情画意，长于心理描写，多写农村妇女，人物大多充满人性美、人情美。其《荷花淀》等作品已被视为中国现代文学的一种风格流派。

Sun Liren　孙立人（1900-10-17，中国安徽舒城～1990-11-19，台湾）　又拼 Sun Li-jên。中国国民党军队高级将领。1923年清华学校毕业后，赴美国留学。先在珀杜大学读土木工程，1924年获理学士学位。1927年毕业于弗吉尼亚军事学校。回国后，参加国民革命军。曾任中央政治学校教官及陆海空军总司令部侍卫总队副总队长。1930年任国民政府财政部税警总团第四团团长。曾奉命率所部参加“围剿”江西中央苏区。1937年抗日战争爆发，孙立人奉命在上海附近苏州河防守，与日军激战中受重伤，全身被子弹穿13孔，送至香港治疗。1938年伤愈后，任财政部缉私总队长，驻扎在贵州北部。1942年该部改编为新38师，任师长，参加中国远征军入缅甸支援盟军作战。他率军在仁安羌大破日军第33师团，救出被围英军7 000多人，获英帝国三等爵士勋章及美国丰功勋章。此后又掩护英军退入印度。1943年初，担任中国驻印军新一军军长。同年配合盟军发动反攻，1945年1月打通中印公路，取得远征作战最后胜利。此后应欧洲盟军最高统帅艾森豪威尔之邀赴欧洲战场参观访问。1945年日本投降后，孙立人率新一军进入广州，接受日本投降。1946年率军至东北。同年8月被任命为东北第4绥靖司令及长春警备司令。旋调任陆军副总司令兼陆军训练司令官，负责训练新军，训练基地设于台湾凤山。1949年9月改任台湾防卫司令。1950～1954年任台湾陆军总司令兼台湾防卫总司令。1951年升为上将。1954年调任总统府参军长。次年夏因部属涉嫌犯案而引咎辞职，后终身隐居台中。

Sun Microsystems, Inc.　太阳微系统公司　又译升阳计算机公司。美国计算机工作站、服务器和软件的制造商，总公司设在加利福尼亚州帕洛阿尔托。1982年由A.贝希托尔斯海姆、W.乔伊、V.科斯拉和S.麦克尼利创立，目标是销售低价、高性能的UNIX操作系统桌上型计算机。这些工作站立即被工程师、软件开发者和科学家接受。1983年与计算机视觉公司签订一个数百万美元的OEM合同。在成立6年后的1988年，年销售额超过10亿美元（仅康柏公司更快达到10亿美元的目标），而公司仅一季没有获利。通过使用UNIX操作系统（长久以来一直是全世界大学计算机专业的课程），太阳公司能够号称它的工作站采用了国际标准，所以是“开放的”，而其竞争者的产品是“封闭的”，因为它们使用自己的操作系统。UNIX与大学的这种结合有助于让它们的计算机成为因特网服务器中最普及的。由于营销定位的成功，公司促使其主要对手转变方向，放弃自己的操作系统以迁就UNIX。太阳的工程师开创了许多重要技术为计算机业界所采用。1984年推出“网络档案系统”软件，成为通过网络分享计算机档案的标准。1987年成为使用精简指令集运算（RISC）微处理器的最大计算机公司。尽管技术优良、财力雄厚，公司在20世纪90年代还是面临来自所谓Wintel机器（在英特尔公司的奔腾微处理器上运行微软公司的视窗NT操作系统的计算机）越来越强的竞争。Wintel计算机占领全世界85%以上的桌上型计算机市场，但在企业和因特网所使用的更赚钱的高性能工作站和服务器系统市场上所占的比例则低得多。麦克尼利因主张“网络即计算机”而闻名。1995年开发Java编程语言，以克服一些上网连接不同厂商机器（常常使用不同的操作系统）之类的问题。根据支持者的说法，Java是一种“写一次即处处可用”的计算机语言。这样的多用途使之成为编写万维网应用程序时普遍使用的语言。

sun orchid　日光兰　兰科 *Thelymitra* 属植物，约45种，广布澳大拉西亚。花有一冠状合蕊柱，上面丛生篦状或耳状附属物。该属植物的花在强烈阳光下才开放，故得其俗名。有些自花受粉的种的花从不开放。柠檬兰

柠檬兰(*T. antennifera*)
供图:W. H. Hodge

(*T. antennifera*)、缠绕日光兰(*T. flexuosa*)、番荔枝兰(*T. violosa*)及香味日光兰(*T. avistata*)是澳大利亚的常见种。

Sun Quan　孙权　参阅 **Wudadi Sun Quan 吴大帝孙权**。

Sun River　森河　美国蒙大拿州中部偏西北地区河流。源出人陆分水岭附近蒂帏县弗拉特黑德国家森林,在大瀑布城汇入密苏里河,全长209千米。森河灌溉工程包括支流一系列水坝和水库,森河北支流吉布森水坝是工程中最大水坝之一。

sun rose　半日花　又作rock rose。又称岩蔷薇、日光蔷薇。半日花科(岩蔷薇科,Cistaceae)的大属半日花属(*Helianthemum*),包括约100种矮株花卉植物。花似单瓣玫瑰。包

半日花(*Helianthemum*)
供图:G. E. Hyde—美国不列颠百科全书公司

括几种阳光花园的种类,有些品种可用于岩石庭园和野生花园。亚平宁半日花(*H. apenninum*)、灰色半日花(*H. cinereum*)、粉绿半日花(*H. glaucum*)和硬毛半日花(*H. hirsutum*)是矮灌木状野生植物,原产欧洲。古钱半日花(*H. nummularium*)也原产于欧洲,有许多栽培品种,花白色到黄色和粉红色。加拿大半日花(霜草,*H. canadense*)、伞房花序半日花(*H. corymbosum*)及迷迭香叶半日花(*H. rosmarinifolium*)野生于北美东部低地。灯心草半日花(*H. scoparium*)为灯心草状灌木,高达30厘米,但也有较矮的品种,原产加利福尼亚。同科岩蔷薇属(*Cistus*)的种类亦称*岩蔷薇*(**rock rose**)。

Sun Simiao　孙思邈(581～682)　又拼Sun Ssu-miao。中国唐代医学家。华原(今陕西耀县)人。一生精研医学,著有《千金要方》、《千金翼方》各30卷,论述各种疾病数百种,收集防治疾病方剂近万帖,为中国最早的临床百科全书。孙思邈所论下颌骨脱臼治疗原则与

明万历三十九年(1611)铸造的孙思邈铜像
中国大百科全书出版社供图

现代无异。他提倡用葱叶导尿,是导尿术的发明人之一。他还指出用动物甲状腺、海藻等含碘的药物防治甲状腺肿大,用含维生素A的动物肝防治夜盲病,用含维生素B的谷皮汤熬粥防治脚气病。孙思邈首先发现糖尿病患者小便味甜,用为诊断、鉴别病症依据,并告诫不可为糖尿病患者施针行灸,在防治糖尿病以及其并发症方面成效卓著。他对麻风病、结核病、霍乱、痢疾等传染病的论述也超过前人。孙思邈还强调生命在于运动,提出一整套老年保健体操、居处、环境、食疗、药疗等保健方法。孙思邈在药物学、针灸学上也都有较大贡献。

Sun Valley　森瓦利　美国爱达荷州布莱恩县城市。为索图斯国家森林中比格伍德河畔全年旅游胜地和冬季运动场所。有良好的滑雪场,又有铁路相通,因而得以发展。谷底海

森瓦利鲍尔迪山上的滑雪者
供图:H. Gritscher—Peter Arnold, Inc.

拔6 000英尺,鲍尔迪山顶海拔9 200英尺。人口约1 427(2000)。

Sun Wei　孙位　中国唐代(618～907)画家。号会稽山人。会稽(今浙江绍兴)人。黄巢起义军攻克长安,他随唐僖宗(874～888在位)入蜀。擅画宗教人物。所画龙水、松石、墨竹,画法雄壮狂简。在川作画甚多,对四川绘画艺术的发展影响很大。曾被评为吴道子

孙位绘《高逸图》
中国大百科全书出版社供图

之后成就最大的画家之一。其画龙水,龙拏水汹,千状万态,势欲飞动,笔势超轶,气象雄放。苏轼(1037～1101)称孙位画水,"随物赋形,尽水之变,号称神逸"。宋(960～1279)元(1271～1368)以来,厅堂屏障、庙宇壁画,每有画水名作出现,都和孙位的成就与影响不可分。现藏上海博物馆的《高逸图》是他唯一留传下来的作品,画魏晋时代(约相当于3世纪)的竹林七贤中之四人,人物躯体伟岸,风度潇洒,从面部表情与眼神中可以看出他们既有忧思,又有远寄。嵇、阮二像尤佳。衣纹用线圆劲纯熟,湖石皴染完密,植物、地毯配合也很巧妙,气氛既静穆又悠远,故评者谓"笔意古劲,往往傲睨八极之气,轶出卷素,真可宝也"。

sun worship　太阳崇拜　尊崇太阳或把太阳的象征当作神来崇拜,如公元前14世纪埃及的阿吞崇拜。

太阳崇拜往往用以泛指"异教",其实它并不多见。固然几乎一切文化形态中都有以太阳为主题的传说,但是只有较少的文化形态(埃及文化、印度-欧罗巴文化和中美洲文化)才产生了太阳宗教。这些文化集团都具有高度发达的城市文明以及强烈的崇拜神圣君王的观念。这些文化形态共同有一种主要观念:太阳统治着上下两个世界,他每天往复君临这两个世界。

太阳向整个宇宙颁赐光明和生命;他从不眨眼,洞察一切,严格保障正义;而且,各种文化几乎无不认为光明象征启发开化,因而太阳又是智慧之源。

这些品质——威权、能仁、正义和智慧——都是任何宗教的精英集团所重视,因而出现了高度发达的太阳观念形态。王者凭太阳之权实行统治,并自称是太阳的后裔。太阳神,亦即把太阳拟人化而形成的神祇,有主宰权,洞察一切。太阳往往成为至高神的主要表征,有时它本身即成为至高神。

在古埃及,太阳神瑞是众高位神中的主导神灵,他自从古埃及文明的早期即保有这种地位。根据太阳神越过上天海洋航行的神话,太阳出发时是青年神海珀;正午到达天顶为成年的太阳瑞;晚间抵达西域其形即为老年太阳神阿图姆。法老伊赫纳吞改革埃及宗教,他把古代受崇拜的神瑞-霍拉赫特继承下来,称之为阿吞,"阿吞"早先指一轮红日。在

阿肯那顿在位期间，太阳被奉为大地及地上生灵的创造者和养育者，大受颂扬。

太阳神在苏美尔宗教和阿卡得宗教中都占有中心位置，然而，苏美尔的太阳神乌图和闪米特人的太阳神沙玛什都未列入万神之中三位至高神之内。但是，在印度-欧罗巴民族中间，太阳是最有名的神祇之一，而且还是神权的象征。古印度的“吠陀”颂诗赞日宫天子苏利耶为明察万物之神，善行恶事都不能逃过他的眼目。他不仅驱除黑暗，还排除恶梦，怯除疾病。太阳英雄和太阳君王在印度神话中也占有重要位置。阎魔王之父毗伐士旺对应于伊朗神话中伊玛之父维瓦赫旺特。有一个由太阳王相继统治的太平王朝，其列王与穷兵黩武的各月亮王迥然不同。在中世纪伊朗，先伊斯兰时代遗留下来的庆祝太阳节的习俗沿袭不断。关于太阳神乘车（一般是四驾马车）巡行的说法，是许多印度-欧罗巴民族所共有，而且也再现于印度-伊朗、希腊-罗马和斯堪的纳维亚神话，由此也可见印度-欧罗巴太阳崇拜的性质。

在古罗马历史的后期，太阳崇拜大受重视，终于产生了所谓“太阳一神教”。彼时的神灵几乎无不具有太阳的品质；而基督和密特拉也各带有太阳的痕迹。12 月 25 日“不败太阳节”是大喜庆之日，后来基督教徒把这个日子接过来，定为圣诞节，即基督的诞辰。

北美洲平原印第安人的**太阳舞**（**Sun Dance**）是最著名的一种太阳崇拜形式。在先哥伦布时代的墨西哥和秘鲁，太阳崇拜是一个突出的特色，阿兹特克宗教要求对太阳神惠齐洛波奇特利和特斯卡特利波卡广泛实行人祭。在古代墨西哥和秘鲁宗教中，太阳在神话和崇拜礼仪中都占有重要位置。秘鲁的统治者是太阳神印蒂的化身。在日本，太阳女神天照大神是古代神话中的重要角色，被奉为全世界的至高统治者，是皇族的守护神；日本国至今仍以太阳形象为代表。

Sun Yat-sen 孙逸仙 参阅 **Sun Zhongshan 孙中山**。

Sun Yat-sen Mausoleum 中山陵 又作 Zhongshan Mausoleum。中国民主革命先行者孙中山的陵墓。位于江苏省南京市东郊紫金山南麓。由著名建筑师吕彦直设计施工。陵园总面积45000公亩。坐北朝南，依山建造。平面布局呈铎形，含有“木铎警世”之意。陵墓建筑以古代传统形式为主。建筑面积 8 万余平方米。主要建筑有牌坊、墓道、陵门、碑亭、祭堂和墓室等，还有当时各界人士和海外侨胞集资兴建的纪念建筑分布在陵墓四周。陵墓前面的广场正中是一间三楼式花岗石牌坊，上刻孙中山手书“博爱”。墓道下部有 3 个拱形门洞，正面上镌孙中山手书“天下为公”。祭堂廊庑正面 3 扇镂空紫铜门上分别刻有“民族”、“民权”、“民生”。祭堂内大理石铺地，前后排列着花岗石柱 12 根，顶部为“覆斗”形天花。四壁下部嵌黑色大理石，东西两边分刻孙中山手书遗著《建国大纲》全文。堂正中为孙中山石雕坐像，坐像四周刻有反映孙中山革命历程的浮雕 6 块。墓室在祭堂后面，呈半球形，直径 16.2 米，高 9.9 米。正中为圆形大理石圹，直径 3.9 米，上围石栏。圹中央是长方形石墓穴，上置孙中山大理石卧像。遗体安葬在卧石像座下 5 米处。孙中山 1925 年 3 月 12 日于北京逝世，遗体暂厝西郊香山碧云寺石塔内。陵墓于 1926 年 1 月兴建，1929 年春落成，同年 6 月 1 日，移灵南京入葬。1928 年 1 月，紫金山全部划为中山陵园。1949 年后对墓道、台阶、祭堂等进行了大修。

Sun Yat-Sen University 中山大学 中国的一所综合性大学，校址在广州。1924 年由孙中山创办，原名广东大学，首任校长为邹鲁。1926 年为纪念创办人改名中山大学。1931 年设有文、法、理、农、医5个学科，同年

中山大学校园一角
中国大百科全书出版社供图

将学科改称学院。1934年设工学院，1935年设研究院，始招研究生。1937 年广东法科学院并入，1938 年广东省立襄勤大学工学院并入，同年设师范学院，至此发展为文、理、法、工、农、医、师范 7 个学院和 1 个研究院，31 个系。抗日战争期间，曾先后迁址广东罗定、云南澄江、粤北坪石、粤东等地。1945 年迁回广州。1952 年全国院系调整，该校的工、农、医、师范 4 个学院划出，成为以文理科为基础的综合大学。校址由广州石牌迁至广州岭南大学原址康乐园。院系调整后，以华南地区的经济建设和热带亚热带地区为主要研究方向。概率统计、微分方程、高分子化学、光学、昆虫生物防治、寄生虫学、两广地理、华南植物、隋唐史、中国经济史、辛亥革命与孙中山研究、古文字、中国戏曲史、英美文学、中国古代思想史、东南亚历史等学科的研究均取得显著成绩，并形成了自己的特色。1978 年后，增设应用性、技术性学科专业，发展了一批新兴学科，如新材料、生物工程、自动控制、遥感技术、环境科学、计量经济、企业管理、旅游管理等。2000 年建立珠海校区。2001 年与中山医科大学合并。学校设有人文科学学院、岭南学院、国际商学院、外国语学院、法学院、政治与行政事务管理学院、管理学院、教育学院、传播与设计学院、数学与计算科学学院、物理科学与工程技术学院、化学与化学工程学院、地理科学与规划学院、环境科学与工程学院、生命科学学院、信息科学与技术学院、工学院、中山医学院、国际交流学院、旅游学院、翻译学院、基础医学院、公共卫生学院、光华口腔医学院、护理学院、药学院 26 个学院和地球科学系、资讯管理系，并有研究生院、软件学院、高等继续教育学院（网络教育学院）等。有 89 个本科专业，博士学位授予权覆盖了 171 个学科专业，硕士学位授予权覆盖了 236 个学科专业，还有专业学位点 19 个，12 个博士后科研流动站，18 个专业硕士学位点。有 20 个国家级重点学科和 43 个广东省重点学科，6 个国家级基础科学研究和人才培养基地。4 个国家重点实验室，2 个国家重点学科专业实验室。有教职工近12 000人，其中教授 860 人，副教授近 1 000 人，中国科学院院士 12 人（含双聘）、中国工程院院士 3 人（含双聘）。在校各类学生70 000多人，其中博士研究生近3 800人、硕士研究生近13 000人、本科生28 000多人、外国留学生 1 100 多人。4 所附属综合性医院，3 个专科医院。图书馆藏书 498.8 万册。校园总面积达 617 万平方米。出版物有《中山大学学报》等。

Sun Yefang 孙冶方（1908-10-24 ～ 1983-02-22） 中国经济学家。原名薛萼果，曾用名宋亮。江苏无锡人。1925 年 10 月赴莫斯科中山大学学习。1927 年毕业后在莫斯科中山大学任翻译。1930 年回国后，在上海从事工人运动和左翼文化运动。1933 年参与发起成立中国农村经济研究会，发行《中国农村》月刊。1935 年创办新知书店。抗日战争爆发后，推动江苏文化教育界的抗日救亡运动，出版《译报周刊》。1941 年进入苏北解放区，从事宣传教育工作。1954 年起任国家统计局副局长、中国科学院经济研究所所长等职。孙冶方从 20 世纪 50 年代末、60 年代初在周密进行调查研究的基础上，分析了中国国民经济管理体制的弊端和某些经济政策的失误，批判在社会主义经济建设中有着广泛影响的唯意志论和自然经济论。他的论文《把计划和统计放在价值规律的基础上》（1956），批评斯大林把价值规律和国民经济计划管理对立起来的观点；他的《从总产值谈起》一文，批判总产值指标妨碍对企业进行科学管理，指出利润指标是考核企业经营管理好坏的综合指标。他的经济观点和改革主张曾被当作反党反社会主义的言论受到批判。在文化大革命中受到迫害。主要著作有：《中国社会性质的若干理论问题》（1983）、《社会主义经济的若干理论问题》（1979）、《社会主义经济的若干理论问题续集》（1982）、《孙冶方经济文稿选编》（1983）、《社会主义经济论》（1983）。

Sun Yunxuan 孙运璿（1913-11-11 ～ 2006-02-15） 中国台湾经济专家，国民党政府要人。山东蓬莱人。早年攻读电机工程，1934 年毕业于哈尔滨工业大学后，参加陇海铁路连云港发电厂建厂工作。抗日战争期间，曾担任青海西宁电厂厂长及甘肃天水电厂工程处主任。1942 年被派赴美国田纳西河流域管

理局工作，为战后重建工作吸取经验。1946年奉派参加接收台湾电力公司。1964年被世界银行延聘为尼日利亚全国电力公司执行长兼总经理，开发该国电力，后辞职回台湾。1967年12月出任交通部长，并成为国民党中央常务委员。1969～1978年任经济部长，任期内使台湾渡过1973～1974年世界能源危机，摆脱国际经济不景气的冲击，并改善工业结构及加速农村建设，奠定台湾经济快速发展的基础。1978年6月出任行政院长，任内提倡行政工作现代化，加速经济建设。1984年5月因病卸职，被聘为总统府资政。1985和1986年先后获美国佛罗里达州理工学院及亚洲理工学院荣誉博士学位。

Sun Zhongshan　孙中山（1866-11-12，中国广东香山翠亨村～1925-03-12，北京）　又拼 Sun Chung-shan。中国近代民主主义革命的伟大先行者、国民革命的领袖。名文，字德明，号日新，后改逸仙，亡命日本时化名中山。他所领导的运动于1911年推翻了清王朝（史称“辛亥革命”），建立了中华民国。因此国人称之为“国父”。

布朗兄弟公司供图

1892年毕业于香港西医书院，在澳门和广州开业行医，并开始参加以利国福民为宗旨的改良派政治运动。1894年上书清廷首辅李鸿章，提出“人能尽其才，地能尽其利，物能尽其用，货能畅其流”的变法主张；被拒，并遭斥责。此后即改取志在推翻满清，建立共和的革命道路。同年10月，赴檀香山、美洲，创立兴中会。孙中山在1923年回忆中道：“此为以革命主义立党之始。”1895年举行广州起义。失败后逃亡国外。1896年在伦敦被清政府驻英公使馆设计诱捕，经其前业师英国人康德黎营救而获释。此后二三年间，考察欧洲政治经济，确定三民主义之主张。1900年发动惠州（今广东惠阳）三洲田起义，终于失败。此后数年往来于日本、安南（今越南）、檀香山、欧洲、美洲等地，宣传其革命主张，发展兴中会组织，开始提出三民主义、五权宪法。

1905年在日本东京，联合兴中会、华兴会、光复会等革命团体，组成同盟会，被推为总理。发刊《民报》，作为机关报。《同盟会宣言》提出四项政纲：“驱除鞑虏，恢复中华，建立民国，平均地权。”这是三民主义的早期纲领，前二条即民族主义，第三条即民权主义，末条即民生主义。同盟会建立后，积极在国内外联络华侨、会党和清朝的新军，发展组织，传播政纲。1906～1911年孙中山筹划、指挥和发动了9次武装起义，均告失败。1911年武昌新军起义，迅即引发15个省的响应，使清王朝的统治从根本上发生动摇。孙中山于当年底回国，被起义各省代表选举为临时大总统。1912年元旦他在南京宣誓就职。同时，中华民国临时政府和临时参议院也宣告成立；公布《中华民国临时约法》。1912年2月12日，清宣统皇帝溥仪退位。13日孙中山辞去临时大总统职位，让位于袁世凯。8月，同盟会改组为国民党。此后十数年间，中国连续发生以下事件：国民党创建人之一宋教仁被刺，袁世凯称帝，张勋复辟，军阀连年混战，以武力篡夺中央政权。孙中山坚持革命，先后组织领导了讨袁和护法的政治运动和武装斗争。他在1923年总结说：“自民国二年至于五年，国内之革命战事，可统名之曰讨袁之役；自五年至于今，国内之革命战事，可统名之曰护法之役。”

1915年10月25日，孙中山在东京与宋庆龄结婚。1917年俄国发生十月革命，1919年中国发生五四运动，孙中山对这两个事件表示热烈的支持，并在思想上受到影响。1917年在广州召开非常国会，宣言护法，组成军政府，被推举为大元帅。从此时到1924年，孙中山断续担任军政府首脑，其名义数度改变，始称大元帅，次称总裁，后称大总统。1921年与苏联所派代表马林会晤。1922年与共产国际所派代表越飞会晤。1923年发表《孙文越飞宣言》，接受共产国际和苏联的政治、军事、物质援助。孙中山在一封党内通信中指出：“我党今后之革命，非以俄为师，断无成就。”

1924年1月在广州召开国民党第一次全国代表大会，通过新的党纲、党章，确定今后国民革命以打倒军阀、统一中国、消灭帝国主义在中国的势力为目标。在实际上，确立了联俄、联共、扶助农工三大政策。大会取得三项重大成就：①改组国民党；②重新解释三民主义；③接纳中共党员参加国民党。此议为孙中山及大会多数代表所支持。同年，创设黄埔军官学校，着手建立革命武装力量。从1月到8月，讲演三民主义16次。11月，应北京政府之邀请，带病北上，谋商召开国民会议、国家和平统一等重大国事。

因肝癌逝世，留下了“必须唤起民众，及联合世界上以平等待我之民族，共同奋斗”的遗嘱。与遗嘱同时签署的还有《致苏联遗书》。遗著编为《中山全书》、《总理全集》、《孙中山全集》。

sunbeam snake（*Xenopeltis unicolor*）　**日光蛇**　又称单色异盾蛇、单色闪鳞蛇。异盾蛇科（闪鳞蛇科，Xenopeltidae）唯一的种。穴栖，对之了解甚少。体深褐色或黑色，有彩虹光泽，故名。体长可达1米。产于印度和亚洲东南部的耕地及其他开阔地区。以蜥蜴、其他蛇类、蛙类和小型啮齿动物为食。对人无害。*Loxocemus* 属的种类结构与本种相似，故有时归入异盾蛇科。但因有退化的后肢及头骨原始，常与蟒蛇及蚺蛇一同归入蟒科。

sunbird　太阳鸟　雀形目太阳鸟科约95种鸣禽的统称。繁殖期雄鸟羽毛鲜艳，体长

太阳鸟（*Cinnyris*）
供图：G. J. Broekhuysen—Ardea, London

9～15厘米，主要靠花蜜为食。与蜂鸟不同，不是在飞翔中取食，而是停歇在花梗上进食。太阳鸟在非洲数量极多，向东分布到太平洋岛屿。分布最广的非洲种是灿烂太阳鸟（*Cinnyris coccinigaster*）头紫色，背绿色，翅和尾为黑色。捕蛛鸟（*Arachnothera*）与灿烂太阳鸟有亲缘关系，羽色不鲜艳，嘴更长，尾更短，见于东南亚。

sunburn　晒伤　一种急性皮肤炎症。由来自太阳光或人工光源、波长为290～320纳米的紫外线照射过度而引起。照射过度的反应严重程度各异，由轻微潮红、触痛到剧痛、水肿以及起疱；全身症状则包括休克、畏寒、发热和恶心。晒伤的明显临床表现常开始于首次接受紫外线照射后6～12小时，症状到达极点是在24～28小时以内，随后则症状逐渐缓解，皮肤轻度晒黑或“脱屑”，决定于晒伤的严重程度。晒伤的炎症反应开始于紫外线照射后15分钟以内（红斑或潮红）。由表皮黑色素细胞产生的黑色素，经过氧化而变黑，减少了表皮的损害。黑色素细胞在2～3天内变大而增多，从而产生更多的黑色素。几天以内皮肤变黑，具有保护作用（轻型晒伤病例）。对受晒的皮肤应用冷敷并服用止痛药，能缓解某些晒伤的疼痛。严重的晒伤可以预防，即在皮肤晒黑之前，减少紫外线的照射，或对受晒皮肤涂含有对氨基苯甲酸或二苯甲酮的遮光剂。长期和重复日光照射的远期后果，可能是引起许多皮肤疾病，包括常出现在面部的基底细胞癌（平滑的小结节）。

Sunbury　森伯里　澳大利亚维多利亚州中南部城镇，位于连接本迪戈市与州首府墨尔本市的公路和铁路线上，在墨尔本市西北39千米处。1866年设自治市。现在是奶品制造业、牧羊业以及小麦、燕麦和大麦种植业的繁荣地区的服务中心。镇中有许多精美的19世纪建筑物。人口11 085（1981）。

Sunbury　森伯里　美国宾夕法尼亚州中东部城市，诺森伯兰县县城（1772）。南距哈里斯堡80千米，在萨斯奎汉纳河畔。原为一印第安村落。1772年规划。1779年设自治镇，1922年设市。1883年7月，T. 爱迪生在此建立的世界上第一座三线式电照明中心站开始发电。现为工农业贸易中心，生产纺织品、金属产品和建筑材料等。萨斯奎汉纳河上有用充气软管水坝拦成的奥古斯塔游乐湖（1 214公顷）。人口10 610（2000）。

Sunch'ŏn　顺天　韩国南部全罗南道城市。位于丽水半岛，在州首府光州东南140千米处，为该道东部行政和经济中心。有铁路与汉城相通，1968年又与釜山连接。为交通运输枢纽，周围地区的服务中心。城市西北有韩国三大寺庙之一。人口约121 938(1985)。

Sunda Islands　巽他群岛　亚洲大陆东南，自马来半岛，朝新几内亚方向至摩鹿加群岛的岛群。包括大巽他群岛(苏门答腊、爪哇、婆罗洲、西里伯斯岛及邻近小岛)和小巽他群岛(巴厘、龙目、松巴哇、松巴、弗洛勒斯、帝汶、阿洛尔岛及邻近小岛)。除婆罗洲、东苏门答腊及邻近地区外，均属亚洲与澳大利亚间岛弧和海岭带，地质上不稳定，火山处于活动期。西、南临印度洋，东、北界马六甲海峡、南海和西里伯斯海，环抱爪哇海、弗洛勒斯海和萨武海。大部陆地为印度尼西亚领土，只有婆罗洲北部和西北部政治上不属印尼控制。马来西亚文化和语言居支配地位。

Sunda Shelf　巽他陆架　稳定的大陆架或地台，是东南亚大陆的向南延伸。地台的大部分为浅海所覆盖，包括南海、泰国湾、爪哇海。平均深度小于100米。婆罗洲、爪哇的一部分、苏门答腊以及有关岛屿都是被侵蚀的残留在海面上的陆架变质岩层的剩余部分。陆架总面积达180万平方千米，曾一度露出海面成为陆地。证据是陆架上有陆地河网残余迹象，河道向北穿过陆架进入南海海盆；另有第二个河网向东伸入巽他海盆和弗洛雷斯海槽。巽他陆架南部由活火山岛——小巽他群岛——和有关海渊与萨胡尔陆架分隔开。G.W.厄尔在1845年首先报道了巽他陆架的存在。

Sunda Strait　巽他海峡　印度尼西亚爪哇岛与苏门答腊岛之间的狭窄水道，宽26～110千米，沟通太平洋的爪哇海与南面的印度洋。海峡中有几个火山岛，最著名的是喀拉喀托岛。1883年火山爆发，有300处村镇被毁，死亡约36 000人。1942年3月日军和美军在此发生遭遇战。巽他海峡是沟通印度洋和东亚的重要通道。

Sundance Kid　森丹斯小子(1870，美国宾夕法尼亚菲尼克斯维尔～1909?，玻利维亚圣维森特附近康科迪亚锡矿?)　哈利·朗加宝(Harry Longabaugh)或朗宝(Longbaugh)的绰号。美国匪徒，被认为是野帮的最佳射手，他弹不虚发，且能先发制人。"野帮"是一群抢劫者和偷牲畜的盗贼，在19世纪80和90年代出没于落基山脉和美国西部的高原荒漠地区。哈利·朗加宝15岁离开家，他的绰号源出森丹斯镇，1887年8月至1889年2月因偷一匹马在那里坐牢(他仅仅坐过这一次牢)。获释后，他径直投奔在怀俄明州中部的大墙洞隐蔽所，开始了他的匪盗生涯。在19世纪和20世纪之交，森丹斯小子与B.卡西迪和一个女友E.普莱斯勾结在一起，1901年窜到纽约市，然后去南美洲，他们在阿根廷的丘布特省建立一个大牧场。1906年他和卡西迪重操旧业，在阿根廷、玻利维亚、智利和秘鲁抢劫银行、火车和矿山(由于普莱斯生病，森丹斯于1907年送她回美国，但随后又返回南美)。据平克顿的记载，1909年他们所知道的那两名匪徒已经被玻利维亚的一支骑兵队堵截住了。森丹斯受致命伤，卡西迪自杀身亡。另说他们是1911年在乌拉圭的梅塞德斯抢劫银行时被打死的。还有一说，森丹斯是生还美国的，改用一个新名哈利·朗，在30年代，也许是迟至1957年才在美国西部某地(大概是怀俄明州的卡斯珀)默默无闻地死去。

Sundanese　巽他人　印度尼西亚爪哇岛上的三大主要种族集团之一，20世纪末期，估计人数约2 585万。他们是爪哇西部的高原民族，与其他爪哇人语言不同，并且是严格的穆斯林信徒。从历史上看，巽他人首见记载是在公元8世纪印度-爪哇婆罗门诸邦统治之下，后来宗奉由夏连特王朝诸王所引进的大乘佛教。16世纪他们与穆斯林贸易频繁，受其影响，改信伊斯兰教。但印度教影响及万物有灵信仰依然流行。巽他人的村落由头人和长老议事会领导。他们居住竹木房舍，建于木桩之上。稻谷种植和冶铁业以及婚姻、生育与丧葬仪式，都与爪哇模式极其相似，但常常夹杂印度教的成分。巽他语和爪哇语相似，言语中亦有俗语、敬语和普通语之分。由于修筑公路，发展庄园经济，建立农村学校，巽他人与其他爪哇人的差别缩小。巽他人已扩展到爪哇中部及苏门答腊南部的楠榜地区。

Sundarbans　孙德尔本斯　原称作Sunderbunds。恒河三角洲南部大片森林和盐水沼泽地带。从印度胡格利河河口湾沿孟加拉湾延伸260千米至孟加拉国梅克纳河河口湾，伸入内地100～130千米。河口湾、潮水河、溪流、沟渠等密如织网，多沼泽岛屿。地势平坦，森林茂密。沿海为红树沼泽地。南部地区野兽、鳄鱼蕃息，已辟为孟加拉虎禁猎区。北部地区为耕地，生产大米、甘蔗、木材和槟榔子。

Sunday　星期日　一个星期的第一天，基督教奉为主日，纪念耶稣基督被害后于次周的第一日复活。基督徒在星期日礼拜的习俗始于使徒时代，但是它的详细形成过程不得而知。在将近公元1世纪末，《启示录》的作者第一次称第一日为"主日"(《启示录》1:10)。哲学家和基督教护教士查斯丁(殉教士)(约100～约165)在他的著作中写基督徒在主日聚会，诵读福音书或《旧约》，主领牧师讲道，全体会众在一起祈祷、领圣餐。信奉基督教的古罗马皇帝君士坦丁一世于321年颁布第一项有关星期日的法令，规定除农民不得不按时工作者外，星期日应一律停止工作，这项法令的目的在于使人有时间进行礼拜，成为后世类似的各项规定的先声。参阅 **Sabbatarianism; week**。

Sunday, Billy　森戴(1862或1863-11-19，美国艾奥瓦埃姆斯～1935-11-06，芝加哥)　美国奋兴派布道家。他所掀起的奋兴运动以及他讲道的内容都反映美国从农业社会转变为工业社会所引起的情绪剧变。1903年受按立为长老会牧师，在神学上属于基要派。主持三百多次奋兴会，估计参加人数达一亿。他坚决主张取缔酒类销售。1917年在纽约市主持的奋兴会盛况空前，两年后美国颁行一项宪法修正案，于是禁售酒类乃成为国策。

Sunday school　主日学校　又作Church school或Christian education。通常为对儿童和青少年进行宗教教育而开办的学校，一般隶属于某一教堂或教区。主日学校运动主要为基督教(新教)所重视。虽然已知在基督教内部早已有各种类型的宗教教育，但现代主日学校的开始却可追溯到英格兰境内格洛斯特市报业家雷克斯(1736～1811)的工作。这是一位对监狱改造有兴趣的人。他认为，利用星期日使每天在工厂做工的青少年受到基础教育和宗教教育即可以防止他们许多人走向犯罪。他于1780年在圣公会教区牧师的合作下开办第一所主日学校，由非神职人员管理。三年后，雷克斯发表在自己报纸上的关于格洛斯特主日学校的文章引起人们的兴趣，这一制度在整个不列颠群岛都得到仿效。最终，主日学校与教堂密切联系在一起。雷克斯于创办第一所主日学校31年后死去，据报当时在不列颠群岛入主日学校的儿童达50万左右。这一运动传到欧洲大陆和北美洲。欧洲的宗教教育通常在一般学校中进行，因此主日学校的重要性不如在政教分离的美国。美国第一个跨教派主日学校联合组织费城主日学校协会于1791年成立。1922年成立的另一个主日学校机构国际宗教教育协会于1950年并入美国全国基督教协进会。

主日学校曾采用不同的教学体系。先是使用《圣经》和各该宗派的《教理问答》为一般教材，后来才编出了教会学校专用的教材，并制订出反映各族宗派的教义立场和社会主张的课程表，教师大都是平信徒中的志愿人员，往往受过专门培训。

东正教会也办教会学校，但这种教育事业从未如在基督教(新教)中那样受到重视。天主教会一般不采纳主日学校制度，但是，在天主教会所办的学校里，普通教育中即包含宗教教育内容。

Sunday Times, The　《星期日泰晤士报》　伦敦出版的有影响的星期日报纸，以其出色的采编和以报道英国政治新闻和重视艺术而闻名世界。其质量与日报版的《泰晤士报》不相上下。1822年创刊，奉行独立的编辑方针，在全国范围发行，该报反映了《泰晤士报》的风格庄重、写作审慎和编辑精细等特点。多年来，向其他世界大报出售其记者的报道。1978～1979年由于组织了工会的职工不准推行新的印刷技术举行罢工而被迫停止发行一年。后来争议获得解决，《星期日泰晤士报》保持住了声誉并恢复了发行量。

Sundbyberg　松德比贝里　瑞典中东部斯德哥尔摩省城镇，位于斯德哥尔摩市西北郊区。建于1877年。1927年设镇。现已成为重要工业中心。松德比贝里市内有马拉堡巧克力工厂等著名建筑。斯多斯科根公园四周有高层居民楼。工业产品有电器、化工设备等。西南机场有国内航线。人口:城镇区约33 967(2001)。

Sunderbunds(India and Bangladesh) 参阅 **Sundarbans** 孙德尔本斯。

Sunderland **森德兰** 英格兰泰恩-威尔都会郡都会自治市和港市。属达勒姆历史郡。位于北海海岸,威尔河口。著名盎格鲁-撒克逊编年史家比德约在673年出生于此。12世纪末获得特许状。1634年设建制为自治市。在中世纪早期,威尔河口社区是达勒姆主教管区的唯一港口,进行盐、鱼贸易。随着威尔河谷煤矿开采业的扩大和17世纪煤炭贸易的发展,该城镇日趋兴旺。18世纪中叶成为英国主要造船中心。其他制造业有玻璃制品和陶器。由于严重依赖造船和修船业,在20世纪30年代大萧条时期失业情况严重,1934年约占投保人口的41%。为使经济多样化,建立了工业区以吸引新兴制造业。到20世纪末,煤矿和造船业消失。新产业包括自动技术装备和电子产品、服务业。森德兰有一所大学、一个博物馆和一个美术馆。市内有罗克和锡伯恩海滨胜地。人口约289 040(1999)。

Sunderland, EARLS OF **森德兰伯爵** 英国封爵贵族,属斯潘塞(Spencer)家族。按年代顺序分列于后,并各以●为标记。

● **Sunderland, Henry Spencer, 1st Earl of 森德兰伯爵(第一)**(1620-11-23受洗,~1643-09-20,英格兰萨默塞特纽贝里) 英国内战时期中的保王党分子。大富豪家庭出身,牛津大学马格达伦学院毕业(1636,文学硕士)。1636年继承其父爵位,为斯潘塞男爵。坚定的保王派。在与议会发生冲突的最初几年,他代表查理进行谈判。这次冲突逐渐发展为内战。1643年6月8日他被封为森德兰伯爵。三个月后,在纽贝里战役中阵亡。

● **Sunderland, Robert Spencer, 2nd Earl of 森德兰伯爵(第二)**(1641-09-05,巴黎~1702-09-28,英格兰北安普敦郡阿尔索普) 即R.斯潘塞。英格兰政治家,查理二世、詹姆斯二世和威廉三世有影响的顾问。善于看风使舵是他成功的秘诀,也是他不得人心的原因。第一代森德兰伯爵独生子。1679年成为国务大臣。次年1月因反对查理信奉天主教的弟弟约克公爵詹姆斯(后为国王詹姆斯二世)拥有王位继承权而被撤职。但1683年又官复原职,为查理二世制定亲法的外交政策。詹姆斯二世即位后,他出任首席大臣。为了得到王后的支持,于1688年改奉天主教。奥兰治亲王威廉(后为国王威廉三世)在1688年革命中掌权后,他逃往欧洲大陆。1690年5月放弃天主教信仰回国。不到两年即成为威廉三世最信任的政治顾问。1697年任宫廷大臣,但年底即被议会反对派赶下台。

● **Sunderland, Charles Spencer, 3rd Earl of 森德兰伯爵(第三)**(1674~1722-04-09,英格兰伦敦) 即C.斯潘塞。英国政治家,辉格党大臣,1714~1721年领导乔治一世国王大臣,1714~南海公司接管国债,导致"南海泡沫"的投机狂热,造成1720年的财政危机。第二代森德兰伯爵之子,1702年继承爵

不列颠博物馆供图

位。他是由主要的辉格党分子组成的"小集团"的成员。1706~1710年任安妮女王的国务大臣。1714年乔治一世即位,他出任爱尔兰总督。1715年任掌玺大臣。1717年掌握了内政大权,1718年成为枢密院议长和财政大臣。"南海泡沫"丑闻发生后(他曾在其中受贿)于1721年下台。

sundew family **茅膏菜科** 拉丁语作Droseraceae。种子植物的一科。包括四个属:貉藻属(*Aldrovandra*)、捕蝇草属(*Dionaea*)、茅膏菜属(*Drosera*)和*Drosophyllum*属。约100种。一年生或多年生,以能捕捉昆虫而著名。

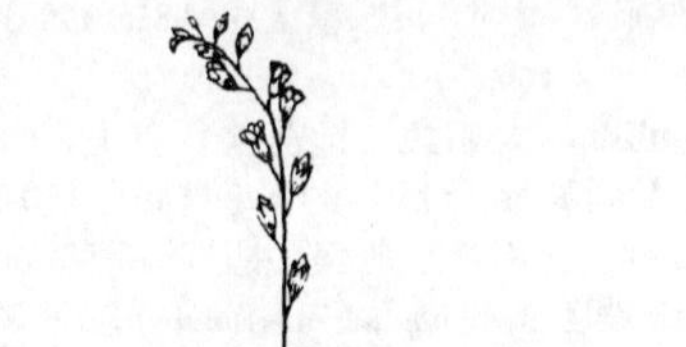

圆叶茅膏菜(*Drosera rotundifolia*)

广布于热带及温带地区,最著名的种类之一是捕蝇草(**Venus's-flytrap**)。茅膏菜一词主要用于茅膏菜属的种类,该属的种分布世界各地,但在澳大利亚最多。茅膏菜属的种大部分生长于潮湿、多沼泽地区的沙质酸性土壤,多为多年生;花小、下垂,花瓣五枚,白色或淡粉红色,生于茎的一侧;茎弯曲,高10~25厘米,发自基生叶丛;基生叶近圆形,通常淡红色,具柄,直径不到2.5厘米,叶上有一层顶端具腺体的毛,腺体分泌一种吸引昆虫的黏性物质。昆虫来取食,即被叶面上可弯曲的触毛(实为有柄的腺体)所捕获,多数具黏液的触手组成网状,包住昆虫。触毛分泌酶将其消化后,叶又张开再布罗网。北美最常见的种为毛毡苔(*Drosera rotundifolia*,即圆叶茅膏菜),花小,白色或淡粉红色,直径最大1.25厘米;叶圆,扁平,近叶柄处突然变狭,具

黄茅膏菜(*Drosophyllum lusitanicum*)

供图:W.H.Hodge

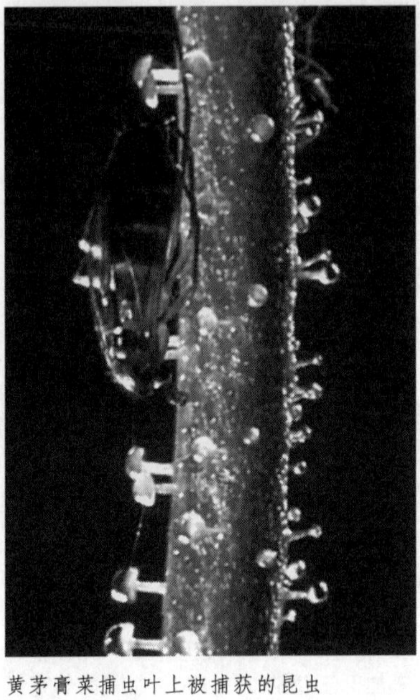

黄茅膏菜捕虫叶上被捕获的昆虫

供图:W.H.Hodge

淡紫色毛;叶柄长,具绒毛;果实纺锤形。

sundial **日晷** 三种记时装置中最古老的一种,它们根据太阳照射在某些物体上的影子位置指示时间。在白昼,太阳在天空中的运动会使物体的影子随之移动。

指示时间的最早装置可能是圭表,它可追溯到公元前3500年。这种装置是一根直立的标杆或石柱,其影子用以指示时间。到公元前8世纪,使用的装置更准确了。现仍保存着的一具有名的日晷是埃及的"影钟",其年代至少可追溯到这一时期。这具影钟由一直底座和一立杆构成,立杆在底座的一端,刻有6个时间分度的底座沿东西方向放置,

立杆在上午位于东端，下午位于西端。立杆的影子就可指示时间。这种计时装置在埃及一些未开化地区仍在使用。

另一种早期装置是半球面日晷或半环形日晷。它的出现应归功于公元前约 300 年的巴比伦天文学家贝罗索斯。这种用石或木制作的日晷是一立方块，上面开有半球状窗口，口内装一指针，针端位于半球中心处。针影的轨迹近似圆弧，圆弧的长度和位置随季节而异。为此，在半球的内表面上也刻有合适数目的圆弧，每一圆弧分为 12 等分。这样，从日出到日落，每根光线都有 12 个相等的时段，由于日长是随季节变化的，这些时段也随季节，甚至逐日而异。贝罗索斯的日晷已被广泛使用许多世纪。根据阿拉伯天文学家巴塔尼（约 858 ～ 929）记载，10 世纪的穆斯林国家仍使用这种装置。

希腊人借助其几何学知识把日晷设计得更为精密，阿波罗尼奥斯（约公元前 250）发展了半球形日晷。他采用刻有时线的圆锥曲面，使精度大为提高。托勒玫采用一种能按几何要求把影子投射到与地平面成各种交角的平面上去的装置。总之，希腊人似乎设计了垂直、水平和具有各种倾角的日晷。在公元前 100 年的雅典八角形风塔上有八具日晷。由此可见，朝各方向放置的日晷已使用多年了。

罗马人也用日晷指示时刻。公元前 290 年安装在罗马的第一具日晷是从萨谟奈人那里掠夺来的，但是几乎到了公元前 164 年，才出现为这座城市设计的日晷。罗马建筑师和工程师维特鲁威（公元前 1 世纪）在他的《建筑十书》中提到多种日晷，其中有的是可搬运的。

阿拉伯人很注重研究日晷以及向希腊人学到的制作原理和设计方法。他们发展了已有的设计，同时采用三角学原理简化了设计和制作过程。阿布·阿尔·哈桑在 13 世纪初就论述过如何把时线设计在圆柱面、锥面和其他各种面上，他提出的等时线也被认为是一种创造，至少在天文学上是这样。随着 14 世纪初机械时计的出现，具有等时线的日晷逐渐被广泛使用。

Sundiata 孙迪亚塔（？～1255） 西非君主，西苏丹马里（参阅 **Mali**）帝国建立者。他在位时期确立帝国疆域，为日后的昌盛和政治统一打下基础。他是曼丁哥人，家住今马里-几内亚边界附近康加巴王国。传说他为继承康加巴王位的 12 个王子之一。邻邦卡尼亚加君主苏芒古鲁 13 世纪初蹂躏康加巴时杀掉孙迪亚塔所有弟兄，仅他幸免。因为他当时生病，处于垂危状态。据信孙迪亚塔为康加巴一村庄的“杜古蒂吉”，即头人。他建立一支私人军队，在同族人中加强其地位，而后才和苏芒古鲁及近邻苏苏人争霸。约 1235 年在基里纳（临近今马里共和国库利科罗）战役中打败苏芒古鲁，并迫使原卡尼亚加各纳贡国奉他为宗主。1240 年夺占加纳故都昆比。其后他的将领们继续拓展帝国疆界，北界远达撒哈拉沙漠南缘（包括重要贸易中心瓦拉塔），东至尼日尔河大河曲，南方拓至旺加拉产金区，西达塞内加尔河。1240 年后不久，他将帝都由杰里巴迁至接近尼日尔河与桑卡拉尼河汇流处尼亚尼（又称马里），尼亚尼于是迅速成为苏丹主要商业中心。孙迪亚塔受到穆斯林与非穆斯林居民的支持。他的办法是遵行很多传统宗教仪典，居民视他为政治领袖兼具准神权的宗教首领。他所确立的帝国体制在他身后多年争夺王位的斗争中仍能维持下去。

Sundman, Per Olof 松德曼（1922-09-04，瑞典瓦克斯霍尔姆～　　） 20 世纪 60 年代瑞典具有社会现实主义传统的纪实小说家。他还是瑞典议会的议员（1969 ～ 1979）。长期生活在北部的耶姆特兰省。他的处女短篇小说集《猎人》（1957）利用那块与世隔绝的地方来研究一些奇特的人物。在这些短篇小说中，松德曼重视的不是事件和人与人之间的关系，而是小说家不加任何评价或评论提供给读者的实录。人们可以透过他用简朴和真挚的风格强调了他的激进的心理行为主义。他的分析方法旨在使读者领会真理的本质是复杂的，有时甚至是莫名其妙的。在《调查》（1958）中，他运用同样的手法，研究分析了瑞典北部贫穷落后、人烟稀少地区的一个发电站站长。他最成功并荣获 1968 年北欧理事会文学奖的小说《工程师安德烈的飞行》（1967），是根据乘气球飞越北极失败的记录材料写成，对这场悲剧的 3 个主要人物的分析也是根据他们自己的记录进行的，很少艺术加工。

Sundsvall 松兹瓦尔 瑞典北部西诺尔兰省城镇和海港。濒临塞隆耶龙河，在波的尼亚湾的入海口。1621 年设镇。1721、1803 和 1888 年被焚毁。后城镇中心用砖石重建。现为世界上最重要的纸浆产地之一。还有铝厂和机械制造厂。人口：城镇区约94 815（1995）。

sunfish 太阳鱼 北美淡水鱼类，与莓鲈和黑鲈同属鲈形目日鲈科（棘臀鱼科）。约有 30 种。皆原产于北美，并且除萨克拉门托鲈（断线鲈，*Archoplites interruptus*）以外均原产

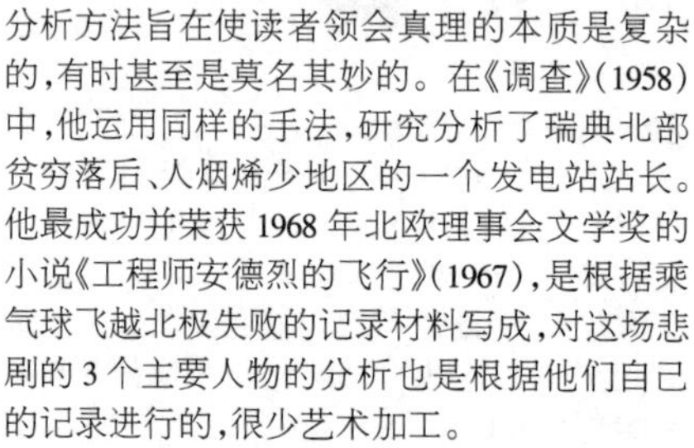

瓜仁太阳鱼（*Lepomis gibbosus*）
供图：Jacques Six

于落基山脉以东水域。其中瓜仁太阳鱼（*Lepomis gibbosus*）等几个种已引入其他国家。太阳鱼体较高；由前棘部与后鳍条部组成连续的背鳍，这两部分中可有一凹刻（如黑鲈那样），但两部分不像近缘的鲈的背鳍那样分离开。太阳鱼为典型的静水湖泊、池塘鱼类。肉食性，以鱼类及水生无脊椎动物为食。体型从 2.5 厘米的小日鲈属（*Elassoma*）种类到最大长约 80 厘米、重约 10 千克的大口黑鲈。太阳鱼尽管小（一般长不及 20 厘米），但被认为是上等食用鱼和游钓鱼。某些种类鳃盖后上缘有一明显瓣片，或称“耳叶”。太阳鱼较黑鲈体高，颜色也更鲜明，恰如其名。春季繁殖季节中，雄鱼体色特别漂亮，习性如其他日鲈类一样，雄鱼用尾部挖巢，引导雌鱼入内产卵后，守卫该卵，有时也守卫幼鱼。人们比较熟悉的太阳鱼有黑纹太阳鱼（黑带九棘日鲈，*Enneacanthus chaetodon*，产于美国东部）、蓝鳃鱼（蓝鳃太阳鱼，*Lepomis macrochirus*，有名的食用和游钓鱼，体淡绿色，腹部橙色，头及鳃盖下缘蓝色）、长耳太阳鱼（*L. megalotis*，具橙色斑点及鲜蓝色波状条纹）、普通太阳鱼（瓜仁太阳鱼，*L.*［或 *Eupomotis*］*gibbosus*，绿色或淡蓝，腹部橙色，耳叶上有一红斑）和岩钝鲈（*Ambloplites rupestris*，一种食用和游钓鱼，淡绿色，具不规则暗色斑纹）等。

sunflower 向日葵 菊科向日葵属（*Helianthus*）植物。主要原产于北美和南美。普通向日葵为一年生草本；茎粗糙，多硬毛，高 3～15英尺；叶广椭圆形，宽阔，长3～12英寸，粗糙，被毛，具疏齿，螺旋形排列；头状花序直径 3 ～ 6 英寸（野生者）或 1 英尺乃至更大（栽培类型）。心花褐色、黄色或紫色，边花黄色。向日葵植株既有经济价值又可供观赏。叶可用做饲料；花可提供黄色染料；种子含油，用做食物。向日葵在英格兰及欧洲其他地方、埃及、印度均有栽培以收取其种子，种子可榨取黄色、气味芬芳的油，向日葵油被认为是可与橄榄油和杏仁油相比的食用油。油粕用做家畜或家禽的饲料。向日葵油又可用于制造肥皂、油漆和润滑油。向日葵种子可干食、烤食或磨碎以制面包或咖啡样的饮料。向日葵属近 60 种，仅一小部分有栽培，栽种某些种是因其花大，引人注目。向日葵为一年生或多年生草本，植株高大，生命力强；有些种能栽种在土质中等的园子里。向日葵属的菊芋（*H. tuberosus*）栽种以食用其地下茎。

向日葵（*Helianthus annuus*）
供图：John H. Gerard

Sung-chiang（China） 参阅 **Songjiang** 松江。

Sung Chiao-jen（Chinese leader） 参阅 **Song Jiaoren** 宋教仁。

Śuṅga DYNASTY **巽伽王朝** 印度接替孔雀王朝的统治家族，约公元前 185 年由普士亚密多罗创立。他刺杀孔雀王朝最后的君主布里哈陀罗陀后称王。他是个婆罗门。据说他曾迫害佛教徒，但在他统治下许多地方的佛教仍盛行。其管辖地区包括华氏城、阿约提亚、毗底沙、贾朗达尔和奢羯罗。各省由亲王们分治。普士亚密多罗统治约 36 年。其后的巽伽历史多不确定。据《往世书》，巽伽王朝延续了 112 年，约至公元前 73 年止。

Śuṅga script 巽伽字母 印度北部的一种婆罗米字母，它可能与后期孔雀王朝字母和早期羯陵伽字体相衔接而与巽伽王朝（约公元前 185 ～约前 73）有关。巽伽字母是婆罗米字母印度北部分支的三种字母之一，笈多体字母便是由巽伽字母派生的。

Sungari River（China） 参阅 **Songhua Jiang 松花江**。

sunlamp 日光灯 产生具有日光中波长特别是紫外区的短波波长辐射的放电灯 **lamp**。

sunlight 日照 又作 sunshine。在地球表面上所见到的太阳辐射。日照的数量取决于白天云层覆盖的范围。地球上某些地方，如撒哈拉沙漠，每年的日照时间超过4 000小时，达到最大可能值的 90% 以上；在暴风雨频繁出现的地区，如苏格兰和冰岛，则少于2 000小时。在许多中纬度地区，由于清晨和傍晚的云层较厚，日照量随白天的推移有规律地变化着。通常将日照分成三个主要部分：①可见光，波长在 0.4 ～ 0.8 微米之间；②紫外光，波长较短于 0.4 微米；③红外线，波长较长于 0.8 微米。可见部分几乎构成地球表面接受的总辐射的一半。虽然紫外光在总辐射中只占很小的比例，却极端重要。它通过麦角甾醇的作用，产生维生素 D。它也是重要的杀菌剂。不幸地是，大城市上空被污染的大气夺走了可观数量的太阳辐射中的紫外光。红外线的主要贡献是产生热的性质。地球表面上接受的太阳总辐射中，差不多有一半是红外线。在穿过大气的途中，太阳辐射被大气的多种成分所吸收而减弱。它也被分子和尘粒散射。短波长的光如蓝光比波长较长的红光更易被散射。这个现象是造成每天不同时刻天空有颜色变化的原因。当太阳高悬在头上时，它的光线几乎垂直地穿过中介的大气；太阳低近地平线时，它的光线穿过大气的行程较长，遇到更多的尘粒和分子。在这个长行程中，占优势的蓝光被散射和阻挡，留下波长较长未被阻挡的红光到达地面，并在清晨和黄昏将天空染红。离地面高度 10 到 50 千米处由光化学作用形成的臭氧，是太阳辐射的有效吸收剂，几乎滤掉了波长小于 0.3 微米的大部分辐射。水蒸气是同等重要的较长波长的吸收剂。在红外范围的第二位吸收剂是二氧化碳。这两种气体滤掉了波长大于 1 微米的许多太阳能。

有几种装置可用来测量地面接受日照的时间，有时还可测量日照强度。埃普利（Eppley）日照强度表可进行这两项测量；它由两个面积相等的同心银环组成，一个黑色，一个白色，接在温差电堆上。太阳射线使得黑环增温高于白环，这种温差就产生与日照强度几乎成比例的电动势，电动势被自动测量和记录，从而提供了日照期间的时间和强度的连续记录。

sunn（species *Crotalaria junica*） **菽麻** 又作 sann hemp，Indian hemp（印度麻）。豆科植物，其纤维是韧皮纤维的一种。在许多热带国家亦有栽种，翻耕入肥沃的土壤中用做绿肥。可能原产于印度次大陆，在史前期即在印度种植，19 世纪初叶引入西半球。菽麻为一年生植物，用种子播种，适宜生长在排水良好的沙质肥沃壤土中，但也能适应贫瘠的土壤和干旱气候，一般与水稻、玉米或棉花轮作。植株高 2.5 ～ 3 米。纤维用菽麻密植，故其叶仅生长于植株顶端。叶为亮绿色，顶端尖，长 5 ～7.5 厘米。花小，黄色，聚生成簇，似穗，由叶腋生出。纤维用菽麻在籽荚开始形成时割下或拔出。绿肥用菽麻在植株开始开花时翻耕于地下。制取纤维时，须经沤麻，然后剥取麻皮，清洗晒干。菽麻纤维有光泽，呈白、灰或黄色，纤维束约长 1 ～ 1.5 米，由表面具有沟纹的圆柱形纤维细胞组成。菽麻强度和大麻相近，比黄麻坚韧，润湿时强度增加，抗霉菌和其他微生物腐蚀的性能较好。用于制造绳索、渔网、袋布、粗帆布和地毯线，亦可用于生产卷烟纸和其他薄纸。主要生产国为印度，主要进口国为英国、比利时和美国。

sunna 逊奈 指传统的社会习惯和法律惯例以及穆斯林社团的习俗。在伊斯兰教前的阿拉比亚，人们普遍认可和遵循部落祖先创立的先例（即逊奈）。早期的穆斯林在逊奈问题上没有立即取得共识，他们或以麦地那人或以圣门弟子的行为举止作为榜样。其后，各省区的教法学派试图把伊斯兰教诸圣地的传统与他们自己作出的一些判例结合起来。伊斯兰教历二世纪，教法学家沙斐仪提出以先知穆罕默德的逊奈作为仅次于《古兰经》的立法基础。先知的逊奈包括其言行和认可的事物，亦称圣训。由于教义、法律和政治方面的各派人物纷纷伪造圣训，穆斯林学者乃开创圣训学，验证圣训传述世系的可靠性，于是逊奈大受重视。其后经注学和教法学也都利用逊奈。参阅 **ʿilm al-ḥadīth；tafsīr**。

Sunni ʿAlī 参阅 **Sonni ʿAlī 索尼·阿里**。

Sunnite 逊尼派 伊斯兰教两大派之一的成员，伊斯兰教的大多数信徒属于该派。逊尼派穆斯林认为自己是伊斯兰教的主流和圣训派，区别于少数派即什叶派。该派承认最初的四大哈里发是穆罕默德的合法继承人，而什叶派却相信穆斯林领导权只属于穆罕默德的女婿阿里及其后裔。逊尼派长期以来认为，由穆罕默德建立的神权国家是真主在大地上的世俗领域，把伊斯兰教的领导权看作不是由神的命令或启示，而是由穆斯林世界占优势的政治现实来决定的。这在历史上导致逊尼派承认麦加显要家族的领导权，毫无例外地甚至承认外国的哈里发，只要他们的统治能使伊斯兰教适当地行世和维持秩序。逊尼派主张哈里发必须是穆罕默德的氏族古来氏族的一个成员，但又设想出一个相当灵活的选举理论，即应效忠于一个事实上的哈里发，不论他的出身如何。该派与其他派别在关于执掌宗教与政治权力方面的区别，甚至在 13 世纪哈里发制度终结之时，仍保持不变。其正统特征在于强调穆斯林社会大多数人的观点和习惯，以区别于周围集团的观点。逊尼派所演绎出来的公议制度使他们能融合历史发展过程中产生的各种不同的观点与习俗，但这些在《古兰经》中并无根据。逊尼派承认六部“真实”圣训（哈底斯）集，其中包含据传是穆罕默德的言行录。其信徒还遵循四大伊斯兰教法学派中的一派，认为它是正统的。20 世纪，逊尼派构成除伊朗、伊拉克也许还有也门之外的各国穆斯林中的大多数。其总数据 20 世纪后期的统计约为 9 亿，占世界全部伊斯兰教信徒的 9/10。

Sunnyvale 森尼韦尔 美国加利福尼亚州西部圣克拉拉县城市。临圣弗朗西斯科湾南端。1850 年创建。1912 年称现名。原为水果加工中心。因 20 世纪 30 年代附近建立美国海军飞艇基地和 1942 年扩建约书亚亨迪钢铁厂，促进了工业发展。现生产电子仪器和导弹。作为硅谷的一部分，森尼韦尔在 20 世纪末发展迅速。人口约131 760（2000）。

sunscald 日烧病 又称日灼病。薄皮乔木、灌木或其他植物受日晒而引起的常见疾病。幼树经日晒后，树干或树杈上有死亡组织形成的斑块。在干燥、天晴、多风的地方，尤其在早春季节，常绿乔木、灌木会出现叶片灼伤及嫩茎顶死。预防方法有包扎幼树树干或涂刷石灰水、白色胶乳涂料或抗干燥剂以延缓植株水分丢失。常绿树（尤其在冬季及早春）不宜多受日晒或干、冷风吹刮。在干燥的秋季，于土壤冻结前应充分浇水，并施用覆盖物以保持土壤冻结状态直到春季来临，此时植物恢复活力，根部又能吸收顶部生长所需的水分。参阅 **scorch**。

Sunset Crater National Monument 森塞特火山口国家保护区 美国亚利桑那州中北

森塞特火山口国家保护区景观
供图：© David Muench 1982

部国家保护区。1930年设。位于弗拉格斯塔夫东北24千米处。面积13平方千米。内有一截头火山锥(死火山),高300米。据出土树木年轮推算,火山锥系1064年前后一次喷发所形成。顶部火山口深120米,直径约390米,色彩绚丽,有如落日照耀一般。有许多熔岩流、喷气孔和带有冰穴的熔岩层。

sunshine 参阅 **sunlight** 日照。

sunspider 日蛛 又称避日蛛,日蝎(sun scorpion)、风蝎(wind scorpion)、驼蛛。蛛形纲避日蛛目(Solifugae,前作 Solpugida)动物,有800种。生活在干热地区,多数种类金黄色,

日蛛(*Galeodes*)
供图:J.A.L.Cooke

多数种类白天活跃,故得其俗名。因行动敏捷而称风蝎或因头部隆起而又称驼蛛。腹部有毛,圆形,甚似蜘蛛;前面的附肢似蝎。体长10～50毫米。极贪食,最大的种类甚至可杀死小型脊椎动物。螯肢(第一对附肢)大,钳状,有齿。触肢(第二对附肢)步足状,端部有吸盘可用以捕食。第四对足有球拍形器官(平衡棒),可能为感觉器。常见于非洲、印度、印度尼西亚(特别是西里伯斯)及新大陆各地。

sunspot 黑子 又称太阳黑子。与局部强磁活动有关的太阳表面气体旋涡。太阳黑子只是相对于周围温度高数千度的明亮光球才显得黑。黑子的暗核称为本影;较亮的外环称为半影。黑子可比地球大几倍,也可小到用望远镜难以察觉。它们可持续存在数月。单独出现(但大多数是成对或成群出现)的一对黑子的两个成员(按太阳自转方向称为前导黑子和后随黑子)具有相反的磁极。从一个太阳活动周到下一个太阳活动周,磁极就颠倒过来,即:如果前导黑子在某个太阳活动周的极性是N,则到下一个太阳活动周就将成为S。一个半球的前导和后随黑子的磁极性几乎总是和位于赤道另一半球的黑子极性相反。透过云层或有减光装置的照相机,有时可用肉眼看到一些大黑子。但太阳表面这些"黑瑕"的真实性直到1611年前后,经过伽利略、T.哈里奥特、J.法布里休斯和C.沙伊纳等人的系统研究后才得到公认。S.H.施瓦贝于1843年宣布发现太阳活动周,在该周期中,太阳黑子的数目平均每11年有一极大值,就像太阳扰动对地球的影响(如极光)一样。通过观测黑子,R.C.卡林顿于1860年发现,太阳的自转不像刚体,而是较差式的,在赤道处最快。太阳黑子从来不会正好出现在赤道或两极附近。V.皮叶克尼斯于1926年提出一种理论,认为黑子是被太阳较差自转扭断的磁涡流头,根据这一理论曾提出多种设想,但黑子产生的原因迄今仍无定论。G.E.海尔于1908年发现黑子的磁场;J.埃弗谢德于1909年发现气体由太阳黑子中心往外的径向运动。A.R.蒙德于1922年画出一张太阳黑子在一个太阳活动周内沿纬度移动的图(卡林顿首先注意到这一现象)。由于这种图状如蝴蝶翅膀,有时也称为蝴蝶图。在每个太阳活动周开始时,太阳中纬度区总是先出现小黑子,随着太阳活动达到极大并转弱,后出现的黑子逐渐移近赤道。

Sunyani 苏尼亚尼 加纳中西部城镇。地处林木丛生的南阿散蒂高地之中。在19世纪末,该镇是捕杀大象者的宿营地。英国人于1924年在该地建立地区总部。通往库马西的公路修成后,该地商业地位日益重要,为可可、可乐果、大蕉、甘薯和玉米的集散地。科罗内申公园中有一个体育场。建有机场。人口38 834(1984)。

Sunzi 孙子 又拼 Sun-tzu。通常指孙武,也指孙武后裔孙膑。①孙武(活动时期约公元前5世纪)。字长卿,齐国人。中国春秋末兵家。曾以《兵法》13篇见吴王阖闾,被任为大将,率军大破楚国。孙武认为"兵者,国之大事",提出"知彼知己,百战不殆"的论断,重视了解敌我双方情况,全面分析敌我、众寡、强弱、虚实、攻守、进退等态势,以克敌制胜。强调灵活运用战略战术。孙武兵法具有丰富的军事辩证法因素。所著《孙子兵法》(《吴孙子》)是中国最早的兵书,也是世界古代第一兵书。1972年山东临沂银雀山汉墓出土残简《孙子兵法》17篇,与通行本基本相同。②孙膑(生卒年不详)。中国战国时兵家。曾与庞涓同学兵法,后庞为魏惠王将军,忌孙才高,诳孙到魏处以膑刑(去膝盖骨),故称孙膑。后齐威王任为军师。他设计先后大败魏军于桂陵和马陵。孙膑主张用战争手段统一中国,在战争中特别重视人的主观能动作用,"间天地之间,莫贵于人"。光凭武器精良不算强大,"甲坚利兵,不得以为强"。所著《孙膑兵法》(《齐孙子》),唐以来佚失。1972年在发掘山东银雀山汉墓中,重新发现竹简《孙膑兵法》。

suona 唢呐 又拼 so-na。中国双簧气鸣乐器。阿拉伯语 surna 的译音。金元时(1115～1368)传入中国。由侵子、木管、碗子三部分组成。侵子形似葫芦,上装芦哨以发音;木管形似竹节,上细下粗,正面开7个孔,背面开1个孔,变换指法可吹奏7种调门;碗子呈喇叭型,铜制,装于木管下部(可伸缩)以扩大音响。唢呐因形体音色不一可分成多种,常用的有海笛(小唢呐)、梅花(大唢呐)两种。海笛音尖而响亮,是民间吹打乐中主要乐器,戏曲中常用于激越雄壮、欢快活泼的唱腔伴奏,如拨子、唢呐二簧、啰啰腔和昆曲武戏唱腔等。梅花音宏而豪放,戏曲和民间乐曲中常作为表现喜庆、行军等雄壮、热闹气氛的主要伴奏乐器。

Super Bowl 超级杯赛 美国职业橄榄球锦标赛,是全国橄榄球联盟的锦标赛。参加者为全国橄榄球联盟所属美国橄榄球协会和全国橄榄球协会中的优胜队。1966年美国橄榄球联盟(AFL)和全国橄榄球联盟(NFL)合并。原来此赛称 AFL - NFL 世界锦标赛,现赛名系由美国橄榄球联盟堪萨斯市长队的老板亨特建议的。1967年1月15日在洛杉矶体育场举行首次比赛。1970年两组织合并完成,全国橄榄球联盟吸收了美国橄榄球联盟各队,分成两个协会,并在各自的旗帜下继续进行超级杯赛。

superb warbler (bird) **鹩莺** 参阅 **fairy wren** 细尾鹩莺。

supercharger 增压器 用于活塞式内燃机中的压气机或鼓风机,以增加活塞在每一进气冲程中吸进气缸的空气量。由于向气缸多给了空气,能烧掉更多的燃料,因而增大了发动机的功率。在活塞式航空发动机中,增压作用可以补偿高空大气压强的降低。由于燃气轮机的发展,需要空气和燃料的恒定流动,因而采用了涡轮增压器。它是一种由以发动机气缸排气为动力的小型燃气轮机驱动的离心压气机。

supercomputer 巨型计算机 功能极强的计算机。通常指在当时条件下速率最快的高性能系统。它主要用于需要超高速运算的科学和工程计算。

巨型计算机有一些显著特征。与常用计算机不同,它们常有不止一个中央处理器(CPU,它包含解释程序指令和按程序执行数字和逻辑运算的线路),虽然也有只采用单一处理器的机器。由于线路工艺的物理极限,必须用几个中央处理器以取得计算的高速度。电子信号的传递速度不能超过光速,这构成信号传递和线路启闭的基本速率极限。由于线路元件的微型化、线路板间联线的缩短和冷却技术的改进(例如在许多巨型计算机系统中,处理器和记忆线路浸没在低温液体中使线路动作最快),几乎达到这个极限。

为了绕过这个物理障碍,巨型计算机制造商开发了多至8个处理器的系统,由此使计算任务可分割为较小的分任务,而分别由各处理器同时处理。这类计算机包括每秒运算30亿次的克雷 Y - MP 机和最高运算速率接近每秒100亿次的 ETA - 10 机。

为了达到极快的计算速率,需要快速存取数据和程序,因此大部分巨型计算机既有非常大的存储容量(例如2.56亿到20亿字节的共用存贮器),又有非常快的存取性能。

巨型计算机的另一特征是它们应用了向量计算,即它们能够进行整个表格的数据运算,而无须分项运算。例如,典型的巨型计算机能够把一组工人的每小时工资表乘上他们的工作时数表,得出他们应得的工资表,所用时间和常规计算机计算一个工人的工资的时间大致相等。

巨型计算机最初用于国家安全方面,包括原子武器设计和密码学,如今常用于航天、石油和汽车工业。在其他工程和科学领域内也有广泛应用,例如亚原子粒子的结构和宇宙的起源及性质等的研究。巨型计算机已成

为天气预报的不可缺少的工具，使预报建立在数学模型的基础上。

通过并行处理技术的扩大应用，将开发出性能更优的巨型计算机。计算机专家已经制成将数千个独立处理器连在一起而各处理器分担工作任务的系统。然而，这些处理器仍比目前巨型计算机所用的处理器慢，所以除某种特殊情况外，巨型计算机仍占优势。

superconductivity　超导电性　许多固体当冷却到某特定温度下会完全失去其电阻。此温度叫做转变温度，随不同物质而异，一般低于 20K(－253 °C)。超导电性是荷兰人 H.K.昂内斯 1911 年在水银中发现的。还约有 25 种化学元素包括铅、锡以及几千种合金和化合物都有这种性质。在绝对零度上下不到 1 度的范围内已研究的所有其他物质，都呈现出正常的电阻值。超导体在磁场中应用时会受到限制，当磁场强度超过某临界值时(此值与超导材料有关)，会使超导体(即使处在远低于转变温度之下)回复到正常的非超导状态。超导体除失去电阻外的另一基本性质是具有阻止外面磁场穿进其内部的能力：它们是完善的抗磁体。Ⅰ型超导体能把低于临界值的外部磁场完全屏蔽掉，但Ⅱ型超导体能将强磁场的一部分屏蔽掉。某些Ⅱ型超导体除极强磁场外，均能保留其超导性。

1986 和 1987 年发现有少量几种Ⅱ型超导体即使温度高到 98K，同时磁场强度达到数十万奥斯特，仍保留其超导性。这些高温超导体都包含有铜和氧的原子，在晶体中形成原子面或链。它们是各向异性的，即其性质同电流和磁场相对于原子面和链的方向有关。各种陶瓷就是这种新材料，它们的性质同其中氧原子的数目有密切关系。正因为它们的超导性所需要的温度可以得自廉价的液氮，所以具有广泛的应用前途。它们的脆弱性，在某些化学环境(例如潮湿空气)中的不稳定性，以及晶体表面的杂质有分离的趋势(以致干扰超导状态下强电流的流动)等问题都需要进一步克服。此外，后来在研究中还发现其他一些温度较高的超导体(例如铋化合物)颇有广阔前途。在很多方面可建议采用超导材料，其中包括医学的磁场造影装置，磁能储存系统，高速悬浮列车，马达，发电机，变压器，计算机部件(逻辑器件、开关、连接器、记忆元件)以及测量磁场、电压、电流等高灵敏度装置。采用超导体的设备和器件，其主要优点是低功率损耗，高速操作和高灵敏度。

superego　超我　S.弗洛伊德精神分析学说用语。人类人格三个力量中发展最晚的一个，另外两个力量是**本我(id)**和**自我(ego)**。超我包含一个禁止、谴责和抑制系统(即平常所说的"良心")和称为"自我理想"的一整套观念。这种素材是在生活的头五年内得自父母或抚养者，是其标准和权威的内化。在正常男孩，超我取代对母亲的俄狄浦斯欲望，给在俄狄浦斯期发展形成的自我谴责能力予新的材料。发展着的超我吸收了家庭和周围社会的传统，主要用以控制威胁社会结构的性冲动和攻击性冲动。超我是部分有意识、部分无意识的，是原始的和非理性的，与自我相比较少对外界现实进行反应，倾向于维持一定的标准，而不顾环境情况。超我和本我的关系更为密切，据认为在本我与自我发生联系以前，超我先评价并构成了本我的内容。超我的正常发展非常不稳定，但超我却是心理健康的一个关键因素。

superfluidity　超流性　液态氦冷却到2.18K(称为 λ 点)以下时出现的异常性质。这个名词是苏联物理学家 P.卡皮察进行大量实验之后于 1938 年提出的。实验的结果表明：在上述这种名为氦Ⅱ(HeⅡ)的液态氦中，热导率有明显的极大增长；氦Ⅱ能够迅速地流过毛细管或沿容器的边缘扩展成薄膜；同时还出现其他若干特殊性质。为了解释这些现象，L.蒂萨提出了"二流体"模型，把氦Ⅱ看做正常氦和超流氦的混合物。正常成分由受激态氦原子组成，而超流成分则处于基态(有着最低或零点的能量)。温度在 λ 点以下继续降低时，更多的氦Ⅱ变成超流性的。假定这种超流成分能够无摩擦地流过容器，因而能解释氦Ⅱ的大部分异常性质。

superfluous man　多余的人　一种人物典型，在 19 世纪俄国文学中反复出现，因而引人注目地成为一种民族原型。他通常是一个贵族，聪明并受过良好教育，充满理想主义和善良的愿望，但由于和哈姆雷特一样复杂的原因，未能采取实际行动。尽管他意识到周围的愚昧和不公，但他在人生的舞台上始终充当一个旁观者。这个名词，从屠格涅夫的小说《多余人日记》(1850)发表后，得到广泛流传。尽管屠格涅夫小说的多数主人公都属于这种类型，但他并不是第一个塑造这种典型的作家。这个典型最早出现在普希金的诗作《叶甫盖尼·奥涅金》(1833)中，讲一个拜伦式青年如何浪费自己的生命，任凭一个爱他的姑娘嫁给其他人，后来又在一次决斗中打死了自己最好的朋友。最突出的例子是冈察洛夫所著《奥勃洛莫夫》(1859)中的同名主人公。奥勃洛莫夫是一个懒惰成性、耽于空想的贵族，靠他本人从未去过的庄园的收入为生。他整天躺在床上琢磨起床后(如果他起床的话)将要干些什么。俄国激进派评论家杜勃罗留波夫认为"多余的人"是俄罗斯特有的苦恼和农奴制的副产物。整个 19 世纪和 20 世纪初，"多余的人"在俄国小说和剧本中一直占统治地位。他们包括文学作品中一些最富于艺术魅力而又富有同情心的人物：彼埃尔·别祖霍夫(托尔斯泰的《战争与和平》，1865 ～ 1869)、梅什金公爵(陀思妥耶夫斯基的《白痴》，1868 ～ 1869)以及契诃夫作品中的许多人物。

Superfortress（ aircraft ）　**超级空中堡垒**　参阅 **B－29B－29 轰炸机**。

supergiant star　超巨星　体积和真实光度都极大的恒星。它比巨星亮几个星等，直径大好几倍。通过研究巨星、超巨星和其他类型光谱中的某些特定谱线，就能鉴别出它们之间的差别。像超巨星这样一类恒星的直径比太阳大几百倍，光度大 100 万倍以上。超巨星密度很低，寿命也许只有几百万年，从恒星演化的时标看是极为短暂的。

supergravity　超引力　基本粒子和它们相互作用的一种量子理论。它基于粒子的所谓超对称性，除了包括其他 3 种基本力(电磁力、弱核力和强核力)外，还包括引力。现今认为，电磁力和弱力是由电弱理论描述的一个单一潜在力的不同侧面。把全部 4 个基本力进一步统一在一个单一的量子理论中是理论物理学的一个主要目标。然而已证明，引力难于用任何描述其他力的量子理论来处理，在那些量子理论中传递力的粒子在相互作用的物质粒子之间进行交换。把引力同时空曲率联系起来的广义相对论，在较大的尺度上提供一个值得称道的引力理论。为了同广义相对论相一致，量子层次上的引力必须由一个称为引力子的粒子来实现。该引力子与其他基本力的携带者(如光子和胶子)不同，前者的自旋为 2，后者的自旋为 1。具有引力子性质的粒子自然地出现在一些基于超对称性的理论中。超对称性是显示费米子(具有半整数自旋的粒子)和玻色子(具有整数自旋的粒子)之间关系的对称性。在这些理论中，超对称性被视为局部对称性；局部对称性与全局对称性不同，前者的变换在时空中变化，后者的变换在时空中始终不变。以这种方式看待超对称性，就把它同广义相对论联系起来，从而自动将引力包括进去。此外，这些超引力理论似乎没有通常在其他一些引力的量子理论中出现的各种无穷量。这是由于超对称性预言的那些附加粒子的效力(超对称性预言每个粒子必须有一个不同自旋的超对称伙伴)。在最简单形式的超引力中，存在的粒子仅为具有 2 自旋的引力子和它的具有 3/2 自旋的费米子伙伴——引力微子(gravitino)(上述两种粒子都尚未观察到)。更复杂的变种还包括 1 自旋、1/2 自旋和 0 自旋的粒子，对所有这些粒子都需说明其相应的已知粒子。然而，这些变种还预言很多目前尚不知道的粒子，而且很难了解如何把理论中出现的粒子同实际存在的粒子联系起来。

superheterodyne reception　超外差接收　从不同广播电台发射的某个频段的载波中接收信息(声音或图像)的一种最常用的技术。这种电路是第一次世界大战期间，由 E.H.阿姆斯特朗设计的，该电路把输入载波所产生的高频电流与接收机里所产生的另一频率的电流进行合成，从而产生拍频，即进行合成的两个频率之差。这个差频又叫做中频(IF)，它超出人耳能够听得见的频率范围(因此，最初把这种技术叫做超声外差接收)；它所能达到的放大增益与灵敏度都优于原来的高频载波。中频信号的调制程度与原始载波完全相同，它馈送到检波器后可得到所需要的声频或其他的输出信号。改变与载波进行混频的那个电流的频率，接收机就可以调谐于不同的载波频率。大多数无线电、电视和雷达接收机都采用这种接收技术。

superhighway　参阅 **expressway 高速公路**。

Superior 苏必利尔 美国威斯康星州西北部城市，道格拉斯县县城(1854)。苏必利尔湖西端良港，为圣劳伦斯水道西部终端。1655年耶稣会士阿卢埃建立布道团。后建有毛皮贸易站。1853年开始成为永久性居民点，1889年建市。1890年后在戈杰比克山发现铁矿而繁荣。港口输出谷类、铁矿石、铜、铁燧石、石灰石和煤炭。从加拿大西部铺设了管道输送原油到这里提炼。该城铁路四通八达。工业有造船、重型机械、木材加工和磨粉。旅游业也占重要地位。全州最大的马尼图瀑布在城南12英里处。设有威斯康星-苏必利尔大学(1896)。人口约27 368(2000)。

Superior, Lake 苏必利尔湖 北美洲五大湖最西北和最大湖泊。世界最大淡水湖之一。东、北面为加拿大安大略省，西为美国明尼苏达州，南为威斯康星州和密歇根州。湖水经圣玛丽斯河流入休伦湖。湖长(东-西)383英里(616千米)，最宽(南-北)处160英里，湖面平均海拔600英尺(180米)。水面积31 700平方英里。湖的集水面积49 300平方英里(127 700平方千米)。最大深度1 330英尺。有近200条河流注入，以尼皮贡和圣路易斯河为最大。主要岛屿有罗亚尔岛(美国国家公园之一)、阿波斯特尔群岛、米奇皮科滕岛和圣伊尼亚斯岛。沿岸风景秀丽，人口稀少。沿湖多林地。季节性渔猎和旅游为当地娱乐业主要项目。蕴藏有多种矿物，如铁、银、镍和铜。多天然港湾和增建港口。主要港口有加拿大的桑德贝和美国的塔科尼特、图哈伯斯、阿什兰、汉考克、霍顿和马凯特等。全年通航期为8个月。最早为法国探险家发现(1622)。1679年湖区贸易频繁。1763～1783年间为英国人所控制。1817年以后美国毛皮公司接管加拿大边界以南地区。湖名取自法语，意为"上湖"。

Superior Bay 苏必利尔湾 又称阿卢埃湾。苏必利尔湖西部狭窄水湾。在美国明尼苏达州和威斯康星州之间。长7英里(11千米)，宽0.5～1英里。有圣路易斯河注入。为大湖区最重要港湾之一。沿岸德卢斯-苏必利尔港为圣劳伦斯水道西部终端。

Superior Upland 苏必利尔高地 美国一地理区。在苏必利尔湖西、南两侧，威斯康星州、明尼苏达州和密歇根州北部。为加拿大地盾向南扩展部分，地质构造为结晶岩，大部地区被更新世冰蚀擦损(约250万年前开始的冰川南移)。该区少表土层，不适合农业。盛产铁矿石。

superman 超人 德语作übermensch。证明人类的存在正当的优秀人物。"超人"这一名词主要为尼采所使用。尽管哥德和别人也曾用过超人一词，但尼采在《扎拉图斯特拉如是说》(1883～1885)一书中则特别加以引用。这种优秀人物并非长期进化的产物，而是当人具有超等潜能，完全掌握自我，并摆脱基督教的"畜类道德"，以创造自身的价值时出现的。这种价值完全植根于人世的生活。尼采要求的是"具有基督精神的凯撒"，而并未想到德国纳粹那种兽性的超人。超人这一名词由于萧伯纳的剧本《人与超人》(1903)而得到普及。

Superman 超人 20世纪美国连环漫画中的超级英雄。1938年6月首次出现在一本连环漫画册中，次年1月刊登在报纸的连环漫画上。这些漫画均由杰里·西格尔撰文，乔·舒斯特绘图。超人后成为广播剧、动画片、小说、百老汇戏剧、电视系列片以至电影中的主角。故事内容描写在即将毁灭的行星克里普顿上，一对夫妻将其幼子——超人送到地球。他在中美洲被马萨和乔纳森·肯特发现并扶养成人，取名克拉克。幼时即发现具有潜在的天赋能力，后来发展为飞行能力、X光般的视力和无穷的力量。超人除神秘的物质克里普顿素外，不受任何危险的伤害，因此在为"真理、正义和美国方式"而战时极为超然和独立不羁。

supermarket 超级市场 在顾客自选基础上经营的大型零售商店。这类商店出售杂货、水果、蔬菜、肉类、面包糕点和牛奶制品，有时也出售非食品货物。在20世纪30年代，美国即已出现超级市场。早期超级市场设在边缘地区改建的厂房内，没有精制的陈列设备，主要优点是廉价售货。40年代和50年代，超级市场在美国成为食品销售的主要渠道。50年代超级市场遍布大部分欧洲。在发达国家，超级市场的发展是走向降低成本、简化销售方式趋势的一部分。60年代超级市场在中东、远东、拉丁美洲欠发达国家中出现，主要为那些具有中上等收入的人们所欢迎，因为他们有一定的购买力和必要的食品储存设备。

supernaturalism 超自然论 认为除今世外另有境界或实在的信仰，它一般与各种宗教有关。

在原始人类，根本没有关于自然的概念，也根本没有经历过纯自然境界，他们认为，他们所居住的世界奥妙莫测，其中充满了神圣力量、精灵和神祇。原始人认为，自己之所以经历到怪异或体现大能的事物，都是由于存在着一种神圣的或神秘的能力。他认为，他所居住的卑俗境界中的事物也都可以用奥秘神圣境界的规律去理解。在比较高度发达的宗教中，才有了圣与俗、今世与另一个世界的界沟；有了这条界沟才区别开自然与超自然。而这种区别不见于希腊和中国的一些传统宗教。古希腊的奥林匹斯诸神也好，古代中国的"道"也好，据说都是处在今天通称自然世界的中心，但是介绍他们的语言却是神乎其神，奥乎其奥。

另一方面，把自然与超自然区分得最彻底的，倒是讲自然与超自然、圣与俗终必统一的宗教，例如近东的和西方的大讲末世论的宗教。佛教从一开始就讲痛苦的轮回境界与涅槃之间的根本区别。在印度佛教的发展过程中(这种发展在一定程度上是依靠充实和纯化涅槃与轮回之间的区别推进的)，逐渐地，但是不可逆转地把涅槃与轮回融合为一。据有些学者说，这种融合正是大乘佛教的基础。

琐罗亚斯德教、犹太教、基督教和伊斯兰教都讲末世论，严格区分旧时代与新时代，今世与上帝之国。一方面正统犹太教不讲末世论(强调奥秘修行的卡巴拉派重提末世论)，另一方面基督教从一开始就大讲末世论，期望上帝之国立即降临。原始基督教认为，耶稣就是末世论中所说的"人子"，他是具有神性的救赎主，他的降临就是最后审判之时，也就是世界末日。与这种早期基督教信仰一起发展的另外一种信仰认为，宇宙万物都将转化而成上帝之国。这种信仰不承认世界仅仅是自然世界，认为自然界和人类历史永远在变化，最终会出现新宇宙，新世界。

现代西方文明已经现世化，现代观念认为，物质宇宙受可以通过科学予以理解和预知的规律节制的，不受上帝的影响或控制；因而出现了自然与超自然之间的界沟。这样，世界就是卑俗的实在，与神圣境界和超自然境界完全隔绝。

supernova 超新星 一类猛烈爆发、随之光度突然增大超过其正常状态下几百万倍(或甚至几十亿倍)的恒星。supernova一词来源于nova(拉丁文"new")。新星则是另一类爆发恒星。超新星在几个方面的表现与新星类似。二者的特征都是激烈而快速地增亮，持续几个星期之后，再缓慢地变暗。在光谱中，它们都有蓝移的发射线，表明有炽热的气体向外喷发。不过，超新星的爆发和新星的不同，前者的爆发是一场灾变事件，它是一个恒星的产能活动历程的一种终结方式。当一个恒星变成超新星时，它的相当于几个太阳质量的物质中的相当一部分抛向太空。这样大的能量释放，会使爆发中的恒星照亮它所在的整个星系。

在17世纪初以前的历史上，已知只记录到7个超新星，其中最著名的事件出现在1054年。它出现在金牛星座中的金牛一个角上。爆发后的遗迹成为今日所见的蟹状星云。它由一团外形不规则的、发光的、四向抛射的气体和居其中的一快速自旋的、发射脉冲辐射的中子星，即脉冲星组成。中国和朝鲜的观测者记录到1054超新星。或许美洲西南部的印第安人也看到过它，这是根据亚利桑那州和新墨西哥州发现的某些岩画所做的推测。当时，这次超新星事件亮到足以白日可见，巨大的光度持续几周。在地球观测到的另外几个醒目的超新星出现在185、393、1006、1181、1572和1604年。

自从1604年以来，在已记录到的几百个超新星中，距离我们最近，也是最容易观察的超新星，首见于1987年2月24日之夜，为当时正在位于智利的拉斯·坎帕纳斯天文台工作的加拿大天文学家I.K.谢尔敦所发现。它被命名为SN1987A，爆发前为一极暗的天体，在几个小时内，增亮到4.5星等，已为肉眼可见。SN1987A位于大麦哲伦云中，距离约50 000秒差距。它立即就成为整个南半球的天文学家的最感兴趣的观测对象。SN-1987A的最大亮度出现在5月，约为3星等，在随后的岁月，缓慢地变暗。超新星按照其爆发特征可划分为两大类：Ⅰ型超新星和Ⅱ型超新星。Ⅰ型的光度是Ⅱ型的3倍，Ⅰ型的光谱也不同于Ⅱ型的，前者光谱中没有氢谱线,膨胀速度比Ⅱ型的快1倍。

被称为经典性爆发的Ⅱ型超新星的前身星为一个大质量的、星族Ⅰ恒星,质量至少达8个太阳质量,当时正处在有活力的演化历程之终端。它们仅出现在旋涡星系中,且大多数往往在旋臂附近。这种恒星在到达其演化历程的这一阶段之前,它们因内部核心处和核心附近所释放的核能而发光。核能则来自挤压或燃烧氢或氦那样的轻元素使之变成重元素的过程,亦即核聚变过程。在核过程中所形成的比铁更重的元素不是产能而是吸能,于是不再提供能量,并在变老又变重的恒星中心形成一个铁核。当铁核越变越大时,内部的聚变反应产生的向外爆发力无法抵抗铁核自身的巨大重力。结果是铁核坍缩,一直到达组成铁核的核子和自由电子压挤而形成的一个硬的、快速自转的核才停止。此核几乎完全由中子组成,其体积的直径仅20千米,但重量却相当于几个太阳质量。一汤匙此种极端致密的物质的重量相当于地球上的500亿吨。

当恒星外层的物质向下落,并从已经停止坍缩、同时在下落气体前突然形成一层硬表层的核上反弹回去时,就出现超新星爆发。因反弹而碰撞产生的激波向外传播,将恒星的外层气体四向吹散。被吹散的物质总量取决于恒星的原始质量大小。在某些情况下,超新星爆发时,坍缩的核过大,向内爆的物质压缩成比中子星更小也更致密的天体,这就是黑洞。下落的物质进入黑洞即消失不见,因而它的引力场强到连光线都不能逸出的程度。整个恒星并不会被黑洞吞没,这是由于恒星的下落气体包层或是被刚才形成的、自旋的中子核反弹回去,或是未能正对着核的中心处而被甩出。

根据观测资料,直到最近才弄清楚有关Ⅰ型超新星的真象,虽然仍有某些疑难。看来,造成Ⅰ型超新星爆发的直接过程也和Ⅱ型超新星的情况类似,也是坍缩核突然变硬而使下落物质反弹。但是,Ⅰ型超新星的前身天体却是星族Ⅱ恒星,是质量仅为4～8个太阳质量的质量较小天体。Ⅰ型超新星在各种类型的星系中都有出现,它们是双星中的一个极大质量的白矮子星,由于吸积了来自另一其内核已坍缩成中子核的子星的过多物质才发生爆发的。Ⅰ型超新星的下落物质较少,其结果是在核心表面附近形成放射性元素,其中最多的是镍56,被反弹回去,通过上层物质,散向太空。当镍56衰变成钴56,再进而衰变成铁56时,释放出大量能量。它们就成为爆发之后数星期内,发射的大部分光的能源。

超新星爆发释放的不仅有极大量的射电和X射线,还有宇宙线和多种重元素。抛向星际物质中的重元素正是组成包括地球在内的太阳系天体的成分。Ⅰ型超新星的光谱分析表明,重元素的丰度高于正常值,从而证明这些元素确实形成于爆发过程中。遗迹的壳层持续地四向膨胀,直到很晚期阶段,才消散在星际物质之中。参阅 **nova; black hole**。

superposed order　叠柱式　古典建筑中,在一个垂直面上上下叠用几个柱式的结构。在柱式发祥地的古希腊建筑中,除非结构上需要,很少叠用柱式;而当叠用时,总是上下用同一种柱式。建于公元前5世纪的雅典帕台农神庙东部的内殿中有围绕三面的两层柱廊,叠用多立斯柱式。古罗马建筑师灵活地叠用柱式作为建筑物的装饰部件。公元72～80年间建造的罗马大斗兽场立面有四层:底层用多立斯柱式,第二层用爱奥尼亚柱式,第三层用科林斯柱式,第四层用科林斯式壁柱。文艺复兴时期的建筑师也常使用叠柱式,多采用和罗马大斗兽场类似的处理,但有时再加上复合柱式。此外,他们还发展了巨柱式,即上下贯通几层的柱子,以代替叠柱式。

罗马大斗兽场的叠柱式结构,约公元72～80年

供图:J. Allan Cash

supersonic flight　超音速飞行　以大于当地空气中音速的速度的飞行。音速(马赫数为1)随气压和温度的变化而不同:在15℃的空气中每小时为1 225千米。飞行速度大于5倍音速时称为高超音速飞行。第一架超音速飞机是贝尔公司装有火箭发动机的X-1研究机,于1947年10月14日飞行。此后制造出许多能作超音速飞行的军用飞机,但由于飞机蒙皮在飞行中与空气摩擦产生高温,使这些飞机的速度一般都限制在马赫数为2.5以下。第一架超音速的协和式客机是英、法两国联合制造的,它能以马赫数为2或1 920千米/时的速度航行,现已停飞。1997年10月13日,英国空军驾驶员安迪·格林驾驶一辆以F-4鬼怪式战斗机的两台喷气发动机为动力的汽车(ThrustSSC),在美国内华达州的布莱克罗克沙漠中飞速行驶,第一次在陆地上突破音障,10月15日又以1 229.55千米的平均时速创下世界陆地时速最高纪录。

superstition　迷信　指缺乏理性实质的信仰、准信仰或习俗。迷信大致可分为宗教迷信、文化迷信和个人迷信。各宗教都往往积累迷信作为其外围信仰,基督徒会相信在身处困厄时,随手翻读《圣经》便会获得指引。某事在一人为宗教信仰,在另一人往往就是迷信。一切宗教信仰和习俗,在没有宗教信仰的人看来,全是迷信。文化传统中的迷信有时与宗教迷信分不开,这种迷信种类繁多。几乎所有的人在大多数情况下,在如何祛邪蒙福,预卜未来,防病禳灾等问题上,都有不合理性的信念,有的是认真的,有的是不大认真的。人们在生活中往往产生个人的迷信:学生用某支笔答卷成绩优异,于是他便认为此笔吉祥;赛马师也会相信灰色马可以保证他夺魁得标。历史上迷信具有深远的影响,甚至时至重视客观证据的现代,经过盯问,很少人会否认自己有一两件秘密的非理性信念或迷信。

superstring theory　超弦理论　粒子物理学理论的一种类型,它把基本粒子看做一些伸展的一维弦线般的实体,以代替其他理论中所用的那些在时空中无尺寸的点。超弦理论流行于20世纪80年代,当时伦敦玛丽王后学院的迈克尔·格林和加利福尼亚理工学院的约翰·施瓦茨指出,某些类型的这种理论可能提供一种完全自洽的量子论,以描述引力及弱力、强力和电磁力。发展这种统一的量子论是理论粒子物理学的一个主要目标,但是由于包含了引力,因而常导致在计算中出现难于处理的无穷量的问题。超弦理论中的实体是一些长度只有10^{-33}厘米的一维无质量的弦(这个距离称为普朗克长度,在此距离内不能忽略引力的量子效应)。这些弦在振动,而振动的每个不同模式相应于一个不同的粒子。这些弦也能以相应于所见的粒子相互作用方式相互作用。基本粒子的超弦理论是为了描述强力而于20世纪70年代初期首次提出,虽然量子色动力学不久就被公认为正确的强力理论，但是超弦理论同超对称性相结合就使其获得了新的生命力。超对称性是费米子(具有半整数自旋的亚原子粒子)和玻色子(具有整数自旋的粒子)之间的对称性。不但最终得到的超弦理论成功地包括了所有基本力，而且在众多可能的理论中只有此特殊的一类似是完全自洽的，从而使其成为所有粒子和相互作用力的完全统一理论的首选者。乍一看来，这一特殊类型的超弦理论似有不可克服的缺点：代替人们在日常生活中可以领悟的三维空间和一维时间，该理论涉及到十维时空。可是，看来十维中的六维可以紧致化或“卷起”，即使它们小到可以忽略不计。然而，仍存在着一些其他问题。这个理论还远远不能阐明已知粒子的质量。它还暗示新粒子以“影像物质”的形式存在，正常物质只有通过引力才能同影像物质相互作用。

supersymmetry　超对称性　粒子物理学中，费米子(具有半整数自旋的亚原子粒子)同玻色子(具有整数自旋的粒子)之间的对称性。一个实物经变换操作后，如果看来没有变化，则称其呈现对称性。例如，一个方形物有四重对称性，当它绕其中心转动90°、180°、270°和360°时，看来没有变化；方形物转动4个90°后，回到其初始位置。由于具有超对称性，所以费米子可被变换为玻色子而不改变粒子的基础理论构架和粒子间的相互作用。当一个费米子被变换为一个玻色子后再变换回费米子时，其结果是粒子已在空间里发生了移动，这是同狭义相对论有关的效应。因而超对称性把粒子内部性质(自旋)的变换同其时空变换联系起来。超对称性的一个诱人之处在于它提供物质的已知基本粒子(夸克和轻子，它们都是费米子)和传递各种基本力的粒子(所有玻色子)之间的联系。超对称性表明一种类型的粒子实际上是另一种类型粒子的不同侧面，因而将粒子的基本类型从两种归并为一种。超对称性在现代粒子物理学理论中起重要作用，因为需对新粒子消除各种无穷量，否则这些无穷量就会在高能粒子相互作用的计算中，特别是在试图统一诸基本力的各种理论中显露出来。这些新粒子是玻色子(或费米子)，它们是由已知的费米子(或玻色子)通过超对称性变换出来的。因而超对称性含有使已知粒子数加倍的意思。例如，像电子和夸克等费米子必定有超对称的玻色子伙伴，它们被定名为超对称电子(selectron)和超对称夸克(squark)。同样，像光子和胶子等玻色子必定有超对称的费米子伙伴，它们被定名为光微子(photino)和胶微子(gluino)。目前尚没有这种“超粒子”存在的实验证据。如果它们确实存在，则它们的质量可能是质子质量的50～1 000倍。

supertanker　超级油轮　大油轮(tanker)或载货船，通常指总载重量可达50万吨以上的运油船。

Supervielle, Jules　苏佩维埃尔(1884-01-16，蒙得维的亚～1960-05-17，巴黎)　巴斯克裔诗人、剧作家、短篇小说家。用法语写作，但属于西班牙传统。作品主题写孤独而友善的男子对度过童年的南美大草原和空旷原野的热爱以及对人类博大的手足之情的怀恋。苏佩维埃尔强烈地意识到他胸怀之中和宇宙之间那体现着生命的万千搏动。他的诗《向心力》(1925)、《不相识的朋友》(1934)、《世界的寓言》(1938)感情充沛，有时幽默，有时不免矫揉造作。在《偷小孩的贼》(1926)、《大海的孩子》(1931)两部小说中，他融幻想与简朴于一体。曾与马德莱娜·米约合作，为歌剧《博利瓦尔》(1950)作词，由米约配曲。他的剧作《森林美女》(1932)和《鲁滨逊》(1949)引导人们逃避到幻境中去。

Suphan Buri　素攀武里　又拼Suphanburi。泰国西部城镇。素攀武里位于曼谷北88千米，是猜西河航道的起点。原为古城，11～14世纪，先后由吴哥高棉帝国、素可泰王朝和大城王朝统治。现为周围农业区的商业中心。素攀府面积5 358平方千米，位于昭披耶河以西。农业集中在东部，产稻米、玉米和油籽。饲养猪和家禽。人口：城镇22 903(1980)；府约720 406(1982)。

Supilo, Frano　苏皮洛(1870-11-30，奥匈帝国达尔马提亚察夫塔特～1917-09-23，伦敦)　克罗地亚民族主义者，第一次世界大战前即从事反对奥匈帝国统治的活动，在独立的南斯拉夫国家成立前的大辩论中发挥显著的作用。1900年创办克罗地亚文《新报》，反对哈布斯堡王朝。1905年起草《里耶卡决议书》，谋求克罗地亚与塞尔维亚的联合。第一次世界大战爆发后他支持协约国。1915年在伦敦与克罗地亚民族主义者A.特伦比奇和著名雕刻家I.梅斯脱维奇共同创立以解放南部斯拉夫人为宗旨的南斯拉夫委员会。随后因秘密的《伦敦条约》(1915)允许意大利拥有亚德里亚海东岸领土而与英、法进行了艰苦的谈判。在南部斯拉夫人内部也就未来南斯拉夫国家的性质展开辩论。他的关于先制订宪法后实现统一的建议被否决后，遂退出该委员会。1917年他表示赞同《科孚宣言》，宣言规定南斯拉夫各族人民成立统一的王国，即后来的南斯拉夫。

Suppé, Franz von　祖佩(1819-04-18，达尔马提亚斯帕拉托～1895-05-21，维也纳)　奥地利轻歌剧作曲家，对奥地利和德国轻音乐直至20世纪中叶的发展有过很大影响。曾在维也纳剧院以及维也纳其他剧院担任指挥。最成功的喜歌剧均在维也纳上演，包括《轻骑兵》(1866)、《法蒂尼察》(1876)和《薄伽丘》(1879)，还创作了合唱作品、一部交响曲和一些弦乐四重奏。

Suppiluliumas I　苏皮卢利乌马斯一世(活动时期公元前14世纪)　又拼Shuppiluliumash或Subbiluliuma。赫梯国王(约公元前1380～约前1346)。在长约40年内使赫梯人的王国变成强大的帝国。图德哈利亚斯三世之子和继承人。即位后重新修建旧都哈图沙斯(今在土耳其博阿兹柯伊)。他集中兵力征伐东方的米坦尼王国和巩固赫梯人在叙利亚的根据地。他攻占和劫掠了米坦尼王国的首都瓦苏卡尼。然后南渡幼发拉底河，降服了叙利亚的一些小诸侯；他返回哈图沙斯，留下儿子泰利皮努斯在那里镇守。这时一向对米坦尼王国称臣纳贡的亚述乘机崛起，成为该地区的强国。他立即回到叙利亚，围攻卡尔基米什城。得胜以后派两个儿子为阿勒颇和卡尔基米什的国王。他还同米坦尼王国签订互助条约，使之成为一个缓冲国，以保护赫梯人王国在叙利亚的霸权地位不受亚述日益增强的威胁。

supplejack　韧藤　多种茎易弯曲而坚韧不折的木本攀缘植物的通称。尤指鼠李科的阿拉巴马韧藤(*Berchemia scandens*)，该植物产于美国的中部和南部，能攀缘到树的顶部；叶互生，椭圆形，长3～7.5厘米；花小，淡绿白色，聚生枝端；果蓝黑色，直径约1厘米。

supplicatio　跪拜礼　古罗马宗教的礼节，意在为战争胜利向神谢恩，或者为国家遭难表示卧薪尝胆之忧。行跪拜礼时，一部分神灵或者全部神灵都公开向公众展示，并且将神像或者神的徽号置于台上，众人跪拜。跪拜礼本来举行1～5天，后陆续增为10、20乃至50天。

supply and demand　供求　在经济学中，指在不同价格情况下，生产者愿售出的商品量与消费者愿购买的商品量两者之间的关系。某种商品的需求量，是由该商品的价格、其他各商品的价格、消费者收入及爱好所决定的。在经济分析中，经常将上列后三种因素视作不变，而考查各种不同的价格与打算按各种价格购买的最大数量两者之间的关系。所有这些价格和数量种种组合关系，可绘成为一条“需求曲线”。一种商品市场能提供的数量，既取决于该商品的价格，也取决于代用品价格和生产技术以及购买劳动力与其他生产要素的条件和费用。在分析瞬间的供给中，为了便于考查各种不同价格与供给者按各种价格打算出售的数量之间的关系，可假定除价格外，其他因素均保持不变。市场的职能就是要通过价格机制使供求相等。市场按市价所能提供的商品数量是一定的，如果买方想购买较多的数量，就会哄抬价格；反之，如果买方想购买较少的数量，卖方就会降低售价。因此，这就会出现一个需求量与供给量正好相等的平衡价格的趋势。商品价格上升时，供给量就会增多，而消费者购买的欲望一般就会下降。但这些变化并不一定都互成比例。供求与价格变动之间相应关系的测度，就是它们的弹性。弹性是按供给量或需求量的变化率与价格变化率之比来计算的。假定某种商品价格的下降为10%，而其销售额上升为20%，则其需求弹性为2。某类商品如有良好和易于得到的代用品，则这类商品的需求很可能具有弹性，这是因为这类产品价格上涨时，消费者很容易用另一种商品来代替。某类产品如既无较近似的代用品，且消费者用于该产品的支出仅为其收入的极小部分，则对该产品的需求是无弹性的。面对那些无甚需求弹性的产品，厂商可用提价手段来增加其总收入，对于那些有需求弹性的产品则不能如此。虽然弹性概念通常多与消费者对某种产品需求相联系，但它也可用于与其他变量相联系。它可用以衡量消费者需求量与其收入变化的相应关系。另一种弹性是需求交叉弹性，用以衡量消费者对一种产品的需求量与另一产品价格变化的相应关系。如果产品能相互替代，则交叉弹性可能为正数，因为一种产品涨价会导致另一种产品需求的增长。

supply curve　供给曲线　经济学中表示产品价格和卖主愿意并能够供给的产品数量之间的关系的曲线图。图中纵坐标表示产品价格，横坐标表示产品供给数量。通常供给曲线是一条从左至右向上倾斜的曲线，因为产品价格和供给数量是互成正比的，即当市场上商品价格提高时，供给量就增加。

supraorbital ridge（anatomy）　**眶上隆凸**　参阅 **browridge** 眉嵴。

suprarenal gland　参阅 **adrenal gland** 肾上腺。

suprasegmental　超音段成分　又称节律特征。语音学术语。一种伴随或附加在元音和辅音上的言语特征，如重音、音调或单词连音等都是。这些特征不局限于单个语音，而是常常扩展到音节、词或短语上。西班牙语的加重重音常用来区别词义，如 término 是"术语"的意思，而 termíno 则表示"我把……称为……"的意思，terminó 又表示"他把……称为……"(过去时)的意思。汉语普通话的声调是一种区别性超音段成分："shi"发高平调时，是"(丢)失"的意思；发高升调时，是"十"的意思；发全降调时，是"(城)市"、"市(场)"的意思；发降一升调时，是"(历)史"的意思。英语"beer dripped"(流出的啤酒)和"beard ripped"(撕掉的须芒)是通过词的连音来区别的。上述诸例展示出功能超音段成分。也存在不改变词和短语意义的非功能超音段成分，如法语的重音就是一例。超音段成分之所以如此称呼，是与辅音及元音相对照而言的，辅音及元音都是语句中连续排列的音段或者叫切分成分。

Suprematism　至上主义　最早出现的纯几何形抽象绘画运动，约 1913 年由马列维奇在俄国首倡，其第一幅至上主义作品用铅笔在白底子上画了一个黑方块，排除了他早年的立体-未来主义风格中再现客观的一切因素。马列维奇解释道："再现事物的最恰当手段通常是最充分地表达感情，这时，客观事物最熟悉的外形是要被忽略的。"在谈到他的第一幅至上主义作品时，他把黑方形比作感情，白背景比作"这种感情之外"的表现。其早期的至上主义作品(一般用简单的几何形组成，如正方形、圆形和交叉形等)只有黑、白、红、绿、蓝几种颜色。至 1916 和 1917 年，所画几何体更复杂一些(如圆的局部、尖的三角等)，色彩也较前丰富，增加了褐色、桃红、紫红，使空间关系显得错综复杂，使画面具有三度空间的视觉印象。其 1917～1918 年间完成的《白上加白》一画表明他的实验已经登峰造极，没有色彩，背景只是几条朦胧不清的方形轮廓线。1919 年马列维奇举办了个人作品展，并宣告至上主义运动终结。

Supreme Court of Japan　日本最高法院　又译最高裁判所。指日本最高一级的具有司法复审权的终审法院；它还负责司法行政和法律训练。日本最高法院于 1947 年美国占领期间成立，在某种程度上仿效了美国最高法院。它像西德联邦宪法法院那样，具有司法复审权，这主要是受美国的影响。日本最高法院的前身是大审院。大审院成立于 1875 年，并在 1890 年根据《明治宪法》(1889)改组为刑、民事上诉案件最终审的最高法院。它受法务省管辖，独立性很小，也不能审理违宪问题。有鉴于此，1947 年成立的最高法院享有独立工作不受政府干涉的自由，对法令和行政决定是否合乎宪法也有权做出决定。日本最高法院由 14 名法官和一名首席法官组成。首席法官出席大法庭审理违宪案件以及审理小法庭(由五名法官组成)不能审理的案件。小法庭分为三个：民事庭、刑事庭和行政庭。只有当大法庭在该案所涉领域已有判例时，小法庭才能审理宪法性争议。对小法庭之间的案件如何分配，最高法院的各位法官参加哪个小法庭，由全院司法会议决定。全院司法会议负责决定全国法院、检察官和律师的管理制度并对违犯者给予纪律处分。由于日本全国的法院系统是统一的，所以一切法院都受最高法院领导。最高法院甚至还为下级法院准备人选名单。全院司法会议通过法律研修所对将来想当法官、检察官和律师的进修法律的毕业生进行考核。最高法院法官由内阁任命(首席法官由内阁提名天皇任命)。其中至少有 2/3 必须是具有丰富经验的律师、检察官、法律教授或高等法院法官。法官为终身职，但是也可因年老或有病而退休；他们也可能受到议会的弹劾。对法官唯一的限制是禁止他们参加政治活动。从理论上说，公众对法院的任命有一定的决定作用。在法官被内阁任命之后举行的第一次普选中，全体选民可以表示他们是同意或是不同意；在任职 10 年以后，全体选民可以重新评价法官的表现。最高法院只受理经过作为上诉法院的高等法院审理后提起上诉的诉讼案件。最高法院没有初审权，它只能审理由具体案件产生的具体法律问题。即使是有关宪法的问题也不能脱离具体法律问题抽象地加以研究。最高法院可以撤销它所发现的对法律解释不当或适用法律不当的任何判决。如发现案件的事实有错误或者认为处罚不当，它也可以推翻某个裁决。如果认为重审是合适的话，它可以将案件发回下级法院重新审理。

Supreme Court of Judicature　高级审判法院　英格兰和威尔士从1971年起由上诉法院、高等法院和刑事法院组成的法院。在《1873 年司法组织法》(**Judicature Act of 1873**)颁布以前，英国的法院林立，大多数起源于中世纪，司法权力互相重叠。1873 年废除了其中一些法院，代之以高级审判法院。高级审判法院包括上诉法院和高等法院，后者下设大法官庭、王座庭、民事庭、财政庭，以及遗嘱检验、离婚和海事庭 5 个分庭。1881 年法院系统继续精减，民事庭和财政庭并入王座庭。根据 1971 年的《法院法》，对英格兰和威尔士的法院系统作进一步裁减，废除其他专门法院，代之以刑事法院(1972)。刑事法院是在治安法院之上、高等法院和上诉法院之下而介乎其中的法院。现代的高级审判法院担负下列司法职责：上诉法院(**Appeal, Court of**)分为民事庭和刑事庭。高等法院由 3 个既有初审管辖权，也有上诉审管辖权的法庭组成：①大法官庭，由大法官或副大法官主持，审理有关土地买卖、地产等案件；②王座庭，由高等法院首席法官主持，主要审理有关契约和民事侵权行为案件(海事庭和商事庭都是王座庭的一部分)；③家事庭，由一位庭长主持，审理有关收养、婚姻诉讼和其他家庭问题的案件。而刑事法院(**Crown Court**)主要审理刑事案件。高级审判法院作为一个综合性机构，它位于上议院之下，而上议院则是终审上诉法院。

Supreme Court of the United States　美国最高法院　美国上诉终审法院和国家宪法的最后解释者。在诉讼方面，最高法院划分州与国家、州与州、政府与公民之间的职权范围。最高法院是根据1787年的宪法建立的，

美国最高法院
中国大百科全书出版社供图

它是联邦法院系统的最高组织。它有权审理涉及美国联邦宪法、法律或美国参加的条约的案件；以美国为一方的争议案件；州与州之间或各州公民之间的争议案件，海事管辖案件，以及侵犯大使、其他公使和领事的案件。

最高法院的规模是由国会确定的。在 19 世纪，其法官人数由 6 名增至 10 名，1869 年固定为 9 名。最高法院和联邦下级法院的法官都是经总统征求参议院的意见并得到参议院同意后加以任命的。法官在任职期间，只要规规矩矩就可以保持其职位，但是如果弹劾一经被确定，他就要被罢黜。只有一名大法官蔡斯遭到过弹劾，他在 1805 年被宣告无罪。但是在 1969 年有一名叫福塔斯的大法官由于进行非法金融交易被迫辞职。

最高法院为了维护宪法秩序，早期就行使宣告国会法令或州的立法违宪的权力。然而宪法并没有明确地授予此种司法审查权(参阅 **judicial review**)。行政管理方面的诉讼和司法方面的诉讼也归最高法院复审。相对说来，最高法院受理的一审案件是很少的，大量的是上诉案件。最高法院还根据州法院或下级联邦法院判决的性质，通过上诉或调审令的途径来受理案件。这两种案件的区别在于：对上诉案件最高法院有义务进行复审，而对用调审令调来的案件，最高法院则可以自

行斟酌决定是否要进行复审。

把司法管辖权作这样两种划分，可以说是国会对最高法院每年都要付出很大努力清理大量积案的反应。1891 年的《巡回上诉法院法》提供了补救措施，规定设立中级法院，对不服联邦地方法院判决的上诉有终审权，只有对公众有特别重要意义的案件可以例外。1925 年 2 月 13 日通过的《法官法》是最高法院自己提出的，这项法律将改革推进了一步，并大大限制了必须行使的司法管辖权，使最高法院采取一项重大措施，即将绝大多数种类的案件列入用调审令的调审范围，从而控制了最高法院的工作量。

在评价美国社会各种力量的结合时，必须看到最高法院的作用。最高法院使用的主要法律工具是宪法的贸易条款，可以用它来宣布歧视性的各州税收或不正当的增加别的州贸易负担的法律条例无效；最高法院还常用该项条款来维护国会调整广泛的经济部门的权力。

贸易条款是对经济行使调整权的首要理论源泉，那些正当程序和平等保护条款则是保护自然人和法人反对政府专横或压制行为的主要源泉。这些条款起初被用来保护财产权，但到 20 世纪，它们开始适用于公民自由权利方面，特别是将《权利法案》的保障扩大到州的活动。到 20 世纪中叶，为了保障获得解放的黑奴的利益而设计的第 14 修正案中的平等保护条款，在禁止种族歧视法方面开始发挥其历史性作用。

最高法院的各种主张常常是推论的精心之作的缩影。它的各种主张连同其有各种不同见解的长久传统，一起用来阐明、提炼和检验写入美国宪法的哲学理想，并把这些哲学理想变成联邦依照法律进行工作的原则。在具体贡献之外，这种象征性的和实用主义的宪法职能，可以认为是美国最高法院对国家生活中所起的最重要的作用。

Supremes, the　至尊合唱团　又译至上合唱团。美国流行灵乐人声合唱团，在听众中享有极高名望，这使其团员登上 20 世纪 60 年代最成功表演艺人之列，也是摩城唱片公司的旗舰人物。主要成员包括 D.罗斯（别名厄尔）、F.巴拉德、M.威尔逊和 C.伯德桑。至尊合唱团不仅是摩城唱片公司招牌的主要跨界表演者，还帮助改变了民权时代中部非洲裔美国人的公众形象。1964 ～ 1967 年她们穿着装饰了金属亮片的晚礼服，唱着由 B.霍兰、L.多济耶、E.霍兰的歌曲作家小组为她们所创作的精致流行灵乐，至尊合唱团给予人的印象是无种族差别的黑人的理想化外表和声音。她们的故事开始时并不起眼，当时这个来自底特律布鲁斯德国住宅的一群工人阶级女孩组成一个名叫 Primettes 的合唱团体。关于这个合唱团组成的细节一直存有争议，但最终是从 5 名主要成员（包括最初的 B.麦克格隆）的不同组合中选定了一组四重唱，包括 B.马丁、罗斯和威尔逊。她们在鲁派唱片公司短暂地录制一些唱片后，1960 年就为 B.戈迪的摩城唱片公司录唱。1961 年在发行第一张摩城单曲唱片前就把团名改为“至尊”，接着马丁离开该团，剩下的三重唱在 1964 ～ 1965 年间继续在排行榜上夺得 5 次全美冠军。1964 年霍兰-多济耶-霍兰为至尊合唱团打造了第一个排行冠军的单曲《我们的爱哪里去了》。用和谐的铃声及缓慢的旋律装饰罗斯精确的气声唱腔，故意使“至尊”缺乏可辨认的种族性。这些轰动的单曲听起来很现代，歌声悠扬，其外表时髦而性感，对所有性别的成年人和青少年都有相同的感染力。到 1967 年末，“至尊”失去了巴拉德（被伯德桑取代）和制作人霍兰-多济耶-霍兰。该合唱团以罗斯和“至尊”的名义又继续录制了两年唱片，主要是为罗斯的独飞生涯作准备。1970 年罗斯离开后，继 J.特雷尔而来的众多新成员帮助威尔逊使“至尊”继续存在下去，她们继续录制了 7 年唱片。罗斯的独唱生涯在很大程度上得益于良师益友戈迪，她在戈迪资助拍摄的电影里担任主角。电影《蓝调女士》（1972）、《桃花心木》（1975）和《新绿野仙踪》（1978），以及它们的唱片专辑让罗斯在 20 世纪 70 年代大部分时间风靡一时。1988 年至尊合唱团被选入摇滚乐名人堂。

Sup'ung Dam　水丰水坝　朝鲜和中国辽宁省界鸭绿江上的水电工程，在丹东上游。原先为日本控制的满洲国政府（1931 ～ 1945）和驻朝鲜日本统监政府设计的联合计划，用于满洲和朝鲜北部的工业开发。修建工程由在朝鲜工业方面具有很大作用的野口商行于 1937 年开始进行。水坝于 1941 年完工时高 160 米（525 英尺）、长 850 米（2 790英尺），形成了一个长 30 千米的大水库。到 1944 年底前发电功率为 45 万千瓦/小时。1945 年日本投降后，苏军占领了满洲，并把水坝发电厂拆迁去苏联。后在中国共产党人取得政权的初期，设备又恢复了原状，还补充了更多装机容量，这主要是靠苏联和东欧国家的援助。水丰发电厂与中国东北中部电网连接，向沈阳、吉林、哈尔滨等城市供电，并与辽东半岛电网连接，向旅顺、大连供电。水丰水坝除其水力发电能力外，还有助于调节鸭绿江流量，并且也用于灌溉。

Sūq al-Arabʿāʾ（Tunisia）　**苏格艾尔巴**　参阅 **Jundūbah** 朱杜巴。

Suquṭrā（Yemen）　参阅 **Socotra** 索科特拉岛。

Ṣūr（Lebanon）　**苏尔**　参阅 **Tyre** 提尔。

Sūr DYNASTY　苏尔王朝　1540～1556年间统治印度北部的阿富汗家族。创始人舍尔沙·苏尔是德里苏丹巴赫卢尔·洛迪征募的一名阿富汗冒险家的后代。他原名法里德，因早年曾打死一虎，人称舍尔（意为虎）。在莫卧儿王朝的创立者巴伯尔打败洛迪后，舍尔沙·苏尔控制了比哈尔和孟加拉的阿富汗王国。1539 年在焦萨、1540 年在曲女城两次打败莫卧儿皇帝胡马雍。他统治整个印度北部达 5 年之久。后在印度中部围攻加林杰尔城堡时阵亡。其子伊斯拉姆或称萨利姆·沙也精明能干，尽管王朝发生内讧，仍能保住江山。他死（1553）后苏尔王朝因各派争权而四分五裂。1555 年 7 月胡马雍攻陷德里，1556 年苏尔王朝覆亡。苏尔王朝只是莫卧儿统治时的一个短暂插曲，只是因为杰出的舍尔沙·苏尔才显露辉煌。他们是印度北部最后的阿富汗统治者。

Sura River　苏拉河　俄罗斯中西部河流，伏尔加河的支流。苏拉河源出奔萨州东部，向北流经 864 千米后在下诺夫哥罗德市附近的瓦西里苏尔斯克注入伏尔加河。苏拉河的流域面积67 500平方千米。至奔萨市一段可通航。

Surabaya　泗水　又译苏腊巴亚。荷兰语作 Soerabaja。印度尼西亚东爪哇省省会。位于爪哇岛东北岸，濒临泗水海峡，马斯河流经该市中心。14 世纪起泗水就是东爪哇的主要贸易中心。港口丹戎佩拉克在城市正北方，邻近乌戎海军基地。面积仅次于雅加达，为爪哇第二大城市，东爪哇主要商业中心，出口大宗爪哇主要农产品，有蔗糖、咖啡、烟草、柚木、木薯、橡胶、香料、植物油和石油产品。工业有造船厂和修船厂、铁路机车厂，以及纺织、玻璃、化工、啤酒、卷烟和制鞋。郊区有一炼油厂。城市周围是富饶的农业区，该城有庞大的渔船队。与爪哇各城镇有良好的铁路、公路与航空联系，机场在丹戎佩拉克。因其位于新加坡、雅加达至太平洋和东亚的主要海运航线上，与印度洋-太平洋各主要港口航运交通占重要地位。著名建筑有 1868 年建造的大清真寺、1954 年成立的艾尔朗加大学、理工学院（1960）、海军学院和一座荷兰古堡。人口2 421 016（1990）。

surah　章　又译苏赖或苏拉。指伊斯兰教圣典《古兰经》篇章。《古兰经》共有 114 章，每章从几个词到几页，长短不一，其内容为穆罕默德从安拉一次或几次所得启示。按照穆斯林传统分类法，每章章首都注明“麦地那的”或“麦加的”，以表明此章是穆罕默德在何处得到的启示。除第 1 章《法谛哈》外，其排列顺序大致是长章在前，短章居后。每章均有章目名称。各章中约有 1/4 以隐晦经文即孤立的字母发端。除第 9 章外，其他各章都冠以“奉至仁至慈的真主之名”句，以下各节标有序数。除了作为简短祷文的《法谛哈》和最后两章外，其余各章都是真主的口气，或直接讲话，或以“说”开端宣布指示。虔诚的信徒常把《古兰经》分成长短相等的 30 卷，这种划分主要是为了便于在 30 天即一个太阴月内逐日诵读，与内容无关。

Surakarta　苏拉卡尔塔　荷兰语作 Soerakarta，又称梭罗。印度尼西亚爪哇岛中爪哇省城市。位于梭罗河畔。该市城内有宽广的林荫大街和许多现代化建筑。保存的古建筑有 1745 年中爪哇苏苏胡南王宫、1788 年莽古尼格兰王宫和 1779 年的荷兰古堡（现为卫戍司令部）。苏拉卡尔塔为印度尼西亚著名文教中心。设有 1976 年由 9 所原有学院合并组成的一所大学，并有博物馆、图书馆等。该市为其四周人口稠密的农业区的产品市场，产品有烟草、糖、稻米、椰子、水果、蔬菜和木薯等。主要工业是蜡染印花布，还有卷烟、家具、纺织、宝石加工和金属铸造等。手工业有陶器、木雕、骨雕和乐器制造。苏拉卡尔塔市是中爪哇舞蹈、音乐与文学的重要中心。有铁路、公路和航线通爪哇岛各地。人口 469 888(1980)。

suramin sodium　苏拉明钠　化学合成药。特别适于治疗非洲锥虫病(由舌蝇传播,是原生动物侵扰造成的一种疾病),静脉注射给药。发病初期给药效果最好,因为当时病原体随血液在体内循环,并集中于淋巴结(在发病后期会侵袭脊髓液),药物容易发挥作用。

Surat　苏拉特　印度中西部古吉拉特邦东南部城市。靠近达布蒂河河口与坎贝湾。历史悠久。18 世纪衰落,19 世纪中叶仍是只有居民 8 万人的不景气城市。随铁路铺设而重新繁荣。纺织精美平纹细布的古老技艺已恢复,所产棉织品、丝绸、锦缎、金银器也颇有盛名。苏拉特亦有些其他工业和几所教育机构。通公路和西部铁路。周边地区已广泛开垦。主要农作物有棉花、黍类、豆类与水稻。纺织品制造业则集中在苏拉特市。人口:城市约2 433 787,都会区约2 811 466(2001)。

Surat Thani　素叻他尼　泰国南部城镇。当地称万伦。位于马来半岛。是达比河三角洲上端的港口和曼谷—新加坡铁路线上的一站。是泰国鱼、大米、椰子和锡的重要产地。人口:城镇约112 504(1999)。

Surchandarja(Uzbekistan)　参阅 **Surkhandarya** 苏尔汉河州。

Surco(Peru)　**苏尔科**　参阅 **Santiago de Surco** 圣地亚哥-德苏尔科。

surcoat　苏尔外套　13和14世纪男女皆宜的有袖或无袖外衣。男式通常是束腰长上衣,或只将一块衣料开一个可容头进出的口,常穿在铠甲外。女式则为颇具特色的长袍,源于 13 世纪,是一种有许多褶皱的大氅。

J.富凯约 1460 年的细密画中所绘卢森堡的玛丽在其婚礼(1322)上穿的苏尔外套
巴黎国家图书馆供图

Surduc Pass　苏尔杜克山口　又称日乌山口。罗马尼亚西南部一山口。位于特兰西瓦尼亚山脉(南喀尔巴阡山脉)的沃尔坎山(西)与帕伦格山(东)之间。日乌河流经山口。沟通彼得罗沙尼洼地(上日乌河谷)与奥尔泰尼亚平原。经山口有公路和 1947 年开通的本贝什蒂—利韦泽尼铁路,沿线有 30 座隧洞和几座高架桥。

Sûre River　叙尔河　源出比利时卢森堡省境内的河流。向东、东南流经 172 千米,在德国境内汇入摩泽尔河。从戴克撒以下有 64 千米可通航。第二次世界大战中曾经在此发生激战。

Surendranagar　苏伦德拉讷格尔　又称沃特万。印度中西部古吉拉特邦中部城市。位于卡提阿瓦半岛中心。是沃特万都市集团的一部分。为农产品贸易和加工中心。有纺织、肥皂和玻璃制造等工业。地当铁路和公路交叉点。人口:城市约 156 417;都会区约 219 828(2001)。

Suresnes　叙雷讷　法国中北部巴黎大区上塞纳省城镇。是巴黎西郊,濒临塞纳河。叙雷讷的制造业产品有飞机、汽车零件、收音机、电器设备和香水等。该城西侧的瓦勒里昂山,在普法战争(1870 ～ 1871)期间是一个重要的防御阵地。山上有一个永不熄灭的火炬,以纪念在第二次世界大战期间被纳粹盖世太保屠杀的 4 500 名法国人。人口 39 706(1999)。

suretyship(law)　参阅 **guaranty and suretyship** 保证。

surface - active agent　表面活性剂　又作 surfactant。洗涤剂之类的化学物质。加进液体中能减小液体的表面张力,提高液体的铺展能力和润湿性。在织物染色中有助于染料均匀渗透织物。也作为不溶性染料和香料的分散载体。表面活性剂分子必须具有部分亲水性(水溶性)和部分亲油性(脂溶性或油溶性),从而聚集在物体或水滴和油滴或脂肪界面之间,起着乳化剂或发泡剂作用。它也是把粉末悬浮在液体中的分散剂。其他一些较亲油而不太亲水的表面活性剂,可作为消泡剂或破乳剂。某些表面活性剂是杀菌剂、杀真菌剂及杀虫剂。表面活性剂用于抑制腐蚀、矿物浮选、促进多孔岩石中石油流动以及制备气溶胶。参阅 **detergent**。

surface - feeding duck　参阅 **dabbling duck** 钻水鸭。

surface hardening　表面硬化　又作 case hardening。为提高表面硬度、保持芯部相对柔韧而对钢材进行的热处理或机械方法处理。硬的表面与软的芯部相组合,在现代工程中极有价值,因为它能经受很高的应力并抗疲劳,这是齿轮和耐磨轴承等部件所须具备的性能。表面硬化钢还因为生产成本低,制造时灵活性大而受到重视。最老的表面硬化方法是渗碳,渗碳时钢件在含碳气氛中、高温下放置几小时,碳弥散渗入钢件表面,使之硬化。为了提高效率、降低成本,发明了各种各样的渗碳工艺。装箱法是把要硬化的工件,连同给工件渗碳的木炭或焦炭,一起装在一个钢板箱内。然后把箱子加热到高温,通常为 925 ～ 955 °C。碳渗入的深度取决于时间与温度。气体渗碳法是将工件直接放在诸如一氧化碳、二氧化碳、甲烷或丙烷等含碳气体中加热,这种方法一般是在大炉子内进行,工件从一端送入,在另一端以硬化状态送出。用同样的方法可进行碳、氮等共渗,所不同的是在炉内空气中加进氨,炉温较低、工件变形小。齿轮、滚珠和滚柱轴承以及活塞销等都是渗碳产品。另一种表面硬化方法是利用氮和热,称渗氮。凸轮轴、喷油泵和阀杆是用这种方法生产的典型产品。火焰加热淬火与感应加热淬火是在短时间内把工件表面加热到高温(分别用火焰或高频电流),然后立即淬火,一般用于处理较大的器件。硬化钢件表面的机械方法包括:①用铁丸或者强气流喷击热钢表面的喷丸硬化;②在不影响钢的成分的温度下进行轧制、锤锻或者拉拔的冷加工硬化。

surface mining　露天开采　移去煤层或者其他矿层上面的表土和岩石(覆盖层)开采显露的矿物。当用于采煤时,习惯上称为剥离法开采;这是因为露出地面的煤已被开采殆

露天煤矿开采示意图

尽,有必要剥离表土,使煤层显露出来。露天开采方法在煤层埋藏不深的地方应用最为合适,但是许多现代化露天矿使用的设备足以剥除厚达 60 余米的覆盖层。在欧洲,褐煤矿广泛用露天开采;而在美国,大部分无烟煤和烟煤亦采用此方法。铁、铜和磷酸盐矿石皆可采用露天开采。露天开采对于地形平坦、矿层作水平延展、能进行大范围剥离的矿区最为经济。当矿床地形起伏或多山时,采用沿等高线剥离法建立台阶,其一侧是山坡,另一侧几乎是垂直的峭壁。露天开采使地面受到损害或彻底破坏,应采取措施重新恢复地面。美国有几个州和联邦政府的法律规定了恢复土地的措施,现在许多采掘企业已自愿执行这些规定。

surface tension　表面张力　液体表面的性质。这种张力使液体表面表现为像一张展开的弹性膜。这种现象可在近似球形的小液滴和肥皂泡上观察到。由于这个性质,某些昆虫能够站立在水面上。刮胡子刀片也能被水的表面张力平托在水面上。如果将刀片推入水面以下,刀片就下沉而不浮起。表面张力

主要取决于给定液体内部微粒间的引力，也取决于与该液体所接触的气体、固体或液体。例如，水滴中的分子间有微弱的引力。水滴内部的各个水分子可以认为受到周围各个方向水分子相等的吸引。而水滴表面的分子如果稍离开液面，就立即受到附近分子的吸引而被拉回液面。由表面张力导致的能量可看做近似地等于移动单位面积的表面分子层所作的功或能量。因此，表面张力可用单位面积（平方米）的能量（焦耳）表示。水在 20 °C 的表面张力为0.072 75焦耳/米^2。相比之下苯和醇类等有机液体的表面张力较低，而水银具有较高的表面张力。温度升高将减弱分子间的净吸引力，从而降低表面张力。表面张力也可看做是由作用在表面切平面上的力引起的，它们使液体的表面积缩至最小。因此，表面张力常用与表面上单位长度线段相垂直的作用力表示，单位为牛顿/米或焦耳/米^2。

surfaces 曲面 三维欧几里得空间中的二维区域，如平面、立方体的面、实心球的表面。在最简单的曲面中，除平面外，还有旋转面和二次曲面。

旋转面 由一条平面曲线绕所在平面上的一条直线旋转所生成的曲面，这条直线称为曲面的轴。最简单的旋转面是圆柱面和圆锥面。圆柱面是由两条平行直线中的一条绕另一条旋转所得到的曲面。圆锥面是由两条相交直线中的一条绕另一条旋转所得到的曲面（称交点为它的顶点），它由从顶点分别朝两个相反的方向伸展的两支称之为叶组成。不经过顶点的任一平面与圆锥面的交线是圆、**椭圆（ellipse）**、**抛物线（parabola）**或**双曲线（hyperbola）**，因而这些曲线称为**圆锥截线（conic section）**。这些曲线绕其对称轴旋转，分别得到球面、旋转**椭球面（ellipsoid）**、旋转**抛物面（paraboloid）**或旋转**双曲面（hyperboloid）**，其中双曲线绕与曲线的两支相交的对称轴旋转得到的是双叶双曲面；绕另一相垂直的对称轴旋转得到的是单叶双曲面。

二次曲面 其平面截线为二次曲线。上述几种旋转面都是二次曲面。把这些曲面作变形，使得垂直于旋转轴的平面截线不是圆而是一般的椭圆，我们就得到椭圆柱面、二次锥面和一般的椭球面、抛物面及双曲面。抛物柱面、双曲柱面和双曲抛物面则是不以旋转面作为特殊情况的二次曲面。环面是由圆绕其平面上一条跟它不相交的轴旋转所生成的像救生圈样的曲面，这是一种非二次曲面的旋转面。

直纹面 由一族直线所组成的曲面。平面、柱面和锥面以及单叶双曲面和双曲抛物面都是直纹面。通过直纹面上的每一点都有两条直线，它们整个在这一曲面上。正如许多艺术家所发现的那样，将一条直线沿空间的各种指定的路线运动，可以生成无数种直纹面。

可展曲面 经过剖开（如果必要的话）可以无伸缩地和无皱褶地铺展到一个平面上的直纹面。其中包括柱面、锥面和由一空间曲线的切线所组成的曲面。单叶双曲面和双曲抛物面是非可展的直纹面。可展曲面的高斯曲率总等于零。简单地说，在其上一点的曲面曲率（即高斯曲率）是描述曲面相对于它在这点的切平面的特性的。在一点 P 的邻近，如果曲面在 P 点的切平面的一侧，而且不包含曲面上附近其他的点，则曲面曲率在 P 点就是正的。例如，球面和椭球面处处有正的曲率，单叶双曲面和双曲抛物面则是负曲率曲面。而柱面和锥面的曲面曲率则为零，在其上任意一点 P 处的切平面虽在曲面的一侧，但包含曲面上任意靠近 P 点的其他的点。如果在一光滑曲面上，既有正曲率的区域，又有负曲率的区域，则有把这两部分分开的零曲率的点。环面是这种曲面的一个例子。在**微分几何（differential geometry）**学中对曲面曲率有专门的讨论。

极小曲面 以一条或多条给定的封闭曲线为边界并且具有极小面积的曲面。把一根做成封闭曲线形状的金属丝放进肥皂水中再取出来，由于表面张力的作用，所张的薄膜就是一个极小的曲面；如果把两个做成等圆的金属丝靠近地放人肥皂水再取出来则可得到张在这两个圆之间的一个极小曲面；如用一个立方形的框架，按上述方法可得到更复杂的极小曲面。

多面曲面 一个立体的表面，它由若干平面多角形的面所组成。立方体的表面就是一例。多面体很早就开始为希腊的几何学家所熟知，但是它们的最重要的性质之一直到1640年才为 R.笛卡儿所发现，1752 年又为 L.欧拉重新发现。欧拉公式给出了一个简单多面体的顶点数 V、面数 F 和棱数 E 之间的关系，即 $V+F-E=2$。正多面体是其各面全等并且各顶点处的角大小相等的多面体。由欧拉公式可以证明只有 5 种正多面体：正四面体（$F=4$）、立方体（$F=6$）、正八面体（$F=8$）、正十二面体（$F=12$）和正二十面体（$F=20$）。

在拓扑等价曲面的研究中，用到推广的欧拉公式。两个拓扑等价曲面是通过伸缩和弯曲（但不许撕破和黏合）可以把一个变成另一个的曲面。所有简单的多面曲面都拓扑等价于球面，但环面则不然。

单侧曲面 上面提到的所有曲面都是双侧的。A.麦比乌斯在 1858 年给出单侧曲面的第一个例子。把一长条矩形纸带的一个短边先翻转 180°，再和另一个短边粘起来，可得到这种麦比乌斯带的一个模型。如果一个小虫沿这个带子的中线朝一个方向爬行，就可不穿过边界线而回到它的出发点，但已是在“另一侧”的面上。这个曲面只有一条边界。如果沿着中线把带子剪开，它仍然连成一片，但变成了扭转的双侧曲面。再把它沿中线剪开，就得到两条套在一起的带子。古德利奇公司在 1957 年获得了麦比乌斯带的一个实际应用的专利：由两个轮子套上做成麦比乌斯带形状的传送带组成的传送装置。这样，传送带的“两面”将受到同样的磨损。

surfactant（chemistry） 参阅 **surface - active agent 表面活性剂**。

surfbird（*Aphriza virgata*） **滨浪鹬** 美洲产的一种滨鸟。尾羽白色，上具一个三角形的黑斑。体长约 25 厘米。与滨鹬共同构成鹬科的滨鹬亚科（Calidritinae）。繁殖于阿拉斯加中南部山区高处的岩石地带。营巢于地面。雌鸟产卵4枚后，由雄鸟孵卵育雏。雄

滨浪鹬（*Aphriza virgata*）
供图：Herbert Clarke

鸟会突然在巢里发出大声，以防受人践踏。越冬于从阿拉斯加到加利福尼亚之间，多海藻和海浪冲击的海滨岩石上，有些种类向南远至智利南部越冬。

surfing 冲浪运动 运动员驾冲浪板在激浪中冲向岸边的运动。始于史前南部海域。早期冲浪既用板也用身体。1777、1778 年探险家库克一行在塔希提岛和瓦胡岛一带见到驾着长板和独木舟的冲浪者。1821 年欧洲传教士认为冲浪不正经，禁止了这项运动。1920 年正式恢复冲浪。著名的夏威夷游泳运动员卡哈纳莫古公爵在怀基基成立了第一个

在夏威夷瓦胡岛怀梅阿湾上的冲浪
供图：Don James

冲浪俱乐部。深水处的巨大而平稳的海涌陡升，会形成层层竖立的浪头，当这种浪头冲到距岸边 90 ～ 900 米的渐次倾斜的暗礁或沙滩时，最适宜于冲浪运动。如海底在靠近海滩处形成陡坡，就会使浪头更为汹涌，在这种情况下冲浪运动难度较大，更利于运动员大显身手。地峡或突陡的背风面往往具有形成巨浪的地形。在像夏威夷的马卡哈这样的理想地点，浪高达 4 米，冲浪起码可以延续到半英里的距离。运动员先携带冲浪板逆浪而进，到达浪峰较陡之处，在一个浪头接近之时，伏在冲浪板上用力蹬水，迅速朝岸方向游泳，赶上浪头时，先跪起，继而立起，乘浪前进，直到靠近海滩浪头消失为止。长板冲浪运动员两臂高举过头，四肢摆动，利用身体重量控制速度和方向。优秀冲浪运动员斜向朝岸边行进以便提高速度并延长冲浪距离。腹板冲浪运动员将板紧贴在胸部而用腿调整方向。不用板或使用腹板的运动员着游

泳脚蹼以利于追逐浪头。这些运动员一般喜欢在靠近岸边而浪头较小的地区冲浪，乘独木艇冲浪的运动员也可以在浪头较大时冲浪。国际冲浪协会理事会成立于1974年，其总部设于美国佛罗里达州棕榈滩。从20世纪60年代起举行冲浪世界锦标赛。北美、秘鲁、夏威夷、南非和澳大利亚海岸有冲浪活动。

surfperch　海鲫　又作seaperch。鲈形目海鲫科23种海产鱼的统称。分布于北太平洋，两种原产日本，其他均限于北美沿岸，大多在加利福尼亚沿海。胎生海鲫(特拉斯克氏淡水沟背鱼，*Hysterocarpus traski*)栖于淡水，其他大部种类生活于沿岸浪涛带。所有海产种类与其他海鱼不同之处在于产出幼鱼，而不是产卵。体较高，口小，鳞大，有一长的背鳍。体型较小，长13～45厘米。条纹海鲫(银双齿海鲫，*Amphistichus argenteus*)具黄色条纹；是垂钓者喜爱的几个种之一；与几个其他种海鲫一样也具一些商业重要性。

surge　气涌　在气象学上，指海洋和内陆水域上气压或高速风速度的变化，与正常的引力潮共同作用，使大洋环流产生巨大变化(而且沿岸常发生洪水)的大气过程。虽然气涌常发生在广大地区内，但内海和湖泊上的暴风雨也能产生气涌。气压变化常常出现在大的半永久性气压中心附近，如北大西洋南部的高压区。高压系统过后引起水位下降，低压系统则引起水位上升，在这些水位经常变化的地区，在800万平方千米范围内24小时内气压升或降2毫巴是正常的。气涌也是大范围气流速度的突然增大，尤其是在热带。当它扩展时，可以在天气图上看到它的行踪。在信风带“信风涌”期间，从地面到4 500米高度之间风速通常可增加约40千米/小时。季风气流中的气涌称为季风爆发或季风涌。

surgeonfish　外科医生鱼　又作tang。即刺尾鱼。鲈形目刺尾鱼科约100种体高而薄的热带海产鱼类的统称。鳞细小。背鳍一个，尾柄基部两侧各具一个或多个锐刺，能刺伤

镶白刺尾鱼(*Acanthurus leucosternon*)
供图：Jane Burton—Bruce Coleman Ltd.

人。刺或为固定，或后部有一较合关节，可以向外张开，并指向前方。刺尾鱼多以藻类为食。发育过程有透明幼体(acronurus)阶段，随着生长，体形或体色变化极大。最大长度一般不超过50厘米。黄外科医生鱼(黄高鳍刺尾鱼，*Zebrasoma flavescens*)为印度洋-太平洋种，约长20厘米，体色鲜黄或深褐色。蓝外科医生鱼(蓝刺尾鱼，*Acanthurus coeruleus*)产于大西洋及加勒比海，幼体黄色，成体则多少呈蓝色。

surgery　外科　用手术和器械方法治疗创(损)伤、矫治畸形、消除各种病变的一个医学分支学科。从某种意义上说，现代外科学的发展离不开其他所有医学学科门类的现代化发展。18世纪，随着解剖学的迅速发展，人们成功地开展了像截肢、体表肿瘤切除、膀胱取石一类的手术，极大地促进了外科学在19世纪初期的蓬勃发展。但其后的发展却受到手术疼痛和术后感染的严重制约。现代外科学的发展始于19世纪中晚期。1846年发明了麻醉技术；1867年，继L. 巴斯德的感染性疾病的细菌源学说之后，J. 利斯特又提出了防止创伤感染的消毒技术。这是现代外科学的起点。但起点并非成熟。麻醉学也经历了一个艰难曲折的发展历程，直到20世纪30年代才逐步成熟起来，用了3/4个世纪的时间。从最初的乙醚、氯仿和一氧化氮，发展到后来的可供选择的几十种麻醉剂，包括全身性和局部麻醉剂及许多麻醉辅助药剂。麻醉辅助用药的目的旨在完成术前准备、支持术中的正常生理功能和保证术后康复。麻醉学现已成为一门医学分支学科，麻醉师需经专业训练、持证上岗。在进行各种手术和治疗各种外科疾病（包括炎症性疾病和合并有炎症的疾病）时，预防和控制感染是外科医生的一项最主要的责任和任务。手术一定会有手术创伤，皮肤的保护屏障被破坏。这样，外界细菌就会经此侵入人体而致病，最严重时，可引起致命的毒血症。利斯特的抗菌法就是用化学药物杀灭细菌。明显减少手术感染的发生率。这样，在做诸如骨、关节、软组织和腹腔的手术时就安全得多了。最便捷、安全的消毒法就是把所有的手术器械和被服都加热（蒸）煮沸。然后，再对手术室进行彻底消毒、对创伤做清创处理。这样就基本上清除了细菌可能孳生的条件。磺胺类药物和抗生素的临床应用是抗感染治疗技术中的一场革命，也使手术外科更加安全可靠，消除了各种潜在的和无法避免的感染威胁。术后治疗的关键是防治合并症的发生。过去，最常见的术后并发症是肺炎，这和施用麻醉药有关。主要防治措施包括正确选择麻醉药、准确掌握剂量和规范麻醉方法；术后尽早下地活动；合理应用抗生素和磺胺药。还应注意适当补充体液、维持酸碱平衡、防止静脉血栓形成等等。为加快患者康复的进程，应让他们尽早出院。这对于他们的身、心二方面的康复都有好处。随着现代外科学的发展、诊断水平的提高和诊断技术的专业化发展，随着一个个手术禁区相继被打破，外科学也就理所当然地衍生出很多分支学科。如心脏外科、眼科、耳鼻喉科、整形外科、泌尿外科、神经外科、胸外科、骨科、妇产科、肛肠外科等。它们之间在专业理论、手术操作、麻醉技术等方面表现出来的差异越来越大，各科医生的专业技能也越来越专门化。如心脏外科和眼科之间几乎没有什么共性技能。

Surguja(India)　**苏尔古贾**　参阅**Ambikāpur** 安比加布尔。

Surgut　苏尔古特　俄罗斯秋明州汉特-曼西自治区城市和港口。坐落在鄂毕河畔。1965年设市。是西西伯利亚油田的主要行政管理及供应中心。有大型火力发电站。有铁路通往东面的下瓦尔托夫斯克、西南面的托博尔斯克和秋明市。为了向储量巨大的北极气田提供物资，20世纪80年代初建成一条从苏尔古特至乌连戈伊的铁路。人口约260 000(1992)。

Sūri(India)　参阅**Siuri** 苏里。

suricate(*Suricata suricatta*)　**灰沼狸**　又作meerkat或slender-tailed meerkat，又拼mierkat。灵猫科一种体细长的肉食动物。穴居，栖息在非洲南部干燥地区，与近缘动物獴的区别

灰沼狸(*Suricata suricatta*)
供图：® Gordon Langsbury—Bruce Coleman Ltd.

在于每只脚上有4个(并非5个)趾。体长25～35厘米，尾长18～25厘米。吻部尖，耳的位置低。毛长，灰、黄褐或淡灰色，背部有深色条纹。脸面部灰白色，耳和眼斑为黑色。尾尖黑色。灰沼狸通常成群生活，有时与笔尾獴(*Cynictis penicillata*)栖于一处。杂食性，白天活动。每产2～4仔。易驯养，用做玩赏动物，有时养在家中用以捕鼠。因对当地野生动物有潜在的破坏性，有些国家对其引进加以控制。

Surigao　苏里高　菲律宾棉兰老岛东北端城市。港口和贸易中心。该市以南地区经济中，渔业、木材业和农业(可可、马尼拉麻和稻米)占重要地位。20世纪60年代前曾有金矿开采。已知尚有铁矿、锰矿和镍矿，但多未开采。东北16千米的诺诺克岛有世界最大的镍矿之一，1974年以来已经开采。与莱特岛南部之间有轮渡。为菲律宾—日本友谊公路棉兰老段的北部终点。位于该市南28千米的迈尼特湖，是菲律宾第四大湖。人口100 000(1990)。

Surin 素林 泰国中东部城镇。位于呵叻—乌汶叻差他尼铁路线上。是稻米、漆器、丝绸的生产和贸易中心。设有农业学院。每年围捕大象活动吸引大批游客。该市位于柬埔寨边界北56千米处,许多居民操高棉语。人口约37 705(1992)。

Surinach, Carlos 苏里纳奇(1915-03-04,西班牙巴塞罗那～1997-11-12,美国康涅狄格纽黑文) 西班牙出生的美国作曲家,主要因其扣人心弦的芭蕾音乐而闻名。父亲为西班牙证券经纪人,母亲为奥地利裔波兰钢琴家。13岁以前从其母学钢琴,14岁人卡米纳尔斯音乐学院学习钢琴与音乐理论。曾私人从巴塞罗那市立音乐学院院长E.莫雷拉学习作曲(1936～1939),早期作品即在莫雷拉指导下完成。1940年苏里纳奇听从莫雷拉劝告赴德国进修,就学于杜塞尔多夫、科隆和柏林,数年后返回巴塞罗那,1944年应聘担任巴塞罗那爱乐乐团指挥,该团1945年首演他的《帕萨卡利亚-交响曲》。其后数年他在欧洲各国任客座指挥,演出了大量交响曲,1947～1950年寓居巴黎,1951年定居纽约,1959年加入美国籍。抵美后不久苏里纳奇即开始接受委托创作芭蕾音乐。最杰出的芭蕾作品有《深沉的节奏》(1953,根据英文同名著作扩展而成),由D.汉弗莱编舞;《设防的花园》(1958),由M.格雷厄姆编舞;《上帝的杂技演员》(1960),由格雷厄姆编舞;《阿加莎的故事》(1967),由P.泰勒编舞。他的作品特点为节奏雄健有力,常以弗拉明科八音音阶为基础;无论是为音乐会舞台还是为芭蕾舞剧所作音乐,都备受欢迎。除芭蕾音乐外,尚作有室内乐、合唱曲、吉他曲、钢琴曲以及若干管弦乐曲。

Surinam toad (*Pipa pipa*) **负子蟾** 负子蟾科(pipidae)水栖蟾蜍。产于南美洲,英文原意为苏里南蟾。卵在雌蟾背上孵化。体长约20厘米,躯干扁平似方形。眼小。头扁平。

负子蟾(*Pipa pipa*)的背部(上)和腹部(下)

供图:© Jane Burton—Bruce Coleman Ltd.

吻突与上下颌的皮肤松弛下垂。指端有细小的星状附器,有助于寻食。在水中交配,卵排出后随即受精,雄蟾将卵紧抱置于雌蟾背上,数小时后,卵周围的皮肤生长形成一囊,将卵包住并覆以角质盖。约经80天孵化后幼体发育成幼蟾。

Suriname 苏里南 全称苏里南共和国,荷兰语作 Republiek Suriname。位于南美洲中北部沿海地带,北濒大西洋,东与法属圭亚那交界,南接巴西,西与圭亚那相连。首都帕拉马里博。面积163 820平方千米,不包括与圭亚那有争议的17 635平方千米。人口约437 000(2004)。

土地 苏里南狭窄的沿海平原接近或低于海平面,大部分是沼泽地,需要排水系统和堤坝。沿海平原之后是大部分为森林覆盖的丘陵地区,向南延伸至低矮的森林山脉,该山

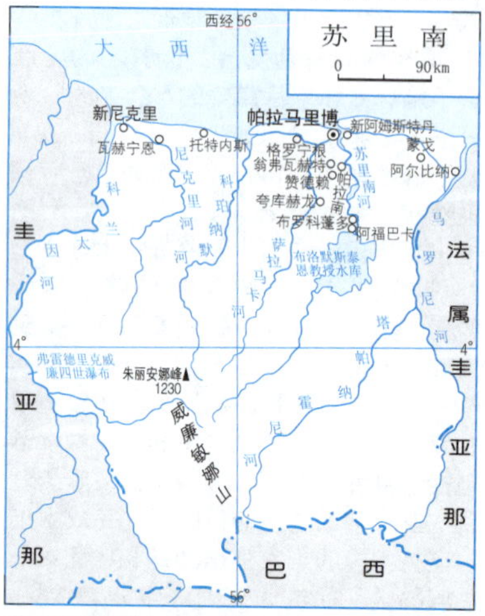

美国不列颠百科全书公司供图

脉沿巴西边界的中央山体延伸至境内,占全国面积4/5。另外,在西南部还有一个相对较小的高原——热带大草原地区。

7条主要河流由南向北贯穿全境,注入大西洋。其中马罗尼河成为苏里南与法属圭亚那的主要界河。这些河流向南流经高地时形成急流和瀑布,限制了航行。苏里南的气候常年为热带湿润性气候,受沿海东北信风调节。内陆山区年降雨量逾3 000毫米,西北沿海地区则平均为1 900毫米。年平均温度27°C。

仅在沿海地区、部分丘陵高地和一些河谷地带将森林砍伐一空改作农田。全国可耕地面积不足1%。

人民 苏里南的人口主要由东印度人、克里奥尔人和爪哇人组成,也有少量黑人、华人、美洲印第安人和荷兰人。东印度人大多数是小农场主;克里奥尔人主要集中在帕拉马里博从事政治、零售业和需要一定专业知识的职业;爪哇人大部分在荷兰人的种植园工作。苏里南黑人(被荷兰人称为布须黑人)重新制定了西部非洲的部落法规、宗教,改革了西部非洲传统的与打渔捕猎相伴的刀耕火种的农业。

官方语言为荷兰语,也讲英语、斯拉南语(克里奥尔语的一种)、印地语及其他亚洲语、非洲语和美洲印第安人的语言。主要宗教为基督教,其次是印度教和伊斯兰教。人口主要集中在帕拉马里博和沿海地区。尽管该国的出生率及死亡率总体上低于拉丁美洲的平均数,但根据其人口统计数字判断,苏里南仍属于典型的发展中国家。估算出的人口年自然增长率按拉丁美洲水准亦属低水平。20世纪70年代大批苏里南人移民荷兰,导致该国人口减少1/3。

经济 苏里南的经济尚处于发展之中,公有和私营经济并存。铝土矿开采、炼铝、服务业和农业是主要的经济部门。国民生产总值的增长一度远高于人口的增长,但因20世纪80年代中期政局不稳而剧跌。80年代后期又缓慢回升。

农业集中在沿海平原,约占国内生产总值的1/8,使用近1/6的劳动力。稻米生产通常能满足国内需求,并有部分供出口。主要经济作物有香蕉、甘蔗、大蕉、椰子和橘子。

砍伐的木材主要用于工业,也有部分出口。政府控制了最大的林业公司。苏里南捕虾业是外汇收入的重要来源。

采矿业也是主要外汇收入来源,主要生产和出口铝土和铝,均由荷兰和北美的公司所控制。尽管苏里南自20世纪80年代初便开始试生产石油,但现在仍须进口石油发电。

制造业约占国内生产总值的1/10,使用1/10的劳动力,主要集中在食品、木材加工及铝和氧化铝的冶炼。电力供应主要靠水力发电厂。

苏里南的交通运输基础设施极不发达。全国仅有1/4的道路铺设了路面,铁路总长度不足300千米。可通航的河流、运河对货客运输均十分重要。主要港口是帕拉马里博。赞德赖建有一个国际机场。

半成品、机械、运输设备、石油和其他燃料为主要进口品;氧化铝、铝、虾、大米和香蕉为主要出口商品。贸易伙伴有美国(通常供应苏里南约1/3以上的进口品)、荷兰、挪威以及特立尼达和多巴哥。苏里南从荷兰获得大量外援。1975年荷兰免去了苏里南所有未偿还的债务。

政体与社会状况 苏里南的宪法于1980年被一个军事委员会终止,但1987年一部新宪法又以投票表决的方式通过,使该国又重新由文人治理。依照新宪法,国家元首为国民议会选举产生的总统,任期5年。军方则藉国家执行委员会在政府中维持其地位,该委员会可以宣布国民议会通过的法律无效。主要政党是新阵线(以前为民主与发展阵线),系由爪哇人、克里奥尔人及东印度人等少数民族组成的四党联盟。

尽管苏里南的许多医生都移民到荷兰,该国人民的健康状况一般说来还算不错。婴儿死亡率居拉丁美洲最低之列。平均寿命高于拉丁美洲水平。

所有6～12岁的儿童和少年均要接受义务教育。几乎一半的小学毕业生仍继续中学教育。高等教育有政府办的安东德科姆大学(创办于1968)。出版有数种荷兰文日报、几种中文期刊。苏里南有数家广播电台,两家由政府控制的电视台。

文化生活 苏里南社会的显著特点在于其种族构成和文化的多样性。美洲印第安人仍继续其传统的生活方式,几乎完全不受外界的影响。布须黑人则因袭其非洲祖先的生活方式。克里奥尔人、东印度人和爪哇人也在很大程度上维持其自身的特征。

历史 苏里南已知的最早居民为苏里南人(该国因此而得名),在16世纪前被其他美洲印第安人驱逐出境。1593年西班牙探险者声称苏里南为其属地,但1602年荷兰人却

开始到此定居。1651年巴巴多斯总督F.威洛比亦将英国移民送往该地。1667年荷兰根据《布雷达条约》用新阿姆斯特丹（纽约）换取了苏里南。1682年荷属西印度公司引进咖啡和甘蔗种植业，并运来非洲奴隶从事种植生产。残酷的虐待使许多奴隶逃往内地，并成功地避免了再次被捕。荷兰人最终不再将他们视为奴隶并给予他们土地。此后，他们又重建了西部非洲的文化和由几位酋长领导的政府，并被荷兰人称为布须黑人。除1799～1802年和1804～1815年两个由英国统治的短暂时期外，苏里南一直是荷兰的殖民地。

1863年废除奴隶制后，一批批从中国、爪哇和印度来的契约工为种植园工作。至第二次世界大战时，种植园农业一直停滞不前。1915年首次发现的铝土矿取代了种植园产品而成为主要出口商品。第二次世界大战期间，苏里南是仅有的未被轴心国占领的两块荷兰领地之一。1948～1951年的宪法改革最终导致1954年的自治。

1975年苏里南获准独立，建成立宪议会政体，阿龙担任首任总理。1979年爪哇人部长全体辞职，导致1980年初的一场军事政变。另一次政变使布特斯得以在1982～1988年期间掌权。1987年选民以压倒多数投票通过新宪法，但军方（仍处于布特斯控制之下）依然直接或间接地维持着对政权的严格控制。一场由黑人引发的暴动又使该国更加混乱，动荡的政局使一些外国政府撤回了对苏里南的经济援助。1990年12月军队领导人再次夺取了政府的控制权。为应付美国、荷兰、法国和美洲国家组织的政治压力，1991年5月举行了选举。新民主与发展阵线赢得国民议会的多数席位并选举韦内蒂安为总统。新政府很快通过一项法案，正式取缔军队的所有政治权力。1996年，韦登博斯当选该国总统。在其任期（1996～2000）内，苏里南受到经济问题和社会服务业衰退的困扰。面对国内抗议，韦登博斯提前举行选举，2000年，韦内蒂安重新成为总统。在他的指导下，该国经济得到改善，武装力量退出政治事务，并从荷兰贷款为卫生、教育和社会计划融资。然而，在21世纪初苏里南面临几个似乎棘手的问题，其中包括毒品交易、黄金走私以及与邻国圭亚那长期的海洋分界争执。

Suriname River 苏里南河 苏里南中部和东部河流，源出威廉敏娜和艾勒茨德汉两山脉的会合处的高原。流向东北，在首都帕拉马里博以北注入大西洋。全长480千米。上游称赫兰河，有急流；在朱穆阿西顿霍波与皮基恩河汇合后，改称苏里南河。在阿福巴卡筑有拦河坝，蓄成大水库——布洛梅斯泰恩教授水库，苏里南最大湖泊。然后流经人口稠密的冲积平原，穿过布罗科蓬多、帕拉马里博、新阿姆斯特丹等城市注入大西洋。

Suriyawong, Somdet Chao Phraya Si 素里亚旺 参阅 **Si Suriyawong, Somdet Chao Phraya 西·素里亚旺**。

Surji-Arjungaon, Treaty of 《苏尔杰-安江干条约》（1803-12-30） 马拉塔酋长杜拉特·罗·信希亚与英国人订立的条约。这是第二次马拉塔战争（1803～1805）第一阶段中英国莱克勋爵取得胜利的结果。莱克攻占阿里格尔，并在德里和拉斯瓦里击败由法国人训练的信希亚的军队（1803年9月至11月）。依约将莫卧儿皇帝沙·阿拉姆二世交付英国人保护；亚穆纳河与恒河之间的土地、阿格拉以及信希亚在戈赫德与古吉拉特的领地全都交英国东印度公司代管；信希亚还放松对拉贾斯坦的控制。此外，信希亚接受一名英国常驻官员并签署一项防御条约。1805年11月，代理总督乔治·巴洛根据伦敦的收缩政策修改此条约。瓜廖尔和戈赫德归还信希亚，取消防御条约，东印度公司放弃对拉贾斯坦的保护。1817年11月5日（第三次马拉塔战争前夕），在英国人的压力下该条约再次修订。信希亚允诺帮助英国人攻打平达里强盗，交出他在拉贾斯坦的权力。

Surkhandarya 苏尔汉河州 又拼Surchandarja。乌兹别克斯坦最南端的州。面积20 800平方千米，位处谢拉巴德河流域和苏尔汉河流域。南以阿穆河为界与阿富汗接壤。东部为巴巴塔格山脉。北部和西部有高耸的吉萨尔山脉及其支脉拜孙套山和库吉唐套山，宛似一座屏障，阻挡来自北面的冷气团，使苏尔汉河州成为乌兹别克斯坦最温暖的地区。冬季温和，夏季炎热、干燥。苏尔汉、谢拉巴德两河灌溉区种植棉花，以细绒棉为主；非灌区种植小麦、大麦。其他作物有水稻、甘蔗和水果。沙漠牧场饲养卡拉库尔和吉萨尔的绵羊与山羊。居民约4/5为农业人口。有两个主要城市：首府铁尔梅兹和迭纳乌。乌兹别克人约占居民总数70%，余为塔吉克人、俄罗斯人和鞑靼人。人口约1 293 000（1990）。

Surma River 苏尔马河 印度东北部与孟加拉国东部河流。长900千米。发源于印度曼尼普尔邦北部曼尼普尔丘陵，上游称巴拉克河。过锡尔杰尔镇后分为两支进入孟加拉国，北支称苏尔马河，流经锡尔赫特城，是盛产茶叶的河谷；南支称库希亚拉河，再分为两支，均与北支汇合。汇合后在孟加拉中东部的派罗布巴扎尔入布拉马普特拉河古河道后称梅克纳河，向南流经达卡后注入恒河。雨季时汽轮上溯可达锡尔杰尔。

surmullet（fish） 参阅 **goatfish 山羊鱼**。

surname 姓 又译姓氏，与名字连用，在多数情况下姓为继承的并为家族成员所共有。最初，许多姓氏都证明一个人和别人的关系，通常是指和他父亲的关系，如Johnson（约翰逊，意为“约翰之子”）；MacDonald（麦克唐纳，意为“唐纳德”之子）。也有就其居住地点而说的，如Orleans（奥尔良，意为“奥尔良人”）；York（约克，意为“约克人”）；Atwood（阿特伍德，意为“居住林地者”）。还有指职业特点的，如Weaver（韦弗，意为“织工”）；Hooper（胡珀，意为“桶匠”）。姓也可能是描述人外貌的，如Little（利特尔，意为“身材短小的”）；Red（雷德，意为“红的”）。也有描述功勋的，如Armstrong（阿姆斯特朗，意为“大力士”）。姓出现于不同时期的不同文化中：公元前2852年，有位中国皇帝降旨采用世袭姓氏。在英国这是从公元1000年起的一个渐进发展过程，当时由于名字不够用而产生使用姓的需要——这个过程延续约600年。在有些文化中直至20世纪姓的使用尚未普遍：如到1935年土耳其方以法律形式规定使用姓氏。犹太人很晚才使用姓，而且经常出于被迫。由于他们常常不能采用基督徒的名字，有些人干脆就采用发音好听的复合词来作名字，如Rosenthal（罗森塔尔，意为“玫瑰谷地”）。其他人的名字含有占支配地位的文化对他们的嘲弄和轻蔑，如：Eselskopf（埃泽尔斯科普夫，意为“驴头”）。姓的形成常常是历史和文化偏见的反映。在西班牙，姓的形成过程同党派、家族的自豪感有关，如第一批姓氏多来源于摩尔人入侵时基督徒的战斗口号。瑞典人的姓反映瑞典人对自然的热爱，把berg（山）和blom（花）这些词插入姓中。革命后的俄国，许多家庭都放弃了原来由卑劣的农民绰号派生的姓如Krasnoshtanov（克拉斯诺什坦诺夫，意为“红裤子”），转而采用像Orlov（奥洛夫，意为“雄鹰”）这类姓氏。

surplice 白罩衣 天主教以及基督教安立甘宗、信义宗或其他一些新教派别的神职人员、襄礼员、唱诗班领唱人或其他人员在礼拜时穿在外面的礼服。肥大长袖，原是长袍，后

穿白罩衣的神职人员
供图：Algimantas Kezys

来逐渐缩短得仅及膝部或略高于膝部。但在20世纪，又有全长白罩衣出现。

surplus value 剩余价值 马克思主义经济学的概念，用来说明资本主义制度不稳固性的学说。马克思遵循D.李嘉图的劳动价值论，认为人的劳动是经济价值的来源。资本家付给工人的工资，少于工人的劳动添加在商品上的价值，一般仅够维持工人的生活。按照马克思主义理论，这种补偿只占工人的劳动所创造的全部价值的一部分，相当于工

人的生活资料。其余的部分是剩余劳动，它所创造的价值就是剩余价值。马克思认为，为了取得利润，资本家占有这个剩余价值，从而剥削劳动者。

Surquillo 苏尔基约 秘鲁利马-卡亚俄大都会区南部的城市和地区。苏尔基约原为一个低收入和中等收入的居民区，但各处也还有零售店和服务行业。位于离利马中部约10千米，在米拉弗洛雷斯的北面和东面。人口：区约156 773(1990)。

Surratt, Mary 萨拉特(1820-05，美国马里兰滑铁卢附近～1865-07-07，华盛顿[哥伦比亚特区]) 全名Mary Eugenia Surratt。母家姓Jenkins。美国供膳食的宿舍经营者。她与其他三人一起被判同谋暗杀林肯总统罪。萨拉特早婚。其夫于1840年购置了约1 200英亩的土地，但到1857年，他的财产大大减少，南北战争的爆发使他倾家荡产，他于1862年去世。他们有两个儿子，她在小儿子约翰的帮助下搬至华盛顿，在那里开设了一所供膳食的宿舍。在这所宿舍里聚会的、她儿子的亲南方的朋友中，有著名演员J.W.布思，他与约翰等人共谋绑架林肯。在南部邦联垮台后，布思转而暗杀林肯，自己也因拒捕而身亡。萨拉特与L.佩恩(他刺伤国务卿西沃德)、G.阿特泽罗德(他谋杀副总统约翰逊未遂)及其他三个同谋嫌疑犯一起被捕。九人军事委员会于1865年5月12日对她进行审判。7月5日全部被判罪，其中四人——包括玛丽·萨拉特在内——被判绞刑。在当时已成为总统的约翰逊的坚持下，他们全部在48小时内被绞死。后来的历史学家们大多认为，萨拉特与谋杀无关，她是无辜的。

Surrealism 超现实主义 视觉艺术和文学方面的运动。第一次和第二次世界大战之间兴起于欧洲。超现实主义主要从早期的达达运动演变而成，后者在第一次世界大战以前创作过存心同理性对抗的反艺术作品。但是超现实主义的着重点不在于否定，而在于肯定的表现。该运动代表一种对于其成员所认

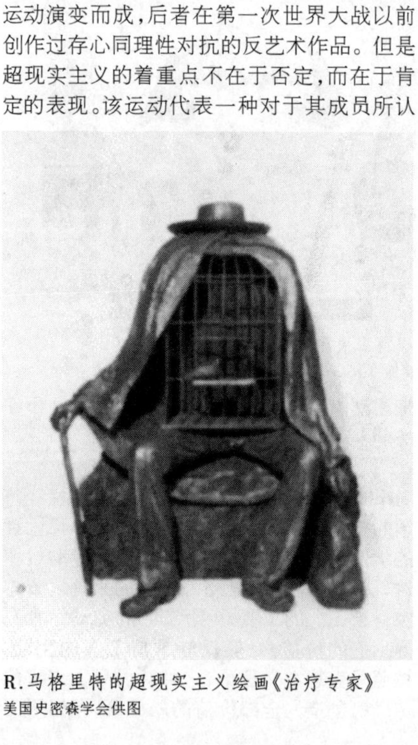

R.马格里特的超现实主义绘画《治疗专家》
美国史密森学会供图

为的由“理性主义”造成的毁灭原因的反动，“理性主义”在过去曾经引导过欧洲的文化与政治，终于导致第一次世界大战的惨祸。该运动的主要发言人，诗人和批评家勃勒东，在1924年发表了《超现实主义宣言》，按照他的说法，超现实主义是一种手段，可以把经验的有意识领域和无意识领域如此完满地重新

R.马格里特绘《时间穿刺》(1938)
供图：Joseph Winterbotham Collection

结合起来，使得梦和幻想的世界能在“一种绝对的现实、一种超现实”中与日常的理性世界相连接。勃勒东充分利用了从弗洛伊德借来的理论，把无意识视作想象力的源泉。他规定只有进入这个通常未被涉足过的领域的人才是天才，他相信诗人和画家都能够到达这个领域。

在A.勃勒东、P.艾吕雅、P.雷韦迪等人的诗作中，超现实主义表现为这样一种单词并列，它不是由逻辑的，而是由心理上的，即无意识的思想过程所决定，因此骇人听闻。不过，它的主要成就是在绘画方面。超现实主义绘画不仅受达达主义的影响，而且还为早期画家如H.博斯和F.戈雅以及更近的同代画家如O.雷东、G.德·基里科和M.夏加尔的怪诞可笑的形象所转移。超现实主义的艺术实践着重于方法学上的探讨和实验，强调艺术品是一种刺激本人对心灵进行考察和启示的手段。但是，勃勒东却要求同仁们坚定地忠诚于既定的原则。因此，虽然超现实主义者于1925年在巴黎举办了一次集体展览，但是该运动的历史却充满了驱逐、背叛以及人身攻击。

主要的超现实主义画家是J.阿尔普、M.恩斯特、A.马松、R.马格里特、Y.坦圭、S.达利、P.罗伊、P.德尔沃和J.米罗。这些艺术家的作品过于多样化，不可能明确地概括为视觉艺术中的超现实主义手法。每个艺术家都在寻找自己的自我探索的手段。有些人一心一意追求无意识的自发的显示，不受有意识的头脑的约束；另一些人(特别是米罗)则把超现实主义作为具有解放作用的出发点，经常利用很美的形式，对个人的有意识或无意识的幻想进行探索。在这两个极端之间，还可以辨别出一系列可能性。在一端，以阿尔普的作品为最纯粹的范例，观赏者面对富于暗示但不明确的、通常具有生物形态的形象。观赏者的头脑因刺激性的形象而发生作用，无意识的联想便被解放出来，创造的想象力便在一个完全无止境的探索过程中游刃有余了。恩斯特、马松和米罗多少也沿袭着这个法门，在不同情况下被称为有机的、象征的或者绝对的超现实主义。在另一端，观赏者面对一个完全明确而又细致描绘，但却毫无合理性可言的世界：完全可以识别的、按照现实主义手法描绘的形象离开了它们正常的场合，而在一个含糊的、荒谬的或者十分粗陋的框架之内被重新组合起来。作品力求在观赏者身上激起一种同情的反应，迫使他承认无理性的逻辑上不可解释的事物所固有的“道理”。马格里特在简单而有力的绘画中以最直接的方式采用了这种手法，例如有一幅画画了一个正常的餐桌环境，其中有一个盘子装着一片火腿，火腿中间睁着一个人眼睛。达利、罗伊和德尔沃则表现了同样的但更其复杂的有如迷人梦境的陌生世界。

超现实主义者为了激起心理反应，发明了许多特殊的技巧。其中有“摩拓法”(用炭精在木材或其他有纹理的材料上面摩擦)和“起绒法”(刮画布)——这两种方法都由恩斯特加以发展，以创造将在观赏者心目中被完成的局部形象；自动素描法，即一些混乱形象“突然涌现”而进入艺术家的意识，便自发地不经审查地将它们记录下来；还有所谓“拾得艺术品”。

由于强调内容和自由形式，超现实主义便为当代非常拘泥形式的立体主义运动提供了一个主要替换物，并在很大程度上应对现代绘画中继续保存强调内容的传统手法承担责任。

Surrey 萨里 英格兰东南部行政、历史郡，在伦敦西南，毗邻泰晤士河。该郡大部分是低地，两个东西走向山岭穿越其间，北唐斯山是泰晤士河谷以南的白垩丘陵，再向南是更低洼的海绿石砂岩带，有该郡的最高点利斯山丘(294米)。这两个山岭当中有莫尔河和韦河冲刷形成的溪谷和峡谷，在该郡呈现出多样性地貌，1958年萨里南部大约415平方千米的地方被正式划为自然景区。在经济上与附近伦敦有联系的几个郊区住宅区分布其间。行政郡包括11个区：莫尔谷、坦德里奇、埃尔姆布里奇、埃普瑟姆-尤厄尔、吉尔福德、赖盖特-班斯特德、兰尼米德、斯佩尔索恩、萨里希思、韦弗利和沃金。萨里行政郡的范围明显要小于历史郡。历史郡的东北部现在位于大伦敦都会郡界内，克罗伊登、泰晤士河畔金斯敦、兰贝斯、默顿、泰晤士河畔里士满、绍斯沃克、萨顿和旺兹沃思等自治市基本上位于该地。历史表明该郡的行政中心位于泰晤士河畔金斯敦的伦敦区。此外，萨里历史郡的一小部分，包括盖特威克机场及周边地方，位于西萨塞克斯行政郡克劳利区界内。虽然其他行政单位的这些地方属于萨里历史郡，但施佩索姆自治市，尽管归萨里行政郡，却成为米德尔塞克斯历史郡的一部分。考古发现提

供了旧石器时代人类居住在萨里历史郡的证据。该地区似乎在罗马时期和撒克逊早期人口相对稀少。彻特西大修道院建于666年，在该郡占有大片土地，1066年以后该郡许多地方属于诺曼贵族。绍斯沃克与伦敦有伦敦桥相连，成为一个重要的教会中心，泰晤士河畔金斯敦是一个重要的中世纪集镇。在中世纪饲养羊是主要的活动，到16世纪服装贸易也开始在吉尔福德、戈德尔明和法纳姆发展。商品菜园在北部和西部也变得越来越重要。林木茂密的山丘在19世纪前一直人烟稀少，起到两个主要作用：狩猎区（例如，亨利八世在楠萨奇公园建有一个奢华的狩猎居所）和为木炭、建筑物和造船提供木材。当地产品运输最初主要靠水运，1800年后由于通铁路而更加便捷。从旺兹沃思至梅瑟姆的萨里铁路靠马匹牵引，是英国议会批准（1801）的第一条公有铁路。19世纪期间，萨里有世界最密集的郊区铁路网，在伦敦7个终点站发车，覆盖萨里北部。郊区发展始于中世纪的绍斯沃克，并沿铁路线发展直到第二次世界大战爆发。1889年，现在的绍斯沃克、兰贝斯和旺兹沃思自治市被并入伦敦新的行政中心。第二次世界大战之后发展按规划继续进行，包括严格控制伦敦的绿化带和预留出自然景区。1965年，克罗伊登、泰晤士河畔金斯敦、默顿、泰晤士河畔里士满以及萨顿等自治市成为大伦敦新的都会郡的一部分。面积：行政郡1 670平方千米。人口：行政郡1 060 500（1998）。

surrey　四轮轻便游览马车　19世纪末、20世纪初流行于美国的一种无门四轮马车。通常有两排座位（供4人乘坐），其顶篷种类繁多，从硬顶篷、带缘饰的车篷到阳伞式和前伸

1900年的四轮轻便游览马车
供图：Suffolk Museum and Carriage House at Stony Brook, Long Island

式顶篷等。这种马车曾经是一种流行的家庭用交通工具，乡村中经常使用。车身板与车轴间没有弹簧。

Surrey, EARLS AND DUKE OF　萨里伯爵和公爵
英国数代封爵贵族，按年代顺序列于后，并各以●为标记。

● Surrey, John de Warenne, 7th Earl of　萨里伯爵（第七）（约1231～1304-09-27，英格兰萨里肯宁顿）　即J.de瓦朗。英格兰国王亨利三世和爱德华一世时期杰出的贵族。第六代伯爵威廉·德·瓦朗之子。1240年父死袭伯爵位。他和他的家族声称有权得萨塞克斯伯爵爵位，但始终未能合法据有。他同亨利三世的同父异母姐妹吕济尼昂的艾丽斯结婚。在诸侯战争期间，除1262～1263年的一个短时期外，他坚决支持他的朋友青年贵族爱德华（后为爱德华一世）。1264年据守罗切斯特城堡抵抗孟福尔，直至爱德华前来解围。此后，两人向他的城镇刘易斯进军。1264年5月皇家军队在刘易斯战败，他逃往法国。1265年与亨利三世的异母兄弟威廉·德·瓦伦斯在彭布罗克登陆，参加一系列的战斗，直至同年8月4日的伊夫舍姆战役，才以孟福尔的阵亡而告收场。由于女婿巴利奥尔要求登苏格兰王位成功，他对苏格兰事务发生极大兴趣，扮演一个主要角色。1295年苏格兰同法国缔约后，爱德华一世于次年入侵苏格兰，这时他在邓巴战役中取得胜利。为此爱德华一世任命他为苏格兰王国的监守使。1297年他在斯特灵桥被华莱士打败。他参加了爱德华后来在苏格兰的多次作战，1298年取得福尔柯克大捷有他一份功劳。

● Surrey, John de Warenne, 8th Earl of, EARL OF STRATHEARN　萨里伯爵（第八）（1286-06-24～1347-06-30，英格兰约克郡科尼斯伯勒）　即J.de瓦朗。英格兰国王爱德华二世的主要支持者。萨里伯爵（第七）之孙。他反对爱德华二世的宠臣P.加弗斯顿，但仍然支持国王对抗约法爵士——一个企图限制国王的任命权及其他特权的贵族委员会。他是1326年依旧对爱德华二世忠心耿耿的最后几个伯爵之一。他曾参加爱德华三世的苏格兰战争。1332年，在苏格兰当国王的表兄爱德华·巴利奥尔封他为斯特拉瑟恩伯爵。1317年因诱拐兰开斯特伯爵夫人艾丽斯而引起与兰开斯特伯爵（第二）托马斯的私人战争（1317～1318），结果失掉许多领地，死时无嗣，余剩的产业上缴国王。

● Surrey, Richard Fitzalan, 10th Earl of　萨里伯爵（第十）　参阅 **Arundel, Richard Fitzalan, 4th Earl of 阿伦德尔伯爵（第四）**。

● Surrey, Thomas Fitzalan, 11th Earl of　萨里伯爵（第十一）　参阅 **Arundel, Thomas Fitzalan, 5th Earl of 阿伦德尔伯爵（第五）**。

● Surrey, Thomas Holland, Duke of　萨里公爵（1374～1400-01-07或08，英格兰格洛斯特郡赛伦塞斯特）　又称肯特伯爵（第三）、T.霍兰。理查二世在位时期的英国显要贵族。肯特伯爵（第二）托马斯·霍兰（1350～1397）之子。他协助逮捕和消灭理查二世的敌人，1397年受封萨里公爵。1398年被任命为英格兰宫廷典礼官，受赐大批产业；同年晚些时候任驻爱尔兰总督。1399年9月亨利四世掌权后，他与前代国王的其他的顾问们曾一起被捕。11月6日，他被剥夺公爵称号。此后他参加反亨利的密谋，但被出卖，逃跑时为群众捕获并斩首。

● Surrey, Thomas Howard, Earl of　萨里伯爵　参阅 **Norfolk, Thomas Howard, 2nd Duke of 诺福克公爵（第二）**。

● Surrey, Henry Howard, Earl of　萨里伯爵（1517，英格兰赫特福德亨斯敦？～1547-01-13，英格兰伦敦）　即H.霍华德。英国诗人，与托马斯·怀亚特爵士（1503～1542）一

美国不列颠百科全书公司供图

起，将意大利人文主义诗人的风格和韵律引进英国，为英诗的一个伟大时期奠定了基础。T.霍华德勋爵之长子。由于出身和社会关系，他注定要卷入一场伴随亨利八世的政策而产生的争权夺位的活动。曾被诬控秘密支持天主教徒1536年的叛乱而囚禁于温莎（1537～1539）。1540年在宫廷比武会上获胜。1542年参加苏格兰战役；1543～1546年转战于法国和佛兰德；1544年任陆军元帅。1546年回国后又卷入宫廷斗争。最终被宿敌西摩一家指控犯有叛国罪，被处死在塔山，时年仅30岁。他的大部分诗歌大抵作于被囚禁在温莎期间，几乎全部于1557年第一次出版，当时他已死10年。他认为怀亚特是一代大师，自己追随其后，把意大利诗体运用于英诗。他把怀亚特译过的彼特拉克十四行诗又重译了一部分。他的翻译更为流畅、有气势，对英国十四行诗的发展起了重要作用。他最先发展了莎士比亚采用的十四行诗形式。在他的其他短诗中，除都铎王朝早期通常的爱情和死亡主题外，他还写伦敦生活、友谊和青春。他的爱情诗缺乏力量，只有两首他从女人的观点所写的《怨情人出航海外》是例外。他的短诗收在R.托特尔出版的《已故萨里伯爵的十四行诗和其他诗歌》（1557），通常称为《陶特尔杂录》里。1557年出版的他所译的《埃涅阿斯纪》卷二和卷四标志在英语中第一次采用源自意大利诗歌的无韵诗体。

● Surrey, Philip Howard, Earl of　萨里伯爵　参阅 **Arundel, Philip Howard, 1st (or 13th) Earl of 阿伦德尔伯爵（第一或第十三）**。

● Surrey, Thomas Howard, Earl of　萨里伯爵　参阅 **Arundel, Thomas Howard, 2nd (or 14th) Earl of 阿伦德尔伯爵（第二或第十四）**。

Surrey Heath　萨里希思　英格兰萨里郡西北部一区。因底层多沙和砾石，土壤瘦瘠。大部分是用于娱乐的公用地，其他部分在19

世纪时就用于军事操练和打靶。区内大部分是乡村。坎伯利和弗里姆利已发展为居住区和商业中心。有一些轻工业。面积 97 平方千米。人口约83 600(1989)。

surrogate motherhood 代孕法 一位妇女替代一对不能正常生育的夫妇来怀孕并生育的做法;这对夫妇常常是女方不育或者因为其他原因而不能正常怀孕。所谓传统的代孕法是采取人工授精方法用男方精子使代孕母亲受精。单纯代孕法则是不孕夫妇分别取出精子和卵子在体外授精,再将胚胎植入代孕母亲的体内。在正常情况下不论采用哪种方法,代孕母亲都将放弃一切做母亲的权利,不过这种做法曾在立法上受到责难。代孕法虽然在过去也并非不为人知,但至 20 世纪 70 年代中期才引起国际上的注意,这时可供收养的儿童数目在减少,而人类胚胎学的技术进步使本法成为可能,可免去耗时且不保险的收养手续或无子女的苦恼。另一方面代孕法也引起一些问题——例如报酬问题(说到极端,这好似将儿童视为商品)和其间任一方面出了偏差时当事各方的权利问题等。

Surt, Khalīj (Mediterranean Sea) **苏尔特湾** 参阅 **Sidra, Gulf of 锡德拉湾**。

Surtees, Robert Smith 瑟蒂斯(1803-05-17, 英国诺森伯兰特赖丁～1864-03-16,苏塞克斯布赖顿) 英国狩猎小说家。以在英国文学中塑造了一个有名的滑稽人物乔罗克斯先

供图:Lord Grort

生而出名。这位先生是伦敦东区的杂货商,像约翰牛一样直爽,完全醉心于猎狐。骑马纵狗打猎是瑟蒂斯的爱好,他所有的作品几乎都涉及马和骑马。最早的作品均刊登在《体育杂志》上。1831 年瑟蒂斯创办《新体育杂志》,并在 1836 年之前一直担任该刊物的主编。他的小说在最后成书问世前,在《新体育杂志》或其他地方连载。其中主要有《乔罗克斯的远足和欢乐》(1831,1838)、《汉德利十字碑》(1843)、《希林登大厅》(1843, 1845),均以乔罗克斯先生为主人公。随后又写有《霍巴克·格兰奇》(1846,1847)、《斯庞吉先生的狩猎》(1849,1853)、《问问妈妈》(1857,1858)、《直发还是卷发?》(1858,1860)、《罗姆福德先生的猎犬》(1865)。他还是个辛辣的讽刺家,毫不留情地勾勒出许多人物谄上欺下、相互猜忌、贪婪和愚昧的嘴脸。他对带着猎犬在旷野飞奔的描绘,给人留下极为深刻的印象。

Surtsey 叙尔特塞 冰岛南部海岸外的火山岛,在韦斯特曼纳埃亚尔群岛西南。1963 年 11 月一次猛烈喷发后露出在大西洋上。之后三年半时间火山熔岩堆积成岛。面积 2.5 平方千米,海拔 171 米,高出海底 290 米。火山喷发高峰时形成的近 6 千米高蒸汽烟柱将灰尘洒落在大片地区。该岛冷却后,许多地质学家、生物学家和生态学家到此考察。现为冰岛和美国科学家进行一项长期生物研究的地方。

surveying 测量学 对地球表面作较大范围的精确测量的方法。

测量历史 在埃及肥沃的河谷与平原上发现的证据表明,早在公元前 1400 年,就已有地产边界的测定。在公元前 3 世纪以前,中国人已知道了天然磁石的磁性,并已有了某些形式的磁罗盘。公元前 2 世纪左右,希腊人已使用了星盘这样一种测定星体在地平面上的高度的仪器。

罗马人在他们占领埃及期间,得到了埃及的测量仪器,他们在其上加了水准和平板。用于三角测量的平板,虽然不能够提供很高的精确度,但仍一直在使用。在 17 世纪早期,英国数学家 E.冈特发展了能够标志出距离之标准测量的测链。测链长期保持着一般的用途,只是在 20 世纪初期,才为钢卷尺所取代。

在 18 世纪晚期,近代测量实践方法投入使用。通过 18 世纪 90 年代测定通过西班牙巴塞罗那和法国敦刻尔克的经线,米——米制测量系统的基本单位建立起来了。它成为测量长度的基本标准。

20 世纪通过引进航摄像片制图技术及电子测距技术而使测量精度提高。20 世纪晚期,有利于世界范围测量的重要技术发展包括:使用卫星作为大地测量的参考点,以及使用计算机来加速测量数据的处理与记录。

测量基础 测量分为平面测量与大地测量两个范畴。平面测量集中在较小区域(直径小于 20 千米)的制图,地球的曲率不是重要的因素,平面三角的计算就足够了。大地测量覆盖地球的大范围,对于地球曲率附带一切校正;这样的测量应该是很精确的,大地测量仪器是很精密的。

在重力方向上作的测量称为垂直测量,垂直于重力方向所作的测量称为水平测量。测量有四种类型:①水平长度或水平距离;②垂直长度,或称高度差或称高程差;③在水平面上的水平角测量;④在垂直面内的垂直角测量。

水平长度一般在短的、直的剖面内测定,它们共同形成沿地球表面的短弧。随着测量者站的水平不同,两点之间的高程差可以确定。方向则按地平经度或方位角给出。

陆地测量 进行陆地测量是为了确定地形特征的相对水平位置和相对垂直位置,也为了指导建设工程而建立参考标志,或为了标明地界。地域勘查是紧接着初测之后进行的,地图和以后的平面图是根据初测而绘制出来的;最后根据平面图而作定测。为建立地产界测量涉及到关于房地产法律的全面的知识,以及测量技术的技巧。

水域测量 水覆盖区域的测量确定水体表面各点(位置固定)的平面坐标,并确定在这些点水的深度。

位置固定要求测量既在陆地上进行,也在水上进行。海岸线的形状可以通过航摄像片来加以确定。为了测制大范围的浅水地图,深度仍然用测深杆来进行测定。在深度超过 3.7 米的水中,水文学家用测深仪测定深度,将声波脉冲或无线电波发射出去,再测定从海底返回的回声或回波之时间差。在每天测量的最后,测深仪都对于潮汐加以校正,并投影到地图上。等深线描画下来,即用于指导确定测深线的间距,并用于海下特征之特殊勘查。

Surveyor "勘测者"号探测器 1966～1968 年,美国向月球发射的用以拍摄照片并研究月球表面的不载人空间探测器(共 7 个)系列。"勘测者"1 号(1966 年 5 月 30 日发射)装有扫描电视摄像机和特殊传感器,发回月球环境情况资料的11 150张照片。"勘测者"2 号(1966 年 9 月 23 日发射)坠毁于月球。"勘测者"3 号(1967 年 4 月 17 日发射)加装了表面取样装置等设备和两个能增大摄像机视界的小镜,发回6 315张照片。"勘测者"4 号(1967 年 7 月 16 日发射)坠毁或在月球上软着陆。"勘测者"5 号(1967 年 9 月 8 日发射)测量了月球土壤中化学元素的比例,并研究了月球表面的其他特性,发回18 000张照片。"勘测者"6 号(1967 年 11 月 7 日发射)在拍摄了月球表面一个区域的照片后再次起飞,移动 2.4 米,重新定位继续拍摄另一个区域。这是第一次从地球以外的天体上起飞。一共发回27 000张照片。"勘测者"7 号(1968 年 1 月 7 日发射)是一系列发射中在月球高地上软着陆的唯一的探测器。它发回来的数据表明,这一地区的化学成分和地貌与低地大不相同。它发回21 000张照片。参阅 **Moon exploration**。

surveyor's chain 测链 又称冈特链。丈量工具,同时也是测量单位,仍广泛使用于英语国家。它是英国数学家 E.冈特在 17 世纪初发明的。链长整 22 码(约 20 米),分成 100 令。在这种丈量工具中,每一令是一截实心棒。美国和加拿大的公有土地丈量以链为单位。10 平方链的面积等于一英亩。

surveyor's level 测量水准仪 测量上用于测定远距离某点与某个基准面(通常为平均海平面)之间高差的仪器。一般由装有气泡水准器的望远镜和支承望远镜的三角架组成。水准仪与树立在待测点上的水准标尺相结合使用,通过望远镜进行观测。经纬仪(**theodolite**)是用来测量水平角与垂直角的,也可以用于水准测量。

survival 文化残余 文化人类学所讨论的一种文化现象。这种现象在一组条件下发生,而当条件消失时,还持续存在一个时期。这个术语是英国人类学家 E.B.泰勒在他的《原始文化》(1871)一书中首先使用的。泰勒认为,一些似乎不合理的风俗和信仰如农民

的迷信，是早期合理行为的遗迹。他把保持其作用或意义的风俗同那些已经失掉效用的风俗区分开，后者被认为与文化的其余部分勉强融为一体，故称其为文化残余。苏格兰进化论者J.F.麦克伦南用这个术语表述早期风俗的象征形式（例如结婚仪式上的模拟战斗形式就是早期抢婚风俗的残余现象）。某些学者并不认为文化残余全然失去作用，而是认为有其变化后的功能。他们重视功能的改变及其与其他文化的整合过程。但波裔英国人类学家B.马林诺夫斯基完全否定文化的任何部分可能没有作用及文化体系中一部分可与其他部分脱节的论点。文化残余一词仍被用于文化变迁与稳定以及文化进化等理论中。据认为，过去诸文化形式的残余是由文化迟滞引起的，但可以用来重建文化的历史序列。

survival training　求生训练　训练人们在野外用基本类似石器时代的手段自谋生存。包括如何找东西搭窝棚、不用火柴取火、寻找水源、安全觅食、制造工具、用原始工具猎捕野兽和用兽皮树叶缝衣避寒等。求生训练是一些中学、大学、青年社团和特殊野营的必修课程；有时，求生训练的内容还包括背包拉练、山地行军、高原宿营和攀援石崖等。求生训练中的窝棚屋顶可以是单坡式的，或是双坡式的。一般先用树枝搭好架子，再在上面覆以柴草、树皮、树叶，或用泥浆封顶；亦可寻岩洞或雪洞栖身。床的做法多是把树干放平后再覆盖上柴草；如在寒冷地带，可点篝火取暖。用力敲打燧石产生的火花即可把干树叶点着，或用力用弓钻钻干木头也可点着火。受训学员还要学会寻找水源的方法：挖井洞取地下泉水，汲取泥水，或制造一个蒸馏器从空气和植物中收集水分；学会采集和加工可食植物、识别可供充饥的昆虫；用箭、投镖、陷阱或网猎取鸟类和小型野兽以裹腹、用木制标枪、天然锐器或兽骨打鱼；学会用削、锻、磨等方法制造石器、骨器等；学会用竹木、动物肌腱和羽毛制造弓箭；还要学会用树皮、草和鞣制动物皮革缝制衣被、编绳索。结业学员的考试科目是“放单飞”，也就是让他单独一个人携带最少量装备，到一个人迹罕至的地方，生活几个昼夜，用刚刚学到的求生技能寻找食物和防护所。

survivorship curve　生存曲线　一种曲线图，用以表示种群中可以预期活到不同年龄的个体数目。有三种类型。第一种表示小型哺乳动物、鱼类和无脊椎动物的特点，刚出生时死亡率很高（或生存率很低）。第二种与之相反，见于大型哺乳动物，寿命较长（低死亡率或高生存率）；但到预期寿命的晚期，死亡率骤增。第三种见于鸟类及鼠类，死亡率或生存率在一生中相对衡定。

Sūrya　苏利耶　印度教神话中的太阳或太阳神。苏利耶之子多为高贵者，如人类始祖摩奴、死神阎摩、孪生天上驭者阿湿波、《摩诃婆罗多》所载大将羯拿和猴王须竭哩婆。苏利耶之像常身穿西徐亚人服装（紧身外套和长统靴），是伊朗太阳崇拜的痕迹。他乘七马

印度比哈尔邦代奥-巴鲁纳拉克的石雕苏利耶神像

供图：Pramod Chandra

或七头马牵引的车，手执盛开莲花，头上有光轮。

Suryavarman　苏耶跋摩　柬埔寨高棉王之名，按年代顺序分列于后，并各以●为标记。

● **Suryavarman I　苏耶跋摩一世**（？～约1050）　柬埔寨历史上吴哥时代伟大的高棉国王，他扩展疆土并建立强大统一的国家。1002年击败国王乌达耶迭多跋摩。1010年击败马来出身的阇耶维罗跋摩。巩固了国王的地位。他是大乘佛教徒，但能容忍当地印度教的毗湿奴神崇拜。根据碑铭记载，他曾大力发展灌溉工程，修筑寺庙，规划和扩大柬埔寨的古都吴哥。他把领土扩展到洞里萨湖以西的玛南昭披罗耶谷。他还征服老挝南端的广大地区。他在位时期国内一片升平景象。谥号尼尔跋那婆达（升入极乐世界的国王）。

● **Suryavarman II　苏耶跋摩二世**（？～约1150）　柬埔寨国王，以改革宗教和修筑庙宇出名。他统治时营造了世界上无与伦比的宗教建筑物吴哥窟。1113年登上王位。由于穷兵黩武和野心勃勃，他占据了相当于今泰国的大片土地和马来半岛东海岸。他的国土西达缅甸蒲甘邦，南至泰国湾海岸，东接今越南南部的占婆王国。即位后不久即宣布以毗湿奴教作为国教，并开始营造供奉毗湿奴的吴哥窟。吴哥窟到他死时尚未完成。1116年他恢复了柬埔寨与中国的外交关系。1128年中国正式承认柬埔寨为臣藩。1123～1136年他对大越展开一系列进攻。1128年他企图越过老挝攻击义安省，遭到失败。数月后，他的舰队开始了对东京湾沿岸的长期骚扰。1144年废黜占婆王，次年兼并占婆。1150年在与占婆的一次新战役中死去。

Susa　苏萨　今称舒什，希腊语作Susiane。埃兰的都城。公元前522年起为阿契美尼德国王大流士一世及其后代的首都。在伊朗胡齐斯坦地区卡尔黑河畔、扎格罗斯山脚下。1850年英国考古学家W.K.洛夫特斯确定苏萨的遗址。这一遗址有四个堆。第一个是城堡，出土有方尖碑、石柱和汉穆拉比法典。第二个在东面，是大流士一世王宫所在地。第三个在南边，有埃兰的王城。第四个是贫民居住区。从最低层发掘出极为精致的新石器

苏萨出土的阿契美尼德王朝时期（公元前539～前330）的琉璃砖雕翼牛

巴黎罗浮宫博物馆供图

时代陶器。早期地层之上是属于埃兰和巴比伦文化的遗物。在土堆上部发现有阿契美尼德、希腊、埃兰、安息和萨珊遗物。表明直至公元14世纪后某个时期，该城为知名的丝绸、甘蔗和柑橘区域繁荣中心。

Sūsah（Tunisia）　**苏萨**　参阅 **Hadrumetum** 哈德鲁梅。

Sūsah　苏萨　又拼Sousa，Sousse。突尼斯中东部苏萨省省会。为重要港口和商业中心。曾为腓尼基居住地。在阿拉伯人统治下衰落，9世纪复兴。11世纪贝都因阿拉伯人入侵。在法国保护国时期（1881～1955）重建港口，再度成为重要贸易中心，但农业衰落，

苏萨镇9世纪的寺院古堡

供图：A.F.Kersting

渔业和旅游业兴起。经济以沙丁鱼罐头生产、汽车零件制造、汽车装配、橄榄油加工和棉纺业为主。拜占廷时期的古城墙内有大清真寺、九世纪的寺院古堡、旧市场和穆斯林街区。公路和铁路通首都突尼斯、斯法克斯、加贝斯和加夫萨。苏萨省地处出产橄榄和细茎针茅草的沿岸平原。面积2 621平方千米。人口:城镇149 200;省约499 700(2001)。

Susanna, The History of **《苏撒拿传》** 外典之一。收进七十子希腊文本和通俗拉丁文本《圣经》,附于《旧约·但以理书》之后。记事除围绕义必胜恶的传统主题外,还包括两件时事:其一是无辜女子被诬告通奸,其二是明智法官断案。

Susanoo **素盏鸣** 全名Susanoo no Mikoto,即素盏鸣尊。又拼 Susanowo(日本性格暴躁的男性)。日本神话中暴风雨之神,太阳女神天照大神之弟。他是在他父亲伊奘诺尊洗鼻子时出生的。素盏鸣受命掌管海原,因在姐姐宫中行为粗暴而被逐出天国,参阅 **Amaterasu**。素盏鸣下凡到日本西部的出云,杀死了一直在国土上肆虐的八岐大蛇。于蛇尾处重获草薙剑(**Kusanagi**),并把它献给他的姐姐,后来此剑便成了日本皇室的宝物之一。他和从大蛇那里救出的姑娘结了婚,生了许多代的神,其中最有名的是大国主神。

Susanville **苏珊维尔** 美国加利福尼亚东北部城市,拉森县县城(1864)。临苏珊河。在内华达山东麓,哈尼湖谷地端部,东南距雷诺 129 千米。1853 年始建。1900 年设镇。1940 年设市。1856 年建立的短命的"纳塔夸共和国"以苏珊维尔为首都。现为附近农区(乳品和谷物)的销售和转运中心,也有木材和面粉工业。该市为通往拉森火山国家公园和拉森国家森林的门户。市内有拉森学院(1925)和鲁普堡-威廉普拉特纪念馆(1854,纳塔夸共和国的"国会大厦")。附近有伊格尔湖及加利福尼亚资源保护中心。人口13 541(2000)。

susceptibility, electric 参阅 **electric susceptibility** 电极化率。

susceptibility, magnetic 参阅 **magnetic susceptibility** 磁化率。

sushi **寿司** 日本烹调中的一种主食,以醋与熟米饭拌和,外加各种青菜、鸡蛋或生鱼片,为凉食。日本到处都有专门卖寿司的餐馆,由于制作精细,受到美食家的光顾。握寿司(饭团)是用手把米饭团成椭圆形,上面放生鱼片和少量青辣根酱,押寿司是把上述配料放在模子里压成形,卷寿司是在一片紫菜上铺上米饭,然后加生鱼片、青菜等,一起卷成圆柱状,切成小段。散寿司是家庭式的寿司,不把各种用料弄成形,而是在用醋拌和的米饭上面放上配菜和调味品。日本人吃寿司时,为了清口习惯用醋渍的生姜佐食。

Susiana (ancient country , Iran) **苏西耶纳** 参阅 **Elam** 埃兰。

Susiane (ancient city , Iran) 参阅 **Susa** 苏萨。

suslik **小地鼠** 北美黄鼠属(*Spermophilus*)一些地松鼠种类的俗名。参阅 **ground squirrel**。

Suslov, Mikhail Andreyevich **苏斯洛夫**(1902-11-21,[旧历 11-08],俄罗斯沙霍夫斯科耶～1982-01-25,莫斯科) 苏联共产党领导人。农民家庭出身。1921 年(19 岁)加入共产党。曾在莫斯科受中等教育。1924～1929年在普列汉诺夫国民经济学院学习,后来又在红色教授经济学院研究经济学。曾任教于国立莫斯科大学和工业学院。1931 年开始从事政治,在监察委员会工作,监督乌拉尔和乌克兰等地区斯大林清洗运动的执行情况。1937 年大清洗运动开始后,他在党内的地位一再上升,先后在罗斯托夫和高加索担任党委书记。1939 年成为党中央委员会委员。第二次世界大战期间在高加索监督放逐少数民族居民的工作,战后调到立陶宛,负责把持不同政见者放逐到西伯利亚。20 世纪 40 年代后期进入莫斯科的权力中心。1952 年成为苏共中央主席团(政治局)委员。除斯大林死后的一小段时期(1953～1955)外,他在党的领导集团中一直起着关键作用。一般认为,苏斯洛夫既保守、又灵活,他对铁托主义、欧洲共产主义以及其他独立于莫斯科的形形色色的共产主义,都采取批判态度,但主张对各种事件宁取强硬路线的政治解决办法而不要诉诸战争,只有在万不得已时才使用武力,如 1968 年的捷克事件和 1981～1982 年的波兰事件。1957 年他协助赫鲁晓夫粉碎政治局中所谓"反党集团"的阴谋。但在 1964 年 10 月他又是把赫鲁晓夫赶下台的不流血政变的主要组织者。此后,他主要负责协调苏共与世界各国共产党之间的关系。

Suso, Heinrich **苏索**(1295?-03-21,士瓦本康斯坦茨?～1366-01-25,乌尔姆) Suso 又拼 Seuse。又名亨利·苏索。德意志奥秘修行家、上帝之友会的领导人之一。上帝之友会是莱茵地方一些反对时弊而主张与上帝密切交往的虔修禁欲主义者组成的团体。苏索出身贵族,在康斯坦茨参加多明我会,五年后大彻大悟,提出独特的灵修理论。约在 1327 年撰写《真理小书》,为同年遭受文字狱的爱克哈特进行辩护。他的最佳著作当推《永恒智慧小书》(约 1328),该书曾一度成为最流行的宗教专著。后在瑞士和上莱茵地区等地传教。1343～1344 年任康斯坦茨上帝之友会会长,后来被德意志国王路易四世放逐到瑞士的迪森霍芬。1347 年左右迁居乌尔姆,此前经历艰苦,惨遭迫害和诽谤。

suspension **留音** 作曲中一种产生紧张度的手法,即在基础和声变动时,把前一和声中的某一协和音延留下来(通常在强拍上):因此而造成的暂时不协和一直保持到延留音解决到新的协和和声为止。上例中最高音被延留,然后得到解决。

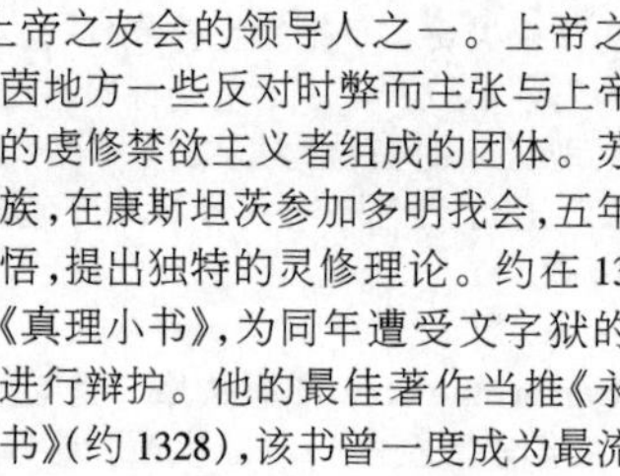

suspension bridge **悬索桥** 用架空悬索支承桥面的桥。最古老的工程结构形式之一,古代用藤蔓编制缆索,而将桥身直接放在缆索上。4 世纪时出现坚固得多的悬索桥,其缆索用竹条编成,后来改用铁链。近代,悬索桥为在通航河道上建造大跨度桥梁或在不易修建桥墩基础的河道中建造桥梁的问题提供了经济的解决办法。为解决强风和重载下的稳定性强度问题,德国出生的美国工程师 J. A.罗布林在桥身两侧添设有腹桁架,形成非常坚固的结构。法国工程师 L.维卡发明了吊桥缆索编结技术,用移动轮把缆索从一侧的锚座向上送到塔顶,再按预定垂度降到桥的中点,然后升起越过对岸另一侧的塔顶到达对岸的锚座。将这股缆索锚固后,把轮送回,敷设另一股缆索。现在箱式梁代替了有腹桁架。截至 20 世纪 80 年代,有三座主跨长度在1 200米以上的悬索桥:旧金山的金门桥(**Golden Gate Bridge**)、纽约韦拉扎诺海峡桥(**Verrazano-Narrows Bridge**)、英国赫尔附近的亨伯桥(**Humber Bridge**)。用现代合金钢能建更大跨度的悬索桥。虽然悬索桥之坚固能载铁路,但几乎所有的悬索桥都是为汽车交通而设计的。20 世纪 50～60 年代德国发展了斜拉桥,只在中点设一座塔,用多根缆索吊住桥身。

Susquehanna **萨斯奎哈纳人** 又称苏斯克汉诺克人、科内斯托加人(Conestoga)。操易洛魁语的印第安人,曾居住在萨斯奎哈纳河沿岸,约相当于今纽约州、宾夕法尼亚州及马里兰州;其村镇均设栅栏。关于萨斯奎哈纳人的政治组织情况,人们知之甚少。据一般学者设想,萨斯奎哈纳人分为几个亚部落或氏族,此名可能原是一部落联盟。他们也同其他易洛魁部落一样,是半定居农民。1608 年 J.史密斯船长到达上切萨皮克湾探险,他首次述及这个部落。他们长期与易洛魁人作战;1676 年被征服后,移往纽约州奥奈达;后来又回到其原居住地。1600 年时萨斯奎哈纳人约有5 000人,时疫流行,人口大减,到 1763 年,因传说数百英里之外的宾夕法尼亚边界发生印第安战争,白人将 20 名萨斯奎哈纳人幸存者一律杀掉。

Susquehanna River **萨斯奎哈纳河** 美国东部沿海地区最长河流之一。源出纽约州中部奥齐戈湖,穿过纽约、宾夕法尼亚和马里兰三州境内的阿巴拉契亚山区,在切萨皮克湾入海。全长 715 千米。水上交通不便。谷地曾为前往俄亥俄水系的陆上通道和采煤中心。河上有水电站。主要支流有希芒河、拉克万纳河和萨斯奎哈纳河的西支。总流域71 410平方千米。该河水力潜能大,已建多座水电站。沿河主要城市有宾厄姆顿、威尔克斯-巴里、斯克兰顿、威廉斯波特和哈里斯堡。

Sussex **萨塞克斯** 盎格鲁-撒克逊英格兰王国之一,版图相当于现东萨塞克斯和西萨塞克斯两郡。传说 477 年有个名叫艾尔的人在塞尔西岬以南现已被海水覆盖的一个地点登陆，打败了不列颠人。8世纪的历史家比德曾说：艾尔在亨伯河以南的各族中享有最高权威。7世纪80年代圣威尔弗里德逃离诺森伯里亚后，用数年时间使南撒克逊人皈依了基督教。当时的国王是艾特尔沃尔赫。他死后萨塞克斯为几个国王瓜分。9世纪时萨塞克斯沦入韦塞克斯国王之手。

Sussex　萨塞克斯　英国东南部历史郡，辖伦敦南部英吉利海峡沿岸地区。现分为东萨塞克斯和西萨塞克斯行政郡以及布赖顿与霍夫区。南部高地的白垩山岭自东向西穿过该郡直趋大海，一连串峭壁中以比奇角最为壮丽。高地北坡为陡峭悬崖，南坡缓缓伸向英吉利海峡。奇切斯特南部肥沃的沿海平原越来越宽，形成平坦的塞尔西角。东南部比奇角以外已经开拓的佩文西莱维斯沼泽，是历史上早期入侵者侵入英国的重要地点。峭壁沿海岸继续向东伸过黑斯廷斯。在斯林登的海滩和普尔伯勒附近河床砾石中发现的遗物表明在旧石器时代就有人居住。从新石器时代至罗马时期，原始农民则更愿居住在较高的白垩山上。特雷福德和沃辛附近各遗址中的圆形古墓属青铜器时期。古德伍德附近的特兰德尔、锡斯伯里和刘易斯附近的卡伯恩芒特都保存有铁器时代的山地城堡。罗马人入侵之前在塞尔西地区建有英国头领的世袭统治。5世纪末罗马人离去后，撒克逊人侵者在塞尔西附近登陆并穿过萨塞克斯长驱东进。这些南撒克逊人建起萨塞克斯王国，后被毗邻的韦塞克斯王国征服。1066年征服者威廉一世在佩文西登陆并在黑斯廷斯战役中获胜。诺曼底人在罗马人的要塞内建起无数修道院和城堡。中世纪的威尔德依靠当地的矿石和木炭发展了炼铁业。现代的发展大部在沿海地区，始于18世纪后期，当时海港避暑胜地布赖顿在皇室保护下日益驰名。至19世纪末，出现博格诺里吉斯、沃辛、伊斯特本和贝克斯希尔等一系列沿海度假城镇。20世纪因建成盖特威克机场和伦敦市郊的扩展，萨塞克斯北部以克劳利为中心发展加速。

Sussex, Thomas Radcliffe, 3rd earl of　萨塞克斯伯爵(第三)（约1525～1583-06-09，伦敦）　Radcliffe又拼Ratclyffe。即T.拉德克利夫。1543～1555年称菲茨沃尔特子爵。英格兰驻爱尔兰总督。他是第一位试图在"栅栏区"（包括今都柏林、劳斯、米斯和基尔代尔4郡的部分地区）之外实行英格兰统治的爱尔兰总督。第二代萨塞克斯伯爵亨利的长子。爱德华六世和玛丽一世时期任外交使臣。1556年任爱尔兰总督。他未能制服有势力的部族首领S.奥尼尔及其在阿尔斯特的盟友。但他击败了忠于英格兰的第三代托蒙德伯爵C.奥布赖恩的反对者，恢复了其领地。1557年继承伯爵爵位。伊丽莎白即位后，他受命在伦斯特省的奥法利和莱克斯建立英格兰人移民区。1566年辞去在爱尔兰的职务，成为反对女王宠臣莱斯特伯爵罗伯特的关键人物。1569年任北方总督，平息诺森伯兰伯爵和威斯特摩兰伯爵发动的叛乱(1569～1570)。

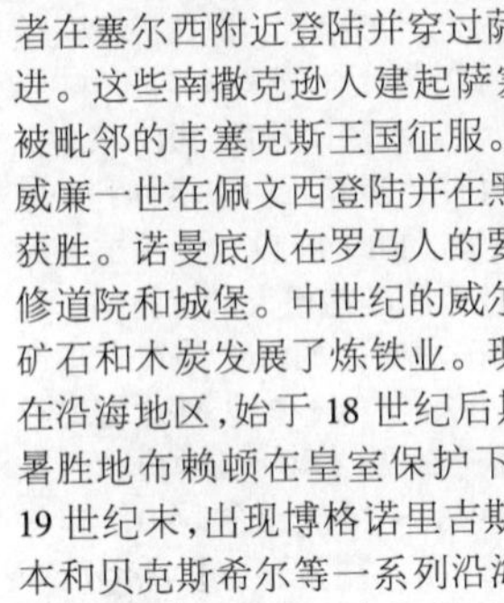

供图：Baron Fitz Walter

Sussex Incident　萨塞克斯号事件　1916年3月24日，法国来往于英吉利海峡之间的客轮"萨塞克斯"号被德国潜艇鱼雷击沉，造成80余人的伤亡，其中两名美国人受伤。对这次袭击事件，美国向德国提出抗议，以断绝外交关系相威胁。德政府则复以所谓"萨塞克斯保证"(1916-05-04)，同意在击沉商船或客轮之前发出预警，并为旅客及船员提供安全措施。此项保证仅遵守了一段时间，1917年2月以后，无限制的潜艇战再度爆发。

sussexite　白硼锰石　白色到草黄色的硼酸盐矿物，碱式硼酸锰[$MnBO_2(OH)$]。晶体结构中镁置换锰而形成了相似的硼镁石矿物。在美国新泽西州的富兰克林和密歇根州的艾恩县以热液的纤维状细脉产出。硼镁石大量产出于哈萨克斯坦的因德湖附近，匈牙利的雷兹班尼亚，北朝鲜的遂安，瑞典的努尔贝里以及美国的加利福尼亚州、内华达州、密歇根州。关于详细的物理性质，参阅 **borate mineral**（表）。

Süssmayr, Franz Xaver　聚斯迈尔（1766，上奥地利施瓦嫩施塔特[今在奥地利]～1803-09-17，维也纳）　奥地利作曲家，因续完莫扎特的《安魂曲》K626而闻名于20世纪。曾就读于克雷姆斯明斯特修道院附属学校；1788年定居维也纳，成为音乐教师。1790或1791年结识莫扎特，有时还与他合作。1792～1794年在维也纳国家剧院弹奏拨弦键琴，并代理音乐总监，1794年起任音乐总监直至去世。最著名的作品为《来自阿卡狄亚的镜子》(1794)和芭蕾音乐《贝内文托的婚礼》(1802)。在莫扎特《安魂曲》中所发现的聚斯迈尔的笔迹清楚地说明有许多段落是莫扎特去世后由他续成的，但他究竟在多大程度上以莫扎特的详细提纲和草稿为依据，仍是一个有争议的问题。

Susu　苏苏人　又拼Soussou或Soso。居住在几内亚南部沿海地区和塞拉利昂西北部地区。操尼日尔-刚果语族曼德语支的苏苏-雅隆卡方言。每个苏苏人都属于一个以动物图腾命名的父系氏族。流行一夫多妻制，喜姑舅表亲联姻。原来以鞋匠、珠宝首饰匠、乐师、铁匠、木匠划分为不同种姓，现在大部分苏苏人已成为穆斯林。

Sutaean　苏提人　古代叙利亚沙漠中游荡的塞姆部族之一支。公元前2千纪的前半期，他们是盗匪，出现在马里地区，袭击商队、城镇甚至整个地区。他们似乎在公元前10世纪和前9世纪最为活跃，曾在巴比伦尼亚和亚述四出劫掠，甚至建于西巴尔的巴比伦太阳神沙马什大神庙亦为苏提人所毁。

Sutardjo Petition　苏塔佐请愿书　1936年7月印度尼西亚温和派民族主义者苏塔佐在荷属东印度人民议会提出的请愿书。他要求荷兰政府在现存的荷兰宪法框架内讨论印度尼西亚的自治问题。印度尼西亚的激进民族主义者认为这个请愿书过于软弱，而荷兰的保守分子则认为它大逆不道。1938年11月16日荷兰国王下诏说，印度尼西亚自治的条件尚未成熟，请愿书暂缓审议。这个拒绝标志着一个更激进的民族主义因素的出现。

Suter, Johann August　参阅**Sutter, John(Augustus)**萨特。

Sutherland　萨瑟兰　苏格兰北部历史郡。东濒北海，北和西北临大西洋，是英国大陆的东北端。位于高地政务会辖区区界内。史前遗迹有石冢、立石、石排、山寨、居住点和圆塔。曾被斯堪的纳维亚人占领，取名萨瑟兰，意为"南方之地"。萨瑟兰公爵对臭名昭著的"高地清洗"(约1810～1820)负有责任。他听从别人劝说认为萨瑟兰内地不宜住人只适于养羊，于是他将几千户家庭驱赶出去，建了许多大羊场。这些被赶出去的人们只好移居在海岸边以捕鱼和收集海藻为生。此种做法使当地农村人口减少，许多小农场主迫于生计移民到苏格兰低地或加拿大、美国、澳大利亚。在20世纪大部分时间人口一直在减少。

Sutherland　萨瑟兰　苏格兰北部高地行政区一区。1975年设置，包括前萨瑟兰、罗斯-克罗马蒂郡部分地区。面积5 866平方千米。东临北海，北部和西北濒大西洋，此处的拉斯角为英国本土最西北端。曾被斯堪的纳维亚人占据。1810～1820年，农庄被辟为牧场，农业人口逐年减少这一趋势延续至今。可耕地占土地比例全国最低(不到2%)。东南多诺赫湾周围土质最好。养羊为当地主要行业。渔业、林业亦重要。出产威士忌、粗纺花呢和毛纱。猎鹿地、松鸡猎区、河流和湖泊吸引着众多的垂钓和狩猎者。首府戈尔斯皮。人口约13 743(1991)。

Sutherland, Earl W(ilbur), Jr.　萨瑟兰（1915-11-19，美国堪萨斯伯灵格姆～1974-03-09，佛罗里达迈阿密）　美国药理学家、生理学家，因分离出环一磷酸腺苷(cAMP)并证明它与动物体内许多代谢过程有关而获1971年诺贝尔生理学或医学奖。1937年毕业于堪萨斯州托皮卡的沃什本学院，1942年获密苏里州圣路易斯华盛顿大学医学院的医学博士学位。第二次世界大战期间在军队服役，战后到华盛顿大学任教。1953年任俄亥俄州克利夫兰西部保留地大学医学系主任，1956年在此发现环一磷酸腺苷。1963年任田纳西州纳什维尔范德比尔特大学生理学教授，1973年后在迈阿密医学院任教，直至逝世。

Sutherland, Edwin 萨瑟兰（1883-08-13，美国内布拉斯加吉本～1950-10-11，印第安纳布卢明顿） 美国犯罪学家，以提出"差别交往理论"闻名。美国犯罪学会最重要的年度奖以他的姓氏命名。在芝加哥大学主修社会学和政治经济学，1913年获博士学位。曾在各大学执教，1935年到印第安纳大学，直至去世。1924年出版《犯罪学》，堪称这一学科历史上最重要的著作。和当时占支配地位的生理及心理解释不同，他认为犯罪行为是通过社会交往正常学习的产物。个人的行为是从同伴那里学来的。如果他交往的是一群违法者，就会认为那种行为是正当的。正常学习是通过语言或非语言的交流，形成个人对是否违法的态度。通过正常学习，倾向于犯法的人就会萌生从事犯罪行为的动机，并自圆其说。他认为倾向于犯法的态度占上风时一个人就会犯罪，但也承认存在着一种犯罪生活周期，而这个周期是由犯罪人生活中这种态度在内容和强度上的不同变化来确定的。为什么有些人正常学来的行为是犯法，而有些人则合法的问题，促使他探究白领犯罪（这个词是他首创的）。后来的许多犯罪学者对萨瑟兰的理论在内容和方法上作了一些修改和更新，但正常学习这个中心一直保留未变。去世时他的理论在犯罪学上占主导地位，到他死后将近一代，仍然如此。

Sutherland, Efua 萨瑟兰（1924-06-27，黄金海岸海岸角[今在加纳]～ ） 加纳剧作家、诗人、教师和儿童文学作家。她在阿克拉创立了戏剧创作室（现已成为位于莱贡的加纳大学非洲研究所的作家实验室）。萨瑟兰在读完加纳师范学院的课程后，去英国剑桥的霍默顿学院和伦敦大学的东方与非洲研究院进修。回到阿克拉后，协助创办了一个文学杂志《奥基雅美》；创立了一所实验剧院（后来成为加纳戏剧创作室）；并领导加纳大学的巡回剧团。戏剧创作室在1962年演出了她的一些剧本，其中有著名的根据欧里庇得斯的《阿尔刻提斯》改编的《埃多法》（1967）和另一部强调现代与旧传统结合的剧本《福利华》（1967）。《阿南西娃的婚姻：一出讲故事的戏剧》于1975年问世。萨瑟兰创办的戏剧创作室是为那些愿为儿童写作的剧作家提供一个实验场所。创作室很快便成为加纳剧作家的培训园地。她本人也为儿童写了好几部作品，包括两部韵律欢快的剧本：《兀鹰！兀鹰！》和《塔欣塔》（1968）以及两篇图文并茂的散文《筑路人》（1961）和《非洲的娱乐时间》（1960）。萨瑟兰的许多作品都曾在加纳电台的一个备受欢迎的节目中播出。《能唱歌的网》和她的大多数未发表的剧本都曾由加纳的各个剧团演出。她的许多短篇小说可以称之为有韵律的散文诗。她后期写的一部剧作《尼亚美基叶》，是《艾丽丝漫游奇境记》的改写本，从中可以看到民间歌剧传统的影响。

Sutherland, George 萨瑟兰（1862-03-25，英国白金汉郡斯托尼斯特拉特福～1942-07-18，美国马萨诸塞斯托克里布奇） 美国最高法院法官（1922～1938）。自幼随其家移居美国，曾就读于密歇根大学。1883年获得律师资格并在犹他开业。在犹他获准成为一个州以后，他先后进入州参议院、美国众议院（1901～1903）和美国参议院（1905～1917）。虽然他是保守派人士，但支持西奥多·罗斯福总统的许多计划。当争取重新当选失败以后，他成了哈定总统的顾问，哈定总统于1922年任命他为最高法院法官。在20世纪20年代，萨瑟兰的意见反映出致力于州与联邦当局之间的权力平衡并坚信应当限制政治权威。在"艾德金斯诉儿童医院"一案（1932）中，他依靠实际上已被废弃了的"洛克纳诉纽约州"案的判例，宣布最低限度工资不受法律保障。在"鲍威尔诉亚拉巴马州"一案（1932）所作的又一个著名的裁决中，最高法院第一次把宪法第六修正案关于被告人享有获得律师为他辩护的权利的保证适用于州法院。在20世纪30年代，他是新政立法的坚定的反对者，在许多限制联邦机构权力的判决中提出最高法院的意见。

Sutherland, Graham (Vivian) 萨瑟兰（1903-08-24，伦敦～1980-02-17，伦敦） 英国画家，以超现实主义的风景画著名。曾在埃普瑟姆学院学习，并在伦敦学过美术（1921～

供图：© Gisele Freund

1925）。1926～1940年间，在切尔西艺术学校讲授版画。严格的表现主义是其早期作品的特点。后成为超现实主义画家。1935年转向油画，1936年在伦敦举行的国际超现实主义展览会上有他的作品。1941～1944年间任英国战地美术工作者。他为北安普敦圣马太教堂画的《耶稣被钉死在十字架上》（1946）被称做20世纪最重要的宗教画之一。晚期作品中，他将拟人化的昆虫和植物尤其是荆棘结合起来，变形成强大而令人恐怖的图腾形象。其肖像画具有表现派风格，刻画人物深入，颇负盛名。《萨默塞特·毛姆》（1949，塔特陈列馆藏）是给人印象甚深的一组肖像画的首幅。还曾为新考文垂大教堂设计过巨幅壁毯（1962）。1960年荣获一等功勋章。1972年成为美国文学艺术院的成员。

Sutherland, Dame Joan 萨瑟兰（1926-11-07，悉尼～ ） 澳大利亚歌剧女高音歌唱家，以其花腔角色闻名国际。母亲是一位有才华的女中音歌唱家，1946年前一直从母学习钢琴与声乐。在一次声乐比赛获奖后才开始投于约翰·狄更斯夫妇门下学习声乐。1947年在悉尼一次音乐会上首次登台，演唱普赛尔歌剧《狄朵与埃涅阿斯》中的狄朵一角。1951年首次演出歌剧。由于多次在声乐比赛上获得奖金，她才可能迁居伦敦，并开始在皇家音乐学院师从C.凯里。1952年被接纳入科文特加登剧院的皇家歌剧团，首次登台时扮演莫扎特《魔笛》中的女主角。其伴奏及声乐指导R.邦宁吉早在悉尼时就与她共事，他认为她未来的事业应立足于华丽的花腔剧目，即使当时科文特加登剧院是将她作为演唱瓦格纳歌剧的戏剧女高音训练的。1954年两人结婚。在丈夫的帮助与鼓励下，萨瑟兰开始发展自己的较高音域。1959年剧院为她重新上演唐尼采蒂的《拉美莫尔的露契亚》，1961年以扮演同一个角色首次登上纽约市大都会歌剧院的舞台，这一困难角色的演唱得到全世界的赏识，奠定了她作为20世纪第一流花腔女高音歌唱家的地位。后又在威尼斯、维也纳、巴黎、巴塞罗那、米兰、旧金山、芝加哥以及故乡悉尼等地演唱。1978年被授予大英帝国二等女爵士勋位。

Sutherland, Jock 萨瑟兰（1889-03-21，苏格兰库珀安格斯～1948-04-11，匹兹堡） 美国大学和职业橄榄球教练员。在24年的橄榄球生涯中，他所训练的球队共赢144场，负28场，平14场。匹兹堡大学队在其指导下，1924～1938年四个赛季常胜不败，获一次全国冠军（1937），四次参加蔷薇体育馆比赛（1928、1930、1933和1937）。出生于苏格兰，18岁迁居匹兹堡，获奖学金进匹兹堡大学牙科学习，1918年获牙科博士学位。入美国国籍后，1917年应征入陆军后备队，并任佐治亚州坎普格林利夫橄榄球队队员兼教练。1919～1923年在拉斐特学院任教练，1924年到匹兹堡大学任教练。他所指导的各队均采用有力的快速单翼布阵突破对方的阻拦。1938年离开该校，任全国橄榄球联盟布鲁克林道奇队（1940～1941）和匹兹堡钢铁工人队（1946～1947）教练。1942年任美国海军后备队队员。在其职业教练经历中所训练的各队共胜28场，负16场，平1场。1919～1938年在匹兹堡大学担任牙科教师，1933～1938年担任体育教授。

Sutherland Falls 萨瑟兰瀑布 新西兰南岛西南部阿瑟河上三级瀑布。位于米尔福德桑德东南14英里（23千米）处。瀑布的落差分别为815英尺，751英尺和338英尺，总落差达1 904英尺（580米），为世界最高瀑布之一。位于峡湾国家公园内，水源为由雪水补给的奎尔湖。

Suthu（people） 参阅 **Sotho 索托人**。

Sutlej River 苏特莱杰河 古希腊语称扎拉德罗斯河；吠陀梵语作Śutudrī或Śatadru River。使旁遮普（意为五条河）获名的河流中最长的河。源出西藏西南部海拔4 600米的兰加克湖，向西北流后转西南偏西，穿喜马拉雅峡谷，经印度喜马偕尔邦，在旁遮普邦霍希亚布尔县进入旁遮普平原。继续流向西南，与贝阿斯河汇合后构成105千米长的印巴边界后进入巴基斯坦。在巴哈瓦尔布尔之西与杰纳布河汇合后称本杰讷德河，成为连接五条河流和印度河的水道。苏特莱杰河全长1 450千米，河水广泛用于灌溉。也是印、巴间长期争执不休的根源，1960年签订协议后始告平息。主要灌溉工程有巴克拉-楠加尔综合利用发展工程，及锡尔欣渠和印巴两国的苏特莱杰流域工程。

Suto(people)　参阅 **Sotho** 索托人。

Sutoku　崇德天皇(1119-07-07，日本京都～1164-09-14，日本佐贯)　日本第75代天皇，企图夺取其弟的皇位，导致保元之乱，结果朝政落人平氏家族之手。鸟羽天皇的长子。1123年鸟羽天皇退位后，他继承皇位。但退位的鸟羽天皇仍继续掌权。1141年他也退位，由他的弟弟继位为近卫天皇。1155年近卫去世，鸟羽天皇的第三子继位为后白河天皇。这引起他的不满，因为他想把皇位给自己的儿子。翌年鸟羽天皇去世，他在源氏的支持下发动政变，引起保元之乱。但被实权人物平清盛的军队打败，赶出京城，此后平清盛把持朝政。

sūtra　经　在印度教，经指简短的格言式著作；在佛教，经指详细的释义作品，是上座部和大乘部佛教经典的基本形式。最早的经仅记载宗教仪式程序，但它们的用途后来广泛起来。帕尼尼的语法经(公元前6～前5世纪)在许多方面成为后世著作的楷模。佛教中的经一词不同于印度教文献中的经一词的用法，指的是教义著作，有的很长，提出并论述某一特定教义的要点。最重要的上座部经集可见于巴利文典籍中的经藏，内容为归到佛陀名下的传教演说。在大乘佛教中，经一词用于指阐释教义的典籍。

Sutta Piṭaka　经藏　巴利语；梵语作Sūtra Piṭaka；佛教典籍中的"法"即教义部分。卷帙浩繁，主要由流行于斯里兰卡和东南亚的上座部等小乘教派使用。据说经藏的内容绝大部分是乔答摩佛陀本人的言语。使用梵文经典的各派将经藏分为四类(阿含)。上座部佛教所使用的巴利文经典除分成与上述分类大致相应的四部外，另增"小部"(**Khuddaka Nikāya**)四部为：

①《长部》，即《长阿含经》，有长篇经典34部，其中有教义解释、传说和行为规则。

②《中部》，即《中阿含经》，有152部经，其中有些据说是佛弟子所著，内容几乎涉及佛教教义的各个方面。

③《杂部》，即《杂阿含经》，有7 762部单本经典，有的十分简略，根据题材，编为56类。

④《增一部》，即《增一阿含经》，有9 557部简短经文，为了便于记忆，按数码依次排列。

Suttanipāta　《经集》　佛书名。是历史最悠久的巴利文三藏经典之一，列于《经藏》后部"小部"之中。此书大部分是偈颂，同时还有故事、对话、短抒情诗、谚语以及民谣。此书认为，信徒只要诚信，不必履行礼拜仪式，不要作哲学思考，要注重合乎佛法的道德修养，领悟四圣谛，遵从八正道。佛教上座部最重要的《经集》列在巴利文三藏经典的经藏之中，收录释迦牟尼的言教。

suttee　萨底　梵语作satī。印度旧俗，即寡妇自焚，其方法或是在亡夫火化时跳入火中，或在亡夫火化后不久自焚。有时丈夫预料将死于疆场而先把妻子杀死，这叫做焦哈尔。在穆斯林时期，印度北方的军事统治者为了不使妇女受敌人侮辱而实行焦哈尔，以发生在吉多尔格尔的这类事件最为著名。萨底在孟加拉的婆罗门中十分流行，特别是在1680～1830年期间；其间接原因是当时的遗产分配制度规定寡妇有继承遗产权。理想的萨底是自愿实行的，但强制执行以及逃避、得救和幸免的情况时有所闻。莫卧儿帝国皇帝胡马雍及其子阿克巴曾采取措施取缔这种习俗，它终于在1829年被英属印度政府废除。此后30年内，这类事情还不断在各土邦发生。

Sutter, John (Augustus)　萨特(1803-02-15，巴登坎登～1880-06-18，华盛顿[哥伦比亚特区])　原名Johann August Suter。移居和开拓加利福尼亚的德裔先驱；因在他的土地上发现黄金(1848)而掀起加利福尼亚淘金热。萨特原居瑞士，因破产外逃，于1839年抵加利福尼亚，游说墨西哥总督授以萨克拉门托河畔土地，建立新瑞士殖民地(今萨克拉门托)，修筑萨特堡(1841)，创办工业，殷勤好客，招徕商人、猎户、移民、土著为其所用。当地发现黄金(1848-01-24)后，大批工人、淘金者蜂拥而至，萨特的土地遭践踏，财产、牲畜被盗窃。当美国法院否定他对墨西哥授地拥有主权时，他彻底破产，1851年偕妻移居东部，曾想通过国会取得补偿，但终归徒劳。

纽约历史学会供图

Suttner, Bertha, Freifrau von　祖特内尔(1843-06-09，布拉格～1914-06-21，维也纳)　又译苏特娜。奥地利女小说家，早期著名的妇女和平主义者之一。1905年获得诺贝尔和平奖。她的主要小说《放下武器》于1889年出版。1876年后，她虽只两次见过诺贝尔，但一直同他通信，直到1896年他逝世为止。据信，她与和平运动日益密切的关系(1891年她创立了一个奥地利和平组织)以及她给诺贝尔的有关和平运动的信件促使诺贝尔在他的遗嘱中规定的奖金加上一项和平奖。1892～1899年，她担任国际和平主义杂志《放下武器!》的编辑。她的和平主义以科学和自由思想为基础，反映出H.T.布克勒、斯宾塞和达尔文的思想。

供图：Ullstein Bilderdienst, West Berlin

Sutton　萨顿　英国伦敦的外围自治市。位于绿带边缘的南部边界，南部和西部与萨里交界，东部邻克罗伊登自治市，北部连接泰晤士河畔金斯敦和默顿。建于1965年。该市属于萨里历史郡。8世纪中叶伦敦至布莱顿的道路穿越该地区，19世纪初修通靠马匹拖拉的萨里铁路。由于开通现代的郊区铁路，当地开始迅速发展。两次世界大战期间该地区成为一个主要的郊外聚居区，古老的乡村发展成现代购物中心。在20世纪60年代中期朗德肖住宅区建于贝丁顿附近，在从前的克罗伊登机场所在地。著名建筑包括怀特霍尔，一个在奇姆建于16世纪初的半木制房屋。卡鲁马诺(现为学校)和一个14世纪教堂在贝丁顿，卡肖尔顿是12世纪诸圣教堂(1893年修复)所在地，小荷兰房屋是作家马克·拉瑟福德的旧居。哈尼伍德1990年被指定为萨顿遗产中心。绿色开阔地包括楠萨奇、罗斯希尔和贝丁顿等公园。服务业对当地经济很重要，但也有少量轻工业。面积44平方千米。人口179 768(2001)。

Sutton, Walter S(tanborough)　萨顿(1877，美国纽约乌蒂卡～1916-11-10，堪萨斯堪萨斯城)　美国遗传学家，首先提出确凿的证据，说明染色体携带遗传单位，并成对出现。曾在堪萨斯大学（文科硕士，1901）于C. 麦克朗（性染色体的发现者）的领导下工作，1907年在哥伦比亚大学完成医学训练，1909年起在堪萨斯州堪萨斯城及密苏里州堪萨斯城行医（外科）直至逝世。在哥伦比亚大学学习时，写过两篇对遗传学发展有重大影响的论文。1902年在《生物学通报》上发表《论笨蝗（*Brachystola magna*）染色体组的形态学》一文，首次详细地图示了蝗虫的常染色体呈现为一对对确定的、可识别、又彼此不同的同源染色体。在文末提出假说，认为染色体携带遗传单位，而遗传单位在性细胞的染色体分裂时的行为就是孟德尔遗传定律的物质基础。他在《遗传中的染色体》一文中（1903）发挥了这一假说，结论说染色体含有基因，而染色体在减数分裂中的行为是随机的。他的工作为染色体遗传学说奠定了基础。

Sutton, Willie　萨顿(1901，美国纽约布鲁克林～1980-11-03，佛罗里达斯普林希尔)　又称演员威利，原名小威廉·弗朗西斯·萨顿。美国驰名的银行抢劫犯和监狱逃犯。他获得

"演员"的绰号是因为具有伪装的天才，曾假扮成卫兵、信使、警察、外交官或窗户清洁工来愚弄当局。十几岁时已是一名窃贼和流氓。后数次因盗窃、抢劫而坐牢，但越狱逃跑。1969年获得假释。他同Q.雷诺兹合著《我就是威利·萨顿》(1953)，书中估计，他一生中至少从银行里偷窃了200万美元。他还与E.利姆合著《钱之所在》(1976)，道出了他多次抢劫银行的理由："因为那里是存放钱的地方。"

Sutton Hoo　萨顿胡　英格兰萨福克郡伍德布里奇附近的庄园，内有盎格鲁-撒克逊国王的坟墓或衣冠冢。1939年发现，是欧洲最富丽堂皇的日耳曼式墓葬之一。棺椁是一只

萨顿胡日耳曼式墓葬中的船只棺椁印痕（棺椁已被移出）
不列颠博物馆供图

船，船里装满为死者准备后世用的一切物品（但没有尸体）。这次发现是件了不起的事情，因为在英格兰很少见到船葬。船板已经腐烂，但尚存有铆钉。船长24米，高7.6米。根据现场得到的钱币等物推断，很可能是东英吉利国王雷德沃尔德的衣冠冢（624或625年卒）。但也可能是作战而死的埃塞尔希尔（654年卒）的坟墓。船葬的方式和墓中的一些物品与瑞典的相同，因此可以肯定东英吉利王朝的祖先是瑞典人。葬地有41件纯金制品和大量进口银器，现藏不列颠博物馆。在一张大银盘上有拜占廷国王阿纳斯塔修斯一世（491～518）监制的印章，这是英格兰迄今发现的唯一可观的拜占廷古物。此外，镌有希腊文的银碗、银杯和银匙，以及从近东输入的一只青铜碗，表明东英吉利王国贸易范围的广泛。

Śutudrī River（Tibet - India - Pakistan）　参阅 **Sutlej River** 苏特莱杰河。

Suva　苏瓦　斐济首都、主要港口和商业中心。在南太平洋维提岛东南岸。1849年创建。1952年设市。现为南太平洋诸岛屿最大都市中心。与市西212千米的楠迪（有国际机场）通公路和航空线。经济以旅游（因该市为自由港）和轻型制造业（卷烟、肥皂、椰干、面包和酒）为主。该市报刊和广播中使用斐济语、印地语和英语，说明该市居民民族多样。市内有师范学院、工业学院、医院、斐济博物馆、斐济医护学院、斐济农学院和南太平洋大学。人

苏瓦市一角
中国大百科全书出版社供图

口：市约77 366；都会区约167 421(1996)。

Suvorov, Aleksandr Vasilyevich　苏沃洛夫（1729-11-24，莫斯科～1800-05-18，俄罗斯圣彼得堡）　俄国著名军事统帅。以在俄土战争（1787～1791）中和法国大革命战争中的战绩著称于世。受封为俄国伯爵（1789）和神圣罗马帝国伯爵（1789）。出身于贵族家庭，15岁参加谢苗诺夫禁卫团，领少尉衔。经过七年战争（1756～1763）后，于1763年任苏兹达尔步兵团团长。他根据实战经验编写步兵操典，反对流行的普鲁士那种"花架子"训练方式，提倡从实战出发进行训练。先后参加俄波战争（1768～1772）和俄土战争（1768～1774），成为一名出色的指挥官。1774年参加镇压普加乔夫领导的农民起义。但因其生性粗暴，桀骜难驯，故升迁缓慢，迟至1787年晋升为将军。在俄土战争中，成功地保卫了黑海北岸的俄国领土。1794年残酷镇压波兰民族革命运动，升为元帅。后任南俄军总司令，着手按照他在《制胜科学》一书中的原则训练军队，强调速度和机动性，提倡白刃战和发挥准确的火力。但不见用于朝廷，先是被怀疑叛国而被革职，复官后又因不同意对军队那种旧普鲁士的培训、管

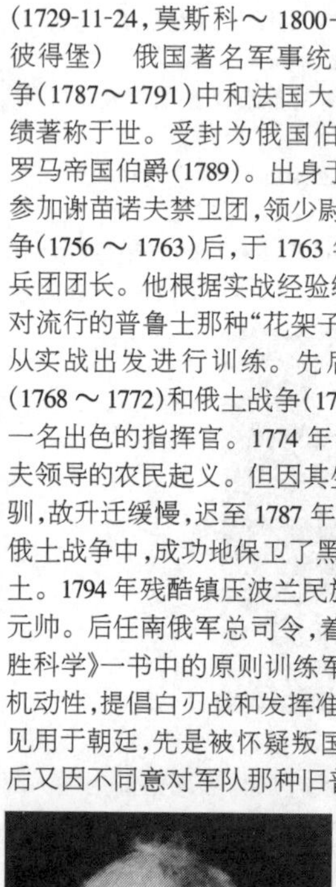

列宁格勒国立爱尔米塔什博物馆供图

理方式而引退。1799年2月再度被起用，指挥俄奥联军在意大利北部与法军作战，接连获胜，反对法国大革命的人为之欢呼不已。但当他正准备入侵法国时，却奉命越过阿尔卑斯山驰援瑞士境内的俄军。当时，人困马乏，大雪封山，陷入绝境。他虽年老体衰，但仍成功地激励部队，击退追兵，胜利突围，并保存了3/4的实力，成为战争史中最辉煌的一页。1800年1月晋升为史无前例的大元帅。奉诏回国后，再度遭贬谪，终于郁郁而死。

Suwa　诹访　日本本州长野县城市。在诹访湖东岸。德川时代（1603～1867）为以城堡为中心的城镇。后成为地方商业、行政中心。

诹访市的神社
供图：Photos Pack—美国不列颠百科全书公司

工业以缫丝为主。第二次世界大战后由于丝织业不景气，诹访改为生产手表、照相机和音乐盒。作为旅游城市，以当地神社、庙宇和诹访湖美景闻名。人口53 200(2001)。

Suwałki　苏瓦乌基　波兰东北端波德拉斯省城市。首见记载为一村落，内有卡马尔多利会僧人隐居所（1682～1690）。1715年建镇。1796年受普鲁士人统治，1897年成为俄国人要塞。位于黑汉恰河两岸。1939年惨遭德军轰炸。1940年变成纳粹集中营和德国盖世太保在波兰东部的总部。第二次世界大战后，其私宅和历史建筑物均得以重建。有一地区博物馆，收藏16和17世纪的宗教文物。城市经济以食品加工、木材加工、纺织和建材生产为主。人口约68 923(2002)。

Suwannee River　萨旺尼河　美国河流。源出佐治亚州东南部的奥克弗诺基沼泽，西南流，经佛罗里达州北部，注入萨旺尼湾（墨西哥湾）。全长400千米。S.C.福斯特的著名

佛罗里达州奇夫兰附近的萨旺尼河河段
佛罗里达新闻局供图

歌曲《双亲在家园》中的萨旺尼河即指该河。上游流经沙洲和巨砾，两岸石灰岩高耸。从该河与威斯拉库奇河汇流处始217千米河段经疏浚，河口以上40千米为潮路。下游两岸多花草树木及小动物。18世纪80年代萨旺尼湾为海盗聚集地。

Suwaydā', As-　苏韦迪　又拼Es-Suweida。叙利亚南部城镇。地处德鲁兹山麓的豪兰地

区东缘，据信为公元前1世纪纳巴泰人所建，公元1世纪由罗马统治。5世纪时为主教管区所在地。现为当地农产品集市中心。有3世纪罗马神庙和5世纪拜占廷教堂遗址。周围大部地区人烟稀少，经济价值甚微。人口：城镇约49 973(1985)。

Suwŏn 水原 韩国西北部城市，京畿道首府。14世纪末以后即为汉城的卫星城。位于汉城以北42千米处，现有铁路及公路相通。1967年道首府自汉城迁来。以前为当

水原市中世纪的水原城堡城门

供图：Wapinski—Alpha

地农产品的集散地，现为农业研究中心。国立汉城大学农学院和政府农业厅所属的几个研究所均设于此。有许多18世纪的古迹。人口755 550(1995)。

Suyūṭī, As- 苏尤提(1445，埃及开罗～1505-10-17，开罗) 埃及作家和教师。作品涉及主题广泛，以伊斯兰宗教学为主。法官之子。自幼随父亲的一位苏菲派朋友读书。他聪明早熟，1462年时已开始执教。1486年被任命为开罗拜尔斯清真寺主讲教师。1501年试图削减清真寺苏菲派学生的津贴，引起骚乱爆发，他自己几乎被杀。他受审后被软禁在开罗附近的劳达岛上。在那里与世隔绝，工作直至去世。作品至少有300部，不少仅为小册子，其他则为百科全书式的。他是《两个杰拉勒的注释》的作者之一。该书的第1部分由杰拉勒丁·迈哈利执笔。全书对《古兰经》逐词注释。他的《古兰经学》是注疏的著名作品。《哈里发列传》等几部作品已被译成英语。他还十分善于编辑，正是由于他的选择和节略，某些作品才变得更为有用。他最重要的语言学著作《语言学指南》就是一例。这部语言学百科全书主要取材于两位先辈伊本·金尼和伊本·法里斯的著作，内容包括阿拉伯语言史、语音学、语义学和词法。

Suzdal 苏兹达尔公国 中世纪的公国，位于俄罗斯东北部奥卡河和伏尔加河上游之间的地区。12～14世纪由留里克王朝的一个分支统治。在A.博哥柳勃斯基统治时期(1157～1174)，曾征服基辅(1169)，迁都弗拉基米尔，使公国的政治和经济地位大大提高。他和继承人弗谢沃洛德三世(1176～1212)建立了强有力的君主政治制度；作为弗拉基米尔大公国的统治者，成为最有权势的俄罗斯王公。但苏兹达尔的王子们把领地作为私产继承，因此在13～14世纪出现了许多名义上臣属弗拉基米尔大公的小公国。鞑靼人入侵(1237～1240)以后他们臣服金帐汗国。

苏州网师园

供图：Caroline Courtauld

1392年莫斯科的V.季米特里耶维奇大公并吞了苏兹达尔-下诺夫哥罗德地区。

Suzhou 苏州 又拼Su-chou，Soochow。中国江苏省辖地级市。中国历史文化名城和著名风景、园林、旅游城市。在省东南部，太湖水网平原中部。京杭运河与沪宁铁路交会于此。东南连上海市，南邻浙江省杭嘉湖地区。春秋时为吴国地。周灵王十二年(公元前560)吴王诸樊自梅里吴城(今无锡县梅村)迁都于此，筑吴子城。周敬王六年(公元前514)吴王阖闾派伍子胥营建阖闾大城，奠定今苏州古城的规模。战国时期先属越，后属楚。秦始皇二十五年(公元前221)置吴县为会稽郡治。东汉永建四年(129)为吴郡治。隋开皇九年(589)改称苏州，别称姑苏。五代为吴越国地。宋称平江府，元改平江路，明、清称苏州府。1851～1864年太平天国曾立为苏福省省会。1912年废府留县称吴县。1949年析吴县城郊置苏州市，1952年升为省辖市。辖平江、金阊、沧浪、虎丘、吴中、相城6区，并代管太仓、张家港、常熟、昆山、吴江5县级市。面积8 488平方千米。市区以西多山，虎丘、天平、灵岩、光福诸山和太湖中的东、西洞庭山，均以景色秀丽著名。市区以北、东、南均属太湖水网平原，湖荡罗列，河渠纵横，为富庶的"鱼米、丝绸之乡"。市内街衢、河道交织，桥梁处处，是典型的江南水乡城市，有"东方威尼斯"之称。早在3世纪苏州丝绸织品就远销日本等地。唐代与南京、杭州同为中国三大丝绸生产中心。阿拉伯、波斯、新罗各国船舶溯吴淞江到苏州采购丝绸织品。清乾隆四十五年(1780)织绸业最盛时，有织机万余台，染坊300多家。刺绣等手工艺品闻名于世。光绪二十年(1894)甲午中日战争后，苏州辟为商埠，城南青旸地被日本强行租借，

苏州拙政园

供图：Peter Carmichael—Aspect Picture Library，London

在外来商品倾销下传统丝织业日趋衰落。1949年后丝织和其他轻纺工业得到恢复发展，还逐步建起冶金、机械、化学、电子、家用电器、仪表、棉纺织、服装、食品、造纸、建筑材料等工业部门。1990年以来，古城西护城河以西的6.8平方千米地区，已建为高新技术产业开发区和新住宅区。1992年苏州市及其所属市的工业生产总值已跃居中国第五位，仅次于上海、北京、天津和广州市。交通主要有京沪铁路、312、318国道过境，沪宁、苏嘉杭甬高速公路已建成通车。

苏州工艺美术品中的苏绣、苏扇、苏雕、苏版等享有盛名。苏州文物古迹和古典园林众多，重要的有60多处。园林建筑有2000多年历史。现存园林以宋代沧浪亭，元代狮子林、明代拙政园、清代网师园、留园、西园、环秀山庄等为代表。1997和2000年苏州古典园林被联合国教科文组织列为世界遗产。苏州博物馆收藏有宋代石刻《天文图》、《地理图》和《平江图》等珍贵文物，市内还有太平天国忠王府、虎丘云岩寺塔、玄妙观三清殿等名胜古迹。西郊枫桥镇寒山寺也是著名的旅游地。有苏州大学、苏州科技学院等高等院校。人口：全市5 990 000（2005）。

Suzhou pinghua　苏州评话　中国南方曲艺曲种。采用以苏州话为代表的吴语方言徒口讲说的表演形式。流行于江苏南部、浙江北部以及上海大部的吴语地区，同苏州弹词合称"苏州评弹"。当地俗称评话为"大书"，弹词为"小书"，通称"说书"。表演以第三人称即说书人的口吻叙述，中间插入第一人称即故事中人物的语言进行摹学。摹学故事中人物的语言举止叫做"起角色"。第三人称的说演称"表"，第一人称的说演称"白"。表和白以散文为主，也有用作念诵表演的部分韵文，包括赋赞、挂口、引子和韵白等。节目多为长篇故事，分回逐日连说，一部书通常能连说月余。艺术表现以单线顺叙为主，同时不断设置"关子"，制造悬念，以吸引听众。传统节目有《西汉》、《东汉》、《三国》、《隋唐》、《水浒》、《小五义》、《封神榜》、《济公传》、《铁道游击队》、《林海雪原》等。还出现了一些中短篇节目。

Suzman, Helen　苏兹曼（1917-11-07，南非杰米斯顿～2009-01-01，约翰内斯堡）　母家姓加夫龙斯基（Gavronsky）。南非白人议员（1953～1989），非白人多数人民直言不讳的支持者。其父母为立陶宛犹太人移民。1940年毕业于约翰内斯堡威特沃特斯兰德大学，获商业学位。1941～1944年任军用物资供应局统计员，1945～1952年回至母校任经济史讲师。1948年当主张种族隔离、其成员大部分为阿非利堪人（主要为荷兰裔南非土生白人）的国民党在全国选举中获胜时，苏兹曼加入统一党——阿非利堪人和操英语的南非白人组成的温和联盟。1953年被选进议会。6年后，她与其他11名自由派议员组成强烈反对种族隔离的进步党。1961年选举中，12人中仅她一人重新当选。1961～1974年，她是议会中唯一的反对种族隔离的议员。作为被剥夺了公民权的人们的代言人，苏兹曼常与她的保守派同事们特别与博塔发生争论。她常常是对越来越多的种族隔离法案投反对票的唯一的人。虽然1974年以后，她不再是南非议会中唯一的反对者，但直至她退休，她的声音仍具有重大的意义。

Suzuka　铃鹿　日本本州三重县城市。濒临伊势湾。以生产传统蜡纸（用于染和服）闻名国内。第二次世界大战后工业发展迅速。生产纺织品、机械和电器。当地有数座神社和庙宇及世界最大赛车场之一。人口约169 309（1987）。

Suzuki, D(aisetsu) T(eitarō)　铃木大拙（1870-10-28，日本金泽～1966-07-12，镰仓）佛教学者和思想家，他是向西方介绍佛教禅宗的主要人物。曾在东京大学学习。早年曾拜禅师宗演为师，证得顿悟。1897～1909年旅居美国，与卡鲁斯合作主编杂志并研究佛学。1900年把《大乘起信论》译为英文，1907年出版《大乘佛教纲要》（英文版）。其后在日本和美国等地从事教学、写作和演讲，增进西方各国人士对佛教的了解。铃木认为，东方思想的基本特点是不二性，而西方思想以二元论分析为基础。西方精神没有抓住根本实际，这一实际只有通过直觉或验证才能认识，逻辑探讨无济于事。

Suzuki, Ichiro　铃木一郎（1973-10-22，日本爱知春日井～　）　日本职业棒球运动员。高中毕业时被太平洋联盟欧力士队选中。开头两个赛季很少上场，因为球队经理不喜欢他的非传统击球方法。1994年新经理让他用自己喜欢的方法击球，他一鸣惊人，赛季的击球率达到0.400，最后是0.385。一个赛季安打210次。到2000年连续7年被评为太平洋联盟击球王，总击球率0.353，欧力士队得到两面奖旗。他不是一个大力的击球手，但他的速度和对球棒的控制是无与伦比的，同时他还被认为是最好的外场手和最准确有力的传球手。他右手传球而左手击球，2000年已经成为日本最棒的棒球员。1999年春，作为美日交换球员在美国西雅图水手队打球两个星期。2000年11月与水手队签下三年合同。由于美国投手投的球一般比日本投手投的球硬，有些人认为日本击球手很难适应。铃木一郎以一个辉煌的赛季回答了这个问题，并被评为年度新人。2001年正规赛季的击球率0.350，季后赛达到0.421。

Suzuki Bunji　铃木文治（1885-09-04，日本宫城县～1946-03-12，宫城县仙台）　日本基督教徒，最早的工人运动组织者之一。早年一度当新闻记者。1911年从事把许多小工会合并起来的活动。最初，他只是创办一所附属于东京一位论派教会的工人学校。1919年组织日本劳动总同盟。1921年劳动总同盟取得第一次伟大胜利，神户3万名码头工人举行坚持几个月的大罢工，大大推动了日本的整个工人运动。他的另一个胜利是争取《男子选举权法》在1925年得到通过。此后，他参加创建社会民主党，并几次当选为议员。

Suzuki Harunobu　铃木春信（1725？日本江户［东京］～1770-07-08，江户）　原名铃木穗积，又名次兵卫，号次郎兵卫。日本浮世绘艺术家，创立锦绘艺术（nishiki-e，多色版画）。

铃木春信绘《夜雨美人图》
中国大百科全书出版社供图

创作独具风格，风景抒情，人物优美。早期作品影响不大，直至1765年开始为俳句设计锦绘后闻名。所设计的许多版画色彩精致、线条优美，描绘田园牧歌式爱情。并擅长描绘背景风光，把人物衬托得更加美妙绝伦。

Suzuki Kantarō　铃木贯太郎（1868-01-18，日本大阪～1948-04-17，千代）　日本首相。曾参加中日甲午战争，1923年晋升海军大将。1929年任侍从长，1936年二·二六事件中几乎丧命，后辞职。1945年4月5日小矶国昭辞职后他出任首相，极力维护天皇权威。日本投降后不久辞职。

Suzuki Shōsan　铃木正三（1579-02-05，日本三河～1655-07-28，江户［东京］）　佛教禅师。武士出身，随幕府将军德川家康（1542～1616）出征，屡建功勋。42岁出家，但并未完全脱离政治。九州岛吉利支丹（天主教徒）暴动，铃木年已59，亲赴该地，与其弟（当地知事）合作兴建佛寺32处，竭力抵制吉利支丹势力。1648年始返回江户。

Suzuki Zenkō　铃木善幸（1911-01-11，日本岩手县山田～2004-07-19，东京）　日本首相（1980～1982），与美国以及其他西方国家密切合作。渔民之子，曾在前帝国水产讲习所学习，并参加日本水产会。在1947年战后第二次大选中，以社会党员身份在国会的下院赢得一个席位。两年后转入保守的自由党（自民党前身），重新当选12次，其间数次在内阁任职。由于在日本复杂的政局中有调解才干，担任党的总务会长达10次之多。但当他在1980年7月17日当选为首相时，实际在国外毫无名声。大平正芳在选举前10天突然逝世后,自民党内展开三个星期的继承领导权的斗争。铃木是长期的党的工作者,他出人意料地赢得自民党总裁的地位,从而保证他成为日本的首相。在首相任内提倡"和谐政治"的口号,强调稳健的国际主义。1982年他决定不寻求连任,但保留国会议席,并仍领导自民党内一大派系。

svabite 砷灰石 磷灰石族钙、氟的砷酸盐[$Ca_5(AsO_4)_3F$]矿物。典型标本是透明无色的棱柱体和块体。产于瑞典帕斯贝里、美国新泽西州的富兰克林。砷灰石系列包括铅砷磷灰石(钙、铅、氯的砷酸盐),通常认为是磷灰石系列和磷氯铅矿系列之间的过渡产物。详细物理性质,参阅 **arsenate mineral**(表)。

Svadilfari 斯瓦狄尔法里 据古斯堪的纳维亚神话,它是一匹十分敏捷的飞马,为一巨人所有。此巨人曾表示愿意环绕诸神的领地阿斯加尔德修建一道城墙,以防御入侵者。诸神约定,如果他能一冬造起这堵城墙,他将能娶得女神弗蕾娅,并能得到太阳和月亮作为回报。斯瓦狄尔法里给主人以极大帮助,冬天结束前几天,城墙几乎完工。但在骗神洛基的帮助下,众神使巨人未能得到他应得的报酬。洛基自己变成一匹母马把正在工作的斯瓦狄尔法里引开。由于他们的结合,洛基生出奥丁的神马斯雷普尼尔。

Svalbard 斯瓦尔巴 挪威王国的群岛,位于北极圈北东经10°~35°、北纬74°~81°间,在特罗姆瑟以北约930千米。该群岛由九个大岛组成:斯匹次卑尔根(旧名维斯斯匹次卑尔根)、东北地、埃季岛、巴伦支岛、查尔斯王子岬、白岛(即吉尔斯地)、卡尔王地(即威赫群岛)、熊岛和希望岛。总面积为62 700平方千米,其中最大的是斯匹次卑尔根岛,面积39 044平方千米。斯瓦尔巴意为"寒冷海岸"。据《冰岛编年史》载,发现于1194年;但在荷兰探险家巴伦支与海姆斯凯尔克于1596年6月再次发现之前,未为人知。早在1611年,荷、英的捕鲸船即曾来此,其后法国、汉撒同盟、丹麦与挪威的捕鲸船亦相继来到,他们为争夺捕鲸权发生纠纷。最后沿海岸划分势力范围,以此结束彼此的冲突。俄国人在1715年前后到来。1800年捕鲸业衰退后,该群岛主要从事煤矿开采。但到20世纪初,美、英、挪威、瑞典、荷兰及俄国的公司与个人才开始勘测煤藏量并要求取得矿产所有权。1920年2月9日签订的条约决定该群岛的主权归属挪威,矿权则为签约国(英、美、法、意、日、荷、丹、挪、瑞典及1925年补签的苏联)平等享有,矿权之争乃告解决。但现在只有俄国和挪威仍在3个矿区采煤及输出。发现有铀矿,但石油勘探无结果。除采矿外,其他经济活动只有捕捞业。大部分地层属于古生代早期(可能是前寒武纪),直至近代(全新世)。地层褶皱和断层使群岛地形多山,近60%的地表为冰河及雪原覆盖。斯匹次卑尔根岛和东北地岛的西部和北部海岸线上有深入陆地的海湾。东北地岛东海岸由陆冰前沿形成。许多冰河延伸到海,但斯匹次卑尔根岛上有些大块的无冰谷地。别处还有当年海面较高时生成的广大海岸平原。斯匹次卑尔根岛上的牛顿峰是测得的最高点,海拔1 717米。斯匹次卑尔根岛周围是浅海,加以浮冰块堆积,使大部分海岸无法通航,只有5或6月到10或11月船只可出入。但从北大西洋过来的暖流调节了气候,使西海岸有一航道在多数月份中可以通航。当地为极地气候,气温从夏季的15 °C到冬季的 -40 °C,植被主要是地衣和苔藓类,仅有的树木是小极地柳和矮桦木。动物有各种鸥鸟、矶鹬、雪地颊白鸟、棉凫、松鸡、河湖中的红鲑鱼,还有北极熊、驯鹿、蓝或白色的北极狐。此外,1929年从格陵兰引进了麝香牛。海豹、海象、鲸及陆上的猎兽目前受到法律保护。许多极地探险队都以斯匹次卑尔根岛为科学研究基地。1773年英国人菲普斯船长首次进行极地探险,19世纪,挪威人、瑞典人和德国人接踵而来,20世纪上半叶,人们来此绘制地图、作极地飞行和地质调查。奥斯陆的挪威极地研究所继续了早期所作的探险工作。该地无土著居民,群岛的人口随季节而变,通常约有3 500人。行政中心是朗伊尔城。夏季旅游者乘船从阿德汎峡湾的霍泰尔尼斯特登陆。1975年此地建成一机场。1977年挪威宣布经济海域为200海里后,挪威与苏联为斯瓦尔巴周围的海域问题争执不休。

Svan language 斯万语 斯万语作lušnu nin,格鲁吉亚语作 svanuri ena。无文字语言,通行于高加索地区厄尔布鲁士山南的高山谷地。斯万语与格鲁吉亚语、明格列尔语(梅格列尔语)及拉兹语(查恩语)共同组成卡特维尔语系或南高加索语系。斯万语有四种方言,同其他卡特维尔语歧异颇大,在词汇方面,尤其显著。斯万语保存了许多古语,为其他三种卡特维尔语所无,但也经历了许多独立的语言变化。参阅 **Georgian language**; **Kartvelian languages**。

Svante Sture 斯万特·斯图勒 参阅 **Sture, Svante(Nilsson)** 斯图勒。

Svay Riĕng 柴桢 又拼 Soai Rieng。柬埔寨东南端城镇。位于韦古河畔。有一国家公路与首都金边、越南及邻近地区相连。城内有一小型医院。周围地区的农业生产居重要地位。主要农业品为稻米、玉米、马铃薯、香蕉、桑椹和棉花。人口:城镇约14 000(1987)。

Svealand 斯韦阿兰 瑞典中部地区。面积80 839平方千米。包括乌普兰(**Uppland**)、南曼兰(**Södermanland**)、西曼兰(**Västmanland**)、内尔彻(**Närke**),韦姆兰(**Värmland**)和达拉纳(**Dalarna**)诸省。是瑞典三个地区中最小者,在约塔兰区(南)和诺尔兰(北)之间。东起波罗的海和波的尼亚湾,西至挪威边境。有肥沃的平原、林木茂密的山地、广袤的森林和众多湖泊。经济多样化,有农业、制造业、木材加工和采矿等部门。人口约3 340 238(1994)。

Svedberg, The 斯韦德贝里(1884-08-30,瑞典耶夫勒附近弗莱伦~1971-02-25,厄勒布鲁) 瑞典化学家,因研究胶体化学和发明超离心机(在当时和后来的研究中起到非常宝贵的作用)而获1926年诺贝尔化学奖。1907年在乌普萨拉大学获博士学位后留校任教。1949年退休后,被任命为新成立的古斯塔夫·温纳斯核化学研究所所长,直到1967年。他1924年完成的第一台超离心机,能产生5 000倍于重力的离心力;后来的几种型号能产生数十万倍于重力的离心力。他利用超离心机,能准确地测定高度复杂的蛋白质,如血红蛋白的分子量。晚年研究核化学,对回旋加速器的改进做出了贡献。他还协助他的学生A.蒂塞利乌斯改进了电泳。

Svendborg 斯文堡 丹麦菲英州城市。位于菲英岛南部,濒临斯文堡海湾。1253年建市。中世纪时,因地处容易进入的沿海地区而常遭掠夺。当地博物馆设在一座16世纪的木屋内。是重要的船运中心和旅游地。工业包括造船、酿酒、卷烟和面粉加工。东北面有一所供海员学习的民间中学(1906)。1966年建的一座长1 220米的大桥,将斯文堡与南面的措辛厄岛连接起来。人口:市约26 525(1992);城市区约42 147(1993)。

Svensk Filmindustri 斯文斯克电影公司 瑞典历史最悠久、最重要的电影制片厂,也是一个主要的影片发行和放映公司。斯文斯克公司于1919年由斯文斯克比沃格拉夫剧院和斯堪的亚电影公司合并组成。不断增长的美国、德国电影的竞争以及录音材料的出现,迫使它把注意力集中于国内市场和教育片的拍摄。第二次世界大战后,瑞典电影业复兴。由A.舍贝里导演、I.伯格曼编剧的影片《折磨》(1944)引起世界对瑞典电影的注意。40和50年代,斯文斯克继续鼓励G.维尔纳和A.苏克斯多夫等实验电影导演,并为伯格曼的早期影片如《第七封印》(1956)、《野草莓》(1957)、《沉默》(1963)和《假面》(1966)等提供了资助。赢得国际声誉的近期影片有《移民们》(1971)、《我的生活像只狗》(1985)。1984年斯文斯克兼并了20世纪30年代建立的竞争对手——欧罗巴电影公司。

Svenska Dagbladet 《瑞典日报》 斯德哥尔摩出版的晨报,是瑞典最有影响的报纸之一,其编辑方针与保守党保持一致。1884年创刊。1940~1973年间由一基金会拥有,该基金会得到一些商业公司以及包括教会和军队在内的社会各界的赞助。1973年改组,以取得工业界更多资助使发行量不大的报纸得以继续运营。瑞典政府也依1971年的新闻资助和广告税法案给予补贴。但它依然被认为是独立报纸,并且是在自由主义政治环境中代表保守派的强大喉舌。

Sverdlov, Yakov Mikhaylovich 斯维尔德洛夫(1885-06-03,俄国下诺夫哥罗德~1919-03-16,莫斯科) 苏联共产党领导人和政府官员。他具有组织才能,善于掌握人事,因而在1917~1918年间成为布尔什维克党的关键人物。犹太人雕版师之子。十几岁即参与政治,1902年加入俄国社会民主党。1903年该党分裂时，他参加多数派，此后始终忠心耿耿拥护列宁的各项政策。他成为一名党的组织者和鼓动家，主要在乌拉尔地区工作，领导布尔什维克的地下组织。曾多次被捕，不是在监狱服刑就是国内流放。1912 年在流放中当选布尔什维克党中央委员会委员。1917 年初俄罗斯君主政体被推翻后，斯维尔德洛夫从国内流放地返回彼得格勒(圣彼得堡)。不久再次选入党中央委员会，任党的书记处领导人。由于在这一职位显示出卓越才能，他实际上成为党的主要组织者，主持人事工作。在计划和实行使布尔什维克掌握政权的 1917 年十月革命时，斯维尔德洛夫扮演了重要角色。十月革命后当选为全俄苏维埃代表大会中央执行委员会主席，从而成为布尔什维克国家名义上的元首(1917-11-08)。在随后几个月中，他运用手中的权力使中央执行委员会和新苏维埃政府的其他机构牢牢控制在布尔什维克党手中。正如列宁本人一样，他坚决相信党组织要高度集中，并努力把一切决策权集中于党的中央委员会。他与列宁的工作关系极为密切，到 1918 年末，两个人一道在中央委员会中掌握决策权。1918 年 7 月批准乌拉尔地区在叶卡捷琳堡于同月处决罗曼诺夫皇室家族的，正是斯维尔德洛夫。1919 年斯维尔德洛夫因传染病死亡，下葬莫斯科红场。1924 年为了纪念他而把他早年在那里做了大部分党的工作的乌拉尔地区叶卡捷琳堡市更名为斯维尔德洛夫斯克(1991 年该市恢复原名)。斯维尔德洛夫的过早离世使共产党的组织机构出现一个永久没有得到适当补充的空缺，1922 年斯大林接管了党的书记处。

Sverdlovsk (Russia) **斯维尔德洛夫斯克** 参阅 **Yekaterinburg** 叶卡捷琳堡。

Sverdlovsk 斯维尔德洛夫斯克 乌克兰卢甘斯克州城市。在顿涅茨煤矿区。以布尔什维克党的领导人斯维尔德洛夫的姓氏命名。为无烟煤矿中心。有胶合板和食品工业。东面是普罗瓦斯基草原，为自然草原植被保护区。1938 年建市。人口约84 000(1991)。

Sverdrup, H.U. 斯韦尔德鲁普(1888-11-15，挪威松达尔～1957-08-21，奥斯陆) 全称 Harald Ulrik Sverdrup。挪威气象学家和海洋学家，以研究各大洋的物理学、化学和生物学而著名。他解释了赤道逆流，并协助研究出预测激浪和破浪的方法。1917～1925 年曾在莫德北冰洋考查团负责科学事务；1928～1939 年任华盛顿卡内基研究所副研究员；1936～1948 年任加利福尼亚大学海洋学教授和斯克里普斯海洋研究所所长；1948 年任奥斯陆北极研究所所长。著有《供气象人员用海洋学》(1942)，与他人合写《海洋》(1942)及《破浪和激浪》(1944)。

Sverdrup, Johan 斯韦尔德鲁普(1816-07-30，挪威雅尔拉斯伯格～1892-02-17，克里斯蒂安尼亚[今奥斯陆]) 挪威政治家，左翼(即自由)党首次组阁时任挪威首相(1884～1889)。他在立法议会中争取组阁获胜后出任此职。受过当律师的教育。1851 年选入立法议会。在议会中成为反对派城市自由党人的领袖。1862～1869 年任议会下院议长，1871～1884 年任立法议会议长。他与农民党领袖约拜克联盟，1869 年创立一个统一的、标榜自由和爱国的反对党，称为"左翼"。1884 年成立挪威第一次左翼党内阁，他出任首相。在他的内阁时代，他从 1851 年起一直为之努力的许多改革方案都得到核准，重要的有扩大选举权(1884)、采用陪审制和全民服兵役(1887)。1887 年以后不久，在宗教信仰自由问题，教会改革问题以及探讨瑞典和挪威合并问题等方面，他与本党的激进多数派发生争论。教会改革法案没有通过。接着在 1888 年大选中，他又失去了绝对多数。翌年，当立法议会提出对他的政府不信任的动议时，他立即辞职。

Sverige 参阅 **Sweden** 瑞典。

Sverrir SIGURDSSON **斯韦雷(·西居尔松)**(约 1149，法罗群岛～1202-03-09，挪威卑尔根) 挪威国王(1177～1202)，中世纪挪威历史上的杰出人物之一。他扩大王权，限制教会特权，因而导致内乱直至他死后方才平息(1217)。斯韦雷早年即被任为教士。在其母透露他实为前国王西居尔二世的儿子后，他于 1174 年前往挪威要求继承王位。1177 年成为桦皮鞋党人的领袖，该党与当朝的马格努斯五世抗衡。斯韦雷精通军务，1179 年在特隆赫姆地区宣告即位，同年彻底击败了马格努斯的军队。1184 年马格努斯战死，斯韦雷成为挪威的唯一国王。1183 年马格努斯五世的支持者、流亡的大主教埃斯泰因·埃伦松回到挪威后，斯韦雷与之言和。但由于他主张王权神圣，主教应由国王推选，大主教的武装扈从人数必须裁减，以致埃斯泰因的继任者埃里克·伊瓦松拒绝为他加冕，并和国内其他主教于 1190 年逃往丹麦。未逃的主教们于 1194 年为他加了冕。他们连同国王被教皇英诺森三世一齐开除教籍。为了报复教皇的谴责和强加于他的停止教籍，斯韦雷作了"反对主教的演说"，提出俗权高于教权，论点明确，名噪一时。1196 年奥斯陆持异议的主教尼古拉斯·阿内森与流亡大主教埃里克·伊瓦松联合率领舰队回到挪威，发动牧杖战争。1202 年斯韦雷击败了反对他的牧杖党。他死后内战仍继续进行。他的儿子哈康三世继承王位，与教会和解。1204 年哈康去世，在位仅两年。斯韦雷生平事迹见于冰岛语故事《斯韦雷传说》。

Śvetāmbara 白衣派 印度耆那教两大派之一。此派僧尼着简朴的白衣。此点与另一大派天衣派大不相同。天衣派不允许妇女出家修行，其僧人则裸身。白衣派主要集中在古吉拉特邦和拉贾斯坦邦的西部，但印度北部和中部的各地也有此派信徒。

Svevo, Italo 斯韦沃(1861-12-19，奥地利帝国的里雅斯特[今在意大利]～1928-09-13，意大利莫塔迪利文扎) 意大利小说家，意大利心理小说的先驱。父亲是德国犹太玻璃制品商。母亲是意大利人。12 岁时在德国维尔茨堡寄宿学校读书，后转到的里雅斯特一所商业学校，由于父亲生意亏损，被迫中途辍学，任银行职员。他继续坚持自学并开始写作。第一部小说《一生》(1892)是一部感人之作，但失于散乱，未受到重视。后在作家乔伊斯的热情帮助和鼓励下，写出最负盛名的小说《塞诺的意识》(1923)，这部光辉的作品采取的形式是一个患者对精神病医生的自白。在他着手该书的续集时，不幸死于车祸。死后发表的作品有两部短篇小说集《善良老人与漂亮姑娘》(1930)、《短暂和令人伤感的旅途及其他故事》(1949)、《随笔与杂记》(1954)、戏剧集《喜剧》(1960)及未完成的小说《塞诺的意识续集》(1969)。他与蒙塔莱的通信也已汇编成册出版，题名《书信集》(1966)。

Sviatopolk-Mirskii, Pyotr Danilovich 参阅 **Svyatopolk-Mirsky, Pyotr Danilovich** 斯维亚托波尔克-米尔斯基。

Sviatoslav I (Kievan prince) 参阅 **Svyatoslav I** 斯维亚托斯拉夫一世。

Svinhufvud, Pehr Evind 斯温胡武德(1861-12-15，芬兰赛克斯马基～1944-02-29，卢迈基) 芬兰独立后第一位国家元首，先为总理，后任总统。在芬兰内战时期(1918)和30

赫尔辛基首相府供图

年代早期，他任芬兰政府首脑，镇压芬兰共产党，维持一个右翼政权。1894 年斯温胡武德进入芬兰议会，当时芬兰仍为俄罗斯帝国的一部分。1914～1917 年由于反俄被放逐到西伯利亚。1917 年 3 月俄国爆发革命后回到芬兰，当年 11 月 27 日就任总理。1918 年芬兰内战时他领导获胜的"白色"政府摆脱了俄国的统治而独立。由于亲德，第一次世界大战德国战败后他即辞职，加入保守的国民联盟党。1930 年 7 月至 1931 年 2 月任总理，1931 年 3 月至 1937 年 2 月任总统。他协助右翼的拉普阿运动镇压芬兰共产党，但反对把芬兰变成反民主的独裁国家。

Svishtov 斯维什托夫 保加利亚北部城镇。位于多瑙河河岸的阶地上，为保加利亚多瑙河岸最大港口之一和文化中心。1 世纪罗马人在该城附近战略位置建房。第一与第二保加利亚帝国时期(11～14 世纪)少有历史记载。在土耳其人统治时期(15～19 世纪)为重要贸易和手工业中心。俄土战争(1877～1878)中数次遭破坏，1878 年受俄国人劫掠。现为农业和渔业中心，又是大学城，设有高等金融与经济学院。数名保加利亚重要艺术家和作家诞生于此地。有圣迪米特里厄斯教堂(1640)、圣彼得和圣保罗教堂。人口约51 682(1988)。

Svoboda, Ludvík　斯沃博达(1895-11-25，奥地利帝国摩拉维亚赫罗兹涅廷～1979-09-20，布拉格)　捷克斯洛伐克总统(1968～1975)，在1968年8月苏联军队入侵及以后期间因抵制苏联要求而大得民心。两次世界大战的民族英雄。第一次世界大战期间从奥匈帝国军队中逃跑，参加在俄国的捷克斯洛伐克军团。战后在捷克斯洛伐克军队中逐步晋升，1939年3月德国完全占领捷克斯洛伐克以后，他到波兰组织捷克斯洛伐克难民部队，后去苏联任捷克斯洛伐克军团司令。1945年捷克斯洛伐克解放后，E.贝奈斯总统任命他为国防部长。他于1948年参加共产党。但1950年斯大林一纸命令迫使他退出军队。在斯大林主义者的清洗运动中，他于1951年入狱，被释后默默无闻，后来苏共第一书记N.S.赫鲁晓夫提出询问，才使他恢复公职，为军事题材作家，并任哥特瓦尔德军事学院院长。1959年退休，1965年11月获苏联英雄和捷克斯洛伐克社会主义共和国英雄称号。1968年保守派A.诺沃提尼政府倒台，斯沃博达经新任捷克斯洛伐克共产党第一书记A.杜布切克推荐，于3月1日当选总统。他抵制苏联的种种要求，并努力使在1968年8月苏军入侵时被捕的杜布切克等人获释。1975年因健康原因离职。

Svobodny　斯沃博德内　1924年前称阿列克谢耶夫斯克。俄罗斯东南部阿穆尔州城市，斯沃博德内区中心。位于阿穆尔河(黑龙江)支流结雅河右岸，西伯利亚大铁路线上。建于1912年。现为重要运输中心。有机车和内河船舶修配厂，并有造船与金属加工业。同贝加尔—阿穆尔铁路干线上的费夫拉尔斯克站之间有公路相联。人口约71 000(2000)。

Svolvær　斯沃尔韦尔　挪威北部诺尔兰郡罗弗敦群岛的主要城镇和港口。位于群岛最东端的东湾岛南岸。经济几乎完全靠捕鳕鱼，汛期1～4月。工业围绕渔业发展，有鳕鱼肝油加工和鱼骨肥料生产。当地船坞修造渔船。周围乡村崎岖荒凉的景色吸引了游客和艺术家，城镇在某种程度上成了艺术家的聚居地。当地画家贡纳尔·贝尔格(1863～1893)曾描绘过令人难以忘怀的本地渔民的日常生活，作品陈列在市政厅内。人口：城市区3 942(1970)。

斯沃尔韦尔镇的渔港
供图：Mittet Foto A/S

Svyatopolk-Mirsky, Pyotr Danilovich　斯维亚托波尔克-米尔斯基(1857～1914-05-29，俄罗斯圣彼得堡)　Svyatopolk-Mirsky 又拼 Sviatopolk-Mirskii。俄国革命前夕的内务大臣。原是大地主，曾任几个重要地区的总督。1904年，因前任内务大臣极端反动的V.K.普列韦被刺，他被任命为内务大臣。他是一个思想开明的人，能广开言路，在任期间被称为“政治上的春天”。他继任后，废除一些最不得人心的措施，赦免许多流放者，允许地方自治会恢复正常活动。他的这种姿态颇受群众和新闻界的欢迎。1904年11月，全国地方自治机构代表大会向他推荐了一系列改革方案。他建议沙皇尼古拉二世让地方自治会和其他机构的成员参加国务会议，但最终被沙皇否决。在沙俄政府于1905年1月9日对和平示威群众大屠杀后(被称为“流血星期日”)，他于1月15日被撤职。

Svyatoslav I　斯维亚托斯拉夫一世(？～972)　又拼 Sviatoslav。基辅大公(从945年起)。伊戈尔大公之子。基辅公国最后一名非基督教统治者。成年后开始一系列的征战，留下母后奥尔加管理基辅公国内部事务直到969年她去世为止。据俄国编年史记载，他在963～965年间击败顿河下游的哈扎尔人以及北高加索的奥塞梯人和切尔克斯人，还进攻伏尔加河一带的保加利亚人。967年打败巴尔干的保加利亚人，企图以多瑙河上的佩列亚斯拉维茨(今佩列亚斯拉夫-赫梅利尼茨基)为首府建立俄罗斯-保加利亚帝国。但在971年为拜占廷军队所击溃，被迫放弃对巴尔干领土的要求。972年春在回基辅罗斯的途中，被佩切涅格人杀死。

Svyatoy Vasily Blazhenny(Moscow)　参阅 **Saint Basil the Blessed 瓦西里·布拉仁教堂**。

Swabia　士瓦本　德语作Schwaben。德国西南部历史地区，包括今德国巴登-符腾堡州南部和巴伐利亚州西南部，以及瑞士东部和阿尔萨斯。士瓦本一名源出斯维比人这一日耳曼民族名，他们3世纪时与阿勒曼尼人共同占领莱茵河上游和多瑙河上游地区，并向南扩展至康斯坦茨湖，向东扩展至莱希河。这一地区初名阿列曼尼亚，11世纪起称士瓦本。约公元500年，克洛维率领法兰克人征服了阿勒曼尼人，并据阿勒曼尼人习惯法而制订《阿勒曼尼法典》以对其统治。7世纪时，爱尔兰传教士开始来此传播基督教。基督教活动中心有圣高尔隐修院和赖谢瑙隐修院，以及巴塞尔、康斯坦茨和奥格斯堡各主教区。士瓦本的大部分主教区隶属梅因斯大主教区。士瓦本是中世纪早期德意志五大宗族(即部落)公国之一，与法兰克尼亚、萨克森、巴伐利亚及洛塔林基亚(洛林)并称，相继受几个家族统治。1057年莱茵费尔登的鲁道夫封士瓦本公爵。1077年他被拥立为德意志国王以反对亨利四世。1079年，亨利四世封这一反叛者之婿霍亨斯陶芬家族的腓特烈一世为士瓦本公爵。1152年腓特烈的孙子被选为德意志国王，称红胡子腓特烈一世。士瓦本依然是霍亨斯陶芬王朝领地，直至1268年其男系绝嗣为止。此后，地方贵族，特别是符腾堡的伯爵们占据公爵和国王的土地。德意志国王哈布斯堡家族的鲁道夫曾将此公国的部分地区划归其子奥地利皇帝鲁道夫二世。但到1313年，鲁道夫二世之子去世，公爵称号遂废除。在欧洲中世纪晚期，士瓦本联盟对于改变诸城市之间的角逐形势具有举足轻重的作用，这些城市分别以神圣罗马帝国皇帝、大地主和小贵族为其后台。1321年，在第一次联盟中，士瓦本的22个帝国(自由)城市，包括乌尔姆和奥格斯堡在内，联合起来支持皇帝路易四世，条件是他不得将联盟中任何一城市抵押予诸侯。1340年符腾堡伯爵乌尔里希三世被拉进联盟。1366年士瓦本的骑士们另立木槌联盟与之抗衡，他们以木槌为标帜。在随后的内战中，乌尔里希三世之子及继承人埃贝哈德二世与木槌联盟合兵，于1372年打败士瓦本诸城市。1376年乌尔姆组织新的联盟，包括14个士瓦本的帝国城市，其目的是维护盟员的地位、对抗抵押的威胁，以及保护他们的商业利益。1377年新联盟在罗伊特林根击败埃贝哈德二世之子乌尔里希，从此称雄德意志南部，直至1388年被埃贝哈德二世战胜为止。1395年符腾堡的埃贝哈德三世占领木槌联盟的海姆斯海姆要塞，迫使该联盟冰消瓦解。1488年在埃斯林根成立了一个新的、更广泛的士瓦本联盟，不仅包括22个帝国城市，而且包括士瓦本骑士的圣乔治盾联盟、一些主教和邦君(提洛尔、符腾堡、巴拉丁领地、梅因斯、特里尔、巴登、赫斯、巴伐利亚、安斯巴赫和拜罗伊特)。联盟由邦君、城市和骑士3个集团的联席会议管理，可征召一支1.3万人的军队。腓特烈三世之子未来的皇帝马克西米连一世在尼德兰被监禁时，联盟曾协助营救，后来又成为他在德意志南部的主要支柱。联盟还曾参加镇压农民起义(1524～1525)。1534年士瓦本联盟在宗教改革运动中被迫解散。士瓦本一名在士瓦本行政区的名称中沿袭下来，该行政区是16世纪以来神圣罗马帝国对德意志所作的行政区划之一。1500年初设，1555年完全建立，一直存在到1806年神圣罗马帝国解体。在旧帝国国会中还设有一个士瓦本城市席位。

Swabian Alp 士瓦本山 德国西南部巴登-符腾堡州侏罗山脉的延续。该山地高原从黑林山延伸160千米至沃尔尼茨河，平均海拔700米，最高点莱姆山海拔1 015米，在西北部。东南逐渐向多瑙河倾斜。地质为石灰岩，具岩溶地貌特征，有落水洞、洞穴、干河谷和地下河床。气候恶劣，土壤瘠薄，人烟稀少。

swag 垂花饰 又作festoon。建筑和装饰中的一种雕刻装饰纹样，形状为用缎带扎在一起的花、果、叶等物，两端挂起，中央下垂。常刻在木料或大理石上，有时也用灰泥塑成

A.布雷尼奥和M.da菲耶索莱1477年设计建筑的罗马圣徒教堂内P.里亚里奥枢机主教纪念碑上的垂花饰

供图：Alinari—Art Resource

高浮雕，是古典建筑和雕刻中一种重要的装饰纹样，为古希腊人与罗马人所常用。文艺复兴时期的装饰师亦广泛加以使用，有时用绘画表现。垂花饰的两端有时雕刻成由牛或狮等动物衔着的形式，或者简单地作成结状而将缎带两端下垂。

Swahili language 斯瓦希里语 又作Kiswahili。一种班图语言，既用作母语，又是第二语言，其通行范围在非洲东海岸，北起肯尼亚拉穆岛，南达坦桑尼亚的南部边界。班图诸语言是尼日尔-刚果语系贝努埃-刚果语族的一个亚族或语支。

把斯瓦希里语用作母语的民族常常被称为瓦斯瓦希里人，但此名仅就此语言而言，不表明任何特殊的种族单元或部落单元。斯瓦希里语被广泛用作一种共同语，其通行地区有：①坦桑尼亚：那里把它用作行政语言和初级教育语言；②肯尼亚：当地把它用作行政和教学语言，其地位仅次于英语；③扎伊尔：人们把斯瓦希里语一种变体用作4种行政语言之一，而其主要用语是法语；④乌干达：人们除使用斯瓦希里语外，其主要用语仍是英语。

斯瓦希里语受阿拉伯语影响很大，拥有大量阿拉伯语借词，就是swahili一词，也源于阿拉伯语sawāḥilī，这是阿拉伯语的一个复数形容词形式，其义为"海岸"。斯瓦希里语可追溯到几个世纪之前阿拉伯商人同非洲东海岸居民开始接触之时。在阿拉伯人的影响下，斯瓦希里语作为几个族源最近的班图部落集团的共同语，开始形成。到19世纪早期，由于斯瓦希里语成为阿拉伯人象牙和奴隶贸易商队的用语，而这些贸易活动又向北远至乌干达、向西远抵扎伊尔，这种语言便在一种巨大影响力推动下，向内地传播。其后斯瓦希里语又为欧洲殖民者所采用，其中特别是德国人，他们在坦噶尼喀把斯瓦希里语作为行政语言广泛使用，由此为独立后的坦桑尼亚把这一语言定为国语奠定了基础。在肯尼亚和乌干达，殖民时期其他地方的语言虽也受到官方支持，但现在这些国家内的一般倾向是强调使用斯瓦希里语。现存最早的斯瓦希里语文献始于18世纪初期，是用阿拉伯字母书写的，但现在的书面语则采用罗马字母。

现在通行的主要斯瓦希里方言约15种，另有几个混杂语形式亦在使用。最重要的方言有三种：基庸古加语，通行于桑给巴尔岛和坦桑尼亚本土大部地区；基姆维塔语，通行于蒙巴萨及肯尼亚的其他地区；基阿穆语，通行于拉穆岛及其毗邻的肯尼亚沿海地带。标准斯瓦希里语是以基庸加方言为基础而发展起来的。

斯瓦希里语的语法是典型的班图语法，而且有大量词根来自共同班图语。斯瓦希里语的名词是按照其单数前缀和复数前缀的不同形式而划分词类的；前缀也可用来调整动词、形容词以及各种指示形式及所有形式，使它们同句中主语形成一致关系。所以，如果一个句子的主语是wa-tu"人民"（单数形m-tu"人"），则所有的词都要以前缀w-/wa-来开始，例如：wa-tu w-etu wa-le wa-kubwa wa-mekuja"我们的那些大人物来了"。动词词干可用变化后缀的方法加以扩展，每一后缀都具有词义上的细微差别，例如：funga（"关闭"），fungwa（"被关闭"），fungika（"成为关闭状态"），fungia（"为……而关闭"），fungisha（"使之关闭"），等等。

Swahili literature 斯瓦希里语文学 用非洲班图诸语言之一斯瓦希里语撰写的独创性作品的总称。20世纪30年代英国殖民当局在非洲当地学者和作家的协助下，正式开始推行语言规范化，选定桑给巴尔城（金古加）的方言作为斯瓦希里语的基础，在整个东非应用于出版和教育。起初，斯瓦希里语小说主要为受本土口头传述启发而编成的故事、阿拉伯故事和欧洲作家的翻译作品。1934年出现了J.姆博泰拉的历史小说《奴隶的自由》，这是一个重要的例外。真正推动新的标准斯瓦希里语文学的，是S.罗伯特（1909～1962）。在20世纪40～60年代，这个坦噶尼喀诗人、小说家和小品文作家的作品广泛流传，今天它们在东非很受推崇。这一时期的其他两名重要作家是桑给巴尔的穆罕默德·萨勒·法尔西和穆罕默德·赛义德·阿卜杜拉。前者的《库尔瓦和多托》（1960）已成为一部小型经典名著，后者的第一个侦探故事《祖祠》（1960）标志着向一种斯瓦希里语小说方面过渡的开始，这种小说反映了东非对工业化、西方化的体验，以及独立后的社会为自治和发展而进行的斗争。随着1965年坦桑尼亚的F.卡塔兰布拉写的犯罪惊险小说《死的呼声》获得成功，这一过渡宣告完成。20世纪60年代中期以后，斯瓦希里语出版物急剧增长。传奇、侦探小说和传统故事仍然是文学的主要支柱，但也有若干长篇小说和剧作审视历史事件及当代的社会问题和政治问题，风格优雅，不落俗套。在本地和国际上享有盛誉的作家有：坦桑尼亚小说家E.凯齐拉哈比、穆罕默德·S.穆罕默德；剧作家易卜拉欣·侯赛因、佩尼纳·O.姆拉马。此外，还有肯尼亚小说家阿里·杰马达尔·阿米尔、K.姆坎吉和P.M.卡雷西。除创作以外，斯瓦希里语的历史著作也有悠久的传统，记述了殖民时期的种种轶事。最近，斯瓦希里语的语言学研究和一个文学评论团体已开始发展。

Swains Island 斯温斯岛 太平洋西南部美属萨摩亚的珊瑚环礁。位于图图伊拉以北450千米。高出海面5～8米，呈圆形，海岸线长13千米，上有一淡水潟湖。面积约2.6平方千米。1856年美国商人E.詹宁斯宣布拥有斯温斯岛主权，该岛至今仍为詹宁斯家族的地产。1916～1925年该岛归吉尔伯特和埃利斯群岛。1925年划入美属萨摩亚。斯温斯岛现主要出产椰干。人口16（1999）。

Swakopmund 斯瓦科普蒙德 纳米比亚西北部城镇。临大西洋。在鲸湾港北面32千米，首都温得和克西面280千米。气候较凉爽，是纳米比亚主要海边避暑地，夏季首府行政机关从温得和克迁来。1951年建立斯瓦科普蒙德博物馆，陈列自然史、矿物、海洋生物和历史文物，并有一个小图书馆。附近有勒辛铀矿。人口约34 900（2001）。

Swale 斯韦尔 英格兰东南部肯特行政、历史郡一区（自治市）。位于泰晤士河口南岸。面积369平方千米，包括北面的谢佩岛（南面与英格兰本土隔斯韦尔河）。岛上聚居点集中在临泰晤士河口湾的北岸。斯韦尔河两岸都是沼泽地，居民集中在谢佩岛。本土上的沼泽地向南升高，连接一沃土地带，农业发达，生产蛇麻子、苹果、樱桃等。谢佩岛上昆伯勒和希尔内斯有深水港湾，工业发达，1972年在希尔内斯开始有集装箱设施。与荷兰弗利辛恩之间有定期渡船往返。区首府锡廷伯恩设有农业研究机构（1940年成立）。首府东面的中世纪法弗舍姆港有现代化的港口设备，转运木材、化肥和石油产品。人口约118 700（1998）。

swallow 燕子 雀形目燕科鸟类的俗称，74种。少数种（包括岸燕）俗称圣马丁鸟（参阅**martin; woodswallow**；关于海燕，参阅**tern**）。燕子形小，翅尖而窄，喙短，足弱小；有些种尾呈叉状。羽衣单色，或蓝或绿带金属光泽；大

家燕（*Hirundo rustica*）

供图：Stephen Dalton from the Natural History Photographic Agency—美国不列颠百科全书公司

多数种类两性相似。燕子花费大量的时间在空中捕捉昆虫，是最灵活的雀形类之一。在树洞或树缝中营巢，或在沙岸上钻穴，或把泥粘在墙上或突出部上为巢；每产卵 3 ～ 7 枚，有时卵有斑点。除最寒冷地区和极偏远的岛屿外，世界性分布。温带种包括远距离迁徙的候鸟。家燕（普通燕，*Hirundo rustica*）的喉和额棕色，头蓝色，叉尾，迁徙范围几遍世界；美国的亚种称仓燕，可在加拿大度夏，在阿根廷越冬。石燕属（*Petrochelidon*）10 种，筑长颈瓶形的泥巢，包括崖燕（红石燕，*P . pyrrhonota*）即栖于加利福尼亚圣胡安－卡皮斯特拉诺教堂中的燕子；与其他燕子一样，有很强的归巢本能。

swallow plover（bird） 参阅 **pratincole** 燕鸻。

swallow-shrike（bird） **燕鵙** 参阅 **woodswallow** 林燕。

swallow tanager（*Tersina viridis*） **燕嘴雀** 又称燕嘴裸鼻雀。鹀科燕嘴雀亚科（Tersininae）的唯一种，分布于南美洲北部。或提为燕嘴雀科（Tersinidae）。长约15厘米，形似裸

燕嘴雀（*Tersina viridis*）
绘图：Murrrell Butler

鼻雀，翅长，喙似燕子。雄体淡蓝色，有黑斑纹；雌体通常呈绿色。在飞行中捕食昆虫，亦食大型果实，把种子吐出，喉囊中装满果肉。在树洞、沙岸和墙缝中繁殖。

swallowing **吞咽** 又作 deglutition。使口内的食物经由咽、食管而进入胃中的过程。可分为三期。第一期开始于口内。食物与唾液混合，变得滑润，并被推到舌后，然后闭口，软腭上升，堵塞口腔与鼻腔的通道。舌向后卷曲，将食物推向口咽。食物一经进入咽部，第二期即开始。喉头升高，声门关闭，呼吸暂时抑制。口及咽部的压力将食团推向食管。食管上端有食管上括约肌，食团通过时上括约肌松弛，食团通过后又立即收缩，以防止食团倒流入口。食团进入食管后即进入第三期。喉头降低，声门开放，呼吸恢复。食团离开口腔到通过食管上括约肌，仅需一秒钟左右的时间，在这段时间内上述动作同时发生。然后，食管的蠕动波及食管内的压力将食团往下挤送，食团通过时食管腔扩张，通过后又复闭合，食管下端的下括约肌松弛，食团人胃，下括约肌又重新收缩，以防胃液及食团反流。吞咽动作基本上是不随意反射。口内无唾液及可吞咽的物质时无法进行吞咽动作。吞咽开始时是有意识地将食物推送口腔后部，但食物一到该处即接着发生不可逆转的反射动作。吞咽能受体位影响。在坐立或躺卧时，吞下的液体因重力关系迅速地流入胃部，但在头低位时则滞留于食管上端。要将其咽下，必需作几次吞咽动作，并需得蠕动波的帮助。若令人咽下食物，而食物连在细绳上，绳的另一端通到口外，并坠以一定重量的砝码，则人只能克服 5 ～ 10 克的阻力，而狗则能胜任 50 ～ 500 克。事实上人的吞咽能力大大弱于其他动物。食物的温度亦影响人的吞咽能力，冷的食物（1 ～3 ℃）可使食管的蠕动减慢或完全停止。反之，热的食物（58 ～61 ℃）可加强食管的蠕动。能影响吞咽的疾病有咽麻痹、食管括约肌功能障碍、食管壁肌肉痉挛性收缩等。上述疾病可为器质性或心理性。

swallowtail butterfly **凤蝶** 鳞翅目凤蝶科凤蝶亚科（Papilioninae）昆虫。凤蝶（*Papilio*）种类，除北极外，遍布世界各地。后翅常有一或两条尾状突，亦有缺尾种类。翅色各异，底

大凤蝶（*Papilio cresphontes*）
供图：Ray Glover from the National Audobon Society Collection/Photo Researchers—美国不列颠百科全书公司

色为黑、蓝、绿等色，具虹彩光泽，上有黄、橙、红、绿或蓝色花纹。雌雄色彩不同，亦有季节性的色彩差异。许多凤蝶的色彩和花纹模拟气味不佳的蝴蝶类。幼虫色鲜艳，以叶为食；有的胸部有黑、黄色眼状斑，形似蛇头；许多种的幼虫有臭腺，受惊时分泌有恶臭的物质。

swāmī **士伐明** 参阅 **sādhu and swāmī** 娑度、士伐明。

Swāmī-Nārāyaṇī **斯瓦米·那罗阇那派** 又拼 Swāmīnārāyaṇa，印度教改革派，盛行于古吉拉特邦。19 世纪伐腊毗派内部据说有堕落现象，于是斯瓦米·那罗阇那派兴起，另树旗帜。该派在 1804 年左右创立于艾哈迈达巴德；创始人斯瓦米·那罗阇那强调遵行印度教的传统礼法，特别是有关种姓、饮食和仪礼的礼法。

Swaminathan，M(onkombu) S(ambisivan) **斯瓦米那坦**（1925-08-07，印度泰米尔纳德贡伯戈讷姆～ ） 印度遗传学家和国际行政官员，以在印度的“绿色革命”中的领导作用而著名，这是一项在贫苦农民田地上种植各种高产的小麦和水稻种苗的计划。斯瓦米那坦是一个外科医生的儿子，在印度受教育，1952 年在剑桥大学获遗传学博士学位。此后 20 年他担任不少研究和行政职务（多数在印度行政机构）。在这些职位工作时，他为印度农田引进墨西哥半矮小麦幼苗，并帮助大量采用现代农业耕种方法。1972 ～ 1979 年他任印度农业研究委员会主任，1979 ～ 1980 年任农业部长，1982 ～ 1988 年任国际水稻研究学会主任，1988 年任国际自然和自然资源保护联合会主席。

Swammerdam，Jan **斯瓦姆默丹**（1637-02-12，阿姆斯特丹～1680-02-15，阿姆斯特丹） 荷兰博物学家，被认为是在古典显微镜研究中观察最精确的学者，他首先发现和描述了红细胞（1658）。1667 年学完医学，但从未行医，他致力于显微镜研究。后转而研究昆虫，精确地描述并阐明了多种昆虫的生活史和解剖。他观察昆虫的发育，根据变态的程度与类型将昆虫分为四大类，其中三类仍大致保留在现代的分类法中。在全力研究昆虫期间（1667 ～ 1673）完成的《昆虫通史》一书被公认为是当时的重要著作，所著《大自然的圣经》则汇编了极精细的显微镜图片。他在这些著作中纠正了生理学家 M. 马尔丕基对昆虫脑和神经系统的概念，并反对 W. 哈维医师对昆虫变态的自相矛盾的解释。他还证明了蛹在即将蛹化时已出现蝴蝶翼。他在研究蝌蚪和成蛙的解剖时观察到卵裂，发现了淋巴管的瓣膜（今称斯瓦姆默丹氏瓣膜）。还与 R. 德·格拉夫医师同一年（1672）描述了哺乳动物卵巢的滤泡，改进了给尸体注射蜡和颜料的技术，这对人体解剖研究有重大影响。他天才地证明了肌肉收缩时只改变形状，而大小不变，从而反驳了加伦的液态物质流经神经而产生运动的流行见解。他父亲拒绝给他提供经济支持后，他饱尝困苦，晚年备感抑郁，为了寻求宽慰而成为 A. 布里尼翁的信徒。

swamp **森林沼泽** 湿地生态系统的一种类型。特征是有排水不良的矿物质土壤，植物以树木占优势，并以此而同大部分由草类植物组成的草本沼泽相区别。广泛分布于全世界，发育于排水不良、水分充足而使土地保持淹涝状态的地区。沼泽的水中含有大量矿物质，促进了有机体的腐烂和阻碍有机质的聚集。森林沼泽往往形成于与供水的河流有关的地形低洼区。参阅 **marsh**。

壮年期河谷的两岸常有大片的草本沼泽和森林沼泽，河漫滩高出河面仅数十厘米，废河道和牛轭湖在一年中大部分时间有停滞水或缓慢流动的水，从而维持着森林沼泽和草本沼泽的发育。河成的森林沼泽在美国东南部的海滨平原上很多。W. 巴尔特兰 1791 年写的报道《南、北卡罗来纳、佐治亚和东、西佛罗里达旅行记》中对这些森林沼泽的原始状态作了很好的记述。在独立战争时期，F. 马里恩成功地利用这些森林沼泽来逃避英国军队追捕，他因此得以绰号“森林沼泽老狐狸”。北卡罗来纳州和弗吉尼亚州的迪斯默尔大片森林沼泽，实际上是水道、森林沼泽和草本沼

泽的混合体,虽然与大河无关,但仍属于海滨平原型的森林沼泽。密西西比河及其下游支河,例如得克萨斯州东部的红河和平行的河流,在穿过海滨平原的流动缓慢的部分,拥有广大的森林沼泽。南美的巴拉那河和巴拉圭河,沿其主河也有大片的森林沼泽和草本沼泽。在乔治亚州,森林沼泽与草本沼泽的混合体称为奥克费诺克森林沼泽,是苏旺尼河的源头。佛罗里达州的大沼泽地,是发育在石灰岩基底上的草本沼泽与森林沼泽的独特结合。由于该地区接近海面,丰沛的雨水不能排走而积存在地面。在大沼泽地的西北,发育有大片柏树沼泽。

地形和水源是决定淡水森林沼泽分布的两个最重要的特征。土壤和基岩性质则对控制一个地区的排水方面有重要作用。但是,湿地可形成在从沙到不透水岩石的任何基底上。由于梯度小和植物的阻滞作用,流经湿地的水流是缓慢的。死亡的植物体沉积下来而不被冲走。水中的代换作用缓慢、没有紊流,使氧气供应量低,死亡植物体的腐烂迅速耗尽了已有的氧气,致使泥中和底部水中的氧气含量低,甚至缺乏。在这种条件下,有机质腐烂不完全,导致比较抗腐蚀的部分(腐植酸和丹宁酸)积聚在底土中。因此,熟知的森林沼泽中的水从黄色到近似浓茶或啤酒的深棕色。与生长在水多而不淹涝的陆地上的植物相比,森林沼泽中的植物种属稀少。香蒲和常见的芦苇是世界上熟知的森林沼泽种属。薹属的一种纸莎草广泛分布于热带。无叶柏是适应于生长在森林沼泽的树木之实例。常见的还有桉、柳、桤、槭。热带的森林沼泽有许多树种,包括棕榈。

咸水森林沼泽是海水泛滥和排泄而形成于潮间带的滩坪。在热带和亚热带地区,周期浸淹的地区则发育成红树林沼泽。红树林可生长到海边的纯沙上。大片的森林沼泽主要发育在陆地径流带来的大量沉积物堆积并扩大了森林沼泽的那些地区,湄公河、亚马孙河、刚果河和恒河的三角洲,以及澳大利亚和苏门答腊的北岸都有著名的、大规模的红树林沼泽。热带森林沼泽中的林木往往发育支根,显然有助于支撑自身。然而,热带陆地上的许多树木常常也有支根。所有森林沼泽中的树木,一般都没有深根。树根往往趋向于生长在接近地面处,很可能是由于土壤中缺少氧气。树根由于接近地面,而产生大量向侧方伸展的根系,从而使树木能抵抗风力或水流所产生的侧向应力。在温带森林沼泽的树木中,根系浅也常常有支根。通常隐藏于土中的根梢可从地面见到。生长在温带森林沼泽中的不同树种耐浸淹的能力,亦即耐缺氧的能力,也大不一样。在北美的森林沼泽中,桤和柳可在浸淹的陆地上生存,甚至茁壮生长达一个月,而红桉只能存活大约两周。白杨在浸淹两天后开始有反映,并且只能存活一周。红树林顶部栖息着许多种不受海水影响的动物,因为它们从不接触海水。森林沼泽中的动物,通常很少受湿地条件的影响,除非这些条件影响到生长在森林沼泽中的树木的种属。有鉴于植物多样性受到积涝水存在的局限,所以动物多样性更多地是植物多样性的反映,而不是水的供应性质的反映。

swamp cricket frog 参阅 **chorus frog** 拟蝗蛙。

swamp deer 泽鹿 印度的沼鹿(**barasingha**)和南美沼泽中的大型浅红褐色鹿类南美泽鹿(*Blastocerus dichotomus*)的俗称。

swamp eel 鳝鱼 合鳃鱼目约15种体细长鳗形鱼类的统称。与真正的鳗鲡目种类无亲缘关系,似与鲈形目近缘。产于热带淡水或微咸水水域。体长约 20 ~ 70 厘米。无鳞或具很小的鳞片。背、臀鳍位置低且绕过尾端相连续。鳃通常仅于喉部有一外鳃孔。一些种类的鳃本身很小,通过喉部或肠的黏膜吸入氧进行呼吸。在东方是高档的食用鱼类,往往蓄养于池塘或稻田中。

swamp fever 沼泽热 参阅 **equine infectious anemia** 马传染性贫血。

Swamp Fox, The 沼泽的老狐狸 参阅 **Marion, Francis** 马里恩。

swamp maple 沼泽槭 参阅 **red maple** 红花槭。

swamp monkey 沼泽猴 栖息于刚果河盆地的小型重量级灵长目动物。深橄榄色,下体橙色或灰白色。头和躯体长约 450 毫米,尾略长;雌性平均体重 3.7 千克,雄性 6 千克。群居,每群约 40 只,主要栖于沼泽林,在地面和树上时间一样多,觅食水果和无脊椎动物。能游泳,常因逃避捕食者而跳进水里。在很多方面介于长尾猴与狒狒、白眉猴和猕猴之间。其头骨似长尾猴,但与狒狒和白眉猴一样,雌性在发情期会有性器官隆起。这些灵长类动物均属于旧大陆猴科。

swamp pheasant 沼泽雉 又作 pheasant coucal。又称沼泽鸦鹃、雉形鸦鹃。杜鹃科鸟类。参阅 **coucal**。

swan 天鹅 雁形目鸭科(**Anatidae**)雁亚科最大的水禽。大多数天鹅属于天鹅属(*Cygnus*)。

天鹅体形优美,具长颈,体坚实,脚大,在水中滑行时神态庄重,飞翔时长颈前伸,徐缓地扇动双翅。迁飞时在高空组成斜线或"*V*"字形队列前进。其他水禽无论在水中或空中行动均不如天鹅快速。天鹅以头钻入(不是全身潜入)浅水中觅食水生植物。游泳或站立时,疣鼻天鹅(哑天鹅, *C. olor*)和黑天鹅(*C. atratus*)往往把一只脚放在背后。天鹅雌雄两性相似。与传说相反,天鹅能从气管发出不同的声音。有些种类的气管在胸骨内呈襻状(如同鹤类一样)。甚至称为哑天鹅的疣鼻天鹅(最少发声的种类),也常嘶嘶地叫,或发出柔和的鼾声或尖锐的呼噜声。除繁殖期外,天鹅成群地生活。雌雄结成终生配偶。求偶行为包括以喙相碰或以头相靠。由雌天鹅孵卵,平均每窝产卵六枚,卵苍白色,不具斑纹。雄性在巢附近警戒;有些种类雄性亦替换孵卵。在击退敌手后,天鹅像大雁那样发出胜利的欢叫声。幼雏颈短,绒毛稠密;出壳几小时后的幼雏即能跑和游泳,但双亲仍精心照料数月;有些种类的幼雏可伏在母亲的背上。未成年天鹅羽毛灰色或褐色,具杂纹,直至满两岁以上。第三年或第四年才达性成熟。在自然界中,天鹅能活 20 年,豢养者可活 50 年以上。

哑天鹅(*Cygnus olor*)及其幼雏

供图:Arthur W. Ambler—the National Audubon Society Collection/Photo Researchers

天鹅属有 7 ~ 8 种;有些可能是一个种的亚种。5 个种生活于北半球,均为白色,脚黑色;疣鼻天鹅有橙色的喙,喙基有黑色疣状突,颈弯曲,翅向上隆起;喇叭天鹅(*C. cygnus buccinator*)鸣声低沉,传得很远,喙全黑色;高声天鹅(*C. cygnus cygnus*)叫声喧闹,喙黑色,喙基黄色;比伊克氏天鹅(*C. columbianus bewickii*)与之相似,体型较小,比较安静;扬科夫斯基氏天鹅(*C. columbianus jankowskii*)可能是比伊克氏天鹅的东方类型;哨天鹅(*C. columbianus columbianus*)发声如哨,喙黑色,眼周有小黄斑。有些鸟类学家(尤其是美国的鸟类学家)常把后面 4 种天鹅归入 *Olor* 属,而只将疣鼻天鹅放在天鹅属(*Cygnus*)。喇叭天鹅曾一度濒于绝灭(1935 年美国仅有不到 100 只),后来在加拿大和美国西部的国家公园里,数量已得到迅速的恢复,但 20 世纪 70 年代中期,其数量亦不过2 000只左右。它是最大的天鹅,体长 1.7 米,翅展 3 米,但体重较疣鼻天鹅轻。疣鼻天鹅体重可达 23 千克,是最重的能飞的鸟类。南半球有黑天鹅(澳大利亚)和两种淡红脚类型(南美洲);黑颈天鹅(*C. melancoriphus*)极不驯顺,但美观,身体白色,头和颈黑色,喙上有明显红色肉垂;扁嘴天鹅(*Coscoroba coscoroba*)全身白色,是最小的天鹅,可能与哨鸭(**whistling duck**)有亲缘关系。

Swan, Sir Joseph Wilson 斯旺(1828-10-31, 英国达勒姆森德兰~ 1914-05-27,萨里沃林厄姆) 英国物理学家和化学家,他制出了一个早期的电灯泡,并发明了摄影干板,这是摄影上的重大改进,也是在现代摄影胶片的发展中迈出一步。曾在故乡随一名药剂师学徒,继而入纽卡斯尔一家生产化学制品的公司当助手,后又成为合伙人。在用湿板拍摄时,他发现热能增加溴化银乳剂的敏感度。1871 年,他创造出一种湿板干燥方法,使摄影开始进入简便的时代。8年后,他取得溴素相纸的专利权。这种相纸在现代摄影中仍普

伦敦国立肖像画陈列馆供图

遍使用。1860年，斯旺曾用炭化纸丝装在抽出空气的玻璃泡内，创造了一种原始的电灯。但是由于真空度不够，又缺少合适的电源，致使灯泡短命，发光微弱。约20年之后，T.A.爱迪生采用的实际上就是他的方案。1880年，斯旺和爱迪生都作出了实用的灯泡。3年之后，在为他的灯泡寻找更好的炭丝时，斯旺创始了一种压榨硝化纤维素使之通过孔口而成丝的工艺并获得专利。1885年，他展出了这种设备和一些用人造纤维制作的物品。纺织工业采用了他的工艺。斯旺于1904年被封为爵士。

Swan Hill 斯旺希尔 澳大利亚维多利亚州北部城镇。在墨尔本西北，濒临墨累河。是里弗赖纳灌溉区南部主要的市场中心。1846年始有人定居，后发展为繁荣的河港。1965年设市。周围地区盛产水果、小麦、牛奶和蔬菜，镇内有工厂为其加工，还有机械和石膏泥灰板制造厂。每年举办莎士比亚节。人口9 835(1996)。

Swan Islands 天鹅群岛 西班牙语作Islas del Cisne。洪都拉斯以北156千米的两个小岛(大、小天鹅岛)，在加勒比海。哥伦布1502年发现，取名圣安娜。总面积仅8平方千米。16～18世纪为海盗巢穴。1775年载入地图，名为天鹅群岛。美国海盗华尔克于1860年占领该岛。1863年划归美国所有。产鸟粪和海龟。1971年11月归属洪都拉斯。根据两国协定，当地气象、导航、通信站仍由美国管理。人口22(最新统计)。

Swan River 斯旺河 澳大利亚西澳大利亚州西南部季节性河流。发源于科里金南面的丘陵，称埃文河，流向西北折向西南，全程360千米。经过诺瑟姆和珀斯，在弗里曼特尔注入印度洋。仅有下游60英里的一段称斯旺河。左岸支流有海伦娜河和坎宁河。斯旺河夏季和秋季经常干涸，上游多险谷和湍流，河道在海岸处变宽，形成两个浅潮汐水洼。1843年在珀斯筑成一条跨河的堤道，1866年在弗里曼特尔建成一座大桥。珀斯以上沿河两岸有葡萄园和菜圃。

Swan River 斯旺里弗 加拿大马尼托巴省西部城镇。位于斯旺河畔，温尼伯戈西斯湖西面，邻近省界处。19世纪初当地皮毛贸易竞争十分激烈。1898年铁路通达后，多种民族移民纷纷涌入。现为农业和木材业中心，每年7月举办西北农贸集市。附近有省立豪猪林(北)和省立达克山园林(南)。1908年建镇。人口3 986(1996)。

Swan Service 天鹅餐具 德意志境内迈森瓷厂1737～1741年制造的成套瓷餐具，共有

J.J.坎德勒与J.F.埃伯莱因1738年制作的天鹅餐具中的一件器皿

供图：Antique Porcelain Company, The Antique Company of New York, Inc.

2 200件。餐具的造型和绘画均是洛可可式风格，画面题材是天鹅和水仙女。

Swan Theatre 天鹅剧院 伦敦伊丽莎白式的河边剧院。约于1596年由F.兰利建造。

Swann v. Charlotte-Mecklenburg Board of Education 斯旺诉夏洛特-梅克伦堡教育委员会案 美国最高法院1971年4月20日裁决的案件。法官全体一致支持加速取消美国公立学校种族隔离的乘车方案。1954年在布朗诉托皮卡教育委员会一案中裁定公立学校中的种族隔离为违宪。然而由于房屋模式所限和地方领袖的反对，许多学校仍然保持着布朗案裁定时的种族隔离。例如，在夏洛特，20世纪60年代中期，只有不到5%的非洲裔儿童在种族融合学校上学。事实上，接送儿童的校车是白人官员用来保持种族隔离的手段。美国全国有色人种协进会代表一名6岁儿童的父母斯旺夫妇，诉请夏洛特-梅克伦堡学区允许他们的儿子到离家最近的种族融合的塞弗斯维尔小学入学。联邦地区法官J.麦克米兰裁定支持斯旺夫妇，并且监督执行使学区学校种族融合的乘车方案。麦克米兰的裁定被上诉到最高法院，最高法院维持原判。乘车方案后来为美国各地采用，促进了美国公立学校的种族融合。

Swanscombe skull 斯旺司孔头骨 人类化石遗存。1935年和1936年以及1955年在英国肯特郡斯旺司孔泰晤士河岸砾石层里出土，标本包括一青年女性的两块顶骨和枕骨。根据化学测试以及伴随出土的动物化石遗存和阿舍利文化期的手斧，可以准确地断定其时代是第二(民德-里斯)间冰期(距今大约20万年)。斯旺司孔头骨的时代早于尼安德特人，通常被划分为智人的一个早期亚种，即所谓智人海德堡亚种。

Swansea 斯旺西 威尔士西南一郡，包括斯旺西市及南部和西部的整个高尔半岛，西北部拉赫尔河的低河谷，北部布莱克山山麓丘陵。高尔是一个高低起伏的高原，以其砂石滩和景色迷人的岩石崖闻名。拉赫尔河谷和塔韦河谷在河的下游变宽，在该郡的中部形成冲击低地，而砂岩地层构成北部山麓的起伏不平沼泽的基础。斯旺西郡完全位于格拉摩根历史郡界内。斯旺西市是威尔士第二大城市，居住着该郡大部分人口。该市是主要海港和工业中心，也是威尔士西南主要的商业和服务业中心。主要工业包括五金制造，汽车配件，工程，塑料制品业，包装业和石油化工。重要的服务活动包括健康医疗、批发零售贸易、交通和金融服务。北部的村庄和城镇在历史上是煤矿开采中心，但该郡的煤矿开采实际上已经停止。有些城镇已建起轻工生产，如戈赛宁的胶带生产。许多城镇的居民乘车前往该郡的行政中心斯旺西市上班。高尔有许多史前时期的山丘堡垒和墓地，以及13世纪的城堡和教堂。海岸有多处美景，每年吸引了大量游客。曼布尔斯位于半岛的东海岸，是最大的旅游城镇。半岛的内陆有农业，主要是乳牛饲养和商品蔬菜栽培。面积379平方千米。人口229 500(1998)。

Swansea 斯旺西 威尔士西南部斯旺西郡一城市。属格拉摩根历史郡。位于塔韦河河口布里斯托尔航道沿岸。为威尔士第二大城市(仅次于卡迪夫)。12世纪初诺曼人在当地建起一座城堡，后来该城堡毁于威尔士起义者欧文·格伦道尔。18世纪初还是一个小集镇和煤港。此后稳步发展成一个工业中心。1717年以后用当地的露天煤冶炼进口的铜，19世纪中叶，其金属交易所已成为世界铜贸易的中心。后来由于外国的竞争而衰退，但其他有色金属铅、锌和镍制造业在斯旺西附近兴起。克莱德赫地区的制镍厂曾为世界之冠，尤其是马口铁生产多集中在此。但1918年以后有所收缩，不过兰萨姆勒特的铅锌工厂和克莱德赫的制镍工厂仍很重要。战后新兴工业有制铝、各种轻工业和车辆部件制造。1921年在城东的兰达西建起炼油厂，1960年建成从米尔福德港通过斯旺西到达炼油厂的输油管道，炼油厂扩大了生产，现在向巴格兰的石油化工厂提供原料。1798年开凿的运河和19世纪修筑的铁路把港口同煤田连接起来，成为南威尔士西部无烟煤的输出港。1913年后，煤的运输量大大下降。斯旺西随着工业的扩大，成为威尔士西南部的主要商业和服务中心。因有广阔的海滩而兴起旅游业。有一所著名的机械和冶金学院。南威尔士皇家研究所有一个展示当地考古和自然历史的博物馆。格林维维恩美术馆于1911年开馆。城镇中心1941年几乎被德军的炸弹完全摧毁，但后来重新恢复。古老的圣玛丽堂区教堂在第二次世界大战中被毁，1959年重建。诗人D.托马斯出生于该地，并在其作品中赞美该地区。人口188 800(1994)。

Swanson, Gloria 史璜生(1899-03-17，美国伊利诺伊芝加哥～1983-04-04，纽约州纽约)原名史文生(Gloria May Josephine Svensson)。电影、舞台和电视女演员，主要以20年代迷人的好莱坞电影明星和在1950年的影片《傍晚大街》中扮演衰老的电影皇后N.德斯蒙德而著称。她是美国陆军运输部门一位文职军官的独生女。因父亲工作关系，她在幼年时随家迁居佛罗里达、得克萨斯和波多黎各等地。她14岁有一次到芝加哥看望她的姑母，参观了埃森内伊电影制片厂。她要求参加群

众场面的演出。她非常喜欢这个工作，就留下来当临时雇员，不久在两盘胶片的喜剧中扮演小角色。她父母于 1916 年分居后，她和母亲一起迁居好莱坞，并在麦克·森纳特电影制片厂找到了一份工作。在以泳美人和女喜剧演员而成名后，她受聘于美国电影制片人 C.B.德米尔，1921 ～ 1926 年间，在一系列故事片中成为电影明星，这些影片有：《别改换你的丈夫》、《男人和女人》、《扎扎》、《蓝胡子的第八个妻子》和《桑斯·吉恩太太》。接着她成立了自己的制片公司，制作的影片有《萨迪·汤普森》、《凯利皇后》（未完成）和她的第一部有声电影《侵犯者》。在拍了几部短片之后，她对她所得到的那些质量很差的脚本感到厌烦，于是不再制作影片。1948 年她在每周一次的电视节目《格洛丽亚·史璜生节目时间》里担任主角。两年后，她在受到高度赞扬的影片《傍晚大街》中历史性地东山再起。此后她虽仍在一些影片中演出，但将她的大部分余年奉献给电视和舞台——演出的戏剧有：《20 世纪》、《尼娜》和《蝴蝶是自由的》。自传《史璜生论史璜生》于 1980 年出版。

Swanton, John Reed　斯旺顿（1873-02-19，美国缅因加德纳～ 1958-05-02，马萨诸塞牛顿）　美国人类学家，北美印第安人种学的主要学者。他对美国东南部印第安人的研究贡献巨大，十分有助于人种史的发展。曾随人类学家 F.博厄斯在哥伦比亚大学从事研究两年，1900 年获哈佛大学哲学博士学位，随即进入史密森学会美洲人种局工作，直到 1944 年。最初的实地考察是在不列颠哥伦比亚（1900 ～ 1901）和阿拉斯加东南部（1903 ～ 1904）进行的，曾发表有关西北海岸印第安人的人种学、民俗学和语言等方面的专论和文章 20 多篇。《海达人种志研究》（1905）是他对一个部落的专题著作，至今仍具有权威性。约在 1905 年开始致力于美国东南部印第安人的研究，对这一地区人种学的所有方面，包括语言问题和理论问题均曾涉及，从而大大发展了研究历史人类学的现代方法。在已发表的 16 部专论及近百篇文章中，他论述了几乎所有已知的有关苏族及穆斯科吉族诸部落的历史、迁徙、物质文化、社会组织、宗教及语言等问题。主要著作还有《美国迪索托探险委员会总结报告》（1939），《美国东南部的印第安人》（1946）和《北美印第安部落》（1952）。

SWAPO　参阅 **South West Africa People's Organization** 西南非洲人民组织。

Swartberg　斯瓦特山　南非开普省南部山脉。从威洛莫尔附近到维特山边缘，东西延伸达 240 千米，大致与印度洋海岸平行。是大卡鲁高原（北）和小卡鲁高原（南）的分界线。最高海拔为1 650～2 300米。山峰中间的小水库为附近低地供水。一些峡谷、山洞可供人去冒险。

Swarthmore　斯沃斯莫尔　美国宾夕法尼亚州东南部特拉华县自治市。在费城西南郊。围绕 1864 年建立的斯沃斯莫尔学院发展起来，并以公谊会创始人 G.福克斯故居的名字命名。1893 年设建制。1921 年，F.埃德洛特（后任学院院长）在该院首先实行了攻读学位的制度。校园内有著名艺术家 B.韦斯特出生时的住屋（1724）。人口约6 170（2000）。

Swartkrans　斯瓦特克朗　南非三个相邻的考古遗址之一，曾有重要人科化石遗存出土。参阅 **Sterkfontein**。

Swartz, Olof　斯瓦茨（1760-09-21，瑞典诺尔雪平～ 1818-09-19，斯德哥尔摩）　瑞典植物学家。斯瓦茨 1781 年在乌普萨拉大学获博士学位。1783 年到北美及西印度群岛旅行，采集标本。以分类学研究和对蕨类植物的研究而闻名。

swastika　卐　四臂一般顺时钟方向折成直角的正十字形。该字源出梵语 svastika，原义"致福"。古代美索不达米亚货币上常见这个符号；早期基督教艺术和拜占廷艺术、南美洲

卐字符

和中美洲马雅人以及北美洲（主要是纳瓦霍人）文化中也有这个符号。今天印度教、耆那教和佛教仍普遍以它为吉祥标记。印度教徒和耆那教把卐字写在账本、门庭、门板和供物上。正卐字即右旋卐与反卍字即左旋卍（sauvastika）含义完全不同。前者象征太阳；后者往往代表黑夜，象征森然可怖的女神时母（迦利）和邪术。在纳粹德国卐（德语 Hakenkreuz）四臂微斜，取顺时针方向，成为排犹主义的标志，纳粹党以之为党徽，执政后以之为国旗。

Swāt River　斯瓦特河　巴基斯坦北部河流。由加布里阿尔河与乌舒河在科希斯坦地区的格拉姆汇合而成。由融雪与冰川供水，并接受整个斯瓦特河谷的排灌，向南流，然后转向西流，接纳班杰戈拉河以后流向西南方，进入白沙瓦平原，在尼瑟达注入喀布尔河。全长 320 千米。斯瓦特河诸灌渠灌溉约65 000公顷土地，以种植甘蔗与小麦为主。

Swatow（China）　参阅 **Shantou** 汕头。

Swatow wares　汕头瓷器　公元16及17世纪时不同类型的瓷器，大部产自中国东南部的福建省。这类瓷器主要运往日本、东南亚、印度及中东地区；有些进入欧洲市场。过去人们曾认为这些瓷器是由汕头口岸装运的；但当时的记载并不能证实此说。汕头瓷器大多数是大型盘碟和碗，饰以釉下青花，但有一些饰以釉上红、绿、天蓝诸色；黑色较少。饰绘系信笔写意之作，深得天然之致，令人观之，犹叹其精绝。

Swayne, Noah H.　斯韦恩（1804-12-07，美国弗吉尼亚弗雷德里克县～ 1884-06-08，纽约州纽约）　美国最高法院大法官（1862 ～ 1881）。1823 年获得律师资格，由于他坚持反对奴隶制观点而从弗吉尼亚移居俄亥俄，并在科肖克顿成功地执律师业。1826 年被任命为县检察官。并于 1829 年作为一位杰克逊的民主党人被选入州议会。1830 年，杰克逊总统任命他为俄亥俄州的联邦地方检察官。此后他移居哥伦布当律师 31 年。1862 年，林肯总统任命他为最高法院大法官。他是一个勤奋工作和积极支持扩大联邦权力的人。他的一些著名的见解是在"格尔普克诉杜布克市"案和"斯普林杰诉美国"案（1881）中提出的。在前一案中，最高法院宣称，在联邦司法审查中，普遍的司法原则高于地方法院的判决；而在后一案中，最高法院坚持联邦所得税合乎宪法。

Swazi　斯威士人　非洲南部黑人民族。操班图语，以农牧业为生，20 世纪末期约有 181 万人，住在斯威士兰树木丛生的草地及其毗邻的南非德兰士瓦省东部的卡恩瓜尼黑人国家。斯威士语属尼日尔-刚果诸语言的贝努埃-刚果语族；他们与祖鲁人及科萨人共同构成南部恩古尼文化语言集团。

传统上最高的政治、经济和宗教权力由世袭的男首长及其母亲或母亲替代人共同掌握。婚姻传统为一夫多妻制，婚娶要纳聘礼，国王的妻子及儿女住在专为王室建起的村

身着传统服装的斯威士人

供图：Shostal

庄，这类村庄分布在全境，以利于统治。在斯威士兰，许多"国家"级官吏出身于显赫氏族，但在中央及地方政府中，贵族与平民的参与机会要保持平衡。在卡恩瓜尼，地区权力再分为部落权力，每一部落设一首长。贯穿地方及亲属纽带的是将男人划分为年龄组（每 5 ～ 7 年重组一次）而按年龄组提供劳力及其他服务的制度。在非基督教徒中，信奉魔法和巫术，常和安排得很好的祭祖活动合并举行仪式。

Swazi（former black state, South Africa）　**斯威士**　参阅 **KaNgwane** 卡恩格瓦尼。

Swaziland　斯威士兰　全称斯威士兰王国。非洲南部内陆国家。国土呈椭圆形，南北长

美国不列颠百科全书公司供图

约 175 千米，东西宽约 129 千米。北部、西部和南部与南非接壤，东部与莫桑比克交界。行政首都姆巴巴内，立法和王室首都洛班巴。面积 17 364 平方千米。人口约 1 083 000（2004）。

土地 全国从西到东可分为 4 个纵向地形区。最西部是高费尔德区（平均海拔 1 100～1 400米），占总面积的 30%，其中有恩伦贝峰（高1 862米），为全国最高峰。该区的东面是中费尔德区（600～760 米），占总面积的1/4左右。低费尔德区或布什费尔德区（150～300 米），约占总面积的 40%，位于中费尔德区以东。最后是卢邦博陡崖（600～820 米），约占总面积的 5%。主要的终年不断流河有洛马蒂河、乌苏图河、姆克洪德沃河和科马蒂河，均向东流经上述所有 4 个地区。这些河流有巨大的水力发电潜力，可灌溉较干旱的中费尔德区和低费尔德区的大片甘蔗园和柑橘园。

气候各地不同，西部山区温和，年均降水量1 400毫米，东部属亚热带气候，年降水量 560 毫米。年平均温度西部为 15 ℃，东部为 22℃。西部较高地区的草原生长繁茂，而东部较低地区主要是干旱的热带大草原。高费尔德区的大片土地已种植了松树和桉树，可为造纸工业提供纸浆。动物群包括河马、羚羊、斑马和鳄鱼。

斯威士兰的矿产资源主要限于北部的石棉、西北部的铁矿、中东部的煤矿和北部的钻石。烟煤和炼焦煤储量很大，高岭土、锡、重晶石和叶蜡石储量较小。

人民 斯威士兰将近 9/10 的人口为斯威士人，约 1/10 为祖鲁人（祖鲁人在全国人口统计中被算作斯威士人）。斯威士语属尼日尔-刚果语系的贝努埃-刚果语支。其他非洲人有聪加人和来自莫桑比克的尚干人。欧洲人主要有葡萄牙人或讲英语和阿非利堪斯语的南非人，他们通常作为农工、矿工或专业人员在该国工作。欧非人（祖先为欧洲人和非洲人的混血民族）和亚洲人是其他少数民族，通常受雇从事商业活动和工业生产。大多数居民是基督教徒，但许多基督教徒仍保留着其他人信奉的传统的万物有灵论。

斯威士兰人口的增长率一直很高。由于人口出生率和死亡率高，政府在 20 世纪 80 年代继续推行人口控制计划，重点是在农村地区。全国几乎一半人口年龄不足 15 岁。许多男人前往南非寻找工作。斯威士兰的女人在数量上超过男人，比率为 112 比 100。全国不到 1/3 的人口居住在城市。

经济 斯威士兰属市场经济，主要以农业、轻工业和批发零售业为基础。虽然国民生产总值的增长远远快于人口增长，但人均国民生产总值仍相对较低。

农业约占国内生产总值的 1/7，使用 1/5 的劳动力。斯威士人主要从事农业生产，而非斯威士人和欧洲人则控制着生产甘蔗、柑橘、菠萝和原木（纸浆原料）的种植园，但自独立后斯威士人在这些行业中已取得较大份额。甘蔗是该国主要经济作物。牛的数量很多，在传统上它们是财富的象征。玉米是主要粮食作物，当地也种植棉花。

采矿业的重要性在逐渐下降，但石棉和钻石仍有大量开采。制造业约占国内生产总值的 1/7，使用约 1/10 的劳动力。斯威士兰工业开发公司把轻重工业都吸引到马察帕、曼齐尼和恩赫兰加诺一带；斯威士兰的制造业所占比重比大多数非洲国家大。制造业有木浆、纺织品和服装、食品和饮料，以及金属制品。电力靠国产煤和水力发电厂生产。

斯威士兰属于共同货币区（前南非兰特货币区）和南非关税联盟。出口到欧洲经济共同体的糖和牛肉根据《洛美协定》享受优惠。主要贸易伙伴包括南非、加拿大和美国，前者接受斯威士兰 2/5 的出口商品并提供给该国 9/10 的进口商品。

政体与社会状况 斯威士兰是一个君主制国家，由传统的部落制度进行管理。1978 年颁布了一部修正宪法。最高权力掌握在国王手中，他既是国家元首，又是政府首脑，由一个指派的内阁协助其治理国家。咨询性质的两院制议会，由 65 名众议员和 30 名参议员组成，他们仅限于讨论政府的计划和向国王提出建议。国王指派 10 名议员和 20 名参议员，其余的众议员由地方议会选出，参议员则由议院选出。司法系统包括高级法院、上诉法院、基层法院和斯威士（传统）法院。

尽管该国人口的健康状况仍然比较差，但平均预期寿命已升至男性 56 岁，女性 60 岁，婴儿死亡率也在降低。由政府、教会、企业和私人开业医生提供的医疗服务一般好于多数其他非洲国家。结核病和肠道传染病是主要的健康问题，而呼吸道疾病、疟疾和营养不良也是严重的问题。

斯威士兰有 2/3 以上的人口识字。其教育既不免费也不实行义务制。教育体系包括七年制小学和五年制中学，以及农业学院、工业学院和师范学院。斯威士兰大学创建于 1964 年。该国每天有数种英语报刊和一种斯威士语报刊出版。全国有无线电广播和电视广播。

文化生活 民族节和芦笛节是该国两个主要文化节日，均在洛班巴的皇村举行。传统音乐在斯威士社会中起重要作用。有许多场合都需要唱歌，鼓、盾（用于敲打）、鹿角号和长芦笛为伴奏乐器。

历史 按传统说法，讲班图语的斯威士人在 18 世纪沿今莫桑比克的海岸南迁。一部分人向西到达蓬戈拉河流域，1770 年建立起斯威士民族的据点。19 世纪 20 和 30 年代，占统治地位的德拉米尼部族在国王索布扎一世领导下巩固了权力，他的继任者姆斯瓦蒂二世自豪地用自己的名字为整个部族命名。斯威士人征服了北部的许多部落，但在 1846 年又放弃了对鳄鱼河以北地区的领土要求，将这片土地让给了莱登堡共和国。姆斯瓦蒂就在这个时候被迫寻求英国人的帮助以对抗祖鲁人。

1888 年，欧洲移居者被允诺建立一个自治政府。两年后，斯威士人同意成立一个由英国人、南非人和斯威士人代表组成的临时政府。1893 年，斯威士人拒绝了建立南非式政府的建议，但次年又达成了一项协议，建立了没有并吞但实质上由南非管理的政府。

南非战争及 1903 年英国人控制德兰士瓦之后，其总督被授权管理斯威士兰和公开立法。1906 年，这些权力转交给管理巴苏陀兰、贝专纳（博茨瓦纳）和斯威士兰的高级专员。1949 年，南非联盟控制斯威士兰的要求遭到英国人拒绝。

1963 年颁布了一部宪法，规定实行有限的自治。1967 年，在英国的保护下，斯威士兰王国宣告成立，次年获得完全独立，成为一个君主立宪国。20 世纪 70 年代，斯威士兰与南非关系密切，并参加了南非关税联盟，这对该国的贸易收支产生了积极影响。1973 年和 1977 年，国王索布扎二世两次解散议会并取消宪法，但每次都在两年后又被新的议会和宪法所取代。

尽管该国对南非的依赖没有改变，其铁路线只有穿越莫桑比克才能出海，但斯威士兰的经济在 20 世纪末仍持续繁荣。1982 年，国王索布扎二世（当时世界上在位时间最长的君主）以 83 岁的高龄逝世。他的十几岁的儿子马豪塞蒂夫成为继承人。摄政期过后，他于 1986 年被拥立为姆斯瓦帝三世国王。他的统治独断专行，贪污腐败成风，为此要求民主改革的呼声四起。20 世纪 90 年代和 21 世纪的最初几年发生多次示威和罢工，抗议民主改革的进程缓慢。为表示向他的众多批评者做出让步，国王姆斯瓦帝三世 2001 年任命了一个起草新宪法的委员会。2003 年 5 月宪法草案公布以听取公众意见，由于包含禁止成立反对党派和允许国王保留绝对统治权的内容，草案缺少民主改革力度而受到批评。

Swaziland System 斯威士兰系 南部非洲前寒武纪（39.6 亿年前至 5.7 亿年前）重要的地层和年代单元。该系由巨厚沉积岩和具有许多火成岩侵入体的变质岩组成。它分为两个主要的次级单元，即上统和下统。构成斯威士兰系的许多单元都含有具重要价值的矿床，包括金、铜和铀，这就促进了对斯威士兰系的大规模的研究与探索。

sweat 汗 从汗腺排出体表的、肉眼可见的液体。参阅 **perspiration**。

sweat gland 汗腺 仅见于哺乳动物的皮肤分泌腺，有两种。在交感神经系统控制下调节体温。体内温度升高时，汗腺分泌水分至表皮表面，蒸发散热。马、熊和人的汗腺分布全身，为主要的散热装置。狗、猫、牛和绵羊等仅在足垫或唇缘有汗腺，身体其他部分全无，这些动物靠喘气调节温度。啮齿类等小型哺乳动物不能忍受脱水，所以完全没有汗腺。顶浆分泌的汗腺通常与毛囊相连，持续分泌一种脂性汗液至腺小管中。情绪紧张引起管壁收缩，分泌物排出至皮肤，于此为局部细菌分解成具有刺鼻臭味的脂肪酸。人的顶浆分泌腺集中于腋下和外阴部，年幼时不活动，到青春期激素改变，汗腺受刺激而活动起来。其他哺乳动物顶浆分泌腺极多。一些特化的腺体，如乳腺、耵聍腺及许多哺乳动物的臭腺，都可能从顶浆分泌腺演化而来。

sweater　针织衫　一种针织或编织短外衣，有套头穿的，也有开襟的。虽然手织羊毛约已有2 000年历史，但直到15世纪英吉利海峡的根西和泽西岛才第一次生产针织内衣或束腰外套。起初是渔人和水手的妻子用毛线为丈夫编织的御寒和防潮服装，后来欧洲普遍使用针织毛线衣，主要是劳动者穿着。19世纪90年代，美国运动员采用了它，故又称之为运动衫。早期的针织套衫是一种厚实的深蓝色套头毛衫，是在运动竞赛前后御寒穿用。20世纪男女和儿童都穿用，款式也很多，原料用合成纤维、天然纤维，也可两者兼用。

sweating sickness　汗热病　又称英国汗热病。发生于英国的一种病因不明的疾病。于1485、1506、1517、1528、1551及1578年先后流行过6次。除了1528～1529年外，本病均限于英国本土。1528～1529年本病传播到欧洲大陆，经汉堡向北蔓延到斯堪的纳维亚，向东延及立陶宛、波兰及俄国，荷兰亦被波及，但法国及意大利未受影响。除第二次暴发外，历次流行均很严重，病死率很高。1551年暴发流行时，正在什鲁斯伯里开业的名医J.凯厄斯对本病作了详细描述。他的论文《汗厥症治疗刍议》(1552)是对这种怪病的知识的主要资料来源。本病初起时有寒战、头痛、眩晕及严重的虚脱。1～3小时后表现大汗淋漓，伴有严重头痛、谵妄及速脉。死亡可发生于出现症状后3～18小时内。若患者存活24小时以上，则常能完全恢复。偶尔出现疱疹。发作一次不能获得免疫，发作数次并不少见。在一个地区，每次流行仅持续数周。1578年以来，仅出现过一种与英国汗热病类似的疾病暴发，那就是1718～1861年间在法国屡次发生的匹卡地汗热病，但该病恒有皮疹，持续约一周，病死率亦较低。汗热病的本质尚难查清，凯厄斯认为是由灰尘和污物所引起。各次流行都发生于春末或夏季，因而本病很可能是由昆虫传播的。富人病例似乎较穷人严重，且多见于青年与体格健壮的人。本病不大可能是流感或斑疹伤寒的一种类型。20世纪一位作者认为它与回归热是同一种疾病；回归热是一种由虱与蚤传播的疾病，而且与汗热病有很多共同的特征；这种解释似乎有理。但汗热病先作为一种独立的疾病出现，后来又完全销声匿迹，这种事难以置信。尽管这种事很少发生，但毕竟还有先例。

sweatshop　血汗工厂　低工资雇用工人在不利于健康或令人压抑的工作环境中从事长时间劳动的工作场所。英国早在1850年就使用"榨取血汗者"一词来描述强迫工人以很低的工资做单调工作的雇主或中间人。榨取血汗现象在19世纪80年代首先在美国蔓延开来，那时来自东欧和南欧的移民提供了大量廉价劳动力。在欧洲大陆也存在同样的现象。随着20世纪拉丁美洲和亚洲部分地区的工业化，这种问题也在这些地区出现。

榨取血汗现象通常包括低于所付出的劳动价值或基本生活水平的工资率，过长的劳动时间和不安全或有害健康的工作场所。必须具备某些社会和经济条件才有可能出现榨取血汗现象：①一大批没有技术和没有组织的劳工，其中往往有儿童；②不完善的管理制度，完全无视"人的因素"；③国家对恶劣的工作条件不予理会，或不愿进行干预。

从历史上说，血汗工厂一直是同家庭工作的残存及合同制的发展联系在一起的。在家庭工作制中，家庭的一些成员在家中或在一个已转化成小工场的场处做计件工以获取报酬。在合同制中，个别工人或一组工人订立合同以某种价格承包某项工作，有时他们自己从事这项承包的工作，有时又以更低的价格转包给别人。合同制使剥削工人(经常是妇女和儿童)成为可能，同时产生不稳定的就业。生意兴隆时，工人在拥挤不堪的工场或住房中长时间地工作。生意清淡时，转包人可以不加考虑地解雇工人，转包人的一般管理费远远低于工厂雇主。工厂和最低工资立法的最早目的之一是消除这种剥削。

在成衣业中血汗工厂、家庭工作和合同制仍是常见的。在19世纪，把工作拿回家去做的现象也存在于其他行业，如制鞋业、肥皂制作业、香烟制造业和人造花制造业。在大城市中，血汗工厂设在贫民区，条件似乎更差。虽然到20世纪中叶，许多高度发达国家的法律或者已经消除"榨取血汗"现象，或者审慎地控制住这种现象，但亚洲许多国家仍实施这一制度，在那些国家里，许多人从事家庭工作，或在小作坊中做工。20世纪有四大因素在控制血汗工厂现象方面起着作用：①社会理想主义的发展；②工会的压力；③公民权的扩展和劳工政党的成长；④工厂生产更加经济和行业中的人际关系得到更多关注。国际劳工组织一直努力设法提高血汗工厂仍然普遍存在的国家的劳动条件标准。

Swedberg, Emanuel　参阅**Swedenborg, Emanuel 斯维登堡**。

Sweden　瑞典　瑞典语作Sverige。全称瑞典王国。北欧国家，与挪威一同位于斯堪的纳维亚半岛。瑞典南北长约1 600千米，东西宽约500千米。西和西北与挪威交界，东北与芬兰相连，东临波的尼亚湾，东南濒波罗的海和西南临北海。瑞典最南端隔一条狭窄的海峡与丹麦相望。首都斯德哥尔摩。面积449 964平方千米。人口约8 991 000(2004)。

土地　瑞典在传统上分为3个区域：北部和中部为诺尔兰区，是一片森林覆盖的山区；中南部为斯韦阿兰区，东面是广阔的低地，西面是高地；南部为约塔兰区，包括斯莫兰高地以及最南端的斯科讷平原。

诺尔兰区的面积约占该国的3/5，区内有瑞典最高峰凯布讷峰(海拔2 111米)。诺尔兰区是瑞典主要的自然保护区，有广阔的森林和丰富的铁矿。斯韦阿兰区的特征是起伏的冰川砾石山脉，瑞典9万个湖泊大多分布在这里；维纳恩湖面积5 585平方千米，是瑞典第一大湖和欧洲第三大湖。斯莫兰高地是瑞典南部的内地，土壤贫瘠多石。高地以南是斯科讷平原，这里土壤肥沃，是全国人口最稠密的农业区。瑞典的河流大多数发源于西北部的山脊，向东南流动，某些河段可供水力发电。

大约15%的瑞典人居住在北极圈以北。即使在南部的斯德哥尔摩，夏季夜晚也很短暂，在冬季数月中，白昼时间同样很短。北部地区有大雪，气温极低，而南部地区的冬季每年都不相同，气温较暖和，很少降雪。瑞典南部和中部的夏季经常阳光明媚，气候温和。年降水量各地不同，南部靠西的坡地在1 000毫米以上，东海岸不足700毫米。

瑞典大多数地区生长冷杉林、松林和白桦林，但南部有较多夹杂某些落叶树的混合林。麋、獐、狐和野兔全国到处可见；在北部山区，拉普人或称萨米人还放养驯鹿。瑞典的一些湖泊已被酸雨破坏。

瑞典最重要的矿产资源是铁矿，北极圈以北地区储量最丰。诺尔兰的波利登地区也是重要的矿区，蕴藏有金、铜、银、铅和锌矿。瑞典还是一个水电生产国。

人民　瑞典人口在种族、语言和宗教等方面十分单一。官方语言是瑞典语，属北日耳曼语支，与挪威语和丹麦语相近。第二次世界大战以后，瑞典的人口构成发生了明显的变化。到20世纪90年代，有大约1/10的人口出生在国外或是移民的后裔。大多数移民来自北欧国家，少数来自拉丁美洲、中东、土耳其和希腊等。瑞典有两个土生土长的少数民族：东北部讲芬兰语的民族和北部内陆的拉普(萨米)民族。大约90%的人口属瑞典福音信义会，其他人属天主教、希腊正教和穆斯林。

瑞典的人口出生率和死亡率与西欧的平均水平相差不多，人口增长率很低。60岁以上的老年人多于15岁以下的年轻人。预期寿命男性为74岁，女性80岁。80%以上的居民住在城市，南部的斯德哥尔摩-哥德堡-马尔摩三角区是全国人口稠密地区。

经济　瑞典属发达的市场经济，主要以服务业、重工业和国际贸易为基础。国民生产总值的增长快于人口增长。人均国民生产总值居世界前列。

农业在国内生产总值中的比例不到4%，使用相等比例的劳动力。全国只有大约7%的土地为可耕地，农场规模虽小但机械化程度很高。瑞典农场的产量属世界最高之列，主要作物有小麦、甜菜、大麦、燕麦和马铃薯。牲畜的繁殖和饲养(特别是猪和牛)及牛奶生产非常发达。

森林覆盖面积占国土的2/3，林业生产终年进行。瑞典是林产品的主要出口国。瑞典生产各种木材产品，包括预制房屋、木板和家具。瑞典的矿业以生产钢铁为主，大部分由政府控制。西欧是瑞典钢铁的主要市场。铜矿的开采量很大。瑞典缺乏矿物燃料，石油、天然气、煤和浓缩核燃料必须进口。

制造业非常发达并且品种繁多，约占国内生产总值的24%，使用1/5以上的劳动力。重工业占主导地位，主要制造业包括机动车辆、飞机、机械和钢铁。全国的轻工业集中在电子和通讯设备、金属和塑料加工，以及玻璃制品。其他工业有制药、医疗设备、石油化工和食品加工。电力由水电站和核电站生产。旅游业也很重要，依赖于全国各地多姿多彩的景区和迷人的景色。

瑞典有一个高度发达的铁路网和一个四通八达的道路和公路系统；大多数家庭至少拥有一辆汽车。国际航空服务主要由斯堪的纳维亚航空公司承担。斯德哥尔摩、哥德堡和马尔摩的机场可起降国际和国内航班。

瑞典的出口约占国内生产总值的1/3。主要出口商品已由木浆、木材和钢铁转移到汽车、通讯设备和其他制成品。德国、英国、美国、挪威、芬兰和丹麦共计占瑞典出口市场的50%以上。

美国不列颠百科全书公司供图

政体与社会状况 瑞典是一个实行议会制政体的君主立宪国。世袭君主是国家元首，但其地位几乎完全是象征性的。立法权归一院制议会。议会总共有349个席位，其中310个由直接选举产生，其余根据全国选举得票多少分配给参加竞选的政党。议员任期3年。行政权由首相领导的内阁行使，能在议会获得多数选票的政党领袖即可当选首相。全国最大的政党社会民主工人党与工会联系紧密，在20世纪大多数时期一直掌权。瑞典在20世纪大多数时期一直奉行中立和不结盟政策，但是它积极支持联合国和其他国际组织。瑞典还是对发展中国家提供外援的主要国家。

外国普遍认为，瑞典是一个现代福利国家，实行准社会主义制度，保证为该国人民提供"从生到死"的保障，而且收入在人民中平均分配。瑞典已经建立起一个世界最完善的社会福利网，财政靠若干种个人所得税维持，其税率是世界上最高的。社会保障体系提供几乎各个方面的救济金，义务健康保险计划可补贴几乎全部的医疗费。尽管已经实行建设和修复计划，但在大城市和周边地区房屋仍经常短缺。

该国实质上已达到全民教育的程度，100%的识字率就说明了这一点。全国实行七年制义务基础教育，从7岁开始，但1991年起改为6岁。瑞典建有许多大学和专科学院。

新闻自由最早于1766年开始实行，现在得到1949年通过的《新闻自由法》的保障。瑞典的人均报刊发行量居世界前列，但是自20世纪中期以来，由于财政匮乏已经造成报纸数量不断减少。无线电和电视广播在公众监督下实行专营。

文化生活 在现代，瑞典除了成功地实行了保证其公民福利的准社会主义制度以外，还在文化方面取得了非常明显的成就，其中有斯特林堡的剧作，褒曼的电影，以及每年一度由瑞典皇家科学院和其他学者颁发的诺贝尔奖。20世纪的作家包括小说家拉格洛夫和诗人马丁松。

历史 大约公元前1.2万年，早期的狩猎者跨过大陆桥从欧洲移居瑞典。采集者在瑞典南部散居（约公元前3500～前500），随后成立部落从事农业生产和牲畜饲养（约公元前2500）。瑞典同欧洲大陆的贸易始于公元前1500年，但在大约公元前500年由于凯尔特人的扩张而中断。铁器时代的文化存在了大约800年（公元前400～公元400），当时与南部罗马帝国的贸易得到发展。罗马历史学家塔西陀首次描述了被称为瑞典人的日耳曼人，他们居住在瑞典的东中部并征服了南部（即约塔兰）的哥特人。海盗时期，瑞典人在波罗的海地区和东部的俄国建立了据点，控制了往南沿第聂伯河和伏尔加河到拜占廷和中东的经商路线。

只是到了10世纪，瑞典才清楚地进入有记载的历史。在此以前，瑞典一直拒制皈依天主教，但是到11世纪，奥拉夫·舍科特农成为第一个受洗礼的瑞典国王；1164年，瑞典接受了它的第一个大主教职位。这时，瑞典仍然是一个松散的联邦，它的君主制也周期性地受到敌对王朝之间的斗争和王室与地主贵族之间进一步斗争的破坏。

1397年，波美拉尼亚的埃里克成为瑞典、挪威和丹麦的国王并统治瑞典直到1439年。15世纪后期和16世纪初期，瑞典和丹麦的统治者相互争夺三个王国的统治权。1523年，古斯塔夫一世瓦萨即位，成为独立瑞典的统治者，建立了瓦萨王朝，一直延续到1720年。这时，宗教改革运动传到瑞典，信义教成为国教。17世纪，瑞典成为波罗的海的强国，瓦萨王朝最杰出的君主古斯塔夫二世参加了日耳曼新教反对奥地利天主教的战争。瑞典作为一个强国开始衰落是在查理七世时期，他于1709年入侵俄国遭到惨败。查理在北方大战（1700～1721）中战死（1718），标志着瑞典作为一个欧洲强国地位的结束。

18世纪下半叶，瑞典开始从专制向议会政体过渡，但是在古斯塔夫三世在位期间（1771～1792），瑞典又恢复了专制统治。在后来的年代里，瑞典作为英国的盟国参加了拿破仑战争，但是由于古斯塔夫四世领导无能，结果于1808年把芬兰丧失给俄国。1809年，古斯塔夫被废黜，在即位危机时期，拿破仑的将军贝纳多特被选为王储（1810），改名查理·约翰。在他的领导下，瑞典于1815年不顾挪威的反对与之合并。1818年，查理·约翰成为查理十四世国王，建立起一个新王朝。查理十四世的统治（1818～1844）是一个保守时代，但是他的儿子奥斯卡一世（1844～1859在位）和孙子查理十五世（1859～1872在位）却实行了自由主义的改革，包括自由经营和贸易、义务教育和议会代表制的改革。

1905年，瑞典和挪威王室的联盟在奥斯卡二世时解体。第一次世界大战时期，瑞典保持中立，但是商业遭到严重破坏，造成食品极度短缺。在两次大战之间的一段时期，社会民主党崛起，该党提出一项全面克服30年代经济危机的计划。第二次世界大战爆发时，瑞典宣布中立，并且在战争中始终努力保持其中立地位。

战后瑞典参加了联合国，但继续奉行其中立政策，拒绝参加北大西洋公约组织和欧洲经济共同体。瑞典还继续实行其社会改革计划，建立一个倡导全面和广泛的健康、教育和社会福利救助的福利国家。战后时期，社会民主党上台执政，只是在1975～1982年期间和1991年以后才离开政府。此时，由于苏联集团解体，奉行中立失去意义，瑞典遂于1995年加入欧盟。现任首相是约兰·佩尔松。

Sweden, Church of 瑞典信义会 瑞典语作Svenska Kyrkan。受国家资助的瑞典国定教会，是在16世纪宗教改革运动中脱离天主教会而改奉信义宗的。瑞典民众在9世纪逐渐接受基督教。本笃会修士第一任汉堡大主教安斯加尔（801～865）是第一位被派到瑞典的基督教传教士。后来不列颠和德意志的传教士在瑞典民众中间工作，但直到12世纪瑞典才基本上成为基督教国家。1164年乌普萨拉成为大主教区，瑞典大主教就任。瑞典的宗教改革运动并没有从根本上废弃过去的教会习俗，主教制和神职人员的使徒传统维持不变。原由瑞典、挪威和丹麦组成的斯堪的纳维亚联盟解体之后，独立的瑞典国王古斯塔夫一世（1523～1560在位）希望消除天主教会在瑞典的庞大经济势力。襄助他推行宗教改革运动的有首相安德利亚和瑞典宗教改革家佩特利。瑞典教会同罗马教会的关系逐渐削弱，1527年，经过议会批准，国王没收天主教会财产，瑞典教会宣告独立。有些神职人员因不愿接受信义宗教义而离开瑞典，但是新的教义逐渐为留下来的神职人员和民众所接受。1544年国王和议会正式宣布：瑞典是信奉信义宗的国家。佩特利既是教师又是布道家，他任斯德哥尔摩圣尼古拉大教堂牧师(1543～1552)、斯德哥尔摩市政委员、国王的秘书(1527)和首相(1531)。他对于瑞典的宗教改革贡献颇多。他推出了瑞典文《新约》(1526)、赞美诗集(1526)、教会手册(1529)和瑞典语崇拜礼仪(1531)，还撰写了一批宗教著作。由他本人、他的弟弟劳伦蒂乌斯·佩特利和安德利亚合译的瑞典文全部《圣经》于1541年出版。劳伦蒂乌斯·佩特利是瑞典信义会第一任总监督(1531～1573)，瑞典信义会在他的领导下抵制加尔文宗人士影响其信仰和行政体制的企图。他推出了1571年的"教会规章"，规定教会各种礼仪形式。其后天主教力图卷土重来，结果枉然。在国王古斯塔夫二世统治下，信义宗不再受威胁，古斯塔夫干预"三十年战争"，被认为有功于保存德意志境内的新教。正统信义宗在17世纪统治着瑞典。在18、19世纪，兴起于德国而强调个人宗教体验和改革的虔敬主义则对瑞典信义会产生了强有力的影响。于是，瑞典信义会开展了教育、社会福利和海外传教活动，坚持不懈。在20世纪，瑞典信义会积极从事普世教会运动。总监督塞德布洛姆(Nathan Söderblom)是普世教会运动的一位领袖，1948年世界基督教协进会成立，他对之贡献甚大。瑞典信义会目前仍然是国定教会，以国王为最高权威。1781年瑞典颁布宽容敕令，容许其他派别在瑞典存在。1952年，瑞典议会通过法律，允许瑞典公民正式退出国定教会和不参加任何教会。瑞典信义会在国内分13个教区，各教区设监督一人。乌普萨拉总监督一方面是本教区监督，另一方面又是瑞典信义会的首席监督。监督和总监督由各教区提名，由国王选定。由平信徒代表和神职人员代表出席的大会每年举行，国王拥有解决冲突的最终权力。

Swedenborg, Emanuel 斯维登堡(1688-01-29，瑞典斯德哥尔摩～1772-03-29，英格兰伦敦) 1719年前称Emanuel Swedberg(或Svedberg)。瑞典著名的科学家、神秘主义者、

供图：Svenska Portrattarkivet, Stockholm

哲学家和神学家。1709年在乌普萨拉大学毕业后，又先后在英国、法国和荷兰学习自然科学和数学，历时5年。1715年回国，出版瑞典的第一种自然科学杂志。国王查理十二世曾任命他为皇家矿务局顾问。1734年他在德国莱比锡出版了三卷本的《哲学和逻辑学著作集》，这部著作的第一部分论述他的成熟的自然哲学。在这方面他深受法国大哲学家笛卡儿的影响。事实上，斯维登堡自然哲学的三个主要问题都受到笛卡儿的启发：①物质由无限可分的微粒构成；②这些微粒处于永恒的旋转运动之中；③地球行星系统是从太阳物质团中分离出来的。第三个问题是他宇宙学的核心，深受英国作家T.伯内特《神圣的地球理论》一书的影响，是康德-拉普拉斯星云说的先驱。在这以后，斯维登堡对生理学和人体解剖学进行了认真的研究，特别着重研究了血液和大脑。提出人的灵魂位于大脑，特别是位于大脑细胞的皮层。但是他的解剖学上的成果并未受到同时代科学家的注意。晚年主要研究神学。他将巨大的精力用于解释《圣经》，并叙述他在幻觉中对神灵和天使世界的所见所闻。他认为上帝的存在是不可描述的，因为它本身既是实体又是形式。但是上帝的本质能从它的爱和智慧这两种基本品质中得到理解。在与自然界相一致的神灵世界里，上帝的本质是精神的太阳；它的温暖是爱，它的光明是智慧。他抛弃了那种认为基督是上帝之子和三位一体的教义。认为创造是持续进行的，宇宙中每一事物都属于一个系列，每个系列都有三个不同的度，这三个度由目的、原因和结果联系起来。每一结果都是下一较低系列的目的。创造的最后目的只能通过人来完成。他的想象力和宗教思想一直是巴尔扎克、波德莱尔、爱默生、叶芝和斯特林堡这些杰出作家灵感的源泉。

Swedenborgians 斯维登堡派 参阅New Church新教会。

Swedish language 瑞典语 瑞典语作Svensk。瑞典国语，与芬兰语同为芬兰官方语言。属北日耳曼语支东斯堪的纳维亚语分支，第二次世界大战前也通行于爱沙尼亚和拉脱维亚部分地区。20世纪末叶，操瑞典语的人数约达900万人。它与挪威语和丹麦语关系密切。从共同斯堪的纳维亚语时期(600～1050)约到1225年这段时间的瑞典语历史，主要根据大量如尼文字铭文为世所知。14～15世纪时，瑞典语曾发生根本性变化，语音系统尤甚。现代瑞典语通常溯源至1526年首次刊印的《新约全书》译本。17世纪开始出现标准语，主要是在通行于斯德哥尔摩及梅拉伦湖附近的斯维亚诸方言基础上形成的，但带有约塔诸方言特点。瑞典文学院成立于1786年，1836年出版瑞典语语法，以后开始出词典。瑞典语语法和其他斯堪的纳维亚语一样，也有重读词后定冠词。标准瑞典语名词除属格加s外(如同英语)，没有格的词尾变化，并且只有两个性(中性、通性)，不过在大多数方言里仍有三个性(阳性、阴性、中性)的区别。瑞典语有声调重音，许多操英语者把它描述为单调的节奏。词汇有许多借词，特别是借自低地德语和高地德语的词，晚近时期也有借自法语和英语的词汇。

Swedish literature 瑞典文学 用瑞典语写的文学作品的总称。始于13世纪，当时古瑞典语成了一种不同于前已流行于整个斯堪的纳维亚的普通挪威语。该国从11世纪起逐渐皈依天主教，使中古瑞典文学的发展受到阻碍；这就意味着拉丁文成了当时许多著述的表达工具。16世纪，瑞典俗语文学随着瑞典热衷于追随新教的宗教改革而取得了独立地位。在这个时期中，最重要的文学事业是在1541年全部译成瑞典文的《圣经》问世；从此有了现代瑞典语并为后来的作家提供了取之不竭的形象、主题以及隐喻的来源。在以后几个世纪中，瑞典文学成为同时代的欧洲各种文学模式的缩影。G.谢恩赫尔姆的史诗《海格立斯》(1638)对后来的诗人影响很大，作者本人被称为"瑞典诗歌之父"。启蒙运动影响了18世纪的瑞典，而其最重要的代表人物是奥洛夫·冯·达林。这一世纪其他的杰出作家有学院派诗人J.H.谢尔格伦、博物学家卡尔·冯·林奈和神秘的神学家E.斯维登堡。C.M.贝尔曼则是18世纪卓越的瑞典抒情诗人。19世纪初，新古典主义在瑞典也像在欧洲其他各国一样，逐渐为浪漫主义所代替。瑞典的新古典主义以法国新古典主义为样板，而瑞典的浪漫主义则唯德国浪漫主义的马首是瞻。浪漫主义在瑞典表现为一种热烈的民族精神以及再次对瑞典的过去和传统发生强烈的兴趣。19世纪后期，浪漫主义又让位于现实主义。当时瑞典产生闻名全球的重要人物剧作家奥格斯特·斯特林堡。他的作品标志着现代瑞典文学的开始。斯特林堡至今仍是瑞典最伟大的作家。到了20世纪，名作家有S.拉格洛夫、H.贝里曼以及诗人和小说家P.拉格尔克维斯特。

Sweelinck, Jan Pieterszoon 斯韦林克(1562-04，阿姆斯特丹～1621-10-16，阿姆斯特丹) 荷兰管风琴家、作曲家，J.S.巴赫之前发展管风琴音乐的主要人物之一。约在1580年，

供图：Haags Gemeentemuseum, The Hague

接替父亲在阿姆斯特丹老教堂任管风琴乐师，在此岗位任职直到去世。虽然按法国和荷兰的复调传统谱写了大量宗教及世俗声乐曲，但主要以管风琴家和键盘音乐作曲家闻名于世。其键盘音乐包括众赞歌变奏曲、托卡塔曲和幻想曲，都表现出威尼斯管风琴派的影响；还作有几套世俗曲调变奏曲。其幻想曲属于最早采用单主题但加以增值、减值、变换节奏并结合以对主题的管风琴赋格曲。世俗变奏曲则用几个欧洲国家的流行曲调创作而成，如《我孩子的生命已到尽头》。他的键盘乐器演奏很有名，英国作曲家J.布尔的《斯韦林克主题幻想曲》是一位键盘乐器演奏名家对另一位名家的献礼。斯韦林克的

管风琴学生中有德国作曲家S.沙伊特和H.谢德曼。谢德曼的学生J.A.莱因肯把这种管风琴演奏传统传给了丹麦管风琴家D.柏格兹特胡德。下一代的许多杰出的管风琴家,特别是在德国北部,都是斯韦林克的学生。韩德尔和巴赫都曾受德国北部管风琴学派的影响。

Sweeney, John **斯威尼**(1934-05-05,美国纽约布朗克斯～　　) 美国劳工领袖,1995年当选美国劳联-产联(AFL-CIO)主席。在2005年7月召开的劳联-产联大会期间,在无人竞争的情况下再次当选,但是,在同一星期,卡车司机工会、国际服务雇员工会、食品与商业工人联合工会宣布退出劳联-产联。曾在艾奥纳学院攻读经济学,后在国际妇女服装工人工会当助研开始其事业。1961年加入国际服务雇员工会,成为纽约市地方分会的合同主管,1976年成为该地方分会主席。1980年当选国际服务雇员工会主席,他的主要业绩是在其15年的任期里增加75%的会员(达到100多万人)。他的成就与许多美国工会不断减员的情况形成鲜明对照,帮助其赢得劳联-产联主席职位。他的战略是增加劳工的政治影响。为此,劳联-产联向1996年众多的政治运动捐献了3 500万美元,其中包括总统B.克林顿的连任竞选运动。但是批评者声称他花费过多时间游说政客,而在减缓工会会员总体减少方面却几乎没有作为。2001年3月受到重大指责。当时50万名木工联合工会(UBC)会员,在主席D.J.麦卡龙的带领下,退出了劳联-产联。

sweeper **单鳍鱼类** 鲈形目单鳍鱼科拟单鳍鱼属(*Parapriaeanthus*)及单鳍鱼属(*Pempheris*)等太平洋、大西洋与印度洋海水或咸淡水鱼类的通称。体侧扁,长卵形。鳍与尾发达,眼大,少数种类体侧有发光器。北美沿岸仅有西大西洋的玻璃单鳍鱼(尚伯克氏单鳍鱼,*Pempheris schomburgki*)。东大西洋不产。

sweet alyssum(*Lobularia maritima*, or *Alyssum maritimum*) **香雪球** 又作sweet alison。又称海庭荠。十字花科庭荠属短命多年生矮小丛生的草本植物,原产地中海地区。广泛栽培以观赏其花。花小四瓣,白色,簇生,

香雪球(*Lobularia maritima*)
供图:Joan E.Rahn—美国不列颠百科全书公司

有蜜香。叶片狭,灰绿色,无锯齿,通常被银色毛。花茎高达30厘米。花头下方即结圆形小角果。有淡紫色、粉红色或紫色花的园艺类型。

sweet birch(*Betula lenta*) **香桦** 又作black birch, cherry birch或red birch。又称黑桦或红桦。北美桦木科观赏和材用树。高常约18米,在阿巴拉契亚山南部可达24米或

香桦(*Betula lenta*)
供图:Walter Chandoha

过之,在贫瘠土壤上则矮小或呈灌木状。幼茎的外层树皮光滑发亮而不剥落,红褐色;老树干的外层树皮几为黑色,并有深沟而呈不规则鳞片状。内层树皮及小枝的气味及味道均似冬绿。木材坚硬而纹理细密,似黄桦木,但较为致密,颜色较深;两者均可用作胶合板、镶板、地板、家具、门、运载工具部件等。香桦可提取桦木油(香桦油),以前用作冬绿油代用品。桦木啤酒用其树液制成。

sweet corn **甜玉米** 参阅**corn** 玉米。

sweet gum **枫香树** 金缕梅科枫香属(*Liquidambar*)植物。4个乔木种。原产于北美和亚洲,其树脂和木材有用,亦有观赏价值,叶互生,呈明显的掌状,3～7裂。花单性,雌

北美枫香树(*L. styraciflua*)
供图:John H. Gerard from the National Audubon Society Collection/Photo Researchers

雄同株,雄花穗浅绿色,直立,雌花簇圆形,下垂。果序圆球形,具刺,黑褐色,常宿存至春季。北美枫香树(*L. styraciflua*)生于潮湿低地者有时高达45米,但通常成年树仅高22米;叶美观,秋天猩红色;常栽作荫蔽树;心材可制作优质家具。该属乔木都可采枫香香脂,但东方枫香树(苏合香树,*L. orientalis*)所产者最为芳香。台湾枫香树(*L. formosana*)叶具3裂,在气候温和的地区广泛种植于庭园。

sweet pea(*Lathyrus odoratus*) **香豌豆** 豆科一年生草本植物,原产意大利,花美丽芳香,各地广泛栽培作观赏植物。藤状茎蔓生,长1.2～1.8米,借卷须蔓延。羽状复叶,互

香豌豆(*Lathyrus odoratus*)
供图:Sven Samelius

生。花白色、粉红色、红色、紫罗兰色或紫色,花径可达5厘米,单生或2～4朵簇生。荚果具毛,长约5厘米。已培育出数百个品种。

sweet potato(*Ipomoea batatas*) **番薯** 旋花科(Convolvulaceae)植物,块根可食。原产于热带美洲,广泛栽培于热带及暖温带地区。番薯不可与茄科茄属的马铃薯(**potato**)和薯

番薯(*Ipomoea batatas*)
供图:Shunji Watari

蓣科薯蓣属的薯蓣(**yam**)相混,这些植物并无亲缘关系。番薯的茎长,蔓生。叶分裂或不裂,心形至掌状。花成簇开于叶腋,花冠漏斗状,粉红色或玫瑰紫色。可食部分是膨大的块根,形状各异,从纺锤形到椭圆形或带尖的卵圆形。块根外皮白色至橙色,偶见内部紫色外部浅黄牛皮色至棕色或玫瑰色与紫红相间者。块根的成分主要为淀粉,肉质橙色的品种富含胡萝卜素。整个块根或番薯泥可制菜肴,又可制饼馅。现在番薯主要广泛种植于美国南部、热带美洲、太平洋温暖地区的岛屿、日本及俄罗斯。以块根上萌出的不定芽及茎蔓的插条进行无性繁殖。番薯最适宜种植于轻质松散的砂质壤土。要获丰收则至少需4～5个月的温暖天气。在日本,人们很早就种植番薯以晒番薯干或用以制淀粉或酒精。

sweet potato(musical instrument) 参阅**ocarina** 小鹅笛。

sweet shrub 夏蜡梅 蜡梅科(Calycanthaceae)夏蜡梅属(*Calycanthus*)植物的通称,共四种树皮和花芳香的小观赏树,均原产于北美。夏蜡梅具对生、亮绿色、边缘平滑的单叶。花似木兰,棕色至紫色,生于枝顶,花瓣与萼片相似。果梨形或卵形,含多数干燥的种子(瘦果)。卡罗来纳多香果(美国夏蜡梅,多花夏蜡梅,*C. floridus*)为灌木,高约3米,西方夏蜡梅(*C. occidentalis*)与之类似,亦为灌木,具淡褐色的花,在北美普遍栽培。

夏蜡梅(*Calycanthus*)
供图:Arthur O. Tucker

sweet vernal grass 甜芽菜 又作 vernal grass。又称黄花茅。早熟禾科黄花茅属(*Anthoxanthum*)植物,4种,一年生或多年生芳香禾草。原产于欧洲、亚洲和北非。叶薄而扁平,花穗狭长。叶含有香豆素,新割下时具甜香味。可作干草用。

香黄花茅(*Anthoxanthum odoratum*)
美国不列颠百科全书公司供图

sweet William (*Dianthus barbatus*) **美国石竹** 又作 bunch pink。即须苞石竹。石竹科的一种人们熟悉的旧式花园植物,花簇生,花小,色彩鲜艳。在花园中通常作为二年生植物种植,第一年播种,第二年植株生长到60厘米高并开花,花数多,白色、粉红色、玫瑰色至紫罗兰色,有时两色,花瓣流苏状。

美国石竹(*Dianthus barbatus*)
供图:Grant Heilman

sweetbrier (*Rosa eglanteria* or *R. rubiginosa*) **多花蔷薇** 又作 eglantine。又称香蔷薇。一种小而多刺的野蔷薇,叶香,花多,形小,粉红色。原产欧洲和亚洲西部,已广泛移植到北美东部,生长于路旁及从新斯科舍和安大略向西南到田纳西与堪萨斯的牧场中。植株高约2米,可用作屏篱;有一个栽培类型(重瓣型)的花为粉红色,重瓣。多花蔷薇算不上观赏植物,但它与奥地利蔷薇(臭蔷薇,*R. foetida*)杂交后产生美丽的彭赞斯(Penzance)杂种,花淡粉红色,中央黄色。乔叟以后,英国诗人的作品中经常提到多花蔷薇。J.弥尔顿在其《快活人》中用"twisted eglantine"一名指欧洲忍冬(*Lonicera periclymenum*),该种在约克郡东北部现仍称为 eglantine。

sweetener 甜化剂 食品和饮料中提供甜味的各种天然和人造的物质。除了使食品有甜味外,还可用于诸如食品保存、发酵(酿酒和制酒)、焙烤(有助于改善质地、嫩化和膨松)和使食物呈棕色或红色等过程。天然甜化剂有营养和香味,因而是人们喜爱的食品和调料。然而由于普通食糖和其他有营养的甜化剂,如蜂蜜和玉米糖浆,都会引起健康问题(如肥胖病和龋齿),或甚至危及生命(糖尿病),因而自19世纪起一直在设法制造非营养性甜化剂,这种甜化剂不会产生新陈代谢,所含热量很少,或根本不含热量。非营养性甜化剂或是人造的(合成的),或自植物提取的,包括诸如糖精、天门冬氨酰苯丙氨酸甲脂(aspartame)、环磺酸盐(cyclamates)和索默坦蛋白质(thaumatin)等化合物。

食糖是称作蔗糖[sucrose 或 saccharose ($C_{12}H_{22}O_{11}$)]的一种碳水化合物的通称。有关的一组化合物是玉米糖(称作葡萄糖或右旋糖)、水果糖(果糖或左旋糖)、奶糖(乳糖)和麦芽酿制的糖(麦芽糖)。蔗糖是一种双糖,即由两种单一的糖或单糖——葡萄糖和果糖——组成。这是最甜的食糖中的一种。如果以蔗糖为标准定为1,则葡萄糖的甜度是0.5～0.6,乳糖的甜度是0.27,麦芽糖的甜度为0.6;水果和蜂蜜中的果糖最甜,甜度为蔗糖的1.1至2.0倍。在商业方面,蔗糖主要取自甘蔗和甜菜,也取自诸如槭树、桄榔(特别是枣椰)和高粱等来源。各种植物中均有蔗糖:一个苹果含约4%的蔗糖,6%的果糖和1%的葡萄糖(以重量计);一粒葡萄含约2%的蔗糖、8%的果糖、7%的葡萄糖和2%的麦芽糖(以重量计)。蜂蜜主要由果糖和葡萄糖组成,其成分取决于蜜蜂采集的原花蜜和加工数量及储藏时间。

在制作低热量的甜化剂方面,有若干问题,不仅限于甜度。有些甜化剂在高温时失去甜度(因而往往不宜于烧煮),或时间过久即失去甜味(货架寿命很短)。有些非营养性甜化剂余味不佳,而且食糖有些性能是任何其他甜化剂根本没有的。食糖使焙烤食品的体积增大和质地提高;有助于形成焙烤物品的结构,使之具有略含水分、松软和防硬等特点,易于膨发。此外有储藏功能(如果冻和蜜饯),一般说来也可防腐。可作为发酵有机体的食物,对于制作诸如含酒精饮料、面包和泡菜等食品是很重要的。在软饮料中,食糖除了提供甜度外,还可提供"口感"和使体积增大,有助于稳定二氧化碳。总之,食糖在食品中有许多特性,到目前为止尚未制成任何其他甜化剂可具有所有这些特性或其中许多特性。

1879年两个德国研究人员 I.雷姆森和 C.法尔伯格发现了人造甜化剂糖精(原磺基苯甲酸酰亚胺),其甜度比甘蔗高300至500倍左右。一些国家以糖精、糖精钠和糖精钙形式大批生产。虽然在20世纪70年代和80年代,其安全性一直是争执的问题,但仍广泛使用。1937年发现了环磺酸盐,这是从环己胺或环己烷氨基磺酸提取的一组合成的甜化剂,其甜度约为蔗糖的30倍左右。虽然一些国家使用环磺酸盐,但某些国家(特别是美国在1969年)由于怀疑它有致癌作用而禁止使用。1965年发现了天门冬氨酰苯丙氨酸甲酯,或称天门冬苯丙氨酸[商品名称为"营养甜剂"(Nutrasweet)、"代甜品"(Equal, Egal)或"坎德拉尔"(Canderal)],含有稍许热量(虽然微不足道),甜度约为蔗糖的180倍。其安全性仍引起争执,但现在是软饮料中最受人们喜爱的甜味调料。它时间长久后会失去甜味,但制造商已采取措施,通过添加剂加强其稳定性。索默坦蛋白质于1979年在日本得到认可后已经使用得越来越多了,这是从在西非发现的一种植物 *Thaumatococcus danielli* 中提取和精炼的;它可同谷氨酸钠配合,在日本的典型调味品及口香糖中使用。美国在1988年认可乙氨基磺酸钾(商品名称为"森内特"Sunette);其甜度为蔗糖的200倍,货架寿命长,稳定性好,初步在干的搅拌食品中使用。日本、巴拉圭和一些其他国家从一种植物 *Stevia rebaudiana* 中提取了甜菊苷,这是一种低热量的甜化剂。其甜度为蔗糖的300倍左右。美国在1981年为一种潜在的无热量甜化剂申请了专利,即"左旋"糖,或L糖。其化学成分与蔗糖同,只是其分子结构是标准的"右旋"蔗糖的对立反映;据说其外貌、行为及口味都类似蔗糖,但人体似乎没有使它产生新陈代谢变化,因而它在经过身体时基本上没有变化。然而,L糖的制造已经证明是非常困难和花费太多的。主要在欧洲、北美和日本仍在对数百种潜在的甜化剂进行着研究。

sweetfish (*Plecoglossus altivelis*) **香鱼** 又作 ai 或 ayu。又称鲇。香鱼科(Plecoglossidae,有些学者将它并入鲑科)味香美的海鱼,见于日本及中国台湾,上溯于清澈的河水中产卵。体淡黄或橄榄色,长约30厘米,颇似小型的鳟鱼。其鉴别特征为舌有褶、背鳍帆形、牙排列于颌侧的锯齿缘板上。在日本人们用驯养的鸬鹚捕捉河中上溯的香鱼。

sweetleaf 山矾 又作 sapphire berry 或 horse sugar。山矾科(Symplocaceae)山矾属(*Symplocos*)两种植物,即圆锥花山矾(白檀,*Symplocos paniculata*)和染色山矾(*S. tinctoria*)的统称。两种都是灌木或小乔木。前者原产

于亚洲东部，其他地区也有栽培；花白色，芳香；花穗长 5～7.5 厘米；果肉质，鲜蓝色，直径 1 厘米。后者原产于北美东南部；花黄色，芳香，花径约 1 厘米，密生成穗；果长圆形，橙褐色，直径约 1 厘米。

sweetsop（species *Annona squamosa*） **番荔枝** 又作 sugar apple。即多鳞番荔枝。番荔枝科小乔木或灌木，原产于西印度群岛和热带美洲，现已被广泛引种到东半球。番荔枝

番荔枝（*Annona squamosa*）
供图：Walter Dawn

叶薄，呈长圆形至卵形。花单生，淡绿色。果黄绿色，似缩短的松果，由许多成熟的子房和花托合生而成，表面具瘤状突起，直径 7.5～10 厘米。果肉味甜，奶油黄色，呈乳蛋糕状，可生食。

Sweetwater **斯威特沃特** 美国得克萨斯州中西部城市，诺兰县县城（1881）。东距阿比林 66 千米。1881 年始建为贸易站，1884 年设建制，但因连续的暴风雪及干旱而发展缓慢。1902 年设市。1911 年通铁路，成为牛、棉花、羊毛转运中心。当地石油资源开发于 20 世纪 20 年代，40 年代后开采石膏、沙子和黏土。工业现有炼油、肉类加工。附近的斯威特沃特湖、特莱莫尔湖、奥克里克湖是水源及休养地。纽曼公园举办每年一度的交易会、博览会及牧人竞技和展出每年捕捉的响尾蛇。人口约11 919（1993）。

Sweetwater River **斯威特沃特河** 美国怀俄明州中部河流。源出温德里弗岭南端。东流，注入北普拉特河帕斯法因德水库。全长 282 千米。沿河有俄勒冈小道。水库附近北岸 59 米高的独立岩为路标。

Swellendam **斯韦伦丹** 南非开普省南部城镇。在布里德河河谷，开普敦东 190 千米。1743 年由荷兰东印度公司建立。1795 年当地反对该公司领导机构的叛乱导致建立了第一批当地的布尔人共和国。城镇沿布里德河的一条支流延伸 5 千米，四周天然风景秀丽，有保护花草和美景的保留地与邦特博克国家公园。古老的开普荷兰建筑物前总督官邸现在是一所博物馆。也是产牛、羊、谷物和水果的农业区中心。人口8 193（1985）。

Swellendam and Graaff-Reinet **斯韦伦丹和赫拉夫-里内特** 由荷兰东印度公司控制的南非好望角的两个行政区，1743 和 1786 年先后设立，不久即成为 18 世纪 90 年代边境独立运动的中心。由于殖民地养牛场主的不断扩张，斯韦伦丹的东部边界从大布拉克河逐渐推进到加姆图斯（1770），最后推进到大鱼河和布须曼河（1778）。赫拉夫-里内特是从斯韦伦丹和斯泰伦博斯的黑白人混居的边境地区分割出来的，其东北至巴菲昂河和塔尔卡河，西南则以大鱼河为界。1795 年当地白人居民因不满远在开普敦的中央政府政策，宣布在斯韦伦丹和赫拉夫-里内特分别成立独立共和国。后在当年晚些时候被英国人征服，又并入开普殖民地。

swellfish 参阅 **puffer** 河豚。

Swettenham, Sir Frank（Athelstane） **瑞天咸**（1850-03-28，英国德比郡贝尔珀～1946-06-11，伦敦） 马来亚英国殖民官员。1871 年到新加坡，学会马来语。1882 年任雪兰莪邦驻扎官，奖励种植咖啡和烟草，修建从吉隆坡到巴生港的铁路，促进了锡业的繁荣。随后任霹雳邦驻扎官。1895 年促使霹雳、雪兰莪、森美兰和彭亨诸邦达成建立联邦的协议，他出任总驻扎官。1901 年升任马来诸邦高级专员和海峡殖民地总督。

Sweyn **斯韦恩** 又拼 Swein 或 Swegn。统治者之名，按年代顺序分列于后，并各以●为标记。

● **Sweyn I** **斯韦恩一世**（？～1014-02-03，英国林肯郡盖恩斯伯勒） 丹麦国王（约 987～1014）。原为北欧海盗首领。丹麦和英格兰国王克努特大帝之父，著名的丹麦北海帝国的创立者。斯韦恩为丹麦国王蓝牙齿哈拉尔之子。987 年反叛其父，迫其逃往文德兰（今在德国）。995 年奥拉夫一世即位为挪威国王，斯韦恩与之为敌，并和瑞典国王奥拉夫·舍特科农以及挪威拉特的伯爵埃里

10 世纪钱币上的斯韦恩一世像
哥本哈根市国立博物馆供图

克三者结成联盟，联合击败奥拉夫一世。斯沃尔德战役（约 1000）击败奥拉夫后，斯韦恩成为挪威实际上的统治者。1002年11月3日，英王艾特尔雷德二世下令在圣布赖斯节大肆屠杀在英格兰境内的丹麦人。1003 和 1004 年，斯韦恩率领军队远征英格兰，为死难者复仇。斯韦恩于 1013 年又去英格兰，并取得极大胜利，各地拥他为王，迫使艾特尔雷德二世流亡。后不到一年斯韦恩去世。挪威虽然又归奥拉夫二世哈拉尔松为首的挪威人统治（1014～1016），但斯韦恩的英格兰-丹麦帝国则传给他的子孙，直到 1042 年才告结束。

● **Sweyn II** Estridsen **斯韦恩二世**（约 1020，丹麦～1074-04-28，丹麦） 丹麦国王（1047～1074）。他结束了挪威人对丹麦的短暂统治（1042～1047）。他是丹麦伯爵乌尔夫

11 世纪钱币上的斯韦恩二世像
哥本哈根市国立博物馆供图

和克努特大帝一世的姐妹埃斯特里德之子，于 1027 年其父被克努特下令杀害后逃往瑞典。1035 年克努特去世，当时哈迪克努特统治丹麦，马格努斯统治挪威。两位国王商定他们谁长寿，谁就统治两个国家。1042 年马格努斯兼任丹麦国王并任命斯韦恩为总督。1043 年马格努斯与文德人（斯拉夫人）作战，受丹麦贵族爱戴的斯韦恩乘机自立为王。为了争夺丹麦王位又与马格努斯和他的继承人哈拉尔三世（1045～1066 在位）不断交战。1064 年哈拉尔为进攻英格兰作准备，因此与斯韦恩相互承认各为本国之王。1069 年发动进攻英格兰，协助盎格鲁撒克逊人反对征服者威廉一世，颇为成功。1070 年与威廉一世达成协议，引军撤退。斯韦恩的历史和地理知识渊博，不来梅的亚当的名著《汉堡-不来梅大主教史》中关于斯堪的纳维亚的掌故主要是他提供的。他的儿子中有 5 人继承王位，他的瓦尔德马王朝统治了 300 年。

Świdnica **希维德尼察** 德语作Schweidnitz。波兰西南部瓦乌布日赫省城镇。位于奥得河支流贝斯奇察河岸，苏台德山麓，是下西里西亚农业区的经济中心，也是弗罗茨瓦夫-瓦乌布日赫铁路线的交叉点。有金属制造、化工、木材、制糖、纺织等工业。该镇源自两条贸易之路叉道口上的斯拉夫居民点。12 世纪建城堡。1291 年被希维德尼察独立公国吞并。至 17 世纪发展为商业中心。1742 年划归普鲁士，1945 年归还波兰。人口约 61 342（2002）。

Swietokrzyskie **圣十字** 波兰语作 Województwo Swietokrzyskie。波兰南部省份。与波兰 16 个省份中的 6 个相比邻。北邻马佐夫舍，东接卢布林，东南临喀尔巴阡山，南连小波兰，西南邻西里西亚，西北接罗兹。1999 年创立，代替了原凯尔采省和塔尔诺布热格省。省会为凯尔采。位于小波兰高地之内，森林覆盖面积占全省的 1/4。夏季温暖，冬季凉爽，圣十字山脉地区气候比较恶劣。平均年降水量为 550～650 毫米。大约一半人口生

活在城市，最大的城市为凯尔采。是波兰经济最不发达的省份之一，几乎2/3的面积为农业用地，种植谷物、土豆、蔬菜和水果。养殖业也很重要。该地区有丰富的矿产资源，主要集中在圣十字山脉地区，包括石灰石、石英、大理石、黏土、沙子和硫磺等。当地重要的工业包括金属加工、汽车制造、玻璃和陶瓷制造、食品加工、建材和发电。圣十字山脉是波兰最古老的山脉，是当地最主要的旅游胜地。该省曾出过多名重要作家，包括诺贝尔奖获得者H.显克维奇。1795年，三分波兰以后，该地区归奥地利帝国。在维也纳会议上(1814～1815)，归作波兰王国。19世纪初，金属和冶金工业迅速发展，城镇随之扩张。1918年建立了凯尔采省，在第一次世界大战与第二次世界大战之间开始建立中央工业区。二战期间，建立了很多犹太人聚居地和劳动营。1945年和1950年在人口过剩的农村地区出现了大规模移民。面积11 672平方千米。人口1 297 477(2002)。

Świętokrzyskie Mountains 圣十字山 英语作Holy Cross Mountains。波兰语作Góry Świętokrzyskie。波兰中部偏南山脉，波兰高地的一部分，在凯尔采城的周围。最高峰维西察(海拔612米)和维萨山(海拔593米)，都在维索古雷山中。该山因维萨山上有一座名为圣十字的本笃会古修道院而得名。过去产铜和红砂岩，现为圣十字国家公园所在地。

swift 雨燕 雨燕目雨燕科(Apodidae，有时为Micropodidae)的鸟类，飞行灵活、疾速，约75种。雨燕科包括蜂鸟。分为软尾雨燕亚科(Apodinae)和刺尾雨燕亚科(Chaeturinae)。

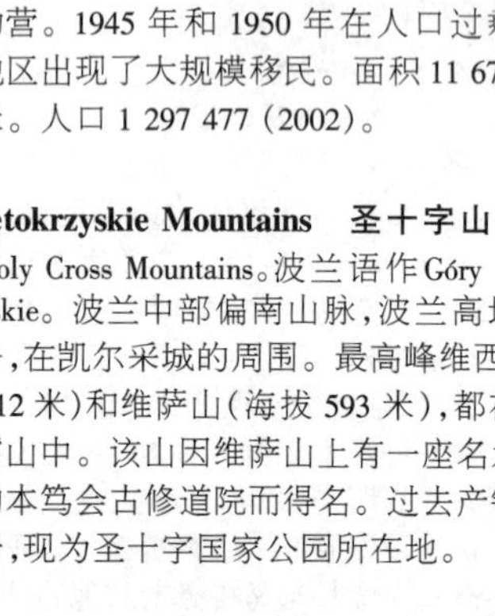

栗领黑雨燕(*Cypseloides rutilus*)
绘图：H.Jon Janosik

除两极、智利南部、阿根廷、新西兰和澳大利亚大部地区未见分布外，几乎遍布全球。雨燕与燕子十分近似，长约9～23厘米。翅特长，体结实有力。羽衣致密，具暗淡的或有光泽的灰褐或黑色，有时在喉、颈、腹或腰部有淡色或白色斑纹。头宽，嘴短宽而微弯曲，尾通常短，但也有的长而分叉深。足弱小，通常只靠尖爪攀附在陡直面上。着落在平地上的雨燕也许不能再飞起来。软尾雨燕的后趾转到前面，有助于抓住陡直面；刺尾雨燕的针尖状短尾羽提供支撑作用，而足没有多少变化。雨燕取食时，不倦地前后飞逐，张开大嘴兜捕昆虫。也在飞行中喝水、洗澡，有时还在空中配对。飞行时翼的扑动相对较慢而不灵活(每秒钟4～8次)，但镰刀状的翅使雨燕成为小鸟中飞行最快者，据信一般每小时可飞行110千米；还有报道飞速达到这个数字的3倍，但未得证实。已知经常捕食雨燕的掠食性鸟只是某几种大型的隼。雨燕的巢系由黏性的唾液黏合细枝、芽、苔藓和羽毛而成。巢筑在洞壁上或烟囱的内壁、岩缝、空心树内。少数种类的巢筑在棕榈叶上，最特别的例子是热带的亚洲棕榈燕(*Cypsiurus parvus*)，它的小而扁平的羽毛巢在一片棕榈叶上，巢竖挂，甚或倒挂，卵粘在巢上。雨燕每产1～6个(通常2～3个)白色卵。在食物缺乏时，卵和幼雏都可以降到接近环境的温度，减缓其发育以节省食源，幼鸟留在窝内或守在窝旁6～10周，时间的长短大都取决于食物供给。幼鸟羽毛长成像成鸟后，即能熟练地飞行。几种最著名的雨燕有烟囱刺尾雨燕(*Chaetura pelagica*)，刺尾为均匀的暗灰色；在北美东部繁殖；在南美越冬；巢在烟囱或空心树内。刺尾雨燕属(*Chaetura*)除此种外已知尚有17种，分布世界各地。楼燕(*Apus apus*，即普通雨燕、欧洲雨燕)在英国即简称雨燕，尾软；黑色；在欧亚大陆繁殖，在非洲南部越冬；巢筑在建筑物和空心树内。雨燕属(*Apus*)的另外9种见于旧大陆的整个温带区，还有几种居于南美洲。白领雨燕(*Streptoprocne zonaris*)尾软；浅棕黑色，领窄而呈白色；分布于墨西哥到阿根廷一带及较大的加勒比海岛屿上；筑巢于洞穴中和瀑布后。白腰雨燕(*A. caffer*)尾软；黑色，有白色斑纹；为撒哈拉以南非洲的留鸟。白喉叉尾雨燕(*Aeronautes saxatalis*)尾软；黑色，有白色斑纹；在北美西部繁殖，在中美南部越冬；筑巢在陡直的悬崖上。

swift 蝙蝠蛾 又作ghost moth。又称鬼蛾。鳞翅目蝙蝠蛾科昆虫，近300种，全球分布。包括几种最大的蛾类，翅展超过22.5厘米。欧洲和北美的种类多褐或灰色，翅上有

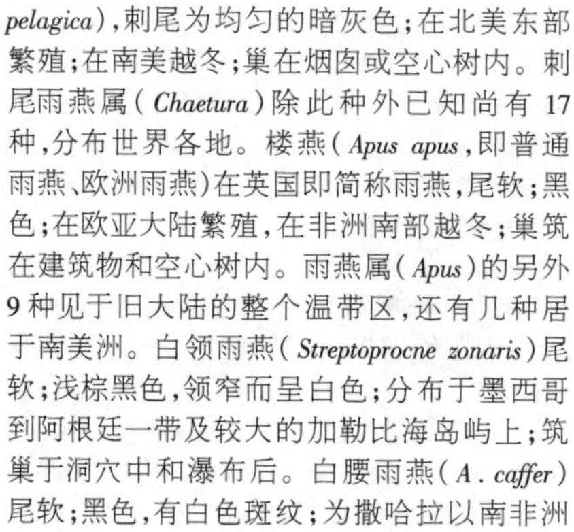

啤酒花蝙蝠蛾(*Hepialus lupulinus*)
美国不列颠百科全书公司供图

银色斑；非洲、新西兰和澳大利亚的种类色鲜艳。蝙蝠蛾飞行很快，但飞行方向飘忽不定。幼虫钻入植物茎内，或生活草丛中以草根为食(如*Porina*属)。

Swift, Gustavus Franklin 斯威夫特(1839-06-24，美国马萨诸塞西桑威克[今萨加莫尔]～1903-03-29，伊利诺伊芝加哥) 美国商人，肉类加工厂商斯威夫特公司的创建人和铁路肉类冷藏车创始人。他14岁时做屠宰商帮手，1859年成为牛的采买和屠宰商并在马萨诸塞州伊斯特姆开办肉铺。1872年他与波士顿肉商J.A.哈撒韦合伙。3年后，斯威夫特将总店迁至当时已转变成牛市场中心的

芝加哥斯威夫特公司供图

芝加哥。他想若能设法将鲜肉从芝加哥运往东部，则肉类加工定较当时的习惯做法——将牛运往当地屠宰后卖肉——获利。为此他雇用工程师设计冷冻车厢，使新鲜空气从冰上通过而冷却再在车内循环。1877年他成功地利用冷冻车厢将一满车鲜肉首次运到东部。不久他与哈撒韦散伙。1878年他与哥哥合伙，1885年组成斯威夫特公司，资金30万美元，自任首任总经理。在成功地与N.莫里斯和P.D.阿穆尔展开竞争的同时，他在东京、上海、马尼拉这些城市建立分销店，在密苏里州圣路易斯和堪萨斯城以及内布拉斯加州俄马哈建立加工厂。18年后他逝世时，公司资金已增至2 500万美元。1902年，他与J.O.阿穆尔和E.莫里斯共同组建全国加工公司——"牛肉托拉斯"——1905年被美国最高法院解散。他也是将以前兽体无用部分转变成肥皂、动物胶、肥料和人造奶油之类副产品的倡导人。

Swift, Jonathan 斯威夫特(1667-11-30，爱尔兰都柏林～1745-10-19，都柏林) 笔名Isaac Bickerstaff。英裔爱尔兰作家，最杰出的英语讽刺散文作家。除著名小说《格利佛游记》(1726)外，还写有《一只澡盆的故事》(1704)和《一个小小的建议》(1729)这样一些较短的作品。

早期生活及教育 斯威夫特的父亲老乔纳森·斯威夫特是英国人，斯图亚特复位(1660)后定居爱尔兰并成为都柏林金斯饭店的总管。1664年他与一英国牧师的女儿A.埃里克结婚。1667年春，老乔纳森突然去世，留下妻子、幼女和尚未出世的儿子由其兄弟们扶养。因此小斯威夫特从小便没有父亲，靠叔父们的慷慨资助长大。但他的教育并没有受到忽视，6岁时被送到当时爱尔兰最好的基尔肯尼学校读书。1682年人都柏林的三一学院，1686年2月被"特许"授予文学学士学位。他的学位是当学生的成绩在某些次要学科达不到规定要求时经常采用的一种办法。

为攻读文学硕士学位，他在三一学院继续住到1689年2月。但在新教的英格兰1688年革命后天主教动乱已开始波及都柏林，斯威夫特为寻求安全而前往英格兰，很快成为他母亲在萨里郡穆尔帕克的一个叫坦普尔爵士的

远房亲戚家的一员。在穆尔帕克，斯威夫特时断时续地住到1699年坦普尔去世。

在穆尔帕克的年月 坦普尔当时正忙于写他的回忆录及准备发表他的一些文章，于是让斯威夫特担任类似秘书的工作。在穆尔

伦敦国立肖像画陈列馆供图

帕克居住期间，斯威夫特回过两次爱尔兰。第二次回去时，接受英国圣公会教职，1695年1月被任命为教士。同月末又被任命为贝尔法斯特附近基尔鲁特的教区牧师。在穆尔帕克，斯威夫特利用坦普尔的丰富藏书在理性上成熟起来。也是在这里，他见到坦普尔守寡的女管家的女儿E.约翰逊（即后来的斯特拉）。1692年，通过坦普尔的斡旋获牛津大学文学硕士学位。

1691～1694年，斯威夫特写了许多诗歌，著名的有6首颂歌。但他真正的天才直至他从诗歌转向讽刺散文，并写出（主要是1696～1699年在穆尔帕克期间）他的主要的作品之一《一只澡盆的故事》后才表现出来。这部作品匿名发表于1704年，由相互联系的三部分构成：《澡盆》本身，讽刺"宗教界和学术界中大量和严重的腐败现象"；嘲弄地模仿英雄风格的《书本大战》和《论精神的自发作用》，嘲笑当时的礼拜方式和宗教热心者的说教。在《书本大战》中，斯威夫特在关于古代与现代文学和文化的相对成就这个长期争论的问题上支持古人。但这三篇作品中给人印象最深刻的是《一只澡盆的故事》。这篇作品的杰出之处在于它丰富的讽刺妙语和活力，以及具有无可比拟的驾御文体效果（主要是讽刺模仿的特征）的特点。斯威夫特认为，文化和文学领域受到热心于墨守成规的学究的威胁，而宗教——对他来说指合乎理性的英国国教——遭到来自天主教和非国教派教会两方面的攻击。在《澡盆》中，他着手探索所有这些威胁的唯一根源：妨碍人类最重要的能力——理性和常识——的非理性。

作为讽刺作家、政治记者和牧师的经历 1699年坦普尔死后，斯威夫特回都柏林任伯克利伯爵的私人牧师和秘书，伯爵当时正前往爱尔兰任大法官。随后数年斯威夫特大约4次前往英格兰：1701、1702、1703和1707～1709年，并因其个人的魅力和作为作家的才智而在伦敦赢得广泛承认。他原已辞去基尔鲁特教区牧师的职务，但早在1700年又被推荐担任爱尔兰教会的一些职务。这一时期他发表的著作表明，他与爱尔兰和英格兰的事务都保持着密切的联系。在《论雅典和罗马贵族院和平民院的竞争和分歧》一文中，斯威夫特为英国君主和议会两院之间的权力平衡政体辩护，认为这是防止专制的保障。由于他的一些著作，如他的宗教和政治论文《一只澡盆的故事》，以及某些情节耸人听闻的作品，包括1708～1709年间以"比克斯塔夫"为名发表的小册子，使他在伦敦变得日益知名。这些小册子毁了一个受欢迎的占星术家帕特里奇的前程，先是预言他的死，而后详细描写了他的死亡。斯威夫特的作品引起了以艾迪生为首的一些辉格党作家的注意，但斯威夫特对辉格党政府的许多政策感到忧虑。按他的出身、所受的教育和政治原则，他是辉格党的支持者，但他同时热诚地忠于英国国教并忧虑地看到辉格党日益决心向非国教派让步。

对斯威夫特来说，当他1710年再次来到伦敦时，一个重要的时期开始了。以哈利（后来的牛津伯爵）和圣约翰（后来的博林布鲁克子爵）为首的托利政府正取代辉格党人。决心结束与法国敌对的新政府对英国国教也采取了更为保护的态度。斯威夫特对这一迅速变化的世界的反应生动地记录在他的《致斯特拉的信》中。这一系列信件写于他到英格兰之后的1710和1713年之间，是写给当时住在都柏林的E.约翰逊和她的伴侣丁利的。机敏的哈利向斯威夫特作出姿态并将他争取到托利党人一边。但在政府的本质这个问题上，斯威夫特并没有因此而放弃他的基本上是辉格党的信念。他不承认托利党君主神圣权力的陈旧理论。他坚持认为，最高权力来自全体人民，而在英国的政体中它已变为由国王、上议院议员和下议院议员共同行使。

斯威夫特很快成为托利党主要的政治小册子作者并于1710年10月末接手主编托利党的刊物《考查者》，直至1711年6月14日。随后，他开始准备写一篇支持托利党与法国媾和的努力的小册子。题为《盟国的行为》的这篇文章发表于1711年11月27日，在议会最终通过赞成媾和的动议之前几个星期。斯威夫特的工作得到了报偿，1713年4月被任命为都柏林圣巴特里克大教堂的主教。

返回爱尔兰 随着安妮女王1714年8月的逝世和乔治一世即位，托利党政府垮台，斯威夫特在英格兰的生涯亦告结束。他回到爱尔兰，在那里度过他后半生的大部分时间。在其主教宅邸隐居一段时间之后，斯威夫特逐渐重新获得活力。他又一次转向诗歌，从18世纪20年代一直写到30年代初期，所写的诗包括给人以深刻印象的《哀悼斯威夫特博士的逝世》。到1720年，他还重新表现出对公共事务的关心。在他这个时期关于爱尔兰的小册子中，他探讨了爱尔兰当时面临的许多社会和经济问题。他的语气和风格多样，有的是直接叙事，有的是劝戒、幽默和辛辣的讽刺。他将爱尔兰的落后状况主要归咎于英国政府的无知，同时坚持呼吁爱尔兰人看到他们自己能够为改善他们的命运而做到的事情。其关于爱尔兰的著作，最著名的是《布商的信》（1724～1725）和《一个小小的建议》。前者是一组信，抨击了英国政府对爱尔兰的货币政策。《一个小小的建议》是一封严厉讽刺的建议信，在信中一热心公益的公民建议如将爱尔兰贫苦父母的婴儿卖给富人作可口的佳肴，便可缓解爱尔兰的人口过剩和可怕的经济状况。

斯威夫特的私人生活中的一些事也必须提及。斯特拉（E.约翰逊）1700或1701年回爱尔兰后继续与丁利住在一起。有时有人断言斯特拉和斯威夫特在1716年秘密结婚，但他们不住在一起，没有证据支持这一说法。在谈及斯特拉时，斯威夫特所表示的始终是友谊而不是浪漫的爱情。人们可能会问，这一友谊是否因在他的生活中出现了另一个他称作瓦内萨的女人范霍姆里格而变形？在其1707～1709年的伦敦之行时，斯威夫特曾与瓦内萨相识，而1714年她曾不顾他的劝告坚持追随他到爱尔兰。她写给斯威夫特的信流露出她对他的爱，虽然她1723年去世时显然因他坚持与她保持一段距离的态度已对他感到厌恶。斯特拉本人死于1728年。关于这三人之间的确切关系，学者们仍不甚了解，现已提出的各种推测均缺乏确凿的根据。

斯威夫特最优秀的讽刺作品《格利佛游记》发表于1726年。不知道他什么时候开始写这部作品，但从他的通信看来，1721年时他正认真地进行写作，而到1725年8月已写完全书。该书出版后立即获得了成功。从那时以来，它成功地使各阶级的读者都感兴趣（并使他们着迷）。

晚年 斯威夫特的晚年一直是某些误传的主题，流传着他暴烈的脾气和缺乏自我控制的故事。有人说他精神错乱。从年轻时起，他就患有现已为人们所知的梅尼埃尔氏病——造成周期性昏眩和呕吐的两耳半规管疾病。但他的思维能力没有受到任何影响，而且在18世纪30年代的大多数时间里他仍然很活跃，是都柏林的杰出公民和爱尔兰伟大的爱国主教。1739年秋，人们曾为他举行盛大的庆祝活动。但他身体已开始衰弱，后患中风而失去语言能力。1742年他被宣布不能自理，并有了监护人。1745年逝世后葬于圣巴特里克大教堂。

《格利佛游记》 斯威夫特这一杰作初版时名为《漫游世界几个遥远的国家》。该书是他的讽刺作品中最优秀，也是最辛辣、最有争议的一部。全书共4卷。在每卷中主人公格利佛都出海航行，但船只失事和其他一些意外总是将他带到一个神奇的国度。在第一卷中，他被带到利立浦特国，醒来发现自己成了6英寸高的利立浦特人的巨人囚犯。被称为"人山"的他为讨好傲慢、妄自尊大的利利普特人，涉水下海将邻国布莱夫斯古入侵的舰队俘获；但他在用小便扑灭女王宫殿的大火后失宠。由于得知要以叛国罪控告他时，他逃离了该岛。

第二卷描写了格利佛被带至布罗丁纳格，那里的居民都是巨人。他得到一9岁女孩格伦达尔克里奇的亲切照顾，但他的矮小身材使他易于遭到危险和污辱，例如头被大哭大叫的婴儿咬在嘴里。同时，巨人们身体上的小缺陷（例如大毛孔）看得很清楚，使他很烦恼。他后来被一只鹰抓住扔进海里，然后设法回到祖国。

在第三卷中，格利佛来到浮岛拉普他，那里心不在焉的居民沉醉于好高骛远而经常处在意外冲突的危险之中。他访问了拉嘎多学

院(滑稽地模仿英国的皇家学会),发现那里精神错乱的学者在进行将人的排泄物变成原来食物的这类不切实际的研究。在卢格纳格,他见到一个长生不死的民族斯特布鲁格人,其永恒的衰老在书中有令人不快的描述。

第四卷将格利佛带到慧骃们(即严肃、理性和善良的马)的乌托邦式的国家。岛上还有为慧骃勉强容忍、用以从事奴隶劳动的另一个种族。他们是凶恶和体形令人讨厌的人形兽耶胡。尽管格利佛起初装作认不出他们,但他最终被迫承认耶胡是人类。他发现与慧骃相处十分愉快,但因他仅仅是一个较文明的耶胡,他在议会不被他们所接受而被送回英格兰。在英格兰,他发现自己已不再能够容忍他的人类同胞的社会。

《格利佛游记》实事求是的风格和没有夸张的现实态度使它在过于简单的解说下仍具讽刺深度。本质上它是一部喜剧,还是贬低人类的厌世作品呢?斯威夫特似乎肯定是用格利佛旅途中遇到的各种各样的种族和社会来讽刺人类易有的许多错误、愚蠢行为和弱点。卷一中好战、爱争论但本质轻浮的利立浦特人和卷三中精神错乱、不切实际的书呆子及知识分子被描写成缺乏常识和甚至道德失调的人。相反,慧骃却是理性和道德纯真的缩影。但格利佛自己与这些马引以为荣的结合和他后来对其人类同胞的鄙视表明,他也失调了,人类绝不可能期望达到格利佛曾短暂见到的那种有道德的理性境界。斯威夫特可能建议,人类必需使自己满足于介于耶胡凶恶和堕落的人性与慧骃非人性的道德和理性之间的一种状况。

评价 斯威夫特的理性根源在于17世纪末英格兰所特有的理性主义。这种理性主义具有强烈的道德感,强调常识而不相信感性主义,为他提供了评价人类行为的准则。他的道德准则毫不独特,其独特之处确切些说是其讽刺想象和文学艺术的能力。斯威夫特的文学风格从幽默到粗暴各异。但他每一部讽刺作品的特点都是火力集中、效果直接。他对大量的散文文体运用自如,与他虚构想象的情节和其中所有细节的能力一样,斯威夫特极少自己说话,几乎总是通过某个想象的人物,如格利佛或《一个小小的建议》中的那个道德麻木的公民,用讽刺性的轻率言语来表达他的观点。因此,斯威夫特的叙述章节表现叙述人的观点与被叙述的事物一样多。这种讽刺引起各方面的注意,形成斯威夫特最优秀的作品所特有的紧张并且反映了他对人类处于兽性和理性之间的含糊立场的见解。

Swift Current 斯威夫特卡伦特 加拿大萨斯喀彻温省西南部城市。濒斯威夫特卡伦特河(南萨斯喀彻温河支流)。位于里贾纳西面243千米处,在横贯加拿大公路线上。1883年加拿大太平洋铁路通车后,开始有人定居。现为大片小麦产区和畜牧区的交易中心。有木材加工、肉类加工、乳制品、动物饲料、农具等工业。1952年发现石油,促进经济迅速发展。市北14千米处有加拿大最早开掘的氦井。市内有大面积灌溉开发总部,又有全国最大的试验农场之一。每年7月举行竞技大会。1904年设村,1907年设镇,1914年设市。人口14 815(1991)。

swiftlet 金丝燕 又称小雨燕。雨燕科金丝燕属(*Collocalia*)的穴居鸟。种类繁多,从东南亚(印度和斯里兰卡)、马来半岛经过菲律宾向东分布到南太平洋诸岛屿。15～20

金丝燕(*Collocalia*)
绘图:Gene M. Christman

种,几乎完全相同,在分类上尚有争议。体长9～15厘米。背面暗褐或灰色(有时有蓝、绿光泽),腰和下体灰白色。较其他雨燕飞得低,飞得慢,更飘忽不定。有两点引人注目:巢大部或全部由唾液构成,是燕窝汤的原料;某些金丝燕和**油鸱**(**oilbird**)一样是已知的鸟类中能像蝙蝠那样用回声定位法在黑暗的洞穴中找路者。其"声纳"由频率为1 500～5 500赫(人耳能听见)的卡嗒声组成。每秒约6次。巢呈小托座状,有时有一点蕨类和树皮,可能黏附在树或峭壁上,但通常建在山洞或海岸洞穴中。一个鸟群可包含100万只鸟。

swim bladder 鳔 又作air bladder。又称鱼鳔。大多数硬骨鱼类所具有的浮力器官。位于体腔中,由消化道分出的囊突发育而来。内含气体(通常是氧气),为水压平衡器器官或浮沉器官,可使鱼体保持在一定深度,既不上浮,也不下沉。又可作为发声的共鸣箱。一些种的鳔中含油而无气体。在某些原始性鱼类,其功能如肺,用于呼吸而不用作水压平衡器官。某些底栖和深海硬骨鱼(真骨类)以及全部软骨鱼(鲨鱼,鳐鱼,魟鱼)无鳔。

swimmer's itch 游泳者瘙痒症 又称皮肤血吸虫病。血吸虫的幼虫侵入皮肤所致的,以针刺样疼痛及瘙痒为特征的皮肤寄生虫感染性疾病。血吸虫幼虫常见于淡水湖及池塘中。

swimming 游泳 凭借臂和腿的协调动作以及身体的自然浮力,在水中推进身体的一种娱乐或运动。游泳作为全面发展身体的一项运动为人们所喜爱。它作为一种治疗手段以及残疾人的运动特别有用。学游泳的另一目的是救生。关于游泳方面的活动,参阅**跳水**(**diving**)、**水上救护**(**lifesaving**)、**冲浪运动**(**surfing**)、**花样游泳**(**synchronized swimming**)、**潜水**(**underwater diving**)和**水球运动**(**water polo**)各条。有关世界锦标赛成绩,参阅**Sporting Record**:Swimming;并参阅**Olympic Games**。

历史 考古和其他物证表明,早在公元前2500年古埃及就有人游泳。此后,在亚述、希腊和罗马古文明中也有游泳活动。在古希腊和古罗马,游泳是军事训练的一部分,并和字母一样也是男性初级教育的一部分。在东方,游泳活动至少可追溯到公元前一世纪。有证据表明,当时在日本就举行过游泳比赛。到了17世纪宫廷布告把教游泳列为学校必修课。在19世纪日本向西方世界开放之前就举行了有组织的游泳比赛。居住在太平洋滨海地方的人民,在尚无文字的远古时代,从学走路的时候就开始学游泳。在公元前一世纪时,据说罗马人盖厄斯·梅塞纳斯建造了第一个加热游泳池。

中世纪时期欧洲很少人游泳,其原因,根据一些权威人士的解释,是人们怕游泳传播疾病和引起瘟疫。有证据表明,17世纪后叶在英国一些海滨胜地有人进行游泳活动,显然是与水疗结合在一起的。然而,游泳作为一项娱乐和运动直到19世纪才开始真正地普及起来。1837年,当第一个游泳组织在伦敦成立时,该市有六个带跳板的室内游泳池。1846年在澳大利亚举行了首届游泳锦标赛,赛程为440码。其后每年举办一次。伦敦大都会游泳俱乐部于1869年成立。它后来成为管辖英国业余游泳运动的机构——业余游泳协会。1882～1889年,欧洲有好几个国家成立了全国性游泳联合会。在美国,1888年业余体育联盟成立,第一次把游泳作为一项运动在全国范围组织起来。1909年国际业余游泳联合会成立。

竞技性游泳 从国际上讲,奥林匹克运动会于1896年诞生时就把竞技性游泳列为比赛项目,从那时起这项运动就跻身于显赫地位。原先奥运会只设男子游泳项目,1912年加上了女子项目。国际业余游泳联合会成立之前,奥运会上进行了一些特殊的比赛项目。例如1900年奥运会的游泳比赛在法国的塞纳河上举行,其中有一项200米障碍赛。选手要爬过水中的竿和一排船只,然后从它们下面游过去。国际业余游泳联合会接管后,这些奇怪的项目便消失了。按照国际业余游泳联合会规定,奥运会和其他世界比赛的赛程越来越多地用米制计量。到1969年便废除了用码制计量的世界纪录。允许采用的泳姿种类减少到自由泳、仰泳、蛙泳和蝶泳。这四种泳姿都包括在个人混合赛中。包括匈牙利、丹麦、澳大利亚、德国、法国、英国、加拿大、日本和美国在内的许多国家在奥运会等世界比赛中都曾经占据过统治地位。

教导与训练 游泳运动和救生教学始于19世纪的英国。这些教学内容后来为欧洲其他国家所抄袭。在美国,1916年在美国红十字会的赞助下开始进行以救生为目的的游泳教导工作。在两次世界大战期间,由军队各分队从事的教导工作十分有效地促进了游泳运动。由社区团体和学校讲授的课程成为普遍的现象,最后扩展到婴幼儿中去。

20世纪50年代后期,原先那种在每一节训练课中单纯追求游泳距离的做法,已被间歇训练法和反复训练法所代替。间歇训练法要求运动员进行一系列相同距离的游泳,其中穿插若干次有控制的休息。

随着人们对国际比赛日益重视,50米泳池日益增多,还有一些用以改进训练和提高成绩的附加设备,如池内消除波浪的水槽、兼有减少波浪功能的比赛泳道标志线、为在水下研究游泳动作而设置的摄影机、为运动员游泳时看得见的大钟,以及电动触池装置和计时器。自1972年以来,所有世界纪录都以百分之几秒来表示。

各种游泳姿式 最早使用的游泳姿式是侧泳和蛙泳。在最初的侧泳中,双臂都浸入水中。到19世纪末,改为两臂交替伸出水面。在竞技性游泳中,侧泳为自由泳所取代,但仍用于救生和娱乐。在侧泳中,身体侧向一边,双臂交替推进,腿部动作称为剪式打腿,即双腿慢慢叉开,下腿向后,上腿向前,双膝微屈,脚趾绷直。双腿叉开以后,象剪刀一样快速地夹起来,从而产生向前的推动力。

蛙泳被认为是最古老的泳式,常用于救生、娱乐和比赛。这种泳式在有波浪的水域特别有用。蛙泳时身体要平俯水面,双臂总是在水下。在早期的蛙泳中,每次蹬腿以后要滑行一会儿。后来,竞技性蛙泳取消了滑行。在老式蛙泳中,手臂划水开始时就吸气,但后来的蛙式改为手臂划水快要结束时才吸气。

只用于竞赛的蝶泳在手臂动作上与蛙泳不同。在蝶泳中,双臂从水面提起移至前方。1933年亨利·迈尔斯在一次比赛中使用蝶泳姿式引起了一些美国裁判的注意。迈尔斯坚持说他的游法与当时的蛙泳规则是相符的。经过一段时期的争论,蝶泳于1953年终于作为一种单独的竞赛泳姿得到了承认。原来的蛙式蹬腿不用了,改成鱼尾式(海豚)打腿,只依靠双腿的上下动作。后来,游泳运动员手臂划一次水进行两次海豚式打腿。在短距离全速比赛中的呼吸方法是每两次或三次打腿就抬头换气。

仰泳早在20世纪初就开始发展。在这种泳式中,运动员身体尽可能地平直和流线型地仰卧在水面上。两臂交替地举过头,移至肩前方入水,手掌朝外,小指先入水,再将手臂拉回大腿处,身体稍作滚翻。腿部动作原来是蛙式蹬水,后改成像自由泳那样上下打水。仰泳是一种竞赛泳式,也用于娱乐。用其他泳式游得太累时,可把仰泳当作一种休息手段。这时常常只需很小的手臂动作,腿部动作也很小,只需能保持前进就够了。

爬泳用于自由式游泳竞赛,是各种泳式中速度最快的一种。人们要游较长距离,几乎无不选择爬游姿式。19世纪末太平洋一带就有人使用这种泳式,1893年左右为澳大利亚的亨利·威克姆所采用。澳大利亚的卡维尔兄弟西德和查尔斯于1902和1903年先后在欧洲和美国推广了爬泳。爬泳的手臂动作和老式的侧泳相似,只是腿的动作是上下振动,手臂每划一次,两腿上下振动两次。美国最初学爬泳的人增加了额外的一次打腿动作,后来一直增加到6次。打腿的花样也很多。在爬泳中身体平俯水面,两腿稍没水中,两臂交替动作,一臂刚要完成划水动作时,另一臂即开始划水,这样不断向前推进。呼吸在移臂的一侧进行。自1896年以来,爬泳比任何其他泳式在比赛中用得更多。

比赛 在比赛中,自由泳赛程为50、100、200、400、800和1 500米;仰泳、蛙泳和蝶泳赛程为100米和200米;个人混合泳为200米和400米;自由泳接力为4×100米和4×200米;混合泳接力为4×100米。

出发都采取站姿或身体前倾的姿势,目的是在游泳动作开始前尽可能滑行得远些。所有赛程都是游泳池长度的倍数。所以在转身前触池壁对获取成功至关重要,而触池转身的方式在不同泳式的比赛中是不一样的。

长距离游泳 任何超过1 500米的游泳比赛都被认为是长距离游泳,它不受国际游泳联合会的管辖。大多数长距离泳赛的赛程为24～59千米。1954年一群业余和职业马拉松游泳运动员组成了国际长距离游泳联合会;1963年在业余运动员和职业运动员之间出现纷争之后,成立了世界职业马拉松游泳联合会。整个60年代,后者每年批准约8个职业马拉松泳赛。经常参赛的国家有加拿大、埃及、意大利、阿根廷和美国。英国长距离游泳协会在内河水域中主办了35.4～16.5千米的泳赛。

长距离游泳从未取得国际游联所规定的竞赛性游泳的地位,只有英吉利海峡游是例外。在19世纪下半叶,英吉利海峡游使很多人为之神往。英国的M.韦布船长于1875年首次从英国的多佛尔横游英吉利海峡到达法国加来,他的成绩是21小时45分,地图上的距离是33千米,但是海峡游的实际距离常因潮汐和海风的影响而加长。韦布的事迹无与伦比,直到1911年才有另一名英国人T.W.布吉斯游过了海峡。1926年,美国游泳运动员G.埃德利从法国的格里内角游到多佛尔,成为游过英吉利海峡的第一位妇女,成绩为14小时39分,不仅是女子而且也是男子的纪录。此后,除第二次世界大战期间外,每年都有人横渡海峡。有几名运动员曾经10次或几十次游过海峡。1927年成立了海峡游泳协会,对海峡游加以管理并对成绩加以核实。到1978年,美国的P.迪安把纪录降低到7小时40分。到80年代,在成功地游过海峡的运动员中,年纪最小的12岁,最老的65岁。

swimming **游泳** 动物学术语,指动物的自我推进在水中移动的运动方式。参阅 **aquatic locomotion**。

swimming crab **梭子蟹** 甲壳纲十足目梭子蟹科动物。第五对足扁平,成桨状,游泳用。包括北美大西洋沿岸的食用蟹蓝蟹(**blue crab**),太平洋、大西洋和地中海的天鹅绒蟹(梭子蟹属[*Portunus*]),以及印度洋和太平洋的 *Neptunus* 属。

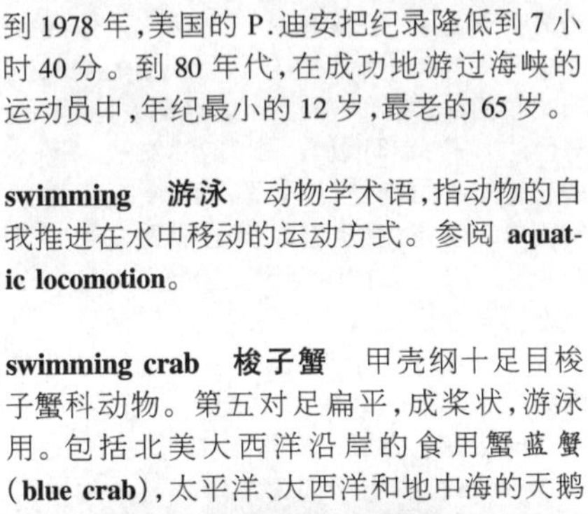

天鹅绒蟹(*Portunus*)

供图:S.C.Bisserot—Bruce Coleman Ltd.

swimsuit **游泳衣** 又称泳装,为游泳而设计的服装。19世纪中叶,海水浴盛行。早期的游泳衣遮裹着身体的大部分。20世纪初,男人开始穿不连上衣的短裤。1900年,美国游泳家A.凯勒曼所穿的宽松羊毛连衫裤泳装,被公众广为仿效。第一次世界大战后,妇女穿的紧身连裤游泳衣传入法国,其他泳装便告淘汰。1935年左右,妇女开始穿由乳罩和短裤配成两件一套的游泳衣。1947年开始流行小乳罩和小三角裤配套的"比基尼"泳装。现代女式游泳衣式样颇多,有上下一件连在一起的,有上下两件分开配套的,甚至有带小短裙的。但为方便游泳,一般都采用遇水不松垂、不鼓胀的纺织品制成。

Swinburne, Algernon Charles **斯温伯恩** (1837-04-05,伦敦～1909-04-10,伦敦普特尼) 英国诗人、批评家。因在音韵方面的创新而著称,被誉为维多利亚时代中期反叛诗人的象征。其诗歌的特点是反复出现的头韵、永不减弱的韵力、极其优美的旋律、大幅度变化的步调和扬音、对某一特定主题轻松自如的阐述和虽然不太确切但却令人回味的比喻的运用。他的诗风格极其独特,对词的音色和乐音的掌握令人惊叹。斯温伯恩的技巧天赋及在音韵方面的创新能力超人,但他的诗的严格的韵律常常具有一种催眠效果,被指责过于注重词的旋律而不是它们的意义。他无宗教信仰,是一个狂热的反有神论者。

菲茨威廉博物馆供图

斯温伯恩的父亲是海军上将,母亲是阿什伯纳姆伯爵(第三)的女儿。曾在伊顿公学、牛津大学巴利奥尔学院学习,但1860年未获学位即离校。在牛津时与莫里斯、伯恩-琼斯及罗塞蒂结识,被吸引参加他们的"先拉斐尔派兄弟会"。他父亲所给的一笔钱使他得以从事文学事业。

1861年结识米尔恩斯,即后来的霍顿勋爵,后者鼓励他写作并扶植他取得声望。19世纪60年代初,斯温伯恩显然有过一次不幸的恋爱,对此人们知之甚少。诗剧《阿塔兰忒在卡吕冬》(1865)使其在文学上获得成功,他试图用英语再现希腊悲剧的精神和形式,他的抒情天才在这部作品中发挥得淋漓尽致。继《阿塔兰忒在卡吕冬》之后是1866年发表的《诗歌与民谣》的第一辑,清楚地表现出斯温伯恩对受虐狂、鞭笞和异教的专注。这一辑里收有他最优秀的一些诗作,其中有《多洛莉丝》和《普洛塞庇娜的花园》。该书因其"狂热的淫荡"而受到激烈攻击,《笨拙周刊》提及这位诗人时称他为"猪生的先生",然而它受到年轻一代的热情欢迎。1867 年,结识他所崇拜的偶像马志尼,而主要与政治自由这一主题有关的诗集《日出前的歌》(1871)表现出这位意大利爱国志士的影响。《诗歌与民谣》的第二辑不如第一辑狂热和纵欲,出版于1878 年。

这一时期,斯温伯恩的健康开始因酒精中毒和他反常的喜怒无常和受虐狂倾向造成的过分行为而受到损害。他患周期性发作的极度的神经紧张,但他惊人的恢复能力使他在很长一段时间里总能迅速复原。1879 年他完全病倒,由友人瓦茨-邓顿照顾恢复了健康。在瓦茨-邓顿的监护下,他一生中的最后30 年在普特尼的派恩斯度过。瓦茨-邓顿坚持要他遵守严格的生活规律,并鼓励他专心创作。斯温伯恩最后成为一个有名望的人物,并采取了保守的观点。在这段时间里,他发表了 23 部诗歌、散文和剧本,但除长诗《里昂的特里斯特拉姆》(1882)和悲剧诗《马林诺·法里埃罗》(1885)外,他最重要的诗作写于其上半生。

斯温伯恩同时还是 19 世纪末叶一位重要的多产英国文学批评家。他最优秀的评论著作有《研究文集》(1875)及专著《论莎士比亚》(1880)、《论雨果》(1886)、《论本·约翰逊》(1889)。他对莎士比亚的热爱及他对伊丽莎白和詹姆斯时期戏剧无比渊博的知识反映在他早期的剧作《沙特拉尔》(1865)之中。《沙特拉尔》是关于苏格兰女王玛丽的三部曲的第一部。他特别崇拜玛丽女王,后两部曲是《博思韦》(1874)和《玛丽·斯图亚特》(1881)。还写有论布莱克、雪莱和波德莱尔的文章,为后者所写的挽歌《告别阿特克谷》(1867 ~ 1868)是他最优秀的作品之一。

Swindon 斯温登 英格兰威尔特地理、历史郡东北部城镇和单一政区。1841 年以前为小集镇,但当大西方铁路公司在该地建立其主要工厂之后,人口迅速增至 4.5 万。现面积为 29 平方千米。1900 年获特许状。20 世纪 50 年代,该镇决定接纳东部约 120 千米以外大伦敦的过剩人口和工业。此后获得重新重大开发,增长迅速。铁路工厂于 80 年代中期关闭。保险业和汽车制造业现为该镇主要产业部门。人口:城镇 155 432;自治市镇180 061(2001)。

swine 猪类 猪科动物的泛称。体粗壮,腿短,杂食性。具长而能动的吻,尾小。包括家猪及其野生亲缘。猪起源于旧大陆。典型属猪属(*Sus*)可以家猪和野猪为代表。参阅**boar; pig; suid**。

swine cress(plant) 参阅 **wart cress** 臭荠。

swine fever 猪瘟 又作hog cholera。又称猪霍乱。一种严重而常致死的猪的病毒性疾病,其特征是高热和衰竭。本病可从患猪通过多种病原携带者而传播,这包括运猪的交通工具,来往于养猪场之间的商人和养猪场工作人员。病毒可存在于喂猪的泔水内,经煮沸即可杀灭。猪感染病毒后 4 天到 3 个星期开始发病。先是发热,其后症状稍有不同:无食欲,全身衰弱,离群,眼发红、流出脓性分泌物,呕吐,便秘或下痢,咳嗽以及呼吸困难,许多病例皮肤发疹;口腔与咽喉黏膜可能发炎和发生溃疡。猪倒卧不愿动,有时步态蹒跚,拱腰,其后不能起立并转人昏迷。在病的早期使用抗猪瘟血清可能有效,但复原者罕见。患病数日后死亡,疾病亦可变成慢性,此时患猪可能成为传染源。猪瘟见于欧洲、北美及非洲。在已建立管制措施的国家,猪瘟必须报告,患猪必须屠宰,病猪住过的地方要进行检疫。主要的预防措施是免疫接种。

swineherd's disease 养猪人病 参阅 **leptospirosis** 钩端螺旋体病。

Swinemünde(Poland) **斯维内明德** 参阅 **Świnoujście** 希维诺乌伊希切。

swing 摇摆乐 既指爵士乐的节奏性动力,也指主要出现于 1935 年左右至 40 年代初的一种独特的爵士乐风格,人们有时把这一时期称为摇摆乐时代。从音乐上讲,摇摆乐代表一种部分走了样的传统爵士乐,它的乐队编制扩大了(多至 16 人)并要求乐师们看谱演奏的能力大大提高。它也是使爵士乐真正商业化的最早的成功尝试,使之获得了全国范围,最终获得了世界范围的市场。摇摆乐时代也标志着公众对爵士乐的看法有了改变。在这时期以前,人们把爵士乐与伤风败俗(新奥尔良的妓院)或是非法活动(芝加哥的廉价酒吧间)联系在一起。摇摆乐进入跳舞厅之后,爵士乐才受到了尊重。摇摆乐队补充了乐师并把他们分成铜管组、木管组与节奏乐器组,还聘有熟练的管弦乐作曲家为他们谱写音乐。大型乐队所使用的音乐技巧比较简单。各个乐器组互相竞争,有时以对位的方式,有时以音乐对话的方式。另一种盛行的手段就是"连复段",即反复演奏一句简单的乐句,直至它仅仅由于重复的力量而几乎可以令人神魂颠倒。摇摆乐时代从很多方面来看代表着一种公共关系的活动。一个乐队或其领队如要成功,必须在全国范围内具有商业上的开拓潜力,因此他必须是白人。虽然有几个黑人乐队如 C.巴锡、D.埃林顿、C.韦布和 J.伦斯福德等乐队在此时期也出了名,但这个时代主要还是由白人乐师控制的时代。杰出的白人乐队领队有 B.古德曼、H.詹姆斯、汤米·多尔西和吉米·多尔西以及 G.米勒等。虽然古德曼被称为"摇摆乐之王",但人们认为最好的是 D.埃林顿乐队,其次也许是巴锡的乐队。在风行大乐队的同时,也蕴育着独奏艺术的发展。摇摆乐时代是和声试验时期以前的最后一次爵士乐的大繁荣期。在它处于最佳状态时,摇摆乐使即兴演奏成为一种艺术,流行的和声传统与摇摆乐伟大创造者们的个人风格特点取得了平衡。

swing rocking chair 参阅 **platform rocker** 基座摇椅。

Swings, Pol 斯温兹(1906-09-02,比利时朗萨尔~ 1983-11-28) Polidore F.F.Swings 的别名。比利时天体物理学家,以对恒星和彗星的成分和结构的分光研究著称。1932 年斯温兹受聘为他的母校比利时的列日大学的光谱学和天体物理学教授。他曾任芝加哥大学访问教授(1939 ~ 1943,1946 ~ 1952),并在该校从事科研(1943 ~ 1945)。在 30 年代初,他研究各种金属的双原子分子。根据他在电离氖、氩和其他电离元素的光谱中的发现,对某些恒星光谱中曾是无法说明的谱线,作出有价值的解释。他和瑞典物理学家 B.埃德伦合作(1936 ~ 1939),对二次电离铁原子进行了广泛研究,揭示出在许多恒星上有铁存在。在研究彗星光谱时,他发现了包括羟基和氰根在内的许多基团。他指出,三原子碳基是产生彗星的某些强谱带(现称斯温兹谱带)的原因。他还用斯温兹效应、夫琅和费线效应和太阳视向速度解释太阳氰化物光谱中的某些反常现象。斯温兹任列日大学教授直至1976 年。他曾任国际天文联合会副主席(1952 ~ 1958)和主席(1964 ~ 1967)。斯温兹发表的著作包括:《彗星分子和星际分子的研究》(1942)、与 L.哈瑟合著的《典型彗星光谱图》(1956)。

Świnoujście 希维诺乌伊希切 德语为Swinemünde。波兰什切青省城镇。位于奥得河口什切青湾湖和波罗的海之间的沙岛上。为重要渔港。因有秀美海滩而成为游览地。1181 年始见记载。19 世纪成为德国工业中心和海军基地。第二次世界大战被毁。现已重建为什切青-希维诺乌伊希切港口联合体的一部分。人口约43 697(2000)。

Swiss, King of the 瑞士国王 参阅**Pfyffer, Ludwig** 普菲弗。

Swiss Army knife 瑞士军刀 便携式多片折刀。从瑞士士兵 1886 年开始配发的军刀演进而来。虽然原产于德国,但 1891 年瑞士刀匠 K.埃尔泽纳开始制造军刀,其中装有刀片、扩孔钻、螺丝刀和开罐刀。1897 年出现军官用刀,其中装有二个刀片及拔塞钻。持续供应军刀的瑞士制造商为维氏(埃尔泽纳的公司)和威戈。军用型及民用型均带有瑞士联邦十字商标。瑞士军刀型号达数百种,其中可能加装许多工具,如锯、手钳、剪刀、指南针、照明灯、镊子、口哨、刮鱼鳞刀、锉、钢笔、断线钳、高程计等。这些型号是专为露营者、狩猎者、电脑修理工、高尔夫球运动员和能工巧匠等特殊用户设计的。瑞士军刀已成为多用途紧凑型精巧工具的代名词。

Swiss Bank Corporation 瑞士银行公司 瑞士办理国内外业务的最大商业银行之一。1872 年成立,原名巴塞尔银行,专营投资银行业务。1895 年与苏黎世银行合并,改名为巴塞尔-苏黎世银行,开始经营商业银行业务。1897 年兼并两家其他瑞士银行后改现名。总行在巴塞尔。此后,国内外的组织机构又经过多次扩充与发展,在巴塞尔设有欧洲业务总处,在苏黎世设有国际业务总处。附属机构办理国际银行业务与融资、工业租赁、不动产融资、消费信贷,有价证券、信托并认购股票和债券、加工和买卖贵重金属品。

Swiss cheese　瑞士干酪　参阅 **Emmentaler** 埃曼塔尔干酪。

Swiss Civil Code　《瑞士民法典》　法语作 Code Civil Suisse,德语作 Schweizerisches Zivilgesetzbuch。指 19 世纪末法学家欧仁·于贝尔编纂的私法法规汇编。该法典在 1907 年正式通过并于 1912 年实行,虽经多次修改,至今在瑞士仍然适用。于贝尔完成其编纂工作是在 1804 年的《拿破仑法典》(**Napoleonic Code**)和 1896 年的《德国民法典》(**German Civil Code**)之后,所以他能够避免以前的编纂人所遇到的许多困难。尽管受到上述两个法典的影响,但是他吸收了许多瑞士本国固有的东西。法典开始是简单的导言,阐明法典的实施细则。接着共分为四编:第一编为人法并包括在形式上类似德国民法典有关社团法的一章;第二编是规定家庭事务,特别规定婚姻制度和监护问题;第三编是继承;最后一编是财产。1881 年,一部单独的联邦商业和私人契约法典作为民法典的姐妹篇开始生效。在 19 世纪,瑞士的 25 个州有各不相同而且常常是相互抵触的风俗习惯,甚至在州范围内的风俗习惯法也往往很不一致。许多州很早就开始编纂法典的实践。在法国人聚居的各州里,拿破仑法典的影响显而易见,但地方风俗习惯在监护和婚姻制度等方面占据统治地位,助长了各州之间的不一致。在德国人聚居的地区,情况更为混乱,尽管有苏黎世民法典(1835 ～ 1855)可以作为后来某些法典编纂的样板。1848 年的宪法将私法问题交给各州处理的条款阻碍了全国性法典的编纂。1872 年由于联邦政府得到授权处理某些民法问题,首先是涉及商业的民法问题,才减轻了编纂全国性法典的困难。第一个成果是 1881 年规定商业法和汇兑法的联邦债务关系法典。但是当时还没有一部概括私法的法典。继承法的种类也很多,有些地区,一个人的居住地优于其出生地,而在其他地区情况恰恰相反。1896 年,联邦政府取得了处理民法问题的权利。于贝尔被指定为草案的起草人,并在 1901 年成立了一个委员会来研究该草案。委员会提出的草案与于贝尔的原草案相比变动不大,该草案于 1907 年通过,1912 年开始施行。该法典引进了土地登记制度,在家庭和继承法的许多方面也有所改动。最重要的是它及时地统一了瑞士的私法。瑞士民法典后来为土耳其所模仿,并对秘鲁等国家的法典也产生了影响。

Swiss Confederation　瑞士联邦　参阅 **Switzerland** 瑞士。

Swiss Federation of Protestant Churches　瑞士基督教联合会　德语作 Schweizerischer Evangelischer Kirchenbund,法语作 Fédération des Églises Protestantes de la Suisse。瑞士基督教新教组织。成立于 1920 年,代表各教会处理社会问题、与政府进行联络、向海外传教和救济贫苦。参加联合会的有瑞士 25 个州中 17 个州的福音宗和归正宗教会、福音循道会、日内瓦自由教会以及天主教占优势的泰辛州的犹太人福音归正会和几个国外瑞士裔福音归正会。该联合会本身不是派别,但代表所属各教会参加世界基督教协进会,为正式会员。联合会各部门分别负责协调神学研究、海外救济、传教、教会法、教育和主办宗教性电视和广播节目。中心机构设在伯尔尼。

Swiss German language　瑞士德语　德语作 Schweizer Deutsch,瑞士德语作 Schwyzertütsch。阿勒曼尼(上德意志)方言多种变体的集合名称,通行于瑞士罗曼语和日耳曼语交界地区以北、列支敦士登、奥地利福拉尔贝格州、德国巴登-符腾堡州以及法国阿尔萨斯省等地。意大利阿尔卑斯山南麓少数孤立村庄也通行阿勒曼尼方言。大多数阿勒曼尼方言包括瑞士苏黎世州和伯尔尼州的主要方言变体在内,常被划为上阿勒曼尼语,而巴塞尔方言和北阿尔萨斯方言则被看作下阿勒曼尼语。瑞士德语与标准高地德语在语音(如用 Chind 代替标准高地德语的 Kind“孩子”)、语法和词汇上都有差别。除苏黎世方言名词与格有复数词尾外,其他方言没有格的词尾变化。瑞士德语与高地德语的动词形式有很大区别(如 *gan*,标准高地德语为 *gehen*“走”)。虽然大多数操瑞士德语方言的人们在书写、布道、讲演时都用标准的高地德语,但所有操瑞士德语的人们,则不管职业、教育或社会阶层等方面存在何种差别,也在生活的其他领域里完全使用自己的方言。

Swiss Guards　瑞士卫队　意大利语作 Guardia Svizzera。由在瑞士出生的士兵组成的卫队。负责护卫罗马教皇本人及守卫梵蒂冈城和教皇别墅甘多尔福堡,保障教皇的安全。卫队独立于瑞士武装部队,受雇于教皇领导的罗马天主教会,并在贝尔韦代雷宫举行的仪式上宣誓效忠教皇。新队员加入卫队必须证明为瑞士血统、婚生、天主教徒、未婚、25 岁以下、健康且无残疾。指挥官须为传统世袭贵族。卫队通常穿蓝色紧身上衣,戴蓝色贝雷帽,在仪式场合所穿制服系米开朗琪罗设计,是最老式制服之一,一直沿用至今。束腰外衣饰有梅迪契家族红、深蓝、黄三色条纹。有时佩戴白色环状领和带高羽毛的头盔。尽管着传统服装,手持长矛利剑,但也训练使用现代武器。14 世纪末和 15 世纪由瑞士雇佣兵负责守卫罗马教皇的领土。1505 年瑞士主教 M.希内尔代表教皇尤里乌斯二世提出建立一支 200 人的永久性瑞士部队,由教皇直接指挥。1506 年 1 月 21 日第一支瑞士卫队抵达梵蒂冈。其中 147 人在 1527 年罗马遭洗劫时被杀害,由此赢得英勇和敢于献身的美誉。1914 年重组卫队,设上尉衔指挥官 1 人、其他高级军官 5 人、低级军官 15 人、随军牧师 1 人、兵士 110 人。1959 和 1976 年再度重组。1979 年卫队人数固定在 100 人(指挥官 1 人、其他高级军官 3 人、随军牧师 1 人、低级军官 23 人、鼓手 2 人、兵士 70 人)。1981年瑞士卫队在圣彼得广场保护了教皇约翰·保罗二世免遭刺杀。1998 年新任命的卫队指挥官及其妻子连同一名卫兵在梵蒂冈住所遭枪杀。卫队有时也被称为梵蒂冈警察,但另有单独的警察部队负责梵蒂冈城的总体安全(不包括圣彼得广场,此处由意大利警察管辖)。

Swiss literature　瑞士文学　严格地说,指用瑞士特有的语言,即通称罗曼什语的拉托-罗曼语方言创作的作品。但广义地说,它包括所有瑞士国民用其他三种语言(德语、法语和意大利语)中的任何一种或这三种语言中任何一种的瑞士方言形式写成的作品。瑞士文学的绝大部分是用德语写成的。在 14 和 16 世纪之间,一种强有力的德-瑞民谣文学发展起来,其民族主义创作灵感则产生于那个时代的各次瑞士独立战争。宗教改革运动后,日内瓦成了加尔文教派的中心,此时,法-瑞文学所占地位比德语文学更为重要。意-瑞文学一直没能取得突出的成就。

Swiss National Park　瑞士国家公园　德语作 Schweizerische Nationalpark,法语作 Parc National Suisse,意大利语作 Parco Nazionale Svizzero。瑞士东南部格劳宾登州境内的国家公园。1914 年建立,1959 年扩大。面积 169 平方千米,由阿尔卑斯山中部壮丽的风景区组成。最初是为科学研究而建立的自然保护区。禁止伐木、放牧、采花、打猎或钓鱼。瑞士国家公园内有罕见的阿尔卑斯山地植物。野生动物有阿尔卑斯山羊、小羚羊、红鹿、狐狸、貂、土拨鼠及鹰和其他鸟类。有几条良好的公路穿过,步行小道四通八达。

Swiss People's Party　瑞士人民党　瑞士的保守政党。又称中间民主联盟。1971 年由农民、手工业者和市民党(通称农民党)与民主党合并而成。奉行低税收、少支出及保护瑞士工农业等保守的社会经济政策,反对瑞士加入联合国(2002 年加入联合国)、欧盟等国际组织。虽然支持者最初集中在农村地区,但目前城市地区也大有支持者。历史上该党在德语区颇具影响。1959 ～ 2003 年瑞士人民党在联邦委员会中拥有一席。1959 年农民党、基督教民主人民党、自由民主党和社会民主党确定了联邦委员会中代表席位的所谓“魔法组合”:农民党及其后继者瑞士人民党占一席,其他三党各占两席。20 世纪 90 年代,该党通过更为平民主义的议程,取得实质性进步。在 1999 年的选举中赢得最多选票,在议会国民院的席位名列第二。2003 年在联邦委员会中又另获一席。

Swissair　瑞士航空公司　瑞士航空运输企业。1931 年 3 月合并巴塞尔航空公司(1925 成立)和阿德阿斯特拉航空公司(1919 成立)组成。到 20 世纪 80 年代,它的航空网已遍及欧洲、南北美洲、非洲、中东、亚洲、东南亚以及远东。公司股权由瑞士联邦政府和州政府占有 24%,私人占有 76%。总公司设在苏黎世。瑞士航空公司是负责飞机采购和维修的国际航空集团的主要成员。1958 年它和斯堪的纳维亚航空公司(SAS)首先签订协议倡导合作。1969,1970 年荷兰皇家航空公司

(KLM)、法国联合航空运输公司(UTA)先后参加了该协议。四家公司合称 KSSU 集团。

Swisshelm, Jane Grey　斯威斯黑尔姆（1815-12-06，美国宾夕法尼亚匹茨堡～1884-07-22，宾夕法尼亚斯威斯维尔）　美国记者和废奴主义者。她出版支持妇女权利和公开谴责奴隶制度的著作，遭到口头和有时是肢体的对抗时，她都以牙还牙。14 岁起成为学校教师。1836 年结婚，丈夫要求其顺从是她后来致力于争取妇女权利的起因。1838 年在肯塔基州路易斯维尔生活时，直接见证了奴隶制度，从此亦致力于废奴运动，曾短时期为"地下铁路"工作。1844 年其第一次署名报道见于《匹茨堡自由精神》报。1848 年自办废奴主义周刊《匹茨堡星期六来客》。不久该刊即亦主张妇女权利，但与当时多数刊物相比，方式较为温和；她劝说妇女不要提出不合理的要求，不然她们整个的运动即要遭到否决。她坚持妇女权利和废除奴隶制度应分别加以解决。1850 年她首开历史先河，成为第一个出现在参议院记者席的妇女。1857 年离开丈夫和周刊，移居明尼苏达州圣克劳德，次年重办她的报纸，名为《圣克劳德来客》。一群支持奴隶制的人于 1858 年 3 月捣毁了她的印刷厂，报纸停刊。但同年夏季，她就在原址办起了《圣克劳德民主报》。1863 年将报纸出让。南北战争时期志愿充当护士，后来退休回到斯威斯维尔，继续写作。回忆录《半个世纪》出版于 1880 年，后退隐。

switching　转接　在通信中，为了把通信系统里的任一个通信台与任一台连通起来而采用的各种设备和技术。转接是电话、电报、数据处理以及需要迅速处理大量信息的其他工艺技术所不可缺少的组成部分。

Swithun, Saint　斯威辛，圣（约 800～862-07-02，英格兰汉普郡温切斯特）　盎格鲁-撒克逊圣人、温切斯特主教。曾任西撒克逊国王埃格伯特和艾特尔伍尔夫的谋臣，852 年任温切斯特主教。有一种迷信的说法认为，如果圣斯威辛的瞻礼日 7 月 15 日下雨，就要有 40 天的连续阴雨。

Switzerland　瑞士　法语作 Suisse，德语作 Schweiz。全称瑞士联邦(Swiss Confederation，罗曼什语作 Confederaziun Helvetica，Helvetica 又拼 Elvetioa)。中欧内陆国家。南北长约 220 千米，东西最宽处约 350 千米。西邻法国，北接德国，东与奥地利和列支敦士登接壤，南与意大利交界。全国 2/5 以上的面积由阿尔卑斯山的几条主要山脉组成。瑞士的种族、宗教和语言十分复杂，但却能做到社会的统一；它保持了世界上最古老的民主制度达 700 年左右。首都伯尔尼。面积41 293平方千米。人口约 7 282 000(2002)。

土地　瑞士可分为三个主要的自然地理区：侏罗山、中部高原和阿尔卑斯山脉。侏罗山大约占全国面积的 12%，森林稀少，有大片草地覆盖。中部高原(平均海拔 450 米)大约占全国面积的 1/4，是一个富庶的农业区，国内大多数经济活动和城市都集中在这一地区。阿尔卑斯山脉由极高的巉岩积雪的山峰、深谷和巨大的冰川构成，其最高峰杜富尔峰耸立在靠近意大利边境的罗萨山断层块上，海拔4 634米。该山峰也是瑞士最高峰。50 多座阿尔卑斯山峰海拔高达3 660米以上，其中有马特峰(高 4 478 米)。圣戈特哈尔德关隘周围的阿尔卑斯山脉中央区，是欧洲主要的分水岭；两条主要河流莱茵河(注入北海)和罗讷河(注入地中海)均发源于此。因河是多瑙河的一条主要支流，发源于格劳宾登州的吕吉诺湖。

瑞士的气候属过渡型，受大西洋、东欧大陆、地中海和中欧旋风型气候的影响。年平均温度各地不同，中部高原为 7 ℃，山区为 2℃。年降水量各地差异很大，罗讷河流域为 533 毫米，东北部的森蒂斯山区为2 896毫米。海拔3 505米以上的山区所有降水均为雪。

瑞士的自然植被受不同地势起伏的影响可分为 4 个区。在靠近低洼的日内瓦湖西部和侏罗山区长有山毛榉和栎树。鹅耳枥和落叶松生长在东部的恩加丁和干旱的瓦莱。云杉林延伸到整个北部的亚阿尔卑斯山脉。南部有栗树和柏树。高山草原生长在大约2 130米高的山区，有时甚至在约3 050米高的山区；中欧最高的葡萄园就坐落在海拔1 100米的阿尔卑斯山上。瑞士的动物群主要包括兔、狐、獾、旱獭、鹿、岩羚羊、水獭和各种鸟类；除了每年短暂的猎季以外，动物的生命受到国家保护。

瑞士的天然矿物资源匮乏，北部的莱茵费尔登有少量盐矿，侏罗山区有铁矿和锰矿。瑞士矿物资源的缺乏在很大程度上被该国巨大的水能资源所补偿，20 世纪末期，瑞士建设了大约 450 座大型水电站。

人民　全国分为三个主要语言区：北部、中部和东部的德语区，西部的法语区和南部的意大利语区。全国约有 2/3 人口讲德语，1/5 讲法语，1/10 讲意大利语。罗曼什语(拉托-罗曼语)是瑞士东部的一种古老语言，讲此种语言的人大约只占总人口的 1%。

天主教徒不到总人口的一半，新教徒占人口的 2/5 以上，犹太教徒和穆斯林数量很少。德语、法语和意大利语都是官方语言。20 世纪末期，寻求政治避难的人和外国打工的人数量剧增，给瑞士造成一个严重问题。预期寿命相对较高，男性为 74 岁，女性 81 岁。由于高山占据太多的地面，全国常住地区人口稠密。主要城市有苏黎世、巴塞尔、日内瓦、伯尔尼和洛桑。

经济　瑞士属发达的市场经济，主要以国际贸易和银行业，以及轻工业和重工业为基础。经济严重依靠外国工人，该国外籍工人约占 1/4 的劳动力。瑞士国民生产总值的增长快于人口增长；人均国民生产总值高于世界任何其他国家。

农业是该国经济的重要组成部分，尽管土壤贫瘠和土地不毛。在总土地面积中，大约 1/10 可供耕作；主要作物有甜菜、马铃薯、小麦和大麦。蔬菜、水果和葡萄种植也很重要。占土地面积 2/5 的草原和草地可饲养奶牛。奶制品和饲养奶牛的收入大约占整个农业产值的 3/4。大部分牛奶被加工成乳酪、黄油和巧克力销售。森林主要是针叶林，覆盖面积为 1/4。

矿物燃料必须进口。石灰、水泥、石膏、盐、沙和砾石均用当地原料生产。采矿业由私人拥有。

美国不列颠百科全书公司供图

制造业占国内生产总值的 1/5 以上，与采矿业一起使用大致相同比例的劳动力。大多数原料必须进口；高级制成品则出口。主要制造业有钟表、精密仪器、涡轮机、发动机和化学制品。

瑞士的电力主要靠水力资源生产，约2/5 的电力来自核电站。

旅游业是一个重要行业，发展迅猛，有助于抵消瑞士通常的贸易逆差。瑞士是世界主要金融中心之一。除了 1907 年开设的国家银行外，该国还设有5 000多家支行和借贷机构(分属 630 多家银行)。

工会规模很小而且组织松散，天主教徒、新教徒、白领职工和官员都分别有自己的组织。外国工人大部分来自意大利，小部分来自巴尔干半岛、法国、西班牙、德国、葡萄牙、奥地利和土耳其。

公共收入大多来自根据重量而不是价值征收的关税和间接税。服务业一向是不征收营业税的。1978 年通过公民投票决定增加营业税税率。

瑞士大约 3/4 的进口和 3/5 的出口商品

来自或销往欧共体市场。主要贸易伙伴有德国、法国、意大利、美国、英国和日本。

政体与社会状况 瑞士为一联邦共和国,由20个州和6个“半州”组成,州和“半州”执行不明确属于联邦政府的全部权力。国家宪法于1848年通过,1874年进行了大量修改。立法权属两院制的联邦议会,国民院的200名议员由直接选举产生,任期4年,联邦院的46名议员由各州选举产生(每州2名,每“半州”1名),任期2或3年。通过特殊的立法,如宪法修正案,要求经过多数选民和多数州的同意,但其他立法则不需要这种形式。行政权由联邦委员会行使。联邦委员会有7名成员,由联邦议会选举产生,任期4年。每名委员主管一个联邦部,联邦议会选举其中一名任主席,任期1年。联邦政府主要负责国家的政策事务,诸如内、外部安全,外交政策和货币制度。主要政党有激进民主党、天主教民主人民党、社会民主党和瑞士人民党。妇女于1971年获得选举权。司法行政权主要是州的职能。联邦最高法院是最高司法权力机构。根据中立政策,军队仅负责保卫国家的独立。

瑞士的社会福利制度非常完善,对病人、孕妇和暂时丧失劳动能力者均提供各种救济和补助性质的或免费的治疗,对有子女家庭提供津贴,对老年人、伤残人、永久丧失劳动能力者和灾祸幸存者提供固定救济。对有薪金的雇员实行强制性失业保险。广泛的社会福利和高标准的生活有助于瑞士国民达到良好的健康状况。瑞士国民的健康状况好于其他西欧国家。

瑞士100%的识字率反映出该国完善的教育体系。由于教育归社区或州一级管理,所以存在26种不同的体系。但不论在什么地方,教育都是义务的,9～13岁期间免费。学生中学毕业后可继续参加职业教育或高等教育。这里有许多私立学校(小学和中学),可提供良好的教育和接纳外国学生。高等教育由几所大学提供。

该国的新闻媒体不受政府检查。多数报纸只刊登区域或地方新闻,只有《每日新闻报》、《新苏黎世报》和少数几家报纸报道世界各地的消息,属世界大报之列。无线电和电视广播由私营的瑞士广播公司经营,节目大多是非商业性的。3个不同的通讯体系为全国3个主要语言群体服务。

文化生活 瑞士可以为产生过许多著名的艺术家和科学家而感到骄傲。在20世纪,科比西埃是支持国际建筑学派的主要人物之一,该学派曾对整个西方的大多数建筑潮流产生影响。享有国际盛誉的画家有吉亚柯梅蒂和克利。在文学方面,瑞士有卢梭、布尔克哈特、斯塔尔夫人、凯勒、海塞、施皮特勒和一批不太知名的罗曼什语作家。当代戏剧家迪伦马特和弗里施(他还是一位小说家)的作品在瑞士国外广为流传。一些20世纪作曲家,诸如奥涅格、舍克和马丹已经具有国际声望。瑞士在科学方面也有悠久的优良传统。苏黎世联邦技术学院培养的诺贝尔奖获得者比世界任何其他科学机构都多。

历史 在公元前就有猎人、渔民、农民和武士在瑞士定居。罗马人称该地区为赫尔维蒂亚,并在公元前58年,驻守在当地具有战略意义的阿尔卑斯山关隘。公元3世纪期间,日耳曼部落开始突破了他们的防守,到5和6世纪,成为当地永久居民。7世纪,基督教传教士开始使许多赫尔维蒂亚人皈依宗教。9世纪当地建立了法兰克人的统治,10世纪期间,穆斯林和马扎尔人侵者曾冒险深入该地区。11世纪期间,现在的瑞士只是当时神圣罗马帝国的一部分。

1291年,乌里、施维茨和下瓦尔登(稍后还有上瓦尔登)森林州组成一个反对哈布斯堡的联盟,该联盟成为瑞士联邦的核心。到1353年,又有卢塞恩、苏黎世、格拉鲁斯、伯尔尼和楚格加入联邦。索洛图恩和弗里堡于1481年加入,随后巴塞尔和沙夫豪森于1501年、阿彭策尔于1513年加入。

16世纪期间,瑞士成为基督教改革运动的中心,联邦分为天主教和新教两派。内部各州(卢塞恩、乌里、下瓦尔登、楚格和索洛图恩)信仰天主教,而苏黎世、伯尔尼、巴塞尔和沙夫豪森则信仰新教。敌对各州之间经常发生军事冲突。在“三十年战争”后签订的《威斯特伐利亚和约》(1648)中,13个州声称不再臣服罗马帝国。

17世纪期间,瑞士开始奉行中立政策,直到法国革命爆发。1798年法国人占领了瑞士大片领土并建立起赫尔维蒂亚共和国。拿破仑战争结束时,维也纳会议(1815)的参加国使瑞士的中立得到保证。19世纪40年代,卢塞恩、乌里、施维茨和其他数州试图建立一个独立的联邦,但未能成功。新的联邦国家于1848年成立,首都为伯尔尼。

尽管在普法战争(1870～1871)中处于夹缝之中,瑞士仍继续执行其中立政策。第一次世界大战时该国仍然保持中立。1920年国际联盟成立,其总部就设在日内瓦。第二次世界大战时瑞士虽然保持中立,但其军队也动员起来保卫国家。战后瑞士政府采取了几项福利国家的措施,如老年救济和健康保险。1959年该国加入了欧洲自由贸易联盟,1972年与欧洲共同体签定自由贸易协定。瑞士与欧共体的关系是该国90年代初最重要的政治问题。1986年,瑞士选民否决了一项加入联合国的议会提案,他们认为这样一个行动将破坏国家的中立政策。1992年选民投票否决加入欧洲经济区的提案。2002年3月,全民公决以微弱优势通过加入联合国的决案,并于同年9月正式成为联合国成员国。

Swope, Gerard 斯沃普(1872-12-01,美国密苏里圣路易斯～1957-11-20纽约州纽约) 美国实业家、通用电器公司总经理。1895年自麻省理工学院毕业,去西方电气公司工作,1913年任董事。1919年被任命为通用电气公司国际子公司第一任总经理。他是优秀的推销者,大大增进了公司的国际业务。1922年成为通用电气公司总经理。当时该公司主要销售工业电气产品,在他指导下,公司开始试制和销售家用电器如电冰箱、真空吸尘器等。他扩大通用电气公司员工的福利,实行按劳付酬制度。他除推行职工分红外还制定工资按生活费用调整及失业保险等福利形式。他还担任过政府行政官员和顾问。他对无线电的早期发展有过贡献,担任过全国广播公司等企业的董事。1939年自通用电气公司退休。

Swope, Herbert Bayard 斯沃普(1882-01-05,美国密苏里圣路易斯～1958-06-20,纽约桑兹波因特) 美国记者。以曾任《纽约世界报》战地记者和主编而闻名。中学毕业后去欧洲一年,回国后在多家报纸任记者,1909年正式参加《纽约世界报》工作,先任专门采访犯罪活动的记者,后转为战地记者。第一次世界大战初期斯沃普在德国采访,后被公认为德国问题的权威。收集在《德意志帝国内幕》(1917)一书中的文章,使他于1917年获普利策奖。1915年斯沃普由德国回美,任《纽约世界报》的本市新闻编辑。1917年美国参战后,他进美国海军服役,在美国军事工业署当B.巴鲁克的助理。1920年回《纽约世界报》任主编,此时他集中精力于专栏版。从1920年到1929年退休为止,该报曾三次获普利策奖。退休后斯沃普曾在美国政府各部门担任顾问,第二次世界大战期间,从1942～1946年任陆军部长H.L.史汀生的顾问。

sword 军刀 一种历史悠久、性能优异的手持冷兵器。刀身较匕首长,但长度、宽度和形状不定。刀身固定在刀柄上,刀柄常配有护手。青铜器时代(公元前3000左右),军刀

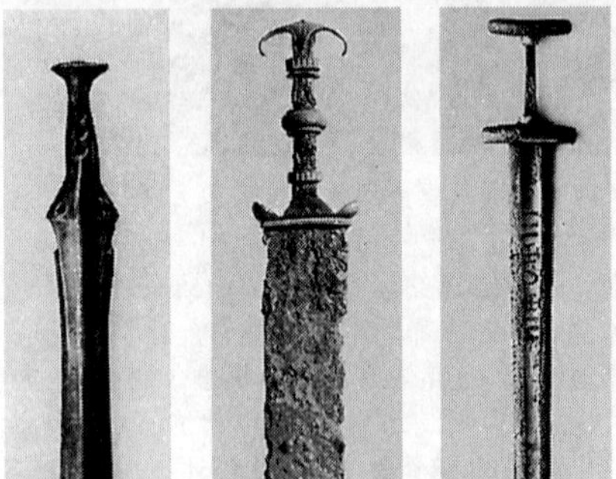

(左)青铜器时代军刀;(中)插入剑鞘的罗马军刀;(右)北欧海盗军刀

不列颠博物馆供图

与匕首开始有所区别;当时的紫铜和青铜军刀的刀面呈长叶形,刀身连一节套构成手柄。罗马时代,军刀的手柄开始与短小平刃刀的手柄有明显差异。中世纪骑兵重型军刀的刀柄大,用双手握持;柄端有护圈或球形饰物;刀片系双面直刃,有刀尖;此类军刀系通过反复热锻制成。这种工艺使铁中掺进少量碳素,变为软钢。此外,有些军刀系采用多层铁片叠合锤击成一体,大马士革当时是这种制造工艺的著名中心。随着火器出现,战争发生了变化,但军刀并未因此消亡,品种反而增

多。此时,因为废弃了护身铠甲,刀剑手须用自己的兵器挡开对方刀剑的进攻,故出现了攻防两用的轻型刀剑。弧形刀具砍杀之优点很早就为亚洲人所公认。此刀在印度、波斯等国长期使用后经土耳其传入欧洲。西方各国曾将土耳其短弯刀加以改造,作为骑兵马刀。日本人制出了略弯的长刃刀,配有双手握持的刀柄。随着该刀出现,尚武与复古精神一时风靡日本。弹匣供弹式步枪的使用,使军刀基本丧失了作为兵器的价值,尽管直到20世纪的战争中还有使用军刀的个别事例。正当军刀的军用价值一落千丈之际,它却在拼刺方面有了新的地位,尤其在欧洲,而由此产生了现代的击剑运动。

Sword Beach 剑滩 第二次世界大战诺曼底登陆(1944-06-06)五个海滩中最东侧的一个海滩。登陆代号为"剑滩",从西面滨海利翁到东面奥恩河口的乌伊斯特勒昂,延绵8千

援助受伤和精疲力尽的突击部队上岸
美国不列颠百科全书公司供图

米。在交通枢纽卡昂以北约15千米。盟军和德军均以卡昂为战略要地。此处德军防守相对较弱,主要依靠设置在梅维尔的75毫米大炮和勒阿弗尔的155毫米大炮,以及距海滩几英里的88毫米大炮,此外还有反坦克壕沟和地雷以及巨大的混凝土墙。德军第716步兵师第736团和第125团,以及第21装甲师在附近驻扎。向东越过迪沃河有第711师防守。英军第二军团负责攻占剑滩,由M.登普西中将指挥。剑滩分为4个攻击区。第3师的目标是穿越剑滩,经乌伊斯特勒昂占领卡昂和附近的卡皮克机场。所属突击队的任务是打过海滩,向内陆推进5千米,在奥恩河和卡昂运河大桥与空降部队会合。进攻部队在6月6日上午7时25分登陆,未遭遇猛烈火力。8时,战斗已主要集中在内陆。下午1时突击队与空降部队在奥恩河大桥会合。但英军未能与朱诺滩的加拿大部队在右翼会合。下午4时德军第21装甲师的坦克和机械化步兵发起唯一一次重大反击。第192装甲掷弹团在晚间8时实际上已抵达海滩,但该师的98辆装甲车被反坦克武器、空袭和盟军坦克抵挡住。当天,英军登陆人数达29 000人,伤亡639人。德军死伤更为惨重,许多德军士兵被俘。但盟军距卡昂和卡皮克机场尚有5千米的路程。英军空降师伞兵在R.盖尔少将指挥下计划夜间在诺曼底进攻区左翼降落,隔断战场,以帮助破晓时分登陆剑滩的部队。德军第716步兵师在此防守。梅维尔的炮台十分坚固,4门大炮占据优势位置。

佚名画家1600年的剑舞绘画
供图:Germanisches Nationalmuseum, Nurnberg, Ger

第6空降师的目标是占领奥恩河和卡昂运河上的大桥,为剑滩登陆部队夺取生死攸关的通路;炸毁迪沃河上的大桥,阻断德军从东部至登陆区的道路;控制迪沃河和奥恩河间的分水岭,阻止德军反攻;摧毁梅维尔的炮台。零时16分载有D连的滑翔机在J.霍华德少校指挥下在大桥目标处准确着陆。10分钟内占领两座大桥。第9空降营将梅维尔炮台打哑,但有一半人员伤亡。防守德军损失尤为惨重。第6空降师的其余部队彻夜空降,虽然着陆地点零零散散,但小股部队设法集结并将迪沃河上的五座大桥摧毁。至进攻部队上午登陆剑滩时,其左翼已确保无虞。下午1时大桥上的霍华德滑翔机部队已与第一突击旅会合。6月6日傍晚时分第6空降师已全面到位。

sword dance 剑舞 男子跳的民间舞蹈。用剑或剑状舞具,表现祭奉活人和牲畜以求丰收、摹拟战斗以及抵御妖魔鬼怪等,有多种类型。在连剑舞(或称剑柄-剑尖舞)中,舞蹈者执自己剑的剑柄和后面舞蹈者的剑尖,整个队形错落有致,通常呈圆形。单人或多人格斗舞原用作军事训练,着重摹拟战斗。跳十字剑舞时,每两把剑或一剑一鞘交叉置于地上。队伍呈圆形的游击队舞也常持剑表演。剑柄-剑尖舞在英格兰北部、巴斯克地区和西班牙广为流传。演出民间剧时常穿插此舞,这类民间剧和英国的哑剧有密切关系,类似色雷斯的希腊民间剧。舞蹈时举剑会交一处,围着一表演者形成一朵"玫瑰"或一把"锁",向上移至其颈部,佯装将其斩首。"被斩首者"常倒地"死亡",又由一"医师"、丑角、阴阳人或其他次要角色将其起死回生。这类舞蹈起源于古代象征死亡和复苏的植物礼仪,也可能起源于部落领袖祈求丰收的祭献。至今它们还被视为能带来运气或安泰。摹拟战斗的哑剧舞蹈在今日的土耳其仍继续存在(有些已用步枪代剑),并残存在加拿大苏格兰语地区的匕首舞中以及婆罗洲和其他地区。古希腊的出征舞用作军事操练,直至古希腊晚期才蜕变为一种流行的专业表演。土耳其和古今希腊的屠夫舞,现在成了社交舞蹈,而在中世纪则是屠夫以剑作舞具的战斗摹拟舞。十字剑舞在欧洲(如:苏格兰、巴尔干等地)很普遍,印度、婆罗洲和其他地区也有。这类舞蹈的典型形式是一人或多人以准确、复杂的舞步在剑与剑之间跨越。著名的苏格兰单人吉利·卡勒姆舞由同名民间曲调伴奏。英格兰的单人巴卡烟斗吉格舞与之相近,用陶制烟斗交叉置地代替剑。有证据表明,以前这些舞蹈包括舞剑。在苏格兰的阿盖尔腰刀舞中,4名表演者将刀交叉置地之前先挥舞一番。刀即便轻微接触也须停止舞蹈,通常认为,这可能和古代礼仪有关。游击队舞尤其在饱经入侵军蹂躏的巴尔干半岛各国和土耳其有更强的生命力。这类舞蹈的典型队形是圆圈,开始时领舞演员作急旋动作,并挥剑呼呼作响,随后为即兴舞蹈,并常夹有摹拟战斗。巴尔干半岛各国的鲁萨利亚舞是祈求病体康复和丰收的礼仪舞,也要舞剑作响。几种英格兰的剑柄-剑尖舞开始前也要舞剑作响,这可能起源于古代,认为这样即可驱逐舞场上的妖魔鬼怪。许多欧洲的剑舞被同业行会接了过去,并以这些行业使用的工具代替剑。使用棍的舞蹈不仅与剑舞而且和**莫里斯舞(Morris dance)**有关。莫里斯卡礼仪舞通常为双纵列男子舞蹈。莫里斯-莫里斯卡舞类中的许多舞蹈均使用剑作为道具。

Sword of God, The (Arab general) **真主的宝剑** 参阅**Khālid ibn al-Walīd哈立德·伊本·瓦利德**。

sword swallowing 吞刀 一种魔术师的技艺,表演者吞下短剑而不受伤。其历史可追溯到古代希腊和罗马。表演者首先必须经过长期锻炼,克服由于异物接触口腔后部而引起的恶心与疼痛,要数次试验才能顺利吞下。异物进入胃中情况也是如此。大多数吞刀演员预先在食道中插入导管,减少危险。导管用金属薄片制成,一般长45～50厘米,直径25毫米,平刃刀可以顺利通过。吞刀表演除娱乐价值外还曾促进医学研究,使医学家得知咽部可以适应器械的接触,从而观察有关的器官。

swordfish (*Xiphias gladius*) **剑鱼** 鲈形目剑鱼科可能仅有的一个种。分布于世界的

热带、温带海洋,为上等食用鱼和游钓鱼。体长,无鳞,背鳍高,吻突出如剑,用以砍杀猎捕鱼类。其吻剑扁平,而不是像穿索针鱼和其他枪吻鱼类那样呈圆形,故又称宽吻鱼。无

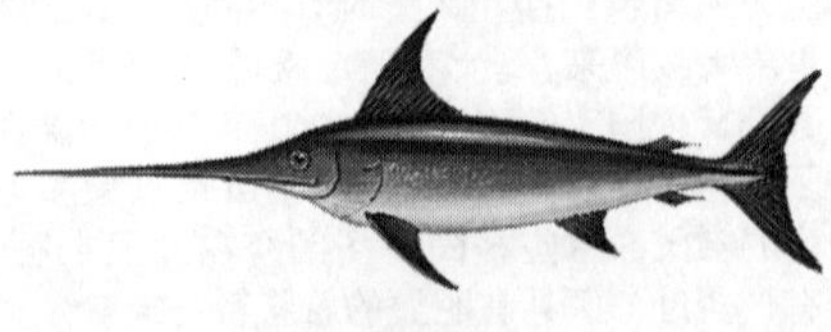

剑鱼(*Xiphias gladius*)
绘图:Tom Dolan

腹鳍,无牙,体上部淡紫色或淡蓝色,下部银白色,最大的体长约 4.6 米,最重的约 450 千克。

swordtail(*Xiphophorus helleri*) **剑尾鱼** 银汉鱼目胎鳉科受欢迎的热带鱼。*胎鳉*(**live-bearer**)的一种。剑尾鱼体长,长约 13 厘米,其特点是雄鱼尾鳍下叶有一呈长剑状

剑尾鱼(*Xiphophorus helleri*)
供图:Jane Burton—Bruce Coleman Ltd.

的延伸突。剑尾鱼与*新月鱼*(**platy**)近缘,同样被广泛用于遗传以及医学研究。原为绿色,体侧各具一红色条纹,但现在人们已培育出许多颜色不同的品种。

syādvāda 或然论 耆那教形而上学中的一种学说。它认为一切判断都是有条件的,它们只有在某些条件、情况或感觉中才适用,因此它以或然(梵语:也许是)一词来表示。看待一个事物的方法是无限多样的。耆那派认为仅仅从一种方法或观点来解释经验而排斥其他观点是错误的,有如七个盲人摸象,每个人得出结论都认为他所掌握的那部分是真理。这一观点的相对多元论包含在耆那教的“非极端说”或“实在的多面性”的学说里。根据这一学说,一切陈述都能依观点而定,被判断为正确或不正确,或既正确又不正确,因而无法表达。这些可能性的结合能用七种逻辑选择(“七支论法”)加以陈述。

Sybaris 锡巴里斯 意大利南部古代希腊城市,位于他林敦(塔兰托)湾,在现意大利科里利亚诺附近,因该城的富有和居民的奢侈驰名,故现有“锡巴里斯的”一词以形容骄奢淫逸。约公元前 720 年由亚该亚人和特洛曾尼人建立,很快就繁华起来。两度被克洛托那人劫掠一空(公元前 510 及前 448)后,锡巴里斯在雅典帮助下第三次重行建城。后其他城市的人将锡巴里斯人逐出,并将该城更名图里。但锡巴里斯人在特兰伊斯(特林托)河南更远处第四次建立锡巴里斯,其遗迹在 1949 年发掘中出土。

Sybel, Heinrich von 济贝尔(1817-12-02,普鲁士莱茵省杜塞尔多夫~1895-08-01,德国马尔堡) 德国历史学家。他一反老师 L.冯兰克的客观态度,使自己成为民族主义政治普鲁士主义的代言人。在柏林求学时(1834~1838),他从兰克那里学习了评价历史资料的批判方法。他的第一部著作《十字军历史与文献》(1841)是兰克学派最杰出的作品之一,他的《德意志王权的产生》(1844)一般认为属于同一类型。不久以后,他对政治的兴趣使他脱离了兰克的影响。他曾在马尔堡(1846)、慕尼黑(1856)、波恩(1861)执教,并说自己七分之四是政治家、七分之三是教授。曾为黑森邦议会、普鲁士立宪议会等议员。他相信普鲁士负有领导德意志走向统一的使命,反对教皇至上论和封建主义,反对中世纪的大帝国政策,最后支持俾斯麦。他后来的一些著作很清楚地表明了他的政治观点。巨著《1789~1800 年革命时代史》共为 5 卷(1853~1879)表明他竭力反对革命的理想,此书特别有价值的地方是把法国国内事件与广阔的欧洲背景联系起来。他的最后一部著作《威廉一世创建德意志帝国》共 7 卷(1889~1894)是详细讲述这一主题的拓荒作品。1875,俾斯麦任命他为普鲁士档案馆馆长。

sycamore 西卡莫 几种完全不同的树木的通称。西卡莫一词来自于希伯来语,意思为桑树。在美国,该词特指美国*悬铃木*(**planetree**)。《圣经》中所载的“桑树”实际上

西卡莫(美国悬铃木,*Platanus occidentalis*)
供图:William Jahoda—The National Audubon Society Collection/Photo Researchers

应该称为西卡莫*无花果*(**fig**),因为古埃及人用它来制造木乃伊盒而著名。西卡莫槭(假挪威槭,假悬铃木槭,*Acer pseudoplatanus*)有时简称为西卡莫。

Sycon(sponge) **双沟海绵属** 参阅 **Scypha** *樽海绵属*。

Sydenham (of Sydenham and Toronto), Charles Poulett Thomson, Baron 西德纳姆男爵(1799-09-13,英格兰萨里郡温布尔登~1841-09-19,西加拿大金斯顿) 即 C.P.汤姆森。英国商人和政治家。任英国驻加拿大总督(1839~1841)期间,发展了该国的政府机构。商人家庭出身,16 岁进入其父公司在圣彼得堡的分店。1826~1830 年为多佛尔选出的议员,鼓吹贸易自由和财政改革。1830~1839 年为曼彻斯特选出的议员。1830 年任商务副大臣、海军司库和枢密顾问。1832 年改进关税制度。1834 年任商务大臣。1839 年任加拿大总督。他运用巧妙的外交手腕,使英国议会在 1840 年通过关于上、下加拿大合并的法案。随后着手在上加拿大建立市政机构,鼓励公共工程,并在加拿大联合省建立起责任制政府。1840 年封男爵。

Sydenham, Thomas 西德纳姆(1624,英格兰多塞特怀福德伊格尔~1689-12-29,伦敦) 英国医师。公认的临床医学以及流行病学的奠基人,因为他强调对患者要详细观察并作

伦敦国立肖像画陈列馆供图

出精确的记载,故被称为“英国的希波克拉底”。在英国内战时期,西德纳姆站在反对查理一世的议会一边,从而中断了在牛津大学的医学学业,但仍于 1648 年获得医学学士学位,1656 年前后开始在伦敦行医。西德纳姆在伦敦对流行病作了研究,据以写出关于发热的著作(1666);后扩写为《医学观察》(1676)。该书在 200 年内被作为标准教材。他在 1683 年关于痛风的论述被认为是杰作。他最早描述猩红热,将猩红热与麻疹相鉴别并予以命名。阐述了癔病及圣维杜斯舞蹈病的本质。又将阿片用于医学实践;也是运用铁剂治疗缺铁性贫血的创始人之一;还协助推广奎宁治疟。

Sydenham's chorea(neurological disease) **西德纳姆氏舞蹈病** 参阅 **chorea** *舞蹈病*。

Sydney 悉尼 澳大利亚最早和最大的城市,新南威尔士州首府。以优良港湾及所处澳大利亚东南沿海的战略地位著称,也是南太平洋最重要港口之一。19 世纪初,此处还是个英国罪犯的小小拘留地,最早的殖民者还几乎不曾涉入内陆;那时,它已同太平洋诸岛屿、印度、中国、南部非洲及南北美洲建立了贸易关系。

第一次见到悉尼,不论是从海上还是从空中,印象总是深刻的。城市建在一个有无数港汊的大海湾周围众多丘陵上,占有突出位置的是悉尼海湾大桥和歌剧院的整体建筑——此桥是世界上最大单孔桥梁之一,歌剧院则以其闪闪发亮的贝壳状白色屋顶与海

湾内众多游艇的风帆交相辉映。水面与建筑物错综交织，不管是在白昼还是在夜晚，都给人深刻印象。

悉尼以其作为大港口的历史及其作为澳大利亚主要国际航线终点所处的地位，或许是澳大利亚唯一具有真正国际气氛的城市。然而它仍是一个极具澳大利亚风情的城市：其不列颠传统有着盎格鲁撒克逊人的效率，其气候和环境又有着南太平洋的魅力，两者之间有着美妙的默契。

悉尼歌剧院和悉尼海湾大桥

澳大利亚图片图书馆供图

自然地理和人文地理

景观 **气候** 悉尼位于南纬 34°，平均气温从 1 月份的 22 °C到 7 月份的 12 °C。它的温暖、晴朗而温和的气候，使它的公民们养成一种喜爱娱乐、从容不迫的生活态度，他们充分利用机会在其家门口进行扬帆、游泳和冲浪活动。年平均降雨量虽有 1 140 毫米，但大部分是在夏季短暂的热带暴雨中降下的。盛行风从东北吹来时的夏季十分暑热，但有来自塔斯曼海的冷锋面的到来而时时得到缓解，这个冷锋面的先驱是当地称之为“南来的家伙”的一阵强劲的南风。悉尼暑热难忍的日子一年只有几天，那时有一股西风从内陆带来热而干燥的空气。然而冬天的西风是凉爽的。

城市布局 悉尼统计区面积为4 790平方英里（12 407 平方千米），西自蓝山山脉向东伸展到太平洋，北从麦夸里湖南岸向南伸展到植物学湾以南。这个地区只有大约 1/3 为城市区，但该地区的人口却有 90%以上住在城市区。一种向郊区蔓延的格局已为负责污水排放和负责交通运输的当局造成了难题，这种蔓延一部分是由于早年土地价格低廉，一部分也由于一般澳大利亚人都决心拥有自己的住房和园地。这种蔓延也同比较狭小而拥挤的中心商业区形成鲜明的对比：中心商业区挤在海湾的两个分汊之间一个多岩石的狭窄半岛上，在狭义悉尼市的 5 平方英里范围内。

同样的鲜明对比在建筑物的风格上也可以看到。大多数郊区住房是用砖或木材建造的、带凉台的一层平房，而中心商业区的地价高昂，不得不修建较高的大楼。20 世纪 60 年代开始的迅速发展已经改变了市中心的面貌，现在的市中心看起来像是从海湾岸上拔地而起的小曼哈顿，虽然这些大楼按北美标准并不算高大。一个堪与匹敌的商业中心已在北悉尼迅速兴起，该中心通过海湾大桥与悉尼市相连。

建筑标准一般是中等的，不过有少数几座 19 世纪存留下来的漂亮的大楼以及少数几处当代的杰出建筑物，其中包括设计得灿烂辉煌的歌剧院。悉尼有一条豪华的街道——麦夸里大街，从海德公园起一直通到歌剧院，大街两旁排列着 19 世纪和 20 世纪的所有重要的政府大楼。然而，悉尼的总的外观还是吸引人的，海湾数不清的港汊伸入陆地，使人几乎在每一条街道都可以看到出人意料的景色，这使悉尼成了一座最令人喜爱的城市。

距市中心往南往北各 25 英里（40 千米）以内都有一座壮丽的国家公园，这也是悉尼的幸运。在这两座公园里，“霍克斯堡砂岩”天然灌木丛景色最为美丽，并为该地区野生动物的一个保护区。霍克斯堡河的河口有众多的手指状港汊，为赛艇划手们提供了无比广阔的避风水面。该市以南和以北延伸着一串极好的沙滩，太平洋的海浪在整个夏季都在这些沙滩上拍击着浪花。其他的国家公园距市中心也不超过 60 英里，所以悉尼现在几乎完全被国家公园围绕着——对于如此庞大的一个城市来说，这是个独一无二的特色。

人民 悉尼是英国人建立的，至今悉尼公民中占最大比例的仍然属于英国人血统，如果把“英国人”这个词的含义扩展到把爱尔兰人后裔也包括在内的话。不过，自第二次世界大战以来，澳大利亚已接收了大量来自欧洲其他国家的移民，自 1960 年以来又接收了一些来自亚洲的人，包括来自黎巴嫩和越南的难民。这些移民许多已经在悉尼定居。有一些近郊区具有明显的希腊特征或意大利特征，而且几乎每个郊区都有其希腊的、意大利的、黎巴嫩的或越南的饭馆。还有一个不大的中国城。有一个名叫“红蕨”的郊区，里面有一个小的土著人社区，生活在有些压抑的环境中。两个最大的基督教教派是英国圣公会和罗马天主教，各有自己的大教堂，但现在的悉尼除拥有许多基督教教堂外，也有一些穆斯林的清真寺、犹太教会堂以及佛教徒的寺庙。人口：市 3 276 207；都会区约 3 986 700（1998）。

经济 **工业和公用事业** 新南威尔士的制造业劳动力约有 3/4 在悉尼地区工作。悉尼的全部人口几乎一半是劳动力，这里面又约有 1/3 从事制造业（大部分在第二产业），其余则在第三产业或服务业。悉尼本身并没有什么占主要地位的工业，虽然炼油在该地区居重要地位。悉尼实质上一向是个行政管理城市，是个当地的、国内的和国际的商业城市，也是新南威尔士州的一个购物和娱乐中心。作为一个金融城市，它可与墨尔本相匹敌。它的初级羊毛市场的总部设在 1975 年开业的“羊毛中心”。杰克逊港（悉尼海港）是澳大利亚主要港口之一。南面 10 英里处在植物学湾已开辟了第二个港口，装卸石油产品。

旅游 悉尼已经成了一个国际旅游中心。有很多宾馆和汽车旅馆以及许多餐厅，特别是在中心商业区以北和以东地区。供应国际上各个品种菜肴的餐厅几乎均可找到，但所有餐厅都供应澳大利亚葡萄酒和悉尼有名的牡蛎。市内供召开会议、民众音乐会和政治集会用的第一组现代综合建筑于 1983 年开放。

运输 自 1855 年以来，悉尼已有一些铁路从市中心通往某些郊区。在两次世界大战之间，这个辐射状的郊区铁路系统实现了电气化，并开始了市内地下铁道的建设（第一区段于 1926 年开始运营）。1933 年，海湾大桥完工之后，北岸便可经过铁道与市内直接相通。1979 年，地上和地下铁道的支线工程全部完成，从而通到了东部各近郊区。

尽管有广泛的大都会区公共汽车业务的开发和存在，但公共交通运输仍赶不上需求的增长。自第二次世界大战以来，悉尼也像其他许多城市那样，已受到汽车之害。汽车所造成的交通问题由于悉尼的地理布局而变得更糟。在中央商业区工作的人有很大一批把家安在远郊区，因而必须从有限的几条路线中找出自己的一条往来市区的路线。例如，所有住在北岸的人都必须经过海湾大桥跨越海湾，这是从北到南跨越海湾的唯一的桥。在海湾顶端，在格莱兹维尔有第二座桥，可以分担一些交通量。从北到南穿过悉尼地区，要绕过市区也很困难。不可避免的后果是严重交通堵塞因街道狭窄而更加恶化。已修建快车路和过境车路来缓解堵塞,但只有部分效果,所以,也像其他城市那样,悉尼采取了在内城的某些街区禁止一切车辆通行的措施。为了这一目的,1971 年在市中心的马丁广场创立了一处步行市场。

对于住在港湾岸上的人,存在着另一种令人愉快的运输工具:公共渡轮,但是,由于总是使当局感到困惑的原因,这种运输工具从来没有如预料的那样受欢迎或是那样有效益。不过,这些渡轮毕竟为悉尼市增添了很多的引人之处和便利。

供国际和国内共用的主要机场设在市区以南的植物学湾海岸上的马斯科特。来往这个机场的进出道路很糟。另一方面,海上来的旅客却是幸运的,因为客轮一般都泊在位于市区心脏部位的"环形码头"上,他们可以从那里遛达到市中心。

行政 悉尼是新南威尔士州的首府以及州政府和州议会所在地。州政府将与地方有关的事务授权给悉尼地区的 40 多个地方区政府,包括悉尼市政会,但对某些重要事务,如警察和交通运输之类,仍保留在直接控制下。此外,许多通常由地方政务会行使的功能转移到州政府建立的各种局、委员会、信托处和各个部门。这些职责中最重要的涉及供水、污水和雨水排放、供电、重要道路、水果蔬菜市场以及保健和福利的许多方面。此外,有些土地仍在联邦控制之下。结果,行政管理体制有几分混乱和复杂。由于历史的和政治的原因,悉尼市的边界已经改变多次。1968 年,市政会的管辖区域被缩小到大约 5 平方英里的原来范围,所以它现在只对中心商业区和最里面的那些街区负责。悉尼统计区建立于 1976 年,以便划定一个区域,力求将该地区至少 20 年时期内城市发展的范围包括进去。统计区划定的界限是市中心周围已建成的城市区(超过1 500平方英里)加上非城市区的内地(超过3 200平方英里)。

文化生活 悉尼首先是一座供体育享乐的城市。世界上没有几座大城市能为游泳、冲浪、赛帆船以及其他各项室外运动提供如此无与伦比的机会。海湾内现在仍有几处海滩可以游泳,虽然由于污染,可以游泳的海滩数目正在慢慢减少;市区以北和以南的冲浪海滩举世闻名。其中有一个邦迪海滩,从市中心开车 15 分钟即可到达。市区以北的几处海滩,尤其是"棕榈海滩"半岛上的海滩,非常美丽。迫岸浪虽有变化,但一般很好,而且所有海滩上都有志愿者救生协会在整个夏季的几个月里提供保护人员和营救设备,冲浪是比较安全的。悉尼也是一座帆船爱好者的城市。每逢周末,海湾处处布满了各种各样大小不一的风帆;海湾以北 25 英里的一处名为"皮特沃特湾"的水域,也几乎同样受人喜爱。还有许多高尔夫球场以及供足球运动(包括英式足球和英式橄榄球)、板球和网球用的优良设施,兰德威克的赛马场是一流的。2000 年奥林匹克运动会在悉尼举办。

澳大利亚人一向被人称为运动狂,而悉尼帮(他们这样称呼自己)对运动的热衷肯定不比其他澳洲城市的同胞低。然而,悉尼也有活跃的文化生活和精神生活。大都市区内有三所大学:悉尼大学、新南威尔士大学和麦夸里大学。一所优秀的公共图书馆,几处博物馆(包括藏有国家最多的自然历史收集品的澳大利亚博物馆),还有新南威尔士美术馆以及许多收藏当代澳大利亚美术品的私人美术馆,更增添了文化魅力。该市剧院和音乐厅过去曾严重不足,但在悉尼歌剧院——实际上是个大型艺术中心——于 1973 年开幕后,这一缺陷得到了弥补。这座美丽的、造价昂贵的建筑物是丹麦建筑师乌特松设计的,他于 1955 年在为此举办的国际竞赛中赢得首奖。歌剧院建在海湾上的一个优美处所,三面环水,院内设有一个供悉尼交响乐团用的音乐厅,一个供歌剧和芭蕾舞演出的大剧场,一个较小的演戏的剧场,一个电影院。还有几个排演场和录音室。在歌剧和芭蕾舞方面,悉尼主要依靠澳大利亚几个国家演出团体,它们每年来访一个演出季度,不过悉尼舞蹈团也已赢得了国际声誉。悉尼拥有几家小的剧团和一家电影制片厂。一座有5 000座位的大型娱乐中心于 1984 年开始营业,用于举办通俗音乐会和戏剧演出。

悉尼虽已是一座能提供可与任何大城市相比的各项服务和各种乐趣的大城市,但它给人留下最历久难忘印象和最具吸引力之处无疑仍是那里的自然环境。悉尼居民中有很大一部分能从自家窗口至少瞥见一片蓝色的水面,几乎所有居民都住在离海滩不到一小时路程范围之内。

历史

早期殖民 1788 年,英国探险家 A. 菲利普船长率领第一舰队到达澳大利亚东南海岸外不远处后,他首先航行到由 J. 库克船长在 1770 年发现的植物学湾,他是奉英国政府命令到那里去的。他发现植物学湾太暴露,船舶停泊不安全,而且周围地区不适于定居,于是他继续向北方找寻,不久就在不过几英里以外发现了杰克逊港的入口。这个地名由库克船长所定,但他不曾探测此港。菲利普船长对杰克逊港的初步印象记录在他于 1788 年 5 月 15 日发送给当时任内务大臣的悉尼爵士的著名的快件中:"午后不久,我们便进入杰克逊港并因发现了世界上最优良的港湾而感到满意,有1 000条海军船只也可以在极为安全的情况下在里面驰骋。"菲利普船长立即决定:首先把整个舰队移到杰克逊港;第二找到一个小海湾,只要他的船能在湾内离岸很近的深水中抛锚,并且有优良的淡水泉,便在岸上建立第一个居民点。他把这个小海湾用内务大臣的姓氏定名为悉尼小湾。今天的悉尼小湾仍然是市区的心脏部分,客运班船停泊的国际航运终点正是在那里,不过现在更常称之为环形码头。然而,主要商业港口已经移到西面不远的另一个小海湾——达令港。

悉尼的早期历史不幸主要是一处英国的囚犯流放地的历史。被抛弃在这个异地他乡岸上的囚犯们发现这里的环境十分恶劣。土壤贫脊,地面崎岖不平,必须用手来清理。这个小小的居民区,在定居者越过蓝山山脉并在大分水岭以西找到比较富饶的土地之前,常常食物短缺。在狱长、自由开拓者以及囚犯之间还经常发生磨擦。随着新南威尔士的探测和殖民,悉尼迅速发展起来。英国政府无偿提供土地、囚犯劳动、基本建设工程,并为这块新殖民地的产品提供有保证的市场。同世界其他地区很快建立起了贸易联系。在 L. 麦夸里总督开明的统治期间(1810 ~ 1821),悉尼从一个不稳定的囚犯流放地发展成了一座繁荣兴旺的、相当像样的城镇。麦夸里还开始了一项公共工程计划,包括修建教堂、医院、兵营、学校和法院,并在市区内和周围开辟了好几座公园。在这项工程中,他得到了一个名叫 F. 格林威的犯人建筑师的协助,后者因在英格兰犯伪造罪被判流放。格林威建造了好几座精美的摄政时期风格的建筑物,著名的有麦夸里大街上的海德公园囚犯兵营,还有圣詹姆斯教堂,这些今天都还存在,而且都已认真彻底地修复成了各自原有的状态。

现代城市的成长 悉尼最惊人的迅速成长——人口从 6 万增加到 40 万——是在 1850 ~ 1890 年之间的 40 年内,此时建起了一排排紧密相连的房屋构成的郊区。这些有阳台和装饰性铸铁篱垣的房屋现在是悉尼最吸引人的历史遗产。第一条铁路从悉尼通往帕拉马塔,早在 1855 年便已通车。

19 世纪 90 年代的财政崩溃对悉尼的成长稍有阻碍,但到 1914 年人口又增加了一倍,并在此后不久就达到了百万大关。但在此期间,维多利亚州首府墨尔本成长更快,部分原因是那块殖民地上出现了淘金热。墨尔本在范围大小和重要程度上暂时超过了悉尼,成了澳大利亚的金融中心,而且在联邦首都堪培拉于 1927 年在这两座城市之间建成之前,一直是澳大利亚联邦的首都。到 1911 年,悉尼再次成为澳大利亚最大城市。第二次世界大战后,澳大利亚的贸易对象由英国转向北美和亚洲,悉尼从而得到了利益。悉尼至今一直略大于墨尔本,而且作为金融、商业和制造业的一个中心,与之具有同等重要作用。在其成长中,悉尼也未能避免世界其他许多大城市所遭遇的弊病,包括环境污染、交通堵塞以及犯罪。尽管如此,随着人口迅速超过 300 万,悉尼已成为澳大利亚最有国际性的、最先进的城市。

Sydney 悉尼 原加拿大市,1995 年后为新斯科舍省东北部布雷顿区一部分。1783 年建成,18 世纪初大批移民涌入,人口激增。19 世纪初大型钢铁厂建成后,人口又增。由于地处大煤矿区中心并为良港,与邻镇北悉尼、悉尼矿区和格莱斯贝组成该省仅次于哈利法克斯的第二大工业联合体。有炼铝、汽车装配、水泥、木工、捕鱼(包括捕捞龙虾)和修船等行业。北悉尼是横贯加拿大公路和加拿大国家铁路大陆部分的东部终点站,与纽芬兰之间有轮渡。悉尼有圣弗朗西斯·泽维尔初级学院(1952),附近爱德华角有加拿大海岸警卫学院。1886 年设镇,1904 年设市。人口:25 636;区117 849(1996)。

Sydney, University of 悉尼大学 澳大利亚悉尼市的一所男女合校的高等学府。名义上是私立大学,但澳大利亚联邦和新南威尔士都给该校资助。悉尼大学建于1850年,是澳大利亚历史最久、规模最大的大学。它有6所住宿学院:圣保罗学院(圣公会),建于1854年;圣约翰学院(天主教),建于1857年;圣安得烈学院(长老会),建于1867年;女子学院(不分教派),建于1889年;卫斯理学院(卫理公会),建于1910年;圣索非亚学院(天主教女子学院),建于1929年。悉尼大学从1881年开始招收女生。它设有农学、建筑、艺术、经济、教育、医学和牙科、法律、工程、兽医和科学等系。它还附设有约40个研究中心和研究所,主要从事科学和医学领域的专业培训。悉尼市还有一所澳大利亚规模最大的大学图书馆。

Sydney Harbour (New South Wales) **悉尼港** 参阅 **Port Jackson** 杰克逊港。

Sydney Mines 悉尼矿区 原加拿大城镇,1995年后为新斯科舍东部布雷顿角岛上布雷顿区一部分。紧靠北悉尼东北,隔悉尼港和悉尼相望。悉尼矿区一度是主要的产煤区。当地于1766年开始采矿,1830年开始进行系统的采矿。有一个矿区伸展至海下离岸约8千米处。最后一个矿于1975年关闭。1889年建立。人口:7 559;区117 849(1996)。

Sydney Morning Herald, The 《悉尼先驱晨报》 悉尼出版的日报,是澳大利亚历史最悠久、最有影响的报纸之一。1831年创刊时是周报,当时称《悉尼先驱报》。1840年改为日报,1842年报名加上"晨"字。它至今仍属于创办人之一的费尔法克斯家族。这家以保守观点著称的报纸常常既严肃地报道国内和国际消息,也报道有关法律、警察活动和各种事故的新闻。1944年以前该报头版为全版广告。20世纪50和60年代,该报由于致力于认真负责的新闻事业,对各界读者的吸引力以及对艺术和文学的报道而获国际声誉。

Sydow, Max von 叙多(1929-04-10,瑞典隆德~) 瑞典戏剧和电影演员。以在卓越的瑞典导演I.伯格曼的主要影片中表演忧郁寡欢类人物而闻名。1948～1951年就学于斯德哥尔摩皇家戏剧学校。在海尔辛堡市立剧院(1953～1955)、马尔默市立剧院(1955～1960)和斯德哥尔摩皇家剧院(1960～1962)的表演均享盛誉。他在这几家剧院演出过各种戏剧,如莎士比亚的《约翰王》和美国剧作家A.米勒的《堕落之后》。1949年作为配角首次出现在银幕上。演出的第一部伯格曼创作的影片是寓言片《第七封印》(1957),他扮演一个同死神下棋的憔悴骑士。他那种冷漠的表演风度和他所扮演人物的复杂气质,使伯格曼影片更具有阴沉气氛和模棱两可的特点。他还演出过伯格曼的其他影片,其中有《纯洁泉》(1960)(获最佳外国影片奥斯卡奖)、《朦胧地透过玻璃》(1961)和《耻辱》(1968)等。他还在其他影片中扮演过热心的宗教徒,如在《一个从未讲过的最伟大的故事》(1965)中饰演基督,以及在《夏威夷》(1966)中饰演狂热的传教士黑尔(1966)。1981年他又在瑞典的影片《老鹰飞翔》中扮演角色。

syenite 正长岩 主要由碱性长石和铁镁质矿物组成的一类侵入岩。碱性正长岩是特殊的一种正长岩,其特点是含有似长石矿物,如霞石、白榴石、钙霞石或方钠石(参阅 **nephelinesyenite**)。在化学成分上,正长岩的二氧化硅含量中等,碱金属含量较高,还含有氧化铝。这一名称是老普林尼第一个使用的。正长岩的结构与花岗岩相似,为粒状结构,与花岗岩不同之处仅仅在于不含石英或石英含量很少。所有含碱性长石中有正长石、条纹长石、钠长石,或很少见的微斜长石;铁镁质矿物可以是黑云母、普通角闪石或辉石。在碱性正长岩中,闪石或辉石经常含有钠。一般的正长岩类根据占优势的深色矿物的含量,可以划分为普通辉石正长岩、普通角闪石正长岩和黑云母正长岩;但像花岗岩那样,正长岩也可按照所含碱性长石的类别划分为钾质正长岩和钠质正长岩。副组分中有榍石、磷灰石、锆石、磁铁矿和黄铁矿。正长岩比花岗岩和闪长岩少见得多。名为英碱正长岩和斑霞正长岩的岩石是钠质正长岩。介于正长岩和闪长岩之间的过渡性岩石是二长岩。

Syers, Madge Cave 赛耶斯(1881,英格兰～1917-09,英格兰) Florence Madeleine Cave Syers的别名。英国花样滑冰运动员。不仅是精湛的花样滑冰运动员,也是才能卓越的游泳健将和女骑手。其教练E.赛耶斯帮她创造出优美柔和的冰舞风格。两人1899年结婚,共同参加比赛。1902年世界锦标赛无参赛者性别的规定,她成为参赛的第一个女运动员,成绩紧排在U.萨尔肖之后。然而她的一个技巧动作导致主办者禁止女子参加,表面理由是她们的长裙使裁判员难以看到她们的脚。于是她制作出一种只到小腿中部的时尚裙装。1903年英国锦标赛开创了男女均能参加的新赛事。她和丈夫都参加,并分别获得第一和第二名;1904年她再次获胜。1906年设立了女子世界锦标赛,她获冠军,1907年再获冠军。1908年伦敦奥运会获得第一枚花样滑冰金牌,并和丈夫共获双人滑铜牌。

Sykes, Sir Mark 赛克斯(1879-03-16,伦敦～1919-02-16,巴黎) 英国外交家。第一次世界大战后代表英国参加关于肢解奥斯曼帝国的所谓赛克斯-皮科谈判。曾参加南非战争(1899～1902),后任英国驻爱尔兰首席大臣G.温德姆的私人秘书(1904～1905)。他在土耳其亚洲部分游历数年后著书,生动地记述旅途见闻,包括《游历土耳其五省》(1900)和《哈里发的最后遗产》(1915)。1911年选入议会。第一次世界大战初期,英国政府派他出使巴尔干和土耳其。以后,他任英国首席代表参加与法国和俄国的谈判,最后缔结秘密的赛克斯-皮科协定(1916-05)。大战结束前,他多次出使近东。

Sykes-Picot Agreement 赛克斯-皮科协定(1916-05-09) 第一次世界大战期间,英国与法国签订的秘密协定,内容是肢解奥斯曼土耳其帝国。协定曾得到帝俄的同意。协定因谈判人英国的赛克斯和法国的皮科而得名。其细则如下:①俄国将得到埃尔祖鲁姆、特拉布宗、凡城,以及比特利斯等亚美尼亚省份,还有位于其东南方的一些库尔德领土;②法国将得到黎巴嫩和叙利亚沿海地区、阿达纳、奇里乞亚,还有与俄国领地接壤的内陆部分,包括艾因塔布、乌尔法、马尔丁、迪亚尔巴克尔和摩苏尔等地;③英国将得到美索不达米亚南部,包括巴格达,另外还将得到地中海港口海法及阿卡;④在法国和英国获得的领地之间,应有一个阿拉伯联邦或一个独立的阿拉伯国家,并分为英法两个势力范围;⑤亚历山大勒达将成为一自由港;⑥巴勒斯坦是圣地所在,将置于国际管理之下。这个密约首先同英国对哈希米王朝创始人,麦加的谢里夫,侯赛因·伊本·阿里所作的誓约相矛盾;另外,密约还鼓励了意大利人的野心。俄国退出战争,密约废除了有关俄国部分;奥斯曼帝国军事失利之后土耳其民族主义者的胜利,使有关安纳托利亚的计划逐渐失效。在赛克斯-皮科协定和其他帝俄密约一同于1917年末被苏俄政府公布后,阿拉伯人了解到它的内容,群情愤慨。虽然协约国在1920年4月召开圣雷莫会议,修正有关阿拉伯的条款,但阿拉伯人的愤怒有增无已。

Syktyvkar 瑟克特夫卡尔 俄罗斯西北部科米共和国城市和首府。位于维切格达河与瑟索拉河汇流处。1586年初建时称乌斯季-瑟索利斯克(至1930年)。1780年建市。曾为一偏僻的流放地。20世纪60年代北郊建成一座大型木材加工厂,生产纸张、纸浆、硬质纤维板、胶合板。现有造船、船舶维修、锯木及造纸业。设有师范学院及科学院分院。人口约226 300(1993)。

Sylacauga 锡拉科加 美国亚拉巴马州中东部塔拉迪加县城市。位于库萨河谷塔拉迪加国家森林西南角。地处一巨大的乳白色优质大理石矿矿床上。1840年开始开采加工,部分大理石被用于美国最高法院建筑上。此外,有纺织等轻工业。人口约13 240(1993)。

Sylhet 锡尔赫特 原作Srihatta。孟加拉国东北部城市。位于苏尔马河右岸。为苏尔马河谷最重要城镇,有公路和铁路与库米拉、恰多格和霍比甘杰相通,有公路通往印度的

锡尔赫特的采茶者

供图:Frederic Ohringer from the Nancy Palmer Agency

阿萨姆与梅加拉亚,有航空线通到达卡。以藤制品著称,并产茶叶、火柴和植物油,也有几种家庭手工业。1878年建市。有一所医学院和吉大港大学的8个学院。历史遗址有沙赫贾拉尔清真寺和几个穆斯林圣人的坟墓。所处地区为苏尔马河系肥沃的冲积低谷。主要农

作物有水稻、黄麻、油菜籽和甘蔗;东南部茶园茶叶的产量占全国总产量的绝大部分。矿产有煤、石灰石、褐煤、泥炭和天然气;当地工业有造船以及芦席、淡水贝壳纽扣、镶铜铁器和香料的制造。人口约114 284(1991)。

syllabary　音节文字　用以表示语词音节的一组书写符号。全部或部分使用音节文字体系的有日语、切罗基语、克里特文字(线形文字甲和线形文字乙)、各种印度文字及楔形文字体系。有些音节文字用单独符号表示音节;另一些音节文字则使用带有固定元音的辅音符号体系。例如,前一种音节文字用单独符号代表 *ka*, *ke*, *ki*, *ko*, *ku*,但后一种音节文字可用代表 *ka* 的符号与代表元音 *e* 的符号组合成对,以表示 *ke* 音,但它单独使用时仍代表 *ka*。另一些类型的音节文字则把音节符号组合起来,以表示没有专门符号来表示的音节。例如,有表示 *ka*, *ke*, *ki* 等音节的符号,但没有表示 *kan*, *ken*, *kin* 等音节的符号,因而后面这类音节就可以用下列方法表示:把代表 *ka* 和 *an* 的符号组合成 *kan*(*ka-an*),把代表 *ke* 和 *en* 的符号组合成 *ken*(*ke-en*)等等。音节文字对表意文字或音义混合文字系统(要求用成千的有区别的符号)是很大的改进,但与字母文字相比较仍显庞大。因为字母文字将表示语言中语音的符号(字母)减至最低限度。

syllabic verse　音节节律诗　在韵律学中指英语诗歌中最普遍使用的格律体系。既是以重读音节(即重音)数为基础,也是以每一诗行的音节数为基础。如一个抑扬格五音步诗行由5个音步组成,每个音步都是一个抑扬格(一个非重读音节后接一个重读音节)。虽然根据重音定节奏的音节节律诗的格律非常严格,但经常允许重音位置和音节数发生变化。

syllable　音节　由一个元音加上(或不加)其前后若干辅音而组成的言语的切分成分。如,*a*(一个),*I*(我),*out*(出,在外),*too*(也,太),*cap*(便帽),*snap*(猛咬),*check*(制止)。自成音节的辅音,像 *button*(钮扣)和 *widen*(扩大)这些词中的尾音 *n* 也算一个音节。辅音结尾的音节是闭音节;元音结尾的音节是开音节。音节在言语产生中的作用是有争议的问题,因而语音学和音系学里对音节能否作出任何更为精确的界说,学术界也存在有不同意见。

syllogism　三段论法　逻辑学中具有两个前提、一个结论的一种有确实根据的演绎推论。传统的形式为直言判断的三段论法(一种仅包括简单陈述的三段论法),仅有三个名词(主词或谓词),每个名词出现两次:"凡人皆有死;凡神皆不死;故人非神"。这种三段论法的论证是正确的。因为事实上要坚持该前提而又否认该结论,同时又不自相矛盾,是不可能的。

syllogistic　三段论　对某些逻辑结构的研究。这类逻辑结构使得从一些特定命题(前提)可以推出某一命题(结论)。它的基础是亚里士多德在《分析前篇》中奠定的。他专门研究了所谓的直言三段论,即由简单陈述句及其包含必然和可能这类模态词的变体所构成的三段论。后来斯多葛派的逻辑学家研究了三段论推理的其他形式,特别是属于命题逻辑的那些形式。

三段论的性质和要素:由于组成所有三段论的命题都是由词项和算子(表示逻辑联结词的符号)所构成,传统的逻辑从词项的分析开始。词项有的是个别的(如"柏拉图"),有的是一般的(如"人")。为了构成一个最原始的命题,一个个别词项(主词)可以通过系词"是"或者"不是"与一个普通词项(谓词)相联结,分别构成肯定命题(如柏拉图是一位哲学家)或否定命题(如柏拉图不笨)。一般词项必须加上量化符号——传统上用"每一个"或"有的",如"每一个哲学家都是人",才能构成一个完整命题。按质、量不同,命题共有全称肯定、全称否定、特称肯定和特称否定四种。它们也可依次称作 *A* - 命题、*E* - 命题、*I* - 命题、*O* - 命题。如果一个命题是从其他命题正确得出的结论,我们就说它是从其他命题推论出的。但知道前提和结论的真或假,并不能决定推理的正确性。要判断一个论点的正确性,必须考察它的逻辑形式。

直接推理的程序:在表达三段论命题时,逻辑学家发现,使用由20世纪初著名逻辑学家鲁卡谢维奇采用的记号非常便利:用拉丁小写字母 *a*, *b*, *c*,……表示一般词项(即词项变元);以大写字母 *A*、*E*、*I*、*O* 作为三段论算子的符号,它们与词项结合,构成四个命题。即"每一个 *b* 是 *a*",写成 *Aba*;"有的 *b* 是 *a*",写成 *Iba*;"所有的 *b* 都不是 *a*",写成 *Eba* 和"有的 *b* 不是 *a*",写成 *Oba*。为了展示这四种形式的命题不同偶之间的逻辑关系,通常把它们安排在所谓的对当方阵里。需要着重指出的是,在考察命题之间的不同对当形式时,逻辑的传统照例要把空项区分开,指出它们不能真正用于任何个体,而且不能替代三段论命题中的词项变元。直接推理除对当关系的推理外,还有换位、换质和换质位推理。在给出等价和换质的定义后,就有可能通过否定词加上其他三个算子中的任何一个,去定义 *A*、*E*、*I*、*O* 算子中的每一个。现代逻辑不用 *A*、*E*、*I*、*O*,仅用两个算子:全称量词($\forall x$)和存在量词($\exists x$)来完成同样的任务。这两个算子仅表达数量(分别表示"所有"和"有的"),在否定的三段论命题中,其质由换质来表达。

三段论的规则和规律:1.直言三段论推理。一个直言命题仅包含一个主词、一个谓词和一个联结词。直言三段论就是从两个这样的命题推出另一个这样的命题的推理。每个前提必须有一个与另一前提共有的词项,叫中词。这三个命题的质和量用命题类型 *A*、*E*、*I*、*O* 表示,它们决定三段论的论式。识别有效的论式是三段论的任务之一。检验有效性的规则有两种,第一种叫周延性规则:①在前提中,中词必须至少周延一次。②词项只有在前提中周延才可在有效的结论中周延。第二种叫质的规则:①至少有一个前提必须是肯定的。②如果有一个前提是否定的,则结论必须是否定的。一个否定的结论要求有一个否定的前提。凡满足这些规则的都是有效的,违反这些规则之一的就是无效的。亚里士多德在《分析前篇 A_{5-7}》中把所有其他三段论(他称之为不完善的)还原为第一格,即"完善的"三段论。像今天常说的那样,他从其系统的公理推出这些三段论作为定理。从而证明了它们的有效性。他因而成为以发展了一个公理系统而著名的第一位学者。亚里士多德使用了两种主要的证明方法:直接的和间接的还原。2.非直言三段论推理。包括假言三段论、选言三段论和联言三段论。非直言三段论主要限制在命题逻辑的重要论证形式内加以讨论。如果假言三段论完全由具有 $p \supset q$ 这种形式的命题组成,就叫做纯粹的;混合的假言三段论则具有一个假言前提,一个直言前提和一个直言结论,它有两个有效式:肯定式和否定式。选言三段论由带有"或者……或者"的算子(符号为 ∇)组成,它有两个重要的式:否定肯定式和肯定否定式。然而肯定否定式只有在"*p* 或 *q* 中至少有一个是真的,但不能二者皆真"的意义上才是有效的。三段论也可以不以简单概念如 *a*、*b* 或 *c*,而以由这样的简单概念通过合取($a \cdot b$)或析取($a \nabla b$)构成的词项作为它们的词项。这种词项称作复杂词项,它们构成复杂命题(例:"每个学生或每个教授都是合格的")。而复合命题则由算子联结其他命题构成。复合命题可以包含简单的命题或复杂的命题,也可以包含二者。例如,"或者每个学生是有能力的或受欢迎的,或者全体教授和教师感到灰心",就是一个由复杂命题组成的复合命题。对于由复杂命题和复合命题构成的推理的逻辑分析,只是到了20世纪由现代数理逻辑学家提出形式方法和有效的演算才达到令人满意的水平。

对于三段论作为公理演绎系统的解释:亚里士多德的还原法接近于达到一个非正规的三段论公理系统。18世纪初,莱布尼茨对这一方法作过改进。然而他们都没有严格说明得出这些还原和证明所依据的逻辑规律。事实上,正规的三段论公理系统只有借助于现代逻辑的方法才有可能。对三段论做这种公理化的表述,需要具备下列主要要素:运用命题逻辑的规律作为辅助理论。逻辑学家或者采用由弗雷格、罗素或鲁卡谢维奇提出的命题演算中的3～6条原则作为公理,并从这些公理推出他所需要的全部命题规律;或者在发现哪些规律是他实际要用的之后,对这些规律加以详细规定。此外,该系统还需要一个基础,从此基础出发推出它的定理。由于在公理化的三段论系统中的推导完全依赖于符号联结的操作规则,而不依赖任何直观或对这些符号意义的理解,因此在现代技术的意义上,可以把它看作一个形式的演绎系统。这样一个系统应具有内部一致性、独立性和完备性。

三段论的扩展:在这方面探讨的问题有:1.单独词项和否定词项;2.空项及存在的引进;3.模态算子和其他特殊算子。

传统逻辑的现状:三段论理论是逻辑理论的一个特殊部分。由于三段论理论是有史以来设计出的第一个演绎系统,并且是由亚里士多德以高度的严密性和逻辑上的纯粹性创立的，它对于后代逻辑学家不愧是一个非常富有成果的起点。现代逻辑与传统逻辑并不是对立的，而是传统逻辑的继续。但现代逻辑具有更好的工具和方法以及更广泛的领域。

sylph　气精　假想中生活在空气中的精灵。也会死亡，但无灵魂。最早由中世纪医师帕拉塞尔瑟斯认定其存在。参阅 **gnome**。

Sylt　叙尔特　北海的德国岛屿，北弗里西亚群岛中最大和最北端的岛屿(99 平方千米)。岛长 35 千米以上，宽度有的地方只有 1 千米。有长 11 千米的兴登堡大堤(有公路和铁路)与大陆相连。平缓的西海岸有宽阔美丽的海滩，也有松软的红色砂岩峭壁(高达 30 米)。岛上有史前的巨石墓穴等遗迹。有饲养奶牛和羊的小农场以及分散的村庄。经济以旅游业为主，有利斯特、韦斯特兰等旅游地。人口20 535(1991)。

sylvanite　针碲金银矿　一种金和银的碲化物矿物[$(Au, Ag)Te_2$]。其中金、银原子之比一般近于 1:1。它是硫化物中斜方碲金矿族的矿物之一，并与这类矿物伴生，产于低温矿脉中，产地有匈牙利、澳大利亚、加拿大和美国西部。晶体呈单斜晶系。详细化学性质，参阅 **sulfide mineral**(表)。

Sylvester　西尔维斯特　又拼 Silvester。几代教皇和敌对教皇的称号。按年代顺序排列于后，并各以●为标志。

● **Sylvester I, SAINT　西尔维斯特一世，圣**(?，罗马～335，罗马)　教皇(314～335)。他在位期间的最重大事件是 325 年的尼西亚会议，该次会议谴责阿里乌派的创始人亚历山大司铎阿里乌。罗马皇帝君士坦丁一世赞成基督教并决定重大教务，而他本人或其后的几代皇帝都未正式承认教皇的超越地位。但是在处理阿里乌一案时西尔维斯特一世却受到特别重视。他受到邀请但未亲自出席尼西亚会议而派遣两名代表，两代表备受尊敬。后世传西尔维斯特一世劝化君士坦丁一世入教并为他施洗礼，使他成为第一代信奉基督教的罗马皇帝；又传君士坦丁一世曾患麻风，由西尔维斯特一世行神迹治愈，因此授予他特殊权力(通过《君士坦丁惠赐书》)，使他成为精神元首，凌驾于东方各牧首之上，总管教理教务，执掌罗马乃至整个西方世界的世俗权。此项《君士坦丁惠赐书》经过考证已知是源起于 8 世纪的讹传，但对中世纪关于政教关系的理论的形成有重要作用。

● **Sylvester II　西尔维斯特二世**(约945，法国奥弗涅欧里亚克附近～1003-05-12，罗马)　原名热尔贝(欧里亚克的)。教皇(999～1003)。早年学习文法、算术和音乐。967 年到西班牙居住 3 年。他在圣马利亚·德·里珀尔隐修院接受比克主教亚托的教导，学习音乐、算术、几何和天文学。970年他陪同博雷尔伯爵到罗马，教皇约翰十三世很赏识他的

公元 996 年奥托三世授圣职礼使用的牙雕器皿上的西尔维斯特二世雕像
供图：Leonard Von Matt

数学知识，就引他会见神圣罗马帝国皇帝奥托一世。皇室聘请他给太子当导师。太子登位后，称奥托二世，任命他为圣高隆班隐修院院长。983 年发生一场暴乱，他逃往兰斯。他给德意志人、比利时人和洛林人写信，号召他们起来讨伐挟持 3 岁幼王奥托三世而图谋篡位的巴伐利亚公爵亨利。奥托三世加冕后，任命他负责草拟诏书。后来随奥托三世前往意大利，被任命为拉韦纳大主教。上任不到一年，教皇格列高利五世死去，奥托三世遂选定他为教皇继位人。999 年 4 月 9 日，他正式登位。为了扩大教皇的势力，他与俄罗斯第一位基督教君主弗拉基米尔一世大公建立联系。他向达尔马提亚(今巴尔干半岛亚得里亚海沿岸地区)派驻教皇使节，并就威尼斯神职人员的伤风败俗问题向威尼斯总督和格拉多宗主教提出批评。他坚持每半年举行一次宗教会议。1000 年，他任命第一位波兰大主教。他坚决反对买卖神职和用人唯亲，要求神职人员保持独身生活。他是一位杰出的学者和优秀的教师，曾发明多种实用的教学用具，并编制修辞学图表。他写的关于讨论算盘的专著成为这方面的基本教材。他曾制作几种天文仪器，编写一部几何学教本。他对音乐有很深的造诣，曾制作过几种风琴和一架测弦器。他的哲学著作《关于理性和理性的应用》着重讨论定义问题和知识的分类。

● **Sylvester III　西尔维斯特三世**(?，罗马～1046-03-03?)　原名约翰(萨比纳主教)。教皇或敌对教皇(1045-01-20～1045-02-10)。罗马一派人既已驱逐教皇本尼狄克九世，遂推选萨比纳主教约翰为教皇，称西尔维斯特三世。次月本尼狄克派驱逐西尔维斯特三世，将教皇之位转卖给总司铎格拉西亚诺，1045 年 5 月格拉西亚诺即位，是为教皇格列高利六世。西尔维斯特三世承认格列高利六世为合法教皇，重任主教。其后本尼狄克九世企图废黜格列高利六世，神圣罗马帝国皇帝亨利三世出面干预，指使格列高利六世于 1046 年召集苏特里会议，宣布将本尼狄克九世、西尔维斯特三世(已重新自称教皇)和格列高利六世一律废黜，另选克雷芒二世为教皇。

● **Sylvester(IV)　西尔维斯特(四世)**(?罗马～1111)　原名马基努尔夫。敌对教皇(1105～1111)。德意志国王亨利五世(日后为神圣罗马帝国皇帝)与教皇帕斯加尔二世就主教叙任权问题发生争执，亲皇帝派所拥护的敌对教皇阿尔伯特死去，该派遂推选马基努尔夫继位，成为与帕斯加尔二世同时并立的第四代敌对教皇。亨利五世给予他一定程度的承认，1111 年亨利五世与帕斯加尔二世达成协议，否认西尔维斯特(四世)的合法地位。

Sylvester, James Joseph　西尔维斯特(1814-09-03，伦敦～1897-03-15，伦敦)　英国数学家，和 A.凯莱共同创立了代数不变量(即坐标轴平移或转动时代数方程的系数不变)理论。1838 年任伦敦大学学院自然哲学教授。1841 年任美国弗吉尼亚大学数学教授。4年

供图：Mastel and Fellows of St. John's College, Cambridge

后，回到伦敦任一家保险公司的保险统计员，只是通过担任家庭教师保持对数学的兴趣，他的最著名的一个私人学生是 F.南丁格尔。1846 年在伦敦内殿律师学院学习法律，1850 年成为律师。担任律师期间他和凯莱热情合作，取得了有益的数学成果，共同创立了代数型理论。1855～1870 年在皇家军事学院担任数学教授。1876 年再到美国，在 J. 霍普金斯大学任数学教授。1878 年在该校创办《美国数学杂志》并担任第一任主编，把研究生数学课程介绍给美国各大学，大大促进了美国数学的发展。1883 年回到英格兰担任牛津大学萨维尔几何教授。他主要是一个代数学家，在数论方面有出色的著述，特别是关于分拆和丢番图分析。他工作的特色是富有想象力和创造性。尽管发表了几百篇论文，却只有一本数学书《论椭圆函数》。此外，他还是一位诗人。

Sylvester, Josuah　西尔维斯特(1563，英格兰肯特～1618-09-28，荷兰米德尔堡)　英国诗歌翻译家，以所译通俗的圣经史诗《创世的六天》著称。该诗译自法国基督教新教诗人巴尔塔斯(1544～1590)的诗歌，1592 年发表部分章节，1608 年译完全诗。这部史诗 17 世纪上半叶在英格兰十分流行。西尔维斯特对德莱顿、弥尔顿等人均有影响。

Sylviidae 莺科 雀形目燕雀亚目的一个鸣禽科，由约300种旧大陆莺（小型、色泽暗淡、活泼的鸟类）所组成。见于各种栖息地。体长9～26厘米，喙细小，鼻孔长，上具盖。翼圆，中等大。腿和脚软弱。每翅有10枚初级飞羽，而新大陆的莺类（林莺科[Parulidae]）有9枚。栖于林区、灌丛和沼泽地，以昆虫为食。鸣声悦耳，但逊于鸫。莺属（*Sylvia*）包括很多普通欧洲鸟类，例如园林莺（*S. borin*）、灰白喉林莺（白喉莺，*S. communis*）和黑帽莺（*S. atricapilla*）。莺科有时分为以下亚科：莺亚科（Sylviinae）、蚋莺亚科（Polioptilinae，蚋莺）、戴菊亚科（Regulinae）、鹪莺亚科（Malurinae，鹪鹩莺）。有将莺亚科划归鹟科；或将上述亚科均提升为科。

sylvite 钾盐 又称钾石盐。为卤化物矿物，即氯化钾（KCl），是钾的主要来源。比石盐（氯化钠）稀少；呈软而苦的白色或淡灰色的玻璃状立方体或在蒸发盐矿床中与石盐和石膏一起共生的块体，产于德国施塔斯富特附近和美国新墨西哥州西南部。1823年首次在维苏威火山上发现，在这里成为熔岩上的一层硬壳。

Sylvius, Franciscus 西尔维乌斯（1614-03-15，德国哈瑙～1672-11-15，荷兰莱顿） 又名F.de le博埃或弗兰茨·杜布瓦。德国出生的医师、生理学家、解剖学家及化学家，被认为

供图：BBC Hulton Picture Library

是17世纪医学化学学派的奠基者。该学派认为化学作用是所有生命及疾病现象的基础。他的研究使医学从过去重视神秘的思辨转变到合情合理地应用物理学和化学的普通定律方面来。他一方面将自己的医学体系建立在W.哈维新发现的血液循环的基础上，另一方面又保持在加伦的体液学说范围内。认为：正常和病理情况下最重要的生命过程是在血液内进行的；应该用化学原理来解释疾病及治疗。他知道生物体内有钠盐存在，因而得出结论：钠盐是酸和碱相互作用的结果。于是假设化学失衡不是血液中酸过量（酸中毒），就是碱过量（碱中毒）；并设计适当药物来抵消这两种失衡的情况。1658～1672年任莱顿大学内科学教授，是当时欧洲最杰出的教师之一，也是首先把病房教学引进医学教育的人物之一；他敦促学校建立了一个化学实验室，这可能是世界上第一个大学化学实验室。又首先区分开两种腺体：堆积腺体及成团腺体。1641年发现大脑外侧裂（西尔维乌斯氏裂）。

symbiosis 共生 两种不同生物个体之间任何形式的共同生活。包括**互惠共生（mutualism）**、**共栖（commensalism）**和**寄生现象（parasitism）**。因此，共生既包括有利的联合，也包括有害的联合。共生的个体称为共生体。人们有时把共生与互惠共生二词看做相同，因而导致混乱。从广义上说，生活在一起的任何两个物种种群间的联合，不论一个物种对另一物种有利、有害、或毫无影响，都是共生关系。

symbol 符号 用以简单地表示或象征人、物、集团或概念等复杂事物的一种传达信息的基元。符号可以是图案，如基督教的十字架，卫生机构的红十字，伊斯兰教国家用红新月；可以是描绘性的，如以人的形象法兰西美人、约翰牛、山姆大叔分别代表法、英和美国；也可以是字母，如K表示化学元素钾；也可以是任意规定的，如数学符号∞表示无穷大、$表示美元。在哲学中，特别是在元逻辑的分支符号学中，符号与**标牌（sign）**这两个概念有着严格的区别。

Symbolist movement 象征主义运动 19世纪晚期和20世纪初期反现实主义的一个文学艺术运动，该运动源于法国文学（特别是诗歌），并扩展到绘画和戏剧，在不同程度上影响了美国及欧洲其他地方的文学艺术。象征主义艺术家强调运用高度象征化的语言表现独自的情感经验。象征主义诗人有S.马拉梅和P.魏尔兰等，他们反对帕尔纳斯派诗歌、现实主义戏剧和自然主义小说，寻求以象征的方法表现生活的潜在奥秘。象征主义作家于1886年9月18日在《费加罗报》发表宣言，然而最有美学价值的声明是马拉梅的《漫游》。象征主义作家没有沿袭一成不变的教条，他们欢呼C.波德莱尔为其前驱并受埃德加·爱伦·坡诗集、理查·瓦格纳综合艺术思想、叔本华"世界是我的观念"和哈特曼的下意识理论的影响。他们保留了帕尔纳斯派诗人"艺术至上主义"的观念和技巧上的完美，抛弃了描述性的形象，赋以更多的启示及敏感。诗歌上的象征主义运动到1890年达到高峰。象征主义小说的代表是J.-K.惠斯曼的《反自然》（1884）。

1885～1900年象征主义画家参与了象征主义诗人所引导的各种主观主义运动。他们排斥由印象派所控制的流行艺术，反对印象派艺术中的现实主义概念。虽然在作品中象征主义画家经常运用宗教和文学题材，但他们试图以色彩、形式来强调他们的感觉，同时把不寻常的题材并列来描绘非现实的寓意世界，或对现实的动作加以强烈的变形。象征主义美术运动包括综合主义、纳比派及新艺术派的建筑家和艺术家们的作品，也包括一些画家的独特艺术风格。象征主义画家认为情感和观念一致，线条与色彩一致。象征主义绘画努力追求不加说明的直接的情感效果。在早期象征主义画家中，高庚十分注意找出这种一致性，认为色彩能达到"思想中心"，综合的色彩和线条能表现思想。其追随者M.德尼的理论认为："装饰美同精神美相一致，因为，形式的和谐和教义的逻辑之间是一致的。"用这种理论来解释，高庚形式严谨的《黄色的基督》（1889）就被当做具有宗教逻辑的作品。O.雷东具有神秘色彩的画能从他为G.福楼拜《圣安东尼受诱惑》一书所作的石版画中看出。作品中死亡被描绘成女性

P.皮维斯·德·夏凡纳绘《圣热内维埃夫俯瞰巴黎城》（1898）

供图：Marc Garanger

的骷髅，隐现在浑沌的昏暗中，四周是散开的花环，旋扭着的蛇状人体有如新艺术派的线条。另两个强调梦境和个人体验的法国艺术家是G.莫罗和P.皮维斯·德·夏凡纳。莫罗以浓艳的色彩和结构将世界描绘得非常生动。皮维斯·德·夏凡纳则喜欢创造大型的装饰性壁画，其画宁静而忧郁。他既重视人物的形态、色彩的柔和、构图的和谐，也重视表现人物内心的那种独寂、宁静的情感。毕加索曾受其影响，他的早期马戏人物与皮维斯·德·夏凡纳的梦境般的艺术风格有些相似。这种尝试表现出主观世界的其他范例能在后印象派画家的全部作品中看到。它表现在凡·高的《星夜》（1889）中，也表现在更受节制的德国画家贺德勒的作品中，以及挪威画家蒙克的有力而忧虑的作品中。蒙克的作品是象征主义绘画的顶峰和德国表现主义运动的开端。

象征主义戏剧家也受法国象征主义诗人的影响，戏剧批评家马拉梅在19世纪70年代反对现实主义戏剧的支配，提倡戏剧应能唤起人类内心隐藏的神秘性。对于马拉梅来说，戏剧如同是一种宗教的仪式，在这当中诗人、剧作家通过暗示性的语言将可见的和不可见的世界融为一体。象征主义戏剧家本能地直觉地感到深刻的真理不能被直接地表现，只有通过象征、神话和气氛间接地表现出来。主要的象征主义戏剧家有法国的V.德·里勒-亚当和P.克洛岱尔，德国的胡戈·冯·霍夫曼斯塔尔，瑞典的A.斯特林堡和爱尔兰的W.B.叶芝等。尽管象征主义最终也没有形成一个统一的运动，但它同现实主义传统彻底决裂的寓意性的、简朴的、情感的创作手法极大地影响了以后的运动，如表现主义、超现实主义和荒诞派戏剧等。

Symeon I（Bulgarian tsar） 参阅 **Simeon I 西美昂一世**。

Symeon of Durham 参阅 **Simeon of Durham** 西米恩（达勒姆的）。

Symeon the New Theologian, Saint **西面（新神学家），圣**（约949，小亚细亚帕夫拉戈尼亚～1022-03-12，君士坦丁堡附近的克里索波利斯） Symeon 又拼 Simeon。拜占廷修士、奥秘修行家。与希腊教会推崇的先于他的神学家传福音的圣约翰和4世纪的圣格列高利相比，西面在理论上有所不同，故名新神学家。希腊灵修理论自2世纪末就在不断演变，西面的奥秘修行论展开一个新阶段。他的中心论点是：人人都可以通过祈祷默念这样传统的方法达到“豁然开朗”，而只有具有这种经验才能解释《圣经》。

Symington, William 赛明顿（1763-10，苏格兰拉那克夏利德希尔斯～1831-03-22，伦敦）英国工程师，于1801年研制成功蒸汽驱动的桨轮，并于翌年用于推进第一批实用蒸汽机船之一的“夏洛特·邓达斯”号。虽然他受的是当牧师的教育，但他的爱好使他成为一名土木工程师。1786年，他制造了一辆蒸汽驱动的汽车样机，引起了轰动。以后数年间，他取得了几项改进蒸汽机的专利。他利用链条和棘轮传动的旋转运动比瓦特设计的机构运转起来要经济得多。1789年，一艘用他设计的发动机推进的小艇，速率达到11.3千米/时。1801年，他又获得一项新型发动机的专利，采用了连杆和曲轴，这种机构很适于桨轮使用。1802年，它用于航行在福斯-克莱德运河上的“夏洛特·邓达斯”号上。

Symmachus, Saint **西马库斯，圣**（?，撒丁～514-07-19，罗马） 教皇（498～514）。原为大助祭，在教皇阿纳斯塔修斯二世死后当选。其时少数人在势力强大的拜占廷派支持下另选大司铎劳伦提乌斯为教皇。两人同日正式即位。两派争执不下，向东哥特国王狄奥多里克申诉，狄奥多里克裁断应由西马库斯继位。劳伦提乌斯本人服从裁判，但支持他的人不服。狄奥多里克不满意501年罗马会议的决议，容许敌对教皇劳伦提乌斯返回罗马。随后4年间罗马暴力争斗不断，大部分教堂为劳伦提乌斯派所占据，西马库斯坚持留在宫中。505或506年狄奥多里克命令劳伦提乌斯派退出所占据的教堂，罗马恢复和平。在484～519年阿卡西乌派所引起的论争中，西马库斯坚持正统教义。拜占廷皇帝阿纳斯塔修斯一世指控他容纳摩尼教义。512年西马库斯写信否认这种指责，同时他将摩尼教徒驱逐出罗马，焚毁摩尼教书籍。

Symmachus, Quintus Aurelius 西马库斯（约345～约402） 罗马政治家、杰出演说家和作家，基督教的重要敌手。执政官家庭出身。西马库斯由于其演说才能而在宦海中平步青云。373年任阿非利加总督，384年任罗马行政长官。387年马克西穆斯把瓦伦提尼安逐出意大利，西马库斯作为元老院领袖向新皇帝致颂辞。391年他被任命为执政官。在392～394年的异教皇帝统治下，他重又获得影响直至402年。他是一名坚定的异教徒。当格拉提安皇帝在米兰基督教主教圣安布罗斯影响下下令移走罗马元老院中的胜利女神雕像时，西马库斯前去谏阻，但未能成功。后来他向瓦伦提尼安二世提出类似的请求，同样未能如愿。在流传下来的著作中，最重要的是《书翰集》10卷。他的演说词只有片断传世。

Symmachus, Quintus Aurelius Memmius 西马库斯（?～524，利古里亚帕维亚） 罗马元老、贵族。485年任执政官。他把女儿嫁给密友、哲学家波伊提乌。波伊提乌由于为被指控谋反的元老阿尔比努斯作辩护，也被扣上同样的罪名。因此，西马库斯为波伊提乌申辩。结果却与波伊提乌同被处死。

symmetry 对称 动植物的体外部分有规则地、重复出现的现象，尤指在一分割线的相对侧或在中心轴或中心点周围，身体部分的大小、形状与相对位置表现一致的现象。除放射对称外，外形与内部解剖几乎没有关系，因为解剖结构迥异的动物可以有相同的对称型。有些动物（特别是海绵和阿米巴）没有明确的对称形式，各个体的形状不规则或其形状不断地变化。但大多数动物都有一个明确的对称形式。在动物中有4种对称形式：①球辐对称。仅见于原生动物放射虫目和太阳虫目，体球形，身体各部分从球的中心作同心圆排列或辐射状排列。动物体无所谓端部或侧边，能从任何一个经过中心的平面将身体分成对称的两半。球辐对称仅见于内部结构简单的微小动物，因为在球体中，内部质量与表面积比较相对较大，当体积增加，复杂程度增大后便难以有效地行使功能。②辐射对称。身体一般为长短不一的圆筒状或碗状。体内有一中心轴，身体部分从中心轴向外作辐射状排列，或环绕中心轴规律地排列。主轴是异极的，即一端有口（口端或前端），另一端有肛门（反口端或后端）。因此主轴被称为口-反口轴或前后轴。在某些动物中，环绕中心轴排列的身体部分是奇数（如五腕海星），分别称为三放、五放、七放对称。只能从一定的平面通过主轴才能把身体分成对称的两部分。除这些动物外，任何通过中心轴的平面均可将动物体分为对称的两半。辐射对称见于腔肠动物和棘皮动物。③两辐对称。除前后轴外还有两个与之成直角的对称轴（即矢状轴或中垂直-纵轴和横轴），三轴互成直角。因此，这种动物不仅有两个端部，还有两对对称边。只有两个对称平面，一个通过前后轴和矢状轴，一个通过前后轴和横轴。两辐对称存在于栉水母中。④两侧对称。有与两辐对称相同的3个轴，但仅有一对对称边（侧边）。其余两个边（背表面和腹表面）并不相同。因此，仅能通过一个对称平面（中纵面或矢状面）把身体分成对称的两半。两侧对称是大多数动物，包括昆虫、鱼、两栖类、爬行类、鸟类、哺乳类及大部分贝壳动物的特征。对称概念也应用于植物。若花的组成部分每一轮的数目相等或下一轮是前一轮的倍数，这样的花被认为是对称的。因此，对称花可有5枚萼片，5枚花瓣，5个心皮，或者这些部分的数目是5的倍数。雌蕊的数目常与其他各轮不同，但只要其他各轮正常，该花仍可称为对称花。花各部分的数目是2，3，4，5或其倍数，则该花为二基数、三基数、四基数或五基数花。三基数对称是单子叶植物的特点，双子叶植物最多见五基数，但亦见二基数和四基数。在花的每一轮中，各组成部分的数目相同时，该花称为整齐花，辐射对称花（如碧冬茄、毛茛、野蔷薇等）。每轮的各部分在大小和形态上不同时，该花是不整齐花（如美人蕉）。仅能通过一个平面分成相等的两部分的花称为两侧对称花，如兰花和香豌豆等。

symmetry 对称性 在结晶学中，对称性则是指结晶固体中原子有序排列的基本属性。原子的每种排列都有一定数目的对称元，也就是说原子排列的取向虽经变化而原子却显

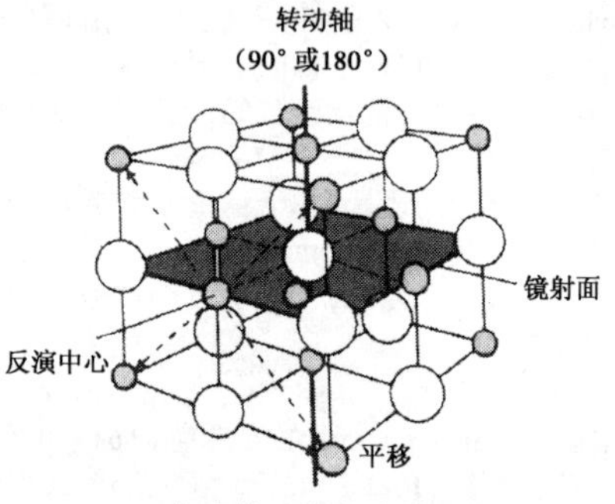

氯化钠晶胞的对称现象

得没有移动。旋转就是一种这样的对称元，其余的对称元还有平移、镜射和反演。一定的结晶固体中所存在的对称元决定了它的外形并影响它的物理性质。平移指的是晶体沿一定方向的位移，在平移中，晶体中每个原子由其邻近的另一全同原子所取代，因而原子看起来像没动一样。旋转指的是晶体绕一个通过它的对称轴的转动；与平移对称相一致的旋转是晶体转动360°的 $1/n$，而 n 只能等于1，2，3，4或6。镜射指固体内部在对称面两侧的晶体互换。反演则使晶体中的每个原子都移动到另一位置，原子的新老位置都在一条线上，这条线的中点就是反演中心。非正常旋转指的是旋转加反射（旋转反射）或旋转加反演（旋转反演）。晶体可根据其对称元来分类，例如，它可属于230种空间群中的一种，也可属于32种点群中的一种，或14种布拉菲点阵中的一种，还可以是7种晶系中的一种。晶体可用有序堆垛的晶胞来图示，晶胞的形状则由晶体所属的晶系决定。形状相同的晶胞除顶角外，其中心或面上也可以有原子，那些附加阵点把7种晶系分为14种布拉菲点阵，这些布拉菲点阵又可再细分为32种晶族（或点群）。每一种点群对应于旋转、反射、反演和非正常旋转的可能组合中的一类。再把平移元包括进去，就产生出最后的230种空间群。

symmetry 对称性 物理学概念，指原子和分子之类的粒子经对称“操作”而保持其性能不变的特点。从自然哲学的最初时日（公元前6世纪的毕达哥拉斯）起，对称性就提供了对物理学定律和对宇宙本性的了解。相对论和量子论是20世纪两大杰出理论成就，它们就从根本上涉及了对称性的概念。对称性对

物理学的应用所导致的重要结论是,某些物理学定律,特别是守恒定律,不因对有关粒子的几何坐标(包括时间,将其视为第四个维度)进行对称操作而受到影响;也即这些定律在宇宙间随时随地都成立。在粒子物理学中,可以利用对称性导出守恒定律,并确定哪些粒子相互作用能够发生和哪些不可能发生(后者被称为禁戒的)。对称性也可应用于物理学和化学的许多其他方面,例如用于相对论和量子论、结晶学和光谱学等。晶体和分子确实可以用能够对它们进行的对称操作的数目和类型来加以描述。定量地讨论对称性的理论称为群论。正确的对称操作是那些实施了之后不会改变研究对象外观的操作。这种操作的数目和类型依赖于对之实行操作的对象的几何特征。对称操作的含义和种类可通过考虑一个置于桌上的立方体来举例说明。对于该立方体,正确的对称操作有下列几种:①绕它的中心旋转 90°、180°、270°和360°;②通过与桌面垂直的镜面进行反射,镜面或者通过立方体的任意两个对角,或者通过任意两个对边的中心;③通过在桌面上的镜面进行反射。因此,共有 9 种对称操作可以给出与原立方体一模一样的结果。圆具有较高的对称性,例如,它可以转过无穷多种不同的角度(不仅仅是 90°的倍数)而都给出同样的圆。

亚原子粒子具有各种不同的性能,并且受到某些显现出对称性的力的影响。导致守恒定律的一种重要性能是宇称。在量子力学中,所有的基本粒子都可以用一个波动方程来描述。如果通过坐标系原点对粒子的各空间坐标同时进行反射而波动方程保持不变,则称之为具有偶宇称。如果经过这样同时反射之后的波动方程与原波动方程只差一个符号,则称该粒子具有奇宇称。已经发现,一个粒子群(例如一个分子)的总宇称在物理过程和反应中是不随时间而变的。宇称守恒定律所表示的就是这一事实。但是,在亚原子水平上,由于引起放射性的弱核力的影响,宇称在反应中是不守恒的。

基本粒子也被称为是具有内部对称性的。这种对称性对于粒子分类和确定选择定则是有用的。重子数就是一种这样的对称性,它是称为强子的一类粒子的一种性能。具有零重子数的强子称为介子,重子数为 +1 的强子即为重子。根据对称性,还有一类重子数为 -1 的粒子,称为反重子。重子数在核反应过程中是守恒的。

Symnell, Lambert (English impostor) 参阅 **Simnel, Lambert** 西姆内尔。

Symonds, John Addington **西蒙兹**(1840-10-05,英格兰格洛斯特郡布里斯托尔～1893-04-19,罗马[意大利]) 英国随笔作家、诗人和传记作家,以其意大利文艺复兴文化史闻名。所著《意大利文艺复兴》(7 卷,1875 ～ 1886)并不是一部系统的历史,而是一系列连续的随笔,文笔极为优美畅达。他在文学方面涉猎很广,曾对英国文学、希腊诗歌、游记、翻译,以及雪莱、琼森、锡德尼、米开朗琪罗和惠特曼等文学和艺术界人物都有研究。所译

伦敦国立肖像画陈列馆供图

《米开朗琪罗和康帕内拉的十四行诗》(1878)和《切利尼自传》(2 卷,1888)也很有名。表现西蒙兹个性的他本人的诗很少受到评论界注意。他的《希腊伦理的一个问题》(写于 1871 年;1883 年自费出版)和《现代伦理的一个问题》(1881 年自费出版)是最早论述同性恋问题的两部严肃著作。

Symons, A(lphonse) J(ames) A(lbert) **西蒙斯**(1900,伦敦～1941-08-26) 英国作家和传记作者,以其精彩和不落俗套的传记《科尔沃的追求》闻名。家庭生活困难迫使他早年离家,外出学艺。曾随皮毛匠当学徒,做了三年苦工。他从私人得到的正规教育有限,自认为是靠自学和个人奋斗成名的作家。曾受聘于伦敦“初版俱乐部”,先任秘书,后为经理,并成为熟练的目录学家。传记作品《H. M. 斯坦利》(1933)颇为成功。此后,西蒙斯又发表他的杰作《科尔沃的追求》。这是一部关于行为古怪的英国作家、自称科尔沃男爵的F. 罗尔夫(1860 ～ 1913)的传记。罗尔夫的事迹对西蒙斯早就具有魅力,曾于 1927 年自费出版《弗里德里克·科尔沃男爵》。该书以趣闻轶事、不连贯的推想描写了缺少事实根据的罗尔夫的生平,体现了传记作品的新手法,备受赞誉,被认为是当代传记作品中的杰作。其他作品有《赤道省省长埃明》(1928)、《90 年代诗歌选集》(西蒙斯编,1928)和未完成的一部 O. 王尔德的传记。

Symons, Arthur (William) **西蒙斯**(1865-02-28,英格兰彭布罗克郡米尔福德港～1945-01-22,肯特威特舍姆) 英国诗人、文艺评论家,法国象征派诗人的第一个英国支持者。著有《象征派文学运动》(1899),对叶芝和T. S.

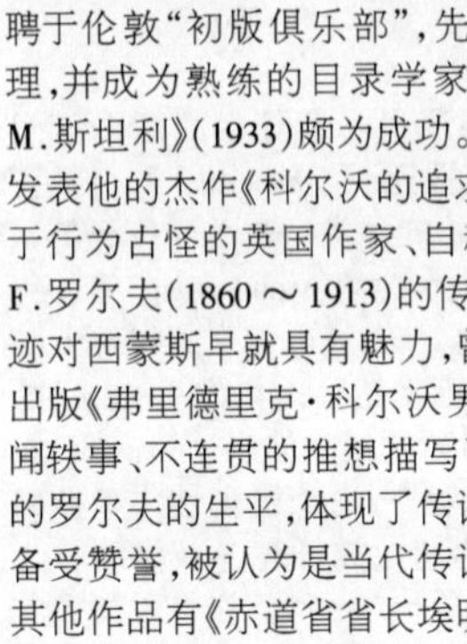

伦敦国立肖像画陈列馆供图

艾略特均有影响。他的诗大多充满世纪末的情感,《剪影》(1892)和《伦敦之夜》(1895)中有一些极好的印象派抒情诗。所译法国诗人P. 魏尔兰的作品也很有名,还写有优雅的游记。晚年著有《忏悔录》(1930)。

Symons, George James **西蒙斯**(1838-08-06,伦敦～1900-03-10,伦敦) 英国气象学家,通过在气象观测中坚持准确性和统一性标准,并大量增加观测站的数目,力求提供可靠的观测资料。1856 年 18 岁时,被选为英国气象学会(后来的皇家气象学会)会员。全力收集雨量统计资料,于 1860 年发表他的第一个年雨量报告,其中只搜集到 168 个站的资料。而到 1899 年即他逝世的前一年,已汇集了遍及不列颠群岛3 500多个站的资料。他敏锐地意识到由于使用不同类型雨量器而造成的不一致的问题,当即着手进行一系列实验,导致了一种标准仪器的采用。他两次被选为皇家气象学会会长。1878 年当选为皇家学会会员。

symphonic poem **交响诗** 又称“音诗”(tone poem)。受非音乐的概念、故事或“标题”的启发而创作的管弦乐曲,以标题暗示其内容。交响诗以单乐章为特征,由音乐会序曲(即不从属于某一歌剧或戏剧但却能提示一组文学上或自然状态中的事件的序曲,如门德尔松的《芬格尔洞》序曲)发展而成。这一术语及其形式均为李斯特首先使用。它的曲式是自由的,虽然与交响曲第一乐章的奏鸣曲曲式不无相似之处。具体手法可因作曲家和题材而异。浪漫主义的文学和自但丁到拜伦等人的诗篇构成 19 世纪的主要标题内容。柴可夫斯基的《里米尼的弗兰切斯卡》(1876)的灵感主要来自文学;西贝柳斯的《图内拉的天鹅》(选自《传奇曲四首》,1893)主要来自传奇;斯美塔那的《我的祖国》(1874 ～ 1879)主要来自民族主义。施特劳斯的《查拉图斯特拉如是说》(1896)的依据是哲学主题,而绘画则为拉赫玛尼诺夫的《死之岛》(1907)提供了灵感。交响诗的视觉灵感越来越重要,这在 19 世纪后期的法国可以特别明显地感觉出来,例如德彪西的《牧神午后序曲》(1894)。最后,交响诗大多由交响芭蕾取代。例如,斯特拉文斯基的早期作品《焰火》(1908)在外表上虽然仍是一首交响诗,但他以后根据俄罗斯的一些故事所谱写的音乐则旨在供舞蹈表演。

symphony **交响曲** 为管弦乐队写作的大型乐曲,通常包含几个大的段落(即“乐章”),其中至少有一个乐章采用奏鸣曲式。1750 年以前,“交响曲”一词可指各种器乐曲和某些声乐作品的器乐前奏与间奏。17 世纪中叶,L. 库伯兰用此词描述他的维奥尔琴和通奏低音作品;另外一些作曲家写了一些在音乐会、经文歌和圣灵牧歌之前作为前奏演出的“器乐交响曲”。这一术语在 1750 年以前的最重要的用途也许是在意大利歌剧中(当时称做“辛福尼亚”)。甚至连最早的歌剧,例如 J. 佩里的《尤丽狄西》(1600)和 C. 蒙特威尔地的《奥菲欧》(1607)中都有一些优秀的器乐引子和反复

出现的间奏,在谱中标明为"辛福尼亚"。不到一个世纪这些辛福尼亚就已成为相当规范化的"那不勒斯"序曲,包含快-慢-快三个段落。在1700～1740年间,维也纳的G.莫恩和G.瓦根塞尔开始在第二乐章之后加入一个小步舞曲乐章,于是辛福尼亚成为四乐章形式。与此同时,奏鸣曲式正在发展而变成第一乐章的传统结构。意大利人G.B.萨马尔蒂尼和曼海姆乐派的J.斯塔米茨对于交响曲的规范化也是影响深远的,后来的许多年中这种形式始终保持不变。莫扎特和海顿是贝多芬以前的两位最重要的交响乐作曲家;在他们的作品中古典交响乐臻于登峰造极之境。第一乐章采用奏鸣曲式,几乎总是快板,虽然可能有一个慢的引子。特别是在其后期的交响曲中,两位作曲家所达到的细节的提炼、平衡和精美雅致,没有另一位交响曲作曲家可与伦比。古典交响曲的第二乐章通常为慢速度,曲式任选,常常是奏鸣曲或主题与变奏。第三乐章是相当严密的小步舞曲形式,而第四乐章则以奏鸣曲式原则为基础,但却往往更像回旋曲,在性格上也许比较轻松愉快,速度总是快速的。古典主义交响曲的管弦乐队采用前古典主义时期的乐队组合,包括两个大管和弦乐器以及两支圆号、两支小号、鼓、一或两支长笛和两支单簧管。

贝多芬的9部交响曲从古典主义时期直至浪漫主义时期很晚的时候,承前启后,起了重大作用;他是一位革命家;他对当时事件的热情介入,配上他丰富的乐思和无所顾忌的独立性,把音乐作品,特别是交响曲,推入新的表情天地。他对现有的乐器提出新的要求;并最早在交响曲中采用短笛、低音大管、三角铁、大鼓、第三支长号,最后还有合唱队和独唱。他延长了奏鸣曲式乐章中原先不大重要的部分,采用更多的变奏曲和赋格段落,有时把几个乐章连在一起但在音乐中却听不出裂痕,而且还以比较快速并且往往是比较欢乐的诙谐曲彻底取代了老的小步舞曲乐章。通过贝多芬的戏剧性艺术激情,交响曲自相矛盾地成为一个既抒发个人感情又表达人类普遍愿望的工具。一般说来,19世纪的交响乐作家都乐于步贝多芬的后尘,容许自己有更多的自由度以摆脱固定的曲式。德国/维也纳交响乐风格通过舒伯特、门德尔松、舒曼、布鲁克纳和勃拉姆斯的作品而得以延续。随着马勒的交响曲,德国/维也纳交响乐传统进入20世纪。在这以前的1830年,就在贝多芬去世后不久,年轻的柏辽兹的一部杰作开启了一种新型的交响乐风格。他的《幻想交响曲》是一首5乐章的作品,其中的曲式是宽松的,速度经常随便更换,采用庞大的乐器组合以求得不寻常的管弦乐效果。无论是采用周而复始的音乐主题(循环论),还是用器乐来表达非音乐的思想(标题音乐),柏辽兹都不是始作俑者,但他的作品体现出这两种手法的巧妙结合,影响了许多后起的作曲家,并导致产生李斯特和施特劳斯的"交响诗"。19世纪后半叶民族主义的表达风格兴起,其特点常常是作曲家吸取祖国的民歌传统。虽然捷克的德沃夏克、俄国的鲍罗丁、里姆斯基-科萨科夫和柴可夫斯基等民族主义作曲家的交响乐都是民族主义表情的杰出媒介,但它们的结构仍是相当传统性的,在曲式本身上并没有特别的革新。20世纪的交响曲很难归类,因为它们涉及多种多样的作曲风格,包括12音、无调性、电子音乐和新古典主义音乐。这一时期富于代表性的主要作曲家有:法国的奥涅格,德国的兴德米特,苏联的米亚斯科夫斯基、肖斯塔科维奇和普罗科菲耶夫,英国的沃恩·威廉斯、戴流士、沃尔顿和梯皮特,苏联移民拉赫玛尼诺夫和斯特拉文斯基,以及美国的艾甫斯、皮斯顿和哈里斯。

symphony concertante 参阅 **sinfonia concertante** 交响协奏曲。

symphony orchestra 交响乐团 演奏交响乐的大型管弦乐团,包括管乐器、弦乐器及打击乐器。参阅 **orchestra**。

symphylan 综合虫 又作symphylid。综合纲节肢动物的统称,一般与另外数纲合称多足类。约120种,形似小型的蜈蚣,最大的不到1厘米长。触角长而多节,体白色柔软,分14节,其中12节各生一对钩状足。一侧的足同时运动,而与另一侧的步足交替活动,故以扭曲旋转般的动作前进。世界性分布,主要见于热带。生活在腐败植物中,食腐败植物,有的种以死昆虫或活植物的柔软部分为食。北美、欧洲和夏威夷的无斑么蚰(*Scutigerella immaculata*)俗称园田蜈蚣,为害甜菜、芹菜、莴苣等。么蚣属(*Scolopendrella*)在北美洲常见。

Symphyta 广腰亚目 膜翅目的两个亚目之一。另一为细腰亚目(Apocrita)。广腰亚目包括本目最原始的种类——叶蜂(**sawfly**)、角尾蜂(**horntail**)、木黄蜂(**wood wasp**)等。约有几千种,世界性分布。胸、腹之间粗而无细腰。雌蜂的产卵管发达。幼虫像毛虫,足的数目不同。除尾蜂科(伏牛蜂科,Orussidae,有时作Oryssidae)寄生外,均为植食性。多数每年一代,以老熟的幼虫或蛹越冬。体型较大的一些种类一年以上方一代。许多种类尤其是锯蜂,会严重损害粮食作物、木材或其他经济植物。

synagogue 会堂 又拼synagog。犹太人进行宗教活动、举行集会和学习的场所。有关会堂的最古老资料属于公元前3世纪,但无疑会堂的历史前此早已开始。有些学者认为,公元前586年所罗门所建圣殿被毁,其后犹太人在住宅进行公共礼拜和宗教教育,后来就设立会堂。另说会堂源起于古代外地犹太人代表每两周在一起祈祷的传统。不论起源如何,会堂制度曾与圣殿崇拜共同发展许多年。罗马皇帝提多于公元70年将圣殿毁坏,犹太人的献祭活动和祭司制度停止,会堂的意义乃显得更为重要,无可否认地成为犹太人宗教生活的中心。据公元1世纪的文献载,除巴勒斯坦外,罗马城、希腊、埃及、巴比伦、小亚细亚等地也有许多会堂。到了1世纪中叶,人口较多的犹太人社团都已有会堂。在现代,会堂除依照传统发挥作用外,又根据时代要求增加社会服务、文娱和慈善事业等活动。典型的会堂内设有收藏《律法书》的约柜,柜前燃有长明灯,另有两座烛台、长凳和诵经台。目前正统派会堂仍实行男女分座,改革派和保守派则已废除这种旧习,有的会堂还设有净身池。

Synagogue Council of America 美洲犹太会堂协进会 1926年创建的犹太人组织,为多数加入会堂的犹太人(不管其个人意见差别)在宗教交往活动尤其是与基督教的往来中表达共同的意见。协进会会员包括:正统派成员如美洲拉比会议、美洲正统犹太会众联盟;保守派成员如美洲拉比大会和美国联合犹太会堂;改良派成员如美洲拉比中央会议和美洲希伯来会众联盟。虽然协进会反对劝化犹太人入会的活动,但它促进犹太人和基督徒的谅解并配合美国全国基督教协进会进行活动。

synapse 突触 又称神经元接点(neuronal junction)。是神经细胞之间、或神经细胞和效应器细胞(如腺体细胞、肌肉细胞等)之间的接点。其基本功能是传导神经兴奋。神经细胞和肌肉细胞之间的突触联系名为神经肌肉接点(**neuromuscular junction**)。突触分为化学性突触和生物电性突触二类。前者多在神经纤维末端形成一个球形终端膨大。二支互相连接的神经纤维的化学性突触之间有一狭窄空间——突触间隙,典型的突触间隙宽0.02微米。此时,远中枢方向的下游神经纤维被称为突触后纤维(postsynaptic fibre)。当神经冲动到达突触前神经末梢时,就会引起突触小泡(突触中的一种微小膜性囊泡结构)向突触前膜方向移动;当突触小泡的膜接触到突触前膜时,其顶部就会溶入前膜,其壁即成为前膜的一部分,其内容的化学物质随即被释放到突触间隙中。突触小泡内容的化学物质即为神经递质(**neurotransmitter**)。经扩散作用通过突触间隙的神经介质被突触后膜上的受体分子捕获,二者结合所促发的一系列生化反应的结果是使突触后膜的通透性增加,从而使突触后膜二侧的正、负离子发生突然的跨膜转移,导致突触后电位(**postsynaptic potential, PSP**)的变化。如果流入突触后神经元的正电离子的量足够大,PSP即处于兴奋状态,也就是说产生了一次新的神经兴奋,称动作电位(**action potential**)。一旦被突触后膜受体细胞捕获,神经介质即在突触间隙中酶的作用下失去活性;然后再被突触前膜的受体重新捕获,并进入新的一轮功能循环。上述机制包括一系列相对独立的传导反应,每个反应占时约0.5～4.0毫秒。

一个神经冲动是否经化学性突触传导取决于特殊的神经介质和突触后膜的介质受体。同一种神经介质结合的受体不同,就会产生不同类型的神经兴奋。例如,去甲肾上腺素是一种交感神经介质,但它的有些受体会加速神经兴奋的传导,而有些则会抑制这种传导。突触后膜上有许许多多不同类型的介质受体,而突触前膜所释放的神经介质也不止一种;同时,每支突触后纤维又会和大量神经元建立起成千上万个突触联系。如此繁杂的神经联系是人体神经系统对任何类型的外界刺激都能产生复杂反应的结构基础。突触,连同其介质的生物功能如同一个瓣膜,在庞大的神经组织网络中建立一种秩序,控制着神经兴奋的传导的方向。生物电性突触是一种溶合膜性神经接点,这种细胞连接方式被称为间隙连接(gap junction),即在二个神经元(或其纤维)之间的突触连接处的二层细胞膜互相溶合,并有许多孔隙,允许带电离子通过。生物电性突触就是凭借这些带电离子的活动传导神经兴奋。在低等脊椎动物和非脊椎动物,生物电性突触传导神经兴奋之快,使得这些动物全身的神经细胞对外界刺激呈现一种同步反应。在人类,这种间隙连接并不为神经细胞所特有,而是见于大部分器官的构成细胞之间,如心肌细胞和神经胶质细胞。看来,神经兴奋的化学性突触传导主要具有生物进化方面的意义,因为高等脊椎动物复杂的神经系统必须能够把更多的信息传送得更远。

synchrocyclotron **同步回旋加速器** 回旋加速器的改进型。是一种使亚原子粒子加速而达到高能量的设备。参阅 **cyclotron**。

Synchromism **同步主义** 1912～1913年由美国画家M.拉塞尔和S.麦克唐纳-赖特发起的注重色彩的艺术运动。当时两人都住在巴黎,画他们称之为"同步"的抽象作品。

S.麦克唐纳-赖特绘《绿色与橙黄色的同步》(1916)

供图:Collection Walker Art Center, Minneapolis, Minn.

拉塞尔的第一幅同步主义绘画《绿色的同步》于1913年在巴黎独立沙龙展出。同年,同步主义艺术家在慕尼黑举行第一届画展。翌年又在巴黎举行画展。1914年3月,他们的作品在纽约卡罗尔画廊展出。1916年,麦克唐纳-赖特在一篇同步主义的声明中描述了他如何通过有节奏变化的色彩形式,来创造提炼他画面的艺术效果,对此他解释说:"要使色彩产生巨大的效用,必须把它当做一种抽象的媒介。"

synchronic linguistics **共时语言学** 研究一种语言在某一特定时期内的情况,其所研究的时间,既可是目前的,也可是过去某一特定时期的。对某些死语言如拉丁语也可进行共时分析。共时语言学与历时语言学(或*历史语言学* **historical linguistics**)相对照,后者研究语言在某一段时间的情况。到20世纪,共时描述逐渐被认为重于历时描述;历时描述曾假定对语言不同发展阶段的共时描述已经完成。过去语言学家们曾将重点放在历时语言学研究上。瑞士语言学家索绪尔(1857～1913)是在术语上把共时语言学和历时语言学区分开来的第一人。

synchronization stress(psychology) **同步化应激** 参阅 **circadian rhythm stress** *昼夜节律应激*。

synchronized swimming **花样游泳** 又称水上芭蕾(water ballet)。在音乐伴奏下单人或成队运动员做各种同步动作的水上表演。20世纪30年代这项运动在美国发展起来。

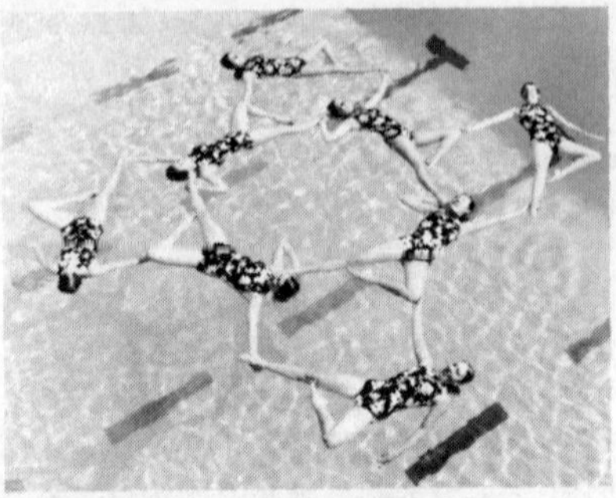

集体花样游泳组成的图形

旧金山梅里奥尼特斯同步游泳俱乐部供图

花样游泳是一项有组织的业余运动。它得到国际业余游泳联合会的一般监督。国际业余游泳联合会公布一系列比赛图形,标明动作或花样。国际业余游泳联合会于1954年对花样游泳给予承认。分单人、双人和集体(4～8人)比赛。运动员必须完成几项规定动作和自选动作。由至少3名裁判员根据各人动作和配音的完成情况以及艺术风格进行评分。花样游泳过去在奥运会上是表演项目,1984年女子花样游泳被列入奥运会比赛项目。

synchronous motor **同步电动机** 以恒定速率转动的交流电动机,其转速只随电源的频率而变化。许多同步电动机没有助力就不能启动,必需有一个辅助电动机使这类电动机达到同步速率。另一种同步电动机有一个附加的嵌入式启动绕组。这种电动机利用恒定磁场作用于转子以保持恒速。产生这种磁场的办法是加直流电于转子绕组,或用永磁材料制作转子。转子的磁场与驱动电动机的交流电所产生的磁场的变化周期同步。同步电动机用于低负载,但转速要求非常稳定的地方,比如电钟、定时器、电唱机、磁带录声机、录像机等。参阅 **electric motor**。

synchrotron **同步加速器** 粒子由磁场约束在它的轨道内,磁场随粒子动量的增大而逐渐增强的环形粒子(电子、质子、重离子)加速器,加速是由与轨道频率同步的交变电场产生的。当粒子速率接近光速时,同步加速器很有用,因为这时速率变化比能量变化得慢。同步加速器是为几种不同的粒子而研制的,其名称按粒子而定。例如,电子同步加速器是加速电子的,质子同步加速器是加速质子的。最高的粒子能量是由美国伊利诺伊州巴塔维亚的费米国家加速器实验室的超导质子同步加速器产生的,质子能量达到1万亿电子伏。最高能量的电子同步加速器在日内瓦的欧洲核研究组织(CERN),电子能量达到500亿电子伏。

synchrotron radiation **同步加速器辐射** 速率接近光速的带电粒子(如电子和离子)在磁场作用下改变运动路径时所发射的电磁能量。如此命名是因为在称为同步加速器的多种粒子加速器内,以这样速率运动的粒子产生类同的电磁辐射。已经发现多种天体也发射这类辐射。例如,沿木星周围磁力线作螺线运动的高能电子,发射射电波长的同步加速器辐射。在称为蟹状星云的超新星遗迹的磁场内,高速运动的电子既发射射电波长又发射可见光和紫外线波长的同步加速器辐射。银河系的其他超新星遗迹和河外的*类星体*(**quasar**)也发射多种同步加速器类型的射电辐射。同步加速器辐射以高度偏振和连续为其特征。它的强度和频率与磁场强度和在磁场作用下带电粒子的能量直接相关。因此,磁场越强,粒子的能量越大,所发辐射的强度和频率就越高。同步加速器辐射与天体发射源的温度无关;较冷的天体也能释放出相当巨大的这种形式的电磁能。因此,同步加速器辐射常被称为非热辐射。

syncopation **切分音** 又称切分法。在音乐中,指特定节奏模式中有规律的重音的移位。其结果是破坏了听者预期的效果,引起要求重新恢复正常节奏的愿望,因此高度切分的音乐具有"向前推进"的典型特点。切分音可以通过强调小节中原来的弱拍,在正常重拍上休止或用连线把音符和下一小节中的音符加以连接等方法来实现。切分模式在许多民间舞蹈音乐(特别是在东欧)中具有典型性,在西方记谱传统中的运用可追溯到14世纪。切分音是爵士乐的典型因素,在斯特拉文斯基和其他20世纪作曲家的音乐中也十分突出。

syncope **晕厥** 供应身体某一部分的血液循环发生一过性障碍引起的症候。常用做昏厥的同义词,指血压下降引起的脑供血不足。往往先有面色苍白、恶心和出汗,然后瞳孔扩大、打呵欠、呼吸深快、心跳加速。通常持续数十秒钟至数分钟,继之出现头痛、精神混乱、神经过敏和乏力。晕厥常因恐惧、焦虑或疼痛引起。颈动脉窦晕厥或称紧领综合征,也是由于脑供血障碍引起的短暂意识丧失。但开始时无面色苍白、恶心和出汗。衣领过紧、突然转动头位、吞咽或在颈动脉窦表面的皮肤上剃须,均可因压迫颈动脉窦而导致晕厥,有时亦可自发出现。因为按摩一侧颈动脉窦引起晕厥可以提示对侧颈部的颈动脉或基底动脉狭窄,因此具有诊断意义。表现一过性意识丧失的晕厥亦见于主动脉瓣狭窄、心力衰竭和低血糖等器质性疾病。局部晕厥的表现为身体一小块区域,尤其是手指,发白、无力、发冷和麻木，原因为局部血流减少，与雷诺氏病有关。

syncretism, religious 参阅 **religious syncretism** 宗教融合。

syndicalism 工团主义 又称无政府工团主义或革命工团主义，主张工人阶级采取直接行动消灭资本主义制度（包括国家），建立以生产单位的工人为基础的社会制度的运动。工团主义运动盛行于1900～1914年间的法国，并对西班牙、意大利、英国和拉丁美洲国家等有相当影响。第一次世界大战结束时已趋于衰落，但到第二次世界大战前，它在欧洲仍有一定影响。工团主义源于法国工人阶级的无政府主义和反议会主义传统。在无政府主义者蒲鲁东和社会主义者布朗基学说的强烈影响下，工团主义在19世纪末期被一些法国工会运动领袖发展为理论。工团主义者也和马克思主义者一样，反对资本主义，期待一场以工人阶级胜利告终的阶级战争。工团主义者认为，国家就其本质而言是资产阶级压迫的工具，而且总是因其官僚结构而不可避免地变得缺乏效率和专横暴虐。因此，作为资本主义制度的一个附属品，国家必须加以消灭。工团主义者的设想大致按以下方式建立其理想的社会组织。这种社会组织的单位是地方"工团"，它是自治的"生产者"的自由联合会。它通过地方的"职业介绍所"同其他团体保持接触。这种职业介绍所既起着安排就业的作用，也具有经济计划机构的职能。当所有生产者都被职业介绍所联结在一起时，由选举出的成员代表组成的管理机关就能估量本地区的能力和需要，协调生产，并通过其他介绍所同整个生产体系保持接触，从而安排必要的物资和商品的内外流通。为了保持国家是资本主义压迫工具这一概念，工团主义者回避采用政治手段来达到其目的。在美国，"世界产业工人联盟"也是工团主义运动的一种形式，但它主张建立以大的集中化的产业工会为基础的体系，而不是以地方工会为基础。意大利的墨索里尼法西斯独裁政权曾企图利用工团主义思想来获取对其"社团国家"的支持，但它强调加强国家的权力，所以事实上同工团主义的主张根本抵触。第一次世界大战后，工团主义者或倾向于接受苏联的共产主义模式，或受西方国家工会运动和议会主义所许诺的工人福利所吸引。1920～1921年间苏维埃政权初期，类似工团主义的思想在持反对派立场的共产党员工会工作者中间一度流行，这些人被称为"工人反对派"。

syndicate 犯罪集团 又作crime syndicate。在美国，指由一伙从事集团犯罪（**organized crime**）的敲诈勒索者组成的联合组织。

synecdoche 提喻 辞格之一。即以部分代表全体，例如，以"雇用的人手"代表"职工"；间或以全体代表部分，例如，用"社交界"一词去代表上流社会。提喻与换喻（以一个同源词去代替另一个词）密切相关，是诗法上的一个重要手法，可以创造生动的形象，例如，柯尔律治在《古舟子咏》中的"西方波涛上呈现出一片火光"，这句诗中用"波涛"一词代替了"大海"。参阅 **metonymy**。

synecology 群体生态学 又作biocenology, biosociology, community ecology。又称生物群落学、生物社会学或群落生态学。生态学的分支，研究生物的群体或群落和它们彼此之间以及与其共同环境之间的相互关系。群体生态学的一些概念，例如论述营养物质循环和能量收支的概念，均以群落的描述性分析为基础。群体生态学可进一步按环境类型进行划分，例如分为陆地群体生态学和水体群体生态学，这两类环境本身又可划分为森林、草原、荒漠和河流或湖泊等环境。因为人们已设计了一些技术和设备，用以测定营养物循环中的物质吸收和运输，以及能量关系中的转化和交换，群体生态学也正在变成更富实验性的科学。参阅 **autecology**。

synergism 药物的协同作用 两种药效不同的药物合并应用后产生的比各自单独应用时更大的疗效。增强作用一词常用为协同作用的同意语，有时错误地用指某药临床应用的优越性。协同作用是药物在体内的分布、生物转化及排泄产生变化的结果。药物的协同作用可举麦角胺与咖啡因合用治疗偏头痛为例；事实上可买到这种复方制剂。麦角胺收缩脑部血管，降低了颅内动脉搏动的幅度，从而减低了血流量，该效应又为咖啡因所增强。参阅 **antagonism**。

synesthesia 联觉 对一种感官的刺激作用触发另一种感官知觉的心理现象。最常见的是"色听"联觉，即听到一种声音时，会有一种视觉体验，如听到C音时会看到红色。虽然各人的音、色关系不尽相同，但基本上是音响越低沉，体验到的颜色越深。还有一种色觉称"光幻觉"，可伴有味、触、痛、嗅或温度觉。"语-色联觉"指某些词汇引起的色知觉。据说苏联抽象派艺术家W.康定斯基（1866～1944）进行过联觉实验，他想用鲜明的色调对比引起一种非视觉的反应。联觉还被许多诗人（如E.A.坡、A.兰波、H.克莱恩和D.E.西特韦尔）用做一种创作手段。

Synge, John Millington 辛格（1871-04-16，都柏林附近的拉斯法纳姆～1909-03-24，都柏林） 爱尔兰文学复兴运动的领导人，一位极有才能的诗剧家，以高超的写作技巧描绘了阿兰群岛上的原始生活和爱尔兰的西部海岸。辛格在都柏林的三一学院爱尔兰皇家音乐学院学习后，立志成为音乐家。1893～1897年在德国、意大利和法国学习音乐。1894年他放弃成为音乐家的打算，专攻语言和文学。1896年在巴黎大学学习时结识叶芝。叶芝热情鼓励他投身爱尔兰文学复兴的事业，并劝他停止写作评论文章，到阿兰群岛去从生活中汲取写作素材。1898～1902年间，他每年一部分时间在该群岛度过，观察那里的居民并学习他们的语言。《阿兰群岛》（1907）记录了他在该岛的观感。他又根据岛上居民的传说故事写了《狭谷的阴影》（1903年首演）和《骑马下海人》（1904）两个独幕剧。1905年他的第一部三幕剧《圣泉》公演。其最闻名的剧本是《西方世界的花花公子》（1907）。这部可怕的喜剧写一农村青年在一陌生的村子中吹嘘说他刚刚谋杀了自己的父亲，于是成了一个英雄，但当他父亲活着出现在那个村里时，他便失去了村民的尊敬。此剧在都柏林的阿比剧院首次公演时，曾引起观众骚动，抗议该剧对爱尔兰人喜欢自夸和他们美化暴徒的倾向的无情描写。1911年在纽约首演时亦引起爱尔兰裔美国人的骚动，在波士顿和费城又引起进一步的骚动。辛格一直保持与阿比剧院的合作直至逝世，他的剧本在那里逐渐为观众接受。他的未完成作品《戴尔德拉的忧患》于1910年上演，这是改编成剧本的凯尔特神话中最伟大的爱情故事之一。

都柏林爱尔兰国家美术陈列馆供图

Synge, R(ichard) L(aurence) M(illington) 辛格（1914-10-28，英国利物浦～1994-08-18，诺福克诺威奇） 英国生物化学家，与A.J.P.马丁发明分配色谱，尤其是纸色谱，因此共获1952年诺贝尔化学奖。曾经在剑桥受教育，在剑桥和利兹羊毛工业研究协会两处与马丁合作研究。1943年开始参加伦敦利斯特预防医学研究所的工作，1948～1967年参加阿伯丁郡巴克斯本罗威特研究所的工作。1967～1976年成为诺里奇粮食研究所的生物化学家。1968年起任东英吉利大学生物科学名誉教授。1951年辛格和其他四位科学家共同组成"科学用于和平"委员会。

synod 会议 基督教会用语，指由某一地区或某一教省的各主教和其他神职人员讨论教会戒律和管理问题的会议。最初的这类会议可追溯到2世纪中叶各地区的主教们举行的一些大会议。目前，全世界天主教会的主教定期（但不经常）举行会议，讨论与教会有重大关系的问题，向教皇提出咨询。在新教某些派别（如长老宗和归正宗），此词指一种组织单位（大会），一个大会包含若干区会（presbytery）。在信义宗，大会是全国性机构，是由各地教会联合而组成的。

synodic period 会合周期 从地球上看，行星、月球或人造地球卫星等太阳系内的天体回到相对于太阳而言的同一位置所需的时间。月球的会合周期是两个同样的月相相继出现的时间间隔，例如，从一次满月到下次满月的时间间隔。行星的会合周期是地球和行星在绕太阳运行时，地球赶上行星所需的时间;对运动较快的水星和金星,则是它们赶上地球所需的时间。人造地球卫星的会合周期用它两次合日的时间间隔来量度。参阅 **sidereal period**。

Synoptic Gospels　同观福音书　指《新约》中的《马太福音》、《马可福音》和《路加福音》。《新约》的这头3卷书自从18世纪80年代起就称"同观福音书",因为它们在结构、内容和用词上十分相近,可以互相参照阅读。《约翰福音》在结构上别具一格,而且对基督的看法也采取另一个角度。头3卷福音书明显地相似,因而产生了关于三者的实际成书关系的同观福音书问题。这个问题已经现代学者深入探讨。

synovial tissue　滑膜组织　一种薄而疏松、血管丰富的结缔组织,组成环绕关节的膜和保护跨越骨隆突的肌腱的鞘。滑膜组织内有滑膜细胞,滑膜细胞分泌称为滑液的黏性液体。滑液含蛋白质、盐类和透明质酸。具有滑润和营养关节面的作用。

syntax　句法　词在句子、分句、短语中的配列方式以及对句子构成及其各部分之间的关系的研究。像英语这类语言,表示词与词关系的主要手段是词序;例如,在 The girl loves the boy(姑娘爱小伙子)一句中,主语在首位,宾语在动词后。如果词序改变,句子的意思也就变了。在其他许多语言中,格的标志表示语法关系。例如,拉丁语中"姑娘爱小伙子"这句话可以是 puella puerum amat,以"姑娘"这个词位于句首,也可以是 puerum puella amat,而以"小伙子"这个词位于句首,还有 amat puella puerum, amat puerum puella 或 puella amat puerum 等等形式,由于含义为"小伙子"的这个词结尾是表示动词宾语的-um,不管它在句中处于什么位置,句子的意思仍然不变。句子是由短语或词组构成的,这些短语或词组中的单词彼此之间的关系要比同短语外各单词的关系更为密切。在 My dog is playing in the yard(我的狗正在院子里玩)这个句子中,is playing 两个单词之间的关系要比 playing in the 这几个词之间的关系更加密切,因为前者共同组成动词,而后者仅仅是动词的一部分和表示玩耍地点的短语的一部分。句法研究还包括研究相似句子之间的关系,例如,John saw Mary(约翰看见过玛丽)和 Mary was seen by John(玛丽被约翰看见过)。1957年后,美国语言学家N.乔姆斯基提出了一种崭新的语言理论即转换语法(**transformational grammar**),句法因之受到更多的重视。

synthesis　综合　在哲学中,为了构成较为完整的观点或体系,将各部分或各种因素结合在一起。可以认为,由此获得的紧凑、连贯的整体比各部分的单纯的集合会更完整地表现真理。在19世纪德国思想家黑格尔的辩证哲学中,综合这一术语也指真理的较高阶段,它结合了一个正题和一个反题的真理。萨特的哲学则强调一种存在主义的综合。在《存在与虚无》中,意识总试图成为存在,好像达到无物与某物之间的一种综合。

synthesizer, electronic sound　电声合成器　参阅 **music synthesizer** 音乐合成器。

synthetase　合成酶　参阅 **ligase** 连接酶。

synthetic ammonia process　合成氨法　参阅 **Haber-Bosch process** 哈伯-博施法。

synthetic diamond　合成金刚石　通常由石墨承受极高的温度和压力而制成的人造金刚石。合成金刚石在其大部分基本的性能方面和天然金刚石相似,但在大小、形状和夹杂物方面可能与其有所区别。它们主要用于工业,如做磨金属的砂轮,也可用来磨碳化钨刀具。1880年苏格兰化学家J.B.汉内报告中称,他把石蜡、骨油、锂的混合物在密封熟铁管内加温至炽热,制成金刚石。1893年法国化学家H.穆瓦桑宣称,他造出了金刚石,方法是:把一个盛有纯碳和纯铁的坩埚放入电炉内加热,然后把极热(约4 000°C)的混合物放入一个水槽内,在高压下突然冷却。实验重复多次,但所形成的透明晶体都不是金刚石。20世纪40年代,美国物理学家P.W.布里奇曼在试图把石墨转变成金刚石的试验中,使石墨承受了几千个大气压的压力,试验未获成功,但他的试验导致纽约州斯克内克塔迪的通用电气公司于1955年在其实验室中合成了金刚石。这种金刚石是使石墨在100 000个大气压的压力下,加温到3 000°C以上制成的。它具有工业应用的品质,从1960年以后许多国家的公司已使该生产达到工业化的规模。制造金刚石所需要的高压和高温也可以利用炸药而达到。杜邦公司工业化生产金刚石即采用了这一技术。

synthetic division　综合除法　一个形如 $a_0x^n+a_1x^{n-1}+a_2x^{n-2}+\cdots+a_n$(其中 $a_0\neq0$)的 n 次多项式被另一个相同形式但次数较低的多项式(通常形如 $x-a$)除的简短的演算方法。根据余数定理,它有时被称为分离系数法。例如用 $x-3$ 除 $2x^3-7x^2+11$,把被除式的系数按照 x 的降幂顺序写出,缺少的方幂用0代替,而变量和它的指数则全略去;再如后列的形式,把除式的常数项 -3 变号为3,写在右侧并用竖线隔开。除法进行时,先把 x 的最高次幂的系数2写到横线下面,与3相乘加到下一项系数上,给出 -1;类

$$\begin{array}{rrrr|r} 2 & -7 & 0 & 11 & 3\\ & 6 & -3 & -9 & \\ \hline 2 & -1 & -3 & 2 & \end{array}$$

似地,-1再与3相乘并加到再下一项系数上,给出 -3……如此下去,进行纯系数的演算。结果得商为 $2x^2-x-3$,余数为2。

synthetic fibre　合成纤维　全部用人造的化学物质加工而成的纺织纤维。不同于用纤维素、蛋白质等天然物质制成的人造纤维(**man-made fibre**)。

synthetic language　综合语　任何一种用屈折或粘着方式表示句子内部句法关系的语言。屈折即是以词形变化来表示时态、人称、性、数、语气、语态和格等语法范畴的方法;粘着则是以聚集词素或语词单元来构词的方法。拉丁语是屈折语,匈牙利语和芬兰语是粘着语。综合语与分析语相对应。高度综合的语言叫做多式综合语。这类语言的整个句子可以只由一个包括许多词缀的单词组成(一般是动词形式)。爱斯基摩语和许多美洲印第安语都是多式综合语。参阅 **agglutination; inflection; analytic language**。

Synthetism　综合主义　19世纪80年代由P.高庚、E.贝尔纳和L.昂克坦等人创始的强调无纵深的二度平面模式,与印象派的艺术和理论决裂。这种风格表现出画家有意识地努力使作品不直接凭借自然,而依赖本人的记忆。高庚首先使用这一名称,用以指形式(色块和线条)与对物体的主要观念或感觉的综合。高庚以纯色域(即无阴影或立体轮廓)为基础,探求发展一种新的装饰性风格,只用少量鲜明突出的线条,对各部分的处理几乎完全是二维的。1886年和1888年夏,他在布列塔尼的阿旺桥和勒普尔迪与画家贝尔纳及其他追随者成立了综合主义画派。其《布道后的显圣》(1888)是这种新的装饰性风格的范例。综合主义影响到以后的纳比派艺术,也曾一度影响了凡·高的作品。参阅 **Pont-Aven school**。

syntrophism　互养作用　不同类型的生物体互相依存,以满足各自对营养的需求的一种现象。一种生物新陈代谢的中间产物或最终产物为另一种生物生命所必需。互养作用可见于生态系统(**ecosystem**)的混合种群中。

Syphax　西法克斯(活动时期公元前3世纪末)　努米底亚国王。第二次布匿战争中因与汉尼拔统率的迦太基军队结盟,公元前203年在乌提卡(位于今突尼斯)附近进行的大平原战役中被罗马统帅盖尤斯·莱利乌斯打败并被俘。约公元前206年,他曾驱逐对手马西尼萨,后马西尼萨在罗马人支持下统治北非大部分地区。

syphilis　梅毒　苍白密螺旋体引起的系统性疾病。通常由性交传播,偶为先天性。其历史起源不详,哥伦布自新大陆归回后欧洲文献中才有确实可靠的梅毒记载,从哥伦布到达前的美洲印第安人遗骨中亦发现密螺旋体病的证据,故广泛流传梅毒始自新大陆。但1500年前许多欧洲的"麻风"病例(触染性强、性交传播、可遗传、汞剂治疗有效)可能实际上是梅毒。梅毒病程分三期。一期梅毒于受染后10天至10周发病,于螺旋体侵入部位出现小、硬、无痛的肿块(亨特氏下疳或硬下疳)。下疳可能颜色很淡而不引起注意,但多增大,中心破溃成浅溃疡。分泌物中发现螺旋体即可确诊。10～40天内自愈,不留瘢痕。半数患者于下疳出现4～8周,甚或数月后出现第二期梅毒症状,特征为皮疹(尤其在黏膜)及骨、关节、眼、神经系统受累。本期持续数月,皮损可自愈,不留瘢痕。随之出现潜伏期,长数月至终生,此时无症状,但血清试验阳性。1/4患者可进入第三期,其中半

数病程经过为良性，另外半数可致残或死亡。本期病损可侵犯全身各部。如主动脉瘤、主动脉瓣关闭不全、神经梅毒、*麻痹性痴呆*（**paresis**）、脊髓痨（脊髓后柱退行性变，表现剧烈背痛、共济失调、消瘦）。良性晚期梅毒的特征为皮肤、黏膜、骨及其他器官（尤其是肝、睾丸及脑）出现树胶样肿。先天性梅毒患儿可于出生时、出生后数月方出现症状，亦可能至青春期方表现晚期梅毒症状。从前，梅毒用汞剂治疗，1836年始用碘化钾，1909年P.埃尔利希制成肿凡钠明——第一个梅毒特效药，1943年美国医师J.F.马奥尼等发现青霉素一周疗法对早期梅毒有良效。地方性梅毒包括雅司、非性病性梅毒、斑点病等，均由密螺旋体引起，在血清学上关系密切。非经性交传播，局限于气候、经济、社会条件适于发病的地区。性病梅毒的致病菌是梅毒螺旋体，其体长8～10微米，喜潮湿。本病性传播的微生物学基础就在于性交环境适于梅毒螺旋体的生存繁殖。梅毒的实验室检查技术有多种，其中最常用者为梅毒血清学试验（STS），其原理是：梅毒发病后不久患者血清中即出现两种物质——梅毒反应素（一种类抗体物质）和苍白密螺旋体抗体。检测梅毒反应素的血清学试验简便易行，反应素能与通常提自牛心的类脂抗原起反应，产生可见的絮凝。许多梅毒絮凝试验均以创始人命名，如卡恩氏试验（康氏试验）、克莱恩氏试验、欣顿氏试验等。其中应用较广的是性病研究室（VDRL）创用的敏感性和特异性较高的快速玻片技术。还有一些血清学试验旨在检测苍白密螺旋体抗体，所用抗原为该螺旋体或其化学提取物。但至今还没有一种梅毒血清学试验是完全特异性的，假阳性反应可见于传染性单核细胞增多症、疟疾等多种传染病。一般来说，感染后4～6周或出现原发损害后1～3周血清学试验即可呈阳性反应。

syphilitic meningoencephalitis（disease） **梅毒性脑膜脑炎**　参阅 **paresis** *麻痹性痴呆*。

Syr Darya　锡尔河　又拼Syrdarya。中亚河流，流经乌兹别克斯坦、塔吉克斯坦和哈萨克斯坦3个中亚共和国。由费尔干纳谷地东部的纳伦河、卡拉达里亚河汇合而成，注入咸海。全长2 212千米（包括纳伦河计河长3 020千米），为中亚最长的河流（但流量小于阿姆河）。上游流域面积219 000平方千米。费尔干纳谷地中的锡尔河支流因河水大量用于灌溉，大多已流不到锡尔河。从费尔干纳谷地流出后转向西北，右岸支流有阿汉加兰河、奇尔奇克河、克列斯河和阿雷斯河。中、下游逶迤曲折，经常改道，使一些水道消失于沙漠之中，而在洪水季节溢出低矮的河岸。河水补给主要来自融雪，其次是冰川。每年3、4月至9月水位较高。含沙量大，大部沉积在卡扎林斯克以下，把河口三角洲向咸海推进。12～3月为下游封冻期。卡扎林斯克下游和以上部分河段可通航。锡尔河畔及其支流有水电站多座，以法尔哈德、凯拉库姆、恰尔达拉等水电站为最大。在克孜勒奥尔达和卡扎林斯克还筑有拦水坝。锡尔河及其支流灌溉的土地面积在200万公顷以上。费尔干纳谷地和锡尔河中游农作物以棉花为主；下游产稻米。

Syracuse　锡拉库萨　又译叙拉古。意大利锡拉库萨区西西里省的省会。位于西西里岛东岸，卡塔尼亚南53千米处。古时为重要的希腊城市。约公元前734年科林斯人来此定居。公元前5世纪锡拉库萨人被西面杰拉城的希波克拉底人所败。希波克拉底的继承人革隆攫取了锡拉库萨，革隆于公元前485～前478年与其弟希伦统治时期，锡拉库萨的势力和文化成就达到高峰。公元前466年发生革命，推翻专制建立民主宪政。最重要的是在伯罗奔尼撒战争中击败雅典人在西西里的侵略军。公元前405～前367年与迦太基人进行三次战争，锡拉库萨的势力扩大到意大利南部。公元前317年后再次建立锡拉库萨帝国（公元前289年解体）。公元前211年被罗马人攻占，成为一行省省会。公元280年被法兰克人劫掠。不久恢复繁荣，直到878年被阿拉伯人攻占。在罗马和拜占廷时期，以及在诺曼、斯维比和西班牙人统治下，该城兴衰都与西西里岛命运相连。1693年地震中城市受到破坏；重建期间建造起一些当地最精美的建筑。第二次世界大战中盟军的进攻（1943）造成一些破坏。战后重建并出现新的更大繁荣。现为一地方农产品加工中心，也有其他数种轻工行业。经营商业和渔业的港口以及旅游业也为经济来源。当地考古遗迹有希伦二世大剧场（公元前3世纪）、半圆形罗马剧场（公元2世纪）、希伦二世祭坛和古代神庙等。奥尔蒂贾岛上有带精美的巴罗克式门面的大教堂，在街道上可领略中世纪和文艺复兴时期对锡拉库萨城市风情的影响。其他著名古建筑有蒙塔尔托宫门面（14世纪）、贝罗莫和帕里西奥宫（体现了13～15世纪哥特式建筑风格）、市政厅（1628）等。人口：都市区约126 136（1991）。

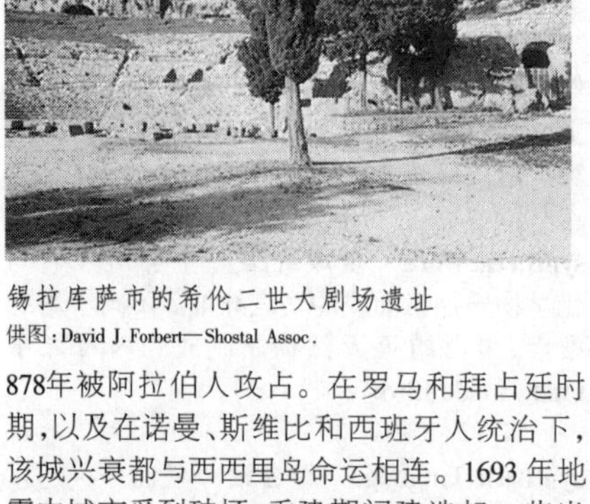

锡拉库萨市的希伦二世大剧场遗址

供图：David J. Forbert—Shostal Assoc.

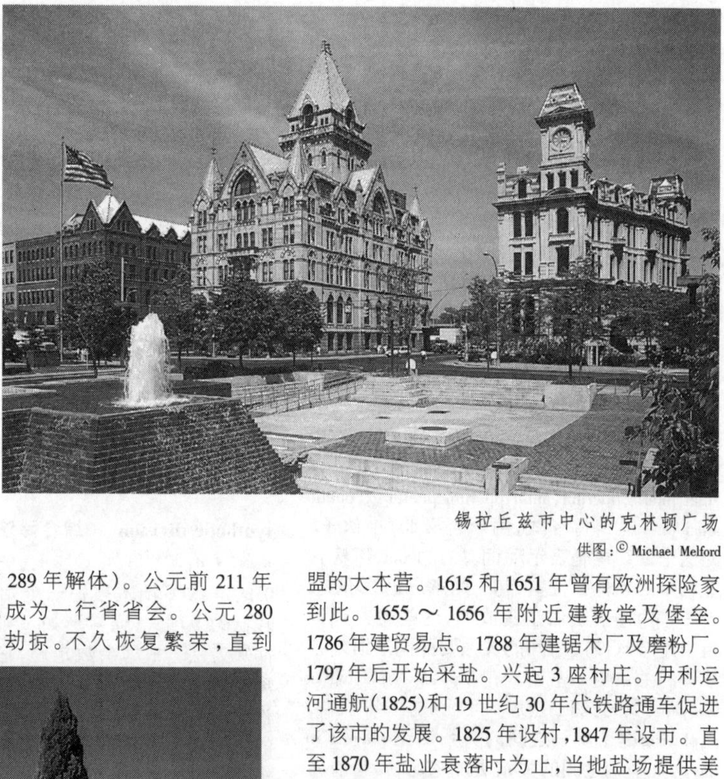

锡拉丘兹市中心的克林顿广场

供图：© Michael Melford

Syracuse　锡拉丘兹　美国纽约州中部城市，奥农达加县县城（1827）。位于奥尔巴尼与布法罗之间，奥农达加湖南端。该地一度为奥农达加族印第安人住地和易洛魁部落联盟的大本营。1615和1651年曾有欧洲探险家到此。1655～1656年附近建教堂及堡垒。1786年建贸易点。1788年建锯木厂及磨粉厂。1797年后开始采盐。兴起3座村庄。伊利运河通航（1825）和19世纪30年代铁路通车促进了该市的发展。1825年设村，1847年设市。直至1870年盐业衰落时为止，当地盐场提供美国所需盐量的大部分，1870年盐业衰落后该市开始发展多种经济。现生产瓷器、药品、喷气式发动机、电动机械、空调设备以及无线电、电视和电子设备。锡拉丘兹也是纽约州中部农业区的批发点。设有锡拉丘兹大学（1870）、勒曼纳学院（1946）、奥农达加社区学院（1962）、纽约州立大学医学中心（1950）及环境科学和林业学院（1911）。还建有埃弗森艺术博物馆（1896）。纽约州博览会自1841年起一直在此举办。奥农达加族印第安人保留地在市南10千米处，奥农达加湖泊公园内有盐业博物馆和冈嫩塔哈圣马利亚堡的仿建物。人口：市约147 306；都会统计区约732 117（2000）。

Syrdarya（river，Central Asia）　参阅 **Syr Darya** *锡尔河*。

Syria　叙利亚　全称阿拉伯叙利亚共和国。位于亚洲大陆的西南缘，地中海东岸的国家。

面积185 180平方千米，其中包括戈兰高地，国际上承认该地区为叙利亚的领土，但自1967年以来一直被以色列占领。首都大马士革。南北长约500千米，东西宽约470千米。该国北接土耳其，东和东南与伊拉克交界，南与约旦相邻，西南与以色列和黎巴嫩为邻，西濒地中海。人口约17 156 000(2002)。

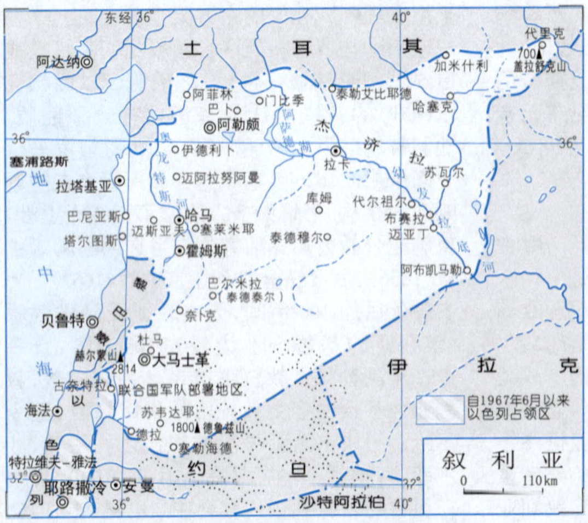

美国不列颠百科全书公司供图

土地 叙利亚从西到东由3个主要地理区组成：海岸区、高山区和叙利亚沙漠区。海岸区延伸于土耳其和黎巴嫩之间，南北长仅180千米，北部宽约3千米，南端宽约19千米。海岸区泉水和地下水充分，可全年进行密集耕作，该地区是全国人口最稠密地区。

高山区由与海岸平行的两条山脉组成：西北部的阿拉维泰山脉，平均海拔600～900米；西南部的东黎巴嫩山，平均海拔1 800～2 100米。西南部的赫尔蒙山（2 814米）是叙利亚最高峰。奥龙特斯河是高山区的主要河流，向北流经阿拉维泰山以东60千米长的裂谷加卜洼地。

叙利亚沙漠区起伏不平的平原占据了山脉以东的其他国土。该沙漠区由东中部的岩石和砾石干旷草原地区（平均海拔300～500米）和沙漠区组成，其中有最南端的德鲁兹山（33 700平方米），为世界最大的玄武岩层。幼发拉底河发源于土耳其东部高地，从西北流经叙利亚东部，到达东南方的伊拉克边境附近。它是叙利亚最长的河流，也是该国最重要的水利资源和唯一的灌溉河流。沿河两岸由于有像北部的幼发拉底大坝这样的水利工程，可以大量种植棉花、谷类和水果。

气候各地不同。海岸区和西部山区属地中海型，叙利亚沙漠区属极干旱型。西部温度1月（冬季）为13 °C，8月（夏季）为27 °C；东部相应月份的温度是5 °C和40 °C。年降雨量在西部为760～1 270毫米，干旷草原为500毫米，西南部则不到125毫米。

阿拉维泰山有松林，耐旱灌木林如香桃树、黄杨树、油松和野生橄榄树在叙利亚南部生长茂盛。山楂树稀疏地分布在干旷草原地区，枣椰树生长在幼发拉底河流域，沿海地区可种植柠檬树和柑橘树。野生动物有狼、鬣狗、野猪、胡狼、鹿、羚羊、蜥蜴、鹰和隼。

叙利亚最重要的自然资源是石油，尽管其储量与一些中东国家相比非常小。该国还有天然气、铁矿、磷酸盐岩和石灰岩蕴藏。

人民 阿拉伯人是叙利亚的主要种族。少数民族有库尔德人、土耳其人、切尔克斯人和亚述人。阿拉伯语是官方语言，法语、库尔德语、亚美尼亚语和英语也可通行。9/10的居民为穆斯林（逊尼派、阿拉维泰派和德鲁兹派），基督教徒不到1/10。叙利亚的人口出生率高，但在有文化的家庭施行计划生育非常普遍。人口死亡率也高，预期寿命男性为63岁，女性67岁。全国大约一半人口的年龄不足15岁。整体人口密度较低，特别是在荒漠草原。全国约有一半人口住在城市区。

经济 叙利亚属混合型经济，主要以农业、商业、采矿业和制造业为基础。农业、零售商业和某些轻工业归私人所有，但政府控制着其他大多数经济领域。国民生产总值增长快于人口增长。人均国民生产总值为世界发展中国家的平均水平。

农业占国内生产总值的1/3，雇用相同比例的劳动力。1963年发起的土地改革，限制土地所有者拥有可灌溉土地50公顷，非灌溉土地80公顷，从而改善了佃农的状况。可耕土地集中在地中海沿岸、奥龙特斯河和幼发拉底河流域，农业产量受降雨量影响年年差别很大。叙利亚正从耶尔穆克河和幼发拉底河引水，以扩大灌溉面积。经济作物有棉花、甜菜和烟草。棉花是主要的外汇来源。小麦和大麦是主要的农作物。牧草覆盖了2/5以上的土地，可放养绵羊、山羊和其他牲畜。政府控制着主要农产品市场，价格有利于城市消费者而不是农民，结果导致农业产量一直很低。大量的奶类、肉类和蛋类必须依靠进口。

1956年，一家美国公司在叙利亚首次发现可供开采的油田。1959年石油工业被收归国有，1968年开始生产。国家通过石油总局控制着大部分石油的开采和生产，该局受到苏联的大力支持。从伊拉克到沙特阿拉伯的输油管道穿过叙利亚，但从伊拉克到黎巴嫩的管道于1982年被叙利亚关闭。该国还生产大量的磷酸盐。

制造业（包括采矿业）占国内生产总值的1/6，雇用大约1/7的劳动力。许多重工业在1958～1965年间被收归国有，但自1970年以来私人投资又受到鼓励。主要制成品有纺织品、面粉、水泥、鞋和冰箱。电力主要靠石油生产；大约2/5的电力来自水力发电厂。

政府鼓励发展工会组织，但对其经济和政治权力加以限制。在国外工作的叙利亚人的汇款是重要外汇来源。

国防开支，特别是维持叙利亚在黎巴嫩驻军的费用，已经使政府预算感到紧张，但是自1967年以来，叙利亚从其他阿拉伯国家得到大量援助。苏联解体后叙利亚转向中国获得外援。美国和欧洲经济共同体也提供了少量外援。

叙利亚的外贸收支一直呈现逆差。意大利、法国和日本是其主要贸易伙伴。出口商品包括原油和天然气、化学品和纺织品、服装和皮革。进口商品主要是机器和设备、粮食、化学品。

政体与社会状况 叙利亚是一个社会主义共和国，由阿拉伯复兴社会党叙利亚分部执政，该党在许多中东国家都有分支组织。1973年通过的叙利亚宪法，赋予总统以行政权。总统由选举直接产生，任期7年。总统由部长会议协助行使职权，部长会议由总统任命，由总理领导。总统还是武装部队总司令、叙利亚复兴党总书记和民族进步阵线主席。民族进步阵线是一个包括复兴党和其他政党的政治组织。立法权属一院制的人民议会，它是一个由250名议员组成的复兴党行政机构，由选举直接产生，任期4年。叙利亚法律和衡平法的原则来源于伊斯兰法，并受到法国的一些影响。高等宪法法院是最高司法权力机构。

叙利亚社会福利制度的范围和救济水平有限。法律规定给老年人、伤残人、工伤者和幸存者提供救济，无个人支付能力者可享受免费医疗服务。健康状况虽有所改善，但总体上仍然很差。在农村地区，医疗机构、污水处理系统和饮用水的短缺造成传染病的高发病率。

在教育方面，6年制公立小学为免费义务教育。小学和6年制中学的入学人数增长迅速。学生毕业后还可接受职业、师范和大学教育。大马士革大学创建于1903年。

政府严格控制一切传播媒体。1956年开始实行直接新闻检查。官方的复兴党报《复兴报》是主要报纸之一。无线电和电视广播由国营的叙利亚广播电视公司经营。

历史 叙利亚最早的居民很可能是大约公元前1万年以狩猎和采集为生的纳图夫人。阿卡德的萨尔贡一世（公元前2334～前2279）统治时出现了阿卡德文明，但是在公元前2000～前1800年间被一个叫阿莫里特的沙漠游牧民族所摧毁。公元前16世纪和公元前15世纪，埃及人和米坦尼的胡里人为控制该地区发生战争。公元前14世纪，叙利亚处于赫梯人的统治之下，随后在公元前12世纪建立了许多新赫梯国家；公元前8世纪，该地区逐渐为亚述人征服。公元前7世纪，巴比伦的亚述仆从国摧毁了亚述帝国，但是公元前539年，阿开民波斯帝国接管了亚述帝国。公元前333年，叙利亚和波斯帝国落入马其顿的大亚历山大之手。从公元前301年起，塞琉西统治者一直占领叙利亚，直到大约公元前164年，安息人和纳巴泰阿拉伯人瓜分了这个国家。

公元前64年，罗马人吞并了叙利亚，将其作为一个包括巴勒斯坦在内的行省，以安蒂奥克为首府；在大约300年以前，叙利亚一直是罗马人最富有的行省之一，后来成为拜占廷的一部分。拜占廷时期(300～634)是叙利亚的黄金时期，后来穆斯林于634年入侵并控制了这个地区。877年，叙利亚被埃及的图伦王朝吞并，断断续续延续了6个多世纪。13世纪，埃及的马穆鲁克人征服了叙利亚的阿尤布国家，一直统治到1516年奥斯曼人征服这个国家为止。奥斯曼人控制叙利亚几乎整整3个世纪。

第一次世界大战期间，叙利亚是奥斯曼的一个重要军事基地，但该基地被英国人在一支阿拉伯军队的帮助下夺取。战后它成为法国的托管地。为争取叙利亚的独立和民族团结，1925年成立了人民党。

1936年签订的一项条约规定建立叙利亚共和国，包括阿拉维泰和德鲁兹各州，但由于第二次世界大战爆发，阻碍了该国的完全独立，叙利亚后来实际上被维希法国所控制。英国和自由法国军队不久发起进攻并占领了这个国家。1941年，叙利亚宣布独立。1943年举行大选，库阿特利当选总统，但是他的政府在1949年一次不流血的政变中被推翻。后来的政府又在1954年的政变中被推翻，并与埃及建立了短暂的联盟，名为阿拉伯联合共和国。该联盟在1961年的政变中垮台。1964年复兴党军事独裁政权建立，并努力维持其后的权力。叙利亚参加了1967年的阿以战争，戈兰高地在这场战争中被以色列占领。阿萨德于1970年夺取政权后，1971年宣誓就任总统直至2000年6月10日去世。70年代中期，叙利亚派出两万人的军队到发生内战的黎巴嫩帮助恢复秩序。叙利亚在1982年以色列入侵黎巴嫩时经常与之发生冲突，此后一直占领着黎巴嫩大片领土。在海湾战争中加入美国领导的多国部队对抗宿敌伊拉克，迫使伊拉克部队撤离科威特。2000年，阿萨德总统去世。其子巴沙尔继任总统职位后，叙利亚和伊朗的关系明显改善。

Syriac alphabet 古叙利亚字母 1～14世纪叙利亚基督教徒使用的文字体系。作为一种闪米特字母表，它是从阿拉米字母发展而来的。它有22个字母，全都表示辅音，书写一般从右到左，偶尔从上至下书写。表示元音的发音符号自500年以后开始使用；元音发音规则有几套体系，有的以阿拉伯语的规则为模式，还有用小写希腊字母加于每行字母的上方或下方。古叙利亚语字母有几种变体，最重要的一种是福音文字，一直通用到5世纪。由于在以弗所(431)会议上叙利亚教会的分裂，导致古叙利亚语及其字母分成西部和东部两种形式。西部变体于7世纪后在阿拉伯穆斯林统治下几乎消亡，但是，分散的叙利亚基督徒教团仍然存在，继续使用古叙利亚字母，其中巴勒斯坦叙利亚人中梅尔基特教派的古叙利亚文献晚至14世纪才出现。东部变体或称聂斯托利字母，在中亚和西伯利亚一直使用到13～14世纪，西伯利亚南部的一些墓碑可资证明。现存最早古叙利亚铭文刻于公元50年。

Syriac language 古叙利亚语 属闪米特语族中北语支或西北语支，为3～7世纪时重要的基督教文学语言和宗教语言，以东阿拉米语的埃德萨(今土耳其东南部的乌尔法)方言为基础。埃德萨在2世纪曾为近东地区重要的基督教中心之一。最早的古叙利亚语铭文可溯至1世纪前半叶，最早的非石刻文献溯至243年。由于神学争论的原因，讲古叙利亚语的基督教徒，在5世纪时分裂成聂斯脱利派(或东叙利亚派)和雅各派(或西叙利亚派)，前者受波斯影响，后者受拜占廷影响。聂斯脱利派被逐出埃德萨，定居于波斯。两派各自发展其方言，主要分歧则表现在元音的发音及表示元音的符号体系上。参阅**Aramaic language**。

Syriac literature 古叙利亚语文献 用古叙利亚语写成的文献。古叙利亚语是一种东阿拉米-闪米特语言，自公元前1世纪至欧洲中世纪流行于埃德萨(今土耳其东南部乌尔法)及其周围。埃德萨自2世纪末逐步成为基督教东方地区的学术都会，古叙利亚语文献即产生于该地，到14世纪古叙利亚语终于为阿拉伯语所取代。研究闪米特语的学者重视古叙利亚语文献，而它们对于研究叙利亚基督教也十分重要，因为它们保存了希腊文基督教文献，而且它们在古希腊学术与伊斯兰教世界之间发挥了中介作用。古叙利亚语文献内容广泛，包括《圣经》、赞美诗和诗歌(其中不少具有诺斯替派观点)的译本；各种希腊文文献译本；《圣经》评注、历史著作、法律、圣徒传记集以及哲学、语法、医学、科学著作等。最早的古叙利亚语文献是圣厄弗冷(叙利亚人)的著作，后世著作无有出其右者。他采用两种诗体，一种用韵律化的口语写叙事性或训诲性的史诗；另一种采用更为艺术化的结构，分成若干诗节，由唱诗班合唱或两班歌手轮唱。在基督教聂斯脱利派兴起之初出现了东叙利亚的最伟大诗人纳尔赛(约503卒)。他的诗内容高雅，风格绮丽，因而号称"圣灵之琴"。古叙利亚语史籍浩如烟海，其中最重要者之一是牧首迈克尔一世的不朽的21卷编年史。该书兼叙教会及世俗史实，下及1195年，包括许多历史资料，存有大量佚文，很有价值。叙利亚人的文学活动始于将希腊文基督教著作译成古叙利亚语。希腊文基督教著作和文献，凡属重要者，几乎无不译成古叙利亚语，而其原文已失者，都以这一大批希腊-叙利亚译本为必要根据。这些翻译家还把亚里士多德及其他希腊哲学家的大部分著作以及古希腊主要医学和科学著作译成古叙利亚语。这些翻译家在促进伊斯兰文明兴起方面发挥了重要作用，因为自古叙利亚语译成阿拉伯语远较直接自希腊语译成阿拉伯语为易。举加伦的著作为例，译自古叙利亚语者有130种，而直接译自希腊原文者不过9种。因此，许多希腊学术著作通过古叙利亚语影响了穆斯林世界。

Syriam 沙廉 缅甸西南部城镇、港口。与首都仰光隔伊洛瓦底江支流仰光河相望。20世纪起英人在伊洛瓦底江盆地钻探石油，将所产原油送沙廉精炼，该地始见重要。第二次世界大战中日军占领缅甸期间(1941～1945)和1948年缅甸宣布独立时，石油产量有所下降。炼油厂于1957年恢复生产，1979年扩建。1979年沙廉至曼油田输油管建成。有油轮码头。正开发马达班湾海上油田。有柏油路通仰光、勃固等市镇。人口43 153(1983)。

Syrian Catholic Church 叙利亚公教会 采用安提阿式礼仪的东方天主教会，自17世纪以来即与罗马教廷联合。叙利亚基督教徒自5世纪奉基督一性论，不承认卡尔西顿会议(451)的裁决而认为基督只有一种性质。他们曾先后于1237和1247年试图与罗马合一而未果。1626年嘉布遣会和耶稣会在阿勒颇建立机构，于是许多人改信了正统天主教。叙利亚公教会司铎阿齐詹先当选为阿勒颇主教(1656)，后又任全叙利亚宗主教(1662)。阿齐詹死后约100年间，天主教徒受到雅各派(叙利亚的基督一性论派)残酷迫害，直到1782年阿勒颇主教贾尔维当选为宗主教，叙利亚公教会的宗主教统治始得以恢复，至今不断。历代宗主教先后驻在代尔扎法兰、沙尔菲、阿勒颇、马尔丁(在土耳其境内)，最后在贝鲁特。叙利亚公教会在黎巴嫩、土耳其、约旦和埃及设有宗主教代牧或督主教；有5个大主教区(阿勒颇、巴格达、大马士革、希姆斯和摩苏尔)和一个主教区(哈萨凯)。叙利亚公教会信徒使用古叙利亚文的圣雅各礼仪书，但其中某些篇章为叙利亚信徒所操的阿拉伯语。

Syrian chant 叙利亚圣咏 叙利亚系基督教会——包括雅各派教会和聂斯脱利派等东正教会以及东仪天主教会(如马龙派教会和迦勒底公教会)——所采用的圣咏曲调通称。印度马拉巴派教会的圣咏也应包括在内。在19世纪以前，人们对于叙利亚崇拜礼仪音乐知之甚少。一些较为古老的叙利亚音乐原理是可以推测的，因为叙利亚对邻国民众的影响十分强烈，如叙利亚习俗流传到拜占廷帝国范围内的希腊人中间。叙利亚在被穆斯林攻占(7世纪中期)以前，是中东最古老、最重要的基督教国家之一。东西两派教会崇拜仪式中所采用的应答咏唱(独唱者与唱诗班应答而唱)或许源起于希伯来人圣殿的礼仪，而人们设想，启应轮流吟唱(两个唱诗班轮流咏唱)源起于叙利亚，有一些很古老的叙利亚资料证明它的存在。叙利亚诗歌和诗歌体裁也影响了拜占廷宗教诗歌的形成和演变。目前学者认为，拜占廷乐理中的"八调制"也是从叙利亚引进的，它在6世纪即已存在于叙利亚。有些学者认为，现代叙利亚圣咏演唱中特有的曲调和节奏技巧来源于基督教最初几个世纪的复杂的音乐传统；也有人认为，那是在欧洲中世纪末传进叙利亚的土耳其成分的遗存。

Syrian Desert 叙利亚沙漠 亚洲西南部的干旱荒漠。由阿拉伯半岛向北延伸，遍及沙特阿拉伯北部、约旦东部、叙利亚南部及伊拉克西部大片地区。大部地区被熔岩流覆盖。年降雨量不到125毫米。在近代之前一直是黎凡特和美索不达米亚两处人口居住区之间难以逾越的障碍。现有数条公路和输油管贯穿。20世纪70年代末，石油勘探频繁。沙漠居民为几个游牧民族，繁育阿拉伯马。

Syrian Orthodox Patriarchate of Antioch 叙利亚正教安提阿牧首区 又称叙利亚正教会或叙利亚雅各派教会。叙利亚基督一性论派教会，受安提阿牧首（叙利亚人）管辖。起初，安提阿各牧首拥护451年卡尔西顿会议确认的基督有神人二性，但在5和6世纪叙利亚大批基督教徒表示反对这些牧首。这些信徒与科普特派、埃塞俄比亚教会和亚美尼亚教会一样，坚持基督一性论。他们在安提阿另立牧首，反对卡尔西顿派的各牧首，称之为拥帝派。在埃德萨主教雅各巴拉底乌（578卒）的积极赞助下，这些信徒另立教会，故称雅各派。叙利亚基督一性论派又称古叙利亚语派，因为他们在希腊各地早已不使用古叙利亚语时仍用它传达教义。而使用希腊语的叙利亚正教信徒则称罗马派。7世纪阿拉伯人占领叙利亚，这两派都被承认为非伊斯兰的合法宗教团体。古叙利亚语派称西派，亚述派即聂斯脱利派称东派。17世纪古叙利亚语派中的少数派与天主教联合，成为叙利亚公教会，其余信徒则称叙利亚正教会，但不同于坚持卡尔西顿会议决议的希腊正教会。叙利亚雅各派现在分布在黎巴嫩、伊拉克、土耳其和叙利亚，少数分布在约旦、埃及和美国。

Syrian rite 叙利亚礼仪 参阅 **Antiochene rite** *安提阿式礼仪*；**Chaldean rite** *迦勒底式礼仪*。

Syrian Wars 叙利亚战争 公元前3世纪主要的希腊化国家之间的5次冲突，参加者主要有塞琉西王国和托勒密埃及，其次有马其顿。围绕这几次战争进行的错综曲折的外交正是这些希腊化君主国家的特色。塞琉西和托勒密之间的争端的主要问题是对南叙利亚的控制权。在第一次战争（公元前274～前271）中，托勒密二世从塞琉西手中夺得了叙利亚北部沿海的腓尼基、安纳托利亚大部和基克拉泽斯群岛。在第二次战争（约公元前260～前255或前253）中，塞琉西国王安条克二世在马其顿的安提柯·戈纳图斯支援之下发动了一次大规模的战役获胜，恢复了腓尼基和安纳托利亚失地。第三次战争或称拉奥狄西战争（约公元前245～前241）是由托勒密三世发动的，旨在实行以前约定的外交安排，这些安排不利于安条克的太子塞琉古二世。为了巩固自己的地位，塞琉古不得不把安纳托利亚的领地割让给卡帕多西亚和本都的统治者。根据和约，托勒密留下了塞琉西在叙利亚的塞琉西亚皮埃里亚和色雷斯某些沿海地区。公元前236年，塞琉古在所谓兄弟战争中被迫把他的安纳托利亚属地让给他的兄弟安条克·希拉克斯。安条克又把这些属地丧失给安纳托利亚的统治者帕加马的阿塔罗斯一世。塞琉西以前的东部行省大夏和安息这时已经掌握在独立的统治者手中。到公元前221年，安条克三世开始执行重振塞琉西霸权的政策，在总的方面说来是成功的，但攻打埃及的计划却失败了。第四次战争（公元前219～前217）是安条克发动的，但这次战争中安条克不得不把科埃莱叙利亚（南叙利亚和巴勒斯坦）割让给托勒密四世。然而托勒密四世在巴勒斯坦拉斐亚的胜利却因埃及的起义而减色。第五次战争（公元前202～前200）的高潮是塞琉西努力再从托勒密手中夺回科埃莱叙利亚，而且接二连三地取得胜利。安条克后来在犹太的希腊化政策引起了公元前142年犹太的起义和独立。希腊化国家因历年不断的战争而元气大伤，在公元前2世纪和公元前1世纪纷纷沦入罗马统治之下。

syringomyelia 脊髓空洞症 脊髓及延髓的慢性、进行性疾病，以胶质增生及空洞形成为特征。表现为渐进性的分离性感觉丧失、肌肉萎缩及肌强直。病因不明，可能是发育缺陷，常伴有其他发育异常。症状通常出现于10～30岁之间；男性发病率高于女性。起病缓慢。初表现为手部小肌肉力弱、因痛觉与温度觉丧失（触觉正常）而致烧伤或其他损伤。感觉丧失在两臂与两肩上具有特殊的长方形披巾样分布。肌强直反射亢进不断发展。脊柱侧凸常见。延髓空洞症表现为舌萎缩、咽下困难、面部的痛觉与温度觉丧失等等。目前该病不能痊愈，无法治疗；但因该病进展缓慢，发病后患者尚可存活40年之久。

syrinx 鸣管 鸟的发声器官，位于气管的基部，即气管分支为支气管处。新大陆的鹫类没有鸣管，只能发出咝咝声或咕哝声。但鸣禽的鸣管结构十分复杂，由成对的特化软骨和膜（支气管的内壁）组成，为6对小的肌肉所控制。气管内空气柱的声音振动显然是由振动膜（支气管或气管壁特化的部分）造成并调节的。鸣禽（可能还有其他鸟类）能分别控制鸣管的左右两半，因此，能发出两种独立的声音。

syrinx（musical instrument） 参阅 **panpipe** *排箫*。

Syros 锡罗斯 现代希腊语作Síros。希腊基克拉泽斯群岛岛屿。位于爱琴海。面积84平方千米。岛上岩石裸露，岛形不规则，海拔442米。主要城市和港口埃尔穆波利斯（基克拉泽斯州首府）濒临东岸一海湾，其旧城区于13世纪由威尼斯人创建。现有造船、制革、棉纺织、编织和糖果业。海上贸易和商业航运为主要收入来源。人口19 668（1981）。

syrphid fly 参阅 **hover fly** *食蚜蝇*。

Syrtis Major 大流沙地带 火星表面上最醒目的一片黑暗标记，其中心在西经290°、北纬10°附近。从火星赤道向北延伸约1 500千米，东西的跨距达1 000千米。早在1659年，在C.惠更斯绘制的一幅标有日期的火星图像上，已为人所知。它是一大块沿南北方向伸展的宽阔而倾斜的地带，从其西边界（艾利亚地区）到东边界（伊赛邸地区）下沉了4千米。由于该地带有季节性和长期性的变化，特别是其东边界附近处，几个世纪以来都对之进行过精心的观测。最早曾认为大流沙地带是一片浅海，后来又以为它的变化是植物生长所致。20世纪60和70年代，美国的“水手”号和“海盗”号行星探测器相继取回的近景照片和观测资料，使科学家确知观测到的变化的起因是火星表面大风吹动尘沙。80年代初，根据地面分光观测和雷达探测以及空间探测器拍摄的照片所制备的详细地形图得知，大流沙地带在西经310°处还有一个高达6千米的隆起区域。

Syrtis Major（Mediterranean Sea） **大流沙** 参阅 **Sidra, Gulf of** *锡德拉湾*。

Syrtis Minor（Mediterranean Sea） **小流沙** 参阅 **Gabes, Gulf of** *加贝斯湾*。

syrtos 西尔托斯舞 希腊的古链舞。卢奇安（约125～190）曾有描述，现在希腊诸岛上仍以多种变体表演。传统跳法为男女各排一行，女队之首为一青年；现今男女常混行跳。

西尔托斯舞

供图：Spyros Meletzis

串连成行的舞蹈者保持简单的基本舞步，领舞者则常可离队即兴作舞。1803年苏利城幸存的妇女，面临被土耳其人俘获的危险，跳着西尔托斯舞自扎隆戈山撤退。卡拉马西阿诺斯舞为西尔托斯舞的一种形式，是极为流行的民族舞蹈，常伴以扎隆戈民歌而舞。卡拉马西阿诺斯舞是7/4拍（3+2+2）；西尔托斯舞通常是2/4拍。领舞者和其他舞蹈者均可即兴作舞,领舞者边跳跃边挥舞手帕,当选出新的领舞者时,可将手帕传给他。

Système International d'Unités 参阅 **International System of Units** 国际单位制。

systemic circulation 体循环 向机体组织供送氧合血液及收集组织去氧血的血管通路。血液自左心室搏出,经主动脉、动脉分支、小动脉,到毛细血管,在毛细血管与组织液达到交换平衡,然后经小静脉、静脉、腔静脉返回右心房。心脏的泵活动和血液本身的张力作用形成动脉压,使血液得以在血管内流动。体循环是由许多并联的通路组成,每条通路各有自己的小动脉阻力,以决定各自的血流量。例如饮食后流经消化道的血量增加;运动时流经肌肉的血量增加。参阅 **pulmonary circulation**。

systems engineering 系统工程 有效地应用各种知识来解决多方面工程问题的技术,是一个较新的领域。系统工程的起源,第一个是通信工程的商用电话业,第二个是运筹学。运筹学考虑最佳地使用现有设备,而系统工程则考虑新设备的规划,它们都使用许多相同的分析技术。系统工程最重要的应用方面,是在经济和技术条件允许的情况下,尽快地将科学或技术中的新发现用于现有的技术领域,或将已知的科学或技术用于开发新的领域。无论是哪一种情况,系统工程师要制订可靠的规划,显然需要有这方面的渊博知识。系统工程广泛使用电子计算机和通信技术。系统工程将多学科的技术和知识综合成为有效实现预定目标的过程。系统工程在两个主要方面得益于计算机的发展。首先,作为广泛的计算和直接模拟手段,计算机是分析复杂系统的强有力的工具;其次,计算机用来整理大量数据,或作为复杂系统特别是主要涉及信息传输的那些系统的实际组成。"系统工程和技术指导"这个习惯用语,描写了系统工程师对一项工程的起始规划和随后的管理所担负的责任。所谓的规划、计划、预算技术(PPB),就是系统工程与财政管理相结合的产物。系统工程的近期应用,着重于以计算机为基础的管理信息和控制系统。近年来,在许多大的民用事业如新城市规划中,系统工程也有应用。

如果一个系统大而复杂,就会难以说明它是如何工作的。实质上,系统工程的大部分内容就是由研究这些相对复杂系统的技术所构成的。最基本的技术是流程图,它本质上是定性的。一个更长久有效的技术途径是构造数学模型,即用一组方程式或有时用简单的表格或曲线来描写定量因素间的相互作用。数学模型不必很精确,只要能达到目的就可以了。通过部件、分系统间许多不同的相互作用方式,可以达到同样的系统最终性能水平。在启发如何以最经济的方式获得给定结果方面,优化研究有重要意义。系统工程师的首要任务是尽可能明确地将系统的目标用公式表达出来,这中间包括计算,以及同对系统有兴趣的人商量。多数系统具有多重目标,相互之间往往是矛盾的。例如,飞机设计中,如航程、速度、载重量和安全性等要求最大,而如噪声和污染等则要求最小,这就希望得到一个最理想的折衷方案。为了在相互竞争的目标间进行适当比较,需要一个足以包含各方因素的推理的参考系统。这样,系统工程师可以在多个系统的结构组织中,或者在不断增加普遍性的系统层次结构中,研究许多情况。

系统工程是完全面向用户的,对质量(可靠性、维修简单和操作方便)予以特殊重视。系统工程设计的最终阶段是评价阶段,即设法弄清系统在用户手中会工作得怎么样。系统工程使用的工具有:概率论、数理统计、算法论、系统逻辑、排队论、对策论、线性规则、控制论、模拟方法、信息论、伺服机构理论、人-机工程等。若涉及到随机过程时,还要有决策论、非线性规划、计量经济学的某些原理,以及通信理论。系统工程师在某些情况下,还需要一般地了解试验程序以及从既定试验计划获得最大信息量的方法。

不是所有系统工程计划都完全遵循相同的程序。许多权威公认,大致有系统研究、调研计划、研制计划、研制、运行等 5 个主要步骤。在工作比较复杂的情况下,要特别注意目标的调研、其他可能系统的考虑、数据搜集、人员组织和初步设计的评审。初步设计就绪以后,由适当的权威人士决定是否着手项目的研制。第一步是详细检查初步设计所包容的各个范围,以便为研制工作制订详细的蓝图,并为预测进度和投资提供足够的信息。然后,实际的研制工作就可以直接进行到终了。生产和运用阶段跟随在研制阶段后面。许多有用的系统,实际上是先前系统的改进。一部分分系统可能要改变,但并不添加或去除实质性的功能。在这种情况下,系统工程师的基本任务是重新优化现存的设计去满足新的条件。

全新系统的概念与一般工程中的发明创造相类似,通常对总体性能有实质性提高,超出对已知系统进行有限调整改组所能达到的程度。在很多情况下,研制进程中新系统的某些关键部分能达到什么样的性能,是不可能准确地预测的。这是留给系统工程师的特殊的规划问题。对于武器系统这类长远的系统研制,从最初的发现和概念到实际可行的设计阶段,主要的技术进展需要很多年的时间。系统工程师在这段时期内,要与这个工作保持接触,以便指出弱点,改正错误并保证计划成功实现。在许多情况下,对同一问题在技术上可以提供两种以上的相互竞争的解决途径。若有连续的系统工程组织存在,则一般不要作出不成熟的选择,宁可沿这些途径去工作,直到辨明哪一个方案优越或各自的优缺点为止。

迄今,系统工程的最大的应用领域有两个:一是工业,在这里系统工程有进一步发展的光辉前景。另一个是军事和航天系统,这是推动系统工程的主要动力所在。此外,系统工程在世界范围的基本社会经济问题方面,也有新的应用。为了将军事系统工程技术转移于民用,美国政府委托航空航天方面的 4 家大公司研究下面的课题:①全国范围的信息处理系统,包括一项实施计划;②防止和控制犯罪违法的计划;③垃圾处理问题;④解决基本运输问题的系统途径。

systole 收缩期 心室收缩向主动脉和肺动脉干射血的阶段,出现于第一心音和第二心音之间,通常持续 0.3 ～ 0.4 秒。收缩期开始为短暂的等容(建立压力)收缩期,继之为射血期。每心室每次射血量为 80 ～ 100 毫升。收缩期动脉血压最高(收缩压),正常人约为 120 毫米汞柱,由于血管壁的膨胀性,故稍低于心室压力。心房收缩发生于心室舒张末期,使心室得以完全充盈。收缩期亦指原生动物收缩空泡的收缩阶段。参阅 **blood pressure**。

systole and diastole 长音节缩短与短音节延长 在韵律学中,长音节缩短是指将一发音长或位置长的音节缩短,主要用以调节一诗行的节奏,使格律整齐。短音节延长则正相反,是将短的音节延长,使格律不整齐。

Syv Systre 絮夫絮斯特雷 又称克尼夫斯夫洛福什(Knivsflåfoss)。挪威中西部默勒-鲁姆斯达尔郡境内瀑布。源出盖特山。水流从一高峻悬崖上奔泻,落入崖下的盖伦格峡湾,落差达数百英尺。其名称意为"七姐妹",指在瀑布顶端汇合的 7 条小河。在瀑布以东高出峡湾 240 米的小高原上,有一农场只能乘空中缆车到达。该瀑布使盖伦格峡湾成为一个著名旅游胜地。

Syzran 塞兹兰 俄罗斯西部萨马拉州城市。位于伏尔加河与塞兹兰河交汇处。1683 年建为塞兹兰防线东端要塞。现是重要河港及伏尔加-乌拉尔西部油田中心,有炼油、化工、玻璃制造、木材及食品加工业。人口约 175 900(1993)。

Szabolcs-Szatmár-Bereg 索博尔奇-索特马尔-拜赖格 匈牙利东北端一州。面积5 938 平方千米。境内多低地、小河。州首府尼赖吉哈佐(Nyíregyháza)和尼尔塞格区多沙地。海拔 168 米。蒂萨河水系交叉。由于广泛种植果树和林木沙地日趋稳定。该州其他地区为河边平地,其中一部分为难于排水的沼泽地。州内除种植果树外,又种植谷物(尤为黑麦)、粗饲料、向日葵和烟草等,也饲养牛、猪和绵羊。重要产品有果汁白兰地、工业酒精和吗啡。主要城市除州首府外,有小瓦尔道和马泰绍尔考。人口约564 000(1993)。

Szálasi, Ferenc 萨拉希(1897-01-06,奥匈帝国匈牙利卡萨～ 1946-03-12,布达佩斯) 军人和政客,第二次世界大战即将结束时为匈牙利法西斯的领导人。早年参军。1925 年升为上尉,在总参谋部任职。1930 年参加种族主义的秘密组织。1935 年退役,建立民族意志党,其政纲以沙文主义、反犹太主义为基础。他曾多次被匈牙利政府监禁。但在第二次世界大战即将结束时,纳粹军队开入匈牙利,他登上了政治舞台。作为匈牙利法西斯箭十字党的首领,他成为国家名义上的元首(1944-10-15)。在 1945 年 4 月德军撤离之前,他与德国人全面合作,唆使箭十字党的暴徒迫害犹太人、左翼人士以及不胁从者。后在德国被美军俘获，送回匈牙利，由人民法庭判处死刑并处决。

Szamos River（Romania） **索莫什河** 参阅 **Someş River** 索梅什河。

Szápolyai, János（king of Hungary） **扎波利亚** 参阅**John**（Hungary）约翰（匈牙利）项下的 **John** 约翰。

Szatmárnémeti（Romania） **萨特马尔内迈蒂** 参阅 **Satu Mare** 萨图马雷。

Száva River（Balkan Peninsula） **萨沃河** 参阅 **Sava River** 萨瓦河。

Szczecin **什切青** 德语作Stettin（斯德丁）。波兰西北端港口城市、西滨海省省会。位于奥得河近河口处西岸，距波罗的海65千米。主要行业是造船和航运。有证据表明2 500年前始有航海人居住。8～9世纪为西波美拉尼亚斯拉夫人渔业、商业居民点。10世纪并入波兰。1243年建市，为西波美拉尼亚公国首府。1360年加入汉萨同盟。1637年划入勃兰登堡选民区。1648年被瑞典人占领。1720年并入普鲁士，由德国统治。第二次世界大战后归还波兰。1826年港口开始现代化建设。该城与希维诺乌伊希切构成波兰最大港口联合体，20世纪90年代初期，每年进出船只约6 000艘。是捷克共和国、匈牙利和德国经奥得河出口货物的重要港口，主要出口煤。也有食品加工、金属制品、化肥、混纺机械等工业。下奥得河发电厂为该市和波兰西北地区工业提供电能。为波兰西部的文化中心，有4所高等院校，数座剧院，1个交响乐团，若干图书馆和国家博物馆。该市风景如画，多公园和小湖。人口约415 399（2002）。

什切青市的船坞

供图：Jan Hattowski—Interpress

Szczecinek **什切齐内克** 德语作Neustettin（新斯德丁）。波兰西北部科沙林省城镇。原为斯拉夫部族要塞。1310年建镇。17世纪被勃兰登堡侵占。第二次世界大战中该镇一半被毁。现为周围地区的商业中心。有乳制品、锯木、酿酒和食品加工等工业。风景优美，有供划船游乐的港湾以及哥特式圣尼古拉教堂（16世纪）等名胜。人口约39 328（2002）。

Szczeciński Lagoon **什切青潟湖** 德语作Stettiner Haff（斯德丁湾）或Oderhaff（奥得湾）。波罗的海海岸潟湖。位于德国梅克伦堡-西波美拉尼亚州和波兰什切青省之间。面积900平方千米。由奥得河三角河口向外扩展而成。湖水流入波美拉尼亚湾以及乌瑟多姆岛和沃林岛之间的波罗的海。

Széchenyi, István, Count **塞切尼**（1791-09-21，奥地利帝国维也纳～1860-04-08，维也纳附近德伯林） 匈牙利改革家和作家。旧贵族家庭出身。曾参加反拿破仑的战争，后来遍游欧洲。英、法两国的现代化给他留下深刻的印象。1825年捐献一年的收入建立匈牙利国家科学院。在他的推动下匈牙利贵族纷纷成立俱乐部，开展对政治问题的讨论。1830年起他开始发表一些著作，如《信用》（1830）、《光》（1831）和《露天运动场》（1833）。在这些著作中他主张匈牙利一定要发展经济。他认为贵族应对国家的灾难负责。他修筑公路，改善多瑙河上的航运，使轮船能直通黑海。同时在布达佩斯建造了多瑙河上的第一座吊桥。19世纪40年代中，他的许多追随者转向更加激进的年轻领导人L.科苏特。他忠于哈布斯堡王朝，主张经济发展先于政治自由，与科苏特意见相左。1848年参加L.包贾尼的内阁。1859年发表批评奥地利对匈牙利实行专横统治的檄文。翌年自杀。

供图：Bild-Archiv, Osterreichische Nationalbibliothek, Vienna

Szechwan（China） 参阅 **Sichuan** 四川。

Szechwan Basin（China） 参阅**Sichuan Pendi** 四川盆地。

Szeged **塞格德** 匈牙利东南部城市（拥有州级地位），琼格拉德州首府。濒临蒂萨河，位于距匈牙利-罗马尼亚-塞尔维亚3国边境数英里处。阿尔帕德王朝（10～15世纪）时期为军事要塞，曾被鞑靼人和土耳其人劫掠。1879年遭水灾后重新规划，建起防洪坝。新塞格德建在面对蒂萨大桥的左岸。历史建筑物有市政厅、塔楼、教堂等。有阿蒂拉·约瑟夫大学（1872年建）、塞格德医科大学（1872年建，1951年重建）、匈牙利科学院微生物研究所和国家剧院。工业有化学、玻璃、纺织、橡胶和家具等。特产为辣椒粉和香肠。人口约168 372（2001）。

塞格德市的许愿弥撒大教堂

供图：Gyorgy Lajos—INTERFOTO MTI, Budapest

Székesfehérvár **塞克什白堡** 德语作Stuhlweissenburg（施图尔韦森堡）。匈牙利中西部城镇，费耶尔州首府。在包科尼山东北部边缘、布达佩斯西南。10～16世纪为匈牙利王国首都。以后又称作奥尔鲍·雷吉阿，是大沼泽内地的一个有天然防御的坚强堡垒。1543～1688年被土耳其人占领，大教堂和宫殿遭洗劫与破坏，人口减少。18世纪复苏，开始大兴土木。1945年德国在匈牙利的最后反攻几乎使该城全部被摧毁。古迹有历代匈牙利国王登基的大教堂和巴罗克式大主教宫。工业有汽车、装配收音机和电视机、摩托车、机床、轧铝以及屠宰牲口等。现仍为蔬菜、葡萄、马匹的交易中心。欧洲最大的汽车制造厂之一设在此。也是布达佩斯与西南部之间的主要铁路和公路枢纽。伊布尔博物馆藏有匈牙利伟大建筑师米克洛斯·伊布尔的文物。人口约106 346(2001)。

Szekler 塞克勒人 特兰西瓦尼亚东部(今属罗马尼亚)穆列什河和奥尔特河上游流域的民族。20世纪70年代约有86万人,它是罗马尼亚政府正式承认的一个少数民族。塞克勒人的来源问题曾有争论。根据普洛可比《哥特战记》一书所载,他们是阿提拉所率匈奴人的后裔。现在一般认为他们是真正的匈牙利人或马扎尔人(或至少是马扎尔化了的突厥人之后代),曾被派遣到该地以保卫边疆,"塞克勒"一词即"边疆卫士"之意。塞克勒人与其他罗马尼亚人不同,其民族特征主要表现在塞克勒语——匈牙利语的一种方言,它一直富有活力。他们使用源于古突厥字母的如尼字母,而拉丁化的罗马尼亚字母大多用于公文及商业函件。1952年,塞克勒人密集的穆列什省正式改为马札儿自治区;1960年再度更名为穆列什马札儿自治区,1968年该自治区又划分为穆列什及哈尔吉塔两非自治地区。

Szekszárd 塞克萨德 匈牙利中南部城镇,托尔瑙州首府。位于布达佩斯东南方,近希欧河。城镇中心在山丘上,面向希欧河。几世纪以来,以葡萄园出名。旧行政厅建于1823年。三一柱是塞克萨德的主要建筑标志。人口约39 005(1989)。

Szell, George 塞尔(1897-06-07,奥匈帝国匈牙利布达佩斯～1970-07-30,美国俄亥俄克利夫兰) 原名 György Széll。匈牙利出生的美国指挥家、钢琴家和作曲家。长期(1946～

贝特曼档案馆供图

1970)在克利夫兰管弦乐团任音乐总监,使该乐团发展成美国一流乐队之一。自幼即为钢琴神童,在维也纳受教育。16岁时与维也纳交响乐团合作,举行他的首次指挥演出。1915年R.施特劳斯委派他去柏林国家歌剧院任职,随后他又应聘去布拉格、达姆施塔特和杜塞尔多夫的歌剧院工作。先后在柏林国家歌剧院(1924～1929)、布拉格德国剧院(1930～1937)任第一指挥,在苏格兰管弦乐团(1937～1939)任指挥。在第二次世界大战前,曾与包括美国和苏联在内的一些国家的管弦乐团合作演出。1939年战争爆发后,塞尔移居美国,在美国许多城市指挥演出。1942～1946年在纽约市大都会歌剧院担任指挥,1946年入美国籍。同年开始担任克利夫兰管弦乐团音乐总监之职,直到1970年去世。塞尔曾率克利夫兰管弦乐团广泛巡回演出,因演出莫扎特、贝多芬、舒伯特、勃拉姆斯和马勒作品时的清晰、平衡和艺术激情而享誉世界。

Szent-Györgyi, Albert 森特-哲尔吉(1893-09-16,奥匈帝国匈牙利布达佩斯～1986-10-22,美国马萨诸塞伍兹霍尔) 又译圣捷尔吉。匈牙利生物化学家,因发现了某些有机

供图:Boyer—H. Roger-Viollet

化合物(特别是维生素C)在细胞营养物氧化过程中的作用而获1937年诺贝尔生理学或医学奖。1917年在布达佩斯大学获医学学位。后对生物化学感兴趣,在德国和荷兰致力于该领域内的研究。1927及1929年在剑桥大学工作,1928年在明尼苏达罗切斯特的梅奥基金会工作,从植物汁液及肾上腺提取物中发现并游离出一种有机还原剂,称之为己糖醛酸(今知即抗坏血酸);4年后在匈牙利塞格德大学任教授时(1931～1945),证明该酸即1907年A.霍尔斯特及A.弗勒利希发现的抗坏血病的维生素C。森特-哲尔吉后转而研究某些有机化合物,它们参与碳水化合物的分解产物转化为二氧化碳、水及细胞内产生可用能量所需的其他物质的过程。他的研究为H.A.克雷布斯两年后解释全转化循环(克雷布斯循环)奠定了基础。他研究肌肉活动的生物化学过程时,在肌肉中发现一种蛋白质,称之为肌动蛋白,证明它与肌凝蛋白结合时肌肉即收缩,并证明腺苷三磷酸(ATP)是肌肉收缩所需的直接能源。1947年迁居美国后即担任马萨诸塞州伍兹霍尔肌肉研究所所长,并研究细胞分裂的原因及癌症等。森特-哲尔吉1970年著《疯猿》,对科学及人类在地球上的生存前景做了不满而悲观的评论。他的科学著作包括《论氧化、发酵、维生素、健康与疾病》(1940)、《躯体及心脏肌肉收缩的化学生理学》(1953)及《亚分子生物学导论》(1960)等。

Szeryng, Henryk 谢林格(1918-09-22,华沙附近热拉佐瓦沃拉[波兰]～1988-03-03,西德卡塞尔) 波兰出生的墨西哥小提琴家,以演奏一些重要曲目著称。在柏林师承C.弗勒施,在巴黎师承J.蒂博。1933年初次登台演出,1933～1939年在巴黎是N.布朗热的作曲学生。在第二次世界大战期间,他是波兰流亡政府的人员。会讲7国语言,曾担任翻译工作,并去墨西哥为难民寻找避难所。曾为欧、亚、非和南北美洲的同盟国军队演出300多场音乐会。1943年任墨西哥大学教授。1946年入墨西哥籍。在A.鲁宾斯坦鼓励下,1954年重新开始音乐会事业,不久就以技术精湛和风格优雅而受到赏识。他录有许多唱片,包括莫扎特的全部小提琴与管弦乐队作品和巴赫的独奏奏鸣曲和帕蒂塔曲。1970年成为联合国教科文组织音乐特别顾问。

Szilard, Leo 齐拉特(1898-02-11,奥匈帝国匈牙利布达佩斯～1964-05-30,美国加利福尼亚拉霍亚) 匈牙利出生的美国物理学家,参与第一次自持的链式核反应研究,对开创研制原子弹的曼哈顿工程起了作用。1922年获柏林大学博士学位,并任职于该校理论物理学研究所。1933年纳粹掌权后到维也纳,1934年到伦敦,在圣巴托罗缪医院的医学院任物理学教职。在该院与英国物理学家T.A.查尔默斯一起发展了最初的人造放射性元素的同位素分离法。1937年到美国,在哥伦比亚大学任教。1939年,齐拉特、E.特勒、E.维格纳说服爱因斯坦向罗斯福总统写了一封著名的信,建议立即发展原子弹。从1942年到大战结束在芝加哥大学进行核研究,帮助E.费米建造第一座核反应堆。1946年在芝加哥大学任生物物理学教授。原子弹首次使用后,齐拉特便积极宣传原子能的和平应用和核武器的国际控制,创立了适于居住的世界理事会。1959年获得原子用于和平奖。1961年发表了滥用科学知识的讽刺画集,题名《海豚之声及其他故事》。

Szold, Henrietta 佐尔德(1860-12-21,美国马里兰巴尔的摩～1945-02-13,耶路撒冷) 美国哈达萨会即美国犹太妇女复国组织的创立人。佐尔德是犹太教拉比之女,原任教师。1891年为巴尔的摩操俄语的犹太移民开办夜校。1888年创建美国犹太人出版协会,身兼犹太文献翻译、编辑及主编三种职务,迄于1916年。1912年犹太教普珥日,佐尔德与其他妇女共同成立哈达萨会(希伯来语哈达萨即以斯帖,是普珥日所纪念的犹太女豪杰之名),佐尔德当选会长。1916年她组织大型医疗队赴巴勒斯坦工作,不久即定居于该地。她是当选世界犹太复国运动执行委员会的第一位妇女,负责卫生与教育工作。佐尔德成立儿童福利会(后改名佐尔德基金会),1933年任以营救受纳粹迫害的犹太青年并辅导他们迁居以色列为宗旨的青年联盟的主席。哈达萨会后来扩大活动范围,为美国犹太人办教育,并筹建住房和公用设施。

Szolnok(county, Hungary) **索尔诺克** 参阅 **Jász-Nagykun-Szolnok** 亚斯-瑙吉孔-索尔诺克。

Szolnok 索尔诺克 匈牙利中东部城镇,索尔诺克州首府。位于佐吉沃河和蒂萨河汇合处。阿尔帕德王朝(约890～1301)时为一集市以及取自马拉穆列什山(今在罗马尼亚)的岩盐销售中心。欧洲中世纪后期为马扎尔人与土耳其人激烈争夺的战略要地。现发展

成运输中心和河港。坐落在布达佩斯—德布勒森公路线上，有几条国际铁路线通过第二次世界大战后建成的蒂萨大桥。1977 年建成新火车站。除转口贸易外，有家具、纺织、化学、纸张、植物纤维等工业。有市政厅、剧院、博物馆、艺术家聚居区。人口约 80 859 (1994)。

Szombathely 松博特海伊 德语作 Steinamanger(施泰纳曼格)。匈牙利西北部城镇，沃什州首府。位于珍珠河畔，靠近奥地利边境。建于公元 43 年。史迹有古罗马大道、伊希斯神庙、大主教邸宅和巴罗克式大教堂。现为重要农业中心(葡萄酒、水果、蜂蜜)和铁路枢纽。工业有制革、纺织、制鞋、农机制造等。人口约85 932(1994)。

Szymanowski, Karol (Maciej) 席曼诺夫斯基(1882-10-06，俄罗斯帝国乌克兰蒂莫肖夫卡～1937-03-29，瑞士洛桑) 20世纪初波兰最重要的作曲家。自幼便开始作曲和弹钢琴，1901 年前往华沙跟私人教师学习和声、对位与作曲，直至 1904 年。后去柏林，组织青年波兰作曲家出版公司(1905 ～ 1912)，以出版他的同胞们的新作。这一时期的作品受到 R.施特劳斯、瓦格纳和斯克里亚宾的影响。第一次世界大战开始后返回祖国。1914 ～ 1917 年与欧洲音乐社会隔绝，大量创作并研习伊斯兰文化与古希腊戏剧和哲学。这一时期的作品表现出极大独创性和风格上的多样性。1918 年波兰建成独立国家，他开始对波兰民间语汇深感兴趣，并尝试建立波兰民族风格。寓居扎科帕内期间，他接受了塔特拉山地居民的音调语言、切分节奏和曲折的旋律。这一时期的著名作品包括钢琴曲《马祖卡 20 首》(1924～ 1925)和芭蕾舞剧《哈尔纳西》(1923 ～1931)。他曾广泛旅行，在伦敦、巴黎和美国宣传他的作品，使其歌剧《哈吉斯》和《罗杰王》(1918 ～ 1924)驰誉世界。1927 年定居华沙后，任华沙音乐学院院长，历时 5 年。30 年代的作品中虽仍采用民间音乐素材，但其形式和配器却使人想起他早期作品。晚期主要作品有《第四交响曲》和合唱曲《造物主降临》(1930)等。

供图：Österreichische Nationalbibliothek, Vienna

T

T4 Program　T4 计划　又称 T4 安乐死计划。纳粹德国制定的安乐死计划，旨在处死患不治之症、身体或精神残疾、神经错乱以及年迈的人群。A.希特勒于 1939 年启动这一计划。该计划虽在表面上于 1941 年停止，但 1945 年纳粹德国战败前仍在秘密进行。1939 年 10 月希特勒授权其私人医生和元首府首脑处死不宜生存者。并将发布此项命令的日期改为 1939 年 9 月 1 日，即第二次世界大战开始之日，以使其披上战时措施的外衣。数月内，T4 计划实际上已波及整个德国的神经病患者。新组建的由医生领导的部门有权处死任何被视为“无生存价值的生命”。而该计划的重要标准在于经济，并非完全基于遗传和病患。纳粹分子将该计划的受害者称为“累赘的生命”和“无用的饭桶”。该计划主管曾下令对所有神经病院、医院和家庭展开慢性病患者调查；医学专家对德国各地报送的表单进行审查，这些专家握有生死大权。起初是通过饥饿和致命针剂，后采用毒气室。在德国和奥地利共建起 6 个屠杀中心。后屠杀中心变为死亡营，屠杀技术先进。有些医生提出抗议，一些人拒绝填写表单，天主教会也对此“安乐死”提出抗议。明斯特的主教冯·加伦对希特勒政权公开提出挑战，认为基督徒有责任反对屠戮生灵，即便招致杀身之祸。到 1941 年 8 月 24 日，T4 计划执行近两年后似乎停止下来，但事实上是转入地下，在战争期间继续秘密进行。在公开执行的两年间，虽然宣称其受害者有 70 000 多人，但自制定该计划至 1945 年纳粹政权垮台，屠杀中心所杀害的人数远不止此，总数可能达到 200 000 人或更多。

T-square table　T 字型方桌　参阅 **Parsons table** 帕森斯桌。

T Tauri star　金牛座 T 型星　一类质量与太阳相当的十分年轻的恒星。因位于称为欣德变光星云中的一个发光气体和尘埃区内的原型而得名。金牛座 T 型星的特征是亮度有极不规则的变化。它们是处在恒星演变早期阶段的天体，即刚刚由星际气体和尘埃的快速引力收缩形成的恒星。这类年轻恒星是十分不稳定的，虽然此刻的收缩过程比以前减慢很多，但仍处在其内核温度尚不足以支持产能的核反应的状态。迄今已观测到的金牛座 T 型星有 500 多颗。我们确信太阳在其早期历史中曾历经过金牛座 T 型星阶段。

t-test, Student's　参阅 **Student's t-test** 学生 t 检验。

T_4 (explosive)　参阅 **RDX** 旋风炸药。

Ta-ang (people)　**塔昂人**　参阅 **Palaung** 崩龙人。

Ta-chien-lu (China)　**打箭炉**　参阅 **Kangding** 康定。

Ta-ch'ing oil field (China)　**大庆油田**　参阅 **Daqing** 大庆。

Ta-hsüeh Mountains (China)　参阅 **Daxue Shan** 大雪山。

Ta-li (China)　参阅 **Dali** 大理。

T'a-li-mu Ho (China)　参阅 **Tarimu He** 塔里木河。

Ta-pa Mountains (China)　参阅 **Daba Shan** 大巴山。

Ta-pieh Mountains (China)　参阅 **Dabie Shan** 大别山。

Ta-ts'ang Ching　《大藏经》　日语作 Daizō-kyō。中国和日本佛教列为经典的全部文献汇编。中国标准版本收 2 000 多部，日本最新版本收 3 000 多部。梵文典籍的 1 世纪汉语译本是《大藏经》的主体，以后陆续充实，一直到 8、9 世纪。许多经籍梵文本已经失传，仅存汉语或藏语本。《大藏经》收小乘佛教特别是小乘一切有部的著作，此外还包含后期密教论著和中国作者撰写的佛教史、僧人传，以及元、明两代（13 ～ 17 世纪）佛教诗集。

Ta-t'ung (Shansi, China)　参阅 **Datong** 大同。

Ta-yeh (China)　参阅 **Daye** 大冶。

Taabwa (people)　参阅 **Tabwa** 塔布瓦人。

Taaffe, Eduard, Count (Graf) von　塔费伯爵（1833-02-24，奥地利维也纳～1895-11-29，奥匈帝国波希米亚埃利斯乔[今捷克共和国纳尔佐维]）　奥地利首相（1868 ～ 1870，1879 ～ 1893）。他控制了帝国的大部分相互争吵的民族，结成一个保守的联盟，在皇帝弗兰

供图：Bild-Archiv，Osterreichische Nationalbibliothek，Vienna

茨·约瑟夫统治时期他执政最久。爱尔兰人的后裔。皇帝弗兰茨·约瑟夫少年时代的密友。1852 年参加政府工作，晋升很快，历任上奥地利总督、内务大臣、国防与公安大臣。1868 年出任首相，1870 年辞职。1871 年起任蒂罗尔总督。1879 年 8 月再任首相，执政 14 年。他最大的成就是对波兰人和捷克人的民族主义情绪作出让步，恢复了一些秩序。

Taal Lake　塔阿尔湖　菲律宾火山口湖。位于吕宋岛西南部。宽 24 千米，海拔 3 米以下，面积 244 平方千米，为全国第三大湖。湖内有火山岛，海拔 300 米。岛上也有一小火

吕宋岛上的塔阿尔湖及火山岛与黄湖
菲律宾航空公司供图

山口湖（黄湖）。火山岛称作塔阿尔火山，1572 年以来喷发过 25 次，最近一次在 1970 年。旧破火山口的外缘逐渐高起而成峭壁，在马卡洛德山（Mount Macalod）东南部高达 947 米。塔阿尔湖在一国家公园内，为旅游胜地。湖水经潘锡皮特河（Pansipit River）注入南海的巴拉延湾。

Taban lo Liyong　塔班·洛·利永　参阅 **Liyong, Taban lo** 利永。

Ṭabaqah Dam (Syria)　**泰巴盖坝**　参阅 **Euphrates Dam** 幼发拉底水坝。

Ṭabarī, aṭ-　塔百里（约 839，泰伯里斯坦阿莫勒[伊朗]～923，伊拉克巴格达）　又译泰伯里。穆斯林学者。一生著述甚丰，最著名的著作是《古兰经注》和《历代先知和帝王史》。曾求学于伊拉克、叙利亚、埃及等地的主要学术中心，并从无数学者和图书馆那里搜集各种口传和书面资料。他生活的时代政局混乱，社会危机严重，哲学与神学争论激烈。塔百里在历史和《古兰经》研究方面的主要贡献不在于发现和记载资料，而在于选择和整理资料。他把前代穆斯林学者遗留下来的经注和史料（原件已失传）加以精炼，为后世的《古兰经》研究和史学奠定基础。《古兰经注》按照《古兰经》的顺序逐字解释，把先知穆罕默德、圣门弟子和再传弟子所传法律、词意和历史的解释列在一起。每段传述附有传述线索。《历代先知和帝王史》叙事从创造天

地以及古代族长、先知和君主事迹，直到萨珊王朝各代君主本纪。关于穆罕默德的事迹，塔百里取材于麦地那学者经考证而得的资料。在该书中，从伊斯兰教历纪元(622 年，即先知穆罕默德从麦加迁徙麦地那之年)至 915 年的史实的编排为编年体。约在 963 年，萨珊王朝亲王曼苏尔·伊本·努赫将此书译成波斯文。

Ṭabarīyā, Buḥayrat(Israel) **太巴列湖** 参阅 **Galilee, Sea of** 加利利海。

Tabasco **塔瓦斯科** 墨西哥东南部一州。西北临墨西哥湾的坎佩切湾，东南界危地马拉。面积25 267平方千米。地势低平，大部分为湖泊和沼泽地，东南部和南部地势比较高。

塔瓦斯科州比利亚埃尔莫萨附近一露天博物馆内的奥尔梅克人玄武岩巨柱式人头雕像

供图：© Robert Frerck—Odyssey Productions

境内格里哈尔瓦河(亦称塔瓦斯科河)和乌苏马辛塔河及其支流为交通要道。格里哈尔瓦 1518 年访问过这一地区。1519 年科尔特斯第一次同当地印第安人发生冲突。1824 年设州。20 世纪 60 年代以前州主要经济部门是农业(可可、椰肉干、玉米、甘蔗和香蕉)、林业(桃花心木、红杉)、养蜂业、渔业和养牛业。后石油资源得到开发。佩梅克斯城和拉本塔有大型石油化工厂，为州内 30 多个油田所产原油加工。大部分油田是在 70 年代中期和后期发现的。该州首府比亚埃尔莫萨(**Villahermosa**)通公路和航空线，并且通过特阿帕通铁路。塔瓦斯科的主要港口有弗龙特拉，在格里哈尔瓦河入海口处。人口 1 208 000 (1984)。

tabasco **指天椒** 茄科植物辣椒(*Capsicum frutescens*)的一个变种。红色，味极辣。参阅 **pepper**。

Tabasco Plain **塔瓦斯科平原** 墨西哥东南部塔瓦斯科州墨西哥湾附近的热带低地。为特万特佩克地峡以北和尤卡坦半岛以南的一片沿海低地。塔瓦斯科平原是一片炎热而潮湿的土地。由格里哈尔瓦河和乌苏马辛塔河的沉积物构成，覆盖着茂密的热带森林。降雨量大，在低洼的三角洲有许多潟湖与沼泽，每年大水淹没大片地区。最早进入这一地区的欧洲人是格里哈尔瓦(1518)和科尔特斯(1519)。但又过了 20 年，经过激战，西班牙人才从印第安人手中夺取了该地的控制

塔瓦斯科平原比利亚埃尔莫萨附近的炼油厂

供图：© Robert Frerck—Odyssey Productions

权。塔瓦斯科平原产香蕉、椰子、可可、咖啡和甘蔗。原来人烟稀少，20 世纪 70 年代末发现油田后，有大量人口涌入。

Tabatabā'ī, Sayyid Zia od-Din **塔巴塔巴伊**(约 1888 ～ 1969-08-29，德黑兰) 伊朗政治家，曾领导 1921 年政变，在政变中成为首相。第一次世界大战时期，以主编亲英的《雷声报》出名。1919 年率准外交使团与巴库的反共的俄国革命者谈判一项商业协定。回伊朗后参加民族主义的秘密团体"钢委员会"，建立一个反共政治家的联盟，策划 1921 年 2 月 21 或 22 日政变，结果出任伊朗首相。就任后不久就与政变的军事领袖礼萨·汗上校(1925 年成为伊朗国王)发生争吵，5 月被迫流亡，在巴勒斯坦度过 20 年。1941 年 9 月礼萨·汗退位后，他回到伊朗。1942 年被选入伊朗议会，1943 年建立亲英反共的民族意志党。1951 年退出政治舞台。

tabby **斑猫** 被毛具深色带条纹的家养猫和野生猫。是最常见的被毛色型之一，历史可追溯到古埃及的家猫。毛色不同，但可供展览的标准类型应有下述深色斑纹：面部和颊上有条纹和螺纹；肩背有蝴蝶形图样；胸部有两个环状纹；背部和体侧有条纹；腿和尾部

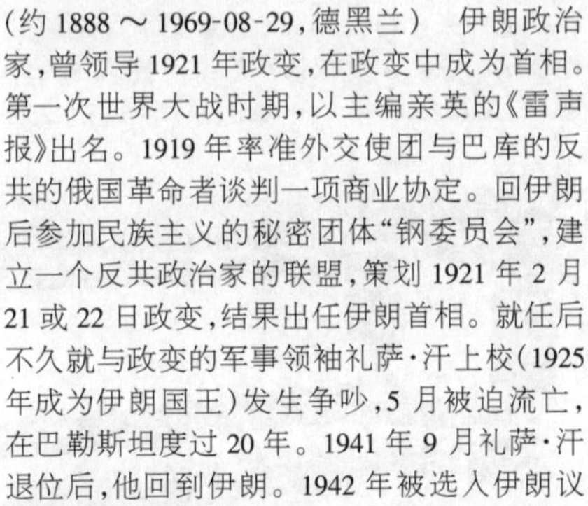

斑猫

供图：John Gaida

有多数环状纹。允许的底色为棕色、银灰色、淡蓝乳白色和棕红色。

tabby weave(textiles) 参阅 **plain weave** 平纹组织。

Tabernacle **圣所** 犹太教历史名词，指希伯来人领袖摩西在率领全族各支派经历旷野前往迦南途中为拜神而立的帐篷。公元前 950 年，耶路撒冷城内所罗门圣殿建成，圣所即不再使用。最早的圣所无非是简陋的帐篷，称会幕，据说上帝曾在内显现并宣布旨意。圣所是毛毯帐篷，饰有噻咯啪(长有翅膀的天使)。帐篷内部隔成两室：圣所和至圣所。外室设陈设饼案、香坛和七连灯烛台。至圣所据说是以色列的上帝所居之处，约柜之上有大金板，板上有施恩座，即上帝住处，虽然非人眼所能见。宝座两侧各有一噻咯啪侍立。约柜是包金木柜，内装刻有"十诫"的法板。

Tabernacles, Feast of (Judaism) 参阅 **Sukkoth** 住棚节。

tabes dorsalis **脊髓痨** 又称进行性运动性共济失调。少见的神经型三期梅毒。包括感觉缺陷、神经肌肉协调障碍及反射减退。此类型神经梅毒的症状主要影响下肢，可在初染 25 年之后才出现。若不加以治疗，脊髓痨通常影响行走而严重影响患者生活。症状来自脊髓背根的变性，故拉丁文病名意为"背侧退化"。最早症状通常是"电击样痛"，即一过性的下肢刺痛。继而腱反射丧失，肌肉活动协调性进行性丧失(共济失调)，造成痉挛性的不平衡的步态。患者不能感觉到疼痛、肢体位置和温度；这些感觉缺陷可造成小便(有时还有大便)失禁，严重的足部溃疡和夏尔科氏关节(膝和髋的骨性关节炎)。神经变性还造成双眼瞳孔丧失对光反射。脊髓痨极少致死。用青霉素去除致病微生物——苍白密螺旋体(*Treponema pallidum*)，可以缓解疼痛但是并不能扭转神经变性。脊髓痨的其他治疗还包括对减退的功能给予支持以及防止进一步的恶化等。

Tabgatch DYNASTY **拓跋氏王朝** 参阅 **Northern Wei** DYNASTY 北魏。

Tabinshwehti **莽瑞体**(1512，缅甸东吁～1550，勃固) 统一缅甸的国王 (1531 ～1550)，东吁王朝第二代君主。1535 年进攻下缅甸的勃固王国，夺取伊洛瓦底江三角洲上的勃生城。4 年后攻占勃固。勃固王逃至卑谬。他又雇用葡萄牙兵痞，1541 年夺取马达班和毛淡棉二城，翌年攻占卑谬。大多数南方诸侯成为他的封臣。莽瑞体在缅甸南部的统治远至暹罗边界的土瓦。1546 年定勃固为首都。他计划以缅甸为基地侵略暹罗。他首先攻打伊洛瓦底三角洲西面的若开王国，企图在那里扶植一个傀儡国王。但因暹罗人攻打土瓦而撤兵。1548 年包围暹罗首都大城，未克，不得不班师回国。1550 年被诸侯暗杀。

tablā 塔布拉鼓 北印度室内乐演奏用的一对小鼓。一只音调较高，也称为塔布拉，有时称达希那鼓（右图）。它是单面皮的鼓，木制，外形像两个截头圆锥体，中心凸出，较低

塔布拉鼓：（左）"巴希那"鼓；（右）"达希那"鼓
供图：James Blades

部分比较短。绷皮用皮带和木榫，再调音时用榔头把榫打开。它通常是按"拉加"（旋律型）的主音定调。"巴希那"鼓（左图）是一种深的锅鼓，通常是铜制，但也有陶制或木制的，用箍和皮带绷紧鼓皮。演奏者用手掌后部的压力改变音高。一块黑色调音膏放在每个鼓上，以使它产生泛音。鼓用手指和双手演奏。

Tablas de Damiel National Park 塔布拉斯德达米埃尔国家公园 西班牙中南部的自然保护区。位于雷亚尔城东北约 30 千米、瓜迪亚纳河和锡克埃拉河汇流处。建于 1973 年，占地 1 875 公顷。塔布拉斯沼泽的淡水和半咸水域栖息着多种水禽（包括留鸟和候鸟）。

tablature 奏法记谱法 根据演奏者的手指位置的一种记谱体系，与用音符来表示节奏和音高的方法相对立。在文艺复兴和巴罗克时期用于诗琴和键盘乐器音乐。诗琴的奏法谱有 3 个主要变种：法国式、意大利式（也用于西班牙）和德国式。法国式用于约 1500～约 1800 年，被证明是最实用的，拥有一套重要的诗琴音乐曲目。它用的谱表有 5 条（16 世纪后期之后为 6 条）横线，每一条线代表同一音高的一组琴弦。在 5 条线的奏法记谱法中，第 6 组琴弦印在谱表的下面，用规格化的字母，从 *b* 到 *i* 或 *k*，来表示品位。字母 *a* 表示拨空弦。节奏用写在谱表上面的符杆表

法国式诗琴奏法记谱法

示。奏法谱最下面的线代表诗琴的最低弦。"点"和"弧线"等记号则表示右手的指法、装饰音和特殊效果。意大利或西班牙式的奏法记谱法（盛行于 1500～1650）与法国体系相似，用 6 条线代表 6 组琴弦。除了路易斯·米兰著名的诗琴曲集以外，都是用最下面的线表示诗琴最高音的弦。用数字而不是用字母来指示该按的品位。节奏用写在图表上方的符杆来表示。德国诗琴奏法记谱（盛行于 1511～1620）与这两种体系不同，没有代表琴弦的图表，只用 54 个或更多的记号来代表品与弦的一切可能结合。如果要按不止一个品，这些记号就垂直地连写在一起。记号上方的符杆表示节奏。键盘奏法谱在德国流行于约 1450～约 1750 年，而在西班牙则是约 1550～约 1680 年。德国体系是混合性的，最高声部用惯常的记谱法，下方的声部则用音阶的字母（A，B 等）表示。用特殊记号表示升高半音或装饰音。一些小的符杆象征性地连接在一起，像一些栅栏，表示节奏。约 1570 年以后最高声部也用奏法谱记写，这就称为"新德国奏法谱"。在西班牙的键盘奏法谱中，谱表的每一条线代表音乐的不同声部。在最常用的体系中，数字 1～7 表示音阶的各音，升降号印在数字上方。图表上方的符杆表示节奏。20 世纪，用吉他或尤克里里琴演奏的流行音乐用过一种奏法谱，其中的"格栅"代表弦与品的交叉点，"点"代表手指的位置。奏法谱有时也用来表示哨笛和竖笛的手指位置。

table 桌 一种基本的家具。至晚在公元前 7 世纪已为西方熟悉和使用。由石板、金属板、木板或玻璃板制成，用支架、腿或一根柱子支撑。埃及的桌子为木制，亚述的为金属制，希腊的通常为青铜制。罗马桌子的式样十分精美，桌腿雕刻成动物、狮身人面或奇形怪状的雕像；桌面用具有装饰性纹理的雪松和其他外来木材制作；三条桌腿用青铜或其他金属制成。中世纪初期的桌子样式较为普通，做工精细的桌子只是偶尔出现。中世纪

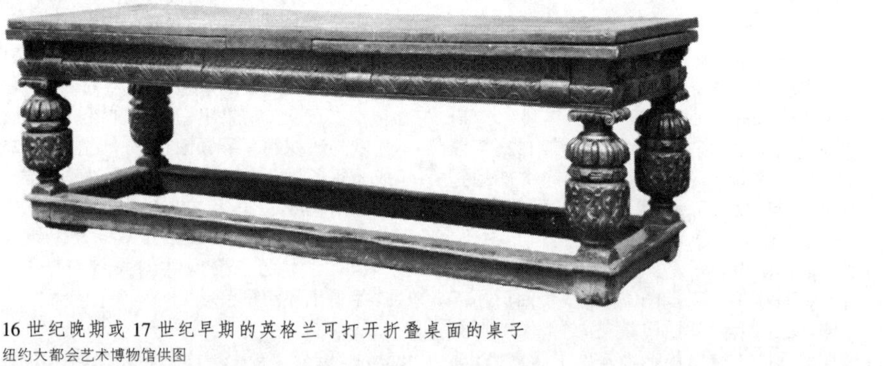

16 世纪晚期或 17 世纪早期的英格兰可打开折叠桌面的桌子
纽约大都会艺术博物馆供图

最常见的大餐桌为支架结构，用大块的栎木或榆木板制成，搁在中间的一组支架上。支架用栓子固定，栓子可以拔去，拔去后桌子即被拆卸。装有固定桌腿的桌子于 15 世纪问世。16 世纪巧妙地设计了一种活动桌面，可使桌子长度成倍增加。桌面共有三块，其中两块放在第三块的下面，需用时沿滑槽拉出。这种桌子通常用栎木或榆木制成，有时也用胡桃木或樱桃木制成。桌面可以延伸的典型的伊丽莎白式桌子，由四条花瓶形状的腿支撑，腿的顶端为爱奥尼亚式柱头形状，充分反映了当时崇尚华丽装饰的风气。17 世纪末叶到 18 世纪中期意大利制造了大量镶嵌精美图案或大理石的桌子。18 世纪与东方的频繁接触，促进了对油漆桌子的兴趣。这些桌子大多是便桌，基本式样是单柱式。19 世纪的普通家用餐桌受到这种便桌的式样影响，通常由一个圆桌面和一条坚实的装在动物脚爪形三脚架上的精心装饰的腿组成。20 世纪后半期人造材料的使用，使得用塑料、金属和玻璃纤维制成的桌子或用这些材料综合制成的桌子广泛流行。

Table Bay 桌湾 南非开普敦的海港。在非洲南端附近大西洋边。从开普敦向北伸展，长 12 英里，宽 8 英里。湾内有罗本岛（**Robben Island**），桌山俯视海湾。葡萄牙人是最初看到该海湾的欧洲人（约 1500）。虽然避风条件不如沿岸其他海湾，但有充足的淡水供应，因此成为开往印度和东方的船只停泊地点。荷兰人曾于 1652 年在岸边定居。

Table Mountain 桌山 阿非利勘斯语作 Tafelberg。南非的平顶山。俯瞰开普敦市和桌湾，耸立于高而多岩石的开普半岛北端。

南非开普敦市以南的桌山
南非旅游公司供图

其平板状山体是强风和水流将几近水平的沙岩层暴露出来的结果。有两个附属山峰独立于主山之外：狮头山（2 195英尺）和魔峰（3 281 英尺）。该山有云覆盖，云层当刮东南风时迅速形成，是高原植被繁茂的主要因素。5 个高山水库贮存由冬天西北风带来的雨水，年雨量山顶为 60 英寸（1 525毫米），山麓为 22 英寸。植被丰富，有 250 种菊科植物，还有滴撒兰等。有一条索道（建于 1929）和 350 多条道路通到山顶。最高点是 1865 年由托马斯·麦克利尔爵士在东北面建立的三角形石堆航标（3 563英尺）。

table salt 食盐 参阅**salt** 盐。

table talk 漫谈录 在餐桌上或类似在餐桌上进行的非正式谈话，尤指被记录供发表的名流漫谈录。早在公元 3 世纪就有这种闲谈文集。该词在英语中的使用约始于 16 世纪。在 17 世纪将名人的谈话记录成文并发表的作法特别盛行。这种材料对传记作者尤为有用，而且其本身就是一种文学传记形式。最著名的例子之一是 J. 鲍斯韦尔的日记中

有关与S.约翰逊会晤的记录。

table tennis　乒乓球　又作Ping-Pong。在中间由网横隔成两个面积相等台面的平面球台上进行的类似草地网球原则的球类运动。目的是把球击过网在对方球台半区跳起而让

乒乓球双打比赛
美国乒乓球协会供图

对方够不到或不能正确回球。此球戏盛行于世界各地，特别在欧洲和亚洲，尤其中国和日本；乒乓球是一个高度组织起来的竞技性运动项目。20世纪初乒乓球发明于英格兰，到20年代已在许多国家开展，德国、匈牙利和英格兰处于领先地位。国际乒乓球联合会(ITTF)成立于1926年，发起国有英格兰、瑞典、匈牙利、印度、丹麦、德国、捷克斯洛伐克、奥地利和威尔士。到80年代会员已达110多个协会。1927年在伦敦举行首届世界锦标赛。1939年之前欧洲中部在比赛中占压倒优势，匈牙利9次夺得男子团体冠军，捷克斯洛伐克2次夺冠。匈牙利杰出运动员有巴纳、贝拉克、斯扎巴多斯和西多。捷克斯洛伐克运动员瓦纳和安德里亚迪斯也是杰出选手。中欧各队在女子团体项目中成绩也突出。1934～1956年16届锦标赛上，罗马尼亚和捷克斯洛伐克各夺魁8次。1953～1954年赛季作为培养冠军沃土的亚洲出现了。此后，中国或日本在男、女团体项目中占据优势。日本培养了许多优秀运动员如两度世界冠军荻村和田中，中国也出现了蝉连三届世界冠军的庄则栋。朝鲜也成为一支国际力量。1980年中国的郭跃华在首届世界杯赛上摘取

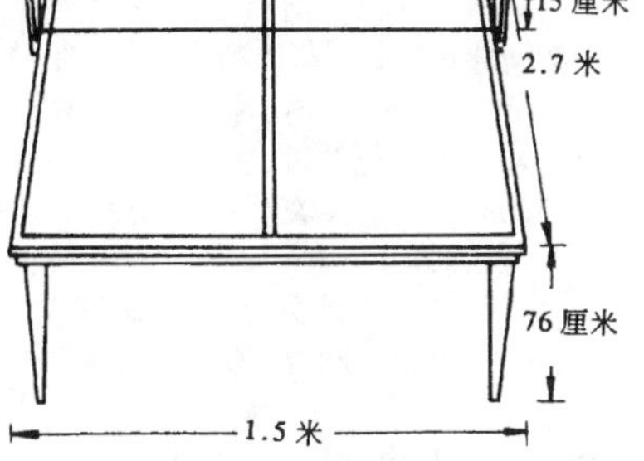

乒乓球台图示

桂冠，赢得12 500美元奖金。关于世界锦标赛优胜者参阅 **Sporting Record**：Table tennis。乒乓球器材相对比较简单且省钱。球台呈长方形，2.7米×1.5米。台面离地76厘米。网长1.8米。网的上边缘离球台面15厘米高。球呈圆形，内空，由白色赛璐璐制成。1969年后改用类似的塑料制球，重约2.7克，直径约4.0厘米。球拍面木质，扁平且坚硬，可覆盖薄薄一层颗粒胶皮、一层薄的海绵胶，颗粒可向内。不管什么组合，球拍必须两个拍面颜色不同，球拍大小、重量或形状不限。比赛采用7局4胜制或5局3胜制，先得11分的一方胜一局，如打成10平，则胜者至少比对方领先2分。发球失误、犯规(如不执拍手触台面)，都使对方得1分。得满2分时双方换发球。双方比分10平后每得1分即换发球。发球员须站在台端以外，用不执拍手掌将球抛起，用拍击球使球落在本方一侧台面弹起后跳过网落在对方台面。美国曾风行用手指转球发球法，1937年起遭禁止。有两种执拍法：一是如草地网球"横握"式执拍，只是手不捏在拍柄头；另一是许多亚洲选手，包括中国、日本选手的"直握"式执拍。乒乓球比赛时在球台各端可有1或2名选手，可都是男的或都是女的，也可是男女各1人。在组织工作方面，世界女子乒乓球可同男子相媲美，女子参加世界锦标赛和所有其他有组织的活动。乒乓球作为一种娱乐活动也十分为人喜爱。在体育俱乐部、娱乐场所、家庭里，甚至在环境幽静的户外也可以打乒乓球。

tablemount(volcano)　参阅**guyot** 平顶海山。

Tabletop(Canada)　**平顶山**　参阅**Jacques Cartier, Mount** 雅克·卡捷山。

tableware　餐具　各种用于容纳、分发或摄取食物和饮料的器皿和用具。包括各种各样的容器，即*凹形金属制品*(**hollowware**)；匙、叉，即*扁平餐具*(**flatware**)；刀，即*刃具*(**cutlery**)；各类盘碟和附件等。

Taboga Island　塔沃加岛　巴拿马的岛屿。位于巴拿马湾。在巴拿马城南18千米处。长3千米，宽1.6千米。以出产菠萝、芒果闻名。为四季旅游胜地。有西半球历史最悠久的教堂之一。以幽静的田园风光和优良的游泳、垂钓设施吸引游客。人口1 003(1980)。

taboo　塔布　又拼tabu，汤加语作tabu，毛利语作tapu。又译禁忌。禁止某种行为或使用某物。依据宗教信仰区别可为神圣和神秘的或是危险和不洁的、被诅咒的。塔布一词来源于波利尼西亚，1711年J.库克船长访问汤加时最先察觉及此。他将此名词引入英语中，迅即获得广泛传播。在南太平洋波利尼西亚诸社会集体中塔布现象高度发展。现今塔布现象几乎出现于所有文化中。

塔布可包括禁止在某一季节捕鱼和采摘果实；限制孕妇饮食的食物塔布；禁止与酋长或其他高层人物交谈或触摸他们；不准在某地区行走或旅行，比如在林区行走；人生大事如生、死、婚配也讲究塔布。

各种塔布之间存在着明显的矛盾。强调"神圣"或"圣洁"概念的塔布就认为，比如一名波利尼西亚酋长的头颅，因为总的说来他是一名神圣领袖而不能触摸。但强调"不洁"概念的塔布则认为，与月经期妇女接触是一种禁忌，因为人们认为月经为秽物；又以为，与尸体接触的人们同样要禁止他们用手触摸食物。

某种塔布所固有的禁忌，也包括如下这一概念，即凡不遵守或蔑视塔布者将自然而然地要遭受某种麻烦，如打猎或捕鱼无所获、生病、亲人亡故等。这些不幸一般都被看作倒霉事件，但相信塔布者却认为这是因为不遵守塔布的惩戒。人遭到事故或所求未遂，他和别人将究其原因，认为这是他以某种形式触犯了塔布。

各种文化中所展示的塔布，激起广泛的专门研究，产生不少学术著作，力求比较、分析和解释这种社会现象。关于这项问题的最重要的研究者和理论家有W.R.史密斯、J.G.弗雷泽、W.冯特和S.弗洛伊德。弗雷泽在其著作《金枝》(1907～1915)一书中，弗洛伊德在其《图腾与塔布》(1913)中，对此均有较详论述。弗洛伊德对各种塔布之间的明显不合理性质，大概提出了最富于天才性的解释。他指出，这些不合理的本质是由矛盾的社会心态所生成的，实际上反映出那些被禁止的行为恰恰是社会上存在着强烈而无意识的愿望去参与其中的一些行为。弗洛伊德把此观点直接用来说明所有塔布中最具普遍性的乱伦塔布，即严禁近亲之间的性关系这一问题。对于各种塔布的解释，迄今尚无一种普遍接受的说法，但对于任何社会中所流行的塔布都涉及于社会秩序有利并属于一般的社会管理体制这一点上，人们有着广泛的共识。

Tábor　塔博尔　捷克共和国南捷克州城市。位于卢日尼采河拐弯处，北距布拉格80千米。建于1420年。有胡斯派革命博物馆。旧城坐落在陡峭的花岗岩山脊，西南为卢日尼采河所防护，北有约旦养鱼塘(当地曾在此举行过洗礼)。周围有基本完好的防御工事。受三十年战争蹂躏，17世纪衰落。现为公路和铁路枢纽。有羊毛、烟草和珍珠母等加工厂。人口约36 329(1991)。

tabor(drum)　**塔波鼓**　参阅**pipe and tabor** 管与鼓。

Tabor, Mount　塔博尔山　希伯来语称塔沃尔山，阿拉伯语称图尔山。以色列北部著名高地。在下加利利地区，靠近埃斯德赖隆平原。海拔588米，矗立于四周平坦低地之间。首见于公元前13世纪埃及法老拉美西斯二世的铭文。据《圣经》记载，此山为以色列将军巴拉在女先知底波拉激励下战胜迦南人领袖西西拉的战场，在中文《圣经》中作"他泊"。又据传说为耶稣显现圣容之处。从山顶可见上加利利全景。多十字军城堡遗址。山上森林繁茂，吸引众多徒步旅游者。

Tabora　塔波拉　旧称卡泽赫。坦桑尼亚中西部城镇。地处中央高原，海拔1 200米。

年均气温 23 °C。曾是尼扬韦齐人的首府。为东西铁路干线（达累斯萨拉姆—乌吉吉）和通向维多利亚湖的南北向铁路枢纽，是商业和农业贸易中心。主要经济作物有烟草、蔬菜和木薯。人口约 214 641（1985）。

taboret 矮凳 一种没有扶手和靠背的坐具。最早的矮凳呈圆筒形。17 世纪后期，在法国，指凡尔赛宫内供路易十四的宫廷贵妇

约 1810 年的法国矮凳
伦敦维多利亚和艾伯特博物馆供图

们使用的装有垫子的凳子。18 世纪，各种不同式样的矮凳成为英、法两国时髦的家具。

Taborite 塔波尔派信徒 波希米亚宗教改革派胡斯派中的激进派塔波尔派的成员。他们聚居在布拉格以南某地筑垒自卫，1420 年从《圣经》地名称其地为他泊（塔波尔的另译），因称塔波尔派。该派第一位主教尼古拉主持该派的独立教会，用捷克语代替拉丁语主持礼拜，准许教士结婚，废除除洗礼和圣餐礼以外的一切圣事。该派四出征战，毁坏教堂，招怨甚广。同属胡斯派的饼酒同领派乃与拥护天主教会的捷克军队联合，于 1434 年将该派军队击败于利帕尼。该派虽尽失大将，仍继续他们的斗争，直到 1452 年决战之后塔波尔陷落，该派乃一蹶不振。

Tabrīz 大不里士 波斯语作 Tauris。伊朗第四大城市。位于该国西北隅三面被丘陵环绕的谷地。海拔 1 367 米。属大陆性气候，夏季炎热干燥，冬季严寒。处在地震区，多次毁于地震。蒙古伊儿汗国马哈茂德·合赞定为都城。1392 年被帖木儿占领。萨非王朝时仍为都城直至 1548 年。此后近 200 年大不里士在伊朗和土耳其之间几度易手。1908 年该市成为民族主义运动中心。第一次世界大战时，土耳其和苏联军队曾短期占领大不里士。该市在伊朗政治中一直发挥重要作用。最著名古代建筑物为蓝色清真寺（1465 ～ 1466）和一座大城堡（1322）。第二次世界大战后城市现代化发展迅速。新建筑物有火车站和大不里士大学等。近郊为夏季避暑胜地。主要工业品有地毯、纺织品、水泥、农业机械、摩托车和家用器具。有铁路通德黑兰市和北部地区。并有一机场。在商业上地位重要。人口 971 482（1986）。

Tabrīz carpet 大不里士地毯 伊朗西北部的主要城市和最有名的织毯中心之一大不里士或其附近织制的手工铺地用品。以前出口到南欧，现广为博物馆所收藏。拴波斯生纳扣，棉底，有奎心，从简单的单一奎心到复杂的图案，如中间是星形奎心，饰以悬垂花饰及涡卷花饰，四角是同样精细的 1/4 奎心。大地图案通常是卷曲的阿拉伯式蔓藤。19 世

17 世纪初期的大不里士地毯
供图：Textile Museum Collection, Washington, D.C.

纪中期伊朗恢复地毯的商品生产，大不里士一直是伊朗最主要的中心之一，生产各种地毯，绝大部分销往欧洲。这些新毯拴土耳其吉奥狄斯扣，纬线结构比较简单。种类繁多的图案包括曲线奎心图案及仿波斯其他地区古典图案。因图案机械呆板，颜色刺目而受到訾议，以往使用的植物染料后被欧洲的铬染料和苯胺染料所取代。毯面较硬而脆。拴扣时用凸刀，速度较快，据计算，至少每秒钟拴一个扣。

Tabrīz school 大不里士画派 14 世纪初蒙古伊尔汗国创立的一个细密画派，其活跃期直至 16 世纪上半叶。风格最初受东亚传统影响，后又与当地风格融合。早期作品笔法轻淡，色调柔和，试图创造空旷的幻觉，如纽约大都会艺术博物馆藏波斯诗人费尔多西的史诗《国王之书》中的一幅绘画（1330 ～ 1340）。这幅君主伊斯凡第叶之葬礼的插图所表达的悲怆之情，在波斯艺术中是无与伦比的。画中大量的人物被排列在不同的平面上，一层高过一层，给人以空间与纵深的感觉。此技法是蒙古人带到中亚的。该画派达到其顶峰，恰在征服了伊尔汗国的帖木尔王朝（1370～1506）时期。16 世纪初，随着萨非

《五卷诗》中的大不里士画派插图画《穆罕默德在夜空中骑马飞行》
不列颠图书馆供图

王朝统治的开始，大不里士画派逐步让位于伊斯法罕画派（**Eṣfahān school**）。

tabu 参阅 **taboo** 塔布。

Tabuaeran Atoll 塔布阿埃兰环礁 又称范宁环礁。太平洋中西部北莱恩群岛的珊瑚岛群。属基里巴斯。为环绕潟湖的几个小岛，潟湖周长 51 千米，陆地总面积 35 平方千米。1888 年被英国吞并。现为经营椰干贸易的范宁岛种植有限公司所有。人口约 470（1983）。

Tabūk 泰布克 沙特阿拉伯西北部椰枣林中的绿洲城镇。曾为汉志铁路（现已拆除）的一个站。在泰布克镇旧区边缘上有一座建于 1694 年的土耳其城堡。现为沙特阿拉伯发展最快的工业中心之一。人口 372 400（2001）。

tabula rasa 白板 拉丁语，原意为“刨平的板片”，亦即“干净的石板”。在认识论和心理学中，指经验主义者所假定的一种人心状态。表明观念尚未通过感官对外界事物的反应而印入人心。把心灵比作一块空白写字板，初见于亚里士多德的《论灵魂》（公元前 4 世纪），后来斯多葛派和亚里士多德派的逍遥派，也主张原始的心灵空白状态。在 17 世纪末期，英国经验主义者洛克在他的《人类悟性论》（1690）中，主张人心本似“白纸，没有字迹”，“知识和理性的一切原材料”均来自经验，这使对白板的重视，发生了新的和革命的变化。尽管洛克本人为了要利用所给与的“原材料”而借助于“反省”，以它作为一种人心的力量，但他对白板说的提倡，却预示了后来的哲学家们所采取的更为激进的观点。

Tabulae Rudolphinae 参阅 **Rudolphine Tables**《鲁道夫星表》。

Tabulata 床板珊瑚 又称横板珊瑚。绝灭的珊瑚动物之主要类别。化石见于海相奥陶系到侏罗系（延续年代从5.05亿年前至1.44亿年前）。以横板的存在为特征，一般缺乏纵隔壁。该类群体有时组成相当大的构架。

Tabwa 塔布瓦人 又拼Taabwa，又称龙古人（Rungu），主要居住在坦噶尼喀湖的西南岸，刚果（金）东南端马隆古山区的高地草原上；也有一部分住在赞比亚东北端以及卢阿普拉河沿岸。操班图语，与邻近的赞比亚境内的本巴人、刚果（金）境内的卢巴人讲的语言很接近。塔布瓦人奉行母系继嗣制，有许多氏族与亚氏族，各有其独立的历史，有些还操不同的方言。在早期的人种分布图上，它们被标成一些单独的"部落"，塔布瓦人在近代的聚集是殖民政治的产物。殖民时代之前，当地生产的食盐、铁器和熏制的河鱼是塔布瓦人的主要贸易商品，后来被欧洲人的进口货物所取代。塔布瓦人转而从事捕鱼和种植经济作物，他们为殖民地市场生产马铃薯、小麦和洋葱，同时种植木薯、玉米和豆类供应国内。虽然在殖民地时期，塔布瓦人为铜带地区的城市生产了许多粮食，但在20世纪70年代，这里的道路、仓库和内湖航运等基本设施都已破旧不堪，整个地区变得死气沉沉。坦噶尼喀湖及姆韦鲁湖以机械化捕鱼为主，另以塔布瓦人的钓丝和网罟捕鱼为辅。塔布瓦地区的南部开采铜矿。

Tacapa（Tunisia） 参阅 **Qābis** 加比斯。

Taceddin Ibrahim ibn Hizr Ahmedi 塔杰丁·易卜拉欣·伊本·赫泽尔·艾哈迈迪 参阅 **Ahmedi, Taceddin** 艾哈迈迪。

Tacheng 塔城 中国新疆维吾尔自治区伊犁哈萨克自治州塔城地区县级市，地区行政公署驻地。位于自治区西北部，自治州的中部，西部与哈萨克斯坦接壤。地处准噶尔盆地西塔尔巴哈台山南麓的塔城盆地，有额敏河自东向西流贯。水草丰美，历来为匈奴、西突厥等部落游牧地。唐显庆三年（658）曾于附近置阴山州都督府，后废。元至元十九年（1282）置塔儿八合你驿，为察合台汗国属地。清乾隆二十五年（1760）置塔尔巴哈台通判，初设治于雅尔（今哈萨克斯坦境内的乌尔扎尔），1766年移治楚呼克即今塔城（俗称北雅尔）。光绪十三年（1887）改置塔尔巴哈台直隶厅。1913年改为塔城县。1984年撤县设市。辖3个街道、1个镇、4个乡、1个民族乡。面积4 007平方千米。清代在此屯垦后农业逐渐发展，产小麦、大麦、玉米和油料作物。特产有巴旦杏，"塔城牛"亦颇著名。1950年以来工业发展很快，已有农机修配、皮革、食品加工、木材加工及电力等。现为北疆西部边境贸易口岸之一。市区原有二城，现已连成一片。有公路通哈萨克斯坦，为中国和哈萨克斯坦间重要商道。人口160 000（2005），以汉族和哈萨克族为主。

Tachikawa 立川 日本本州东京都城市。在东京市东。1922年建立军用机场、大型军工厂和飞机制造厂（第二次世界大战后均被美国空军接管，1977年空军基地归还日本）。现为商业中心和铁路枢纽。机场供小型飞机使用。也是东京-横滨工业区的居住区。人口约150 144（1987）。

tachinid fly 寄生蝇 双翅目寄蝇科昆虫，幼虫寄生在其他昆虫体内。成虫体长2～18毫米，多毛，外表像家蝇。多为暗灰色或黑色，一些种类为绿色或蓝色，具金属光泽。在

金黄色园寄蝇（*Paradejeania rutiliodes*）
供图：E.S.Ross

防治毁灭性害虫，尤其是毛虫和甲虫幼虫方面有重要意义，因此许多种类一直用以消灭害虫。例如：夏威夷引入新几内亚的象甲寄生蝇（*Ceromasia sphenophori*）使当地蔗象甲数目大减；马来亚的寄生蝇 *Ptychomyia remota* 则控制住斐济的椰青红斑蛾；灰中寄蝇 *Centeter cinerea* 也引入美国，控制日本丽金龟。黏虫的幼虫可有90%以上为红尾寄生蝇（*Winthemia* 属）幼虫所寄生。多数寄生蝇只寄生于一种寄主或几个近缘的寄主体内。但是，从欧洲引入美国防治舞毒蛾和棕尾毒蛾（黄毒蛾）的灯蛾寄蝇（匀称刺腹寄蝇，*Compsilura concinnata*）却能侵袭200多种毛虫。寄生蝇幼虫钻入寄主体内的方式各异。有些种把卵附在寄主体表，幼虫孵出后钻入皮内。另一些种将幼虫直接产在寄主身上，或将幼虫产在寄主昆虫经常来往的场所。有的产卵在植物上，随后被毛虫吞入。寄生蝇的蛆或在寄主体壁上开孔呼吸，或借助寄主的呼吸系统呼吸。在寄主体内或体外化蛹。有的寄生蝇幼虫伤害寄主，有的则不会伤害。有许多寄生蝇成虫（如园寄蝇属[*Paradejeania*]）吃花蜜，故能传粉。

Táchira 塔奇拉 委内瑞拉西部一州。西接哥伦比亚。面积11 100平方千米。地处梅里达山脉西南端。经济以农业为主，主要经济作物有咖啡和甘蔗。拉瓦特拉发现大煤田。1878～1879年该州境内拉阿尔吉特拉纳地方打出委内瑞拉的第一口油井。州首府**圣克里斯托瓦尔（San Cristóbal）**为主要贸易和运输中心，通泛美公路。人口约819 079（1988）。

Tachism 滴色主义 第二次世界大战后直到50年代实验于巴黎的一种绘画风格，与美国的行动画派一样，也是听凭画笔无意识的自发挥动，即主要由直觉和偶发性支配画笔。首创者有H.哈通、G.施奈德、赵无极等。这是法国战后一次较大的所谓"非形艺术"运动的一部分。抛弃了立体主义的形体结构，倾向更直觉的表现形式。用蘸饱颜料的画笔，

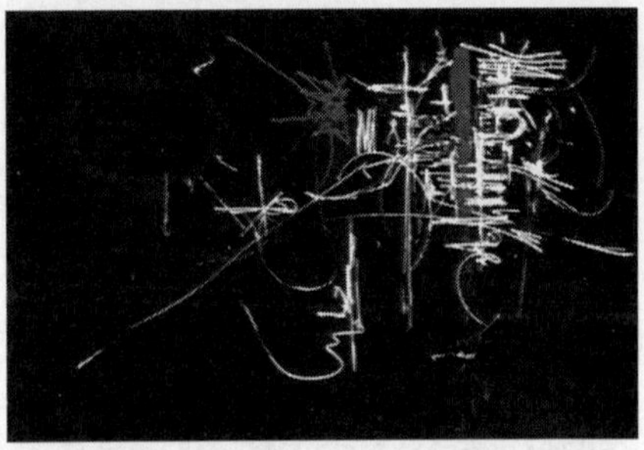

G.马蒂厄的滴色主义作品《绘画》（1952）
供图：Solomon R. Guggenheim Museum, New York City

以扫、滴、涂抹、洒、泼的方法画大幅作品。目的不在于再现或表现感情，而是直接在画中以自发因素创造感情。作品往往展现出优美的线条和调和的、难以表达的色彩，比美国行动画派画家的狂放不羁的粗野作品显得雅致，也不像行动画派画家那样仅靠毫无约束的灵感。

tachometer 转速表 指示转动轴角速度（转速）的仪表。该词通常仅指以每分钟转数来表示转速瞬时值的机械或电气仪表；并不是计算在测定时限内的转数，而是只指示该

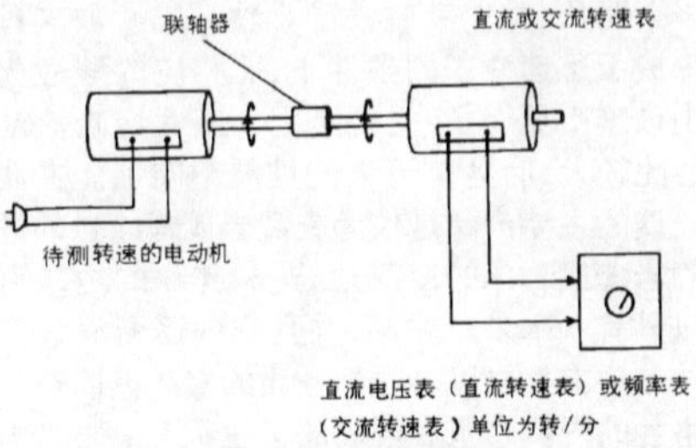

转速表

时限内平均值的仪表。机械转速表利用旋转物体的离心力取决于转速，并能用以拉伸或压缩机械弹簧这一事实。谐振（或振簧）转速表利用一系列连续调谐的簧片，通过指示发动机的振动频率来确定发动机的转速。电气转速表有几种类型。涡电流或阻力型转速表广泛用于汽车速度计；随所测轴一起转动的磁体产生的涡电流同角速度成正比。发电机型转速表通过发出交流电流或直流电流而工作。频闪仪可用作转速表，当所测转动对象的单位时间转数与频闪仪的闪烁频率相同时，闪现的转动对象看来好像停止运动。

Tachos 塔科斯 又称特奥斯或宰德霍尔。埃及第三十王朝第二代国王（公元前365～前360在位）。曾率军在腓尼基攻打波斯人，但未成功。斯巴达老国王阿格西劳斯二世与之发生争执，支持埃及武装叛乱，并将王位觊觎人奈克塔内博二世扶上王位。塔科斯逃至伊朗，死于流亡中。

tachycardia 心动过速 生理学和临床医学概念，指超过100次/分的心率。正常情况下，运动中、运动后和情绪紧张时都可有心动过速，但对人并无危险。而病理性心动过速常常是一类伴有异常心脏节律的心律失常。绝大部分心律失常是由于心脏的异位电活动所致。正常心肌节律性收缩的起搏点在窦房结，如果起搏点的位置出现变化就会导致心

律失常。此处所说的心动过速是指合并有心律失常的病理性心动过速。根据起搏点的位置,可将心动过速分为窦性、房性和室性三类。主要症状有疲劳、虚弱、头晕目眩、心慌气短、心悸胸闷等;心率最快可达240次/分。有些阵发性心动过速对人并无大碍,症状持续时间只是几分钟,最长可有几个小时,然后自行缓解,也无后遗症。但伴有各种异位节律者,如房性和室性心动过速,尤其是合并有严重心、肺疾病或循环系统疾病的患者,则须给予密切的医疗照顾。这些患者极易出现致命的心房纤颤或心室纤颤。如果只是心动过速,甚至心房纤颤,都可通过卧床休息和服药使病人得到缓解;但如发生心室纤颤,则须电除颤。常用的抗心律失常药物有奎尼丁、阿托品、利多卡因、普鲁卡因酰胺等。

tachygraphy 草写式速记术 参阅 **shorthand 速记**。

tachylyte 玄武玻璃 又拼 tachylite。二氧化硅含量低的玻璃质火成岩,如玄武岩或辉绿岩之类。玄武玻璃是黑色的,具沥青光泽或松脂光泽;在薄片中,一般特征是呈棕色、半透明状,并充满磁铁矿小粒。玄武玻璃只形成于迅速冷却的条件下,比相应的酸性火山玻璃少见得多,主要是因为基性熔岩流动性比较大,而且有更大的结晶趋向性。玄武玻璃的主要产状是作为玄武岩或辉绿岩的薄的岩墙或岩床的冷凝边;这种猝冷的边缘可以只有一毫米左右厚,并且向内逐渐消失到结晶质玄武岩里。这种性质的玄武玻璃在苏格兰的内赫布里底群岛的第三纪火成岩当中是常见的。有时熔岩流几乎全部由玄武玻璃组成,如在太平洋上的夏威夷群岛;这个地区流动性很强的熔岩迅速冷却,阻止了结晶作用,从而造成只含有少量结晶物质的玄武岩质玻璃的大泛滥。最后,玄武玻璃呈火山渣或火山弹由玄武岩质火山喷出来;这些在意大利的斯特龙博利岛和埃特纳山以及冰岛都是很出名的。玄武玻璃很容易遭受风化和蚀变,并且受氧化作用和水化作用之后很容易转变为一种叫橙玄玻璃的红色、棕色或黄色的隐晶质物质。

tachyon 快子 一种假设的亚原子粒子,其速度总是超过光速。虽然快子的存在还没有得到实验证实,它似乎与最初认为只适用于以光速或小于光速运行的粒子的相对论并不矛盾。正像电子只在速度小于光速时才存在一样,快子也只有在速度超过光速时才能存在,这时它的质量才是真实的且为正值。快子在失去能量时会加速;它运动得越快,具有的能量就越小。

Tacitus 塔西佗(约56～约120) 罗马帝国雄辩家、高级官员、历史学家,或许当属用拉丁文写作的最伟大的史学家和最伟大的散文作家之一。可能出生于山南高卢。在优裕的生活环境中长大,受过良好教育。他学习过修辞学,并且拜第一流雄辩家马尔库斯·阿佩尔和尤利乌斯·塞昆都斯为师,企图做法律辩护人。他最初当见习官,后来任军事保民官。公元77年与阿格里科拉的女儿结婚。公元77或78年阿格里科拉任执政官,后来出任不列颠总督。塔西佗于公元81年担任度支官,公元88年成为行政长官。至公元93年,他在帝国行政机构中已身居显位。公元97年任执政官。公元98年发表《阿格里科拉传》和《日耳曼尼亚志》。《阿格里科拉传》是记述其岳父的一生,特别详细地谈到公元78～84年做不列颠总督和晚年在图密善统治时期的情景。《日耳曼尼亚志》记述莱茵河上罗马边界地区的状况。塔西佗着重指出日耳曼部落的淳朴道德和原始陋习。他说,如果这些部落一致行动,将对罗马的高卢地区构成威胁。从这一点来看,这部著作已经超出地理学的范畴而进入政治领域了。他的巨著《历史》从公元69年加尔巴当政开始写起,到公元96年图密善逝世为止,全书分为12卷或14卷(《历史》和《编年史》总共为30卷,两书均只存残篇)。根据小普林尼提供的材料判断,迄105年,塔西佗已经写成几卷,107年已完成大部分,109年全书脱稿。现存只有第1～4卷和第5卷的一部分,其中记述加尔巴垮台和奥托之前的皮索时期(第1卷);韦斯巴芗在东方的地位和奥托的自杀为维特利乌斯扫清了道路(第2卷);维特利乌斯被支持韦斯巴芗的多瑙河军团击败(第3卷);韦斯巴芗统治的开端(第4～5卷)。根据现存的残篇及详细的序言来看,《历史》是一部经得起时间磨炼的作品,文笔尖锐有力,叙事有声有色,其文体完全适合于描写内战期间错综复杂的一系列事件。在内尔瓦统治时期,塔西佗荣升显位,同时安然度过了内尔瓦和图拉真权力交替时发生的帝国政策危机。在图拉真治下,他继续保持在政界的地位,112～113年任亚细亚省总督。塔西佗的《编年史》是以纪年体记述从公元14年奥古斯都去世、提比略继位起到公元68年尼禄统治结束为止整个朱里亚-克劳狄王朝时代的历史事件。全书分为18卷或16卷,大概始于图拉真统治时期,完成于哈德良统治初期。《编年史》现存只有第1～4卷、第5卷的一部分、第6卷的大部分以及首尾残缺不全的第11～16卷。塔西佗是一位思路清晰的文体家。他发挥了拉丁文生动、有力、富于节奏感的特色。他的文体就像他的思想一样,竭力避免平淡无奇,给人以强烈的印象。其史书现今仍为史学家和文学界认真研读。

Tacitus 塔西图斯(约200～约276-06,卡帕多西亚蒂亚纳[今土耳其尼代附近]) 罗马皇帝(275～276)。原为元老,两次任执政官。275年奥勒利安皇帝被杀后,军事委员会要求元老院选一名贵族为国家元首。在拖延6个月后,元老院选择年长而富有的塔西图斯为皇帝。在短短的在位期间,一直与帝国东部的敌对部族作战。后来究竟死于疾病还是为士兵所弑,一直是个悬案。

Tacloban 塔克洛班 菲律宾直辖市。位于莱特岛东北、圣佩德罗湾畔。为米沙鄢群岛(莱特岛和萨马岛)东部最大的城市和物资集散中心。1874年后港口有深水码头、巨大的石油库和飞机场。出口商品有麻、椰干和木材。商业性渔业也占重要地位。设有圣经大学(1946)和莱特工学院(1966)。第二次世界大战期间曾是盟军主要后勤基地。在马尼拉收复前该地曾为菲律宾的临时首都。帕洛南面的雷德滩为游览胜地。1952年设市。人口约138 000(1990)。

Tacna 塔克纳 秘鲁南端省份。南连智利,东北邻玻利维亚,西南濒太平洋。面积15 983平方千米。省会**塔克纳**(**Tacna**)周围为人口集中的居民区。在太平洋战争期间(1880),该省曾被智利人占领,一直控制到1929年。低地灌溉区出产水果、棉花和甘蔗。高地印第安居民种植小麦、大麦、马铃薯,饲养绵羊和羊驼。塔克纳的矿产资源繁多而丰富(尤其是铜矿),居秘鲁各省之首。通泛美公路及其他公路、铁路和航空线。人口约209 800(1990)。

Tacna 塔克纳 秘鲁南部塔克纳省省会。濒临卡普利纳河。海拔562米。地处安第斯山山麓。早期由印第安人占据,16世纪西班牙人来此,后建立城镇。周围土壤肥沃,气候凉爽,又靠近智利的太平洋港口阿里卡,因而殖民时期趋于繁荣。在争取脱离西班牙的独立战争中(1826)获"塔克纳英雄城"之称。1883年根据《安孔条约》,塔克纳和阿里卡均划归智利。1929年塔克纳归属秘鲁。现为农产品加工中心。制革、水果罐头、酿酒为主要行业。建有机场、铁路和泛美公路通智利阿里卡。人口约150 200(1990)。

Tacoma 塔科马 美国华盛顿州西部城市,皮尔斯县府所在地(1880)。濒临皮吉特海峡的康门斯门特湾,在西雅图南48千米处。1841年,海军上尉威尔克斯率领的美国考察队即以该海湾为起点出发,故将其命名为康

皮吉特湾及第二塔科马海峡桥(1950),远处为塔科马市与雷尼尔山

供图:Bob and Ira Spring

门斯门特湾(意为发端)。1864年设居民点,1868年麦克卡弗将军在该地设计了康门斯门特市,旋即重新命名为塔科马(雷尼尔山的印第安名称,此山在塔科马东南72千米处)。锯木厂和海港设施建立了起来。1873年北太平洋铁路通车至此,又建设了终点站,取名新塔科马。两社区于1883年合并。塔科马是木材加工的大本营。尽管其主要工业仍以木材为基础,但还有造船、铸造、冶炼、电化和食品加工厂。海滨多船坞和码头。地当雷尼尔山国家公园门户,又通过第二塔科马海峡桥(1950,该悬桥是取代于1940年坍塌的原著名桥)与奥林匹克半岛娱乐区相连。市南有刘易斯堡和麦科德空军基地。在迪法恩斯角公园内有哈得孙湾公司的尼斯阔利堡(1833)的复制品。市内有皮吉特海峡大学(1888)、太平洋信义会大学(1890)和两所社区学院。该市又是华盛顿州历史协会总部的所在地,其博物馆俯瞰康门斯门特湾。人口:市176 664;塔科马主要都会统计区586 203(1990)。

Tacoma Narrows Bridge　塔科马海峡桥
跨美国皮吉特海湾连接奥林匹克半岛和华盛顿州本陆的第一座悬索桥,是工程史上一次重大的失败。在开放4个月后,1940年11月

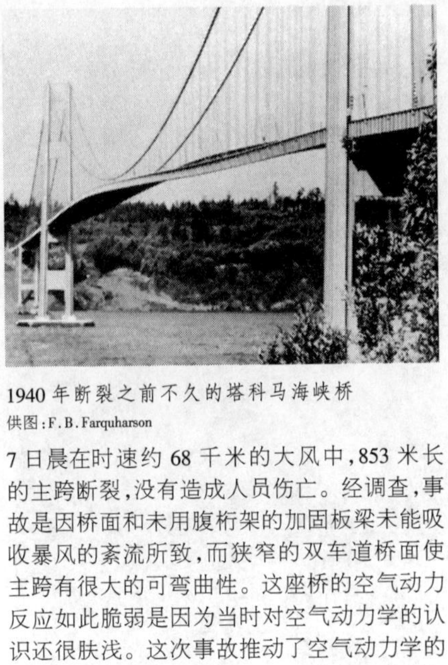

1940年断裂之前不久的塔科马海峡桥
供图:F.B.Farquharson

7日晨在时速约68千米的大风中,853米长的主跨断裂,没有造成人员伤亡。经调查,事故是因桥面和未用腹桁架的加固板梁未能吸收暴风的紊流所致,而狭窄的双车道桥面使主跨有很大的可弯曲性。这座桥的空气动力反应如此脆弱是因为当时对空气动力学的认识还很肤浅。这次事故推动了空气动力学的研究。1950年该桥改建。

Taconic orogeny　塔康造山运动　影响美国东海岸沿线的阿巴拉契亚地槽的造山事件。这次运动的证据在阿巴拉契亚山脉北部最显著,但其影响在岭谷区向南远至田纳西州,在山麓区向南远至佐治亚州都有迹象。原来认为这次运动发生在奥陶纪和志留纪之交(约4.38亿年前),现在大多数学者都认为包含有好多次活动,从奥陶纪中期起,延续到志留纪早期。归属于塔康造山运动的事件包括阿巴拉契亚山脉北部角度不整合的发育,纽约州塔康的外来岩体(逆掩断块和移位块体),佛蒙特州格林山的隆起、纽约州昆斯顿三角洲和田纳西州布朗特群碎屑沉积物楔形体的发育,以及阿巴拉契亚山脉南部与北部的火成岩侵入及区域变质作用。塔康造山运动可以看作是西欧的加里东造山运动的早期阶段。从纽芬兰的西海岸向南,沿圣劳伦斯河谷,经纽约州至宾夕法尼亚州的广阔地带内出现了逆冲断层。这个逆冲断层带被称为洛根线,是以加拿大地质学家W.洛根的姓氏命名的,他最先认出了这条线的意义。此线以西的地层受古生代变形作用的变动很小,而这条线以东,即奥陶纪地层和更老的地层都大大变动了。奥陶纪的页岩相破碎、断裂得很厉害,并以名为飞来峰形式的块体向西逆掩,其中一个块体形成了现在的塔康山脉。

Taconic Range　塔科尼克岭　美国阿巴拉契亚山系的组成部分。北起佛蒙特州布兰登,南达纽约州帕特南县北部,长240千米。最高点埃奎诺克斯山海拔1 163米。境内塔科尼克州立公园(纽约州)为闻名的山间游览区。

taconite　铁燧岩　又称铁英岩。美国明尼苏达州的低品位硅质含铁岩层,从中可以得到高品位的铁矿石。含铁岩层由细粒二氧化硅与比例不定的赤铁矿和磁铁矿组成,总共含铁不到30%。提取铁需要细磨并使含铁相富集,然后又将其制成适合高炉使用的球团矿。随着高品位铁矿床的日益枯竭,铁燧岩作为铁矿来源的重要性已经增加。

tactical weapons system　战术武器系统
战术武器与用于目标搜索、瞄准或火力控制(或上述目的的综合)的电子设备相结合的系统。战术武器用于在较近距离上进攻和防御,并能产生较近期的效果。战术武器包括用于反坦克突击、防空、战场支援、空中战斗或海上战斗的武器。

战术武器系统不同于战略武器系统,后者只有少数几个国家使用,而前者则是普遍使用的。有的型别的武器至少有15个国家在制造,有的型别则实际上每个国家都在使用,只要这个国家有陆军、海军、空军或游击队或恐怖组织,而不问其规模如何。战术武器系统一般按其发射点(面或空)及其目标的位置(也是面或空)而分类。

面对面系统　反坦克武器通常使用带成型装药弹头的导弹,用来穿过装甲而爆炸。有线制导导弹,如像美国的"陶"式或法德合作的"霍特"式,在导弹后面放出一根电线,由操纵员发出航向修正信号给飞行中的导弹内部的控制机构。别的一些导弹是用无线电波束、红外线束及激光束制导的。美国的"铜头蛇"制导炮弹是激光制导的,用常规的155毫米榴弹炮发射。炮弹在飞行中,炮手一直用激光照住目标,武器上的传感器跟牢目标影像,并使用操纵片来驾驭导弹飞向目标。

战场支援武器包括如苏联SS－21、美国"长矛"和法国"冥王星"这一类弹道导弹,它们的射程约120千米。这些能投送核弹头的武器系统都配有发射导弹的车辆和容纳指挥及火控计算机以及其他设备的车辆。

作为常规炮兵的补充有车载多管火箭发射装置,它可用几十枚带有高爆炸药、杀伤或穿甲的炸弹,甚至毒气弹的无制导火箭大量破坏战场或运输车队。

舰载导弹系统种类繁多,以色列的"加布里埃尔"导弹系统由一人在一个计算机化的操纵台上操作,他可在发射前向导弹输入目标定位数据,必要时也可在导弹飞行中输入数据。法意合作研制的"奥托马特"多用途导弹系统可与任何雷达系统及任何火控系统结合使用。它用一个箱子运送到买主手中,箱子本身可用作发射管。

用于破坏潜艇或水面舰船的水下武器也算作面对面系统,其中包括各种使用声呐跟踪系统的寻的鱼雷或制导鱼雷。德国曾制造一种线操纵鱼雷。瑞典的反潜武器系统采用一种导弹,它能根据声呐的情报预编程序来控制其航向。最复杂的水下武器系统中有一种是潜艇发射、火箭发动机推进的导弹,例如美国的"萨布罗克"与苏联的SS-N-15。这些导弹冲破洋面,以超音速窜入空中,上升到50千米,然后投下一枚深水核炸弹落入水中,在爆炸之前沉到目标的水下深度。

面对空系统　陆基防空系统包括远距防空用的导弹和近距对飞机和导弹射击的自动炮。导弹通常成束地装在一辆坦克或卡车的底盘上(前苏联的SA系列导弹多数是这样的),用拖车牵引(如英国的"轻剑"导弹),或者放在步兵的肩上操作(如美国的"毒刺"导弹)。导弹通常是固体推进剂的,用雷达或红外传感器来制导,或者由一名操作员用光学跟踪的办法来制导。美国的"爱国者"导弹系统有多达8个机动式导弹发射站,每个站有4枚导弹,它们可由一个机动式控制中心控制,由此中心综合雷达瞄准与跟踪、识别、导弹制导和其他信息。

瑞士的"高炮装甲车"防空坦克由一个三人乘员组操纵坦克、雷达控制射击系统和两门35毫米高炮,射速达每分1 100发。舰载型基本相同。意大利的"信天翁"导弹系统利用现有的舰炮火控系统去控制为使用"蝮蛇"寻的导弹而增加的系统。

空对面系统　这类系统大多数是用来加强强击机和突击直升机的功能的。这种武器系统给飞机及其舰炮和导弹带来尖端的瞄准、跟踪和火控系统。空地导弹的尺寸悬殊。苏联的AS－4导弹长度超过11米,用图波列夫式轰炸机发射。这种导弹起先用惯性制导,等到接近预定的目标时再用自导引飞向目标。法国的"贝卢加"系统是在炸弹内放集束小榴弹,到目标区(如坦克集群)上空投下,然后放出榴弹。榴弹用降落伞下降,碰上或接近坦克就爆炸。如果没有碰上,它降落到地面成为地雷,等坦克接近它时再爆炸。欧洲国际合作生产的"战槌"空面导弹头部带有一台电视摄像机,它把目标的影像传回给飞机的操纵台,由操纵员通过无线电信号把导弹引导到某一点,交给导弹本身的寻的装置继续引导。

空对空系统　空对空导弹系统是用来加强战斗机的功能的。它采用很多种制导系统。使用广泛的有美国的"麻雀"导弹系统,它采用雷达寻的系统来制导;使用较普遍的有美国的"响尾蛇"导弹,它是利用目标本身的热辐射来引导它飞向目标。有一种法国导弹则既可用雷达制导也可用红外制导。一种称为"大蟒3"的以色列导弹,据说在1982年

以色列人侵黎巴嫩时曾击落50架叙利亚飞机。这种系统在它的作用范围内探测到一架飞机时，携带导弹的飞机座舱内指示灯亮并发出警告声。飞行员按下发射按钮，剩下的事导弹系统自己去做。导弹发射后飞行员眼睛盯住目标机，电子设备监控飞行员眼睛的运动，计算机根据这种运动产生相应的无线电信号，由一台美国新型瞄准装置来修正导弹的航向。参阅 **strategic weapons system**。

tactics 战术 在陆上、海上和空中进行战斗的艺术和科学。战术涉及到战斗方法、部队的部署、各种武器装备的使用以及进攻或防御机动的实施。历史上伟大的军事指挥官都是杰出的战术家，他们之所以取得辉煌战绩，乃是因为他们能够按照安全、机动、突然性和集中兵力这样一些战争原则灵活地利用了当时物质上的有利条件和不利条件。综观全部战争历史，许多指挥官都采用过正统的、非正统的进攻、防御和阻滞战术。战术通常可以理解为解决实际战斗中遇到的问题的方法。战术思想力图协调人员与现有的武器技术，并根据地形和敌人部队情况使用人员和武器以保证战斗部队的武器得到最有利的使用。在黑色火药发明以前的时代，持长矛、长枪或剑的步兵必须密集在一起。为了最大限度地和最准确地使用各种刀剑，应尽可能靠近敌人进行战斗。火器发明以后，密集行进的战斗队形就逐渐被抛弃了。把配备火器的士兵疏散开，敌人武器就更难瞄准目标，同时通过利用火器的射程却把进攻威胁散布到更宽广的区域。展开是战术应用的一个重要组成部分。展开是指把每一种武器(或使用类似武器的一小队人员)配置在能对敌人造成最大破坏或对己方部队提供最大保护的地点。进攻时间和进攻方向也是重要的战术考虑因素。在现代战争中，时间选择已成为发动空降突击以获得突然性利益的关键因素。在战斗中，在需要迷惑敌人时，或者需要保存一支战败的军队时，脱离战斗的方法也十分重要。

Tacticus, Aelianus 塔克梯库斯 参阅 **Aelianus** 埃利亚努斯。

tactile corpuscle(biology) **触觉小体** 参阅 **Meissner corpuscle** 迈斯纳氏小体。

Tacuarembó 塔夸伦博 旧称圣弗鲁克图奥索。乌拉圭中北部城市。附近有阿埃多山。周围生长兰花和硬木。建于1831年。在蒙得维的亚通往巴西的铁路线上。基本为生产单一化的城市，加工肉食、羊毛、羊皮及羊脂。为行政中心，现已开始发展旅游业。主要广场上有圣弗鲁克托索大教堂(1834)。印第安博物馆介绍该市印第安人和牧民的历史。人口40 513(1985)。

Tadjoura, Gulf of 塔朱拉湾 吉布提海湾。位于亚丁湾西端。吉布提港位于海湾东南岸。湾口宽35英里(56千米)，长50英里。最深点3 550英尺(1 082米)。湾岸贫瘠、荒芜，不宜定居，居民主要是牧民。奥博克和塔朱拉是海湾城镇，但都不是主要港口。

Tadmor(ancient Syria) **泰德穆尔** 参阅 **Palmyra** 巴尔米拉。

Tādoba National Park 塔斗巴国家公园 位于印度西部马哈拉施特拉邦的国家公园。面积117平方千米，园内茂密的娑罗双属马戈萨、马休雅和芒果树林遍布，间或缀有湖泊与平原，公园以之为名的塔斗巴湖四周围有一竹林带。1935年在此设立了野生动物禁猎区，1955年宣布成立国家公园。公园内有老虎、美洲狮、豹、斑鹿、胡狼、印度野牛、亚洲麋鹿、水鹿、羚羊、懒熊以及鳄鱼。有道路网及塔台以供观察野生动物之用。

tadpole 蝌蚪 又作polliwog。蛙类和蟾蜍类的水生幼体。与蝾螈幼体相比，蝌蚪的身体短，呈卵形，尾宽，口小，无外鳃。内鳃被鳃盖覆盖。大多数蝌蚪为草食，有些种的蝌蚪为肉食，甚或食其同类。蝌蚪的变态顺序是：前后肢发育→尾消失→肠缩短→鳃消失→肺发育。变态完成后便成为幼蛙或幼蟾蜍离水登陆。

tadpole shrimp 蝌蚪虾 鳃足纲背甲目甲壳动物。有2属：*Triops* 属及 *Lepidurus* 属。已知的约15种，均为淡水种，栖息于湖、池沼和间歇塘内，主要分布在欧洲和北美。体形特别，似蝌蚪，故名。其背甲大而卵圆形，壳状，腹部细长，能弯曲，有一长而分叉的尾。体长可达100毫米，体节可多至40个，有些体节上有几对叶状附肢，有几种的附肢数达70对以上。一般生活在水底，食有机碎屑或捕食小型水生动物和幼虫。卵的抗旱力很强，间歇塘干涸后，可在土中生存数年，下雨后方孵化。

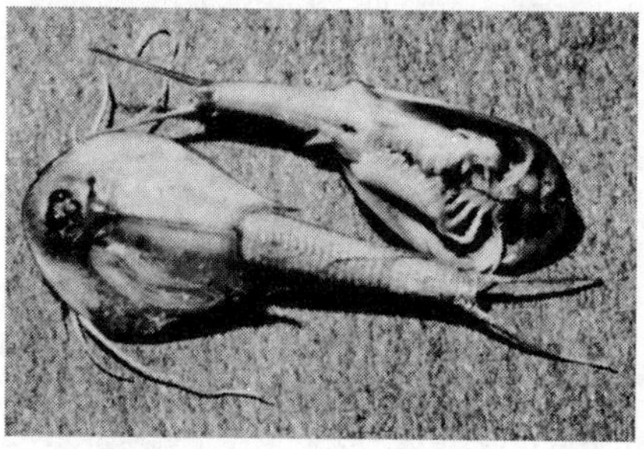

长尾蝌蚪虾(*Triops longicaudatus*)的腹面(上)和背面(下)
供图：William E. Ferguson

Tadzhik(people) 参阅 **Tajik** 塔吉克人。

Tadzhikistan 参阅 **Tajikistan** 塔吉克斯坦。

tae kwon do 跆拳道 朝鲜语，意为"脚踢拳打术"。一种不使用器械格斗的朝鲜武术。根据用于自卫的朝鲜古式的跆拳与空手道编整而成。主要创始人是韩国的崔洪熙将军。经他提出，1955年把这种武术正式定名为跆拳道。跆拳道的特点是除了用拳猛击以外，还大量使用高踢和跳踢。它既可被视作一项运动，也可算是一种自卫防身术和精神的修炼。学习跆拳道的人要练脚踢、拳打和阻挡三种单个技巧，这三个方面包括在系列技巧的传统的组合之中。这种组合称做"型"(hyung)。在初级跆拳道中按照对"型"的熟练程度，确定(个人)等级的高低。学员还要练习基础的对练组合拳(称为"一步对练")，即两人在近距离内彼此攻击和还击的一套连续动作。之后，学员们可作为对手练习散打。在对练时不真打，出拳点到即止。跆拳道可当作一种运动，运动员得分的多寡以在散打中对练时施展技巧的正确程度或对"型"的演练精巧性来判定。参阅 **martial art**。

1988年韩国汉城奥运会上的跆拳道比赛
供图：© Allsport USA/Mike Powell

T'aebaek Mountains 太白山脉 朝鲜半岛的主要山脉。沿日本海(东海)海岸自北向南延伸北至朝鲜黄龙山(1 268米)，南至韩国釜山郊区者称庆尚山，全长500千米，平均海拔1 000米。主要山峰有金刚山(1 638米)、雪岳山(1 708米)、五台山(1 563米)和太白山(1 561米)。山脉东坡陡峭形成断层海岸线，西坡平缓。有小白、车岭、光州等支脉向西南延伸。为韩国主要河流如汉江、洛东江、锦江的发源地。矿产资源有铁、煤、钨、萤石和石灰石。山区有大片森林。

太白山脉的雪岳山
供图：Kim—Bavaria Verlag

Taedong River 大同江 朝鲜南部河流。发源于咸镜南道狼林山脉。向南流经439千米,在南浦注入黄海的朝鲜湾。大同江的流域面积为20 344平方千米。水深,并受黄海潮汐影响,宜于水运。沿江多港口,如平壤。4 000吨船舶可由此通至松林,从河口上溯65千米可通航2 000吨船只。上游被广泛用于灌溉。

Taegu 大邱 又拼Taiku或Daegu。韩国东南部庆尚北道首府。韩国第三大城市,为省级特别市。在洛东江和琴湖江汇合处东侧,在釜山北西北90千米处。地处山谷,两边为海拔1 100米的山脉。几世纪以来大邱为东南地区政治、经济和文化中心。李朝(1392～1910)期间是庆尚道的首府(直到1896年庆尚道分为南北两道为止),也是韩国三大商业城市之一。20世纪50年代起大邱迅猛发展,在朝鲜战争(1950～1953)以后的几十年中人口增长10倍。该市纺织业占特别重要的地位,还有金属和机器制造业。然而最著名的却是周围地区种植的苹果,畅销东亚及东南亚各国。20世纪初期美国传教士将美国苹果树剪枝嫁接到当地的酸苹果树上后,当地的苹果种植业便开始兴旺起来。大邱西面有海因寺,是802年开始修建的佛教寺庙建筑群,拥有若干有价值的宗教珍品,以三藏经为最,这部经由8万多块刻有佛教经文的木版组成。这些木版在13世纪刻就,收集的佛教经文在亚洲最齐全。大邱其他名胜有达成堡,此城堡几百年来保卫了大邱的安全,现在已成为游人爱去的达成公园,还有八公山公园,游人坐上缆车可达八公山顶凭眺大邱景色。该市有5所大学和几所学院,主要有国立庆北大学(1946年创建)和永南大学。有航线、铁路及公路通汉城和釜山。还有其他铁路和公路交会于该市。面积456平方千米。人口约2 449 420(1995)。

Taehan 大韩 参阅 **Korea** 朝鲜。

Taejŏn 大田 又拼Daejeon。韩国东南部忠清南道城市和首府。有特别市和相当于省级的行政地位。李朝(1392～1910)末期前曾是大田河畔的一个贫穷村庄。1905与1914年先后建成北连汉城(167千米)南通釜山和木浦的铁路后,成为交通枢纽。朝鲜战争期间(1950～1953)曾为大韩民国临时首都,城市70%被毁,后重建。工业以棉纺业、机器制造业、化工业和制革业为主。设有国立忠南大学和其他五所专科院校。西北郊11千米处有儒城温泉,为浴疗胜地。人口约1 272 121(1995)。

tael 两 中国的重量单位;当用于表示银子重量时,长期用作货币单位。两大多相当于1.3盎司银子。中国1933年以前没有国家通货,因此对外贸易中使用外国货币而对内贸易中使用银两。银两很少铸成硬币的形式,却常用作记帐的标准单位。实际交易的清算使用银锭、以两为单位的银行券或支票,或使用银币,尤其是使用18和19世纪大量流入中国的西班牙或墨西哥银元。由西班牙人和别国人输入中国的银条皆被重新熔化并浇铸成重约50两的特殊形状的银锭。人们称这些银锭为银锞子,1933年以前中国的银行储备,相当大的部分都是这类银锞子。在中国,由于不同地区或地点所使用的两的大小不同,故两所代表的重量区别很大。最重要的货币两是上海两,它等于纯银518谷(grain)。上海两的兑换值常随伦敦和纽约市的银价升降而波动,它是中国最重要的商业城市上海批发贸易和外汇交易的基础。从古代开始,普通老百姓在小额交易中所使用的现金为铜钱,1 000个铜钱价值等于1两。然而自19世纪末开始,零售贸易便使用墨西哥银元,随后又用中国本国的银元、银质辅币和10文钱的铜板。1933年中国国民党政府正式废除两,代之以新的中国标准的元。元现在仍然是中国货币的基本单位。

Taenia 带绦虫属 绦虫的一属,寄生于哺乳类。参阅 **tapeworm**。

taeniodont 带齿兽 已绝灭的带齿兽目(Taeniodonta)哺乳动物,生活于古新世至始新世(6 640万年前至4 300万年前)的北美。可能与早期的贫齿目动物有亲缘关系,可能初以昆虫为食,后期的类型则以植物为食。特征为具牙冠高、牙根长而深深植入颅骨的牙。已知一科——柱齿兽科(Stylinodontidae),该科含2亚科:锥齿兽亚科(Conoryctinae)和柱齿兽亚科(Stylinodontinae)。锥齿兽亚科动物的形态颇为一般化,无甚特色,但其身材从古新世类型的负鼠大小逐渐增大到小熊大小。在古新世末期之前即已绝灭。反之,柱齿兽的形态则越来越特化。最突出的是颅骨极短而宽;下颌高而厚实;牙无根;四肢末端具大而长的爪,用以攫取或挖掘,其犬牙极大而特化,适于咬断食物。其爪和牙均表明适应于某种特化的食物,其性质未明。

Ta'er Monastery 塔尔寺 中国藏传佛教格鲁派寺院。又作金瓦寺、塔儿寺。意为"十万佛像"或"十万狮子吼佛像的弥勒寺"。位于青海省湟中县鲁沙尔镇西南隅。与哲蚌寺、色拉寺、甘丹寺、扎什伦布寺、拉卜楞寺合称格鲁派六大寺院。明嘉靖三十九年(1560)为纪念诞生于此的格鲁派创始人宗喀巴而建。菩提塔殿为中心建筑,也是最早的建筑,因屋顶鎏金铜瓦又被称作大金瓦殿。菩提塔矗立在殿的中央。小金瓦殿为塔尔寺的护法神殿。大经堂是集体礼佛诵经的场所,为塔尔寺的最大建筑,下设四大扎仓(经学院),传习显宗、密宗、时轮、藏医诸学。另有供奉五方如来的九间殿、纪念释迦牟尼八大功德的八大如意塔,以及建在塔尔寺最高处的大拉浪(大方丈室),即法台(住持)的居处,也是达赖、班禅来此寺时的住地。每年农历正月、四月、六月和九月间,塔尔寺都要举行大法会,正月十五的大法会最为隆重。

Taeuber, Conrad; and Barnes-Taeuber, Irene 托伊伯夫妇(康拉德1906-06-15,美国南达科他霍斯默～ ;艾琳1906-12-25,美国密苏里米德维尔～1974-02-24,马里兰海厄茨维尔) 艾琳母家姓Barnes。美国人口学家、统计学家、社会科学家。他们在人口调查方面的渊博知识有助于建立人口学,使他们成为研究美国人口活动方面的权威。

康拉德毕业于明尼苏达大学,1931年获得哲学博士学位。曾担任一些政府部门职务,包括联邦紧急救济署经济分析家(1934～1935)、农业部经济专家(1935～1940),农业部首席社会科学家和农村人口与福利处代处长(1942～1943);农业部首席农业经济专家(1943～1946)。1946～1951年在联合国粮食及农业组织任职,1951～1968年任美国人口调查局助理局长,1968～1973年任副局长。从1973年起任华盛顿特区乔治敦大学肯尼迪研究所人口学高级教授。与艾琳婚后两人合作研究人口学。

艾琳1927年毕业于密苏里大学,获得文学士学位,1928年又从西北大学获得文学硕士学位,1931年从明尼苏达大学获得哲学博士学位。1929年与康拉德·托伊伯结婚后,两人都在人口学、统计学方面共同从事研究,直到她去世。曾在1936～1961年担任普林斯顿大学人口研究室副研究员,1962～1974年任人口学高级研究员。艾琳在任国会图书馆人口调查图书项目组长和人口调查局长(1941～1944)期间,曾撰写了《美国人口调查的一般项目和重点项目》(与诺特斯坦合著,1943)、《苏联与欧洲人口》(1943)、《日本人口》(与康拉德·托伊伯合著,1958)和《变迁中的美国人口》(与康拉德·托伊伯合著,1958)。以上著作都是人口学方面的经典作品。1937～1954年在她主编的《人口索引》上发表的多篇论文也有同样的价值。

Taewŏn-gun 大院君(1821～1898) 又作Yi Ha-ang(李是应)。朝鲜国王高宗之父。1864～1873年为摄政王,曾制订加强中央政权的长期改革方案,扩充兵员和使军队现代化,并使行政管理合理化。他反对向日本或西方作任何让步。1882年虽已丧失权力,但仍帮助组织反日大暴动。后被执并送往中国达3年。回国后其实权和许多改革已不存在。

Tafari Makonnen(Ethiopian emperor) **塔法里·马康南** 参阅 **Haile Selassie** 海尔·塞拉西。

Tafelberg(South Africa) 参阅 **Table Mountain** 桌山。

Taff-Ely 塔夫-伊利 威尔士南部中格拉摩根郡一区。1974年设立。面积167平方千米。包括塔夫河与伊利河谷地,以及南部地势起伏的低地。塔夫和伊利流域的开矿社区在18世纪末和19世纪初开发南威尔士煤田时,工业发展很快。受到20世纪30年代大萧条的影响,经济衰退;石油取代煤炭,使当地大量煤矿工失业。此后,轻工业及工业区的建立,尤其在南部城镇诸如兰特里森特与特雷福雷斯特等地,吸收了北部老矿区城镇的许多工人。南部的其他居民点,如克雷贾安和潘蒂尔奇等地,成为加的夫市的住宅区。庞特普里斯是区首府,也是塔夫和朗达谷地的购物中心,有一座著名的43米长的单孔桥于1755年为威廉·爱德华兹所建。M4号高速公路沿塔夫-伊利南界延伸。人口约95 400(1991)。

Taff Vale case　塔夫河谷罢工案(1900～1901)　英国塔夫河谷铁路公司控告铁路员工联合会，经法院裁决取得胜利的案件。在该案中，法院裁定工会可因其工作人员在劳资纠纷中的行动所造成的损失而被起诉要求赔偿。反对这个裁定的意见对促使早期英国工党的发展起了很大作用。1900年8月，铁路员工联合会的会员举行罢工，要求提高工资和承认工会，但在公司雇用了罢工破坏者后，罢工在两个星期内得到解决；工人们除了得到公司重新雇用的许诺外一无所获。在罢工期间，公司认为纠察队违犯《1875年谋合与保护财产法》，向法院提出控诉。铁路员工联合会认为自己既不是法人，也不是个人，不能负法律责任。法官法韦尔爵士作出反对工会的裁决，这个裁决于1901年得到上议院支持。裁决书实质上否定了罢工是组织起来的工人们的武器。工人们通过工党来要求改正这一错案。1900～1906年，工党的议员人数从2名增加到29名。自由党政府的《1906年劳资争议条例》取消了对裁决的执行。

taffeta　塔夫绸　一种细薄凉爽的平纹织物,经纱密度较纬纱大,表面光泽,沿纬纱方向呈现隐条。丝塔夫绸有色织和匹染两类。色织塔夫绸手感硬挺,发出称为丝鸣或绢鸣的声音,用于晚礼服和妇女用雪纺或乔其纱时装的衬裙。匹染塔夫绸柔软耐洗,是优良的衬料,也用作电绝缘材料。高强度塔夫绸在第二次世界大战中曾大量用来制作降落伞。

taffy　太妃糖　欧美的一种经过调味的糖浆制糖果。糖料先经熬炼,然后在冷却过程中经严格加工,成为一种耐嚼而光亮的糖块。19世纪一度对太妃糖的需求量很大,到20世纪中叶,让位于广为流行的巧克力糖和硬块糖,但作为用彩色纸包装的小块廉价糖果还有一定市场。基本配方为砂糖、糖蜜或玉米糖浆。掺水加热到一定温度,然后将熬好的糖料倒在冷却板上,用香精油调味,冷却过程中,将其有规则地拉伸,展平和折叠,并不断重复直到糖料变硬、光亮为止。盐水太妃硬糖根据其配料特点而得名,曾是公共游乐场和海滨疗养地的名产。奶油太妃糖是一种源于英国的松脆糖果。将糖浆与奶油混合后,经过充分熬炼,在冷却过程中加入果仁碎粒、香料和色素等配料制成。

Tafilalt　塔菲拉勒特　摩洛哥最大的撒哈拉绿洲。位于摩洛哥的东南部。该地的村寨和棕榈林沿济兹河岸延伸50千米。旧都城为柏柏尔人的西吉勒迈塞要塞,建于757年,毁于1363年,重建后,1818年又被艾特阿塔游牧族摧毁。建在要塞废墟附近的里萨尼是绿洲上唯一的规划村庄。绿洲以产椰枣而著名。塔菲拉勒特有制革和手工业。伊尔富德山麓的伊尔富德为该地贸易中心。人口

塔菲拉勒特里萨尼的椰枣市场
联合国教科文组织供图

151 003(1982)。

tafsīr　太甫绥鲁　阿拉伯语,意为"注释",指解释伊斯兰教经典《古兰经》的学科,或有关《古兰经》注释的学科 。伊斯兰教先知穆罕默德在世期间,穆斯林们不承认任何解释《古兰经》启示的其他权威。然而,在他逝世后,注释就变得需要了。因为,当启示完成书面形式时,它是被记载在一个不完整的手稿上,资料的编排缺乏历史的顺序,其原文和意思均不明确,显示出种种不同的看法,甚至含有明显的矛盾。在早期,许多穆斯林试图在纯粹个人推测的基础上来解释《古兰经》,这被称之为意见注释,虽然未得到普遍赞同,但这种解释方法一直延续至今。其他人则用源于基督教尤其是犹太教原始材料的故事来解释《古兰经》或给其添加细节。为了辩驳这种解释的任意性,在伊斯兰教教历4世纪(公元10世纪),出现了被称为经注学即系统注释《古兰经》原文的宗教学科。它是逐节有时是逐字地进行注释。随着时间的推移,这一学科发展了它自己的几种方法和形式。匈牙利学者伊格纳兹分阶段地勾画出太甫绥鲁的发展过程。在第一阶段或原始阶段,穆斯林们主要关心确定《古兰经》的范本。被称为传统太甫绥鲁的第二阶段,其特点是根据先知本人或其弟子(亦称撒哈比)所述对《古兰经》章节的解释。因此,它是依赖于圣训或穆罕默德及其最亲密助手的言论的传述。由于穆斯林们试图证明他们作为一个宗教团体的一致性和明确表示他们的教义观念,出现了教义太甫绥鲁。各个教派团体用其对《古兰经》的解释来证实它们自己的独特教义主张,著名的有被称为理性主义者的穆尔太齐赖派,他们坚持主张对《古兰经》的解释必须符合理性。苏非派(伊斯兰教神秘主义者)和有秘传倾向的什叶派也实行明显背离纯粹字面分析的阐释(参阅**Bāṭinīyah**)。英国学者J.旺斯布劳根据太甫绥鲁文献的形式和作用将其分成5类,认为这5类大致是按照下列顺序出现的:尝试为经文章节提供一个叙述背景;力求解释各章节的内含意思;对原文细节的关注;对修辞问题的关注;寓言的解释。史学家塔百里(838或839～923)编纂的注释本,汇集了在他之前产生的所有传述的学术成就。书中留下了太甫绥鲁诸家之说的最基本的东西。继他之后较著名的注释本包括扎马赫沙里(1075～1143)、拉齐(1149～1209)、巴达维(卒于1280)和苏尤提(1445～1505)的经注。在当代,仍有人在编纂注释本。例如,伊斯兰教现代主义者利用注释本作为他们表达改革主义者思想的工具。

Taft, Lorado　塔夫脱(1860-04-29,美国伊利诺伊埃尔姆伍德～1936-10-30,伊利诺伊芝加哥)　美国肖像和寓言作品的雕刻家,也是有影响的教师和作家。毕业于伊利诺伊大

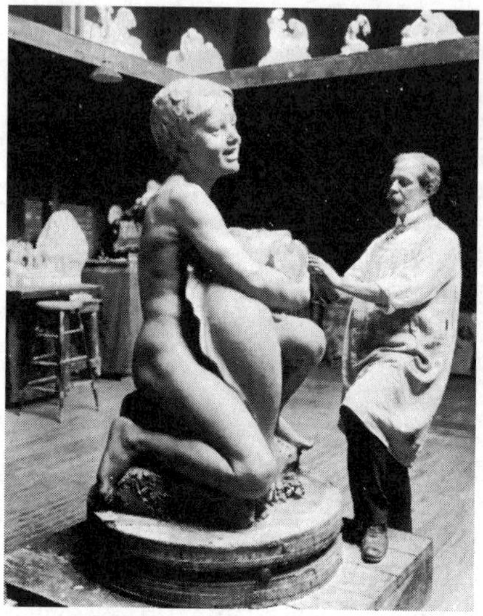

塔夫脱及其雕塑作品
芝加哥历史学会供图

学,并曾在法国美术学院学习(1880～1885)。1886年在芝加哥美术学院开始了漫长的教师生涯。1911年当选为全国设计学会会员,积极参加筹划公众美术教育,1914～1917年任美国艺术联合会会长。1903年发表了《美国雕刻史》,1921年出版《现代雕刻趋势》。他的作品具有19世纪学院派寓意雕刻的气质,包括一系列理想化的优美形象,如《大湖渊泉》(1913,芝加哥美术学院)和《时代的渊泉》(1922,伊利诺伊州芝加哥华盛顿公园)。芝加哥大学校园内的塔夫脱故居"中途画室"已辟为国立纪念馆。

Taft, Robert A.　塔夫脱(1889-09-08,美国俄亥俄辛辛那提～1953-07-31,纽约州纽约)　美国参议院共和党领袖,在任达14年之久(1939～1953),因拥护传统的保守主义而赢得诨名为"共和党先生"。1948和1952年均未获得总统提名,说明孤立主义已为党内的国际主义所挫败。美国第27届总统塔夫脱(1909～1913在职)之子,1913年在俄亥俄州取得律师资格,专门从事托拉斯和公用事业诉讼案件,又是几个有成就的公司的董事长。在第一次世界大战期间,任美国粮食管理局助理法律顾问(1917～1918)和美国救济总署法律顾问(1919)。1921～1926年当选为俄亥俄州众议员,1931～1932年任州参议员。1938年当选为美国参议员,很快就为自己在首都华盛顿建立起强大的势力,谴责新政的

美国国会图书馆供图

“社会主义倾向”，并要求政府节约开支、平衡预算和减少权力集中在首都。日本进攻珍珠港(1941年12月)前，他是积极的反干涉主义者；后来则全力以赴支持战争，但常常批评罗斯福总统的战争政策。1946年共和党赢得国会选举的多数后，塔夫脱的权势和威信又翻开了新的一页。他不知疲倦地担任共和党参院政策委员会主席之职，积极参预国会立法事务。其最显著成就为塔夫脱-哈特莱《劳资关系法》(1947)的制定，对有组织的劳工施加限制，并企图平衡劳资双方的谈判权利。他虽然倡议在住房、保健、教育等方面的福利范围予以限制，但他还是反对将权力集中在联邦政府手中。塔夫脱是坚定的孤立主义者，反对美国于第二次世界大战后通过诸如1949年成立的北大西洋公约组织(NATO)这种国际组织卷入世界事务，却与前总统胡佛共同提倡“堡垒美国”和“放手原则”。正因如此，在提名总统候选人时，他总遭到最坚决的反对。自从1936年以来，他虽在每次共和党全国代表大会中都是最受拥护的候选人，到1948年还受到全国范围的支持，但最终还是败给拥有强大势力的国际主义者杜威。1952年又败给著名的战时将领艾森豪威尔。共和党竞选胜利之后，塔夫脱成为多数党领袖和艾森豪威尔在参议院的主要顾问。

Taft, William Howard　塔夫脱(1857-09-15，美国俄亥俄辛辛那提～1930-03-08，华盛顿[哥伦比亚特区])　美国第27任总统(1909～1913)和美国第10任首席大法官

美国国会图书馆供图

(1921～1930)。U.S.格兰特总统时期陆军部长和司法部长A.塔夫脱之子。耶鲁大学毕业(1878)后，在俄亥俄州取得律师资格(1880)，任地方官职。1887年任州高级法院法官。1890～1892年任美国司法部副部长，1892～1900年任美国第六巡回上诉法院法官。在劳资纠纷中，他的观点常激起反对，因为他强调次级抵制(指为了向没有直接卷入劳资争议的雇主施加压力而开展的有组织的运动)是不合法的，强调法院有必要通过禁制令制止暴力；他维护工会的合法权利，主张把禁制令用于反托拉斯法。1900年任第二菲律宾委员会主席，到菲律宾组织文官政府。1901年成为美国第一任菲律宾总督，致力于发展经济，因政绩卓著，深受当地人民的爱戴。1904年任陆军部长。T.罗斯福在1908年拒绝竞选连任时，转而支持塔夫脱。在罗斯福支持下，他赢得共和党总统候选人提名，击败民主党人W.J.布赖恩。他缺乏政治敏感，对共和党内保守与进步力量间日益加剧的争吵注意不够；实际上他任用自由主义者入阁更加深了裂痕。然而，他不爱声张的领导仍使他的政府深受好评。他在总统任内一直勤勤恳恳，做了不少工作，如逐步采取年度预算，建立邮政储蓄体系，鼓励保护自然资源，大力推行反托拉斯法，等等。1912年竞选连任失败后，任耶鲁大学法学教授。他坚决主张美国加入国际联盟。1921年任美国首席大法官，努力提高司法机关的效率。在通过1925年的《法官法》时，他的影响是决定性的，该法使最高法院在接受案件时，能够行使更大的权限，并准许它优先审理那些具有全国重要性的案件。他对宪法的最大贡献是在《迈尔斯诉美国案》(1926)中表明支持总统撤换联邦官员的权力。1930年初因病辞职，一个月后去世。

Taft-Hartley Act　《塔夫脱-哈特莱法案》(1947)　正式称《劳资关系法案》。美国历史上，超越H.S.杜鲁门总统的否决权而制定的一项立法，极大修改了支持工会的《瓦格纳法》(1935)。诸多因素，包括害怕共产主义渗入工会、工会的会员以及权力的巨大增长和一系列大规模的罢工，使第二次世界大战后美国出现一种反对工会的气氛。1930年以来第一次控制了国会两院的共和党多数派想纠正《瓦格纳法》纵容工会滥用权力。1947年由参议员R.A.塔夫脱和众议员F.A.哈特莱提出的这一法案规定：工人虽然有组织工会和集体谈判的权利，但也有不参加工会的权利(即要求资方只雇用工会会员是不合法的)；只有在本州法律许可并得到大多数工人投票赞成的情况下，才能规定新雇用的非工会会员必须在一定时间内加入工会；工会举行罢工必须在60天以前通知资方；当罢工危及国民健康或国家安全时，联邦法院有权下令禁止罢工80天；工会工作人员必须宣誓声明自己与共产党无任何联系。

tag　捉人　又作touch或tig。一种儿童游戏，其最简单的形式是许多人逃，一个人追；追者摸着谁就算捉住了他。有时被摸的人算是沾上了什么灾病；还有时，如逃者摸到木头、铁或某种颜色的东西，或者双脚不着地面、蹲下或作其他姿式，就可以免于被捉。追者有时必须两手扣在一起摹仿鹿、牛或山羊等有角动物，或者蹲下学蛙跳；逃者则在周围叫跳。如被捉后改为捉者，则有时还必须一手按住自己被前人摸着之处才可捉他人。捉者也可用球打人，打着就算捉住。捉者还可联合他所捉住的人一同去捉其他人。被捉住的俘虏可以拉成一长行，由首尾两人去捉其他人。捉人游戏的另外一种玩法是，大家从安全区通过中心区跑入另一安全区，捉者则在中心区活动。

Taga Shinko(Japanese painter)　**信香**　参阅 **Hanabusa Itcho** 英一蝶。

Tagalog　他加禄人　菲律宾第二个最大的文化-语言集团(仅次于宿务人)。他们在马尼拉城，在马尼拉湾海滨各省(邦板牙除外)，在北方的新怡诗夏省，在南部的八打雁省、内湖省、马林杜克省、明都洛省和奎松省，都是人数最多的居民。他加禄语和其他菲律宾语一样，属澳斯特罗尼西亚(马来-波利尼西亚)语系，是1 000万菲律宾人的母语，曾被用作菲律宾国语的基础，现在各学校都教授这种语言。他加禄人多数务农。他们的地方政府类似美国的城镇区划，下辖许多小村落及其周围田地。水稻利用泛洪灌溉，高地则种旱稻。经济作物是甘蔗及椰子。马尼拉的重要地理位置使城市他加禄人在商业、金融业、制造业、专门职业以及政府和劳务部门的运营中均居首位。他加禄人所在各省，有80%以上的人口是罗马天主教徒。500多年来，他们是同中国人、西班牙人和美国人打交道的中介人。他们对这些外国文化进行选择，加以解释，并使之适合于基本的印度-马来社会模式；但他们激烈地反对外国经济和政治的控制。在19世纪他们曾发动反西班牙的宣传运动，1896～1902年间他们的将领们领导过多次反对西班牙和美国的武装起义。这一时期的主要菲律宾民族英雄是他加禄人；在后来以制宪手段获得独立的成就中，他加禄人亦属领导阶层的行列。

Tagalog language　他加禄语　澳斯特罗尼西亚语系(马来-波利尼西亚语系)中部菲律宾语族语言，是菲律宾语的基础语，菲律宾语与英语同属官方用语。他加禄语和比科尔语以及比萨扬诸语言——宿务语、希利盖农语以及萨马尔语关系极密切。操他加禄语者是菲律宾群岛第二个最大的语言和文化集团，人数至少在1 400万以上，分布在中吕宋和棉兰老部分地区。菲律宾语(以他加禄为基础)是菲律宾国语，作为第二语言使用者超过2 500万人，在文艺、广播、报刊中的使用范围正不断扩大，同时也是政府机关及教育用语。他加禄语语法的显著特点是动词体系复杂，尤以其各具特点的三种被动结构更是如此。

Taganrog　塔甘罗格　俄罗斯西南部罗斯托夫州城市和港口。位于亚速海塔甘罗格湾北岸。1698年彼得大帝在此建要塞和海军基地。19世纪发展成为粮食出口港。现虽次于顿河畔罗斯托夫市，但仍是顿涅茨煤田和

工业区的重要港口。生产钢材、高压锅炉和联合收割机，修理船舶，亦有皮革加工等轻工业。剧作家和短篇小说家契诃夫诞生于此，并在此度过早年生涯，其故居现辟为纪念馆。市内有两所高等学校及契诃夫剧院。人口约293 000(1992)。

Tagawa　田川　日本九州福冈县市名。在远贺川上游。原为农村，1900 年以后有计划地开采附近的煤矿。田川为筑丰煤矿于 1970 年关闭最后一个矿井之前该矿区的最大矿山城镇。现在，此市的主要工业产品是水泥。人口57 701(1990)。

Tagaytay　塔盖泰　菲律宾吕宋岛西南部城市。位于塔阿尔山北侧的塔盖泰岭上，海拔约 600 米。为周末游览地。气候凉爽，可俯瞰南面的塔阿尔湖和湖中岛上的活火山。北面有商品菜园专供马尼拉地区。1938 年设市。人口约24 000(1990)。

塔盖泰岭风光
供图：Jonh Lewis Stage—Photo Researchers

Tagbilaran　塔比拉兰　菲律宾保和(棉兰老)海中保和岛上的城市。濒临保和海峡，以邦劳岛为屏障，为该省主要港口和物资集散中心。与宿务岛和棉兰老岛之间有定期航班。旅客，尤其是移民游客至棉兰老客运繁忙。港口水浅且有珊瑚礁，常需疏浚。城市至今仍保持乡村特色。有一机场，来自宿务岛的空运业务频繁。人口约 56 000(1990)。

Tagdempt (Algeria)　**塔格丹普特**　参阅 **Tiaret 提亚雷特**。

Tagelied　破晓惜别歌　源自中古高地德语 Tageliet。中世纪德国的晨歌，或黎明之际情侣即将分离时所唱的惜别之歌。类似法国普罗旺斯方言的晨曲，也可能就是从法国引入的。最著名的破晓惜别歌的作曲家是 13 世纪的诗人 W. von 埃申巴赫。

Taggard, Genevieve　塔加德(1894-11-28，美国华盛顿韦茨堡～1948-11-08，纽约州纽约)　美国诗人。主要以撰写 E. 狄更生的传记为人们所铭记，并因其抒情诗为人们所仰慕。这些诗歌巧妙地将知识、个人、社会以及美学所关注的问题融合在一起。1896 年起住在夏威夷。1914 年秋进加州大学伯克莱分校就读。在校最后一年编辑文学杂志《西方》，1920 年毕业。1921 年与其他人合办一份每月出版的"小杂志"《音步：诗刊》，直到 1926 年杂志停刊。她是纽约市一个激进文学团体的成员，经常向《自由民》、《群众》和《解放者》等杂志投稿。第一部诗集《致热恋中的情人》(1922)收录的大多是关于婚姻和自然的诗。接着又出版了《为凿子写的歌词》(1926)和《旅游停滞不前》(1928)两部诗选，所选诗歌涉及她的童年、社会的不公正、爱情和诗歌本身等诸多方面，获得评论界的广泛赞许。1929～1930 年在马萨诸塞州南哈德利的芒特霍利奥克学院任英语讲师，1932～1935 年在(佛蒙特州)贝宁顿学院授课，1935～1946 年在纽约州布朗克斯维尔的萨拉·劳伦斯学院授课。1934 年出版《我诗尚未结束：诗选 1928～1934》，收录了可能是她最优秀的诗作；接着于 1936 年出版《要求西部联盟》，收录了她有关社会抗议方面的诗作；而随后出版的诗集中最著名的作品《缓慢的音乐》(1946)又回归对自然和艺术的探索。她对文学最重要的贡献也许就是传记《艾米莉·狄更生的生平和思想》(1930)，这部传记长久以来一直被认为最好地阐明了狄更生的思想。

Taginae, Battle of　塔基尼战役(525-06 或 07)　在意大利塔基尼村进行的一场决战。拜占廷将军纳尔塞斯击败哥特人国王托提拉的主力部队。这一胜利使纳尔塞斯得以长驱直入意大利和最终解放罗马。

Taglioni, Filippo　塔利奥尼(1777-11-05，意大利米兰～1871-02-11，科莫)　意大利舞蹈演员、编导，他发展了芭蕾舞的浪漫主义风格。其父卡洛、其兄萨尔瓦多都是当时舞蹈界的重要人物。1794 年他在比萨首次登台，尔后在里窝那、佛罗伦萨、威尼斯及巴黎等地演出，并在巴黎从库隆家族学习。1803 年在斯德哥尔摩任首席演员及芭蕾编导，此后每年从该处出发到卡塞勒、维也纳、慕尼黑、都灵、斯图加特、柏林、华沙及圣彼得堡巡回演出。他有一子一女保罗和玛丽，均为舞蹈演员。玛丽成为世界最伟大的女芭蕾舞蹈家之一。1832 年塔利奥尼为她创作了他的著名芭蕾舞剧《仙女》——浪漫主义"白色芭蕾舞剧"中的第一部。

Taglioni, Marie　塔利奥尼(1804-04-23，瑞典斯德哥尔摩～1884-04-24，法国马赛)　意大利芭蕾演员，她的娇弱而柔和的舞蹈风格是 19 世纪初期浪漫主义的典型代表。她主要接受父亲 F. 塔利奥尼的训练，于 1822 年在维也纳初次登台。1832 年 3 月 12 日在巴黎歌剧院上演她父亲的芭蕾舞剧《仙女》时，在最早用脚尖跳舞的女演员中，她创造了一种新的风格，其特征是空中飘浮的跳跃、"阿拉贝斯克"等舞姿的均衡姿势，以及对脚尖的灵巧而严谨的运用。她在《仙女》中所穿的紧身胸衣和钟状薄纱半透明舞裙，后来成为芭蕾舞裙的原型，这种芭蕾舞裙长度不一，宽松多褶而又轻盈，一百多年来一直是古典芭蕾女演员的统一服装。不仅巴黎人拜倒在她的脚下，就是伦敦、米兰、维也纳、柏林和圣彼得堡的观众，也都把她推崇为自有芭蕾以来最伟大的舞蹈家之一。

巴黎歌剧图书馆供图

tagmemics　法位学　20世纪50年代美国语言学家 K.L.派克发展起来的一种语言分析体系，曾用于描述很多迄今尚无文字记载的语言。法位学与语法分析的诸选择体系之间的不同点在于，它将语言的基本单位(法位)定为复合成分，一部分是"空位"(slot)或"功能"(function)，另一部分是"填充语"(filler)或"类别"(class)。例如，在句法分析层次上，法位可以是作主语用的名词(在此情况下，名词就是在一个结构中"填充"主语"空位"的类别)。

Tagore, Devendranath　泰戈尔(1817-05-15，印度加尔各答～1905-01-19，加尔各答)　印度教哲学家、改革家、梵社主要活动家。出身于富有地主家庭。从 9 岁起受正式教育，学习梵文、波斯文、英语和西方哲学，与比他年轻的改革家盖沙布·钱德尔·森结为好友。泰戈尔猛烈抨击孟加拉一带盛行的殉夫制度。他与森合作，努力普及教育。泰戈尔力图扫除印度教中的偶像崇拜、派系纷争和个人专断等弊病，断然全盘否定吠陀。他说，任何著作，不论如何古老，也不可能为人类生活提供完美无缺的准则。泰戈尔本想在激进的理性主义和狂热的婆罗门保守主义之间进行折衷，但是却未能如愿，于是他退出社会活动，闭门授业。1886 年成立和平村，该地日后成为他的儿子诗人泰戈尔所办的教育中心，并最终发展成为具有国际声誉的大学，因而闻名。泰戈尔终生号称大圣，用孟加拉文撰写了大量的著作。

Tagore, Rabindranath　泰戈尔(1861-05-07，加尔各答～1941-08-07，加尔各答)　印度孟加拉语诗人、神秘主义者。1913 年获诺贝尔文学奖，是向西方介绍印度文化精华和把西方文化精华介绍到印度的最有影响的人物。他是大圣戴本德拉纳特·泰戈尔的儿子。早年即开始写诗，19 世纪 80 年代出版了几部诗集后，创作诗集《心中的向往》(1890)，标志着他的天才臻于成熟，其中包括一些他最著名的诗篇，以及他最初的社会诗和政治诗。这部诗集中有多首诗歌的诗体，例如颂歌这一诗体，对于孟加拉语来说是新颖的。1891 年他前往西莱达和赛义德布尔经管父亲的田产，他生活在那里，与村民密切接触，对他们的贫穷和落后的同情是他后来许多作品的基调。他的“关于卑微的生命及其渺小的痛苦”的故事收在他的《短篇小说集》(1912)中。尽管他从来不把印度独立当作目的本身,他仍对政治和社会问题发生兴趣。在西莱达,他

美国不列颠百科全书公司供图

逐渐爱上孟加拉乡村,特别是恒河,这也许是他作品中最频繁重复的形象。在这些年间,他发表过几部诗集:《金帆船》(1893)、《缤纷集》(1896)、《收获集》(1896)、《梦幻集》(1900)、《刹那集》(1900)和《奉献集》(1901),以及两部抒情戏剧:《齐德拉》(1892)和《玛丽尼》(1895)。悲伤的岁月赋予泰戈尔以创作最佳诗篇的灵感(1902～1907年间,他的妻子、一儿一女相继去世)。他那众所周知的诗集《吉檀迦利》(1910)的英译本为他赢得诺贝尔奖。1915年受封为爵士,但在1919年他放弃了这一封号,以示对阿姆利则血案的抗议。虽然泰戈尔社会活动繁杂,但他依然是一位多产作家。在他人生的最后25年里,有21部诗集问世。这个时期,他把大部分时间用于在欧洲、美洲、中国、日本、马来亚和印度尼西亚演讲旅行。他的长篇小说虽然不像他的诗歌和短篇小说那样出色,也值得注意,其中最著名的是《戈拉》(1910)。泰戈尔还是一位天才的作曲家,曾为成百上千首诗歌谱曲;他并属于印度一流画家之列。1901年,在博尔布尔附近的寂乡创办了一所学校,力图把印度和西方传统中的精华融合起来。1921年,他在那里创办了国际大学。

Tagula(Papua New Guinea) **塔古拉岛** 参阅 **Sudest Island** 东南岛。

Tagus River **塔古斯河** 伊比利亚半岛最长河流。葡萄牙称特茹河;西班牙称塔霍河(Río Tajo)。源出西班牙东部阿尔瓦拉辛山,西流经西班牙和葡萄牙,在里斯本附近注入大西洋。全长1 007千米,流域面积81 600平方千米,仅次于东北面的埃布罗河流域。上游切割石灰岩地区,流过狭窄、曲折的河谷,穿越崎岖山地,流向西南。在博拉尔克城附近通过面积132平方千米的人工湖(卡斯蒂尔海)。出水库后继续向西南流,经过肥沃的阿兰胡埃斯地区托莱多塔拉韦拉-德拉雷纳至卡塞雷斯省。自此以下又是由石英岩和页岩形成的狭窄陡峻的峡谷。在阿尔坎塔拉进入目前欧洲最大的人工湖。往下流约1.61千米,构成西、葡两国界河。流经葡萄牙肥沃的阿布兰特什地区,最后注入大西洋的塔古斯湾(亦称里斯本湾)。塔古斯河流域的高地多针叶林。因而木材工业发达。小溪附近亦有白杨和柳树生长。约有1/3的耕地种植谷物。到处可见橄榄林和葡萄园。西班牙西部的埃斯特雷马杜拉地区,则仅有栎树和软木树。沿河地区动物种类繁多,兼有欧洲和北非的种属,恩特雷佩尼亚斯及布恩迪亚水库和塔古斯河及其支流中盛产各种鱼类。

Tah-Gah-Jute(Iroquois Indian leader) **达加朱特** 参阅**Logan, James** 洛根。

Taha Hussein **塔哈·侯赛因**(1889-11-14,埃及迈加盖～1973-10-28,开罗) 埃及现代主义文学运动的杰出人物。用阿拉伯文写成的作品有长、短篇小说、评论、社会和政治性论

埃及阿拉伯语言学院供图

文。在国外,他的自传《日子》(2集,1929～1932)最负盛名。这部在西方受到赞扬的第一部现代阿拉伯语文学作品被译成英语面世,上集名为《一个埃及人的童年》(1932),下集名为《岁月之流》(1943)。生于小康之家,两岁时患眼疾,致使双目失明。1902年就读于开罗爱资哈尔神学院这样一所重要的伊斯兰正统高等教育中心,但很快便和保守的宗教权威们发生争执。1908年进入新创办的世俗的开罗大学,1914年成为第一个获得该校博士学位的人。后又转入巴黎大学继续深造,熟悉西方文学。回埃及后,任开罗大学阿拉伯文学教授。他在《论蒙昧时代的诗歌》(1926)一书中使用现代评论方法,使他陷入激烈论争。在该书中他提出,许多所谓伊斯兰教以前时期的诗歌,实为晚后穆斯林出于各种原因的伪作,原因之一就是企图使人相信《古兰经》的神话。结果他被宣布为叛教者。他又在另一本著作《埃及文化的未来》(1938)中说明他的如下信念:埃及就传统而言,与希腊、意大利、法国等国同属广义的地中海文明。他主张吸收现代欧洲文化。任教育大臣期间(1950～1952),他广泛推进了国民教育并取消了学费。晚期作品中表现了对穷人困境日益增强的关怀和对政府进行大力改革的兴趣。1967年又出版了一本回忆录《日记抄》,时年78岁。

tahajjud **守夜** 伊斯兰教习俗,指通宵诵读《古兰经》和祈祷。根据惯例,守夜是圣行,不是义务。在赖买丹月(斋月)守夜是特别善行,因此穆斯林在斋月期间往往通宵留在清真寺。某些穆斯林国家以通宵礼拜为正式制度。

Tahan, Mount **大汉山** 马来语作Gunung Tahan。马来半岛最高峰,海拔2 187米,位于西马来西亚大汉山脉。是大汉山国家公园中心的主体景观,登山者从附近的公园管理处所在地瓜拉大汉出发,向上攀登。大汉山脉和它西侧距离约97千米的主干山脉(中央山脉)平行,从大汉山峰向南伸展约120千米,穿过丁加奴桌状高地。山中石英岩及页岩风化土仅生长着稀疏植被。山脉被琥宾河切断后,沿着马来半岛南部东海岸继续延伸为孤立丘陵,并形成新加坡岛上的花柏山岗。

Taharqa **塔哈卡**(活动时期公元前7世纪) 又名塔尔库或提尔哈卡。埃及第25王朝第4代国王(公元前690～前664在位)。在位初期支持巴勒斯坦反抗亚述国王辛那赫里布。公元前671年被辛那赫里布之子以撒哈顿击败,以撒哈顿攻陷了孟斐斯。以撒哈顿撤退后,塔哈卡从上埃及避难返回,屠杀亚述戍兵,再度统治埃及。但后又被以撒哈顿之子亚述巴尼拔击溃,于是南逃至努比亚。死后葬在努里一大金字塔中。

Ṭāhirid DYNASTY **塔希尔王朝**(821～873) 在呼罗珊建立的伊斯兰教王朝,创建者为军事将领塔希尔·伊本·侯赛因。这个王朝名义上效忠于巴格达的阿拔斯哈里发,实际上完全独立。塔希尔的继承者把王朝的版图一直扩展到印度边境。

Tahiti **塔希提岛** 南太平洋中部法属波利尼西亚社会群岛中的向风群岛最大岛屿。同它最接近的是西北方20千米处的莫雷阿岛。塔希提拥有2座被侵蚀的古火山锥:塔希提

塔希提岛的保罗·戈甘博物馆内院
供图:Shostal—美国不列颠百科全书公司

努伊和塔希提伊蒂(即塔亚拉普半岛),由塔拉瓦奥地峡连接在一起。总面积1 042平方千米。帕皮提(**Papeete**)位于西北岸,为本岛行政中心,也是法属波利尼西亚的首府。

除沿海有一肥沃的平原外,塔希提岛多山而崎岖,塔希提努伊的奥罗黑纳山海拔2 237米,塔希提伊蒂的罗纽山海拔1 323米。有许多湍急的溪流,最大的是帕佩诺河,在岛的北坡下泻入海。岛全长53千米,沿岸有珊瑚礁与潟湖。自然植被包括椰子树、露兜、马缨丹、木槿及热带果树。

塔希提岛位于东南信风带内,南部湿润(年降雨量2 500毫米以上),北部较干燥(年降雨量约1 800毫米),大部分雨量降在12月至翌年3月。气温由7～8月的24 ℃到1～2月的29 ℃。这种气候适宜于种植椰子(产品是椰干)、甘蔗、华尼拉香草和咖啡。它们都生

长在沿海平原，由西北岸的帕皮提装船外运。

塔希提的原住民是来自社会群岛另一座岛屿赖阿特阿的波利尼西亚人，该岛是波利尼西亚文化的扩散中心。他们在塔希提建立了与等级制密切联系的政治单元，以每座庙宇周围的家庭为基础，大酋长兼祭司，在神力认可下握有相当大的权力，但同下属们的关系是互惠的。这种社会在欧洲人影响下消失了，相互通婚以及法国人的同化政策，产生了一个以波利尼西亚文化为基本型态的民族，但和其他民族（主要是法国人及华人）有大量混血，受法国文化的影响很深。

1767 年英国海军塞缪尔·沃利斯船长来到塔希提（当时一般称奥大赫地），将该岛命名为国王乔治三世岛，接着又有布干维尔于 1768 年来到岛上，他宣布该岛属于法国。1769 年英国航海家詹姆斯·库克及 1788 年英国科学考察船“恩惠号”船长威廉·布莱皆到过本岛。最早的欧洲人长久定居者是伦敦新教会的成员（1797），他们协助当地波马雷家族控制了全岛。波马雷二世（1803～1824）皈依了基督教，战胜了塔希提其他诸酋长，建立了一个具有文字法律的“教会王国”。在波马雷三世（1824～1827）及波马雷四世王后（1827～1877）在位时，塔希提人与教会对抗，疾病、卖淫、酗酒泛滥，又有欧洲商人和流浪汉的影响，教会权威受到了挑战。1836 年波马雷四世王后放逐两名法籍天主教教士，招致法国于 1842 年派来一艘军舰，要求赔偿，并设置为法国保护地。1880 年波马雷五世（波马雷王后之子）退位，塔希提被宣布为法国殖民地。该岛现为法属波利尼西亚海外自治领范围内向风群岛区的一部分。

塔希提已成为一个重要旅游中心，旅客可经跨越太平洋航线上的港口帕皮提以及帕皮提附近的法阿机场来此。人口 131 309（1988）。

Tahlequah　塔勒阔　美国俄克拉何马州东部城市，切罗基县县城（1907）。在欧扎克山麓，近伊利诺伊河和坦基利湖。原为切罗基人居处，1839～1907年曾为切罗基族首府。

塔勒阔市的默雷尔之家（1844）

供图：Bob Taylor—美国不列颠百科全书公司

现为农牧区的加工和服务中心，生产木料及机械加工产品。设有俄克拉何马州立东北大学（1909）、切罗基工艺美术中心。塔勒阔市的名胜、游览地有当年切罗基政府议会大厦（1867～1870）、国家监狱（1874）、最高法院（1844）、南北战争以前的默雷尔之家、州立塞阔雅公园和重建的印第安村落等。人口 10 398（1990）。

Tahltan　塔尔坦人　操阿萨巴斯卡语的印第安部落，居住在斯蒂金河上游及附近其他河流两岸，其地约相当于现在的加拿大不列颠哥伦比亚省的西北部地区。这一地区尽管野草丛生、岩石累累、林地稀疏，但鲑鱼丰富，其他猎物如驯鹿、驼鹿、熊及其他各种皮毛动物亦多。塔尔坦人生活流动，居无定所，夏季追逐鱼群、冬天各地狩猎，仅携随身物品。住所或为披屋，或为茅舍，以木柱、树皮及柴草搭成。但在中心村里，则有一坚固而巨大的房舍，供举行仪式之用，兼作几个氏族的主要家庭的住宅。塔尔坦人传统上有 6 个氏族，各有领袖，组成 3 个渡鸦胞族，3 个狼胞族，彼此在礼仪性职能方面进行互助，在婚配方面互相交换（一渡鸦族成员必须同一狼族成员结婚），并保证各自的狩猎地不受侵犯。到 18 世纪，狼胞族增加了第四个氏族，总共有 7 个氏族。塔尔坦人的社会组织形式，仿效太平洋沿岸邻近部落，社会等级划分为贵族、平民及奴隶。另一项重要模仿是“散财宴”。在封赠贵族的礼仪上、在提高声誉的场合或在标明其他事件如葬礼时，往往举行散财宴。塔尔坦人与沿海诸部落及北方的卡斯卡人时而进行贸易、时而进行袭击，甚至战争。塔尔坦人相信日神及天神，但更笃信各种神奇力量，这些力量就蕴藏在其周围所见事物之中，特别是构成他们食物来源的禽兽之中。塔尔坦人在欧洲文明的重压之下，人口锐减，到 20 世纪末，仅剩 700 余人。

Ṭahmāsp I　塔赫马斯普一世（1514-03-03，伊朗萨非伊斯法罕附近～1576，加兹温？）伊朗国王（1524 起）。在位期间不断和奥斯曼帝国作战，丧失大片领土。为萨非王朝缔造者伊斯梅尔一世长子。奥斯曼军队曾三次（1534、1538 和 1543）侵入伊朗，收复丧失的土地，并占领新的地区。1555 年缔和。塔赫马斯普晚年深居宫中，很少过问朝政。

Tahoe, Lake　塔霍湖　美国加利福尼亚州和内华达州边界上内华达山脉北部断层形成的淡水湖。南北长 35 千米，东西宽 19 千米，面积500平方千米，湖面海拔1 899米，最深

内华达州托伊亚比国家森林内的塔霍湖

供图：John F. Shrawder—Shostal/美国不列颠百科全书公司

点 500 米。有众多溪流注入，湖水经特拉基河流向东北约 100 千米的皮拉米德湖。湖水供应内华达州灌溉工程。湖区及周围的国家森林为旅游区。

Tahoua　塔瓦　尼日尔南部城镇。位于农、牧区过渡地带。是重要贸易市场。在 20 世纪70和80年代萨赫勒旱灾中，为难民中心。

塔瓦镇的泥土造房舍

供图：Dominique Darbois

有公路连接阿加德兹和首都尼亚美。有机场。人口约 51 600（1988）。

Tahpanhes（ancient Egyptian town）　参阅 **Daphnae** 达夫尼。

tahr　塔尔羊　偶蹄目牛科塔尔羊属（*Hemitragus*）几种秉性胆怯、步履稳健的野生山羊类的统称。成群栖息，常出没于陡峭的有树的山坡。肩高因种不同，在60～106厘

喜马拉雅塔尔羊（*H. jemlahicus*）

供图：Arthur W. Ambler from the National Audubon Society Collection/Photo Researchers—美国不列颠百科全书公司

米之间。两性都有向后弯曲侧扁的短角。喜马拉雅塔尔羊（Hemitragus jemlahicus）分布于克什米尔到锡金一带，呈红褐色到深褐色；雄体颈部到身体前部有鬃毛。尼尔吉里塔尔羊（巨角塔尔羊，*H. hylocrius*）分布于印度南部，褐色，背部有灰白花纹。阿拉伯塔尔羊（*H. jayakari*）是三个种中最小者，灰褐色，毛质脆、较短。

Ṭahṭāwī, Rifāʿah Rāfiʿ aṭ-　塔塔维（1801，埃及泰赫塔～1873，埃及）　埃及教师和学者。最初解决与西方协调问题并用伊斯兰教术语提供答案的埃及人之一。1826 年前往巴黎任埃及留学生的宗教教师，五年后回到埃及，1836 年任新成立的开罗语言学校校长。自 1841 年起主持翻译局的工作，自译并指导他人翻译大批历史、地理和军事科学书籍。1848 年阿拔斯一世即位，怀疑西方影响，塔塔维被调往喀土穆执教。1854 年赛义德即位，塔塔维返回开罗，除其他活动外，继续从事学

术工作。塔塔维认为社会秩序系真主所立，统治者为真主的代表，对统治者权威的唯一限制是他的良心。虽然人民没有权利，统治者应公正统治，并努力促进他们的物质福利。人民反过来应当履行自己公民的职责，国家也应为此目的教育他们。他还认为，可以借助于西方技术在和谐运行的政府和社会组织内实现物质文明的进步。这就是他的现代思想之所在。

Tai 傣族 又拼Dai。东南亚诸土著民族。包括泰人或暹罗人(在泰国中部和南部)、佬人(在老挝和泰国北部)、掸人(在缅甸东北部)、潞人(主要在中国云南省，也在缅甸、老挝、泰国北部和越南)、云南傣族(云南重要的傣族群体)和部落傣人(在越南北部)。所有这些群体都操傣语诸语言。据估计，20 世纪末期，傣族总人口为7 576万，其中泰国4 506万(包括泰人和佬人)，老挝 302 万，缅甸 371万，中国2 118万，越南约 279 万。

入佛寺学习的傣族青少年

供图：S. E. Hedin—Ostman Agency

多数傣族都是小乘佛教信徒，然而在不同的群体中，小乘佛教存在相当大的差异。在许多傣族的农村中，寺庙是社会和宗教活动中心。多数男青年都当一段时间的和尚。与佛教传统同时存在的，还有佛教以前的万物有灵信仰。在经济方面主要从事稻谷种植：高地种旱稻，各河流域种水稻。傣族家庭一般由夫、妻、妾及未婚子女组成；妇女地位高，无种姓制。虽然他们的政治体制各不相同，有独立国家(如泰人和佬人所建国家)，也有酋长领地(如非傣族人所建各邦)，但是他们的半自治农村的基本结构均极相似。公社领导权由选举出来的农村首领、和尚与长老承担。

从历史上看，1 世纪傣族出现在扬子江流域。汉族的压力迫使他们南下，一直分布到东南亚北部。从文化上看，当代中国云南的摆夷、潞人和努亚人，贵州的仲家人(或布依人)、广西壮族自治区的壮族都是傣族的后裔。傣族文化特征保留得最浓的是缅甸的掸族、泰国的泰族(或暹罗人)和佬族。掸族住在缅甸掸邦高原，集中于自治的掸邦。泰族(暹罗人)组成泰国人口的大部，多住在河流沿岸和冲积平原。他们的农村人口，由 300 到3 000人不等。泰族社会现今包括农村低层人口，其上是工匠，再上是商人、政府官吏及僧侣。佬族主要住在湄公河流域，占老挝人口的 2/3。住在越南北部的傣族群体，有所谓“黑傣”、“白傣”和“红傣”之分。潞族住在中国云南南部和毗邻的缅甸、泰国和老挝一些地区。他们的典型房屋，建筑在 2.1 或 2.4 米高的木柱上。他们同中国其他省份的傣族相比，在文化上汉化程度较轻，而与缅甸、泰国和老挝的傣族保持着密切联系。

T'ai, Mount (mountain, China) 参阅 **Tai Shan** 泰山。

Taï, Parc National de 塔伊国家公园 科特迪瓦的国家公园。位于该国西南部。西邻利比里亚边界，东以萨桑德拉河为界。原为一动物保护区(1956 设立)，1972 年辟为国家公园。面积 3 500 平方千米。地貌以平原为主，南部有海拔 623 米高的涅诺奎山。该公园以其低地雨林植被闻名，是西非仅存的原始森林之一。野生动物有矮河马、象、水牛、穿山甲、南非林羚、豹、黑猩猩和斑马。沿边界有偷猎现象，北部森林遭到砍伐。

Tai Chen (Chinese philosopher) 参阅 **Dai Zhen** 戴震。

T'ai Chi (in Chinese philosophy) 参阅 **Taiji** 太极。

Tai Chin 参阅 **Dai Jin** 戴进。

T'ai Hao 太昊 参阅 **Fu-hsi** 伏羲。

Tai Hu 太湖 又作T'ai Lake。中国第三大淡水湖。古称震泽、具区、笠泽。在江苏省南部。由长江、钱塘江下游泥沙封淤古海湾而成。多年平均水位3.1米，湖水面积2 425平方千米，平均水深 2.1 米，蓄水 27.2 亿立方米。主要水源有二：一为来自浙江省天目山的苕溪，在湖州市以下分为 70 多条溇港注入；另一来自江苏宜溧山地北麓的荆溪，分由太浦、百渎等 60 多条港渎入湖。太湖水由北东两面 70 多条河港下泄长江，以娄江(下游称浏河)、吴淞江(下游称苏州河)、黄浦江为主。黄浦江为最大泄水河道，约占总出水量的 80%。其余诸河港流量较小，每因海潮顶托或江水上涨而倒流。整个太湖水系共有大小湖泊 180 多个，连同进出湖泊的大小河道组成一个密如蛛网的水系。对航运、灌溉和调节河湖水位都十分有利。江南运河是京杭大运河的组成部分，它自镇江谏壁口引长江水南流，穿过太湖水系众多的河流和湖荡，吞吐江湖，调节水量，成为这个水网的重要干流。湖中现存岛屿 40 多个，以洞庭西山最大。东岸、北岸有洞庭东山、灵岩山、惠山、马迹山等低丘，山水相连，风景秀丽，为著名游览区。是农业较发达地区，素称“鱼米之乡”。20 世纪 50 年代以来，对太湖流域进行了防洪排涝综合治理，完成了长山河排涝工程。“八五”期间建有太浦河、望虞河、杭嘉湖南排等骨干工程。

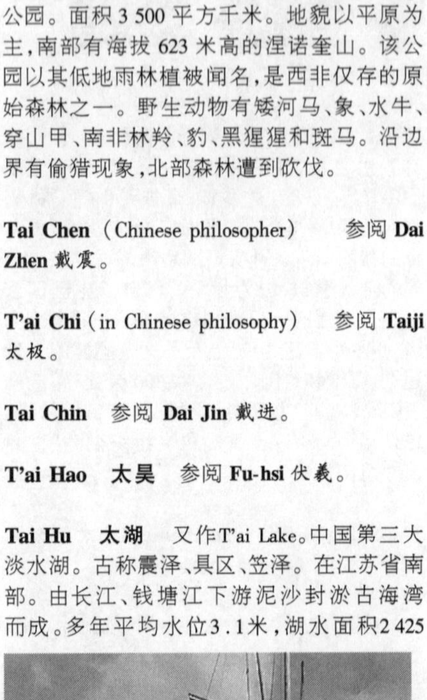

太湖湖畔的木帆船

供图：Richard Harrington—Miller Services Ltd

Tai languages 傣语诸语言 彼此关系密切的一组语言，其中泰语(或暹罗语)、老挝语(通行于老挝)、掸语(通行于缅甸)最为著称。傣语诸语言以各种不同名称通行于泰国、老挝、缅甸、阿萨姆邦(印度北部)、越南北部及中国西南地区。

傣语诸语言和其他各种语言的关系从未最后确定。因为傣语与汉藏语系语言有相同的语音结构、声调系统和某些相同的词语，传统说法将它们归入汉藏语系。不过，根据某些相同的词项也有人认为傣语诸语言属于中国西南部和海南的加岱诸语言并最终属于澳斯特罗尼西亚(马来-波利尼西亚)语系。

词汇学和音位学标准指明，傣语诸语言有共同的系谱关系，适于分为 3 组方言群。西南方言群包括泰语、老挝语、掸语、昆语、潞语、白傣语、黑傣语等，通行于泰国、老挝、越南北部、缅甸、中国云南地区。这个方言群在地理上分布最广，人数约占操傣语者总人口的 2/3。中部方言群包括越南北部的土语诸方言以及中国广西通行的龙洲话和各种方言。北部方言群包括仲家语或布依语、贵州诸方言、广西壮语诸方言、云南和越南某些方言以及远在南面的老挝和泰国的赛克方言。

这 3 个方言群的相同词汇占有相当的百分比，但某些词汇仅在两个方言群间相同。北部诸方言音位的发展过程不同于其他方言的地方是并没有保持送气与不送气清塞音的区别。某些方言中出现送气音是后来引入及再度发展的结果。中部诸方言与其他方言的区别在于对待某些傣语原始母语的辅音从如 tr 和 thr 的处理方法有所不同。

傣语诸语言的单词绝大多数都是单音节词。许多多音节词主要来自复合词，有的是来自其他语言的借词。音节是由 1 个首辅音或辅音丛后加 1 个元音或元音丛组成。音节有时也由鼻音或未吐出的塞音结尾。每个音节均有声调，这是区分同音同形词的重要特征。共有 5 种调声，可列举如下：平调(a，如 maa[“来”]中之 a)；低调(à，如 màak[槟榔果]中之 à)；降调(â，如 mâak[多]之 â)；高调(á，如 máa[马]中之 á)；升调(ǎ，如 mǎa[狗]中之 ǎ)。

傣语与东南亚相同地区的不同语言接触，导致采用许多不同来源的词语。泰语和老挝语大量借入高棉语和梵语及巴利语的印度-雅利安诸语言的词汇，而中部方言群和北部方言群则受汉语借词很大影响。据推测傣语诸语言词汇的共有核心语言大概是早期的一种原始语；原始语的形态变化不使用词尾屈折的手段，而用派生法衍生新词。孳生新词的过程是在旧词上添加词尾、前缀或其他单词。合成法是傣语主要的派生单词方法，也经常使用重叠法和部分重叠法。旧的孳生过程是变换辅音或声调，也可两者兼有，现已不再使用。核心语言曾出现某些由完整语词简缩成的本族语前缀。但加前缀和后缀的情况，多见于来自印度-雅利安语和高棉语的借词。

普通句子的句法结构是，名词短语作主语，后接动词短语作谓语。也有不用动词而以名词代之的名词性谓语。在句子的句法中，小品词极为重要。相当多的小品词，特别是句末的小品词，可表示疑问、命令、强调、不肯定、说话人的性别、礼貌程度等。

傣语诸语言有两种文字体系。自18世纪以来（或许更早时期）中部和北部方言群通用汉字和经过改变的汉字，主要用于写歌词。另一种文字系统源自印度-雅利安文字，为13世纪产物，通用于西南方言群的诸方言中。现在，源于印度-雅利安书写体系的多种字母文字在这个方言群中普遍使用。现代泰语文字源于印度天城体文字，有42个辅音符号，35个元音和元音丛符号和4个调号。老挝语、潞语、白傣语、黑傣语等使用类似的文字体系。掸语和阿霍姆语通用一种完全不同的印度-雅利安文字体系，但两者的字母形体彼此大不相同。与天城体文字相对比，掸语和阿霍姆语字母令人费解，不易确定，它不区分辅音的高低，表元音的符号太少，也没有声调符号。

T'ai-pei (city) 参阅 **Taibei** 台北。

Tai Shan 泰山 又作T'ai, Mount。中国五岳之一，为著名游览胜地。位于山东省中部。泰山山脉西起东平湖东岸，向东北延伸至淄博市南，与鲁山相接，长约180千米。由片麻岩及石灰岩构成。主峰天柱峰海拔1 532.8米，位于泰安正北，是山东省最高峰。古称岱山，又名岱宗，春秋时改称泰山，汉初被尊为东岳。古人以东方为初春万物发生之地，故有五岳之长、五岳独尊之义。古代帝王登基后每在泰山行封禅大典，祭告天地。山体因几经沧桑，褶皱隆起，形成千峰竞秀、万壑争奇的壮丽景色。并有沿断裂线形成的大小不等的阶状瀑布，蔚为壮观。已辟为中国国家级风景名胜区。山中庙宇遍布，寺观建筑多达30多处，留有历史上众多文人墨客的大量题刻、雕塑和绘画。景点共100余处，尤以南天门、日观峰、经石峪、黑龙潭等名胜为最。1987年泰山被联合国教科文组织列为"世界自然遗产"。

泰山上的瀑布

供图：Peter Carmichael—Aspect Picture Library, London

泰山缆车

供图：© D. E. Cox-CLICK/Chicago

T'ai-shang Hsüan-yüan Huang-ti 太上玄元皇帝 参阅 **Laozi** 老子。

Tai Tung-yüan 戴东原 参阅 **Dai Zhen** 戴震。

T'ai-wan Hai-hsia (China) 参阅 **Taiwan Strait** 台湾海峡。

Tai Wen-chin 戴文进 参阅 **Dai Jin** 戴进。

Tai'an 泰安 中国山东省辖地级市。著名旅游城市。位于省境中部、泰山南麓。古称岱岳镇。秦为博阳县。汉称博县、奉高。唐乾封元年(666)改乾封。北宋大中祥符元年(1008)称奉符县。金大定二十二年(1182)置泰安州。明初废奉符县入泰安州。清雍正十三年(1735)置泰安县，为泰安府治。1913年废府。1958年设市，1963年改县，1982年复置市。1985年升为省辖市。辖泰山、岱岳2区和宁阳、东平2县，并代管肥城和新泰2个县级市。面积7 761平方千米，其中市区面积2 087平方千米。泰山耸立其北，大汶河流经其南，有京沪铁路经过，是鲁中地区重要的物资集散地，104国道、京沪、京福高速公路在此交会。农业盛产小麦、玉米、花生及林果、药材、柞蚕丝。有电力、化工、建材、机械、食品、造纸等工业部门。京沪、辛(店)泰(安)、泰(安)肥(城)铁路在此交接，公路四通八达。有山东农业大学、泰山医学院、泰山学院等高等学校。泰山巍峨高峻，号称中国五岳之首。多名胜古迹，如岱庙、经石峪、斗母宫、朝阳洞、南天门、十八盘、碧霞祠、日观峰、黑龙潭等，为著名的游览胜地。泰安市南著名的大汶口新石器时代文化遗址，出土有石器、陶器、牙雕、玉器以及墓葬遗迹。人口：全市5 490 000(2005)；市区1 580 000(2004)。

泰山孔子登临处

中国大百科全书出版社供图

Taibei 台北 又拼Taipei, T'ai-pei。中国台湾省最北部县。辖10市、4镇和15乡。面积2 052平方千米，县治设板桥市。17世纪初西班牙人曾占领沪尾(今淡水)、鸡笼(今基隆)、三貂角及金包里(今金山)等海岸。后被荷兰人取而代之。郑成功收复台湾后，亦曾于上述海岸地区屯驻少数守军。由来自福建省泉州、漳州的移民入境拓垦。至18世纪末期，平地均已开发，始渐向丘陵及山地发展。郑成功收复台湾时期(1661～1683)属天兴县。清代隶诸罗县。日本占领时期(1895～1945)曾置台北县(厅)。1945年台湾光复后正式设县。

该县大致位于台北盆地，境内多山地及丘陵。属亚热带季风气候，全年有雨，平均年降水量为2 050毫米。东南部是中央山脉的余脉，其中以塔曼山(海拔2 130米)最高。北部有著名的大屯火山群。淡水河中、下游及其支流新店溪等为境内最大水系，冲积成肥沃的台北盆地及一些狭小的河谷平原。主要农产品有稻谷、甘薯、茶叶、柑橘、蔬菜等。其中以县产包种茶最著，与南部冻顶乌龙茶并称于世。矿藏丰富，往昔煤田及金银矿产量均占全省首位。此外尚有黏土、硫磺、铝、铜、汞等。该县是台湾北部工业区的核心地带，工业发达，有金属制品、电力及电子、机械制造、木材加工、造纸、纺织、化学、化肥、陶瓷及食品加工业等。

台北县碧潭
中国大百科全书出版社供图

北部海岸有金山核能电厂。翡翠水库(蓄水量仅次于曾文水库)坝址设在中南部石碇乡境。

交通十分便捷，纵贯铁路下线、中山高速公路、环河快速道路、环岛公路及其支线连贯县境各乡镇，还有施工中的大台北捷运系统和北部第二高速公路(北二高)。南部的乌来温泉是台湾北部著名温泉之一，其周围有瀑布、人工湖、森林、山峰和游览缆车组成的风景区。此外尚有野柳、富贵角、碧潭、燕子湖、皇帝殿、观音山等名胜，及板桥林家花园(林本源园邸)、淡水红毛城等古迹。并设有沙仑、白沙湾、金山、万里、瑞滨、福隆等海水浴场。人口 3 725 000(2004)。

Taibei 台北 又拼 Taipei。中国台湾省第一大都市。原为台湾省省辖市及省会所在地。1967 年 7 月升为行政院院辖市。辖松山、信义、大安、中山、中正、大同、万华、文山、

台北保安宫
中国大百科全书出版社供图

南港、内湖、士林、北投 12 区。面积271.8平方千米。位于台北盆地中央，境内最大河流淡水河(全长 158 千米)流经市区西部。原是一片沼泽、森林。1662 年郑成功驱逐荷兰殖民者后，曾驻军屯垦北部海岸，并置天兴县辖本地。清康熙二十三年(1684)隶诸罗县，雍正元年(1723)改隶淡水厅。康熙四十七年(1708)福建移民来此定居，不久出现市集，日渐繁荣。初名大加蚋，又称艋舺、莽甲、莽葛、文甲等。当时最早开发地区有艋舺(今龙山区万华一带)、大稻埕(今延平区)及新庄(隶属台北县)。清光绪元年(1875)设台北府，府治设艋舺，并改称台北。1891 年台湾省政治中心从台南迁此。日本占领期间(1895 ～ 1945)先后置县、厅、州，总督府设台北。日本投降后为台湾行政长官公署所在地。

与基隆市、台北县、桃园县组成台湾北部最大工业区，以台北市为工业区中心，也是台湾最大工商业中心。工商业发达，工厂、商店林立。主要工业有电器、纺织、造纸、制茶、机械等。交通四通八达，纵贯铁路、中山高速公路经过该市；大台北捷运系统及地下铁路正在兴建中。基隆港是该市出海港口，顺淡水河亦可从淡水港出海。市东北松山机场是省内航空中心，市西南方桃园中正国际机场是远东最大的国际航空站。有大专院校 20 余所，在校学生约占全省 1/3。有“杜鹃花城”雅号的台湾大学是台湾规模最大的综合性大学。此外有政治大学、师范大学、东吴大学、台北医学院、文化大学等。新闻、出版、广播、电视中心和全省最大的图书馆(中央图书馆)、博物馆(故宫博物院)、纪念馆(国父纪念馆)、美术馆(市立美术馆)、动物园(市立木栅动物园)均在该市。市北部为大屯火山群的一部分，有阳明山公园、士林芝山岩、北投温泉、内外双溪等著名风景区。市内有北城门、龙山寺、祖师庙、剑潭古寺、金龙寺、孔庙、指南宫等名胜古迹。市区西南的龙山寺创建于清乾隆三年(1738)，为福建泉州龙山寺的分支。东南郊的指南宫建于清光绪七年(1881)，是台湾著名大神祠之一，宫前石阶1 100级，可眺望全市。人口约2 641 312(1999)。

Taibei Zoological Garden 台北市立动物园 又作 Taipei Zoo。中国台湾省最大的动物园，亦为亚洲规模最大的开放式动物园之一。前身为圆山动物园，建于 1915 年，因坐落市区，空间狭窄不敷使用，而于 1986 年 8 月旧园关闭，旋于 10 月迁至现今木栅动物园址，11 月起开放参观。新园面积达 1.65 平方千米，展示动物以哺乳类、鸟类、蝴蝶类和爬虫类为主。该园共规划为 7 个户外展示区(台湾乡土动物区、可爱动物区、蝴蝶公园、沙漠动物区、澳洲动物区、非洲动物区和鸟园)及 3 个室内展示馆(教育中心动物生态及恐龙博物馆、蝴蝶馆、夜行动物馆)，并附设青少年体能锻炼场、野外动植物观察区、水鸟观察站等处。各展示区依动物习性及其原始生态而设置。另外，正陆续进行的后期工程将建有动物保育区、亚洲热带雨林动物区、极地及温带动物区、爬虫馆、昆虫馆、海洋馆等。该园除供民众游憩观赏及用于推广教育外，并兼有动物保育和自然生态保护及研究工作。

Taichang 泰昌 参阅 Ming ——：明朝帝王序列下 Mingguangzong Zhu Changluo 明光宗朱常洛。

Taidong 台东 又拼 Taitung。中国台湾省东南部县。辖 1 市、2 镇和 13 乡。面积 3 515.2平方千米。原为山胞先民的定居地。台东县土地开发在台湾各县中最晚，因距台湾岛西部大陆移民登陆各港较远，又有中央山脉之阻，清咸丰年间始有汉民入垦。清光绪元年(1875)置卑南厅，后改台东直隶州。日本占领初期改台东厅，后复称卑南厅。1945 年台湾光复后，1950 年改设台东县，县治设台东市。境内多高山，大部地区属中央山脉东南坡。西部高峰连绵，以关山(3 666 米)为境内的最高峰。东北部为海岸山脉。两山之间是卑南溪谷地，台东市一带是卑南大溪下游三角洲。市西北 5 千米处的卑南大溪水电站为周围地区主要电力来源。农业限于谷地和三角洲，主要产稻谷、甘薯、小麦、甘蔗、玉米、花生、香蕉、凤梨，以及家畜、家禽。山区多森林。地下有金、银、铜、石膏、镍、铁等矿藏。主要工业有制糖、木材加工、水泥。为东部纵贯铁、公路(花东铁路、花东公路)和南部横贯公路的终点；台东港有班轮通高雄、绿岛、兰屿；台东机场有班机通台北、高雄和花莲。该县是高山族的主要聚居地。游览胜地有鲤鱼山、知本温泉、龙门峡谷、八仙洞、兰屿等。东北部长滨乡海岸上的八仙洞是重要的长滨文化遗址。人口 205 000(2004)。

Taidong 台东 又拼Taitung。中国台湾省东南部台东县辖市及县治所在地。面积 109.77 平方千米。旧称“卑南”(P'i-nan)，原系卑南、阿美两族山胞分布之地。位于卑南大溪溪口

台东鲤鱼山龙凤塔和龙凤寺
台湾中华书局供图

之南，花东纵谷最南端，海拔 5 ～ 10 米。清嘉庆年间(1796 ～ 1820)始建，至咸丰(1851 ～ 1861)时逐渐发展。百年来均为县治所在地，1976 年升为县辖市。该市坐落于卑南大溪口冲积扇平原上，是重要的农产品交易中心，附近地区产稻谷、甘薯、甘蔗、凤梨、香菇、芦笋等农产品，伽蓝渔港为该市渔业发展中心，知本海岸有鱼虾大养殖场。制糖、轧棉、木材加工及制麻等为主要工业。南郊有台东农业改良场，为一热带农业实验站。该市交通便利，为花东铁路的终站，花东纵谷公路及花东海岸公路均经该市，并有南回公路与高雄相通；南回单线铁路(枋寮—台东)已于 1991 年底完工，长约 98 千米。有航空班机通高雄、台北及兰屿等地。鲤鱼山风景区、伽路蓝海滨公园和天后宫、海山寺、龙凤寺等为市内名胜古迹。鲤鱼山附近的石板棺遗址及南郊(一直延伸至台湾南端的鹅銮鼻)的卑南巨石文化遗址，均有重要考古价值。人口111 039(1994)。

Taidu(China) 大都 参阅 Beijing 北京。

Taieri River 泰里河 新西兰南岛东南部河流。源出拉默洛岭，北流后折向东南，流程呈大弧状，在达尼丁西南 32 千米处注入太平洋。全长 288 千米。流域面积 1 860 平方千米。有怀波里河等支流。上下游均有峡谷，河口附近为富饶的泰里平原。汽艇通航至亨利。

Ṭā'if, aṭ-　塔伊夫　又拼 Tayif。沙特阿拉伯西部城市。位于麦加东面台地上，海拔1 879米，为该国主要避暑胜地。现因有先知穆罕默德的堂兄弟阿布德·阿拉·伊本·阿巴斯的墓地以及先知的两位夭折的儿子的墓地而受人敬仰。1934年在该市签订勘定沙特阿拉伯和也门之间部分边界线的条约。该市以产水果和编织服装闻名。有现代化公路通麦加、吉达。人口约410 000(1991)。

taifa　泰法　阿拉伯语作 ṭawā'if。专指11世纪早期科尔多瓦伍麦叶王朝解体后出现于穆斯林西班牙地区政治大分裂中的一些小国王。穆札法尔专制统治(1002～1008)后，内战爆发，哈里发沦为傀儡，不同的泰法自立为王，遍及伊比利亚半岛。这些昙花一现的小邦，曾多达23个。柏柏尔人的泰法国家有巴达霍斯地方的阿费泰西王朝、托莱多的左农王朝和马拉加的哈木德王朝；这些小国曾一度帮助科尔多瓦的哈里发。安达卢西亚人或西班牙阿拉伯人所建小国是塞维利亚的阿巴德王朝、科尔多瓦的哲海韦尔王朝和萨拉戈萨的胡德王朝。由斯拉夫雇佣军所形成的萨加利巴"集团"并未建成王朝，但在托尔托萨、德尼亚及巴伦西亚等地建有小王国。这些小国之间战争不断，它们毫不顾忌地向基督教国家求援以反抗敌对的穆斯林诸王，或转而向北非王国求救来对抗基督教君主。泰法国家反复无常，于是成为日益增长的基督教再征服势力之争取目标；很快巴达霍斯、托莱多、萨拉戈萨、甚至塞维利亚都向莱昂-卡斯蒂利亚的基督教国王阿方索六世纳贡。尽管这些小国政治上无能，但却培育起一段穆斯林文化复兴时期。泰法诸王仿照哈里发宫廷模式，延揽诗人，提倡哲学、自然科学和数学的研究；还培养出诸如塞维利亚诗人国王穆耳台米德及其大臣伊本·阿马尔那样的诗人兼政治家；培养出科尔多瓦的诗人伊本·扎伊顿和瓦拉达；还培养出集诗人、哲学家和学者于一身的伊本·哈兹姆。1085年，阿方索攻取托莱多。几名小国王向穆拉比人(阿尔摩拉维德)王朝的优素福·伊本·塔舒芬求援，援军进入西班牙，在1086年巴达霍斯附近的萨拉卡战役中击败阿方索。穆斯林在西班牙的处境并无多大改善，优素福于1088年退回北非；1090～1091年间，他把这些小王国全部灭掉，从而使阿尔摩拉维德帝国的势力扩张到西班牙境内。

taiga　泰加林　又作 boreal forest。又称北方森林。在通常长满地衣的沼泽地上生长的开阔针叶林。系跨越欧亚大陆北部亚极区特有的植被，其北面为较冷的冻原，南面为较亚极区暖的温带地区。

T'aigo Wangsa　太古王师(1301，朝鲜～1382，朝鲜)　朝鲜佛教太古宗的创始人。13岁入佛门，25岁在汉城北山建太古庵，并修持。1346年到中国，在临济宗第十八代祖师石屋清珙指导下参学2年。他采用中国唐代僧人怀海(720～814，号"百丈禅师")所订的《禅门规式》，对朝鲜佛教进行改革，收效不大。太古宗势力一直较小。

Taihape　泰哈皮　新西兰北岛中南部自治市。濒临豪塔普河。初为林业中心。1906年设自治市。在通往惠灵顿的主要公路和铁路线上。现为奶牛、绵羊饲养区的服务中心。有机器、铸铁、铸铜、家具、水泥制品等工厂。人口约1 994(1996)。

Taihang Shan　太行山　又作 T'ai-hang Mountains。中国山西高原与河北平原间山脉。东北-西南走向，局部地段近于南北走向。北起北拒马河谷地，南至山西、河南边境

太行山风光
中国大百科全书出版社供图

的沁河平原，长400多千米。中段出露部分片麻岩，南段和北段主要为石灰岩。山脊海拔1 500～2 000米，北段小五台山海拔2 882米，是河北省最高峰。山地东侧为明显的断层，许多地段形成近1 000米的断层岩壁，气势雄伟。山脊西侧转为缓坦的高原。山地受拒马河、滹沱河、漳河、沁河等切割，多横谷，当地称为"陉"，古有"太行八陉"之称，为东西交通孔道。太行山东翼断陷盆地中分布有井陉、临城、峰峰、六河沟等著名煤矿。太行山为重要地理分界，山以西为黄土高原，以东为黄淮海平原。山地对夏季风有明显阻滞作用，迎风坡降水较多，并形成暴雨区。山地东侧为地震强烈活动带。

Taihō code　《大宝律令》(701)　日本奈良时代初期行政和刑事法典，仿中国唐律制定，分律和令两个部分。令的部分规定：建立中央行政机构；各国(地区)长官由中央任命，郡司由乡绅中选拔；50户为乡，由乡长管理。律的部分是关于逮捕和关押犯人的规定。原文已佚，但718年的《养老律令》保存其大部分内容。

Taiji　太极　又拼T'ai Chi，英语作Great Ultimate。中国古代哲学术语。始见于《易传》和《庄子》。北宋周敦颐作《太极图说》，后朱熹又加以发展，成为世界观基本概念之一，涵义也不断变化。《易传·系辞上》载："易有太极，是生两仪，两仪生四象，四象生八卦，八卦定吉凶，吉凶生大业。""太极"是天地万物本原。《庄子·大宗师》称："夫道……在太极之上而不为高，在六极之下而不为深，先天地生而不为久。"周敦颐在《太极图说》中提出"无极而太极"的命题，实本于《老子》"有生于无"，"太极"是由无极派生转而派生阴阳二气的中间环节。朱熹把"太极"解释为最高的理："总天地万物之理，便是太极。"张载、王夫之和王廷相则借用"太极"来说明"气"。近代孙中山曾用"太极"译西语 ether("以太")，认为是宇宙万物的物质始源。

Taijiquan　太极拳　又拼 T'ai Chi ch'uan。中国拳术之一，始创于清代(1644～1911)初期。乾隆间，山西武术家王宗岳用宋代周敦颐《周子全书》中阐发《易经》太极阴阳的哲理以解释拳理，撰定《太极拳论》，太极拳因而得名。据考证，太极拳最早传习于河南省温县陈家沟陈姓家族中。陈氏太极拳的创编人为陈王廷。迄今，太极拳衍变为：①陈式(陈王廷所创老架及陈有本编创的新架)，②杨式(杨露禅)，③吴式(吴鉴泉)，④武式(武禹襄)，⑤孙式(孙禄堂)等5个流传较广的派别。太极拳综合吸收了明代名家拳法之长，特别是戚继光的32势长拳编成。结合古代导引、吐纳之术，讲求意念引导，气沉丹田，要求心静体松，重在内壮，所以被称为"内功拳"之一。太极拳还运用中国古代的阴阳学说和中医经络学说，要求按经络通路，螺旋缠绕，以意行气，通任督二脉，练带脉、冲脉。

随着时代的推移，太极拳作为武术(**martial art**)，逐渐从战场搏杀转为体育健身之术。太极拳家在一百多年前的《十三势行功歌》中就有"详推用意终何在，益寿延年不老春"的提法。在具体动作上，每一教师都独具一格，各有所长。但其共同点略为：①静心用意，呼吸自然；②中正安舒，轻柔匀慢；③动作弧形，圆活完整；④连贯协调，虚实分明；⑤轻灵沉着，刚柔相济。近百年来，太极拳在中国和世界各国逐渐推广，是由于它具有防病治病的功能，对神经衰弱、心脏病、高血压、肺结核、气管炎、溃疡病等多种慢性病都有一定的预防和治疗作用。病情较重的患者则须在医务人员指导下进行锻炼。

Taika era reforms　大化革新　又作Great Reformation of the Taika Era。645年中大兄皇子(后为天智天皇，**Tenji**)与中臣镰足(后名藤原镰足[**Fujiwara Kamatari**])领导的反对苏我氏政变后日本所进行的大规模改革。通过改革，日本皇族的直接统治权扩及整个日本，建立起以唐朝为榜样的有序而公正的政府体制。天皇开始采用年号。645年孝德天皇即位，称大化元年。在大化以前，日本是由许多氏族组成。苏我一家曾用阴谋、暗杀等手段控制皇室达50年。苏我氏自称府邸为"皇宫"，称子为"皇子"。645年中大兄皇子在宫中杀死苏我入鹿。他与亲信中臣镰足是大化革新的主持者。由于他的精心安排和中臣镰足的认真执行，日本有史以来第一次产生中央集权的天皇政府。646年元旦天皇颁布诏书，正式掀起改革的浪潮。诏书包括4点：土地和人民归公(即天皇所有)；在首都及各国重新设立对天皇负责的行政和军事机构；制定户籍，按户籍合理分配土地；建立新的公平税制。同年3月中大兄皇子把庄园和奴隶献给国家，其他一些贵族仿效。8月天皇再次下诏，使这一行动成为法定的全国一致行动。在调查户籍时，不仅登记人口，而且记载土地使用情况，这就为后来按农家人口征税和重新分配土地打下了基础。在近江建起了中国风格的皇都，在京城地区开始了大规模的土地分配计划；第一次制定法律；按唐制建立政府各部，配备经过训练的官员，并开始修筑新的全国道路网。学者认为，大化革新的改革范围和1 200年后的明治维

新极为相似，不同的是大化革新在实行之前经过了周密计划并作了公布。

taiko 太鼓 日本的各种桶形鼓的通称，鼓面用绳捆绑或用钉钉上，通常用鼓槌（桴）击奏。当指一种特定类型的鼓时则加另外的字。如民间节庆和歌舞伎使用的大型御太

日本桶形太鼓

供图：K. B. S. Photo by Hisao Maejima

鼓，宫廷乐队（雅乐）用的乐太鼓。钓太鼓是用榉木做的吊鼓，悬挂在一个精心制造的环形框架内。其他重要的太鼓还有游太鼓（儿童用的框鼓）以及田田太鼓（扇形框鼓）。

Taikō Josetsu 大巧如拙（活动时期14世纪末叶～15世纪初叶，京都） 日本画僧，被认为是日本禅僧中最早受中国画启迪而作水墨画者。其名作《瓢鲇图》，题材受禅宗启发；画法上反映出中国禅僧牧溪法常的影响。所绘《三教图》，藏京都两足院。

Taiku（South Korea） 参阅**Taegu**大邱。

tail 尾 脊椎动物体上脊柱超过躯干向后延伸的部分，或类似这种构造的任何细长突出部分。由肉和骨组成，但无内脏。鱼和许多两栖动物的幼体的尾（或尾鳍）是重要的运动器官。多数陆生四足动物的尾不是重要的运动器官，但鳄、水獭和鲸等动物的辅助适应水生环境，尾（通常扁形）又变为重要的运动器官。树栖动物（如松鼠）的尾用于平衡，跳跃时作为舵用；蜘蛛猴和避役等的尾能卷缠，有如第五肢体，因此动作更灵活、更平稳。有些动物的尾用于防御（如豪猪）、社群内通信（如狗）及捕猎（如钝吻鳄）或用作警告信号（如响尾蛇）。鸟的大部分尾椎骨合成一根短的尾综骨，尾羽着生于此，有助飞行操纵。

tail rhyme 尾韵诗 又称 tailed rhyme 。指一种在押韵的两或三行诗的后面加上一个尾巴——一行与前面的两或三行诗长度不同（通常较短）又不押韵的诗句的形式。

tailbone 参阅**coccyx**尾骨。

tailed frog（*Ascaphus truei*） **有尾蛙** 又称特鲁氏尾蟾。无尾目尾蟾科仅有的一种爬行动物。仅分布于美洲太平洋西北岸的寒冷、清洁的森林小河川。雄性具"尾"，实为泄殖腔的延伸部分。雄蛙有此一延伸部分，在山溪湍急的流水中交配时也能将精子直接送

有尾蛙（*Ascaphus truei*）

供图：George Porter—the National Audubon Society Collection/Photo Researchers

入雌蛙泄殖腔内。

taille 平民税 法国大革命前君主制度下最重要的直接税。因分担不公平以及教士和贵族免征而成为旧政权下为人们所痛恨的制度之一。平民税起源于中世纪初期，是无端向农民勒索的税收。1150 年以后常予减收或不收，在中世纪晚期经过调整后重征。由于此税为一笔相当于服军役的款额，作战的贵族和豁免作战的教士都不交，因此，就落在无特权的人身上或地产上。它是王家不可缺少的税收来源，由法国国王征收，税率且越来越高。征税采用两种方式：一是以个人为基础征收；另一是对无特权人的土地征收。到 18 世纪时，许多人免征此税，故应缴纳的人负担更加沉重。巴黎、里昂等大城市的居民不必缴纳。由于越来越多的司法和财政机关兼有册封贵族之权，使贵族领主得以免征平民税。平民税于 1789 年大革命方告废除。

Taille, Jean de la 塔耶 参阅 **La Taille, Jean de** 拉塔耶。

tailless whip scorpion 无鞭蝎 又称无尾鞭蝎。蜘蛛纲无鞭蝎目（Amblypygi 或 Phrynichida）60 种动物的总称。体长 8～45 毫米。须肢（第二对附肢）的边缘多刺，用于捕食。第三对附肢为长鞭状触须。外形稍似有鞭蝎（鞭尾蝎），但无尾（鞭节）。生活在美洲、亚洲和非洲的炎热地区。白天隐藏在树皮或石下，常进入住宅。美国佛罗里达州的舞蝎（*Tarantula marginemaculata*），长 11 毫米，为较典型的一种。

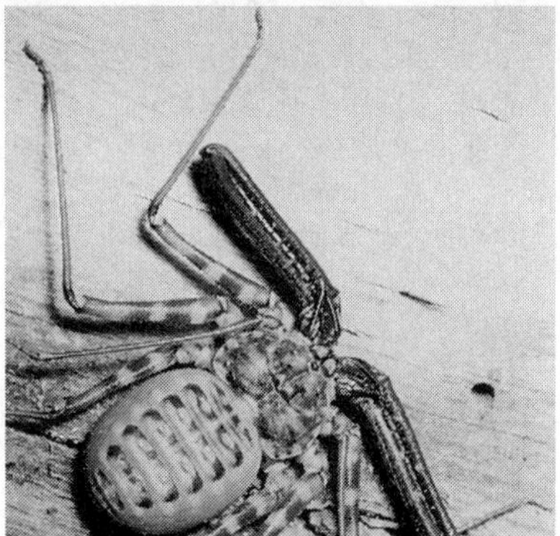

无鞭蝎（Amblypygi）

供图：E. S. Ross

tailorbird 裁缝鸟 莺科缝叶莺属（*Orthotomus*）9 种旧大陆鸟类的俗称，以一片或多片植物叶的边缘缝合而筑巢。用细长的嘴在叶边上穿一排小孔，再将植物纤维、昆虫丝、从

菲律宾裁缝鸟（*Orthotomus derbianus*）

绘图：H. Jon Janosik

住家偷来的线，穿过小孔构成一个一个的圈，在外边打结。长尾缝叶莺（*O. sutorius*）常栖于印度到中国南部和爪哇的园林中。体长 13 厘米，尾窄而翘起，体上部黄绿色，下部白色，顶红褐色。关于其他会缝叶的莺科鸟，参阅 **cisticola**；**prinia**；**wren-warbler**。

Tailuge National Park 太鲁阁国家公园 又拼 Taroko National Park。中国台湾省第四座国家公园。位于台湾省台中、南投、花莲 3 县交界处，面积约 920 平方千米，1986 年 11 月 28 日建立，国家公园管理处设于绿水。其范围北达南湖大山北峰，南接荟莱连峰及立雾主山，东抵仁和到崇德的清水断崖，西界合欢群峰，而以中部横贯公路沿线为景观主轴。园区包括立雾溪大部分集水区、太鲁阁峡谷，及中央山脉北段高山峻岭。立雾溪水系较大支流包括塔次基里溪、砂卡礑溪、陶塞溪、十瓦里尔溪、慈恩慈等。其中太鲁阁峡谷险峻的断崖峭壁和深谷瀑布急流，是经历千万年以来立雾溪的下切侵蚀和地面隆起，加上大理岩层不断遭受风化和侵蚀而形成的雄伟壮丽的山川景观。园区的主要高山分为中央山脉北段、合欢群峰和荟莱连峰部分。北界的南湖大山（3 740米）巍峨伟峻，附近圈谷地形发达。中央尖山（3 703米）形似金字塔，山顶如锋刃，为台湾"三尖"之首。荟莱连峰断崖

东西横贯公路起点——太鲁阁
台湾中华书局供图

嶙峋，气候多变，素有“黑色蓄莱”之称。合欢山则因地形特殊，冬季积雪多，加上交通便利，成为台湾赏雪胜地。著名的“台湾百岳”，该园区即占有 27 座。园区地势由东部海平面向西渐升至3 700米左右的高山地带。原始森林被覆面积广袤，自然生态环境复杂，区内动、植物资源丰富且种类繁多。大型哺乳动物有台湾黑熊、长鬃山羊、水鹿、台湾猕猴等。此外还有多种蝶类、鸟类、两栖类和鱼类。植物方面，随海拔高度的增加，大致可分为阔叶林、针阔叶混生林、针叶林和高山寒原四大植物群落。其中清水圆柏、南湖柳叶菜、南湖杜鹃、太鲁阁栎等多种植物因生态独特且数量稀少，被列为稀有植物。太鲁阁国家公园依据不同的资源特性与分布情形，划分为 5 个分区：①生态保护区，包括南湖一中央尖山群、蓄莱山一太鲁阁山群及青水山一带等 3 区；②特别景观区，为峡谷、山岳、断崖等特殊地质地形天然景观，包括立雾溪峡谷、合欢山群峰及清水断崖等 3 区；③史迹保存区，包括史前遗址（最著名的是“太鲁阁遗址”）、泰雅文化及合欢越岭古道 3 部分；④游憩区，可供各种野外娱乐活动，包括大同、天祥及关源等 3 处；⑤一般管制区，为上述分区以外的土地与水面，包括原有小村落及准许原土地利用型态的地区。

Taimyr（Russia） 参阅 **Taymyr 泰梅尔**。

Taimyr Peninsula 参阅 **Taymyr Peninsula 泰梅尔半岛**。

Táin Bó Cuailnge（epic） 参阅 **Cattle Raid of Cooley, The《夺牛长征记》**。

Tainan 台南 中国台湾省西南部县。辖 2 市、7 镇和 22 乡。面积 2 016 平方千米。县治设新营市。早期为平埔族山胞聚居之地，17 世纪初荷兰人曾入境传教并建教堂。1661 ～ 1683 年郑成功收复台湾，曾在境内屯田驻兵，为汉人开垦之始。清康熙二十三年（1684）置台湾府台湾县。光绪十一年（1885）台湾建省，设台南州（辖今台南、嘉义、云林 3 县）。1950 年后分立设县。境内除东部为阿里山余脉外，大部是冲积平原。溪流纵横交错，水库、湖泊较多，水利灌溉发达，有“水的天堂”之称。为台湾省主要农业区之一，盛产稻谷、甘薯及甘蔗、凤梨、文旦、柑橘、莲雾等水果。其中麻豆镇所产文旦闻名全省。西海岸七股乡一带的盐田，产量占全省第一。畜牧业和水产养殖业也发达。主要工业有食品加工、鱼类加工、纺织、造纸、机械、化学、制糖等。矿产有石棉、白云石及天然气等。交通方便，除纵贯铁路、中山高速公路经该县外，还有南部横贯公路和“台糖公司”的轻便铁路。亚洲蔬菜研究发展中心设于该县。头社村是高山族宗教集会之地。台南开发较早，多寺庙文物。虎头山西麓的虎头埤是台湾最早的水利设施。白河镇东部的关子岭温泉号称台南第一泉。珊瑚潭则是风景区观光胜地。人口 1 120 000（2004）。

Tainan 台南 中国台湾省辖市。位于台湾省西南海岸，地处嘉南平原南端。辖 6 个区。面积 175.65 平方千米。是台湾最古老的城市。1590年开始出现汉族居民点，称台

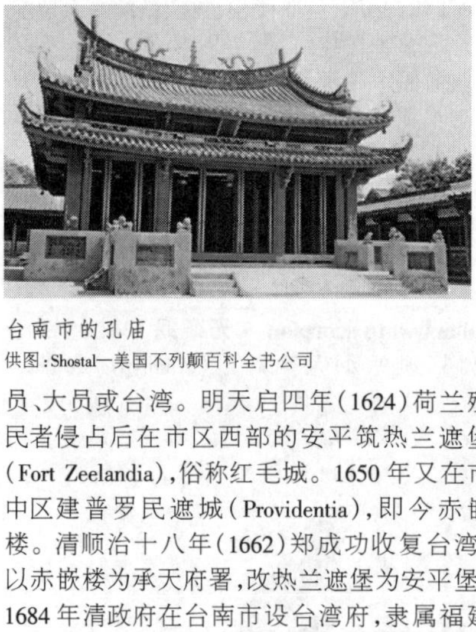

台南市的孔庙
供图：Shostal—美国不列颠百科全书公司

员、大员或台湾。明天启四年（1624）荷兰殖民者侵占后在市区西部的安平筑热兰遮堡（Fort Zeelandia），俗称红毛城。1650 年又在市中区建普罗民遮城（Providentia），即今赤嵌楼。清顺治十八年（1662）郑成功收复台湾，以赤嵌楼为承天府署，改热兰遮堡为安平堡。1684 年清政府在台南市设台湾府，隶属福建省。到 1880 年已有人口 6 万，一直是台湾的政治、经济、文化中心。1885 年改台湾府为台湾省。1891 年省府迁台北市，台南市是台南府所在地，经济和文化仍相当繁荣。至今仍保存有台湾历史上重要的文物古迹，计有寺庙 160 余座，基督教、天主教教堂 40 多座，有“五步一神，三步一庙”之称。法华寺、开元寺、弥陀寺、竹溪寺合称台南四大古刹。其中竹溪寺始建于 1661 年，是台湾最古老的寺庙之一。纪念郑成功的延平郡王祠是著名的福州式寺庙建筑。此外还有孔庙、武庙、大天后宫及亿载金城等古迹。该市向来是农产品集散地。过去以安平港（台湾最早开辟的港口之一）进行贸易，后来港口淤塞，逐步改由陆路运输。纵贯铁路和中山高速公路都经过该市，至今仍是台湾西南部主要的产糖中心和水果集散地。有规模较大的制糖、化学、水产加工工业，以及纺织、塑胶、炼铝、电子等工业。台湾著名学府——成功大学设于该市。人口740 800（2004）。

Taine, Hippolyte(-Adolphe) 泰纳（1828-04-21，法国阿登武济耶～ 1893-03-05，巴黎） 19世纪法国实证主义的代表人物。他是一位有名的思想家、文艺评论家及历史学家。

供图：Hachette—J. P. Ziolo

出生在阿登的一个律师家庭。15 岁时不再信仰基督教。力求用科学的方法研究文学与艺术、心理学、文化史、形而上学和伦理学。青年时代即具有唯理论者的看法，赞赏空想哲学家的观点，认为所有知识的取得都必须依赖感官的经验，依赖观察及有控制的实验。这种坚强的信念指导着他后来的经历。19 世纪 50 年代，他一面当家庭教师，一面从事哲学研究。相继出版了《19 世纪的法国哲学家》（1857）、《批判与历史文集》（1858）等著名的代表作。1853 年获文学博士学位，又先后出版《英国文学史》（1863 ～ 1864）、《艺术哲学》（1865）、《关于艺术思想》（1867）、《论知识》（1870）等著作。《论知识》是一部心理学著作，该书进一步展开了他对实证主义与黑格尔唯心主义的调和，同时他对科学的热心也在此书中得到最充分的说明。1870 ～ 1871 年的法、德战争使他感受很深，认为法国的溃败是由于法兰西民族像一个人一样，患有严重的疾病。他寻找法国溃败的原因，并为此发表了著名历史著作《当代法国的由来》一书，指出法国溃败的主要原因在于过分的中央集权制。这种制度起源于古代政体，又由于法国革命而加强。此后又出版了《古代政体》第一卷（1876）和《论革命》（1878 ～ 1885）等著作。1883 年辞去教授职务。他的《现代政体》第一卷于 1891 年出版，第二卷于 1893 年出版。

Taino 泰诺人 加勒比海伊斯帕尼奥拉岛的阿拉瓦克印第安人。他们也居住在波多黎各和古巴的东端，15 世纪末被西班牙征服，100 年以后，即告绝灭。西班牙征服前后，泰诺人种植木薯、玉米，采集野生植物，猎取鸟类、蜥蜴，以作食品。家畜只有狗，家禽只有鹦鹉用于诱捕野鸟。鱼和贝壳类动物为另一主要食物来源。住区有单独家庭，也有拥有 3 000人的群体；房舍为木结构，草顶。男子往

往裸体，女子围网于腰或穿草裙以遮阴部。男女在特殊场合均文身；他们佩戴耳饰、鼻环、项链，有些还是黄金制品。手工业有制陶、编筐及木工、石工等。他们由世袭的头领和副头领统治，分为贵族阶级、平民和奴隶。

Tainter, Charles Sumner **泰恩特**（1854-08-25，美国马萨诸塞州沃特敦～1940-04-20，加利福尼亚州圣迭戈） 美国发明家，与C.A.贝尔（A.G.贝尔的堂兄弟）合作对留声机作了重大改进。他们发明用涂蜡的纸板做成圆筒，并用挠性录音针，这比T.A.爱迪生采用的锡箔面和刚性针优越。这些改进在1886年获得专利，当时他们在伏打实验室跟随老贝尔工作。后来泰恩特发明了录音机。他对光电话机（用经过调制的光波传输声音的装置）的实验也很引人注目。还被称为“有声电影之父”。

taipan（*Oxyuranus scutellatus*） **太潘蛇** 眼镜蛇科一种爬行动物，澳大利亚最大的蛇。体长可达3.3米。背部褐色有棱嵴，腹部黄色，头小。分布于昆士兰东北部的约克角，不

太潘蛇（*Oxyuranus scutellatus*）
供图：Jonh Warham

常见，常出其不意地连续向人猛咬。其毒含凝血成分，能在几分钟内致人死亡。

Taiping **太平** 西马来西亚（马来亚）西北部城镇。地处宾唐岭以西的沿海平原。19世纪40年代大量采锡而发展起来，原为拿律地区的华人矿工居住区。尽管作为采矿中心的重要地位已为坚打谷地所取代，锡仍是主要产品之一，其次还有橡胶和稻米。曾为州首府，有奥隆和新邦两郊区及卡蒙廷工业区（有30家以上工厂）。在马来半岛西部公路、铁路干线上。有机场。有国家博物馆（收藏马来武器和考古学标本），湖上公园有一小动物园。太平位于武吉马克斯韦尔山麓（前称马克斯韦尔山海拔约1 036米）为避暑胜地。人口146 002（1980）。

Taiping Tianguo **太平天国**（1851～1864） 英语作Heavenly Kingdom of Great Peace。中国近代规模最大的反对清王朝统治和帝国主义侵略的农民革命战争及其所建立的政权。1851年1月11日洪秀全（1814～1864）在广西金田村领导起义，自封“天王”，建号太平天

太平天国癸好三年新镌
天朝田畝制度

《天朝田亩制度》书影
中国大百科全书出版社供图

国；发布檄文号召推翻清封建王朝统治，建立“人人平等”的社会，得到人民拥护，男女两支队伍迅速扩大。1853年3月攻克南京，在南京建都，改名天京。5月出师西征北伐。冬颁布《天朝田亩制度》，宣布“天下田天下人同耕”，规定各种制度。外交上主张正当平等贸易，反对鸦片输入。北伐军因孤军深入失败。西征军战胜曾国藩湘军，占领安庆、九江、武昌等重镇。1856年6月击破围困天京的清军江南大营。但太平天国内部权力之争激化，先后发生9月韦昌辉奉诏以谋篡天王权为由诛杨秀清、11月洪秀全迫于公愤杀韦昌辉、次年石达开率军出走等事件，严重削弱太平天国革命力量。在重组的领导核心中青年将领陈玉成、李秀成负责军事，联合捻军作战，于1858年9月再次击溃包围天京的清军江北大营，11月在三河镇歼灭湘军精锐李续宾部，扭转安徽战局。1859年洪仁玕受封为干王，总理朝政。1860年5月二破清军江南大营，再解天京之围，并乘胜东下苏、杭，痛击了干涉中国革命的英、美、法侵略者组织的雇佣

北京天安门广场人民英雄纪念碑上的太平天国浮雕
中国大百科全书出版社供图

军。第二次鸦片战争后清政府与外国相互勾结，集中全力对太平天国进行围剿，1864年6月3日洪秀全因病去世，7月19日天京陷落。此后各地太平军相继被镇压。这次起义坚持了14年，势力发展到18省，使清王朝的统治受到沉重打击，动摇了其封建统治的基础，激发了广大人民的革命精神，为辛亥革命的胜利铺平了道路。

Taiping Yulan **《太平御览》** 英语作Taiping Imperial Encyclopedia。中国大型类书。宋太平兴国二年（977）李昉等奉太宗命编撰，兴国八年（983）成书。初名《太平总类》，后太宗命每日进呈阅览，因改今名。全书1 000卷，分55部，每部又分子目共4 558类，约500万字。分类细密，按天、地、人、事、物为序编排。每类引古代至唐文献资料，按经、史、子、集为

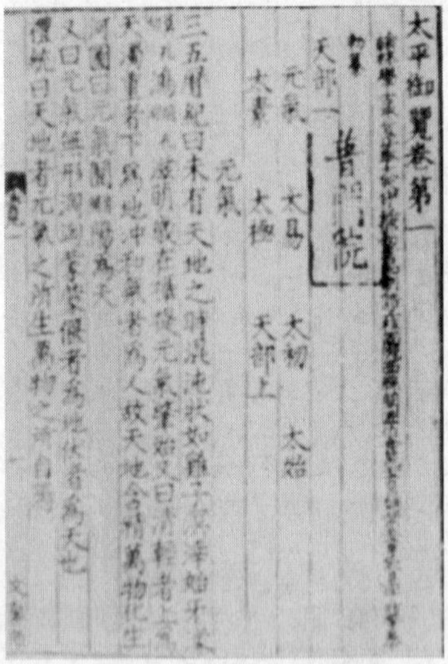

中华书局影印宋本《太平御览》书影
中国大百科全书出版社供图

序。引征广博，计引经史书1 690种，加上杂书、诗、赋、铭、箴等达2 579种。各书今已大部失传。其中汉人传记百余种、旧地方志200余种更为难得的史料。宋以后史学家多据本书考订史传，校勘辑佚。清学者亦据本书辑出不少古籍佚文。

Taipingjing **《太平经》** 英语作Book of the Great Peace。中国道教早期经典，又名《太平青领书》。书成于2世纪前期。分10部，170卷，现残存57卷。另有唐代节录的《太平经钞》10卷（其中第一卷为后人增补）。今人王明辑校整理的《太平经合校》大体可见原《太平经》概貌。经书内容庞杂，文辞俚俗支蔓，采用神人降谕形式。其说大体以奉天法道、顺应阴阳五行为宗，宣扬伦理法则及长寿、成仙、通神、治病、占验等术，而以顺应天地阴阳之道修身治世，以达天下太平为主旨。认为人身中有神灵记人善恶。克己修善者上可成仙，中者长寿，下者免病。还说世上财富乃人所共有，自食其力是人的天职，斥责积财不施者为恶人。汉末张角得到此经，创立太平道，组织黄巾起义。《太平经》对道教各派教义都有一定影响，是研究中国2世纪前后思想、社会、宗教史的重要资料。

taira（mammal） **狐鼬** 参阅**tayra**白头鼬。

Taira FAMILY **平氏家族** 12世纪日本权势及影响极大的武士家族。其家系及历史可追溯至825年平氏之姓被授予桓武天皇之孙高栋王子时。1156～1185年，平氏在天皇宫廷垄断高位，后在坛浦大海战中被歼灭。高栋的侄子高望到日立作地方官并定居那里，他的子孙世袭官位，形成这一地区势力雄厚的武士家族。高望的曾孙平将门（**Taira Masakado**）掌握大权，领有了整个关东地区。939年他在关东地区南部建立一个政权，自称“新天皇”，与京都的天皇分庭抗礼，但在

940年即以失败告终。1028 年平忠常企图重建平氏家族对关东地区的统治,京都朝廷派遣源赖信前去镇压。3 年后平忠常投降。从此平氏家族日见衰败,源氏家族开始抬头。11 世纪下半叶白河天皇逊位,其子登基,开始实行院政。为了保持绝对君权,白河上皇召平氏后裔平正盛入宫,命令他去镇压源氏家族。平正盛在伊势地区有雄厚实力,结果大获全胜。他深得白河上皇的恩宠,官职一升再升。平正盛之子平忠盛继承父业,因肃清日本西部的海盗而得宠于宫廷。平忠盛之子平清盛(**Taira Kiyomori**)继续扩大家族的势力,因而引起平氏家族与源氏家族的必然冲突。在 1156 年崇德上皇和后白河天皇两兄弟争夺朝政大权的斗争中,终于触发了平清盛与源氏家族之间的保元之乱。由于一些源氏武士倒戈,平清盛获得胜利,成为日本最有权势的人物。从此平氏家族垄断了朝廷的所有高级职务,并控制日本全国一半的地区。1179 年后白河上皇率宫廷贵族起来反对平清盛,但被平清盛打败。平清盛把持朝政,成为名副其实的独裁者。但他在天皇制度中未能做出任何基本改变,结果由于平氏家族习惯于富贵的宫廷生活,失去和地方武士集团的联系,导致对乡村的控制减弱。1181 年平清盛病逝,全国立即爆发一场反对平氏家族极权统治的运动。源赖朝起兵进攻京都。平氏家族眼看源氏大军迫近,就挟年幼的安德天皇仓皇出走,企图在日本西部重建基业。但他们在一谷和屋岛两次战斗中相继败北,被迫更向西逃。1185 年平氏家族在下关海峡东端发生的坛浦大海战中被彻底歼灭。安德天皇也投水而死,随身带有作为皇室神器之一的宝剑。

Taira Kiyomori 平清盛(1118,日本～1181-03-21,京都) 日本历史上第一个军事独裁者,其在保元和平治之乱中的胜利,表明地方武士阶级上升至最高权力地位。1153年继其父平忠盛成为平氏家族的首领。1156 年崇德上皇和后白河天皇之间发生权力的冲突。崇德在以源为义为首的源氏集团的支持下发动宫廷政变,酿成保元之乱。后白河天皇在平清盛支持下取得最后胜利。在这次胜利中源为义之子义朝的倒戈起了一定作用。但在胜利后义朝不满意后白河天皇所给的待遇和赏赐,1159 年冬乘平清盛不在京城之际发动政变,引起平治之乱。平清盛集结所有兵力,采取一系列大胆巧妙的军事行动全歼敌人。1167 年任朝廷最高官职太政大臣。他宁愿用传统方式行使权力——把女儿嫁给皇室和让亲属出任高官——以此而挟天子以令诸侯。1180 年拥立两岁的外孙安德即位,迁都福原(现神户)。同年源义朝的一个近臣起来造反失败。源义朝之子赖朝在各地武士支持下乘机举兵,平清盛从京城派兵平息叛乱,但平氏军队由于多年奢侈生活已经变弱,很快便被打败。他把全部政务交给其子,自己专心建立一支新军。但此项任务未得完成他即去世。1185 年源赖朝把平氏的最后一支力量(包括安德天皇)消灭,从此建立起源氏对全日本的统治。

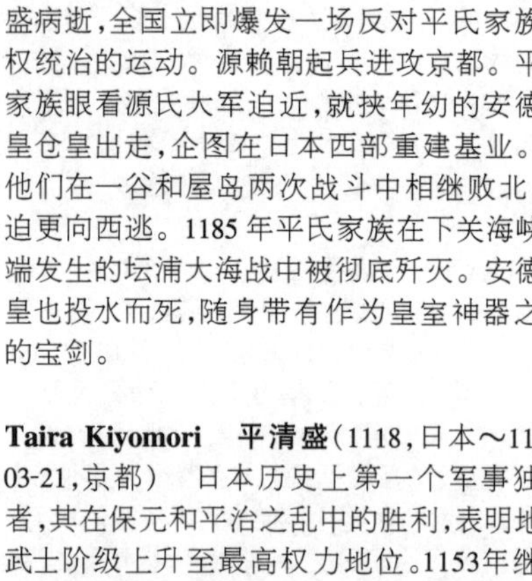

日本镰仓时代的平清盛木雕坐像

供图:Heibon-Sha

Taira Masakado 平将门(?～940-03-25,日本旧下总国北山) 日本桓武天皇(781～806 在位)的后裔,叛乱首领。939 年控制了日本中部的关东地区,利用他的皇室血统自封"新皇",另立朝廷,任命了日本北部 8 国的国司。在夺权斗争中曾消灭许多近亲,包括几位叔伯。后来终于在天庆之乱中被两名地方强手制服。这场叛乱表明中央政府无力控制乡村,并预示各藩国军阀家族的发展。平氏终于成为其中最强大的家族之一。

Taira Masamori 平正盛(活动时期12世纪初,日本) 促使平氏家族在日本当权的武将。原为地方豪族首领。1108 年宫廷命他翦除占据日本西部濑户内海沿岸地区的一个源氏反叛分子。源氏的武士不习惯在海上和沿岸地区作战,结果平正盛取得胜利。他受到天皇大量的赏赐,天皇允许他的家族定居日本西部,在那里对中国的贸易有大利可图。从此平氏的势力逐渐增加,到 1159 年他们已支配整个日本。

Taira Tadamori 平忠盛(1096,日本～1153-12-02,日本) 日本武将,其军事和外交才能使平氏成为日本最有势力的家族,给他的儿子平清盛实际上掌握全国政权奠定了基础。其父平正盛死后,他协助天皇宫廷征服扰乱航行的海贼。在征讨中有许多人归附平氏家族,天皇对他也极为宠信,赐给平氏许多新的封号和奖赏。平忠盛知书识礼,作为天皇的私人护卫和心腹,被宫廷贵族当成同等地位的人看待。因此他提高了平氏家族的影响,使其成员比竞争对手占有心理优势。

tairō 大老 日本德川幕府时代(1603～1867)的最高行政官,相当于首相。大老主要为辅佐政府作重大决策,或者为将军任摄政。但 1648 年后,这个职务仅在危急时刻且为某一特定目的而设置。担任这个职务的最著名人物是井伊直弼,他在 1858 年开始当大老,同年签订日美通商条约,接着又同英、法、俄、荷 4 国签订一系列条约。德川家定去世时没有子嗣,井伊直弼迅速处理了因继承人问题引起的争端。

Tairona 泰罗纳人 哥伦比亚北部圣玛尔塔内华达山脉的印第安人,只能从西班牙殖民时期的著作和考古学研究著作的偶尔引述中才为人们所知。据记载,泰罗纳人建造石屋、石墓、石桥及阶梯状石台;制作陶器、石器、兽骨、贝壳饰物以及金制、铜制及金铜合金的小圆珠、纽扣、首饰等。泰罗纳人也务农,由发现的石磨、锄等可以证明。根据其石屋及金属手工制品,可以假定他们的文化同奇布查或印加文化相当,虽然它们之间并无明显的联系。

Tairov, Aleksandr Yakovlevich 泰洛夫(1885-06-24,俄国罗姆内～1950-09-25,莫斯科) 原名亚历山大·科恩布利特。苏联莫斯科小剧院的创始人、演出人兼导演,在该院任职达 35 年之久(1914～1949)。莫斯科小剧院的业务能力在革命年代堪与莫斯科艺术剧院媲美。投身戏剧事业之前曾短期从事法律。曾在数家剧团工作,包括 P.P.盖德布罗夫的活动剧院。1913～1914 年曾经营存在时间不长的莫斯科自由剧院,后即去创建小剧院。在紧跟布尔什维克革命的过程中(在此期间美国曾一度与苏联断绝外交关系),泰洛夫给莫斯科观众带来了美国剧作家奥尼尔的作品,著名的有《毛猿》、《上帝的儿女都有翅膀》和《榆树下的欲望》。泰洛夫的风格为先锋派,舞台上演方面尤其如此。他帮助发展了功能型的"结构主义"布景,一种光秃的、多平面的台架,摆脱传统的装饰性布景。他以风格化的和反写实主义的方式处理戏剧舞台,与演员兼导演斯坦尼斯拉夫斯基的追随者们的处理方式截然相反。他非常重视演员的身体素质,其剧团演员在歌唱、舞蹈、特技和动作的韵律准确方面都受过严格训练。1934 年他上演的 V.维什涅夫斯基的《乐观的悲剧》被认为是社会主义现实主义戏剧的最高水平之作。在斯大林主义者当局的压力下,他最终不得不在一个国家戏剧委员会的指导下工作。他的妻子 A.库南曾在他的许多演出中担任主角。

供图:Tass—Sovfoto

Taishan 台山 中国广东省县级市。位于省南部沿海,珠江三角洲西南部。辖台 17 镇和 1 个华侨农场。面积3 286平方千米。广东省著名侨乡。原为新会县地。明弘治十一年(1498)分置新宁县。1914 年因避与湖南、广西新宁县同名,以城北三台山易名台山县。1953 年赤溪县并入。1992 年撤县改市。地势东北与西南高,中部和西北部低,南部沿海和潭江南岸为平原区。农业主种水稻,兼种甘薯、甘蔗、花生、蔬菜、水果、蚕桑、烟草、药材和茶等。水产业地位重要，海洋捕捞和海水养殖尤为突出。沙堤是广东省重点渔港之一。有锡、钨、石灰石、绿柱石、煤、钾长石等矿藏。有温泉多处。工业以家用电器、建材、采矿、医药、制糖、食品为主，还有机械、电力、电机、陶瓷、玻璃、渔轮修造、纺织、塑料等部门。排球运动开展广泛，有“排球之乡”的美誉。名胜古迹有香头坟、凌云塔及石花山、上川飞沙滩、下川王府洲、台山温泉等。佛开高速公路、325 国道过境。潭江通三埠、江门、广州。广海湾和镇海湾是海上运输孔道。广海港为对外开放口岸，辟有香港、澳门客运航线。人口990 000(2005)。

Taishō　大正天皇(1879-08-31，日本东京～1926-12-25，叶山)　日本第 123 代天皇(1912～1926)，在位期间日本经济继续现代化。名嘉仁。1889 年 11 月 3 日立为皇储，1912 年 7 月 30 日即位。自幼体弱多病，几乎不参与政事。晚年精神错乱，1921 年起由裕仁皇太子摄政。大正时代的特征是：在外交方面对西方国家(尤其是英、美)采取友善政策；在内政方面越来越多地运用议会程序和扩大选举权。

Taisui　太岁　中国对木星的别称。木星公转周期约 12 年。中国古代以木星为岁星，用以纪年。“岁阴”(地支)12 年一循环，正合木星公转周期。地支有方位，旧时阴阳家以太岁所在为凶方，民间许多禁忌由此产生，如忌兴土木、迁徙、嫁娶等。北魏道武帝(386～408 在位)始祭太岁。元代(1279～1368)每有大事即在太史院祭太岁、月将、日值。太岁成为值岁的神名，一般视为凶神。后来民间也称恶人为太岁。中国道教以殷纣王子郊为太岁神。其母姜氏被妲己害死，殷郊遇真人搭救，后助武王伐纣，斩妲己，玉帝封为“至德太岁杀伐威权殷元帅”。

Tait, Archibald Campbell　泰特(1811-12-21，苏格兰爱丁堡～1882-12-03，英格兰萨里阿丁顿)　坎特伯雷大主教。他在牛津运动极盛时期努力缓和英格兰圣公会内部的紧张

伦敦国立肖像画陈列馆供图

气氛。出身于长老会信徒家庭，在牛津大学求学期间加入圣公会。1836 年在牛津附近的两个乡村堂区任代理牧师，1841 年 3 月与他人共同撰文反对牛津运动派所出版的第 90 号小册子，该派主张恢复 17 世纪末的高教会派理想。泰特于 1856 年任伦敦主教。他主张各派和解，求同存异，结果遭到福音派和高教会派两面夹攻。1868 年任坎特伯雷大主教，即受理取消圣公会在爱尔兰的国定教会地位的提案，幸赖他政治手腕灵活，该提案得以在议会顺利通过。

Tait, Peter Guthrie　泰特(1831-04-28，苏格兰中洛锡安达尔基斯～1901-07-04，爱丁堡)　苏格兰物理学家和数学家，对发展四元数有贡献；四元数是一种高等代数，它导致了向量分析的产生，对现代数学物理的发展起了作用。1852～1854 年在剑桥彼得豪斯学院任研究员和讲师，后在贝尔法斯特女王学院任数学教授。他和著名的化学家 T.安德鲁斯一起研究臭氧的密度以及放电对氧气和其他气体的效应。1860 年起，任爱丁堡大学自然哲学教授。对四元数理论作了基本的贡献，其《四元数浅论》(1867)一书发行了三版。后又写了《四元数导论》(1873)。他和英国物理学家 W.汤姆孙(即开尔文)爵士合写了《论自然哲学》(1867)。书中把能量守恒概念追溯到牛顿的工作，他们的努力对新出现的能量及其性质的概念是十分重要的。此后，他集中研究温差电学和热导率。他和苏格兰物理学家 B.斯图尔特合写了《看不见的宇宙》(1867)，很受欢迎，随后又写了续编《荒谬的哲学》(1878)。

Taitai Series　泰台统　新西兰白垩纪(1.44 亿年前至 0.664 亿年前)地层和时间最下部(最早)的主要单位。位于克拉伦斯统之下，主要由新西兰东海岸地槽(地壳的向下挠曲)中迅速沉积的泥岩、砾岩和杂砂岩组成，此地槽白垩纪时沿列岛东北部缓慢下沉。本统分为两个阶(地层和时间的较小单位)：最下部是莫科依维阶，主要由页岩构成；上部是科兰干阶，由杂砂岩组成。

Taiwan　台湾　中国东南部海岛省份。由台湾岛及其周围的澎湖群岛、钓鱼岛、赤尾屿、彭佳屿、兰屿、绿岛等多个岛屿组成。台湾岛西隔台湾海峡与福建省相望，最近处约 150 千米；东临太平洋的辽阔海域，东北接琉球群岛，南界巴士海峡，与菲律宾相隔。南北长 394 千米，东西宽 144 千米，陆地总面积 35 800平方千米。设有台北、高雄 2 个“行政院辖市”，基隆、新竹、台中、嘉义、台南 5 个省辖市，以及台北、宜兰、桃园、新竹、苗栗、台中、彰化、南投、云林、嘉义、台南、高雄、屏东、台东、花莲、澎湖 16 个县。省会于 1957 年迁南投镇中兴新村。台湾省自 1949 年以来的政治制度开始与大陆不同。

自然条件和资源　台湾岛面积35 700多平方千米，是中国第一大岛。其他岛屿以澎湖岛最大，面积约 64 平方千米。台湾岛上山地面积占 2/3，自东到西有海岸山脉(台东山脉)、中央山脉、雪山山脉、玉山山脉和阿里山脉；其余为平原，主要在西部沿海。海拔3 952米以上的山峰有 22 座，以玉山(海拔3 997米)最高，也是中国东部最高的山峰。中央山脉与海岸山脉之间的台东纵谷，两侧陡峭，北延为花莲至苏澳间的峭壁海岸。西部沿海平原以彰化与高雄间的台南平原最大，面积4 550平方千米。河流发源于中央山脉，流程短，落差大，可开发的水力资源达 500 多万千瓦。浊水溪最长，发源于合欢山南麓，向西流至鹿港南面和西螺北面分别入海。其余超过 100 千米的河流有高屏溪、淡水河、曾文溪、大甲溪、大肚溪等。北回归线横贯台湾岛中部，并受黑潮暖流的影响，属高温多雨的亚热带、热带季风气候。其特征是高温、多雨和强风。平原地区夏季长达 8 个月，7 月平均气温 27～28 °C，1 月平均气温也在 15 °C左右。山地与平原温差较大，海拔3 000米以上的山峰冬季有积雪。年降水量丰富，东部沿海为 1 500～3 000毫米，中部山区3 000毫米左右，东北部山区迎风坡可超过 6 000 毫米，是中国少有的冬雨区。西部沿海约 1 500 毫米，澎湖群岛为 1 000 毫米左右。森林面积 187 万公顷，占全岛面积的 52% 左右。经济价值较高的树有 300 多种，油杉、肖楠、台湾杉、红桧、峦大杉等为世界名材。多樟树，有世界最大樟树带之誉。中央山脉以西苗栗以北有煤田，但埋藏较深，开采困难。石油与天然气主要分布在中央山脉西侧海滨和台湾海峡，20 世纪 90 年代在高雄外海发现可开采的新油气田。非金属矿藏种类多，其中石灰石、大理石、白云石、蛇形石、黏土、云母、硫磺储量丰富。金属矿产资源贫乏，较有开采价值的有金、银、铜、铁等。

沿革　2 000多年前《禹贡》所称的“岛夷”，后来《汉书·地理志》所称的“东鳀”，都与台湾有关。《后汉书·东夷传》、《三国志·吴志·孙权传》所称的“夷州”即今台湾。《隋书·流求传》称其为“流求”，并具体记载了中国大陆和台湾地区的联系。南宋时澎湖属福建泉州，移居台湾地区的汉族居民显著增加。元至元二十九年(1292)设澎湖巡检司，管辖澎湖、台湾。台南的一个重要海湾原名“大湾”，后来被扩大指全岛，在明万历年间(1573～1619)又谐音称其为“台湾”。葡萄牙航海者在通过台湾海峡时，见岛上风光旖旎，曾称呼它为“福摩萨”(Formosa，意为美丽)，因此引起了西方的注意。1624 年台湾被荷兰人侵占。到 17 世纪中期岛上还没有形成城市聚落，但是岛上有 10 万多原住民，岛的西南部汉族居民也约有 10 万。1652 年赤嵌一带(今台南市区)汉族居民举行反荷起义，死难者达数千人。1662 年郑成功在岛上居民协助下收复台湾，设东都承天府和天兴、万年两县，大规模开垦土地，台湾、澎湖口岸逐渐成为中国对外贸易的重要转运站。清康熙二十三年(1684)改为台湾府，属福建省台湾厦门道。光绪十一年(1885)建台湾省。中日甲午战争中清军战败，于 1895 年 4 月 17 日被迫割让台湾、澎湖等岛给日本。第二次世界大战后日本战败，1945 年 10 月 25 日台湾、澎湖等岛归还中国，台湾仍为中国的一个省。

经济　台湾省的农业以种植水稻、甘蔗为主。自然条件优越，产量较高，但常受国际市场价格波动影响。水果和蔬菜等园艺作物也占重要地位，产香蕉、菠萝、柑橘、芦笋、蘑菇等，每年有大量鲜品和罐头输出。因海岸线曲折，有大小渔港 100 多处。周围海域的鱼类有500多种，以鲔鱼(金枪鱼)最多，虾类

次之，并有鲷、鲨、鲻、蛇鲻、鳁(沙丁鱼)，以及蟹、贝类、藻类、珊瑚等。工业以加工外销为主，大部分集中在西部平原。以台北为中心的北部工业区是台湾省最大的工业区，以纺织、食品、电子、机械工业为主。其次是以高雄为中心的南部工业区，以大型钢铁、造船、石油化工为主，是台湾省重要化学工业基地。纺织工业是台湾省经济支柱，以棉织和人造纤维为主。台湾的电子电器业是在20世纪70年代发展起来的，主要生产家用电器、电子计算机，产品在国际市场畅销。冶金业主要依靠进口原料。造船业发展较快，高雄造船厂拥有百万吨级船坞。汽车工业以装配为主，机械工业也较薄弱。电力工业以火力发电为主，大加溪上游的青山电厂最大的水电厂装机容量36万千瓦。唯一的核电厂建于台北石门乡，装机容量127万千瓦，全省所需能源多依靠输入。高雄、桃园两大炼油厂年炼油能力共2 000多万吨。对外贸易在台湾经济中具有举足轻重的作用，外汇储备超过750亿美元。

交通运输和教育 台湾已形成由公路、铁路、海运和空运构成的交通运输网。海运是台湾省重要运输方式，除了省内各线外，并通往日本、东南亚以及欧、美各地。高雄港为最大海港，其他有基隆、花莲、台中、苏澳等港。台湾岛内有东、西纵贯铁路，已形成环岛铁路网，铁路总长约2 400多千米。公路交通发达，总长约2.1万千米，现形成高速公路、环岛公路、纵贯公路、横贯公路、滨海公路和联络公路六大系统公路网系。全省有15家航空公司，88条客运航线和48条货运航线，桃园、高雄为重要航空港，省内重要城市有定期航班。台湾实行9年国民义务教育，有小学2 474所，中学699所，高级中学176所。此外，还有高级职业学校204所，专业学校77所。有高等院校50余所。人口约22 280 000(2004)。

Taiwan Austronesian languages 台湾南岛诸语言 又称高山诸语言。台湾本土的少数民族语言，属南岛语系印度尼西亚语族台湾语支，包括3个语组：①泰耶尔语组(泰耶尔语、赛德语)；②邹语组(邹语、沙阿鲁阿语、卡那卡那布语)；③排湾语组(排湾语、阿眉斯语、布嫩语、鲁凯语、卑南语、萨斯特语、邵语)。此外还有一个雅眉语，主要分布在台湾以东45海里的兰屿岛上，属南岛语系巴丹语支。在台湾省北部和西部平原，有一批与汉族杂居的“平埔人”，分别使用过以下几种语言：噶玛兰语、巴则海语、凯塔加兰语、道卡斯语、巴布萨语、帕波拉语、和安雅语、西拉雅语、路易朗语等。使用这些语言的居民文献上称他们为“熟番”，他们已经陆续放弃使用自己的母语，而改用汉语或其他民族的语言。台湾南岛诸语言属黏着语型，元音和辅音系统都比较简单，有重音；语法上有丰富的黏着形态，句子语序一般谓语在前，主语在后。

Taiwan Dao(China) 台湾岛 参阅台湾。

Taiwan Democratic Self-Government League 台湾民主自治同盟 中国民主党派之一。简称台盟。由居住在中国大陆的台湾省人士组成的政党。1947年台湾“二二八”事件后，一部分从事爱国民主运动的台湾省人士根据当时台湾人民要求实现民主和地方自治的愿望，于同年11月12日(即孙中山诞辰纪念日)在香港成立台湾民主自治同盟。台盟成立后，拥护并参加中国共产党领导的新民主主义革命，反对帝国主义侵略中国，反对“联合国托管台湾”和“台湾独立”，主张实现台湾省的民主政治和地方自治。1948年5月，台盟发表声明，响应中国共产党提出的召开新的政治协商会议、成立民主联合政府的号召。1949年9月，台盟代表参加了中国人民政治协商会议第一届全体会议，参与了中华人民共和国的建立。11月在上海成立总部。1955年总部迁至北京。文化大革命期间，台盟被迫停止活动。1978年起恢复活动。台盟拥护和平统一祖国的方针，参与制定具体政策、措施，促进海峡两岸的沟通与交流。

Taiwan Mountains 台湾山脉 中国台湾岛的中央山脉、雪山山脉、玉山山脉、阿里山脉和台东山脉的总称。中央山脉纵贯全岛，北起苏澳的岛岩角，南端止于恒春的鹅銮鼻，全长320千米，山峰海拔多在3 000米以上，构成全岛的分水岭。其西侧为雪山-玉山山脉，雪山-玉山山脉之西为阿里山脉，东侧隔台东断裂谷与台东山脉相连。台湾山脉中海拔超过3 000米的山峰有62座，其中22座超过3 500米，最高峰玉山3 997米，是中国东部的第一高峰。地势险峻，为世界海岛所罕见。台湾山脉处于太平洋板块与亚洲板块碰撞带上，是地球上最年轻的地壳活动带的一环，是中国地震强度和频度最高的地区。

Taiwan Normal University 台湾师范大学 中国台湾最高师范学府。校址设在台北市。前身为台湾省立师范学院，成立于1946年6月。1955年6月改为台湾省立师范大学，1967年7月改为国立台湾师范大学。成立之初，利用日本占领时期台北高等学校旧有校舍。1952年起逐步增建，在台北市公馆设分部。该校设有教育、文、理、艺术等学院和研究所，另设进修部、电子计算机中心、特殊教育中心、人文教育中心、环境教育中心、技术职业教育研究中心、国语教学中心、附属高级中学、视听教育馆等单位。大学部学生均享有公费待遇，学制为4年，另实习1年；研究所修业年限为2年。历届毕业生大部分在全省中等学校执教。

Taiwan Provincial Museum 台湾省立博物馆 中国台湾省历史最悠久的博物馆。坐落于台北市城中区新公园内。1908年始创，1915年建成馆舍。1945年台湾光复后，国民政府自日本手中接收“台湾总督博物馆”，经整顿后改名为“台湾省博物馆”。1949年1月1日改今名。馆舍占地1 762平方米，地上二层，地下一层，中央圆穹高32米，两侧各高21.5米。内有10个经常性陈列场地，为台湾地区别具特色的希腊多立斯式建筑。该馆主要从事人文科学与自然科学的调查研究及推广展示，兼具学术研究与社会教育两大功能。馆藏有关台湾地区的各类标本。各陈列室所能陈列展品约7 000件。

台湾省立博物馆
台湾中华书局供图

Taiwan Strait 台湾海峡 又拼T'ai-wan Hai-hsia。中国福建、台湾两省之间连通南海、东海的海峡。北界福建的平潭岛到台湾最北端的富贵角，相距93海里；南界福建的东山岛到台湾最南端的鹅銮鼻，宽约200海里。海峡为大陆架浅海，大部分水深小于60米，东南部水深140～150米。澎湖群岛位于海峡中部，由64个岛屿组成。海峡水主要由浙闽沿岸水、南海水和黑潮水3种不同性质的海水组成。台湾海峡是中国的重要渔场。两岸有较丰富的砂矿。台湾西岸近海已发现海底石油。海峡为东海与南海间航运要冲，其军事地理位置极其重要。

Taiwan University 台湾大学 中国台湾的综合性大学。位于台北。前身为日本侵占台湾时期于1928年建立的台北帝国大学。1945年抗日战争胜利后，由中国政府接收，改为国立台湾大学。设有文学、理学、医学、工学、生物资源及农学、管理、电机、公共卫生、法律、社会科学10个学院，含54个学系。有92个研究所及人口与性别、凝态科学、生物技术、生物多样性、日本综合5个研究中心。有92个硕士班(专业)，81个博士班(专业)。学校教职员6 832人，其中专任教师1 771人，教授

台湾大学文学院
中国大百科全书出版社供图

998人，副教授462人，助理教授218人，讲师93人。在校学生29 877人，其中本科生17 913人，硕士生7 664人，博士生3 195人。图书馆藏书250万册。校园面积118万平方米。

Taixu　太虚(1890-01-08～1947-03-17)　又拼 T'ai Hsü。中国近代僧人。俗名吕沛林，法名唯心，别号悲华。浙江崇德(今浙江桐乡)人。光绪三十年(1904)于苏州平望小九华寺出家，同年依宁波天童寺寄禅和尚受具足戒。1911年在广州组织僧教育会，住持白云山双溪寺。时值黄花岗之役，因作诗凭吊，不容于清廷，遂离粤返沪。1912年与同学仁山等创设中国佛教协进会，后中国佛教协进会并入中华佛教总会，被推为会刊《佛教月报》总编辑。撰文宣传"佛教复兴运动"，建立新的僧团制度。1917年应邀至台湾弘法。曾在上海与章太炎等组织觉社，出版《觉社丛刊》，后改为《海潮音》月刊。1922年创办武昌佛学院。1925年率佛教代表团出席在日本东京召开的东亚佛教大会，并考察日本佛教。1927年任厦门南普陀寺住持、闽南佛学院院长。1928年在南京发起成立中国佛学会，是年秋出国访问，历游英、法、德、比、美诸国，宣扬佛教。与英、法等国学者共同发起，在巴黎筹组世界佛学苑，为中国僧人去欧美传播佛教之始。1931年在重庆北碚缙云寺创办汉藏教理院。1943年组织中国宗教徒联谊会。抗战胜利后，任中国佛教整理委员会主任。1947年病逝于上海玉佛寺。他对法相唯识深有研究，并主张把唯识思想应用于现实社会。主要著作有《真现实论》、《法相唯识学》、《起信论研究》、《整理僧伽制度论》、《太虚大师寰游记》等，门人辑有《太虚大师全书》行世。

Taíyetos Mountains　塔伊耶托斯山脉　又拼 Tayghetus，Taygetus 或 Taiyetos；希腊语作 Taíyetos Óros，希腊伯罗奔尼撒半岛南部山脉。最高处约海拔2 371米，横亘于拉科尼亚与麦西尼亚两地区之间。古史诗诗人荷马称此山为五指山。塔伊耶托斯是伯罗奔尼撒半岛上最高的山脉，南北向有一长约160千米的狭窄的水晶岩山脊。山脉的最高峰名圣以利亚，峰顶有供奉先知圣以利亚的教堂，每年8月举行纪念活动。经济以林牧业为主，当地有冷杉、黑松、栗树、橡树和山毛榉树林，亦产葡萄、橄榄和柑橘。

Taiyi Shu　太医署　英语作 Imperial Academy of Medical Science。中国最早的医科学院。6世纪末隋首建太医署。624年，唐在长安创办的太医署设置医科(医疗系)、针科(针灸系)、按摩科(理疗骨伤科系)、咒禁科等4个科。医科又分内科、小儿科、外科、耳目口齿、角法等5科。另设药圃、医院供学生实习。太医署由太常寺管辖。设太医令、丞各2人，相当于正副院长和助理。另有府、史、掌固、医监、医正等教职人员。学制内科7年，儿科5年，外科5年，五官科4年，角法3年。毕业考试成绩优良者授予不同职级的医官。基础课程设医学理论《素问》、药物学《神农本草经》、诊断学《脉经》、针灸学《甲乙经》等。629年起，唐又在各地建立医学校，为地方培养医生。

Taiyō　《太阳》　1895～1928年发行的日本杂志，特别以文学评论、日本文艺作品和翻译西方作家的作品闻名。虽然《太阳》杂志取材广泛，有实用的、学术的、美学的等多种多样的栏目，但是文学主编高山樗牛(1871～1902)和长谷川天溪(1876～1940)大力介绍E.A.坡、福楼拜、莫泊桑、马克·吐温、M.梅特林克、L.托尔斯泰等外国作家的作品，以及国内自然主义作家德田秋声、田山花袋、岛崎藤村的小说，对后期浪漫主义与自然主义文学的推广卓有贡献。当自然主义没落时，该杂志也失去了重要性。

Taiyuan　太原　又拼 T'ai-yuan。中国山西省辖地级市，省会。全省最大的工业城市。位于汾河中游太原盆地北端。平均海拔800米左右，东西有山对峙，向北合拢环抱，汾河

太原市一角
中国大百科全书出版社供图

纵贯其中。盆地土地肥沃，山地煤炭资源丰富。气候温暖，年平均温度9.6°C，年均降水量474毫米，无霜期164天。农业发达，产小麦、稻谷、玉米、谷子、高粱等。地处省境中央，为省内交通中枢，同蒲铁路与石太、新太和太岚等铁路在此交会。战国时为赵国都城，名晋阳，城址在汾河以西晋祠附近。秦置晋阳县，秦、汉分别为太原郡、并州治所。东魏与北齐曾为陪都，从此发展成大都市，并为佛教中心之一。唐开元十一年(723)升并州为太原府，曾作北都。宋初晋阳城毁于战火，太平兴国七年(982)另在汾河东唐明镇(现太原旧城一部分)修筑城池，名称曾多次改变，到明初复称太原府。为山西布政使司治所，并进行扩建，奠定了现太原旧城的规模。清代为山西省省会。1912年为阳曲县，1927年设太原市。辖杏花岭、小店、迎泽、尖草坪、万柏林、晋源6区及阳曲、清徐、娄烦3县，并代管古交县级市。总面积6 959平方千米。其中市区面积1 460平方千米。随石太铁路(1907)与同蒲铁路(1937)的通车，太原建起小规模钢铁、机械、煤炭、纺织等工业。20世纪50年代太原列为中国工业发展的重点城市之一。已建成以冶金、机械、煤炭、化工、电力、建材、食品、轻纺工业为主的工业城市。有太原钢铁(集团)有限公司、西山煤矿，矿山机械厂、太原化学工业集团公司、太原重型机器(集团)有限公司、太原第二热电厂等大企业。工业产值占全省1/3以上。太原高速发达，石太、南北同蒲、京原、太焦、铁路干线纵横交错，307国道横穿境内，108国道纵贯南北，石太、原太、太汾、太长高速公路均已开通，并已开通直达北京、上海、广州等国内大中城市的航线40多条。有山西大学、太原理工大学、山西医科大学等多所大专学校和数十个科研机构，是全省的文化教育和科学研究中心。距市区20千米的晋祠是著名的古迹和游览地，内有宋以后历代建筑和雕塑。人口：全市3 310 000(2005)；市区2 470 000(2004)。

Taizhong　台中　又拼 Taichung。中国台湾省西岸中部县，东屏中央山脉，与花莲县接壤，西临台湾海峡，南隔大肚溪与彰化、南投两县毗邻，北与宜兰、新竹、苗栗县交界。辖3市、5镇、13乡。面积2 051.471 2平方千米。县治设丰原市。境内雾峰乡是台湾省议会所在地。旧名大墩。原为平埔族聚居地。清雍正初年已有汉人移垦开发，时属彰化县所辖。光绪十一年(1885)台湾建行省，一度设台湾府，府治在今台中市。后置台中县。日本占领时期先后置县、州。1945年台湾光复后复为县制。县境东部为雪山(3 884米)与白狗大山(3 341米)之间的大甲溪流域，属雪山山脉南段山地区域；西部是丘陵和海岸平原，大肚溪和大安溪分别流贯南部和北部县边境附近。盛产稻米、棉、豆类、甘蔗、甘薯、黄麻、柑橘、香蕉、龙眼、葡萄、枇杷、荔枝、梨、菠萝等。是台湾三大柑橘产区之一。大甲溪上的马陵是台湾第一个鲟鱼养殖场。建有台中出口加工区。工商业发展迅速，境内有潭子、太平、外埔、台中幼狮、台中港关连工业等五大工业区。金属工具、锅炉等制造业发达，还有纺织、食品加工、制药、橡胶、印刷、木材加工工业。矿产有金和黏土。台中县交通便利，南北纵贯铁路的海线和山线、纵贯公路、中山高速公路、中部横贯公路等都经过该县。在梧栖镇新建的台中港是台湾中部地区的国际港口。县内大甲镇东北铁砧山上有郑成功巨型塑像，山坡有纪念郑成功的忠烈祠(国姓庙)和剑井(国姓井)，为台湾中部胜景之一。此外还有大雪山、八仙山等风景区。1999年9月21日发生7.3级地震。人口1 510 000(2004)。

Taizhong　台中　又拼Taichung。中国台湾省辖地级市。旧称东大墩或大墩。位于台湾岛西中部、台中盆地中央。辖中、东、西、南、北、西屯、南屯、北屯8个区。面积164.3平方千米。原为平埔族聚居之地。荷兰人占据台湾时开始有汉人入境移垦。清乾隆年间该地已成为繁荣市镇。光绪十一年(1885)台湾建行省，一度为台湾府府治。光绪二十二年(1896)改县治，始称台中，为县治所在地。

1945年台湾光复后设市，为省辖市。1947年扩大市区，增为8区。地势东北高西南低，大肚溪北侧支流流经市区。周围土地肥沃，气候温和，盛产稻米、甘蔗、香蕉和烟草，是台湾中部重要的农产品集散地。1970年在西海岸开辟台中港及设立台中出口加工区后，经济更趋繁荣，成为台湾中部最大的经济中心，与台中、彰化、南投等县组成台湾第三大工业区。有机械、制糖、食品罐头、纺织、化学、化肥等工业。又是台湾中部交通中心，纵贯铁路、中山高速公路都经过该市。市容整洁。高等院校有中兴大学、东海大学、逢甲大学、中山医学院、静宜大学、台中师范学院等，数量仅次于台北市，素有文化城之称。1986年开放的国立自然科学博物馆，更充分发挥了科学教育的功能。中山公园、中正公园、城隍庙、孔庙、宝觉寺、万春宫、亚哥花园为游览胜地，其中宝觉寺是台湾历年佛法大会的会址；万春宫为中部历史最悠久的妈祖庙之一，约建于1721年。人口990 000(2002)。

Taizhou　泰州　又拼 T'ai-chou。中国江苏省辖地级市。在长江以北，新通扬运河与泰东河(古称运盐河)、鲁汀河、南官河交汇处，通扬、泰高(港)二公路亦交会于此。有定期

泰州市革命烈士陵园
中国大百科全书出版社供图

班轮通兴化、东台、盐城、建湖诸市、县，有班车通南京、扬州、南通等地。是江苏省中部水陆交通枢纽和里下河地区通往长江的门户。汉元狩六年(公元前117)置海陵县，东晋义熙七年(411)并为海陵郡治。五代南唐升元元年(937)为泰州治。明洪武初撤县入泰州。1912年改称泰县。1949年以泰县城区和近郊置泰州市，原属扬州地区，1983年改为省辖县级市，扬州市代管。1996年撤销县级泰州市，设地级泰州市。辖海陵、高港2区，代管靖江、泰兴、姜堰、兴化4县级市。面积5 794平方千米。处长江沿江平原向里下河低平原过渡区，自古以农业丰盛和盐业发达著称。公元前2世纪初吴王刘濞设海陵仓于此。19世纪末期淮南盐业衰落，泰州经济也趋凋敝。1949年后工业开始兴起，先后建立纺织、机械、化工、电子、食品等部门。328国道、宁通高速公路等过境。泰州港为国家一类对外开放港口，是河、江、海换装的重要枢纽。名胜古迹有明代日涉园(又名乔园)、岳武穆祠、五代南唐大铜钟，东城河畔凤凰墩建有现代京剧大师梅兰芳纪念亭。人口5 010 000(2005)。

Ta'izz　塔伊兹　也门西南部城市。全国主要城市中心之一。曾为也门首都。原由阿尤布王朝统治，后归属奥斯曼帝国，直至1918年(中有间隔)。但也门的栽德派伊玛目(领袖们)经常反抗奥斯曼统治。第一次世界大战中奥斯曼帝国战败(1918)，塔伊兹无异议地成为伊玛目领地。塔伊兹位于也门高地，

塔伊兹市的穆扎法里亚清真寺
供图：F. Balsan

海拔约1 400米，城垣环抱，风光如画。有许多装饰精美的多层住房。贾米(穆扎法里亚)和沙里菲耶两清真寺均很著名。附近山上有古堡和省长官邸。现为西南部重要咖啡种植区的中心，该地区还生产加特(一种温和麻醉剂)和蔬菜。20世纪60年代由美国援建的自来水系统使其成为全国第一个饮用净化水的城市。工业有铝厂、饼干和软饮料厂。设有一所伊斯兰教经学院，附近有国立实验农场和农业学校。位于两条重要的全天候公路交叉点，东西方向通往红海海岸穆哈，南北方向通首都萨那。另有一条公路通亚丁。1948～1962年，塔伊兹为伊玛目的驻地和国家的行政首都。人口：市178 430(1986)。

taj　塔杰帽　穆斯林国家男女都戴的常呈圆锥形或顶部弯曲的无沿帽。塔杰一词在波斯语和阿拉伯语中均指皇冠。塔杰帽是从美索不达米亚河谷地区人民所戴的古老三重冕(**tiara**)发展而来的。有地位的人所戴的塔杰帽大多用有花纹的华丽的织物制成，饰以珠宝。但大多数塔杰帽都用毡或皮革制成。

Tāj Mahal　泰姬陵　又译泰吉·马哈尔。印度阿格拉郊外亚穆纳河(朱木拿河)南岸的陵墓。莫卧儿皇帝沙贾汉为纪念1631年因难产去世的妻阿柔曼·巴纽·比格姆而建。她也叫蒙泰吉·马哈尔("宫中首选")，讹称泰吉·马哈尔。工程由来自印度、波斯、中亚及其他地区的建筑师们组成的设计委员会设计，1632年开工，主体工程约于1643年建成。每天投工2万多。附属建筑物(清真寺、围墙和门廊)约于1649年完工。整个工程历时22年，耗资4 000万卢比。陵区为长方形。南北长580米，宽305米。中间是边长305米的正方形花园，其南北各有一较小的长椭园形区。南区有一个直通陵墓的沙岩甬道和附属建筑；北区抵亚穆纳河边，著名的陵墓位于其中。墓两侧配有式样相同的建筑，一为清真寺，一为答辩厅(或美学平衡建筑物)。北区和中心花园区围以石墙，墙的四角耸有八角亭。围墙南侧是马厩和守卫室。最重要的建筑在北区。清真寺和其对称建筑均面向陵墓，由红色西克里沙岩建成，在色调和结构上与洁白的莫克兰大理石砌成的陵墓形成鲜明对比。陵墓建在7米高的大理石台基上，相同的四面各有一个33米高的巨大拱门。寝宫上部为高耸饱满的穹顶，以天空为背景构成优美的轮廓。石基四角各矗立一个3层的尖塔。宫内是八角形大厅，厅内有沙贾汗和比格姆的衣冠石棺，围以镶嵌宝石的大理石屏。下面的地窟存放真棺。泰吉·马哈尔陵被认为是莫卧儿建筑的最高成就和世界最美的建筑之一。

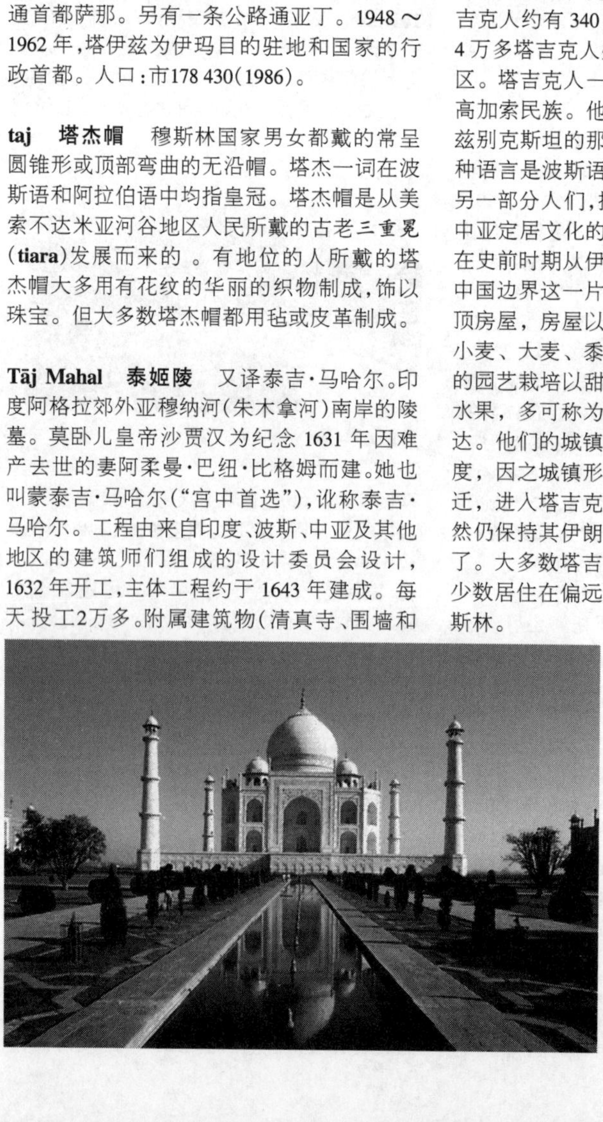

泰姬陵
供图：Tom Nebbia-Aspect Picture Library

Tajik　塔吉克人　又拼Tadzhik。原阿富汗与突厥斯坦境内的伊朗族居民。塔吉克人构成塔吉克斯坦人口的约3/5。在20世纪末，塔吉克斯坦的塔吉克人超过340万，乌兹别克斯坦的塔吉克人超过90万。在阿富汗，塔吉克人约有340万，占该国人口的1/5。另有4万多塔吉克人生活在中国新疆维吾尔自治区。塔吉克人一名，指传统上的一个定居的高加索民族。他们之中住在塔吉克斯坦和乌兹别克斯坦的那一部分人，使用塔吉克语，这种语言是波斯语的一种方言；住在阿富汗的另一部分人们，操现代波斯语。塔吉克人是中亚定居文化的继承者和传播者。这种文化在史前时期从伊朗高原传播到大约自里海至中国边界这一片地区。他们聚为村落，住平顶房屋，房屋以泥土或石块砌成。他们种植小麦、大麦、黍稷，耕地有灌溉之利。他们的园艺栽培以甜瓜最为有名，还有其他各种水果，多可称为名产。他们的手工业高度发达。他们的城镇沿商路联通波斯、中国和印度，因之城镇形成商旅中心。后来突厥人西迁，进入塔吉克人的居住地区。塔吉克人虽然仍保持其伊朗语，但在文化上却已突厥化了。大多数塔吉克人是逊尼派穆斯林，但有少数居住在偏远地区的人们，则为什叶派穆斯林。

Tajik 塔吉克族 中国少数民族。主要分布在新疆维吾尔自治区西部和南部。人口41 028(2000)。语言属印欧语系伊朗语族帕米尔语支。分萨里库尔和瓦罕两个方言。不少人兼通维吾尔、柯尔克孜语，使用维吾尔文。古为朅盘陀国地，唐置葱岭守捉。元称

塔吉克族姑娘
中国大百科全书出版社供图

色勒库尔。"塔吉克"是11世纪突厥游牧部落对中亚地区操伊朗语、信奉伊斯兰教人的统称。中国塔吉克族的族源可追溯到公元前分布在帕米尔迤东操伊朗语的部落。塔什库尔干的塔吉克族先世在不同时期融合了来自帕米尔西部语言相同的人民。多信伊斯兰教，属什叶派的伊斯玛仪派。从事高山畜牧业，兼营农业。随季节变迁半定居半游牧。家庭以男性家长为主。极少与外族通婚。除同父母所出外皆可结亲。牧民在村中有土木结构正方形平顶固定住宅，屋内不分间，四周筑土台为坐卧起居处。每年斋月前一个月过巴罗提节，家家按人数燃点酥油火把，以一特大火把插于房顶，意在招来吉祥。1954年建立了塔什库尔干塔吉克自治县，并在其他聚居区建立了4个民族乡。

Tajik nationality, language of 塔吉克语 中国塔吉克族语言。属印欧语系伊朗语族帕米尔语支。主要分布在中国新疆维吾尔自治区塔什库尔干塔吉克自治县。使用人口约2.4万。分萨里库尔和瓦罕两个方言，其中大多数操萨里库尔话，少数操瓦汗话。此外还分布在塔吉克斯坦和阿富汗境内。塔吉克语(萨里库尔)语音特点是，有30个辅音音位，其中包括双唇、舌尖中、舌根塞音各分清、浊，有小舌清塞音；舌尖前、舌叶塞擦音也各分清、浊；唇齿、齿间、舌尖前、舌叶、舌根、小舌擦音各分清、浊，有喉门清擦音；双唇、舌尖前鼻音各1个，边音、颤音、双唇和舌面半元音各1个。有7个元音音位和10个复合元音。绝大多数词的重音在最后音节，只动词祈使语气单数第二人称形式的重音在第一音节上。词类有名词、代词、数词、动词、形容词、副词、语气词、前置词、后置词、连词、感叹词11类，有丰富的形态变化。名词有数(单数、复数)、格(主格、领格、宾格、对格)；形容词有级(原级、比较级、最高级)；动词有时(现在-将来时、过去时、长久过去时)；句子主语在前，谓语在后；宾语在谓语之前，双宾语句子中间接宾语又在直接宾语之前；定语和状语在中心词之前。

Tajikistan 塔吉克斯坦 正式称塔吉克斯坦共和国。又拼 Tadzhikistan, Tajik Tojikiston 或 Respublikai Tojikiston。中亚国家，1991年脱离苏联获得独立。东与中国为邻，南与阿富汗接壤，北邻吉尔吉斯斯坦和乌兹别克斯坦，西连乌兹别克斯坦。首都杜尚别。面积143 100平方千米，人口约6 312 000(2000)。

自然地理与人文地理 塔吉克斯坦是一个多山国家，1/2以上领土位于海拔3 000米以上。其北部有部分天山山系，东南部有帕米尔-阿赖山系诸峰。谷地为居民主要居住区，占全国总面积近10%。阿姆河及锡尔河的上游贯穿全境。凛冽的大陆性气候(气温经常冷热悬殊)略显干燥。

该国以其主要居民**塔吉克人**(**Tajik**)的族名为国名。塔吉克人使用的语言属印度-伊朗语族，与波斯语接近，他们与邻国的乌兹别克人同属穆斯林教派，关系十分密切。塔吉克人占全国总人口的60%，其余大多为乌兹别克人。同中亚其他国家一样，该国的死亡率较低，出生率高，人口增长迅速。大部分人口居住在乡村。

塔吉克斯坦大概是中亚最欠发达的国家。棉花种植是该国农业主要的组成部分，但如果不充分利用阿姆河及锡尔河的河水扩大灌溉面积，棉田产量将受到限制。第二次世界大战后，一个30年代修筑的灌溉渠网又被重新扩建，对养牛、园艺、养蚕以及棉花种植都起到推动作用。谷地普遍种植水果、蔬菜和谷物。但因棉花种植大量施用化肥和农药，造成环境污染，危害居民健康。

该国矿藏丰富。重工业包括采煤业、石油和天然气开采以及铁矿采掘，这些产业又带动了纺织机械、动力设备、电缆以及氮肥的生产；轻工业主要有棉纺、丝织、针织、制鞋和服装。其他轻工业有食品加工、地毯制品和老鹳草油(用于制香料)的生产。

苏联统治期间，该国政权实际上由塔吉克共产党控制，其最高权力则属于苏联共产党。该国的最高苏维埃成员在苏联统治期间每隔4年由塔吉克共产党选定，独立后则通过自由选举产生。主席团(在最高苏维埃休会期间行使职能)和部长会议(内阁)由最高苏维埃选定。1991年末塔吉克斯坦获得独立后，塔吉克共产党控制的政权机构随之解体，现在共产党正与其他党派为控制政府而进行较量。

在20世纪，因苏联大力提倡世俗教育和建设学校，塔吉克人的教育水平有很大提高。现实行免费教育，7～17岁的人必须接受义务教育。建有许多中等专业学校和数所高等学府，穆斯林学校也很普遍。

历史 塔吉克人是讲波斯语的伊朗人后裔，伊朗人过去在中亚地区势力相当强大。他们曾隶属于波斯帝国和亚历山大大帝及其后继者的帝国，7～8世纪为阿拉伯人征服并穆斯林化。突厥语各族在几个世纪内相继迁入该区，也影响到塔吉克人的文化。15～18世纪中叶塔吉克人为布哈拉乌兹别克汗国统治。在同一时期，阿富汗人也征服了居住在阿姆河以南的塔吉克人。

19世纪60年代，俄罗斯占领了塔吉克斯坦大部分地区。1917年俄国革命后，塔吉克斯坦被分别并入突厥斯坦苏维埃社会主义自治共和国和布哈拉苏维埃人民共和国。1924年，塔吉克斯坦的这两个部分合并为塔吉克苏维埃社会主义自治共和国，在行政上隶属于乌兹别克苏维埃社会主义共和国，直到1929年塔吉克苏维埃社会主义自治共和国获得正式共和国地位。1991年苏联解体，塔吉克苏维埃社会主义共和国获得独立，遂采用塔吉克斯坦作为国名。自1991年以来，塔吉克斯坦经历了共产党占多数的政府与伊斯兰及民主反对党派力量之间的不断冲突。1991年11月的总统选举由塔吉克斯坦的前共产党人纳比耶夫获胜。1992年3月杜尚别举行大规模非暴力抗议。4月政府军队向示威者开火之后，暴力活动开始蔓延到其他城市。反对力量迫使纳比耶夫在8月下台，后一度夺取政权，但到11月由拉赫莫诺夫领导的政府重新掌权，并得到俄罗斯军队的支持。随后大批人逃亡到阿富汗。由于阿富汗境内的伊斯兰原教旨主义的军队及其盟友继续向守卫边境的俄罗斯军队和塔吉克斯坦军队发动进攻，零星战斗一直不断。到20世纪90年代中期有数千人在战斗中死亡，50多万人流离失所。1994年拉赫莫诺夫当选总统，在他的独裁统治下，冲突不断发生，直到1997年达成一项协议。然而，和平进程并不一帆风顺。反叛者开始重新进入政治和社会生活，一批不同政见者仍继续袭击政府目标。拉赫莫诺夫1999年再次当选，得到了从前政敌的支持。塔利班倒台后，阿富汗的麻醉剂生产增加，塔吉克斯坦很快成为阿富汗海洛因和鸦片运往欧洲和其他国家的中转地。

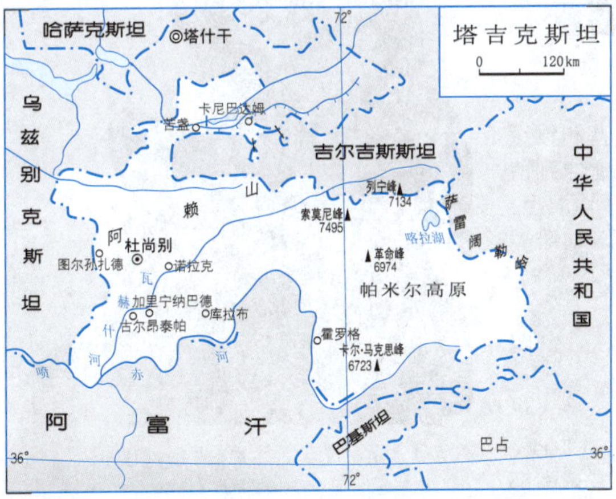

美国不列颠百科全书公司供图

Tajimi 多治见 日本本州岐阜县城市。在名古屋东北，濒临土岐川。早年生产"高取陶瓷器"（德川时代从朝鲜传入，上白釉）。现为主要陶瓷产地，设有陶瓷艺术研究所和古代陶瓷陈列馆。人口约100 270（1995）。

Tajmyr（Russia） 参阅 **Taymyr** 泰梅尔。

Tajmyr Peninsula（Russia） 参阅 **Taymyr Peninsula** 泰梅尔半岛。

Tajumulco Volcano 塔胡穆尔科火山 危地马拉西南部山峰。为中美洲最高峰（海拔4 220米）。据信地处更古老的一座死火山之上，有两座山峰。山东南的圣马科斯城为登山的出发地。

Takahama Kyoshi 高浜虚子（1874-02-22，日本松山～1959-04-08，镰仓） 日本俳句诗人。他对现代日本俳句文学的发展起过很大作用。通过友人河东碧梧桐的介绍与著名诗人正冈子规相识，并开始写俳句体诗。1898年虚子成为子规所办俳句杂志《杜鹃》的主编。他和碧梧桐是子规的两个杰出弟子，但子规逝世后，两人相互对立。碧梧桐成为一种抛弃传统模式的新俳句风格的倡导者。虚子一度专心写现实主义的随笔式长篇小说，但最后还是回到俳句上来。他在《子规》杂志上发表文章，反对碧梧桐的革新运动，主张俳句中的现实主义，强调俳句诗人必须如实地观察大自然。他在《俳句应走的道路》（1918）中发表了这些见解。他的许多诗集都已编入两卷本的《高浜虚子俳句全集》（1980）。他还写过几部长篇小说，其中包括《俳谐师》（1909）。

takahe（species *Notornis mantelli*） **短翅水鸡** 新西兰产鹤形目秧鸡科不能飞行的珍稀鸟类。19世纪末期被认为已绝灭，但1948年又于新西兰南岛几个偏远的山谷中发现。与

短翅水鸡（*Notornis mantelli*）
供图：G. R. Roberts

水鸡有亲缘关系。色艳丽，体羽艳蓝和铜绿两色。喙大，红色，有红色的额盾延伸到前额。短翅水鸡以草籽为食。营巢于地面上。每窝产卵2枚。卵奶油色，具褐斑。幼雏黑色，体被绒羽。

Takakazu（Japanese mathematician） 参阅 **Seki Kōwa** 关孝和。

Takakkaw Falls 塔卡考瀑布 又拼 Takka-kaw Falls。加拿大不列颠哥伦比亚省东南部约霍河上的大瀑布。约霍国家公园北部的主要风景点。由瓦普蒂克山戴利冰川之融水形成，由3级不同的、几乎是垂直的落差组成。昔称加拿大最大瀑布，但1985年新勘察表明，其主落差为254米，而非旧说384米。因此认定该瀑布总高373米，不是旧说503米。同不列颠哥伦比亚温哥华岛上的德拉瀑布相比，塔卡考瀑布小得多。

Takamatsu 高松 日本四国香川县首府。面对濑户内海。1642～1868年为德川家族城堡镇。1910年与本州通铁路轮渡。铁路的延伸和交通的汇集使该市成为四国行政、经济和文化中心。生产机械、工具、纸浆、纸张、食品和家具。旅游业兴旺，名胜有玉藻公园（在港口附近，内有16世纪城堡遗址）、栗林公园（占地75公顷，内有天然松林、动物园、美术馆、博物馆）。岸外小岛女木岛与日本古代童话有关。屋岛岬为12世纪一次重要战役的战场。市西南30千米处有朝圣地琴平山神社。香客往返以高松为基地。人口329 695（1990）。

Takamine, Jokichi 高峰让吉（1854-11-03，日本高冈～1922-07-22，纽约州纽约） 日本出生的生物化学家、实业界领袖。其最重要的成就为从肾上腺中分离出肾上腺素——第一个来自自然资源的激素（1901）。高峰出生于医生家庭，1879年从东京帝国大学理工学院毕业，成为化学工程师，并受政府派遣到格拉斯哥大学为研究生。假期中参观工厂，观察苏打及化肥的生产过程。回国后在政府供职。1884年首次赴美。1887年离职自办工厂，生产过磷酸肥料。在自己的实验室内从一种生长于稻米上的真菌中得出一种能消化淀粉的酶，称之为高峰淀粉酶。1890年应邀赴美进行将该酶用于酿酒工业的设计，并在美国定居。他在新泽西州克利夫顿建立一实验室，在此进行分离肾上腺素的研究。后来与帕克-戴维斯公司终生合作，由该公司生产高峰淀粉酶以供医用。他与日本保持密切联系，曾帮助日本发展工业用染料、制铝、固氮、电炉、酚醛塑料等工业。

Takamura Kōun 高村光云（1852-03-19，日本江户［东京］～1934-10-10，东京） 原名中岛光藏。日本雕刻家。他从高村东云研究佛

高村光云的木雕《老猿》（1893）
东京国家博物馆供图

教雕刻，后继承其师的技艺和声誉。1887年东京美术学院成立时，应邀主持该校木雕系。他力求使木雕摆脱佛教陈规的影响，强调对模特儿采取写实主义的方法，但仍保持木雕的传统。其代表作有《老猿》、《楠公铜像》和《西乡隆盛像》。

Takaoka 高冈 日本本州富山县城市。位于庄川下游。1609年建为高冈城堡镇。1969年根据国土综合发展规划建立富山-高冈工业城，并修建重工业用大型港口。1973年建

高冈市的佛骨塔
供图：Shostal

起炼铝厂，成为日本炼铝业重要中心。高冈市也生产铜、化工品和纸张。位于日本海富山湾畔的伏木为该市外港。高冈还是铁路枢纽。该市名胜有高冈公园、樱花公园及佛教庙宇瑞龙寺（内藏许多国宝）。人口175 469（1990）。

Takarazuka 宝塚 日本本州兵库县城市和温泉疗养地。位于六甲山东北坡，以当地女子歌剧团闻名。歌剧场有4 000座位，是远东最大剧场之一。市内有教育设施、植物园、高

宝塚市的女子歌剧团剧场
供图：Imperial Press—FPG

尔夫球场、游泳池、运动场和动物园等。武库川流过市内，两岸旅馆、饭店鳞次栉比。人口201 863（1990）。

Takasago 高砂 日本本州兵库县城市。濒临濑户内海，该市长期以来为播磨海内陆所产稻米的集散中心。19世纪末，当地港湾和

充足水源被开发用于工业(造纸、棉纺)。后高砂市主要生产陶瓷和化工品。人口93 267(1990)。

Takasaki 高崎 日本本州群马县城市。在东京西北,濒临乌川,明治时代以后成为重要商业、铁路运输中心。有缫丝、木工、酿造等传统行业。第二次世界大战后发展起机器、

高崎市的观音塑像

供图:Tsuneo Iwata-Bon

金属制造、合成纺织和化学工业。市西南观音山顶有42米高的观音塑像。人口236 463(1990)。

Takashimaya Co., Ltd. 高岛屋有限公司 日语汉字作高岛屋株式会社。日本最早的百货公司。其历史可追溯到1831年在京都成立的棉织品商店。现代的股份有限公司建立于1919年。现该公司在东京、大阪、京都、洛西、坂井、歌山以及其他几个日本城市开设百货商店,在纽约、巴黎、伦敦、米兰、香港及新加坡等海外城市设有分公司。总部在东京。

Takasugi Shinsaku 高杉晋作(1839-09-27,日本旧长门国荻～1867-05-17,下关) 日本著名的尊王攘夷派人物。他改革长州藩军队,击败德川幕府,导致明治维新(1868)还政于天皇。早年努力学习西方军事技术。他在长州实行军事改革,把农民编成奇兵队,由受过西方军事训练的武士指挥。德川幕府见长州藩日益不稳,于1864年派兵讨伐,让保守派掌握藩政。但在幕府的军队撤离以后,高杉晋作的奇兵队立即反攻,使倒幕派又重新上台。1865年8月幕府再次派兵讨伐长州,命令把长州夷为平地。但是,高杉率领以西方武器装备、实行严格集中控制的奇兵队击溃了幕府军队,大大改变了日本的权力平衡。1868年1月,长州藩和萨摩藩的武士推翻幕府,宣布成立由明治天皇领导的新中央政府。新天皇政府的最初举措之一,便是沿着高杉业已开始的路线建立新军。他在明治维新前夕病殁。

Takatsuki 高槻 日本本州大阪府城市。濒临淀川,在大阪与京都中间。室町时代(1338～1573)成为城堡镇。19世纪后期曾在此建立陆军工兵营地。第二次世界大战后工业发展迅速。生产电器、药品。人口359 867(1990)。

Takayama 高山 日本本州岐阜县城市。濒临宫川。德川时代(1603～1867)为城堡镇。现为飞驒山区中心和市东中部山岳国立公园的旅游基地。市内多古老建筑和寺庙,

高山市的古典式客栈

供图:Minoru Warashina—Bon

有建于1588年的国分寺。生产漆器、木器。人口65 245(1990)。

Takebe Katahiro 建部贤弘(1664,日本江户[今东京]～1739,江户) 传统的和算(即日本计算)数学家。他扩展并传播了他的老师关孝和的数学研究成果。他相继服务于两位幕府首领德川家伸和德川吉宗。13岁时受教于关孝和,与哥哥建部贤明一直追随着关孝和。兄弟两人是关孝和把数学知识录入百科全书计划(1683年开始)的主要实施者。1710年建部贤明最终完成了20卷的《缀术算经》。这部著作很好地表现了建部贤弘修正、完善和扩展老师的知觉的能力。18世纪20年代是建部贤弘最具创作力的时期。他区分出解决数学问题的两种方法:一个是基于数字的调查,即通过仔细观察和处理数据直到发现一般定律的归纳方法;一个是基于原理的调查,即通过直接运用定律和步骤的推理方法,如在几何学中。这两个方法经常互为补充,例如通过归纳法得到的无穷级数也能用几何学的方法得到。他计算无穷级数的步骤对后几十年日本的分析学发展起到关键作用。

Takeda Shingen 武田信玄(1521-12-01,日本旧甲斐国～1573-05-13,旧信浓国驹场) 16世纪日本战国时代争夺中部战略要地关东平原的最著名武将之一,尤以与上杉谦信进行长期战争闻名。出身于有权势的武田家族。1551年出家。20岁时赶走其父,成为武田家族首领,开始与上杉氏争夺关东的霸权。虽然双方不分胜负,但他在日本中部威名大振,对企图控制中央政府的织田信长形成一种威胁。正当他开始与织田作战时,受重伤后死去。

Takefu 武生 日本本州福井县城市。德川时代(1603～1867)为以城堡为中心的城镇和越前国国都、省会。在日野川冲积扇上。传统生产刀具。明治时代(1868～1912)引入丝织品制造。现生产丝、纸张、化肥、石油化工品和电器。人口70 188(1990)。

Takeshita Noboru 竹下登(1924-02-26,日本岛根县～2000-06-19,东京) 1987年11月～1989年6月任日本首相,因卷入权力贩子丑闻而辞职。1947年毕业于东京早稻田大学后,执教4年。曾任岛根县议会议员7年,1958年当选为国会众议院议员,后连任10届。1971年首次进入内阁,任官房长官,后任建设大臣,并任大藏大臣(1979～1980,1982～1986)。1986～1987年任自由民主党干事长。1987年11月,他的前任中曾根康弘首相精心挑选他担任自由民主党总裁,从而成为日本首相。作为首相,他使国家的一项新营业税获得通过。1988年4月,他公开披露,他和几个助手与一些官员们一起收受日本里库路特电信公司的股票、捐赠和放款,以获得政府的优惠。公众对竹下卷入这一丑闻的强烈不满,促使他于1989年4月25日宣布辞职的意向。6月2日他下台。

Taki-Taki(creole language) **塔基塔基语**
参阅 **Sranantonga** 斯拉南汤加语。

takin(species *Budorcas taxicolor*) **扭角羚**
偶蹄目牛科动物,身体硕大,分布于东南亚。常成小群栖于树线以上的山地。体壮,腿短,能在难行的山坡上快速轻巧地奔走。肩高约

扭角羚(*Budorcas taxicolor*)

供图:George B. Schaller

107厘米。毛粗而蓬松,浅黄到浅黑褐色。从侧面看,鼻呈凸圆形,雌雄均有粗大的角,从额的中心往外转,然后向上,再向后弯曲。

Takizawa Bakin 泷泽马琴(1767-07-04,日本江户[东京]～1848-12-01,江户) 19世纪初期占主导地位的日本作家,因其道德格调浓厚和鸿篇巨制的严肃历史小说而备受称誉。马琴是下级武士家庭的第3个儿子,年轻时父母便已去世,由于1780年以后江户遇

到的饥馑与瘟疫，只有他活下来继续他家的姓氏。经过长期的飘泊生活，他放弃了武士身份，娶了个商人的寡妇，把随后的50年岁月倾注于写作。马琴通过他创作的30多部长篇小说即所谓“读本”(yomihon)，在日本开创了历史传奇这一门类。他的作品取材于宫廷传奇故事、战争演义、“能”剧、通俗戏剧、传说、中国白话小说。他使江户的小说摆脱了对优伶、解说人和说书人的屈从。他的主要题材则是忠孝节义以及没落的大家族重新振兴的故事。他特别关心中国文化、佛教哲学以及本国历史，同时又注意语言和风格，同情自己的同胞，相信人类的尊严。但武士的传统和他本身内在的顽固性仍然使他支持已经确立的制度，并且使他的作品有一种强烈的说教色彩。马琴最好的作品是《南总里见八犬传》(1814～1842)，描写一个家族复兴的故事，被视为日本文学的一部经典作品。

Takkakaw Falls (Canada)　参阅 **Takakkaw Falls** 塔卡考瀑布。

takkanah　塔卡拿　又拼 takkana。犹太教用语。指由教法当局为了增进公益或提高百姓宗教修养水平而颁布的法令。犹太教以此为律法书的延伸。此语有悠久历史，其内容涉及礼拜仪式、青年教育、保障妇女在离婚或丧夫时不受经济损失的婚约等。

Taklamakan Shamo　塔克拉玛干沙漠　英语作Takla Makan Desert。中国最大沙漠。在新疆塔里木盆地中部。面积33.7万平方千米，占中国沙漠面积的47％。气候极干旱，

塔克拉玛干沙漠中的科学考察队
中国大百科全书出版社供图

年降水量一般不足10毫米。沙漠中流动沙丘占85％，是世界上第二大流动性沙漠。以巨大的新月形沙丘和沙丘链为主，一般高50～100米以上，有的达200～300米。一些河流如和田河、克里雅河等可伸入到沙漠内部，两岸长有胡杨林、灰杨林和红柳灌丛，成为沙漠中的“天然绿洲”，具有开发价值。塔克拉玛干沙漠地下蕴藏丰富的水和油气资源。1992年建成北起轮南，南达塔中，全长346千米的沙漠公路。

Takoma Park　塔科马帕克　美国马里兰州蒙哥马利与乔治王子县城市。濒临斯莱戈布鲁克河。1883年由本杰明·F.吉尔伯特沿巴尔的摩－俄亥俄铁路兴建，作为首都华盛顿(哥伦比亚特区)北部的居民区。1890年设镇，1948年设市。20世纪基督复临安息日会在此创建总部，并办起华盛顿传教学院(现为

塔科马帕克市哥伦比亚协和学院的魏斯图书馆
供图：Milt and Joan Mann from Camera Mann

哥伦比亚协和学院)。有疗养院和蒙哥马利学院塔科马帕克分院(1950)。人口16 700(1990)。

Takoradi (Ghana)　**塔科拉迪**　参阅 **Sekondi-Takoradi** 塞康第－塔科拉迪。

Taksin　达信(1734-04-17，大城[泰国]～1782-04-06，泰国吞武里)　又称帕耶·达信或普耶达。暹罗将军、征服者，1767～1782年为国王。1767年缅甸人击败暹罗后，他重新统一了国家。他是中国人和泰人后裔。被征入伍。1764年获帕耶军衔并任达省太守。自称帕耶·达信，以别于前任。1766～1767年大城被困时，他驻守城内，大城陷落前夕逃往王国的东南部招募新军，收复湄南河下游地区。他将国都从曼谷迁至吞武里。到1770年，他击退了缅人新进攻并打败了其他竞争王位者。到1776年，他把缅人赶出清迈和泰北地区，又将势力迅速扩展到老挝，柬埔寨和马来诸邦。达信善于征战，但不善治国。由于处理宗教问题不当，一些下级官员造反，将他处死，迎拉玛一世为国王。另说他于1782年秘密逃出吞武里，在泰国南部山中生活到1825年。

Takulli (people)　参阅 **Carrier** 卡列尔人。

Takuma Shōga　宅磨胜贺(活动时期12世纪中叶至12世纪末叶，日本京都)　原名宅磨为基。日本佛教艺术世家成员，创立融合中国南宋艺术特色的宗教画新风格。为京都东寺及神护寺(即高雄山寺)绘制佛像，也为达官显贵作画。1191年为东寺所作《十二天图屏风》为唯一保存下来的遗作，其中《月天》代表了胜贺肖像画风格，着色雅淡，图案简练，反映出南宋画风的影响。天像为侧面直立姿态，利于展示天衣飘拂的优美线条。

Takutarō (sculptor)　**倬太郎**　参阅 **Hiragushi Denchū** 平栉田中。

tāla　塔拉　在印度和巴基斯坦音乐中，指一个具有特定拍数(从3拍到128拍)的节拍循环，在一次音乐演出中自始至终以同一节奏型反复。塔拉的概念一般可与节奏或节拍等同，虽然它的传统做法并不与西洋的含义完全相同。在这种节拍型中，拍不一定像在西洋音乐中那样组合成相等的小单元，而是可以以不对称的组合形式出现。甚至当小单元在数值上相等时，每一个这样的组在功能上也有所不同。以塔拉中众所周知的丁塔拉(*tīn-tāla*)为例，它由16拍构成，分成4个组，所以表面上相当于西洋的4/4拍子。但是每一个4拍组在重音上都有等级上的差别，最强音落在第1组，其中开头的一拍，称作萨姆(*sam*)，是16拍中之最重音；最弱音则落在第3组，其中的第一拍，称作卡利(*khālī*)，即“开拍”。因此每一个塔拉有其独有的特性，不仅决定于拍数，亦决定于拍细分成小单元后的不同重音点。正如拉加(**raga**)的音阶－旋律结构给演奏者提供了旋律的基础一样，塔拉为节奏的即兴表演提供了始终不变的框架。

Talaing (people)　参阅 **Mon** 孟人。

Talak　塔拉克　尼日尔西北部广阔沙丘地带。在阿伊尔高原以西。面积约10万平方千米。有很多短小暂时性河川，其中最长的阿扎瓦克河最后流入尼日尔河。多处发现恐龙化石。纵贯南北的撒哈拉公路经此，与地中海南岸的阿尔及尔和尼日利亚的卡诺连接。

Talambo affair　塔兰博事件(1862)　秘鲁工人在塔兰博庄园袭击西班牙巴斯克移民事件，它导致西班牙对秘鲁的战争(1864～1866)。事件发生后，西班牙政府派一名调查官去秘鲁，称总督。秘鲁政府对此明显贬低其主权的行为表示不满，拒绝与他交涉。1864年4月，西班牙派舰队占领距秘鲁海岸约19千米的鸟粪层蕴藏丰富的钦查群岛。秘鲁总统J.A.佩塞特将军答应西班牙的赔偿要求，以换回钦查群岛。但举国愤慨，结果M.I.普拉多将军于1865年将佩塞特推翻。普拉多与厄瓜多尔、玻利维亚、智利结成同盟，1866年向西班牙宣战。同年，南美同盟国军队在秘鲁的卡亚俄附近击败西班牙舰队，从而结束了西班牙的干涉。但正式停战条约直到1879年才签订。

talapoin　侏长尾猴　栖息于刚果河下游及邻近河流两岸沼泽林中的两种小型猴之一。是旧大陆猴科中最小的，体重不足2千克。有时也被划为长尾猴属。但侏长尾猴体型较小，雌性发情期性器官隆起，这些特征均表明它们为不同的属。其中一种(*M. talapoin*)栖息于刚果河的南部和东部，在安哥拉及刚果(金)境内，自18世纪即被科学界发现。而另外一种(*M. ogouensis*)栖息于刚果河的北部和西部，在刚果(布)和加蓬境内，于20世纪90年代被发现并确立为独立种。两种均为长尾，上体为绿色，但毛色和身体其他几个部位的颜色不同，个体间有差异。侏长尾猴以大群群居，通常50～100只，但在村庄附近，常聚集100只以上，袭击农作物，特别是树薯的根部。成群的侏长尾猴睡在河边树上，当有侵扰时它们就跳到河里，游泳逃开。在群体内部，各种社会行为，如进攻、玩耍和清整毛等在小群体或个体间均可见到。

Talara　塔拉拉　秘鲁西北部皮乌拉省城市。濒临太平洋。由国际石油公司改建，包括工人住房、医院和学校。秘鲁石油主要产区的提炼和转运港。1914年开始商业生产。

人口约100 600(2001)。

Talas 塔拉斯 吉尔吉斯斯坦西北部的州。其中心是沿东西轴线穿过该州北部的塔拉斯河河谷。1944年建州,直至1956年,1990年重新设州。曾于1980～1988年重建,1990年再度改建。非中亚民族占人口的大部分,其中有俄罗斯、乌克兰、日耳曼和回族人(中国的穆斯林,亦称东干人)。塔拉斯高地上主要的经济活动是放牧,低地则是农业。面积11 400平方千米。人口约208 000(2001)。

Talat Paşa 塔拉特帕夏(1874,奥斯曼帝国埃迪尔内[今在土耳其]～1921-03-15,德国柏林) 青年土耳其党领导人,奥斯曼政治家,首席大臣(1917～1918)。小官吏家庭出

伊斯坦布尔市托普卡珀故宫博物馆供图

身。早年在埃迪尔内电报公司工作,1893年因参加政治活动被捕。1895年获释,任萨洛尼卡邮电局主任,同时协助青年土耳其党人作了大量重要工作。1908年因参加青年土耳其运动核心组织统一与进步委员会而被革职。青年土耳其党人革命成功之后,他进入奥斯曼议会,1909年任内政大臣。后任邮政大臣,1912年任统一与进步委员会总书记。1914年奥斯曼帝国参加同盟国方面德国一方作战。作为内政大臣,他将亚美尼亚人从东部行省驱逐到叙利亚和美索不达米亚。这一野蛮行径造成约60万亚美尼亚人死亡。1917年任首席大臣,翌年10月辞职。1918年11月奥斯曼帝国向协约国军队投降前夕逃往德国,3年后,为一亚美尼亚人所刺杀。

Talaud Islands 塔劳群岛 印度尼西亚北苏拉威西省的一部分,行政机关设在万鸦佬。群岛包括卡拉克隆(最大)、萨莱巴布、卡布鲁昂及许多小岛,总面积1 281平方千米。卡拉克隆岛海岸陡峭,仅南岸有宽阔的礁滩,东北方的纳努萨群岛有7个小岛。塔劳群岛多森林,有丘陵,海拔680米。出产乌木、铁木、椰干、西谷粉与肉豆蔻。居民多为基督教徒。群岛历史上受桑义赫君主管辖。主要城市和首府是贝奥。人口15 683(1971)。

Talavera de la Reina 塔拉韦拉-德拉雷纳 西班牙中部卡斯蒂莱-拉曼查自治区托莱多省城镇。位于塔古斯河北岸,近该河与阿尔韦切河汇流处。先为罗马人占据。1082年由阿方索六世收复,后由阿方索十一世赐给他的葡籍王后玛丽亚。16世纪以后曾为毛织、丝绸、制陶和制瓦业中心。现经济以农业为主,烟草、棉花成为当地工业的基础。人口722 000(1998)。

talbīyah 遵命词 伊斯兰教用语,指虔诚的穆斯林在朝觐期间绕天房克尔白行走时诵读的"我来了,真主呀,我遵命而来"等语。另有几种较长的遵命词,据说是穆罕默德及圣门弟子乃至阿丹、努海等古圣所拟。

Talbot, Charles 塔尔博特 参阅**Shrewsbury, Charles Talbot, Duke and 12th Earl of** 施鲁斯伯里公爵和伯爵(第十二)。

Talbot, John 塔尔博特 参阅**Shrewsbury, John Talbot, 1st Earl of** 施鲁斯伯里伯爵(第一)。

Talbot, Mary Anne 塔尔博特(1778-02-02,英国伦敦～1808-02-04,什罗普郡) 女扮男装在英国陆海军中服过役的英国妇女,后被誉为"英国的亚马孙"。1792年她受E.鲍恩上尉引诱,化名J.泰勒,乔扮他的童仆,随他前往加勒比海的圣多明各。后来,她作为鼓手前往佛兰德。她参加了攻占瓦朗谢讷(1793-07)之役,鲍恩在此役中战死。其后,她逃离军队,加入一艘法国的斜桁四角帆帆船。她又相继被英国人和法国人俘虏。在1796年于伦敦其真实性别被揭示前,她曾坐过牢并在美国旅行。后来,她成为伦敦出版商R.柯尔比的佣人。柯尔比出版了她的故事《玛丽·安妮·塔尔博特的一生和惊奇的冒险》。

Talbot, Richard 塔尔博特 参阅**Tyrconnell, Richard Talbot, Earl of** 泰尔康内尔伯爵。

Talbot, William Henry Fox 塔尔博特(1800-02-11,英国多塞特梅尔伯里阿巴斯～1877-09-17,威尔特郡奇彭纳姆附近拉科克阿比) 英国化学家、语言学家、考古学家及摄

供图:Mansell Collection

影先驱者。以发明卡罗式照相法而著名。这是一种早期的照相法,比法国发明家L.-J.-M.达盖尔的方法又有所改进。卡罗式照相法用照相负片,可以多次印相片;如果此法早几周公诸于世,被誉为"摄影之父"的,就很可能是他而不是达盖尔。他曾就读于哈罗公学和剑桥三一学院;发表过数学、天文学和物理学等方面论文多篇。曾任下院议员(1833～1834)。1835年他发表了第一篇有关相纸负片摄影方面新发现的论文。这种所谓"光画",基本上是用感光纸接触印制而成的照片,但照出的影像偏黑并带斑点;1840年他加以改进,并命名为卡罗式照相法(后称塔尔博特式照相法)。该法的曝光时间比原来的方法短得多,并在曝光后进行显影处理。1841年他获得此法专利权;1842年因发明此法,获英国皇家学会奖章。他的6册系列式画册《自然界素描》(1844～1846)是第一套用照片作插图的书籍。该书通过24幅艺术品的静物照片和建筑物照片描述了摄影的萌芽阶段。1851年他发明了一种拍摄快速照片的方法;1852和1858年他登记专利"照相制版法",利用可以印刷的钢版和纱网,在印刷版上印出了高质量的照片中间色调,成为19世纪80年代照相铜版的先驱。

talbotype (photography) **塔尔博特式照相法** 参阅**calotype** 卡罗式照相法。

talc 滑石 常见的硅酸盐矿物,异常柔软,是莫氏硬度计中最软的标准矿物。具有滑感或脂肪感。在古代滑石即被用于雕刻,制作饰物和器皿。亚述人用它来密封圆筒,古埃及人刻有圣甲虫的宝石和中国人的雕像等都是著名的例子。滑石对大多数试剂都是稳定的,并具有中等耐热性,因此,特别适于做洗涤槽和柜台面。也用于润滑剂、皮革涂料、化妆粉、去污粉以及某些划线笔中。在工业上用于陶瓷制品中,可降低陶瓷的收缩率;在油漆、造纸及橡胶制品中,用作充填剂;在农药中,用作吸收剂;以及用作盖屋顶的材料。作为变质矿物出现于矿脉中、叶片状块体中以及某些岩石中。常与蛇纹石、透闪石及镁橄榄石伴生,而且总与碳酸盐(方解石、白云石、菱镁矿)伴生于浅变质相岩石中。亦可呈蚀变产物出现,例如由透闪石或镁橄榄石蚀变而成。显著特点是有简单而几乎固定的成分:一种基性的镁硅酸盐[$Mg_3Si_4O_{10}(OH)_2$]。滑石和其他硅酸盐,即便密切相关的硅酸盐不同,似乎不能接受铁或铝进入它的结构中而形成化学交代的系列,尽管已知有一种与滑石相似的含铁矿物,以及在结构上和它有关的绿泥石在铁和镁这两个端员之间形成了部分的交代系列。在化学性质及光学性质上,滑石与叶蜡石都不同。

Talca 塔尔卡 旧称圣阿古斯丁-德塔尔卡。智利马乌莱区和塔尔卡省首府。位于中央盆地马乌莱河附近。1692年建,1742和1928年地震中被毁后重建。今为圣地亚哥和康塞普西翁之间的重要城市。地处智利最重要的葡萄酒产区,有全国最大火柴工业,还生产鞋、饼干、床、巧克力及蒸馏酒类,还有铸造厂和制革厂。为运输枢纽。泛美公路和南北铁路干线路经此,有东西铁路支线和通往阿根廷的公路。人口:城市区约169 448(1995)。

Talcahuano 塔尔卡瓦诺 智利中南部比奥比奥区康塞普西翁省城市。位于康塞普西翁

湾西南岸半岛，**康塞普西翁**(**Concepción**)市西北偏北。1730年地震后为康塞普西翁外港。现为重要港口、海军基地、重要商业中心、渔业和制造业中心。主要出口木材、皮革、皮毛、羊毛和煤等；进口机器。有捕鱼、鱼类加工、面粉和炼油等行业。附近有瓦奇帕托大型现代化炼钢厂、圣维森特化学联合企业和游览地。设有智利海军学院。塔尔卡瓦诺港停泊着1879年太平洋战争中被智利缴获的秘鲁装甲舰“瓦斯卡尔”号。有公路和铁路同康塞普西翁相连接。人口：城市区约260 915(1995)。

Taldy-Kurgan 塔尔迪库尔干 哈萨克斯坦东南部一州。面积118 500平方千米。南界伊犁河。东南与中国交界处是准噶尔阿拉套山脉，海拔4 000米，经砂质平原注入西北部巴尔喀什湖的卡拉塔尔河和其他河流发源于此。属大陆性气候，平原年均降水量125毫米，山区813毫米。人口集中于河谷和山丘坡地。种植谷物、豆类、甜菜等。农田靠灌溉。夏季在高山草甸、冬季在巴尔喀什湖地区的草原和半沙漠牧场放牧产优质毛的绵羊。铁克利有铅锌矿业。主要城市除首府塔尔迪库尔干外，还有铁克利、潘菲洛夫、乌什托别、萨尔坎德等。居民中哈萨克人稍多于俄罗斯人。人口约731 000(1991)。

Taldy-Kurgan 塔尔迪库尔干 哈萨克斯坦塔尔迪库尔干州城市和首府。位于准噶尔阿拉套山脉西麓丘陵，卡拉塔尔河左岸。由19世纪下半叶建立的加夫里洛夫卡村基础上发展而来。1949年突厥斯坦—西伯利亚铁路支线建成后获迅速发展，有食品、建材和多种轻工业。有3个公园以及工学院、农学院和医校。人口约116 100(1995)。

Tale of Genji, The 《源氏物语》 日语拉丁字母转写作Genji monogatari。日本女官紫式部所著杰出的日本文学作品。写于11世纪初。此书被认为是世界上最古老的一部真正的小说，也是最优秀的小说之一。故事主要叙述源氏公子在其一生中与不同女人之间的爱情。作品对人的感情和大自然的美极其敏感，但调子越来越低沉，表现出诸行(万物与人生)无常的佛教信念。

Talence 塔朗斯 法国西南部阿基坦大区吉龙特省城镇，位于波尔多的南郊。是喷气式飞机制造中心，并有一些轻工业和葡萄酒酿造业。波尔多大学容纳3万名住校生的宿舍区在20世纪60年代建于该地。从那时起，成为重要的教育和研究中心。人口36 172(1990)。

Talensi (People) 参阅 **Tallensi 塔伦西人**。

talent 塔伦 古代希伯来人、埃及人、希腊人和罗马人使用的重量单位。在古代社会，1塔伦的重量及其与它的主要细分单位**米纳**(**mina**)之间的关系因时因地而有很大差异。最普遍的塔伦与米纳之比率可能是1:60。希伯来塔伦可能起源于巴比伦，是通行于古希伯来人之间的基本重量单位。在神圣衡制(sacred sytem of weight)中，1塔伦等于50神圣米纳。1犹太法典塔伦等于60犹太法典米纳。塔伦也是希腊人的一种重要的重量单位，他们无疑是从其东邻借鉴来的。1雅典塔伦等于60雅典米纳，估计约重25.8千克。它肯定比希伯来塔伦小(可能小一倍)。

Talented Tenth 天才的十分之一说(1903) 黑人教育家和著作家杜波依斯提出的概念，强调高等教育必须培养美国黑人中百分之十最有才能者的领导能力。杜波依斯等黑人知识分子担心过分强调工业训练[例如，B.T.华盛顿在1895年《**亚特兰大种族和解声明**》(**Atlanta Compromise**)中提出的计划便是见证]将使黑人永远沦于二等公民的地位。为实现政治和民权平等，杜波依斯强调培养黑人教师、专业人员、牧师和发言人的重要性，使他们由于献身“发聋振聩”和“鼓舞民众”的工作而为自己赢得特殊的权益。“天才的十分之一”一语首见于杜波依斯所著《黑人问题》一书(1903，纽约)。

Taliban 塔利班 波斯语作Taleban(意为学生)。阿富汗极端保守的政治和宗教派别。20世纪90年代中期，苏联军队撤出阿富汗，阿富汗的共产主义政权解体，国内秩序随之混乱，塔利班就是在这种情况下应运而生的。名称取自成员的身份，他们大多数是在马德拉沙(伊斯兰宗教学校)经过训练的学生，这些学校是20世纪80年代在巴基斯坦北部为阿富汗难民建立的。1994年塔利班以一支维护社会秩序的力量出现在阿富汗南部的坎大哈省，很快征服了控制着阿富汗南部的地方军阀。到1996年末，阿富汗南部的普什图人广泛支持塔利班，国外保守的伊斯兰分子也给予帮助，使得塔利班夺取了首都喀布尔，并有效控制了这个国家。然而，反对塔利班的势力仍然存在，尤其是在阿富汗北部、西部和中部的那些非普什图人族群(即塔吉克人、乌兹别克人和哈扎拉人)，他们把掌权的普什图人塔利班视为阿富汗传统的普什图人霸权的继续。到2001年，塔利班控制了除北部小部分地方外的整个阿富汗。然而，世界舆论大多不赞成塔利班的社会政策，包括将妇女几乎完全排拒于公众生活之外(包括就业和教育)；有系统地毁坏非伊斯兰教艺术遗址(如巴米扬大佛)；实施酷刑等，只有少数几个国家承认该政权。更为严重的是，塔利班放任阿富汗成为来自世界各地的伊斯兰好战分子的天堂，其中包括被驱逐出境的沙特阿拉伯人本·拉登，他是基地组织的首领，被指控对美国策划过多次恐怖袭击行动。2001年9月11日袭击纽约市的世界贸易中心和华盛顿(哥伦比亚特区)周边的五角大楼后，塔利班拒绝将拉登引渡给美国，导致美国及其同盟国对阿富汗发动军事行动。随后塔利班被赶下台。

Taliesin 塔里辛(活动时期6世纪) 据内尼厄斯(活动时期约796)的《不列颠人的历史》所载，塔里辛是6世纪后期闻名的5位威尔士诗人之一。《塔里辛集》是他现存作品中最早的一部，书中包括各种诗歌，有些以宗教为主题，有些是神秘的宗教韵文，属于凯尔特神话传说，相当晦涩难懂，还有一些论及知名的历史人物。在最后这一类里，诗人歌颂了古威尔士领地里格德(今在苏格兰南部的威格敦郡和柯库布里郡)的国王尤连，并哀悼尤连的儿子欧文之死。据认为是塔里辛所写的一首赞颂波伊斯国王的颂词表明：诗人可能是威尔士波伊斯人。在卡那封郡的盖里奥尼德湖畔耸立着一座他的纪念碑。

Taliesin and Taliesin West 塔里辛和西塔里辛 美国建筑师F.L.赖特的两所住宅，兼作建筑学校。塔里辛位于威斯康星州斯普林格林附近，建于1911年，1914及1925年两次遭火灾后重建。西塔里辛位于亚利桑纳州斯科茨代尔附近，1938年开始兴建，作为赖特及其学生的冬季住宅。两所住宅均经陆续改建扩建，直至1959年赖特去世。嗣后仍由赖特基金会的成员使用。赖特原籍英国威尔士，住宅用威尔士吟游诗人塔里辛之名命名。

Tālikota, Battle of 达利戈达战役(1565-01) 维查耶那加尔国印度教国王的军队与印度德干地区比杰伊浦尔、比德尔、艾哈迈德讷格尔和戈尔孔达等4个穆斯林苏丹的军队之间的战斗。双方数十万人及庞大的象队参战。此役穆斯林军队可能是以大炮得胜。他们夺得维查耶那加尔的首都，蹂躏该地5个月之久。经过这次战役，维查耶那加尔国彻底垮台。

Talimu Pendi 塔里木盆地 英语作Tarim Basin。中国最大的内陆盆地。在新疆维吾尔自治区南部。位于天山山脉和昆仑山山脉之间。呈不规则菱形，西部海拔1 000米以

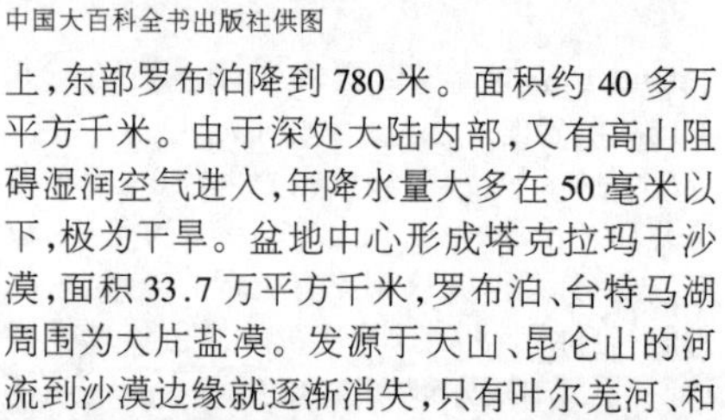

塔里木盆地
中国大百科全书出版社供图

上，东部罗布泊降到780米。面积约40多万平方千米。由于深处大陆内部，又有高山阻碍湿润空气进入，年降水量大多在50毫米以下，极为干旱。盆地中心形成塔克拉玛干沙漠，面积33.7万平方千米，罗布泊、台特马湖周围为大片盐漠。发源于天山、昆仑山的河流到沙漠边缘就逐渐消失，只有叶尔羌河、和田河、阿克苏河等较大河流能维持较长流程。各河均汇入塔里木河，“塔里木”维吾尔语即河流汇集之意。旧时喀什噶尔河、渭干河等也汇入塔里木河，后因灌溉耗水过多，与塔里木河间已断流。水源充足的山麓地带已发展为灌溉绿洲，著名的有库尔勒、库车、阿克苏、喀什、叶城、和田、于田等。塔里木盆地是中国最古老的内陆产棉区，光照条件好，热量丰富，能满足中、晚熟陆地棉和长绒棉的需要，

是中国优质棉产区。瓜果资源丰富，著名的有库尔勒香梨、库车白杏、阿图什无花果、叶城石榴、和田红葡萄等。和田的地毯编织和桑蚕都发达。中华人民共和国建立以来沿塔里木河新建许多大型国营农场。盆地中蕴藏丰富的石油、天然气资源，在叶城等地已发现高产油田。铁路现通达库尔勒，为开发塔里木盆地提供了有利条件。

talion 同态复仇 拉丁语作lex talionis。指早期巴比伦法律所发展的一个原则，即犯罪分子应当受到和他施加给受害人完全相同的伤害或损失来作为惩罚。许多早期的社会都原原本本地应用这个“以眼还眼，以牙还牙”的原则。在早期的巴勒斯坦，伤害、致残和盗窃都被认为是私罪，所以不是由国家来惩罚罪犯，要由加害人和受害人之间自己去解决。同样的做法也曾盛行于早期的罗马。同态复仇是原告人所提要求的最终实施，但并不是强制性的。如受害人愿意，他也可以获得金钱方面的抵偿。根据两个不同的人不可能有完全相同肢体的原理，巴勒斯坦的圣贤曾制订一项法律，从而使受害人不能向使他失去一只眼睛的加害人讨还一只眼睛，但可以索取和他眼睛相等的价值。这样一来就在巴勒斯坦废除了同态复仇。到公元前5世纪的罗马，罚金在许多情况下也开始取代了这种同态复仇（参阅 **delict**）。一直到18世纪末叶，同态复仇原则还为许多体罚，如鞭打、烙印、断肢、手枷和颈手枷等提供根据。这一原则现在仍然用作对轻罪犯确定罚金时的部分根据。

ta'liq script 塔利克字体 阿拉伯书法的草体，10世纪形成于伊朗。据认为是法尔斯的哈桑·伊本·侯赛因·阿里所创，但是由于哈瓦加·阿布杜勒·马里·布克作了重大的改进，常将这一创造归功于他。塔利克字体圆形、粗横，主要源于里卡字体，其笔画秀丽、倾斜

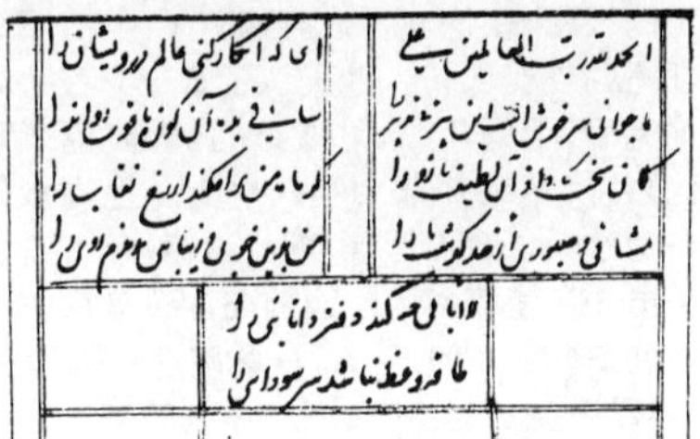

菲鲁兹巴赫·伊本·伊斯法罕沙1416年书写的塔利克字体

供图：India Office Library，London

则摹仿伊本·穆格拉（卒于940）所创托基字体。塔利克字体是专为满足波斯语需要设计的，广泛用于皇家及日常通信，到14世纪为纳斯塔利克字体所取代。参阅**nasta'līqscript**。

Talish Mountains 塔利什山 伊朗西北部厄尔布尔士山脉的西北段。从阿塞拜疆边境向东南延伸到萨非德河下游，山峰一般在海拔3 000米以下。东麓是里海岸区湿润亚热带低地。

talisman 护身符 带有符号或文字据说可以辟邪致福之物。参阅 **amulet**。

ṭalit（Judaism） 参阅 **ṭallit** 塔利特。

talking drum 话鼓 一种传递消息的鼓，可模仿语言的节奏和语调的升降。东非、西非、美拉尼西亚和东南亚一带均用此鼓。约鲁巴人的5种登登压腰鼓、阿散蒂人的阿图姆帕尼鼓和丰托姆弗隆鼓特别著名。它们可以把消息传到32千米以外，那里的鼓手再转传，迅速地将部落的新闻广为传播。

Tall ad-Daba'a（Egypt） **泰勒代巴** 参阅 **Per Ramessu** 培尔拉美苏。

Tall al-Ḥarīrī（archaeological site，Syria） **哈里里丘** 参阅 **Mari** 马里。

Tall al-Muqayyar（Iraq） **穆盖耶尔丘** 参阅 **Ur** 吾珥。

Tall Basṭah（city，Egypt） **塔勒拜斯泰** 参阅 **Bubastis** 布巴斯提斯。

Tall-e Bakun 巴孔堆 伊朗史前遗址，在伊朗中南部波斯波利斯附近。约公元前4200～约前3000年有人居住。柏林大学（1928）与芝加哥大学（1932）相继发掘，出土有几个建

巴孔堆出土的约公元前3500年的几何纹陶器

芝加哥大学东方学院供图

筑层，有大量石器、印鉴和小圆印章，有许多动物和人类小雕像。出土陶器上有多种多样几何图案和动物图形，对研究伊朗早期艺术极有价值。

tall oil 妥尔油 黑色、有气味的液体，是用硫酸盐法生产牛皮纸的副产物，精炼后可用于制造涂料、造纸用胶、油漆、清漆、油毡、干性油、乳化剂、润滑油和肥皂。妥尔油主要是树脂酸（如松香酸）和脂肪酸（如油酸、亚油酸）的混合物，还含有一些固醇和其他化合物。妥尔油由制木浆过程中所用蒸煮液经化学处理而得。

tall tale 荒诞不经故事 描绘过分夸大了的民间英雄奇遇的故事。这种故事基本是一种口头消遣形式；听众欣赏的是它的想象力，而不是故事的文学含义。与美国边远地区的口头传说相关联，荒诞不经故事常常阐述湖泊、山脉和峡谷的起源。它们围绕着如下传奇英雄进行叙述：保罗·班扬，美国西北部太平洋沿岸地区的巨人伐木者；迈克·芬克，粗暴的密西西比河运货船工；以及戴维·克罗克特，田纳西边远林区的神枪手。其他荒诞不经故事讲述W.F.科迪和A.奥克莉一类西部牛仔英雄的超人功绩。W.欧文在《纽约外史》（1809）和后来的马克·吐温在《密西西比河上》（1883）里都将荒诞不经故事运用于其文学作品中。非源于美国的荒诞不经故事的少数例子之一是德国的《蒙肖森男爵在俄国旅游和作战的自述》（1785）；它包括这样一个幽默的故事：有一个士兵把樱桃核放在枪膛里向一只牡鹿的头射去，后来发现一棵樱桃树在它的脑壳里扎了根。

Tall Za'tar 塔勒·札塔 原巴勒斯坦难民营。在黎巴嫩中部的黎巴嫩山省，贝鲁特以北。该营为黎巴嫩北部基督教徒居住区中最后一个穆斯林前哨基地，在20世纪70年代中叶，人口约15 000人。在1975年春开始的穆斯林与基督教徒内战期间，该营遭到叙利亚军队支援的基督教民兵围攻，激战52天后，于1976年8月失陷。营内的穆斯林教徒死亡1 600人、伤4 000人、投降6 000人。战后，营内居民均被迁往黎巴嫩其他定居点。从此，形成穆斯林在南、基督教徒在北的分割局面。

Talladega 塔拉迪加 美国亚拉巴马州中东部城市，塔拉迪加县县城。位于阿巴拉契亚山地丘陵区。建于1834年。1835年建制。地处农业区。有大理石、石灰石和铁矿等矿藏，奠定了工业基础。1867年建立塔拉迪加学院。市东有塔拉迪加国家森林分场。人口15 143（2000）。

Talladega Mountains 塔拉迪加山 美国阿巴拉契亚山脉一段。在亚拉巴马州中东部沿克莱县和塔拉迪加县边界，主峰奇霍山海拔734米，为全州最高点。山地被松林和硬木树覆盖，大部属塔拉迪加国家森林东区。

tallage 佃租 中世纪欧洲庄园主向不自由的佃户收取的一种税。起初，税额多少和税收次数由庄园主恣意规定。但到13世纪，许多地产的佃租都有了固定定额。在英国，从12世纪晚期起，佃租作为一种皇家征收的税而固定下来。英国最后一次征收的皇家佃租是在1312年。

Tallahassee 塔拉哈西 美国城市，佛罗里达州首府，利昂县县城（1824），位于州北部。早期为印第安人村庄。1633年建立7个传教机构，1824年成为州首府。1825年设市。市内旧议会大厦始建于1839年，今为高层新议会大厦（1977）的引楼。现为附近伐木、产棉和养牛区的批发销售中心。有佛罗里达农业和机械大学（1887）、佛罗里达州立大学（1851）和塔拉哈西社区学院。人口：市150 624；都会统计区284 539（2000）。

Tallahatchie River 塔拉哈奇河 美国河流。源出密西西比州蒂帕县。南流至勒弗洛尔县格林伍德北面，与亚洛布沙河汇合，长

370千米。河上段常称作小塔拉哈奇河。萨迪斯城东南河段上建有防洪水坝(1940)。

Tallapoosa River　塔拉普萨河　美国河流。源出佐治亚州西部亚特兰大西面皮德蒙特地区。向西南流,在亚拉巴马州蒙哥马利北面与库萨河汇合成亚拉巴马河。全长431千米。河上建有三座水坝拦成的用于调节水量、发电和游乐的水库。

tallboy(furniture)　参阅 **highboy高屉柜**。

Tallchief, Maria　塔尔奇夫(1925-01-24,美国俄克拉何马费尔法克斯～　　)　属于北美印第安血统的美国芭蕾舞演员,以干净利索、高度熟练的技艺闻名。被认为是美国最

塔尔奇夫在《天鹅湖》中的舞姿
供图:Martha Swope

伟大的女芭蕾舞蹈家之一。在跟B.尼任斯卡学习之后,她于1942年参加了蒙特卡洛俄罗斯芭蕾舞团,并很快成为主要舞蹈演员。1947年她是巴黎歌剧院的特邀演员。1948年,即纽约市芭蕾舞团首次公开演出的那一年,她参加该团,并在一个时期内一直担任它的首席芭蕾舞女演员。1960年她参加美国芭蕾舞剧院,而1963年到1965年又返回纽约市芭蕾舞团。在1980年创建芝加哥市芭蕾舞团之前,她在芝加哥抒情歌剧院芭蕾舞团担任了许多年艺术指导。G.巴兰钦(1946～1952年间他曾是塔尔奇夫的丈夫)在《金莺》、《俄耳甫斯》、《胡桃夹子》、《西尔维亚》双人舞、《苏格兰交响乐》、《十人舞》以及其他一些芭蕾舞剧里专门为她而创作过角色。塔尔奇夫在这些角色中的表演特别出色。

Tallchief, Marjorie　塔尔奇夫(1927-10-19,美国俄克拉何马费尔法克斯～　　)　美国芭蕾舞女演员、舞蹈教师,第一个获得巴黎歌剧院首席舞蹈演员地位的美国人。她先随B.尼任斯卡和D.里钦学舞,后在许多舞团中演出。她在下列舞剧中扮演的角色最为著名:《安娜贝尔·李》(1951)、《罗密欧与朱丽叶》(1955)、《卡米尔》(1958)、《田园曲》(1961)及《阿里阿德涅》(1965)。她曾在达拉斯市立芭蕾学院任教,并协助其姐M.塔尔奇夫建立芝加哥市芭蕾舞团(1980)。

Tallemant des Réaux, Gédéon　塔尔芒·德·雷奥(1619-10-02,法国拉罗谢尔～1692-11-10,巴黎)　法国作家,写过引人入胜、资料丰富的《名人轶事》。胡格诺派银行家之子。早

巴黎国家图书馆供图

年去巴黎,取得民法及教会法学位,但旋即放弃最高法院推事职务,侧身于文学界。1646年与表妹伊丽莎白·德·朗布耶结婚,得以进入高尚优雅的朗布耶府,结识不少文学界头面人物,将他们的生平写进书中。《名人轶事》成书于1659年,直至1834～1835年始出版。其中载有始自17世纪初之后的巴黎社交界及法国公众生活中许多显赫人物有关的大量资料。朗布耶侯爵为满足其好奇,将亨利四世及路易十三治内的许多故事相告,这些故事具有真正的史料价值。作者长于听人之言,观察锐敏而略含揶揄之意,善于访求消息灵通的权威人士,如布瓦罗贝尔之于黎塞留,拉康之于马莱伯,其目的在将正史中未载的一切趣闻记载下来。他所写的新鲜、激动人心和亲切闲聊式的名人传记材料曾遭到非议,但日后的研究证实了这些材料的真实。塔尔芒的材料记录于事件发生不久之时,可以看成是第一手资料,成为纠正后人所作的种种解释的准绳。

Tallensi　塔伦西人　又拼Talensi。加纳北部民族,语言属尼日尔-刚果语系的古尔语支。其主要农作物是黍稷和高粱,饲养少量的牛、绵羊和山羊。他们的普通家庭单位是一夫多妻的"联合"家庭,由父子(有时还有孙辈)及其妻和未婚的女儿们组成。已婚女儿从夫居。

Talleyrand(-Périgord), Charles-Maurice de, PRINCE DE BÉNÉVENT　塔列朗(1754-02-02,巴黎～1838-05-17,巴黎)　法国政治家和外交家,以善于保全自己政治生命著称,在法国大

供图:Giraudon—Art Resource/美国不列颠百科全书公司

革命时期、拿破仑时期、波旁王朝复辟时期和路易-菲力普时期均任高官。塔列朗伯爵查理-达尼埃尔之子,父母为旧贵族,但不富有。1770年入巴黎圣叙尔皮斯神学院。后接受政治教育,并养成终身对人和事都抱怀疑态度。1775年任兰斯的圣但尼隐修院院长。1778年获巴黎大学神学学位,1779年受神职,不久即任代理主教。1780年任教会总代表。1788年任奥顿主教。后被教士们选为总议会(三级会议)的代表。他主张把总议会改为国民议会,这一提议获得通过。他主张取消什一税,提议将法国教会的财产收归国有,用以偿付国债。11月2日投票通过国有化提案时,塔列朗成为最革命的代表之一。1790年7月他成功地使《教士公民组织法》获得通过,率先宣誓忠于这一法律,并为根据此法产生的第一批主教祝圣。尽管教皇为此把他逐出教门,他并不沮丧。1791年当选为巴黎省行政长官,辞去奥顿主教职务。他未能进入立法议会,但他的谈判才能却早已为人所知。1791年底,法国企图阻止英格兰和普鲁士同奥地利结成反法联盟,特派塔列朗去伦敦游说英格兰保持中立。次年1月塔列朗到达伦敦,向英国首相威廉·皮特提议法英两国相互保证领土完整。具体地说,就是法国承认英国对爱尔兰和印度的主权。他没有得到英方的明确答复,3月返回巴黎。他请法国外交大臣C.F.迪穆里埃任命肖夫兰侯爵为驻伦敦大使,他本人则给肖夫兰当助手。4月29日法国刚刚对奥地利宣战,两人就到达伦敦。在塔列朗的游说下,英国政府宣布中立。8月10日法国人民推翻了君主政体。塔列朗因同路易十六秘密通信而受到国民公会的指责。1794年1月他被英格兰驱逐出境,3月启程前往美国。他在美国住了两年,从事金融投机活动。"恐怖统治"结束后,他获准回国(1796-09)。1797年7月他提出的一份关于法国可能重新获得美洲殖民地及建立非洲殖民地的报告,使他与督政府建立了联系,不久被任命为外交部长。他确认了拿破仑在大败奥地利后,于同年10月缔结的《坎波福米奥条约》并谈判兼并意大利的协定。他同拿破仑一道敦促督政府远征埃及。1799年6月因向美国3名使节索取巨额贿赂导致美法关系破裂而辞职。1799年11月拿破仑由埃及回国,发动政变,建立执政府。塔列朗支持拿破仑,重新出任外交部长。他的主要目的是欧洲和平,于是着手与交战国——奥地利、英国谈判,缔结条约,使欧洲实现了和平。同时他帮助建立起法国在意大利、德意志和瑞士的霸权地位。他还推动拿破仑与教皇庇护七世签定《宗教协定》(1801-07)实现宗教和平。1802年帮助拿破仑成为"终身执政"。拿破仑表明他同波旁王室决不和解,塔列朗参与将波旁亲王、昂吉安公爵绑架至巴黎处死,事后并销毁罪证。由于这一罪行,拿破仑的权力得以巩固。1804年5月18日拿破仑称帝,任命塔列朗为宫廷侍卫长,年俸50万法郎。1806年6月5日成为贝尼文托亲王和公爵。1805年后塔列朗的影响缩小。他对拿破仑难以满足的野心感到震惊,认为将来必然垮台。1807年辞职。他虽然已非大臣,但1808年9月仍随拿破仑到爱尔福特出席欧洲君主会

议，同沙皇亚历山大一世举行秘密会谈，力劝沙皇反对拿破仑。塔列朗的密谋得到警务大臣富歇的支持。当拿破仑与约瑟芬离婚后，他参与安排皇帝与奥地利的玛丽-路易丝的联姻，他指望这能抑制拿破仑的野心，但毫无作用。拿破仑从俄国撤退以后，请塔列朗复任外交大臣，以便与同盟国进行谈判。这时塔列朗正准备恢复波旁王朝，因而拒绝了拿破仑的要求。1814 年 3 月 31 日同盟国军队进入巴黎，俄国沙皇下榻于塔列朗府邸。塔列朗终于使俄国沙皇相信，只有波旁王朝复辟才能确保欧洲和平。塔列朗劝说元老院设立临时政府和宣布废黜拿破仑。临时政府立即召回路易十八。1814 年 5 月 13 日路易十八任命塔列朗为外交大臣，作为法国出席维也纳会议的代表。塔列朗充分显示他的外交才干，设法分化同盟国，敦促奥地利和英格兰与法国订立密约，阻止俄国吞并整个波兰，并阻止普鲁士吞并萨克森，使新的三国同盟同意法国保留1792年的边界。但他同意把莱茵河左岸的大部分让与普鲁士，为日后的法国留下了严重的危险（尤其是 1870，1914，1939）。“百日”时期，塔列朗留居维也纳。路易十八返回巴黎后，他出任政务会主席兼外交大臣。但是由于极端保王党人的强烈反对，于 1815 年 9 月 24 日被迫辞职。然后退休，撰写回忆录。1829 年东山再起，与自由党人结盟，设法废黜路易十八的弟弟和继承人查理十世。他同奥尔良公爵路易-菲力普发生联系，在 1830 年 7 月王朝时期拥戴路易-菲力普成为国王。作为路易-菲力普的驻伦敦大使，他在法英谈判中发挥了重大作用。1834 年 4 月法国、英国、西班牙和葡萄牙签订盟约，塔列朗的外交生涯达到了顶点。塔列朗于 1838 年去世，葬于瓦朗赛堡。死前数小时签署一个声称自己同教会和解的文件。他与妻子于 1815 年离婚，无合法子嗣。

Tallien, Jean-Lambert 塔利安（1767-01-23，巴黎～1820-11-16，巴黎） 法国革命家。在策划推翻罗伯斯比尔（1794）之后，成为温和派（热月党人）领袖。1792年8月10日参

供图：H. Roger—Viollet

加起义而开始其政治生涯。初任巴黎公社秘书，后选入国民公会，与更激进的山岳派一致反对吉伦特派。在路易十六受审期间（1792-12～1793-01），他投票赞成处决国王。后任公安委员会委员，被派往法国西南部，征募兵员，并镇压波尔多的叛乱。1794 年奉召回到巴黎，最初支持救国委员会，但当委员会下令逮捕据称是其情妇的一位名叫卡巴吕斯夫人的贵妇时，他予以反对。1794 年 6 月 12 日，罗伯斯比尔公开谴责他，乃与 P. 巴拉斯、J. 富歇等人合谋，于 7 月 27 日（热月 9 日）把罗伯斯比尔推翻。塔利安成为热月反动的首领，他指控革命法庭成员、雅各宾派以及某些他以前的同事同情保王党并加以镇压。他成为改组后的救国委员会委员，使卡巴吕斯夫人获释，1794 年 12 月和她结婚。在督政府（1795～1799）治下，他任五百人院议员直至 1798 年他与拿破仑开赴埃及时为止。1801 年 4 月，他返回巴黎，同已背离他的妻子离婚。他支持首次波旁王朝复辟（1814）和后来的拿破仑“百日王朝”。但在第二次复辟（1815）后，他拿不到养老金，余生穷困潦倒。

Tallinn 塔林 德语作 Reval（雷瓦尔）。爱沙尼亚首都。濒临芬兰湾的塔林湾。公元前第 1 千纪末期到公元 10～11 世纪为一要塞。12 世纪设镇。1219 年为丹麦所占。1285

塔林市容

供图：Novosti Press Agency

年加入汉萨同盟后贸易兴旺。1346 年被卖给条顿骑士团。1561 年归属瑞典。1710 年为彼得大帝所占。1918～1940 年为独立的爱沙尼亚首府（1940～1991年并入苏联）。1941～1944 年为德军所占，遭严重破坏。1940 年和 1944～1949 年期间，该市许多爱沙尼亚人因被指控同德国人串通和反对集体化运动而遭苏军放逐和监禁。被流放者多移居瑞典和北美。由于俄国人大批移入，俄罗斯人占市内总人口的 35%，爱沙尼亚人减少到 56% 左右。保存有许多历史古迹。现为重要商港、渔港和工业中心。工业有造船和机械制造，也生产各种消费品。为爱沙尼亚文化中心。设有科学院、工业学院、美术学院、师范学院和音乐学院。建有数所剧场和博物馆。人口约399 850（2001）。

Tallis, Thomas 塔里斯（约1510～1585-11-23，伦敦格林尼治） W. 伯德（1543～1623）以前英国最重要的圣乐作曲家之一。其音乐具有宗教改革时期单纯的礼拜音乐与伟大的欧洲大陆复调乐派的风格，这一乐派的影响得以传入英国音乐，在很大程度上应归功于他。关于他所受教育，情况不详。1577 年他

不列颠博物馆供图

与 W. 伯德共同上书女王伊丽莎白一世，其中谈到“曾为陛下及王室效力 40 年”。1575 年女王伊丽莎白授予塔里斯和伯德在英国印刷乐谱和音乐论文的专利权。他们出版的第一本曲集是《神圣歌曲集》，其中收有 34 首经文歌（塔里斯 16 首，伯德 18 首），由 T. 沃特罗勒于 1575 年出版。这些拉丁文小品连同由 J. 戴刊印在《音乐必需》（1560～1565）一书中的 5 首英语歌词的颂歌，是塔里斯生前出版的全部作品。塔里斯的拉丁文作品包括一首未定名的四声部弥撒曲、一首五声部弥撒曲《纯洁之神灵》、一首七声部弥撒曲和为《尊主颂》的两次配乐；他也为《耶利米哀歌》作了两首配乐。他的拉丁文作品中，有两首常被视作代表了塔里斯的炉火纯青的复调艺术，即七声部的《苦难的故土》和著名的 40 声部的《歌唱与赞美》，后一曲被认为是英国音乐中无与伦比的佳作。他是为英国宗教仪礼配乐的最早作曲家之一，给后人留下了为应答合唱和连祷歌所作配乐，还有“用多里亚调式”写作的全部礼拜音乐，包括早、晚及圣餐用的赞美歌。此外还写了《诗篇》的三套配乐和若干颂歌。他的键盘乐被认为厚实而耐人寻味；现存的 23 首键盘乐小品，有 18 首收入 16 世纪中叶的手稿汇编《慕利纳集》一书。

tallit 塔利特 又拼 ṭalit。犹太人男子晨祷时所披的蒙头巾；下午礼拜的主领人也披此巾。参加赎罪日五次礼拜和阿布月初九纪念圣殿被毁下午礼拜的男子一律披塔利特巾。塔利特巾毛质或丝质，长方形，有黑或蓝色条纹，四角有穗（正如《圣经》中《民数记》第 15 章第 38 节规定的那样），披时两穗在前两穗在后。

ṭallit qaṭan（Judaism） **小披巾** 参阅 **arbá kanfot 四角巾**。

tallow 牛羊油脂 无臭、无味的白色蜡状脂肪，由板油（牛、羊或马的肾及腰部周围的硬化脂）或类似的硬化植物脂组成。主要成分为油酸、软脂酸和硬脂酸的甘油酯。在合成表面活性剂未发展之前，主要用于制造肥皂和蜡烛，现在用作饲料，以及化学药品和润滑剂的原料。可用煮沸法提取，将切碎的脂肪组织放在锅中煮沸，然后撇取脂肪，或用离心机甩取脂肪。

tallow tree（*Sapium sebiferum*） **乌桕** 大戟科小乔木。原产于中国，在热带地区广为栽

乌桕属(*Sapium*)植物
供图:Thase Danidel

培以采收种子(种子外包一厚层油脂,可制蜡烛及肥皂,故英语名称的含意为“油脂树”),在其他地区栽作观赏植物。乌桕属有120种热带乔木。圭亚那产的*S. jenmanii*产橡胶;二室乌桕(*S. biloculare*)产于墨西哥北部,小乔木,其种子是一种墨西哥跳豆;塞拉利昂产的黄油树即藤黄科的*Pentadesma butyracea*。

Talma, François-Joseph 塔尔马(1763-01-16,巴黎～1826-10-19,巴黎) 法国演员、剧团经理。在表演风格、戏剧服装和舞台布景方面的改革,使他成为19世纪法国浪漫主义

伦敦维多利亚和艾伯特博物馆供图

和现实主义的著名先驱者。其父为牙医,原想让他接班,但塔尔马却热衷于业余戏剧演出。1787年11月21日塔尔马在法兰西喜剧院首次登台作职业性演出,饰伏尔泰《穆罕默德》一剧中的塞伊德。他在其朋友、画家大卫的影响下,成为历史服装的早期提倡者之一。在伏尔泰的《布鲁图斯》一剧中饰演配角普罗屈吕斯时,穿戴的就是罗马托加袍和头巾。1789年11月4日,他在德·谢尼埃反君主制度的《查理九世》一剧中接任主角,当时其他演员均因害怕惹祸而拒绝担任这一角色。不出所料,该戏的演出在剧院里激起了抗议,也引起了剧团内部的纠纷。于是主张共和的塔尔马建立了对立的被称为共和国剧院的剧团。他在该剧院上演法国古典剧和莎士比亚翻译剧,同时还在舞台艺术和戏装方面发展了现实主义。在表演方面,他坚持要现实主义的而不要朗读式的风格,并且要求讲话的停顿按照普通谈话的方式,而不要按音韵来抑扬顿挫。1799年当两个剧团重新合并为法兰西喜剧院时,他作为当时最高超的悲剧演员而受到拿破仑的赞扬和保护。1826年6月3日告别舞台演出,在《查尔斯六世》中饰演角色。

Talmud 《塔木德》 注释、讲解犹太教律法的著作,在犹太教传统中的地位仅次于《圣经》即《旧约》。《塔木德》通指自成书时起到近代的犹太人乃至今日正统派犹太教都奉为神圣规范的全部文献集。从广义上说,《塔木德》包括《密西拿》和《革马拉》及附件。《密西拿》收本来是口传以补充律法的论文。《革马拉》是《密西拿》所收文章的注释和阐述,在《塔木德》中夹抄在《密西拿》正文之间。现代学者认为,《塔木德》的准确意思仅指通称《革马拉》的文集。米德拉西也有双重意义,现指《塔木德》文献中别具一格的解经方式,又指用这种解经法写成的圣经注释。犹太教认为,《托拉》是上帝授予犹太人乃至全人类的指示、教诲和律法。《托拉》见诸文字就是《五经》即《圣经》的开端五卷。除成文的《托拉》外,还有不成文的律法、习俗以及对成文律法的注释,称为口传律法。《塔木德》就是这种口传律法的最高书面形式。据编纂《塔木德》的众拉比说,它们是与《五经》同时由上帝在西奈山启示给摩西的。《塔木德》解释律法,使它的道理适合变化中的政治社会环境,并对它进行补充。

《塔木德》首先是律法汇编,同时包含其他内容如农业、建筑、占星学、天文学、解梦术、伦理学、寓言、民俗学、地理、历史、传说、法术、数学、医学、形而上学、自然科学、格言、神学和通神学。根据内容,口传律法分为哈拉卡和哈加达两种,按体裁可分为米德拉西和密西拿两部分。哈拉卡讲解经文中的律法、礼仪和教义部分,说明律法应该如何应用在于现实生活。哈加达讲解经文中的非律法内容,阐述、补充其中的轶事并探究经文的要旨。米德拉西原仅是解释词义,后来进而设法解决经文中的明显矛盾,考究新律法的经文根据,并充实经文内容。《塔木德》大量引用米德拉西内容,同时修改米德拉西的方法,用以注释密西拿。如遇到矛盾就重新解释,遇到新问题就用逻辑类推或推敲词句的方法予以解决。《塔木德》使用论辩文体和结构,不是法典。于是《塔木德》成书之后不久,就有人着手编纂法典。现知最早的一部法典据说由8世纪的耶胡戴所编题为《定法》。一百年后,基耶拉编成《大法》。两书都摘要收《塔木德》中的哈拉卡资料,删略对话,保留原顺序和用词。后者集中注意离婚、誓愿等问题,创专题法典的先例。分类编排的法典中最重要的是《托拉述评》、《部类书》和《法板》。《托拉述评》为12世纪迈蒙尼德所编,共14章,分论通神学、神学和信仰等问题。《部类书》的编者是14世纪的本·亚设,该书将各种问题分为四大类,类似《密西拿》的编排法,仅收耶路撒冷圣殿被毁后尚且通用的律法。16世纪卡洛所编的《法板》编排方法从《部类书》,侧重近东及北非传统,轻法、德东欧传统。16世纪法、德东欧派的法典学家伊瑟利斯对此书加以评注,遂使此书成为全体犹太人的哈拉卡式法典。1948年以色列国成立,随后犹太文化复兴,于是《塔木德》再次受到重视。正统派犹太教徒认真研究《塔木德》,视其为哈拉卡中的绝对权威。目前以色列国拉比法庭仅在家庭问题上有裁判权,正统派犹太教徒正在争取将《塔木德》定为全国的大法。同时,犹太教律法在全世界犹太人社会中也在发挥效用。

Talmud Bavli (Jewish writ) **《巴夫利塔木德》** 参阅 **Babylonian Talmud**《巴比伦塔木德》。

Talmud Torah 律法学校 犹太教名词。指在中世纪与近代之交犹太人所办的一种特别强调宗教教育的初等学校。其中一部分着重传授律法,作为进入授业座(传授犹太律法的高级学校)的准备。另一部分则兼及一般课程,但仍然是在浓厚的宗教氛围中授课。

Talmud Yerushalmi (Jewish writ) **《耶路撒冷塔木德》** 参阅 **Palestinian Talmud**《巴勒斯坦塔木德》。

talon 参阅**claw**爪。

Talon, Jean(-Baptiste), COMTE (count) D'ORSAINVILLE **塔隆**(约1625,法国马恩河畔沙隆～1694-11-24,巴黎) 法国政治家,新法兰西(加拿大)第一任行政长官,试图发展该地经济未成。28岁时参加法国军事行政工作。1653年在蒂雷纳子爵司令的部队中当军需官。1655年任比利时埃诺省省长。1665年任新法兰西行政长官,既要负责一切民政事务,又要与军事当局紧密配合。法王路易十四要求他达到殖民地经济的独立。因此,他努力开垦土地、鼓励移民与增置居民点、发展多种经济,以便实现工业化和建立加拿大、西印度群岛和法国之间的三边贸易体系。但是由于时间短促,又缺少法国的援助,他的政策受到挫折。他于1668年返国。1670年又被派回加拿大。他对英格兰的威胁日益感到不安。因此,他鼓励深入加拿大腹地进行开发,以便加强法国在北美洲夺取殖民地的地位,并以圣劳伦斯为法国开拓殖民地活动的中心。但是,教会和商业垄断组织都扯他的后腿。他大业未成,1672年怏怏离去。回国后任国王的侍从长和秘书。1675年受封奥桑维尔伯爵。

Tālpur 塔尔普尔人 俾路支部落。当上信德与下信德地区在名义上属于阿富汗杜兰尼王朝统治时,塔尔普尔人中曾出现很多穆斯林的埃米尔。1783年塔尔普尔人的领袖米尔·法塔赫·阿里汗自立为信德总督。他与两次索取年贡的阿富汗远征队和平协商,解决了争端。到1802年他死时,塔尔普尔人在信德的统治已牢固建立起来。塔尔普尔人是俾路支土著居民,并无什么高贵的血统可言,也不像其前辈卡尔霍拉人那样深受欢迎,但他们确能在此区维持和平局面达40年之久并

实施一套颇有效率的行政体制。塔尔普尔人在海得拉巴巩固并扩展其统治，收复了卡拉奇。英国人认识到信德地区是进入阿富汗的必经途径，经过多年不断施加压力，终于在1843年吞并信德地区。

Tam, Jacob ben Meir　塔姆(1100，法国拉默鲁普特～1171-06-09，特鲁瓦)　法兰西出生的犹太教口传律法权威，是他作出了一系列支配中世纪欧洲基督教徒与犹太人的关系的影响深远的决定。他还是法兰西《塔木德》文献评注家中最杰出者。1147年，十字军士兵以他为犹太人的象征，借口报犹太人打伤基督身体五处之仇，五次打伤他的头部，幸为过路骑士所救，就近逃往特鲁瓦，在约于1160年在那里开幕的历次拉比会议上，发挥主导作用。这些会议提出有关犹太人与基督徒如何相处的准则，由于历史条件变迁，双方关系已日益密切。塔姆最先从犹太人方面提出解决双方关系的条件。在拉本努(意为“我们的导师”)的主要法规中，塔姆提出：①犹太人之间的纠纷由犹太当局解决；②“我们的导师”格尔绍姆(约960～1028或1040)的禁止重婚的法规必须执行；③任何犹太人不能对犹太人离婚证书轻易地提出异议。塔姆的主要的法学著作是《善人书》(1811年维也纳第一版)。它包括对《塔木德》的30篇论文的解释和对犹太法律问题的权威性答案。他还写宗教诗，其中有一些后来被收入希伯来祈祷书中。

tama　灵　正式名称“御灵”(mitama)。在日本宗教中既指人的灵魂，又指具有神性或半神性的灵体，又指灵体的某一侧面。神道教和民间宗教把御灵分为几类：“新灵”(ara-mitama)有统治力；“驱使灵”(kushi-mitama)能变；“和魂”(nigi-mitama)具有调和归一之能；“先灵”(saki-mitama)致福。有些神社专门奉祀某一神祇的某一个御灵，如有的神社专祀太阳女神天照大神的“新灵”，有的神社专祀她的“和魂”。

Tamale　塔马利　加纳中北部城镇，地处白沃尔特河以东35千米的平原。海拔183米。四周为人口稠密的村庄。有现代化建筑和宽阔街道。是加纳北部的行政、财政、商业和运输中心。也是教育中心，有几所师范学院、几所中学以及手工艺培训设施。本国语文局设在该城，为群众识字运动提供报纸和图书资料。也是农产品贸易中心，有轧棉和牛油果加工业。为公路交通枢纽。自20世纪70年代中期以来，政府拨款修筑道路、扩大市场、发展工业和改进卫生状况。人口约151 069(1988)。

tamale　玉米粽子　墨西哥食品，用玉米面团制的小蒸点。将生石灰处理过的玉米磨细做成很稠的玉米糊，把揉好的玉米面团摊在玉米苞叶上，加少量馅，然后整个包成小团，用玉米苞叶条扎好，蒸熟。用各种不同的玉米面团和各种不同的馅，可做成数十种不同风味的玉米粽子。在墨西哥湾沿岸地区和尤卡坦用香蕉叶作玉米粽子的包皮。墨西哥莫雷利亚的肉粽子和哈利斯科的甜粽子是用新鲜玉米加肉、干酪、红辣椒、香草、鱼和各种菜蔬拌成的香味可口的或是甜的馅制成。也有的粽子没馅。墨西哥的玉米粽子自古就很有名，随西班牙征服墨西哥的历史学家们对几种玉米粽子有所描述。

Taman Negara National Park(Malaysia)　**塔曼内加拉国家公园**　参阅 **Negara National Park 内加拉国家公园**。

Tamāng　塔芒人　又称穆尔米人(Murmi)，尼泊尔民族。居住在加德满都谷地西北部、北部和东部。20世纪末期，估计该族人口约69万。塔芒人操藏-缅语系语言，信仰佛教。多数人以农业为生，有些地区的人出外做短工或搬运工。有些塔芒人和尼泊尔其他种族集团的人一样，充任英国、印度军队中的廓尔喀士兵。塔芒人采用父系制，组成父系氏族，有些氏族之间互不通婚。有些塔芒氏族与他们的邻族如尼瓦尔人、古隆人以及马嘉人等可以通婚。

Tamano　玉野　日本本州冈山县城市。濒临濑户内海，面对四国的高松，由以前的玉镇、日比镇和宇野港组成。德川时代(1603～1867)为小渔村。20世纪初成为港口和铁路运输中心。工业以造船为主，炼铜业也占重要地位。建于4世纪的吉备津寺是当地建筑物的精华。人口73 240(1990)。

Tamanrasset　塔曼拉塞特　1981年后又称塔曼盖塞特(Tamenghest)，前称拉佩林堡。阿尔及利亚南部城镇。在多山的阿哈加尔(霍加尔)高原地区。原为军事设防站，守卫撒哈拉的商道。现为纵贯撒哈拉公路上的重要路站。因海拔较高(1 378米)，沙漠气候影响有所缓和。但当地气象台仍记录有已知世界最高背荫处气温之一(38 ℃以上)。法国探险家、苦行者富科尔1905年在塔曼拉塞特为自己建造一所隐修院，在那里编辑了一本图阿雷格语法和字典。霍加尔博物馆专门展出图阿雷格人展品。人口约38 146(1987)。

塔曼拉塞特镇及阿哈加尔(霍加尔)山
供图：Dominique Darbois

Tamaqua　塔莫奎　美国宾夕法尼亚州中东部斯库尔基尔县的自治镇，位于小斯库尔基尔河畔。境内1799年始有人定居。其名源于印第安易洛魁语，意为“海狸的土地”。1831年马拉车厢的小斯库尔基尔铁路开通以后，该城镇作为一个无烟煤开采中心繁荣起来。1833年设建制。现在经济的主要支柱是轻型制造业(化工产品、纺织品和金属加工)。人口7 174(2000)。

Tamar, River　泰马河　澳大利亚塔斯马尼亚州北部潮汐河口湾。由南、北埃斯克河汇流而成，向西北延伸65千米，在达尔林普尔港注入巴斯海峡。通航到朗塞斯顿。沿岸土地肥沃，有果园和牧羊场。有东、西泰马公路与其平行。

流经朗塞斯顿的泰马河
供图：Frederick Ayer — Photo Researchers／美国不列颠百科全书公司

Tamar, River　泰马河　英格兰西南部河流。河源距布里斯托尔海峡6千米之内，向南流入英吉利海峡的普利茅斯湾。全长98千米。为德文郡与康沃尔郡界河。在避风的深水河口湾有两处著名的英国皇家海军设施普利茅斯海军基地和德文波特船坞。

tamarau(species *Anoa mindorensis*)　**侏儒水牛**　又拼tamaraw。又称民都洛水牛。一种小型的水牛(**buffalo**)。

Tamaricales　柽柳目　双子叶植物的一目。包括柽柳科(Tamaricaceae)、瓣鳞花科(Frankeniaceae)和刺木科(Fouquieriaceae)。乔木、灌木或草本。生于温带或亚热带的草原、荒漠、盐荒漠、盐湖边和海岸。花两性，辐射对称。萼及花瓣4～7枚，萼片宿存在成熟果上。子房1室，含数个至多数胚珠。种子一端有簇毛。本目与杨柳目均同源于堇菜目大风子科，本目在进化上更为先进。柽柳科有4属：柽柳属(*Tamarix*)，54种；枇杷紫属(*Reaumuria*)，20种；水柏枝属(*Myricaria*)，10种；红沙属(*Hololachna*)，2种。除枇杷紫属外，全为大灌木或小乔木，花小，密集簇生，花穗羽毛状。枇杷紫属为小灌木，花大，单生。柽柳科种类叶互生，小鳞片状，紧贴于小枝上，故茎外形似无叶裸露；雄蕊4～10枚，花柱3～4深裂；萼片稍愈合。该目有园艺价值的种是假柽柳(德国水柏枝，*Myricaria germanica*)、无叶柽柳(盐壳柽柳，*Tamarix aphylla*)、法国柽柳(*T. gallica*)等。瓣鳞花科4或5属：瓣鳞花属(*Frankenia*)，25种；*Anthobryum* 属，4种；*Niederleinia* 属，3种；拟金丝桃属(*Hypericops-*

is),1 种;有争议的 *Petrusia* 属,1 种。均为热带、温带的耐盐草本植物或软木质灌木。茎有节。叶对生。花有 4 ～ 10 枚雄蕊,似柽柳科,但仅具 1 花柱,萼片离生。叶和小枝对生,每对枝叶与上、下方各对枝叶呈直角排列。该科有园艺价值的种是碱地欧石南(大叶瓣鳞花,*F. grandifolia*)及同属的几个种;生长成垫状;有被毛;叶卷曲;花小,粉红色或白色,常作为观赏栽培植物。刺木科包括刺木属(*Fouquieria*,9 种)和 *Idria* 属(1 种)2 属,产于北美西南部,植株有刺,叶小。本科与其他两科的区别在于花冠管状,雄蕊 10 ～ 17 枚,基部有绒毛样丝状体,子房 3 瓣,各生出一花柱。著名者有墨西哥刺木(*Fouquieria splendens*)和圆柱木(*Idria columnaris*)。

tamarin　小绢猴　狨(marmoset)一个类群的统称。

tamarind(species *Tamarindus indica*)　**酸豆**　豆科常绿乔木。原产于热带非洲,其他地区广泛栽作观赏植物或收获其果。树高约 24 米。羽状复叶互生,小叶长约2厘米。花黄

酸豆(*Tamarindus indica*)
供图:Walter Dawn

色,花径约 2.5 厘米,聚生成小花簇。荚果饱满,长 7.5 ～ 24 厘米,不开裂。种子 1 ～ 12 粒,大而扁平,外被柔软棕色的果肉。东方广泛将其果肉用于食品、饮料和医药中。

tamarisk　柽柳　柽柳科柽柳属(*Tamarix*)植物。54 种,灌木或低矮乔木。柽柳属和同科的水柏枝属(*Myricaria*,10 种,假柽柳)均生于盐荒漠、海边、多山地区,以及从地中海到

柽柳属(*Tamarix*)植物
供图:F. M. Roberts—Ostman Agency

中亚与中国北部的半干旱地区。许多种已引入北美。根深,枝细长;叶小,数多,灰绿色,鳞状;花小,粉红色,簇生,悬垂于枝梢或树干,故植株外观呈羽毛状;萼片 4 ～ 5,离生,花瓣 4 ～ 5,雄蕊 4 ～ 10(柽柳属离生,水柏枝属合生),花盘肉质;蒴果;种子多数,一端长有长簇毛。柽柳能抗旱、抗盐碱和抗盐溶液喷射。法国柽柳(*T. gallica*)常种于海边作为防护林。在美国从南卡罗来纳至加利福尼亚都有栽种。无叶柽柳(*T. aphylla*)有时可高达 18 米,小枝分节,叶小,有鞘,常作沙漠地带的防风林。多枝柽柳(*T. ramosissima*,或称五雄蕊柽柳[*T. pentandra*])和中国柽柳(*T. chinensis*)花簇密生,种作观赏植物。

tamāshā　塔马舍戏　印度的民间色情戏剧。18 世纪初期始于马哈拉施特拉邦。在印度所有其他形式的民间剧中主要角色均由男子扮演,而塔马舍戏中主要女性角色则由一名妇女扮演。在 20 世纪,这种戏剧在商业上赢利颇丰。

Tamatave(Madagascar)　**塔马塔夫**　参阅 **Toamasina**图阿马西纳。

Tamaulipas　塔毛利帕斯　墨西哥东北部一州。北邻美国,东临墨西哥湾。面积79 384 平方千米。中部和南部多山,北部平原广阔肥沃。海岸地区多沙丘和潟湖,人烟稀少。气候和植被多样,种植高粱、大豆、红花、玉米、甘蔗、烟草、棉花、咖啡和水果。经济以农业为主,水利灌溉发达。墨西哥湾渔场为重要资源。畜牧业、龙舌兰纤维制作和采铜业为其他收入来源。天然气产量占全国1/3,石油产量日益增加。马德罗城和雷诺萨有石油化工厂。公路发达。蒙特雷—坦皮科铁路通过州境。主要城市有维多利亚城(州首府)、坦皮科、马德罗城等,主要城市均有机场。人口约 2 244 208(1990)。

tamaya　灵屋　日语拉丁字母转写。神道教名词,指供奉祖先亡灵的牌位龛。并不是信奉神道教的家庭都设有灵屋,因为日本人丧礼主要从佛教。但是在笃信神道而严守神道礼法的家庭,都设有灵屋,一般在神棚之下。灵屋内有镜或牌,叫作"灵代",上写已故家人名单。一旦有人故去,遗体送出之前,先请求死者灵魂留下护佑全家,再把这位死者的名字登在灵代上,丧期 50 天内天天上供。丧期一过,即把牌位置于灵屋内,与其他故去者一同受日常敬拜。

Tamayo, Rufino　塔马约(1899? 或 1900?-08-26 墨西哥瓦哈卡～ 1991-06-24,墨西哥市)将现代欧洲绘画风格与墨西哥民间题材相结合的画家。从墨西哥城美术学校毕业后,在墨西哥国立考古博物馆(1921 ～ 1926)人种学部工作。1938 年任纽约市道尔顿学校讲师。1946 年在布鲁克林博物馆美术学校执教。其作品常常是半抽象的,代表作有《发光的维纳斯》(1930)和《夜间妇女》(1962)等。曾为墨西哥城国立美术宫、国立人类学博物馆、巴黎联合国教科文组织和在蒙特利尔举行的

供图:Cornell Capa—Magnum

1967 年展览会设计过壁画。曾获 1954 年圣保罗双年展大奖和 1964 年墨西哥政府颁发的国家绘画奖。

Tamayo y Baus, Manuel　塔马约-包斯(1829-09-15,西班牙马德里～ 1898-06-20,马德里)　西班牙戏剧家,西班牙文学从浪漫主义到现实主义过渡阶段的关键人物。著名演员之子,年龄很小时就写作剧本,其中有一部在他 11 岁时就已上演。他是一个多才多产的剧作家,在戏剧事业上获得极大的成就。然而,他于 1870 年停止写作,任国家图书馆的主任和西班牙科学院的秘书。其成就可以分为两个方面:一方面是在德国戏剧家席勒的影响下写成的浪漫主义历史剧;另一方面是现实主义的问题剧,揭露当时西班牙社会的罪恶——实利主义,好决斗,对上层社会道德败坏的容忍。使他获得国际声誉的杰作《一出新剧》(1867)是一部技巧高超、令人感动的悲剧。

Tambacounda　坦巴昆达　塞内加尔东南部城镇,位于首都达喀尔东南偏东 400 千米处。地处长有高草和金合欢的热带大草原,具有发展各种农业潜力的地区。坦巴昆达的农作物有黍类、高粱、棉花、玉米、花生、水稻等。当地富拉尼人和马林克人(曼丁哥人)以牧牛为业。设有棉纺厂。铁路西北通达喀尔,东北通至马里。东南约 75 千米为塞内加尔最大的尼奥科洛科巴国家公园。人口约41 800(1983)。

Tambo, Oliver　坦博(1917-10-27,南非约翰内斯堡附近比扎纳～ 1993-04-24,约翰内斯堡)　从 1969 年起,任南非黑人民族主义政党——非洲人国民大会(ANC)主席。他过了 30 多年的流放生活(1960 ～ 1990)。坦博出身于特兰斯凯的一个仅能维持生计的农家里,在英国圣公会和卫理公会的教会学校及在黑尔堡大学学习,1941 年获理学士学位,后学习法律。1944 年与纳尔逊·曼德拉等人共同组建非洲人国民大会青年联盟。短期执教后,开始完全从事民族主义政治活动和法律工作,在非国大内的地位随之逐步上升。1952 年与曼德拉一起建立南非第一个黑人律师事务所。1956 年以叛国罪被捕,翌年获释。1958 年任非国大副主席。"沙佩维尔大屠杀"后两天即 1960 年 3 月 23 日非国大遭查禁,坦博离开南非,协助在国外建立该组织总部,后该总部设在赞比亚卢萨卡。在该党老领袖艾伯特·卢图利酋长逝世两年后,坦博于 1969 年任非国大主席。1990 年 12 月 13 日坦博从

流放中回到南非,出席30多年来非国大第一次全体会员(包括被流放者和被监禁者)会议。由于早先的中风使得健康状况欠佳,坦博将非国大行政职务交给他的老同事曼德拉担任,自己于1991年担任主要是荣誉职务的非国大全国主席。

Tambora, Mount　坦博拉火山　印尼语作Gunung Tambora。印度尼西亚松巴哇岛北岸的休眠火山,原来山高4 000米,1815年猛烈爆发,山顶被削去大部分,现在高2 851米。此次爆发使居民5万人丧生,3.5万多户住房被毁。

tambour　绷绣制品　在紧绷于绷架上的物料上绣制的刺绣品。绷架系由两个箍架组成,一个稍大于另一个,紧密套装在一起。刺绣工具是一根针或一个绷绣钩。如果物料上

爱尔兰利默里克郡1887年生产的绷绣网
伦敦维多利亚和艾伯特博物馆供图

要刺绣的面积大于固定的方形绷架,可 以分段在绷架上刺绣,每次把一块物料的不同部位绷紧。绷架可以移动,便于在其四周进行绣制。早期的绷绣制品来自中国、印度、波斯和土耳其。18和19世纪绷绣制品开始在欧洲和美国流行。

tamboura　塔姆布拉琴　又拼tambura。长颈、无品的诗琴。在印度音乐中用作低音伴奏。此琴由中东的坦布尔琴演化而来;像坦布尔琴一样,它通常有四根金属弦,定弦(相对音高)为c-c′-c′-g或c-c′-c′-f。塔姆布拉琴主要是为歌唱家或乐器独奏家提供表演拉加或旋律调式的音调框架。

tambourine　铃鼓　一种小型框鼓。用一面或者双面皮,钉或粘在圆形或多角形的扁框上,鼓上面通常系着铃铛、球铃或响弦。欧洲铃鼓为单面皮,发出叮当响的圆片装在框

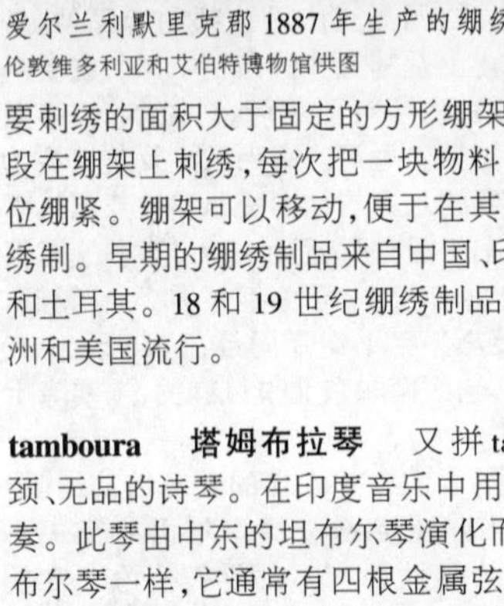

14世纪初叶英格兰手抄本插图画中的女子手持铃鼓
不列颠图书馆供图

边上。铃鼓专指欧洲的框鼓,但这个名称通常泛指一切属于框鼓的鼓,如阿拉伯国家的框鼓,有时甚至指不属于框鼓的鼓,如中亚、北美和北极的巫师用的鼓。古代幼发拉底河下游苏美尔地区把大框鼓用于寺院的仪式。小铃鼓流传在美索不达米亚、埃及、以色列(希伯来的托夫鼓)和希腊、罗马(廷帕农鼓)。现今的铃鼓是中东民间音乐中的主要乐器,亦用于吟诵《古兰经》时伴奏。铃鼓有各种变体形式,主要由妇女使用。13世纪十字军把铃鼓带进欧洲,为人们歌唱和舞蹈伴奏。18世纪土耳其禁卫军士兵乐队盛行时,现代铃鼓又随乐队重新进入欧洲。铃鼓偶尔也出现在18世纪的歌剧中(例如,格鲁克和格雷特里的歌剧),到19世纪柏辽兹和里姆斯基-科萨科夫的创作时代,铃鼓开始成为管弦乐队的通用乐器。

Tambov　坦波夫　俄罗斯西部的州。地处顿河和奥卡河流域的低地平原。面积34 300平方千米。天然植被为森林草原,土地肥沃,大部地区已垦为农田,仅茨纳河及沃罗纳河沿岸沙土地上保留有大面积的松林 。大陆性气候,1月平均气温 - 11 °C,7月20 °C。农业重要,其中谷物(冬黑麦、春小麦、玉米和黍类)居首位。经济作物以向日葵为主,亦有甜菜、大麻、烟草、马铃薯、瓜类和蔬菜。大量饲养菜牛、奶牛和家禽。首府坦波夫有机械制造和化学工业,其余小城市有农产品加工业。人口约1 315 200(1991)。

Tambov　坦波夫　俄罗斯西部坦波夫州城市和行政中心。濒临茨纳河上游。1636年初建时为别尔哥罗德防线上的一个要塞。1779年为省会。19世纪末莫斯科—萨拉托夫铁路线修通经此始得发展。工业有机械制造、化工和食品加工,工厂集中在北部。市中心呈格状结构,有行政文化机构,沿茨纳河高岸有几座公园。设有师范学院和音乐学校,保存有一座17世纪大教堂。人口约334 400(1991)。

tambur (musical instrument)　参阅 **tanbur** 坦布尔琴。

tambura (musical instrument)　参阅 **tamboura** 塔姆布拉琴。

Tamburini, Antonio　唐贝利尼(1800-03-28,教皇国法恩扎[意大利]～1876-11-08,法国尼斯)　意大利歌剧男中音歌唱家,特别以演唱罗西尼、唐尼采蒂和贝利尼作品中的主角最为著名。青年时从其父学习圆号,并从A.罗西和B.阿肖利学习声乐。18岁首次演唱歌剧。1822年在米兰拉斯卡拉歌剧院登台,1832～1843年在巴黎与女高音G.格里西、男高音G.-B.鲁比尼、G.马里奥以及男中音L.拉布拉凯4人同台首演唐尼采蒂的《帕斯夸莱先生》和《马里诺·法利埃罗》。唐贝利尼还每隔一年在伦敦演出,后回意大利作短暂逗留,又于1844年迁居俄国圣彼得堡,10年后退休。他的音乐修养与多才多艺闻名遐迩。

Tamenghest (Algeria)　**塔曼盖塞特**　参阅 **Tamanrasset** 塔曼拉塞特。

Tamerlane (Turkish leader)　参阅 **Timur** 帖木儿。

Tameside　塔姆塞德　英格兰大曼彻斯特都会郡东部都会自治市。东邻皮克区国家公园。塔姆河流经境内汇入默西河。采煤、制帽和棉纺是传统工业。登顿的制帽业是17世纪时从家庭工业发展起来的,到20世纪20年代几乎雇用了全镇的一半人口。18世纪随着塔姆河沿岸水力发电厂的建起,塔姆塞德的家庭工业即让位于工厂生产。至19世纪中叶,棉纺成为主要工业,冶金和机械工业也重要。第一次世界大战后,传统工业衰落。登顿的制帽业在20年代后迅速衰落,最后一个煤矿于1959年关闭。现在工业实现多样化,有食品加工、塑料和高科技机械制造等工业。面积103平方千米。人口约220 400(1998)。

Tami style　塔米式雕刻　大洋洲雕刻类型,源于巴布亚新几内亚的塔米群岛。这一样式传播到沿海各地,沿着休恩湾直到温博伊岛和锡亚西岛,并达到新不列颠岛西部。

巴布亚新几内亚温博伊岛哲里克的塔米式木雕女子像
供图:Holle Bildarchiv, Baden-Baden, Ger.

在人像表现上,塔米式雕刻给人以魁伟粗壮的印象。雕像均为全身并直立,以直线为主,头直接安置在躯干上,双臂和双腿向下垂直,略带弯曲。雄伟的头部顶着头饰。以新石器时代黄种人传统的相貌为特点的脸庞为三角形,两只圆眼相互靠拢,紧贴前额下缘,前额连接垂直的细小鼻子。塔米式装饰亦见诸礼仪面具。

Tamiahua Lagoon　塔米亚瓦潟湖　墨西哥东部韦拉克鲁斯州沿岸潟湖。为墨西哥湾一海湾,从坦皮科向南延伸约105千米。外有狭长的砂质半岛为屏障,与墨西哥湾分隔。湖中多小岛,伊多洛和胡安娜-拉米雷斯为最

大。吃水浅船只可航行。农业中心(甘蔗、水果)塔米亚瓦镇在潟湖西南端的大陆上。圣赫罗尼莫在其西岸。

Tamil 泰米尔人 原来居住在印度南部的民族,操泰米尔语。泰米尔语是达罗毗荼语系主要语言之一。操泰米尔语的人数在20世纪晚期约达5 700万,其中包括生活在斯里兰卡北部和东部的320万人在内。使用泰米尔语的人们构成泰米尔纳德邦居民的绝大多数,也有些人居住在喀拉拉邦、卡纳塔克邦、安得拉邦。这三个邦占有印度最南端1/3的地方。泰米尔人也移居在马尔加什(马达加斯加)共和国、马来半岛、缅甸、印度支那、泰国、非洲东部、南非、斐济和毛里求斯各岛屿、西印度群岛等地。

印度的泰米尔地区为传统的印度教中心。泰米尔个人专奉一神的虔诚派在印度教内一直占有重要地位,此种拜神方式最早可见于公元6世纪文献中。在公元初年,佛教

斯里兰卡的泰米尔妇女在采茶
供图:Shostal Assoc.

和耆那教曾在泰米尔居民中广泛流行;在泰米尔地区,这些宗教的文献的日期要比印度教虔诚派的文献早些。虽然现在的泰米尔人多数信奉印度教,他们中间也不乏基督教徒、穆斯林、耆那教徒。在不久之前的一段时间里,泰米尔地区也曾是达罗毗荼运动的策源地,运动的宗旨要求在泰米尔文化、语言及文学作品中清除梵语及婆罗门影响。

泰米尔人历史悠久,成就显著。他们似乎很早就已发展起了海上交通、城市生活和商业活动。泰米尔人与古希腊人和古罗马人的贸易来往,可用文学的、语言的及考古的各种资料予以证明。泰米尔人所使用的达罗毗荼语,是年代最早的典雅语言。他们的文学传统丰富,可追溯到公元早期。在14世纪维查耶那加尔帝国将霸权扩张到泰米尔地区之前,该地区曾有哲罗、注辇、潘地亚、帕拉瓦等王朝,建立过许多大的王国。在这些王朝的统治期间,泰米尔人民修建了巨型神庙、灌溉沟渠、堤坝、道路,并在推动印度文化传播到东南亚过程中起到重要作用。比如,注辇王朝就以其海上力量的强大而著称,曾在1025年把马来人所建的室利佛逝王国置于其宗主权之下。尽管长期以来泰米尔地区在文化上同印度其余各地已融合无间,然而在政治上大部时间仍保持其为一个单独的实体,直到英国人统治印度之时,才有所改变。

现今居住在斯里兰卡的泰米尔人,虽然都是印度教徒,却属于一些不同的群体和种姓。约占其中人口的半数的所谓的锡兰泰米尔人,聚居于该岛的北部。他们相对来说都受过良好的教育,许多人担任职员或者从事专业技术工作。斯里兰卡的所谓印度泰米尔人,是19和20世纪时由英国人带进该岛的,都是茶园工人,他们被其他种族集团看作外国人。锡兰泰米尔人和印度泰米尔人,都按不同的种姓制度组成各自的社会,彼此几乎不相往来。

到20世纪80年代,锡兰泰米尔人同斯里兰卡信奉佛教的僧伽罗人之间关系日益紧张。这便加速了泰米尔激进分子进行游击战以反对由多数居民僧伽罗人组成的中央政府,以期在岛上北部及东北部建立一个独立的泰米尔国家。泰米尔人的反政府组织"泰米尔民族解放之虎"进入90年代之后仍在继续战斗。

Tamil language 泰米尔语 属于达罗毗荼语系,通行于印度南部,是印度泰米尔纳德邦的官方语言。在斯里兰卡、缅甸、马来西亚、印度尼西亚、越南、东非、南非、圭亚那以及印度洋、南太平洋和加勒比海诸岛,都有操此种语言的人。泰米尔语有数种地区方言,两种社会方言(婆罗门方言与非婆罗门方言),并有文言、口语之分。同其他达罗毗荼语言一样,泰米尔语也有一组卷舌辅音(如ṭ、ḍ、ṇ;发音时舌尖上卷伸向硬腭),并以后缀表示诸如时态、人称、数及格等语法范畴。古泰米尔语文献可溯至公元前3世纪,字母源于波罗米字母;波罗米字母则是现代全部印度字母表的始祖。现代泰米尔语使用两种文字:用于书写梵语的格兰塔字母和日常应用的瓦蒂卢图字母(圆形字母)。

Tamil literature 泰米尔语文学 以泰米尔语写的作品的总称,泰米尔语为印度与斯里兰卡的一种达罗毗荼语。除了用古典(印度-雅利安)梵语写成的作品之外,泰米尔语文学是印度最古老的文学。若干石壁铭文,属于公元前3世纪,但严格意义上的泰米尔语文学始于公元1世纪前后。许多早期诗歌是宗教诗或史诗,只有桑格姆亦即文学院(参阅 **caṅkam literature**)中人所写的宫廷世俗诗歌例外。4～6世纪值得注意的作品为《脚镯记》和《玛尼梅格莱》这两部史诗及《古拉尔箴言》(又译《蒂鲁古拉尔》)。《玛尼梅格莱》为现在仅存的泰米尔语佛教作品;《古拉尔箴言》是一部论述爱情、王政和伦理的格言诗集。6～9世纪时,表现个人虔诚的诗歌和宗教出现,在泰米尔语地区则以**直觉知神派**(**Āḻvār**)和**那耶那勒**(**Nāyanār**)歌颂毗湿奴派和湿婆派圣徒的赞美诗为始。12～16世纪,许多哲学论著和宗教传奇集以及诗人甘班的典范著作问世。从19世纪起,泰米尔语文学日益在形式上与观念上受到西方的影响。参阅 **Indian literature**。

Tamil Nādu 泰米尔纳德 印度的一个邦,位于印度半岛东南端。东和南濒临印度洋,西连喀拉拉邦,西北接卡纳塔克(即迈索尔)邦,北邻安得拉邦。首府为马德拉斯。面积130 058平方千米。

历史始于该地区泰米尔三位一体政权的建立——西拉、米罗和潘地亚三王国。约公元200年后,看来该地区有着相当大规模的对外贸易,此时期雅利安人的影响增加。6至9世纪发生过各式各样的战争,约从850年起该地区受朱罗人支配。14世纪中叶,维查耶那加尔的印度教徒王国——包括泰米尔纳德在内——威名大振,持续有200年。1639年英国人在渔村马德拉斯巴特那姆(今马德拉斯)建起贸易站;17世纪至1946年,该地区被称为马德拉斯管区。到1956年,该管区已划分给安得拉邦、喀拉拉、迈索尔(今卡纳塔克)和泰米尔纳德各邦,同属于独立的印度共和国。

泰米尔纳德邦按自然地形分成东部沿海平原地区与北部和西部丘陵地区。东部平原中最广阔的部分为肥沃的高韦里河三角洲,再南为干旱的拉默纳特布勒姆平原和马杜赖平原。高耸的西高止山沿该邦西境延伸,较低的东高止山及其支脉分布在中部。主要河流有高韦里河、邦奈亚尔河、巴拉尔河、韦盖河和坦布拉帕尔尼河。高韦里河及其支流为该邦最重要的水源与动力资源。该邦属热带气候。夏季气温有时超过43 °C,冬季气温很少低于18 °C。12月至次年1月气温最低,4～6月最热。年平均降雨量在640～1 910毫米之间,与西南和东北季风有关,主要降于10～12月。

泰米尔人占该邦人口的大多数,以其达罗毗荼语和文化自豪。泰米尔语为正式语言。英语为辅助语言。主要宗教为印度教(占人口90%)、基督教(5%)。

尽管为印度三大高度城市化邦之一,但仍以农业为主要经济部门。农村人口的3/4从事农业。耕地约一半为水浇地。1967年后粮食生产已自给自足。棉花、咖啡、茶叶和甘蔗以及稻米、花生为主要经济作物。工业以轧棉、纺纱和织布为主,其次是汽车、摩托车、电动机、变压器等制造业。另有炼油、化肥、轮胎、铝制品、水泥、化工与造纸等工厂。印度南部各邦的交通线汇集于马德拉斯,有铁路网和公路。马德拉斯人工港可泊远洋巨轮,港口附近有国际机场。设有马德拉斯、阿纳马莱、哥印拜陀和马杜赖诸大学,还有数所医学院、工学院和综合工业培训学院。人口55 638 318(1991)。

Tamilnād Plains 泰米尔纳德平原 印度南部、泰米尔纳德邦东部沿海低地。地处孟加拉湾(东)、印度洋(南)、东高止山(西)、安得拉平原(北)之间。包括高韦里三角洲、韦盖河与巴拉尔河三角洲,形成砂质海滩和卵石海岸。海岸相对平直,有高30～65米的沙丘,棕榈树和热带旱生灌丛。平原上散布

众多东北-西南走向的丘岗。经济以农业为主，生产稻米、豆类、油籽、烟草和甘蔗。高韦里河三角洲有大规模灌渠网。为印度工业最发达地区之一，有纺织、水泥、化学药剂、榨油、化肥、汽车、镀锌铁皮管、计算器、电传印刷机等生产部门。贝伦布尔有亚洲最大铁路车辆厂之一。内韦利镇有一座大火力发电站，有铁路和公路连接马德拉斯、蒂鲁奇奇拉帕利、蒂鲁内尔韦利、坦贾武尔和京格莱布德。

Tamilnād Uplands　泰米尔纳德高地　印度南部、泰米尔纳德邦中部的丘陵地区。面积约38 000平方千米。地处东高止山(西)、西高止山(南)、泰米尔纳德平原(东)和特仑甘纳高原(北)之间。高韦里、巴拉尔、韦盖、坦布拉帕尔尼和贝里亚尔诸河均自西向东注入孟加拉湾。高韦里水系将泰米尔纳德高地分割成泰米尔纳德丘陵、哥印拜陀-马杜赖高地和高韦里河中游谷地三部分。泰米尔纳德高地平均海拔450米，西高东低。高韦里河谷海拔约300米。土壤多肥土和黏土。该地区几乎无森林，北部高地散见林地与灌丛。居民多从事农业，生产稻米、黍类、油籽、豆类、棉花和甘蔗。为印度工业较发达地区之一。有纺织、机床、化工等部门。有咖啡、茶、金鸡纳树和豆蔻种植园。开采铁、镁、绿柱石和锌。有公路和铁路连接马杜赖、哥印拜陀、塞勒姆、韦洛尔、丁迪古尔和埃罗德等城镇。

Ta'mīm, at-　塔米姆省　伊拉克东北部一省。由基尔库克省北部划出设置。面积9 659平方千米。境内包括底格里斯河平原的东部和扎格罗斯山脉的丘陵地带。经济以石油开采和旱地作物(小麦、大麦和水果)为主；并饲养绵羊。省会基尔库克为全国最大石油中心之一，所产原油输往黎巴嫩的特里波利和土耳其的尤穆尔塔勒克。人口601 219(1987)。

Tamiris, Helen　塔米里斯(1905-04-24，纽约市～1966-08-04，纽约市)　原名海伦·贝克尔(Helen Becker)。美国现代舞女演员、编导和教师。她是首先在作品中采用爵士舞、黑人灵歌和社会抗议题材的人之一。开始学舞时是跟I.刘易索恩学自由风格的动作，后来跟M.福金和大都会歌剧院芭蕾舞学校接受芭蕾训练，此后与大都会歌剧院芭蕾舞团一起表演了3个演出季，又跟随一个意大利舞蹈团赴南美巡回演出。她因不满足传统的芭蕾技艺曾入纽约市伊莎多拉·邓肯学校短期学习，但又不喜欢它的强调纯粹个人表情和抒情动作。她开始形成自己的舞蹈风格，于1927年首次登台演出。1928年前往欧洲巡回演出。1930年建立并主持自己的舞蹈团和学校直到1945年。她还组织了舞蹈轮演剧目剧院(1930～1932)，和现代舞编导如M.格雷厄姆、D.汉弗莱等人一起联合举办演出会。她主张把舞蹈列入公共事业振兴署联邦戏剧计划，并从1937到1939年在那里担任主要的舞蹈编导。塔米里斯认为，每一个舞蹈必须创造它自己的一套表现方法而不必发展一种个人的风格或技巧。不过她的作品时常被描绘为生气勃勃和充满活力，并且它们经常利用美国的题材，如《海湾民歌》和《自由之歌》。在1930至1945年间她设计了约135部舞剧，其中大多是反映她对社会和政治问题的关心。她最著名的音乐会小品是《多久弟兄》(1937)，叙述了南方黑人失业的悲观失望，在表演舞蹈时由黑人合唱队演唱L.盖勒特创作的"黑人抗议之歌"。

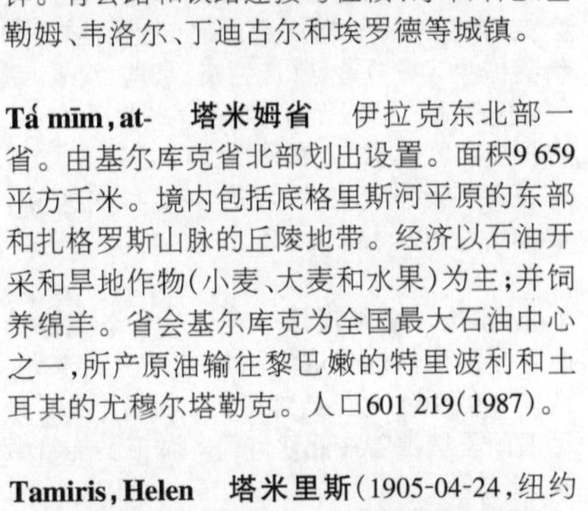

塔米里斯的舞姿
纽约公共图书馆供图

作为音乐戏剧(1945～1957)的舞蹈编导，塔米里斯擅于创作描述人物性格特征的精湛舞蹈以唤起对美国不同地区和不同时代的精神追忆。塔米里斯为许多音乐戏剧设计的舞蹈中有《安妮接受你的枪》(1946)、《迅速的行动》(1949)和《平原和幻想》(1955)。前二者曾获安托万内特·佩里舞蹈设计奖。她重又采用更多的美国题材设计现代舞蹈，如著名的《为惠特曼而舞》(1958)。1960年塔米里斯与舞蹈家D.内格林(其丈夫及舞伴)建立塔米里斯-内格林舞蹈团。

Tamiš River(north-central Balkans)　**塔米什河**　参阅**Timiş River**蒂米什河。

Tamlūk　德姆卢格　古作Tāmraliptī，又称达姆拉利布塔。印度东北部西孟加拉邦城市。位于鲁布纳拉扬河南岸。古代曾是与东南亚进行贸易的港口。中国玄奘于7世纪时曾来过这里。他报告说这里是出口靛蓝染料、丝绸和铜的繁荣海港。由于恒河三角洲的推进，德姆卢格今已成内地城市，离海97千米，为河港与农产品集散地，有化工厂与机械厂。还有一座残存佛庙，今供奉印度教女神时母。1864年设市。人口约38 656(1991)。

Tamm, Igor Yevgenyevich　塔姆(1895-07-08，西伯利亚符拉迪沃斯托克～1971-04-12，莫斯科)　苏联物理学家，因阐明切伦科夫效应(参阅**Cherenkov radiation**)而与P.A.切伦科夫和I.M.弗兰克共获1958年诺贝尔物理学奖。他是莫斯科大学教授，研究固体中漫射光的量子论，后来与弗兰克合作，推导切伦科夫辐射理论(1937)。他提出的解释基本核粒子相互作用的技术称为塔姆法。由于对

供图：Novosti Press Agency

核能和平利用的兴趣，而研究控制热核反应的方法。1963年曾在美国电视上呼吁国际裁军。

Tammām ibn Ghālib abū Firās　塔马姆·伊本·加利卜·艾布·菲拉斯　参阅**Farazdaq, al-**法拉兹达格。

Tammann, Gustav (Heinrich Johann Apollon)　塔曼(1861-06-09，俄国扬堡～1938-12-17，德国格丁根)　俄国化学家。曾促进冶金科学的建立，并开创金属及其合金的内部结构与物理性能的研究。此外，他在多相平衡(即物质的性能随化学组分、温度和压力的变化)方面的研究，对无机化学的系统化起到了重要的作用，并对物理化学作为一门学科的发展作出了重大贡献。1903年他开始研究金属化合物，当时人们关于这方面的知识还比较少。他的研究揭示，在许多情况下合金的性能像混合晶体，化合价关系对此类金属化合物的晶体是不适用的。他发明热分析法，从化合物的冷却曲线确定化学组成，用这种方法可解释混合晶体体系。他对金属在冷加工时的机械性能进行许多研究，发现机械性能的改变是金属晶体重排造成的。这个发现与其他有关发现一起，对多种现代金属加工技术起了作用。值得提出的还有他对金属表面生锈所作的分析，其结果成为氧化理论的基础。

Tammany Hall　坦曼尼协会　美国历史上，通过捐赠与赞助进行政治控制的纽约市民主党执行委员会。此名来自独立战争前以坦曼尼德(一明智而乐善博施的德拉瓦尔印第安部落酋长)命名的协会。1789年坦曼尼协会在纽约组建，它代表反对"贵族式"联邦党权势的中产阶级。1805年坦曼尼协会成为慈善机构。因其与民主党受同一批人领导，二者实际上为同一个组织。1817年爱尔兰移民人会，这使协会的构成发生重大的变化。由于好施小惠，贿赂敌对政治派别的领导人，致使"坦曼尼协会"成为腐败的城市政治的同义语。19世纪和20世纪初，坦曼尼协会很有势力。1932年，由于未支持F.D.罗斯福竞选总统，遂被贬为县级组织，操纵纽约政界的权力从此衰落。在市长F.H.拉瓜迪亚(1933～1945在职)和J.V.林赛(1966～1973在职)主持市政期间，坦曼尼协会的力量进一步遭到削弱。

Tammerfors(Finland) **塔墨尔福斯** 参阅 **Tampere** 坦佩雷。

Tammuz 坦木兹 阿卡德语称杜木兹(Dumuzi)。美索不达米亚宗教所崇奉的化育之神,体现春季万物新生之力。有关坦木兹的已知最早记载可追溯到第三王朝时代(约

亚述出土的约公元前1500年的坦木兹雪花石膏浮雕像
供图:Foto Marburg—Art Resource/美国不列颠百科全书公司

公元前2600～前2334)的初期,但它可能更为古老。他最流行的绰号为希巴德(Sipad),意为牧人,可见他原本是畜牧民族的神灵。坦木兹象征牧人的愿望:旷野生长青草、多产壮羔、母畜奶足。公元前第1和第2千纪对于坦木兹的崇拜传到亚述,此神似乎已从畜牧之神变为农业之神。有关坦木兹求婚与结婚的情歌和逸事诗,大概主要是供娱乐之用。一些供礼拜使用的真正礼文次第叙述过程甚详,似为目击者历历而述。其中的一些哀歌可能要在礼拜时诵读。许多司化育之神,经过教义演变,都与坦木兹融合为一。牧牛者所崇奉的坦木兹是女神宁松即野生母牛娘娘之子,他本身也是牧牛者,此点与牧羊人所崇奉的坦木兹不同。北部农业地区所崇奉的坦木兹可能是由春季化育之神演化而成。

Tammuz,Fast of 塔慕兹月斋日 犹太教小节日,即犹太教历塔慕兹月17日,是三周哀悼期的开始(参阅**Three Weeks**)。犹太人将这次斋戒与历史上若干不幸事件相联系,即公元前586年耶路撒冷城墙被巴比伦国王尼布甲尼撒拆毁;公元70年耶路撒冷被罗马皇帝提多攻陷;摩西摔碎法板;律法书被焚;献祭停止以及罗马人在至圣所立偶像等。

Tampa 坦帕 美国佛罗里达州中西部城市和港口,希尔斯伯勒县县城(1846)。位于希尔斯伯勒河口、坦帕湾畔。1824年建立布鲁克城堡并有人定居。1885年设建制;同年通铁路后,工业、港口和旅游业均有发展。1886年引进雪茄生产技术。20世纪20年代,为发展不动产,在岸外建造了戴维斯人工岛。港口装运以柑橘和磷酸盐为主。当地行业种类繁多,是一主要销售中心。加斯帕里拉节庆祝活动和布施公园(内有一非洲景观的动物园,每日有珍奇热带鸟类表演)吸引了大批游客。设有希尔斯伯勒社区学院(1968)、南佛罗里达大学(1960)、坦帕学院(1890)和坦帕大学(1931)。附近有麦克迪尔空军基地。人口:市303 447;坦帕-圣彼得斯堡-克利尔沃特都会统计区2 395 997(2000)。

Tampa Bay 坦帕湾 墨西哥湾的海湾。美国佛罗里达州西部。长25英里,宽7～12英里。西有皮内拉斯半岛为屏障,另有一小半岛自北向南伸入海湾中部,形成旧坦帕湾和希尔斯伯勒湾。该湾被利用于圣彼得斯堡(西)和坦帕(东北)的游乐和商业活动。征服者纳瓦埃斯1528年4月进入海湾。西班牙探险家德索托1539年5月25日到达坦帕湾,开始在现美国的东南部旅行。旧坦帕湾上有两座桥和一条堤道。1987年又修成一座单拱的日光公路高架桥代替1980年被油船撞毁的旧桥。

Tampere 坦佩雷 瑞典语称塔墨尔福斯(Tammerfors)。芬兰西南部海梅省城市。位于奈西湖和皮海湖之间的地峡上。1779年建市。1821年俄国沙皇亚历山大一世为了鼓励

坦佩雷市的大教堂
芬兰驻美大使馆供图

该市发展,特准免税进口原料和装备;此项特权持续到1905年,使城市工业大为发展。1918年芬兰独立战争在此获得重大胜利。市内有海梅历史博物馆(1804)以及许多著名建筑师设计建造的芬兰现代建筑物。大教堂于1907年建成。为全国第二大城市和工业中心,由水电站提供动力,有许多重要的纺织厂、制革厂、木材厂和机器厂。本市既是湖港,也是主要铁路枢纽。人口:城市区约193 174(2000)。

Tampico 坦皮科 墨西哥东北部塔毛利帕斯州东南部城市和港口。位于帕努科河北岸,距墨西哥湾10千米。周围是沼泽地和湖泊。方济各会修士在1532年建起一所庙宇,以此庙宇为中心发展了该城。美军在墨西哥战争(1846～1848)中曾短期占领坦皮科。城外方圆160千米内有墨西哥几座大油田(埃瓦诺、帕努科、瓦斯特卡和图斯潘)。石油资源迅速开发,人口剧增。现为世界最大石油港之一。附近油田通过输油管或油船将原油运到此地。有1901年启用的奇霍尔运河通往图斯潘油田。现代化码头、货栈、直通码头的铁路和优良的装船设备使之成为墨西哥最现代化港口。还有机器维修、造船、服装、罐头食品和锯木等工业。除石油外,还输出银锭、龙舌兰纤维、糖、皮革、活畜、咖啡和铜矿石。铁路设施良好,公路通泛美公路,航空线通墨西哥城等地。有塔毛利帕斯自治大学分校。也是游览胜地。20世纪70年代马德罗城并入该市成为其港市和郊区。人口278 933(1995)。

Tāmraliptā (India) **达姆拉利布塔** 参阅 **Tamlūk** 德姆卢格。

Tamshui (Taiwan) 参阅 **Danshui** 淡水。

Tamworth 塔姆沃思 澳大利亚新南威尔士州中东部城市,位于纳莫伊河支流皮尔河河畔。为奥克斯利公路和新英格兰公路的交会点,有铁路和航空线通悉尼。为西坡区和新英格兰区部分地区(产牲畜、家禽、水果、蔬菜、小麦、烟草、蜂蜜、饲料等)的服务中心。有蛋类和乳品加工、家具、电缆、铝制品、卡车等工业。设有几所著名的中学和美术馆。1946年设市。人口31 865(1996)。

Tamworth 塔姆沃思 英格兰斯塔福德行政郡自治市。位于塔姆河与安克河汇合处,西南邻伯明翰大都会地区。公元8世纪,麦西亚国王奥法曾在此建宫殿。城市围绕着中

塔姆沃思的城堡
供图:Christine Gascoigne—Robert Harding Associates

世纪市场发展起来。1560年设建制。现在是农业和产煤区的中心。有农机、纺织、石棉、铝器皿等工业。人口约73 900(1998)。

Tan,N.A. 坦 参阅**Bogoraz,Vladimir Germanovich** 博戈拉兹。

Tan Cheng Lock　陈祯禄（1883-04-05，海峡殖民地马六甲[今在马来西亚]～1960-12-08，马来亚马六甲）　马来亚华人社会领袖、政治家、商人。出身于海峡一个经营航运和种植业的富裕华人家庭。在英国殖民统治时期，他主要投资于橡胶和银行业。他很熟悉欧洲古典思想家，这使他后来的政论十分生动。第一次世界大战期间，他通过海峡华英协会参加政治生活。1923年进入海峡殖民地的立法会议，为会议中直言不讳的华人领袖。在反对"亲马来人"政策的斗争中，他主张建立一个联合的（最后是自治的）马来亚社会，所有民族（不管是外来人还是土著）都应有平等的权利。1933年他成为海峡殖民地行政委员会的第一位亚洲人委员。他持马来亚华人应只忠于马来亚的观点。日军占领马来亚期间，他在印度成立海外华人协会，企图对英国的战后计划施加影响。英国人后来提出的马来亚联合邦方案与陈祯禄的主张十分相似。1949年成立马华公会，陈祯禄理所当然地成为公会会长。1957年独立前后他仍任该职，但渐为挂名而已。

tan-e　丹绘　日本的木刻版画。手工着色，橘红色调，为17世纪末到18世纪20年代江户时代浮世绘（**Ukiyo-e**）画家所创。

Tan Jiazhen　谈家桢（1909-09-15，中国浙江宁波～2008-11-01，上海）　中国遗传学家。中国科学院院士。1930年毕业于苏州东吴大学，1932年获燕京大学硕士学位。1932～1934年在东吴大学任教。1934年赴美，入加利福尼亚理工学院摩尔根实验室深造，1936年获博士学位。1937年回国，执教于浙江大学生物系，1952年起在复旦大学工作，历任教授、生物系主任、遗传研究所所长、副校长。他

中国大百科全书出版社供图

于1934年从事果蝇进化遗传学研究，利用当时研究果蝇唾腺染色体的最新方法，分析了果蝇近缘种之间的染色体差异和染色体的遗传图，促进了"现代综合进化论"的形成。1946年，在亚洲异色瓢虫中发现色斑嵌镶显性遗传现象，受到国际遗传学界的重视。谈家桢从教数十年，培养了大批科学人才。他曾任中国遗传学会理事长，第15届国际遗传学会副会长和上海自然博物馆馆长。1985年被美国科学院授予国外院士称号。

Tan Malaka, Ibrahim Datuk　陈马六甲（1894～1949-04-16，爪哇勿里达）　印度尼西亚共产党领导人。米南加保人（苏门答腊的一个民族），早年任小学教师。后留学欧洲，1919年回国。这时开始信仰共产主义。1922年发动总罢工，没有成功。荷兰官员勒令他离开东印度群岛。同年出席共产国际第四次代表大会，被任命为共产国际东南亚和澳大利亚代表。1927年在曼谷组织印度尼西亚共和党，培养回印尼工作的地下干部。1944年返回爪哇。后来与印度尼西亚总统苏加诺争夺权力。他建立"联合斗争阵线"，反对与荷兰人进行任何的妥协。1946年2月组阁失败。因企图政变或参与他人政变计划而于同年7月被捕。两年后获释。这时他支持新成立的平民党。1948年12月为了掌握印度尼西亚革命的领导权，他在爪哇谏义里市宣布自己是印度尼西亚元首。当荷兰人进攻谏义里时，他脱城而走。但为时不久，便被苏加诺派俘获处死。他写过几部政治著作，最著名的是自传性的《从监狱到监狱》。

Tan Sitong　谭嗣同（1865，中国湖南浏阳～1898-09-28，北京）　又拼T'an Ssu-t'ung。中国近代政治家、思想家，戊戌维新运动的领导人之一。字复生，号壮飞。巡抚谭继洵之子。

中国大百科全书出版社供图

少年能文章，好任侠，足迹遍历西北、中原及东南各省。1894年甲午战争后痛愤中国积弱，立志改革，积极提倡新学，宣传变法。1896年应父命到南京候补江宁知府，对康有为十分景仰，自称康私淑弟子。力图建立仁学体系。在所谓《仁学》中提出"仁"和"以太"为世界根源，"仁为天地万物之源，故唯心，故唯物"；又认为"以太"充满世界，世界由是而产生。从而建立了一个充满科学与宗教、唯物论与唯心论、辩证法与形而上学等对立观点的庞杂而矛盾的思想体系。强调社会历史发展进化的辩证思想。在政治方面猛烈抨击封建君主专制，批判封建纲常名教。1897年后协助湖南巡抚陈宝箴、按察使黄遵宪等举办新政，设立时务学堂，组织南学会，创办《湘报》；同时兴办内河轮船、修铁路、办矿务等，使湖南成为维新运动最有生气的省份。1898年7月被征入京，清光绪帝亲自召见，授四品卿衔军机章京，与杨锐、林旭、刘光第一同参与新政，时称军机四京卿。在百日维新中协助光绪草拟谕旨，批签章奏，成为推行新政的主要人物。不久慈禧发动政变，光绪被囚，谭嗣同与康广仁、杨深秀、林旭、杨锐、刘光第同被杀害，称为"戊戌六君子"。谭嗣同的著作多种，均编入《谭嗣同全集》。

Tan-Tan　坦坦　摩洛哥西南部南方行政区的城镇、省会和省份。该城位于撒哈拉沙漠的最西北地带，在大西洋以东25千米。为军港和贸易中心，一年一度的贸易和宗教集会吸引塞内加尔和马拉喀什的商人、牧民远道而来。全省面积17 295平方千米。西北濒大西洋。原为西班牙所属摩洛哥保护地的一部分，俗称西属南摩洛哥，1958年归还给摩洛哥，1976年在其西北部建立了坦坦省。这里一直是摩洛哥军队和西撒哈拉波利萨里奥阵线游击队交锋的战场。游击队在1979年两次袭击坦坦镇。该省地势平坦，多石。海洋的云雾使海岸附近有限的灌木可以生长。牧民饲养羊群的日益增多，饲养骆驼的日益减少，随季节流动放牧。人口：城镇45 800；省约58 100（1994）。

Tan-t'u（China）　**丹徒**　参阅 **Zhenjiang 镇江**。

Tan-tung（China）　参阅 **Dandong 丹东**。

Tan Xinpei　谭鑫培（1847-04-23，中国湖北江夏[今武昌]～1917-05-10，北京）　又拼T'an Hsin-pei。中国京剧演员。名金福，号鑫培，堂号英秀，小字望重，艺名小叫天。父亲谭志道是汉调老旦伶工，艺名叫天。鑫培8岁随父经天津后至北京。11岁入金奎科班坐科，学武生兼老生。出科搭永胜奎班，变嗓后在京东一带农村乡班演唱武生、武丑，一度为人护院保镖，还曾在乡间科班任教。24岁返回北京，入三庆班，仍以演武生戏为主，如《神州擂》、《白水滩》、《攻潼关》、《金钱豹》、《三岔口》等，稍后也演些老生戏。在三庆期间，先拜程长庚，后拜余三胜为师，并向王九龄、卢胜奎请益，主攻老生各剧，广撷诸家之长，揣摩研练，化为己有。所演剧目，无不有

中国大百科全书出版社供图

创新之处，深得程长庚赏识。程去世后，他改搭四喜，声名渐起。不久，自组同春班。凡三次南下上海献艺，誉满淞沪。40岁左右，剧艺愈臻成熟，卓然自成一派，与同时老生孙菊仙、汪桂芬鼎足而三，并称"后三鼎甲"。1890年44岁时选入清廷升平署任外学民籍教习。

后桂芬长逝，菊仙滞沪不返，他乃独占京师剧坛，街头巷尾遍传叫天儿歌声，至有"国自兴亡谁管得，满城争说叫天儿"之咏。行内及票界群起追摹其艺，蔚成"无腔不学谭"的风气，被推尊为"伶界大王"。顾曲家评述他的唱工以神韵胜，"高低中平三音具备，平上去入四声克谐，吐字出音并不矜才使气，而稠人广座，声声浸入心脾"，改变了在他之前老生唱法的直腔平调，大胆地吸收旦行、净行、老旦及昆曲、梆子、大鼓的唱腔，加以融会变化，增强了华丽迂曲，行腔亦刚亦柔，圆转流利，灵巧多变，悦人听闻，确立了以湖广音夹京音读中州韵的京剧声韵体系，形成规范，沿袭至今。在表演上，由于他文武兼擅，技精功深，把老生中重唱的"安工"、重武的"靠把"、重做的"衰派"萃于一身，许多戏的做表，经他精心雕琢而成为刻画人物性格、情感、造形传神的内外功法的典范。他能戏极多，昆乱不挡，代表性剧目有：《空城计》、《洪羊洞》、《捉放曹》、《乌盆记》、《汾河湾》、《南天门》、《庆顶珠》、《卖马》、《骂曹》、《探母》、《寄子》、《碰碑》、《战太平》、《镇潭州》、《定军山》、《伐东吴》、《南阳关》、《珠帘寨》、《一捧雪》、《琼林宴》、《清风亭》、《胭脂褶》、《断臂说书》、《乌龙院》和《宁武关》等。他一生富于革新精神，为京剧老生表演艺术开拓了新天地，创树丰硕，影响深永，得"梨园汤武"之誉，在京剧史中占有显赫地位。

tana(Jewish scholar)　参阅 **tanna** 坦拿。

Tana (Russian S.F.S.R.)　**塔纳**　参阅 **Azov** 亚速。

Tana (Vanuatu)　参阅**Tanna**坦纳岛。

Tana, Lake　塔纳湖　埃塞俄比亚最大湖泊。位于西北部高原，海拔 1 800 米。为青尼罗河(阿巴伊河)的主要水库。面积3 673平方千米，湖周围流域面积11 650平方千米，最深点 14 米。有 60 条河川补给，其中最长的小阿巴伊河(135 千米)是青尼罗河河源。古希腊人称该湖为普塞博阿湖或科卢湖。在

塔纳湖上的提斯厄萨特瀑布
供图：R. P. Livingston

巴赫达尔附近有一熔岩屏障，青尼罗河越过屏障向下倾泻，落差 42 米，形成壮观的提斯厄萨特瀑布，部分瀑布已被用于水力发电。湖区雨量充沛，出产谷物、油籽和咖啡。畜牧业和渔业重要。

Tana River　塔纳河　肯尼亚最长的河流。源出阿伯德尔山脉和肯尼亚山，注入印度洋，长 708 千米。上游 240 千米可通小船，但航行很困难。上游的萨苏姆瓦大坝向内罗毕供水。在塞文福克斯的金达鲁马正在兴建水电工程。恩布兴建的灌溉工程供水稻种植之用。

Tanabe Hajime　田边元(1885-02-03，东京～1962-04-29，群马县前桥)　日本科学哲学家。他试图将佛学、基督教、马克思主义和科学思想融为一体。1913 年起，先后在仙台东北大学和京都大学讲授科学哲学。1922～1924 年曾在柏林大学、莱比锡大学和弗赖堡大学进修，然后写出早期重要著作《数理哲学研究》(1925)，成为日本科学哲学的代表人物。20 世纪 20 年代末期到 30 年代，他发展了"物种的逻辑学"——所谓"物种"即作为个人与全人类之间历史的调合力量的民族。他所著的《物种的逻辑辩证法》于 1947 年出版，当时正处于第二次世界大战后的动乱时期中。

tanager　裸鼻雀　新大陆森林及庭园的多种鸣禽的统称，主要分布于热带，组成鹀科裸鼻雀亚科(Thraupinae，前称 Tanagrinae)的大部分种类。该亚科包括200～220种，分布范

夏裸鼻雀(*P. rubra*)
供图：Hal H. Harrison—The National Audubon Society Collection/Photo Researchers

围限于南北美洲。多数裸鼻雀体长 10～20 厘米。颈短。喙的形状多种多样，稍具锯齿，稍呈钩状。羽衣通常为纯红色、黄色、绿色、蓝色或黑色，有的具明显的花纹；有一些种类以羽衣色彩鲜艳著名。雌雄两性可色彩相似，或雄体色彩较雌体鲜艳。多数裸鼻雀为树栖，生活于树颠上、林中矮树上或灌木丛中。主要以果实为食，但某些种类食昆虫。营巢行为各异。每窝产卵 2～4 枚。在北美洲温带区繁殖的有 3 种：猩红裸鼻雀(*Piranga olivacea*)、夏裸鼻雀(红裸鼻雀，*P. rubra*)和西方裸鼻雀(黄腹裸鼻雀，*P. ludoviciana*)。肝色裸鼻雀(*P. flava*)的羽色不很鲜艳，繁殖范围较大，从亚利桑那南部到阿根廷中部。裸鼻雀属(*Tangara*)是最引人注意的热带属，含约 50 种小型鸟类。例如体长 13 厘米的天堂裸鼻雀(智利裸鼻雀，*T. chilensis*)有绿、猩红、紫等 7 种颜色，故西班牙文称之为七色雀(siete colores)。*Tanagra* 属的种类见于墨西哥以南，不应与上述 *Tangara* 属的种类相混淆。裸鼻雀属(*Thraupis*)有 8 种，蓝裸鼻雀、灰蓝裸鼻雀(*Th. episcopus* 或 *Th. virens*)是墨西哥到秘鲁的常见种，并已引入佛罗里达。鹟裸鼻雀即玫瑰鹟(*Rhodinocichla rosea*)，见于从墨西哥至委内瑞拉的低地，可另列为一科——玫瑰鹟科(Rhodinocichlidae)。燕裸鼻雀即燕嘴雀(**swallow-tanager**)，属于另一亚科——燕嘴雀亚科。

Tanagra　塔纳格拉　希腊比奥蒂亚古城。在阿蒂卡州北部，阿索波斯河左岸。古城遗址在今村庄东南。最早为雅典部族基菲林人定居点，后发展为比奥蒂亚东部重镇。在罗马时代为比奥蒂亚的文化中心。当地古物保存不多。1874 年发现一座大地窖，藏有精致的赤陶塑像。1979 年，当地附近发展起大规模飞机保养维修业。人口 1 097(1981)。

Tanagra figurine　塔纳格拉陶俑　在希腊中东部比奥蒂亚州一地发现的陶俑，以其发现地点在塔纳格拉而得名。其年代主要源于公元前3世纪。这些小塑像的主要题材是服

塔纳格拉出土的公元前 4 世纪的塔纳格拉陶俑
纽约大都会艺术博物馆供图

饰华丽的年轻妇女，或立或坐，千姿百态。有的塑像以外套紧裹身躯，面纱遮脸；也有的头顶戴帽，手持一把扇子或一面镜子。塔纳格拉陶俑都是用模子翻制的，把分别翻制的躯体各部(各种各样的手臂、头部)衔接起来，形成了引人入胜的千变万化。所有的塑像都是先敷以白色涂料，然后加色。外套一般用鲜明色彩：蓝、红、淡红、蓝紫、黄、棕等。肌肤是浅红或淡粉色。人物细部则用金黄与黑色进行修饰。保存下来的信而有据的陶俑，其白色涂料与鲜明色彩正在逐渐脱落。19 世纪刚刚发现这些陶俑时，它们曾轰动一时。结果导致赝品充斥，甚至还有敷色的，几可以

假乱真。

tanaid 异足虫 囊虾超目异足目(Tanaidacea),小型底栖甲壳动物的总称,约500种,海产或半咸水产。世界性分布。浅海中数量多,但深海很深处也有。体一般细长,达2～25毫米。胸部有7对步足。第一对有大螯,能执握;第2对特化,可掘穴用。腹部有5对游泳肢和1对尾足。生活在软沉积物的上面或里面,多数取食有机残屑。有几个种的几对胸肢分泌物为纤维质,可用以造成精致的管,栖息其中。雌体把卵和幼体携带在腹面的孵育囊中。

Tanaina 塔奈纳人 北美印第安民族。是占据沿海大片地区的唯一北部操阿萨巴斯卡语的印第安民族。他们主要集中于阿拉斯加南部库克湾及克拉克湖的排水区。"塔奈纳"一名,意为"人民",系其自称;人们常常称之为基奈霍塔纳人,即"基奈半岛人"。塔奈纳人主要以鲑鱼和其他鱼类(以及贝壳动物)为生,也猎捕熊、山区野羊、石山羊、驼鹿、驯鹿及其他猎物,食其肉,用其皮。冬季住房为半地下居室,系木泥结构;夏季鲑鱼汛期住房为各种茅舍。除住宿茅舍之外他们常常另行构筑茅舍作为熏房,将捕捞的鱼熏干。交通运输使用皮船、木架皮舟以及雪鞋、雪橇等。塔奈纳人分为几个部落,每个部落再分为两个族外婚半偶族,各半偶族由若干氏族组成。有两个社会阶级——贵族及平民。每个村庄通常有一个首领,实行家长式领导。有组织的领导机构通常是为进行战争及外出袭击(他们的主要敌人是爱斯基摩人)时选出的;其中包括真正的领袖人物和议事会,当然也有若干名义上的狩猎领袖。塔奈纳人的重要仪式是散财宴,以赠礼大肆铺张来提高个人声誉。在宗教信仰方面,塔奈纳人认为,自然界万物有灵,充满神奇力量,而保护精灵影随每一个人。各种禁忌、信物、护符,数目之多,不胜枚举。萨满教僧的影响力特别大,有些就是他们的领袖。

Tanaka Giichi 田中义一(1864-07-25,日本山口县～1929-09-29,东京) 日本首相(1927～1929),20年代日本侵华政策的制订者。1904年参加日俄战争。1918年任陆军大臣,极力主张出兵西伯利亚,反对新生的苏维埃政权。1920年封男爵,参加立宪政友会,1925年任政友会总裁。1927年任首相。虽然他的外交政策似较其前任更为好战,但他继续寻求国际合作,在中国追逐贸易和经济利益,顽固坚持日本对南满的控制。1927年他干涉中国的北伐战争,在山东阻止北伐军前进。他的侵华政策激起了中国人的反日情绪。他试图克服1927年日本经济危机,却导致日本通货膨胀螺旋上升,造成社会动乱。当他试图惩罚擅自暗杀当时中国东北当权者张作霖的一批军官时,陆军拒绝支持,他的内阁因此垮台。此后不久去世。奏请天皇向中国扩张的《田中奏折》,已被证明是伪造的。

Tanaka Kakuei 田中角荣(1918-05-04,日本新潟县刈羽～1993-12-19,东京) 政治家、日本首相(1972～1974),后成为一项重大政治丑闻的中心人物。一破产牛贩之独生子。15岁辍学,不久自己开设一家建筑公司——田中土木工程公司。第二次世界大战期间因承包军事工程而生意繁荣,成为日本富豪之一。入政界后,1947年当选众议员。1957年任递信省大臣,1962～1964年任大藏大臣,1965和1968年两度任自民党干事长,1964～1972年在佐藤内阁中任通商产业大臣,1972年使人感到意外地击败佐藤所选定的接班人福田外相,出任首相。田中角荣是一位精力充沛和很受欢迎的首相,他完成了许多政府计划,从而使得日本西部的许多地方在经济上恢复了元气。他还同中华人民共和国建立外交关系。但在任期内经济依然不振,在1974年7月的选举中他的党成绩很差,加上他被指控利用职务非法获利,遂于1974年12月辞职。1976年8月,田中被控告在其担任首相期间接受洛克希德航空公司200万美元的贿赂,以便对全日航空公司购买该公司的喷气式飞机施加影响。他虽被控告后出现的政治阴云所笼罩,但仍继续控制自民党内的最大的一个派别。经过7年的审讯后,田中角荣被判犯有受贿罪,被判处罚款5亿日元和4年徒刑。

Tanaka Koichi 田中耕一(1959-08-03,日本富山县富山～) 日本化学家。因研究出确定和分析蛋白质等生物大分子的技术,与J.B.芬恩和K.维特黑希共获2002年诺贝尔化学奖。1983年获东北大学工科学位。同年到岛津制作所工作,从事多种研究。他获奖的研究成果扩大了质谱法(MS)的应用。他研究出一种将大分子试样转变为气态而不降解的方法。20世纪80年代末,他公布一种称为软激光脱附的方法,用激光脉冲轰击固态或黏液形式的试样。试样中的分子由于吸收激光能而相互分离(脱附),并形成可进行质谱分析的离子云。软激光脱附法应用广泛,适用于早期检测痁疾及某些癌症。

Tanaka Ōdō 田中王堂(1867,日本埼玉县富冈～1932-05-09,东京) 日本哲学家、评论家。原名田中喜一。曾介绍西方的实用主义哲学。在国内学过英语,1889年前往美国,先后入肯塔基大学和芝加哥大学学习。在芝加哥期间深受美国哲学家,尤其是J.杜威的影响。返国后,在早稻田大学和立教大学教书,潜心研究和大力宣扬实用主义,努力使实用主义在日本社会中产生效果,鼓吹功能主义与工具主义的结合,即以理念体现从事行动的手段。他运用自己的哲学去抨击20世纪初期在日本文学界风靡一时的自然主义。他也强烈地倡导民主,并且认为民主必须以个人主义为基础。写有许多著作,其中包括《从书斋走到街头》(1911)、《哲人主义》(1912)和《象征主义的文化》(1924)。作为一位评论家,他在晚年仍经常为日本的哲学杂志和文艺刊物撰稿。

Tanala 塔纳拉人 又称安塔纳拉人(Antanala),马达加斯加岛的民族,居住在岛的东南部。在其住地和海岸线之间是安泰莫罗人和其他一些部落。塔纳拉人分为两个亚支,即生活在北部多山地区的塔纳拉·梅纳比人和生活在南部较平坦地区的塔纳拉·伊康戈人。塔纳拉·梅纳比人的村子是孤立的,建造在山顶上,隐蔽在密林中。塔纳拉人讲马达加斯加语,它属于西澳斯特罗尼西亚语支,是马达加斯加诸民族通用语言。1895年法国人征服这里以前,北部塔纳拉人在梅里纳王国管辖之下,南部塔纳拉人仍分为许多独立的酋长领地。塔纳拉意为"森林人",长于伐木、采集及狩猎。塔纳拉人用蜂蜡、蜂蜜和其他林产品进行贸易。他们从事刀耕火种的农业,主要生产稻米。塔纳拉人实行父系制,往往是父亲和儿子们或一群兄弟一起住在一个大院内。

Tanana 塔纳纳人 操阿萨巴斯卡语的北美印第安小部落,居住在阿拉斯加中部塔纳纳河源头一带地区。他们流动狩猎,以猎取驯鹿、驼鹿及山区野羊,作为衣、食之源。塔纳纳人冬季住兽皮覆盖的圆顶房屋,夏季住树皮或柴草构筑的披屋或茅舍。他们分为若干领导松弛的氏族,各氏族的成员由于合并、分化、迁徙而经常变动。"散财宴"是塔纳纳人的一种以铺张虚夸的场面赠送礼物的行为和提高个人威信的方法。塔纳纳人宗教生活中的主要人物虽是萨满,但宗教是高度个人主义化的,各人都有自己的信仰、习惯、护符、禁忌等。

Tanana River 塔纳诺河 又译塔纳纳河。美国阿拉斯加州中东部河流,育空河主要支流之一。由源出阿拉斯加东南部兰格尔山脉的奇萨纳河和纳贝斯纳河汇流而成,向西北流,在塔纳诺村附近汇入育空河。全长885千米。19世纪中期俄罗斯商人首先抵此开发。流域曾是闻名的黄金产地,也是林业区和该州重要农业区,出产马铃薯、蔬菜和谷类。阿拉斯加及理查森公路和阿拉斯加铁路的终点站费尔班克斯为流域商业中心和交通中心。

Tananarive (Madagascar) **塔那那利佛** 参阅 **Antananarivo** 安塔那那利佛。

Tanaquil 塔纳奎尔 传说中的埃特鲁斯坎女先知。她在伊特鲁里亚嫁给出身微贱的塔奎尼乌斯·普里斯库斯。由于具有未卜先知的能力,她预见到如果定居罗马,他们夫妇就会交上好运。到了罗马,塔奎尼乌斯果然当上国王,塔纳奎尔成为王后。公元前578年其丈夫被谋杀后,塔纳奎尔又为其女婿争得王位。她是有名的纺织能手。根据普林尼的记载,在赛莫·珊库斯神庙里有塔纳奎尔的雕像,而且神庙里还保存着她使用过的纺纱工具。这样她成为罗马新娘美德之楷模。

tanban 檀板 中国碰奏体鸣乐器。又称拍板,简称板。用3块宽6厘米、厚1厘米、长20厘米的檀木、黄杨木或红木板制成。分两组:前组二板用弦缚紧,后组一板。两者以绳连接。演奏时左手执板,使后板(单板)碰击前板(双板)发声。与鼓配合使用,习称"鼓板”。演奏的鼓师是乐队指挥,用鼓板击奏和手势控制乐队的节奏。

tanbark oak (*Lithocarpus densiflorus*) **鞣皮栎** 又作tanoak。即密花石柯(密花椆)。山毛榉科一种观赏常绿乔木。形似栎属植物,树皮富含鞣酸。原产于俄勒冈南部和加利

鞣皮栎(*Lithocarpus densiflorus*)
供图:Eugene Memmler

福尼亚北部沿海地区。株高一般约20米,偶达45米;在高海拔地区则为灌木状。枝条水平开展,形成对称的浓密圆形树冠。叶互生,形短,有尖,革质,有锯齿或微圆齿;叶缘向下反卷;叶的上表面淡绿色,下表面有一层被密毛的褐色硬表皮,夏季密毛脱落后变成蓝白色。花似栗花,果实外形则似栎类。雄花多生于长而直立的葇荑花序上;雌花通常簇生,位于雄葇荑花序的基部。果为单坚果,托于具鳞片的刺果状壳斗内。鞣皮栎在温带凉爽地区栽作观赏植物。其木材坚硬,浅褐色带淡红色,用以制农具和家具。树皮用于鞣革及作地表覆盖物。

tanbur 坦布尔琴 又拼tambur。一种长颈的诗琴,从巴尔干半岛到亚洲西北部以各种名称出现。它非常像古希腊的潘多拉琴和古埃及、巴比伦的长形诗琴,琴身呈梨形,琴颈有品位;有2～10道金属双弦,用前轸和旁轸张开,无轸斗。坦布尔琴从中世纪以来始终是受大众欢迎的乐器。它的派生乐器有希腊的武祖基琴、罗马尼亚的塔姆布里察琴、印度的锡塔尔琴和塔姆布拉琴。

Tancred 坦克雷德(?～1194-02-20,巴勒莫) 西西里国王,在位期甚短,成为诺曼人统治西西里的最后一位国王。他是罗杰二世之孙。1155年因谋反威廉一世而入狱5年。1161年又参与政变,被迫逃亡国外。13年后率队远征亚历山大,后来指挥西西里舰队。1190年加冕,成为国王。1191年,神圣罗马帝国皇帝亨利六世要求继承西西里的王位,挥师南进,侵犯坦克雷德在大陆上的领地,包围那不勒斯,但未获成功。3年后亨利六世又试图夺取西西里。在亨利到达西西里之前,坦克雷德猝然死去。

Tancred of Hauteville 坦克雷德(欧特维尔的)(?～1112-12-12,安条克) 安条克的摄政,第一次十字军的首领之一。原为意大利南部贵族,与叔父博希蒙德一同参加十字军。在西利西亚初露头角,从土耳其人手中夺得塔尔苏斯。在十字军的大部分主要战役中,他都是一个重要角色。1099年攻克耶路撒冷,他荣获加利利公爵称号。1101～1103年任安条克公国摄政。1104～1108年任埃泽萨摄政。他是北叙利亚首要的拉丁权贵,终身与土耳其人和拜占廷人作战。

Tandil 坦迪尔 阿根廷布宜诺斯艾利斯省东南部城市。在坦迪尔山脉北端。在南美大草原内。1823年建立。1856年印第安人进攻后,大多数移民逃走,数年后方返回。1895年建市。空气清新、山景秀丽,为疗养和娱乐胜地。著名的圣周节吸引了大量游客。1961年城郊建起大坝,控制富埃尔特和布兰科河的季节性洪水。经济以农业为主,畜牧业也占重要地位。有轻工业。人口79 400(1998)。

tandoori cookery 唐杜里烹饪法 印度烹饪法。把木炭火盛在圆筒形泥炉中而后在炭火上烹饪。炉形如大瓶,炉高至少一米,将它埋入地下使其颈部齐地面。将木炭在炉中点燃数小时,以加热炉子;然后把浸过酸奶及香料的肉放在炉内烧。烧法是用串肉扦将肉串起,将肉扦直立在炉中,一端放在炉底灰里。肉串以天然染料作卤汁染成橘红色。同时将一种发酵的椭圆形面包悬挂在炉内颈部烘烤。用此烹饪法在炉中烤架上迅速烤制沾过卤汁的无皮整鸡是最受赞扬的菜。

Tandridge 坦德里奇 英格兰萨里行政、历史郡一区。位于萨里东南部,北邻大伦敦,有良好的公路和铁路相通。但崎岖的地形限制了都市区扩展到该区。山坡上林木繁茂,有一些可耕地。面积250平方千米。人口约79 400(1998)。

Tandy, James Napper 坦迪(1740,都柏林～1803-08-24,法国波尔多) 爱尔兰政治家,不成功的革命者,人民英雄。18世纪80年代任爱尔兰志愿军炮兵司令。1791年在都柏林参

不列颠博物馆供图

加创立激进的爱尔兰人联合会支部。1793年被迫流亡,1795年前往美国费城,1798年赴巴黎,法国政府授他以将军衔,派他回爱尔兰招募一支反抗英国人的军队。同年9月他在多尼戈尔海岸附近的拉特兰岛登陆,但当天即放弃这一冒险行动。当绕道返回法国时,在汉堡被捕(1798-11),被引渡给英国(1799-09),在爱尔兰受审,被判处死刑(1800-04)。但在拿破仑的要求下,被无条件释放,1802年3月前往波尔多居住。

Tandy, Jessica 坦迪 参阅**Cronyn, Hume; and Tandy, Jessica 克罗宁与坦迪**。

Taneev, Sergey (Ivanovich) 参阅**Taneyev, Sergey (Ivanovich) 塔涅耶夫**。

Taney, Roger Brooke 坦尼(1777-03-17,美国马里兰卡尔弗特县～1864-10-12,华盛顿[哥伦比亚特区]) 美国最高法院的第五任首席大法官。主要以**德雷德·斯科特裁决(Dred Scott decision; 1857)**闻名。1795年毕业于宾夕法尼亚州的迪金森学院。1799年在安纳波利斯市取得律师资格。曾在马里兰州的州议院担任代表一年,随后就定居于该州的弗雷德里克市从事法律业务。早年他是保守

美国国会图书馆供图

的联邦党成员。1816年被选进州参议院。后移居巴尔的摩市,并被公认为优秀的律师。1827年他被任命为马里兰州的总检察长,这时他和当时民主党的领袖A.杰克逊站在一起。杰克逊于1828年当选为美国总统,并于1831年任命他为联邦司法部部长。在首都华盛顿任职期间,他是民主党内反对中央银行(美国银行)的一位出色的发言人。他竭力劝告总统否决国会提出重发该行执业许可证的法案,并起草了否决函的大部分,还建议政府从该行提出存款转存到一些州银行里去。这使他成了全国有名的人物。1833年杰克逊任命他为财政部长,但参议院于1834年6月拒绝批准,这是国会首次拒绝批准总统对一位阁员的任命。又经过若干周折,最后于1836年出任美国最高法院的首席大法官。虽然他接受保守的传统和维护州的权利,但他并没有去推翻他前任首席大法官马歇尔所树立起来的联邦拥有最高权力的主张。他虽坚信主权可以分割,但也认为决定权力如何分享问题是最高法院的事。这时他领导的最高法院的另一个重要意见是有关特许状所赋予的权利问题。在“查尔斯河桥梁公司诉沃伦桥梁公司”(1837)一案中,他和多数大法官的意见是:未经具体赋予的权利不能从文件中望文生义地加以引申。在“德雷德·斯科特诉桑福德”这一著名案件(1857)中,他和多数大法官的意见是,斯科特是一个奴隶,而作为奴隶他并不是美国公民,所以不能在联邦法院提出诉讼;国会无权从美国领地中排除奴隶制。这一判决使美国国内愈趋分裂,从而大大贬低了最高法院的威信。但在州的权力威胁或干预联邦权力的场合,他总是维护联邦最高权力地位。在他主持下,联邦司法权力扩及企业公司,同时联邦政府还被认为可以独掌

外交大权。此外，他还极力维护国会对联邦财产和领地的权力。作为一个虔诚的天主教徒，他认为奴隶制是罪恶，他释放了自己从祖辈继承下来的奴隶。但他相信奴隶制是应逐步解决并主要由蓄奴州来解决的问题。尽管他的思想背离了他那个时代主要的历史潮流，但他对美国宪法的本质和发展有着持久的影响。

Taneyev，Sergey（Ivanovich）　塔涅耶夫（1856-11-25，俄国弗拉基米尔地区～1915-06-19，莫斯科）　Taneyev 又拼 Taneev。俄国作曲家、钢琴家、音乐理论家，19 世纪俄国音乐中对位技术的主要应用者。作曲师承柴可夫斯基，钢琴师承 N.鲁宾斯坦。1878 年中断钢琴演奏生涯，赴莫斯科音乐学院继任柴可夫斯基之职。1885 ～ 1889 年任该学院院长。1905 年为抗议当局对革命采取的措施愤而辞职，继续从事钢琴演奏与作曲。经过 20 年的努力于 1909 年完成两册关于严格对位法的著作。作品有歌剧三部曲《奥雷斯捷阿》(1895)、两首三重奏及一部合唱与管弦乐曲《诵读诗篇》(1914)。塔涅耶夫不喜欢19 世

供图：Hachette—J. P. Ziolo

纪的音乐，但对柴可夫斯基的作品却情有独钟，并完成了他的一些未完之作。他把对位法看作数学上的一个分支，钦佩文艺复兴时期的作曲家。但他精心创作的作品却都显示出浪漫派的美感。

Tanezrouft　塔奈兹鲁夫特　撒哈拉沙漠的地区。在阿尔及利亚南部和马里北部。包括向东方延伸的阿哈加尔（霍加尔）高原的部分高地，西部倾斜成低地，南部为沼泽地带。当地缺水，空旷荒凉，植被稀疏。现有经贝沙尔（阿尔及利亚）和加奥（马里）纵穿撒哈拉南北的公路通过。莫里斯·科尔捷站是南北商队的燃料供应站。仅有少数图阿雷格人居住。在地表数千英尺下有大面积蓄水层。

Tang ——：　唐朝帝王　按在位时间顺序排列，并以● 为标记。

● **Tanggaozu Li Yuan　唐高祖李渊**（566，中国长安[今西安]～635，长安）　中国唐朝开国皇帝，618 ～ 626 年在位。字叔德。祖籍陇西狄道（今甘肃临洮）。出身隋朝军事贵族，袭封唐国公。隋朝末年任太原留守。乘隋朝崩溃时起兵，约法 12 条，争取旧贵族官僚及民众支持，并通使突厥策应，迅速占领首都长安。618 年称帝，改国号唐，建元武德。6 年后统一全国。高祖以隋朝制度为基础，重

中国大百科全书出版社供图

建中央地方行政机构，修订法律税制，使国内局势初步稳定。626 年"玄武门之变"后退位为太上皇，传位于次子李世民。

● **Tangtaizong Li Shimin　唐太宗李世民**（598 ～ 649）　中国唐朝第 2 位皇帝。高祖的次子，626 ～ 649 年在位。年号贞观。传统的史家们把唐太宗形容为 617 年其父起兵消灭隋朝时的驱策力量，但可靠资料证明，当时他

台北故宫博物院供图

只是一个次要角色。在最初攻打隋朝首都的战役中，他与其兄李建成均为统帅。李世民以善于用兵、精于韬略而使自己出类拔萃，在攻取东都洛阳及转战东部平原地区时，战功卓著。621 年，高祖委以重任，命李世民节制东部地区军政事宜，驻节洛阳。李世民于是组建起自己的区域行政部门，并招纳一批才智之士充任官吏。李世民在洛阳巩固自己的势力，他的长兄李建成却卷入一场未遂政变，但被赦免。李建成还从李世民管辖的机构中拉拢一些人，使之叛离，并阴谋杀害李世民。公元 626 年，他们的关系达到势不两立的地步，李世民伏兵在玄武门击杀了太子李建成和四弟李元吉，是为"玄武门之变"。之后他把既成事实奏明高祖。两个月后，高祖退位为太上皇，将帝位传于李世民。

唐太宗的形象千余年来不仅受到中国历代帝王的敬仰，也受到日本、朝鲜政治家们的崇拜，中国北部诸民族的统治者们对他也尊奉为"天可汗"。这些见于《贞观政要》(708 ～ 710 年)。书中把太宗描绘成一位威武而果敢的皇帝，在一批既有才干而又可以肩负重任的大臣如魏徵、杜如晦、房玄龄、长孙无忌等的辅佐之下治理国家。书中还叙述了他善于纳谏和关怀民情的种种细节。

不论太宗的统治方式如何，唐朝大多数基本政策和机构都已由其父高祖早经规划就序。政府的组织体系、详细典章制度，均告完成。唐代的法典为后来东亚许多国家提供了范例。太宗的任务就是促使这些举措有效地运转起来。他曾把大部分精力投入恢复正常的文官政治以及建立一套统一的文官制度上。他实行轻徭薄赋的政策，推行府兵制，其目的在于设置一项庞大的、经常的而又能自给的兵力储备体系，服现役者豁免租税及劳役，收到寓兵于农之效。他的进步性政策和措施符合历史发展规律，促成了社会安定、生产发展的升平景象，史称"贞观之治"。

太宗为了对付山东诸豪族，诏令编纂一全国士族宗谱汇编，将皇家列于篇首，以抑豪强巨族。他把高祖所设各所国学加以扩充，并置国子祭酒以督导之；另设州学、府学包括医药方技学校在内，遍于全国；并开始有计划地校勘儒家经典，为各类科考人员提供标准注疏刻本。此外还编撰正史。太宗一面在京都建立新秩序，另方面对东突厥和西突厥用兵，开始远播其权威于现今新疆地区、蒙古和中亚境内各王国，沿丝绸之路向西扩张。645 年入侵高句丽国，以惨败告终。但太宗终为唐王朝赢得了很高的国际声威。

太宗初立长子李承乾为太子，但因其政变未遂，被废为庶人，另立其第 9 子李治为继位人，即后来的高宗。太宗晚年著《帝范》一书，以教戒太子，书中总结了他一生的政治经验，也对自己的功过进行了评述。

● **Tanggaozong Li Zhi　唐高宗李治**（628 ～ 683）　中国唐朝第 3 位皇帝。太宗第 9 子。649 ～ 683 年在位。年号永徽、上元、弘道等。即位后遵循唐初政策，社会经济发展，人口增加，史称"永徽之治"。655 年 10 月废王皇后，立武则天为皇后，导致当权的唐宗室贵族官僚集团与出身低微的官僚集团间争夺权力的斗争。武则天在后一势力支持下从 664 年起垂帘听政，掌握国家权力。高宗在 40 岁后患病，由武则天主持朝政，成为傀儡皇帝。死后，武则天于 690 年正式称帝，改唐为周。

● **Wu Zetian　武则天**（624～705）　又拼 Wu Tse-t'ien。中国历史上唯一的女皇帝。年号天授、长安等。名曌。并州文水（今属山西）人。14 岁选入宫为唐太宗才人。太宗死后为尼；唐高宗即位再入宫。永徽六年(655)立为皇后，乘高宗体弱多病，参与朝政，威势日重。674 年高宗称"天皇"，武后称"天后"，与高宗并称"二圣"。683 年高宗死，中宗李显即位，武则天临朝称制。次年废中宗，立睿宗李旦，继续临朝称制。690 年再行废斥，自称

圣神皇帝，国号周，改元天授。神龙元年(705)宰相张柬之等乘武则天患病发动政变，迎中宗复帝位，尊武则天为大圣皇帝，恢复唐国号。同年十一月武则天病卒，与高宗合葬

中国大百科全书出版社供图

乾陵。执政期间引进新人，贬逐长孙无忌等元老重臣。又任命酷吏，屡兴大狱，以诛灭、流放唐朝宗室、朝臣。佞佛造寺，豪奢专断。但能继续太宗遗制，改《氏族志》为《姓氏录》，以五品以上官为士流，抑制势族门阀；又开创殿试制度，增进士科、开制科，以广开仕途。执政50年政局稳定，社会经济发展，人口从380万户激增至615万户。

● **Tangzhongzong Li Xian 唐中宗李显** (656～710) 中国唐朝第5位皇帝。683年即位，由其母武则天临朝掌握政权。翌年废为庐陵王。698年又立为皇太子。705年宰相张柬之率兵入宫逼武则天退位，迎李显复位，恢复唐国号。在位6年(705～710)。年号嗣圣。即位后张柬之等曾劝谏改革弊政，诛武三思，不为采纳。盛兴佛寺，经常游乐，朝政为韦皇后和武三思等把持。707年皇太子李重俊起兵诛武三思等失败。710年被韦皇后、安乐公主母女用毒饼谋杀。

● **Tangruizong Li Dan 唐睿宗李旦**(662～716) 中国唐朝第6位皇帝。710～712年在位。684年其母武则天废唐中宗李显，立旦为皇帝，但不预朝政。690年武则天改唐国号为周，降旦为皇嗣，赐姓武。705年以参预诛张易之兄弟、逼武则天退位功封安国相王。710年中宗被韦皇后、安乐公主毒杀，睿宗子李隆基(唐玄宗)起兵杀韦皇后，睿宗又复皇帝位。但实权为太平公主(武则天女)把持。712年禅位于李隆基，自称太上皇。

● **Tangxuanzong Li Longji 唐玄宗李隆基**(685～762) 中国唐朝第7位皇帝。唐睿宗李旦第3子。712～756年在位。710年率禁卫军消灭韦后及其党羽，拥其父睿宗李旦复位，自为皇太子。712年受禅即位。年号先天、开元、天宝。早期重用姚崇、宋璟、张九龄等名相励精图治，改革弊政。重视法制，奖励发展生产，使经济繁荣，国力富强，首都长安成为当时对外经济、文化交流中心，史称“开元之治”。737年以后沉湎声色，荒废政事，先后信任李林甫、杨国忠等人。骄奢荒淫，官吏贪渎。加以府兵制破坏，京师中原地区武备空虚，边境各镇节度使掌握重兵，755

中国大百科全书出版社供图

年爆发安史之乱，为唐代由盛而衰的转折点。次年叛军入长安时逃奔四川，被迫让位于太子李亨(肃宗)。758年回京后抑郁而死。玄宗擅骑射，通音律、历象之学，多才多艺，为后世所称道。

● **Tangsuzong Li Heng 唐肃宗李亨**(711～762) 中国唐朝第8位皇帝。唐玄宗李隆基之子。756～762年在位。755年安禄山叛乱起兵。次年玄宗出奔四川，李亨北上灵武(今属宁夏)即位，改元至德。命郭子仪、李光弼等募兵，并借回纥军于至德二载(757)收复长安、洛阳。听任宦官李辅国专政，鱼朝恩典神策军，形成宦官专政局面。762年李辅国、程元振杀张皇后，拥立太子李豫(代宗)，肃宗惊忧死。

● **Tangdezong Li Kuo 唐德宗李适**(742～805) 中国唐朝第10位皇帝。唐代宗李豫长子。779～805年在位。曾任天下兵马大元帅，讨伐史朝义，平定河北。即位后改租庸

中国大百科全书出版社供图

调制为两税法，按人口资产等第分夏秋两次征收赋税，并征收间架税、茶税等。因国家财政好转，即着手裁抑藩镇割据势力，但出兵征讨不利。783年泾源兵变，长安沦陷，逃奔奉天(今陕西乾县)。回长安后对藩镇又采纵容姑息政策，使黄河南北藩镇割据势力更加发展。因猜忌大臣宿将又重用宦官。796年用宦官窦文惕、霍仙鸣为左右神策军拥军中尉，开宦官统掌中央禁军制度，形成宦官挟制皇帝的局面。

● **Tangshunzong Li Song 唐顺宗李诵** (761～806) 中国唐朝第11位皇帝。唐德宗李适之子。为太子时已信任王叔文、王伾等居中用事。804年患风病卧床不起。805年德宗卒，扶病即位。在位8个月。以王叔文为翰林学士与王伾、刘禹锡等筹谋改革，如贬贪暴的京兆尹李实、放宫女、停止宫市、谋夺宦官兵权等。但在宦官俱文珍与部分朝臣、藩镇反对下，被迫退位，称太上皇，由太子李纯(宪宗)即位。

● **Tangxianzong Li Chun 唐宪宗李纯** (778～820) 中国唐朝第12位皇帝。唐顺宗李诵之子。805～820年在位。即位后重用裴度、李绛等有才能的宰臣，整顿江淮税赋以增加财政收入；并利用藩镇间的矛盾先后消灭西川、浙西、夏绥、淮西、淄青等割据势

中国大百科全书出版社供图

力，迫使宣武、魏博、成德、卢龙、易定、横海等藩镇归顺唐朝，全国基本上恢复统一，号称“中兴之主”。820年为宦官陈弘志所杀，此后唐朝进一步形成宦官专权局面。

● **Tangwenzong Li Ang 唐文宗李昂** (809～840) 中国唐朝第15位皇帝。827～840年在位。826年宦官杀死其父唐穆宗李恒后被拥立为帝。831年与朝官宋申锡谋诛宦官未成。835年再与宰相李训等密谋以左金吾卫大厅庭院石榴树上夜有甘露，诱宦官仇士良等前往观看，图一网打尽。因所伏甲兵暴露，仇士良等奔回挟制文宗发兵诛杀李训、郑注等大批朝官，株连千余人，史称“甘露之变”。文宗亦被仇士良软禁，忧郁而死。

● **Tangxizong Li Xuan 唐僖宗李儇** (862～888) 中国唐朝第19位皇帝。原名李俨，后改名李儇。873～888年在位。童年即位，受宦官田令孜挟制。880年黄巢起义军攻克长安，僖宗逃亡成都。黄巢军退后才回京。后田令孜为争夺河中盐地，与河中王重荣、河东节度使李克用发生战事。河东军乘胜进逼长安，田令孜拥僖宗再逃奔凤翔、宝鸡，继又出走兴元。888年僖宗才回长安。不久病卒。

Tang 汤(活动时期约公元前18世纪) 中国商王朝(前17～前11世纪)的建立者。传说名履，又称成汤、武汤、武王、天乙，殷墟甲骨文称成或唐。西周甲骨与金文称成唐。原为臣属于夏的商部族首领。与有莘氏通婚，任用能臣伊尹为辅佐，积聚力量准备灭夏。以亳(今河南商丘东南)为基地，连续攻灭葛(今河南陵宁北)、韦(今河南滑县东南)、顾(今山东鄄城东北)和昆吾(今河南许昌东南)等国，经11次征战，成为中国当时的强国。后与夏决战于鸣条(今河南封丘东)之野，一

中国大百科全书出版社供图

举灭夏。此后大会三千诸侯，汤被推为天子，建立商朝。统治期间注意约束大臣，关心生产，减轻征敛，安抚民心，扩展了疆域，影响远及黄河上游。传建国之初天大旱，5年无收，汤准备自焚祈雨，恰值天雨而止，以此深得民众爱戴。

tang **白头澳鹏** 鸣禽，鹏（chat）的一种。

tang(fish) **刺尾鱼** 参阅**surgeonfish**外科医生鱼。

Tang DYNASTY **唐**（618～907） 中国历史上继隋朝之后的重要王朝。李渊（唐高祖）、李世民（唐太宗）父子建立。都西京长安（今陕西西安），以洛阳（今河南洛阳东）为东都，通称"二京"。唐代国家法制、经济、思想文化、科学技术和中外交流等方面都取得了辉煌的成就，对周围各国均有巨大影响。唐初继承隋的国家法制，建立起有效能的中央和地方行政机构，实行经过改订的府兵制、科举制、均田制、租庸调制和户籍法，重视法制和官员的选拔，发展农业生产，兴修水利事业，因而国势强盛。手工业与农业生产技术达到很高水平，商业和城市十分繁荣，第一次出现了汇兑制度。唐朝实行儒家学说和佛、道两教并重政策，在中央和地方设置培养官员的学校，大力赞助文学、音乐、艺术的创作，因而文化非常繁荣。儒家经典的整理、注疏及其传播超过前代。佛教兴起许多宗派，与道教成为影响极大的宗教。诗歌创作丰富，产生了大批不同流派的伟大诗人，并兴起了古文运动。火药、刻板印刷书籍和天文钟首创于唐代。长安、洛阳和沿海城市经常有大批东方和中亚各国使者、留学生、商人、艺术家、传教士往来，促进了中国与外国经济文化的交流。755

陕西三原李寿墓出土的唐代壁画《牛耕图》
中国大百科全书出版社供图

年驻守唐朝东北地区的将领安禄山率兵叛乱，一度攻占洛阳、长安。这次叛乱虽被平息，但地方军将的权力从此膨胀，在部分地区形成割据势力。同时由于宦官擅权和朝官的党派纷争，朝政日趋腐朽，使国势逐渐衰落。874年爆发了黄巢领导的农民大起义。907年唐朝为后梁的朱温所灭。共历21帝，290年，包括武周政权。

Tang Aoqing **唐敖庆**（1915-11-18，中国江苏宜兴～2008-07-15，北京） 中国物理化学家。1940年毕业于西南联合大学。1946年赴美人哥伦比亚大学化学研究院，1949年获

中国大百科全书出版社供图

博士学位。1950年回国，任北京大学化学系副教授、教授。1952年后，历任吉林大学教授、校长、名誉校长兼理论化学研究所所长。1955年受聘为中国科学院数学物理学化学部学部委员。1981年被评选为国际量子分子学科学院院士。曾任中国化学会理事长。唐敖庆专长物理化学和高分子物理化学，特别是量子化学。他的论文《分子内旋转的阻碍势函数问题》获得1956年中国科学院自然科学三等奖；他与其研究集体关于配位场理论的研究，获1982年国家自然科学一等奖。他关于"分子轨道图形方法与应用"和"高分子固化理论"的研究，分别获1986年国家教育委员会科技进步二等奖。20世纪70年代提出的局部对称性概念和计算公式，扩大了分子轨道对称守恒原理的应用范围。已发表学术论文140余篇；有《配位场理论方法》（1979）、《分子轨道图形理论》（与人合著，1980）、《量子化学》（1982）、《高分子反应统计理论》（1985）等著作。

Tang Feifan **汤飞凡**（1897-07-23，中国湖南醴陵～1958-09-30，北京） 中国著名病毒学家。1914年在长沙甲种工业学校求学，1921年毕业于湖南湘雅医学院。获美国康涅狄格

中国大百科全书出版社供图

大学医学博士学位。1925～1929年，他与美国H.秦瑟研制出现代微滤膜的雏型醋酸火棉胶膜，用于测定病毒颗粒的相对大小。1929年回到中国，协助创建中央大学医学院。1929～1936年他通过物理方法实验，有力地支持了"滤过性病毒"是有生命的微生物的学说；他是最早研究菌质体科学家之一。1935年他阐明菌质体的多形态性及其在宿主细胞内的发育周期；他证明日本人野口英世认为是沙眼致病菌的颗粒杆菌（*Bacillus granulosis*）不致病，推翻了沙眼的"细菌病原说"。1954

唐代长安城含元殿复原设计图
中国大百科全书出版社供图

年进一步阐明沙眼包涵体的本质，1955 年分离培养出第一株沙眼衣原体（原名沙眼病毒）IE_8，成为世界上发现重要病原体的第一个中国病毒专家。1981 年国际沙眼防治组织授予他沙眼金质奖章。1940 年他在昆明改建了中国最早的生物制品生产研究机构；1943 年在他领导下研究出第一批国产青霉素；1946 年在北平创立中国第一个抗生素研究室和青霉素车间。他还培养造就了一批微生物学、免疫学和生物制品学人才。其主要著作有：《超滤研究》（载美国《实验医学杂志》）、《沙眼病原研究的最新进展》（载《中华医学杂志》外文版）、《沙眼病毒与沙眼病之研究》（与周诚浒合著）和《沙眼病原研究》（1～4，与张晓楼等合著）。

Tang Jiyao 唐继尧（1883-08-14，中国云南会译～1927-05-23，昆明） 又拼 T'ang Chi-yao。中国民国时期滇系军阀首领。字蓂赓。清末秀才。1904 年留学日本，次年加入同盟会，1908 年毕业于日本士官学校。1909 年回国后任云南督练公所提调，讲武堂教习、监督，新军参谋官、管带等职。1911 年武昌起义爆发，唐继尧参加起义，任云南都督府军政、参谋两部次长。翌年率师入黔，称贵州都督。1913 年任云南都督兼民政长。1915 年参加护国讨袁，1917 年参加护法运动，不断扩充实力称霸西南。1921 年被滇军军长顾品珍驱逐下台，1922 年打败顾品珍重掌云南政权。1927 年 2 月，其部下龙云等发动政变，迫其交出政权。不久病死。

T'ang Jo-wang 参阅Schall von Bell, Adam 汤若望。

Tang Junyi 唐君毅（1909～1978-02-02） 又拼 T'ang Chün-i。中国现代哲学家。四川宜宾人。1932 年于南京中央大学哲学系毕业。曾担任中央大学助教、讲师、教授、哲学系主任；后期任香港中文大学讲座教授。唐君毅对西方哲学和东方哲学进行了综合和研究，除了以 6 卷《中国哲学原论》（1966～1975）对中国整个哲学传统予以系统的再解释之外，在 2 卷本《生命存在与心灵境界》（1977）中建立了一个新的哲学体系，将宇宙万事万物都看作是求超越的过程，生命存在不仅是为存在而存在，乃是为超越自己而存在；心灵的活动也是在这个基础上，从现实的生活逐渐向上求更高的价值，最后止于天德与人德一致的最高价值世界。他的世界观是继承和发展中国儒家传统的人文主义的世界观。他的这部著作发表后，西方有的学者认为可与柏拉图、康德的著作媲美，并誉为中国自朱熹、王守仁以来的杰出哲学家。此外，还著有《道德自我之建立》（1944）、《中国文化之精神价值》（1953）、《人文精神之重建》（1955）、《文化意识与道德理性》（1958）、《中国文化之精神价值》（1976）等。

T'ang-ku (China) 参阅 Tanggu 塘沽。

T'ang-ku-la Mountains 参阅 Tanggula Shan 唐古拉山。

Tang shi 唐诗 英文作 poetry of Tang dynasty。唐代（618～907）诗歌是中国古代文学发展的重要阶段，代表了中国古代诗歌艺术的最高成就。

初唐诗开始摆脱南朝诗风的影响，被誉为"初唐四杰"（Four Great Poets of Early Tang Dynasty）的王勃、杨炯、卢照邻和骆宾王把诗的题材从宫廷转向边塞，诗歌的内容和形式得以开拓。武则天时期的诗人陈子昂提倡复古，反对六朝绮靡诗风，被看作是改变唐代诗风以至文风的第一人。与他同期的诗人杨炯、杜审言、李峤、沈佺期、宋之问等则对诗歌从永明体到五、七言律诗的定型作出了贡献。玄宗开元、天宝年间（713～755），诗歌全面繁荣，名家大量出现。边塞诗以高适、岑参、王昌龄为代表，作品气氛浓郁、情调悲壮，多用七言歌行或七绝；田园山水诗以王维、孟浩然最知名，诗作色彩清淡，意境深幽，多用五言律绝或五言古体。李白、杜甫则是盛唐诗歌最高成就的代表。

中唐初期国家衰落，诗风"气骨顿衰"。永贞革新和元和中兴以后出现了不同的诗歌流派，如元稹、白居易、张籍等人提倡新乐府，写下大量反映现实、批评时政的政治讽喻诗；韩愈、孟郊、李贺等人重主观情思的自由抒发，追求怪奇之美。

晚唐五代诗风渐趋纤巧。李商隐、杜牧伤时忧国，哀怨深沉；温庭筠才思清绮，虽有佳篇秀句，但风格轻浅。此后诗家多效法前人，艺术上未见重大突破。

唐代诗歌体式多样。古体受新体诗影响，往往杂入律句。乐府多不合乐，或借旧题写新意，或立新题记新事。五七言律诗是唐代新兴诗体。五律经王绩、初唐四杰，至沈、宋实现体制规范化。七律兴起略晚，沈佺期、宋之问始有成篇，至李商隐达到成熟。唐诗的又一重要体式是绝句。绝句源于乐府，有古绝和律绝。古绝、律绝又分五言和七言。绝句可用于合乐歌唱，在唐诗诸体中与音乐关系最为密切。唐代的诗歌选本均已佚失。宋以后选本有李昉《文苑英华》、郭茂倩《乐府诗集》、沈德潜《唐诗别裁集》等。明胡震亨《唐音统签》1 033卷。清季振宜《唐诗》770 卷，彭定求等据以编成《全唐诗》900 卷，收2 200余诗人48 900余首诗；今人王重民等的《全唐诗补编》又辑出1 000余诗人的6 290首诗。

Tang Xianzu 汤显祖（1550-09-24～1616-07-29） 又拼 T'ang Hsien-tsu。中国明代戏曲作家、文学家。字义仍，号若士。江西临川人。1583 年中进士。历任南京太常寺博士、礼部主事。1591年因上疏弹劾朝官，降任广东徐闻典史。后调浙江遂昌知县。5 年后终因不附权贵免官，居临川"玉茗堂"专心戏曲创作。1598 年作传奇《牡丹亭还魂记》，1600 年作《南柯记》，1601 年又作《邯郸记》。三剧与 1587 年重写的《紫钗记》合称"玉茗四梦"。以《牡丹亭》为代表作。写杜丽娘不堪封建礼教拘束，偕侍女春香游园散闷。梦中与书生柳梦梅相爱，醒后怀春伤春郁郁而死。3 年后柳途经此地得丽娘画像，深为爱慕。丽娘幽灵遂与梦梅相见，并复生与柳结为夫妇。全剧揭露封建礼教对青年男女精神上的摧残，热情歌颂追求自由幸福的爱情和要求个性解放的精神。曲词优美，人物刻画细腻生动。当时曾在各地演出，明代戏曲家且多有改编本，其中《游园惊梦》等出，至今仍在上演。明清戏曲家摹拟汤文词风格，称为"玉茗堂派"或"临川派"。有《玉茗堂集》。近年中华书局整理重编有《汤显祖集》。

陈作霖摹汤显祖画像，1838 年
中国大百科全书出版社供图

Tang Yao 唐尧 参阅 Yao 尧。

Tang Yin 唐寅（1470～1523） 中国明代画家。字伯虎，一字子畏，号六如居士、桃花庵

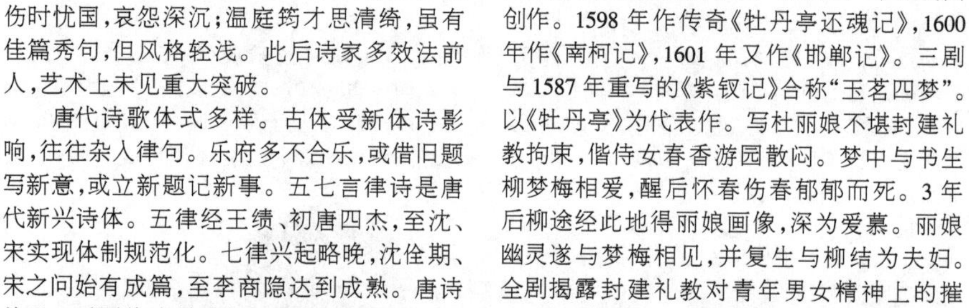

唐寅绘《南行图》（1505）
美国史密森学会供图

主等。吴县(今江苏苏州)人。29 岁时应天府乡试第一,会试时因涉嫌被革黜,乃不求仕进,遨游东南各省,览匡庐、祝融、洞庭、武夷、天台之胜。归而致力绘事,以卖画为生。狂放玩世,不拘礼法,自称"江南第一风流才子"。民间对他的传说很多。师事沈周,与祝枝山、文徵明、徐祯卿、张灵等为友,切磋文艺。沈周因材施教,让他从学于周臣。唐寅擅画山水、人物、花鸟。其山水对宋元以来大家"靡不研解",而又能发挥自己兼擅宋元清隽秀逸的艺术风格。一变斧劈皴为细长挺秀的线条皴法,有时结合使用"披麻"、"乱柴"等皴法,益显秀劲流动之趣。其烘染墨彩明洁湿润,亦别具匠心。故恽寿平云:"六如居士笔墨灵逸,李唐刻划之迹为之一变,洗其勾斫,涣然神明。"盛大士更说:"其皴法虽似北宗,实得南宗之神髓者也。"运化宋元南北,使之天衣无缝,合而为一,艺术成就远远超过其老师周臣。他的造景除平远清幽的江南山水之外,还常见雄奇险峻之作。在他的作品中还可以看到一些生活气息较浓和关心人民生活的作品。所画古木枯树,老干槎枒,笔墨苍郁,气魄沉雄,可以与沈周媲美。画人物"亦深于李伯时(公麟)",如《风木图》可谓至性感人。画美人特有风致,如《秋风纨扇图》密切联系着自己的身世,题咏悲凉。二图堪称明代人物画的代表作。所画水墨写意花鸟比沈周似更明秀简练,是沈周之后,陈淳、徐渭之前最重要的画家。后人将他和沈周、文徵明、仇英合称"明四家"。他的山水明代虽有传人,但成就不大。清初王翚、吴历、恽寿平三大著名画家,都曾向他学习。他能诗文、工书法,也长于作散曲。题画诗多能发明画意,清真奇逸,兴寄深至。

Tang Yongtong　汤用彤(1893-06-21,中国甘肃渭源～1964-12-10)　又拼 Tang Yung-tung。中国近现代哲学史家、佛教史家。字锡予。祖籍湖北省黄梅。1914年入北京清华学堂。

中国大百科全书出版社供图

1917 年毕业后在清华学堂任教并兼《清华周刊》总编辑。1918 年赴美国,先在汉姆林大学攻读哲学,继入哈佛大学研究院习梵文和巴利文。1922 年获哈佛大学哲学硕士学位后回国。历任东南大学、南开大学、中央大学、北京大学、西南联合大学哲学系教授、系主任,曾被中央研究院选为院士、评议员。1947 年应邀在美国加利福尼亚大学讲学。1949 年后,担任北京大学校务委员会主席、副校长,中国科学院哲学社会科学学部委员。汤用彤一生主要致力于中国佛教史、魏晋玄学及印度古代哲学史的研究。他的研究领域是早期中国学者很少注意到的。他系统地阐述了佛教从印度传入中国唐朝时期的历史发展过程及其特点、佛学思想与中国传统思想的相互关系;详细地考察了中国佛教各个学派和宗派的兴起、衰落及各事件原委;对中国佛教史料中关于佛教传入汉族地区的时间、佛教历史上的重大事件、佛经的传译、重要的佛学论著、著名僧人的生平等都作了认真的考证和诠释。他校点了梁朝慧皎和尚(479～554)的《高僧传》,这是研究中国佛教史的一部最重要的著作。他所著的《读慧皎〈高僧传〉札记》于 1931 年发表,为以后学者进行研究指明了道路。他对印度哲学史也有深入、全面的了解,在所著《印度哲学史略》(1945)一书中,采录了中国所保存的不少重要史料,并作了考证和品评。已出版的著作还有:《汉魏两晋南北朝佛教史》(1938)、《隋唐佛教史稿》(1982)、《汤用彤学术论文集》(包括《魏晋玄学论稿》、《往日杂稿》、《康复札记》等,1983)。

Tanga　坦噶　坦桑尼亚东北部城市和港口,地处印度洋的奔巴海峡。该城是 14 世纪由波斯商人在海岸上建立的。在 16 和 17 世纪,内地形成的一些本地人的国家受桑巴人控制。在 19 世纪 40 年代,阿拉伯和斯瓦希里商人进入该地区内地寻找象牙,后又搜寻奴隶。欧洲人在 19 世纪到达该地区后废除了奴隶贸易,并建立教会。19 世纪 80 年代初,该地区成为德国殖民地。90 年代在德国殖民统治下,坦噶城有很大发展。港口设施现代化,坦噶—莫希铁路促进农业发展,使坦噶成为该地区出口西沙尔麻和咖啡的主要港口。在第一次世界大战中结束了德国人的殖民统治,英国人在 1917 年进行接管。第一次世界大战后,铁路与中央干线相连,坦噶可直通首都达累斯萨拉姆。1961 年坦噶尼喀独立后,坦噶周围地区成为坦噶尼喀不可分割的一部分。1964 年坦噶尼喀与桑给巴尔合并,又成为坦桑尼亚的一部分。种植的作物有西沙尔麻、棉花、粟类、油籽、玉米、香蕉和木薯。许多居民养牛和捕鱼。当地制造业有纺织、胶合板、家具、化肥、纸制品和肥皂。附近开采盐、云母、石膏和铜。有公路和铁路,有机场。随着达累斯萨拉姆港口的改建,坦噶作为港口的地位相对衰落。人口约 187 634(1988)。

Tangail　栋盖尔　孟加拉国中北部城市。位于贾木纳河(布拉马普特拉河)东岸。重要的手工棉纺织中心和城郊农产品诸如稻米、黄麻和油籽等的贸易中心。有公路通往达卡、迈门辛和贾马勒布尔。设有达卡大学的几所学院。人口 77 518(1981)。

Tanganyika, Lake　坦噶尼喀湖　东非第二大湖。世界最长的淡水湖(660 千米)和仅次于贝加尔湖的第二深湖(1436 米)。湖宽 16～72 千米,面积约32 900平方千米,为坦桑尼亚和刚果(金)界湖。地处东非大裂谷西支的南端,湖岸大部分是陡坡。湖水稍咸。入湖主要河流有马拉加拉西河、鲁济济河和

布隆迪布琼布拉附近的坦噶尼喀湖

供图:Kay Honkanen—Ostman Agency

卡兰博河,卡兰博河上有世界上最高的瀑布之一(215 米)。湖水出口是卢库加河。该湖位于东非和西非植物区的分界线上。沿岸种植水稻和油棕榈等作物,渔业有一定重要性。有许多河马和鳄鱼。鸟类品种很多。沿湖重要港口有布琼布拉(布隆迪)、卡莱米(刚果[金])以及乌吉吉和基戈马(坦桑尼亚)。欧洲人在 1858 年第一次来到该湖。

Tange Kenzō　丹下健三(1913-09-04,日本四国岛今治～2005-03-22,东京都)　第二次世界大战后日本最著名的建筑师之一。1935～1938 年就学于东京帝国大学,后在前川国男事务所工作,1942～1945 年回到大学任教,1949 年任教授,1974 年为荣誉教授。他最著名的早期作品是广岛和平中心(1946～1956)。此后几年设计了很多有名的公共建筑,如东京市政厅(1952～1957)、静冈市会堂和仓吉市市政厅(1955～1957)、仓敷市市政厅(1958～1960)。香川县高松市的办公楼(1955～1958)被认为是现代建筑和日本传统建筑相结合的优秀范例。早期作品大都为轻型钢框架的长方形建筑。60 年代丹下利用钢筋混凝土和革新的工程技术,创造了形式更加大胆动人的作品,1964 年在东京举办奥林匹克运动会设计建造的代代木国家体育场(1961～1964)实际上是两栋建筑物,布置在悬索结构之下形成整体,呈现出两片不对称但平衡的弯曲的大屋顶,巧妙地显示了日本传统的风格。在毁于第二次世界大战的东京基督教堂旧址上,1962～1964 年他设计了圣马利亚教堂,曲面墙体从地面的斜四边形平面绵延升起,到顶端又集聚为一个水平十字形的天窗。60 及 70 年代,丹下完成了许多海外的设计任务,其中有沙特阿拉伯、阿尔及利亚、伊朗和中国台湾等地的大学校舍及大使馆等。1966～1970 年完成了在大阪举行的 1970 年日本世界博览会总体设计。丹下亦是一位有影响的著作家、教师和城市规划师,1960 年出版东京地区发展规划的论著。

tangent　切线　在几何学中,与一已知曲线交于一点的直线(或光滑曲线)。曲线在该点的斜率即等于切线的斜率。切线可视为当割线与该曲线相交的两点相互接近时该割线的极限位置。切平面和其他几何平面可用类似的办法定义。

tangerine(*Citrus reticulata deliciosa*)　**橘**　芸香科植物柑的变种,果形较小,果皮薄。可

能原产于东南亚，并沿商路传布到远达地中海沿岸的国家。现代，橘的栽培遍及旧大陆和新大陆的亚热带地区，尤其是南欧和美国南部。亚利桑那、加利福尼亚、得克萨斯的格兰德河流域及海湾各州均有作为商品作物栽培者。橘树株形小于其他柑橘类果树，枝条细。叶披针形。果实两端稍扁，果皮易剥离，深红橙色，瓤囊易分离，果肉柔细多汁，味浓，含大量维生素C。橘皮味芬芳，可提取精油，用于数种调味品及酒类，橘有些品种能耐运输。商业上销售的品种有明尼奥拉橘、奥兰多橘、丹西橘及塞米诺尔橘等。橘与葡萄柚杂交产生的杂种称橘柚。

橘（*Citrus reticulata deliciosa*）
供图：Grant Heilman—美国不列颠百科全书公司

Tanggu 塘沽 又拼 T'ang-ku。中国天津市辖区，中国重要港口天津新港（旧称塘沽新港）的所在地。位于市东部，渤海湾西岸海河口。距天津市区约45千米，距北京160千米，素称“京津海上门户”。辖11个街道、1个镇。面积688平方千米。元朝时期南方漕粮利用海运至此，始有人烟，后捕鱼煮盐者增多，逐渐形成一些沿海渔村。1421年明成祖迁都北京后，为防倭寇，在大沽口戍重兵，在北塘筑炮台，塘沽移民剧增。清光绪十一年（1885），李鸿章创建大沽船坞。1939年日本侵略者在此筑港。1949年3月建塘大区隶属天津市，1952年改称塘沽区。塘沽有丰富的石油、天然气、海盐、地热、水产品等自然资源，地理位置十分重要。20世纪80年代末以来陆续建成中国北方最大的海港、天津经济技术开发区、天津保税区和天津市海洋化工、海洋石油、船舶修造等工矿业的重要基地。有制盐、化工、石油、造船、机电、建材、五金、轻工、毛纺等工业。长芦塘沽盐场是中国最大的海盐生产基地，年产原盐140万吨，约占中国产量的1/10。天津碱厂、大沽化工有限责任公司、渤海石油公司、新港船厂、新河船厂等都是大型重要企业。天津新港现通航170多个国家和地区、300多个港口。京沈铁路、京津塘高速公路、津塘公路经此，交通方便。有中国重点保护文物大沽炮台及宋庆龄渤海儿童世界、海滨浴场、潮音寺等名胜。人口480 000（2005）。

天津新港俯瞰
中国大百科全书出版社供图

Tanggula Shan 唐古拉山 又拼 T'ang-ku-la Mountains。中国西藏自治区山脉。为长江、澜沧江、怒江的发源地。藏语“唐古拉”意为“高原上的山”。东段为西藏与青海的界山，东南与横断山脉相接。山脉高度在5 000～6 000米左右，最高峰各拉丹冬雪山海拔6 621米。两侧山麓平原海拔4 600～4 800米，因而相对高差仅为1 300～1 500米。雪线海拔5 400～5 500米。山峰上发育有小型冰川。气温低，年平均气温-4.4 °C（沱沱河站），有多年冻土分布，冻土厚度70～88米。青藏公路经此。植被以高寒草原为主，混生有垫状植物。地热资源非常丰富，有煤、铁等矿藏。

Tangier 丹吉尔 摩洛哥西北区的省和省会名。丹吉尔市濒临直布罗陀海峡一海湾。与西班牙南端相距27千米。已知最初为腓尼基人贸易点。后为迦太基人和罗马人居住地。公元42年成为自由城市，并为罗马毛里塔尼亚廷吉塔那省首府。继罗马统治500年后，先后为汪达尔人、拜占廷和阿拉伯人所有。约705～1471年被伊斯兰王朝占领。1471～1662年被西班牙和葡萄牙占领。后转让给英国。1684年归还摩洛哥。19世纪为外交使团驻地。但英国的贸易和政治影响仍然存在。1912年摩洛哥其他地区沦为法国保护国时，该市具有特殊地位。1923年正式划为国际共管城市（由英国、法国、西班牙、葡萄牙、意大利、比利时、荷兰、瑞典和后来的美国代表组成共管委员会）。此后长期为国际共管地（第二次世界大战西班牙占领时期除外），直至1956年并入独立的摩洛哥王国。1962年以来为王室避暑地。设有美国大学（1968）和北非大学（1971）。为重要的港口和贸易中心。公路和铁路通非斯、梅克内斯、拉巴特和卡萨布兰卡。与欧洲通海运。建有国际机场。现为旅游、建筑、渔业和纺织业（地毯）中心。港口输入谷物和食糖。丹吉尔省面积1 195平方千米。北和西濒大西洋，东和南连得土安省。丹吉尔市资源少，但在该省地位最为重要。农业以蔬菜生产和家禽饲养为主。人口：市约521 735；省约2 036 032（1994）。

丹吉尔市的港口与堤垒
供图：M. Williams—Shostal Assoc.—美国不列颠百科全书公司

Tanglai Qu 唐徕渠 中国古代著名的水利工程。在宁夏回族自治区境内，贺兰山以东，宁夏平原（也称银川平原）黄河以西的河西区。是宁夏境内最大的引黄自流干渠。宁夏平原由黄河冲积而成，河西区长约150千米，宽10～30千米，海拔1 100～1 200米，地势由西南向东北微有倾斜，有利于引水排水。早在2 000年前的秦代便已修建渠道，开垦种植，其中以始建于汉武帝太初三年（公元前102）的水渠规模宏大，设计精密，效益最著。唐代（618～907）又经复浚整修，所以称唐徕渠或唐渠。唐徕渠渠口在青铜峡附近，向北到平罗境内入西河。干渠长约100多千米，有很多支渠。渠线流经青铜峡、永宁、银川、贺兰、平罗5市县，可灌溉农田5.3万余公顷。1953年又将建于清代的大清渠并作唐徕渠的支干渠，由大清渠灌溉青铜峡境内约0.8万公顷农田。

唐徕渠
中国大百科全书出版社供图

Tanglü 《唐律》 中国唐代（618～907）律、令、格、式四种法律形式之一，是传世的中国古代最早、最完整的一部法典。《唐律》是以刑事法典为主而兼具民事法规和诉讼法规的法律规范。它据隋代《开皇律》修订而成。自武德迄开元年间多次修订。今存唐高宗永徽二年（651）颁布的《永徽律》和永徽四年颁行、由长孙无忌等法学家19人撰解释《永徽律》律文的《律疏》，《律》与《律疏》后通称《唐律疏议》。共30卷，12篇、500条（一作502条），对后世及东南亚诸国影响极大。古代日本、朝鲜、越南等国的立法，大都摹仿《唐律》。

新疆吐鲁番阿斯塔那出土的《唐律》残片
中国大百科全书出版社供图

tango 探戈 一种源于阿根廷的舞厅舞蹈、音乐风格或歌曲，约1880年在布宜诺斯艾利斯下层居民区由米隆加舞（一种快速、肉感、

R.瓦伦蒂诺在影片《启示录四骑士》(1921)中与女伴跳探戈舞的剧照
米高梅公司供图

粗鄙的阿根廷舞蹈)演变而来;探戈舞也可能受古巴哈巴涅拉舞的影响。20 世纪初，探戈开始为各界公众所接受，到 1915 年已风靡欧洲上层社会。知名作曲家所谱的第一批探戈舞曲在 1910 年左右刊印。早期探戈舞活泼欢快，但是到了 1920 年音乐和歌词都变成伤感忧郁。同样，舞步也由早先的充满活力变为平稳的舞厅舞步。音乐为 4/4 拍。西班牙探戈舞及舞曲轻松活泼，是弗拉明科舞和音乐的变体，可能受阿根廷探戈舞影响。

tangoreception (physiology)　参阅 **touch reception** 触觉。

tangsancai　唐三彩　中国唐代烧制的一种低温多彩的铅釉陶器。在盛唐武则天至中唐开元、天宝时期(684 ～ 756)最流行。除日用器皿外还制作殉葬用品。从永泰公主、懿德

唐三彩马
伦敦维多利亚和艾伯特博物馆供图

太子等墓中出土的三彩俑还施加金彩，精美异常。唐三彩胎体用白色黏土，施以含铅的低温釉，混有铁、铜、锰、钴等多种金属作呈色剂，在 750 ～ 850 °C间烧成。陕西西安、河南洛阳和巩县都有唐三彩窑址。唐三彩对后代的宋三彩、辽三彩和元、明、清的珐花陶器、素三彩、五彩瓷器都有很大影响。唐三彩当时即远传国外。在埃及的伏斯泰特、伊朗的萨麻拉、日本的奈良以及朝鲜、印度都曾发现唐三彩残片。与当地民族工艺相结合，出现了埃及三彩、波斯三彩、奈良三彩、新罗三彩等有名品种。

Tangshan　唐山　中国河北省辖地级市。中国重要的煤炭基地，河北省最大的重工业城市。位于省东北部，京山铁路线上。辖路南、路北、古冶、开平、丰润、丰南6区，及迁

唐山市新区的"希望之光"城塑
中国大百科全书出版社供图

西、滦南、玉田、唐海、乐亭、滦县 6 县，并代管遵化、迁安 2 县级市。面积13 206平方千米，其中市区面积 3874 平方千米。100 多年前原是滦州（今滦县）的荒村。清光绪三年（1877）建矿采煤，始设乔屯镇。1880 年开始修筑唐山至胥各庄铁路，为京山铁路的一段。光绪二十四年因镇北有唐山更名唐山镇，属滦州。1928 年改名唐山市，仍属滦县管辖，1938 年正式建市。农业主产小麦、玉米、稻谷、花生，有“冀东粮仓”之称。盛产板栗、对虾。矿产资源丰富，已探明储量的矿藏 47 种。铁矿、煤炭、非金属材料和黄金是四大矿产，具有储量大、质量优、组合好和开发利用方便的特点。冀东铁矿为中国三大铁矿区之一。工业有煤炭、电力、钢铁、机械、建材、化工、陶瓷、纺织等。开滦煤矿是中国最大煤炭基地之一，也是中国建矿最早和设备比较现代化的煤矿，原煤总产量占全省的 1/3。唐山年发电量占京津唐电网的 1/3，陡河电厂为华北地区最大的火力发电厂。唐山钢铁集团公司和冀东水泥股份有限公司生产规模居全省首位，钢产量占全省的 1/2，水泥占 1/4。建筑、卫生陶瓷质量精良，产量占全省的 92%，有“北方瓷都”之称。交通便利，通信发达。京哈、京秦、大秦铁路干线穿境而过，公路四通八达，有 102、205 国道横穿东西，京沈、津唐、唐港高速公路已建成通车。唐山港已有两个 1.5 万吨级泊位建成通航。1976 年唐山发生强烈地震，使唐山遭到严重破坏。震后迅速重建新唐山，现已形成新的城市格局，市中心有抗震纪念馆，市北遵化清东陵是中国现存规模最大、建筑体系最完整的皇帝陵寝，还有景忠山、石臼坨海中天然植物园及金银滩天然海滨浴场等游览胜地。人口：全市 7 090 000（2005）；市区 2 960 000（2004）。

Tanguay, Eva　坦圭(1878-08,加拿大魁北克马布尔顿～ 1947-01-11,好莱坞)　美国喜剧歌舞演员，在海报上被捧为“使轻歌舞剧誉满

坦圭在《莎乐美》中的剧照
布朗兄弟公司供图

天下的女郎”。早年坦圭就随同父母前往美国，8 岁时首次登台演出。20 世纪初，以半裸体服装以及诸如《我毫不在意》之类的淫秽歌曲使观众震惊。随着 20 世纪初期轻歌舞剧的重点从伤感转向色情，坦圭成为收入最高的轻歌舞剧单人表演者。1929 年证券市场崩溃之际，坦圭破产。余生卧床不起，与世隔绝。

Tangub　坦古　菲律宾棉兰老岛西北部西米萨米斯省直辖市。在潘吉尔湾（伊利甘湾中一港湾）北岸。地处连接南三宝颜省和棉兰老岛主要地区的狭长地带的北面。坦古的经济以渔业(主要在潘吉尔湾捕捞虾蟹)为主。椰子(椰干)为该地主要经济作物。有沿岸公路通往北面奥三棉示和奥罗基达。人口 40 401(1980)。

Tangun　檀君　朝鲜神话中的开国君王，为创世主桓因之孙、桓雄之子。桓雄向美女呼气而生檀君。据传说，檀君于公元前 2333 年为国君。各种关于檀君的传说大同小异。一说桓雄由上天下降，居太伯山顶以统治世界。一熊一虎求变为人，桓雄命令它们躲入洞中一百日，以艾、蒜为食，不得见阳光。虎忍耐不住，不久出洞。熊则留在洞中，经过 21 日变成美女，就是檀君之母。这一神话将朝鲜民族的起源与上天联系起来，因此是重要的。传说中檀君与农业的联系导致人们一种推测，即这一神话是以一个曾在黄河流域学习土壤知识的真实首领的事迹为依据的。檀君的诞辰(开日节)阴历十月初三是学生的节日。

Tanguy, Yves　坦圭(1900-01-05,巴黎～ 1955-01-15,美国康涅狄格沃特伯里)　法国出生的美国画家，对超现实主义作出极高的个人贡献。1925 年加入超现实主义画家群，随后参加了超现实主义所有的重要展览。1927 年找到自己独特的绘画风格，坦圭画中的形象、布局及空间都十分含糊。1939年，他迁居美国，1948年成为美国公民。其作品

坦圭绘《恐惧》(1949)
惠特尼美国艺术博物馆供图

几乎都以无垠的荒地为景，衬托无法辨认的生物形态。

Tangyur (Buddhist texts) 参阅 **Bstan-'gyur** 《丹珠尔》。

taṇhā 爱 巴利文，佛教所列十二因缘之一，即贪爱，它引起"取"(追求)。参阅 **pratītya-samutpāda**。

Tani Bunchō 谷文晁(1763，江户[现东京]～1841-01-06，江户) 原名谷正安，又名文五郎。日本画家，创立了一个受中国、日本和西洋风格影响的折衷流派。曾学狩野派，后改师中国北宗(Hoku-ga)，亦受南画(中国南宗，在日本也叫"文人画")及大和绘的影响，创立一种新画派"南北派"(Nanboku gōitsu)，又称"东南派"。他还引进西洋透视画法。虽然他艺术高超，知识渊博，但其画缺少自然气质。某些成熟作品，尤其肖像画具有写实主义笔法。他还著有几部艺术史。

谷文晁的山水画
东京国家博物馆供图

Tanimbar Islands 塔宁巴尔群岛 印度尼西亚马鲁古省马鲁古登加拉县的岛群，约有30个岛屿。延德纳(Yamdena)岛最大，南岸港口萨温拉基是岛上主要城镇，东岸是长满稠密森林的丘陵，西海岸较低，多沼泽。包括延德纳岛北面的拉腊特在内的周围岛屿，海岸多为岩石峭壁，沿岸植被浓密。延德纳岛南面的塞拉鲁岛颇为平坦，有大面积草地。群岛总面积5 625平方千米，位于历史上火山活动带的外侧。河流稀少，缺乏淡水，产玉米、稻米、椰子、西谷椰子、芋类、大蕉、芒果、番木瓜等。1629年荷兰人到来，1639年便声称对群岛拥有发现权，但直至1900年才建立统治地位。居民基本上是巴布亚人种的大洋洲黑人，但亦有与蒙古人的大量混血种，有许多人信仰泛灵论，而少数人信仰伊斯兰教和基督教。房屋建在高脚架上，棕榈叶盖顶，柱子上有雕刻装饰。男人们造船技术熟练，捕捞海参和玳瑁，饲养猪，加工铁、铜和金器。人口55 405(最新统计)。

Tanis 塔尼斯 《圣经》称琐安，今名圣哈杰尔-吉卜利耶赫。尼罗河三角洲古代城市，下埃及第14省省会，一度为全国首都。为距亚洲最近的港口。第二十一王朝的法老在此建都，并建造一座巨大的阿蒙神庙。第二十二王朝的利比亚法老仍住在塔尼斯。1939年在神庙院内发掘出第二十一和第二十二王朝的一些完整的王室坟墓。人口6 328(最新统计)。

Tanis, Table of (ancient Egyptian inscription) **《塔尼斯法典》** 参阅 **Canopus, Decree of** 坎诺普斯法令。

tanistry 选举继承制 凯尔特各部落的一种习俗，主要流行于苏格兰和爱尔兰。这种习俗规定，国王或氏族首领要由全体家长举行大会选出。当选者终身任职，其条件则为成年人，富于才具，身心健全。与此同时，遵循同一习俗，一名储君或首领继位人也要选出，以便在国王死去或被废黜时立即继位。有时国王之子成为储君，但并非由于长子继承制已得到承认，而仅仅是根据"传位于长者与贤者"这一原则来行事，长子之外，也可能是兄弟、侄辈或堂兄弟这些属于同一血统的人们。这种继位制度使野心家得以觊觎君位，常常成为家庭之内或氏族之间的权力之争的根源。这种制度，在苏格兰詹姆斯一世(1406～1437)时期明令废止，代之以英格兰的长子继承制。

Tanit 坦尼特 又拼Tinith，Tinnit或Tint。古代迦太基人所信奉的主要女神，相当于腓尼基人的阿斯塔特。此女神可能与天有关，体现母性，其像常饰有象征化育力的徽号。她或许是迦太基的主神巴力哈蒙的配偶，称"巴力之面"。在礼拜此女神和巴力哈蒙时要宰杀儿童(可能是头生子)举行人祭。

Tanite DYNASTY 塔尼泰王朝 埃及第二十一王朝(公元前1075～前945)。因第一位国王斯门德斯以塔尼斯(尼罗河三角洲)为都，故名。该王朝先后共7位国王，能控制上埃及底比斯势力强大的祭司，但库施地区似保持独立。在该王朝期间，埃及对巴勒斯坦和叙利亚地区统治趋于削弱，导致这些地区涌现出一批兴盛的小王国。

Tanizaki Jun'ichirō 谷崎润一郎(1886-07-24，日本东京～1965-07-30，汤河原) 日本现代重要小说家。他作品的特点是色情描写和讽刺机智。他最早的、以《刺青》(1910)为例的短篇小说同麦伦坡与法国颓废派的作品相近。1923年从东京迁往比较保守的大阪地区之后，他似乎转而探求比较传统的、日本的美的理想。《食蓼之虫》(1929)是他最出色的长篇小说之一，它反映了他本人价值体系的变化；小说描写一桩不幸的婚姻，实际上是新与旧之间的冲突，作者暗示旧的必将取胜。1932年，谷崎开始把紫式部的不朽古典名著《源氏物语》译成日本近代日语。这一工作肯定对他的风格产生了深刻的影响，因为在30年代，他写了一批结构松散的抒情作品，令人联想到平安时代的随笔，而《源氏物语》就是以平安时代为背景的。他的另一部主要小说《细雪》(1943～1948)以日本古典文学的闲适风格描述近代社会怎样粗暴地侵犯传统的贵族社会。战后他的作品《钥匙》(1956)和《疯癫老人日记》(1961～1962)中有色情的描写，说明他年轻时代的故态复萌。他的《文章读本》(1934)是一部篇幅不大的评论杰作。谷崎作品的特点被认为是文学上对"永恒的女性"的探索。

供图：Nippon Kindai Bungaku-Kan，Tokyo

Tanjore (India) **坦焦尔** 参阅 **Thanjāvūr** 坦贾武尔。

Tanjung Karang 丹戎加兰 印度尼西亚苏门答腊东南部楠榜省省会和自治市。丹戎加兰连同其姊妹城直落勿洞港一起是周围采矿、农业和饲养牲畜地区的贸易和转运中心。工业主要是家庭式的，有木材加工、金属器皿、编织篮筐、手工纺织、陶器与砖瓦制作。出口茶叶、咖啡、橡胶、白银和胡椒。丹戎加兰有一机场，并有公路通往潘姜和哥打布米。楠榜大学创建于 1965 年。人口（丹戎加兰-直落勿洞城市区）284 275（1980）。

tank 坦克 靠两条称为履带的环形金属链来运动的有强大火力和重装甲的战斗车辆。坦克的武器通常有 1 门装在旋转炮塔上的火炮，还有轻型自动武器。在现代步兵作战中，坦克是主要的地面突击武器。

第一次世界大战中发明了坦克作为有装甲防护的进攻车辆，以便能穿过泥泞和不平坦的堑壕战地域。在这方面，轮式车辆是无用的。几个欧洲国家将内燃机装到履带式车辆上，1915 年英国海军部“坦克委员会”（Landship Committee）率先将几种拖拉机改装用于军事目的。翌年第一批这种“坦克”被派往法国，1916 年 8 月 15 日，在第一次索姆河战役中投入实战。这些早期的坦克火力较弱，装有机枪和小口径炮。在第一次世界大战的康布雷战役（1917-11-20）中，坦克首次起到了决定性作用，当时 474 辆英国坦克突破德军防线，随后协约国在战争中投入的坦克数量越来越多。

一些著名的坦克型号

名称及国家	时间	重量（吨）	主要火炮口径（毫米）	速度（千米/小时）
马克Ⅰ(英国)	1916	30	57	6
施纳德(法国)	1917	15	75	6
雷诺 F.T.(法国)	1918	7½	37	10
装甲战斗车(德国)	1938	7～20	37 或 47	64
T34(苏联)	1939	26～32	76	40
谢尔曼(美国)	1941	33	76	39
黑豹(德国)	1943	45	75	46
虎(德国)	1942～1944	55～68	88	38
约瑟夫·斯大林(苏联)	1944	46	122	37
百人队队长(英国)	1945	52	105	34
T54,T55(苏联)	1948	36	100	51
M47,M48(美国)	1951～1953	44～48	90	40～48
M60(美国)	1959	48	105	48
T62(苏联)	1963	36½	115	50
酋长(英国)	1963	52	120	40
豹Ⅰ(西德)	1965	40	105	65
AMX-30(法国)	1966	36	105	65
T-64(苏联)	1975	40	125	60～70
梅卡瓦 MKⅠ(以色列)	1979	60	105	46
豹Ⅱ(西德)	1979	55	120	72
T-80(苏联)	1982	42	125	75
挑战者 1/2(英国)	1983/94	62	120	56
M1A1/A2(美国)	1985/92	57	120	67
梅卡瓦 MKⅢ(以色列)	1990	61	120	55
勒克莱尔(法国)	1992	55	120	71

第一次世界大战后，法国和英国制造轻型坦克用于像骑兵那样作战，也制造速度较慢的重型坦克用于近距离支援步兵作战。但是到 30 年代，只装备重机枪的轻型坦克很容易被装备 37～47 毫米火炮发射高爆炮弹的重型坦克摧毁。因此，德国和苏联从 30 年代中期开始研制装甲更厚、装备直径达 76 毫米口径火炮的重型坦克。

第二次世界大战中，德国的坦克部队虽然在欧洲不是最大的，但最先得到最有效地使用，因为只有德国装甲部队组成在进攻中有强大突击力的快速机动密集队形。1939～1941 年头两年的战役中，德国坦克部队没有遭到重大挫折。在战争进程中，德国和苏联研制坦克，制定了标准。1943 年，德国的黑豹式坦克投入战斗，这种坦克装有 1 门 75 毫米火炮，初速是以前的 2 倍，有巨大的穿甲能力。德国也生产出虎式坦克，重 55 吨，属于战争期间部署的最重的坦克，装备 1 门 88 毫米火炮。苏联也研制了重型坦克，1944 年生产出约瑟夫·斯大林式坦克，装备 1 门初速较小的 122 毫米火炮。

第二次世界大战以后，所有坦克都首先要具备与其他坦克作战的能力，为此装备了更大口径火炮。大多数现代化的坦克重 50 吨或更重，装有大功率柴油发动机，使坦克速度达到 64 千米/时或更快。这种坦克装有 120 毫米口径或更大口径的火炮。由于坦克的主要功能是摧毁其他的坦克，因而都有特别加固的重装甲，发射的炮弹则是特制的能穿透这种装甲的穿甲弹。典型的坦克有 3 人或 4 人的乘员组。中型和“主战”坦克用执行特殊任务的轻型坦克来补充。参阅 **armoured vehicle**。

tank destroyer 自行反坦克炮 又称 assault gun（自行突击炮）或 self-propelled artillery（自行火炮）。第一次世界大战中小范围使用、第二次世界大战中广泛使用的重要武器。与坦克相比，其装甲较薄，但火炮的威力大、射程远。口径通常为 88 毫米（德）和 90 毫米（美）。因无炮塔和厚装甲，较坦克易制造，但也较易为敌炮火所摧毁。

tank farming 桶箱农业 参阅 **hydroponics** 溶液栽培。

tanka 短歌 文学术语。指历史上曾是日本诗歌基本形式的 5 行、31 音节的诗。“短歌”一词与**和歌**（**waka**）同义，但后者含义更广，指所有古典形式的日本传统诗歌。

tanka（in Tibetan Buddhism） 参阅 **thang-ka** 唐卡。

tankard 大酒杯 16世纪后半叶至18世纪末期在北欧（特别是斯堪的纳维亚、德国和不列颠群岛）以及殖民地时期的美洲广泛用于饮啤酒的杯子。杯体通常呈圆筒形。有一个带铰链的盖（带尖顶或不带尖顶），一般带有掀盖用的拇指压杆；并且通常带一个卷轴状的手柄。17、18 世纪许多大酒杯的手柄上有一个用来召唤侍者的哨子。除了高矮和容量不同以外，大酒杯在形状方面没有什么变化。虽然有时用牛角、牙雕、陶和瓷制作（均镶以金属），但大多数大酒杯系用贵金属，特别是用银和白镴制成。17 世纪后期出现了一些大号的大酒杯，由法人团体或行会委托制作，用于礼仪或作礼品。

S.弗农约 1705 年制作的北美银质大酒杯

供图：Diplomatic Reception Rooms, Department of State

tanker 油轮 又译液货船。为运送散装液态货物而设计的船。货物通常为石油产品，或者是从油田运往炼油厂的原油，或者是从炼油厂运往销售中心的汽油。液体用管道输进货舱，不需要用油桶或其他容器。运送其他液体如糖浆、沥青、酒或液化天然气等可用专门的油轮。油轮不同于一般的货船，它通常是单程满载而回程空载。油轮大小不一，从长 60 米，总载重量 1 500～2 000 吨的沿海船，到 50 万吨以上的大船（水面最大的船）。使用超级油轮的经验证明，油轮愈大，运油的直接费用愈低，并且显然没有限度。建造更大油轮的限制是缺乏适当的岸上设备。自然资源保护论者对这种大油轮持反对态度；油轮在海上受到损伤时，会造成大量泄漏，并对鱼类和其他野生动物以及附近沿岸地区造成巨大损害。油轮的推进器几乎都是位于船

中型油轮（总载重量 6 万吨）

供图：Newport News Shipbuilding and Dry Dock Co.

尾。货、油舱占船的长度的60%，通常在船首有一个和压载或燃料箱在一起的普通货舱。货舱与船的前、后部均用空的隔离舱、水密舱分开。油轮具有艏楼(艏部的附加干舷甲板)和艉部舱房，其中设有驾驶室及其他导航设施，通常还有某些船员的住所。艉楼是艉部的附加干舷甲板，设在机房上方，并有多层甲板室为其余船员提供住所。N.莫斯特脱于1974年出版了有关油轮和超级油轮的著作《超大型船》。

Tanluan 昙鸾(476～542) 又称昙峦。中国南北朝僧人。山西雁门(今代县)人。少年出家，研修般若学"四论"(《中论》、《百论》、《十二门论》、《大智度论》)与佛性学说。后因病痛到江南求"长生不死"方术，访道士陶弘景，得"仙经"10卷。北归途中遇北印度僧人菩提流支，得《观无量寿经》一部，说是解脱生死仙方。于是转而专修净土。东魏孝静帝尊为"神鸾"，敕住并州大寺，晚年移住汾州玄中寺。主要著作有《无量寿经优婆提舍愿生偈注》(简称《往生论注》)2卷，《略论安乐净土义》和《赞阿弥陀佛偈》各1卷，奠定净土立宗基础。昙鸾后成为日本净土真宗所立"三国七祖"的中国三祖之一。

tanna 坦拿 又拼tana。古代一批犹太教学者的称号。他们共有数百人，大约二百年之久陆续编纂口传律法。他们大多数活动于巴勒斯坦。3世纪初犹太亲王在他们的努力的基础上编成《密西拿》(Mishna)。继坦拿之后而起者通称阿摩拉。

Tanna 坦纳岛 又拼Tana。太平洋西南部瓦努阿图的火山岛。长40千米，宽19千米。面积549平方千米。最高点梅林峰海拔1 084米。热带气候，水源充沛，森林茂密，土壤肥沃。出口椰干和牛。东南岸有亚苏尔活火山。该岛为土著宗教货物崇拜的中心。人口19 825(1989)。

Tannenberg, Battle of 坦嫩贝格战役(1410-07-15) 又称格林费尔德(波兰称格林瓦尔德)战役。在波兰北部(原东普鲁士)的坦嫩贝格(波兰称斯滕巴尔克)进行的波兰-立陶宛联军大胜条顿骑士团的战役。此战役标志着条顿骑士团沿波罗的海东南海岸扩张的结束及其势力衰落之始。波兰-立陶宛联军向该骑士团的据点马林堡挺进，在格林费尔德和坦嫩贝格两村庄与骑士团军队遭遇。骑士团虽击败立陶宛军，但波军阵形未乱。经10小时战斗，骑士团军队被击溃，其大首领、大多数指挥官以及205位骑士均阵亡。接着骑士团占据的许多普鲁士城堡向波兰-立陶宛联军投降。只有由H.R.冯·普劳恩防守的马林堡未陷落。1410年9月波兰-立陶宛联军撤退。

Tannenberg, Battle of 坦嫩贝格战役(1914-08-26～30) 第一次世界大战初期，在坦嫩贝格(即波兰的斯滕巴尔克)进行的一次战斗，最后德军战胜俄军。两支俄国军队，一支由P.连年坎普夫将军率领，另一支由A.萨姆索诺夫率领，于1914年8月侵入德国的东普鲁士。连年坎普夫8月20日在贡宾嫩打了一个胜仗，但未能同萨姆索诺夫保持联系。德军司令兴登堡和鲁登道夫采纳霍夫曼中校的方案，于8月26日在坦嫩贝格以南乌兹多沃附近投入全部兵力对付萨姆索诺夫孤军。萨姆索诺夫败退，几天之内损失近一半人员。9月中旬俄军被迫退出东普鲁士。德军俘虏10万人，萨姆索诺夫自杀身亡。

Tannenberg, David 坦内因贝格(1728-03-21，上卢萨蒂亚～1804-05-19，美国宾夕法尼亚约克) 德国出生的美国管风琴制造家。1740年随摩拉维亚教会的移民到美国，在宾夕法尼亚州伯利恒定居。1757年，管风琴制造家J.G.克莱姆加入这一宗教居民区不久，坦内因贝格充当其助手，直到克莱姆于1762年去世为止。1765年，他移居宾夕法尼亚州利蒂茨。其与众不同的精湛手艺给他带来了名匠的声誉。他继承了克莱姆的南德意志工艺传统。据说他所制32架管风琴都漆上白色，镶以金边，雕工精美。这些管风琴主要为小教堂而制，只需一排手键盘。最大管风琴是为宾夕法尼亚州兰开斯特三一信义会教堂(1774)和费城锡安信义会教堂(1790)所制。他还制造拨弦键琴和维金纳琴。晚年，P.巴赫曼(1762～1837)充当其助手并继承其产业。

Tanner, Beatrice Stella 坦纳 参阅Campbell, Mrs. Patrick 坎贝尔(夫人)。

Tanner, Väinö (Alfred) 唐纳(1881-03-12，赫尔辛基～1966-04-19，赫尔辛基) 芬兰稳健政治领袖，政治家，内阁总理。在1918年芬兰内战后，对重建芬兰社会民主党发挥作用，此后坚持反对对苏联的要求作出让步，并反对对芬兰独立的任何侵犯。1907年作为社会民主党党员进入芬兰议会。1918年内战期间，反对社会民主党与共产党力量联合，在他们失败后，他帮助沿着民主议会路线重新组织芬兰社会民主党。除1926～1927年任总理外，在两次世界大战之间屡任财政部长。1939～1940年冬季战争时，他任外交部长，支持政府的强硬路线，反对苏联提出的要求。第二次世界大战时始终在内阁岗位上团结芬兰战争后方的工人阶级。此后芬兰政府在苏联的压力下将他投入狱中。1949年出狱，仍为社会民主党领袖，重返议会。

Tännforsen 坦福尔森 瑞典西北部最壮观的瀑布之一。在耶姆特兰省因达尔河上游。分为两个平行的瀑布。总落差37米，跌入诺恩湖。

Tannhäuser 汤豪泽(约1200～约1270) 德国抒情诗人，后成为一个民间传说中的英雄。作为职业爱情歌手，他曾为许多贵族恩主效劳。关于他的生平所知不多，只知他曾广泛旅行，几乎可以肯定他曾参加1228～1229年的十字军东征。他的《抒情短诗》现存6首，有舞蹈歌和爱情歌若干首，还有一组箴言诗。他的传说保存在一首民谣《汤豪泽》之中。这民谣可以追溯到1515年，传说的原本可能产生于13世纪。讲述汤豪泽被诱到维纳斯的宫廷，过着人间花天酒地的生活，不久就深感后悔，他遂前往罗马朝圣，请求宽赦他

供图：Universitatsbibiothek, Heidelberg

的罪愆。教皇对他说，由于他的朝圣杖再也长不出叶子来，他的罪愆也就不能饶恕。在失望之中，他再次返回维纳斯宫廷。可是不久，他那被弃置的手杖却开始长出绿叶。教皇派使者来找他，但是再也未能见到他。这个传说在19世纪的作家当中很受欢迎。其中最著名的是瓦格纳的音乐剧《汤豪泽》。

tannin 单宁 又称单宁酸。一种介于淡黄至淡褐色间的非晶态物质，其形状有粉状、片状或海绵状。大量分布于植物中。主要用于鞣革、织物染色、墨水制造及医药配制。单宁水溶液呈酸性且具有涩味，它也是茶叶具有涩味、颜色及某些香味的原因。单宁通常存在于多种植物的根、木质部、茎皮、叶子或果实中，尤其是栎树皮、漆叶或槲仁树干果中，亦存在于棓子(虫瘿)中。单宁除用于鞣革和染织物外，亦用于澄清酒类和啤酒，也可加入油井的钻井泥浆以降低其黏度，还可加于锅炉用水以防止生成锅垢。单宁因具有止血和收敛性质，可用于治疗扁桃体炎、咽炎、痔疮及皮疹；也可用于体内抑止腹泻和肠内出血；又可用作解毒剂以治疗因金属、生物碱或糖苷引起的中毒，因单宁可与这些物质生成不溶性沉淀物。单宁溶于水，可与铁盐生成深蓝或深绿色溶液，此性质可用于制造墨水。单宁按化学性质可分为水解单宁和缩合单宁两类。水解单宁(在水中分解并与水反应生成其他物质)可生成各种水溶性产物如没食子酸、原儿茶酸和糖。棓单宁或称普通单宁酸是人们最熟悉的水解单宁，是用水或有机溶剂自土耳其或中国棓子中萃取而得。秘鲁土产的 *Caesalpinia spinosa* 所含之棓单宁则与棓子中所含者类似，是精制单宁及棓酸的主要来源。欧洲栗树及美洲栗栎树所产水解单宁则主要用来鞣革。较大一类的缩合单宁所生成的不溶性沉淀物则称为鞣革红或红粉，重要的缩合单宁系从白雀树、红树林植物或荆树的木质部或树皮萃取而得。

tanning 鞣皮制革法 将动物的生皮或毛皮制成皮革的化学处理过程。鞣革剂排出蛋白质纤维缝隙中的水分，使这些纤维组织胶合在一起。使用最多的三种鞣革剂是植物单宁酸、无机盐（如硫酸铬）及鱼类或动物的油。参阅 **leather**。最古老的鞣皮制革法是利用含单宁酸（鞣酸）的植物性物质对毛皮的蛋白组织引起的化学作用。植物制革似乎在史前时代就已经存在。历史上，希伯来人以栎树皮制革，埃及人则用巴布尔橡胶树果荚。罗马人使用树皮、特定的树木及浆果。阿拉伯人用树皮及树根制革，并在中世纪时将这种技术经由西班牙传入欧洲。到18世纪，人们已经知道栎树皮、漆树叶、槲果壳与铁杉木等材料在制革中的作用。近代的鞣皮制革程序在基本上并无改变，系将毛皮浸在大桶中，桶中装有浓度逐渐增加的液剂或从植物萃取的单宁酸液体。铬盐制革始于19世纪末，这可能是2 000年来皮革制造化学上的第一次改变。它有两种方法，一种是二次浸洗法，动物生皮首先以轻度铬酸溶液浸洗，在第二次浸洗时，硫代硫酸钠和其他种类的酸与铬酸起化学作用，产生碱性铬盐，沉淀在毛皮的纤维组织上。另一种一次浸洗法较为普遍，系将动物生皮浸在旋转的鼓状容器中，容器中装满浓度逐渐增强的硫酸铬溶液。铝盐与锆盐也可用来制革。油鞣制革是一种古老的方法，用于柔软、多孔的毛皮，如羚羊皮与鹿皮，使之反复润湿与干燥，亦不致损伤毛皮。先将鱼油涂布在动物生皮上，用铁锤将油压入生皮内，再将毛皮挂在烤炉中，被氧化的油就会附着在毛皮的纤维组织上。鞣皮制革的两种主要原料——动物生皮及植物单宁酸——几乎到处都有，因此制革在世界各地颇为盛行。在进行工业化的地区或国家中，制革迄今仍是最先被建立的工业之一。

Tannu-Ola 唐努乌拉山脉 俄罗斯图瓦南部山地。从阿尔泰山向东延伸约560千米。山顶平均海拔2 500～2 700米。最高点在西唐努乌拉山的萨格雷峰，海拔3 061米。东唐努乌拉山的最高点杰斯片峰，海拔2 591米。山北属叶尼塞河水系，南属库苏古尔湖水系。北坡覆盖着泰加林，南坡为草原植被，高处为山地苔原。俄蒙边界在此山脉的南坡或靠近其南坡。

Tano 端午节 朝鲜农历五月初五，迎接夏天、敬神祭祖的节日，是最古老的节日之一。传统上在这天举行朝鲜式摔跤比赛，妇女则比赛荡秋千，还有跳假面舞、歌咏和欢宴等庆祝活动。节日的食品是艾糕（据说艾可以避邪）和鱼汤。此外还举行一些有益健康的活动，如饮药茶。相传夏季每天饮用药茶有降暑热之功效。人们还用各种花煮水洗头，以驱邪去病。常以特制的扇子馈赠他人。虽已不再是官方节日，但仍作为节日庆贺，特别是在农村地区。

Tano River 塔诺河 加纳西部河流。源出泰奇曼附近，南流400千米于科特迪瓦阿比澙湖注入几内亚湾。下游为加纳、科特迪瓦边界。自河口至塔诺索约95千米通航。再上行则为苏特雷瀑布所阻。塔诺河和安科布拉河流域有采矿（金、铝土矿）业和木材业，产椰干、棕油和橡胶等。

Tanoan languages (North American Indian languages) **塔诺诸语言** 参阅 **Azteco-Tanoan languages 阿兹特克-塔诺诸语言**。

Tanomura Chikuden 田能村竹田（1777-07-14，日本木戈省～1835-10-20，大阪） 日本画家，原名田能村孝宪。先向当地画师学习，后至江户（现东京）成为文人画画家谷文晁的弟子。隐居绘画，自成一格，运用柔和笔触，表现大自然的宁静、凄清意境。主要以花鸟、山水为题材。著有《山中人饶舌》等。

田能村竹田绘《亦复一乐贴》(1832)
奈良宁乐美术馆供图

tanrec (mammal) 参阅 **tenrec 马达加斯加猬**。

Tanshishan site 昙石山遗址 中国新石器时代晚期至青铜器时代的文化遗址。位于福建闽侯县。下、中层发现墓葬30多座，随葬品主要是陶器。下层出土遗物有红陶和橙黄陶，少数陶器上绘有红彩。器形有釜、罐、壶、碗、杯等。中层以灰陶为主。有方格纹，多轮制，器形有釜、鼎、豆、簋、罐、壶、杯等。这两层都属于新石器时代。上层有几何形印纹陶，有些印纹陶上也绘彩，时代当已进入青铜时代。从下层到上层各期文化都有鲜明地方特色，应属古越人的一支地方性文化。

tansy 菊蒿 又称艾菊。菊科有毒草本植物。约50种。味浓烈。原产于北温带。头状花序黄色，纽扣状，花簇平顶，集生，仅有盘花。叶互生，深裂。多茎。有时栽培供药用及杀虫剂。普通菊蒿（普通艾菊，*Tanacetum vulgare*，或普通茼蒿［*Chrysanthemum vulgare*］）又称金纽扣。

普通菊蒿（*Tanacetum vulgare*）
供图：Kitty Kohout from Root Resources

Ṭanṭā 坦塔 埃及下埃及西部省城市和省会。位于尼罗河三角洲，开罗—亚历山大高速公路线，并为通至亚历山大和杜姆亚特两条铁路的交会点。为阿拉伯学术和朝圣的中心。城内最著名的是清真寺和13世纪伊斯兰隐士艾哈迈德·巴达韦的坟墓。除隶属清真寺的伊斯兰学校外，还有隶属于开罗爱资哈尔大学的艾哈迈德阿拉伯学院（现改名为坦塔研究所）。坦塔大学建于1972年，另一所学院在80年代初成立。工业有炼油、轧棉、榨棉籽油、羊毛精纺、面粉加工、烟草制品生产和通心粉制造等。苏伊士至地中海的旧油管道通过该城。人口约334 505(1986)。

tantalite 钽铁矿 铌铁矿（**columbite**）的富钽变种。钽铁矿是金属钽的主要矿石矿物。

tantalum 钽(Ta) 化学元素，周期表Vb族中很硬的银灰色金属。其密度高，熔点也极高，常温下对氢氟酸以外的各种酸都有极好的耐腐蚀性。钽与铌在矿中共生，化学性质也相近，钽在1802年被瑞典化学家A.G.厄克贝里发现，并因氧化物在酸中不能溶解的现象与神话人物坦塔罗斯神的命运一样而得名。不久它被认为就是铌（当时叫钶）。直到1844年，德国化学家H.罗泽用实验证明钽和铌不同的特性。虽然很早就已制备了一些不纯的金属钽，但直到1903年才由俄国化学家W.博尔顿首先制得有延展性的钽，这种钽主要用作白炽灯的灯丝材料。钽较稀少，其丰度和铀差不多。钽和铌共生于铌铁矿-钽铁矿和烧绿石-钽烧绿石矿物系列中。天然金属钽含有一些铌和痕量的锰和金，少量地存在于俄罗斯乌拉尔砂矿中，还可能存在于中亚阿尔泰山脉的砂矿中。钽的矿物学性质参阅自然元素（**native element**）条中表。用溶剂萃取法将钽与铌的化合物分离，然后将其还原成金属钽粉。用粉末冶金法生产块状钽金属。钽最重要的用途是制造电解质电容器和耐腐蚀化学设备。钽电容器是单位体积电容量最高的电容器，广泛用于微型电路。另外，钽还用作电子管吸气剂，用于制造电子管部件、整流器和医用整形器械。由于钽和铌的电子组态相似，并且由于镧系收缩造成钽的离子半径和铌的几乎相同，所以钽在化学上与铌极为相似。钽通常为5价。较低的氧化态特别是+2～+4氧化态的钽化合物也已制得。虽然钽的碳化物TaC已用于制造硬质合金刀具（这种刀具可加工硬金属），但钽化合物在工业上并不很重要。唯一天然存在的同位素钽181是稳定的。钽原子序数73。原子量180.948。熔点2 996 °C。沸点5 425 °C。比重16.6 (20 °C)。化合价2、3、4、5。电子组态2,8,18,32,11,2或(Xe)$4f^{14}5d^{3}6s^{2}$。

Tantalus 坦塔罗斯 希腊传说中宙斯或特摩罗斯（吕底亚的一个首领）与普路托（克洛

诺斯与瑞亚的女儿)的儿子,尼俄珀和珀罗普斯的父亲。他是吕底亚的西皮罗斯国王或弗里吉亚国王和诸神的密友并获准同诸神共食。他在冥界受罚的原因,据不同古代作家的说法是犯了下述罪行中的一种:①他向人类泄露他从上天听到的秘密从而滥用了神的眷顾;②他杀死自己的儿子珀罗普斯,用他做成菜肴给诸神吃以试验他们的观察力,从而触怒了诸神;③他从诸神那里偷取仙食玉液,把它们送给人类。他在冥界所受到的惩罚是:他站在齐颈的水里,他口渴想喝水时,水就退去;他头上悬着果子,他想抓住果子时,风就把果子吹开。一说他头上悬着一块石头随时可以落下把他砸死。

Tantia Topi　坦提亚·多比(约1819～1859-04-18)　又拼 Tatya Tope。1857 年印度兵变领袖之一。马拉塔的婆罗门。虽未经过正式军事训练,但他在叛军将领中也许是最干练的。曾在前马拉塔联邦帕什瓦(统治者)巴吉·罗及其养子那那·萨希伯的军队中服役。他参加过萨希伯对坎普尔英人殖民区的屠杀。1857 年 11 月初,他任瓜廖尔邦的叛军司令,11 月 27 ～ 28 日把温德姆将军赶进他在坎普尔的堑壕。12 月 6 日,他在加尔比被 C.坎贝尔击败。但他仍驻留该地。1858 年 3 月,占西拉尼(女王)被英军包围,他前去解救时再次受挫。在加尔比迎候出逃的女王后,于 6 月 1 日突袭瓜廖尔获得成功。6 月 19 日,他的部队被击溃,但他仍在丛林中作为一个游击战士继续抵抗,直至被出卖就擒处死。

Tantra　坦陀罗　即经咒,论述印度教、佛教和耆那教某些派别中的神秘修炼的经文。按照印度教经籍的正统分类法,坦陀罗指成书迟于吠陀而与往世书相似的梵文论著,论述神学、瑜伽、建寺立像以及宗教习俗;但实际上,它们往往论述民间印度教的更为具体的表征,如咒语、礼仪和标记。坦陀罗中包括湿婆教的阿笈摩、毗湿奴教的本集和性力教的坦陀罗。佛教坦陀罗成书于 7 世纪或更早,《如来密迹》是其中较早而立论趋于极端的著作。这些著作自 9 世纪起陆续译成藏文和汉文,有些梵文原本已失传,仅存藏文和汉文译本。《如意轮坦陀罗》是佛教坦陀罗中的重要者。

Tantric Buddhism　佛教密宗　参阅 **Vajrayāna** 金刚乘。

Tantric Hinduism　印度教密宗　一部分印度教徒为了取得灵智经验和满足世俗欲望而实行的秘术。较吠陀晚近的一部分梵文论典介绍净化身体和约束生理、心理作用的秘术。据说靠这种秘术可以炼就身心,而得以体验最高真理和拜神仪礼的真义,行使法术。密宗对于佛教也有重要影响,并在一定程度上影响耆那教。在印度、尼泊尔、不丹,特别是在中国西藏地区,密宗十分流行。印度教密宗主要讲修炼方法,不强调教义探讨,仅吸收印度教几大学派的理论。密宗教义认为,不二的最高实在具有阴阳两面,湿婆为阳,舍友为阴;一个代表纯粹意识和超然不易的被动性,另一个代表智力的能动性。

Tanucci, Bernardo, Marchese　塔努齐(1698-01-20,意大利斯蒂亚～ 1783-04-29,那不勒斯[今在意大利])　18 世纪那不勒斯-西西里王国杰出的政治家。塔努齐虽然是个北方人,但受到西班牙波旁王朝的亲王唐·卡洛斯的垂青。唐·卡洛斯即后来西班牙的查理三世,曾于 18 世纪中叶统治那不勒斯-西西里,任命塔努齐为司法部第一国务秘书,以后又任他为外交大臣。塔努齐很机敏地执行查理要使意大利南方的王国真正独立的政策。1759 年,当查理继承西班牙王位的时候,塔努齐成为那不勒斯年幼的国王斐迪南四世的摄政之一。1768 年,斐迪南任命他为首席国务秘书,实际上就是首相。但他遭到有贵族们支持的王后玛丽亚·卡罗莱娜的反对,1776 年塔努齐被迫辞职。晚年隐退田园。

Tanūkh　台努赫人　古代阿拉伯半岛南部不同部落和氏族所形成的集团。最初他们进入半岛中部,在 2 或 3 世纪的初期,迁入幼发拉底河中下游以西肥沃地区。他们原为半游牧民族,后在幼发拉底河下游定居,其地称为“希拉赫”。绝大多数台努赫人改宗基督教,但在 7 世纪有几个部落却协助入侵的穆斯林作战。8 世纪后半期,有些台努赫人迁往叙利亚北部;9 世纪时继续迁徙到黎巴嫩。黎巴嫩境内的台努赫人很容易地就接受了德鲁兹教派的政治-宗教教义,即一种伊斯兰教与基督教混合的学说。

T'anŭm(Korean artist)　**滩隐**　参阅 **Yi Chŏng** 李霆。

Tanuma Okitsugu　田沼意次(1719,江户[今在东京]～ 1788-08-25,江户)　日本德川幕府(1603 ～ 1867)著名大臣,传统上认为他是该时代道德败坏的天才之一。他实际上帮助恢复了政府的财政基础,并大大促进了贸易。他是下级官员家庭出身。最初在第 9 代将军德川家重内府当侍从,到第 10 代将军德川家治(1760 ～ 1786)时升为老中。在他完全控制中央政府以后,积极促进国内外贸易的发展。为了增加政府的收入,他不但采取一般的开垦荒地和兴修水利的政策,而且鼓励对外贸易,尤其是同俄国通商。为此目的,曾向北海道和库页岛移民。他不但严格控制国家过去定为专卖品的金、银、铜的贸易,而且把明矾、樟脑、人参、铁、黄铜、石灰甚至灯油都列在专卖品之内。他还努力提高矿业的产量,批准成立各种商会,建立官办贷款机构,为政府收入寻求新的来源。他甚至使货币贬值以增加政府的收益。然而,田昭意次由于鼓励政府中向上司送礼的政策而受到批评。许多人觉得他促进商业发展失策;他们还认为政府应该对商人和贵族阶级日益增长的奢侈生活方式采取惩治行动,藉以恢复过去的尚武精神和封建美德。田昭意次还因他执政时期滋生腐化遭人指责,认为他应对灾荒流行、农民叛乱和工人不满负有责任。他因此成为日本历史上最不得人心的官员之一。德川家治死后,他被免除一切职务,封地也大大缩小,1787 年入狱。

Tanwŏn(Korean painter)　**檀园**　参阅 **Kim Hong-do** 金弘道。

Tanzania　坦桑尼亚　全称坦桑尼亚联合共和国。紧靠赤道南侧的东非国家。面积 935 037平方千米。达累斯萨拉姆是最大城市和政府所在地,政府职能机构即将迁往新首都多多马。坦桑尼亚东濒印度洋,南与马拉维和莫桑比克交界,西与赞比亚、刚果(金)、布隆迪和卢旺达接壤,北与乌干达和肯尼亚毗邻。外围领土有桑给巴尔岛(1 600平方千米)、奔巴岛(984 平方千米)和马菲亚岛(518 平方千米)。人口约35 306 000(2000)。

土地　坦桑尼亚虽然大部分地区是平原和高原,但仍有一些明显的轮廓特征。沿岸地区低洼而狭窄。山系由乌菲帕高原、姆贝亚山脉和伦圭山脉组成,从北向南蜿蜒延伸。乌桑巴拉山脉和巴雷山脉靠近海岸。高地区以白雪覆盖的乞力马扎罗峰为顶点;该山峰是非洲最高峰,高 5 895 米。乌卢古鲁山耸立在达累斯萨拉姆以西 190 千米处。基彭盖雷山脉和利文斯敦山脉俯瞰南部的马拉维湖。坦噶尼喀湖的深度居世界第二位(1 436米),构成了世界最大陆裂谷带的一部分。在马拉维湖以北,该裂谷带分为西裂谷和东裂谷两部分。乞力马扎罗以西的伦盖山是唯一的活火山。这个裂谷形成像潘加尼河谷(从乞力马扎罗向西南延伸到印度洋)和马拉加拉西沼泽这样的洼地。在西部边境有三个湖,其中有维多利亚湖(69 485 平方千米),为世界第二大淡水湖(位居苏必利尔湖之后)。虽然尼罗河、刚果河和赞比西河三条大河均发源于坦桑尼亚,但该国却几乎没有常年不断流的河。坦桑尼亚南部是该国最大的鲁菲吉河流域,占地 157 900 千米。国内许多地区的土壤是黏土,肥力有限。

坦桑尼亚的气候属赤道型,通常随海拔而变化。沿海地区和内地,平均温度 27 °C,湿度高,年降水量各地差异很大,内陆为 30 英寸(760 毫米),沿海地区为 60 英寸以上。中央高原气候炎热干燥,降水量 20 ～ 30 英寸。在维多利亚湖地区,降水量在 30 ～ 90 英寸之间。森林生长在降水量较多的高地地区。西部和南部高原主要是林地。在降水量较少的地区,则生长灌木丛和小树丛。在人们烧过荒的原始森林地区,是林木稀疏的草原。相比之下,著名的塞伦盖蒂平原却是含钙丰富的硬质沉淀地层,由于雨水蒸发已接近地表。中央高原沼泽的芦苇和杂草与沿海港湾茂密的红树林植物形成对比。国家公园和狩猎区占全国面积的 1/7,其中包括著名的塞伦盖蒂国家公园。坦桑尼亚的野生动物有牛羚、象、犀牛、水牛、狮、豹、斑马、长颈鹿、大角斑羚、捻角羚和犬羚。

尽管自 20 世纪 60 年代以来总灌溉面积已大量增加,但全国只有大约 4% 的可耕地。近 40% 的土地是牧场和猎区。坦桑尼亚的金和贱金属的藏量很大。该国还有丰富的煤和天然气储量。

人民　坦桑尼亚已知有大约 120 个种族集团,但其中没有一个能够占主导地位。最大的苏库马人大约占全国1/5的人口，但没有一个其他种族能超过总人口的10%。非洲人以外的人口，包括欧洲人、亚洲人（印度人、巴基斯坦人、果阿人）和阿拉伯人，大约占总人口的1%。主要语系有班图语支、尼罗语支和库施特语支。大多数人口讲班图语支诸语言，其中一半以上人口讲斯瓦希里语。斯瓦希里语是官方语言之一（另一种是英语）。阿拉伯语在沿海地区广泛通行。在宗教方面，该国信奉传统的万物有灵论的人数在逐渐减少。穆斯林占坦桑尼亚人口的1/3，沿海地区最多。另有1/3的人口是基督教徒。

由于人口出生率非常高，坦桑尼亚有大约一半的人口年龄不足15岁。人们选择住地的条件主要由雨量和舌蝇两个因素来决定。舌蝇在林地繁殖极快，使人们在中等雨量的地区居住很危险，因此少雨或无雨地区较其他地区人口密集。这种昆虫对雨量很大或人口密度很高的地区并不构成威胁。因此，坦桑尼亚大多数人口稠密地区都是在周边地区——维多利亚湖沿岸，乞力马扎罗周围的高地和达累斯萨拉姆的沿岸城市区。坦桑尼亚仍然是城市发展最落后的非洲国家之一，城市人口只占总人口的1/3。但是在桑给巴尔岛，有2/5的人口居住在城市。达累斯萨拉姆几乎占总城市人口的1/5。

经济 坦桑尼亚属发展中的中央计划经济，主要以农业为基础。国民生产总值的增长慢于人口增长。人均国民生产值属世界最低之列。

农业在经济中占绝对主导地位。虽然坦桑尼亚的可耕土地极其有限，但农业几乎占国内生产总值的一半，雇用4/5以上的劳动力。由于干旱和燃料、机械的短缺，农业严重歉收经常发生，因此产量极不稳定。政府的政策是鼓励多种植粮食作物（玉米、木薯、高粱、黍类、水稻和大蕉），而少种植经济作物（咖啡、丁香、棉花、西沙尔麻、腰果、茶叶和烟草），但食物短缺仍持续存在。经济作物的出口继续为国家提供主要外汇来源。

钻石产量已严重下降。坦桑尼亚还开采金、盐、宝石、石膏、铁矿、锡和高岭土。煤在西南部开采。达累斯萨拉姆以南的基卢瓦近海发现有天然气。

工业仅占国内生产总值的一小部分，雇用相应比例的劳动力。制造业大多以加工本地商品为基础，并以国营公司占主导地位。除食品加工外，最大的行业有纺织、酿造和卷烟。大约70%的电力由水力发电厂提供。服务业约占国内生产总值的1/3，雇用大约1/7的劳动力。

坦桑尼亚进口（包括机械和运输设备、基础产品、燃料和化学品）总值为出口（咖啡、棉花、西沙尔麻和丁香）总值的两倍以上，外汇严重短缺。主要贸易伙伴有英国、德国、日本、意大利和荷兰。国内2/3以上的发展项目由各种双边互惠赞助提供资金。

政体和社会状况 坦桑尼亚联合共和国1977年宪法将政治权力赋予国内唯一合法的政党——坦桑尼亚革命党。1992年修改宪法，允许其他政党参加政治活动，但革命党仍然是全国主要的政治组织。宪法规定行政权归总统（通常也是革命党主席），总统由副总统和总理协助治理国家。国民议会是最高立法机构，由任命的议员和选举产生的议员组成。后者与总统一起由每5年一次的选举产生。桑给巴尔选举自己的行政机构，管理地方事务；行政机构由当选总统、总统任命的总理和众议院组成。桑给巴尔的总统和立法机构的议员由直接选举产生。

坦桑尼亚政府管理一个包括医院和诊所的全国性医疗服务网。重点主要在预防医学；由于采取了控制措施，人民健康状况已大有改善。主要环境疾病有疟疾、昏睡病、血吸虫病和血丝虫病。营养不良也是一个重要问题。

教育体系分3级：小学、中学和大学。小学为免费义务教育，学制7年。由于只有一小部分学生升入中学，政府鼓励开办职业培训教育。此外该国还有一些专业、职业和宗教学校。几种日报用斯瓦希里语和英语出版。《自由报》是革命党的党报。其他报纸有《每日新闻》，该刊物与坦桑尼亚广播电台一样，都由政府控制；广播电台用斯瓦希里语和英语广播，还有专为学校和农民准备的节目。全国仅在桑给巴尔有电视服务。

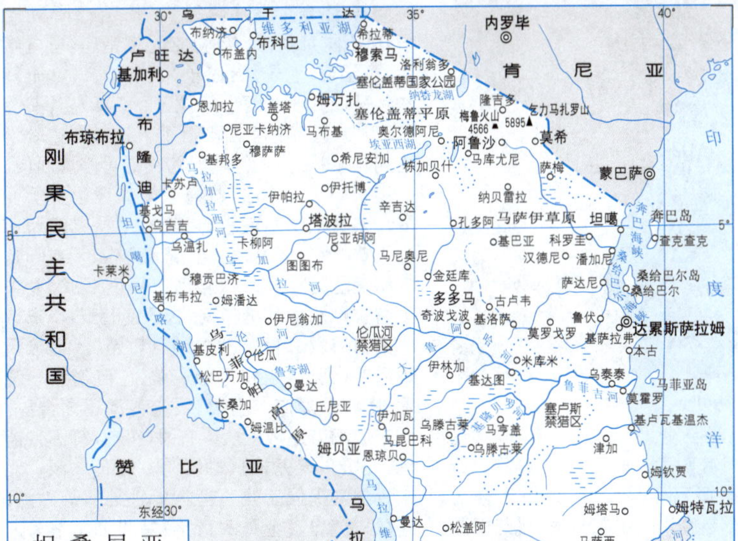

美国不列颠百科全书公司供图

文化生活 该国种族集团的多样性及其传统、语言和风俗习惯为坦桑尼亚创造了一种独特的文化氛围。造型艺术有传统的马孔德人的抽象木刻和马赛人的武器制作艺术。每一个部落都有自己的舞蹈和民间传说。斯瓦希里语诗歌和散文创作十分繁荣，第一任总统尼雷尔本人就是一个著名的文学家，尤以将莎士比亚剧本译成斯瓦希里语而闻名。

历史 在公元前头1 000年期间，高加索民族——可能是来自埃塞俄比亚的南库施德人便在坦桑尼亚定居，后来逐步扩展到南部地区。在公元后1 000年的前半叶，一些使用铁器、讲班图语的民族从西非来到坦桑尼亚定居。到公元1世纪末，阿拉伯、东非海岸（可能还有印度）之间已有贸易往来。海岸贸易中心主要是在阿拉伯人居住区。15世纪葡萄牙人到来以后，阿拉伯人在海岸地区的地位逐渐下降，但葡萄牙人并不想深入到内地。18世纪初，葡萄牙人丧失了他们在鲁伍马河以北的据点。为寻找奴隶，阿拉伯商人深入到内地，特别是靠近马拉维湖东南地区。大约1825年，阿拉伯商人沿着部落贸易路线到达尼亚姆韦齐，在这里象牙与奴隶一样对他们产生了很大吸引力。19世纪40年代初，阿拉伯人从尼亚姆韦齐继续前行，到达坦噶尼喀湖并在那里建立起贸易中心。

19世纪40年代后期，德国人克拉普夫和雷布曼作为英国教会传教协会的代表到达该地区，他们看到了乞力马扎罗山，这使德国人对这一地区产生了兴趣。到1885年，德国殖民者已深入这一地区，1907年便取得了对该地区的全部控制权。第一次世界大战期间，英国占领了德国据点，战后根据国际联盟托管法令该地区归英国统治。第二次世界大战后该地区成为联合国托管地。但英国仍保留对这一地区的控制。

1961年坦噶尼喀获得独立并被接纳加入联合国。一年以后坦噶尼喀成为英联邦内的一个共和国，由尼雷尔任总统。1964年坦噶尼喀与桑给巴尔合并，组成坦桑尼亚。到1977年，坦桑尼亚颁布新宪法，限制除革命党以外的政治活动，并保证桑给巴尔自治。根据1967年的《阿鲁沙宣言》，尼雷尔在坦桑尼亚实行社会主义经济发展路线，该路线以一种被称为“乌贾阿马”的志愿合作和自力更生精神为基础。这种理想主义的试验，尽管有友好国家在财政和技术上给与援助，经过10年的低效率、腐败、农民的反抗、进口石油价格猛涨和外债剧增之后，终于失败。1985年尼雷尔辞职。姆维尼当选总统，他开始部分解除政府对经济的控制，以提高生产力并吸引外国投资和贷款。在1995年的第一次全国选举中姆卡帕当选总统。姆卡帕继续其前任的经济改革政策。从20世纪90年代中期到21世纪最初几年，坦桑尼亚本来就很脆弱的经济和食品供应由于大批难民从卢旺达、布隆迪、刚果（金）等邻国涌入而更加紧张。该国最终要求国际援助，帮助照顾难民。姆卡帕2000年再次当选，尽管据传有选举舞弊行为。2004年末有10人在达累斯萨拉姆的印度洋海啸中丧生，政府因没有及时发出预警而招致批评。

tanzanite 坦桑黝帘石 黝帘石(zoisite)的蓝色宝石变种。

Tanzimat 坦志麦特 土耳其语意为改革。奥斯曼帝国在阿卜杜勒·迈吉德一世和阿卜杜勒·阿齐兹在位期间(1839～1876)推行的一系列改革，目的在于废除以神权为基础的旧政治制度，采取现代化国家的新制度。这些改革包括：建立世俗学校新体系；按普鲁士征兵制改组军队；成立省代表大会；采用新商法和刑法法典。此外，这些法律由新建立的国家法庭执行，不受伊斯兰宗教委员会的干预。坦志麦特改革运动为奥斯曼帝国奠定了逐步现代化的基础。

T'ao-an (China) **洮安** 参阅**Baicheng**白城。

Tao Hongjing 陶弘景(456，中国秣陵[今属南京]～536，茅山[今属江苏]) 又拼 T'ao Hung-ching。中国南朝齐梁时道士，道教思想家、医药学家。字通明。自号华阳隐居，谥贞白先生。先从陆修静弟子孙游岳学符图经法。后居江苏句容茅山修道，搜集整理道经，创建道教茅山宗，为道教上清派的代表人物。梁武帝征聘不出，有大事则派人征询求教，时人称"山中宰相"。他的思想源于老、庄哲学及葛洪神仙说，主张融合三教。所撰《真诰》吸取佛教《四十二章经》中许多文句，并把佛教地狱说引入道教。撰《真灵位业图》，把封建等级制度引入神仙世界。他学问广博，对炼丹、医学、药学、天文历算、地理、兵法都有研究。其编撰注述仅存《真诰》(**Zhengao**)、《登真隐诀》、《本草经集注》(残)、《养生延命录》、《周氏冥通记》及《陶隐居集》等。

T'ao Hung-ching (Taoist scholar) 参阅 **Tao Hongjing** 陶弘景。

Tao Qian 陶潜 参阅 **Tao Yuanming** 陶渊明。

Tao Xingzhi 陶行知(1891-10-18，中国安徽歙县～1946-07-25，上海) 原名陶文濬，1917年改名知行，1934年又改名行知。笔名有陶衔、不除庭草斋夫等30余个。中国教育家。19岁入南京金陵大学。1914年去美国留学，

中国大百科全书出版社供图

1915年获伊利诺伊大学政治学硕士。同年秋入哥伦比亚大学研究教育，1917年获哥伦比亚大学师范学院都市学务总监资格。同年8月回国，先后任南京高等师范学校代理教务长，东南大学教育系主任、教务科主任、教授。1922年任中华教育改进社主任干事，与朱其慧、黄炎培、晏阳初等组织中华平民教育促进会，任董事会执行书记。1927年在南京创办晓庄师范学校，师承并发展美国教育家杜威(**Dewey, John**)的教育思想，提出"生活即教育"、"社会即学校"、"教学做合一"等生活教育的基本理论。创立乡村教育先锋团，后发展为生活教育社。1929年接受上海圣约翰大学科学博士荣誉学位。1930年4月12日晓庄师范被当局封闭。陶行知因受到通缉暂避日本。1931年2月潜返上海，从事普及教育运动。创办以工人、农民、贫民、失学儿童为对象的各种工学团，以山海工学团最出名。本着"工以养生、学以明生、团以保生"的宗旨，组织群众。推行小先生制。为了指导运动，在报刊上发表大量文章，后自编为各种专集；还主编《生活教育》半月刊和多种丛书。1936年受全国各界救国会之命，赴欧美南洋28国，宣传中国人民抗日救国主张。1938年回国，被聘为国民参政会参政员。1939年在重庆创办育才学校，继办社会大学，任校长，依靠募捐办学，被称为"新武训精神"。1945年参加组建中国民主同盟，当选为常务委员会委员。抗日战争结束后到上海继续办学与从事民主革命活动。他毕生从事教育革新和民主革命。他的生活教育学说为当时的中国教育探求新路。1982年教育界开始研究陶行知。1985年后中国陶行知研究会、基金会在中国各省市相继成立，1992年纪念陶行知诞辰100周年时，出版了《陶行知全集》(10卷)。

Tao Yuanming 陶渊明(365～427) 又拼 T'ao Yüan-ming。中国东晋诗人。一名潜，字元亮。浔阳柴桑(今江西九江)人。出身于没落官宦家庭，29岁出仕，任祭酒、参军等小

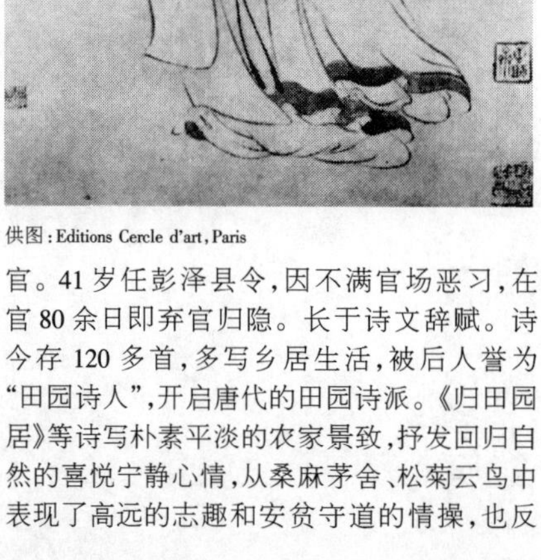

供图：Editions Cercle d'art, Paris

官。41岁任彭泽县令，因不满官场恶习，在官80余日即弃官归隐。长于诗文辞赋。诗今存120多首，多写乡居生活，被后人誉为"田园诗人"，开启唐代的田园诗派。《归田园居》等诗写朴素平淡的农家景致，抒发回归自然的喜悦宁静心情，从桑麻茅舍、松菊云鸟中表现了高远的志趣和安贫守道的情操，也反映老庄思想的影响。有些作品写自己耕作的体验和感受。散文和辞赋以自然、平淡见长。《桃花源记》虚构了一个风俗淳朴、与世隔绝的社会，表现出作者的理想。《五柳先生传》、《归去来辞》抒写不愿同流合污的志向，最为后人传诵。有《陶渊明集》。近人逯钦立有《陶渊明集注》(1979)。

Taoism 道教 以"道"为最高信仰的中国传统宗教，由古代巫术、秦汉方术及黄老思想形成。道教一词最早见于《老子想尔注》。它神化老子道的学说，认为得"道"可以成仙，长生不死。东汉张陵在公元142年创立五斗米

道教发祥地之一——江西贵溪县龙虎山水仙岩
中国大百科全书出版社供图

道，造作符书，教百姓信奉老子，学习《道德经》，以符水治病。东汉灵帝时张角的太平道奉《太平清领书》，以善道教化，用符水治病，为早期道教另一主要派别。其信众数十万，遍及青、徐等八州，曾组织黄巾起义。东汉末魏伯阳撰《周易参同契》，为丹经之祖。东晋葛洪为道教著名学者，著有《抱朴子》内外篇。内篇讲道家炼丹修仙之术；外篇讲儒家修身治世之道，丰富了道教思想。北魏寇谦之假托老君授予天师位，"清整道教"，制订乐章诵诫仪范，称北天师道。南朝宋陆修静在宋明帝支持下广集道经，编订《三洞经书目录》，撰斋戒仪范，使道教理论和仪式愈为完备，是为南天师道。其再传弟子陶弘景为齐、梁间著名道教学者，受其符图经法，吸收儒佛思想，倡言三教合流。唐朝以李氏出自老君，尊崇道教。唐高宗封老君为"太上玄元皇帝"。唐玄宗亲注《老子道德经》。开元二十九年(741)诏两京及诸州各置玄元皇帝庙，皆置学生，令学习《老子》、《庄子》、《列子》、《文子》。次年又诏封庄子、列子、文子为"真人"，书为"真经"。还纂修《三洞琼纲》。这时期道教学者司马承祯、吴筠等均以为神仙可修炼而成，提出安心坐忘等法，对道教修养理论有所发展。宋真宗崇奉道教，封其始祖赵玄朗为保生天尊，改封老君为太上混元皇帝，于京师及各路遍置宫观。命张君房编校道书成《大宋天宫宝藏》，取其精华编为《云笈七籤》。宋徽宗更崇道教，自称"教主道君皇帝"。诏求天下道书，刊行《政和万寿道藏》。自隋唐一统后，南北天师道与上清、灵宝各派逐渐合流。北宋后南方道教形成以符箓(符书、符图)、斋醮(设坛祭祷鬼神)、科仪为主的正一派。北宋张伯端提倡三教一理之说，主张修炼内丹，著《悟真篇》、《金丹四百字》等丹书。是为道教南宗。北方则流行王重阳所创全真道，刘德仁所创真大道教，萧抱珍所创太一道。全真道流传久远，影响最大。其徒丘处机见重

于元世祖,使该教在元代盛极一时,是为道教北宗。此后道教主要分为正一、全真两派,分别流行于南北。明清后逐渐衰微。中华人民共和国实行宗教信仰自由政策,道教徒建立了中国道教协会。道教基本信仰是"道"及由道衍化的三清尊神——元始天尊(洞真教主)、灵宝天尊(洞玄教主)与道德天尊(洞神教主)。其中道德天尊即老子。道教修炼方法有炼丹、服食、吐纳、胎息、按摩、导引、房中、辟谷、存想、服符及诵经。宗教仪式有斋醮、礼忏等。道教经典有《正统道藏》、《万历续道藏》、《道藏辑要》等。道教在长期发展过程中对中国古代政治、经济、文化、科技以及风俗习惯与农民运动等都有一定影响。《道藏》是中国文化遗产的一个组成部分。

Taoist Association of China　中国道教协会　中国道教徒的全国性宗教团体。1957 年 4 月,在北京举行道教界第一次全国代表会议,正式成立。会长为岳崇岱。会址设于北京白云观。中国道教协会的主要宗旨是:团结道教徒,爱国爱教,积极参加社会主义建设,协助政府贯彻宗教信仰自由政策。中国道教协会的主要任务是开展道教研究,搜集整理道教文献资料,编写中国道教史,出版会刊,培养研究和教务人才,促进道教文物的保护和修缮,开展对外友好往来等。1987 年 6 月协会召开第四届第二次常务理事会,通过了《道教宫观试行管理办法》及《中国道教协会关于全真道传戒的规定》。1989 年 11 月,道教全真派在祖庭白云观举行隆重的传戒活动,这是 1949 年以来首次开坛传戒。1989 年 9 月成立道教文化研究所,1990 年 5 月,正式开办中国道教学院。

Taoist school　道家　中国古代哲学的主要流派之一。创始人为老子,其他主要代表人物有庄子、彭蒙等。道家的主要著作有《老子》(《道德经》)、《庄子》,还有《管子》中的《心术》上、《心术》下、《白心》、《内业》,以及汉初的《淮南子》、晋代的《列子》等。1973 年马王堆出土了 4 种古佚书,即《经法》、《称》、《道原》和《十六经》,与《管子》上述诸篇内容相近。《老子》认为"道"是自然无为、"先天地生"的,又是混沌恍惚、不可见、不可闻、难于捉摸的,它是宇宙万物的本原。在对待人生问题上,《老子》以"道"为根本,是精华;以"物"为粗,鄙弃物质文明,主张回到"小国寡民"、"老死不相往来"的原始状态。《庄子》认为"道"是"无乎不在"的,万事万物都由"道"产生,所以从"道"的观点来看,万事万物都同一本原,没有高下、长短、大小、美丑之分,也没有贵贱、寿夭的区别。因此《庄子》以生为"形劳",死为休息。它把生命看成赘瘤,死亡就等于割掉赘瘤,才算解脱。只有齐同贵贱、寿夭生死,才能体"道",也就能逍遥自得。道家思想发展到战国晚期变为黄老之学。黄老学是从老子学说中分化出来的一个道家学派,它的特点是以道为本,兼采阴阳、儒、墨、名、法各家。它主张随着时势的发展"应物变化",以决定适当的行动措施来治理国家。这种兼容并包,"应物变化"的思想,在西汉前期曾经盛行一时。道家的老庄一派清静避世的思想则往往为隐士逸民所欣赏。后汉以来,道教的兴起也托始于老子。道家的代表人物和著作除了为道教所尊崇外,在中国哲学史、思想史上都占有重要地位,特别对于魏晋玄学、宋明理学与后世隐逸之士的消极避世思想都有较大影响,对于中国古典文学艺术也有一定影响。

Taoka Kazuo　田冈一雄(1912-03-28,日本三州村～1981-07-30,尼崎)　又名 Kuma(日语:熊)。日本犯罪集团首脑,第二次世界大战后成为庞大的犯罪集团"山口组"的领袖。该集团中心设在神户,500 多个分支组织广布全国,有匪徒 1 万多人(名为"无赖")。田冈是四国岛一个贫苦农民的遗腹子,4 岁丧母,由亲戚抚养,十几岁辍学。1929 年开始参加神户的无赖集团;30 年代初成为山口组的入门弟子,后来成为正式成员。第二次世界大战期间,这个匪帮解散。田冈在战后重建这个集团,把它变成庞大的犯罪卡特尔,从事敲诈勒索、劳工敲诈、开设赌场和妓院、放高利贷、走私、经营娱乐性和其他合法及非法行业。在思想上,他是极右派和极端民族主义者。1963 年,日本警视厅开始打击山口组,1966 年田冈被控犯有敲诈勒索等五种罪行。经过长期的诉讼,在神户地方法院判刑前,死于心脏病。

Taolanaro(Madagascar)　**陶拉纳鲁**　参阅 **Tôlañaro** 托拉奈罗。

Taormina　陶尔米纳　意大利西西里岛东部墨西拿省城镇。位于墨西拿与卡塔尼亚之间的海岸山丘上,原由西库尔人定居,后纳克索斯难民移入。约公元前210年归属古罗马。公元902年和962年两度被阿拉伯人占领。1078 年为诺曼人占领。古罗马时代建造的著名希腊剧院坐落在陶罗山山嘴。还有古罗马的奥德翁剧院和水库的遗迹。有建于中世纪的大教堂和科瓦亚宫、圣斯特凡诺宫和钱波利宫。有铁路和公路通墨西拿和卡塔尼亚。为西西里岛最著名的冬季游览胜地。人口:城市区约10 669(2000)。

陶尔米纳镇的希腊剧院遗址

供图:V. Dia—SCALA from Art Resource/美国不列颠百科全书公司

Taormina, Carlo Filangieri, duca di(duke of)　**陶尔米纳公爵**　参阅 **Filangieri, Carlo** 菲兰杰里。

Taos　陶斯　美国新墨西哥州城镇,陶斯县县城。位于桑格雷-德克里斯托山区,濒临格兰德河支流,在圣菲东北偏北86千米处。原为早期西班牙人居民点之一。1680 年当地发生普韦布洛印第安人反对西班牙起义。现为附近牧场区的服务中心。当地风景秀丽,环境别致,小说家 D.H.劳伦斯曾在此居住。该镇以后成为作家和画家的聚集地。设有卡森国家森林管理总办事处。镇西北偏北有滑雪谷。当地以印第安人节庆仪式和舞蹈闻名。人口4 700(2000)。

陶斯镇的普韦布洛人住宅和原始泥灶

供图:Jonh L. Stage—Photo Researchers/美国不列颠百科全书公司

Taos, Marguerite　陶斯　参阅 **Amrouche, Marguerite Taos** 昂鲁什。

taotie pattern　饕餮纹　又拼 t'ao-t'ieh。中国商周时期器物上常见的装饰纹样。为图案化的兽面,故亦称兽面纹。图像或为仅具口、目、鼻、耳、角、眉的头部,或是身、首、尾、足具备的整体,但似牛非牛、似虎非虎。这种神怪的形象给人以神秘莫测、不可侵犯的印象。有的学者认为这是古代崇拜的图腾。在龙山文化(公元前 2500～前 2000)的玉器上已有这种图像的雏形,商代前期的陶器或铜器常用以为装饰。商代后期和西周早期更大为流行,且富于变化。西周中期以后逐渐少见。

Taounate　陶纳特　摩洛哥北部中北行政区城镇、省会和省份(建于 1978 年)。城镇坐落于里夫山脉南坡,是当地的贸易中心。全省面积5 585平方千米。境内多山,海拔较低处种植小麦,饲养牛群;水源充足的山谷中(年降雨量约 750 毫米)有各种果树林(无花果、橄榄、樱桃、苹果和梨);海拔较高处覆盖着杉树和栓皮槠。居民主要是柏柏尔人,通用柏柏尔方言里夫语及阿拉伯语。南部的伊德里斯一世水坝(1973 年建成)是摩洛哥最大的水坝之一,位于该省南部,也是塞布河流域灌溉规划的一部分。

人口:镇24 400(1994);省约1 719 800(1994)。

Taoyuan 桃园 中国台湾省北部的县。县治设于桃园市,辖4市、2镇、7乡。面积1 220.97平方千米。该县北部及东北毗连台北县,东南接宜兰县,南与新竹县为邻,西濒

桃园县的大溪慈湖
台湾中华书局供图

台湾海峡。旧名"桃仔园"。原住民为土著山胞。1662年郑成功收复台湾后,南崁(今芦竹乡)一带已有汉人拓荒足迹。其他地区至18世纪(清雍正末年迄乾隆年间)始陆续开发,移民以粤籍客家人最多。清代一直隶属他县(或府)。日本占领时期曾置桃园厅,后改隶新竹州。台湾光复后初隶新竹县,1950年正式设县。该县东南部多山地或丘陵,逐渐向西南递降,延伸至沿海肥沃的冲积平原。茶园占地辽阔,盛产茶叶,台湾省茶叶改良场即设于杨梅镇。还产稻谷、甘薯、甘蔗、柑橘、香菇及其他水果。家畜(禽)饲养颇盛,中坜市为全省最大的家畜(禽)集散地。中小型工业发达,有纺织、水泥、制茶、化工、食品加工等。交通便利,西部纵贯铁路及中山高速公路、北部第二高速公路、西部滨海道路、北部横贯公路均经该县,公路网和山区产业道路遍及县境。1979年2月启用的中正国际机场坐落于县北部大园乡境内,为亚洲大型现代化国际机场之一。南部复兴乡是泰雅族山胞聚居之地。县内多名胜古迹。位于龙潭乡大汉溪(大嵙崁溪)中游的石门水库为环湖风景区,游乐设施完善,是著名观光区。该水库北端不远处有慈湖(俗称埤尾),系蒋介石生前静居处所,现为其陵寝所在地。中正运动公园设于龟山乡境内,建有全省最大综合运动设施。此外尚有大中正公园、角板山公园、龙潭、埔心牧场、竹围海水浴场等胜地及景福宫、甘泉寺、五福宫、大溪古镇等古迹。人口约17 770(2002)。

Taoyuan 桃园 中国台湾省北部桃园县辖市及县治所在地。面积34.8平方千米。位于台北市西南约21千米处,地当西部海岸平原北端。旧名"桃仔园"。最早开发约在18世纪初期。后以景福宫(建于1813)为中心,呈辐射状逐渐向四周发展。现为周围冲积平原所产稻谷、茶叶、柑橘等农产品集散中心。工业有纺织、水泥、制茶及食品加工等。交通便利,西部纵贯铁路经此并可经桃园交流道上中山高速公路通各城市或直抵中正国际机场。为全省大露营区之一。滨海的竹围海水浴场(大园乡境内)在其西北约15千米处。景福宫坐落于市中心,俗称桃园大庙,香火鼎盛。东北郊桃园县立公园内有虎头山(海拔251米),登顶可俯瞰市内。人口约316 438(1999)。

tap dance 踢踏舞 一种舞台舞蹈,以精确的各种节奏型的脚的动作和击地为其特点。踢踏舞主要历史渊源来自英格兰北部的传统木鞋舞,来自爱尔兰和苏格兰的吉格舞、里尔舞和弗林舞以及来自非洲的节奏性跺脚舞蹈。19世纪美国的黑人以及模仿他们的白人,在*黑脸歌唱团表演*(**minstrel shaw**)中,将这种种组成部分加以风格化,糅合成一种通俗舞蹈和讽刺剧。当时著名的黑脸歌唱团演员有R.基勒、D.埃米特,还有林奇和戴蒙德舞蹈团成员。19世纪后期出现两种截然不同的跳法:

踢踏舞演员J.多伊尔和H.狄克逊
纽约公共图书馆供图

一种是独人踢踏舞,一种是软底鞋踢踏舞。前者快速、活泼,穿木底鞋;而后者舒展、平稳,穿软底鞋。约1900年G.普里姆罗斯以软鞋舞著称,J.多伊尔和H.狄克逊则以独人踢踏舞闻名。到了1925年这两种舞大部分混合在一起,舞鞋的前掌和后跟钉上了铁片,以便发出更响的踢踏声。脚部技巧大致不变,但增加了种类繁多的舞蹈步法,偶尔还要拍手,拍身。1940年后踢踏舞舞蹈步法更为复杂,并且还吸收了芭蕾和现代舞的许多高难度动作。在这方面作出贡献的有舞蹈家F.阿斯泰尔、R.博尔格、E.鲍威尔、P.德雷珀和G.凯利。

tapa 塔帕 参阅**bark painting**树皮画。

Tapachula 塔帕丘拉 墨西哥东南端恰帕斯州东南部城市。濒临科阿坦河,地处太平洋沿岸平原,距危地马拉边界15千米。海拔137米。是索科努斯科地区制造业和商业中心。地区盛产咖啡、香蕉、可可和甘蔗等。市内有农产品加工、酿酒、马具、金银器等工业。公路通伊达尔戈城(东南37千米)和塔利斯曼(东北18千米),以及沿岸平原的一些城市。韦拉克鲁斯—伊达尔戈城铁路经此。有国内国际航空线。人口163 253(1995)。

tapaculo 窜鸟 又拼tapacolo。中、南美洲雀形目窜鸟科约26种地栖鸟类。受惊时即撅起其尾匆忙跑开寻觅躲避处。大小介于鹪鹩与鸫之间,翅短,腿较长,足强壮,可扒土。

锈色横斑窜鸟(*Liosceles thoracicus*)
绘图:Murrell Butler

多数种类红褐色或灰色,两性都有点斑或横斑;林区的窜鸟较开阔灌丛者色暗。鸣声响亮,有如腹语,包括母鸡般的咯咯声,火鸡般的叫声以及吸吮声可由其鸣声发现其隐蔽于何处。营巢场所各异,从地洞到树洞,有的在灌木上筑球形巢。

Tapajós River 塔帕若斯河 巴西中部河流。由特利斯皮里斯与茹鲁埃纳河汇成,向北流经马托格罗索高原后折向东北偏北,注入亚马孙河。全长650千米,如包括其最长支流特利斯皮里斯河,则为1 992千米。该河虽有一些急流,但全程可通航。沿岸人烟稀少,有几个重要的橡胶园。

tapas 苦行 印度教名词。指为了获得法力或赎罪而自愿实行刻苦修行。包括禁食、保持困难的姿势以自苦,在烈火前或严寒中长久不眠以及屏息等等。耆那教认为苦行是阻止新业(业指行为的效果)形成和摆脱旧业的手段;是脱离轮回的最重要的方法之一。早期佛教认为,清苦的寺院生活是成佛的唯一途径。但是,佛陀既反对纵欲主义,也同样反对禁欲主义而提倡中道。

tape cassette(electronics) 参阅**cassette**盒式磁带。

tape lace 狭条花边 又称狭条凸花花边。以线织的连接狭条或网作底,将花样嵌连起来构成图案的花边。这种花边的质量主要取决于狭条的平展性和在角隅、弯曲处的连

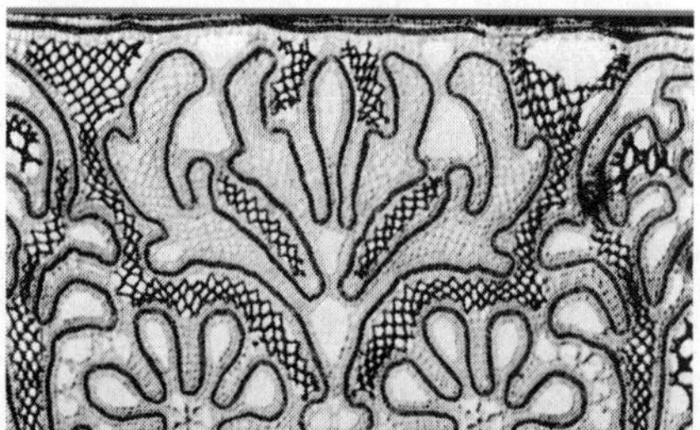

19世纪的匈牙利狭条花边
供图:Institut Royal du Patrimoine Artistique, Brussels

续性(不起皱褶)。这只有利用筒管编织才能达到;如用现成的织物,则必定会产生皱褶。17 世纪最好的热那亚狭条花边用筒管编织而成;19 世纪 80 年代比利时和法国的狭条花边属现成织物,有的称为文艺复兴式花边。

tape recording　磁带录音　采用磁带的录音方法。参阅 **magnetic recording**。

tapestry　壁毯　装饰性织物,其图案在织制过程中形成。在广义上"tapestry"一词泛指手织或机织的用于覆盖家具、墙壁、地板和用作衣着装饰的大型织品;在狭义上专指用于悬挂、装潢目的的双面织有图案或人物画的大型手织品。壁毯过去一直是富裕阶层的高级奢侈品,既可以做成单张,也可以根据总体悬挂装饰的需要设计成套的壁毯。在西方历史上,壁毯是结合画家或设计师与织毯艺人智慧的综合艺术。中世纪欧洲最早的壁毯是艺人按照设计图或画家的草图充分发挥他们的天才而创作的。在文艺复兴时期,壁毯日益成为绘画的纺织复制品。纺织艺人不再是画家的合作者而是模仿者。羊毛被广泛地用作经纬线。人们还经常把羊毛与亚麻、丝线或棉线纺在一起作纬线用。这类材料比羊毛更能表现图案细节,极大地提高壁毯质地和增加颜色变化以及色彩的明暗对比。浅色的丝线能收到色调柔和、空间和谐的绘画效果。大多数中国和日本的壁毯采用丝线作为经纬线。自 14 世纪以后,欧洲壁毯艺人就一直用金、银丝与羊毛、丝线作纬线,以加强壁毯豪华富丽的效果。中世纪欧洲壁毯的图案底样(或称底图),通常是由画家在与要织的壁毯同样尺寸的帆布上描画上色。15 世纪末,织工可能是直接按照绘画织,因而所复制的不是图解式的图案,而是画家完成的原作。模板是根据底画制作,因其使用便捷而常被复制。一个模板可以使用多次。16 ～ 19 世纪,由于顾主个人的爱好不一样,所以模板的边饰图案往往每次都在变,由其他画家进行设计。在中世纪和 20 世纪,则强调壁毯是油画的复制品或替代品,边框装饰图案也按原画模仿。一张全靠画成的模板往往要花费画家许多时间和精力。20 世纪采用照相的办法把画成的底样放大,或者更简单一些,是把模板作成标有数字的说明图,每个数字代表一种特定的颜色,由织工根据画家提供的着色小样选毛配色。已发现的最早作品是公元前 1483 ～前 1411 年古埃及的亚麻壁毯。西亚的壁毯纺织业直到公元前 1000 年一直是很兴旺发达的。在克里米亚半岛附近的古墓中发现了公元前 4 或前 3 世纪的羊毛壁毯碎片,其装饰图案属当时叙利亚流行式样。另一块在新疆楼兰发现的丝壁毯的碎片,其制作年代大约晚 200 ～ 500 年,也与叙利亚的壁毯很相像。可以推测叙利亚可能是当时壁毯纺织业的中心。有文字记载说明古罗马和古希腊时就已生产壁毯。在拉丁文里,代表壁毯和纺织的字词系出于希腊语源,因此一般认为罗马人的壁毯织造技艺是由希腊人传授的。东亚最早的壁毯是中国唐代(618 ～ 907)的缂丝壁毯(新疆吐鲁番出土),另外在甘肃敦煌千佛洞发现了晚唐出品的壁毯碎片。现存在日本奈良附近当麻寺中的唐代壁毯是迄今已知的中国最早的壁毯。中国的壁毯工艺在日本室町时代(1338 ～ 1573)传入日本。从秘鲁海边墓地出土的 6 ～ 12 世纪的壁毯看,印第安人的编织技巧变化甚多,织品主要用于衣着装饰,经线采用原色棉线;纬线采用美洲驼、栗色羊、羊驼、骆马等动物的毛。印加人喜用耀眼的颜色,色调对比强烈鲜明。图案为人、动物和复杂的几何形。西班牙人到南美洲以后,使印第安传统和外来的欧洲影响奇妙地结合起来。中世纪埃及的壁毯分为基督教和伊斯兰教两个阶段。基督教阶段(3 ～ 12 世纪)又称为柯波特壁毯,工艺高超,是古代艺术与西欧中世纪艺术之间连接的桥梁。柯波特壁毯系把羊毛纬线织在亚麻经线上形成。到 7 ～ 8 世纪,壁毯的边饰采用了刺绣工艺。许多早期的柯波特壁毯采用剪影技术进行装饰,图案往往只有一种单一的暗色,与浅底色相衬托。5 世纪以后多色壁毯逐步普及起来。640 年埃及被穆斯林征服,开始了伊斯兰教阶段。壁毯艺人经常把几种几何图案交织在一起,并织入文字、鸟、兽和花草图案等。6 ～ 8 世纪叙利亚的羊毛壁毯采用了与当时丝绸纺织相似的风格,极力以圆形图案为底仿效鸟兽图案,而且几乎都以红色为底色。西欧壁毯真正繁荣的时代是 13 ～ 20 世纪。在这以前最早的作品是一块七色壁毯,一般认为是 11 世纪早期科隆的产品。12 ～ 13 世纪罗马时代的羊毛和亚麻壁毯图案对人物和空间的表现是高度典型化和示意性的。这个时期的主要作品之一是挪威巴迪肖教堂的一组壁毯,图案描述一年的 12 个月。14 世纪西欧形成了自己的壁毯传统。当时的制造中心是巴黎和佛兰德。15 世纪最出名的欧洲壁毯是佛兰德城市阿拉斯、突奈和布鲁塞尔的产品,其共同特点是与当时绘画风格有着非常密切的关系。16 世纪出现两股新潮流:一为战争和迫害迫使佛兰德艺人到处流浪,因此佛兰德壁毯工艺四处流传;二为意大利文艺复兴对绘画艺术的影响巨大。17 ～ 18 世纪欧洲各国的壁毯厂很普及,其中最有影响的是法国在 1667 年成立的戈贝林工厂,它集中了大量的壁毯艺人、金匠、银匠、细木工等,专门为皇家生产各种宫廷奢侈品。19 ～ 20 世纪欧洲的工业革命对装饰和应用艺术有巨大影响。为抵消工业革命潮流的冲击,欧洲艺术家提倡复兴中世纪艺术。20 世纪 50 年代后,壁毯艺术越来越趋向于抽象化。同时,由于建筑艺术的迅速发展,人们恢复了对壁毯工艺的兴趣和追求。

tapeworm　绦虫　又作 cestode。扁形动物门绦虫纲无脊椎动物,约有 3 000 种。体长从约 1 毫米到 15 米余,世界性分布。寄生在某些无脊椎动物和各类脊椎动物如人、家畜和鱼等的肝和消化道内,引起**绦虫病**(**cestodiasis**)。在其生活史中,有的只有一个寄主,有的除终末寄主外还需 1 或 2 个中间寄主。绦虫身体两侧对称。有的由一个长形节片组成,另有些种类则有一头节,后有一列形状相同的节片。头节上有吸盘,通常还有钩,用于固着于寄主。体表覆以坚韧的角质层;通过表皮吸收食物,无口及消化道。多数雌雄同体,通常自体受精。生活史复杂。猪肉绦虫(猪带绦虫,*Taenia solium* 或 *Taeniarhynchus solium*)见于有生食猪肉习惯的地方。成虫生活在人肠内;受精后每个妊娠节片可含多到 4 万个含胚体的卵;节片随寄主粪便排出,若被狗、骆驼、猪、猴或人等哺乳动物吃入,则在消化道内孵出幼虫(六钩蚴);幼虫穿过肠壁进入血管带到身体各部分肌肉内,发育成囊尾蚴;若肉中的活囊尾蚴再被其他动物生食下去,则在这个寄主肠中直接发育成成体。牛肉绦虫(牛带绦虫,Taenia saginata 或 Taeniarhynchus saginatis)世界性分布,见于有食生牛肉或烹调不彻底的牛肉的地方,终末寄主是人,中间寄主是牛。阔节裂头绦虫(鱼绦虫,Dibothriocephalus latus 或 Diphyllobothrium latum)主要分布在北半球水域,侵染人和其他吃鱼的哺乳动物,特别是犬科动物和熊;受精卵随粪便排到水中,孵出的幼虫为小甲壳动物所吃,后者又被鱼(鳟、鲑、狗鱼或鲈)所吃,幼虫在鱼肌肉内结成包囊;哺乳动物吃鱼后,幼虫在肠内发育为成虫。

Tàpies, Antoni　塔皮耶斯(1923-12-13,西班牙巴塞罗那～2012-02-06,巴塞罗那)　将现代抽象艺术带进西班牙的加泰罗尼亚人画家。1943 年学法律,1946 年开始作画,靠自学

供图:© Arnold Newman

成为艺术家。曾在巴塞罗那协助创立了一个超现实主义组织骰子七点社(1948),出版过一份美术-文学评论刊物。1950 年受 J. 迪比费作品的影响,转向抽象画,1955 年摒弃超现实主义风格,开始用厚涂法作画。其石版画以隐晦但出自本能的效果而著称。他还与诗人 J. 布罗沙合作出版了一系列插图书籍。1990 年塔皮耶斯基金会在巴塞罗那展出其2 000幅作品。

Tapinocephalus　貘头兽　似哺乳爬行类中兽孔类的绝灭属。化石见于南非的二叠纪(2.86 亿年前至 2.45 亿年前)地层。是许多以专门吃草为特征的貘头兽科的代表。大而笨的貘头兽也是独特的低地动物群的代表性成员。低地动物群可作为南非部分中二叠统某一层位的标志,这个层位称为貘头兽带。

Tapio 塔皮奥 又称梅采希内或希西。芬兰宗教所信奉的森林之神，兼管林中野兽。是依靠森林为生的猎人所敬畏的许多森林精灵的集中形象，亦即森林的化身。其像有时高大如枞树，面貌可怖，前脸如人，背面似多瘤老树。森林之神也可能是女性，姿色艳丽，常勾引在林中过夜的猎人和伐木工人，但仔细看去也是一株老树。

tapioca 木薯淀粉 用木薯根制成的淀粉，用以制作面包或作汤汁食品，特别是布丁、汤及多汁馅饼的增稠剂。制备时将木薯块根加热，使之绽裂成不规则的小粉团，再烤成木薯淀粉片。一种圆粒形淀粉名珍珠木薯淀粉，是将湿淀粉加压过筛制成。粒状木薯淀粉有不同的大小，有的用木薯淀粉片研磨制成。烹饪时木薯淀粉膨胀成浅灰色半透明的胶冻。木薯原产西印度群岛和南美洲，当地人将其块根磨成湿浆然后烤成薄饼食用。19世纪木薯移植亚洲后，木薯淀粉成为亚洲人的家常食品。泰国人用其与椰子做布丁，并把木薯淀粉团搓成小球，干燥后可像谷类那样食用。越南人喜食用其制成的薄烤饼。

tapir 貘 奇蹄目貘科貘属（*Tapirus*）现存4种有蹄兽类的统称。栖息在马来西亚和美洲热带森林。体笨重，腿颇短，体长1.8～2.5米，肩高1米。眼小，耳短而圆，吻部延伸成

南美低地貘（*T. terrestris*）
供图：Warren Garst—Tom Stack & Associates

一长鼻状，肉质，悬垂在上唇上面。脚上有3个趾有功能，第一趾（内趾）缺，而前足第五趾退化，后足第五趾消失。体毛短，稀疏，但山地貘（*T. pinchaque*，前称 *T. roulini*）体毛甚密。中美貘（贝尔德氏貘，*T. bairndii*）和南美低地貘（陆生貘 *T. terrestris*）有短而硬的鬃毛。这3个新大陆种全身呈深褐色或灰色，而马来貘（印度貘，*T. indicus*）头、肩和腿黑色，臀、背和腹部白色。所有貘幼时均为深褐色，有浅黄白色条纹和斑点。妊娠期约400天，每产1仔（稀有2仔）。生活在森林深处和沼泽地，胆小，常在水边沿习走的小径行动。受惊即逃避，钻入林下植物丛内，时常避于水中。貘的主要天敌是人；在南美洲还有美洲豹，在亚洲还有虎。尽管因生存环境被破坏，貘的数量开始下降，但在许多地区，人们仍然捕猎貘以食其肉。

tap'o style 多斗拱式 朝鲜高丽时代（935～1392）后期由中国传入而加以变化的建筑形式。其主要特征是在柱头斗拱外采用了柱间斗拱（补间铺作）。李朝初期，多斗拱式逐渐流行。到17世纪则已取代传统的柱心枋式样，而普遍流行起来。

Tappa Ḥiṣār 塔帕希萨 伊朗的古代遗址。位于伊朗北部的达姆甘附近。宾夕法尼亚大学和东京大学先后的发掘表明，这一地区早在公元前3900～前1900年间一直有人

塔帕希萨出土的赤陶无柄酒杯（约公元前3500～前3000）
宾夕法尼亚大学大学博物馆供图

居住。该遗址为了解当地史前制陶、冶金业的发展提供了有价值的证据。当地还发现一巨大的萨珊王宫。

Tappan, Arthur 塔潘（1786-05-22，美国马萨诸塞北安普敦～1865-07-23，康涅狄格纽黑文） 美国慈善家，将其大部分精力和财富用于铲除奴隶制的斗争。早年曾在波士顿、波特兰（缅因）和蒙特利尔（加拿大）经商。1812年战争爆发后返回美国。1826年以创立进口丝绸的公司致富。1827年创办《纽约商务日报》。他在后半生致力于废奴主义的斗争，曾参加创办反对蓄奴的报刊，建立纽约市反奴隶制协会和美国反奴隶制协会，并任第一任会长。他曾支持废奴主义者W.L.加里森的活动，但当加里森坚持把废奴与其他改革联系起来时，他与加里森以及美国反奴隶制协会决裂。后来他又成立一个新的组织——美国和外国反奴隶制协会。他主张通过政治途径来达到废奴的目标。当1850年通过《逃亡奴隶法》后，他变得更加激烈，公开宣布不服从该法，支持帮助奴隶逃往北部的地下交通网。晚年的活动限于奴隶制问题的论战。

Tāpti River 达布蒂河 印度中部河流。源于中央邦中南部、德干高原中部的格维尔格尔丘陵。向西流经索德布尔岭两山嘴之间，经马哈拉施特拉邦的贾尔冈高原和古吉拉特邦的苏拉特平原，注入坎贝湾（阿拉伯海的水湾）。全长约700千米。流域面积65 300平方千米。最后51千米为感潮河段，可通行小船。河口的斯沃利港，在英-葡殖民时期中曾为重要港口，但由于淤塞，现已被放弃。达布蒂河与北面的较长的讷尔默达河走向平行，两河谷及中间的山岭共同组成印度北部与半岛部分之间的自然屏障。达布蒂河主要支流布尔纳河、吉尔纳河与班奇拉河均发源于马哈拉施特拉邦南部。

Ṭāq-e Bostān 塔格博斯坦 伊朗西部村庄，位于巴赫塔兰市东北方。以萨珊王朝（3～7世纪）的岩雕（浮雕）闻名。有些岩雕是萨珊王朝波斯雕刻保存得最完善的珍品，包括表现阿尔达希尔二世（379～383在位）及沙普尔三世（383～388在位）服饰的雕像。沙普尔的雕像在一个三边开凿、桶状圆顶的人工洞穴内。

Taqī Khān, Mīrzā 塔吉·汗·米尔扎（约1798，伊朗卡札尔法哈恩～1852-01-09，卡尚） 伊朗首相（1848～1851），他倡议改革，标志着国家西方化的有效开始。早年曾在政府工作，1829年曾随使团去圣彼得堡考察，他认识到伊朗要独立地生存下去必须进行重要的基本改革。1847年被派往阿塞拜疆，在王储纳赛尔丁的宫廷中供职。次年穆罕默德沙阿逝世，王储继承王位，任命他为首相。在此后两年半中，他对社会各个部门进行了重要的改革。但这些改革触怒了被排斥在政府以外的许多贵族，他们在太后的支持下，结成一伙反对他。1851年10月年轻的沙阿被其母后说服，将塔吉·汗·米尔扎撤职，流放到卡尚后加以杀害。

taqiya 塔基亚 又拼taqiyah。伊斯兰教用语，指为了个人或同教信徒免于伤亡而隐瞒信仰或不履行正常宗教义务。据《古兰经》规定，为了避免眼前的危险，穆斯林可以声称与不信真主的人友善，甚至可以表面上否认自己的信仰，只要是假意应酬而心口不一（第3章第28节；第16章第106节）。据说塔基亚的先例是穆罕默德本人所开，他当年决定迁往麦地那而不留在麦加与强敌对立。对穆斯林在何种情况下可以采用塔基亚有一些具体规定。遭受鞭打、短暂关押等威胁不能作为使用塔基亚的理由；没有抚养妇女、孩子责任的穆斯林在任何情况下，只要对其生命没有构成直接的或明确的威胁，不得采用塔基亚。由于在历史上一直遭受迫害和打击，伊斯兰教中的少数派——什叶派信徒将塔基亚作为一个基本信条。

taqlid 塔格利德 伊斯兰教法用语，意为“对权威的无条件承认”，指在不了解那些判例之依据的情况下对他人判例的绝对承认。在穆斯林不同宗派和学派中，对于塔格利德的看法差异很大。在逊尼派的4个法学派别中，沙斐仪学派、马立克学派和哈乃斐学派都接受塔利德原则，但罕百里学派却拒绝接受。什叶派穆斯林对此制度持肯定态度，但有颇为不同的理解。肯定塔格利德的那些逊尼派人认为，唯有早期的法学家才有资格从伊斯兰教立法的资料源泉《古兰经》和先知的逊奈（意为行为、道路）中推出权威的律法见解，这些见解对整个穆斯林社会均有约束力。在早期，一批大法学家们对上述原始资料作出自己的独创性解释（伊智提哈德），他们是通过运用诸如此类立法工具来实施他们的努力。在伊斯兰教历的第3世纪（公元9世纪）及其后的数世纪中，随着围绕一些最主要的学者而形成的若干法学派别的出现，人们开始普遍认为，律法的所有重要问题都已解决，为后

代人提出独创性解释的权力已被取消。从此以后,所有人必须接受早期权威们的决议,即对其实行塔格利德原则。这一教义通常用“关闭伊智提哈德之门”来表示。罕百里派的学者们和信奉该派教义的人(如瓦哈比派中的现代派)坚持直接返回到立法源泉对其含义作出独立判断的必要性。在19世纪和20世纪,伊斯兰教现代主义派为反对塔格利德展开了激烈的论战,他们认为这一原则助长了律法的停滞局面和伊斯兰教的落后状况。在什叶派信徒对塔格利德原则的使用中,它是指一个普通教徒接受和信奉某个伊斯兰教法专家(穆智台希德)意见的必要性。凡其本人不具备解释立法原始资料资格的,都必须选择教义学家阶层(乌里玛)中的一个成员,承认他为自己的麦尔杰·塔格利德(意为权威人士或效法的榜样),遵奉他的教示。当他选定的穆智台希德去世后,他必须选择并遵从另一个教法学家,因为追随死去的导师是被禁止的行为。从这意义上而言,塔格利德原则对什叶派信徒来说是强制性的。

taqsīm 塔克希姆 伊斯兰音乐中曲式自由的旋律的即兴创作,由独唱或独奏(通常是一把诗琴)表演,或者由管弦乐队中的主要乐器交替演奏。塔克希姆往往构成纳乌巴组曲的第一乐章,这是阿拉伯音乐中的一种流行形式。它也可以作为独立的独奏曲演出。它的作用是为后面将要出现的音乐确定情绪,使听众熟悉后面将要用到的莫卡姆(“旋律模式”)和核实乐器的定音。塔克希姆的节奏简单而灵活,速度可自由变化。它虽然根据精选出的莫卡姆的传统旋律成分写成,但实际的旋律进行由表演者自由地即兴演奏。

tar 焦油 参阅 **wood tar** 木焦油;**coal tar** 煤焦油。

tar 塔尔琴 伊朗语原意为“弦线”。从伊朗萨珊王朝时代的坦布尔琴演变而来的长颈诗琴。在整个中东和亚洲一些地区有多种形式。它的名称在传统上表明所用的弦数,例如杜塔尔琴(两弦琴)、锡塔尔琴(三弦琴)、卡塔尔琴(四弦琴),但现在,名称与弦数已不再有联系,如印度的锡塔尔琴已经多到7根弦。塔尔琴的琴身用一块木头挖空制成,通常是圆形的。格鲁吉亚的是八角形的;土耳其的“细腰”塔尔琴有突出的沙漏的外形。塔尔琴用小型金属拨子弹奏,琴腹张有膜,有长颈、可移动的品和把金属弦旋紧的侧弦轴。

Tar-Baby 柏油娃娃 粘手的柏油玩偶,美洲黑人民间故事的中心人物,通过美国作家乔尔·钱德勒·哈里斯的文学作品而普及。哈里斯所著《柏油娃娃》(1879)是借雷默斯大叔这个角色讲述的民间故事之一,仅为取材于非洲的动物故事的一例,其特色是使用一个腊制、树胶制或橡胶制的人物形象去诱骗一个坏蛋进入陷阱。哈里斯书中描述的柏油娃娃为狐狸大哥所做,放在路边以报复他的主要敌人兔子大哥。兔子大哥同柏油娃娃讲话,但得不到回答,兔子大哥一气之下打了它,遂被粘住。他越是加劲地拳打脚踢,就越

E.W.肯布尔为《柏油娃娃》(1904)一书所绘的兔子大哥与柏油娃娃插图
供图:Hawthorn Books, Inc.

粘得不可开交。这种粘手人物的主题在美洲印第安人故事中也很常见。

tar sand 沥青砂 又作 bituminous sand。饱含高度黏性沥青的松散砂子或部分黏结成砂岩的矿床。从沥青砂中回收的油通常称为合成原油,是数量极为可观的矿物燃料。沥青砂矿和其他重碳氢化合物矿床一样,是一般油(从轻油到中油)聚集在一起降解后的残留物。当这种油向地表移动时,在低于93 °C的温度下与下渗的含有氧和细菌的雨水相遇即发生降解。油和水一旦接触就形成沥青状的物质并最后侵入整个油床。较轻的原油组分被溶液带走,而石蜡则被水中的细菌除去。露天开采技术可用于开采厚度大靠近地表的沥青砂矿床。沥青从开采出来的沥青砂中分离出来之后,进行富集和净化。用专用的蒸馏设备对沥青进行加工,产生较轻的碳氢馏分的化合物,然后再用它来生产合成原油、石脑油、煤油和瓦斯油。最大的已知沥青砂矿床位于加拿大西部的阿萨巴斯卡河谷。阿萨巴斯卡地区从沥青砂中生产合成原油的项目是世界上仅有的工业项目。

Tārā 度母 藏语作Sgrol-ma。又称救度母或者多罗母。佛教所崇奉的普渡众生的女菩萨,与男性菩萨观世音相对应。她有多种相,在尼泊尔和中国的西藏、内蒙古等地崇敬者

18世纪的尼泊尔白度母镀金铜坐像
圣弗朗西斯科亚洲艺术博物馆供图

较多。据说观世音滴泪成湖,湖中长出一朵莲花,莲花开放现出度母菩萨。度母菩萨保佑旅人和修行者。据西藏传说,虔信佛法的妇女都是度母的化身。第一位信仰佛教的吐蕃王松赞干布的王妃文成公主就是白度母;另一位王妃、尼泊尔出生的尺尊公主就是绿度母。

Tara 塔拉 爱尔兰米斯郡的一座低山,约507英尺(154米),在爱尔兰的传说和历史中有重要地位。最古老的建筑遗迹有一座地道墓(公元前约2 100)。在称为国王堡垒的巨大卵形围地中有一土丘,土丘里发现数量可观的青铜时代墓地。其中心附近有两座相连的土垒:王座和科马克屋,后者的上端有一根石柱,人们通常认为它是塔拉国王们的登基石。其他名胜还有一座巨型环堡、两个圆形围场和一座长达750英尺的长方形土垒(一般认为是宴会大厅)。小山上的主要土垒大概多为公元最初5个世纪兴建的。

Tara brooch 塔拉胸针 在德罗赫达以南贝蒂斯敦海岸发现的一件凯尔特人的环形胸针珍品,现保存于都柏林爱尔兰国立博物馆。这枚胸针大概是8世纪的遗物,形如大环,

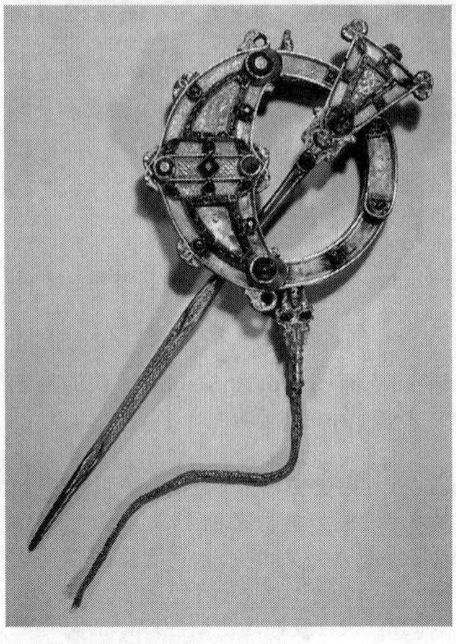

塔拉胸针,大概源于公元8世纪
都柏林爱尔兰国家博物馆供图

中央部分约有一半是空的,另一半是一凹形饰板,嵌有极精致的金丝细工饰品。胸针的背面有精致的雕镂图案。贯穿圆环有根将胸针别在衣服上的特别长的别针,其头部有精美的装饰。

Ţara Românească 参阅 **Walachia** 瓦拉几亚。

Tara Singh 多罗·辛格(1885-06-24,印度旁遮普省拉瓦尔品第~1967-11-22,昌迪加尔中央直辖区昌迪加尔) 锡克教领袖。他热心谋求锡克教徒的宗教统一和政治完整,经常与民政当局发生冲突。自1930~1966年,曾因“不服民政当局管辖”而14次被捕入狱。1930年,他积极参加反抗行政当局的运动,领导阿卡尔派(**Akālī**)和中央谒师所管理委员会。他鼓吹成立以旁遮普语为主要语言的自

治邦。1961年多罗·辛格开始绝食,并宣布如果印度总理尼赫鲁不同意将旁遮普省一部分划出成立锡克教徒的自治邦,他将绝食至死。尼赫鲁给他一封私人信件,仅表示即将对锡克教徒的要求进行考察。于是多罗·辛格即于第48天停止绝食,此事引起锡克教徒的愤恨。多罗·辛格受到教内首领的联席审讯,自认有罪。他因中途停止绝食而丧失领袖资格,于是**法代赫·辛格**(**Fateh Singh, Sant**)当选,取代其位。1966年,旁遮普邦成立,多罗·辛格的愿望终于实现。

Taraba 塔拉巴 尼日利亚东部的州。原为贡戈拉州的西南部,于1991年建州。北和东北邻包奇州和阿达马瓦州,西和西南连高原州和贝努埃州,南和东南与喀麦隆接壤。该州北部大部分地区是稀树草原地区,有贝努埃河及其支流流过。该州南部山脉高达1 000米以上。居民从事耕种,种植木薯、高粱、黍类、稻米、薯蓣、甘蔗和玉米。捕河鱼和饲养牛、山羊和绵羊也是重要的经济活动。在该州西南部引进了橡胶树和油棕,在南端阿达马瓦高原的曼比拉山区有一片无采采蝇的草深高原,宜于养牛。塔拉巴州居民主要是朱昆人和曼利拉人,其中有许多基督徒。该州的家庭工业生产皮革制品、陶器、金属物品和染色布匹。伊比一年一度的捕鱼节吸引许多观光客。该州有公路北通约拉,西连包奇镇,南接马库尔迪镇;贝努埃河可通航。贾林戈为州的首府。80年代将一片以前的禁猎区建成加沙卡/古姆蒂国家公园。人口1 480 590(1991)。

Ṭarābulus (Lebanon) **的黎波里** 参阅 **Tripoli 特里波利**。

Ṭarābulus al-Gharb (city, Libya) **西的黎波里** 参阅**Tripoli 的黎波里**。

Ṭarafah 塔拉法(创作时期6世纪) 阿拉伯诗人,伊斯兰教以前时期著名的《**悬诗**》(**Muʿallaqāt, al-**)集7首诗中最长诗篇的作者。某些评论家认为他即使不能算阿拉伯最伟大的诗人,也应称为伊斯兰教以前时期最伟大的诗人。生平无详实资料可考。据传说,他是一个罕见的早熟诗人,很小便开始吟诗。放荡的青年时代在巴林度过,参加本部族(伯克尔族)和台格利卜族战争后,随同叔父、诗人穆泰莱米斯到希拉赫城,投靠希拉赫的莱赫米国王阿姆尔·伊本·欣德,成为国王兄弟的亲随。他与希拉赫城宫廷的联系(554～568)是他一生中唯一可靠的事实。据说他在一些诗中嘲讽国王,被遣送到巴林。国王在信中指令巴林的统治者把他活埋处死。塔拉法是伊斯兰教以前少有的几个诗人之一,他们的诗集和悬诗至今犹存。他的诗歌热情、流畅、感人,坚持认为世俗享乐和追求荣誉为人生唯一正确的目标。

Tarahumara 塔拉乌马拉人 又称拉拉穆里人(Rarámuri)。墨西哥北方奇瓦瓦州西南部的中美印第安人。塔拉乌马拉语是一种犹他-阿兹特克语系的索诺拉语支语言,同雅基语和马约语有极密切的关系。在文化上,塔拉乌马拉人与邻近的犹他-阿兹特克诸民族(即科拉人、惠乔尔人、特佩瓦人及皮马·帕帕戈人)有很多相似之处。塔拉乌马拉人住在

墨西哥西马德雷山脉的塔拉乌马拉人
供图:Art Resource/美国不列颠百科全书公司

高原地区,其间多深谷幽壑,虽气候凉爽而不特别宜于农作,但他们都是小农,种植玉米、豆类、南瓜和马铃薯。他们也饲养山羊和牛,但猪和鸡不普遍。庄稼种在适宜耕作的小片土地上,同一户的庄稼与庄稼之间也许相隔数英里。住区分散,每户都有一间木或石结构的房屋,外加几间用于储藏物品的茅舍。制陶、制毯、编筐为主要手工业。男人着围腰布及宽袖衫,头上缠布,冬季披毛毯;女人穿棉布裙,系宽腰巾,衬衣或**庞乔斗篷**(**poncho**)塞入裙内,亦缠头布。塔拉乌马拉人名义上信仰天主教,但也庆祝本地主保圣人的节日。神话中杂有基督教和非基督教成分。

Tarai 达赖 又拼Terai。印度北部和尼泊尔南部与下喜马拉雅山脉平行的地区。原为起伏的沼泽地带。西起亚穆纳河,东至布拉马普特拉河。北缘多水泉,形成许多河流;其中以卡克拉河为最重要。达赖(意为湿地)与帕伯尔交织在一起;帕伯尔有粗砾石和圆卵石堆积,生长娑罗双树。由于排水垦殖,现在达赖地区所剩沼泽已很少。达赖东部地区在印度西孟加拉邦与孟加拉国境内称杜阿尔斯。

Tarāīn, Battles of(1191) 参阅**Tarāorī, Battles of 塔劳里战役**。

Tarakan Island 打拉根岛 印度尼西亚东加里曼丹省的岛屿。位于婆罗洲东北海岸之外、西里伯斯海的东部。面积303平方千米,长约16千米。沿海低平,多沼泽,西南岸有油田。第二次世界大战期间(1942-01)被日本人占领;1945年5月被澳大利亚人夺回。打拉根城位于岛的西侧。人口约31 118(最新统计)。

Tarakanova, Yelizaveta Alekseyevna 塔拉卡诺娃(约1745～1775-12-15[旧历12-04],俄罗斯圣彼得堡) 别名弗拉基米尔公主,或弗兰克小姐,或特列穆尔夫人。俄国觊觎皇位的女冒险家,自称是未婚的女皇叶利扎维塔(1741～1762在位)和A.G.拉祖莫夫斯基伯爵所生,在圣彼得堡长大。但看来不是俄国人,人们不了解她的出身和真实姓名。18世纪70年代初,她在西欧各城市出现,吸引了一些贵族求婚者。1774年,她被侨居国外的波兰反叛者说服,冒充叶利扎维塔的女儿,觊觎俄罗斯的皇位。她还自称是普加乔夫(当时正在俄国东南部领导一次起义)的妹妹,使当时的俄国女皇叶卡捷琳娜二世深为不安。叶卡捷琳娜过去的支持者A.G.奥尔洛夫在里窝那港发现了她,对她进行勾引,答应同她结婚,把她骗上停在港口的船只。上船后将她逮捕,押送到圣彼得堡,囚禁于彼得-保罗要塞。她在狱中至死未吐露过去的身世。

Taraki, Nur Mohammad 塔拉基(1917-07-15,阿富汗加兹尼～1979-10-09?,喀布尔) 阿富汗政治家。生于乡村普什图族家庭,在印度孟买当办事员期间到夜校学习英语。20世纪40年代末在阿富汗政府新闻部工作,1953年任阿富汗驻美国大使馆专员。返回喀布尔后,开办资料翻译业务,为美国大使馆等国外机构提供服务。1963年国王查希尔推行较为灵活的内政和外交政策后进入政界,帮助成立马克思主义政党阿富汗人民民主党。1967年该党因个人争斗和政见分歧出现分裂,旗帜派追随副书记卡尔迈勒,人民派追随总书记塔拉基。1973年达乌德发动政变后,旗帜派支持达乌德政府。1977年两派在苏联的压力下重新统一,塔拉基恢复总书记职位。翌年,塔拉基推翻达乌德,出任总统和总理。但由于推行马克思主义及社会改革引起暴力示威。为结束日益加剧的动荡不安,塔拉基求助于苏联。在与阿明的权力斗争中处于下风,1979年3月被迫任命阿明为总理,自己仍保留总统和人民民主党总书记职务。同年9月初赴哈瓦那出席不结盟国家峰会。据说回国途中在莫斯科逗留期间L.I.勃列日涅夫曾劝告其消灭阿明。塔拉基试图暗杀阿明,但未成功。1979年9月14日阿明夺取政权,塔拉基在暴乱中被杀。宣布的死亡日期为10月9日,不过关于其实际的死亡日期说法不一。

Taranaki 塔拉纳基 新西兰北岛西部行政区。以塔拉纳基半岛为中心,北至莫考河,南和东包括怀托塔拉河。面积约7 876平方千米。境内多河谷。1860～1861年毛利人和欧洲人因怀塔拉土地购买案在此进行了激烈的塔拉纳基战争。现为重要的乳品产区。主要城镇有新普利茅斯、哈韦拉、斯特拉特福、英格尔伍德、怀塔拉、埃尔瑟姆和帕蒂亚。塔拉纳基半岛沿岸无优良的天然港湾,唯一重要的港口是新普利茅斯的人工港。人口107 222(1991)。

Taranaki, Mount 塔拉纳基山 参阅 **Egmont, Mount 埃格蒙特山**。

Taranis 塔拉尼斯 凯尔特人所崇拜的大能之神。其名原意为行雷者。向塔拉尼斯献祭时可用牲畜,也可用人,装入合体的柳条

约公元前1世纪银碗内部纹饰中的塔拉尼斯像
哥本哈根国家博物馆供图

笼,投入火中。塔拉尼斯的标记为车轮和闪电,有时绘成骑马践踏以蛇为足的怪物。

tarantella　塔兰台拉　意大利民间的男女对舞;其特点为舞步轻快,舞伴间相互挑逗调情,女舞蹈者常手持铃鼓。音乐是活泼轻快的6/8拍。也有两对男女跳的塔兰台拉舞。

纽约市芭蕾舞剧团表演的塔兰台拉舞
供图:Martha Swope

快15～17世纪在意大利出现一种由塔兰台拉毒蛛(又译塔兰托毒蛛)咬伤所引起的歇斯底里症,据说病人只有通过狂舞方能治愈,因而得名。肖邦、李斯特、韦伯等作曲家均写过塔兰台拉钢琴曲。

Taranto　塔兰托　希腊语作Taras(塔拉斯)。拉丁语作Tarentum。意大利东南部,普利亚区塔兰托省省会、城市。濒临塔兰托湾北部一小海湾。城市的旧城部分在大马雷岛和内港(马雷皮科洛)之间的一个小岛上。新城则在邻近的大陆上。公元前8世纪(传统说法为公元前706年)希腊人征服了当地的梅萨比人。不久成为意大利南部希腊殖民区的主要城市之一。公元前4世纪在伟大的哲学家和科学家阿契塔的领导下,该镇的经济和军事实力达到顶峰。他死后,城市经历了一连串的战祸,后臣服于古罗马。6～10世纪在哥特人、拜占廷人、伦巴第人和阿拉伯人之间反复易手。16～17世纪频遭土耳其人破坏。拿破仑战争中是法国海军基地。1860年并入意大利。第一次和第二次世界大战中是意大利最重要的海军基地之一。古希腊建筑遗迹甚少,从古希腊人的坟墓里收集到许多希腊和当地生产的花瓶。在阿波罗神殿里发现了数百个阿波罗小雕像。亦有当地艺人制作的大量古代浮雕。文物大都收藏在塔兰托国立博物馆。该市古罗马遗迹中比较著名的有巨大的公共浴场、圆形剧场、拼花地面和墓地。旧城内有阿拉戈内塞城堡(1480,后来扩大)、11世纪罗马式的圣卡塔尔多大教堂等。新城有兵工厂、气象和地球物理天文台、国家博物馆和国家海洋生物研究所。西北部的博尔戈为工业区。塔兰托是重要的海军基地,有兵工厂和造船厂。设有欧洲煤钢联营的大型钢铁厂,亦有罐头食品、化工、纺织、水泥工业。产牡蛎和贻贝。为商业中心。有铁路通布林迪西、梅塔蓬托和巴里。人口:城市区约242 831(1983)。

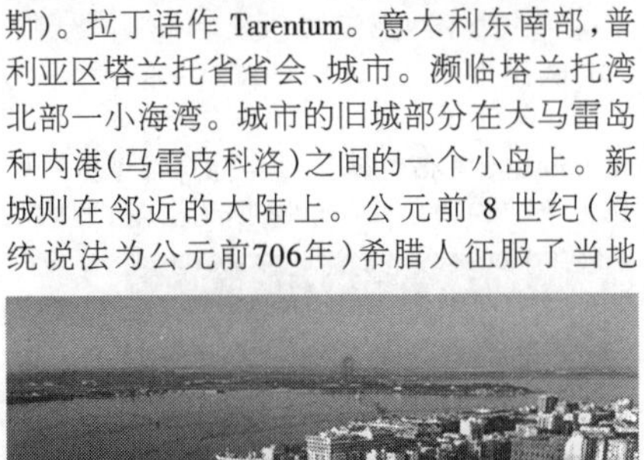

塔兰托市内港与外港之间的旧城及岛上的阿拉戈内塞城堡(左)
供图:Gianni Tortloli

Taranto, Gulf of　塔兰托湾　意大利南部爱奥尼亚海的海湾。位于圣玛丽亚-迪莱乌卡角(东北)和科隆(西南)之间,形成意大利"靴后跟"前面的空穴,长宽各约140千米。盛产牡蛎和贻贝,输出葡萄酒、橄榄油、水果和蔬菜等。沿岸主要港口有克罗托内、加利波利和塔兰托。

tarantula　塔兰托毒蛛　蜘蛛目捕鸟蛛科(Theraphosidae)动物的泛称。最初仅指南欧狼蛛科(Lycosidae)的塔兰托狼蛛(*Lycosa tarentula*),此名称出自意大利一个地名(塔兰托镇)。过去曾认为,被此蛛咬后可造成塔兰托毒蛛病,患者又哭又跳,最后发展为狂舞。但现已证明,此蛛对人并无危险。此蛛约2.5厘米长,不织网,而是追捕猎物。捕鸟蛛科的种类见于美国西南部、墨西哥及热带美洲。许多捕鸟蛛在土壤中挖穴而居。主要于夜间捕食昆虫,偶亦捕食小型的蛙、蟾蜍及鼠类。在美国西南部,*Aphonopelma* 属的塔兰托毒蛛体长可达5厘米,腿长可达12.5厘米。捕鸟蛛科的种类色深,躯干及腿上多毛,行动缓

美国塔兰托毒蛛(*Aphonopelma*)
供图:Lynam—Tom Stack & Associates

慢。捕鸟蛛类对人无害,且可驯养为宠物,但被激惹时螫咬甚痛。最常见的北美塔兰托毒蛛是加利福尼亚庞蛛(*Eurypelma californicum*),见于加利福尼亚、得克萨斯及亚利桑那各州。据记载,有一只加利福尼亚庞蛛的寿命长达30年。某些南美的塔兰托毒蛛体长可达7.5厘米,所结的网甚大,能捕食小型鸟类。

Tarantula Nebula　蜘蛛星云　参阅**30 Doradus** 剑鱼座30。

Tarāorī, Battles of　塔劳里战役(1191)　Tarāorī又拼 Tarāīn。穆斯林开始控制北印度全境的一系列战斗。战斗一方是古尔的穆伊兹-乌德-丁·穆罕默德,另一方是阿杰梅尔和德里的统治者普利色毗罗阇三世。战场在格尔纳尔(德里北70英里)与塔内瑟尔之间(在今印度哈里亚纳邦格尔纳尔县)。1186年穆罕默德从伽色尼王朝夺得拉合尔后便打算入侵印度教徒的印度。但1191年他被普利色毗罗阇打败。1192年他卷土重来,杀死普列色毗罗阇,1192～1993年盘踞德里。在20年期间,整个北印度都落入穆斯林手中。

Tarapacá　塔拉帕卡　智利最北部的区。北、东与秘鲁、玻利维亚接壤,西濒太平洋。太平洋战争(1879～1883)后,由秘鲁割让予智利。1884年建省,面积59 104平方千米。1974年建为区,由阿里卡和伊基克两省组成。地处阿塔卡马沙漠,仅安第斯山麓有水源,下流溪流消失于沙漠,有些地方有绿洲,水源及植被使少量居民可以定居。硝石矿位于海岸山脉和安第斯山脉之间海拔约910米的沙漠高原塔马鲁加尔草原上。19世纪因硝石而经济繁荣。自1940年硝石价格下跌,人口下降。经济现以渔业、鱼类加工和农业为主。此外兴修水利开拓新地种植甘蔗、橄榄、柑橘和苜蓿。有汽车装配厂。泛美公路纵贯全区。主要港口阿里卡(供玻利维亚使用的自由港)和区首府伊基克(**Iquique**)都有几条"硝石"铁路通往内地。人口约273 427(1982)。

Taras(Italy)　**塔拉斯**　参阅**Taranto** 塔兰托。

Tarasco　塔拉斯科人　墨西哥中部米却肯州北部的印第安民族。其居住地为火山岩高原,多湖泊,气候干燥而凉爽。他们正经历着为墨西哥"混合"文化的主流所同化的缓慢过

程，但依然有人使用单一的塔拉斯科语，在文化上持保守态度。塔拉斯科人主要务农，种植玉米、豆类和南瓜，饲养绵羊、猪和鸡，种地使用犁或掘土尖棍。他们也种植一部分非主

墨西哥钦聪灿的塔拉斯科人手工艺品
供图：Emil Muench

要作物，用作饲料并用于出售和调剂食品花样。捕鱼、狩猎、经商和雇工劳动是其他重要经济活动。村落一般位于农场之中。住房为木、石或土坯建成，上覆以瓦或木瓦的屋顶。手工业有木工、编织、制陶、编席、织网、刺绣和缝纫。传统衣着正趋于消失，现在多数男子穿粗斜纹布工作服、黑灰色裤、毛外衣，女子穿棉布服装。普遍流行基于教父母身份的仪式亲属关系的习俗。信奉天主教。塔拉斯科语与其他语言的关系至今尚不清楚。

Tarascon 塔拉斯孔 法国东南部普罗旺斯-阿尔卑斯-蓝岸大区罗讷河口省城镇。位于尼姆东面，罗讷河左岸，与博凯尔隔河相望。该城和传说中的怪物拉塔雷斯盖有关，据说这个怪物劫掠该地区后被圣玛尔特降服。

塔拉斯孔镇罗讷河畔的城堡
供图：Gianni Tortoli-Photo Researchers/美国不列颠百科全书公司

从19世纪末起，该城还和法国作家A.都德创作的冒充模仿英雄性格的大言不惭者塔拉斯孔的塔塔莲有关。在罗讷河岸耸立的城堡是12世纪在罗马要塞的废墟上开始建造的，15世纪由普罗旺斯伯爵和西西里名义上的国王勒内一世完成。地方贸易主要有蔬菜、水果和印染布匹。人口16 884(1999)。

Tarasov, Anatoly 塔拉索夫(1918-12-10，苏联俄罗斯莫斯科～1995-06-23，莫斯科) 俄罗斯冰球教练。人称"俄罗斯冰球之父"，带领苏联队夺得3枚奥运会金牌，10次世锦赛冠军。20世纪40年代初开始担任教练时，加拿大队实力最强，他研究了加拿大队高度依靠体力的方法，与俄罗斯队的灵巧相结合，创造出既猛打猛冲又机动灵活的独特战术，并且实行招收和训练年轻运动员的策略。他的球队因而赢得18次全国冠军，11次欧洲锦标赛冠军。1964年奥运会夺得金牌。1968年预赛输给法国，但以5:0战胜加拿大夺冠。1972年奥运会再获金牌，但因加拿大队声称苏联队和欧洲队内有职业球员而拒绝比赛，这枚金牌受到质疑。塔拉索夫担任教练30年，1972年奥运会结束后不久退休。著有多部讲述教练方法的书。

Tarasova, Alla Konstantinovna 塔拉索娃(1898-01-25，俄罗斯帝国乌克兰基辅～1973-04-05，莫斯科) 莫斯科艺术剧院杰出的女演员。以其自然主义表演风格闻名。14岁时成为该剧院第二工作室成员。1922～1924年随该剧团赴英、美巡回演出，饰演《樱桃园》中的安尼娅、《万尼亚舅舅》中的索尼娅和《卡拉马佐夫兄弟》中的格鲁辛卡等角色。她的双眼极富表现力，声音珠圆玉润，最为重要的是她严格贯彻斯坦尼斯拉夫斯基的戏剧观，从而使她塑造的人物超凡入圣而又自然天成。20世纪30年代是其才华发展的全盛时期。她在《安娜·卡列尼娜》(1937)中饰演主角，演技卓绝，获得极大成功。而电影《大雷雨》(1934)中的卡捷琳娜和《彼得大帝》(1937～1939)中的叶卡捷琳娜也获得人们极大赞誉。1937年荣获苏维埃人民艺术家称号，1973年又获社会主义劳动英雄称号。她获得过5次国家奖、两枚列宁勋章和其他许多奖章和勋章。

taravana syndrome 塔拉瓦那综合征 减压病的一种类型，常见于日本和波利尼西亚群岛的采珠人。这些不穿潜水服的采珠人在采集珍珠时要屏气深潜(约50米)。在一天的劳动中，他们要连续潜水60～100次，两次间隔最多2分钟。本综合征的症状可有关节痛，亦可因中枢神经系统受累而出现麻痹。若两次潜水间隔保持5～10分钟，使第一次潜水时体内积聚的氮在第二次潜水前排出，这些症状即可避免。参阅**decompression sickness; thoracic squeeze**。

Tarawa 塔拉瓦 太平洋中西部吉尔伯特群岛的珊瑚环礁；基里巴斯首都。位于澳大利亚东北4 500千米。在35千米长的礁脉上，由15个小岛组成，陆地总面积23平方千米。为商业和教育中心。有港口设施、机场、中心医院、师范学院和海员培训学校。出口椰仁干和珍珠母。人口32 000(1999)。

Tarbela Dam 塔贝拉水坝 位于巴基斯坦的印度河上，是世界上最大的填石坝，建于1968～1976年，体积为10 557万立方米。储水量达136.9亿立方米，坝高143米，坝顶宽约2 743米。塔贝拉水坝是印度和巴基斯坦依据印度河河水协定所开展的印度河盆地工程中的两个主要建筑之一(另一为曼格拉水坝)。这两座水坝以及一些次要的水坝，都是为控制印度河季节性的水位变化而建。

Tarbell, Ida M(inerva) 塔贝尔(1857-11-05，美国宾夕法尼亚埃里克～1944-01-06，康涅狄格布里奇波特) 从事调查研究的女新闻工作者、讲演者和美国工业的年代史编者，尤以其权威性著作《标准石油公司史》(1904)著称。被西奥多·罗斯福总统称为专门报道丑事的记者之一。塔贝尔在宾夕法尼亚州米德维尔的阿勒格尼学院学习，短期任教后，任《肖托夸文学与科学界》编辑(1883～1891)。1891年用自己积蓄的钱前往巴黎，进入巴黎大学学习，并给美国杂志写稿以维持生计。《麦克卢尔杂志》创办人S.S.麦克卢尔于1894年雇用了她。《标准石油公司史》原以连载的形式在《麦克卢尔杂志》上发表，对一家垄断企业的兴起及其使用不正当手段作了最透彻的描写。她与《麦克卢尔杂志》的关系持续到1906年。从这一年起，她为《美国杂志》写稿，并共同拥有和共同主编这家杂志，直至1915年这家杂志被卖出为止。她有一段时间在肖托夸教育集会上发表讲演。她还写了几部备受欢迎的传记，包括关于A.林肯的8本书。后来她担任政府关于国防、工业、失业和其他问题的各种会议和委员会的成员。她的自传《不足为奇》于1939年出版。

Tarbert 塔伯特 苏格兰斯特拉斯克莱德行政区阿盖尔-比特区法恩湾口西侧东塔伯特湾顶端的一个村庄。村名意为地峡，它占有连接金泰尔半岛和阿盖尔其他地区的一小条土地。鲱鱼捕捞曾是居民的主要生计，但已衰落。现已开发成夏季旅游胜地。港口上方有一座14世纪城堡，一度为早期苏格兰国王(包括詹姆斯四世)的住地。人口1 347(1991)。

Tarbes 塔布 法国西南部南比利牛斯大区上比利牛斯省省会、城镇。位于阿杜尔河左岸。被罗马人占领时为重要城市，后又为萨拉森人(阿拉伯人)夺取。在16世纪末宗教战争期间曾蒙受损失。通火车以后，城内发展了军火、电器、机械和飞机工厂。以饲养英国-阿拉伯种马而闻名。第一次世界大战协约国军统帅F.福煦元帅以及19世纪诗人T.戈蒂埃出生于此。人口46 275(1999)。

tarboosh 塔布什帽 地中海东部地区穆斯林男子戴的紧贴头部的平顶无沿帽，形如截

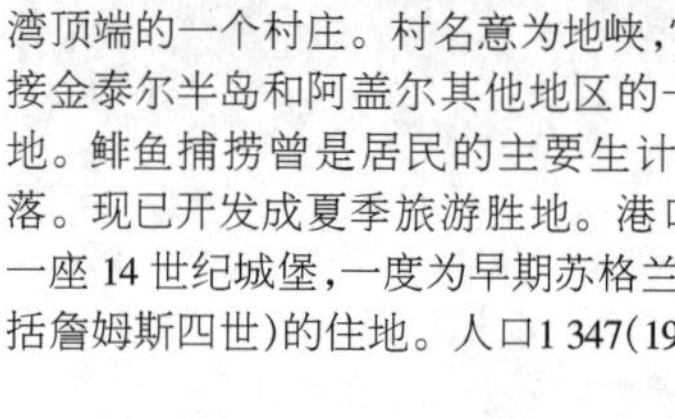

佚名画家所绘穆罕默德五世肖像画中的塔布什帽，约1918年
伊斯坦布尔托普卡珀博物馆供图

头圆锥体，用毡或布制成，饰以真丝流苏。可单独作为头饰，也可作为穆斯林缠头的衬帽。20 世纪，由于穆斯林国家普遍取消民族服装，塔布什帽亦逐渐被废弃。

Tarde, Gabriel　塔尔德（1843-03-12，法国多尔多涅省萨拉～1904-05-13，巴黎）　法国社会学家和犯罪学家，是他所处的时代里最多才多艺的社会科学家之一。他那关于社会影

供图：G.Sirot—J.P.Ziolo

响（智力交流活动）的理论，强调个人在集体中的地位。这使他与 E.涂尔干发生冲突，后者认为社会是统一的集体。塔尔德曾在多尔多涅省任地方法官，并从 1894 年起在巴黎任司法部刑事统计局局长，1900 年起任法兰西学院现代哲学教授。到 1875 年时，他已经创立了他的基本的社会哲学，认为发明是一切进步的源泉。塔尔德认为，100 个人当中也许只有一个人是有发明才能的。创新就是模仿，但模仿的程度和种类各不相同。冲突不仅发生在不同的模仿之间，而且发生在新旧文化之间。结果就产生了适应，适应的本身也是发明。塔尔德把这种结果视为构成社会历史进程的无止境的循环（《社会规律》，1898）。他在其名著《模仿规律》（1890）中阐述了这种重复的过程。塔尔德在他的《比较犯罪论》（1886）和其他著作中，攻击了 C.隆布罗索及其学派的极端的生物学的因果关系理论，指出环境对犯罪行为所起的重要作用。他的《经济心理学》（2 卷，1902）对英国 J.霍布森和美国 T.凡勃仑的制度学派的经济学起了促进作用。

Tardieu, André(-Pierre-Gabriel-Amédée) 塔尔迪厄（1876-09-22，巴黎～1945-09-15，法国芒通）　法国政治家。3 次出任法国总理，试图在第一次世界大战后继续执行 G.克列孟梭的政策。出身于中上层阶级的家庭，曾在巴黎高等师范学校学习。担任一个时期外交工作后，因任《时报》国际编辑而闻名。1914 年被选入众议院。第一次世界大战期间在轻步兵中服役至 1916 年，立有战功。在巴黎和会上，他在起草《凡尔赛条约》中起了重大作用。曾在克列孟梭政府中任解放地区部长（1919-11～1920-01）。在 R.普恩加来政府中任公共工程部长和内政部长。他是众议院中右派议员领袖。两次任总理期间（1929-11-02～1930-02-17，1930-03-02～12-05），主张实行扩大国家开支的政策。在 P.赖伐尔的两届内阁中任农业部长（1931～1932）和陆军部长（1932）。1932 年 2 月 20 日第 3 次出任总理。大选失败后于 1932 年 5 月 10 日辞职。1936 年退出积极的政治活动。他著作甚丰，其中有《法国与结盟》（1908）、《和约真相》（1921）、《在障碍面前》（1927）以及《需要重新进行的革命》（2 卷，1936～1937；此书谴责法国的议会制度）。

tardigrade　缓步虫　又作 water bear。又称水熊虫。缓步纲（Tardigrada）无脊椎动物。约 350种，世界性分布。自由生活。一般认为在进化上缓步虫介于环节动物与节肢动物之间。大部分缓步虫体长最多约 1 毫米或不足 1 毫米。见于多种生境：潮湿的苔藓上，显花植物上，沙上，淡水中和海洋中。已演化出大量不同的属和种，分别适应于差异极大的外部环境。缓步虫具有发育良好的头部和由 4 个互相愈合的体节构成的躯干，每个体节具一对粗壮、不分节的短足，尖端通常具几个锐

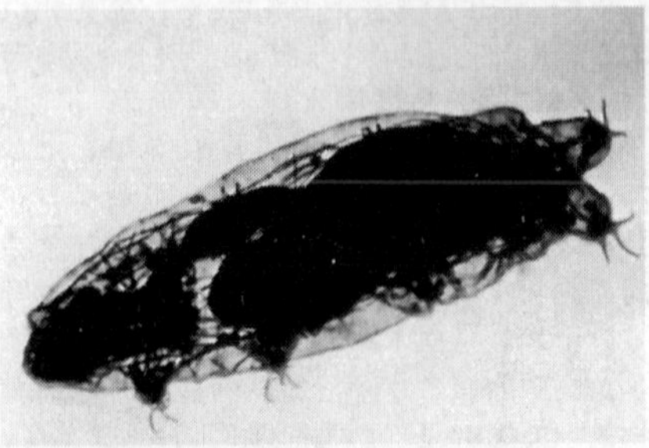

缓步虫（*Macrobiotus*）
供图：Anthony F. Maciorowski

利的爪。无特化的循环器官和呼吸器官，消化道从头到尾穿过身体。植物食性种类以口部的刺针刺穿植物的细胞，吸食细胞的内容。少数缓步虫为掠食性的肉食动物。性别情况不详。卵排入消化管末端或通过肛门前方的一个开口直接排到体外。缓步虫最显著的特征是能耐受极低温度和干燥。于不利条件下可进入滞生状态。曾经将缓步虫置于真空中达 8 天，再于室温条件下置于氦气中达 3 天，然后置于 －272 °C温度下数小时，最后放回正常室温，这些个体均能生还。置于 －190 °C的液态空气中21个月后，60％的个体仍能存活。处于此种抵抗力极强的状态下，缓步虫容易借风力或水力播散。

Tardiveau, René-Marie-Auguste　塔尔迪沃　参阅 **Boylesve, René 布瓦莱夫**。

tare　稗麦　又作 darnel。即毒麦。一种黑麦草（**ryegrass**），为黑麦草属（*Lolium*）的有毒杂草。

Taree　塔里　澳大利亚新南威尔士州东北部城镇。在曼宁河口上游 16 千米处。为曼宁河地区主要城镇。该地区生产乳品、木材、鱼类、蔬菜和玉米。镇内有乳品加工、机械、造船等工业，亦有旅游业。附近山地和海滨风景优美，每年一月举行水上狂欢节。人口 16 303（1991）。

Tarente, Jacques(-Étienne -Joseph)-Alexandre Macdonald, duc de（duke of）**塔朗特公爵**　参阅 **Macdonald, Jacques(-Étienne-Joseph)-Alexandre 麦克唐纳**。

Tarentum（Italy）　参阅 **Taranto 塔兰托**。

target theory　靶理论　德语作 Treffertheorie。生物学概念，认为辐射引起的生物学效应（如 X 射线的生物学效应）是细胞中敏感部位（靶）吸收了辐射线中的量子（或光子），引起电离作用的结果。据认为：要产生这种生物学效应，对靶必须冲击一次或多次。若遗传物质的靶分子发生电离，则对细胞的组成产生一个直接的效应，这个效应可以传递给细胞的后裔。靶理论的价值在于为评价辐射的许多生物学效应提供了定量的基础，在遗传学领域中尤其如此。

Tărgovište（Bulgaria）　参阅 **Tŭrgovishte 特尔戈维什泰**。

Targum　《塔古姆》　希伯来文《圣经》全部或一部分的阿拉米文译本。此词原指《旧约》的任何文字译本，后来则专指阿拉米文译本。最初的《塔古姆》出现于巴比伦囚虏时期，当时阿拉米语取代希伯来语而成为巴勒斯坦犹太人的口头语言。至于这种变化的时间则只能约略地估计。但可以断定，到了公元 1 世纪，在巴勒斯坦，虽然希伯来语仍为学术语言和宗教语言，阿拉米语却已成为主要流通语言。由此可见《塔古姆》是为了适应不懂《旧约》希伯来文的没有学问的犹太人的需要而推出的。公元 70 年第二圣殿被毁，会堂取代圣殿而为礼拜场所，《塔古姆》的地位和影响力即再不可动摇，因为正是在会堂，诵读《旧约》并用阿拉米语译解的习俗获得坚持。先是朗诵经文，然后由专职翻译员为会众译成阿拉米语。翻译员力求译文达到“信”的标准，但是他的目的是叫会众能够领会，因此不免加以解释，夹叙夹议。翻译员为了避免误解，将难懂之处加以延伸说明，用当时人们可以理解的方法叙述事件，突出表现经文叙事中的教诲意义，把经文中的戒律规条加以修改以适应当时的情况和要求。较早期的《塔古姆》尚比较贴近原文，后来的《塔古姆》则大量采取这类方法使释文成为传达说教词、古语、传说和寓言的工具。成文的《塔古姆》逐渐出现，但是，在公元最初几个世纪的塔木德时代，饶有生活气息的传统口头翻译和阐述受到人们重视，奉为权威。到了公元 5 世纪的塔木德后时代，书面《塔古姆》才获得正式承认而经过核订。3 世纪出现了昂克洛斯的《五经》的《塔古姆》最后修订本，它是最著名、最贴近原文而且或许是最早成书的一部《塔古姆》。其他《塔古姆》有伪约拿单的《塔古姆》、撒玛利亚《塔古姆》和约拿单·本·乌齐埃尔的《塔古姆》。

Tarhun　塔尔浑　又拼 Taru，Tarhu 等。古代安纳托利亚人所崇奉的司掌天气之神。赫梯宗教中天气神是最高的神灵之一，是现政权的化身，在神话中占有重要地位。塔尔浑的标志是三股雷叉，常作一手执叉，另一手挥棍、斧或其他武器之状。他的神畜是公牛，公牛也作为他的标志。有时塔尔浑像作立于公

牛身上状。

tariff 关税 又作 customs duty。商品通过一国或有共同关税联盟的国家集团边界进行贸易时所征收的一种税。有很多办法来征收关税,包括直接地在边境征收或间接地凭事先获得准许进口一定数量货物的许可证征收。关税通常只对易见、易分类及易于测量或定值的物品征收。征收关税,对货物估值有三种基本方法:①按 FOB 价格(离岸价,船上交货价)或 FAS 价(船边交货价)估值,它是最便宜的一种,只包括货值及送至装货地点费用,由该项运输工具载往进口国;②按 CIF 价格(到岸价格,包括成本、保险费及运输费用);③最贵的是在进口国按批发价格估值。很多国家基本用 CIF,但有些国家特别是美国、加拿大及许多南美国家用 FOB 或 FAS。1932 年后建立的国家用 CIF,因为它随运输距离按比例加大。其意图在不鼓励从远距离国家进口,而鼓励当地贸易。征收关税的目的,一般是为国家募集税收,其次是保护当地企业或两者兼有。作为国家税收,关税有三个主要优点:①通常情况下,关税征自外国人而不是其他应纳税的人;②即使在向外国人征税不可行的情况下,向外国人或其货物征税也比向国内消费征收直接税从政治上更能接受;③特别在欠发达国家,监督货物通过边界比监督国内的经济或征税活动容易。征收关税的其次动机是保护国内工业。用提高进口货物价格的办法,可使国内竞争者从其货物上索取较高的价钱并增加其收入。如果这类国内竞争者能够由此扩大产出,提高效率,关税就可说成有利于保护"新兴工业"(幼稚工业)。有关的论点认为保护国内工业能够促进就业。然而,关税也常常用来保护那些由于种种原因若按没有关税时的价格出售产品就不能赢利的老的、已建立的工业。每一个为关税辩护的论点都有它的对立面。关税在增加税收的同时,也减少了总的征税经济活动。虽然,关税表面上是对外国人或外国货征税,而实际上是间接地、有时是很隐蔽地在对国内消费者征税,它不像公开的、直接的税务那样能鼓励国内生产的效率。如果目标是想对某些特定的国内工业有利,则常常有更直接、更有效的方法(如利用津贴)可行。

Tarija 塔里哈 玻利维亚南部城市。位于大塔里哈河谷地,海拔 1 866 米。1574 年建立,是玻利维亚最早的居民点之一。当地居民以其户外宗教队列行进闻名。虽通飞机航线和公路,但周围富庶农区的物产(玉米、蔬菜、小麦、马铃薯、葡萄等)运出仍有困难,仅供当地消费。1946 年创建胡安·米萨埃尔·萨拉乔大学。人口约 135 783(2001)。

Tarikaikea River (Indonesia) **塔里凯克阿河** 参阅 **Mamberamo River 曼伯拉莫河**。

Tarim Basin (China) 参阅 **Talimu Pendi 塔里木盆地**。

Tarim River 塔里木河 又拼 T'a-li-mu Ho 或 Talimu He。中国最长的内陆河。在新疆维吾尔自治区塔里木盆地北部。有三源:南为和田河,发源于喀喇昆仑山,长 806 千米;中游横穿 400 千米的塔克拉玛干沙漠,因沿途蒸发渗漏,河道断流,只在洪水期才有水流入塔里木河。西南源叶尔羌河是塔里木河最长支流,源出喀喇昆仑山和帕米尔高原,长 1 079 千米。北源阿克苏河源于天山山脉西段,水量丰富,是塔里木河主要水源,长 224 千米,南流到阿瓦提县肖夹克附近和叶尔羌河及和田河汇合后称塔里木河。从肖夹克起到注入台特马湖长约 1 100 千米;若以叶尔羌河河源起算长2 179千米。流域面积为19.8万平方千米。塔里木河河水主要靠上游山地降水及高山冰雪融水补给。从阿克苏河口到尉犁县南面的群克尔一带河滩广阔,河曲发育,河道分支多。洪水期无固定河槽,水流泛滥、分散,河流容易改道。在河谷洼地易形成湖泊、沼泽。群克尔以下河道又合成一支。历史上塔里木河河道南北摆动,迁徙无定。最后一次在 1921 年,主流东流入孔雀河注入罗布泊。1952 年在尉犁县境筑坝,同孔雀河分离,河水复经铁干里克故道流向台特马湖。塔里木河中、上游有大规模水利设施,1971 年建塔里木拦河闸。沿岸新建许多农场。目前由于灌溉引水,塔里木河早已消失在灌区或沙漠中。但各河的地下径流最后归宿仍是罗布泊洼地。

塔里木河畔的胡杨林
中国大百科全书出版社供图

Ṭāriq ibn Ziyād 塔里克·伊本·齐亚德 (? ～约 720) 率领穆斯林征服西班牙的将军。征服摩洛哥的阿拉伯人穆萨·伊本·努赛尔任命他的将领塔里克代他治理丹吉尔。当时西班牙由西哥特人统治,但因内战而处于四分五裂状态。在内战中,西哥特人的西班牙国王威帖萨刚刚去世,他的儿子们向穆斯林求援,阿拉伯人为了征服西班牙,立刻允其所请。711 年 5 月,塔里克带领 7 000 人大军在直布罗陀登陆。从此,直布罗陀被称为"杰拜勒塔里克"(意为"塔里克山")。塔里克立即攻入西班牙本土,获得遭受西哥特人迫害的犹太人以及支持威帖萨之子的基督徒的大力协助。711 年 7 月,他击败篡夺西哥特人王位的罗德里戈,接着向西班牙首都托莱多进军,轻取该城。他又攻克科尔多瓦。712 年穆萨本人带领 1.8 万余名阿拉伯大军来到西班牙,与塔里克会合,在随后的几年中,两位将军攻占伊比利亚半岛领土 2/3 以上。714 年穆萨和塔里克被哈里发召回大马士革,他们被控侵占公款,最后二人不明不白地死去。

tariqa 道乘 又译塔里卡。又拼 tariqah。伊斯兰教用语,原指信徒在直接认识真主或实在之前所经历的路途。在 9、10 世纪,道乘指个别苏非派信徒的灵性修善路途。13 世纪以后,谢赫("教师")成为各教团的中心人物,道乘指某一教派所信奉的谢赫的整个仪式体系。其后它乃指教团本身。道乘派创立于 12 世纪,20 世纪有数百教团,信徒数百万。此派在穆斯林世界中央国家流传最广,在宗教生活方面发挥主要作用。该派亦见于西非、东欧、印度、中亚和远东。

Tarkenton, Fran 塔肯顿(1940-02-03,美国弗吉尼亚里士满～) 美国职业橄榄球前卫。在全部球坛经历中传球成功 3 686 次,传球前进 47 003 码,传球底线得分 342 分,这些成绩都是全国橄榄球联盟中的最高纪录。10 岁在华盛顿(哥伦比亚特区)参加少年橄榄球队,高中时是州级选手,大学时(1958 ～ 1961)成为全美前卫,在 1960 年**柑橘赛**(**Orange Bowl**)中以传球底线得 2 分使全队获得胜利。1961 年加入明尼苏达海盗队,开始全国联盟运动员经历。到 1978 年退休时为止,在传球成功次数、传球次数(6 467 次)、参加比赛次数等方面,都居全国联盟之首。退休后任电视台橄榄球运动解说员。

Tarkington, (Newton) Booth 塔金顿(1869-07-29,美国印第安纳州印第安纳波利斯～1946-05-19,印第安纳波利斯) 美国小说家和剧作家,以描绘中西部人的讽刺和有时

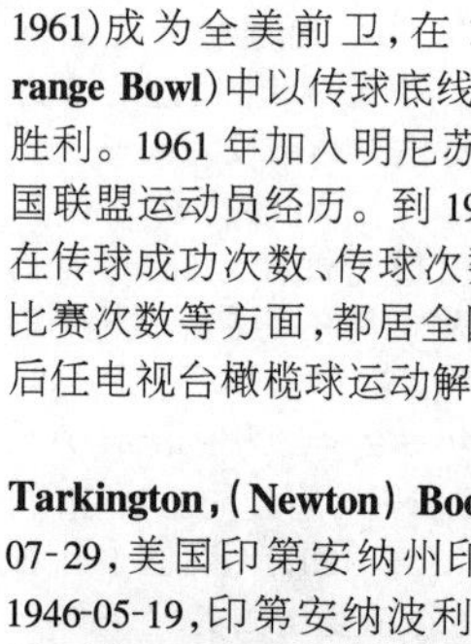

美国不列颠百科全书公司供图

浪漫的作品著称。曾在珀杜大学和普林斯顿大学学习,但未获得学位。由于轰动一时的小说《印第安纳绅士》(1899)的发表,他很早即受到赏识。这本小说反映出他对以后担任印第安纳州议会议员期间(1902 ～ 1903)亲眼见到的立法过程中的腐败感到幻灭。他的传

奇小说《博凯尔先生》(1900)非常受欢迎,后来由自己改编成剧本。他以幽默的笔调描写童年和少年时期的小说《彭罗德》(1914)、《彭罗德和萨姆》(1916)、《十七岁》(1917)以及《温柔的朱莉娅》(1922)都成为青年读物名著。他描写中西部生活和人物的小说也同样成功,如《动荡》(1915)、《华贵的安伯森家族》(1918;1941年由O.韦尔斯拍成电影)、《中部人》(1924)、《财阀》(1927)等。他透彻地研究人物性格的小说《艾丽斯·亚当斯》(1921)大概是他写得最完美的小说。在《克莱尔·安布勒》(1928)、《快乐的黑文》(1930)和《介绍莉莉·马尔斯》(1933)中,他继续描绘了女性人物。晚年写有几本家庭小说。他还写了许多剧本。他是20世纪初美国最受欢迎的小说家之一。从《范雷韦尔夫妇》(1902)到《玛丽的脖子》(1932),他的小说有9次被列入年度畅销书单。

Tarkovsky, Andrey Arsenyevich 塔尔科夫斯基(1932-04-04,莫斯科～1986-12-29,巴黎) 苏联电影导演,他的影片在西方赢得赞誉,但在国内却屡遭苏联当局的查禁。父亲是俄国著名诗人。塔尔科夫斯基在苏联国立电影学院学习电影,于1960年毕业。他的毕业作业《压路机与小提琴》(1960)在纽约电影节获奖。他的第一部长故事片《伊凡的童年》(1962),描写一个孤儿在第二次世界大战俄国战场上的经历,这部影片为他树立了国际声誉。他的下一部影片是描写中世纪俄国圣像画家的《安德烈·鲁勃廖夫》(1965),这部影片因对中世纪的生动再现而被公认为一部杰作。随后的影片有:《索拉里斯》(1971)、《镜子》(1975)和《斯塔尔克尔》(1979)。塔尔科夫斯基的影片的特点是具有震撼人心的视觉形象和象征性的梦幻般的格调,而没有传统的情节和戏剧结构。他的若干影片被苏联当局禁止在国内上映,因而1984年他在意大利拍完《怀乡》(1983)以后决定留在西方。他的最后一部影片《奉献》(1986)也是在西欧拍摄的。

Tarku(Egyptian king) **塔尔库** 参阅**Taharqa** 塔哈卡。

Tarkwa 塔夸 加纳西南部城市。在首都阿克拉以西约190千米处,地处农业和矿业区。为稻米、木薯、香蕉、橡胶、糖、玉米、可可、椰仁干、棕榈仁和可乐果等的集散中心。工业产品有各种建筑材料及消费品。当地金矿开采业始于10世纪,其他矿产品有锰、铝土矿、钻石、铁、石棉和铬铁。为育羊计划总部所在地,有绵羊与山羊疾病调查中心。人口约22 000(1984)。

Tarlton, Richard 塔尔顿(?,英格兰什罗普郡康多佛～1588-09-03,伦敦) 英国演员、谣曲作家,深得伊丽莎白女王一世宠幸,也是当时最受欢迎的喜剧演员。他表演的乡巴佬这一角色对莎士比亚在《仲夏夜之梦》一剧中塑造博顿这一人物很有影响;据说他还是《哈姆雷特》一剧中所描绘的宫中弄臣约里克的模特儿。但是,他扮演的角色几乎不为人所知。他把自己形容成"扁鼻子",装扮成斜视眼,身穿粗布衣服,手拿烟斗和小鼓。他还将粗俗的快步舞介绍到了伦敦。1570年塔尔顿以其说教的谣曲《迟到的大洪水》第一次受到人们的注意。1576年的《出版商名录》以"一本英国新诗——塔尔顿小调"为题对他加以赞扬。1579年他成为著名演员并当上伊丽莎白女王一世的宠臣。每当女王情绪不好时,他是唯一能使她"不忧愁"的人,而且也是唯一被允许指出她缺点的人。1583年他成为女王供奉剧团和女王陛下剧团的著名喜剧演员兼女王侍从官。他的所有受赞扬的戏剧现已全部遗失。后来,以塔尔顿名义出版的一些戏谑书籍,未必出自他的手笔。但直至1798年,一些小旅馆的广告牌仍在描绘他,足见其声誉流传之久。

Tarn 塔恩 法国南部南比利牛斯大区的省。面积5 758平方千米。从中央高原的边界向中部和西部延伸到阿基坦盆地。塔恩河流经省会阿尔比(**Albi**)和加亚克,在西部边界与阿古河汇流。北部边界有阿韦龙河及其支流维欧尔河。东部和东南部有锡多布尔高原、拉科讷高地(在蒙格朗[Montgrand]处高1 267米)和满布森林的努瓦尔山(高达1 210米)。中部树木繁茂的高原和高地略高于300米,阶梯状向西倾斜,到塔恩-加龙省成为肥沃平原。东部山区气候严酷,西部气温经常骤变。冬季较短,夏季极暖。高原用于放牧,平原和河谷种植谷物和水果,也饲养牛。加亚克地区以起泡的葡萄酒闻名。阿比让-卡尔莫地区有煤矿。地方工业有机械工业、合成纤维、金属、造纸、食品加工等。19世纪的画家H.土鲁斯-劳特累克出生于阿尔比,该地有他的作品陈列室。在卡斯特尔的高耶博物馆收藏有西班牙艺术品。该省有阿尔比和卡斯特尔两个专区,属图卢兹教育区。人口355 784(1999)。

tarn 冰川湖 小型山地湖泊,尤其是冰川侵蚀而成称为冰斗(**cirque**)的四壁陡峭的围椅状洼地中的湖泊。

Tarn, Pauline(French poet) **塔恩** 参阅**Vivien, Renée** 维维安。

Tarn-et-Garonne 塔恩-加龙 法国西南部南比利牛斯大区的省。面积3 716平方千米。建于1808年,由法国革命以前属于吉耶纳和加斯科涅的地区以及一小块朗格多克地区改组而成。塔恩河从东南部流入境内,向西北流经省会蒙托邦后有阿韦龙河汇入,之后向西注入加龙河。气候温和,夏季较热。该地区地势较低,土壤肥沃,广泛种植小麦、玉米。普遍饲养牛及种植葡萄和水果。有少量工业,主要为纺织和机械工业。穆瓦萨克生产高质量白葡萄,并以11世纪的古老教堂闻名。该省有蒙托邦和卡斯特尔萨拉桑两个专区,属图卢兹教育区。人口213 178(1999)。

Tarn River 塔恩河 法国西南部河流。全长233英里(375千米)。流域面积约4 600平方英里(12 000平方千米)。源出中央高原洛泽尔山南侧,在塔恩-加龙省注入加龙河。流程经梅让高地和索沃泰尔高地的壮观河谷长达30英里,是法国最著名的旅游胜地之一。在进入阿基坦肥沃低地,穿过塔恩省省会阿尔比之后,在蒙托邦下游与重要的支流阿韦龙河汇合。

Tarnobrzeg 塔尔诺布热格 原波兰东南部的省(1975～1998)。现分属圣十字、喀尔巴阡山、鲁布斯卡三省。

Tarnobrzeg 塔尔诺布热格 波兰东南部塔尔诺布热格省城市。1593年设建制。地处维斯图拉河河岸,在连接华沙和波兰东南部城市的贸易路线上。长期为制造业和商业重镇。经济以食品加工、机床制造、造纸和纺织业为主。20世纪50年代初在城郊发现硫矿(蕴藏量居世界前列)后发展迅速。人口约50 287(2002)。

Tarnopol(Ukraine) **塔尔诺波尔** 参阅**Ternopol** 捷尔诺波尔。

Tărnovo(Bulgaria) **特尔诺沃** 参阅**Veliko Tŭrnovo** 大特尔诺沃。

Tarnów 塔尔努夫 原波兰东南部的省(1975～1998)。现分属小波兰、喀尔巴阡山两省。

Tarnów 塔尔努夫 波兰东南部小波兰省城市。位近比亚瓦河与杜纳耶茨河汇流处。现为工业城市,也是克拉科夫—利沃夫(乌克兰)铁路的枢纽。主要生产化工品、建筑材料、加工食品和电机。1330年建镇。15世纪一场大火使全城焚毁。16世纪重建,成为文化中心。1772年划归奥地利,第二次世界大战后归还波兰,战时工厂全部被毁。市内现有两座博物馆。人口约119 913(2002)。

Tarnowski, Jan 塔尔诺夫斯基(1488,波兰塔尔努夫～1561-05-16,塔尔努夫) 波兰军队指挥官,政治活动家。作为年轻的波兰军事指挥官,曾在波兰东南部打败摩尔达维亚波格丹公爵的部队(1509),在维斯尼奥维茨打败鞑靼人(1512)并在奥尔沙战胜莫斯科人(1514)。他游历西欧和中东(1517～1519)后,被任命为一支葡萄牙军队的司令,曾战胜摩尔人(1520)。翌年回波兰,率军与普鲁士条顿骑士团作战。1527年国王西格蒙特一世任他为总司令,他率部抵挡鞑靼对波兰的攻击,先后于1531年8月在奥伯尔丁打败摩尔达维亚人,1535年指挥对莫斯科人的一次战役。为奖励他的战功,国王于1535年任命他为克拉科夫省总督。任内他鼓励人民向波兰东南部移民。作为波兰上议院议员,他在"家禽战争"中支持西格蒙特一世,这是一场下层贵族反对国王企图扩大王权的战争(1536)。1547年,当下层贵族试图强迫国王宣布与巴尔巴拉·拉济维乌的婚事无效时,他站在国王西格蒙特二世奥古斯都一边。他虽是天主教徒,1553年却支持加尔文宗的下层贵族,反对恢复独立的天主教教会法庭。著有《关于与土耳其人的战争》(1552)和《战争方法的计划》(1558),后者为波兰传统战争方法的权威性著作。

taro(*Colocasia esculenta*) **芋** 又作eddo或dasheen。又称芋头、芋艿。天南星科(Araceae)草本植物,可能原产东南亚,由此传播到太平洋各岛。芋现已成为主要作物,其地下

芋(*Colocasia esculenta*)
供图:Donald P. Watson

的块茎大、圆形、富含淀粉,可作蔬菜烹食,制布丁和面包等。波利尼西亚人用芋制成一种稀薄、糊状、易消化的发酵食物(夏威夷芋泥饼)。叶大,可炖食。芋适宜栽培于肥沃、排水通畅的土壤,种植7个月后收获块茎。叶和块茎有毒性,不能生食,必须先加热破坏所含草酸钙才能食用。

tárogató 塔罗高托管 流行于罗马尼亚和匈牙利民间音乐中的一种单簧片管乐器。它像木制的高音萨克斯管,但其圆锥形管身较细。原是一种肖姆管(一种发音响亮的双簧片乐器),19世纪末,布达佩斯的W.J.申达给它加上了萨克斯管的吹口,使它成为单簧片的乐器,并为之装配了一套键。

20世纪巴黎制作的塔罗高托管
伦敦霍尼曼博物馆供图

Taronga Zoological Park 塔朗加动物园 澳大利亚著名动物园之一。1881年创建于悉尼,由新南威尔士动物学会主办,初名穆尔公园动物园。1916年该动物园于俯瞰悉尼港的塔朗加公园内重新开放,面积28公顷。该园的管理权于1973年移交给新南威尔士动物园管理委员会。由于澳大利亚对动物输入实行严格的限制,塔朗加动物园所拥有的725种、4 000只动物中的大部分都是该国土产野生动物。动物园曾成功地繁殖了极其稀有的山鼹鼯、树袋熊、丛尾短鼻鼹及白喉袋鼬。园内有丰富的鸟类展品。在1972年开放的雨林鸟槛里,展出罕见的琴鸟以及园丁鸟、吸蜜鸟、果鸠等。该园拥有澳大利亚所产的50种鹦鹉中的大部分。该园还因曾经繁殖成功新西兰的几维(鹬鸵)而著称。园内建有一所现代化的兽医院和一个科研综合实验室。在20世纪80年代初,该园又在离悉尼约480千米的达博开办了一处名为西方原野动物园的汽车游览公园,展出大型有袋类、成群的有蹄类、大型的走禽类以及水禽类动物。

tarot 塔罗特牌 用于占卜和游戏的一种成套的纸牌。有人认为塔罗特牌起源于中国、印度或埃及,但其真正发源地不详。类似现在形状的塔罗特牌最早出现在14世纪后

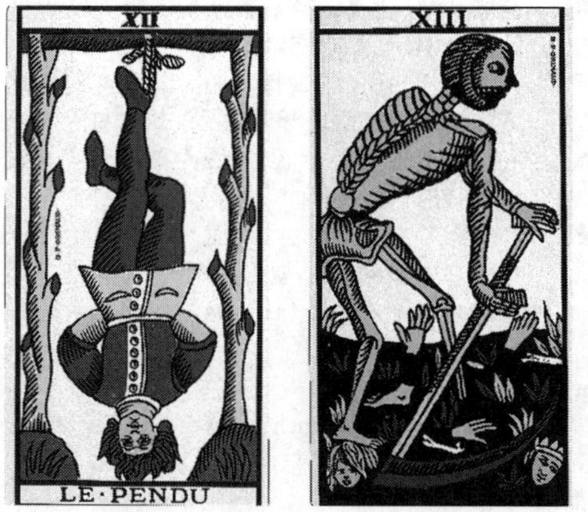

大阿卡纳牌:(左)吊死鬼;(中)死神;(右)月亮
供图:Mary Evans Picture Library

期的意大利和法国。早期的塔罗特牌有几种,各种牌每副的张数不一样。标准的现代塔罗特牌根据威尼斯或皮德蒙特的塔罗特牌制作而成,每副有78张牌,分成两组:大阿卡纳22张(又称王牌)和小阿卡纳56张。大阿卡纳牌上的图画代表各种势力、人物、美德和邪恶。22张牌从1号排至21号,"傻瓜"牌无号。这22张牌依次为:①术士,②女教皇,③皇后,④皇帝,⑤教皇,⑥恋人,⑦战车,⑧法官,⑨隐士,⑩命运之轮,⑪毅力,⑫吊死鬼,⑬死神,⑭节制,⑮魔鬼,⑯被雷电击中的塔,⑰星,⑱月亮,⑲太阳,⑳最后判决,㉑世界或宇宙。小阿卡纳的56张牌分成4种花色。每种花色14张牌。这些花色与现代纸牌相似;魔杖或棍棒(梅花),杯(红桃),刀剑(黑桃),钱币、五角星形或圆盘(方块)。每种花色有4张宫廷牌(通常称作国王、皇后、骑士和侍从)和10张号码牌。每种花色14张牌的价值,从小到大是么点到10,再往上是侍从、骑士、皇后和国王(么点牌有时作为大牌来用,如同现代纸牌那样)。现代的标准纸牌就是从历史上的小阿卡纳演变而成的(去掉骑士)。塔罗特牌最早可能是用于游戏的,尽管吉普赛人也许曾把它用来算命。从18世纪起,由于某些欧洲作家把纸牌同各种神秘传统、占卜、炼金术和礼仪性巫术联系在一起,纸牌便开始与奥秘的教义或仪式联系在一起。这种联系一直被保存下来,现在人们还广泛地使用纸牌进行占卜算命。占卜时,每张牌都赋予寓意。大阿卡纳牌同精神世界以及求签者生活的重要趋向有关系。小阿卡纳牌中的棍棒主要同商务和事业上的抱负有关。杯指爱情,刀剑代表冲突,钱币就是钱财和物质享受的意思。塔罗特牌由求签者洗牌,然后由算命人用特殊方式将好几张牌"摊开"(这几张牌或由求签者随意抽出,或者从洗过的牌的顶部切下来)。每一张牌的寓意按照它在摊开时是否被颠倒放置、它所处的位置和邻近牌的含意而有所变化。

tarpan 欧洲野马 中世纪成小群活动于欧洲中部偏远地区的野生马类,20世纪初绝灭。可能最后仅存的欧洲野马已与家马杂交而使该种消失。慕尼黑动物园曾用谱系中有欧洲野马血统的家马经选择育种而育成与欧洲野马相似的后裔。这种后裔在欧美的动物园中均有展出;其体小,暗棕色,鬃毛及尾平滑。

Tarpeia 塔耳珀伊亚 罗马神话人物,她是罗马军队指挥官塔耳珀伊俄斯之女,其父在萨宾战争中镇守卡庇托。据说她表示愿意向萨宾人献出城堡,条件是萨宾人将左臂所戴之物(指手镯)都赠给她。萨宾人却都将左手所执盾牌向她投来,将她砸死。

tarpon 大海鲢 海鲢目大海鲢科的海产鱼,与北梭鱼和海鲢近缘。背鳍的最后一根鳍条延长;突出的下颌两侧之间有一骨质喉片;鳞大而厚,银白色。大西洋大海鲢(*Tarpon atlanticus* 或 *Megalops atlantica*)亦称大鳞大海鲢,产于大西洋热带近岸和中美太平洋沿岸,有时也见于河中。常浮出水面吞空气。体长可达1.8米,重可逾45.4千克,是受人喜爱

大西洋大海鲢(*Tarpon atlanticus*)
供图:Miami Seaquarium

的游钓鱼类。曾捕到136千克的大海鲢。太平洋大海鲢(*M. cyprinoides*)为近似种。

Tarpon Springs　塔彭斯普林斯　美国佛罗里达州中西部皮内拉斯县城市。位于坦帕西北43千米的安克洛特河牛轭湖畔。建于1882年。1887年设市。1890年出现天然海绵捕捞业,20世纪40年代衰落。善牧教堂收藏有美国风景画家小乔治·英尼斯的作品。附近有黑猩猩饲养场。人口17 906(1990)。

Tarquin　塔奎(活动时期公元前7世纪末至前6世纪初)　全名卢修斯·塔奎尼乌斯·普里斯库斯。原名卢科莫。传说中的罗马第5代国王。有些学者认为历史上确有其人,在位年代通常定为公元前616～前578年。他的父亲是希腊人,移居于埃特鲁里亚的塔尔奎尼。他的妻子是女先知塔纳奎尔。卢科莫在妻子的劝告下由塔尔奎尼迁往罗马,并改名为卢修斯·塔奎尼乌斯。国王安库斯·马基乌斯任命他为王子们的监护人。国王死后,他篡夺了王位。最后,安库斯的儿子们把他杀死。塔纳奎尔遂设法使她的女婿塞尔维乌斯·图利乌斯登上宝座。据传说,塔奎增加了元老阶级和骑士阶级的名额。人们认为是他创办了罗马竞技会,并开始修筑罗马城墙。

Tarquin　塔奎(活动时期公元前6世纪下半叶)　全名卢修斯·塔奎尼乌斯(高傲者)。传说中的罗马第7代(末代)国王,有些学者认为是真实历史人物,公元前534～前509年在位。据传说,塔奎尼乌斯(高傲者)是塔奎尼乌斯·普里斯库斯的儿子或孙子,塞尔维乌斯·图利乌斯的女婿。推测塔奎是在杀害图利乌斯之后建立一种独裁专制制度,因而有"高傲者"的名称。在登基后的恐怖时代,许多元老皆被处以死刑。最后,L.J.布鲁图率领一群元老起来造反。引起这次造反的直接原因是塔奎之子塞克斯图斯强奸贵族女子卢克雷蒂娅。塔奎家族被逐出罗马,罗马废除了君主制度(传说在公元前509年)。一位塔奎(大概是塔奎尼乌斯[高傲者])曾与距罗马19千米的城市加比伊订立条约。这一条约的原文确实存在,直至公元1世纪还收藏在罗马的塞莫·桑库斯神庙中。

Tarquinia　塔尔奎尼亚　前称科尔内托。意大利中部拉齐奥区维泰博省城镇和主教区。位于奇维塔韦基亚北面,离第勒尼安海7千米。它以反对罗马的埃特鲁斯坎联盟的主要城市之一塔丘纳古城(东北3千米)为基础而发展起来。公元前311年被罗马所征

塔尔奎尼亚镇的中世纪堡垒
供图:John Ross-Photo Researchers

服。于公元前181年成为罗马的殖民地。在罗马帝国末期,该城镇衰落;其旧址在伦巴第(公元6世纪)和萨拉森人(公元8世纪)入侵后被遗弃,居民迁至现址。中世纪时名为科尔内托,1922年改用现名。当地最早的考古发现是维朗诺瓦文化(铁器时代)的几处井墓。1934～1938年在一座小山上的古城址挖掘出雄伟的古城遗迹以及一座名叫阿拉德拉雷吉纳的雄伟的埃特鲁斯坎寺院,院中有按希腊风格制作的赤陶翼马,为埃特鲁斯坎的艺术珍品。在著名的塔尔奎尼亚墓地中有埃特鲁斯坎人最重要的绘画墓穴,绝大部分的石刻墓穴是在公元前6～前4世纪时建造的。最著名的是捕鸟和捕鱼墓,其彩饰壁画约作于公元前520年。此外,母狮墓、卜占官墓和酒神祭司墓(均作于公元前6世纪)均有舞蹈和欢宴的绘画。现珍藏在该镇维特莱斯奇宫(1436～1439)考古博物馆中。经济活动有旅游、造纸和为农业服务的工业。人口:城镇区约14 141(1990)。

tarragon(*Artemisia dracunculus*)　**龙蒿**　又作estragon。菊科丛生型芳香草本植物。干叶和花头可用于食品(特别是鱼、鸡、炖菜、调味汁、炒蛋、干酪、蔬菜、番茄以及腌制食品)

龙蒿(*Artemisia dracunculus*)
供图:G.R.Roberts

烹调,以增加食品的强烈而辛辣的味道。龙蒿在混合调味品(如法式调味香菜)中也是常见成分。鲜叶用于沙拉,用鲜龙蒿浸的醋别有风味。据认为龙蒿原产于西伯利亚。在欧洲(尤其法国、西班牙)和北美栽培的是法国变种。龙蒿叶鲜绿色,气味强烈,味似茴芹。含精油0.3%～1.0%,主要成分是甲基佳味醇。

Tarragona　塔拉戈纳　西班牙东北部加泰罗尼亚自治区的省。濒临地中海。面积6 283平方千米。全境分沿岸平原带、西北山地和内陆三部分。经济以农业为主,出产葡萄酒、榛子、杏仁、橄榄、小麦、马铃薯、水果和蔬菜。沿海地区有旅游和捕鱼业。主要城市有省会塔拉戈纳,以及本德雷尔、巴尔斯、雷乌斯和托尔托萨。1972年在班德略斯建起核电站。人口约536 713(1988)。

Tarragona　塔拉戈纳　西班牙东北部加泰罗尼亚自治区塔拉戈纳省省会。位于弗朗科利河口,在一海拔150米山丘上,濒临地中海。公元前218年被罗马人占领,他们改建港口和城墙,使其成为罗马在西班牙的最早据点。后来塔拉戈纳成为罗马最富的海港之一。据传公元60年圣徒保罗在此建教堂。公元714年该城遭摩尔人洗劫,后衰落;12世纪再臻繁荣,成为阿拉贡王国重镇。现为海港、农贸市场和旅游业中心。1976年始有炼油业。为欧洲最现代化的炼油厂之一。名胜有罗马大墓地和巴拉凯旋门等。设有主教大学、工艺学校、工业技术学校和古代基督教博物馆。人口约109 586(1988)。

Tarrasa　塔拉萨　西班牙东北部加泰罗尼亚自治区巴塞罗那省城镇。在巴塞罗那市西北的沿海平原上。数世纪以来,经济一直以毛纺业为主,现亦生产尼龙、棉布、地毯、镶嵌工艺品和玻璃等。亦有机械和电器生产。名胜有12世纪罗马式圣马利亚教堂和圣佩德罗教堂等。设有纺织历史博物馆和纺织工程学校。人口155 360(1981)。

Tarrasch, Siegbert　塔拉什(1862-03-05,普鲁士布雷斯劳[今波兰弗罗茨瓦夫]～1934-02-17,德国慕尼黑)　德国国际象棋大师、医学家。以其象棋理论著作闻名。一生仅在1898年一次比赛中获重大胜利;1907年以后参加20多场国际比赛,从未进入前三名。1908年与拉斯克争夺世界冠军称号,失败。他的象棋理论著作发展了W.施泰尼茨的理论,但在什么是微弱优势问题上与施泰尼茨有不同看法。

Tarrytown　塔里敦　美国纽约州东南部韦斯特切斯特县格林堡乡村庄,为纽约市北郊区。位于怀特平原西部,在哈得孙河口处。塔里敦与欧文顿和北塔里敦形成因作家W.欧文而著名的"睡谷之乡",W.欧文纪念碑刻有R.范温克尔和博布迪尔传奇故事的浮雕,碑顶为作者的胸像。此地17世纪开始有荷兰移民定居。美国独立战争后发展为哈得孙河河港。哈得孙河铁路1849年通车,1870年设村。塔潘泽桥的修成(1956)推动了商业发展。工业有出版、汽车装配、机械、化学药品、服装及航空仪表等部门。当地有玛丽山学院(1907)、林德赫斯特宅第(1838)和波坎蒂科山庄园(洛克菲勒庄园)。欧文、A.卡内基及W.洛克菲勒的坟墓均在荷兰归正会教堂附近的北塔里敦睡谷公墓。人口10 739(1990)。

tarsal 跗骨 人类的构成踝的有角的短骨，以及趾行动物（如犬类，猫类）或蹄行动物的不着地的后踝中的骨。相当于上肢的腕骨。人类的跗骨与跖骨结合构成脚纵弓——适应两足移动时支持和传递体重。人的踝部共有7块跗骨，距骨在上与小腿骨形成踝关节。其他6块在距骨下面由韧带紧密联系，如承重的坚固平台一般。跟骨为最大的跗骨，在脚后端形成隆凸。其余跗骨包括舟骨、骰骨和3块楔骨。骰骨和楔骨牢固地与跖骨连在一起，形成几乎不动的关节。

tarsier 眼镜猴 介于狐猴和猴之间的眼镜猴科眼镜猴属（*Tarsius*）三种小型灵长类的统称。栖于东南亚的一些岛屿上，包括菲律宾、西里伯斯、婆罗洲和苏门答腊。腿长，体

眼镜猴（*Tarsius*）
供图：Tierbilder Okapisa, Frankfurt am Main

短，头圆并能转动180°。脸短。眼最引人注目，大而且似戴眼镜。耳大，膜质，几乎不停地运动。体长约9～16厘米，而尾比身体几乎长一倍。毛厚，柔软，呈灰色到深褐色。眼镜猴垂直地依附于树上，在树干之间跳跃。其后肢极长，趾端扩大成盘状肉垫，用以吸着；细长的毛尾可用作平衡器和支柱；故非常适应树栖生活。夜行性，主要捕食昆虫。单个幼仔，产下即已全身被毛，眼已睁开；妊娠期可能为6个月。

Tarski, Alfred 塔斯基（1902-01-14，俄罗斯帝国波兰华沙～1983-10-26，美国加利福尼亚伯克利） 波兰出生的美国数学家和逻辑学家，对一般代数、测度论、数理逻辑、集合论、元数学作了重要研究。他毕业于华沙大学，1923年获博士学位。在华沙大学执教，直至1939年移居美国。1945年入美国国籍。1942年在美国伯克利加利福尼亚大学任教，1949年任数学教授，并在该校米勒基础科学研究所任研究教授（1958～1960）。在以后的岁月里，对许多数学研究生的工作有重要影响。1968年成为荣誉教授。发表过许多代数、几何和逻辑方面的论文及著作。

Tarsus 塔尔苏斯 土耳其中南部城市。在塔尔苏斯河畔。距地中海岸约20千米。为古代西利西亚冲积平原上的古城。圣保罗的出生地。从新石器时代开始有居民。由于土地肥沃、位置险要和拥有良港，塔尔苏斯在从公元前5世纪起到公元7世纪阿拉伯人入侵止的期间十分繁荣。公元前67年被并入罗马新设的西利西亚行省。当时设有一所大学，以其希腊哲学院闻名。公元前41年安东尼与克娄巴特拉初次在此相识。在罗马时期和拜占廷初期，塔尔苏斯是东罗马帝国的主要城市之一，经济以农业和亚麻纺织业为主。今仍为农业和棉纺业中心。人口146 502（1985）。

Tartaglia, Niccolò Fontana 塔尔塔利亚（1499，威尼斯共和国［意大利］布雷西亚～1557-12-13，威尼斯） 意大利数学家，发现解三次方程的方法并创立了弹道学。原名丰塔纳，幼年被法国兵砍伤脸部而引起口吃，因而被加上Tartaglia（口吃者）的诨名。1534年在威尼斯定居，担任数学教师。他宣称发现了无一次项的三次方程$x^3 + px^2 = n$的解法。他的著作《新科学》（1537）论述射击技术，是建立自由落体定律的一项重要的开拓性工作。这部书出版不久，米兰的医生、演说家G.卡尔达诺要求他公开三次方程的解法，塔尔塔利亚起先拒绝，后来因希望做西班牙军队的炮兵顾问，就以保密为条件告诉了卡尔达诺。1545年，卡尔达诺在《大衍术》中发表了这个解法。他最著名的著作是《论数字和度量》（3卷，1556～1560），该书是对初等数学作百科全书式的论述。此外他还发表了阿基米德和欧几里得著作的译本。

tartan 花格图案 用不同颜色的条、带或一定宽度和顺序的线条按方格交叉形织成的呢料（有时用丝线交织）上的重复图案（或“方格”）。尽管这种图案许多世纪以来已在多种

皇家斯图尔特花格图案
供图：Scottish Tartans Society/Museum

文化中出现过，但人们仍把它看成是特殊的苏格兰图案，是苏格兰家族或氏族的准纹章图案。大多数氏族只有一种花格图案。在沼泽地带或山区，如果氏族图案色泽鲜艳，则采取第二种色调柔和的图案，称作猎装方格（通常底色为灰色），用于日常穿用的服装。人们早已认为许多苏格兰家族或氏族的花格图案具有重要意义和古代渊源，但是在17和18世纪才有比较清楚标明花格图案渊源的资料。从已知的最早表现高地服装的油画——J.M.赖特的《高地酋长》（爱丁堡苏格兰民族肖像馆藏）——上只能了解到，1660年左右有一种小交叉方格或“花格图案”的花样，适合用在短褶裙、方格花呢披肩或男子紧身裤上。据信这个酋长是坎贝尔人，但是他的服装图案与今天的任何坎贝尔花格图案（或任何其他已被认定的花格图案）毫无相似之处。18世纪有许多肖像确实提供了某些花格图案的记载，但是仍然前后不大一致。1745年（即1746～1782年）詹姆斯党叛变后，高地服装和花格图案被禁。然而18世纪末的高地军团穿过花格图案的军服，由此可见已开始设计统一的军用花格图案。在1822年乔治四世对爱丁堡进行国事访问期间，花格图案在军队中再度流行。在以后的30年中人们的兴趣仍未消退。艺术家、作家、出版商、制造商和成衣匠200年来共同确立了一种传统，把花格图案定为苏格兰的一种标记。1963年成立的苏格兰花格图案协会（STS）对于花格图案进行了周密研究。协会持有一本编目《花格图案记录大全》（录有约1 300种有记载的花格图案），可提供鉴定服务，为已经认定的或新的花格图案颁发鉴定书，并在设于苏格兰珀斯郡科姆里的协会总部建有一座花格图案博物馆。

Tartar（people） 参阅 **Tatar** 鞑靼人。

tartaric acid 酒石酸 又称二羟基丁二酸。一种二羧酸。是分布最广的植物酸之一，在食品和工业上有许多用途。从果酒发酵的副产品中可获得酒石酸及其某些盐类，如酒石（酒石酸氢钾）、罗谢耳盐（酒石酸钾钠）。古希腊和罗马人对不完全纯净的酒石早有所知，1769年C.W.舍勒首次分离出酒石酸。用制酒发酵过程得到的酒糟和其他沉积废物，经加热，并用氢氧化钙进行中和处理，得到酒石酸钙沉淀物，再用硫酸处理，则可得到游离的酒石酸。将粗制酒石酸氢钾晶体（粗酒石）用碳酸钠中和处理可制得罗谢尔盐。纯的酒石主要是从酒石酸和罗谢尔盐滤液制取的。酒石酸的第三种盐——吐酒石（酒石酸氧锑钾）——是用酒石酸氢钾和氧化锑来制取的。酒石酸是碳酸饮料、泡腾药片、胶质甜食和水果胶冻中广泛使用的酸味剂，在工业上有许多应用，例如用于金属的清洗和抛光、印花、毛织品染色、照相晒印和显影等。罗谢尔盐用于制银镜、干酪加工以及配制轻性泻药。酒石可掺合到发酵粉、硬质糖果和太妃糖中使用，还用于清洗黄铜器件、钢铁件电镀锡以及金属镀金镀银中。吐酒石可用作杀虫剂和媒染剂。酒石酸有4种立体异构体：①普通右旋酒石酸，存在于葡萄和其他几种水果中。②化学性质相同的左旋酒石酸，主要由拆分外消旋酒石酸而得。③外消旋酒石酸，可从酒石母液或用合成方法制取。④内消旋酒石酸，用合成法制取，但不能拆分为右旋和左旋酒石酸异构体。L.巴斯德对酒石酸

的结晶学、化学和光学性能进行的研究，为现代立体异构理论奠定了基础。各类酒石酸和一般酒石酸盐都是无色、易溶解于水的晶体。

Tartarus 塔尔塔罗斯 古希腊神话的地狱之地。原指世界上最深的地区，为地下冥府两层中的下层，是诸神囚禁其敌人的地方。后来该词逐渐意指整个地下世界，与埃律西昂(Elysium)这个词正好相反，埃律西昂是快乐灵魂死后居住之所。有些说法是，塔尔塔罗斯与该亚(大地)以及其他神都是这个世界的拟人化元素之一。按照这些说法，塔尔塔罗斯和该亚生出怪物堤丰。

Tartessus 塔特苏斯 西班牙西南部瓜达尔基维尔河谷古地区和城镇名。由于同腓尼基人和迦太基人进行贸易而繁荣一时。约公元前500年毁于后者之手。塔特苏斯的确实地址不详。但考古发现证明它可能在今塞维利亚附近。

Tartini, Giuseppe 塔蒂尼(1692-04-08，威尼斯共和国伊斯特里亚皮兰诺［意大利］～1770-02-26，威尼斯共和国帕多瓦) 意大利小提琴家、作曲家及音乐理论家，协助建立现

中国大百科全书出版社供图

代小提琴运弓法并确立音乐装饰音及和声的原理。塔蒂尼曾在帕多瓦攻读神学和法律，同时也博得剑客的声誉。未满20岁就与帕多瓦大主教所监护的一名女孩秘密结婚，因而被捕。他乔装成僧侣逃离帕多瓦，藏匿于阿西西一所隐修院内。他在该地的小提琴演奏引人瞩目，因此大主教允许他重返帕多瓦与妻子团聚。1716年他前往威尼斯，后转往安科纳，最后返回帕多瓦，于1721年被任命为圣安东尼奥教堂的首席小提琴手。1723～1725年担任布拉格波希米亚大臣府管弦乐队的指挥，然后再度返回帕多瓦，并于1728年创立了一所教小提琴演奏和作曲的学校。1740年他举行巡回意大利的音乐会演出。塔蒂尼的演奏因结合了技巧性与诗般气质而极为出色，他的运弓法也成为后世各小提琴学派的楷模。他的作品包括100多首小提琴协奏曲；难以计数的奏鸣曲，其中包括1735年以后写就的《魔鬼的颤音》；四重奏；三重奏；交响曲；宗教音乐，如五声部的《上帝怜我》和四声部的《万福圣母》等。他对声学的贡献是发现了差音(也被称为塔蒂尼音)，这是当两个音以相当的强度持续发出时产生的第三个音。他也以同代数、几何学有关的方式推演出一套和声理论，发表在《音乐论》(1754)中；并在《音乐和声原理》(1767)里加以扩展。他的理论著述尚有一本论述装饰音的《倚音通论》。

Tartous (Syria) 参阅 **Ṭarṭūs** 塔尔图斯。

Tartu 塔尔图 德语及瑞典语作Dorpat(多尔帕特)。1893年前称德尔普特。1893～1918年称尤里耶夫。爱沙尼亚的旧大学城。濒临耶马召基河。5世纪建为居民点时称塔尔巴图。1030年俄国人在此建要塞，称尤里耶夫。13～16世纪该镇参加汉萨同盟。后被波兰人、瑞典人占领。1704年被彼得一世吞并。1775年遭焚毁，并重建成古典式。第二次世界大战期间又遭严重破坏。当地1632年由瑞典古斯塔夫斯二世建立大学，1699年迁至派尔努，1710年关闭，1802年在此重新开设。该大学以其天文台、美术馆、植物园和图书馆著称。1951年建农学院。也有生产仪器、农机、靴鞋、食品等的工厂。图梅姆贾吉山上留有13世纪大教堂遗迹。人口114 000(1989)。

Ṭarṭūs 塔尔图斯 又拼Tartous。叙利亚西部城镇。位于地中海岸，与艾尔瓦德岛隔海相望。最初建为艾尔瓦德岛的殖民点。公元346年由君士坦丁大帝重建，罗马时代和拜占廷时代颇为繁荣。中世纪时由十字军占领，1291年被阿拉伯人夺取。奥斯曼帝国初期以后，该镇衰落，直至20世纪其港口才又恢复活力。圣母马利亚大教堂(现为镇博物馆)为13世纪十字军建筑物的完美典范。现为国内第二大口岸、渔港、农业中心。人口约64 680(1985)。

Taru (Anatolian deity) 参阅 **Tarhun** 塔尔浑。

Taruc, Luis 塔鲁克(1913-06-21，菲律宾圣莫尼卡～2005-05-04，奎松城) 菲律宾共产主义胡克(人民抗日)运动领导人(1942～1954)。贫农之子，曾于马尼拉大学就读两年(1932～1934)。后参加菲律宾佃户运动。因受马克思主义的强烈吸引，于1935年参加社会党。同年11月，社会党与共产党合并成反法西斯联合阵线。1942年日本入侵后，塔鲁克在中吕宋组织人民抗日军，担任总司令。1945年作为民主同盟成员被选入菲律宾众议院，但选举委员会指控他是靠恐怖手段当选，剥夺了他的议员席位。在同M.罗哈斯总统谈判失败后，他于1946年底转入地下。1948年6月至8月，又同新任总统E.季里诺谈判，仍未成功，于是加强他的恐怖活动。同年，帮助发动一场新胡克运动(人民解放军)。到1950年，他的游击队控制了素称"菲律宾谷仓"的中吕宋绝大部分地区和两个省会，并威胁到中央政府的继续存在。季里诺的国防部长R.麦格赛赛通过争取农民支持和改组军队、保安队的办法，在阻止塔鲁克的推进方面取得了相当进展。1954年人民解放军遭到严重破坏，塔鲁克投降后处以12年监禁。1968年9月得到F.马科斯总统的赦免。他又积极地从事土地改革运动。著作有《源于人民》(1953)和《他是伏虎人》(1967)。

Tarudesert (Kenya) **塔鲁荒漠** 参阅 **Nyiri Desert** 尼里荒漠。

Tarumanegara 多罗磨王国 西爪哇有史以来最古老的王国。约建于5世纪。关于它的记载只有一个中国游历者的大致描述和茂物附近及爪哇岛最西部的几处岩刻。这些史料均说明最强有力的国王是甫尔纳哇尔曼，他征服邻近的一些国家，并开挖一条运河。王国主要生产蓝靛。人民信佛教。中国史书称该王国为托洛马。

tarweed 黏菊 俗称焦油草。菊科黏菊属(*Madia*)植物。约18种，大部分原产于南美西部。具黏质分泌物，被毛。少数种具黄色

普通黏菊(雅致黏菊，*Madia elegans*)
供图：A to Z Botanical Collection

或褐黄色的花，有浓郁香味，故栽培于庭园。智利葵子油黏菊(栽培黏菊，*M. sativa*)因含油(智利葵子油)而在智利栽培。

Tarzan 泰山 通俗小说中享有盛名和流传最久的人物之一，是近30部小说和几十部电影中的丛林冒险英雄。泰山是美国作家E.R.巴勒斯(**Burroughs, Edgar Rice**)笔下的人物，1912年首次出现在一家杂志刊载的故事里。由于他深受读者喜爱，后来出版了名为《人猿泰山》(1914)的小说，以及一系列获得非凡成功的续集，在全世界销售超过2 500万册。小说讲述一个英国贵族的儿子泰山如何被遗弃在非洲丛林中，后被一群类人猿抚养长大的故事。在一系列冒险活动过程中，他学会了英语，和一个美国科学家的女儿简相遇并产生了爱情，最后重新获得贵族称号。《人猿泰山》于1918年拍成无声电影，由E.林肯第一个扮演银幕上的猿人。此后，有十几位演员主演泰山，在森林中攀援悬荡，其中最为观众喜爱的演员是J.韦斯摩勒，他曾是奥林匹克运动会著名的游泳冠军。泰山还曾是一部流行连环漫画和许多广播与电视冒险故事的主人公。

Tasaday 塔萨代人 生活在菲律宾棉兰老高地热带雨林中的一个小小的群体。在1971年人类学者第一次报道其生存状况之前，人

数约为 25 人。他们到 1966 年被邻近定居的部落发现之前,似乎长期与世隔绝,一直过着原始生活。人类学者对塔萨代人进行调查访问时,发现他们穴居,采集食物,以野生薯蓣为生;其他食物则有蝌蚪、青蛙、小鱼、螃蟹、蛴螬、棕榈果、野香蕉等。他们只在腰间围以兰叶编成的遮羞布或短裙,并无衣着;使用粗石器(石斧和刮削器)和木工具(取火钻及掘土尖棍),没有用于狩猎或战争的武器。塔萨代人的发现,被人们誉为 20 世纪人类学上最引人注意的成果之一,国际舆论界广为宣传报道。但在 1986 年,有关塔萨代人这个民族的真实性,引起了各种疑问;因为人们对他们再次调查访问时,发现他们身着西式服装,使用诸如刀、镜以及其他各种现代物品。因此,人们确信,有关塔萨代人的种族及文化特点的说法,纯系菲律宾前总统马科斯政府中官员们编造出来的骗局,其目的不外进行宣传以便从塔萨代人的林地经营管理中获取利益。根据这些时间较晚的报道,塔萨代人实际上都是其附近文化上更先进的曼努博-布利特人或特博利人部落的成员,这些部落曾在马科斯的民族事务助理的指使下一度扮演过更为原始的民族的角色。虽然菲律宾政府也许曾经鼓励塔萨代人伪装得比他们真实生活情况要更为原始些,不过,在早先人类学研究期间所获得的语言学材料(尽管不够完备),似乎可以说明塔萨代人确曾与世隔绝。1988 年,根据菲律宾国会调查委员会的建议,C.阿基诺总统宣布塔萨代人为一个真正少数民族群体,但许多学者对此仍持怀疑态度,而且争议双方想获致结论性证明的希望正在开始逐渐消失。

Tashauz　塔沙乌兹　土库曼斯坦北部的州。面积73 600平方千米。境内地势大部较平坦,为卡拉-库姆沙漠一部分,东北部阿姆河沿岸地带,为肥沃的花拉子模绿洲的一部分。大陆性气候,年降水量 100 ~ 150 毫米,蒸发量极大地超过降水量。人口集中于产棉花、苜蓿、谷物、瓜类和蚕丝的花拉子模绿洲。沙漠中饲有绵羊、山羊、骆驼。工业以轧棉、榨油为主。居民中约 1/3 居住在城市。首府塔沙乌兹为境内唯一城市。花拉子模古都古尔冈茨遗址在现代居民点库尼亚乌尔根奇附近。人口约738 000(1991)。

Tashauz　塔沙乌兹　土库曼斯坦塔沙乌兹州城市和首府。位于花拉子模绿洲西部,沙瓦特运河将该市分成南北两部分。原为花拉子模西部要塞和集市。1924 年建镇。亚洲风貌的旧市在沙瓦特运河北面,新市街道宽阔,树木成行,在运河南岸。20 世纪 50 年代通铁路后获发展。有一家轧棉机厂,几家食品加工厂和车辆修理厂,也是制地毯中心。该市在查尔朱一马卡特铁路线上。人口约117 000(1991)。

tashbīh　塔什比赫　又译泰什比赫。伊斯兰教用语,指以人拟真主,把真主比喻为受造之物。根据伊斯兰教教义学,塔什比赫与谓真主并无任何属性的塔尔提勒都是罪恶。伊斯兰教内关于真主性质众说纷纭,分歧来源于《古兰经》上某些互相矛盾的提法。《古兰经》一方面说真主无与伦比,与人所能想象的任何事物不同;另一方面将真主拟人化,说他有眼、耳、手、脸,说他坐在宝座上说话、倾听。有些穆斯林教义学家说:《古兰经》之所以使用人类的概念和习惯用语,是因为除此以外无法把真主的信息传达给人类,这种提法应按寓意而不按字意解释。但 10 世纪穆斯林教义学家艾什尔里又说,关于真主的手、眼、脸以及坐、说话等词句,应照字面解释,但不必深究。在伊斯兰教苏非主义的文学中,他们按照寓意解释,用普通情诗的语言和文体谈论真主,因为他们认为真主是按自己的模样创造了人。

Tashilhunpo Monastery　扎什伦布寺　中国藏传佛教(黄教)在后藏的大寺,是历代班禅驻锡之所,位于日喀则西部尼玛督山南坡。1447年根敦珠巴(后追认为第一世达赖)创

扎什伦布寺
中国大百科全书出版社供图

建。1600 年四世班禅及后人逐步扩建而成现在的规模。寺院依山麓而建。札仓(经学院)、佛殿、勘布会议厅、历世班禅灵塔殿、班禅拉章(寝宫及其处理政、教事务的处所)等主要建筑建在北面地势较高处,僧院建在南面平地上。东北角有高大的晒佛台,主入口大门朝南。全寺僧人清代限额为 4 400 名。寺内主集会殿为一座有 48 根柱子的大型殿堂。慈尊佛殿内有高 26 米的鎏金铜佛,为中国最大的坐式铜佛像。班禅拉章主楼有 6 层,底层用作贮藏,二楼以上为佛殿及僧俗官员办事用房,顶层为班禅寝宫。寺内有佛像、壁画、佛经和珍贵的贝叶经、包括 30 多卷本的《宗喀巴传》在内的大量文献典籍,以及清朝敕封班禅的金册、金印等珍贵文物。

Tashkent　塔什干　乌兹别克斯坦东北部的州。面积 15 600 平方千米。东北为山区,山峰高达 4 311 米。西南为平原,以锡尔河为界。阿汉加兰河、奇尔奇克河横贯其间。大陆性气候,冬季温和,夏季漫长、炎热、干燥。年降水量约 350 ~ 400 毫米。为乌兹别克斯坦工业最发达的州。首府塔什干市有机器制造、食品加工及其他轻工业。安格连产煤,科斯布拉克产黄金。阿尔马雷克为库拉马山脉所产有色金属(铜、铅、锌)的冶炼中心。别卡巴德以废铁炼钢。奇尔奇克产化肥和机械设备;扬吉尤利和普斯肯特有轻工业。农作物以棉花为主,亦种小麦、水稻、黄麻、蔬菜和瓜类。山区和山麓丘陵地带养蚕、养牛。沙漠、半沙漠地区饲养羊。奇尔奇克河沿岸建有水力发电站数座。人口约4 298 500(1991)。

Tashkent　塔什干　乌兹别克斯坦首都。中亚最大城市。位于恰特卡尔山脉西面的奇尔奇克河谷,海拔 450 ~ 480 米。从奇尔奇克河引出的一系列渠道在市内交叉纵横。可能建于公元前 2 或公元前 1 世纪。曾用名有贾支、恰奇干、沙什干和宾干。现名在乌兹别克语中意为“石村”,公元 11 世纪首见记载。曾为通往欧洲和东方的贸易通道的重要贸易和手工艺中心;8 世纪初被阿拉伯人占领,后归属其他穆斯林统治者。13 世纪为蒙古人所占。1809 年并入浩罕汗国。1865 年被俄国占领,当时为人口约 7 万的有城墙的城市,为与俄国进行贸易的主要中心。1867 年为土耳其斯坦新总督的行政中心,是一座建在旧城旁的新式的欧洲城市。1917 年 11 月武装起义后,由俄国殖民者确立苏联的统治,当时仍为新成立的土耳其斯坦苏维埃社会主义共和国首府。1924 年该共和国解体后撒马尔罕成为苏联乌兹别克共和国最早的首府,1930 年迁至塔什干。现是中亚地区主要经济与文化中心。工业多与棉花、纺织机械及纺织品有关。有许多高等院校和科研单位。新公共图书馆很著名。有多座剧院,包括歌剧芭蕾舞新剧院。还有艺术宫、博物馆、公园和体育场。1966 年地震后有 30 万人无家可归,城市进行了大规模重建。现存有数处 15、16 世纪的宗教建筑和陵墓,其中包括巴拉克汗-马德拉斯(神学院)。俄罗斯人、乌兹别克人约占总人口的将近 80%,少数民族有塔塔尔、犹太和乌克兰等族。人口约 2 124 000(1998)。

Tashkent Agreement　《塔什干协定》(1966-01-10)　印度总理夏斯特里与巴基斯坦总统阿尤布·汗签订的和解协议(夏斯特里于第 2 天即去世),结束 1965 年 8 ~ 9 月印巴之间的 17 天战争。联合国安理会于 1965 年 9 月 22 日促成停火。协定是在苏联部长会议主席柯西金的斡旋下达成的,他并邀请双方至塔什干签订。双方同意:所有军队撤回到 1965 年 8 月 5 日以前所据守的阵地;两国恢复外交关系;讨论经济、难民以及其他的问题。协定在印度受到批评,因为它没有包含一项非战条约,或宣布中止游击队对克什米尔的任何侵犯。

tashlik　投弃礼　又作 tashlikh 或 tashlich(希伯来语:“你将投弃”),犹太教传统礼仪。今天正统派犹太教徒仍遵守此礼,即在赎罪日下午(如当日为安息日则改在次日下午)礼拜后前往水边,诵念《圣经》中表示悔罪和祈求赦罪为章节。其中一节说:“……你将我们的一切罪投于深海。”(《弥迦书》第 7 章第 19 节)过去行此礼时还要投饼屑饲鱼,象征人类过去的罪愆已经勾销。目前犹太人有时把衣袋翻转,将其中细小杂物抖到水中去,这一习俗即是投弃礼的反映。有些犹太教人士认为,此礼可以保证人们不受恶毒眼光之害,也有人认为,这一习俗的用意是提醒上帝垂念以撒及其父亚伯拉罕——犹太人的祖先的圣洁。

Tasian culture　塔西文化　可能是上埃及已知的最早文化(约公元前 4500),典型遗址是尼罗河东岸的拜达里和代尔塔萨。塔西文

化的遗物在某种程度上与后来的拜达里层遗物相混杂，但它完全没有金属制品，陶器也更加原始，显然其年代更早，但塔西人也可能与拜达里人同时。考古文物说明他们已经定居，种植大麦、小麦，养羊。陶器主要有敞口碗，器物多为袋状。死人通常葬以草棺，尸身蜷缩或弯曲。

Tasikmalaya 打横 又译塔西马拉亚。印度尼西亚爪哇岛西部爪哇省的城市和县。位于多山的勃良安地区，在万隆东南面约80千米处。海拔351米。有公路和铁路连接西北面的万隆和东南面的芝拉札。人口由虔诚的穆斯林爪哇人和一些华人、印度人移民组成。1948年期间，在打横建立了一个为期很短的独立的穆斯林国家，后被荷兰军队所粉碎。该市是稻米、玉米、花生和橡胶等农产品的贸易中心。当地制造的商品有钱包、盘碟、手提包、地席、碗盆、草帽和纸伞等。打横以藤条与露兜叶纤维编织品和蜡染印花柞蚕丝织品闻名。该市有大清真寺。人口：市165 297；县1 593 303（1980）。

Tasman 塔斯曼 新西兰南岛西北部中央管辖区。濒临塔斯曼湾和戈尔登湾，东北与纳尔逊城接壤。在行政区划上，它东与马尔伯勒中央管辖区和坎特伯雷地方政府管辖区相接，南和西与西海岸地方政府管辖区交界。流经塔斯曼的有布勒河、莫图伊卡河、奥雷里河及它们的支流。罗托罗阿湖是最大的湖泊。管辖区的大多数地区海拔高度在900米以上并大多难以到达，因其被绵亘的塔斯曼山、瓦卡马拉马山、皮尔山和阿瑟山所阻隔。1642年，荷兰航海家A.塔斯曼在戈尔登湾的塞珀雷申角以西靠岸。他在这里与毛利人遭遇。这是一次悲惨的遭遇，因此塔斯曼驶离时给该地区取名为"谋杀者湾"。1770年J.库克船长经塞珀雷申角外的戈尔登湾驶入塔斯曼湾。因后者似乎为陆地所包围，库克将其命名为布莱恩德湾（死湾）。1772～1773年，库克重返布莱恩德湾时将其改名为塔斯曼湾，误以为它是塔斯曼所称的"谋杀者湾"。1827年，迪蒙·迪尔维尔驶达塔斯曼湾。此后欧洲移民定居点的核心是塔斯曼湾以南的低地。该管辖区初期的开发项目有小规模的农场和木材加工厂，以及零星开采的煤矿。1859年在布勒峡发现了金矿。随后，石棉、黏土、石灰石和煤的开采成为这个地区的重要产业。在河谷和低地上，人们精心种植烟草、水果和蔬菜。管辖区的产业主要是农业性的，包括有食品加工及包装、纸浆及造纸、锯木和车辆维修。北部的河谷和低地居住着该地区人口的大多数，主要城镇是莫图伊卡、里士满、韦克菲尔德、里瓦卡和科灵伍德。塔斯曼湖和纳尔逊湖国家公园是该地区的娱乐休养地。唯一的主要公路（从东至西）穿过布勒河谷，连接韦斯特波特（西）与纳尔逊城和莫图伊卡（东）。人口约44 394（2001）。

Tasman, Abel Janszoon 塔斯曼（1603?，荷兰吕特尔海斯特～约1659-10-22） 荷兰最伟大的航海家和探险家，发现塔斯马尼亚、新西兰、汤加和斐济群岛。在为荷兰东印度公司服务的第一次航行（1642～1643）中，勘察了印度洋、澳大拉西亚和南太平洋；其第二次航行（1644）游历了澳大利亚和南太平洋海域。1632或1633年到荷兰东印度公司工作，1634年任"穆哈"号船长。勘察了今印度尼西亚的塞兰岛。1639年M.H.奎斯特领导的探险队去日本以东海面寻找"金银岛"。在去日本、中国台湾岛、柬埔寨和苏门答腊进行贸易的一系列航行后，东印度总督派他率领船队前往南半球进行雄心勃勃的探险。截至1642年，荷兰航海家们只发现过澳大利亚西海岸不连续的片段，这些海岸是否属于大陆并和假设的太平洋南方大陆衔接，仍不清楚。塔斯曼为解决这个问题，他遵循他的一位首席领航员的指导，在通常的贸易航路以南，从西往东勘察印度洋，并继续前进向东进入太平洋，调查有否东去智利的海路，重新发现西班牙人发现的所罗门群岛，并勘察新几内亚岛。他于1642年8月14日离开巴达维亚（今雅加达），先驶往毛里求斯（9月5日至10月8日），后向南再向东，于东经约94°处到达他航程的最南点南纬49°。折而北行，于11月24日，在南纬42°20′发现陆地，沿着该地南岸航行，命名为范迪门地区（今塔斯马尼亚岛）。12月5日东印度公司官员们开会，反对再向前调查，因此塔斯曼失掉发现巴斯海峡的机会。他继续往东，于12月13日在南纬42°10′看见新西兰南岛的海岸。往北行考察了该岛，驶进北岛与南岛之间的海峡，当时以为是个海湾。1643年1月4日在北角离开新西兰，当时以为自己可能发现了南方大陆的西海岸，该地可能联结南美南端的斯塔滕岛。由于自信存在着去智利的海路，塔斯曼朝东北航行，1643年1月21日发现汤加，2月6日发现斐济群岛。船舶折向西北行，4月1日到达新几内亚水域，6月14日驶抵巴达维亚，完成了10个月的航行。塔斯曼围绕澳大利亚航行，却未看到它，因此认为它是和假设的南方大陆分离的。东印度公司不满足于仅仅发现新岛屿，1644年又派他率领船队详细考察已发现的岛屿，寻找通往智利的航道，并与新几内亚、澳大利亚西部、范迪门地区和"未知南方陆地"建立关系。这次他先沿新几内亚南海岸航行，然后再循澳大利亚的卡奔塔利亚湾海岸航行，进入托雷斯海峡，折向南沿澳大利亚海岸到达南纬22°。第二次航行的结果仍未能使公司满意，因为没有发现为公司带来财富的新土地。后一直担任东印度公司船队指挥，1647年曾带领一支贸易船队去暹罗（今泰国），1648年曾率领舰队在菲律宾群岛与西班牙人作战。数年后离开荷兰东印度公司。

Tasman Peninsula 塔斯曼半岛 澳大利亚塔斯马尼亚州东南部半岛。北以狭窄伊格尔霍克内克地峡连接福里斯蒂尔半岛。长宽约27千米和19千米，面积520平方千米。海岸曲折，多港湾。由于风浪侵蚀，海岸多陡崖、海蚀柱和洞穴，海浪打入海蚀洞，在岸上形成喷泉。1830年南岸阿瑟港建有流放地，该地遗址已部分修复，现为吸引游客名胜。

Tasman Sea 塔斯曼海 太平洋西南部海域。位于澳大利亚东南岸、塔斯马尼亚和新西兰之间。北与珊瑚海相连。海域宽约2 250千米，面积约230万平方千米。最深点5 200米以上。西南以巴斯海峡与印度洋相连；东有库克海峡与太平洋相通。荷兰航海家A.塔斯曼在1642年航行于这一海域而得名，最突出的海底地形是塔斯曼海盆。南赤道洋流和信风漂流在这里向南补给形成东澳大利亚洋流，对澳大利亚海岸有重大影响。在塔斯曼海东部，表面环流1～6月受来自西太平洋洋流（暖流）的控制；而7～12月则受来自亚南极向北运动通过库克海峡的较冷海流的控制。上述各洋流使塔斯曼海南部通常为温带气候，北部为亚热带气候。因地处西风带，塔斯曼海以其咆哮的风暴闻名。新西兰、澳大利亚东南部和塔斯马尼亚之间有航线。经济资源有渔产和巴斯海峡东端吉普斯兰海盆中的石油。

Tasmania 塔斯马尼亚 旧称范迪门地区（Van Diemen's Land），澳大利亚联邦的一个岛州，靠近澳大利亚大陆的东南角。

三角形的塔斯马尼亚主岛和澳大利亚大陆的维多利亚州之间被巴斯海峡隔开，海峡东联塔斯曼海，西南通印度洋。该州除塔斯马尼亚主岛外，还包括州首府荷巴特东南岸外的布鲁尼岛、巴斯海峡中的金岛与夫林德斯岛、主岛外边许多小岛以及东南方约1 450千米处亚南极地区的麦加利岛。主岛纬度及气候和加利福尼亚北部或西班牙西北部大体相似。该州得名于荷兰航海家A.塔斯曼。他于1642年首先发现该岛，但该岛在1856年前一直以荷兰殖民官A.范迪门之名称范迪门地区。他曾派遣塔斯曼作探险航行。岛上主要是山地，蕴藏着澳大利亚大部分的水电潜能。塔斯马尼亚岛除西北部地区外土壤贫瘠。岛上气候湿润稳定。一般说来，最湿润地区有温带雨林，特别是山毛榉和香桃木。年降雨量750～1 500毫米的地区有木质优良的桉树林，干旱地区则为劣质桉树林或稀树草原。动物界在真正的雨林中见不到，但在大片桉树林区颇为丰富。鸟类有吸蜜鸟、黑樫鸟、黑鹊、黑凤头鹦鹉及各种其他鹦鹉。哺乳类有沙袋鼠、帚尾袋貂及环尾袋貂，食肉的有袋类则有袋鼬、斑袋鼬及塔斯马尼亚袋獾。苔属植物生长地和高沼地有各种毛鼻袋熊。海岸带是绿色玫瑰鹦鹉及卵生哺乳类鸭嘴兽和针鼹的故乡。塔斯马尼亚的资源丰富多样，主要矿藏有铁、锌、铅、铜、锡和钨。中部和西部地区有水电开发。西部森林提供硬木和纸浆与造纸工业的原料。乳制品业及混合农业主要在比较潮湿的北部地区，较干旱的中部和东海岸广泛放牧羊群，东南部专营园艺业。采矿业一般占初级产品产值的1/4，乳制品业占1/5，羊毛生产占1/6，水果占1/7，林业占1/8。第二产业约为初级产品产值的2倍，其中最重要的电冶金及电化学工业特产，有赖于水电委员会提供的廉价能源。原有的土著塔斯马尼亚人现已绝灭，他们属类黑人种，当19世纪初欧洲人来此定居时，土著居民约有3 000～5 000人。20世纪80年代末期由于澳大利亚的塔斯马尼亚人口的出生比例最高而显著增长。州议会（设在州首府荷巴特）设两院，众议院35席，按比例代表制选举产生；参议院传统上主要是一个超越党派的议院，由 19 个选区各选一个议员组成。主要政党有澳大利亚工党和澳大利亚自由党。州政府对带有孩子的被遗弃的妻子或丈夫、丈夫在监狱的妻子以及无人照顾的孩子给予救助，但大部分社会福利由国家政府负担。塔斯马尼亚人高度重视住房私有制，公寓占不到住宅的1/10。

虽然人口不多，塔斯马尼亚人的文化生活却异常活跃，部分原因归功于塔斯马尼亚大学（建于 1890）及预备学院（由水平较好的中学升入大学的阶梯），后者是 20 世纪 60 年代塔斯马尼亚的一项革新。州内拥有各种业余乐队、合唱团和剧团。澳大利亚广播公司获得荷巴特与朗塞斯顿市政会的财政支持，维持着塔斯马尼亚交响乐团。塔斯马尼亚还定期举行电影节和艺术节。

人类可能在约 4 万年前至 2.5 万年前进入塔斯马尼亚。约在 1.2 万年前至 1.1 万年前，巴斯海峡被淹没，澳大利亚最南端的居民被隔断了同大陆部族的联系。荷兰人 A.塔斯曼是调查该地区的第一个欧洲人，他于 1642 年登陆，命名该岛为范迪门地区。此后法国和英国的探险家们接踵而至，1798 年 M.夫林德斯作环岛航行。欧洲人殖民统治的头十年间立足未稳，大量流放的欧洲罪犯（包括逃亡的“绿林大汉”以及原始土著们）都在相互争夺食物和土地，彼此不和。1825 年范迪门地区被宣布为殖民地，同新南威尔士州分开。从 19 世纪 20 ～ 40 年代，人口由4 350人增加到5.7万多人，人口膨胀给原住民带来了死亡的厄运。1831 年，当原住民剩下不足 200 人时，他们被移置到夫林德斯岛，在那里他们繁殖不起来，最后一个塔斯马尼亚人，名叫特鲁加尼尼的妇女，于 1876 年死去。流放罪犯的活动于 1852 ～ 1853 年结束，殖民自治政府于 1855 ～ 1856 年被认可，塔斯马尼亚这个地名成为官方正式名称。大部分塔斯马尼亚人曾支持澳大利亚联邦。1901 年塔斯马尼亚成为一个州。面积 67 800 平方千米，人口约452 847（1991）。

Tasmanian 塔斯马尼亚人 原在塔斯马尼亚但现已绝灭的澳大利亚土著居民。塔斯马尼亚人是土著澳大利亚人中被分隔在塔斯马尼亚岛上的一支；他们并非另一民族，而是由于约 10 000 年前海平面普遍升高淹没巴斯海峡，而与大陆隔绝。17 和 18 世纪欧洲探险者到达这里时，他们的人数估计约为 4 000 人。塔斯马尼亚人身材较矮，具有一般澳大利亚土著人种的身体特征，讲一些大陆土著居民难懂的语言。全岛分成几个部落，操不同方言，各占一处疆界分明的狩猎地区。他们以猎取海陆哺乳动物、收集贝壳类动物和植物为生。在温暖的月份里，塔斯马尼亚人以 15 ～50 人为一伙，成群或举家在内地开阔森林和高沼地中穿梭游荡；在寒冷季节里，他们迁至沿海地区。有时他们也成群结伙举行狂欢晚会（跳舞庆祝重大事件）、狩猎或保护自己免遭攻击。他们制作木矛、棍棒（大头棒或投掷棒）、石片工具和武器，还制作兽骨器具、篮筐和沿海航行用的树皮舟。他们有少量描绘自然物体的石雕和习俗符号留存下来。塔斯马尼亚的第一个永久性白人殖民区建于 1803 年；1804 年，白人无故袭击一群塔斯马尼亚人形成“黑人战争”的第一幕。白人不把土著居民当作人看待，侵夺其猎场，断绝其食物来源，袭击妇女，杀戮男人。塔斯马尼亚人试图反抗，但敌不过白人在武器及人力上的优势。1831 ～ 1835 年间，塔斯马尼亚 人为了避免全部绝灭而寻求和解，大约 200 名幸存者被迁移到弗林德斯岛。他们的社会组织和传统的生活方式遭到破坏，加以受到外来疾病及使其“开化”的种种侵扰，他们很快归于消亡。一个在弗林德斯岛上帮助过居民重新定居的塔斯马尼亚女人特鲁加尼尼（死于 1876 年），是最后纯血统的土著居民。另一个塔斯马尼亚女人据说在南澳大利亚的袋鼠岛上一直活到 1888 年。

Tasmanian cedar 塔斯马尼亚杉 杉科密叶杉属（*Athrotaxis*）三种常绿针叶乔木的通称。原产于澳大利亚塔斯马尼亚温带雨林。其中两种是小乔木，高 6 ～ 12 米，树围 1 ～ 1.5 米，偶作观赏植物栽培。威廉王松（高山密叶杉，*A. selaginoides*）是材用乔木，高可达 30 米，树围可达 2.7 米；叶革质，深绿色，富含挥发油。

Tasmanian devil （species *Sarcophilus harrisii*, sometimes *S. ursinus*） **袋獾** 袋鼬科有袋哺乳动物。身体矮壮，头大，呈方形。体长50～80厘米，尾呈帚状，长23～30厘米。外形有点像熊。毛色黑中带褐，胸部有污白色斑点，有时臀部和两侧也有白斑。袋獾具大爪和利齿，外貌凶恶，嘎声嗥叫，生性暴躁，故俗名塔斯马尼亚恶魔。主要食腐肉，食死亡的沙袋鼠和绵羊。其主要活食为某些甲虫

袋獾（*Sarcophilus harrisii*）
供图：John Yates-Shostal

的幼虫。已知袋獾会攻击家禽。妊娠期 31 天，产仔 3 ～ 4 只，幼仔在袋里生活约 5 个月。袋獾近期已在澳大利亚本土绝灭，仅残存于塔斯马尼亚的边远多岩石地带。

Tasmanian languages 塔斯马尼亚诸语言 1877 年以前塔斯马尼亚土著居民所操各种语言，现均消亡。塔斯马尼亚诸语言和世界上其他语言间的关系，迄今尚无所发现。学者们把塔斯马尼亚诸语言中彼此有关的各语言分成两个语支：西部语支包括通行于塔斯马尼亚西部和北部的诸语言；东部语支包括塔斯马尼亚东部的三种语言。晚近的研究表明可能有 8 种或更多种语言属于塔斯马尼亚语言。

Tasmanian Wilderness 塔斯马尼亚荒野 澳大利亚塔斯马尼亚中部、西部和西南部自然景观极美而生态多样化的地区。1982 年被联合国教科文组织列为世界遗产，1989 年其面积扩大到13 800平方千米左右。主要由西南国家公园（1968 年创立）、富兰克林-下戈登野河国家公园（1981）、克雷德尔山-圣克莱尔湖国家公园（1971）组成，同时也包括耶路撒冷墙国家公园（1981）和哈茨山脉国家公园（1939）。东北侧和东侧是中央高原保护区（1982）及其他保护区。区内的考古遗址是马克斯韦尔河和瓦尔加塔米那，麦夸里港还有一处历史遗址。土著来到此区几万年后，这里成为塔斯马尼亚第一个罪犯流放地（1822 ～ 1833）。19 世纪早期以来，捕猎、开矿、造船和伐木是重要的经济活动，工业利益集团至今仍争夺该区的天然资源。高山植被和凉爽的温带雨林是此区地貌的特色，栖有袋獾、斑点尾巴和东袋猫、筑穴螯虾和当地树蛙、洞穴蜘蛛、长尾鼠。还能见到宽齿鼠和地鹦鹉。著名树种包括当地梅树、莎草、桉树、沼泽革木，还有特有的地肤类植物、塔斯马尼亚山毛榉、休恩松和比利王松。

Tasmanian wolf （*Thylacinus cynocephalus*） **袋狼** 又称塔斯马尼亚狼，Tasmanian tiger（塔斯马尼亚虎），或 thylacine。现代最大的食肉有袋动物。或列入袋鼬科，或单列为袋狼科

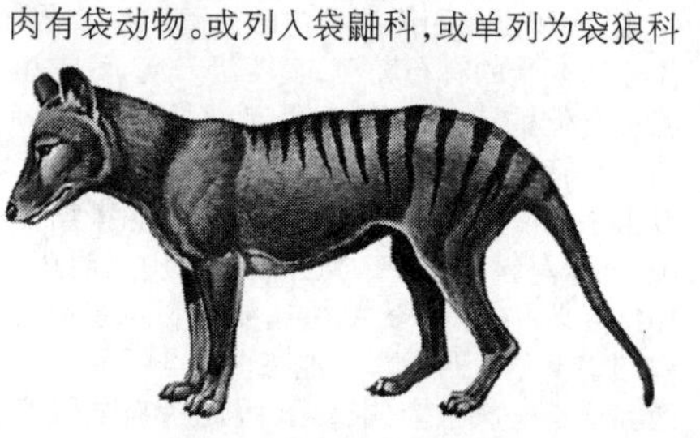

袋狼（*Thylacinus cynocephalus*）
绘图：Richard Ellis

（Thylacinidae）。体细长，面似狐。全长 100 ～ 130 厘米（包括 50 ～ 65 厘米的尾长）。被毛浅黄褐色，背部和臀部约有 16 ～ 18 条黑色条纹。夜出捕食沙袋鼠和鸟类。雌兽的浅腹袋向后开口，每窝产 2 ～ 4 仔。袋狼亦曾见于澳洲大陆及新几内亚，但在很早以前已局限于塔斯马尼亚才有。因竞争不过引进的澳洲野犬，在大陆已绝迹。移居于塔斯马尼亚的欧洲人认为袋狼对家羊是个威胁而广为捕杀，1914 年就已罕见，现在认为已绝灭。

tasmiyah （Islām） **太斯米叶** 参阅 **basmalah 比斯米拉**。

Tass 塔斯社 全称作 Telegrafnoe Agentsvo Sovetskovo Soyuza。1925 ～ 1991 年的苏联官方通讯社，是世界上主要国际通讯社之一，向苏联全国和世界各地播发新闻。苏联政府于 1925 年成立该社，以取代曾在彼得格勒（圣彼得堡）接管沙皇通讯社的第一家革命的通讯社——俄罗斯通讯社。在 1991 年苏联解体之前，塔斯社向部长会议负责。该社拥有密布全国的通讯网，是所有苏联报纸、电台和电视台新闻的主要来源，并在 100 多个国家设立分社和派驻记者，其国际客户包括多数西

方发达国家以及东欧和第三世界国家的通讯社。国际新闻用俄语、英语、法语、德语、西班牙语和阿拉伯语播送。塔斯社有关国家政策问题和国际事务的电讯反映其官方立场。在1991年苏联解体后,塔斯社改组为两部分:报道俄罗斯新闻的俄通社(ITAR)和报道独联体其他国家新闻的塔斯社。

Tassie, James 塔西(1735-07-15,苏格兰格拉斯哥附近波洛克肖斯～1799-06-01,英格兰伦敦) 苏格兰宝石雕刻家。原为石工,在格拉斯哥习造型术。1763年迁居都柏林,在H.奎因的实验室作助手。奎因喜好仿制古代宝石。他们共同研制成一种白膏,极适合于宝石复制品的制造,但配方秘而不宣,只有随塔西工作的他的侄子威廉·塔西(1777～1860)知道该秘方。经后人分析,知是一种含铅玻璃,以中火熔化,达到面团状态,即可制成假宝石。他复制的假宝石有透明和不透明两种。1766年塔西迁居伦敦,复制许多古今宝石。18世纪80年代初,俄国女皇叶卡捷林娜委托他复制数千件珍藏的宝石,现存圣彼得堡爱尔米塔什博物馆。塔西所创制的圆形人像章,是用蜡拓出母模,填入白膏而成。塔西死后,其侄继续复制宝石并创制圆形大像章。他最终收藏了2万多件制品(包括他叔叔和雇用的几位艺术家的创制品)。他工作了40年后,于1840年退休。苏格兰国立肖像馆和苏格兰国立美术馆收藏有他遗赠的大量制品。

Tassigny, Jean de Lattre de 塔西尼 参阅 **Lattre de Tassigny, Jean de 拉特尔·德·塔西尼**。

Tassili-n-Ajjer 塔西利-恩-阿耶 阿尔及利亚南部地区,19世纪在该地发现一处史前岩画。位于撒哈拉沙漠中部,峭壁高悬,岩画即展现在峭壁的侧面。学者及考古学家均无法确定岩画的时间。塔西利岩画有三种主要风格,区别不是以时代为依据的,一般假定三种风格是同时存在的。第一种是"古代"风格,大片着色平面,环以深紫色轮廓,大动物及人像多以此种风格绘成。抽象的几何图形

塔西利-恩-阿耶的岩画——牧人与牛群
供图:J. D. Lajoux

满布于画面上。第二种具有自然主义风格,在许多幅牛群奔跑、牧人持弓的画面上,描绘细致,栩栩如生。第三种是"立体风格",对形象以断裂手法进行处理,使深色图像为浅色画地所分割。这种风格的绘画中首先描绘了轮子形象。在塔西利遗址还发现了一些可能用作墓碑的石制品。由于学者们尚不能解读岩画上的象形文字,这种艺术形式的意义及这一地区岩画作品丰富的原因,均不可解。

Tasso, Bernardo 塔索(1493-11-11,威尼斯贝加莫[意大利]～1569-09-05,曼图亚奥斯蒂利亚[意大利]) 意大利朝臣和诗人,文艺复兴末期意大利最伟大的诗人托尔夸托·塔索的父亲。塔索是一个有教养的人,一生中曾为各种各样的贵族服务。1544年他的儿子托尔夸托出生时,他正在为萨莱诺亲王圣塞韦里诺服务,1552年他随后者流亡。随后,塔索在乌尔比诺公爵圭多巴尔多二世的宫中服务,托尔夸托与公爵的儿子一道接受教育,而最后在为曼图亚公爵贡扎加服务时成为奥斯蒂利亚的总督。塔索写了大量的诗歌,其中包括55首颂歌,是最早的有独创性的贺拉斯风格的意大利诗歌。其主要著作是题为《阿马迪吉》(1560年出版)的一部100篇章的叙事诗,系根据更早的一部关于这位骑士的西班牙骑士小说写成。一批评家称《阿马迪吉》"浩大、严肃和难读"。有些批评家发现,塔索对《阿马迪吉》中一段情节的扩充更为有趣,但去世时未完成,由托尔夸托接着改写并以《弗洛里丹特》(1587)为名出版。

Tasso, Torquato 塔索(1544-03-11,那不勒斯王国索伦托[意大利]～1595-04-25,罗马) 意大利文艺复兴末期最伟大的诗人,英雄史诗《耶路撒冷的解放》的作者。父亲为诗人和

供图:L. Locatelli-Milesi-Tombini, Bergamo, Italy

廷臣。塔索于1554年到罗马,两年之后进乌尔比诺的宫廷,与公爵之子同受教育。1560年被送到帕多瓦学习法律,并曾研究亚里士多德的《诗学》,在S.斯佩罗尼指导下开始撰写《论诗的艺术》。1565年,进入埃斯特枢机主教府服务,曾随枢机主教到过巴黎。1571年成为费拉拉公爵的廷臣,积极从事诗歌创作。1573年写成牧歌剧《阿明达》,对阿卡迪亚的描写富于美感和抒情,超越一般作品中对乡村景象的描写。1575年完成杰作《耶路撒冷的解放》,内容以布永的戈弗雷率领的第一次十字军东征为主要情节,穿插一些浪漫的甚至超自然的插曲,企图在当时的道德理想和他自己的美感之间,在文艺复兴学者所规定的史诗规范和他自己的抒情幻想之间取得平衡。因此,它虽然以古典作品为楷模,在风格上却达到了文艺复兴诗歌的顶峰,预示着17世纪巴罗克倾向的出现。但是各方面的评论却使塔索精神失常,次年突然从费拉拉出走,后被关在圣安娜医院达七年之久(1579～1586)。在禁闭期间他写了几篇哲学和道德的对话以及许多书信。1581年,《耶路撒冷的解放》和《诗歌与散文》出版。1586年获释,在曼图亚、罗马、那不勒斯之间流浪,同时写成一部悲剧《托里斯蒙多王》和几首宗教诗。接着他又用了七年时间重写了他的史诗,改名为《耶路撒冷的征服》,于1593年出版,自以为超过原作,实际上却完全失败。1594年,他又到那不勒斯,出版了《论英雄史诗》,按照自己经过修改的艺术观点为重写的史诗辩解。塔索思想中享乐主义的设想和严格的宗教道德观念之间的冲突,使他一生处于忧郁状态,导致生活的动荡,精神上的病态,引起后世许多关于他的传说。他在文学作品中竟成为一个被误解、受迫害的天才,现代的评论把他的生平和性格归咎于当时伦理道德的不稳定。

Tassoni, Alessandro 塔索尼(1565-09-28,摩德纳公国摩德纳[意大利]～1635-04-25,摩德纳) 意大利政论家、文学评论家和诗人,以其嘲弄英雄的讽刺诗作《吊桶被劫》(1622)闻名。多数评论家认为这是同一体裁的许多意大利诗作中最早也是最好的作品。曾在博洛尼亚、比萨和费拉拉的大学中攻读民法和宗教法规,1589年参加过语言保守主义者主办的克鲁斯卡学会。他的大半生在罗马为几位枢机主教服务。在他许多散文中最饶兴趣的作品是他对彼特拉克及其追随者的抨击《论彼特拉克的诗》(1609),及一部包括哲学、文学、科学和政治思想论文集《塔索尼各种思想十卷集》(1620)。他的著名作品《吊桶被劫》,取材于14世纪初意大利博洛尼亚城和摩德纳城之间的战争。在这次战争中,摩德纳人抢走波洛尼亚城的吊桶作为战利品,这只吊桶至今仍陈列在摩德纳教堂。

taste 味觉 又作gustation。当溶解态的化学物质与动物身体某部接触时,动物借助感觉系统觉知和辨识这些化学物质的功能。因为味觉一词常使人想到人们熟知的脊椎动物口腔味蕾,许多学者更喜用接触性化学感觉一词,后者具有更广泛的内涵。参阅**chemoreception; tongue**。

tat tvam asi 汝即彼 在印度哲学中,人们用这句有名的措词来表示个人与绝对之间的关系。在《歌者奥义书》(约公元前600)第6章中,教师乌达勒格·阿鲁尼把最高存在物的本质教给自己的儿子时就常常重复这句话。对于这一判断中表示出来的同一性,正统的吠檀多哲学的不同学派作了不同的解释。不二论派的思想家商羯罗(8～9世纪)对这句话作了最朴实的解释。对他来说,这句话是他学说中最重要的基本论断之一。

Tata 塔塔 摩洛哥西南部绿洲。位于撒哈拉沙漠西北边缘的干燥地区。所在的峡谷有自巴尼山流下的3条河流供水。绿洲内有约30个村寨。居民有半游牧的施卢赫族柏柏

塔塔城的贾马清真寺
巴基斯坦驻美大使馆新闻处供图

尔人，和以从事农业为主的混血黑人哈拉廷人。当地居民点出产椰枣、橄榄、柠檬、柑橘、扁桃和角豆果等。人口3 142(1982)。

Tata FAMILY 塔塔家族 印度实业家兼慈善家的家族，他们创建了对印度工业发展具有决定性作用的钢铁厂、棉纺厂和水电厂。塔塔原为以前巴罗达邦(现在古吉拉特邦)帕西人僧侣家族。这家基业的创建人为J.N.塔塔(1839-03-03～1904-05-19)。他在孟买埃尔芬斯通学院受教育后，于1858年加入其父的出口贸易商行，协助在日本、中国、欧洲和美国建立分支机构。1872年他致力于棉花加工。1877年在那格浦尔，然后又在孟买和古尔拉创建纺织厂。他的企业以工作效率高、劳保制度优良和引进优等纤维而著称。他将生丝生产引进印度，并设计了孟买地区的水电厂；这些水电厂在他死后都成为塔塔电力公司。他1901年着手组织印度第一所大型钢铁厂；该厂于1907年组建为塔塔钢铁公司。在他两个儿子D.J.塔塔(1859～1932)和R.塔塔(1871～1932)的管理下，塔塔钢铁公司成为印度最大的私营钢铁制造商和一大群企业的核心；这群企业不仅生产纺织品、钢材和电力，而且生产化学品、农业设备、卡车、机车和水泥。1898年老塔塔为一家研究所捐赠了土地，后来他的儿子们在班加罗尔建成了印度科学研究所。R.塔塔为伦敦大学和伦敦政治经济科学学院的社会学系提供了基金，D.J.塔塔为孟买的癌症研究医院和白血病研究信托基金会捐赠了基金。当1932年D.J.塔塔逝世后，创业人老塔塔的一个侄儿N.萨克拉特瓦拉成为塔塔集团的董事长。1938年他死后，J.R.D.塔塔(其父R.D.塔塔是创业人的堂弟兄和合伙人)继任董事长。到20世纪50年代末期，塔塔集团是印度最大的单一工业联合集团。

Tatabánya 陶陶巴尼奥 匈牙利西北部城镇，科马罗姆州首府。位于高雷伊河谷地，南有韦尔泰什山，东北有盖赖切山。为匈牙利重要矿业中心，地处陶陶巴尼奥-俄罗斯拉妮盆地——全国最大的褐煤蕴藏地。有石灰石开采场和泥灰岩坑。其他重工业有炼铝厂、水泥石灰厂和大型热电站。新镇位于西部。有公路和铁路通镇东56千米的布达佩斯。人口约73 916(1992)。

tatami 榻榻咪 日本汉字作“叠”，即草席。以厚稻草为基底，最后缝上带布边的灯心草茎软盖面制成的长方形席子，日本式房屋用它作地板的外被。长宽约180厘米×90厘米，厚约5厘米。在寝殿和书院建筑物里，地板完全以草席覆盖。从原始时代到现在，日本式房屋始终以地板为人们共同坐卧之处。为了保护地板和草席，在进入房间之前，要先在门道脱下木屐，换上足袋(布袜子)。因为草席容易磨损，必须时时更换。由于地板是日本人朝夕离不开的东西，在规划房屋内部空间的时候，它的特点就成为一个重要因素了。因此，在日本建筑艺术的发展中，草席的标准尺码就成为一个重要的组合单位；例如，

有壁龛、障子和榻榻咪的日本茶室内部
供图：Harumi Konishi

障子(隔扇)的高度与草席的长度大致相等。覆盖地板所需要的草席数目往往用来表示房间的大小，如一个2席房间，一个6席房间等。壁龛(陈列艺术品的地方)里物件的陈设以及花园的构造全都要考虑到一个人坐在草席上的视线水平。

Tatar 鞑靼人 又拼Tartar。几支操突厥语的民族，20世纪末期人数约达600万。他们大多居住在俄罗斯中西部沿伏尔加河中游及其支流卡马河两岸，并由此向东扩展至乌拉尔山脉。他们也有居住在哈萨克斯坦的，还有更少部分住在西伯利亚西部地区。

鞑靼人一名，最早于公元5世纪出现于住在蒙古东北部及贝加尔湖周围的游牧部落之中。与蒙古人不同，鞑靼人操一种突厥语，也许同库曼人或钦察人在族源上有联系。13世纪初，这些突厥游牧民族的各群体成为蒙古征服者成吉思汗部队的一部分，发生了蒙古人与突厥人的混杂与交融，因而入侵俄罗斯和匈牙利的蒙古军队，就被欧洲人统称为鞑靼人。

成吉思汗帝国解体之后，鞑靼人特别同蒙古统治势力的西部政权关系密切，浑然一体；该政权拥有俄罗斯大部欧洲地区，号称金帐汗国。14世纪时，这些鞑靼人都改宗逊尼派伊斯兰教。14世纪末，金帐汗国在内有纷争、外有异族压力之下，分裂为几个独立的鞑靼汗国：喀山汗国和阿斯特拉罕汗国，均在伏尔加河畔；西比尔汗国，位于西伯利亚西部；还有克里米亚汗国。俄罗斯于16世纪将前三个汗国征服，但克里米亚汗国则成为奥斯曼突厥人的附庸，直到1783年才为叶卡捷琳娜二世并入俄国版图。

鞑靼人各汗国都发展成为一种复杂的社会组织；贵族保持其政治和军事领导地位，到俄罗斯统治时代仍无改变。平民中的明显阶级分野是商人和农民。以喀山汗国为例，政府首脑是喀山汗，他的部分家族成员纳入俄罗斯贵族行列，这些都是根据16世纪双方直接协议而定的。鞑靼人社会内部这种阶层划分形式，一直延续到俄罗斯革命才告终结。

9～15世纪期间，鞑靼人的经济活动变成以农牧业混合经济为主，迄今仍是这样。鞑靼人还发展了传统手工业，产品有木器、陶器、皮革制品、布匹、金属器皿等。他们还以善于经商著称。在18～19世纪时，他们在不断扩张中的俄罗斯帝国范围内获得了有利地位，在新扩展的中亚领土上充任商业代理人和政治代理人，充任教师，乃至充任行政官吏。

大约有150万喀山鞑靼人仍然生活在伏尔加河及乌拉尔山地区，构成鞑靼斯坦共和国人口的半数左右。他们现被称为伏尔加鞑靼人，并且是鞑靼诸群体中最为富有、产业工人中最为先进的一支。大约100万或更多的鞑靼人居住在哈萨克斯坦和中亚地区；西伯利亚的鞑靼人散居于该地区西部，人数仅10万左右。

克里米亚鞑靼人有自己的近代史。他们曾是1921年苏维埃政府所建克里米亚苏维埃社会主义自治共和国人口的基础。不过，1945年苏联领袖约瑟夫·斯大林指控这批大约为数20万的克里米亚鞑靼人曾在第二次世界大战期间通敌与德国人合作，因而把这个自治共和国撤销。结果，大批克里米亚鞑靼人被驱逐到乌兹别克斯坦和哈萨克斯坦；在迁到这两地之后，鞑靼人的语言就被禁止使用。1956年赫鲁晓夫的非斯大林化的计划实施以后，克里米亚鞑靼人的公民权利得到恢复，但由于克里米亚已于1954年划入乌克兰苏维埃社会主义共和国，他们仍不能获准返回其原来的家园。直到90年代早期，许多克里米亚鞑靼人才乘苏联中央政府解体之机，开始返回克里米亚，在几达半个世纪的“国内流亡”之后，再次定居下来，重整家园。

Tatar 塔塔尔族 中国少数民族。散居新疆维吾尔自治区各地，主要在伊宁、塔城、乌

鲁木齐等城市。人口4 890(2000)。塔塔尔族语属阿尔泰语系突厥语族西匈语支,兼用维吾尔、哈萨克语,有阿拉伯字母的文字。通用维吾尔文或哈萨克文。"塔塔尔"之名初见于

塔塔尔族姑娘

中国大百科全书出版社供图

《阙特勤碑》突厥碑文中,旧称"鞑靼"、"达旦",是唐(618～907)以后对中国北方部落的统称。蒙古人西征时中亚和欧洲人称之为鞑靼。15世纪时原属钦察汗国的伏尔加河中游一带的部落自称塔塔尔人,是由保加尔人、钦察人、蒙古人的许多部落长期融合而成。中国塔塔尔族大多在19世纪时陆续自俄国伏尔加河中游迁来。以经商为主,也有一些牧业户和少数农业户。信仰伊斯兰教。除伊斯兰教节日外,传统节日有撒班节,又称"犁头节"。1988年在新疆奇台县成立了大泉塔塔尔民族乡。

Tatar, language of 塔塔尔族语 参阅 **Tatar** 塔塔尔族。

Tatar language 鞑靼语 属阿尔泰语系突厥语族。俄罗斯中西部鞑靼共和国、罗马尼亚、保加利亚、土耳其和中国都有操鞑靼语的人。有多种方言,主要方言属突厥语族西北语支(基普查克语支),它们是伏尔加鞑靼语、喀山鞑靼语、西部鞑靼语(或米沙尔鞑靼语);还有东部小方言群(或西伯利亚方言群),它们是卡西莫夫鞑靼方言、托博尔鞑靼方言、阿斯特拉罕及乌拉尔鞑靼方言等。喀山鞑靼语是诸方言中的文学语言。克里米亚鞑靼方言属于突厥语族西南语支或乌古思语族,土耳其语即属这一语支。克里米亚鞑靼诸方言的文学语言可溯至金帐汗国时代,在17世纪以前一直是克里米亚的文学语言,后为奥斯曼土耳其语所代替。克里米亚鞑靼方言在19世纪作为一种文学语言重新使用,但到20世纪又趋于衰退。参阅 **Turkic languages**。

Tatar Strait 鞑靼海峡 俄罗斯萨哈林岛(库页岛)与亚洲大陆之间太平洋西北的狭窄水道,南面是日本海,北面为鄂霍茨克海。南北长632千米,东西宽7～342千米,水深一般在210米以内。海峡北部有阿穆尔河(黑龙江)河口。海港有乌格列戈尔斯克、亚历山德罗夫斯克、列索戈尔斯克及苏维埃港。港区结冰期从11月中旬至翌年5月中旬。

Tătărescu, Gheorghe 特特雷斯库(1892,罗马尼亚特尔古日乌～1957-03-28,布加勒斯特) 罗马尼亚外交家、政治家,作为首相(1934～1937,1939～1940),他未能阻挡法西斯浪潮。原在布加勒斯特执律师业。1922～1926年在布勒蒂亚努的自由党政府中任外交副大臣。1933年11月任工业大臣。在首相杜卡于1933年12月29日遇刺身亡后,曾负责指导政府工作。1934年1月～1937年11月任首相,为国王卡罗尔二世的驯服工具。在实施军事管制法的情况下,他的政府完全独断地处理一切工作。1938年2月建立国王独裁制后,他任副首相(1938-02～03),后再度任首相(1939-11～1940-06)。1940年任罗马尼亚驻法国大使。第二次世界大战结束后主管外交事务(1945～1947),但在共产党控制的报刊日益加剧的批评下,加以议会投不信任票,1947年11月他被迫辞职。

Tatarstan 鞑靼 又称Tatariya。俄罗斯欧洲部分中东部的共和国。位于伏尔加河与卡马河汇合处周围的伏尔加河中游流域。首都喀山(**Kazan**)。

伏尔加河呈南北流向穿过共和国西端,其最大支流卡马河流经境内大部分地区大致形成东西向中轴。维亚特卡和别拉亚河是卡马河的主要支流。地形以低地和起伏的平原为主。伏尔加河以西地区海拔235米,为伏尔加高地的极北端。东部地区构成乌拉尔山前沿。属大陆性气候,冬季长而严寒,夏季炎热。年降雨量约420～510毫米,以夏季最多。

大部分地区为剥蚀的或灰壤化的黑土带上的森林草原,林地约占全部土地的16%。河流两侧是广阔的涝原草地,但在伏尔加河与卡马河下游已淹没在下卡姆斯克水库和古比雪夫水库的水体下,这两个水库淹没了共和国2 850平方千米以上的土地。

鞑靼人是突厥语族人,构成今日共和国约一半人口。他们是金帐汗国蒙古人的后代,这些蒙古人于13世纪中叶就在这块土地上定居,取代或同化了当地的保加利亚人。15世纪金帐汗国衰落,分裂成几个集团,其中喀山汗国在最北部。汗国与俄国久战不已,直至1552年才决出胜负,伊凡四世(雷帝)包围并攻占了汗国,俄国人在这个地区的殖民旋即开始。共和国成立于1920年。1991年苏联解体后,鞑靼仍为俄罗斯联邦中一个共和国,但是鞑靼人中即刻就出现了一股分裂主义情绪。共和国多种多样的经济中以石油生产、工业、农业为中心。1943年打出了第一口油井,随后发展迅速。阿尔梅季耶夫有输油管通东、西地区,天然气生产集中在下马克塔马。化学工业主要在喀山、门捷列耶夫斯克和下卡姆斯克。机械工业则大多集中在伏尔加河与卡马河沿岸的城市里,著名者有喀山、泽利奥诺多尔斯克和奇斯托波尔。卡马河畔切尔内的世界最大的卡车厂制造卡车。马马德什和相邻的一些城市生产纸张和纸浆。喀山的肥皂和其他油脂产品制造很重要。农产品有小麦、玉米、黍类、豆类、马铃薯、甜菜、大麻、烟草、苹果、乳制品和牲畜。内河运输繁忙,同莫斯科和伏尔加河流域各港口间有定期客运服务。铁路业欠发达,莫斯科至乌拉尔的两条铁路干线横贯共和国的西北和东南角。另一条南北线穿过伏尔加河右岸地区。鞑靼有许多高等学府,包括国立大学和专业学院。面积68 000平方千米。人口约3 755 000(1995)。

Tate, Allen 泰特(1899-11-19,美国肯塔基温切斯特～1979-02-09,田纳西纳什维尔) 美国诗人、教师、小说家和"新批评派"的主要代表人物。他在评论和诗歌中,强调作家必

明尼苏达大学供图

须遵循一个传统;他自己遵循的传统则是保守的、农业的南方文化,后来又遵循天主教,因为他在1950年改奉天主教。1918年入田纳西州纳什维尔的范德比尔特大学,帮助一群人称"逃亡者集团"的青年诗人创办诗刊《逃亡者》(1922～1925)。泰特向"逃亡者集团"介绍了T.S.艾略特的诗。艾略特对待现代生活的态度和对现代人的虚伪的强调在泰特的主题中得到反映。从1934年起,在多所大学任教并担任过《塞瓦尼评论》杂志编辑(1944～1946),使它成为一家很重要的文学刊物。他最著名的诗是《南军死难将士颂》(1926),诗中死难者象征着他再也感受不到的感情。约写于1930～1939年间的诗,如《地中海》(1932),扩大了社会的支离破碎这一主题,表现了它对社会的影响。在后来的诗中,泰特强化了他早先的观点,断言只有通过个人主观的完整才能达到社会的完整。这一观点在《灵魂的季节》一诗(1943)中已露端倪,在《埋没了的湖》一诗(1953)中则表达得更为自信大胆。所写唯一的小说是《父辈》(1938),为改编的希腊神话中的伊阿宋和美狄亚的故事以鼓吹重农派的信念。《诗集》出版于1977年,《四十年随笔集》出版于1969年。

Tate, James 泰特(1943-12-08,美国密苏里堪萨斯城～) 全名James Vincent Tate。美国诗人,以其诗作的超现实的意象和嘲讽的风格而闻名。曾在匹兹堡的堪萨斯州立学院(1965年获学士学位)和艾奥瓦大学(1967年获美术硕士学位)研究诗歌。1967年他的诗集《迷途的舵手》作为耶鲁青年诗人丛书的一部分出版。在艾奥瓦、加利福尼亚及纽约短期执教后,他于1971年成为位于阿默斯特的马萨诸塞大学教师。从1967年起,任文学期刊《迪更生评论》的诗刊编辑。在《迷途的舵手》问世后的25年间,他又出版了20部以上的诗集,其中包括《遗忘哈-哈》(1970)、《心不在焉》(1972)、《忠实的守卫者》(1983)和《计算者》(1986)等。他的《诗选》获1992年普利策奖,《尊敬的箭商公司》获1994年国家图书奖。泰特的诗融合了抒情的韵律、超现实的

意象和公然的冷嘲，以面对现代绝望之源和他称之为的“交流的创痛。”

Tate, Nahum 塔特（1652，爱尔兰都柏林～1715-07-30，英格兰伦敦） 英国桂冠诗人、剧作家、剧本改编者。与N.布雷迪合译著名的《大卫诗篇新译》（1696）。从都柏林三一学院毕业后迁往伦敦。本人也写过几部剧本，但以改写伊丽莎白时代的剧作著称。他在莎士比亚剧本《李尔王》的改写本里，加上一个幸福的结尾，使科迪莉亚同埃德加结婚，该剧一直上演到19世纪。塔特还给H.普赛尔的歌剧《狄多和埃涅阿斯》（约1689）写了脚本。他写的一些赞美诗，在新教的礼拜仪式中诵唱，经久不衰。塔特受诗人J.德莱顿委托替他写《押沙龙与亚希多弗》（1682）的第二部分。塔特自己的诗，最好的是《万应灵丹：咏茶诗》（1700）。1692年，他继沙德韦尔之后成为桂冠诗人。

Tate Gallery 塔特美术馆 位于伦敦的艺术博物馆。该馆之命名是由于1889年糖业大亨H.塔特爵士向国家捐献其私人艺术藏品而建馆陈列。该馆以收藏17世纪至今的英国绘画为主，国家所藏该类作品均集中于此。该馆还收藏许多雕刻品和非英国艺术家创作的现代艺术作品。该馆于1897年对公众开放，并分别于1899、1910、1926、1937、1979年扩建。1987年增建新馆克洛尔陈列馆，专门陈列英国画家特纳的绘画精品。

Tatebayashi 馆林 日本本州群马县城市。位于浅草以北东部铁路伊势崎线上。16世纪建为城堡镇，后发展成周围水稻生产区的商业中心。该城市长期以来以生产棉织品而闻名，现亦生产毛纺织品、饮料和食品。馆林的名胜有茂林寺、杜鹃花公园和馆林公园（内有许多樱花树）。人口76 223（1990）。

Tathāgata 如来 佛陀的称号之一，乔答摩常用以自称。根据一般解释，历史人物佛陀无非是过去和将来证得觉悟并教导他人证得觉悟的众多佛陀之一。在后世的大乘佛教教义中，如来指人人固有的潜在佛性。

Tathāgataguhyaka（Buddhist *Tantra*） 参阅**Guhyasamāja-tantra《秘密会怛陀罗》**。

Tati, Jacques 塔蒂（1908-10-09，法国佩克～1982-11-05，巴黎） 雅克·塔蒂舍夫的别名。法国电影演员兼导演，以喜剧性的哑剧角色闻名于世。1931年作为音乐厅娱乐演员开始艺术生涯，他的表演主要靠面部表情和身体动作来模拟运动员和裁判员的形象。同年自导自演头一部影片：短片《网球冠军奥斯卡》。20世纪30年代，他是欧洲最受欢迎的音乐厅演员。同时，他还编写、制作、执导、出演使人联想起美国20年代滑稽片的一些喜剧片，主要依靠逗趣的形象、滑稽的噱头、矫揉造作的表演和形体动作取胜。在这些影片中，对白只是交代现实背景的一部分，情节只提供一个大致轮廓，刻画头脑简单、有些狂妄自大的人物与机械化的现代世界之间的矛盾。他自编、自导、自演了影片《节日》（1947），描写一个乡邮员试图提高外省邮局工作效率的滑稽情景。塔蒂的其他影片有：《于洛先生的假日》（1953）、获奖影片《我的舅舅》（1958）、《娱乐时间》（1968）和《车流》（1971）。

Tatian 塔提安（约120，叙利亚～173-04）《四福音合参》的编纂者。此书是把四福音书重新编排成单一的叙事著作，用古叙利亚文写成，许多世纪中叙利亚教会的圣经研究和神学所用的语汇都出自此书。此书的希腊文版和拉丁文版对福音书的文字也有影响。塔提安如不是禁戒派（结合严格修行与斯多葛派哲学的异端）的创始人也至少同它有密切关系。塔提安成为2世纪罗马神学家查斯丁（殉教士）的学生，改信基督教。他认为希腊的文学习尚和道德观是腐朽的，同时也反对希腊的唯理智论，赞成“粗俗的”基督教文化。他把犹太教-基督教的一神论同斯多葛派关于逻各斯的概念泛泛地融合起来，认为宇宙是合理的有目的性的聚合体；关于人的作用，他认为，堕落的灵魂终必重返宇宙“精神”。查斯丁殉教死后，塔提安脱离罗马教会，约172年返回叙利亚，同禁戒派发生联系，实践他的宗教哲学思想融合。他在此期间编写成两部至今尚存的著作，《四福音合参》和致希腊人的一篇论文。后者是刻毒批判希腊学术的论辩文，介绍基督教的宇宙论和魔鬼论，对比希腊多神论神学与基督教的一神论思想，指出基督教的独一上帝崇高荣耀，希腊的众神百孔千疮，无法相比。塔提安提出，犹太教-基督教传统把它所包含的一切有价值的内容提供给希腊伦理哲学，但是，这种传统所体现的大公无私却不见于希腊伦理哲学。

Tatishchev, Vasily Nikitich 塔季谢夫（1686-04-29[旧历04-19]，俄罗斯普斯科夫～1750-07-26[旧历07-15]，莫斯科附近博尔季诺） 俄国经济行政官员和历史学家，第一部综合性俄国历史的编纂者。1704年进入军队，曾参加围攻纳尔瓦和波尔塔瓦（1709）战役。他一生的大部分时间担任各种采矿业和制造业的政府管理职务。作为国家制图员曾广泛旅行于德意志、瑞典和俄国东部，设法搜集了大量关于俄国的历史和地理资料。他的5卷本巨著《俄国通史》（1768～1848）所依靠的资料来源，此后在很大程度上已不复存在。这部书根据原始来源积累了大量史料，而且具有创见性地阐明，俄国国家的发展与其说是出于上天恩赐，不如说是地理和历史环境所形成的结果。塔季谢夫亦以叶卡捷琳堡城的创建者闻名。1741～1745年曾任阿斯特拉罕总督。

Tatius, Titus 塔提奥斯 参阅**Titus Tatius 提图斯·塔提奥斯**。

Tatler, The 《闲谈者》 随笔作家理查德·斯梯尔爵士从1709年4月至1711年1月在伦敦创办的期刊，每周出3期。该刊物最初声明其目的是向读者报道从伦敦各咖啡馆传出的义侠行为、生活趣闻和娱乐活动以及诗歌和国内外新闻。后来，《闲谈者》开始探讨社会风尚，提出了理想的行为准则和关于完美无缺的绅士、淑女的概念和高尚趣味的标准。在该刊的文章中，决斗、赌博、行为放荡和举止轻佻受到批评，而高尚的行为则得到赞扬。该刊还登载大量有道德教训的轶闻故事。英国期刊散文正是在《闲谈者》中初展风采，在J.艾迪生手上达到充分繁荣，艾迪生约从第18期起为该刊供稿。该刊停刊两个月后艾迪生与斯梯尔创办了另一文采洋溢的期刊《旁观者》。

Tatlin, Vladimir Yevgrapovich 塔特林（1885-12-28，俄罗斯帝国哈尔科夫[今在乌克兰]～1953-05-31，苏联莫斯科） 乌克兰画家、雕刻家、建筑师，以1920年在莫斯科设计的富于幻想力的第三国际纪念碑而传名后世。1910年毕业于莫斯科美术学院。1913年到巴黎，拜访过毕加索。毕加索用薄铁板、木料和纸板制作的浮雕给他留下很深的印象。回莫斯科后创作了一些他称为“彩绘浮雕”的作品，曾于1915年2月在彼得格勒未来派画展上展出。他成为莫斯科一批美术家的领袖，同他们一起尝试把工程技巧运用于雕刻创作。这种先锋派美术在1917年革命后保持了一个短暂的时期。塔特林在此期间创作了他最有名的作品，即第三国际纪念碑。它是1919年由美术部门委托设计的，于1920年12月以6.7米高的模型在第八次苏维埃代表大会上展出。它设计奇特，一倾斜的螺旋形铁架上放置一个玻璃圆柱体、一个玻璃圆锥体和一个玻璃立方体，各以不同速度旋转。该设计还为讲演、开会和其他活动提供了空间。纪念碑本要达到396米的世界最高度，但未实际建成。1927年左右他开始试验一种滑翔机。1933年后主要从事舞台设计。

Tatra Mountains 塔特拉山 又称上塔特拉山（High Tatras），捷克语作Vysoké Tatry，波兰语作Tatry Wysokie。欧洲中喀尔巴阡山脉的最高山岭。沿波兰-斯洛伐克边界绵延约64千米，宽度14～24千米不等。已确定名称和高度的约有300座山峰，最高峰群有格尔拉赫峰（2 655米）、洛姆尼克峰（2 633米）和克里万峰（2 494米）。除了没有冰川和

波兰境内的塔特拉山一山峰

供图：Eastfoto

永久性雪原之外，其他方面与阿尔卑斯山很相似。山坡2 011米以下密覆松林，以上是高山植物带。动物有熊、小羚羊、土拨鼠和鹰。塔特拉山上多高位湖泊和悬谷，有冬夏季运动胜地。沿山巅延伸的波-斯边界部分，划为两座国家公园，塔特拉国家公园（波兰）占地212 平方千米；塔特拉国家公园（斯洛伐克）面积 741 平方千米。

Tatsanottine (people) **塔察诺廷人** 参阅 **Yellowknife** 黄刀印第安人。

Tatshenshini-Alsek Wilderness Provincial Park 塔琴西尼-阿尔塞克省立原野公园 原野公园，位于加拿大不列颠哥伦比亚省西北角，在育空地区（北）和美国阿拉斯加州潘汉德尔（西、南）之间。1993 年创建，主要为防止露天开采塔茨克里克（温迪克拉基）顶部的大铜矿（现在公园中央）。占地9 580平方千米，北为育空的克卢恩国家公园和保留地，西北接阿拉斯加兰格尔-圣伊莱亚斯国家公园和保留地南端，东南邻阿拉斯加的冰川湾国家保护区，海恩斯公路构成其东部边界。1994 年被联合国教科文组织列为世界遗产。圣埃利亚斯山脉及其冰原和冰川位于公园西部。以南的费尔韦瑟山（4 663米）刚好在公园边界之外。海拔较低的阿尔西厄岭位于公园东部。高山苔原覆盖着部分阿尔西厄岭。南流的阿尔西厄河及其主要支流塔琴希尼河横穿公园中部，形成宽阔的 U 形河谷。在海拔较低处有云杉林。野生动物包括稀有的“蓝”熊（即“冰川”熊）、野大白羊、灰熊、各种水禽和鲑鱼。公园内允许漂流和由导游带领的狩猎活动。

Tatta (Pakistan) 参阅 **Thatta** 德达。

Tattenai 塔泰奈（约公元前6～前5世纪） 又名西辛内斯。大流士一世（公元前522～前486）时期任幼发拉底河以西省份波斯总督。据《旧约全书·以斯拉记》记载，约公元前 519 年塔泰奈领导重建耶路撒冷圣殿的调查工作。他向大流士作了汇报得到批准。塔泰奈为《旧约全书》中提到的仅有的几位波斯官员之一。公元前 502 年一楔形文字书板亦提及此人。

Tattersall's 塔特索尔公司 英国的马匹拍卖场，由 R.塔特索尔（1724～1795）在伦敦设立。最初场址位于海德公园角附近，后来移至伦敦郊区。它成为爱好体育运动和赌博的人们（包括威尔士亲王，即后来的英王乔治四世）的聚集之处。在 20 世纪之前，业务一直由塔特索尔家族掌管。1865 年公司迁至奈茨布里奇；自 1965 年以来，它一直在纽马基特的帕多克公园举行纯种马拍卖会。

tatting 梭织花边工艺 用小梭子手工将纱线制成类似花边织物的加工方法，一度是一种广为流传的手工艺。这种花边看似很脆弱，实际上坚牢耐用。结织时，将加捻的线穿过或绕在小尖梭上，制成圆形或半圆形的线圈或结子，供镶边或嵌条之用，也可缝合做成

19 世纪晚期爱尔兰阿迪的梭织花边
伦敦维多利亚和艾伯特博物馆供图

碗垫和桌布。成品的厚度由梭子大小和纱线的粗细决定。

tattler 嘈鹬 鹬科鹬亚科（Tringinae）滨鸟。易受惊，并大声惊叫。广义的嘈鹬指红脚鹬、青脚鹬、白羽鹬、黄腿鹬等。狭义的嘈鹬仅指灰鹬（*Heteroscelus incanus*）和波利尼西亚嘈鹬（灰尾嘈鹬，*H. brevipos*）。这两种均近似黄腿鹬，但腿较短，夏季下体具横斑。灰鹬营巢于阿拉斯加河流中多砾石的沙洲上，越冬于自墨西哥到西太平洋岛屿一带。波利尼西亚嘈鹬稍小，并不营巢于地面，而常使用鸣禽废弃的巢，越冬于菲律宾、马来西亚和澳大利亚。

tattoo 文身 指刺破皮肤而在创口敷用颜料使身上带有永久性花纹。在皮肤上造成隆起条纹瘢痕的做法，有时也称为文身。平纹文身在全世界大多数地区均有实行，肤色较深的民族没有这种习惯，中国近几百年间也比较少见。许多民族认为文身可以防病祛灾，也有的民族用文身标明地位、身份或某一集团的成员资格，但最普遍的动机大概是为了美观。葬于公元前2000年的埃及干尸身

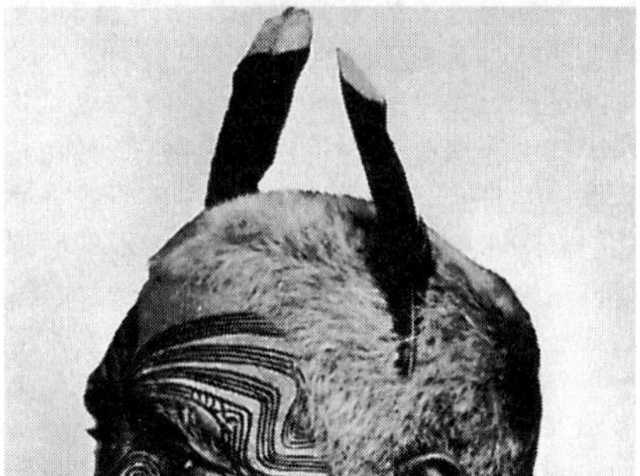

新西兰毛利人的文身
伦敦新西兰高级专员署供图

上就曾发现文身。有关色雷斯人、希腊人、高卢人、古日耳曼人和古布立吞人的记载都提到文身。古罗马罪犯和奴隶要文身。基督教兴起后欧洲各地禁止文身，但在近东和其他地方仍保留此风。在南北美洲，许多印第安部落都惯于文身或黥面，或者兼而有之。其法为简单刺穿皮肤，但有些加利福尼亚部落把颜色注入伤痕之中；北极圈及亚北极圈的许多部落、爱斯基摩人和西伯利亚东部诸民族则以颜料涂敷线上，再以针牵线穿过皮肤。在波利尼西亚、密克罗尼西亚以及部分马来西亚地区，是用一种微型耙子那样的工具把颜料轻轻“拍”入皮肤的。新西兰毛利人的一种文身法称为“摹刻”（moko），是以骨制微型扁斧刺入皮肤，在面部刻成复杂曲线图案的着色浅沟。在日本，把刺针装上木柄，刺出复杂多色的图案，在多数情况下，图案遍于身躯大部分。缅甸文身使用铜制笔状工具，尖部开小槽，上部置重物以利刺入皮肤。一些部落有时把颜料揉进刀痕部位，如在突尼斯以及日本虾夷族、尼日利亚伊博族和墨西哥琼塔尔印第安人中间都是这样。也有以荆棘刺身的，如亚利桑那州的皮马印第安人和马来亚的塞诺伊人。还有使用其他针状工具的。欧洲人在探险时代与美洲的印第安人及波利尼西亚人接触时，再次在这些民族中间发现文身。tattoo 一词即由塔希提岛流传到英语及其他欧洲语言的，这个岛屿最初在 1769 年J.库克船长探险之行时才见于记载。文身的印第安人和波利尼西亚人以及后来在国外文身的欧洲人，在 18 和 19 世纪的欧美展览会上、博览会上和马戏团中，曾引起观众很大兴趣。受波利尼西亚人和日本人的影响，为欧美海员身上刺花的文身馆及专门人员出现在全世界许多口岸城市。第一台电动文身机于1891 年在美国取得专利权。美国成了文身新图案的产地。特别是美国文身图纸传播各地之后，表现航海生活、军事内容、爱国思想、浪漫情调和宗教热情的主题，在全世界都趋于标准化。20 世纪初期具有民族特色的风格已渐趋消失。在 19 世纪，美国罪犯获释时要文身，英国逃兵要文身。后来西伯利亚的监狱和纳粹集中营的在押人员身上也刺上标记。20 世纪的街头流浪帮伙或摩托车结队帮伙常常文身以表示其成员身份。19 世纪末期，英国上层社会男女曾流行文身。除重新兴起的欧美及日本文身类型和医学上使用的特殊文身类型外，其他文身类型在世界大部地区已趋消亡或绝迹。文身对身体的危害包括色素沉着引起的过敏性反应，当文身在非无菌状态下进行，会引起类似于 B 型肝炎的病毒感染。去除文身的土办法包括擦皮法，植皮，整形手术和激光治疗，但所有这些方法都会留下疤痕。

Tatum, Art 塔特姆（1910-10-13，美国俄亥俄托莱多～1956-11-05，加利福尼亚洛杉矶） 原名 Arthur Tatum。美国自学成功的钢琴家，盲人。被认为爵士乐中技巧最好的演奏家之一。13 岁时先学小提琴，后专攻钢琴，不久即在当地电台演奏。21 岁移居纽约，并于 30和 40 年代录制了最感人的一些唱片，其中他运用了左手大幅度掠过而右手变化多端的指

法。1943年他与吉他演奏家T.格兰姆斯和低音提琴演奏家S.斯图尔特组成三重奏演出小组。他的余生大多以这种三重奏形式演奏。在即兴演奏中喜欢随心所欲地把全新的和弦进行(有时每拍一个新和弦)插入1～2个小节的小空隙之中。他为流行曲调重新配置和声的作法成为现代爵士乐音乐家、圆号手和钢琴家的一种惯例。很多爵士乐钢琴家都在演奏时采用塔特姆的急速跑句或装饰音。

Tatum, Edward L(awrie)　塔特姆(1909-12-14,美国科罗拉多博尔德～1975-11-05,纽约市)　美国生物化学家,研究了可遗传的突变影响某些细菌、酵母和霉菌的营养需求的

斯坦福大学供图

方式,从而帮助开创了分子遗传学这一领域。因此与G.比德尔和J.莱德伯格共获1958年诺贝尔生理学或医学奖。在斯坦福大学任副研究员时(1937～1941),与比德尔合作,证实了下列概念:①所有生物体内的一切生物化学过程最终都由基因控制;②所有这些过程都可细分为序贯化学反应系列(途径);③各个反应均以某种方式受单个基因的控制;④单个基因的突变只能改变细胞进行某一步化学反应的能力。他与同事对一种红色面包霉菌(粗壮脉纹孢菌,*Neurospora crassa*)进行研究,证实了当遗传突变影响特定化学反应时,催化该反应的酶不是发生了改变就是缺失。这表明各个基因以某种方式决定特定酶的结构。在耶鲁大学任教授时(1945～1948),他把在脉纹孢菌属中诱发突变再研究其生物化学过程的方法成功地用于细菌。他与莱德伯格发现了K-12品系大肠杆菌间的遗传重组现象,即发现其间存在"性别"。主要由于他们的努力,细菌成了研究遗传控制细胞内生物化学过程的主要资料来源。1948年他回到斯坦福大学,着手研究细胞核外遗传过程。1957年至纽约市洛克菲勒医学研究所(今洛克菲勒大学)任职。

Tatya Tope (Indian mutineer)　参阅 **Tantia Topi** 坦提亚·多比。

tau　τ粒子　与电子相似的亚原子粒子,但其质量为1 784兆电子伏(MeV),约为电子质量的3 500倍。像电子和μ介子(质量为106MeV)一样,τ粒子是轻子(**lepton**)族中的一个带有电荷的成员。所有轻子是费米子(具有内禀角动量或自旋为1/2的粒子),但与被称为夸克的粒子不同,它们对强力无感觉。τ粒子带负电荷,其反粒子则带正电荷。人们相信,τ粒子与电子和μ介子一样,有一中性伙伴(τ粒子-中微子),不过迄今尚未作出与τ粒子相联系的特殊中微子存在的实验证明。由于τ粒子的质量很大,所以是不稳定的,其平均寿命,为3×10^{-13}秒,它通过弱力迅速衰变为其他粒子。20世纪70年代中期,在加利福尼亚州斯坦福直线加速器中心,M.佩尔领导的研究小组通过观测τ粒子衰变为μ介子和电子而发现了τ粒子。佩尔将这个新粒子——第三个带电荷的轻子,按照希腊字"第三"的第一个字母给予命名。

Tau Sug　陶撒格人　菲律宾最大的穆斯林文化-语言集团之一,20世纪末期,人数约50万,住在棉兰老岛西南的苏禄群岛,而集中于霍洛岛一带。陶撒格人与其他菲律宾穆斯林一样,与菲律宾人口中占绝大多数的基督教徒有显著的不同。土地为氏族所有,由地方首领掌管。婚姻及家庭结构都遵从伊斯兰习俗,看重亲族关系,已婚子女多与父家同住或邻近父家居住。全部穆斯林群体的语言都与菲律宾中部的语言关系密切,后者属于澳斯特罗尼西亚(马来-波利尼西亚)语系。经济以水稻种植为基础,以捕鱼、海上贸易及各类手工业为辅。

Taubaté　陶巴特　巴西圣保罗州东南部城市。位于南帕拉伊巴河畔。1645年建村。1842年帕拉伊巴谷地咖啡业兴旺时设市。咖啡业衰落后,仍为农业中心。现已工业化,制造发动机,附近开采白云石。城市有作家蒙特罗·洛巴托诞生地子爵农场,现为历史博物馆。设有一所大学(1976)。人口约203 338(1996)。

Taube, Henry　陶布(1915-11-30,加拿大萨斯喀彻温纽多夫～2005-11-16,美国加利福尼亚斯坦福)　加拿大出生的美国化学家。因广泛研究溶液中的无机物的性质与反应,尤其是涉及金属离子的氧化-还原过程,于1983年获诺贝尔化学奖。如今他的研究成果已应用于选取金属化合物用作催化剂、颜料和超导体,亦用来探索某些酶的金属离子成分之功能。陶布曾就读于加拿大萨斯卡通的萨斯喀彻温大学和美国伯克利加利福尼亚大学。后来任教于纽约州伊萨卡市康奈尔大学和芝加哥大学,1961年起任教于加利福尼亚州斯坦福大学。1942年入美国籍。40年代末期陶布完成同位素实验,证明金属离子在水溶液中可与几个水分子形成化学键,而且所形成之水合物或配位化合物之稳定性及几何结构差异很大,依离子之种类和氧化态而定。此外,陶布还帮助发展用来研究上述物质的其他技术,并发明用电子组态解释该化合物的性质。当金属离子与氨或氯离子或许多其他化学物质(称为配位体)进行类似反应后,也可生成类似的配位化合物。一个金属离子被另一离子氧化或还原,涉及它们的一个或多个电子的交换,虽然水分子或其他配位体所形成的稳定"外壳"可将该两离子加以隔离而阻碍电子直接交换,但许多此类反应仍可在水溶液中迅速进行。陶布的实验证明:在上述反应的中间阶段中,金属离子与配位体间必须形成化学键而且该配位体仍与另一离子键合着。此配位体扮演两离子间临时桥梁的角色,稍后该配位体与最初的离子间的键即行断裂,间接地实现电子转移而完成全部反应。曾获多项荣誉,两次获古根海姆基金奖(1949,1955),1977年获国家科学奖章。1959年成为国家科学院院士。

Tauber, Richard　陶伯(1892-05-16,奥地利林茨～1948-01-08,英国伦敦)　又称恩斯特·赛费特(Ernst Seiffert)。奥地利出生的英国男高音歌唱家。以在歌剧、特别是轻歌剧中的演唱而驰名。曾在德国弗赖贝格学习声乐,1913年在莫扎特《魔笛》中首次登上歌剧舞台(扮演塔米诺),一举成功,旋即与德累斯顿歌剧院签订5年合同。后又在德国与奥地利的主要歌剧院演出,扮演莫扎特歌剧中的角色,特别受到人们的赞赏。20世纪20年代开始改演轻歌剧。与作曲家F.莱哈尔友情甚笃,莱哈尔为他提供了几个他最成功的角色。还曾主演他自己创作的《老切尔西》(1943)一剧。1938年迁居英国,两年后成为英国公民,并多次在伦敦科文特加登剧院演出。最后一次公开露面是1947年在伦敦扮演唐·奥泰维奥一角。

Tauern, Hohe (mountains, Austria)　参阅 **Hohe Tauern** 上陶恩山。

Tauern, Niedere (mountains, Austria)　参阅 **Niedere Tauern** 下陶恩山。

Taughannock Falls　托格汉诺克瀑布　美国纽约州中西部州立托格汉诺克瀑布公园的主要景观。位于芬格湖区卡尤加湖西岸,在伊萨卡北面13千米处。由流入卡尤加湖的溪流形成,并为一深122米的幽谷墙围绕,落差65米,是落基山以东落差最大的瀑布。较之尼亚加拉瀑布尚高15米,但流量较小。由谷底翻腾而起的浓密水雾把瀑布的下部笼罩于雾气之中。

Tauler, Johann　陶勒(约1300,施特拉斯堡主教区施特拉斯堡[今法国斯特拉斯堡]～1361-06-16,施特拉斯堡)　基督教多明我会修士,与M.爱克哈特和H.苏索同为莱茵兰一带的主要奥秘修行家。陶勒固然受爱克哈特的影响很大,但他根据托马斯·阿奎那的理论,比较强调实践秘修。陶勒用中古高地德语写成的讲道稿,得到M.路德的高度评价。

Taum Sauk Mountain　托姆索克山　在美国密苏里州东南部艾恩县境内,海拔540米,为该州和圣弗朗索瓦山脉最高点。位于圣路易斯以南145千米处。为森林覆盖的欧扎克山脉的主要隆起部分。

Taunggyi　东枝　缅甸中东部城镇。位于达西-景栋公路线上,瑞娘和因莱湖的北面,海

东枝镇因莱湖风光

供图：Slim Aarons-Photo Researchers/美国不列颠百科全书公司

拔1436米。有医院、技术中学、教师培训学院、私立坎-卡姆巴乌扎学院（原掸邦首领子弟学校）和曼德勒文理大学的东枝学院。附近有狩猎保护区。人口约107907（1983）。

Taungu DYNASTY（Myanmar） 参阅 **Toungoo dynasty** 东吁王朝。

Taunton 陶顿 又译汤顿。美国马萨诸塞州东南部城市。与福尔里弗和新贝德福德一起为布里斯托尔县县城。位于波士顿南面54千米处，临陶顿河。1638年创建。1639年设镇。1864年设市。这里曾是殖民者和印第安人战争（1675～1676）的主要战场。1684年市民因在议会中没有代表而拒绝纳税，从而成为独立战争口号“没有代表不纳税”的先驱。早期有炼铁、制砖和造船工业。1824年始有银器制造业，今仍重要。现工业多样化，生产皮革、塑料、纺织品和炉灶。附近有戴顿岩、马萨索伊特和沃森塘3个州立公园。人口约49663（1991）。

Taunton Deane 汤顿迪恩 英格兰萨默塞特行政、历史郡一区。位于汤顿迪恩谷。由盎格鲁-撒克逊国王伊尼创建，约710年修建第一座城堡，904年获得第一个特许状。汤顿在巴思和韦尔斯主教管区内，是主教所在地。经济以农业为主。每周举办一次盛大的农产品和牲畜集市，集市最早始于“诺曼征服”（1066）之前。该地有一些轻工业，是萨默塞特的行政中心。旅游业对经济也很重要。面积462平方千米。人口约99700（1998）。

Taunus 陶努斯山 德国森林茂密的高地。绵延于黑森州和莱茵兰-普法尔茨州，长80千米。西、南、北三面分别以莱茵河、美因河和兰河为界。山地距美因河8～16千米，莱茵河沿岸则山坡陡峭，巉岩耸立。最高峰在东部，大费尔德山（880米）、小费尔德山（826米）诸峰突起，俯瞰威特劳和美因河谷。大部地区覆盖着茂密的山毛榉和松林。较低坡地上可垦地均已辟为葡萄、果树、板栗和扁桃树种植园。莱茵峡谷的坡地生产酿造上等酒的葡萄。该地区还以矿泉和疗养地而闻名，其中著名的有威斯巴登等地。主要古迹是一座罗马人的城堡——萨尔堡。著名的风景还有洛勒莱美女岩、施塔尔埃克和普法尔茨的古城堡等。

Taupo, Lake 陶波湖 新西兰最大的湖泊。位于北岛中部火山高原上。面积606平方千米。湖面海拔357米，湖深159米，湖流域面积3289平方千米。怀卡托河上游（称汤加里罗河）由南面注入，湖水由湖东北流入怀卡托河下游。湖水覆盖几座火山口。陶波镇位于怀卡托河出口，为附近奶牛、菜牛、羊牧区和人造林区的中心。湖四周多地热温泉，或作疗养地，或用于发电。建有怀卡托河水力发电厂。

Tauranga 陶朗阿 新西兰北岛中北部城市、区和港口。存有19世纪60年代战争中防御毛利人的工事蒙茅斯棱堡。位于通往西北288千米的奥克兰的东岸铁路干线上。为农业（牲畜、水果、蔬菜）区的服务中心。有储油设备和水泥、服装、印刷等工厂。深水港在市东北，输出羊毛、肉类、乳品、纸、木材等。人口：区67333（1991）。

Tauri 陶里人 现代克里米亚南部沿海山区中最早的居民，古代这个地区被称为切尔松尼斯（陶里人的）。古代陶里人以其童贞女神而著称，希腊人把这位女神看作是阿耳忒弥斯·陶罗波鲁斯或看作是伊菲革涅亚。陶里人把海上遇难的外乡人作为祭品献给女神。这种风习是希腊神话中把伊菲革涅亚和俄瑞斯忒斯同陶里人联系在一起的根据，成为欧里庇得斯所写的剧本《伊菲革涅亚在陶里人中间》及歌德所写的剧本《伊菲革涅亚在陶里人中间》的主题。陶里人经常在黑海上抢劫，到公元前2世纪末，他们成为斯基泰人国王斯基卢鲁斯的附庸与盟友，而斯基泰人却能自其辛博隆（今巴拉克拉瓦）港口侵扰陶里人的地区。陶里人此后湮没无闻。

Tauric Chersonese（ancient region） 参阅 **Chersonese, Tauric** 切尔松尼斯（陶里人的）。

Tauris（Iran） 参阅 **Tabrīz** 大不里士。

Taurobolium 牛祭 古代近东地区崇拜众神之母的信徒所实行的以公牛为牺牲的祭礼。始于公元160年左右。献祭者卧在坑中，坑口覆以穿孔木板。在坑口宰杀公牛，牛血滴入坑内。献祭者用此血沐浴。此礼可能是在基督教的影响下形成，逐渐具有净化德操的意义。

Taurt 托尔特 又称塔韦尔雷特或托尔里斯。古埃及宗教所信奉的女神，司掌生育分娩，头及身躯如河马直立，或生有女人乳房，鳄鱼尾和狮子爪。她的像往往供在家庭神龛或绘在护身符上。

Taurus 金牛座 又称金牛宫。在白羊座和双子座之间的黄道星座，为黄道十二宫之一，位于赤经（类似于地球上经度的天球坐标）4

意大利约1475年《祈祷书》中的金牛座插图画

供图：Pierpont Morgan Library, New York

时20分和北赤纬（天赤道以北的角距离）16°附近。座内最亮的恒星毕宿五（金牛座α）为一等星。金牛座还包括蟹状星云（M1）、昴星团和毕星团。在占星术中，金牛宫是黄道第二宫，被看作是主宰4月20日至5月20日的命宫。金牛宫的形象是一头公牛，这与宙斯化作白牛把欧罗巴劫走的希腊神话有关。

Taurus-Littrow Valley 金牛-利特罗月谷 “阿波罗”17号载人登月任务在月球上的着陆点。位于北纬22°，东经31°，因为围绕金牛山脉而得名，是澄海盆地侧壁的一部分，通往附近的直径30千米的利特罗环形山。选择这个地点是因为它的地质形貌兼顾了古老的高地和年轻的火山区。1972年12月降落到

“阿波罗”17号的太空科学家H.施密特在金牛-利特罗首次发现了橙色地面

美国不列颠百科全书公司供图

月球之后，“阿波罗”宇航员E.塞尔南和太空地质学家H.施密特卸下月球车并且在月谷周围进行了总行程36千米的三次漫游，收集了从高地上掉落下来的岩石以及斑驳的、富含钛元素的玄武岩和月壤。他们还采集了暗示着月球上古老的火山喷发（熔岩喷发）的橙色和黑色的玻璃。在地球上的分析表明高地的岩石由澄海盆地形成时撞击出来的部分物质组成。部分岩石被第谷环形山诞生时喷射出的物质所穿透，揭示这个环形山的年龄大约为1亿年。其复杂的地质历史使得它成为未来月球登陆和漫游计划的首选目标。

Taurus Mountains 托罗斯山脉 土耳其语作 Toros Dağları。土耳其南部平行于地中海岸走向的巨链形山脉。山系沿曲线西起埃里迪

尔湖,东至幼发拉底河上游。托罗斯山脉的阿拉达格峰(3 333米)和努尔山脉外延支脉的埃尔吉亚斯峰最高。此外,还有许多海拔 3 000 ～ 3 700米的山峰。松、杉、橡、杜松等林木分布在海拔2 500米以下。白色石灰岩山脊到处可见。西部多环形盆地,平均海拔1 000米,其间点缀有大小湖泊。山脉以南有一些小的沿海平原,全区人烟稀少,并被山脉与内地隔离。在穿过山脉的通道中,奇里乞亚山口最为著名,自古以来被商队和军队利用。通过托罗斯山脉的唯一铁路将开塞利与阿达纳相接。部分开采的矿藏有银、铜、褐煤、锌、铁、砷等。

Tausen, Hans　陶森(1494,丹麦菲英岛比肯讷～ 1561-11-11,里伯)　宗教改革家。原为天主教徒,曾在斯劳厄尔瑟附近加入医院骑士团做修士。1522 年在卢万大学受佛兰芒人文主义的熏陶,开始研究语言学。次年到维滕贝格,受教于路德。1526 年退出医院骑士团,被腓特烈一世任命为信义宗侍从牧师。1529 年调哥本哈根,在该地推进宗教改革。1533 年腓特烈一世死,罗诺主教指控陶森亵渎神明,使他被逐出西兰岛和斯科讷主教管区,结果引起武装暴乱。罗诺主教撤销对他的处分,允许他讲道,但不得使用激烈言词。1536 年宗教改革运动在丹麦获胜,其后陶森任哥本哈根大学希伯来文讲师,1542 年任丹麦信义会里贝教区监督。

Tausig, Karl　陶西格(1841-11-04,华沙～ 1871-07-17,莱比锡)　波兰钢琴家、作曲家,可能是李斯特最优秀的学生。在魏玛跟李斯特学琴 4 年后,于 1858 年在柏林一个音乐会上首次公开演出。1859 ～ 1860 年在德国巡回演出,1862 年定居维也纳,在此举行了一系列节目崭新的音乐会。由于不太成功,使他一时退出音乐会舞台。1865 年婚后回到柏林,在该地短时间从事教学,又开始在俄国和德国巡回演出。29 岁时死于伤寒症。他的演奏虽在年轻时被认为是古怪的,但成熟后的风格,由于技术灵巧、音质华丽、触键细腻而受到赞扬。写有钢琴曲,其中含改编曲。

Taussig, Frank William　陶西格(1859-12-28,美国密苏里圣路易斯～ 1940-11-11,马萨诸塞剑桥)　美国经济学家。其贸易理论为 20 世纪重要学说,影响甚大。其父为医生兼商人,从布拉格移居美国。陶西格 1879 年毕业于哈佛大学,1883 年获博士学位,1886 年又获法学学位。1892 年起直至 1935 年退休,在哈佛大学任经济学教授。曾任 W.威尔逊总统商业政策顾问,1917 ～ 1919 年任美国关税委员会主席。1911 年出版《经济学原理》获得巨大成功,对工资理论颇有贡献。最著名的成就在于其贸易政策理论,对经济学家如 J.瓦伊纳、J.H.威廉斯和 J.W.安吉尔都起过指导作用。他发起并领导了国际贸易理论鉴定计划。他对关税问题贡献也很大,其后瓦伊纳关于关税同盟的研究深受其影响。

Taussig, Helen Brooke　陶西格(1898-05-24,美国马萨诸塞剑桥～ 1986-05-20,美国宾夕法尼亚肯尼特斯奎尔)　美国医师,小儿心脏学的开创者。曾就读于拉德克利夫学院、加利福尼亚大学(1921 年获文学士学位)、哈佛大学和波士顿大学,1927 年获巴尔的摩约翰斯·霍普金斯大学医学博士学位。1930 ～ 1963 年任巴尔的摩一家心脏病医院院长。她仔细研究因先天性缺陷而血液含氧不足的婴儿,并首先采用荧光屏和 X 射线来研究这些缺陷。她把研究重点放在引起特定综合征的心脏缺陷上。40 年代初期,她和外科医师 A.布莱洛克为法洛氏四联症(或称蓝婴综合征)患婴设计一套手术疗法。这些婴儿因先天性心脏缺陷使血液缺氧,故皮肤呈蓝色。新手术非常成功,救活数以千计的"蓝婴"。她的研究促使医学界研究出许多治疗常见心脏病的外科疗法。其著作《心脏的先天性畸形》(2 卷,1947;1960 ～ 1961 年修订再版)详述各种心脏缺陷,并论及许多诊断工具、技术及发现。在 1962 ～ 1963 年,她警告美国医师注意安定药"反应停"的危险,此药在欧洲的使用已造成许多新生儿畸形。她的迅速行动使这一悲剧不在美国发生。1930 ～ 1963 年她执教于约翰斯·霍普金斯大学,1959 年任该校教授。

tautog　蚝隆头鱼　产于大西洋西部的一种大型隆头鱼(**wrasse**),为重要的经济鱼。

tautology　重言式　逻辑中,这样构成的一个陈述,否定之则产生矛盾。例如"所有的人都有理性",是对无论什么事物而断言:它或者是人,或是没有理性。但是,这普遍的"真理"不是来自人们所注意到的有关实际的人的一些事实,而只是来自对"人"和"有理性"的实际应用(或一个这种应用),因而纯属定义的东西。这陈述不可能不真,因为它断定每个可能的事态:无论它的哪些构成成分是真,它都真,而无论它的哪些构成成分是假,它也都真。在命题演算[在这种逻辑中,整个命题由⊃("如果……则……")、·("与")、～("并非")和∨("或")等联结词相连]中,甚至像$[(A \supset B) \cdot (C \supset \sim B)] \supset (C \supset \sim A)$这样的复杂表达式也可表明是重言式,方法是用一张真值表显示出它的主目 A、B、C 的 T(真)和 F(假)的一切可能组合,在用机械的程序结算出这整个公式的真值之后,就表明对于每个这种组合,公式都是 T。这种检验是切实可行的,因为在任何具体情形中,对各变项的不同赋值的总数都是有限的;整个公式之真值的计算可以对于每种赋值分别进行。命题演算中重言式的概念最早是实用主义奠基人、大逻辑学家 C.S.皮尔斯在 20 世纪提出来的。然而,重言式这个名称是语言分析创始人之一 L.维特根施坦引入的,他在《逻辑哲学论》(1921)中论证了一切必然命题都是重言式,因此存在这样一种意义,即一切必然命题都述说同一事物——即什么也没有说。维特根施坦对这个术语的运用要求把它从命题演算推广到一阶函项演算,这便可以广及类、集合或关系以及个体变项。事实上,这个为 F.P.兰姆赛在 1926 年进一步加以解释的推广概念,乃是现在一般所称的有效性的一个不甚精确的先河。后来某些逻辑实证主义者,尤其是 R.卡纳普根据下述区别修正了维特根施坦的学说:在命题演算中,重言式的验证是切实可行的;但在谓词演算中,甚至最低阶(一阶)的谓词演算中,也无法对有效性进行这种验证。逻辑实证主义者认为,一般说来,每个必然真理(因而每个重言式)都可以从某个语言规则推导出来,它仅有的必然性在于它是由某个系统中的一条规则所规定的。然而,对于"凡是时间上有开端的东西都必定有一个原因"这类陈述,这种推导很难在日常语言中进行,因此已经进行了种种尝试(如卡纳普的《世界的逻辑结构》)(1928)来构造一种人工语言,其中一切必然陈述皆可诉诸公式进行论证。

tautomerism　互变异构　两种或多种化合物能以简单方式相互转变的现象。通常仅为一个氢原子在其他两个原子间的转换并和其中任意一个原子形成共价键。在许多情况下,互变异构化合物相互处于动态平衡。因而企图制备单一物质时,往往会得到一种混合物,这个混合物显示出以它们的组分结构为基础所预期的一切物理和化学性质。互变异构的最普通类型是羰基或酮基化合物、不饱和羟基化合物或烯醇类。其结构的变化是氢原子在碳原子和氧原子之间的移位使键重新排布如下:

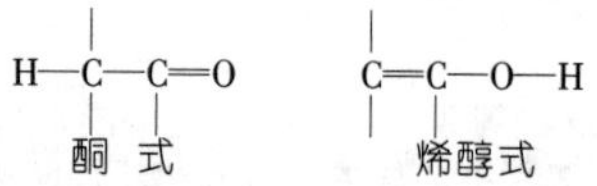

酮 式　　烯醇式

在许多脂肪族醛和酮中(如乙醛),酮式是主要的。在酚类中,烯醇式是主要的。处于中间状况的代表是乙酰乙酸乙酯,在室温下含酮式约 92.4%、烯醇式约 7.6%。在 - 78 ℃时,两种形式的相互转换缓慢,足以分离出单独的物质。除了酮-烯醇的互变异构外,已知还有另外几种,包括脂肪族硝基化合物的互变异构以及涉及环状和链状结构的互变异构,特别是糖分子的这种异构现象。

Tavares, Eugénio (de Paulo)　塔瓦雷斯(1867-05-11 佛得角群岛布拉瓦岛～ 1930-01-06 布拉瓦岛)　佛得角诗人,最先使用该岛克里奥尔语(一种受非洲语言影响的混合葡萄牙语)发表作品的作家之一。塔瓦雷斯经过挣扎奋斗才得到基本教育,后到美国新英格兰谋生,旋因遭遇挫折而返回老家,成为一名小公务员。他的作品深受群岛民俗的影响,他既用标准的葡萄牙语也用克里奥尔语写诗。他最早的作品《救援的爱》与《爱的病痛:荆棘之冠》于 1916 年出版,但他最重要的作品《莫纳集:克里奥尔谣曲》却在他死后于 1932 年出版。莫纳是一种独特的佛得角歌舞的艺术形式,同巴西的桑巴舞和加勒比的比津舞有些类似。其起源尚未被认定,有非洲、卢西塔尼亚、阿拉伯风格,或其混合。塔瓦雷斯的莫纳集表述的是真爱的力量、分离的悲伤以及对家的悲哀而甜蜜的怀念与回忆。在风格上受到巴西东北部地方色彩及葡萄牙普雷森萨社团的影响,这些莫纳是用克里奥尔语写成的最重要的诗篇。

Tavastehus (Finland)　塔瓦斯特许斯　参阅 **Hämeenlinna** 海门林纳;**Häme** 海梅。

Tavau (Switzerland) **塔沃** 参阅 **Davos** 达沃斯。

Tavda 塔夫达 俄罗斯西部叶卡捷琳堡州城市和港口。濒临塔夫达河。主要工业有机车修理、锯木及木材加工。木材联合企业生产预制房屋、镶面木板和胶合板。有一所木材加工工艺学院。人口约46 200（1991）。

Tavener, Sir John 塔文纳(1944-01-28，英国伦敦～　　) 英国作曲家，深受圣歌和宗教歌曲的影响。尽管一些评论家认为他的作品无足轻重，但他还是以创作易被大众接受的古典音乐而备受赞赏。3岁就能自编曲调，并开始学习钢琴和风琴。后考入英国皇家音乐学院，师从D. 拉姆斯戴恩和L. 伯克利。第一首重要作品《鲸》是先锋派的康塔塔，1968年由伦敦小交响乐队首演，大受欢迎。作品含有俄国、拜占廷和希腊音乐的元素。1977年加入俄罗斯正教会后，其作品更关注人的内心世界。36岁时患中风，1991年确诊为马尔方氏综合征(一种遗传性结缔组织异常)。得知患此病后他更加坚定了献身信仰的决心，并通过音乐表达出来。他把作曲比作祈祷，把自己比作一个通向精神世界的管道而不是一个作曲家。北约克郡东正教修道院的女院长不仅是他宗教信仰上的良师益友，还为他的歌曲作词。20世纪80和90年代的主要作品有《东正教的守夜人》、《感恩赞美诗》、《防护面纱》、大合唱《复苏》和歌剧《圣母玛利亚在埃及》。所作《雅典娜之歌》在1997年威尔士王妃戴安娜的葬礼上出演；在伦敦千年穹顶举行的庆祝2000年的千禧年盛会上首演他的合唱曲《一个新的开始》。2000年受封为爵士。

tavern 酒馆 销售饮料但只供堂饮的场所。历史上酒馆始终与贸易、旅行和工业平行发展，遍布全世界。古巴比伦的《汉穆拉比法典》(约公元前1750)规定，出售掺假酒的店主可处以极刑。古希腊的 leschai 主要作为当地的俱乐部，既向外来客商也向本地人供应饭餐。公元前5世纪曾有奢华的 phatne 接待当地人及来往商贾、使者及政府官员。古罗马时有地位的人不进酒馆，但另有 lupanar 位于安静的小街僻巷深处，外面重门紧闭，里面却是花天酒地。头戴面罩者常于天黑入内，饮酒赌博。但罗马市民们并没有给酒馆以不当的名声。当时，低级和中级酒馆能烹调并供应美味的筵席，店中有大房间及拱形天花板，有侍童站立着照顾顾客，老板则坐在房间一端的高台上。中世纪英国酒馆发展成为客栈，是徒步旅行的过路客休息的地方，也是凶手、盗贼和政治反抗者的避难所。由于客栈有每日三餐定时供应的习惯，成为现代饭店的雏形。16世纪中叶，城市各阶层人士已有外出就餐的习惯，多数酒馆供应上好的正餐，每餐一先令左右，葡萄酒、麦酒另算。卷烟自1565年引进后，也有出售。酒馆可提供社交场所和茶点，设备较好的酒馆逐步成为经常性会议场所和非官方会所。美国第一个供应酒饭的公共场所是不见经传的，可能在荷兰第一批移民到达后不久就有酒馆了。波士顿的第一家酒馆1634年开张。纽约的第一家酒馆是荷兰殖民时代由总督凯非脱开设的，该建筑成为新阿姆斯特丹的市政大厦，直到1880年现在的市政大厦建成为止。殖民地政府要求每个社团有公共场所。美国革命时期，酒馆成为政治决策会议的场所。19世纪和20世纪，与城镇酒吧间和乡村的路旁小店相似，酒馆仍然是社会活动的中心。

Taverner, John 塔弗纳(约1490～1545-10-15，英格兰林肯郡波士顿) 英国作曲家。他的音乐代表了16世纪初英国复调音乐的顶峰。1526年到牛津任枢机主教学院小教堂(后为基督堂)合唱指挥。1528年因藏匿异教书籍而入狱，据J. 福克斯所记，枢机主教沃尔西"因其音乐而加以赦免"。1530年离开牛津，结束了他的音乐生涯。他的教堂音乐所表现出的丰富多彩、技巧、范围和力量，代表了宗教改革前英国音乐的顶峰。作有8首弥撒曲(如《西方的风》)、3首圣母马利亚颂歌、一首《感恩赞》和28首经文歌。

Taveuni 塔韦乌尼岛 斐济群岛第三大岛(435平方千米)。南太平洋的火山岛。有中央山脉，最高峰海拔1 241米。主要产品为椰仁干。西岸的索莫索莫为主要村镇。人口11 050(1986，包括附近瓦努阿岛一小部分)。

Taviani, Paolo; and Taviani, Vittorio 塔维亚尼兄弟(保罗1931-11-08，意大利比萨附近圣米尼亚托～　　；维托里奥1929-09-20，圣米尼亚托～　　) 意大利电影制片人，他们将新现实主义对社会的关心和纪实效果与现代主义对优美的、常常是诗一般的视听效果相结合。塔维亚尼兄弟毕业于比萨大学。他们通过与V. 奥尔西尼一起编写剧本和演出，获得制片工作的经验。由于受到R. 罗塞里尼新现实主义影片《帕伊莎》的鼓舞，他俩开始研究并从事电影工作。起初，他们常与奥尔西尼合作，摄制了一系列各种题材的纪录片。他们与奥尔西尼合作摄制的第一部故事片是《一个将被焚烧的人》(1962)。这部影片描写了一位被谋杀的工会领导人，它所使用的长距离推拉镜头手法，后来成为塔维亚尼的标志。他们还与奥尔西尼合作摄制了另一部影片。接着于60年代中期由自己单独摄制影片。影片《颠覆分子》(1967)将一连串纪录片镜头与故事片的情节相结合，描写了一个领袖的死亡和意大利左派时代的结束。他们的第一部主要的成功之作是《父亲兼雇主》(1977)，以意大利的一位语言学家的生平作为蓝本，这位语言学家青少年时期是个目不识丁的牧羊人。后来的一部影片《流星之夜》(1982)，描写一位母亲对她的孩子叙述战时一个夜晚她所在的村庄为生存而斗争的情景。

Tavor, Har(Israel) **塔沃尔山** 参阅 **Tabor, Mount** 塔博尔山。

Tavora, Orlando 塔沃拉 参阅 **Jacinto, António** 雅辛托。

Távoras, Conspiracy of the 塔沃拉阴谋(1758～1759) 葡萄牙一次历史事件。国王约瑟夫一世的首相蓬巴尔侯爵借此得以诛除异己。1758年9月3日夜晚，3名骑手狙击国王车驾；御者迅速驱马奔离，国王受伤。12月设置特别法庭审理此案，所有正常法律程序均予中止，法庭受权在审讯中可施酷刑。军队逮捕数名贵族，其中有塔沃拉侯爵夫妇及两个儿子，还有G. 马拉格里达和12名耶稣会士。阿维罗公爵经不住严刑拷打，被迫认罪，他的仆人和塔沃拉家的仆人均出面作证，指控他与塔沃拉全家一起策划了这次阴谋。这些证词后来大部分又翻供。7名贵族(包括阿维罗和塔沃拉家4人)及3名仆人被判极刑。1759年1月12日，这10个人或遭火刑，或被斩首，或被车磔，或遭绞刑，残酷之极。法庭判定耶稣会士参与了阴谋，在暗杀未遂一周年即1759年9月3日，把他们驱逐出境。马拉格里达被定为叛逆及异端罪，于1761年9月20日被处以火刑。此后约瑟夫大权旁落，蓬巴尔独断专行。玛丽亚一世于1777年成为女王，重审此案，绝大多数涉嫌贵族以无罪获释并发还财产。蓬巴尔以其恐怖统治时期种种倒行逆施而获罪，但因年事已高，仅处以放逐出里斯本的刑罚。

Tavoy 土瓦 缅甸南部城镇。位于安达曼海土瓦河口湾顶端。为与缅甸北部地区和马来半岛进行沿海贸易的中心，也是纺织中心。有机场，附近有狩猎地和海滩。镇郊介于安达曼海与泰国南部地区之间，有大丹那沙林河与土瓦河灌溉。多山，东面有比劳山脉形成1 600米的缅泰边境。有沿海公路，但以海运为主。盛产锡、钨、稻米和木材(尤其是柚木)。人口69 882 (1983)。

ṭawā'if (Spanish Muslim factions) 参阅 **taifa** 泰法。

Tawau 斗湖 东马来西亚(北婆罗洲)东北部港口。在西里伯斯海考伊港东北岸。曾因同菲律宾和邻近的加里曼丹进行走私活动而一度声名狼藉；今为一发展中农业区(产椰子、橡胶、可可、棕榈油和马尼拉麻)的行政和服务中心。输出木材、椰仁干和大麻。建有机场和小型公路网。人口164 000(2001)。

Taweret (Egyptian goddess) **塔韦尔雷特** 参阅 **Taurt** 托尔特。

Tawfīq Pasha, Muḥammad 陶菲克帕夏(1852-04-30，埃及开罗～1892-01-07，赫勒万) 又拼Mohammed Tewfik Pasha。英国占领初期埃及的哈蒂夫(1879～1892)。1879年哈蒂夫伊斯梅尔妨碍欧洲国家的利益，奥斯曼苏丹任命陶菲克为哈蒂夫。但他在国内得不到支持，被迫满足政治对手的要求。尤拉比帕夏领导的军官势力越来越大。尤拉比在1882年被任命为陆军大臣。埃及事态的反欧洲倾向使英国感到震惊。一支英国舰队遂于1882年7月炮轰亚历山大港。这一事件反倒使尤拉比得到更多的民众支持。陶菲克被迫请求英国保护。同年8月，英国人侵埃及恢复陶菲克的权力，此后他即完全受占领当局的控制。

tawhid 认主独一 伊斯兰教名词，指真主的独一无二性，即清真言所云："除安拉外，再无神灵，穆罕默德是安拉的使者。"认主独一还指真主是一个整体，是单一的不是组成的或合成的，他不可分割。

Tawitawi 塔威塔威 菲律宾苏禄群岛西南部岛屿，介于西里伯斯海（东南）与苏禄海（西北）之间。为火山岛，地势起伏，林木茂密。长约 55 千米，宽 10 ～ 23 千米。气候湿热。椰子、烟草、甘蔗、木棉等为主要经济作物，亦产稻米、玉米、橘属水果、块根植物、蔬菜、可可和咖啡等。有珍珠母、卡皮斯贝和两栖动物皮采集业。渔业重要。居民擅长造船。居民为萨马尔人，均为穆斯林，所操萨马尔语属奥斯特罗尼西亚语系，岛上最大居民点在巴托巴托。人口（包括锡布盖岛和卡加延苏禄岛及海龟群岛）约244 759（1990）。

Tawney，Lenore 托尼（1907-05-10，美国俄亥俄洛雷恩～ ） 原名 Leonora Agnes Gallagher。美国艺术家。1941 年与心理学家 G. 托尼结婚，18 个月后丈夫去世。1943 ～ 1945 年就读于伊利诺伊大学，之后到芝加哥设计学院夜校学习绘画、纺织及雕刻课程（1946 ～ 1948），同时为法律出版社担任校对员以维持生计。1949 ～ 1951 年住在巴黎期间周游欧洲及摩洛哥，回国后到北卡罗来纳州彭兰短时间学习纺织。自 1955 年起着手"织物造型"的开创性研究。游历中东、南美和印度后，对其作品加以简化，仅采用黑色或未染色的亚麻纤维及几种原色。发明的新式设备能够创造大型织物造型，其中有些高达 6 米。其织物上的开缝使光线成为整体结构中的一个组成部分。代表作"云"是为加利福尼亚州圣罗莎的联邦大厦所作，5 米长的蓝色亚麻缕在宽阔的门厅上面宛若条条雨丝从天而降。1965 年开始装配艺术品，此外还制作极其精美的多媒体拼贴画。

Tawney，Richard Henry 托尼（1880-11-30，印度加尔各答～ 1962-01-16 伦敦） 英国经济史学家、社会批评家和改革家，以研究 1540 ～1640 年英国经济史而著称。曾受教育于拉格比学校及牛津大学巴利奥尔学院。经过在伦敦托因比服务所做社会工作后，他成为兰开夏罗奇代尔的工人教育协会的积极分子，1928 ～ 1944 年任该协会的主席。在牛津大学给工人阶级学生辅导班上课时，他写出第一部重要著作《十六世纪的土地问题》（1912）。他对这处于人口爆炸和价格革命（新世界金银涌入所引起的）时期不发达经济中土地应用的研究，为历史学家开辟了新的研究途径。次年，他在伦敦经济学院授课，1931 年成为经济史教授，1949 年成为荣誉教授。他在许多经济部门和委员会中工作过，并担任过一些政府机构的顾问。1920 年发表《贪得无厌的社会》，他认为资本主义社会的贪得无厌是道德败坏的原动力，它使富人和穷人都受到腐蚀；在资本主义社会中，劳动不过是作为获得其他物品的手段，它已丧失其固有价值而成为苦工。他的《宗教与资本主义的兴起》（1926）也是经典著作。

Tawzar 托泽尔 又拼 Tozeur，拉丁语作 Thusuros，又称杰里德。突尼斯中西部绿洲。位于突尼斯草原地区以南，风景优美，有许多盐质洼地和棕榈林。地处杰里德盐洼地和盖尔萨盐洼地之间的地峡上，有"沙漠的门户"之称。它是古代重要的努米底亚城镇，位处比斯克拉（今在阿尔及利亚境内）到加贝斯的商路上。在 14 世纪，曾是活跃的市场，也是柏柏尔人反抗在突尼斯实行阿拉伯化的行动中心。在 1030 年建造的大清真寺和 1282 年建造的穆拉比特（圣人）坟墓，可以看到该地区建筑物的特色（用黄砖在立面上砌出具特定格式的几何图案浮雕）。当地以有由热空气和盐质洼地闪烁发光的矿物盐产生的海市蜃楼景象而闻名。该省所产两种优质椰枣，从 11 世纪起即为主要出口商品。还出产手工编织的地毯和银首饰。人口约 32 400（2000）。

tax 税 一种强制征收，是政府收入最重要的来源。参阅 **taxation**。

Tax，Sol 塔克斯（1907-10-30，美国伊利诺伊芝加哥～ 1995-01-04，芝加哥） 美国文化人类学家，曾创办《现代人类学》杂志，并以福克斯研究计划，即福克斯族和索克族印第安人文化的研究闻名。塔克斯 1935 年获芝加哥大学哲学博士学位，1944 年起在该校任教授直至退休。他首先应用"相互作用分析法"研究福克斯族奥马哈人的亲属关系类型。1948 ～1962 年，塔克斯在福克斯（梅斯夸基）印第安人中间进行科学考察，极力倡导"能动人类学"的理论，并致力于发展一个泛印第安人组织，帮助美国土著部落保持其文化特点。1959 年任美国人类学会主席。1960 ～ 1974 年创办并主编《现代人类学》。他还参与全国人类学电影中心的工作并兼任中心主任。他主编的出版物有《征服的遗产：中美洲民族学》（1952）、《现代人类学之评价》（1953）、《达尔文以后的进化》（3 卷，1960）、《现代人类学论文选》（1962）、《人类学之展望》（1964）等。

Tax Court 税务法院 在美国，指审理涉及税务案件的法院。1924 年曾建立一个税务上诉委员会，国家税务机关工作人员如宣称某纳税人有欠税情况，纳税人如不服，可以向这个委员会上诉。这是该委员会的职能之一。该委员会作为一个独立于美国司法部之外（尽管要同司法部合作）的机构进行活动。1942 年该委员会改成税务法院，并于 1969 年成为联邦法院系统的一部分。税务法院的基本的管辖权在于对因欠交任何联邦税（所得税、赠品税、地产税等等）而被传讯的案件作出判决。该法院虽然设在华盛顿（哥伦比亚特区），但是可以于任何时间在美国任何地区开庭。纳税人可以就对他不利的决定向税务法院提出上诉，或者他可以交纳有争议的欠税款，然后向联邦地方法院或索赔法院提起诉讼，要求发还所交款项。

tax law 税法 政府当局凭以要求纳税人将其收入或财产的一部分转移给政府的条例。税法只关系到税收的法律方面，不涉及税收的财政、经济或其他方面。通常认为，征税是国家或地方政府的权力，甚至还有人承认征税是国际或超国家的共同体的一种权力。税法属于公法范围——即明确与限定政治社团与其成员的活动及相互利益的法则，它不同于涉及个人之间关系的私法。税法的具体目的是对个人和法人征税用来支付公共开支。国际税法是关于个人或法人在几个国家纳税的问题。税法可分为实质的税法和形式的税法。前者是对那些引起征税的法律条款的分析；后者是关系到税收的评定、执行、程序、强制措施、行政上的要求和法律上的上诉及其他。政府征税权限由宪法中规定的权力机构决定。在民主体制下，这种权力不属于行政机关或司法部门，而属于立法机关。税收的管理权和纳税人的义务都要在税法中明确规定。税法的执行通常由行政机关（政府或税局）来管理。中央政府管理税收的负责官员是财政部长或财政大臣。因为课税的基础和征收的方法区别很大，一般分为几个部门负责管理。多数国家的财政部有三个局负责征税：一个征收所得税；另一个征收货物转让的税和征收诸如印花税、继承税、登记税和周转税之类的合法交易的税；第三个负责关税和国内的货物税。赋税不一定全以增加财政收入为目的，也可用以贯彻某种指导思想或推行某种经济政策，如为鼓励储蓄，可对购置小额财产的登记税提供减让；有时寓禁于征，借高税杜绝如烟、酒、赌博等行为。随着国际交往日益频繁，凡涉及一国公民侨居或旅游于国外所发生的双重纳税问题，通常按国际税法或条约规定解决。税收管理的指导原则既要顾及国库收益，又要发挥公正精神。税法不给收税当局特权地位，也不剥夺个人对随意征税的防御手段。纳税人认为评税员对税法的解释错误、评税不公时，可向上级管理部门或司法机关提出申诉。纳税人未能按法定期限交税，税务管理机关有权按照税法追缴欠税。为保证税收，有罚款、关押等多种强制办法，视违法的轻重分别采用。

Taxaceae 紫杉科 裸子植物的一科，亦称红豆杉科。组成紫杉目（红豆杉目，Taxales），5 属，常绿乔木和灌木，主要分布北半球。植株多分枝；叶针状，互生；通常雌雄异株，小孢子叶球球果状；种子常单生，外被肉质假种皮。穗花杉属（*Amentotaxus*）和南方红豆杉属（*Austrotaxus*）的种子顶端露出。前者 4 种，产于东亚，乔木或灌木，有些高 10 米；种子着生于短梗，假种皮淡红黄色。后者仅南方红豆杉（*A. spicata*）一种，原产新喀里多尼亚山地森林，高 15 ～ 25 米，叶的特征和生长习性上与罗汉松相似，区别在于花的构造和具假种皮。白豆杉属（*Pseudotaxus*）仅白豆杉（*P. chienii*）一种，产于中国东部，灌木，很少高于 4 米，与红豆杉属相似，假种皮白色，杯状。最大属紫杉属（红豆杉属，*Taxus*）约 8 种，分布于北美、欧洲、小亚细亚和东亚。榧树属（*Torreya*）约 6 种，分布于北美、中国和日本。

Taxandria（region，Belgium） **达仙德里亚** 参阅 **Kempenland** 肯彭兰（地区）。

taxation 税收 政府对个人或其他实体(单位)所强制征收的款项。在现代经济社会中,税收是政府收入最重要的来源。纳税是纳税人一项普通的义务,而不是为换取某项特殊的利益而交纳或支付款项的。

一般认为税收有3种作用:①财政的或预算的作用,偿付政府的开支;②经济的作用,促进经济稳定增长;③社会的作用,减少收入和分配中的不平等。这几种作用可能要彼此冲突。例如为了预算需要而征收的赋税或其水平(数额)可能会阻碍经济增长;一种具有高度再分配性的税收也可能会有类似的效果。除了这些主要作用外,税收还一直被用作达到非财政性的目的,如鼓励或阻止某些活动(例如酒精消耗、家庭规模等)。

在公共财政文献资料中,税收的种类,可按照谁是纳税人、谁承受最终的负担、负担转移的程度以及其他标准而有不同的分类方法。最常见的是区分直接税与间接税。直接税是纳税人不能转嫁给别人的税收:它主要的征收对象是个人,是按照个人的支付能力,亦即按收入或净财产的多少而确定征收的。直接税的主要形式有:个人所得税、财产净值税、遗产税(即遗产继承税和产业税)、赠与税和总支出税。间接税是那些可以全部或部分转移到法定纳税人之外的人们身上的税收,如货物税、营业税、增值税、法定交易税等等。由于有些税收可视情况不同能够或不能够转嫁,因此不能肯定地划分为直接税或间接税。税收还可以按其对收入和财富分配的影响来区分。比例税是对所有纳税人按同样的相对负担或税率所征收的税。累进税是纳税义务的增长高于税基的增长;累退税是纳税义务的增长低于税基的增长。

税收在古代不起很大的作用;至于增加岁入,关税过去常较国内货物税重要一些。在罗马,人头税、房地产税和营业税都是众所周知的税种。在现代,总的课税水平已大有提高,且税收在国民收入中所占的比率也大有提高。所得税(包括个人和公司的所得税)的征收在现代税收制度中占有重要的地位。除了全面的、数额巨大的所得税之外,从货物税和关税方面还有一种趋势,即自第二次世界大战以来,增值税已日益重要。

A.斯密首先条理化地提出了合理税收制度的原则:税收应基于个人纳税能力,并且应该确定可靠、方便和节约。现代税制的标准还有财政收入、生产能力和社会公正的问题。一种税制应该为政府开支提供充足的税款,还应该在情况需要时一得到通知就提供更多的税款。此外,还需要有社会公正的概念,即税收应该是或多或少地起到收入或财富或收入和财富二者再分配的作用。由于各国政府在控制其国民经济上已有较大的实力,为了促进经济活动的发展和影响经济资源的分配,它们都一直在利用税收来缓和周期性经济波动。

Taxco 塔斯科 墨西哥中南部格雷罗州北部城市。位于阿塔切山麓,海拔1 755米。在哥伦布到来前即为矿业中心。当地的印第安人居民点与西班牙人1528年建立的居民点合并为塔斯科市。在殖民时期很繁荣,银矿

墨西哥塔斯科市一瞥

供图:Ursula Bernath—美国不列颠百科全书公司

创造大量财富。是18世纪诗人鲁伊斯·德·阿拉尔孔的诞生地。有银、铜、锌、铅和萤石矿。现为地区(盛产玉米、豆类、甘蔗和水果)商业中心。主要以生产银手工艺品和其他工艺品闻名,被公认为西半球著名的银器制作中心。城市具有殖民时期风貌,大鹅卵石街道陡而狭窄,两侧有富丽堂皇的巴罗克式圣普里斯卡教堂和其他建筑物,因而被定为国家纪念地,是旅游和艺术中心。南20千米处的伊瓜拉有墨西哥城—阿卡普尔科高速公路通过。人口51 900(2001)。

taxicab 出租汽车 由司机驾驶供租用的汽车,用以在市区或郊区任何两点之间运送乘客,按距离或时间计价。现代出租汽车的发展与一般汽车的发展密切相关,第一批装有动力的出租车用电力驱动,于19世纪90年代末期出现在欧洲和美洲城市的街道上;装有内燃机和计程表的出租汽车约于1907年前后面世,并从此在出租车中居于支配地位。大多数现代出租汽车是专门为出租汽车业装配的四开门客车,也是为满足出租汽车业日益繁重的使用要求所设计的新型汽车。

taxidermy 动物标本剥制术 将动物(通常是鸟类和哺乳类)的皮加工,并充填以各种支撑物,真实地表现出其生前外形的技术。其应用可追溯到古代保藏猎物的风俗。后来随着人们对博物学兴趣的增长(特别自启蒙时代以来),随着私人收藏鸟、兽标本的出现和博物馆事业的发展,这一技术便发展成一门艺术。18世纪初,开始用化学方法防护动物皮肤、毛、羽以免腐坏和虫蛀,从而能够用干草填充动物皮张,再将其缝合,以栩栩如生地表现动物的外貌。制备动物皮的方法迅速改进,发明了将动物的皮固定在标本架上的新技术。随即出现了现实主义的展出趋向——将动物标本摆成一定的姿势(通常似乎要作出大幅度的动作),自然环境中加上真实的或人造的植被,画上布景,甚至模拟整个生态环境。19世纪,动物标本剥制术作为一种博物馆艺术而建立起来。由一位博物学家兼探险家建立的巴黎的水晶宫之类商业性机构制造大量动物标本,售给博物馆以供展出。后来纽约州罗彻斯特的沃德自然科学宫超过了水晶宫。在沃德有一群热心的青年,著名的如C.E.阿克利(**Akeley, Carl Ethan**),致力于动物标本剥制术的改进,研究成用黏土和石膏塑造解剖结构准确的模型的技术,至今仍为动物标本制作术的基础。还研究了爬行动物、昆虫和身体柔软的动物的处理技术,引进了新物质如赛璐珞和其他塑料等。

Taxila 塔克西拉 梵语作Takṣaśilā(呾义始罗)。古印度西北部古城。其遗址在巴基斯坦的拉瓦尔品第东南约35千米处。由于地处三条重要商道的交叉点而繁盛起来。后来这些路线不复重要,城市地位衰落。公元5世纪遭匈奴人洗劫和摧毁,其后再未恢复。据印度著名史诗《罗摩衍那》中记载,该城由罗摩(毗湿奴神的化身)的弟弟婆罗多建立,以婆罗多之子、城市第一代统治者的名字Takṣa命名,称呾义始罗(Takṣaśilā;希腊文人转写作Taxila[塔克西拉])。该城在历史上多次易主,曾为王朝或王国的都城、王朝省会、学术中心和佛教中心。在印度、希腊-罗马文献,佛教和基督教传说以及中国高僧法显、玄奘的游记中均有所记载。公元前5世纪为犍陀罗国京城。公元5世纪初法显到达时发现该处为佛教寺庙中心。公元7世纪玄奘到达时,该城已经是一片荒凉废墟。此后再未见诸史料。1863～1864年和1872～1873年印度考古的先驱英国人A.甘宁汉开始进行考古发掘,查明古城遗址。随后20年期间J.马歇尔继续这项工作,彻底揭示该城古址和遗迹。当地保存下来的建筑古迹有护堤、城堡、宫室、寺庙、佛塔;出土有赤陶和陶瓷器皿,小的青黄铜器和铁器,珠宝、印度-希腊钱币,安息和早期古实统治者遗骨、佛像以及镌有佉卢文祀奉文字的银册等文物。

taximetrics 分类测度学 又作numerical taxonomy(数值分类学)。一种将多变量分析用于许多可度量的特性(分类性状)以进行生物分类的学科。因为分析方法十分复杂(许多性状是从许多个体或许多物种度量而来),所以必须采用电子计算机。进化分类学推测性状在自然选择中所起的作用而对之进行评价衡量,而分类测度学则不然。因此,数值分类学建立了一种分类方法,它反映出"表征差距"(即相似的程度)。这种分类方法为许多传统的生物分类学家所反对,他们认为分类学上反映的关系应当纯粹是进化的关系。参阅**taxonomy**。

Taxis postal system 塔克西斯邮政网 参阅**Thurn and Taxis postal system 特恩和塔克西斯邮政网**。

Taxodiaceae 杉科 裸子植物球果目(Coniferales)的一科。10属,15种。常绿乔木,可供观赏和材用,原产于亚洲东部、塔斯马尼亚和北美。一株树上的叶可为鳞片状或针状,亦可二者兼有,叶单生,常在小枝上螺旋排列。雌雄同株。雄球花单生或丛生,鳞片螺旋排列,每鳞片有3～9个花粉囊。雌球花单生枝端,鳞片亦螺旋状排列,每个鳞片和一个苞片融合,因此增厚并木质化,每鳞片生2～9粒种子,直立或倒生。子叶2～8。本科的塔斯马尼亚杉(**Tasmanian cedar**)、日本柳杉(**Japanese cedar**)、杉(**China fir**)、伞松(**umbrella pine**)、巨杉(**big tree**)、红杉(**red wood**)、水杉(**dawn redwood**)和秃柏(**bald cy-**

press)等都是经济用材树种;多数也是受欢迎的观赏树。

taxon 分类阶元 生物分类中所用的单位。按等级从界到亚种排列,一个阶元通常包括几个低级的阶元。在原生物、植物和动物的分类中,普遍承认的分类学范畴从高到低排列为:界、门(在植物或称部)、纲、目、科、属、种及亚种。各阶元命名的规则属于生物命名法(biological nomenclature)的范围。一个物种内受遗传控制的变异体有许多名称,但这些名称通常不被认为是分类阶元。在多形性物种中常用变形种(morph)及变种(variety)两词。家畜的纯种(遗传学上的纯系)通称为品系(strain)。在植物学上,由于栽培而形成的可辨识的变异体常称栽培品系(cultivar)。

taxonomy 分类学 广义言,为分门别类的科学;较狭义言,则指活着的和已绝灭的动植物分类的科学,亦即生物分类学。英语中taxonomy这一术语源自希腊语taxis(排列)和nomos(规则)。分类学家将一系列相异的生物建成按阶级排列的分类群,各分类群间的关系有规则可循。分类学上的基本单位为种。大部分的现代分类学家试图把生物归类,以反映演化(种系)关系。分类学的基本方法是比较解剖学的方法,比较现存与绝灭动植物的构造特征,并从比较遗传学、生物化学、生理学、胚胎学、行为学、生态学和地理学观点阐明这些构造特征的异同。权威人士一度将生物简单地分为两大类(两个分类群):植物界(Plantae)和动物界(Animalia),后来有些学者提出第3个界——原生生物界(Protista),将不能确定是植物或动物的生物(如原生动物、细菌和藻类)包含在内。生物化学研究和遗传研究的改进以及电子显微镜技术的进步,使对生物的进一步分类成为可能。不具有清晰的核结构的微生物——原核生物——被归入无核生物界(Monera),细菌是该界的主要生物。真核生物(具有清晰的核的微生物)的分类仍有争论。现代多数权威将所有生物(现存的和已绝灭的)归入五界分类系统或四界分类系统。五界分类系统承认5个界:动物界、植物界、无核生物界、真菌界和原生生物界(基本上包括所有真核微生物,即藻类、原生动物、黏菌)。四界分类系统仅承认4个界:动物界、植物界、无核生物界及病毒界,也就是说,四界分类系统承认真核生物和原核生物的区别,并将原生动物归入动物界,真菌及藻类归入植物界。主要的下属分类群顺次为门(在植物界或称为部)、纲、目、科、属和种。分类系统的基本单位为容易辨认的种。分类过程的第一步是将具有相关特征的生物归入一个组,如将与马相似的奇蹄动物(马、驴、斑马)归入马属(*Equus*),将具槲果的乔木归入栎属(*Quercus*)。将属名与种名结合使用,便可指出种与种之间的关系。新的种被发现时,可用这种方法将其归入分类系统中。用拉丁文作属名和种名给生物命名的方案,是C.林奈于18世纪中期确立的。

Tay, River 泰河 苏格兰流程最长、流域面积最大的河流。源出本卢伊山北坡,过邓迪后注入北海。全长约193千米,流域面积6 216平方千米。上源称菲伦河和多赫特河,经泰湖后有莱昂、厄恩等支流汇入。

Tay Ninh 西宁 越南南部一城镇,位于西威古河的一支流地带,在胡志明市(旧称西贡)西北105千米处,距柬埔寨边界40千米。西宁为高台教发祥地。该教创建于1926年,

西宁镇的高台教大教堂
供图:Robert C. Caplan—Globe

是一个尚武并持信仰调和论的宗教教派。自第二次世界大战结束以后,该教曾有数年控制并管理这一地区。西宁原系柬埔寨(高棉)领土,19世纪初的嘉隆年间被越南人占领。此地居民有高棉人、华人及占人等少数民族。此地区以拥有大型橡胶园及大型糖料作物种植园而闻名。也种植水稻和椰子。高台教徒在此地区占绝对优势,他们在西宁建有大教堂。此地区也有和好教徒的聚居地。和好教为佛教的一支,富战斗性,为高台教的对手。人口:镇约32 881(1989)。

Tay-Sachs disease 泰伊-萨克斯氏病 又称家族性黑蒙性白痴。一种遗传性代谢性疾病,可导致愈来愈严重的智力和神经组织退化。本病为常染色体隐性遗传,多见于东欧德系犹太人血统人群。患儿体内氨基已糖甙脂酶A的活性低下,致使神经节甙脂GM_2(一种神经鞘脂类)在脑内大量聚集,进而破坏正常的神经功能。有些患儿体内有氨基已糖甙脂酶存在,但神经节甙脂GM_2还是在脑内大量积聚。患儿出生时表现正常,生后不久即可有精神萎靡、反应性弱等,可持续数月之久。随着病情发展,患儿已经学会的许多动作(如爬、坐、抬头、吞咽等)会得而复失,还会过早地出现惊吓反应和阵挛性抽搐。因绝大部分患儿都有视网膜黄斑处樱桃红斑(和周围视网膜的脂质沉积形成的反差色),故逐渐形成黑蒙。患儿死前可出现全身性麻痹。目前此病无治。在德系犹太人中,本病发病率为1/2 500;而在非犹太人中,这一比率为1/360 000。泰伊-萨克斯氏病可在生前即获确诊。在德系犹太人中,本病基因携带者的比率高达1/25。成人基因携带者可以通过查验血和其他体液中氨基已糖甙脂酶A的浓度水平而获确诊。

Tay Son BROTHERS 西山弟兄 越南阮惠(约1752~1792)、阮岳(约1752~1793-12-16)、阮侣(约1752~1792)的统称。因家居平定省西山村,故名。西山起义(1771年开始)的领袖。到1778年,阮氏弟兄已占据越南中部和南部。1786~1787年征服越南北方。起义初期具有广泛的社会基础,得到农民和商人阶层的支持,并以社会和政治改革为奋斗目标。许多历史学家视之为20世纪越南民族运动的先驱。阮惠(后为光中皇帝)年轻有为,推翻黎朝(参阅**Later Le dynasty**)和阮、郑两大封建家族,统一了整个越南。1788~1793年,西山弟兄各据一方,阮惠统治越南北部。1788~1789年,他领导一支农民军击败了入侵的中国军队。他们虽然进行了一些改革,但是没有触动最基本的土地所有制问题。起义群众由于理想不能兑现,纷纷散去。1792~1793年阮朝(**Nguyen dynasty**)最后的一位皇帝阮映(即后来的嘉隆[**Gia Long**]皇帝)打败西山弟兄。1802年,嘉隆在法国军队支持下,消灭了西山弟兄的后裔。

Tayacian industry 塔雅西石器工艺 法国和以色列的原始石片工具传统。一般认为,塔雅西石器工艺实质上是石器形体较小的克拉克顿文化期工艺(**Clactonian industry**)。

Tayama Katai 田山花袋(1871-12-13,日本馆林~1930-05-13,东京) 小说家,日本自然主义流派作品发展中的中心人物。田山早期的作品富于浪漫主义色彩,但是随着他发表了《露骨的描写》(1904)一文,他便在法国的影响下走向比较现实主义的道路。遵守严格的客观性并如实地描写事物的指示(它来自法国的自然主义者莫泊桑和龚古尔兄弟)发展成为日本文学的一种主要小说形式——私小说或自传体小说。《棉被》(1908)使他成名;小说详尽而赤裸裸地描绘了一个年轻女学生对一个中年作家(作者)的爱慕之情。他的自传体小说三部曲《生》(1908)、《妻》(1908~1909)和《缘》(1910)确定了日本自然主义文学形式的显著特色。《乡村教师》(1909)表现了龚古尔兄弟和福楼拜的《包法利夫人》的影响。在论述他本人的文学理论的一篇文章《花袋文话》(1911)中,他把"平面描写"这个词引入了评论语言,而所谓平面描写指的便是他本人的写法。在晚年,随着自然主义影响的衰退,他进入了一个个人不知所措的时期,这之后他表现出一种宁静的、几乎是宗教的姿态,这一点反映在他的《残雪》(1917~1918)之中。

Tayif (Saudi Arabia) 参阅**Ṭā'if, aṭ-塔伊夫**。

Taylor, A. J. P. 泰勒(1906-03-25,英格兰兰开夏伯克代尔~1990-09-07,伦敦) 全名Alan John Percivale Taylor。英国历史学家和新闻记者,以其历史讲座和散文风格著名。1927年以优异的成绩毕业于牛津大学奥里尔学院。1931年开始为《曼彻斯特卫报》(后称《卫报》)写评论和随笔。他继续钻研历史,1934年出版第一部著作《1847~1849年欧洲外交中的意大利问题》(1847~1849)。第二部谈论外交的著作《1884~1885年德国争夺殖民地的第一着:俾斯麦改变欧洲政策》于1938年问世。泰勒曾在牛津大学马格达伦学院任近代史导师(1938~1963)和研究员(至

1976年，后为荣誉研究员）。他于1950年成为英国广播电视公司新闻分析节目专题小组的成员，经常在电视中露面。他是广受欢迎的新闻记者和讲师。泰勒的一些非正统观点往往引起论战，但他仍保持高度的学术水平。他出版过30多本著作，其中有《1848～1918年争夺欧洲霸权的斗争》（1954，作为《牛津近代欧洲史》的第一卷出版）和《1914～1945年英国史》（1965）。《第二次世界大战的起源》（1961）是读者广泛、引起争议的著作。该书认为战争之所以发生是因为英国和法国在绥靖还是抵抗希特勒的政策之间摇摆不定。他的自传《个人史》于1983年问世。

Taylor，Albert Hoyt 泰勒（1874-01-01，美国伊利诺伊芝加哥～1961-12-11，加利福尼亚克莱尔蒙特） 美国物理学家、无线电工程师，为美国雷达的发展奠定了基础。泰勒曾在伊利诺伊埃文斯顿西北大学和德国格丁根大学学习，以后在东兰辛的密歇根州立学院以及麦迪逊的威斯康星大学及大福克斯的北达科他大学任教。1923～1945年主管美国海军研究实验所无线电室。泰勒集中研究短波电磁辐射，考察短波的偏振和折射，进一步证实了亥维赛1925年提出的无线电覆盖理论。20～30年代他对无线电回波和高层大气的研究为雷达的发展作出了贡献。1938年泰勒在“纽约”号战列舰上安装了第一部作战雷达，1939年美国开始生产民用雷达设备。

Taylor，(James) Bayard 泰勒（1825-01-11，美国宾夕法尼亚肯尼特斯奎尔～1878-12-19，德国柏林） 美国作家，主要因其生动的游记和所译歌德《浮士德》而闻名。17岁当印刷学徒。1844年出版第一本诗集《西梅纳》。后由《星期六晚邮报》和《合众国报》资助出国旅行，他的旅游通信汇编成《途中见闻》（1846）由两报出版，极受欢迎。1847年，开始在纽约从事新闻工作。《黄金国》（1850）一书记述了

美国国会图书馆供图

他作为报纸记者在1849年加利福尼亚淘金潮中所经受的磨难。他继续到遥远的世界各地旅行，去过东方、非洲和俄国，得到类似当代马可·波罗的名声。1862年，任美国驻俄国圣彼得堡公使馆秘书，1878年他去世前不久，成为美国驻德国公使。他晚年翻译的《浮士德》（1870～1871）至今仍为他最著名的作品。他的《东方之诗》出版于1855年。

Taylor，Brook 泰勒（1685-08-18，英格兰米德尔塞克斯埃德蒙顿～1731-12-29，伦敦） 英国数学家，因对发展微积分有贡献而著名。1708年，他提出了振动中心问题的一个解法，直到1714年才发表，当时约翰第一·伯努利对这一解法的优先权提出争议。他的《增量

伦敦国立肖像画陈列馆供图

法及其逆》（1715），为高等数学增加了一个新的分支，现在称为有限差分演算。他利用这一新的发展，首先根据力学原理表述了弦振动运动。书中也包括了称为泰勒定理的公式，这个定理的重要性直到1772年才被人们所认识，那时，J.-L.拉格朗日看出了它的重要性，并称之为微分学的基本原理。他还是一个有才能的画家，在《直线透视》（1715）中论述了透视的基本原理。这部书和他的《直线透视新原理》包含了对“没影点”原理最早的一般论述。由于他的大部分著作简单而晦涩，所以这两部著作没有立刻发生影响，后来才受到重视。1712年被选为伦敦皇家学会会员，同年进入牛顿和莱布尼兹发明微积分优先权争论的仲裁委员会。

Taylor，Cecil 泰勒（1933-03-15，美国纽约州纽约～ ） 美国爵士乐音乐家兼作曲家，首屈一指的自由爵士乐钢琴家。曾就学于纽约音乐学院和新英格兰音乐学院，但受埃林顿“公爵”、T.蒙克和H.西尔弗等人的音乐影响更为强烈。20世纪50年代中期已在领导自己组建的演出小组。从1956年录制第一张唱片开始即以桀骜不驯的音乐激进派而闻名；获得评论界的高度赞扬，但其复杂而技巧要求极高的音乐在听众中却知音甚少。不过，他的事业还是逐渐开始蒸蒸日上，自1973年起或作为独奏钢琴家或率领自己的小组定期巡回演出和录制唱片。同起初曾使他黯然失色的O.科尔曼一样，泰勒也是最早使爵士乐即兴创作摆脱固定和声结构的音乐家之一。他身受古典音乐和爵士乐的双重影响，成为一位技艺精湛的钢琴大师，其演奏的力度、起音与和声手法（包括许多为了求得敲击性效果而不是和声效果而奏出的音簇）均无与伦比。他掌握即兴创作形式的技艺在爵士乐中堪称绝无仅有；采用一整套丰富多彩的手法将简朴的素材发展成稠密、复杂、铺张但结构统一的作品。他的演奏曲目中包括一些原创作品，有的由连续几段速度不相关的七零八碎的素材组成。60年代晚期的创作绝大多数运用剧烈而迅速的速度和长的即兴段落。更晚一些的作品中又不断扩张自己的感情幅度。

Taylor，Charles Ghankay 泰勒（1948-01-27，利比里亚～ ） 利比里亚政治人物、游击队领导人，1997～2003年任总统。美国黑奴后裔，法官之子。1977年在马萨诸塞州沃尔瑟姆的本特雷学院获经济学学位。之后在利比里亚总服务局任主任，时值S.K.多伊担任总统（1980年通过发动政变取得政权）。1983年多伊指控他侵吞近100万美元，次年泰勒逃往美国，但在美国遭拘禁。被引渡前越狱逃脱，随后出现在利比亚，并组建民兵组织利比里亚全国爱国阵线，1989年末入侵利比里亚。1990年泰勒的部队逼近首都蒙罗维亚，但其夺权努力受到敌对组织的遏制。在战斗中多伊被杀，随后7年间在各武装派别的野蛮厮杀中约15万人丧生，一半以上的人口沦为难民。泰勒的全国爱国阵线虽从未占领过首都，但却控制着利比里亚农村及其富庶的自然资源。1996年签署和平协定，1997年7月19日举行选举。批评者指责他采用不正当竞选手段，但他仍以75%的选票赢得选举。担任总统后，与反对派冲突犹存。各国政府指责他支持塞拉利昂叛乱，2000年联合国安理会对利比里亚实施制裁。该国随后再次陷入内战。联合国战犯法庭指控泰勒犯有赤裸裸的反人道罪。在广泛的国际谴责声中，他同意流亡尼日利亚。

Taylor，David Watson 泰勒（1864-03-04，美国弗吉尼亚路易萨县～1940-07-28，华盛顿［哥伦比亚特区］） 美国造船工程师，在首都华盛顿海军造船厂建立了美国第一个船舶

美国海军部供图

模型试验所，并系统地阐述了船舶设计的基本原理。他毕业于马里兰州安纳波利斯的美国海军军官学校，并在格林尼治英国皇家海军学院深造，学习造船工程。在两所学校都获得了当时的历史最高分。1899年泰勒在主管模型实验池时，通过实验研究船壳构造特点与水的阻力之间的关系。他用一种自1910年以来国际上知名的“泰勒标准系列法”，求得改变船壳特点所产生的效应，这样就有可能事先估计已知尺寸的船只的阻力。他的著作《船舶的速度与功率》，阐述了这方面的知识，至今仍有启发性。1917年泰勒晋升为海军少将，1914～1922年负责为美国海军设计和建造舰船、潜艇和飞机，包括第一架飞越大西洋（1919）的飞机NC-4。他在美国国家航空咨询委员会工作的15年中，对航空学也多有贡献。

Taylor，Edward 泰勒（1645?，英格兰沃里克郡考文垂或附近～1729-06-24，马萨诸塞韦斯特菲尔德） 北美英国殖民地时期的主要诗人之一。由于坚信公理会教义不肯宣誓遵奉

圣公会，放弃在英国的教师职业，移居新英格兰。1671 年毕业于哈佛学院后，任乡村牧师直至去世。他身材不高，因个性刚烈并富于魅力，受到同代人的怀念。泰勒的诗作手稿《诗作》为四开本，共 400 页，按照他的要求，死后没有刊印。1883 年，他的后裔将其捐赠给耶鲁大学。他最好的诗在 1939 年出版。他重要的诗可分为两大类。一类是"上帝的决心感化了他的选民"，这是一组长诗，从主题上把上帝的恩惠和威严当作罪孽和赎罪的戏剧提出来。另一类是"圣餐反省"，约 200 首，泰勒称其为"我去受领圣餐之前的反省"。泰勒所有的诗都具有一个重要特点，就是典型的玄奥方式：过多的比喻及把形象和思想联结在一起，通过紧张的陈述以达到激发诗歌火花的目的。

Taylor, Elizabeth　泰勒（1912-07-03，英国伯克郡雷丁～1975-11-19，白金汉郡佩恩）母家姓 Coles（科尔斯）。英国女小说家，以用语准确和风格严谨含蓄而著称。第一部小说《在利平科特太太家》于 1945 年发表；和她的绝大多数作品一样，故事情节大都平淡无奇，但却极其准确地刻画了现代社会中妇女的行为。其他作品有《玫瑰花圈》（1950）、《捉迷藏》（1951）、《睡美人》（1953）和《参加婚礼的人们》（1968）。短篇小说集有《有献身精神的人》（1965）和《具有破坏性的小伙子们》（1972）。她还经常为《纽约人》撰稿。

Taylor, Elizabeth　泰勒（1932-02-27，英国伦敦～2011-03-23，美国加利福尼亚洛杉矶）　全名 Elizabeth Rosemond Taylor。美国电影女演员。泰勒是在父母侨居英格兰时出生的，幼年曾学习芭蕾。第二次世界大战爆发时，举家迁回美国，在洛杉矶定居。她美貌动人，于 1942 年起作为童星演出，1944 年演出《玉女神驹》使她一举成名。成年以后，演技高超，与大多数童星的发展不同，戏路越来越宽。她多次获奥斯卡最佳女演员提名，因在《巴特菲尔德第八》（1960）和《谁害怕弗吉尼亚·沃尔夫》（1966）中的表演获得奥斯卡奖。70 年代中期以来，她间歇性地在电影、百老汇和电视片中演出。她结婚 8 次，配偶有制片人、导演、独唱演员和美国参议员。

Taylor, Frederick W(inslow)　泰勒（1856-03-20，费城～1915-03-21，费城）　美国发明家、工程师，被称为"科学管理之父"，他的工业管理制度，对于每一个受惠于现代工业的国家的发展都有影响。律师之子，1872年进入新罕布什尔的菲利浦·埃克塞特中学学习，后经哈佛大学考试录取，因夜读过度，视力受损，未能入学。1875 年视力恢复后，进费城一家工厂学制模及机工手艺。3 年后，到米德瓦尔钢铁公司先后当车间勤杂工、机工、领班、工长、设计室主任和总工程师。1881 年 25 岁时他和队友在全国网球锦标赛中获双打冠军，同时开始在该厂进行劳动时间的研究，这就是泰勒后来创立的管理科学的基础。其要点是，仔细观察每一名工人，减少工人在操作中浪费的时间和多余的动作，即可大幅度提高一个车间或一家工厂的生产效率。虽然泰勒制执行得过火时遭到工人的愤恨和反对，但在合理化生产上的价值是不可抹杀的，对批量生产技术的影响也是巨大的。他利用晚间学习，于 1883 年获得史蒂文斯理工学院的机械工程学学位。翌年任米德瓦尔公司的总工程师，并完成一个新颖车间的设计与建造。他拥有 40 多项专利，满可当一位专职的卓越发明家，但他醉心于科学管理，为此辞去米德瓦尔公司的职务，担任了机械制造投资公司的总经理（1890 ～ 1893），发展了一门新的职业——管理咨询工程师。他曾为许多著名的公司服务，最后在伯利恒钢铁公司任职，研制出高速钢，进行过电铲和铸铁处理试验。45 岁时退休，但继续到处讲演，推广科学管理的原理。1906 年任美国机械工程师学会主席，获得宾夕法尼亚大学名誉科学博士学位。泰勒的许多重要论文都首先在学会的学报上发表，如《论传送带》（1894）、《计件工资制》（1895）、《车间管理》（1903）和《金属切削工艺》（1906）。另著《科学管理原理》（1911）一书。1912 年，泰勒在众议院特别委员会召开的"对泰勒及其他车间管理制度的调查"听证会上作证后，声誉日隆。作为一位改革家，在逝世前继续不懈地阐明泰勒管理制度的思想和原则。

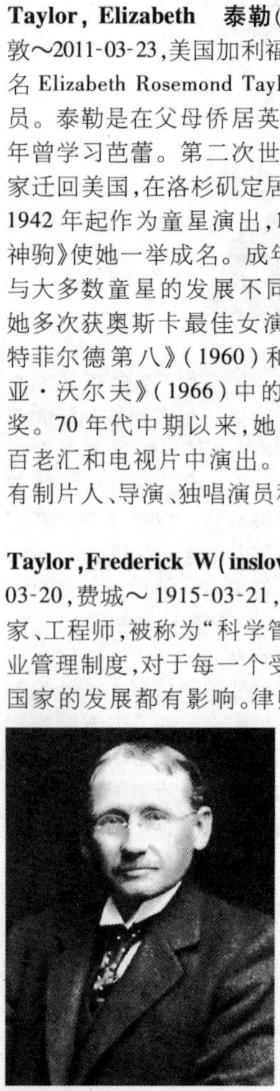

美国史密森学会供图

Taylor, Jeremy　泰勒（1613-08-15受洗，英格兰剑桥郡剑桥～1667-08-13，爱尔兰安特里姆郡利斯本）　安立甘宗神职人员、著作家。曾在剑桥大学求学，1633 年受按立。他曾得到许多要人的帮助和资助。1645 年和语言学家 W. 尼科尔森一起在卡马森郡创建一个学校。1650 年著《圣洁生活的规则和习尚》；1651 年著《圣洁死亡的规则和习尚》，意在帮助在共和政治动乱时期不能过正常宗教生活的圣公会信徒。这两部著作流行甚广，18 世纪循道宗领袖 J. 卫斯理也曾受它们的影响。

Taylor, John　泰勒（1580-08-24，英格兰格罗斯特郡格罗斯特～1653-12，伦敦）　英国小册子作家和记者，人称"水上诗人"。曾上过文法学校，后被送去当一泰晤士河船工的学徒。参加过海军并经历过几次海战，回伦敦后又在泰晤士河上当运送乘客的船工，在伦敦塔担任过半官方的职务数年，并且是船员公会的积极成员。所写《一文不名的朝圣：泰勒从伦敦到爱丁堡》（1618），描写一次也许受 B. 琼森类似旅行的启发而作的旅行。后又写了《一次非常快乐的舢舨水上旅游》（1622）和《海上新发现，乘海船从伦敦到索尔兹伯里》（1623）。内战爆发后，迁居牛津，

不列颠博物馆供图

编写保王党的小册子。1645 年该城投降后，他返回伦敦，开"皇冠"（后改称"诗人头"）酒店，直至辞世。

Taylor, John　泰勒（1753-12-19?，美国弗吉尼亚加罗林县～ 1824-08-21，弗吉尼亚加罗林县）　美国开国初期自由主义土地法令政治运动（一般称"杰斐逊民主"）的主要哲学家。自幼失去父母，由舅父彭德尔顿抚养成人。曾在威廉和玛丽学院求学。18 世纪 70 年代初入舅父的法律事务所学习法律，1774 年获律师开业执照。美国独立战争爆发时加入大陆军，1779 年退役。此后参加弗吉尼亚民兵作战。1779 ～ 1781 年和 1783 ～ 1785 年选入弗吉尼亚众议院，成为推动政教分离、扩大选举权和争取更平等的代表制的运动的一位领袖。泰勒反对中央集权，反对批准宪法。1792 ～ 1794 年补缺为美国参议员，1796 ～ 1800 年又回到弗吉尼亚众议院。1798 年提出 J. 麦迪逊的《弗吉尼亚和肯塔基决议案》，这是一份强调各州权利的文件，是为反对通过《客籍法和镇压叛乱法》而草拟的。1800 年大力支持 T. 杰斐逊竞选总统。1803 年赞同美国购买路易斯安那。在通过宪法第12条修正案时起过很大作用。1805 年出版《为杰斐逊政府的各种措施辩护》。泰勒的一贯哲学思想使他不可能支持那些企图靠损害州权和个人自由去加强联邦政府的共和党人。在 1808 年选举中，他支持 J. 门罗而不支持麦迪逊；他反对 1812 年战争，认为这是联邦政府滥用权力。此后，除了 1822 ～ 1824 年再一次补缺为参议员外，余生从事写作政论文章，《向美国政府的原则和政策质疑》（1814）、《分析的结构和辩明的宪法》（1820）和《赤裸裸的专制》（1822）都是维护杰斐逊民主的重要文献。他还反对最高法院能否决州立法和国会能限制奴隶制向其他准州扩张的主张。

Taylor, John Henry　泰勒（1871-03-19 ～ 1963-02-10，英国德文郡诺瑟姆）　英国职业高尔夫球运动员。先后于 1894、1895、1900、1909 和 1913 年获英国公开赛冠军。与 H. 瓦登和 J. 布雷德并称三巨头，他们自 1894 ～ 1914 年共获 16 次英国公开赛冠军。1860 ～ 1893 年该项冠军一直为苏格兰运动员所独占，泰勒结束了这种局面。1901 年协助成立英国职业高尔夫球协会，当选首任主席。任俱乐部职业高尔夫球运动员 47 年，1946 年退休后经营高尔夫球器材制造业，撰写高尔夫

运动书籍,都颇有成就。

Taylor, Joseph 泰勒(1586?,英格兰～1652-11-04,伦敦) 英国演员。1623年《莎士比亚第一对开本》提到的26个主要演员之一,也是在1674年《鲍蒙特和弗莱彻第一对开本》上签名的10个演员之一。1611年加入伊丽莎白夫人剧团,演出了鲍蒙特和弗莱彻的《花花公子》(1613),并在B.琼森的《巴托罗缪集市》(1614)一剧中担任主角。1619～1642年,他一直是国王供奉剧团最杰出的演员之一,并任剧团经理,继R.伯比奇之后担任几出戏的主要演员,包括在《哈姆雷特》中饰演哈姆雷特。据传,他是在莎士比亚的指导下扮演哈姆雷特的,但可能是莎士比亚教给伯比奇,伯比奇再教给他。他也曾在琼森、马辛杰和弗莱彻的剧本中扮演角色,还曾拥有寰球剧院和黑衣修士剧院的股份。

Taylor, Joseph H., Jr. 泰勒(1941-03-24,美国宾夕法尼亚费城～) 全名Joseph Hooton Taylor, Jr.,美国射电天文学家和物理学家。他与R A 赫尔斯共同发现了第一个双脉冲星,因而共获1993年诺贝尔物理学奖。泰勒曾就学于宾夕法尼亚州哈弗福德学院,1963年获学士学位。1968年在哈佛大学获天文学博士学位。1969～1981年在位于阿默斯特的马萨诸塞大学教学,后去普林斯顿大学,于1986年成为该校J.S.麦克唐纳物理学讲座教授。泰勒在阿默斯特任教授时,赫尔斯是他的研究生,他们共同进行了获奖的脉冲星项目的研究。1974年,他们利用在波多黎各阿雷西沃的大型射电望远镜发现了一颗脉冲星(快速自转的中子星)。该脉冲星周期性地发出射电脉冲,脉冲辐射持续时间在8小时周期内有增减变化的固定规律。从这些信号他们断定,该脉冲星应正在交替地移近和移开地球,即它必定正在环绕其伴星作轨道运行,并推断后者也是一个中子星。他们发现的这第一个双脉冲星PSR 1913+16,给A.爱因斯坦的引力理论提供了一个前所未有的检验。依照广义相对论,引力理论预言,在强引力场中作加速运动的物体将发出引力波形式的辐射。该双脉冲星拥有相互作用的巨大引力场,因此应发射引力波,而由此发生的能耗必导致两星体间轨道距离的减小。这可由脉冲星不同的射电发射时限的逐渐微弱缩减依次测定出来。泰勒和赫尔斯在随后几年中测定了双脉冲星PSR 1913+16的脉冲时间,证明了两个星体实际上总是相互围绕着在越来越收紧的轨道上更快地运行,它们的8小时轨道周期每年约减小1/75 000 000秒。两星体盘旋靠近的速率同广义相对论的预言符合得相当好,其误差在0.5%以下。1978年报道的这项发现为引力波的存在提供了第一个实验证据,并给爱因斯坦的引力理论以有力的支持。在以后多年中,泰勒继续对双脉冲星PSR 1913+16的轨道周期作细致的测量,而他的研究小组继续发现了另外数个双脉冲星。

Taylor, Laurette 泰勒(1884-04-01,纽约市～1946-12-07,纽约市) 本名洛雷塔·库尼。受人爱戴的美国女演员。其舞台生涯长达30余年。童年即在马萨诸塞州的林恩登台演出。首次重要演出是在波士顿上演的《年轻的妻子》(1903)。同年在纽约市登台。巡回演出后加入华盛顿州西雅图的一个固定剧团,演过各种角色,如《汤姆叔叔的小屋》中的托普西和《卡米尔》中的主角等。她的第一位丈夫是C.A.泰勒,他写的戏她都演过。丈夫1908年去世后,她重返百老汇,在《阿里阿斯·吉米·瓦伦廷》(1910)中饰莱恩一角,获巨大成功。随后获得成功的还有《天堂之鸟》(1912)中的卢安娜。1912年与戏剧家J.H.曼纳斯结婚,在其剧作《我心中的准绳》(1912)中饰主角并获得赞誉。他们之间亲密的演员和剧作家之间的工作关系表现在《外头》(1917)、《幸福》(1918)和《罗马一夜》(1919)之中。20世纪20年代,在纽约市演出的角色有《老特鲁利甜蜜的妮尔》(1923)中的主角和《威尔斯家的特里劳尼》(1925)中的罗斯。还在芝加哥演出过《女喜剧演员》(1927),重返百老汇后演出了《复仇女神》(1928)。1945年在纽约市演出的《玻璃动物园》中,饰阿曼达一角,评论界赞誉备至并连演了一年。她获得过"剧评界投票最佳演技杂艺奖",而她所创造的阿曼达一角则为其后饰此角的许多其他主角女演员树立了权威性的榜样。

Taylor, Lucy Beaman Hobbs 泰勒(夫人)(1833-03-14,美国纽约州富兰克林县?～1910-10-03,堪萨斯劳伦斯) 母家姓Hobbs。美国第一位获得学位的牙科女医生。她曾因其性别而未能接受正式医学教育,于是为一位牙科医生当学徒。虽学业有成,但仍因性别歧视而求学未果。只好先后在辛辛那提和艾奥瓦开业。1865年她终于进入俄亥俄州牙外科学院的高级班,4个月后毕业,成为世界上第一位牙外科学女博士。后来她又加入艾奥瓦州牙科学会。随后她赴芝加哥开业,于1867年在该地与J.泰勒结婚;泰勒也成为牙科医生。他们夫妇后来在堪萨斯州的劳伦斯城开业,业务颇为兴旺。泰勒夫人后来成为女权运动的一名热心支持者。

Taylor, Margaret 泰勒(1788-09-21,美国马里兰卡尔弗特～1852-08-14,密西西比东帕斯卡古拉) 婚前名Margaret Mackall Smith(玛格丽特·迈克尔·史密斯)。美国第一夫人,第12任总统Z.泰勒之妻。富有的大农场主A.迈克尔和W.史密斯之女,在家接受教育。赴肯塔基探访姐姐期间与陆军中尉Z.泰勒相识,1810年6月21日结婚。1811～1826年间共生育五女一男,其中两个女儿于1820年患病去世。丈夫的军旅生涯导致家庭多次迁往中西部无人居住的边陲村落和要塞。玛格丽特耐心操持家务,并将幸存的四个孩子送往东部较好的学校读书。在美国内战期间三个女儿均与职业军人结婚,儿子最终成为南方邦联军队司令。女儿S.诺克斯与J.戴维斯(后担任美国南方邦联总统)结婚。但诺克斯在举行婚礼后三个月去世,未能成为南方邦联第一夫人。泰勒在墨西哥战争中成为民族英雄后,于1848年接受辉格党总统提名,但遭到玛格丽特的反对。泰勒于同年当选总统后,玛格丽特随同迁往华盛顿哥伦比亚特区,但委托女儿B.布利斯代行白宫女主人职责和出席社会活动。因不愿在公众前抛头露面而引起不少流言蜚语。1850年7月9日丈夫逝世后与女儿共同生活。1852年在女儿布利斯家中故去。与泰勒合葬于肯塔基州路易斯维尔的扎卡里泰勒国家公墓。

Taylor, Maxwell D(avenport) 泰勒(1901-08-26,美国密苏里基特斯维尔～1987-04-19,华盛顿[哥伦比亚特区]) 美军将领,第二次世界大战期间欧洲空降作战的先驱者。1922

美国陆军部供图

年毕业于纽约州西点军校,第二次世界大战初期协助组织美国陆军第一个空降师——第82师。1943年同盟国进攻意大利前24小时,他冒险穿越敌国前线与罗马的意大利领袖商谈空降占领罗马机场问题。后率领第101空降师参加诺曼底与荷兰战役,1944年德军最后一次攻势(突围之役)中,他以率师坚守巴斯托涅闻名。1953年为第8军司令,指挥在朝鲜的联合国军。后任陆军参谋长(1955～1959),最早主张"灵活反应"战略。1962年任参谋长联席会议主席。两年后任美国驻越南共和国大使。1965年7月辞职。任L.B.约翰逊总统特别顾问(1965～1969)。著有《音响不定的号角》(1960)、《不稳定的安全》(1976)。

Taylor, Myron C(harles) 泰勒(1874-01-18,美国纽约州莱昂斯～1959-05-06,纽约市) 美国金融家和外交家。20世纪30年代担任美国钢铁公司主管,后担任几项外交职务,包括有争议的梵蒂冈特使一职。虽在1895年获准当律师,但在1923年以前主要在新英格兰等地经营纺织业。根据J.P.摩根的指示,泰勒成为美国钢铁公司的董事,1927～1934年任财务委员会主席,1932～1938年任董事长兼总经理。他实行的财务改革,帮助美国钢铁公司渡过了大萧条的难关。1937年他是同产业工会联合会签订协议的第一位钢铁企业的首脑,公认这是劳资关系中的进步行动。1938年泰勒自商界退休,被F.D.罗斯福总统任命为在法国举行的难民会议的美国代表团团长。后任罗斯福总统派驻梵蒂冈特别代表。宗教界认为这一任命破坏了国家与教会分离的原则,但H.S.杜鲁门总统在战后又重新作此任命。其后,他还领大使衔任特使。曾向慈善和文化机构捐赠数百万美元。

Taylor, Paul (Belville) 泰勒(1930-07-29,美国宾夕法尼亚威尔金斯堡～) 美国

泰勒在《斯库多拉马》中的舞姿
杰克·米切尔供图

现代舞演员和编导，他的作品以幽默感和讽刺情调著称。1951 年开始舞蹈训练，跟 M.格雷厄姆、D.汉弗莱等人学过现代舞，并跟 A.图德和M.克拉斯克学习芭蕾舞。1953年他在 M.格雷厄姆的舞蹈团开始职业生涯，曾饰演如《克列姆尼斯特拉》(1958)中的艾吉斯瑟斯、《阿尔锡斯蒂斯》(1960)中的海格立斯和《菲德拉》(1962)中的忒修斯等重要角色。他也表演其他现代编导如 C.魏德曼和 M.坎宁安的作品，在《插曲》(1959)一幕中还表演由 G.巴兰钦和格雷厄姆设计、A.韦伯恩配乐的独舞。作为一位编导，泰勒曾利用各种形式的舞蹈风格，其中有"扁平片"(外表上是二度平面)、"乱舞"(强调动作不讲究形式和线条)和"抒情"(长臂)。他的先锋派作品从《双人舞》(1957)到《行星轨道》(1966)，形式多样。在《双人舞》中他和舞伴保持 4 分钟的静止不动；而《行星轨道》则长达一小时，配以贝多芬最后一部四重奏乐曲，泰勒如同太阳神，俯瞰太空中行星之间的匹配和大地上凡人之间的婚礼。他表演的其他著名舞蹈有《华盖》(1962)、《斯库多拉马》(1963)和《海边游憩场》(1975)等。他的《华盖》已列为巴黎歌剧院芭蕾舞团和丹麦皇家芭蕾舞团等的保留剧目。泰勒舞蹈团创立于 1954 年，通常有 13 位成员，1960 年在欧洲首次演出，1965 年到南美巡回演出。由美国国务院国际文化交流项目资助，1978 年去苏联巡回演出，并在美国公共电视网露面。泰勒并为意大利斯波莱托"两个世界"狂欢节设计舞蹈。泰勒获得过多种有影响的奖项。70 年代退出舞台。

Taylor, Richard E(dward)　泰勒(1929-11-02，加拿大艾伯塔省梅迪辛哈特～　　) 加拿大物理学家。他同美国物理学家 J.弗里德曼和 H.肯德尔一起用实验证明夸克的存在，并同得 1990 年诺贝尔物理学奖。夸克现被普遍认作构成物质的基本单元。泰勒就读于艾伯塔大学，1950 年得学士学位，1952 年得硕士学位，1962 年于斯坦福大学得博士学位。他在加利福尼亚大学劳伦斯伯克利实验室工作了一年。从 1962 到 1968 年，他是斯坦福直线加速器中心的工作人员，在那里他和弗里德曼及肯德尔进行了一系列证实质子和中子由夸克构成的实验。这个发现对当前采纳的物质及其相互作用的理论描述(即标准模型)的形成，至关重要。1968 年泰勒成为斯坦福大学副教授，1970 年成为正教授。

Taylor, Zachary　泰勒(1784-11-24，美国弗吉尼亚蒙特贝洛～1850-07-09，华盛顿[哥伦比亚特区])　美国第 12 届总统(1849～1850)，作为墨西哥战争(1846～1848)的英雄，靠辉格党的选票当选，就职后仅16个月即逝世。1806 年入伍，1808 年为中尉。历经 1812 年战争、黑鹰战争(1832)、第二次塞米诺尔战争(1835～1842)，1846 年升少将。1846 年 5 月美国对墨西哥宣战，他率部越过格兰德河，占领蒙特雷(09-22～23)后，休战 8 周。此举引起 J.K.波尔克总统的不快。他发表公开信批评总统及其陆军部长 W.L.马西。波尔克下令限制泰勒的行动并要他把精锐部队转交 W.斯科特将军指挥。1847 年 2 月，泰勒擅自挥师南下，在布埃纳维斯塔附近击败 4 倍于己的墨西哥军，取得辉煌胜利，成为美

美国国会图书馆供图

国英雄。1848 年当选总统。他主张给予新从墨西哥割取的领土(即加利福尼亚和新墨西哥)以州的地位，在国会中遭到反对。另外又揭露出他的内阁中有 3 个人并不符合入阁资格。在这样困难重重的情况下，他曾决心改组内阁，但未及着手便去世。

Taymyr　泰梅尔　又拼 Taimyr或 Tajmyr。旧称多尔干-涅涅茨自治区。俄罗斯中央东北部克拉斯诺亚尔斯克边疆区。位于欧亚大陆最北部的泰梅尔半岛，向南延伸至中西伯利亚高原的北缘，面积862 100平方千米，包括北冰洋中的北地群岛。气候严寒，冬季漫长。到处是沼泽苔原、地衣和泥沼。人烟稀少，主要为俄罗斯人、多尔甘人、涅涅茨人、乌克兰人和恩加那善人。主要经济为放养驯鹿、渔猎及饲养毛皮兽。仅有首府杜金卡和迪克森(叶尼塞湾口小港口)两个城镇。哈坦加湾畔的诺尔德维克产盐，为主要海港。人口约 55 000(1990)。

Taymyr Peninsula　泰梅尔半岛　Taymyr又拼 Taimyr 或 Tajmyr。俄罗斯中央东北部克拉斯诺亚尔斯克边疆区西伯利亚中北部半岛。欧亚大陆的最北端。半岛最北点切留斯金角隔维利基茨基海峡与北地群岛相望。西临卡拉海和叶尼塞湾，东濒拉普捷夫海和哈坦加湾。半岛面积约 40 万平方千米。中部有贝兰加山地，海拔 500～1 150 米；山地北面和南面是苔原低地。

tayra(*Eira barbara*)　**白头鼬**　又拼 taira。又称狐鼬。鼬科树栖鼬形食肉动物，从墨西哥南部向南遍及中美洲和南美洲均有分布。体细长，腿短。体长60～68厘米，尾长39～

白头鼬(*Eira barbara*)
绘图：H. Douglas Pratt

47 厘米。毛粗，深褐或黑色，头和颈毛色较浅，常有浅色胸斑。头较平，耳小而圆。昼夜均活动，以各种动物、果实和蜂蜜为食。每窝产 3～4 仔。可驯养为玩赏动物。

Taysafun (ancient city, Parthia)　参阅 **Ctesiphon 泰西封**。

Tayside　泰赛德　苏格兰中北部和东部行政区。1975 年设置。面积约 7 510 平方千米。由以前的安格斯郡、邓迪市、金罗斯郡及珀斯郡大部组成。下设安格斯、邓迪市、珀斯-金罗斯三个区。人口约392 500(1989)。

Taza　塔扎　摩洛哥中北部城市。该市位于里夫山脉南面的塔扎山口中，俯瞰谷地，由两个建在各自台地上的城镇组成。旧镇海拔 585 米，四周筑有防御城堡；新镇 1920 年为法国人所建，位处平坦肥沃的平原上，海拔 445 米。从化石可看出，早在旧石器时代，这一地区的山洞中就有人居住。塔扎是在 7 世纪末左右由柏柏尔人建造的。穆拉比人 1074 年占领该城。1132 年穆瓦希德人又取而代之。1248 年被马里尼德人占领。1914 年塔扎又落入法国人之手。旧镇中现有古碉堡遗址、几座清真寺和一座 14 世纪的伊斯兰教学院。人口 77 216(1982)。

tazia　台阿兹叶　在什叶派穆斯林中，指纪念 680 年先知穆罕默德的外孙即阿里之子侯赛因·伊本·阿里(**Husayn ibn ʿAli, al-**)在伊拉克南部卡尔巴拉战场上的殉难。这一纪念仪式在伊斯兰教历 1 月上旬举行，到初十阿术拉节(侯赛因死难周年纪念日)达到高潮。就其最笼统的意思而言，台阿兹叶一词指在这一期间举行的所有仪式。这些仪式包括职业诵读者或宣教师(又译唱哀诗者)在集会上讲

述侯赛因的故事,他们的讲述激起听众极大悲痛的情感反应。仪式还包括大批男性成员举行的游行,在游行中他们用链子抽打自己、捶胸,或一面颂扬阿里和侯赛因之名,一面伤害自己的身体,阿里和侯赛因是什叶派中十二伊玛目派人所承认的第一任和第三任伊玛目。在游行中,参加者由于出神入迷常常被弄得精疲力竭,需要他们伙伴的帮助。尤其是在阿术拉节,游行还展示殉难伊玛目的象征:他的白马,马鞍上有一件血衣;他的旗帜;一根长杆上挂着的他的一只手(在战斗中被砍断的)的模型。在印度次大陆,有时也包括其他地区,游行以展现侯赛因在卡尔巴拉的坟墓模型为标志。模型的制作技艺常常很精湛,而且用金箔和银箔装饰得非常精细和华丽。印度什叶派人把这些模型带至海边或其他一些水域并将其掷入水中,这一习俗使人想起印度教对其女神时母偶像的相似做法。在其他地区,这些模型被送到墓地。特别是在印度,这样的模型有时被称作台阿兹叶。在什叶派人居住的各个国家中,各地习俗大不相同。过去,阿术拉游行经常被用来动员反对和抗议执政者;游行也经常是引起逊尼派与什叶派穆斯林之间发生暴力行为的近因。因此,各国政府一直试图对此进行控制和限制。在伊朗,台阿兹叶是指重演侯赛因生平和殉难场面的受难剧。这些剧在一些公众场所特意设立的舞台上演出。这些演出经常得到某一富翁作为其虔诚之举而给予的资助。除了扮演各个角色的演员外,还有一个罗伍泽哈(唱哀诗者)讲述故事的梗概和表示哀悼。天使、早期诸先知及穆罕默德本人都预言了侯赛因短暂生涯中的事件。因而这些剧将侯赛因作为主要人物而展开剧情。由于不断的重复,受难剧的主要寓意给听众留下深刻印象:一个正直的、有功的人受到篡夺其权力的暴君的压迫,侯赛因和其家庭蒙受的苦难,以及殉难的荣耀。在更精心制作的受难剧中,可能有许多场景。然而,其中心场面是侯赛因的死,侯赛因之女与很快就被杀死的其兄哈桑之子的婚姻,以及将侯赛因的首级转呈哈里发耶齐德一世的行进队列。这些演出会引起演员和观众强烈悲痛感情的流露,而且毫无疑问,这些演出对那些参加者来说是强烈情感上的涤罪。受难剧是否表明侯赛因为其信徒的罪孽作出替代牺牲,是一个赎罪角色,学者们有着不同的见解。虽然什叶派人相信他的献身拯救了真正的伊斯兰教,受难剧演出的基本主题是暴政和非正义的罪恶以及伊玛目战胜它们取得的最后胜利。

TB 参阅 **tuberculosis** 结核病。

Tbilisi 第比利斯 旧称梯弗里斯。格鲁吉亚共和国首都。位于流经特里阿莱蒂和卡特利亚两山之间的库拉河畔。公元 458 年(455 年始见于一些史料)始建时格鲁吉亚王国都城由姆茨赫塔迁至此处。地处战略要冲。6 世纪为波斯人据有,7 世纪为拜占廷帝国和阿拉伯人占领。1122 年被大卫二世收复,定为国都。1234 年被蒙古人攻陷,1386 年遭帖木儿洗劫。之后数度为土耳其人攻占。1795 年波斯人纵火焚城,成为一片焦土。1801 年由俄国人兼并,1921 年定为格鲁吉亚共和国首都。现为一景色迷人的城市。库拉河穿陡峭的峡谷,至水电站处被展宽;右岸有林荫大道。旧城滨水,有弯曲的小巷、古堡旧址、5

库拉河畔的第比利斯市

供图:Art Resource—美国不列颠百科全书公司

世纪教堂、格鲁吉亚王宫。新城傍山,有缆车可达。该市是重要文化教育中心,设有格鲁吉亚科学院和数所高等院校以及 100 多个研究所。也是地区工业中心,生产电气机车、机床、农业机械、电气设备。有机车修配场。其他产品有纺织品、革制品、靴鞋、家具、酒和食品。1966 年地下铁道通车。人口约1 398 968 (1998)。

TCA cycle 参阅 **tricarboxylic acid cycle** 三羧酸循环。

Tchad (Africa) 参阅 **Chad** 乍得。

Tchad, Lac (central Africa) 参阅 **Chad, Lake** 乍得湖。

Tchaikovsky, Peter Ilich 柴可夫斯基(1840-05-07[旧历 04-25],俄国沃特金斯克～1893-11-06[旧历 10-25],圣彼得堡) 又拼 Pyotr Ilyich Tschaikovsky。19 世纪后期最杰出的俄

供图:Novosti Press Agency

罗斯作曲家,作品以其旋律灵感和配器著称;被公认为古典芭蕾舞剧作曲大师,他为《天鹅湖》、《胡桃夹子》和《睡美人》所写的音乐即为明证。

早期生活与教育 其父为国有矿山负责人,其母有一半法国血统,按当时俄国上层阶级的惯例,他有一个法籍家庭女教师。他是个音乐上早熟的孩子,但这方面的兴趣并未得到积极鼓励,因为他的父母认为音乐会对一个已经是神经质而易于兴奋的孩子产生不良影响。1848 年因其父工作变动,全家迁往莫斯科,后又迁至圣彼得堡。1850 年入法律学校预备班。14 岁时他挚爱的母亲死于霍乱,使他肝肠寸断;为了减轻失恃之痛,他创作了一首短小的钢琴圆舞曲,甚至还曾打算写一部歌剧。在法律学校的日子里,漫无目的的唱歌、弹钢琴与和声课便是他受到的全部音乐教育,另外再补充以大量观摩歌剧的机会,这对他的音乐趣味具有深远的影响。1862 年进新创办的圣彼得堡音乐学院听课。这时他已在司法部任职,但那里的工作枯燥无味,因而他对音乐越来越全神贯注。不久后他便辞去公职而正式修习音乐。所作第 1 部管弦乐作品、取材于 A. 奥斯特洛夫斯基戏剧《暴风雨》的一首序曲(1864),出色地表现出今后将在他的音乐中不断采用的风格特点,其中那种年轻人的粗野庸俗使他的拘泥于门德尔松风格的老师 A. 鲁宾斯坦大为震惊。尽管如此,鲁宾斯坦之弟还是在 1865 年聘请他担任莫斯科音乐学院的和声教授。

事业与成就 1866 年 1 月柴可夫斯基在莫斯科安顿下来,但是,由于写作《G 小调第一交响曲(冬天的幻想)》(作品第 13 号,1866)时劳累过度,他经受了一次精神崩溃的危机。作于 60 年代末、70 年代初的作品呈现出明显的与圣彼得堡民族主义作曲家集团的密切关系。他与该集团的领袖 M. 巴拉基列夫通信,并在其建议下写了《罗密欧与朱丽叶》幻想序曲(1869)。柴可夫斯基的内在魅力在民族主义喜歌剧《铁匠瓦库拉》(1874 创作,1876 首演)中表现得最为鲜明。70 年代中期他又经历了一次精神崩溃。生命中这次低潮的征兆之一是近似歇斯底里式的作曲活动,结果写成《F 小调第四交响曲》(作品第 36 号,1877)和取材于普希金诗歌的歌剧《叶甫盖尼·奥涅金》(1877～1878)。他对该剧的女主角达吉雅娜充满同情,因此当他的女学生 A. 米留科娃对他一片痴情,并扬言如他拒绝她就自杀时,他在心目中把她当作达吉雅娜而同意和她结婚。但这是一次失败的婚姻。他注定在今后的岁月中将与失意和孤寂为伴,唯一的解脱是借酒浇愁,或以创作来缓解困境。就在 1876 年末,他开始了和他的崇拜者、富孀梅克夫人的传奇式的通信;她每年赠予他一笔年金,足够他辞去教职而全力投入创作。按照她的意愿,两人从未见面。他后来曾经断言,给她热情奔放的频繁来信写回信,已变得“令人厌烦”。不过,这种奇怪的关系显然还是满足了双方的心理需要,尤其是柴可夫斯基,他的妻子甚至在达成分居协议后仍继续对他胡搅蛮缠,因此不得不花钱买太平。与梅克夫人之间的柏拉图式的关系更能投其所好。为了不辜负她的慷慨资助,他在此后几年中拼命写作;这一时期的作品包括他的第一部获得商业性成功的成熟歌剧《奥尔良的少女》(1878～1879)。1878～1881 年间还作有几部主要杰作:晶莹闪亮的《D 大调小提琴协奏曲》(作品第 35 号,1878)、广受

欢迎的《C 大调弦乐小夜曲》(作品第 48 号,1880)、《意大利随想曲》(作品第 45 号,1880)和《1812 年序曲》(作品第 49 号,1880)。《奥涅金》在莫斯科首演时只取得象征性的成功,但在圣彼得堡却因为沙皇的赞赏而大为走红。作于 1885 年的《曼弗雷迪交响曲》(作品第 58 号)不仅令人赞不绝口,而且它的某些矫揉造作地刻画绝望心情的片段还体现出柴可夫斯基晚年的生活和音乐将要追随的道路。1885 年他在邻近莫斯科的麦达诺沃构置了自己的房产,一直住到去世前一年,然后又迁移到克林镇附近现已成为柴可夫斯基博物馆的那幢房子。他开始更多地在国内旅行,在高加索度过两个特别愉快的假期。1888 年赴国外巡回演出,在莱比锡(在那里结识勃拉姆斯和格里格)、汉堡、柏林、布拉格、巴黎和伦敦指挥他自己的作品。他的音乐到处受到好评。这次巡回演出是柴可夫斯基晚年生活的顶峰。从那以后,尽管他的许多旧作不断获得成功,新作也获得赞誉,包括他的第二部普希金歌剧《黑桃皇后》和他的得意杰作、芭蕾舞剧《睡美人》(二剧均首演于 1890 年),但是他已在走向另一次精神崩溃。从《E 小调第五交响曲》(作品第 64 号,1888)开始,一些主要作品变得越来越热切而感情强烈,充满歇斯底里的兴奋和神经质的绝望。柴可夫斯基继续巡回演出,包括到美国和英国。1893 年获剑桥大学名誉音乐博士学位。这些成绩并未改变他的心态一落千丈的情势;1890 年梅克夫人突然中止了信函来往和年金资助,更使他的情绪雪上加霜。从经济上看问题不大,因为《黑桃皇后》的稿费足以弥补其损失,而且这时他还有一笔国家津贴。但柴可夫斯基永远不能原谅她的行为。柴可夫斯基于 1893 年 8 月完成《B 小调第六交响曲》(作品第 74 号);这是他的最后一部,而且他完全有理由认为它是自己的一大杰作。10 月在圣彼得堡指挥其首演,但听众的反应令他失望。它那新颖的缓慢末乐章不可能赢得一年半以前轻快的《胡桃夹子》组曲所获得的那样的掌声。在这部作品中他倾注了整个心灵,但听众并不理解。

评价 作为一位最具内省心态的作曲家,柴可夫斯基与他的音乐是不可分割的。他的作品是他那些被压抑的感情的体现,这体现时而娇媚动人、时而炫耀卖弄,偶尔还俗不可耐,而他的被压抑的感情到了晚年越来越陷入绝望之中,最终写出那个时代最伟大交响乐之一的《第六交响曲》。他的音乐显示出丰富的旋律灵感和想象力以及配器的才华。虽然他的后期作品并不有意识地采用俄罗斯民族主义风格,但其潜在情趣和性格却像俄国民族主义作曲家的作品一样具有明显的俄罗斯特点。柴可夫斯基肯定是最伟大的古典芭蕾舞剧大师。他的交响曲的质量可能是变化无常的,但其中都含有非常有价值的音乐。最后 3 首闻名遐迩,另外还应加上被忽视的《曼弗雷迪交响曲》。另一方面,《第一钢琴协奏曲》和《小提琴协奏曲》不应只是炫耀技巧的载体,而应该获得更高的声誉。其他管弦乐作品中著名的还有早期的《罗密欧与朱丽叶序曲》和精巧的《弦乐小夜曲》。歌剧中《叶甫盖尼·奥涅金》是一大杰作,而《黑桃皇后》则具有很强的戏剧效果。他的弦乐四重奏都很优秀,但钢琴音乐无特色。大量歌曲中颇有几首精彩的范例。

Tcherepnin, Alexander (Nikolayevich) 切列普宁(1899-01-21,俄国圣彼得堡～1977-09-29,法国巴黎) Tcherepnin 又拼 Cherepnin。中文名齐尔品。俄国出生的美国钢琴家和作曲家,因把浪漫主义与现代创新实验(例如采用 9 音音阶和复杂节奏)相结合所获独特风格而知名,小型作品常用俄罗斯和中国特点加以润色。他是作曲家 N.N.切列普宁之子,曾在格鲁吉亚梯弗里斯(第比利斯)和巴黎音乐学院学习。1937 年与中国钢琴家李敏结婚,后常联袂演出。1934 ～1937 年访问中国和日本,并在东京创办出版日、中作曲家作品的商行。1949 ～ 1964 年执教于芝加哥德保罗大学。作品有:歌剧《农夫与仙子》(1952)、芭蕾舞剧《女人与她的影子》(1948)和一首口琴与管弦乐队协奏曲等。

Tcherepnin, Nikolay (Nikolayevich) 切列普宁(1873-05-15,俄国圣彼得堡～1945-06-26,法国巴黎附近伊西莱穆利诺) Tcherepnin又拼Cherepnin。著名的俄国作曲家,按俄罗斯民族音乐风格创作芭蕾舞剧、歌曲和钢琴曲。初学法律,后入圣彼得堡音乐学院,师承里姆斯基-科萨科夫。曾任别拉耶夫交响乐音乐会和帝国歌剧院指挥。1908 ～ 1914 年在西欧指挥佳吉列夫的歌剧和芭蕾舞剧演出。1918 ～ 1921 年任梯弗里斯(第比利斯)音乐学院院长。后定居巴黎,领导一所由俄国人任教的音乐学院。作品有芭蕾舞剧《阿米德的亭子》、《那喀索斯和回声》和《红色死神的假面戏》以及交响诗、钢琴曲和歌曲。

供图:Novosti Press Agency

Tchernichowsky, Saul (Gutmanovich) 切尔尼乔夫斯基(1875-08-20,俄罗斯帝国乌克兰克里米亚～ 1943-10-13,耶路撒冷) Tchernichowsky 又拼 Chernikhovsky。希伯来语多产诗人。他的诗歌运用强有力的《圣经》语言,以爱情和美为主题,描写俄国、德国和巴勒斯坦。1922 年离开乌克兰,随后漫游世界。1928 ～ 1929 年在美国,1931 年定居于巴勒斯坦,在特拉维夫一所学校任校医。他从 14 岁到死前一个月写有大量文学材料(主要是诗歌)。其中包括十四行组诗、短篇小说以及描写俄国犹太人乡村生活的田园诗等。他翻译了《吉尔伽美什史诗》以及荷马、莎士比亚、莫里哀和朗费罗等人的作品。他的诗具有浓重的浪漫主义气息,充满对希腊文化的热爱。

Tchibanga 奇班加 加蓬西南部城镇。位于尼扬加河北岸,在来自穆伊拉、恩代恩代和马永巴的公路的交叉点。有班机通让蒂尔港。为传统的商业中心和水稻产区的中心。建有碾米厂。还出产花生和木薯。城北 53 千米的穆伊拉有棕榈油厂。木材业日益重要,有大理石加工业,西南发现了铁矿石。设有一所公办中学、一所医疗中心和一所天主教堂。人口约53 500(1985)。

Tchicaya U Tam'si 奇卡亚(1931-08-25,法属赤道非洲布拉柴维尔附近姆皮利[今在刚果]～ 1988-04-21 或 22,法国瓦兹巴藏库尔) 热拉尔·菲利克斯·奇卡亚的笔名。刚果法语作家和诗人,作品探讨胜利者与牺牲者之间的关系。法国国民议会第一个刚果众议员之子。曾在奥尔良和巴黎上中学。比属刚果独立后,去利奥波德维尔(今金沙萨)主编一家新创办的日报,但该报只存在了一周。1960 年起在巴黎的联合国教科文组织工作。所写诗作有《坏种》(1955)、《林火》(1957)、《昧心》(1960)、《历史概要》(1962)、《肚子》(1964)、《音乐之门》(1969)、《诗选》(1970)和《心衰》(1977)等,颇受超现实主义和对非洲黑人文化传统自豪感的影响。1969 年还发表了民间故事集《非洲传说》。他的诗以种种丰富多彩的意象,描述了非洲遗产被破坏以及天主教会、法国殖民主义和教育所起的作用。奇卡亚通过反复使用同非洲口头文学中的手法一样的强烈而又惊人的象征,扩展了自己诗歌的内容,对生活进行了广泛的表现。

Tchien 奇恩 又称绥德鲁。利比里亚东南部城镇。与大西洋岸的格林维尔港通公路。现已发展成为一个重要的行政、贸易和交通中心。周围地区出产橡胶、金刚石、牲畜、咖啡、可可、棕榈、甘蔗、烟草和柑橘属水果。镇内工业包括皮革、饮料、颜料、肥皂和建材。人口6 094(1974)。

Tczew 特切夫 波兰中北部滨海省城镇。濒临维斯图拉河,距河口 30 千米。为重要河港和铁路枢纽。镇内有船坞和铁路修配厂。1252 年建波美拉尼亚城堡,并建镇。1282 年并入波兰。1308 ～ 1466 年被条顿骑士团占领。1772 年被普鲁士夺取。1919 年归还波兰。1857 年在此建成欧洲早期最大的铁路桁架桥之一,至今留有部分遗迹。人口约59 857(2000)。

Te, Palace of 泰府邸 贡扎加公爵(第二)的夏季别墅和养马场,位于意大利曼图亚附近。由 G.罗马诺设计建造(约 1525 ～ 1535)并作了部分壁画。建筑和壁画均被认为是风格主义的重要作品。府邸为围绕中央庭院修建的方块状建筑,面对主要中轴线为壮丽的花园。府邸内主要的房间有:普绪喀厅,壁画上绘有诸神相爱的场景;骏马厅,墙上为一些与真马同样大小的贡扎加马匹的雄姿;壮观的巨人厅,四壁从地面至天棚绘有大幅的神话中巨人攻击奥林匹斯山,而被诸神挫败的故事。府邸现已对外开放。

Te Anau, Lake 蒂阿瑙湖 新西兰南岛西南部的南部湖区最大湖泊。湖面 344 平方千米。流域面积3 302平方千米。湖面海拔 209 米,最深处 276 米,低于海平面 67 米。接纳克林顿河和埃格林顿河。湖水以怀奥河为出口,现利用来保持马纳普里湖(有水电站)的水位不变。以蒂阿瑙镇为中心的湖区渔业和旅游业甚为发达。1948 年发现该湖西岸为短翅水鸡(一度被认为已绝迹)的仅有几个栖息地之一。

Te Aroha 蒂阿罗哈 新西兰北岛北部自治市。建于 1880 年。当时为新发现的金矿区的河港。1886 年设镇区。1898 年设自治市。今名取自附近死火山名。现为怀霍-皮亚科盆地(乳品产区)的商业中心。公路和铁路经哈密尔顿通奥克兰。有细木作、熏咸肉、水泥制品、服装、制革和机器等工厂和农产品货栈。有著名的矿泉疗养地。人口约3 540(1987)。

Te-chou (China) 参阅**Dezhou**德州。

Te Deum laudamus 赞美颂 又称 Te Deum。拉丁文原意为"上帝,我们赞美你"。献给圣父上帝和圣子基督的拉丁文赞美诗;习惯上在公众欢庆大典时咏唱。据民间传说,它是圣安布罗斯和圣奥古斯丁在后者的洗礼仪式上以应答轮唱方式即兴演唱的。但更可信的说法是 5 世纪初利米西亚纳的主教尼塞塔斯所作。歌词中按传统习惯,多有表达对上帝信仰的词句,但用散文体写成。其旋律源自格列高利以前以及格列高利的曲调风格。H. 普赛尔、R. V. 威廉斯、B. 布里顿、G. F. 韩德尔、H. 柏辽兹、Z. 科达伊、A. 布鲁克纳和 A. 德沃夏克均曾以复调手法为之谱曲。

Te Kanawa, Dame Kiri (Janette) 特卡那瓦 (1944-03-06,新西兰北岛吉斯伯恩~) 备受评论界赞誉的歌剧明星。她出生 5 周后即被特卡那瓦夫妇汤姆和内尔收养。汤姆和她的生父一样,是毛利人,而汤姆的妻子则和她的生母一样,是英国人的后裔。曾就读于奥克兰的一所天主教女子学院,该校有一名修女是著名的声乐老师。离校后她参加过新西兰及澳大利亚的多项歌唱比赛并名列前茅,在担任一个时期的流行歌手和录音艺术家之后,于 1966 年成为伦敦歌剧中心的学生。70 年代女高音特卡那瓦在伦敦科文特加登皇家歌剧院举行一系列演出,获得科林·戴维斯爵士及乔治·索尔蒂爵士等指挥家的热烈支持,从此成为明星。她首次成名是 1971 年在莫扎特《费加罗的婚礼》中扮演伯爵夫人。接着她又演出一系列莫扎特的歌剧以及其他歌剧,包括普契尼的《波希米亚人》,她在其中演唱咪咪一角。1974 年首次在纽约市大都会歌剧院举行演出,在威尔地的《奥瑟罗》中演唱德丝狄蒙娜一角,广受好评。1981 年英国威尔士亲王邀请她在他的婚礼上演唱,全世界 6 亿以上的电视观众看到她演唱韩德尔的《让光明天使飞吧》。1982 年特卡那瓦荣获高级英帝国女勋爵士。

Te Rangi Hiroa 特·兰吉·希罗厄 参阅 **Buck, Sir Peter (Henry)** 巴克。

Te Rangitake (Maori chief) **特兰吉塔克** 参阅 **Kingi, Wiremu** 金吉。

tea 茶 山茶科植物茶树(*Camellia sinensis*)的新梢芽叶泡在新滚开的水中制成的饮料。茶可作热饮,亦可作冷饮。世界有约一半的人饮茶,但茶的商业价值次于咖啡,这是因为世界茶叶产量中相当一部分在产地消费。将茶用作饮料的历史悠久,但已不可考。中国传说是神农于公元前 2737 年左右最早将茶用作饮料。但现代学者认为可信的是,约公元前 350 年中国古代辞书《尔雅》最早提到茶。据信种茶始于中国的内陆省份四川,后来渐渐沿长江推广到沿海省份。茶树种植大约于 6 世纪最后 10 年间随中国文化的其他方面一同传入日本。开始时仅禅宗的和尚饮茶,到 13 世纪茶成为日本流行的饮料。古代的茶道至今广泛实行。1684 年德国博物学家和医师 A. 克莱伊尔将茶的日本品种带到爪哇。1827 年年轻的荷兰品茶家 J. I. L. L. 雅各布森冒险深入中国禁止外人进入的茶园,并将茶树种子和种茶工人带回,以在荷属东印度群岛种植茶树。欧洲最早提到茶的是著名的威尼斯作者 G. B. 拉穆西奥,他在 1559 年出版的《航海和旅游》一书中提到 *chai catai*(中国茶)一词。据信最早提到茶的英格兰人是 R. L. 威克姆,他在 1615 年提到茶叶,当时他负责英格兰东印度公司在日本的一家机构。当茶叶于 1657 年首次在伦敦加威咖啡公司公开出售时,在英格兰被喝掉的咖啡比世界上任何地方都多。航海史上最光辉的年代之一就是快速帆船将茶叶从中国运到英格兰和北美的时代。世界上最大的茶叶垄断公司是英格兰东印度公司;该公司于 1600 ~ 1858 年间运营;它在推广茶叶方面起了重要作用。为了长期保持这种垄断地位,英国议会通过了《茶叶条例》(1773),这促成了波士顿茶党事件,而波士顿茶党事件又是促成美国独立战争的一个因素。到 17 世纪中叶,饮茶在荷兰已蔚然成风,下午饮茶的习惯并越过大西洋传到新阿姆斯特丹(今纽约市)。英格兰午后进茶点的习惯约 1840 年始于贝福德公爵夫人。1904 年在圣路易斯的世界博览会上,天气炎热,英格兰人 R. 布莱钦顿因为热茶卖不掉,便将它倒在冰上,从而创始了冰茶。印度的种茶业始于 1834 年,当年总督 W. 本廷克将军任命一个委员会以制定种茶方案。可是 1823 年已在印度北部(上阿萨姆)发现了本地的茶树。茶的类型按加工方式分类,主要的类型包括:红茶(发酵茶),可泡成色如琥珀、味浓而不苦的饮料;乌龙茶(半发酵茶),能泡出微苦,浅棕绿色的饮料;绿茶(非发酵茶),能泡出味淡、微苦、浅绿黄色的饮料。茶砖由茶叶以及茶树的其他部分压成,主要在西藏和亚洲内部地区消费。在某些亚洲国家,茶叶可以腌制当作蔬菜食用;这在缅甸称为 leppet-so,在泰国称为 miang。茶叶以散装的形式、滤纸茶袋或可溶形式出售。纽约市的茶叶批发商 T. 沙利文不用通常的罐头而用丝质小袋装茶叶分送主顾,从而发明了袋装茶叶。速溶茶于 20 世纪 40 年代首创,包括加味类型和溶于冷水的类型。如果不加其他成分,一杯茶只含 4 大卡的热量,但却含数种 B 族维生素,包括维生素 B_2 和烟酸。茶中含咖啡因,故有兴奋作用。茶的香味来自所含的挥发油,其涩味和颜色来自所含的鞣酸物质。浸泡时间越长涩味和香味就更浓。虽然某些品种稍为浸泡就使茶水具有颜色,但要得到满意的香味就需要浸泡 3 ~ 5 分钟,这样咖啡因能充分泡出,也能泡出中等量的鞣酸物质。

Tea Act 《茶叶条例》(1773) 在英国美洲殖民史上,英国诺思内阁所采取的向美洲推销英国茶叶的立法手段。1770 年英国政府废除《汤森条例》(**Townshend Acts**),但并未废除茶税。它为了帮助英国东印度公司推销库存的 1 700 万磅茶叶,制订新的《茶叶条例》,使公司在缴纳汤森茶税之后仍然有倾销的能力。与此同时,诺思内阁还希望重建议会征收殖民地直接收入税的权利。美洲殖民地人民奋起抵制,1773 年底酿成波士顿茶党案。波士顿居民将英国船上的茶叶倾入海内。1774 年 4 月在纽约也出现了类似的行动。

tea and coffee service 茶具和咖啡具 用来沏茶、煮咖啡和斟饮的成套器具,各件图案互相配套。18 世纪时考究的成套器具包括:茶壶和咖啡壶、牛奶或奶脂罐、一对茶叶罐、

J. 埃梅斯 1797 ~ 1799 年制作的英国银质茶具和咖啡具:(上)咖啡壶、(右)茶壶、(左)糖罐、(下)奶油罐以及托盘

供图:Helga Studio photo for S. J. Shrubsole Corp., New York

糖缸和一双糖夹、茶匙和放茶匙的小盘、滤茶器、茶杯和茶碟。通常这些器具都放在一个托盘里,另外还有一个供热水的大茶壶或开水壶,放在一单独的架子上。到 18 和 19 世纪时,品茗成为一种重要的仪式,茶具设计也随之日趋精美。

tea ceremony 茶道 日本语拉丁字母转写作chadō, sadō或 cha-no-yu。日本一种历史悠久的风习。源于禅宗教义,意在美化日常生活,也是一种殷勤待客之道。肴馔之后,享以热茶,茶有浓、淡,均按仪节行事。饮茶之所名为茶室(**cha-shitsu**),常为一小巧建筑,以示简朴,其材料及结构式样均需精心擘划选用。茶室一般 3 米见方或略小一些,一端设壁龛,称床之间(**toko-no-ma**),以供陈设之用。有一低于地面的小炉灶,供冬季水壶加热之用,夏季则使用木炭火盆。进入茶室的门小而较

低,这样设计是向客人表示谦卑。按照仪节饮茶之风,始于中国,镰仓时代(1192～1333)由禅宗高僧传入日本,僧众参禅饮茶以提神,最后形成该宗纪念其祖师菩提达摩的一种主要仪式。15世纪时,宾朋相聚,在一种恬静闲适的气氛中,品茗论画,蔚为风气,有的则在壁龛陈以插花,品题茶具之优劣。最有名的茶道提倡者是16世纪的千利休,他曾供职于丰臣秀吉部下,也是一位艺术鉴赏大师,首创茶道闲适恬静的风格,提出"简素清寂"为茶道四要,迄今仍流行于日本国内。茶道大师的恬静之风导致器物简朴风格的崇尚,此类茶具遂应运而生(参阅 **raku ware**)。

tea olive 木犀 木犀科木犀属(*Osmanthus*)植物。30多种。叶常绿,有光泽;花芳香。原产于北美东部、墨西哥、东南亚、夏威夷和新喀里多尼亚。常栽培观赏其花和叶。

假冬青(*O. heterophyllus*)
供图:A to Z Botanical Collection—美国不列颠百科全书公司

桂花(木犀,香木犀,*O. fragrans*)为乔木,高10米;花白色,腋生,隐于叶后;叶可用于薰茶;果实可食。丹桂(*O. aurantiaca*)高2.5米,花橙黄色,芳香。假冬青(冬青木犀、柊树,*O. heterophyllus*)为乔木,高5米,叶似冬青,花白色。云南桂花(*O. delavayi*)株高2米;叶小,广椭圆形;花白色。美洲木犀(*O. americanus*)高达15米,花浅绿白色;木材深褐色,纹理致密,可做木器。

Teach, Edward 蒂奇(英格兰布里斯托尔?～1718-11-22,北卡罗来纳奥克拉科克岛) Teach 又拼 Thatch。绰号黑胡子(Blackbeard)。美国历史上著名的海盗,民间传说中的出名人物。西班牙王位继承战争期间(1701～1713)可能就以英国私掠船主活跃于海上。1716年后期始闻从事海盗勾当。翌年将俘获的一法国商船改装为战船"女王安妮复仇"号,装炮40座,在弗吉尼亚和卡罗来纳沿海以及加勒比海劫掠。1718年在北卡罗来纳水湾建立基地,强行征收过往船只的通行税,同北卡罗来纳殖民地总督C.伊登达成分赃协议。后弗吉尼亚副总督A.斯波兹伍德派英国海军进行围剿,经过激战,杀死蒂奇,将其首级悬挂在船首斜桅顶部示众。有关蒂奇的传说除浓密的黑胡子之外,还有他埋藏的大量财宝,但迄今未发现,或仅属子虚乌有之谈。

teachers' college 参阅 **normal school** 师范学院。

teaching 教学 进行教授工作的行业,尤指在小学、中学或大学中。从事教学的人,通常必须符合某些基本要求。标准因国而异,但通常包括:受过正式教育或训练,具有某一学科领域的专业知识,取得从事这种工作的证明或许可,并保持不断更新和扩充的业务水平。

教学人员的责任各国有所不同,并且因学龄的大小而异。一般的责任是要在学校和社区中扮演积极的有时相互冲突的角色。人们至少希望教师充当父母代理人、知心朋友、训导者、社区领导、行动表率等角色。女性约占全世界教师总数的三分之二,其中绝大多数从事初级教育。在现代社会中,教师经过试用期合格后,他们的地位通常能够得到保障。一旦获得"终身职务",除非确切证明能力不足或品质不佳,他们的工作是受到保障的。在小学、中学、大学这三类教师中,大学教师始终享有这一行业中各方面的最大利益,包括:薪金高;社会地位高;流动性大(由于通常不需要得到批准);在课程安排、教学方法、教科书与其他各种教材的选择方面均有相对的学术自由;并可参加全国性或国际性的专业组织。这些差别主要是由于对从业人员所受高等教育的程度要求高,而且这一层次的选择性也强。对大多数的大学教师还有进一步的要求,就是他们要继续进行研究工作和发表著作,不管与他们在教室上课的责任有无直接关系。

教师的职业是一种比较新的职业。在某些社会中,教师的职业至今还没有获得专门的职业的地位。按照传统,父母、长辈、宗教领袖和贤哲负责教育儿童怎样行动、怎样思考,以及要信仰什么。成年人与儿童们一起活动,儿童们遂逐渐接受知识、神话以及本族文化的一般教养。以后,往往由那些学习成绩好的年轻人充当教师;他们通过观察和实践其老师的方法,而学会一套技能。

18世纪,德国首先采用一套培训教师的正式标准,为其他国家树立了楷模,为建立一项真正的专业铺平了道路。在19世纪,随着社会的进一步工业化,学校教育观念的进一步普及,教师的培训又有了进一步的发展。现在,当教师所需要的预备训练的多寡因国家而异,在某些国家仍然极为有限。然而,现在在发达国家中,大部分教师均为大学毕业生。培训中小学教师的教学大纲通常包括:基本普通教育,注重一种专门学术的、文化的或职业的课程;学习教育原理;一系列专业课程,并在典型的学校环境中实习。对证书的要求反映出各国的差异。例如英国与法国,对发放教师证书建立了国家标准;美国、加拿大和澳大利亚则由各州或省自行规定要求。在职训练包括教师后续教育的各个方面,诸如听讲课或听讲座,参加讨论会,阅读业务通讯和教育杂志,到特定的教育机构进修等。教师常常需要出示参与此类在职培训的证明。

在20世纪,不仅教师培训的水平有所提高,而且人们更加努力争取获得对教师这一职业的承认。教师开始把自己看作是教育者,并且组织起来,努力改善自己的地位和工作环境,提高教育工作的整个水平。最初的教师联合会是按照学校的类型或特定学科组成的。这些团体后来合并为全国性的组织,因而现在大部分国家至少拥有一个大规模的协会或联盟,其成员往往是强制参加,而且通常要交会费。由于展开由各国小学与中学联合会组成国际联盟的运动,结果形成两个相互竞争的国际团体:一个是代表各共产主义国家的国家协会的世界教师工会联合会,另一个是包括各非共产主义国家的国家协会成员的世界教育工作者组织联合会。

teaching machine 教学机械 为显示教材的编排程序而使用的任何机械装置。教学机械类型繁杂,但工作原理大致相同,即提出问题,由使用人作答,最后提供正确答案。有些机械极为简单,如试卷或试题集,学生在作题后找出答案。例如,试题集先提出一组问题,留出书写答案的地位,然后在另页上列出正确答案。另一种设计是利用塑料遮页,仅露出问题和写答案的空白地位。作答后,撕下遮页,即露出正确答案和下一个问题。还有一种类型为经过化学处理的试卷,当指出正确答案时,试卷即改变颜色。另一种较复杂的机械在显示窗口列出附有多种答案的问题,另备一组按键供答题时选用。仅在选中正确答案时,窗口才显示第二道问题。计算机(参阅 **computer-assisted instruction**)和外语教学实验室使用的录放设备也用作教学机械。一切教学机械均以某种程序为依据,即设置一组问题,既向学生提供一个学习机会,又是对学生的一种鞭策(参阅 **programmed learning**)。使用教学机械有很多好处,对需要进行实际练习的科目,如算术和外语尤其有用。使用人可按自己的进度需要进行学习,也可以有一个复习功课的机会。在课堂上使用教学机械可以节省教师一部分实际训练学生的时间,使他们可以将更多的精力用于帮助有某些特殊问题的学生或者解决教学中出现的特殊困难的问题。

Teaching of the Twelve Apostles (ancient Christian document) 参阅 **Didachē**《十二使徒遗训》。

Teagarden, Jack 蒂加登(1905-08-20,美国得克萨斯弗农～1964-01-15,新奥尔良) 美国爵士乐长号演奏家,因创立了一种十分成熟而且得到广泛仿效的风格而独树一帜。7岁开始自学长号,1927年到纽约市首次录制唱片;自此被公认为自成一格的大师。1939～1947年指挥自己的管乐队,1947～1951年与L.阿姆斯特朗合作演出,1951～1957年重组自己的管乐队。虽然从未取得商业上的成功,但至死保持旺盛精力。他参加拍摄的电影有《布鲁斯的诞生》(1941)等。他的风格以旋律流畅、技巧运用自如、整体效果柔美而著称。他也是一位出色的爵士乐歌唱家。他的嗓音具有美国南方迷人的拖腔特点，介乎阿姆斯特朗的“粗声粗气”和B.克罗斯比的圆润声音之间。

Teague, Walter Dorwin　蒂格（1883-12-18，美国印第安纳迪凯特～1960-12-05，新泽西-弗莱明顿）　工业设计家，在美国建立工业设计专业的先驱。早年曾在纽约学美术（1903～1907），在为一家广告代理商工作4年后，成功地成为一名自由广告设计师。要求他提供产品设计的顾客越来越多，于是在1926年成立办事处专门从事工业设计，包括产品设计、展览会设计、公司图表设计和内部设计等。1927年受柯达公司委托为两种摄影机重作设计，他坚持同伊斯曼工厂的工程师密切合作，结果获得成功。1930年，他为“马门”16型汽车所作的革命性设计引起了广泛的注意。30年代后期为纽约世界博览会和旧金山金门国际博览会（1939～1940）提供许多展览设计。其他主要设计包括铁路客车、办公室用机械和汽车加油站等。50年代为科罗拉多州斯普林斯空军学院设计过室内装饰和陈设，并为波音707喷气式客机设计机舱。著有《今日的设计——机械时代的调配技巧》（1940，修订版1949）一书，叙述现代设计的发展途径，并提出解决设计问题的必要技巧。还写过《富饶之乡——各种可能性的总结》（1947）和《供做面包的面粉——磨粉业史》（与J.斯托克合著，1952）。

teak（*Tectona grandis*）　**柚木**　马鞭草科落叶乔木。最名贵的木材之一，在印度广泛应用已有2 000年以上的历史。柚木的树干挺直，但常有板根，树冠广阔，小枝为四棱形，有很大的方形髓心。叶长约0.5米，宽23厘米，形似烟叶，但质地硬，表面粗糙。枝端生小白花。核果（肉质，内有坚硬的种子）直径0.8厘米。树皮厚1.3厘米，呈灰色或灰褐色，边材白色；未经干燥的心材有浓烈的芳香气味，颜色金黄，干燥后变成褐色并杂有深色条纹，浓郁的香气可经年不衰。原产于印度、缅甸和泰国，最有价值的柚木林分布在海拔900米以下的低丘陵地带。菲律宾、爪哇和马来群岛等地也分布有柚木林。非洲和中美洲有人工种植的柚木林。柚木在旱季无叶；在炎热地区，1月份就落叶；而在潮湿的地区，到3月叶子仍然碧绿。到了旱季之末第一次季风雨来临之时，开始长新叶。开花虽多，但种子很少。印度三四月份的旱季经常发生森林火灾，不利于柚木的自然繁殖。在缅甸的种植园中，柚木可在15年内生长到18米高，树围达0.5米。在缅甸和印度的天然林中，树围达2米（直径0.6米）的柚木，其树龄都在100年甚至200年以上。成熟的柚木树高通常不超过46米。柚木在热带国家价值很高，主要是因为它极其耐久。印度和缅甸数百年前的古建筑中的柚木梁至今仍完好无损，有些宫殿庙宇中的柚木梁甚至超过千年。这种木材在有覆盖的条件下几乎是不朽的，可用于制造船、高级家具、门窗框架、码头、桥梁、冷却塔的遮阳板、镶板、地板、火车车厢、百叶窗等。柚木的稳定性极为良好，重量和硬度适中，材质坚固。缅甸产的柚木占世界供应量的大部分，其次是印度、泰国、印度尼西亚和斯里兰卡。

teal　水鸭　鸭科鸭属（*Anas*）约15种小型鸟类的统称。产于6个主要大陆和许多岛屿上。属钻水鸭（**dabbling duck**）组。水鸭类多为受欢迎的猎禽。最有名的是全北区的绿翅水鸭，体长约33～38厘米；常结成密集的大群。蓝翅水鸭体形小，在加拿大和美国北部广大地区繁殖，于美国南部越冬。桂红鸭（*A. cyanoptera*）也分布于北美洲，羽毛色彩鲜艳，淡红色，具一个蓝色翅斑。分布于非洲的霍屯督水鸭（霍屯督鸭，*A. hottentota*）十分沉着，即使附近有猎人开枪射击，也常在草木中保持不动。水鸭主要是草食性，但某些种（如蓝翅水鸭）的食物中可能有25%是动物性。许多种水鸭成群一同起飞，并一起改变飞行方向。

全北区的美洲绿翅雄水鸭（*A. crecca carolinensis*）
供图：© Gordon Langsbury—Bruce Coleman Inc.

team handball　手球　又作fieldball或handball。球类运动。比赛两队各7人或11人，在长方形场地上双方竭力将充气球掷入或击入对方球门，并阻止对方将球射入己方球门。它同由2或4人用一只小硬球击向一面或多面墙的球戏无关，与足球相似，只是除守门员外其他队员都不准踢球，只能用手掷、接、击或用膝部以上各部位击碰。每场比赛分两个半场，每半场30分钟，中间有休息时间。球员不佩带护具。持球走不得超过3步，持球时间不得超过3秒。攻方球员必须在球门前标定的弧形线外射门，只有守方球员方可进入这条弧形线内。一般犯规，由对方在犯规地点或球门圈外附近罚任意球（一般是传给同队队员）。严重犯规，由对方在球门圈外正对球门的罚球点罚球门球。根据上场球员人数和球场大小主要分为两种，均使用周长58～60厘米、重425～475克的充气球。女子和少年手球比赛用球略小。7人制手球比赛一般在室内进行，场地长38～45米，宽18～22米，球门高2米、宽3米，球门圈距球门中心6米。11人制手球比赛一般在室外进行，场地长90～110米、宽55～65米，球门高2.44米、宽7.32米，球门圈距球门中心13米。现代手球于20世纪20年代兴起于欧洲，1972年列为奥运会正式比赛项目。世界性管理机构为国际手球联合会。参阅**Olympic Games**。

team roping　分组套牛　美国骑马放牧者竞技项目。分两人一组骑马掷绳，设法将一匹成年的公牛套住不能动。比赛计时，时间最短的小组胜。根据规定，每人只许用一条绳，限投掷三次。第一个放牧者必须首先套住公牛头部，他的伙伴然后套住后面双脚。如果第二根套索只套住公牛的一条腿，可加时5秒钟作为处罚。

分组套牛比赛
供图：E. W. Marugg Photography

Teamsters Union　卡车司机工会　别名美国卡车司机、汽车司机、仓库工人和佣工国际工人兄弟会，1940年前称美国卡车司机、汽车司机、马夫和佣工国际工人兄弟会（IBT）。美国最大的工会，是有关工业（如航空工业）中代表卡车司机和工人的产业工会。成立于1903年，当时已经出现马车夫国际工会（1899）、卡车司机全国工会（1902）。直到30年代城市间卡车司机在工会中占统治地位前，地方的马车送货人一直是它的核心成员。1907～1955年工会由D.J.托宾领导，他使会员由1907年的4万增至1950年前的100万。到1940年它已经是全国最大的工会，1952年起能够谈判全国性货运运价协议。它的规模和它运送基本商品的能力，使工会拥有巨大的讨价还价的权力，但这也向一些官员提供了粗暴地强制小雇主和客户的许多机会，参与有组织的犯罪活动，操纵退休基金会等。由于领导层腐败行为败露，该工会于1957年被美国劳工联合会-产业工会联合会（AFL-CIO）开除。1957～1988年间，有3位主席——D.贝克、J.霍法和R.L.威廉斯因多项刑事犯罪被判刑入狱。与犯罪团伙有联系的霍法出狱后于1975年据推测被谋杀而消失了。1987

年卡车司机工会重新加入劳联-产联。1988年司法部控告工会诈骗，但次年控诉案被撤销。1992年工会首次举行全国主席的直接选举，主张建立民主工会的改良派候选人R.凯里当选。80年代早期美国卡车工业解除管制，会员数量下降；但通过努力，工会在行政、服务部门和高技术行业中赢得了新的成员。

Teapot Dome Scandal　蒂波特山丑闻　又称石油保留地丑闻或埃尔克山丑闻。美国历史上发生于20世纪20年代初的一桩由内政部长A.B.福尔秘密租让联邦石油保留地的丑闻。1921年，W.G.哈定总统把海军石油保留地的监管权由海军转交内政部，而福尔则于1922年4月7日将蒂波特山（在怀俄明州）保留地的专用权偷偷给与马默斯石油公司的H.F.辛克莱。1921～1922年，他还将加利福尼亚的埃尔克山和布埃纳维斯塔山保留地的同样权利给了泛美石油公司的E.L.多赫尼。作为批准租给辛克莱和多赫尼的回报，福尔从这两个石油厂家得到大笔现金赠款和无息"贷款"。事情暴露后，国会指令哈定总统废除租约，最高法院宣布租约为骗局并裁定哈定将权力转给福尔为非法。虽然总统本人并未卷入权力转移后引来的这场交易中，但他的同事的渎职罪行的揭露使他的健康付出了极其沉重的代价。他感到幻灭和筋疲力尽，在罪行全部查明前就去世了。福尔被认定在埃尔克山的谈判中犯有受贿罪，被判入狱。多赫尼和辛克莱被控的行贿罪和密谋罪没有成立，但辛克莱因蔑视法庭和蔑视美国参议院在狱中蹲了6个半月。虽然海军部长E.登比在所有的转让合同上签了字。但对他的所有指控都得到了洗刷。尽管蒂波特山作为政府腐败的同义词已进入美国政治词汇中，但这一丑闻对共和党的影响并不太长。1924年当选的总统是共和党人C.柯立芝。

tear duct and gland　泪管与泪腺　又作lachrymal（或lacrimal）duct and gland。生成、流布及排泄泪液的眼附属器官。泪腺位于外眦外上方额骨内面的小凹中，大小形状如杏仁，由纤维性间隔分为上下二部，下部延伸入上睑后方。泪液通过小泪腺管排入上结膜穹窿外侧部。泪液流过眼球前方而进入上、下睑缘鼻侧端的泪小点，再经泪小管流入泪囊（鼻泪管上端的膨大部分），然后经鼻泪管排入鼻腔。睑缘腺体的脂性分泌物使泪液不能溢出眼外。

tear gas　催泪毒气　由于刺激眼睛黏膜而引起大量流泪的一类物质的总称。这种物质曾用来使人群或敌军暂时失去行动能力。最常用的催泪毒气是合成的有机卤化物，在通常条件下它们不是真正的气体，而是在空气中能分散成细小微粒的液体或固体。其中最熟知的为α-氯乙酰苯，是烟雾剂Mace（梅斯催泪毒气）的主要组分。其他可作为催泪毒气的还有溴丙酮、溴化苄、溴醋酸乙酯、溴化甲基苄和α-溴苄基氰。

Teasdale, Sara　蒂斯代尔（1884-08-08，美国密苏里圣路易斯～1933-01-29，纽约州纽约）美国女诗人。曾在私立学校学习，由年长女伴陪伴四处旅行。常去芝加哥，最后加入了H.门罗的《诗刊》小圈子。1914年拒绝诗人V.林赛的求婚而嫁给一圣路易斯商人。1929年与其离婚并迁居纽约，深居简出，最后自杀。她的第一本书《献给杜斯的十四行诗及其他诗篇》于1907年自费出版。她的作品一开始就很受欢迎。1915年的《江河归大海》使她确立了一位有声望的诗人的地位。《恋歌》（1917）获1918年普利策奖。人们熟悉的她的《让它被遗忘》被收入《火焰与影子》（1920）中。随着她的技巧日趋完善，诗也逐渐变得更为简短朴素。在她最后一本诗集《奇怪的胜利》（1933）中，有许多诗都预示了她的死。

teasel　川续断　川续断科川续断属（*Dipsacus*）植物，约15种。原产欧洲、地中海地区和热带非洲。多为二年生草本，具刺。叶对生，基部绕茎，联合形成集雨槽。头状花序，

川续断（*Dipsacus*）
供图：G.J.Chafaris—美国不列颠百科全书公司

高圆顶形，由多数花朵组成。总苞片狭窄，有刺，基部合生成冠状的环。花冠裂片4，雄蕊较雌蕊先成熟，异花传粉。富勒氏川续断（家川续断，*D. sativus*）高约1米，花淡紫色，苞片钩状。从罗马时代起就将其具刺的果序干燥后用于织物起毛，至今欧洲和北美仍有商业性种植。普通川续断（织锦人川续断，有时称野生川续断[*D. fullonum* 或 *D. sylvestris*]）与家川续断相似，但苞片直立而无钩，故不能用于起毛，在北美和欧洲视为杂草。无刺川续断（*D. inermis*）叶条裂，花白色，产于喜马拉雅山脉。毛川续断（*D. pilosus*）花序球形，花白色，花药紫堇色，原产欧洲。

Tebaldi, Renata　苔巴尔迪（1922-02-01，意大利佩萨罗～2004-12-19，圣马力诺）　意大利歌剧女高音歌唱家，米兰拉斯卡拉歌剧院和纽约市大都会歌剧院红星。曾就读于帕尔马音乐学院。18岁时被在佩萨罗的阿里戈·博伊托音乐学院的C.梅利斯收做学生。1944年首次在罗维戈演出，扮演博伊托《梅菲斯托费尔》中的埃莱纳。1946年托斯卡尼尼试听她的演唱后，任用她在米兰拉斯卡拉歌剧院的重新开张音乐会中演唱。1949年加入拉斯卡拉歌剧团，直至1954年。还曾在那不勒斯的圣卡洛剧院、伦敦的科文特加登歌剧院、纽约市大都会歌剧院以及旧金山、芝加哥等地演出。1954年后成为大都会歌剧院的一员。所演唱的最成功的角色有普契尼《艺术家生涯》中的咪咪和威尔地《奥瑟罗》中的德丝狄蒙娜等。

Tébessa　泰贝萨　拉丁语作Theveste。阿尔及利亚东北部城镇。在突尼斯边界以西19千米处。公元前146年为罗马人驻防城镇。在7世纪阿拉伯人入侵后，从历史上消失。1830年法国人开始统治阿尔及利亚后，泰贝萨成为通往阿尔及利亚南部的东大门。拜占廷城堡俯瞰全镇，城堡由12座城楼和4座城门围成一方形广场。北面有为罗马皇帝卡拉卡拉建造的四面拱门（公元214）。城中心北面1.6千米处有壮观的基督教堂。另有罗马遗迹多处。除开采城东北的磷酸盐矿外，经济依靠绵羊、茅草、粮食贸易和地毯编织业。人口：城市区约107 559（1987）。

technetium　锝（Tc）　化学元素，周期表Ⅶb族人工合成放射性金属，第一个人工合成的元素。1937年，意大利矿物学家C.佩列尔和意大利出生的美国物理学家E.塞格雷在伯克利（加利福尼亚）回旋加速器中用氘核轰击钼时，从轰击过的钼样品中发现了同位素锝97（半衰期260万年）。当时已制得锝92～锝107的一系列锝的同位素。而锝97是寿命最长的。锝99（半衰期21.2万年）最为重要，因为它是唯一能大规模生产的锝同位素。它是作为核反应堆中的裂变产物、以千克数量级生产的。金属锝看来像铂，但通常得到的是锝的灰色粉末。锝为六方密堆积晶体结构，温度低于11.2 K时为超导体。除锝99、锝97和锝98（半衰期150万年）外，锝的其他同位素都是短寿命的。地壳中含有从铀自发裂变产生的极少量锝。由于寿命较短，地球上不可能存在原生锝。1952年，美国天文学家P.W.梅里尔发现，锝99存在于S-型星体中，这是一个关于天体演变和核合成的很有价值的证据。锝在化学性质上与铼（原子序数75）相似，以+7、+6和+4氧化态分别存在于高锝酸钾（Ⅶ）$KTcO_4$、氯化锝（Ⅵ）$TcCl_6$和硫化锝（Ⅳ）TcS_2等化合物中。锝原子序数43。最常见同位素锝99。熔点2 172 °C。沸点4 877 °C。比重11.5（20 °C）。化合价4、6、7。电子组态2,8,18,14,1或$(Kr)4d^6 5s^1$。

technical assistance　技术援助　国际团体如联合国及其机构，各个国家的政府，各基金会和各慈善机构给予发展中国家的一种援助。其目的是向那些国家提供它们为促进发展所需要的专门知识。大多数技术援助计划是第二次世界大战后开始的，当时欧洲和东南亚的大部分地区还是一片废墟，非洲和中、南美洲正在为提高生活水平而斗争。1949年美国总统杜鲁门宣布的**第四点计划**（**Point Four Program**）是一个著名的早期的实例。技术援助可以包括派专家去实地传授技能，协助解决专业性的问题，如灌溉、农业、渔业、教育、卫生或林业。另一方面，可以在发达国家提供奖学金、考察或开讨论会，使发展中国家的个人有机会学习专门的技能，以便回国后应用。职业指导、经营管理、商业行政、家政学、数学、科学、会计、行业技能、城市规划和法律服务，仅仅是已经提供技术援助的许

多领域中的一部分而已。许多国家的政府向国内不景气的地方或贫困的团体也提供技术援助。例如,美国向农业季节工人、印第安人保留地、衰败的城区和小农提供技术援助。一些最大的技术援助计划是联合国及其机构主持的。这些计划由联合国会员国自动捐款资助,集中在4个主要方面:农业生产、基本资源调查与行政服务、卫生事业和教育。

technical education 技术教育 学生为谋求与应用科学和现代技术有关的工作而接受的学科和职业训练。重点是了解和实际应用科学与数学的基本原理,而不是熟练掌握职业教育所侧重的手工技艺。技术教育以毕业生就业为目标,其职业高于熟练技工,但低于科研人员或工程师的水平。这一类人就业后一般为技术员。技术教育不同于职业教育,后者主要着重于广泛学科内容的理论、原理和对这些学科内容的理解,旨在使毕业生能在科学、工程、法律或医学这样的领域中成为权威。技术职业在包括农业、商业管理、计算机和数据处理、教育、环境和资源管理、平面造型艺术以及卫生和医学在内的一系列广泛领域中至关重要。技术教育通常在高中毕业以后,授业二年,不授予学士学位。多种教育机构,如技术学校、初级学院、职业学校、正规学院和大学,都提供技术教育。

Technicolor 彩色印片法 利用染印技术制作彩色正片的电影制片方法,这种方法在1932年已臻完善。原来的作法是,先通过分离光束的光学正六面体和照相机镜头将3张黑白胶片曝光;光束进入照相机时已分离为3部分,即光谱中的红、绿、蓝色部分。每种影像同时使不同频带的黑白胶片感光,再分别进行显影,印成正片,并染上相应的颜色。然后叠印在一起,即可相当真实地产生接近天然色彩的影像。较新的彩色印片法在拍片时只需将一张三合一的彩色胶片曝光,即可用它分别制成3色负片,并染上相应的颜色,然后叠印在最后的彩色乳剂上,生产出全色正像。

technocracy 专家政治 指由技术人员治理政府,这些技术人员以其所掌握的技术规则作为唯一的指导。这一概念是20世纪初期在美国作为进步党运动的一种表述而发展起来的,并在30年代的大萧条时期引起广大公众的关注。

专家政治运动的起源可以追溯到F.W.泰勒倡导的科学管理概念。H.L.根特、T.凡勃伦和H.斯科特等一批作者认为,产业家是不会根据公众利益对他们的产业进行改革的,因而应将对产业的管理权交给工程师们。1932年以W.劳滕斯特劳赫为首而由斯科特控制的专家政治委员会在纽约市成立,引起广泛的注意。斯科特宣称,由于技术革新使物质生产极为丰富。先前一切以物质贫困为依据的经济理论均归无效。他预言,价格体系的崩溃已迫在眉睫,一种丰裕的专家政治制度将取而代之。但报刊对斯科特的学术资历表示怀疑,对该委员会援引的数据提出疑问,同时委员们之间对社会政策也意见不一。不到一年,委员会即解散。代之而起的是专家政治大陆委员会(存在到1936年)和以斯科特为首的专家政治公司。专家政治组织曾一度遍布美国全国和加拿大西部地区,但是,专家政治运动由于未能提出政治上可行的改革计划而削弱,群众转而支持"新政"和第三党运动。人们并担心出现独裁的社会管理制度。1940年后,斯科特的组织衰落,但仍残存到20世纪后期。

technology 技术 技术一词出自希腊文techne(工艺、技能)与logos(词、讲话)的组合,意思是对造型艺术和应用技术进行论述。当它17世纪在英国首次出现时,仅指各种应用技艺。到20世纪初,技术的含义逐渐扩大,它涉及工具、机器及其使用方法和过程。到20世纪后半期,技术被定义为"人类改变或控制客观环境的手段或活动"。人类在制造工具的过程中产生了技术,而现代技术最大特点是它与科学相结合。过去,科学和技术一直是各自遵循自己的发展道路。在古代,科学知识专属于贵族哲学家,而技术则归制造工匠掌握。中世纪,商业飞跃发展,社会经济交换活跃,才使科学和技术互相接近,关系日益密切。到19世纪,技术才逐渐以科学作为基础。爱迪生的巨大贡献是,他建立了世界上第一所研究试验室,使科学和技术结成一体。1879年10月21日他作的电照明实验,可以看作现代技术研究诞生的标志。19世纪,人们对技术进步抱极乐观的态度,认为技术会给人类带来最大幸福。马克思和恩格斯也认为,技术进步必然会导致社会主义的胜利。但是,早在维多利亚女王时代就有人对技术发展持有异议,出现了反技术的倾向。1932年,英国作家A.赫克斯利在他的著名小说《美好的新世界》一书中描述了在不久的将来,技术要完全统治人类,使人类生活舒适,免于知识不足和苦痛,但也会使人类丧失自由、美和创造性,剥夺人的个性。第二次世界大战后,由于技术带来某些不良影响,技术日益受到抨击。美国科学作家R.卡森写的《寂静的春天》在50和60年代影响很大,他指出无限制地使用杀虫剂会给动植物的生存带来严重后果。欧洲和美国的政治家和作家在反技术浪潮中相互呼应。技术进步给社会带来的不良影响如车祸、空气和水的污染,以及城市拥挤和噪声等,受到报纸和政治讲坛的全面抨击。抨击者论述了技术对人类个性的传统生活方法的巨大破坏。1954年,J.埃吕尔教授认为,现在技术已经囊括一切,使人们生活于技术环境中而不像以往那样生活在自然界;人们的心理状态完全为技术价值所统治。技术使人类摆脱了时间、空间的某些限制,但并没有使人获得自由。技术发展的速度越来越快,从1939年1月发现铀裂变到1945年7月第一颗原子弹爆炸,仅有六年半的时间。以电子计算机(电脑)为中心的信息革命,似乎比原子弹更为惊人;"电脑"似乎能代替人脑。发达国家和发展中国家对现代技术持有截然不同的态度,前者对技术持反对和抨击的态度;后者则拥护发展技术。事实上,技术不仅为发达国家提供无法估量的物质财富,同样也造福于发展中国家。在所有技术成就中,最显著的也许是通过使用机器和电力、肥料、杀虫剂、育种杂交和生产技术,使粮食高产稳产。发展中国家需要从发达国家引进加工技术,发达国家输出技术对自身也有利,可为国际间提供良好的合作基础。但有两点必须注意:第一,发达国家的技术本身不一定是理想的,甚至可能不适合于发展中国家;第二,发展中国家要力求避免发达国家所走的弯路,不能亦步亦趋地步发达国家的后尘。据德国物理学家W.海森伯预言,技术装置将来可能成为人的机体不可分离的部分,技术改变可能使人本身随之改变。但无论如何人毕竟是技术的主人。关于技术的未来可以按下列原则来推断:①技术属世界性问题,不能在一个国家范围内得到妥当解决;②需要有既研究技术问题也研究社会问题的研究机构;③技术人员和非技术人员必须受适当的教育;④要千方百计地使技术为人类服务。

Tecomán 特科曼 墨西哥中西部科利马州东南部城市。在阿梅里亚河附近的太平洋低地。海拔80米。地处全州最大农业区,周围地区产椰子、玉米、豆类、棉花和热带水果。柠檬油和棉籽油为主要工业产品。有公路通州首府科利马。距市5千米以内有铁路通过。人口:城市区约80 842(1990)。

tectogene 深拗槽 地槽(地壳里的线形沟槽,其中有海相沉积物堆积)由靠外侧沉积物堆积之后形成的巨大下拗部分。按照在印度尼西亚工作的荷兰地质学家们的假设,深拗槽的产生是造山运动所必需的先导——就是说,地槽沉积物在这个深下拗槽里褶皱和断裂,并且受到上地幔熔融硅酸盐物质的侵入和蚀变。参阅 **geosyncline**; **orogeny**。

tectonics 构造运动学 研究组成地壳的岩石之变形及产生这种变形的力的学科。它研究与造山运动相关的褶皱与断裂;也研究地壳大规模的、逐渐地向上和向下运动(造陆运动);还研究沿断层突然的水平位移。研究的其他现象包括火成岩浆作用过程和变质作用。构造运动学还包括作为其主要工作原理的*板块构造学*(**plate tectonics**)的概念,这是20世纪60年代后期由美国、加拿大和英国的地球物理学家们扩大并综合了关于*大陆漂移*(**continental drift**)和*海底扩张假说*(**seafloor spreading hypothesis**)而提出的一种理论。

tectonism 构造作用 参阅 **diastrophism** *构造变动*。

Tecumseh 特库姆塞(1768,老皮奎[今美国俄亥俄州克拉克县]~1813-10-05,上加拿大[今加拿大安大略省]泰晤士河附近) 北美肖尼族印第安人酋长、演说家、军事领袖。他谆谆告诫印第安人以部落间的联盟代替部落间的战争,全盘恢复本民族的文化。从18世纪末至19世纪初,白人无所顾忌地侵占印第安人的土地,一些部落酋长用土地换取年金,仅将少量瘠薄的土地留与族人。正是在这样的时代,他挺身而出,设法为本族人民保存自古以来就占有的良田。他出生于今俄亥俄州斯普林菲尔德附近的印第安人老皮奎村。

1774年其父遭白人杀害，其母向他灌输对白人复仇的观念。白人用谋杀和屠戮的手段侵占肖尼族的家园，毁坏他们的庄稼，这进一步加深了特库姆塞对白人的仇恨。他14岁时发生美国独立战争。他跟随酋长布莱克菲什参加英军和印第安人对美国人的联合进攻。战后数年，他成为出没无常的侠盗，在西北地区对白人开展小规模的战斗。尽管年轻，仍被同族推选为领袖。当时，肖尼族酋长布卢杰基特正集合军队准备同美军交战。特库姆塞返回俄亥俄州，1794年6月率兵攻打里卡布里堡，未获成功。8月20日又在福伦廷伯斯遭到重创。此时，旧西北部各州的主要酋长齐集俄亥俄州缔结《格林维尔条约》，特库姆塞拒不参加。他反对贪求苟安的酋长割让所有的土地。他说，土地就像空气和水一样，是全体印第安人的共同财产。约1808年，特库姆塞定居于印第安纳。他力劝印第安人不用白人的商品，特别是威士忌。他号召印第安人停止部落间的战争，联合起来对付白人入侵者。他开始组织印第安人联盟，四出旅行，从欧扎克湖到纽约，从艾奥瓦到佛罗里达，吸收新的成员。由于看到英美之间即将爆发战争（1812年战争），遂集合部众，在加拿大的莫尔登堡同英军会合。他组织一支巨大的北美印第安人军队，这是攻陷底特律和俘获2 500名美国士兵的决定性因素。在攻占底特律之后，他急功好胜，再作长途旅行，发动印第安人各部落进行反对白人的斗争。亚拉巴马的克里克族响应他的号召，举行起事。然后他返回北方，随英国将军H.A.普罗克特攻打俄亥俄州的梅格斯堡，在那里截击并消灭由W.H.达德利上校率领前来解围的一旅美军。1813年10月5日，英军和印第安人大败，特库姆塞被杀。他的死标志着印第安人在俄亥俄河流域及大部分中西部低地和南部地区抵抗白人的活动的结束。

Teda　特达人　又称托达人（Toda）、托达加人（Todaga）、托德加人（Todga）、图达人（Tuda）、图达加人（Tudaga）等。非洲撒哈拉中部及东部民族（关于部落及语言分类，参阅 **Teda language**）。他们或以游牧为生，或在绿洲附近务农。海枣是主要产物，此外还种植各种谷类、豆科植物、根用植物。饲养牛、山羊、驴、骆驼等，商队贸易是经济生活的重要因素。定居的特达人村庄由棕榈叶覆盖的长形泥土房屋或草顶圆形泥石房屋组成。特达人信仰伊斯兰教。一个部落有一名苏丹，但权力操于地方牧民之手。父系传代。婚姻需付聘礼，一般是牲畜，由新郎家送给新娘家。禁止近亲联姻，一夫多妻制是准许的，但不甚普遍。20世纪70年代后期，估计约有人口25万～30万。

乍得的特达人姑娘
供图：Jacques Jangoux—Peter Arnold

Teda language　特达语　通行于乍得、尼日尔和利比亚的撒哈拉语，与卡努里语、扎加瓦语及贝尔蒂语等关系密切。特达语分南、北两组，其名有时专指北部特达语；南部特达语则以达扎（达萨）语名之，在法语文献中，此名尤为常见。早期分类法曾以图布语（特布语，提布语）一名指称全部特达语，如以此名专称南部特达语时，则称北部特达语为图达语。参阅 **Saharan languages**。

Tedder (of Glenguin), Arthur William Tedder, 1st Baron　特德（1890-07-11，苏格兰斯特灵格伦古因～1967-06-03，英格兰萨里班斯特德）　英国皇家空军元帅。他在D.艾森豪威尔将军的盟国远征军中任副总司令，在诺曼底登陆（1944-06-06）成功方面作出重大贡献；他们提出的轰炸德国交通和为地面部队提供紧密空中支援等，对在西线击溃德军发挥了巨大作用。1913年参加英国陆军，1916年调到皇家陆军航空队。第一次世界大战后任皇家空军远东司令部司令（1936～1938），此后任研究和发展处处长。1941年任皇家空军中东司令部首长，后来指挥在北非和意大利所有盟军空军的作战。1942年封爵士。他与盟军协同，切断敌军后勤补给线，并对盟军地面部队提供战术支援，对于在北非击败德军以及盟军在西西里和意大利登陆（1943）作战的胜利作出了贡献。1944年初他被任命为艾森豪威尔的副手，负责指挥盟军在西欧的全部空中作战。他从空中封锁诺曼底海滩，使德军增援部队无法到达盟军的滩头阵地。他轰炸德军的运输网，极大地加快了盟军在第二次世界大战最后几个月向前推进的速度。1946年任空军参谋长和空军委员会委员。著有谈论第二次世界大战的《心怀偏见》（1966）。

供图：Walter Bird—Camera Press

Teddington　特丁顿　英国伦敦泰晤士河畔里士满自治市的住宅区。位于泰晤士河左岸，在伦敦桥上游26千米处。设有国家物理实验室。当地的船闸阻拦北海的潮汐。

teens　青少年时期　人类生命历程中13岁至19岁这一阶段，约相当于青春期（**adolescence**）。

Tees, River　蒂斯河　英格兰北部河流。源出奔宁山脉北部的克罗斯山。向东注入北海。全长110千米。上游流经奔宁山谷。在海福斯等地流经辉绿岩河床时形成瀑布。下游河谷展宽，接纳伦河、鲍尔德河和格雷塔河。流过巴纳德堡后进入肥沃的黏土平原。1825年斯托克顿—达灵顿铁路建成后，河口城镇蒂赛德大规模工业化和都市化，先后发展了煤炭、钢铁、化工和炼油等工业。

Teesdale　蒂斯河谷　英格兰东北部达勒姆郡一区。面积843平方千米。在郡西南部。大部分为奔宁山脉北段高地，由海拔约760米向东渐降至185米，成为蒂斯河谷南北两缘的界限。河谷东南的起伏平原和区首府巴纳德堡附近生产谷物、马铃薯和饲料作物，并有奶牛饲养业。煤的开采不如达勒姆郡东北部那样重要。贵格教会所属的采铅公司就坐落在蒂斯河谷的西部。西部积雪的荒山有瀑布，生长着稀有的开花植物，且有水库为北海附近的重工业供水。区内中世纪的遗迹有保护得很好的拉比城堡，坐落在斯坦德罗普镇附近。首府的古代市场，现已辟为文物保护地。C.狄更斯在1838年就被这里的巴纳德堡镇所启发，写下了小说《尼古拉斯·尼克尔贝》。人口约25 000（1998）。

teetee (monkey)　参阅 **titi** 伶猴。

Tefé　特费　巴西西北部亚马孙州中部城市。位于特费河口湖畔，亚马孙河北岸。有停泊河轮和快艇的港口设施，经水路向州首府马瑙斯等地运输巴西果、烟草、橡胶、木薯粉和干鱼。人口约47 700（1996）。

tefillin (Judaism)　参阅 **phylactery** 经文护符匣。

Teflon　特氟隆　合成树脂聚合物聚四氟乙烯（**polytetrafluoroethylene**）的商品名。

Tefnakhte　泰夫纳赫特　埃及尼罗河三角洲西北部赛斯的首领，后为第24王朝（约公元前722～约前715）国王和奠基人。库施（努比亚）统治者皮耶（旧称皮安希）侵入埃及时，使其俯首称臣。泰夫纳赫特原为利比亚王子，他从三角洲西北部的基地出发，向南进军，企图征服上埃及。他一路上得盟友相助，胜利到达中埃及的城镇赫尔莫波利斯。这一行动激起上埃及保护者库施人投入战斗。在一系列快速进攻中，皮耶摧毁了泰夫纳赫特的河上舰队，将其逐回孟斐斯（今开罗附近），并长期围困该城。当泰夫纳赫特北上求援时，皮耶乘机攻克孟斐斯，继续向三角洲推进。泰夫纳赫特投降（但非本人亲自出面），并宣誓效忠称臣。皮耶返回库施后，泰夫纳赫特立即背弃誓言，自称埃及国王。有些学者认为,《圣经·列王纪下》第 17 章第 1 ～ 4 节所载以色列王何西阿与之密谋的国王“梭”,就是泰夫纳赫特,“梭”可能指的是他的都城赛斯。这一历史事件,如果正确排列的话,应在皮耶干涉下埃及之前。

Tegakwitha, Kateri 参阅 **Tekakwitha, Kateri** 特卡奎萨。

Tegal 直葛 印度尼西亚爪哇岛中部中爪哇省城市、港口和县份。位于爪哇海岸,在雅加达东南偏东约 257 千米处。有公路和铁路连接西面的井里汶,东面的三宝垄,南面与东南面的克罗亚和日惹。居民大部分是爪哇人,大多信仰伊斯兰教。直葛是农产品的转运中心;主要出口物资是糖和鱼。工业有棉纺织厂、制糖厂、铸铁厂、陶器厂和机器与工具厂。设有一所渔业学校。以南约 10 千米有供狩猎的保护区,是吸引游客的地方。人口:市289 744(1995)。

Tegea 泰耶阿 希腊阿卡迪亚东部的古城,在今特里波利斯镇东南 6.5 千米处。原由 9 个分散的移民地联合建立。公元前 370 年以前,泰耶阿效忠斯巴达,此后参加过几个同盟。到奥古斯都(1 世纪初)时代,泰耶阿为阿卡迪亚的唯一重镇。395 ～ 396 年受哥特人劫掠。在拜占廷和法兰克统治时期,泰耶阿城达到全盛。14 世纪为新建的特里波利斯所代替。

Tegelen 泰赫伦 荷兰东南部林堡省城市。西濒马斯河。位于芬洛附近的花卉种植区。以每隔几年就在这里上演一段时间(5 至 9 月)的耶稣受难复活剧而闻名。生产瓦片和陶器,还有铸铁厂和采石场。人口约17 967(1981)。

Tegernsee 泰根湖 德国东南部拜恩州南部湖泊。海拔 725 米。坐落在慕尼黑以南的林山之中。长近 6.5 千米,宽近 1.6 千米,面积 9 平方千米,最大深度 72 米。湖水穿过芒法尔山注入因河。为著名的冬夏娱乐场所,有游艇和其他水上运动设施。主要游览地有湖东岸泰根塞村庄(有巴伐利亚国王马克西米连一世的城堡),西岸巴特维塞矿泉(含碘和硫)等地。登南岸瓦尔贝格山顶(海拔1 722 米)可越过芒法尔山观望上陶恩山,向西南可远眺德国最高峰楚格峰。

Tegh Bahādur 得格·巴哈都尔(1612?,印度旁遮普邦阿姆利则～1675-11-11,德里)印度锡克教第 9 代古鲁(即祖师)和第二名锡克教殉教者。莫卧儿帝国皇帝奥朗则布强令克什米尔地区的印度教圣人信奉伊斯兰教,这些圣人纷纷逃亡,其中一些人受到得格·巴哈都尔的支援和庇护。为此,他与莫卧儿帝国当局发生冲突。印度教圣人通知奥朗则布,如果得格·巴哈都尔信奉伊斯兰教,他们才信。于是得格·巴哈都尔被捕,囚于德里城堡。皇宫中敌视得格·巴哈都尔的人落井下石,说得格·巴哈都尔俗欲未断,在监中频频西望,窥伺皇帝内宫嫔妃。奥朗则布忍无可忍,乃强令得格·巴哈都尔信奉伊斯兰教,否则必须行一神迹。得格·巴哈都尔拒不从令,于是被处死。一名忠心的锡克教徒把他的头颅带回阿嫩达布尔,身体火化。

Tegnér, Esaias 泰格奈尔(1782-11-13,瑞典许克鲁德～1846-11-02,厄斯特拉博) 瑞典教师、主教,当时声誉最高的诗人。1802 年毕业于隆德大学,10年后任该大学希腊文教授,1824 年任韦克舍教区监督直至逝世。他本是浪漫主义运动的一员,后来却抛弃了它的激情和神秘的因素。他的诗艺的理想渐趋古典主义,但也吸收了某些浪漫主义的成分。他的诗作的最伟大成就为《弗里蒂奥夫萨迦》(1825;曾 15 次被译成英文,1839 ～ 1928),是根据一部古代冰岛萨迦写成的组诗。此外还有一篇感情细腻的宗教田园诗《圣餐礼上的孩子们》,(1820,英译本由美国诗人朗费罗翻译)和《阿克塞尔》(1822)。

乌普萨拉大学供图

tegu 树栖蜥 蜥蜴亚目臼齿蜥科(美洲蜥蜴科,Teiidae)树栖蜥属(双颌蜥属,*Tupinambis*)肉食性爬行动物。产于南美洲热带地区。均为黑色。背部有黄色或白色横纹。鳞小,方形,围绕身体呈环形排列。体长达 1.2 米。产地居民嗜食树栖蜥,视其为美味。

树栖蜥(*Tupinambis nigropunctatus*)

供图:John H. Gerard form the National Audubon Society Collection/Photo Researchers—美国不列颠百科全书公司

Tegucigalpa 特古西加尔巴 洪都拉斯共和国首都。位于丘陵地区,四面为群山环绕。海拔975米。建于1578年,为金、银采矿中心。1824 ～ 1880 年与科马亚瓜轮流作首都。1880年设为永久性首都。1938 年与科马亚古埃拉合并,成立中央区。市内有总统府、国会大厦、洪都拉斯国立自治大学(1847)、18 世纪的大教堂等建筑。随着公路交通的改善,特古西加尔巴的工业在 20 世纪 70 年代有所发展。生产纺织品服、装、蔗糖、香烟、木材、陶瓷、水泥、化工品、电器、农业机械等。1977 年有计划地加强纺织业,并增建木材烘干厂和鱼类转销中心。附近有银、铅、锌等矿。建有一个工业园区。为全世界仅有的几个不通铁路的首都之一。主要靠通孔廷的国际机场。货运靠公路。太平洋—大西洋公路和中美洲公路交叉,前一条公路通该城。人口约 608 100(1989)。

特古西加尔巴市的国会大厦

供图:Ewing Galloway

Tehrān 德黑兰 又拼Teheran。伊朗首都,在厄尔布尔士山脉南麓,距里海 100 千米,贾吉河与卡拉季河之间,海拔1 200米,其南面是伊朗的中央高原。“德黑兰”一词源出古波斯语,teh 意为“温暖”,ran 意为“地方”。

德黑兰是在古伊朗首都列伊被毁后建立的,1220 年,列伊城遭蒙古人摧毁。公元前 330 年,征服者亚历山大大帝在追击波斯国王大流士三世时,曾在列伊驻扎。至今在德黑兰南面仍能找到列伊的遗迹。一般认为公元 4 世纪时德黑兰是列伊郊外一村镇,列伊衰败后,许多居民迁到德黑兰。第一位提及德黑兰的欧洲人是唐·鲁伊·冈萨雷斯·德克拉维霍,这位卡斯蒂利亚国王派往帖木儿朝廷的大使曾于 1404 年到过该城。16 ～ 18 世纪,德黑兰是波斯萨非王朝的若干统治者的家园。

1785 年,卡札尔王朝(1779 ～ 1925)创始人阿迦·穆罕默德汗占领德黑兰,并于 1788 年在此建都。此后德黑兰名声大振,并一直是伊朗首都。1925 年最后一位卡札尔国王被废黜之后,此城在礼萨·沙·巴列维(1925 ～ 1941)统治下大为扩展。1943 年,第二次世界大战同盟国美、英、苏首脑在此举行德黑兰会议。会议所作的决议中,有一项便是宣布伊朗独立。穆罕默德·礼萨·沙·巴列维统治时期(1941 ～ 1979),德黑兰迅速实现了现代化,部分原因是石油工业的飞速发展。随着 1979 年国王被推翻,以及伊朗伊斯兰共和国的成立,该城的发展受到经济和政治困难的阻碍。

德黑兰夏热冬凉。7 月平均气温 29 °C,1 月平均气温 4 °C。年平均降水量约 203 毫米,降雨期通常为 11 月至翌年 5 月末,12 月至翌年 2 月末也出现降雪。由于汽车增加和工业燃料用油的增多,空气污染日益严重。

德黑兰的民族构成与伊朗全境的构成颇为相似。居民大多数是穆斯林。波斯语为通用语言,但约有 1/4 人口讲阿塞拜疆方言。

由于 1925 年以来的迅速发展,德黑兰成为所有伊朗城市中东方情调最淡薄的一个。50 年代以来,市内建成许多 10 ～ 18 层的高楼。北部是时髦的新区,南部是旧城和集市区。重要建筑有西巴萨拉清真寺，巴哈斯坦宫(议会所在地)，沙姆斯乌莱马雷以及涅瓦兰宫。内有著名的孔雀御座和缀有珠宝的纳德利御座的葛雷斯坦宫，以及萨阿达巴德宫

德黑兰市的涅瓦兰宫
伦敦罗伯特·哈丁图片图书馆供图

和大理石宫如今已辟为博物馆。还有一个著名的考古博物馆和一个人种史博物馆。德黑兰大学、伊朗国立大学和阿利亚梅尔工业技术大学均设在德黑兰。

伊朗工业产品有一半以上产于德黑兰。工厂主要生产纺织品、水泥、糖、陶瓷、电器及药品等。列伊还建有一家汽车装配厂和一家炼油厂。

德黑兰有3条公路向北延伸，一条向西，两条向南，还有一条向东；伊朗国有铁路线向北、西北、南和东通向各地，还通过土耳其与横贯欧洲的铁路网相连接。

德黑兰与欧、亚主要城市及波斯湾国家有航空往来。国内航线还将首都与伊朗各主要城市连接起来。在德黑兰市中心以西10千米处是梅赫拉巴德国际机场，在穆尔盖和多尚达贝建有两个简易机场，可供小型飞机起降。人口6 758 845(1996)。

Tehrān Conference　德黑兰会议(1943-11-28～12-01)　美国总统罗斯福、英国首相丘吉尔和苏联部长会议主席斯大林举行的一次会议，主要议题为开辟欧洲"第二战场"。斯大林同意在东线的进攻与不久对德国占领下的法国发动攻击同时进行。德黑兰会议虽以军事问题占主导地位，但对政治问题的讨论却比以前任何一次盟国政府首脑会议为多。斯大林不仅反复提出他的要求，即苏联必须保持1939年《德苏互不侵犯条约》和1940年《俄芬条约》所规定的边界，并且声明，此外，它还要获得东普鲁士的波罗的海沿海地区。虽然最后讨论了解决德国问题的方案，但3位盟国领导人的态度均不明确；对于战后成立一个国际性组织的课题，他们的观点也含糊不清；在对待波兰问题上，西方盟国与苏联的意见有尖锐的分歧，斯大林表示他对伦敦波兰政府仍然反感。对盟国军队部分占领的伊朗，他们达成一项宣言(1943-12-01发表)，保证该国战后独立和领土完整，并允诺提供战后经济援助。

Tehri-Garhwāl　代赫里格尔瓦尔　印度北部北方邦北部的城镇。简称代赫里，傍帕吉勒提河，为农业贸易中心。方圆面积4 421平方千米，全部位于喜马拉雅山区。南部以恒河为界。水稻、大麦、小麦和油籽为主要农作物。原为代赫里君主国，1947～1948年并入联合省。人口：城镇12 249(1981)。

Tehuacán　特瓦坎　墨西哥中南部普埃布拉州东南部城市。位于东马德雷山脉特瓦坎谷地。海拔1 700米。1540年建。为墨西哥最古老的西班牙居民点之一。腹地产玉米、豆类、小麦、紫苜蓿、柑橘、葡萄和石榴；饲养牛、羊和猪。附近银、铅矿丰富。以矿泉水驰名，并装瓶行销全国各地。有酿酒厂。特瓦坎景色优美，气候宜人，有殖民时期建筑物，当地的米斯特克印第安人擅长制作手工艺品，因而成为旅游中心。通公路、铁路和航空线。人口172 510(1995)。

Tehuantepec, Gulf of　特万特佩克湾　太平洋大海湾。位于墨西哥东南部特万特佩克地峡南岸，从安赫尔港至巴拉-德尔苏恰特，长约500千米，湾口宽约160千米。沿岸多潟湖，最大的有苏必利尔湖等。萨利纳克鲁斯为湾岸最大居民点和主要港口。

Tehuantepec, Isthmus of　特万特佩克地峡　墨西哥南部的地峡。介于墨西哥湾的坎佩切湾和太平洋的特万特佩克湾之间，最窄处220千米。地峡为宽脊状高原。气候炎热，瘴气笼罩。受太平洋海风影响的高地，气候凉爽宜人。北部沼泽地有热带森林覆盖；南部靠太平洋的坡地较干燥。自西班牙征服者H.科尔特斯的时期起曾认为此地是沟通两大洋的最佳地点，但后来因修筑运河费用过高放弃。1907年从坎佩切湾畔夸察夸尔科斯到特万特佩克湾岸的萨利纳克鲁斯的铁路通车。萨利纳克鲁斯为自由港。特万特佩克城是特万纳印第安人文化中心，他们制作的黄金首饰富有特色。

Tehuelche　特维尔切人　南美印第安人。以前居住在从麦哲伦海峡到内格罗河的巴塔戈尼亚平原上，他们分为南北两支，各有自己的方言。北特维尔切人为骑马牧民，南特维尔切人则是以步行为其特征的。他们由于身高力大而在欧洲文学作品中极为出名。对于引进马以前的原始特维尔切人的文化，我们知之甚少，其社会、经济结构可能与火地岛奥纳人(**Ona**)相似。18世纪初引进马匹以后，改变了他们的生活模式和社会组织。他们像北美印第安人经营大平原一样，开发荆棘丛生的巴塔戈尼亚平原。他们以南美野生羊驼和美洲鸵鸟肉以及一些植物为生，但没有农业。南美大草原上猎手们人数增长很快，以群为单位集结；每群多至500个成员。这些骑手群从事狩猎和参加战斗。战斗的首领在作用上逐渐代替了亲属的首领。特维尔切人最后为欧洲移民所击败，并被同化。他们相信灌丛精灵及一名创世主神。

Teide Peak　泰德峰　西班牙加那利群岛特内里费岛中央一火山峰。位于从埃尔泰德山上部一火山口隆起的埃尔皮隆火山锥(高

位于加那利群岛特内里费岛埃尔皮隆火山锥顶的泰德峰
供图：K. Scholz/Shostal Assoc.

150米)顶之上，海拔3 718米，为全国最高点。泰德峰火山口的直径约80米。1789年西南侧最后一次喷发。埃尔泰德山位于1954年建立的泰德国家公园内。公园东北的伊萨纳建有国际太阳观测台。

Teignbridge　特格恩布里奇　英格兰德文行政、历史郡中南部一区。位于达特穆尔与海洋之间的廷河谷地。海岸风景优美，滨海的斯塔克罗斯、道利什和廷茅斯港等社区吸引了许多旅游者和退休人员。牛顿阿伯特是该区零售商业、服务业和行政中心，有电机、食品加工和印刷等轻工业。土壤肥沃，种植谷物、马铃薯和饲料。在道利什附近有花卉栽培业。内地有达特穆尔国家公园。在海托有一古老的采石场，其花岗岩约在1820年曾用于建造不列颠博物馆、国家美术馆和旧伦敦桥；石材用行驶在花岗岩轨道的电车运送至运河，再由水路运至廷茅斯。旧居住区有威德科姆(以其商品交易会著称)和阿什伯顿(一座旧采锡和产羊毛城镇)。面积676平方千米。人口约120 958(2001)。

Teignmouth　廷茅斯　英格兰德文行政、历史郡特格恩布里奇区城镇。位于廷河口湾北岸，濒临英吉利海峡。特奎特姆的撒克逊居住区于970年被荷兰人付之一炬，1338年和1690年又被法国人夷为平地。1831年建了一座码头，用于运输达特穆尔的花岗石来重建伦敦桥。有3 000米长的沙滩，为帆船比赛中心。人口13 528(1991)。

Teika　定家　参阅 **Fujiwara Sadaie** 藤原定家。

Teilhard de Chardin, Pierre　德日进(1881-05-01，法国萨塞那～1955-04-10，纽约市)　法国哲学家和古生物学家。他提出一种理论说，无论是在思想上还是在社会生活上，人类都是在进化，最终将达到精神的统一。他把

科学和基督教教义结合起来研究，宣称人类历史与十字架的道路十分相似。他所提出的若干理论遭到天主教内和他所属的耶稣会内一些人的非议。1962 年天主教圣职部警告信徒不要轻信他的见解，但对他的奉献精神不表怀疑。德日进 10 岁入蒙格雷耶稣会学院，专心学习地质学和其他规定学科。24 岁任埃及开罗耶稣会学院教授。1912年受神职。

供图：© Phillippe Halsman

在第一次世界大战期间担任战地救护，后来在巴黎公教学院任教。1923 年第 次赴中国进行古人类学、地质学和其他问题的考察。第二次世界大战期间他滞留中国。“北京人”头盖骨的发现与他有关，他对亚洲的成层沉积和各地层之间的相互关系以及化石年代有新的探索。1938 年他的《人的现象》一书脱稿，其他著作有《人类的出现》(1956)等哲学论文集和有关哺乳动物古生物学的研究报告。德日进 1946 年返回法国。后来迁居美国，曾受纽约市温纳-格伦基金会委托，前往南美洲考古。

Teirlinck, Herman (Louis-Cesar) 泰尔林克(1879-02-24，比利时圣扬斯-摩伦贝克～1967-02-04，贝尔瑟尔) 佛兰芒语小说家、诗人、散文家、剧作家。他的剧作曾对第一次世界大战后的欧洲戏剧产生过影响。第一部作品是《诗集》(1900)，不久又在小说创作中表现出文学才华，他在这方面的精湛技巧和题材的多样化构成了他整个文学生涯的特点。《奇妙的世界》(1902)是一部幻想故事集，以佛兰德农村地区为背景。《魔鬼在活动》(1904)、《象牙猴子》(1909)的情节则发生在布鲁塞尔。早期文学创作中最重要的事件是于 1908 年出版了一部愤世嫉俗而又情趣横生的小说《塞扬松》，它的优雅风格与荷兰小说的传统适成鲜明对照。第一次世界大战以后，表现主义成为佛兰芒语文学中占统治地位的思潮。戏剧则在这种环境中开始繁荣起来，佛兰芒语的民间戏剧成了欧洲最富独创性的剧种之一。此时，泰尔林克又提出了“总体戏”的概念，将舞蹈、模拟笑剧、音乐、电影效果和中世纪奇迹剧融于一体。他最著名的戏剧是《慢镜头影片》(1922)和《没有躯体的人》(1925)。第二次世界大战期间又重新写小说。《镜中人》(1955)被认为是他在第二次世界大战后的最佳作品。

Teishebaini 特什拜尼 古代乌拉尔图设防的市镇，在今亚美尼亚埃里温附近的卡米尔布鲁尔山上。经俄国人发掘，山顶有一堡楼，其中有150来个房间。主要出土物品有镶有

特什拜尼出土的青铜马头

选自：B. B. Piotrovsky, *Urartu; the Kingdom of Van and its Art*

青铜附件的木凳，特什拜神(该镇以此命名)的小型雕像，大量的金银珠宝，各种青铜制的武士装备，大量的石印和石串珠，象牙雕刻品，以及陶制器皿。该堡楼可能毁于公元前 6 世纪。

Teispes 泰斯帕斯(活动时期公元前7世纪中叶) 波斯国阿契美尼德王朝初期的国王(约公元前 675 ～约前 640)。大流士一世和居鲁士二世的先祖。可能是阿契美尼德王朝创建人阿契美尼斯之子。他统治波斯湾以北的埃兰的安申地区，力图在当时的两大强国埃兰和亚述之间保持中立地位。泰斯帕斯临终将国土分为两部，由两个儿子阿里亚拉姆尼斯和居鲁士各自统治；一说由他规定，他死后由长系和幼系交替继承王位。

Teisserenc de Bort, Léon(-Philippe) 泰塞朗·德博尔(1855-11-05，巴黎～1913-01-02，法国戛纳) 法国气象学家，发现平流层，为进一步研究高层大气铺平了道路。1880 年他在巴黎全国气象管理中心的气象部开始他的事业，1883、1885 年游历非洲，1887 年研究地质学和地磁学，1892 年任全国气象管理中心的首席气象学家。4 年后退职，在凡尔赛附近的特拉普创办私人气象观测所。他是使用装载仪器的无人气球的先驱者之一，曾用以探测大气特性。他发现在大约 1.1 万米高度以上，大气的温度相对地保持不变。1900 年他断定大气应分为两层：下部是对流层，其中温度经常改变，引起天气变化；上部是平流层，其中温度不变，他认为该层是天气状况不变的气层。

Teixeira Pinto (Guinea-Bissau) **特谢拉平图** 参阅**Canchungo** 坎雄戈。

Tejano 特哈诺 融合墨西哥、欧洲和美国音乐风格的流行音乐类型。19 世纪中叶，随着德国、波兰和捷克移民将手风琴传入美国得克萨斯州而开始发展起来。特哈诺(西班牙语，意为“得克萨斯人”)基于所用乐器和配器方法之不同，有三种形式。最初的形式称作孔浑托，人们认为它比墨西哥流浪乐队的马里亚奇乐地位更低，以手风琴演奏主旋律，以 12 弦吉他和低音吉他伴奏节奏。最初的曲目包括华尔兹、波尔卡、玛祖卡等。现代的孔浑托加入了全套鼓，电吉他取代了木低音吉他。20 世纪 20、30 年代最著名的孔浑托艺人是手风琴家 P.阿亚拉和 N.马丁内斯；在 40 年代末 50 年代初孔浑托的黄金时代，则有 T.de la 罗塞和 L.希门内斯。30 年代出现了特哈诺的第二种主要形式班达(乐队)，或称奥奎斯塔(交响乐队)。特哈诺乐的大乐队，最著名的是贝托·比利亚交响乐团，融入了墨西哥民间音乐和孔浑托音乐。到 50 年代中期，乐队主唱 I.洛佩斯使低声吟唱成为班达的主要特色，他在管弦乐配器中加入了 12 弦吉他和手风琴，但是后来 O.马丁内斯组织的班达乐队则以铜管乐器为主，其中包括两个小号、中音和次中音萨克斯管、吉他、贝斯和鼓，使班达乐在 70 年代达到顶峰。特哈诺的第三种音乐形式格鲁波起源于 60 年代，虽然它的曲目大多数与孔浑托相同，但是取消了小号、萨克斯管和手风琴，以键盘和合成器为基础。格鲁波最著名的歌手塞莱娜在国际上享有盛誉，不幸的是她在 1995 年被杀。特哈诺反映了 20 世纪后半叶美国的墨西哥文化不断发展的全盛期，进入 21 世纪后，它的三种形式依然受到欢迎。

Tejo, Rio (Europe) **特茹河** 参阅 **Tagus River** 塔古斯河。

Tekakwitha, Kateri 特卡奎萨(1656，新尼德兰奥瑟奈农？～1680-04-17，加拿大魁北克卡纳瓦加) Tekakwitha 又拼 Tegakwitha 或 Tegakouita。北美洲印第安人女天主教徒，第一个被天主教会提名追谥圣人的印第安人。4 岁时全家染天花，唯她本人幸存，但身体软弱。与叔父一同生活，叔父反对天主教。她 11 岁眼见过路的 3 名耶稣会会士的言行，深受感动，遂仿效他们的榜样。20 岁时开始学习天主教教理，由耶稣会教士兰伯维尔施洗接纳入教。由于本村人纷纷与她为难，用石块打她，并扬言要对她施以酷刑，她奔走 322 千米逃到蒙特利尔附近印第安人的圣方济各·沙勿略教堂。在该地人们称她为莫霍克人的百合花。

Tekapo, Lake 特卡波湖 新西兰南岛中部湖泊。位于南阿尔卑斯山东麓。为冰碛物堰塞湖。该湖长 11 英里(18 千米)，宽 3.5 英里，面积 37 平方英里(96 平方千米)。湖流域面积 550 平方英里。水深约 620 英尺(190 米)。湖面海拔2 346英尺。湖水泄入特卡波河。湖上建有水闸向下游各水电站供水。湖的水位变化可达 25 英尺。Tekapo 一名源自两个毛利语词：taka 或 teka 意为“睡垫”，po 意为“夜”。

Teke, Kingdom of (African history) **特克王国** 参阅**Anziku, Kingdom of**安齐库王国。

Tekirdağ 泰基尔达 原称罗多斯托。土耳其欧洲部分泰基尔达省城市和省会。濒临马尔马拉海。可能为公元前 7 世纪建立的希

腊居民点。公元前1世纪成为色雷斯首都。公元14世纪后半期被奥斯曼突厥人占领。后相继被俄国(1877～1878)、保加利亚(1912)、希腊(1920～1922)占据。数百年间为阿德里安堡(今埃迪尔内)地区的港口。1896年爱琴海沿岸的亚历山德鲁波利斯(现在希腊境内)成为马里查河上的铁路终点站后,它日趋衰落。历史建筑有鲁斯泰·帕夏清真寺和有顶篷的市场,据说均由16世纪著名建筑师锡南设计。现为地区农产品市场,位于自希腊边境伊普萨拉通至伊斯坦布尔的公路干线上,有公路通至穆拉特勒,然后连接埃迪尔内—伊斯坦布尔铁路。全省面积6 469平方千米,基本上是农业区,耕地所占比重(约50%)较国内其他许多省份大。主要出口品是亚麻、葵花籽,而葡萄园和葡萄酒也有名。人口约80 207(1990)。

tekke (Islām)　参阅 **zāwiyah** 扎维亚。

Tekke carpet　特克地毯　土库曼斯坦的特克土库曼游牧部落制作的铺地用品。过去当作皇家布哈拉地毯出售,被认为是最好的土库曼地毯。大尺码地毯的标准图案是一行行

19世纪土库曼斯坦制作的特克地毯
纽约大都会艺术博物馆供图

颜色繁杂、叶片丛生的菱形饰,这是特克部落的象征。菱形饰一般由长方格图案的深蓝条纹连接起来,和一行行星形饰相间排列。小尺码地毯图案如贮存袋袋面图案或称佐瓦图案,菱形饰可能是平扁的,相间于一系列长方格子中。大边图案错综复杂,两端和中间不同。整个地毯的基本用色为红色,从鲜红、酒红,一直到猪肝色,色层很广。拴扣精细,一般是波斯生纳扣,用料为绵羊毛或山羊毛,质地均属上乘。毯面露毛不长,因此毯子薄而柔顺。

tektite　玻璃陨石　任何一类只发现于地球表面某些地区的、成因不明的小型天然玻璃状物体。这个术语源于希腊语词 tēktos,意为"熔融的"。玻璃陨石直径变化范围从几十微

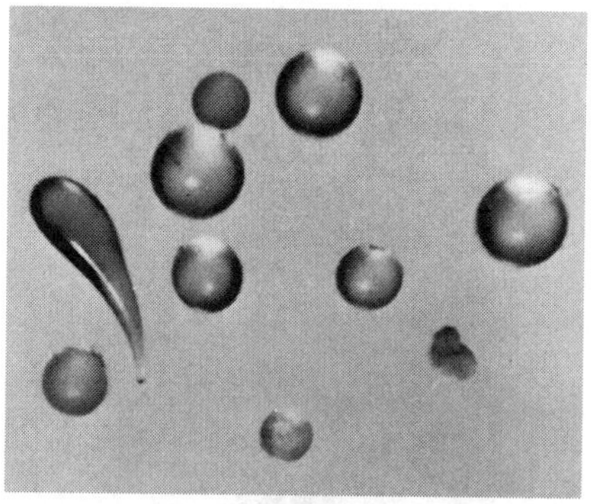

图1　散布于澳大拉西亚地区的微玻璃陨石(放大28倍)
供图:B. P. Glass

米到大约10厘米之间。那些大于几毫米者都富含硅;它们有点像地球上的黑曜岩,但是不同于黑曜岩和其他陆地火山玻璃之处在于它们含水量较低。用喷灯加热黑曜岩会起泡沫;玻璃陨石熔融只形成少许气泡。在化学成分上,玻璃陨石以其钠、钾含量较低,钙、镁、铁含量较高而进一步区别于酸性火成岩(花岗岩)。在显微镜下,玻璃陨石看起来缺少地球上火山玻璃所特有的微晶。由陨石冲击所产生的一些地球玻璃物质大致具有与玻璃陨石相同的成分,但这些陨击玻璃总是含有一些来自母岩的未熔融物或部分熔融物。这样的包裹物在玻璃陨石中还从来没有发现过。1968年首次发现的毫米级和更小的微玻璃陨石比起大玻璃陨石来,成分有较宽的变化范围,也就是说,它们的二氧化硅含量可以低到50%,与地球上的玄武岩相似。微玻璃陨石迄今为止仅仅在深海沉积物中发现,可能是由于在较丰富的和颗粒较粗大的陆地沉积物中区分它们较困难。它们不同于火山灰之处在于其圆润的外形和成分,对于含硅质较多的微玻璃陨石来说,其成分与大玻璃陨石是相同的。

形状和标志　玻璃陨石可以分为4种主要类型:①微玻璃陨石;②芒农型玻璃陨石;③飞溅型玻璃陨石;④澳大利亚玻璃陨石。微玻璃陨石(图1)直径小于2毫米。它们的形状经常近似球状,少部分呈扁球状,有些呈杆状、泪滴状和哑铃状。这些形状可以被整体描述为那些旋转液滴所具备的典型形状。

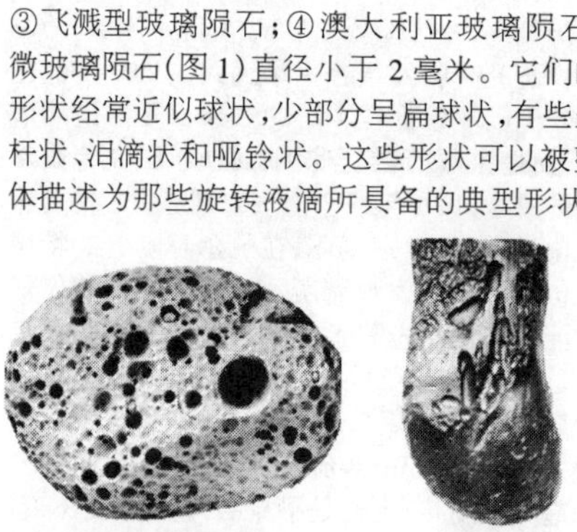

图2　飞溅型玻璃陨石
供图:(左上)美国国家博物馆;(右上)巴黎国家自然史博物馆

一些微玻璃陨石也显示出曾被侵蚀,有深的沟或者坑。芒农型玻璃陨石是以其首次被发现的一个越南的地点而命名的,其大小为厘米级到分米级,包括已知最大的玻璃陨石。它们为块状,常常呈小片状,又经常显示出分层结构,每一层的厚度约1毫米。飞溅型玻璃陨石(图2)形状像微玻璃陨石,但约大100万倍。它们被发现的大多数呈球状、扁球状,少数呈哑铃状、独木舟状、泪珠状、铁饼状和圆筒状。飞溅型玻璃陨石总有腐蚀的痕迹。两种最常见的腐蚀类型是:各种大小的半球型凹坑系统和长度大于宽度几倍的直沟系统。在特定的标本上,直沟的宽度是均一不变的。在扁球状标本上,沟趋向于与标本的赤道相垂直。一些玻璃陨石也在整个表面上显示出弯曲的沟纹,就像蠕虫爬痕一样,而另一些玻璃陨石则在边缘上显示出切口或锯

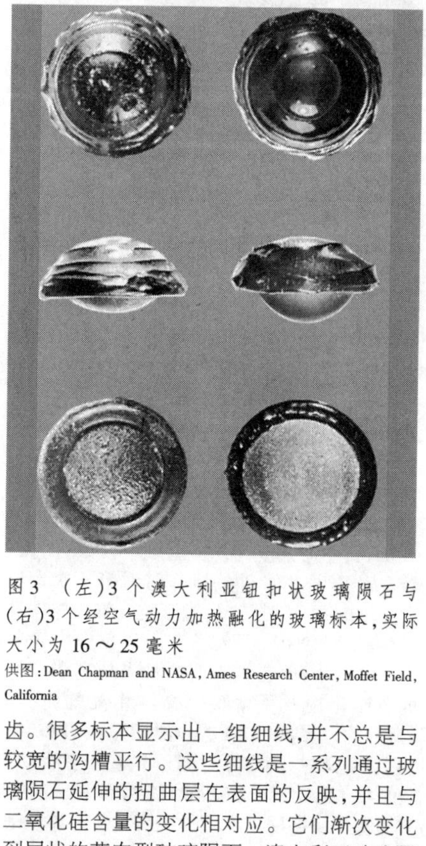

图3　(左)3个澳大利亚钮扣状玻璃陨石与(右)3个经空气动力加热融化的玻璃标本,实际大小为16～25毫米
供图:Dean Chapman and NASA, Ames Research Center, Moffet Field, California

齿。很多标本显示出一组细线,并不总是与较宽的沟槽平行。这些细线是一系列通过玻璃陨石延伸的扭曲层在表面的反映,并且与二氧化硅含量的变化相对应。它们渐次变化到层状的芒农型玻璃陨石。澳大利亚玻璃陨石和相关的类型约占澳大利亚发现的玻璃陨石的10%。它们显示出特有的透镜形状,在边缘周围有一附连的凸缘(图3),整体上呈现冰淇凌杯碟的形状。杯碟的下侧叫做前侧;冰淇凌的表面是后侧;杯碟的边缘是凸缘。在前侧上发现有低矮的环形脊,具有与标本整个外形相一致的同心圆状。有一组细线脊从中心放射出去。当把带凸缘的澳大利亚玻璃陨石加以切片时,扭曲纹层就表明熔融玻璃从前侧向后拖拉,并在凸缘上盘绕。带凸缘的澳大利亚玻璃陨石显然是由那些很像飞溅型玻璃陨石的物体通过在前表面上受热和熔融而形成的。飞溅型玻璃陨石与澳大利亚玻璃陨石之间的过渡类型已被重新发现,其中的一些("核心"),其部分或全部凸缘逐渐消失,另一些则只有清楚的透镜形状,带有尖锐的龙骨。

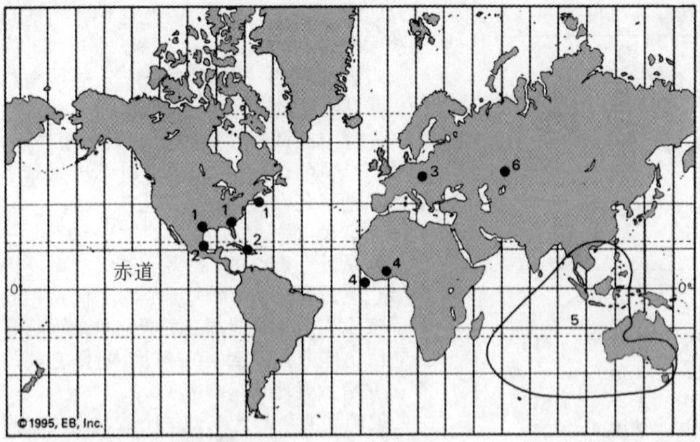

图4 玻璃陨石的全球分布
1 北美玻璃陨石(得克萨斯、佐治亚、马萨诸塞)——3 300万年
2 利比亚沙漠玻璃——2 600万年,玻璃陨石?
3 莫尔达维玻璃陨石(捷克共和国)——1 500万年
4 象牙海岸玻璃陨石(陆地和海洋)——100万年
5 澳大拉西亚玻璃陨石(陆地和海洋)——75万年
6 (毛里塔尼亚)阿维鲁尔陨石坑玻璃——30万年,玻璃陨石?
美国不列颠百科全书公司供图

一些玻璃陨石有带平滑光亮表面的内部空隙。这些空隙有时在压强大于百万分之几个大气压的情况下包含有氦和氖;另一些空隙在压强稍小于一个大气压的情况下含有大气气体。

分布 玻璃陨石只发现于被称作玻璃陨石散布区(见图4)的一定地区。北美玻璃陨石散布区年代已达3 300万年,那里有着几万个玻璃陨石,大多数是飞溅型的,但也有少数芒农型玻璃陨石和少数果核状标本。捷克共和国玻璃陨石散布区年代已达1 500万年,产出几万件标本,基本上与北美地区发现的属相同类型。象牙海岸玻璃陨石散布区产出几百件玻璃陨石,年代约100万年。其标本之大多数是飞溅型的,但有少数据推测是趋向于果核型的。在象牙海岸地区,微玻璃陨石只发现于利比里亚海岸以外。这些微玻璃陨石的大多数在成分上可与较大的象牙海岸玻璃陨石相比,但大约5%有更多的碱性成分。澳大拉西亚玻璃陨石散布区从中国南部经马来群岛延伸到澳大利亚和塔斯马尼亚。微玻璃陨石的发现物,包括百分之几的深绿色类型,表明其散布区也覆盖了印度洋的大部而几乎远伸至马达加斯加。数百万件标本被再次发现,大多数是飞溅型的,但相当大量的芒农型标本则发现于老挝、泰国和越南南方。

玻璃陨石的化学与岩石学研究 如果把微玻璃陨石也包括在内,那么,玻璃陨石的成分变化范围就从在某些方面同地球上超基性岩相似的各种玻璃质,一直到比地球上任何火成岩的酸性都更高的各种岩石。SiO_2含量是用来测定其他氧化物含量标准的便利的参数。当SiO_2含量为58%~85%时,几乎所有氧化物都有随SiO_2含量降低而稳定升高的趋势。例外的情况是K_2O,它与SiO_2含量呈正相关。当SiO_2含量为50%~58%时,一种新的趋势又显示出来:Al_2O_3含量稳定,而MgO含量则比起较高的SiO_2值来说上升得更快。一般的玻璃陨石(典型的是含SiO_2约70%)在成分上与花岗岩非常相似,只是Na_2O和K_2O含量贫乏一些,而MgO和FeO含量较丰富。这些趋势与介于页岩与砂岩之间的岩石里所发现的相似。在地球的火成岩中没有发现类似的东西;这样,一般认为,如果玻璃陨石是地球上起源的,那么,它们应该是来自沉积岩,而不是来自火成岩。

精确的分析表明,玻璃陨石中的水含量只有约1/10 000,远远低于地球上火成岩或沉积岩中的值。与玻璃陨石成分最近似的地球岩石相比较,玻璃陨石缺乏其他易挥发的(熔点较低的)元素,特别是铜、铅、锡、铊、铟和铋等。玻璃陨石也与地球上的岩石同样缺乏镍、钴和各种贵金属(例如金和铂)。

关于玻璃陨石历史的很多信息可以通过放射性同位素的研究而获得。这些放射性同位素中最重要的是^{40}K,它衰变成为^{40}Ar的半衰期是9亿年。强烈加热物质时,^{40}Ar就被排出。这样,通过把存在于玻璃陨石内的^{40}K同^{40}Ar的含量加以比较,就能测出这种物质是在多少年前最后完全熔化的。对于玻璃陨石散布区的上述年龄值是通过钾-氩测年法而测得的。

铀的同位素^{238}U也可以通过自发裂变而衰变。由裂变产生的粒子之径迹留在玻璃内,并可在几百万年后通过蚀刻磨光面而追踪出来。把径迹数与铀的数量加以比较,可得出玻璃是在多少年前最后完全熔化的。

穿过地球大气层以外空间的物体经受到原宇宙射线的作用,并产生大量放射性同位素,特别是^{26}Al。这种东西在玻璃陨石中寻求多次均未成功,它的不存在,很可能意味着玻璃陨石作为空间中一个孤立物体远远小于100万年。也可以就由原宇宙射线与玻璃陨石中的原子核相碰撞产生的裂变碎片造成的径迹来考查玻璃陨石。可以区别这种方式产生的径迹与^{238}U产生的径迹。这种径迹在玻璃陨石中完全缺失,就决定了玻璃陨石在太空中居留的时间上限是大约1 000年。

从玻璃陨石具备其现有的化学组成起所经历的时间,可以用出现于放射性蜕变链的同位素对来测定,这些同位素对有:^{87}Rb及其蜕变形成的^{87}Sr;^{238}U与^{206}Pb;^{235}U与^{207}Pb;^{232}Th与^{208}Pb。要点在于铷、铀和钍通过导致熔岩形成的作用过程而富集在火山岩中。这样,放射性作用最终产物(即锶与铅)的产生率就极大地提高了。因为在玻璃陨石中,铷与锶的比率有相当大伸展范围,所以可算出锶同位素比率$^{87}Sr/^{86}Sr$的初始值(因为^{86}Sr是非放射成因的同位素,不参加放射性作用,故可以被使用),还可以算出从熔岩产生开始的时间长度。这个方法的直接应用给出的年龄

表1 玻璃陨石及可能与玻璃陨石相关之玻璃的散布区

编号(见图4)	名称	年龄(百万年)	类型:微玻璃陨石	类型:芒农型玻璃陨石	类型:飞溅型玻璃陨石	类型:澳大利亚玻璃陨石	备注
1	北美玻璃陨石 即贝迪亚玻璃陨石(得克萨斯)、佐治亚玻璃陨石	33	–	×	×	–	Mg、Ca值很低
2	利比亚沙漠玻璃	26	–	×	–	–	可能无关,发现于埃及,而非利比亚,几乎是纯SiO_2
3	莫尔达维玻璃陨石	15	?	×	×	×	发现于捷克共和国,而非莫尔达维亚,富含Si、K
4	象牙海岸玻璃陨石	1.0	×	–	×	?	Na比K更丰富
5	澳大拉西亚玻璃陨石 即澳大利亚玻璃陨石、勿里洞玻璃陨石、达尔文玻璃、印支玻璃陨石、爪哇玻璃陨石、雷公墨(中国)、菲律宾玻璃陨石(二黎刹玻璃陨石)、泰国玻璃陨石	0.75	×	×	×	×	可能与达尔文玻璃无关;它很像阿维鲁尔陨石坑玻璃
6	阿维鲁尔陨石坑玻璃	0.3	–	×	–	–	可能无关,SiO_2约85%

表 2 玻璃陨石及类似物质的化学成分

	澳大利西亚玻璃陨石				欧洲莫尔达维玻璃陨石	北美洲贝迪亚玻璃陨石	象牙海岸玻璃陨石	利比亚沙漠玻璃	亨伯里杂砂岩	花岗岩平均成分
	微玻璃陨石		澳大利亚玻璃陨石	芒农型璃陨石						
	基性的	一般的								
SiO_2	56.8	64.2	73.45	81.36	80.07	76.37	68.02	96.20	77.40	74.22
TiO_2	0.6	0.6	0.69	0.47	0.80	0.76	—	0.23	0.77	0.20
Al_2O_3	8.0	11.0	11.53	8.87	10.56	13.78	16.39	0.70	10.92	13.61
Fe_2O_3			0.58	0.39	0.15	0.19	0.57	0.53	3.01	
FeO	8.4*	9.6*	4.05	2.81	2.29	3.81	5.99	0.24	1.28	1.83*
MgO	20.6	7.2	2.05	1.14	1.46	0.63	3.32	0.01	2.07	0.27
CaO	2.9	3.3	3.50	1.00	1.87	0.65	1.12	0.30	0.65	0.71
Na_2O	0.8	1.8	1.28	1.17	0.51	1.54	2.06	0.33	0.91	3.48
K_2O	0.3	1.5	2.28	2.26	2.95	2.08	1.88	0.02	2.86	5.06

* 当作 FeO 计算的。

值趋向于比 1 亿年要低，这样就太小了，以致不能准确测定。但是，如果可能的挥发效应被考虑进去，并假设$^{87}Sr/^{86}Sr$的初始值可以是预先知道的，那么，大多数玻璃陨石似乎有 3 亿年的年龄值，而来自象牙海岸的那些玻璃陨石则被解释为已有 20 亿(2×10^9)年的年龄值。

玻璃陨石的起源问题 好像来自月球以外的陨星含有积累的同位素和相当于居留太空数百万年之裂变径迹。对于玻璃陨石来说，上限是大约 1 000 年，这样一来，似乎它们不可能来自月球以外。

玻璃陨石在地球上局限性的分布也使人们推想它们是局部化起源的，因为玻璃陨石雨显然只有轻微的扩散。穿过地球轨道附近空间运行的一群宇宙物体，将在太阳的差异引力吸引作用下被拉开和分散掉，除非它们的平均密度比水密度的百万分之一要大。具有这样密度以及直径等于澳大拉西亚玻璃陨石散布区大小的玻璃陨石云覆盖这个地区达几米厚，这是没有观察到的；这再一次指出玻璃陨石起源于月地系统内部。

第 12 次“阿波罗”登月飞行带回的标本中有一件在主要元素成分上与采自爪哇的一些玻璃陨石有很强烈的相似性。但是，在稀土元素以及钡、铀和钍方面，则存在很大差异。因此，那个标本是否真正是玻璃陨石物质，也就存在着争论。

支持玻璃陨石的地外起源以及可能是月球起源的一个重要论据来自对澳大利亚玻璃陨石的空气动力学研究。D.R.查普曼拿了一些玻璃陨石玻璃镜片，让它们对着由弧形喷口喷出的加热气流。这种玻璃向后流动，并形成类似于在澳大利亚玻璃陨石上见到的那种凸缘。相似性不仅仅是在外形上，薄切片表明天然玻璃凸缘和人工玻璃凸缘都显示出一种特殊的褶皱。这些研究对于带凸缘的澳大利亚玻璃陨石由空气动力消融作用(即由于空气摩擦熔融所引起的熔蚀)形成只留下了很小的疑问。对有关条件的数值分析表明，如果物体以很陡的角度(相对地平线方向)进入，那么为了形成这种消融作用就需要 11 千米/秒这一数量级的速度。对坡度很小的轨道来说，所观察到的消融作用可以由与地球卫星速度 8 千米/秒相近的速度产生。

查普曼和其他学者还宣称，玻璃陨石要从大地表面通过大气而逃逸在物理学上是不可能的，除非大气层以某种方式整体移动，或者除非空气与玻璃陨石一起运动。如果玻璃陨石的速度不减低到与空气速度大致相等，它们就不可能穿过约大于 1% 正常大气层厚度的距离。

似乎能支持玻璃陨石非地球起源的第二点是这样一个事实：很多玻璃陨石都由含水分很少的、水泡(气泡)小于 1% 的均质玻璃组成。典型的地球岩石和土壤含水量多于 5‰。当加热时，这么多水分足够形成那么多气泡，在大气压力下，这些气泡总体积将是玻璃中的 30 倍或更多。如果玻璃陨石是地球上起源的，则这些水泡应已形成和跑掉。对于半径约 100 微米的典型水泡和黏度为 10^2 泊来说，相当于大约 1 800 °C的情况下，要在地球表面那样大的重力吸引下，将水泡移动 1 厘米就需要大约 15 分钟；但是，在飞行中，玻璃陨石经受的不是重力，它在几秒钟内就会冷却到 1 800 °C以下，以至于水泡如果已经形成，也会保留下来。

反对玻璃陨石月球起源的论述有重要的论据。最重要的一点是，对月球表面的分析没有发现任何具有玻璃陨石成分的地区。如果它们存在，这样的地区也是局限的。因此，关于玻璃陨石是因为陨星冲撞而由月球抛撒出来的推测，也需要一种机制足以破坏产生的玻璃陨石之大部分并只允许其中的酸性成分保留下来。另一种可能性是玻璃陨石并非由冲撞抛出，而是由火山作用抛出；地球上爆发的火山总是酸性的，但没有人宣称相似种类的酸性火山作用可以在月球上存在。

反对月球起源的第二个论据是玻璃陨石在地球上的局限性分布。人们已提出了详细的力学机制，通过这种机制，从一些月球火山口抛射出的物质可以分布到地球上的局部地区，这就是玻璃陨石散布区。但是，计算表明，那些第一次未打中地球而进入围绕太阳运动的轨道的玻璃陨石终于要被地球俘获，而它们在地球上的分布应该是完全均一的，这又完全与事实不符。如果玻璃陨石来自月球，那末在空间就应该存在一种力学机制，在较短时间内将它们破坏，以至它们不可能从围绕太阳运动的轨道返回地面。

玻璃陨石的成分与地壳成分强烈地相似。月球物质的岩石学分析表明，月球产生出与地球上玄武岩广泛相似的玄武质岩石；但是，玻璃陨石的月球起源会暗示出月球上有类似地球花岗岩的岩石存在。

对玻璃陨石气泡中气体的分析表明，一些气泡是近于真空的，而另一些气泡则充满氧、氮、氩，其比例与大气层中的比例是相同的。气泡不像是有泄漏。如果当玻璃陨石是液态时这些气体就封存在气泡内，则它们的存在就暗示着地球起源。

玻璃陨石散布区与地球上的撞击坑之间的对比，可用来支持玻璃陨石的地球起源论。例如，象牙海岸玻璃陨石出现的地方距离加纳的波松特维陨石坑 300 ～ 1 600 千米；玻璃陨石和陨石坑的年龄都是 100 万年。波松特维陨石坑玻璃与象牙海岸玻璃陨石之间，在化学成分、Rb/Sr 比率、K-Ar 年龄、Pb/U 比率和氧同位素比率方面都能追索到相似性。虽然，对于任何一个标准来说，单独这种关系是软弱无力的，但是累积的效应却是令人信服的，这样一来，陨石坑与玻璃陨石之间的成因联系就为大多数权威所主张。

因为很多玻璃陨石都含有 Fe-Ni 质小球粒，就有如下可能：如果玻璃陨石是在地球上形成的，那么彗星或陨星撞击就会与这一事件联系起来。它们的成分让人推测撞击应当发生在具有砂岩成分的物质中。在澳大拉西亚和象牙海岸玻璃陨石群的情况下，这些区域应当含有百分之几的非普通的辉石岩(为了解释深绿色的微玻璃陨石)。为了覆盖澳大拉西亚玻璃陨石散布区，粒子被加速的速度应该大到 6 千米/秒，但是，从它们缺乏世界性分布来看，更高的速度应该是很少有的。为了解释较均一玻璃的形成和很短时间内失去水分，玻璃陨石形成的地区所达到的温度应该是 2 000 °C或更高。在撞击的地点，大气应当被排除掉，否则它就应与玻璃陨石一起向外运动，并具有一个相对于它们来说每秒几十米的速度。

这样看来，要毫不含糊地确定玻璃陨石的起源是地球或是月球，甚至是月球以外的空间地点，还有困难。在足够的反面证据能得到满意的解释之前，玻璃陨石的起源问题应是悬而未决的。

Tel Aviv-Yafo 特拉维夫-雅法 又拼 Tel Aviv-Jaffa(或 Joppa)。以色列的地中海沿岸城市及最大的城市中心。1950 年古代港口雅法与其以前的郊区特拉维夫合并建市。

雅法是一座古老的迦南城市，15 世纪由埃及图特摩斯三世的将军瑟蒂攻占，成为埃及新王国的一个省府。《旧约》认为该城属但支族，但早期仍为非利士人所控制，后为以色列国王大卫和所罗门占领，所罗门利用该城作为自提尔河漂流下来的黎巴嫩木材的登陆港口。公元前 701 年，亚述国王辛那赫里布夺取了雅法，于是该地属于阿什凯隆。后被波斯人统治，但公元前约 350 年，该地是独立的。被亚历山大大帝征服后，为托勒密所占据。在马加比时代，叙利亚人镇守该地。在公元前148年被以色列的约拿单占领，后又被西门夺回，派有一支驻军，并完成其港口工程。公元68年罗马皇帝韦斯巴芗在去耶路撒冷途中占领该地；此时凯撒里亚这一优越的人造海港和港口城市已使雅法逐渐衰落成为一不合格的港口。在基督时代，该地成为主教辖区。1126年被十字军占领，1187年又为萨拉丁所控制。1191年为英格兰理查一世所收复，1196年再度丧失。1345年由于有灭绝之虞的新十字军，雅法被夷为平地而其港口也被埃及的马木路克（Mamlūk）所堵塞。17世纪末又重新发展成为海港。

特拉维夫-雅法市哈亚尔孔大街旁的海滩

供图：© Wermer Braun

雅法有悠久的历史，但特拉维夫仍是一个比较新的城市，创建于1909年。当时移民涌入，雅法的犹太人区有人满之患。特拉维夫的犹太复国主义创始人着手建立一个欧洲式的郊区，有笔直宽阔的街道、公园、现代都市设施和服务业，特拉维夫以赫茨尔的小说《阿特纽兰》（1902）命名，此名译成希伯来语为特拉维夫（特拉意为"小山"，维夫意为"春天"；因此，此词意为"春天的小山"）。第一次世界大战时，特拉维夫的人民和雅法的犹太人都被土耳其军事当局怀疑他们同情正在前进的英国军队而被驱往北方。在将近一年中移民区中几乎没有人迹。在1917年11月10日英国人占领了雅法和特拉维夫之后数月，许多居民才重返家园。由于发表了《贝尔福宣言》和巴勒斯坦成为英国托管地（1923～1948），犹太移民大量涌入，1920年该地开始有了新的成长。在雅法爆发了反犹太人暴乱后，特拉维夫于1921年同雅法分开并建镇。1926年特拉维夫人口达到38 000人，该市成为一个繁荣的商业中心。30年代初德国纳粹得势，大批移民拥入英属巴勒斯坦寻求避难，其中大部分人在城镇及周围定居，随后城市发展迅速。1933年末，特拉维夫人口超过雅法人口，至1936年人口增至130 000，使特拉维夫成为巴勒斯坦最大和最重要的城市。雅法于1948年第一次阿拉伯-以色列战争期间，向犹太军队投降，65 000阿拉伯居民几乎全部逃走，犹太移民占领了一个几乎没有人迹的城市。在成立以色列国（1948）之后的数年，特拉维夫人口再次增长。1950年特拉维夫同雅法合并，名称为特拉维夫-雅法。此后该城成为以色列主要的商业、交通和文化中心。市区为该城中心，人口约2 000 000，即以色列全部人口的1/3左右。

现代的特拉维夫-雅法是一个狭长的城市，濒临地中海，沿以色列中南部海岸延伸约10千米。该城建在与海岸线大体平行的3条低矮的砂石小山脊上。这些小山脊对城市的布局有决定性的影响，山脊之间的低地有数条南北走向的长街，还有一些横跨山脊间空隙的东西走向的短街。中央商业区在特拉维夫旧区，为以色列经济中心，南面和东面是主要的制造业区。政府部门多在商业中心的东北。再向东和南，为一片房屋鳞次栉比的地区；内有一些大郊区：拉马特甘、吉夫阿塔伊姆、巴特亚姆和霍隆。

超过半数的以色列工厂都设在特拉维夫大都会区，主要工业是纺织和服装、食品和烟草、金属和制造工艺、车辆和运输设备、钻石抛光、家具木器、印刷出版、电器、电子仪表和设备等。以色列唯一的证券交易所设在特拉维夫，几乎所有银行、保险公司和在以色列营业的其他企业的总部都设在特拉维夫。以色列的报纸、期刊和书籍多在特拉维夫出版。该市也是以色列重要旅游业的中心，有许多旅馆，北部的滨海风景区赫茨利亚是该地区仅有的另一旅游中心。

以色列以公路交通为主，特拉维夫是主要国道的中心和所有主要公共汽车和货车公司的大本营。有两个小火车站，北部有通往海法的铁路车站，东南部为耶路撒冷—贝尔谢巴铁路的车站。东南14千米的卢德机场是一座国际机场。雅法港原是国内第二大港，自特拉维夫南面31千米的现代化港口阿什杜德启用后，已于1965年关闭。

特拉维夫大学由3所教学用的主要地区医院组成，于1953年创建，1956年开学。巴尔-依兰大学为设在拉马特甘的宗教大学，1953年创立。此外尚有几所拉比学校和神学院，这些学校主要集中在贝内贝拉克，学生都是世界各地的犹太社区推荐的。中东唯一的以色列交响乐团设在特拉维夫，尚有室内合唱团、两个以色列的主要唱诗班、以色列歌剧院以及十几所戏院（几乎是以色列的全部戏院，包括哈比马国家剧院和国内最受人欢迎的卡梅里剧院）。人口约348 100（1999）。

Tel Ḥay　特勒亥伊　以色列北部上加利利地区原为居民点，现为国家纪念地。靠近黎巴嫩边界。为巴勒斯坦北部首批犹太人定居点之一，现辟为国家纪念地。按照英、法两国之间的《赛克斯-皮科秘密协定》（1916），包括整个上加利利东部在内的领土有所扩人的黎巴嫩，在第一次世界大战后将归法国统治。这既不能使期望有一个独立的阿拉伯大叙利亚的穆斯林满意，也不能使宁愿被英国统治的犹太人满意。战后阿拉伯穆斯林开始进攻黎巴嫩南部的基督教徒村庄和上加利利地区各孤立的犹太人定居点，该地和邻近的吉拉迪村决意起而自卫。1920年3月1日，当地受到大批阿拉伯人袭击，6名守卫者战死。这里的抵抗战斗不仅传诵于整个巴勒斯坦犹太区，也对1920年12月巴勒斯坦委任统治地北界的最后划定起了重要作用。1948年并入独立的以色列。8名守卫者被葬于附近一俯瞰胡拉谷地的小山上，立"犹大之狮"雕像以志纪念。

Tel Quel　《如是》　又译《泰凯尔》。1960～1982年间由瑟依出版社出版的法国前卫派文学评论刊物，由P. 索勒尔等青年作家创建。这份兼收并蓄的杂志发表了A. 罗布-格里耶和N.萨洛特等"新小说派"实践者的作品。因深受超现实主义的影响，《如是》杂志旨在评论20世纪文学。它出版发行A.阿尔托、G.巴塔依和E.庞德等作家先前未出版的著作，以及M.福柯、J.德里达、J.克里斯蒂娃、R.巴尔特和J.拉康等人的当代文学评论文章。1966～1970年《如是》杂志代表马克思主义的毛派观点。1974年后，杂志评论方向转向古典希腊-希伯来传统，包括对《圣经》和神话学诸问题的讨论。杂志对世界范围的人权问题予以明确的支持，并开始重视现代文化，特别是美国文化。

Tela　特拉　洪都拉斯北部阿特兰蒂达省西北部城市。濒临洪都拉斯湾的特拉湾。曾以香蕉港闻名，现亦出口柑橘和椰子。也生产植物油、木材、水泥等。有鱼类加工厂。1975年实行国有化的特拉铁路有多条支线装运农产品输往该港口。有铁路和广泛的公路联运通往各地，并有一机场。人口约24 300（1992）。

Telakhon 智果教派 英语作Fruit of Wisdom。缅甸克伦地区山民中流传的、受佛教影响的各种先知崇拜中历史最悠久的一种。该教派认为,克伦人是白种人之兄,他们原有一部金书,不料遗失,待到金书为白人找回,就是至福千年来临之时。届时至高神伊马重临世界,解救克伦人脱离缅甸人和英国人的压迫。该教派由康玉在19世纪中叶创立。1962～1965年,美国传教士向该教派第七代长老赠送当地语译本《圣经》,此事引起该教派信徒的期望,同时基督教人士也对之寄于希望,该教派教徒增加到1万人(主要在缅甸东部)。后来该教派发现《圣经》并未揭示西方知识的玄机,因而拒绝接受。反缅情绪再度高涨,武装冲突和暴乱时有发生,1967年该教派长老被废而亡。另一个类似的教派勒教派(建于1860)依然存在,但其他支派有的已转化为基督教会,有的衰败。

Telangāna Plateau 特仑甘纳高原 印度东南部安得拉邦西部德干高原的东北部分。南北长约770千米,东西宽约515千米,面积约148 000平方千米。据孔雀王朝的皇帝阿育王的一份诏书所示,该地区在成为戈尔孔达的顾特卜·沙希王朝的一部分并随后归海得拉巴的尼查姆·沙希王朝统治之前曾先后被几位国王如萨塔瓦哈纳、帕那瓦、东遮娄其、维查耶那加尔等所统治。1947年印度联邦成立后,该地区纷纷要求成立特仑甘纳邦脱离安得拉邦。高原主要由前寒武纪片麻岩组成,其古老的准平原多起伏,有谷地和孤山。有哥达瓦里河、克里希纳河与本内尔河流经,森林为湿落叶林、干落叶林和热带具刺小灌木林。居民多从事农业,主要产谷物、油籽、棉花和豆类。在波恰姆帕德、派罗瓦尼蒂帕和本内尔河上游建有一些多功能的水利工程。工业集中在海德拉巴、瓦朗加尔和卡努尔,生产棉织品、食糖、食品、烟草、纸张、机床和药品。家庭工业以林产品(木材、木柴、木炭、竹器)或矿产(石棉、煤、铬、铁、蓝晶石)为基础。语言主要为达罗毗荼语系的泰卢固语。交通方便。首府海德拉巴,重要城镇还有瓦朗加尔、卡努尔、内洛尔和尼扎马巴德。

telangiectasia, hereditary hemorrhagic 遗传性出血性毛细血管扩张症 参阅 **Osler-Rendu-Weber disease 奥斯勒-朗迪-韦伯三氏病**。

Telanthropus capensis 开普远人 1949年J.鲁宾逊在南非斯瓦特克朗发现的一块化石人科下颌骨所归属的一个特殊的种。其后在此续有发现,已出土大量化石,包括牙齿、下颌骨、头盖骨、腿骨以及其他骨骼碎片。对于这个下颌骨的归属问题,多年来古生物学者们争论很多。有的认为它代表一个比南非230万年前的南方古猿为晚但仍属南方古猿的种,有的则认为应该把它定为较晚的种。直到20世纪70年代中期,才有一致结论,认为这块化石是分布在南非的直立人(据信进化为智人的种)的一个代表,其年代距今大约120万年。

telautograph 传真电报机 又作TelAutograph。传送手书和图表的短程电报机。通信时发送端用描画针在发送原件上扫描,将原件图像转换为电的信号发出去。接收端用描画针按照与发送针相同的方式扫描,从而使发送的手书或图表重现出来。传真电报机约于1895年同时为美国的E.格雷和英国的A.C.考珀所发明。

Telde 特尔德 西班牙加那利群岛自治区拉斯帕尔马斯省城市。在大加那利岛东南部。1480年岛上的土著关切人被西班牙人征服。后为蔗糖、葡萄酒和染料的重要产地,18世纪时因美西的殖民地竞争而萧条。现经济以香蕉和番茄种植业为主。硫酸铵生产、渔业和畜牧业亦占重要地位。附近的四门山被土著尊为圣山,现为考古遗址。人口约75 594(1991)。

telecommunications system 电信系统 用于传送话音、传真、数据、电传打字机和电视等信号的装置与技术。所有的电信系统均根据同样的基本原理操作。它们相互不同之处主要在于发送信息的类型及传输的媒介。众所周知的这类系统包括无线电、电视、电话、电报及计算机操作的数据交换或检索系统。电信系统大多通过金属线、光导纤维、地面无线电或空间卫星传输信息。有线传输是利用明线、多对电缆、同轴电缆等各种线路传送电信。这些线路可以传送音频、电报、计算机处理的数据及电视节目。在光导传输中,利用激光发射机将电信号转变成光信号,通过成束的玻璃丝传递话音及数据。

无线电通信是将电信号用特定的频带经空气传输,使用范围包括业余和商业性广播(后者由一般公用的调幅、调频无线电广播及电视广播组成)、无线电导航和射电天文学。

卫星通信用在相距遥远的地区间信号的交换,以微波为传输媒介,波长由10厘米到1厘米,相当于频率范围由3 000兆赫到3万兆赫。由于卫星系统不需要建造中继站(如地面微波系统所用),因此投入使用大为加快。

模拟式与数字式两种传输技术,均可用于电信系统。在模拟式传输中,将话音与影像信息转变成可准确再现所传原音或原像的信号,通过通信媒介传送出去。在数字传输中,信号经发射机的特殊编码装置进行处理,将它们转变成数字形式(例如莫尔斯电码中的点与横,或二进制运算中的0与1)。而计算机产生的信号已经是数字形式,故其传输不再需要编码处理。

不论是模拟式或数字式信号都须送到调制器处理,这种装置是将信息数据信号加在射频信号(即载波)上传送。载波的频率依传输媒介而定。在多数情形下,高频信号用于无线电传输,低频信号则用于同轴电缆及其他有线电路。

电信号在传输途中,常遇到杂音与干扰。这些扰动,一部分由于线路工作不正常,或天线设计不良,但大部分则来自太阳耀斑、地球大气中的雷暴、附近电路和其他发射机以相同频带发射的信号。许多编码设计和调制技术,如调频和脉冲码调制曾用来消减杂音和失真。事实上,采用二进制信号传输的主要原因之一是它对杂音的相对抗扰性。在有些应用中,信号须经极长的距离传输,如外层空间探测中,模拟式的信息(如温度、压力的测量)必须转变为数字信号。到了目的地后用接收机接收传来的信号,加以解调而变为有用的形式。

众多信息源之间的通信已通过将各信息源联成网络而实现。联网后可将通信信息量集中在局部区域,各聚集点之间有互相联系,以使传输信号的分配有效而经济。电话与电报网(例如电传)早已开始应用。最近,有线电视和遥测网(如用于汽车交通和分布较广的工业操作的遥控),极受注目。计算机技术的迅速进步也导致数据检索和交换网突飞猛进。这些网由计算机和"智能"外围设备(如自动讲话机和终端售货机)组成,彼此间则通过电话线、微波站及其他高速通信设备联系。计算机网已由地方到国际,遍及各个层次。计算机之间的通信对于拥有家用计算机者已很普通。订购特殊信息服务的用户可直接与主机联系,以获取教育和娱乐的资料,以及新闻与股票行情报告。

teledu 马来獾 又作skunk badger或Malayan stink badger。又称臭鼬獾、马来亚臭獾。一种东南亚獾(**badger**)。

Telefunken AG 德律风根公司 参阅**AEG AG 谒益吉公司**。

Telegonus 忒勒戈诺斯 希腊神话中,特别是在昔兰尼的尤伽蒙的《忒拉戈尼亚》中,英雄奥德修斯和女巫喀耳刻的儿子。他到伊萨基岛寻父,却误杀其父。他的矛尖用的是鲼鱼的尖嘴,这样就应了荷马史诗《奥德赛》中的预言,即奥德修斯的死要"来自大海"。他后来娶奥德修斯的遗孀珀涅罗珀为妻。

telegraph 电报机 任何可以远距离传送编码信号的系统。该名词是1792年从希腊语tele,"远"和grapherin,"写"合并而成,但其原理早就有了。虽然远距离通信曾用多种发信号的方法和设备,但是最常用的是19世纪发明的电报系统。

最早的远距离通信是用烟火或鼓声。在18世纪晚期,法国的C.沙佩和英国的G.默里发明了光通信。用信号灯(或旗语)在山峰之间,借助望远镜传递信号。沙佩的系统是用一个竖直的木桩,上头有一根可动的横木,横木的末端有标识物,可以识别方位,像打旗语一样。默里的系统是在塔上装有大箱子,箱子上装有六块可控制的板,可分别控制板的开关,用不同的开关组合表示不同的字母。

自从发现电脉冲可以沿电线传送信号之后,电报系统发展很快。1819年H.C.奥斯特发现电流能使磁化的指针偏转。针示电报机就是利用这个原理。1837年库克和惠斯通的五针电报机是根据五根针的信号分辨字母和数字。这种设备广泛地用于美国,特别是铁路信号。

电磁铁的应用使美国发明家S.莫尔斯想出了一个发送和接收电信号的方法。他和伙伴 A.维耳在 1837 年设计了一种像一个打字机按键似的电键,用来控制电路的通断,简单、容易操作;产生的电信号传送给遥远的接收机,在接收机的纸带上打印出点和划组成的长串信号。用点、划和间隔的不同排列表示字母、数字和标点符号的编码系统通称为莫尔斯电码。在约 1856 年又发明了会发声的键。有经验的操作员能听出电键"说"什么,直接写出报文;1878 年以后又能自动打印出来。19 世纪 40 年代电报线路很快地跨越北美和欧洲,并在 19 世纪晚期延伸至亚洲、非洲和澳大利亚。由于电报系统的规模和高成本,以及在国际事务中的重要性,所以电报公司列在 19 世纪最大的商业企业之中,并包括各种私营,国家补贴和国营的商行。

电报业务的发展促使有关技术改进。在德国发展了在一条线路上同时双向工作的方法。1874 年 T.爱迪生设计了在一条线路上同时传输四路信息的四路多工方法,两个方向各二路信号。最革命的改进要归功于 J.-M.-E.博多。他的时分多路通信是 1871 年发明的。他将一个铜环分割成相等的几段,每段有 5 个触头,能以 32 种可能组合之一打开或闭合,每 5 个数位组合就构成一个字母或符号的电码。当电刷绕铜环作圆周运动时,它就会一段段地拾取电码。铜环分割成多少段,就可以同时传送多少路五数位电码。博多码至今仍用在一些近代的电传打印机上。

19 世纪末世界上到处是交叉来往的电报线,包括许多跨过大西洋的电缆。早期有些电报机用键盘和活字轮,可以给出打印出来的报文纸带,这曾长期用在票据自动收报机上。1903 年英格兰的 D.默里将博多的时分多路通信系统和五数位电码与惠斯通设计的穿孔带系统合并成传输分页电报的系统。1924 到 1928 年间,单工打印机即电传打印机通过收费网络(如电报用户直通电路)开始用于简单的商业通信上。电传打印机在 1933 年能每分钟打印到 500 个字符。到 1964 年改进的电传打印机采用美国信息交换标准电码(一种七数位电码,能产生 128 个字母数字和控制信号)。某些改进的型号能每分钟打印 900 个字符。

电话的发明和技术改进使远距离通信进入一个新的技术领域,特别是高速信息传输。20 世纪中其他远距离通信方面的发展包括用微波无线电接力线路、卫星通信和计算机转换。然而,到本世纪末,支持高速信息传输(特别是传真和电子邮件)的电话系统通话能力的增长,降低了电报系统在远距离通信中的重要作用。

Teleki, Pál, Gróf　泰莱基(1879-11-01,奥匈帝国匈牙利布达佩斯～1941-04-03,布达佩斯)　匈牙利总理,在第二次世界大战初期与纳粹德国合作。1905 年起为国会议员。他作为著名的地理学者,第一次世界大战后代表匈牙利出席巴黎和会(1919)。1921 年他退出自己从来不大相信的政党政治。先在布达佩斯大学教地理学,1938 年 5 月又回到政府任教育部长。1939 年 2 月 15 日任总理,在总理任内曾解散各种法西斯政党,但未撤销反犹法规。他坚决主张修改《特里阿农条约》(1920),并想借助德国的势力收复依据该条约规定而失去的领土。他认为匈牙利的危险是过于仰赖德国的领导人希特勒。他支持希特勒肢解捷克斯洛伐克和迫使罗马尼亚割让特兰西瓦尼亚北部。但在 1940 年,又同南斯拉夫签订友好条约。1941 年德国入侵南斯拉夫,要求匈牙利出兵协助(这会破坏他在该条约所作的承诺),而英国又不准他帮助德国人,他在进退两难中自杀。

Teleki, Sámuel, Gróf(Count)　**泰莱基**(1845-11-01,特兰西瓦尼亚萨隆贝克～1916-03-10,布达佩斯)　匈牙利探险家。发现并命名了肯尼亚北部和埃塞俄比亚南部的鲁道夫湖(现亦称图尔卡纳湖)和斯特凡尼湖(现称乔乌湖),增加了对原先未被勘察的东非高原的重要知识。1887 年 2 月与奥地利海军军官 L.冯·赫内尔从潘加尼(在今坦桑尼亚)出发,穿过肯尼亚全境到埃塞俄比亚南端。1887 年 3 月攀登乞力马扎罗山和肯尼亚山,然后循着内陆河系,于 1888 年 3 月到达鲁道夫湖和斯特凡尼湖。在返回东非海岸时,1888 年 10 月到达蒙巴萨,途中泰莱基发现一座活火山(在肯尼亚南部),后以其姓氏命名。

Telemachus　忒勒玛科斯　希腊神话中的希腊英雄奥德修斯和他妻子珀涅罗珀的儿子。他长大成人后,前往皮洛斯和斯巴达寻找他在外流浪的父亲。他回来时发现奥德修斯已先他到家。于是父子二人就一同杀死了集合在珀涅罗珀周围的那些求婚者。据后来传说,奥德修斯死后,他同喀耳刻(或卡吕普索)结了婚。

Telemann, Georg Philipp　泰勒曼(1681-03-14,勃兰登堡马格德堡～1767-06-25,汉堡)　巴罗克晚期德国作曲家,作品中圣乐与世俗乐均有,但以其教堂音乐最为闻名,涉及的范围从小型康塔塔直至包含独唱、合唱与管弦乐队的大规模作品。

生平　出身新教牧师家庭,受过良好的普通教育,但从未正规学过音乐课程。虽自幼即显现出极大音乐才华,家里却反对他成为专业音乐家,因为这在当时是一个既没有吸引力又无利可图的职业。通过自学他掌握了熟练的作曲技巧,并学会了许多各式各样的乐器,诸如小提琴、竖笛、双簧管、芦笛和键盘乐器等。1701 年入莱比锡大学修习法律,但音乐活动很快就取而代之,并将成为他以后一生中的主要内容。莱比锡是泰勒曼的音乐事业的垫脚石。市政当局意识到这个年轻人不仅有音乐天赋,而且还精力过人、勤奋并具有组织才能,便委派他协助托马斯教堂的管风琴师 J.库瑙创作教堂康塔塔,并任命他为大学教堂的管风琴师。后来他又在两处亲王宫廷任职,先在索劳(今波兰扎里;1704～1708)任乐长,后在爱森纳赫任乐队首席小提琴手和乐长(1708～1712)。通过演奏、指挥、研究和作曲,他获得了音乐知识、实际经验和作曲技巧,这些都是他以后在美因河畔法兰克福(1712～1721)和汉堡(1721～1767)任音乐总监时至关重要的。在法兰克福他开始出版了一些使他闻名国内外的音乐。汉堡的音乐总监是当时音乐界重要职位之一;在此任内他为 5 座主要教堂提供音乐,主管汉堡歌剧院,并在汉堡著名的人文学科学校任教堂指挥和音乐教师。1722 年他婉辞了莱比锡市政当局聘他继库瑙而担任托马斯教堂管风琴师的邀请,这一职位是 17 年前当局就作出允诺的,足以说明泰勒曼在年轻时就已得到器重,泰勒曼拒绝后该职由 J.S.巴赫继任。

供图:Kunsthalle, Hamburg

作为当时几种主要风格(德国、意大利、法国)的大师,他对任一风格写来都是得心应手,而且常常还吸收波兰和英国音乐的影响。无论是为教堂还是为歌剧院和音乐会创作,他都能做到同样的曲尽其妙。他的音乐旋律自然流畅、和声大胆奔放、节奏轻快活泼、乐器配合优美完善。无论是深邃还是诙谐,是严肃还是轻松,他的作品永远是高质量而且多姿多彩的。出版的作品有 50 余个编号,其中包括著名的《宴席音乐》曲集,1733 年出版,收有 3 首管弦乐组曲、3 首协奏曲、3 首四重奏、3 首三重奏和 3 首奏鸣曲;第一本音乐期刊《忠诚的音乐大师》(1728～1729),收有 70 首作品;《和谐的礼拜》(1725～1726,教堂康塔塔)和 36 首拨弦键琴幻想曲。除曾到法国作短期旅行(1737～1738)外,泰勒曼没有离开过德国。他不仅是一位多产的作曲家,而且也是一位笔锋犀利的作家;他作于 1718 和 1739 年的两部自传都具有比较翔实可靠的文献佐证。他的声乐作品的很多唱词出自他本人的手笔。特别值得一提的是他为自己的音乐曲集所作的许多序言,其中包含了大量关于如何演奏(唱)他的以及他的同时代人的作品的切合实际的意见。

评价　在 18 世纪的同时代人看来,泰勒曼是当时在世的最伟大作曲家。通过他的公开音乐会他将以前只供宫廷、贵族和少数中产阶级市民享用的音乐带给了普通群众。泰勒曼的活动的多面性和他的作品的巨大数量确实是惊人的。生前他以教堂作品最受赞赏;他的世俗声乐也是包罗万象,从简单的分节歌到作于 84 岁高龄的戏剧性康塔塔《伊诺》,应有尽有。歌剧中以喜剧最为成功,尤其是《品皮诺内》。泰勒曼去世后,海顿和莫扎特的新音乐风格冲刷了旧的风格。19 世纪时巴赫和韩德尔的作品重新得到评价,而泰勒曼却被贬斥为一个多产但肤浅的蹩脚文人。但是,到了20世纪,主要是通过M.施奈德和罗曼·罗兰的研究,才从历史和美学的角度对他作出更为正确的估价。

Telemark 泰勒马克 挪威东南部一郡。西北起自哈当厄高原,东南至北海的斯卡格拉克海峡,面积15 315平方千米。西北部为山地、丘陵区;中部散布一些狭长的冰川湖;沿海附近为起伏的低地,海岸曲折。班达克、海达尔斯瓦内特和努尔三个湖通过运河与位于东南的郡首府和港口希恩相连。水力资源普遍得到开发,最大工程为东北部的留坎工程。主要经济部门有伐木、渔业、化工、木制品、纸制品,以及矿业(铜、铁和钼)和农业及畜牧业,一些主要城镇有多种小型工业。人口约163 143(1995)。

telemetry 遥测术 使用高度自动化的通信技术对遥远地方或不易接触到的位置进行某些参量的测量或收集其他数据,并传送给接收设备,以达到监控、显示和记录的目的。最初,通过导线传递信息,而现代的遥测术则用无线电传递。两种办法在步骤上基本相同。这种技术的主要应用有:采集气象数据,对发电厂以及载人的和无人驾驶的宇宙飞船进行监控等。

原始的遥测系统叫做监控系统,因为用它监控电力的分配。1912年在芝加哥首先安装了这种系统,把几处发电厂的运行数据用电话线传送到中央管理办公室。这种技术后来经过很多改进,并广泛应用于全世界许多其他领域,如输油管道的监控系统和海洋浮标网等。

高空遥测始自20世纪30年代,用气球装载的无线电探空仪自动地测量温度、大气压及湿度等气象数据,并将这些信息用无线电传送给地面站。对火箭和人造卫星的航天遥测则始于苏联发射人造卫星的1957年。作天文观测的人造卫星已能完成多达50项实验和观测,所有数据均由遥测发射器发回到地面站。这种航天遥测技术经发展已成功地应用于很多工业作业,包括传送试验过程中内燃机内部的数据,汽轮机运行时的数据,以及来自成批生产炉中输送带的数据等。

遥测系统及其组件 一个典型的遥测系统包括:称作传感器的输入器件,传送介质(通常是无线电波),接收和处理信号的设备,以及记录或显示设备。

传感器 传感器把测到的物理量(如温度,振动或压强等)转换成电信号输出。传感器的种类很多,有本身能产生输出信号的,也有需用外加电源的。采用压电材料的振动敏感元件即属于前者——它一旦发生机械形变就产生电信号。很多外加电源激励的传感器都是为响应机械形变而产生电流变化。引起形变的典型物理输入量为压强、机械应力、加速度等。应变仪是一种简单的机械敏感器件,它基于导线或半导体材料受应变时发生的电阻值变化。另一种外加电源的传感器称为变磁阻型传感器,在其磁路中有一空气隙。被测的机械运动使间隙宽度发生变化,于是改变磁路的磁阻并转换成电信号。

对于温度敏感的元件有两类,它们是与温度有关的电阻元件和自己能产生电信号的温差电偶。热敏电阻属于第一类,它具有高的负温度系数,即其电阻值随温度升高而迅速下降。温差电偶是把两不同金属导线的两对应端联结在一起,一端加热后产生极弱的电流,应用时必须有第二只温差电偶,后者的一端被维持在恒定的某一冷温度上,作为参考点。

专用的敏感元件和传感器系统有许多类型。前面提到的无线电探空仪是其中之一,是专门设计从气球上向地面站用无线电发送气候数据。大多数对气候敏感的元件均为测量气压、温度和湿度的。在载人宇宙探测器中,所用的敏感元件则用来测量航天员的血压、心搏及呼吸速率。

通信线路 遥测技术使用的通信方法主要有无线电和有线线路两种。在少数情况下也选用光束或声音信号,但往往由于环境的因素(例如大气的阻碍)以及当地的掩蔽噪声而使它们失去通信作用。

对于航天工作以及无法装设有线线路的监控系统,则利用无线电通信。在公用事业建筑密集地区,由于不容易找到安装天线的合适位置,以及无线电波的传播路径多受阻挡,通常不采取无线电通信的办法,而使用电缆及有线线路。

工作频率的选择是无线电通信的一项重要考虑,使用的波段限定在国际协定所分配的范围内。电波的传播性能在所用的频率范围内变化很大。应用于航天通信,电波传输必须能穿透大气,适宜的频率范围是100兆赫(100 000 000周/秒)到10 000兆赫。对于监控系统的通信,一般采用较窄的波段,可以使用常规声道的全部或其中一段,带宽取3 000赫(周/秒)即可。电信号可以直接通过电线线路,或由载波通信系统中的一个频道传输。

多路传输 一个遥测系统通常必须处理多个信息通道(例如在环绕轨道运行的人造卫星上常规测量的各种数据,或在水的分配网络中水的流速以及水库水面的高度等)。用所谓多路传输技术把这些数据测量通道合并到一起,形成复合信号,经通信线路传送出去。多路传输的基本方法有时分和频分两种。时分的多路传输是把几个通道的信息按时间先后顺序合并到同一个通道,而频分的多路传输是每个通道工作在它自己独立的某频带上,然后被合并到一起同时传送出去。最后,所有数据在遥测系统里按连续的(模拟的)办法或按离散的(数字的)办法处理。采用离散办法的遥测系统比较复杂,因为需要把模拟信号转换成数字信号,此即所谓编码过程。

信号传递 为了传递信号,使用所谓调制过程把信息加在某一频率的载波上面传递出去。调制过程分两类:第一类包括振幅调制和频率调制(如商业中使用的AM和FM广播)及与之相关的类型。这些相关的类型包括两种以脉冲作为基本信号的方法,都是把很多脉冲按时间分割开,每一套脉冲代表一个信息通道。一种是脉冲宽度(即脉冲持续时间)调制,另一种是脉冲位置调制。前者,脉冲的宽度(或持续时间)随信息变化;而后者,脉冲出现的位置随时间发生变化。第二类是脉冲编码调制,把信息编成一组组脉冲数字码传递出去。

在大多数遥测系统里,调制都是分两级完成的:首先,用信号对副载波(频率比载波频率低的射频波)进行调制;其次,再用已经调制的副载波对最后输出的载波作第二次调制。在这些系统中,遥测信息对副载波多采用频率调制。把许多组调频的副载波通道合并到一起的频分多路传输系统就称为FM/FM系统。

对接收信号的处理 在遥测传输系统的接收端要完成两件工作:其一,必须从接收的信号中提取出原始测量数据;其二,应把这些数据以人们易懂的形式表达或显示出来。从接收信号中提取数据要通过两步进行,同产生调制的复合发射信号所采取的步骤正好相反。通过最初的解调过程就得到接收信号中的已调副载波,再用分解多路传输的技术(同多路传输技术相反)将此副载波分开成其原来许多测量通道。这些分开的信号各自被送到与它们相应的显示系统中去。数据是以"实时"——即变量正在被测量的时刻——的方式表达的,并可使用一种或多种办法记录下来。磁带是最常使用的记录媒体。

航天数据的表达与监控数据不同。为日常工作的需要,对于后者一般显示出正规图表,并用电动打字机打出数据。而航天系统则具有实验性,一般要显示较宽的测量范围。所有的数据几无例外地被记录成适于用计算机处理的形式。

特殊的应用和技术 遥测技术的新应用不断涌现,特别在研究及科学探索方面更是常见。生物医学是其中的重要领域,由病人吞人或用外科手术埋在体内的微型发射机可以遥测病人身体内部的各种生物信息。用体表传感器可以在体外显示出病人的身体情况。

海洋学是应用遥测技术的另一科学领域。在这种应用中,中心主控站以一定的时间间隔向浮标上无人管理的仪器发送询问。为答复询问,仪器将各种海洋数据(例如海水温度、含盐浓度等)以及海面气候信息都记录下来,准备依次发射给主控站。

在机械工程方面,从原动机(例如电动机、煤气机、蒸汽机和柴油机)的内部通过各种无线电通信线路将信息发送给外部接收设备。这些信息一般包括温度和压强。

遥测术也常提供像电视那样的设备,该设备一般采用低带宽的通信线路。要想看到人们无法接触到的过程时,这种设备有其独特的优越性。这类应用包括火箭马达测试以及在远距离观察高放射性材料的工作情况等。

teleological ethics 目的论伦理学 源于希腊语telos,"目的";logos,"科学"。一种道德论,主张责任或道德义务来自作为所要达到目的的善或所欲。与之相对立的是义务论伦理学,义务论认为一个行动在道德上是否正确的根本标准与它造成的善或恶无关。自18世纪I.康德的目的论哲学以来,现代伦理学一直被分为功利主义(这是目的论伦理学的一种形式)和义务论。目的论的各种学说的不同点在于行动所应达到目的的性质。幸福论学说强调指出一切行动的目的是培养行动者的德性或擅长。这或者是古典四德性——勇敢、节制、公正、智慧,或者是神学德性——信仰、希望、仁爱。古典四德性提倡将人当作“理性动物”这种希腊的理想;而神学德性则突出基督教的理想,将人看成是按照上帝的形象所创造的。功利派的学说主张目的在于行动所产生的经验或感受。例如,快乐论教导说这种感受就是快乐——17世纪英国哲学家T.霍布斯的利己主义主张快乐是一个人自己的快乐;而19世纪英国哲学家J.边沁、J.S.穆勒和H.西奇威克的普遍快乐论(即功利主义)则提出“最大多数人的最大欢乐”,主张欢乐是所有人的欢乐。其他功利派的观点有19世纪英国哲学家H.斯宾塞的进化论的伦理学、16世纪意大利政治哲学家N.马基雅弗利和19世纪德国的尼采的专制论、20世纪哲学家R.B.佩里和J.杜威的实用主义、20世纪法国哲学J.-P.萨特的存在主义。进化论的伦理学主张行动的目的是生存和成长;专制论主张行动的目的是权力的经验;实用主义主张行动的目的是满足和适应;存在主义主张行动的目的是自由。幸福论的主要问题是表明过一种有德行的生活,幸福即随之而来——通过获得被看作是行动目的的善。于是,约伯受罪,苏格拉底和耶稣丧命,而恶人却享平安(正像“诗篇”作者所说的那样),这看来就是不公正了。幸福论者通常回答说宇宙是道德的,用苏格拉底的话来说,“好人是不会遭罪的,无论是在生时还是死后。”或者用耶稣的话来说,“唯有忍耐到底的人,必然得救。”另一方面,功利派学说必须回答这一诘难:目的不证明手段为正当。这个问题的产生是因为功利派学说倾向于把获得的结果与产生这些结果的行动割裂开来。功利主义的一个含义是一个人的某一行动的意图会包括其所有可以预见的后果。要答复这一诘难,功利主义就必须证明表面上不道德的事情实际上并非如此,或者证明即使的确是不道德,那么对于后果的仔细检查将会使真相大白。唯心论功利主义者G.E.穆尔和H.拉什德尔试图解决这个困难,他们提出目的是众多的,把获得美德列为其中之一。用穆勒的话来说,这“本身会被觉得是一种善,会像其他善一样被人们热烈向往”。

teleology 目的论 源于希腊语telos,“目的”;logos,“理性”。按照某种目的或结果来解释事物的学说。目的或结果也称为终极的因果关系,它不同于只以动力因作解释。亚里士多德对目的论的论述是最为著名的。他宣称,对事物的完满解释不仅应考虑到物质因、形式因、动力因,同时也应该考虑到其终极因,即事物存在和产生的目的。随着16世纪和17世纪现代科学的发展,就有人用自然现象来机械地解释事物,这就只涉及动力因。假如用目的论来解释,其形式将不同于亚里士多德那样认为事物的发展趋向于实现自身的内在目的,而是主张生命机体亦像机器一样,由一名有智慧的人或神精心设计。18世纪,新教徒辩护士培利为这种目的论下了经典的定义。康德在《判断力批判》(1790)一书中,对目的论作了详尽论述。康德一方面欣然承认自然界神奇的安排,同时也告诫说,目的论只是一种调整的原则,而不是一种构造的原则,即认为目的论只是一种行为的规范,而不能说明实在的本质。19世纪末,论争集中于:有生命的机体的生长、换代和再生,是否能用纯机械名词来解释。德国生物学家和哲学家H.德里施的活力论认为每一种机体必然具有亚里士多德的生命原理或内在力量;但在他死后,这一学说并未获得支持。生物学的进程是否能用纯物理化学的名词来解释,以及结构、功能和组织是否必然涉及某种目的论,这类问题仍未解决。20世纪中叶,奥地利血统的加拿大籍理论生物学家培塔朗菲所信奉的关于有机体的观念为这类问题开创了新的前景。

Teleorman 泰莱奥尔曼 罗马尼亚中南部县份。面积5 760平方千米。南与保加利亚接壤。多瑙河向东流,构成该县南界。韦代亚河、泰莱奥尔曼河、奥尔特河和内亚日洛夫河向东南注入多瑙河。南部有苏哈亚湖。县首府亚历山德里亚(**Alexandria**)有纺织和食品加工业。图尔努-默古雷莱是化工和木材工业中心。罗肖里有机械制造业。济姆尼恰生产皮革制品。农业以饲养牲畜、种植谷物为主。亚历山德里亚有一历史博物馆。其他城镇有维特莱、巴拉奇和克伦杰尼。交通发达,布加勒斯特至克拉约瓦公路干线经过境内。人口约482 300(1992)。

teleost 真骨鱼类 真骨附纲(Teleostei)所有鱼种的统称,是一些大型而种类极为多样的带辐射状鳍的鱼类。与软骨硬鳞鱼和全骨类一起是辐鳍纲(Actinopterygii)的三大附纲之一,是最高等的硬骨鱼。真骨鱼类实际上包括世界上所有重要的游钓鱼和具商业价值的鱼类,还有大量不太知名的其他品种。这一附纲的主要特征是具正尾(尾鳍上下两叶对称)。真骨鱼类共约2万余种(几乎等于所有其他脊椎动物种类之和),每年还发现新的品种。

金枪鱼和圣日比目鱼等大型种类及各种鲱鱼等小型种类的数量巨大,故真骨鱼类成为人类极为重要的食物源。几乎在世界任何地方,在所有的经济发展阶段,人们都以当地的渔产为食。真骨鱼类除了具商业价值方面的食物资源外,还为数以百万计的人们提供娱乐,在许多国家里维持着一个庞大游钓产业。海洋真骨鱼和小型淡水真骨鱼是水族馆展示的主体,为数以百万的水生动物爱好者提供唯美的享受,并支撑了数百万美元的产业。真骨鱼类之所以成为水族馆展示主体的部分原因在于它们的身体构造、功能和颜色都是极为多样的。事实上这些鱼类在结构和行为上的多样性比所有哺乳动物、鸟类、爬虫类及两栖动物之和的差别还要大。真骨鱼类的尺寸大小从短于2.5厘米的虎鱼到长度超过3.4米、重量超过550千克的成年大型穿索针鱼。另一种大型鱼翻车鲀至少可以长到3米,重量可超过900千克。

不同品种和群体有很不相同的生活周期和行为。真骨鱼类能适应各种生活环境,从冰点以下的北冰洋和南极洲海域到水温超过38℃(100° F)的沙漠温泉都能发现其踪影。通常一个品种的温度忍受力是有限的,往往在它的环境平均温度上下10～20° F。这些先进的硬骨鱼可适应环境的范围很广,从喜马拉雅山脉多石的急流至海平面10 670米以下无光亮的深海沟,在那样的深海中许多种类自身能发光。

每种真骨鱼类在它生活周期中的一定阶段通常生活在一种生境中。它可终身栖于一个生境,也可能在发育过程中改变生境。生活在多石的沿海地区、泥床、沙岸以及珊瑚礁地区的不同品种通常是完全不同的,对生境适应的多样性反映在它们的生活周期、行为、运动、解剖以及繁殖上。例如,栖居于非洲和南美洲季节性池塘里的某些逆戟鲸只在雨季池塘有水时存活几个月。它们从埋在淤泥中的卵里孵化出来,长大,再把自己的卵产在淤泥中,其间只有短短的4～8个月。这种鱼被称为一年生鱼类。其他的如太平洋鲑,从冷、温带溪流砂砾中的卵孵化出来,第一年在溪流中生长,然后入海成长,迁徙2～4年后,最后返回其早年生长的溪流,产卵后死亡。这种在淡水里产卵而大部分时间生活在海里的鱼类被称为溯河洄游鱼类。

许多淡水和海洋的真骨鱼类在岩石或水生植物上产卵。这些鱼有许多能够活上2～4年,也许会更长,在温带地区通常春天产卵,在热带地区则是雨季产卵。许多真骨鱼类,尤其是生活在海洋里的那些,人们对其繁殖习性并不了解。大多数鱼的产卵数量极多,往往简单地将卵分撒在植物上或开阔的海洋中,这些卵在海里成为许多生物的食物,只有少量的小鱼能够长大成熟。多数近海的海洋真骨鱼产浮游的卵,而大多数淡水鱼产栖底的卵;即沉到水底的卵。有些真骨鱼,如某些像鲈鱼的非洲丽鱼、鲶鱼以及某些海鱼(如枢机主教鱼)为口育鱼,即在雄鱼或雌鱼口中孵卵。

有些海鲈鱼为功能性雌雄同体,同一个体既产精子又产卵。在有些情况下显然可能自我受精,但更多的情况是交替地充当雌体和雄体。某些种类在刚成熟时为雄体,其后变为雌体。

约有十几种类科的真骨鱼是胎生的。有些鱼的卵里有丰富的卵黄,只是在卵巢里就孵化了(卵胎生),另一些的卵里卵黄很少,小鱼在发育相对不完全的状态下孵化出来,通过卵巢里一个类似胎盘的组织来提供营养(胎生)。

真骨鱼类的行为像它们其他的属性一样多变。有些海鱼紧密有序地成群游动,面对较大型鱼类攻击反应几乎就像单一个体。较大型的掠食性鱼类则通常独栖,单独出击或等待捕捉猎物。许多近海和淡水鱼类在繁殖季节里要建立领地,有些在非繁殖期结成较松散的群体游动。许多种类与其他的鱼或其他生物共生,如加利福尼亚沿海的一种小型盲虎鱼与虾一起生活于虾穴中。虾为虎鱼带来食物,而虎鱼则负责保持虾穴的清洁。许多隆头鱼从大鱼身上挑拣寄生虫为食,甚至进入大鱼的口中去清理鳃室。另一方面,南美洲某些小鲶鱼(长 2.5 ～ 10 厘米)寄生在长度超过 2.4 米的其他种类的鲶鱼身上。小鲶鱼进入大鲶鱼的口中吃寄主的鳃组织。不幸的是,对于多数真骨鱼类的行为知之甚少,不过在过去几十年里对其行为的详细研究已经大增。

用功能形态学来定义真骨鱼类是困难的,因为它们已进化演变成多种形状。但如果仔细检查一种相当简单的真骨鱼——鳟鱼,那就可以确定它基本的游动情况。它通过弯曲身体和尾鳍而向前运动;肌肉的动作波形从头部通向尾部,推动身体两侧和尾部压迫水体而使鱼身向前。尾部的结构以及游动机构的效率是真骨鱼类有别于其他较低等鱼类的主要特征。背鳍和肛鳍(腹中鳍)部分用来帮助稳定和转向,部分帮助向前运动。成对的腹鳍和头部后面的成对胸鳍用来帮助稳定身体和转向。鳟鱼的纺锤形状减少了涡流并拉动在鱼体周围流动的水,使对水的阻力减至最小。

鱼头必须适应进食、呼吸以及探测掠捕物体和敌人。同时还必须是相对流线型的,尽可能地减少对水的阻力。鳟鱼的头呈纺锤形,而且可以扩张,这种形状很适合这些功能,必要时可扩大头部来进食和取水。这种鱼将水从一个方向推进口中,流过鱼鳃,再从鳃缝中流出。口中的阀门以及鳃盖能阻止水的反向流动。不过这种鱼可以通过特殊的动作来将不想要的颗粒和水从口中喷射出去。真骨鱼类的头部是很有效率的,头上有眼睛以及嗅觉器官,位于观察和嗅闻食物的最佳点上。同时这些器官对流过头部的水产生很小阻力。

telepathy 传心术 一种超感官知觉:思想不凭借通常的感觉渠道而从一个人(发送者或动作者)传递给另一个人(接受者或感知者)。传心术的存在尚未得到证实,但某些用猜牌等方法进行的心灵学研究却得出肯定的结果。所用的牌是特制的,共五套,每套五张。五张牌面花色的顺序是随机的,发送者将注意力集中于牌上,而感知者试图猜出牌的顺序。有一种常用的超感官知觉测验,让发送者一次只将注意力集中于一张牌的牌面,而感知者试图将它猜出。两个被试者用屏风或更大的障碍物隔开,或两人相隔一段距离。测验成绩显著高于机遇的情况十分罕见,特别是测验条件严格时。

telephone 电话机 设计用来同时传送和接收人类话音的机器。因其价格低廉,操作简便,并能为用户提供一种无法用文字实现的个人通信手段,电话机已成为使用最广泛的通信设备。全世界在用的电话机以亿计,仅在美国每个工作日传输的电话即达近 20 亿次。telephone 一词源自希腊文的 tēle“远”和 phōnē“声音”两个字根。这个词早在 17 世纪末即被用于儿童们所熟悉的弦丝式传话器,后又被用于喊话器和传声筒,在近代则专指 A.G.贝尔等人发明的电话机。1876 年 3 月,贝尔因发明用电线传输话音的装置而获得美国专利(专利号174 465)。该专利常被称为世界专利史上最有价值的一项。早在发明电话之前数十年,人们即已了解它所涉及的一般概念,即话音是空气的一种复杂振动,这种振动可以传给固体,并可转变为导电金属中的电脉冲。贝尔只不过是将这些概念联系起来制出实用的话音传输装置的众多竞争者之一。在贝尔获得专利权后的 20 年之内,经 T.沃森、E.伯林纳、T.爱迪生等人多次改进之后,电话机的形式在一个世纪内未有重大改变。自 1947 年发明半导体之后,金属丝线路和其他笨重的硬件已被轻质的紧凑微电路所取代。电子学的进步改善了电话机基本设计的性能,并且能给它增加许多“漂亮的”功能,如自动重新拨号、发话号码识别和为适应数字电路传输的模拟-数字转换等。这些进步只是补足而并未取代电话机的基本设计。自电话通信早期至今,电话机一直是由下文所分述的部件组成,即电源、挂钩开关、拨号盘、振铃器、送话器、受话器和防侧音电路。

电源 在最早的实验性电话机中,线路的动力来源于送话器,即由说话人语音驱动磁铁所发生的电流。这种系统所发生的电压不足以在远处的受话器中产生可听闻的语言。因此,在贝尔的专利设计之后,所有的送话器都是靠改变独立直流电源所供给的电流来送话。最早的电源是装在电话机中的电池,19 世纪 90 年代之后则是在地方交换台处发电。输送电流的是一组双线电路,称为地方回路。贝尔系统的标准电压是 48 伏。无绳电话代表向独立电源的回归,它们用装在便携式手机中的小(如 3.6 伏)电池向其低压无线电送话器供电。当不用电话机时,令电池与主机接触即可充电。主机通过变压器与标准电插座连接以取得电力。

挂钩开关 它把电话机与地方回路供给的直流电接通。在早期的电话机中,受话器挂在一个钩子上,挂钩令一个金属触点闭合和脱开,以实现开关。这种系统至今仍很普遍,不过已经用支承组合式话筒的托架取代了挂钩。在一些现代电子式电话机中则用半导体继电器系统代替了金属触点的工作。当电话机“挂机”时,即与地方回路断线。当“摘机”(即将话筒提离托架)时,与地方回路接通,电流流过回路。交换台发出一个低频的“拨号音”(实际是同时发出的 350 和 440 赫的两个音调),示意已与地方回路接通。

拨号盘 用以输入用户所要呼叫的受话人的电话号码。拨号盘所生成的信号驱动地方交换台的开关,使之建立一条通向受话人的传输通道。拨号盘有旋转式和按键式。19 世纪 90 年代发明的传统的旋转式拨号盘是逆着一根弹簧的拉力拨转号码盘,再任其反转回到原位,反向转动使一个开关通、断而在流向交换台的直流电中产生脉冲。脉冲次数就代表所要拨的数字。按键式拨号盘是 20 世纪 60 年代发明的。每按一个键就产生一个专属于所按数字的“双音频”信号,每个双音频信号由一个低频(697、770、852 或 941 赫)和一个高频(1 209、1 336或1 477赫)组成,交换台感受信号并解码。与低频旋转脉冲不同的是,双音频信号可在电话系统中传播,因而能启动线路另一端的自动化功能。在旋转式和按键式拨号盘中都有一个电容和一个电阻,用以防止拨叫信号串入振铃电路。

振铃器 它发出可听闻的音调或铃声,以提醒用户有电话打进。振铃器有两类:机械式和电子式。二者均由交换台发生的 20 赫、75 伏的交流电流驱动。传统的机械式振铃器是与早期的贝尔电话一起出现的。它由两个相距很近的铃、一个金属铃锤和一块磁铁组成。交流电流流过线圈时,磁场对铃锤的吸力即产生交替变化而使铃锤快速响亮地敲铃。用开关给铃加一个机械阻尼可调低音量。现代电子振铃器从 20 世纪 80 年代用于电话。其中的交流电流流经一个振荡器,振荡器将电流准确地调整到驱动压电换能器所需的频率,换能器则与可调音量的小型扬声器耦合。即使电话挂机的时候,振铃器电路也一直与地方回路接通。

送话器 实际上是装在电话机话筒送话口中的一个小型传声器。它接收说话人话音的振动,并将其转化为电源与电话机之间直流电流的变化。传统的碳粒式送话器是 19 世纪 80 年代研制的,其中用一薄层碳粒将一个固定电极与一个由膜片驱动的电极分隔开。碳粒对流经其中的电流有一定的电阻。膜片响应说话人的话音而振动时,即强使可动电极向碳粒层施加一振荡压力。碳粒层的振荡引起其自身电阻的振荡,从而引起电流的振荡。现代驻极体送话器是 20 世纪 70 年代研制的,它用单面镀导电金属膜的塑料薄片代替碳粒层。塑料片把镀膜与另一金属电极隔开,并在二者之间保持一个电场。话音产生的振动在电场中引起振荡,从而产生一个微小的电压变化。电压经放大后通过电话线传输出去。

受话器 位于电话机话筒的受话口内。它把振荡电流转化成再现人类语言的声波。基本上由两部分组成:一块永久磁铁,其磁极片上有细绝缘线缠成线圈;一个由支承在磁极片附近的磁性材料驱动的膜片。流经线圈的话音电流改变永久磁铁对膜片的吸力,致使膜片振动而产生声波。最普通的一类受话器是于 1951 年引进贝尔系统的。其中的膜片由一个中心锥体连接在钟形衔铁上组成,受到驱动时,它像活塞一样动作,在很宽的频率范围内都能产生有效的响应。电话机受话器能对 350 ～ 3 500 赫的音调产生精确的响应,这一动态范围虽然窄于人耳的听觉能力,但是足以再现正常的话音。

防侧音电路 它是由变压器、电阻器和电容器构成的组件,具有多种功能。其主要功能是降低侧音,即防止说话人自己的声音分散开来从送话器串到受话器中去。防侧音电路还能使电话机线路的低电阻抗与电话线较高的电阻抗相匹配。阻抗匹配可使电流在系统中的流动更加有效。

Telepinus (Hittite king) 参阅 **Telipinus 泰利皮努斯**。

teleprinter 电传打字机 在美国又作 teletype。又称电传打字电报机。通过电话电缆或无线电中继系统传输和接收信息及数据的各类电报机。电传打字机于 20 世纪 20 年代投入商业使用,其后不久就变为最常用的电报机。电传打字机的用户包括地方电报局和交换中心的运营人员，国际新闻通讯社和另一些私营网络，以及*用户电报*(**telex**)等国际电报信息服务业的签约单位。自从20世纪80年代成本低而速度快的数据传输手段问世以来，电传打字机已逐步让位于计算机终端和传真机。19世纪中叶开始有电报以后，就有人设计过各种打印电报机，但实际上只当可以用打字机拍发电报之后，电传打字机才拓宽了电报的应用范围，随后即成为非熟练技术人员也能操作的标准商用机器。早期的电传打字电报机约在20世纪伊始由英国的D.默里、美国的莫克鲁姆公司和德国的西门子与哈尔斯克股份公司研制的。1924年，电传打字机集团公司推出了一系列电传打字电报机。电传打字机由靠电动机带动的打字机式键盘和印字机组成，二者用离合器与电动机连接，离合器则根据需要自动运转。按动键盘送入信息。每按一个字键即生成一组编码电脉冲，经电子式接线器布线，通过相应的传输系统而到达收报地点。收报地点的接收电传机将输入脉冲解码并将信息打印在纸上。有些现代电传打字机还在这些基本的机电设施之外添加了如磁性存储和电视显像等电子设备。用于电传打字机的有两种不同的编码方案。第一种于20世纪20年代开始使用，类似于博多电码，它由5种"通"、"断"脉冲构成32种组合，用以代表字键功能。进入20世纪60年代，一种新编码方案——美国信息交换标准电码(ASCII)——问世，并广泛应用于电传打字机。ASCII使用7种编码脉冲构成128种组合，因而可给出范围广泛得多的符号以供传输。应用ASCII编码的电传打字机，信息传输速度可达每分钟150个单词，而用博多电码的机器每分钟只能传输75个单词。

telescope　望远镜　用来形成远处目标放大图像的设备。在最初的那些望远镜中，可见光经过若干透镜的折射而聚焦；在后来的仪器中，则由曲面镜的反射而聚焦。20世纪30年代起，将射电望远镜用于天体发射的射电波的成像，后来又通过适当设计的望远镜开拓了其他波段(如红外和X射线区)的成像。

17世纪初在欧洲发明了光学望远镜。伽利略望远镜是最早的光学系统之一，因按伽利略建造的简单设备制出而得名。这类望远镜由装在筒内的两个透镜组成，筒长是两透镜的焦距之差。1611年，德意志天文学家J.开普勒提出一种伽利略望远镜的改进型，成为现代折射望远镜的基础。开普勒望远镜把一个作为目镜的凸透镜置于物镜焦点之后，从而有效地扩大了视野；它还将放大率提高1 000倍以上。折射望远镜以后的进展主要是在细节上。19世纪末，这类望远镜的最大口径为1米，它建在叶基斯天文台。

在反射望远镜中，天体发射的光由凹反射镜收集并聚焦；英国天文学家W.赫歇耳用反射望远镜在1781年发现海王星后，它开始盛行起来。在20世纪，反射望远镜成为主要的天文学工具。世界上最大的反射望远镜是安装在俄罗斯高加索帕斯图克霍夫山上天体物理专业天文台的6米直径望远镜和安装在美国加利福尼亚州帕洛马山上5米直径的海耳望远镜。

光学系统的另一类型为反折射望远镜。它把透镜和反射镜组合起来，是1930年由汉堡贝格多夫天文台的B.施密特发明的。在施密特望远镜中，校正板(曲率很小的透镜)置于球形曲面镜之前，以校正该镜的像差。这类望远镜有高聚光本领、高分辨率和宽视野等优点，是理想的天空观测设备。

地球大气不仅对可见光是透明的，对从1毫米到约10米的射电波也是透明的。直到1931年，这个射电"窗口"才为天文观测开放。现在，天文学家系统地研究多种天体(包括恒星、星系和类星体)的射电辐射。射电望远镜最熟悉的类型是一个射电反射器，它由一个通常称之为"盘"的大型抛物型天线构成，这类望远镜的最大、独特装置是直径为305米的固定盘，安装在波多黎各的美国阿雷西博天文台(参阅 **radio telescope**)。

20世纪60年代早期开始，加强了用电磁波谱的其他波段来研究天体的努力。观测设备类似光学望远镜，只是对波长大于可见光的辐射更为敏感，它们安置在高山顶上，如夏威夷岛上的冒纳凯阿峰，以进行红外观测。红外望远镜也已被人造地球卫星携带到人气层以外的高空。紫外线、X射线和γ射线的观测只能在航天器上进行，因为大气层对于波长小于3 000埃的电磁辐射是完全不透明的。紫外望远镜类似反射望远镜，但反射镜的表面需要专门的敷层，以提供高反射率。这类设备的成功例子是哈勃太空望远镜。与之相反，X射线望远镜与常用的光学系统根本不同。X射线的光子有特高能量，不能用透镜聚焦，并将穿透按通常反射望远镜那样排放的镜子。因此，例如高能天文台-2(HEAO-2)卫星(称爱因斯坦天文台)上的X射线望远镜，装备了高度抛光的圆柱形镜面，可将以浅掠入射角(特别小的角，通常小于4°)入射的光子反射到焦平面上，形成的像由电子探测器记录。同样的浅掠入射技术用于γ射线望远镜。利用轨道卫星携带的这类设备可以观测中子星、超新星遗迹、银河星团和其他高能宇宙系统。

telescope, radio　参阅 **radio telescope** *射电望远镜*。

Telesio, Bernardino　特勒肖(1509，那不勒斯王国科森扎[意大利]～1588-10，科森扎)　哲学家和自然科学家。他开创文艺复兴经验主义之先河，反对不依据具体资料即进行推理的做法。他出身于贵族家庭。1535年取得

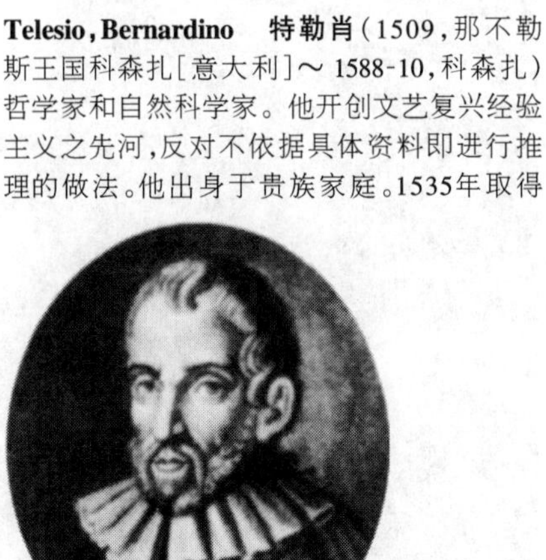

那不勒斯国家图书馆供图

博士学位。在一个僧院里度过9年后，迁到那不勒斯和科森扎居住。其主要著作《按自然本身之法则论自然》的头两卷于1565年发表，而全部9卷于1586年出版。尽管他的著作受到当时教皇们的鼓励，但这部著作和两部较次要的作品从1596年起却被列入天主教教会的《禁书目录》，禁令到1900年才被撤销。《论自然》的中心命题认为，要理解物质世界中的事物，唯一的办法就是研究自然界本身。他说，要进行这样的研究，就得注意到物质的物理性质和热与冷的各个方面。他指出，物质并不是"纯粹的潜力"(亚里士多德提出的概念)，而是一种可以触知的材料。他对植物和动物的研究使他相信，热是生命的源泉，他根据觉察到温暖而得出了这一结论。冷对热是一个补充，它是解释一切自然现象的另一个积极原则。他以适用于感觉的证据取代亚里士多德不用感性材料而只着重于概念的分析。因此，F.培根(1561～1626)把他称为"第一位现代人"。尽管他强调自然的研究，并且他的作品中较少神学的推测，但他也表明他相信上帝，相信人的灵魂永生和不朽。后来的意大利思想家T.康帕内拉和英国哲学家T.霍布斯发展了他的经验主义方法。

Telesphorus, Saint　泰莱斯福鲁斯，圣(?～约136，罗马)　教皇(约125～约136)。相传为希腊人。为历史上第八代教皇。在位期间逢罗马皇帝哈德良迫害基督教徒。传他受迫害而死，成为继圣彼得之后第一位殉教的教皇。

Teletype　参阅 **teleprinter** *电传打字机*。

teleutospore(fungus)　参阅 **teliospore** *冬孢子*。

television　电视　电视是活动图像及其伴音的电传输。电视技术中，图像在发送端由摄像管转变为电脉冲信号，通过信道进行传送。在接收端，电脉冲信号再转化为光的亮度变化，在接收机荧幕上显示出来。

电视视听信号是从电视摄像机将图像和伴音转换为电子信号开始的。这些信号通常被录在磁带上并被附加到高频无线电载波上，以便于传输或广播。由发射天线发出的载波被接收天线拾取并送至电视接收机。在接收机内，视频和声频信号被分离和放大，然后传入显像管。显像管可借电子束对荧光屏的扫描，由视频信号重建原始图像。扫描路径为一组平行的直线，每一条由左至右，所有的直线从上至下布满整个电视荧幕。扫描过程中，沿扫描线把图像分解成称为像素的明暗光点，像素越多，图像越清晰。现代电视中，每幅图像包含20万个左右的像素。每秒传送的图像数目及每幅图像扫描线数在电视系统中有不同的标准，比较典型的有每秒传送30幅图像，每幅图像扫描525行(美国、日本等采用)；每秒传送25幅图像，每幅图像扫描625行(欧洲)。为了消除电视图像的闪烁现象，电视中每一幅图像都分两次显示，每一次称为一场，相应的扫描技术称为隔行扫描。第一场扫描时，从上到下每隔一行扫描一次，第二场扫描也是每隔一行进行一次，但其扫描线正好落在第一场扫描线间的空白中，两

场共同组成一幅完整的图像。这样，每秒可发送50～60场图像，消除了闪烁现象。

电视图像信号包括所有的图像信息以及电视图像同步信号，后者用来使电视发送端和接收端的扫描运动严格保持一致，以保证正确地重建图像。实际的电视传送过程中，图像内容会有很大差别，可以为精细的密集点结构，也可以在大面积上出现相同亮度，因此，图像信号频率是不断变化的。根据扫描线数以及每秒发送图像数目不同，上述频率变化范围可为0～4兆赫、0～6兆赫等。除了传送图像的电视图像信号外，还有传送声音的伴音信号，用调频的方法把它调制在某个高于图像信号频率的载频信号（如4.5、6.5兆赫）上，共同组成电视信号。在短距离传送电视信号时，可以通过导线或同轴电缆；当长距离传送时，要把电视信号用调幅的方法调制在高频载波上，再以残余边带的形式进行传送。广播电视中，电视信号被调制在几十以至几百兆赫的甚高频或超高频的载波电流上，通过发射机天线以无线电波的形式送到空中。在上述频率范围内，各国都规定了一些标准频道供电视使用。

电视接收机内图像的显示一般由显像管完成。显像管呈漏斗形，宽的一头是长方形电视荧光幕，涂有荧光物质；细的一头是电子枪，可发射电子束。显像管内部高度真空，外部套有偏转线圈以产生磁场使电子束偏转。显像管的基本工作方法是：电视图像信号控制电子束发射的强弱，打到荧光物质上之后产生相应的明暗光点，同时，偏转磁场使电子束发生偏转，在荧光幕上扫描出图像来。

兼容制彩色电视技术包括两种传送。一种是亮度信号传送，采用和黑白电视机一样的传送方法，并可以为黑白电视接收机接收；另一种是彩色信号传送，仅对彩色电视接收机起作用。彩色信号由彩色饱和度信号和色调信号组成，共同调制在一个低于图像信号最高频率的副载波信号上，副载波信号是一个精确的单一频率信号，其幅度变化代表彩色饱和度的变化，其相位变化代表色调变化。实用中的彩色电视系统分为三种制式：NTSC制（National Television Systems Committee，美国、日本等）、PAL制（phase alternation line，英国、西德等）、SECAM制（système électronique couleur avec mémoire，法国、苏联等）。三种制式的区别在于彩色信号具体调制方法不同。彩色电视信号在电视接收机内被转变为三个基色（红、绿、蓝）信号，在彩色显像管上合成，显示出彩色图像来。电视在实际中有广泛的应用。美国在1941年开始了黑白电视广播，并于1954上首先开始了彩色电视广播。到20世纪70年代，世界上几乎所有的国家都建立了电视广播。特别是60年代以来利用同步卫星转播电视节目，克服了电视广播传送距离近的缺点。目前，已有的同步卫星可以保证地球上任何地方都可以收到其他地方传来的节目。

共用天线（CATV）系统是由一个架得很高的天线以接收高质量的电视信号，然后通过电缆传给邻近的用户。共用天线系统自从1950年出现以来发展得很快。闭路电视原先是指由摄影机和若干以同轴电缆连接的监视接收器所组成的局部系统，随着发展已泛指某一组织自己拥有的或租用的任何为专门目的服务的电视系统。这样的系统在工业、商业、教育事业以及军事上用得很广泛。电视录影技术可以把电视节目录在电影胶片上或磁带上，录制的节目不仅可以作为永久性的保留，而且有利于剪辑编排节目。特别是磁带录影可以迅速地进行电视节目重映，这在电视广播中尤其需要。近年来，家用电视录影发展得很快，除了磁带录影机外，还有影碟。到20世纪末，人们致力于开发高清晰度电视（HDTV）。这种电视比普通525行线荧幕电视的图像分辨率高得多。起初曾专注于提高图线的密度，使行线增加到1 000条以上，但是这种办法在90年代即被电视发射和接收采用的数字技术所取代。普通电视传送模拟信号，通过作为波系的模拟信号可以重建由摄像机和扩音器收集的原始图像和声音；这些波随之在电视机内被解码和放大。对比之下，数字高清晰度电视系统传送数据形式的图像和声音，这种数据用的是二进制计算机代码0和1的形式。这种数据用同模拟信号载波一样的射频发送，而在数字电视机内的计算机处理装置则将数据解码。数字高清晰度电视可提供鲜明、清晰的图像和声音，极少干扰或其他缺陷。也许更重要的是，数字电视机既能接收又能传送、储存和处理图像，因而兼备电视机和小型计算机的功能。

Television and Infra-Red Observation Satellite 电视红外观测卫星 参阅TIROS“泰罗斯”号气象卫星。

telex 用户电报 由电传打字机网组成的国际性电报传输业务。用户几乎可以在世界的任何地方使用这种通信手段直接交换书面意见或资料。用电话拨号盘或电传打字机键盘输入另一端用户的规定呼号，通信即开通。打出的信息被转换为低字节率的信号之后，即由向电话系统租用的通道传输，并由用户电报业主经营的交换中心布线。信息到达对方电传打字机后，或立即打印，或存储起来以供事后在阴极射线管监视器上显示。20世纪30年代初，用户电报出现在英国和其他几个欧洲国家。1931年，美国电话和电报公司（AT&T）开展了它的电传打字电报机交换业务（TWX）。自此以后，美国的用户电报系统一直由私人公司经营；而在大多数其他国家，用户电报都由政府邮电机构经营。1962年，美国西方联合电报公司在美国建立了用户电报（Telex在美国是一个注册商标名称）系统。8年后，它购买了美国电话和电报公司的电传打字电报机交换网。因为Telex和TWX的键盘编码和传输速度不同，二者的用户不能直接通信。Telex使用5字节的博多电码，发报速度为每分钟至多75个词；而TWX采用7字节的美国信息交换标准电码，发报速度约为每分钟150个词。两个系统由计算机连在一起，在传输过程中将两种编码互相转译。这样就实现了二者用户的直接通信，不过在时间上有所延迟。由于现在已能通过无需现租、拨号即通的电话线进行高速度的数字通信，特别是传真传输，用户电报的使用已见衰落。（西方联合电报公司在其1993年宣布破产之前，已于1990年将用户电报网卖给了美国电话和电报公司。）不过，作为一种数据传输业务，用户电报仍可应用于一些不要求高传输速度的场合和不具备较现代化的数据设备的地区。在许多国家，已经在计算机转换的基础上实现了用户电报系统的现代化，使之功能更强，并可对其他数据传输业务中所用格式自动进行相互转换。参阅teleprinter。

Telford 特尔福德 英格兰什罗普地理、历史郡里金单一政区新建城镇。位于里金山（407米）的东、北侧。1963年始建道利新镇，以疏散伯明翰市和毗邻的黑乡工业区的人口与工业。1968年新镇扩大至78平方千米，易名特尔福德。住房和工厂建筑迅速增加。人口119 340（1991）。

Telford, Thomas 特尔福德（1757-08-09，苏格兰邓弗里斯韦斯特柯克附近～1834-09-02，伦敦） 苏格兰博学多才的土木工程师，最大的成就是设计建筑威尔士的梅奈悬索桥

特尔福德建造的威尔士康维河上的悬索桥

供图：A. F. Kersting

(1819 ～ 1826)。早年为泥瓦匠，自学成才。1786年任什罗普郡检查公共工程的官员，负责修建楼房和桥梁，在此期间他建筑了位于蒙特福德、比尔德沃斯和比尤德利的3座跨越塞文河的桥梁，其中第二座是用铸铁建造的。1793年任埃尔斯米尔运河公司的工程师，他建筑两座大渡槽使运河通过威尔士的赛里奥、格山谷和迪山谷。渡槽使用新型铸铁板水槽，固定在砖石建筑中。这项工程使他闻名全国。1803年开发苏格兰高地时，他负责开凿喀里多尼亚运河，修建阿伯丁和邓迪等地的海港工程，建筑公路超过1 450千米，其中包括许多座桥梁。在扩建通往霍利黑德的公路中，他在康维河上和梅奈海峡建造了两座悬索桥。为了对付铁路竞争的威胁，他负责开凿从伍尔弗汉普顿到楠特威奇的新运河，并在黑尔卡斯尔开凿一条穿过特伦特-默西运河的新隧道。他修建的其他工程有瑞典的约塔运河、伦敦圣凯瑟琳船坞、苏格兰低地区的公路、位于蒂克斯伯里和格洛斯特的塞文河上的桥梁。他是英国土木工程师学会(1818年成立)的第一任会长。

telharmonium　电风琴　又作 dynamophone。用电发声的最早乐器，由美国T.卡希尔发明，1906年开始采用。这一电声乐器是电机型的，由旋转电磁发生器(因此是哈蒙德风琴的前身)产生电脉冲，用电声接受器变换成声音。电风琴很快就被更有实效的电子乐器所代替。

Télimélé　泰利梅莱　几内亚西部城镇。位于通往金迪亚、皮塔、加瓦尔和博凯商路的交点。是富塔贾隆高原的穆斯林富拉尼人的贸易中心(牛、稻米、黍类和柑橘)，也是运往首都科纳克里的牲畜集中地。人口约25 951(1983)。

Telingāna　特仑甘纳　印度半岛上的历史与语言区，包括今安得拉邦中北部和东北部地区。以达罗毗荼语系的泰卢固语为主要语言。公元前3～3世纪由安得拉的佛教国王统治。重要城镇有海德拉巴、瓦朗加尔、维杰亚瓦达、拉贾蒙德里和维沙卡帕特南等。

teliospore　冬孢子　又作teleutospore。锈菌目真菌的厚壁冬季休眠孢子。从冬孢子堆生出。冬孢子可形成担子。

Telipinus　泰利皮努斯(活动时期公元前16世纪)　又拼Telepinus。安纳托利亚赫梯人旧王国的末代国王(约公元前1525～约前1500)。在位期间为了结束无法状态并规定王位继承制度，发布所谓《泰利皮努斯敕令》。根据这一敕令，如果发生违反宪法的案件，以元老会议作为最高法院进行裁决。如果有谋杀行为，国王也要服从司法部门的处理。在新王国期间，人们一直遵守这一敕令的规定。关于泰利皮努斯的统治，所知甚少。从其在位时期直至公元前14世纪开始，无历史记载可以查考。

tell　圆丘　中东考古学中标志古代城市遗址的隆起土丘。这种土丘一般形如截顶圆锥。在古代，营造房屋是用泥堆，或者把黏土挤压在一起，稍晚则用土坯或砖，而以稻草、砂砾或陶器碎片来加固。不过，裸露在外的所有泥土结构都很容易崩塌，常把断壁残垣推平，在上面建起新屋，因此圆丘下层遗址的年代通常比上层早。

Tell, William　退尔　瑞士传奇英雄，他是为政治和个人自由而斗争的象征。根据流行的传说，他是13世纪末至14世纪初来自乌里州比格伦地方的农民，他蔑视奥地利当局，被迫向放在他儿子头上的苹果射箭；由于威胁州长性命而被捕，在送往监狱途中他又救了这位州长的命，脱逃后，终于在一次伏击中杀死了这个州长。这些事件与其他类似事件均被认为是向人民发出起来反对奥地利统治

1698年木版画，威廉·退尔被迫向放在他儿子头上的苹果射箭的场面

不列颠博物馆供图

的信号。该传说的古典体裁出现于G.丘迪所写《瑞士编年史》(1734～1736)，文中指明退尔事件发生于1307年11月，而瑞士获得自由的日期正是1308年元旦。但是，没有任何证据表明确有威廉·退尔这个人存在，不过，这种射手的故事却在民间广为流传。后来，又通过德国剧作家席勒的《威廉·退尔》剧本而名闻世界。

Tell Atlas　泰勒阿特拉斯　又称滨海阿特拉斯。法语作 Atlas Tellien，阿拉伯语拉丁字母转写作 Tel al-Aṭlas。北非阿特拉斯山系山脉。从摩洛哥东部经阿尔及利亚到突尼斯，绵亘1 600千米。在摩洛哥，从休达向东到梅利利亚的里夫山长240千米，沿地中海海岸，山势险峻，岩峰突起。在阿尔及利亚有5道山岭，最高者是大卡比利亚，海拔2 308米。在突尼斯，有沿海丘陵和一个内陆高原，最高处达1 370米。

Tell el-Amarna style (Egyptian art)　**特勒·埃尔-阿马纳风格**　参阅 **Amarna style** 阿马纳风格。

tellem figure (devotional image)　参阅 **telum figure** 特卢人像。

Teller, Edward　特勒(1908-01-15，奥匈帝国匈牙利布达佩斯～　　)　匈牙利语作 Ede Teller。匈牙利出生的美国原子核物理学家。他参与制造了第一颗原子弹(1945)，并领导研制世界上第一个热核武器(氢弹)。

特勒出身于一个富裕的犹太人家庭。在布达佩斯上完中学后，在德国卡尔斯鲁厄理

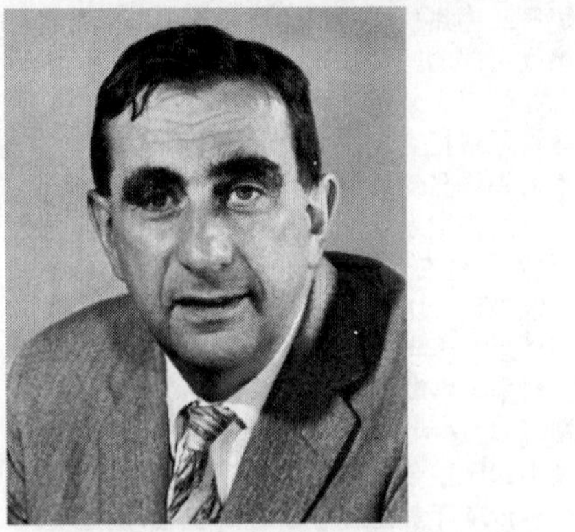

加利福尼亚大学劳伦斯伯克利试验室供图

工学院获得化学工程学位。然后到慕尼黑和莱比锡获得物理化学博士学位(1930)。他的关于氢分子离子的博士论文，有助于奠定分子轨函数理论的基础，这一理论迄今仍为大家所普遍承认。在慕尼黑上学时，特勒曾因车祸而失去右脚，后装上了假肢。

在威玛共和国时期，特勒为原子物理学所吸引，先到哥本哈根在N.玻尔指导下学习，后到格丁根大学任教(1931～1933)。1935年偕新娘A.哈尔坎尼到美国，在华盛顿(哥伦比亚特区)的乔治·华盛顿大学任教。他和他的同事G.伽莫夫建立了放射性衰变过程中亚原子粒子可逸出核的方式的分类新定则。1939年受玻尔关于铀原子核裂变报告和罗斯福总统号召“科学家用行动来保卫美国，反抗纳粹”讲话的鼓舞，特勒决心致力于发展核武器。

1941年特勒入美国籍并在芝加哥大学加入E.费米小组，在实验中成功地实现了第一次自持的核链式反应。然后接受伯克利加利福尼亚大学的邀请，与J.R.奥本海默作原子弹的理论研究。1943年当奥本海默在新墨西哥州建立秘密的洛斯阿拉莫斯科学试验室时，特勒是第一批被吸收的人。虽然那里的工作任务是制造裂变弹，但特勒逐渐离开主要研究课题转向研究威力可能更大的热核氢聚变弹。战争结束时，他要求美国政府把核武器发展的重点转到氢弹上。然而，广岛已对奥本海默和洛斯阿拉莫斯科学实验室科学家产生深刻的影响，几乎没有人愿意继续从事核武器研究。1946年特勒接受了芝加哥大学核研究所的职务，但又回到洛斯阿拉莫斯作了一个时期的顾问。1949年苏联爆炸了原子弹，使他更下定美国必须拥有氢弹的决心。但以奥本海默为首的原子能委员会的总咨询委员会反对发展氢弹的应急计划。这一争论经英国原子科学家K.富克斯从1942年以来为苏联干间谍的供认得到解决。富克斯已知道美国对氢弹感兴趣，把美国这方面的早期数据送到苏联。作为对这一事件的反应，杜鲁门总统下令为发展氢弹开绿灯，特勒在洛斯阿拉莫斯为实现这一目标而工作。

特勒及其同事们在1951年初以前，在设计可行的热核装置方面只获得极少的实际进展。当物理学家S.M.乌拉姆提出利用原子弹的机械冲击波压缩第二个裂变堆心使其爆炸，由此产生的高密度可使第二堆心热核燃料的燃烧有效得多；特勒进而提出，利用原子弹爆炸的辐射而不用机械冲击波来压缩和点

燃第二个热核堆心。这两种想法共同奠定了聚变武器的坚实基础。现在知道,利用特勒-乌拉姆组合装置,于1952年11月1日在太平洋埃尼威托克环礁成功地进行了试验,它产生的爆炸当量为1 000万吨TNT。

后来把发展世界上第一个热核武器归功于特勒,他在美国号称“氢弹之父”,而乌拉姆在氢弹设计中的关键作用则没有出现在这一事件后几十年内的政府机密文件和其他原始资料中。特勒不顾许多同辈人的怀疑甚至敌视,仍对这种武器进行顽强的研究,在氢弹发展中起了主要作用。

1954年美国政府举行听证会,确定奥本海默是否对安全有危险时,特勒的声明是断然地不同情他从前的首长。他对调查委员会说:“若政府材料掌握在他人手里,我个人觉得更为安全。”当听证会结束后,奥本海默的安全许可证被吊销了,其科学管理者的生涯也告结束。虽然特勒的声明决不是对这一结果的决定因素,但许多美国著名核物理学家认为特勒这样做是对奥本海默的背叛,而决不能被原谅。

1952年特勒在加利福尼亚州的利弗莫尔为建立美国第二个核武器试验室(劳伦斯·利弗莫尔试验室)作出贡献。它是以后近40年内美国制造热核武器的主要工厂。1954～1958年和1960～1975年任利弗莫尔试验室副主任,1958～1960年任主任。同时也任伯克利加利福尼亚大学的物理学教授(1953-1960),且为名誉教授直至1970年。

特勒是一个坚定的反共产主义者,他在60年代以更多的时间从事美国在核武器方面保持领先于苏联的努力。他反对1963年禁止核试验条约,此条约禁止在大气层试验核武器。他是犁铧计划的支持者(一个探索原子爆炸和平利用的不成功的美国联邦政府计划)。70年代特勒仍然是核武器政策的主要政府顾问,1982～1983年他是主要影响里根总统战略防御主动权计划(试图创建一个防御系统防止苏联的核打击)的人。

Tellicherry 代利杰里 印度西南部喀拉拉邦北部城市。1683年英国人为胡椒和小豆蔻贸易而建此城,为英国在马拉巴尔海岸地区最早的居民点。代利杰里市为胡椒、咖啡、檀香和椰子的重要出口港。有发达的家具工业,另有咖啡加工、织绳、编席和其他工业。设有布雷嫩学院(建于1862年)。人口103 577(1991)。

Tellier, François-Michel Le 泰利耶 参阅 **Louvois, François-Michel Le Tellier, Marquis de 卢瓦侯爵**。

Tellier, Michel Le 泰利耶 参阅 **Le Tellier, Michel 勒泰利耶**。

Telloh(Iraq) **泰洛赫** 参阅**Lagash拉格什**。

telluric current 大地电流 又称地电(Earth current)。流经地面或地下的自然电流,一般与地面方向平行。大地电流是由于具不同电势区域之间的带电粒子为取得平衡而移动所产生的。电势的差异是由几种条件造成的,包括来自太空的甚低频电磁波,特别是来自伴随地表而产生的磁层的甚低频电磁波,以及电离层和大气层中带电粒子的运动等。大地电流通常被地球物理学家们用来图示沉积盆地、层状岩石和断层等地下构造。异常的电流密度或梯度可用来指示地下构造形迹。

Telluride 特柳赖德 美国科罗拉多州西南部城镇,圣米格尔县县城,地处海拔2 667米的圣胡安山西麓。1875年为采矿营地,称哥伦比亚。因发现丰富的金、银、铁、锌、铅、铜等矿藏而迅速兴旺。1880年以碲(tellurium)矿之名重新命名该市,但当地并无此矿。1890年修通丹佛和里奥格兰德西方铁路支线后,城市人口达5 000人。大部居民为不列颠群岛和斯堪的纳维亚矿区移民。1893年因白银市场崩溃,人口减少。20世纪中期当地居民不足500人。1972年开发滑雪场,遂在地区乃至世界赫然成名。目前该市被列为国家历史名胜区,常年举办各种电影音乐节。城镇四面为安肯帕格里国家森林所环绕,科罗拉多最高的布赖德韦尔瀑布紧靠城市中心。人口2 221(2000)。

tellurium 碲(Te) 周期表Ⅵa族氧族准金属化学元素,其物理性质和化学性质与硒很相近。1782年,特兰西瓦尼亚矿山的督察F. J. M. von赖兴施泰因发现了碲。碲虽广泛分布于世界各地,但不是丰产元素。非化合态的碲极少见。碲通常以铜、铅、银、金、铁或铋的碲化物形式存在。提取碲的主要资源是铜、铅提炼厂的矿泥,以及碲化金矿加工中的烟道灰。碲以两种形态存在:一为银白色晶体,性脆而具有金属光泽;另一为深灰到棕色的非晶态粉末。碲无明显的金属特性,其导热性差,导电性一般。碲在空气或氧气中燃烧,发出蓝绿色火焰,形成二氧化碲(TeO_2),与盐酸不反应,但能被硝酸或王水(硝酸和盐酸的混合液)氧化成碲酸(H_2TeO_3)。碲与卤素(氟、氯、溴和碘)反应生成卤化物。在高温下,它能与大多数金属化合生成碲化物。碲虽有足够的来源,但尚未研究出一种用途对它产生大量的需求。加入少量碲,可提高铝合金的延展性、锡合金的硬度和抗张强度,以及不锈钢和铜的机械加工性能。加在铅和锰-镁合金中,可提高其耐腐蚀性。碲化铋和碲化铅都是半导体材料,已用于温差电装置,或用作电源,或用于致冷。碲原子序数52。原子量127.60。稳定同位素质量数120、122、123、124、125、126、128、130。熔点449.8 °C。沸点989.9 °C。氧化态-2、+2、+4、+6。电子组态2,8,18,18,6或(Kr)$4d^{10}5s^25p^4$。

Tellus 忒耳斯 又称地母(Terra Mater)。古罗马宗教所信奉的土地女神,司掌土壤肥力,后来人们把她等同于众神之母赛比利。奉祀她的两个节日分别为丰产节和耕种节。参阅 **Great Mother of the Gods**。

Teloekbetoeng (Indonesia) 参阅 **Telukbetung 直落勿洞**。

Telstar “通信星” 通信卫星系列,于1962年开始发射,从而开创了电子通信的新时代。1960年美国贝尔电话公司实验室的L. R. 皮尔斯利用涂铝气球卫星“回声”1号(Echo 1)

“通信星”2号
贝尔电话公司研究所供图

接受和反射无线电话信号,首次进行了人造卫星通信的实验。“通信星”的设计则复杂得多,能接收和放大地面信号,然后向另一地面站转播。它重仅77千克,由镍-镉蓄电池供电,并由3 600个太阳能电池为蓄电池充电。它共有1 000多只晶体管,心脏部分是一只特殊设计的行波管,能把信号放大1万倍,加上其他部件,放大倍数远远超过1万倍。1962年7月10日“通信星”通信卫星发射后,当它到达轨道(远地点为5 600千米)某一适当位置时,安装在缅因州安多弗附近的巨大角形活动天线开始对它进行跟踪。几分钟后,在欧洲电视机屏幕上第一次收到由大西洋彼岸发射并经英国和法国中继台转播的电视图像。同时还成功地传送了电报、电话、数据和传真照片。“通信星”工作正常,直到1963年2月中止通信,其原因可能是受到美国核武器大气试验所产生辐射的影响。“通信星”2号是一枚重量稍重,作用基本类似的卫星,于1963年5月7日发射,轨道远地点为10 720千米。继“通信星”之后发射的通信卫星都进入较高的圆形轨道,保持与地球相对固定的位置。有3枚这样的卫星就能保证持续地与地球上几乎任意的地点进行通信。

Telugu language 泰卢固语 属于达罗毗荼语系,通行于印度东南部,是安得拉邦的官方语言。泰卢固语有若干地区方言,3种社会方言——婆罗门方言、非婆罗门方言及贱民方言,并有文言、口语之分,形成双语状况。同其他达罗毗荼语一样,泰卢固语有一组卷舌辅音(如ṭ、ḍ、ṇ),发音时舌尖向上卷曲抵硬腭,用后缀表示格、数、人称和时态等语法范畴,并多以重叠法构词,如pakapaka(突然迸发大笑)、garagara(干净)。书面文献溯源至633年,文学作品始于10或11世纪纳耶耶翻译的史诗《摩诃婆罗多》。泰卢固字母源于遮娄其王朝的字母,与坎纳达字母相近。

Telugu literature 泰卢固语文学 用泰卢固语写的各种作品的总称;泰卢固语属于达

罗毗荼语系，使用于印度马德拉斯以北地区并深入内地直到贝拉里。该文学始于10或11世纪，主要是诗歌以及世俗性与宗教性的史诗，"百咏"诗体为一种十分流行的体裁。16世纪初，泰卢固语文学在维查耶那加尔帝国的统治下（泰卢固语为其宫廷语言）繁荣兴旺起来。从19世纪起，对于小说一类的西方文学体裁又进行了一些尝试。

Teluk Intan　因潭湾　原名Teluk Anson（安顺）。西马来西亚（马来亚）西部港口。在霹雳和美罗两河汇合形成的三角洲半岛上。为行政中心和重要石油库。沿岸贸易活跃，转运锡、橡胶和椰仁干。人口73 700（2001）。

Telukbetung　直落勿洞　荷兰语作Teloekbetoeng。印度尼西亚楠榜省城镇和港口。位于苏门答腊岛南岸、楠榜湾顶端。1883年喀拉喀托火山爆发摧毁了该城，1905年开始有移民，到60年代中期，爪哇和巽他人后裔占该地人口的1/3。为地区主要港口，出口橡胶、咖啡、金鸡纳、胡椒和纤维制品，有公路和铁路经过它的双联城丹戎加兰与内地连接。设有机场。海路至爪哇孔雀港。人口：丹戎加兰-直落勿洞城市区284 275（1980）。

telum figure　特卢人像　又拼tellem figure。石刻或木雕小型祈祷像，可能是原始社会用于对个人祖先而不是公社祖先的崇拜。特卢人像在新几内亚西北海岸和在苏丹的多贡

新几内亚东北岸阿斯特罗莱布湾地区出土的木雕特卢人像

供图：N. Heinrich, Stuttgart, Ger.

艺术中均为人熟知。在苏丹，这种人像通常放在敞开的洞穴中。在新几内亚，已发现木质和石质的特卢人像。有一些完好的木质人像在阿斯特罗莱布湾地区发现，其颜面轮廓分明。几乎可以肯定，这些新几内亚的特卢人像不单是凡人祖先的表征，也是土著人作为神话中的祖先来崇拜的神像。

Tem（Egyptian god）　**特姆**　参阅**Atum**阿图姆。

Tema　特马　加纳东南部城市和港口。濒临大西洋几内亚湾。港口于1962年正式启用，为非洲最大人工港，面积166公顷，筑有5千米长的防波堤，有12个深水泊位、一个油轮泊位、一座船坞，还有仓库、中转货棚等设

特马市的鱼市

供图：Jacques Jangoux

施。防波堤东侧另有一渔港，附有冷藏库和销售设施。计划在港湾以北建设一占地166平方千米的"新城"，内分住宅区和工业区。发展制铝、化工、炼油、可可和植物油加工、汽车装配、纺织、水泥、炼钢等工业。从20世纪60年代开始，因就业机会多，人口大批流入。因此在特马附近形成一个大贫民窟。人口约109 975（1988）。

Témbi（Greece）　参阅**Tempe, Vale of**滕比河谷。

Tembu　滕布人　又拼Thembu。非洲操班图语的民族，居住在姆西姆夫布河的上游地段。该地区以前是南非开普省最东面的一部分，现在属于特兰斯凯，即南非政府为推行种族隔离政策而建立起来的"独立的"黑人家园，但未得到国际上承认。滕布人使用科萨语的一种方言；科萨语属于班图语恩古尼语族，与祖鲁语极其相近。19世纪初期，滕布人和其他使用恩古尼语族语言的各民族有着共同的文化模式，包括父系制、从夫居、族外婚，以牛为聘礼（罗博拉）。劳动分工是：女子主要从事锄耕，种植黍稷，玉米；男子从事畜牧。但是在19世纪初期和中期，滕布人处于内外交困的境地：在他们的西南面，欧洲殖民势力在扩张；在东北面，恰卡统治下的祖鲁王国在扩张，随之而来的是大破坏（姆菲卡尼）所造成的人口的急剧变化和政治上的混乱。尽管滕布人从未被哪一支军队征服过，但1857年后，滕布人酋长的声望逐渐下降。英国总督乔治·格雷爵士就在滕布族地区指派欧洲人担任地方行政官员。滕布族许多人渐渐接受了这种做法，认为这些人可以代替酋长。基督教传教士的活动，加剧了对滕布人传统生活方式和权力结构的侵蚀与破坏。因之滕布人中分为两派：一是革新派或"学校"派，赞成走西方路线的现代化；另一是传统派，或"红色"派（因喜用红赭石装饰而得名），蔑视现代价值标准，因循旧习，走老路。滕布人和南非诸民族一样，也加入了流动劳工行列，这是1886年在威特沃特斯兰德开采金矿以来，南非经济的一大特点。这样，住在滕布兰农村地区的人，越来越依赖流动劳工汇钱回家来糊口。由于该地区人口过多，超量放牧，以及水土流失所造成的生态失调，当地居民对外出打工者的汇款的依赖日甚一日。

Temen　参阅**Temne**滕内人。

temenggong　天猛公　在旧马来诸邦，负责维护法律和秩序、指挥警察和军队的官员。这一非世袭的官职形成于15世纪马六甲邦发展时期，这时马六甲邦已是印度、中国和东南亚间的贸易枢纽。内部安宁是该邦商业繁荣的先决条件，天猛公起着保持安宁的作用。他的职责包括：维持治安、看管罪犯、兴修监狱、巡视街道、保证市集上度量衡的准确性。15世纪后马六甲邦虽衰落，但马来其他邦皆袭设天猛公一职直至19世纪。

Temerloh　淡马鲁　西马来西亚（马来亚）中部城镇。濒临彭亨河。居民主要从事割胶业和水稻种植。郊区村民顺流而下渡到该镇清真寺附近的集市上销售农产品。淡马鲁是去河东岸北干和去南面贝拉湖野生动物区的渡轮中转站。由于原大桥常遭季风洪水泛滥影响，致使该地区唯一穿越东西两岸的公路中断，1973年建有高架桥取而代之。人口8 176（1980）。

Temes River（north-central Balkans）　**泰梅什河**　参阅**Timiş River**蒂米什河。

Temesvár（Romania）　**泰梅什堡**　参阅**Timişoara**蒂米什瓦拉。

Temin, Howard Martin　特明（1934-12-10，美国宾夕法尼亚费城～1994-02-09，威斯康星麦迪逊）　美国病毒学家。1975年与其师R.杜尔贝科及杜尔贝科的另一位学生D.巴尔的摩因发现核酸的反转录现象和反转录酶而共获诺贝尔生理学或医学奖。特明先在加利福尼亚理工学院在杜尔贝科领导下，为获得哲学博士学位而研究劳斯氏肉瘤病毒引致动物癌症的机制。人们观察到一个费解的问题：在DNA合成受到抑制时，主要由RNA构成的病毒就不能感染细胞。1964年特明提出：病毒能将其自身的RNA转译成DNA，该DNA再指导宿主细胞的代谢活动，使宿主细胞转化为癌细胞。寄主细胞一面合成本身的DNA，一面又合成带病毒遗传信息的DNA，产生更多的癌细胞。当时的分子生物学理论认为：遗传信息总是从DNA转译成RNA的，而不能反方向进行。特明的观点正好与此矛盾，因此受到怀疑，1970年特明及巴尔的摩在病毒中发现反转录酶，可以合成带病毒RNA遗传信息的DNA，证明了特明的假说是正确的。特明于1959年获哲学博士学位，与杜尔贝科共事一年后，到麦迪逊市威斯康星大学任教。

Temirtau　铁米尔套　哈萨克斯坦卡拉干达州城市。濒临努拉河的撒马尔罕水库。为卡

拉干达市的卫星城，1934 年水库建成时建为居民点；1945 年前称撒马尔罕茨基，后建成数家小型工厂企业。第二次世界大战期间建起了以废铁为原料的钢铁厂。1945 年人口已超过 2.5 万人。卡拉干达冶金厂为苏联最大的钢铁厂之一。化学工业有合成橡胶厂及生产碳化钙（电石）的化工厂。人口约 213 100（1991）。

Temminck's cat　特明克氏猫　金猫（golden cat）的一种，产于亚洲的猫科哺乳动物。

temmoku ware　天目器皿　参阅 Chien ware 建窑器皿。

Temne　滕内人　又称廷尼人（Timni 或 Temen），居住在塞拉利昂西北部，语言属尼日尔-刚果语系大西洋西支。他们以农业为主，主要作物为水稻，辅以花生、棉花、木薯和黍稷，经济作物有棕榈仁和可拉果，以水稻、牛羊为大宗。每户由一个丈夫、一个或数个妻子、子女和其他被赡养的人组成。住区模式是一圈一圈的泥木结构的草顶房舍围绕一个中心会所建成。财产继承和传宗继位遵循父系制。滕内人划分成许多独立首领领地，每块领地都由一位最高首领管理。首领领地又分成包括一至数个大小村庄的区，各区由副首领管理，而各村则由一名头人管理。对至高神明、自然神灵和祖宗神灵的传统宗教信仰已日趋淡漠，取而代之的是改信基督教和伊斯兰教。

Temora　特莫拉　澳大利亚新南威尔士州中南部城镇。建于 1879 年淘金热时期。1891 年设为自治镇。为重要的铁路交叉点，里弗赖纳地区小麦储运中心。亦转运羊羔和牛。有肉类冷冻、服装等工厂。有铁路和航空线通悉尼。人口4 279（1991）。

Tempe　坦佩　美国亚利桑那州中南部马里科帕县城市，菲尼克斯市南郊。濒临索尔特河。1872 年亚利桑那州前参议员之父查尔斯·海登最早定居于此，曾称海登费里，1880

坦佩市亚利桑那州立大学内的 G.加梅季纪念堂，F.L.赖特设计，1964 年落成

供图：Frank Lloyd Wright Foundation

年从希腊的坦佩河谷（又译滕比河谷）改为现名。1894 年设镇，1964 年设市。设有亚利桑那州立大学，校园内有G.加梅季纪念堂。第二次世界大战后，人口与经济随轻工业发展明显增长。农业因索尔特河灌溉之利，在经济中居主要地位。人口约148 320（1992）。

Tempe, Vale of　滕比河谷　现代希腊语作 Témbi。希腊色萨利区东北部山谷。在奥林波斯山和奥萨山之间。周围为峭壁，南面高达 500 米。有的地方宽仅 20 ～ 50 米，最宽处 8 千米。据传该谷系由地震和海神波塞冬用三叉戟劈裂而形成。地质学者认为是因河流侵蚀形成。河谷是从希腊马其顿滨海区通往色萨利平原的要道，也是历来入侵者必经之地，有古罗马时期至中世纪期间修建的城堡要塞的遗迹。

Tempelhof　滕珀尔霍夫　德国柏林一区。建有柏林主要机场。苏联封锁西柏林期间（1948 ～ 1949）机场加以扩大作为盟国给养空运终点站；1990 年前滕珀尔霍夫中心机场一直是美国军用机场。1975 年 9 月，新建的泰格尔机场成为西柏林唯一的民用机场。区内生产工业器械、电唱机、巧克力和金属制品。

tempera painting　蛋彩画　以易溶水质媒介调制颜料所作的绘画。标准的调和载色体是用水稀释的天然乳胶，即蛋黄。现代画家不仅用蛋黄而又研制出各种乳剂以扩大其

B.沙恩的蛋彩画《萨柯和万泽蒂受难图》（1931 ～ 1932）

纽约惠特尼美国艺术博物馆供图

用途。一些人造乳剂，以全蛋和亚麻仁油，以及以树胶和蜂蜡等配制而成。蛋彩画底是涂有薄薄数层石膏浆的硬木或墙板。石膏浆系用熟石膏和皮胶（或羊皮纸浆）调成，色白，质细匀，吸收性能好。现代蛋彩画往往涂覆稀薄、透明的上光油，以产生色彩饱满、色调沉着的效果；也有为了保持淡黄的效果而不上光。未上光的蛋彩画，尤其是纯蛋黄乳剂的，以脱脂棉擦亮后，画面呈现绸缎般的悦目光彩。

temperament　气质　心理学中指人格的一个方面，与情绪倾向和反应及其速度、强度有关。该词往往用以指人的主要心境及心境模式。这个意义上的气质概念起源于希腊医生加伦，他在公元 2 世纪根据四体液学说提出气质一词，根据占优势的体液（血液、黏液、黑胆汁和黄胆汁）不同，人的气质可分为多血质（热情、愉快）、黏液质（动作缓慢、情感淡漠）、抑郁质（忧郁、愁苦）和胆汁质（反应迅速、脾气急躁）。大多数现代理论强调内分泌腺对情绪反应性的影响。现代心理学认为，在情绪反应性中，头等重要的是自主神经系统，特别是交感神经的活动。自主神经系统反应过强与神经症倾向密切相关。因为这种反应能形成条件反射，形成条件反射容易与否又有个体差异（可能是先天性的），这对气质的决定也起作用。参阅 character。

temperament（music）　**调律**　参阅 tuning and temperament 调音与调律。

temperament, equal（music）　参阅 equal temperament 平均律。

temperance movement　戒酒运动　提倡节制饮酒或绝对禁酒的组织。虽然早在 1800 年，教会就开始实行起誓戒酒的办法，但 1808 年纽约州萨拉托加和 1813 年马萨诸塞州所建立的机构，似乎是世界上最早的戒酒组织。戒酒运动在教会提倡下迅速开展，到 1833 年美国几个州内已有地方戒酒协会 6 000 所。有组织运动以外的戒酒倡导者如纳辛夫人（Nation, Carry [Amelia]）亦曾不遗余力，作出贡献。欧洲最早的戒酒组织，创建于爱尔兰。1829 年北爱尔兰戒酒协会建立，之后，戒酒运动遍及整个爱尔兰，并且传播到苏格兰和不列颠。圣公会戒酒协会建于 1862 年，后成为 20 世纪中期规模最大的戒酒组织。欧洲大陆最早的戒酒组织似乎在 1836 和 1837 年出现在挪威和瑞典。1851 年戒酒协会在纽约州的乌蒂卡成立，它是第一个国际性戒酒组织。1909 年世界禁酒大会在伦敦举行，决定成立国际禁酒联合会。全国基督教妇女戒酒联盟于 1874 年创立于俄亥俄州的克利夫兰。19 世纪 80 年代，这个组织扩展到其他国家，1883 年成立了世界基督教妇女戒酒联盟。参阅 prohibition。

temperature　温度　用一定标度来表示冷热程度的物理量，并可指明热能在温度已测定的物体与其周围之间的可能流动方向，即从高温流向低温。温度与热力系统的能量并不等同；例如一根燃烧着的火柴的温度远比一座冰山的温度高得多，但是质量巨大的冰山的总热能却比火柴的能量要大得多。温度是一个强度性参量，类似压强和密度，它与所取的物质多少无关，与质量、体积一类广度性参量不同。通用的温标有三种：华氏温标（**Fahrenheit temperature scale**）（℉）、摄氏温标（**Celsius temperature scale**）（℃）和绝对温标（absolute temperature scale）即开氏温标（K）。开氏温标被确定为科学测量温度的国际标准。在有些工程领域，还采用列氏温标（**Réaumur temperature scale**）（°Re），也是一种绝对温标。开氏度差等于摄氏度差。列氏度差等于华氏度差。

temperature-humidity index (THI) **温湿指数** 温度与湿度的综合指数，用来量度人在暖热天气不舒适感的程度。最初称为不舒适指数。温湿指数实质为根据气温与湿度得出的有效温度，等于15加上0.4乘以干、湿球温度同时间读数之和。例如，设干球温度是90°F(32°C)，湿球温度是50°F(10°C)，则不舒适指数是15+0.4×140，即71。指数值在70以下时大多数人感到相当舒适，而在80～85以上时感到很不舒适。在美国，日平均最高温湿指数值(超过80)总是出现在7月和8月的加利福尼亚州南部的沙漠和亚利桑那州西南部。

temperature inversion **逆温** 气温随高度而增加的现象。这与对流层(与地表接触的大气区域)中正常的温度分布情况相反，对流层中的温度通常是随高度降低的。逆温对确定云状、降水和能见度都有很重要的作用。逆温对于其下空气层的垂直运动犹如是盖子，下面加热空气产生的对流被限制在逆温层以下的高度。尘、烟和其他空气污染物的扩散同样受到限制。在低层有强逆温出现的地方，对流云不能发展到产生阵雨的高度。同时，逆温层下面的能见度将大大降低，即使没有云，因灰尘和烟粒的积聚，能见度也不会好。又因逆温层底附近的空气较冷，常有雾出现。逆温对温度日较差也有重要影响。白天空气的增热主要是它与地面接触引起的。太阳辐射透过空气被地面所吸收而使得地面增温，传导和对流作用则把地面的热量输送给空气。逆温底代表了由对流作用输送热量的上限，逆温层低而强，则只有浅薄的一层空气被增温，因而温度将升高得很多。逆温通常分为4种基本类型：①地面，②湍流，③下沉，④锋面。地面逆温是在空气与较冷地面接触而冷却，并且冷却到比其上层空气还冷时发生的；这种逆温大多在晴朗的夜里，地面因辐射而迅速冷却时出现。如果地面空气的温度降到露点以下，就会产生雾。地形对地面逆温的强度影响很大，如果地面崎岖不平，在较高地面上形成的冷空气易向洼地流去，从而在低地上面生成大而厚的逆温，而在较高的地点则几乎没有逆温。湍流逆温往往在静稳空气处于湍流空气之上时形成。在湍流层内，垂直混合作用把热量带往下面，使该层上部变冷。而湍流层上面未混合的空气却并未冷却，结果比下面的空气要暖，于是就形成逆温。下沉逆温是在一层空气整个下沉时形成的。下沉的这层空气被增大的大气压力压缩，所以气层的顶部比气层的底部下沉的距离大，其结果是顶部的压缩增温比底部的压缩增温大，*温度直减率*(**lapse rate**)将减小。如果气团下沉得很低，它的顶部变得比底部更热，于是就产生逆温。下沉逆温在冬季的大陆北部和副热带的洋面上很常见；这些地区普遍有下沉空气，因为它们被强大的高压中心所控制。锋面逆温是在冷气团楔入暖气团并把它抬高时形成的；这时两个气团之间形成锋面，暖空气在上，而冷空气在下。这种逆温的坡度很大，而其他逆温几乎是水平的。此外，在紧挨着锋面逆温的上面，湿度大，还可能有云形成。

tempering **回火** 把金属加热到低于熔点的高温，然后冷却(通常在空气中)，以改善金属特别是钢的性能的一种冶金方法。此法由于减少金属脆性和内应力，因而对韧性有所提高。按照钢的种类和用途，所用温度有很大差别。对于工具钢必须保持其高硬度，温度范围通常是200～250°C。回火一词也指通过冷加工提高硬度，如拔丝或滚轧钢板。

Tempest, Dame Marie **坦佩斯特**(1864-07-15，伦敦～1942-10-15，伦敦) 英国女演员，以"同行中的女王"著称于世。在55年的演员生涯中一直饰轻歌剧和正统喜剧的主角。曾在欧洲大陆求学，后返回英国伦敦，跟林德的导师加西亚学习声乐。1885年首次登台，在小歌剧《薄伽丘》中饰菲娅美塔。她主演的《多罗西》(1887)，连演931场，因而获得声誉。1890年到纽约市，后赴美国和加拿大各地巡回演出小歌剧。在这期间，人们认为她是拉塞尔不可多得的几个强劲对手之一。1895年G.爱德华兹买下了她在美国的预约演出权，因而她得以返回伦敦，在连演400场的《艺术家的模特儿》中饰主角。1899年转演纯喜剧。1900年创造了《英国的妮尔》中的格温一角，接着又演了《贝格·沃芬顿》、《贝奇·夏普》及《种姓》等剧。这些和其他一些角色使她得以将魅力和"淘气、调皮"结合起来。1908年毛姆的《多特太太》使她找到了一个最合适的角色。科沃德在《枯草热》(1925)中特意为她创作了布利斯一角。她在《走过布朗普顿大路》、《猫的摇篮》和《第一个弗雷泽太太》中的表演亦极受欢迎，久演不衰。1935年5月，她举行庆祝舞台生涯50周年的纪念演出时，英王夫妇观看了她的义演。义演所得之款赠送圣乔治医院，供戏剧界成员之用。1937年荣获高级英帝国女勋爵士。

Tempietto **坦庇埃托** 罗马蒙托里奥的圣彼得教堂庭院内的圆形小礼拜堂。由西班牙国王费迪南德二世和伊莎贝拉于1502年修建，D.布拉曼特设计。他根据古典建筑中圆形平面而周围有柱廊的一种特殊类型，采用了多立斯柱式并加了穹顶。古典形式的简洁优美的运用使其成为文艺复兴盛期最佳建筑之一。

Templar **圣殿骑士** 又作Knight Templar。基督及所罗门圣殿贫穷骑士团(简称圣殿骑士团)的成员。该团是成立于十字军行动时代的宗教军事修会。耶路撒冷王国建国伊始，十字军在圣地仅控制少数据点，前往圣地朝拜的人往往受到穆斯林团伙的骚扰。于格·德·帕扬等八九位法兰西骑士于1119年末或1120年初发愿献身保护朝圣人员，为此组成修会。耶路撒冷国王鲍德温二世把原犹太教圣殿区域内王宫一角拨给他们居住，圣殿骑士因此得名。圣殿骑士团成员分为4级：骑士、军士、牧师和役者。唯有骑士才着装：饰有红十字架的素白无袖罩袍。全团首脑称大师，各分团首长为司令，司令服从大师指挥。圣殿骑士发绝财和绝色两愿。圣殿骑士在圣地英勇服务，人数猛增。圣殿骑士们起先宣誓服从耶路撒冷牧首，1139年教皇英诺森二世将他们置于教皇的直接管辖之下。于是，他们无论在哪个教区拥有财产，该教区主教都无权过问。其后，他们迅速扩大活动范围。他们不久即成为保卫圣地各十字军国家的重要力量，圣地较大城镇都由他们守卫。在圣殿骑士团的全盛时期，共有骑士约2万名。圣殿骑士们逐渐聚敛大量财富。西班牙、法兰西和英格兰的国王和大贵族将庄园、城堡、领地和田产赠给圣殿骑士团，到了12世纪中叶，在整个西欧、地中海地区和圣地，无不有圣殿骑士的财产。该团的武力强大，足以安全地收集和贮存金条并在欧洲与圣地之间往返运输金条，加之他们的库房遍布，形成网络，运输体系效率极高，因此各国君主和朝圣人士都利用该团为银行。结果，在基督教世界内每一个国家都拥有雄厚财力的圣殿骑士团，他们掌握了强大的金融势力。但是他们也并不是没有敌人。他们久已同另一个强大的欧洲军事修会医院骑士团进行激烈的角逐。在13世纪末，有人提出把相互争夺的这两个修会合并为一。1291年，十字军在圣地的最后一个据点阿卡被穆斯林攻陷，圣殿骑士团的存在价值大为下降。此外，到了1304年，欧洲各地遍传该团的入团礼中含有非宗教和渎神内容(大概都是谣传)。在此关键时刻，法兰西国王腓力四世下令于1307年10月13日逮捕该国境内全部圣殿骑士，没收他们的财产。腓力四世要消灭圣殿骑士团用意不明，他或许真是惧怕他们的势力，也许就是要趁机夺取他们的大量财富，因为他自己经常手头拮据。反正腓力指控圣殿骑士信仰异端，伤风败德，对他们许多人施加酷刑逼供。教皇克雷芒五世本人是法兰西人，此时迫于腓力的强大压力，下令各国于1307年11月逮捕圣殿骑士。腓力最后迫使克雷芒五世取缔圣殿骑士团(1312-03-22)，全欧洲该团的财产或转拨给医院骑士团，或由政府没收。圣殿骑士多人被处决或监禁，该团最后一任大师雅克·德·莫莱于1314年受火刑处死。关于圣殿骑士的罪过，多少世纪一直引起激烈争论，现代学者大都认为，处决他们是极其不公正的随机权宜措施，他们是迫害的牺牲品。

Temple **坦普尔** 美国得克萨斯州中部贝尔县城市。位于韦科西南偏南55千米的利特尔河畔。始建于1880年。1882年设建制。地处铁路枢纽。为牲畜和农产品交易中心。坦普尔初级学院建于1926年。玛丽·哈丁-贝勒学院(1845)在附近的贝尔顿。是美国农业部所属州和地区性机构及农业研究中心总部所在地。制造业包括学校和办公室用家具及农业机器。人口：市54 514；基林-坦普尔都会统计区312 952(2000)。

temple **庙宇** 泛指为举行宗教礼拜而构建的建筑物。基督教大部分派别称礼拜之处为教堂(church)。犹太教的礼拜处所叫做会堂(synagogue)，原是希腊词，意为聚会之处。伊斯兰教的礼拜处所称清真寺(mosque)，是temple一词的阿拉伯语相当词。耶稣基督末世圣徒教会(摩门教)的temple(圣殿)不是礼拜之处，而是为生者和死者举行祝圣礼之处。由于庙宇在社会中的重要性，它常代表一种文化中最优秀的建筑设计和施工技术。由于宗教仪式的需要,不同宗教的庙宇建筑很不相同。美索不达米亚文化的塔庙在设计和装饰上都很复杂,其阶梯通向供奉神的处所,只有特别祭司才可登临。古埃及建有奉祀神灵的庙宇,但因其宗教强调来世,金字塔形的陵墓成为最主要的圣所。古希腊的宗教以各个神为中心,庙宇建筑采取强调这一中心的结构,在庙宇的内殿设置神像,而祭坛设在东端殿外。大多数希腊庙宇都用大理石或其他石料建成,雕刻丰富并施彩绘,位于山顶或有阶梯的台基上,双坡屋顶由带柱的门廊支承,柱子有各种形式和排列方法。希腊庙宇的设计和装饰对后来罗马和西方的建筑有重大影响。公元前3～前2世纪,罗马庙宇已受希腊的影响,采用希腊装饰风格,但将祭坛放在殿内,并发展成为以大殿为中心的集会广场。罗马庙宇中的各种柱子由独立的演变为附墙的,庙宇平面除矩形外尚有圆形。拜占廷和西方的教堂建筑均从这种"希腊风"建筑发展而来。在东方和近东,庙宇的形式随宗教的性质而异。例如耆那教在印度产生了苦行隐修院式的建筑,形式或为回廊或为洞窟式。印度教的庙宇在各地有不同的风格,常包括高耸的神龛和带柱子的大殿,墙面雕刻丰富。佛教的庙宇也有各种不同的形式,有雕刻丰富的神龛、塔或佛像。印度伊斯兰教清真寺常采用穹窿顶,外面用彩色面砖装饰,内部有圣坛和带拱廊的庭院。中国和日本的佛寺围绕着作佛事用的庭院设置单层殿堂,雕刻和色彩丰富,而佛塔则为色彩华丽、屋角如翼的多层建筑。日本的神社设计简单而富有乡村风味。美洲印加人和马雅人的庙宇系用石建,雕饰繁多,一般作阶梯式金字塔形,圣坛设在顶上。墨西哥尤卡坦半岛上的奇琴伊察遗址是先哥伦布时代的庙宇建筑。现代的庙宇建筑,特别在北美,倾向于折衷主义,吸收传统的和其他的古今风格,但毕竟还必须适应宗教上的需要。参阅 **architecture**。

Temple, Frederick　坦普尔(1821-11-30,希腊莱夫卡斯～1902-12-23,伦敦)　坎特伯雷大主教,教育事业改革家。他仪表朴实无华,行动不循缛礼,是维多利亚时代(1837～1901)

供图:Archibishop of Canterbury

英国社会"丈夫风采"的典型。1847年受按立为牧师。1848年辞去母校牛津大学讲师职务,任职于教育部。1857年任拉格比学校校长,兼任维多利亚女王侍从牧师。在拉格比学校增设历史、科学、音乐等课程,兴建校舍。自1864至1867年任学校督察委员会工作人员,推行教育改革。1885年任伦敦主教,1896年任坎特伯雷大主教,成为圣公会的精神领袖。1897年他与约克大主教麦克拉根一道发表声明,强烈驳斥教皇利奥十三世宣称安立甘宗神职人员体系非法的通谕。他的儿子威廉也曾任坎特伯雷大主教(1942～1944)。

Temple, George Nugent Temple Grenville, 2nd Earl　坦普尔伯爵(第二)　参阅 **Buckingham, George Nugent Temple Grenville, 1st Marquess of 白金汉侯爵(第一)**。

Temple, Le　丹普尔　位于巴黎的圣殿骑士团的设防寺院,后改为王家监狱。建于12世纪,在城东北一个由圣殿骑士团管辖的地区,即今巴黎丹普尔区(第3区)内。13世纪先后由圣殿骑士团、法国国王在该寺院储藏金银财宝。14世纪圣殿骑士团解散后,寺院的塔楼主要用作王家监狱,既关罪犯,也关欠债者。这里还有各种匠人的居住区。1792年8月10日,巴黎雅各宾会员群众袭击土伊勒里宫,活捉路易十六、玛丽-安托瓦内特及其亲属,作为巴黎公社的犯人关入丹普尔的塔楼,一直到次年把他们送上断头台为止。其他重要人士亦关押在此,直至1811年建筑拆毁时止。

Temple, Richard Grenville-Temple, 1st Earl　坦普尔伯爵(第一)(1711-09-26,英国伦敦～1779-09-12,白金汉郡白金汉附近斯托)　英国政治家,W.皮特的内兄,在皮特手下任海军大臣。R.格伦维尔与后来成为坦普尔女伯爵的赫斯特之长子,在伊顿公学接受教育,1734～1752年成为议会议员。1752年继承其母的爵位与位于斯托和沃顿的庄园。从1754年他的妹妹赫斯特嫁给W.皮特时起,他的生涯就与他的这位妹夫联系在一起。1756年11月成为德文希尔公爵和皮特内阁的海军大臣。他失宠于国王乔治二世,1757年4月国王将他与皮特两人免职。同年6月纽卡斯尔公爵和皮特组成联合内阁,坦普尔任掌玺大臣。1761年他单独一人在内阁中支持皮特提出的对西班牙宣战的建议,10月两人一起辞职。从这时起,他成为最激烈和派性最足的从政者之一。1765年他与皮特的友谊破裂。最后,1766年6月皮特同意组阁时,他拒不参加。接着他发起对皮特进行最恶毒的诽谤,与其弟乔治将整个格伦维尔家族动员起来反对政府。1770年乔治去世后,坦普尔几乎完全退出公众生活。

Temple, Shirley　坦普尔(1928-04-23,美国加利福尼亚圣莫尼卡～　)　又译秀兰·邓波儿。婚后名 Shirley Temple Black。美国女电影演员。20世纪30年代国际知名童星。7岁时便成为好莱坞感伤音乐片中最大的票房吸引力,显露出真正的歌舞天才,但是更重要的是显露出感化成年人心灵的才能,似乎让人相信,她在银幕上能使婚姻生活好转,能使那些屡教不改的罪犯痛改前非转化为守法公民。

坦普尔是从舞蹈班里被挑选出来试演电影的。在儿童主演的幽默地模仿严肃艺术片的系列短片《宝贝学步》中初露头角。因演《起来,欢呼》(1934)一片而受到重视。她还主演过《小麻烦》(1934)、《宝贝答谢》(1934)、《天长日久》(1934)和《明亮的眼睛》(1934)。

布朗兄弟公司供图

在后一部影片中她演唱了最受欢迎的歌曲之一:《在愉快的洛利波普轮船上》。1934年末她已是有一大批追随者的明星。接着,她以其对银幕表演的贡献获奥斯卡荣誉奖。其他影片有《小上校》(1935)、《威·威利·温季》(1937)和《小公主》(1939)等。虽然她在10岁前已达到其声誉的顶峰,她仍然继续拍片,直到1950年离开影坛。7年之后,她为儿童创作了一部通俗电视系列片《秀兰·邓波儿故事集》(1957～1959)。婚后成为旧金山市民的一位领导人和活跃的共和党党员。1967年竞选加利福尼亚州美国国会众议员未成;1969～1970年为美国出席联合国大会代表团成员。1974～1976年任美国驻加纳大使。1976～1977年任福特总统政府的礼宾司司长。1981年为美国非洲难民问题代表团团员。1988年她的自传《童星》出版。

Temple, The　圣殿　位于伦敦弗利特街的一系列建筑物,因圣殿骑士团而得名。圣殿骑士团为中世纪一个宗教和军事团体,一度拥有其产权。这些环绕圣殿教堂的建筑物现属四个律师学院中的内殿和中殿律师学院。圣殿柱(一根纪念柱)标示着伦敦市西界。再往西是威斯敏斯特皇城,内有皇家审判法庭和英国首都的其他法律部门。

Temple, William　坦普尔(1881-10-15,英国德文郡埃克塞特～1944-10-26,肯特滨海韦斯特盖特)　坎特伯雷大主教,普世教会运动和教育及劳工改革运动的领导人。其父弗里德里克·坦普尔也曾任坎特伯雷大主教。坦普

供图:Elliott & Fry

尔先后任威斯敏斯特名誉受俸牧师(1919～1921)、曼彻斯特主教(1921～1929)、约克大主教(1929～1942)和坎特伯雷大主教(1942～1944)。他精力充沛,学识广博,著述较多。同情劳工运动,自1918至1925年为工

党党员，自1908至1924年任工人教育协会主席。倡议成立英国基督教协进会和世界基督教协进会。在议会内外发挥影响使全国各教会都一致拥护1944年的教育法。在神学上，坦普尔根据黑格尔的唯心主义分析问题，承认教会与政府之间的联系，从而认为基督教会应当就社会问题和经济政策阐明自己的见解。

Temple, Sir William **坦普尔**(1628-04-25，英格兰伦敦～1699-01-27，英格兰萨里穆尔帕克) 英格兰政治家和外交家，制订的亲荷兰的外交政策在国王查理二世统治时期被断断

伦敦国立肖像画陈列馆供图

续续地采用。此外，他的思想和散文风格对18世纪许多作家，特别是J.斯威夫特产生很大的影响。1665年作为查理二世的国务大臣H.贝内特的门生开始其外交生涯，1666年被授以准男爵爵位。1668年任驻海牙大使，与贝内特一起参加谈判缔结英格兰、尼德兰联省共和国和瑞典三国同盟。英格兰不顾这一同盟，于1672年对荷兰宣战。1674年他谈判缔结结束荷兰战争的条约，1677年与国王的首席大臣T.奥斯本一起安排查理二世侄女玛丽公主与荷兰执政奥兰治的威廉的婚姻(后为英格兰国王威廉三世和女王玛丽二世)。1679年4月奥斯本下台后，坦普尔改组枢密院，一时在这个新的机构里享有很大的威望。但到1681年，他感到与查理的政策不合拍，乃退出政界。坦普尔的《联省共和国见闻》(1673)被20世纪的学者赞扬为一国人民对别国人民作出富有同情心的描述的先导。他的大多数散文是在隐退之后写的，由在1689～1699年的大部分时间里担任其秘书的斯威夫特整理出版。坦普尔的优美的口语体成为斯威夫特自己作品的榜样。

Templeton, Fay **坦普尔顿**(1865-12-25，美国阿肯色小石城～1939-10-03，美国加利福尼亚

美国不列颠百科全书公司供图

旧金山) 美国歌手和女演员，在轻歌剧、滑稽剧和音乐戏剧等各方面都极受欢迎。父母是坦普尔顿歌剧团老板，她在婴儿时就被带上舞台，5岁开始演有台词的角色。19世纪80年代初带着自己的歌剧团在全国巡演。1885年在纽约演出《伊万杰琳》，声誉鹊起。翌年到伦敦演出。在随后十年间进行一连串铺张华丽的演出，以其歌喉、演技和黝黑而性感的美貌而广受赞赏。1898年演出滑稽剧《喧闹》，尽显她的喜剧和滑稽表演天赋。后来又在J.韦伯和L.菲尔兹的《胡说》(1900)、《盛气凌人》(1901)、《猛烈的旋风》(1902)里担任主角。1906年在G.M.科汉的《百老汇的45分钟》中演唱《玛丽是一个尊贵的老名字》和《再见，玛丽》。以后的25年间与丈夫在匹兹堡过半退休生活，只于1912年在《花招》和《国王陛下的围嘴》里露过几次面。1933年出演电影《百老汇到好莱坞》(1933)，年底重返百老汇演出《罗伯塔》。

Templewood, Samuel (John Gurney) Hoare, Viscount **坦普尔伍德子爵** 参阅Hoare, Sir Samuel (John Gurney)霍尔。

Tempo, Il **《时代报》** 罗马出版的晨报，是意大利的优秀报纸之一，也是罗马地区最有号召力和影响力的报纸。1945年由R.安焦利莱创办，当时是带有强烈反共偏见的保守报纸。但很快成为一份具有出色而全面的新闻报道的严肃报纸。该报对各政党保持独立。因为经营状态良好，不依赖工商界的资助。

Tempō reforms **天保改革** 日本德川幕府于1841～1843年为恢复封建农业社会所作的尝试，没有成功。因在天保年间(1830～1843)进行，故名。这次改革是由老中(将军下的最高官职)水野忠邦发起的。主要内容为：提倡节约，严禁奢侈；清除不称职的官吏；查封低级的文艺作品；免除将军亲信所欠商人的债务；限制农村人口流入城市；制止商人行会的发展；不准随意抬高物价。此外，为了使将军在江户(今东京)和大阪周围的土地联成一片，还曾企图迫令那里的土地所有者交换土地，因激起地主阶级的反抗而不得不停止实行。已完成的改革项目也证明无效，说明经济形势变得如此复杂，不能只通过命令加以管理。

Tempskya **树蕨** 中生代(2.25亿年前至0.65亿年前)化石树蕨类的属，构成蕨目的树蕨科。它是最奇怪的植物之一，树干无分枝，直径最粗40厘米，上部突然变细，树高6米左右，其上部2/3处密集地覆盖着小叶。树干下部几乎全为纤维状树根组成，茎干由树根向上散漫生长，但至茎干上部紧缩在一起。

Temptations, the **诱惑乐队** 美国声乐队，以圆润的和声与巧妙的编舞著称，是20世纪60和70年代最受欢迎的灵乐乐队。主要成员有O.威廉姆斯、P.威廉姆斯、M.弗兰克林、E.肯德里克斯、D.拉芬和D.爱德华兹。1961年由底特律的两个声乐组合"主音"和"远方"合并而成。经过缓慢的起步阶段，在鲁芬加入后，更主要的是在歌曲作者S.鲁宾逊的指导下，推出一系列热门浪漫歌曲，如《你的方式你的事》(1964)、《我的女孩》(1964)、《准备好》(1966)和《美丽只是表象》(1966)等。男低音弗兰克林和男中音O.威廉姆斯(偶尔还有P.威廉姆斯)的错综和声与两名主唱拉芬的沙哑男中音和肯德里克斯的挺拔男高音相得益彰。明快的风格和健美的编舞使"诱惑"酷极一时。60年代，随着制作人兼作曲家N.惠特菲尔德的加入，乐队转向演唱更体现社会良知的放克音乐。在迷幻摇滚的影响下，爱德华兹代替拉芬担任主唱后，推出了一系列热卖大碟，包括《九号云》(1968)、《迷幻的小屋》(1970)、《混乱的舞会》(1970)和获得格莱美奖的《爸爸是滚石》(1972)。1968～1969年间与戴安娜·罗斯和至尊合唱团合作在两个电视节目上演出，并录制唱片《我要让你爱上我》和《我要尝试新事物》。70年代中期乐队经历了频繁的人员变化，唱片发行量锐减。1989年入选摇滚乐名人堂。

Tempyō style **天平式** 日本奈良(724～794)晚期的雕刻风格，深受中国唐朝(618～907)宫廷风格的影响。天平式雕刻艺术和奈良初期的艺术作品进行对比，其显著特点是

日本奈良时代晚期的天平式干漆多臂多头神像

供图：Asuka-en, Japan

更能把各部分溶化在整体之中，各部分的外形融合调和，服饰与身体结构更自然地成为一体，给人以活力和真实的感觉。漆和黏土的雕刻显示出手、脸的造型非常美丽(参阅**kanshitsu**)。因为雕像以木头为支架必须具有垂直方向的平衡和一定程度的僵硬姿态，这就迫使艺术家集中全力，注意面部的表情。这种新写实主义在肖像雕刻的发展中尤其显著。这个时期还以多臂多头的形象著称于世，反映佛教在这个时期极为流行。

Temuco **特木科** 智利南部阿劳卡尼亚区首府和考廷省省会。位于区中心考廷河畔。在同阿劳坎印第安人签署条约将该地区割让给智利后，1881年建为前哨据点。欧洲移民

特别是德国移民到来后城市得到发展。有小麦、苹果、牛肉、木材、大麦、燕麦等加工工业。设有空军基地以及一所大教堂和几所教会学校。为泛美公路和南北铁路干线中途站以及通向智利南方湖区的孔道,也是东面80千米的亚伊马火山(高3 124米)滑雪运动的基地。人口约170 188(1985)。

Temüjin 铁木真 参阅 **Genghis Khan** 成吉思汗。

Temür 铁穆耳 参阅 **Yuan——**:元朝帝王序列下 **Yuanchengzong Temür** 元成宗铁穆耳。

Ten,The 十人社 美国10位画家的团体。1898年在纽约举行首次联合画展,持续20年之久。其成立的目的是希望吸引公众对他们小型而独立群体的注意,从而对他们绘画的注意。十人社的成员有:C.哈桑姆、J.H.特瓦赫曼、J.A.韦尔、T.W.杜因、J.德坎普、F.W.本森、W.L.梅特卡夫、E.C.塔贝尔、R.里德和E.E.西蒙斯。1902年特瓦赫曼去世,W.M.蔡斯加人。

Ten Commandments 十诫 又作Decalogue。十条宗教诫条,据《出埃及记》和《申命记》不同段落载,是上帝在西奈山向摩西启示而刻在两块石板上的。"十诫"载在《出埃及记》(20:2～17)和《申命记》(5:6～21),两处基本上相同。《出埃及记》所载如下:

> 我是耶和华你的上帝,曾将你从埃及地为奴之家领出来。除了我以外,你不可有别的神。不可为自己雕刻偶像,也不可作什么形像,仿佛上天、下地、和地底下、水中的百物。不可跪拜那些像,也不可事奉他,因为我耶和华你的上帝是忌邪的上帝,恨我的,我必追讨他的罪,自父及子,直到三四代。爱我守我诫命的,我必向他们发慈爱,直到千代。不可妄称耶和华你神的名,因为妄称耶和华名的,耶和华必不以他为无罪。当纪念安息日,守为圣日。六日要劳碌作你的一切工。但第七日是向耶和华你上帝当守的安息日。这一日你和你的儿女、仆婢、牲畜、并你城里寄居的客旅,无论何工都不可作。因为六日之内,耶和华造天、地、海和其中的万物,第七日便安息。所以耶和华赐福与安息日,定为圣日。当孝敬父母,使你的日子在耶和华你上帝所赐你的地上,得以长久。不可杀人。不可奸淫。不可偷盗。不可作假见证陷害人。不可贪恋人的房屋,也不可贪恋人的妻子、仆婢、牛驴、并他一切所有的。

《十诫》排列方法不一,犹太教以序言"我是雅赫维(即耶和华)你的上帝,曾将你从埃及地为奴之家领出来"为第一诫,把禁止拜别神和拜偶像列为第二诫。中世纪天主教传统把上述两条归为一诫,而把不可贪恋人的妻子与不可贪恋人的财物分为两诫,仍维持十诫之数。路德也承认这种排列方法。根据希腊正教和新教的传统,序言和禁止拜别神为第一诫,禁止拜偶像为第二诫。

给"十诫"断代势必涉及如何解释它的问题。有些学者认为它产生于公元前16～前13世纪间,因为《出埃及记》和《申命记》把"十诫"同摩西和耶和华与以色列人在西奈山立约的事联系起来了。也有人认为它是众先知教诲的归纳总结,从而给它断代在先知阿摩司和何西阿之后(公元前750以后)。假如"十诫"无非是以色列人的法律、宗教传统的概括,那么就产生得更要晚一些。

在13世纪,"十诫"列入供人在告解时认罪时使用的手册,在那以前基督教并不特别重视它。新教各派别兴起之后,出现了新的信仰手册,于是"十诫"收进各种教理问答,作为主要针对青少年进行宗教培训的基本内容。

Ten Days of Penitence 赎罪十日 希伯来语作Aseret Yeme Teshuva。犹太教历新年的头十天。参阅 **yamim nora'im**。

1054,Schism of 1054年教会分裂 又称"东西两派教会分裂"。作为东派教会(以君士坦丁堡牧首米恰尔[色路拉里乌斯]为首)同西派教会(以教皇利奥九世为首)最终分离的先声的事件。在这一年,教皇与牧首相互判以绝罚,此事成为教会史上的一条分水岭。从5世纪至11世纪拜占廷教会与罗马教会的关系可以说是逐渐疏远。在早期教会,有3位主教最为突出,即罗马主教、亚历山大主教和安提阿主教,这主要是因为他们各自管辖的城市在政治上处于重要地位。由于皇帝将朝廷自罗马迁到君士坦丁堡,亚历山大和安提阿沦为伊斯兰教军队和基督教军队交战的战场,于是君士坦丁堡主教遂声威日振。另一方面,在东派教会各牧首区经常为剧烈教义争论所扰之时,西派教会却比较平静,因此,罗马历代教皇地位日益加强,逐渐以高于他处主教自居。但是,东派教会从不承认这种优越地位。东派教会神学界以希腊哲学为根本,西派神学界则在很大程度上以罗马法律思想为依据。由此双方发生误解,终于在圣灵从何而发这样重大教义问题上分道扬镳。原来信经上只说"圣灵发自圣父",罗马教会却未经与东派教会咨商而擅自改为"圣灵发自圣父和圣子"。罗马教会又强行实行神职人员独身制,规定只有主教才能主持坚振礼以及在圣体礼上使用无酵饼,这些举措更加激起东派教会的反感。政治上的忌恨与利益使争执趋于激化。最后,1054年教皇利奥九世宣布绝罚君士坦丁堡牧首米恰尔(色路拉里乌斯)及其一派,色路拉里乌斯则予以报复,绝罚利奥九世一派,于是双方彻底分裂,至今尚未统一。

Ten Kingdoms 十国(907～979) 中国历史上与五代(后梁、后唐、后晋、后汉、后周)同期存在于中国南方和山西地区的前蜀、后蜀、吴、南唐、吴越、闽、楚、南汉、南平(荆南)、北汉10个政权。

前蜀 王建创建,891年据今四川,903年为蜀王,建都成都。国内富庶安定。王衍继位后政治腐败,925年降于后唐。共传2主,23年。

后蜀 剑南西川节度副使孟知祥933年在成都为蜀王,翌年称帝,建都成都,史称后蜀。孟昶继位,荒淫残暴,965年降于北宋。共传2主,33年。

吴 杨行密创建。892年,唐昭宗以行密为淮南节度使。从此形成与后梁、吴越相抗的割据政权。902年称吴王,建都广陵(今江苏扬州)。共传4王,46年。

南唐 937年徐知诰废吴帝建立齐,938年改国号唐,建都金陵(今南京),史称南唐。徐知诰后改姓名李昪,国力富盛,为十国之冠。南唐后主李煜长于填词,荒于政事,975年为北宋所灭。共历3王,39年。

吴越 创建人钱镠,893年任唐朝镇海节度使,据有今浙江及江苏部分地区,907年封为吴越王,建都杭州。吴越生产发达,经济繁荣,但钱氏诸王大多奢侈,978年献地降宋,共历5王,72年。

闽 创建人王潮,893年据今福建,至其子王审知于909年称闽王,始立国。建都长乐(今福州)。945年被南唐灭亡。共经6王,37年。

楚 马殷创建,896年据今湖南,907年称楚王,建都长沙。以茶易天下百货。951年亡于南唐。共历6王,46年。

南汉 创建人刘隐,905年任唐朝岭南节度使,917年由其子刘龑称帝。建都广州。971年投降北宋,共经5王,55年。

南平 一称荆南,创建人高季兴,907年据今湖北江陵、公安一带,924年自立为南平王。建都荆州(今湖北江陵)。963年向北宋投诚,共历5王,40年,在十国中最弱小。

北汉 951年后汉高祖刘知远的弟弟刘崇依附契丹在太原自立为帝,改名旻,建都太原,史称北汉。979年为北宋所灭,共历4主,29年。

北汉既灭,五代十国纷争割据局面结束,中国复归统一。

Ten Lost Tribes of Israel 失踪的以色列十支派 古代希伯来人12支派中的10个支派。原来希伯来人在摩西死后由约书亚率领进入上帝应许之地迦南,当时全族共有12个支派。公元前930年,领地在迦南北部地区的亚设、但、以法莲、迦德、以萨迦、玛拿西、拿弗他利、流便、西缅和西布伦10个支派另立以色列王国,另两支派犹大和便雅悯则在南方建立犹大王国。公元前721年北国被亚述灭亡,所属10个支派逐渐为其他民族同化而不见于史册。历史上聂斯托利派、摩门教、阿富汗人、埃塞俄比亚的法拉沙人、美洲印第安人和日本人都曾被认为是这10个失踪支派的后裔。1948年以色列立国后,迁人国内但异族特征较强的人也自称是这10个支派的后裔。犹大和便雅悯两支派的后裔在公元前586年被掳往巴比伦,巴比伦亡后得以返回巴勒斯坦,因而得以保持民族特点,成为今天的犹太人。

ten-pounder 十磅鱼 参阅 **ladyfish** 海鲢。

Ten Sleep 滕斯利普 美国怀俄明州中北部沃沙基县城镇。位于比格霍恩山之西,在沃兰以东40千米处。因距东南拉勒米堡、西北偏西黄石公园、西北斯蒂尔沃特印第安人事务局都是10宿(ten sleeps)的旅程,故名。东面滕斯利普峡谷入口处附近有女童子军全国西部中心,是世界上最大的野营地之一。现为家畜产地和游览区供应中心。人口304(2000)。

Ten Thousand Immortals 万人长生队 波斯阿契美尼德王朝的精锐部队。人员1万名。因遭受伤亡时立即补充，故名。长生队由陆军总司令直接指挥，为国王卫队。士兵

苏萨阿尔塔薛西斯宫阿契美尼德王朝时期的万人长生队士兵琉璃砖雕像
巴黎罗浮宫博物馆供图

主要是波斯人，也有一些米底人和埃兰人。他们显然有特权，如在行军中可携妾和奴仆。

Ten Thousand Smokes, Valley of 万烟谷 美国阿拉斯加州南部的火山区，位于安克雷奇西南425千米，1912年由诺瓦拉普塔火山及卡特迈火山喷发形成。因谷底形成无数喷气孔而得名。面积145平方千米，现为卡特迈国家公园及保护区一部分。1912年6月6日阿拉斯加半岛爆发大地震，其后5天中的60小时内，火山喷出物多达29立方千米以上，喷出物直冲云霄，甚至进入同温层。附近的科迪亚克岛完全被30厘米厚的火山灰掩

万烟谷内的诺瓦拉普塔山圆丘形残迹（前景）和马杰克山（背景）
供图：Harald Sund

埋；火山气体产生的酸雨波及远在2 400千米以外的加拿大不列颠哥伦比亚省的维多利亚市；几天之后，华盛顿［哥伦比亚特区］都能看到高空的烟雾；估计1912年夏季的北温带太阳辐射热约减少10%。这次火山地震形成数万个喷气孔，4年后，喷出气体温度仍高达649℃，高出喷气口46米，袅袅不散。40多个山谷被火山灰覆盖，厚达210米。毗邻的卡特迈山，顶端被炸毁崩塌，形成火山湖，长、宽为5千米和3千米，从湖面至岸壁顶部达1 100米。卡特迈山西南山谷中矗立着新生成的火山，被命名为诺瓦拉普塔山，附近的动植物死亡殆尽，山麓林木被炽热气流烤糊、烧毁。60年后谷内喷气孔已不足12个，但该谷千疮百孔。60年代美国在此训练宇航员登月着陆。卡特迈山区早在1898年已被考察，虽无人烟但动植物颇丰。1912年喷发后广泛的地质调查持续至50年代，并据此提出很多假说。地质学家根据地图资料，结合火山灰层的厚度，认为火山活动首先发生在诺瓦拉普塔，炽热的酸性熔岩流（或流纹岩）倾泻出来，有如小瀑布，直奔谷底，从附近地壳裂缝涌出的熔岩流也一并汇入，将地表的溪流、泉水覆盖；熔岩层冷却之后，下层炽热的气体（主要是蒸气）冲破上层熔岩层，发出爆裂响声，形成无数的洞孔、裂隙。第一次爆发之后，卡特迈山下面处于宁静状态的巨大的柱状岩浆立刻进入新的裂隙，导致诺瓦拉普塔（火山）下面流纹岩柱的爆发；两股熔岩汇合在一起，向上层冲击，喷出浮石，因冷却急速，表层形成大理石花纹。熔岩从卡特迈山地下经由顶部流出，顷刻间顶部被摧毁，形成巨大火山口、小火山锥、喷气孔等。火山口的火山湖严冬时节仍不结冰。植物慢慢重新出现，苔藓、藻类首先在喷气孔周围生长，一些高等植物也开始布于谷底；动物难以栖息，但麋、熊等常有出没。近年有很多旅游者前来游览参观这一特殊的自然景色。

Tena 特纳 厄瓜多尔东部城镇。地处安第斯山脉以东厄瓜多尔热带雨林地区的埃尔奥连特行政区。是以传教机构为中心的居民点，自给自足型经济，有一些家畜饲养业，并从事易货贸易。居民几乎全是克丘亚印第安人。人口约8 127（1989）。

tenant 租户 参阅**landlord and tenant**业主和租户。

tenant farming 租佃制 由地主提供土地及不同数额的经营资金和管理，由佃户提供劳动及不同数额的资金和管理，而土地报酬则采取不同的分成方法，这种农业组织制度叫租佃制，又叫谷物分成制。付给地主报酬形式可以是一定份额的农产品或现金，或二者兼有。现在，佃农及其家庭很可能占世界上农业人口的2/5。农业租佃的范围和形式各有不同。一种形式是，地主供给全部资金，有时还供给佃户以食物、衣着和医疗费用；另外一种形式是，佃户提供所有农具设备，并在农业经营上具有一定程度的自主权。第二次世界大战后，各国政府均不断采取措施改善佃农状况，如限制地租、规定最短租赁期限、保证佃农为改善农业而投放基建的费用取得补偿权。在马克思主义社会中，地主财产有时被剥夺并分配给农民。

Tenasserim 德林达依 缅甸东南部狭窄沿海地区。东傍泰国，西濒安达曼海。西部沿海有丹老群岛，包括大小岛屿200多个。有德林达依山脉，海拔2 074米，并有大德林达依河流经注入安达曼海。东部沿岸有沼泽林。北面的平原还有短河急流注入马达班湾。居民有西部和北部的克伦人，南部的泰人和其余地区操独特缅甸语的缅甸人。该省曾长期为缅、泰两国有争议地区。18世纪末叶，泰缅战争结束后划归缅甸。第一次英缅战争（1824～1826）中被英国占领。1941～1945年被日本占领。1948年缅甸获得独立。河谷地区，尤其是土瓦附近地区生产稻米。还有蔬菜、椰子、橡胶和柚木。设有盐田。土瓦有木材、竹子加工厂。土瓦和丹老附近有锡、钨和铁矿。沿岸公路有支线通往泰国。

Tenby 滕比 威尔士语作Dinbych-y-Pysgod。集市小镇和旅游地，位于威尔士达费德郡南彭布罗克夏地区，濒临卡马森湾。虽然那里可能出现过斯堪的纳维亚人定居点，该镇基本上为始建于12世纪的诺曼人城堡和有城墙的村镇；城墙部分残存至今，但城堡已成废墟。捕鱼很久以来便是一项重要的活动。美丽的海滩、峭壁和吸引人的狭窄街道使它发展起繁忙的度假贸易。人口约4 814（1981）。

tench（species *Tinca tinca*） **丁鲹** 广泛分布于欧洲的食用和游钓鲤形目鲤科鱼，以能在低氧环境中生存而著称。体粗壮，鳞小，两侧口角有须，皮厚而黏，体色淡绿或淡黑，长

丁鲹（*Tinca tinca*）
供图：W. S. Pitt-Eric Hosking

18～35厘米，重约2千克。在泥质底、水生植物丰富的静水中数量甚多，主要以小型动物和植物为食。过去曾被认为能用以治疗受伤的鱼，也曾被用于治疗人的伤口。金丁鲹是这个种的一个金红色变种，有时被饲养于池塘中。

Tench, Watkin 坦奇（约1758，英格兰？～1833-05-07，英格兰德文郡德文波特） 英国军官。他的两本关于早期澳大利亚的书，已成为经典著作。1778年任英国陆军中尉，9年以后，他以海军上尉舰长身份赴澳大利亚，1788年1月20日到达植物学湾。一年以后，他在伦敦出版了《植物学湾远征记》，描写他的航程和在殖民地的生活。这本书一举成功，大受欢迎，并被译成几国文字。1791年去欧洲。1793年他的《杰克逊港殖民地全志》出版。1794年成为法国战俘。两年后出版《从法国写给一伦敦朋友的信》，记述了他的囚徒生活。

Tenchi（Japanese emperor） 参阅**Tenji**天智天皇。

Tencin, Claudine-Alexandrine Guérin de 唐森(1682-04-27,法国格勒诺布尔～1749-12-04,巴黎) 法国女作家及文学事业赞助人。与著名作家及政界人物过从甚密,从而成为18世纪社会知名人士。自幼即当修女,但不久即还俗,对此人们议论纷纷。路易十四死后,在宫廷青云直上,成为枢机主教杜布瓦(曾任首相)、摄政王以及一些头面人物的情妇。与情夫德图什骑士生一子,即哲学家达朗伯。1726年被诬为杀人犯关进巴士底狱。由于她的哥哥,当时是大主教后来成为枢机主教的皮埃尔的干预,才得以获释。此后,在家主持沙龙。作家丰特内尔、马里沃和马蒙泰尔,哲学家孟德斯鸠(她曾两次帮助他出版作品)经常出入其沙龙。最著名的作品是基于自身经历的小说《科曼热伯爵回忆录》(1735)。

供图:Boyer—H. Roger - Viollet

Tencin, Pierre Guérin de 唐森(1679或1680-08-22,法国格勒诺布尔～1758-03-02,里昂) 18世纪法国政治家、枢机主教和反詹森派。依靠其妹、一家著名沙龙的有权势的女主人克洛迪娜-亚历山德里娜的关系青云直上。先后任韦兹莱隐修院院长(1702)、桑斯代理主教(1703)、驻教廷大使(1721～1724,1739～1742)、昂布兰大主教(1724～1740)、枢机主教(1739年起)、里昂大主教(1740起)以及路易十五的大臣(1742～1750)。参加《奥古斯丁论》一书的激烈辩论,反对詹森主义的支持者。

Tenda Pass 滕达山口 法国-意大利边界的山口,海拔1 870米。在滨海阿尔卑斯山脉,临近游览胜地利莫内皮埃蒙特。有两条平行的铁路和公路隧道从山口下穿过,连接法国的尼斯和意大利的都灵。有些研究阿尔卑斯山脉的专家认为这个山口是阿尔卑斯主脉的西端。

Tendai(Buddhism) **天台** 参阅**Tiantaizong** 天台宗。

Tendai Shintō(Japanese religion) **天台神道** 参阅 **Sannō Ichijitsu Shintō** 山王一实神道。

tendinitis 腱炎 又拼tendonitis。腱鞘(由薄膜状组织构成,包绕肌腱使之在其中滑动)的炎症。病因是过久或不正确地使用肌腱而刺激了腱鞘,偶尔细菌会侵入腱鞘引起继发感染。许多职业有引起腱鞘炎的危险(如打字员的腕腱,棒球投手的肩腱,或风钻孔机操作员的肘腱)。腱鞘发炎会产生红肿,沿腱的方向上有痛感,肌腱移动时会引起剧痛。腱鞘肿胀使肌腱可滑动的范围变窄,致周围部位僵硬。腱移动时,整个腱鞘会有摩擦感。治疗方法是利用夹板、石膏或绷带固定腱与腱鞘,使其得到充分休息。经过休息,发炎消退,腱的活动便可逐渐恢复。局部注射肾上腺皮质类固醇,亦可促进炎症减轻。治疗后常会复发。重复发炎将使腱鞘永久变厚,而变厚的不规则鞘会使腱的活动受到限制。

tendon 腱 一种由致密结缔组织组成的结构,作用为使肌肉附着于骨或其他结构。成分与韧带和腱膜相似。腱内含有大量坚韧有力的胶原纤维,因此具有很高的抗张强度,只有这样,才能抗拒肌肉收缩造成的拉力而保持肌端紧连于骨部。参阅 **connective tissue**。

tendril 卷须 植物的特化器官,用以固定和支持缠绕茎。为变态的叶,小叶,叶尖,托叶;或为变态的茎(如葡萄)。其他特殊的植物结构也可以完成类似的功能,但卷须为特化的侧生器官,缠绕性极强,可缠在任何遇到的物体上。卷须纤细,呈鞭状或线状。常从茎的节上生出,藤本或其他植物可借此攀缘。常见的具卷须的植物有葡萄,葫芦科植物,香豌豆(*Lathyrus odoratus*)和西番莲属(*Passiflora*)种类。卷须对接触敏感。若轻轻抚摩卷须的下侧,卷须即于1～2分钟后向该侧卷曲。当卷须在其他物体上擦过时,便转向该物体,若该物体的形状允许,便将其缠绕,只要刺激存在就缠在上面。以后,厚壁组织在卷须内发育,使之变得足够坚强可支持植株的重量。有些卷须末端膨大,接触坚硬的表面后就变扁平,并分泌一种黏性物质,可将卷须牢牢地黏附在依附的物体上。

Tendring 滕德灵 英格兰埃塞克斯郡一区。面积337平方千米。位于斯陶尔河和科恩河河口湾之间的北海沿岸低地。内地主要从事农业。人口多集中在沿海都市区。沿海城镇与内地有良好的铁路联系。沃尔顿、弗林顿和克拉克顿等海滨胜地使旅游业成为该区一项主要行业。人口约134 900(1998)。

tenebrism 暗色调主义 在西方绘画史中,通过对光线明暗的极端比较,以暗色做为基调,加强绘画的戏剧性效果。在暗色调的作品中,人物形象隐没于黑暗背景之中,但场面往往富有戏剧性地由一束投射光,例如烛光衬托出来。这种方法首先由意大利画家卡拉瓦乔(1571?～1610)采用,并在17世纪初影响其他画家,如法国的拉图尔、荷兰的洪特霍斯特、西班牙的苏巴朗等。

卡拉瓦乔的暗色调主义绘画《圣马太蒙召唤》(约1597～1598)

供图:Anderson—Alinari from Art Rosource

Ténéré 泰内雷 撒哈拉沙漠一地区。由尼日尔东北部延入乍得西部,为一片辽阔的沙漠平原。面积约40万平方千米,构成中苏丹低地的西北部分。西有阿伊尔山地,西北为阿哈加尔山脉,东北接贾多高原,东连提贝斯提山脉,南为乍得盆地。泰内雷是撒哈拉中最令人生畏的地区之一。气候极为干热,几无植物生长。靠近泰内雷中心的比尔马绿洲7月份(夏季平均)的温度最高为42°C,最低为24 °C。从东面或东北面吹来的沙尘热风(哈麦丹风)通常一年到头吹过泰内雷。年降雨量约25毫米。数百英里内无井。当地有一种稀有的沙漠曲角羚羊。图阿雷格和特达游牧民族经常去泰内雷,以沙丘为路标。

Tenerife 特内里费 西班牙圣克鲁斯-德特内里费省加那利群岛最大岛屿。在非洲西北大西洋中。面积2 058平方千米。东北部狭窄地区内有陡峻火山峰峦以及拉拉古纳附近

特内里费岛的加拉奇科湾

供图:Hans Huber

的低地走廊；其余2/3地区为山峰环绕呈一巨大的圆盖状，最高点泰德峰、海拔3 718米，为全国最高峰。这一地区仍为火山活动区。18世纪初的喷发可能是最猛烈的一次，熔岩将北岸加拉奇科镇及港口大部埋没。居民几乎全部分布在沿岸的低坡处，近半数人口集中在省会圣克鲁斯-德特内里费（**Santa Cruz de Tenerife**）及原省会拉拉古纳两地。建有拉拉古纳大学（1701）。经济以农业为主，旅游业亦很重要。南部有国际机场。人口约658 884（1982）。

Ténès 提奈斯 阿尔及利亚北部城镇，地中海岸小港。旧城约公元875年由西班牙殖民者建立，1843年被法国人占领。新城建于多岩石高地上，俯瞰阿拉拉河口湾，东南1.5千米处有旧城遗迹。出产鱼罐头和软饮料。人口：城市区约26 510（1987）。

Teng Hsiao-p'ing 参阅 **Deng Xiaoping** 邓小平。

Tengchong 腾冲 中国云南省保山市辖县。位于省西部边境，邻近缅甸，是云南与缅甸开展边境贸易的重要城镇。是中国通往东南亚诸国的要地，古代川、滇、缅、印南陆上

腾冲马鞍山（火山）
中国大百科全书出版社供图

“丝绸之路”必经之地。旅居国外华侨较多，是云南省的著名侨乡。面积5 845平方千米。元至元十一年（1274）置腾越县，为腾越州治所。至元十四年（1277）增置腾冲府，至元二十五年（1288）废州、县，存腾冲府。明嘉靖二年（1523）复置腾越州，清嘉庆二十四年（1819）改腾越厅，1913年改腾冲县。有汉、傣、傈僳、回、阿昌等民族。农产以稻谷、玉米、甘薯、甘蔗、香果、红花著称。还产楸木、云南松、果松等优质木材，黄连、鹿茸、云木香等药材。传统的手工艺品有篾帽和小斗笠。腾冲东北有群山屏障，南面开阔，山川并列，盆地相间。火山热泉遍及全县，构成独特的热海奇观。境内有十多座保存完好的新生代死火山群，岩性复杂，形态多样，相对高度约200米。除火山地貌外还伴生有复杂的水热活动，如地热蒸气、喷气孔、冒气地面、高温沸泉、热泉、喷泉等。其中仅汽泉、热泉、温泉群就有79处，分布在南北长110千米、东西宽60千米范围内，喷水温度70～90 °C。被称为“一泓热海”的硫磺塘水温高达96 °C，白色气柱高出水面30多厘米，状如咆哮的大锅炉，是腾冲盛景之一。有公路东通保山市区，连接大理一畹町公路。人口620 000（2005）。

Tengger Shamo 腾格里沙漠 中国第四大沙漠。在阿拉善盟的东南部，介于贺兰山与雅布赖山之间。大部属内蒙古自治区，小部分在甘肃省。面积4.27万平方千米。沙漠内

腾格里沙漠的驼队
中国大百科全书出版社供图

部有沙丘、湖盆、草滩、山地、残丘及平原等交错分布。沙丘面积占71%，以流动沙丘为主，大多为格状沙丘链及新月形沙丘链，高度多在10～20米。湖盆共422个，多为无明水的草湖，是沙漠内的主要牧场。沙漠内无固定道路。包兰铁路经过腾格里沙漠的东南边缘。沙漠内的查汗池、红盐池和屯池等盛产食盐。

Tenggerese 滕格尔人 印度尼西亚爪哇岛第二个最小的土著民族，大部分住在滕格尔山脉火山口的高坡地带。20世纪70年代初约有人口5万。他们以种植玉米、马铃薯、洋葱、卷心菜为生，一年两熟；此外还养少数水牛。居住区以村庄（村内选有头人）为单元，由若干大型草顶木房组成，每幢木房可容数个家庭，周围筑有竹篱。村庄由选出的头人进行管理。滕格尔人大体上不受外界影响，文化交流是典型的爪哇海岸式的。虽然有不少人已改宗伊斯兰教，但仍受印度教的影响，具有泛灵信仰。

Tengiz, Lake 田吉兹湖 哈萨克斯坦切利诺格勒州的咸水湖。为哈萨克高地北部最大盐湖，面积1 590平方千米，最深点6米以上。位于人烟稀少的干旷草原和半沙漠地区。有努拉河和库拉努特佩斯河注入，湖水水位涨落明显，湖岸低洼，多黏土。曲折的湖东岸附近有岛屿。该湖是火烈鸟最北部的栖息地。湖水含有丰富的芒硝。

Tengnoupal 坦努帕尔 印度东部曼尼普尔邦一县。原属中央县。面积3 375平方千米。是因帕尔河谷以南东喜马拉雅山脉的丘陵区，海拔760～3 040米。曼尼普尔河与巴拉克河自北南流。湖泊众多，为重要渔场。湖生植被有莲、睡莲。平原上有兰花。林区有斑羚、野猪、虎、豹和野鹅。农业为经济基础，生产稻米、小麦、芥子、马铃薯、豆类、芒果和柠檬。工业有织布、刺绣（曼尼普尔莎丽服以其优雅刺绣和耐久性著称）、铁工、农具、金匠、陶器、藤器、肥皂、造纸等部门。开采少量岩盐、铜、石灰石和铁。居民多属蒙古人血统，操曼尼普尔语。有国家公路通往县城坚迪尔和邦城因帕尔。人口56 444（1981）。

Tengréla 滕格雷拉 又拼 Tingréla。科特迪瓦最北部滕格雷拉省城镇，省会（1980）。位于科特迪瓦本贾利至马里共和国的公路上。为科特迪瓦、马里、布基纳法索之间的国际贸易中心。该省为人口稠密的热带多树大草原区。种植棉花、玉米、薯蓣、高粱，生产亚麻子油，饲养牛。居民为塞努福人。人口：城镇33 400；省82 800（2001）。

tengu 天狗 日本民间传说中的怪物，或或传为狂妄之徒转世。据说天狗精通剑术，曾向12世纪武将源义经传授武艺。天狗群居山林，其首领高鼻而有愠色，红袍羽扇。

歌川国芳所刻的表现天狗救人内容的木版画
伦敦维多利亚和艾伯特博物馆供图

喽啰称木叶天狗。在民间艺术中天狗有时是生有两翼而鸟嘴红鼻的小动物。

Teniers, David, THE ELDER 特尼尔斯（老）（1582，安特卫普～1649-07-29，安特卫普）佛兰德斯巴罗克时期风俗画家、风景画家和宗教画家。据说特尼尔斯曾在意大利从埃尔斯海默和鲁本斯学画。1606～1607年当过安特卫普行会负责人，17世纪30年代做过艺术商人。

Teniers, David, THE YOUNGER 特尼尔斯（小）（1610-12-15受洗，安特卫普～1690-04-25，布鲁塞尔） 佛兰德斯巴罗克艺术时期的多产画家，以农民生活风俗画著名。他是老特尼尔斯的儿子。他能画各种情景，但主要以农民生活风俗为主，其中有许多在18世纪被用作挂毯图样。他早期的这类作品表明受到A.布劳尔的影响。许多较好作品作于1640～1650年间。他处理空旷场地上人群拥挤的场面非常出色，并善于运用充满热情、人性和富于幽默的笔触刻画人物的性格。他的风景画布置产生美感；他的静物画细节十分精确。1651年移居布鲁塞尔，开创第二种职业成了尼德兰摄政利奥波德·威廉大公的

小特尼尔斯绘《安特卫普附近的乡间节日》(1643)
伦敦国家美术陈列馆供图

宫廷画师兼美术品收藏保管员。

Tenji　天智天皇(625或626,日本～672-01-07,旧近江国大津)　又拼 Tenchi。本名中大兄。日本第38代天皇(668～672),使朝廷摆脱苏我家族统治,并按中国模式实行改革以强化中央政府和皇权。6世纪晚期,苏我氏开始把持朝政。645年苏我入鹿企图篡位,被中大兄皇子(后为天智天皇)和有权势的中臣家族首领中臣镰足设计杀死。孝德天皇即位后,立中大兄为皇储。中大兄与中臣镰足共同制定一系列的改革措施,如要求大贵族承认天皇的最高权力;废除土地或劳工形式的私有财产;在京城周围设置行政区;向各藩国任命国司;登记人口;丈量耕地和建立新税制等,史称**大化革新**(**Taika era reforms**)。从此,日本成为类似中国唐朝的中央集权国家。662年中大兄成为天皇,668年正式即位。即位后曾出兵救援百济,但兵败而归。

Tenjiku　天竺风格　日语,意为印度式建筑风格,日本镰仓时代(1192～1333)佛教建筑三大风格之一。其规模宏大,各部件十分复杂,特别是梁的复杂托座和屋檐下部件的结

日本奈良市东大寺南大门的天竺风格托座
供图:Saburo Ohmachi

构安排。最广泛采用这种建造方式的是东大寺的复建——遗迹中最卓越惊人的是南大门。决定采取这一建筑方式的是净土派的重源,他是承担重建的负责者。这种风格由于与日本人的情趣不投,所以他死后,这种风格也就随之失势。此种风格除在修缮旧有寺庙时偶尔使用外,已几乎完全被人遗忘。

Tenjin(Japanese deity)　**天神**　参阅 **Sugawara Michizane 菅原道真**。

Teṉkalai　南学派　印度教室利毗湿奴派的两个支派之一,另一个支派是北学派。两派都使用梵文和泰米尔文经典,但是南学派认为泰米尔文本更为可靠,而且推崇印度南部强调奥秘修行的直觉知神派所编纂的赞歌集。南学派是在14世纪与北学派分裂的。两派在教义方面的分歧集中于神的恩惠问题。南学派认为,人得解脱,首先是由神力,信徒只要顺从神的旨意,毋需作任何努力。参阅 **Vaḍakalai**。

Tennant, Frederick Robert　坦南特(1866-09-01,英格兰斯塔福德郡伯斯勒姆～1957-09-09,剑桥郡剑桥)　英国哲理神学家,主张用经验主义方法研究神学以调和科学与宗教。曾在剑桥大学凯厄斯学院学习科学,1891～1894年任中学教师,在此期间受神职。1913年任剑桥大学三一学院神学讲师、院士。1928年出版《哲理神学》的第一卷。他在该卷中指出,如要证实可以通过宗教经验显示上帝,必须有独立的有神论;而要建立这种有神论就必须研究认识论、心理学和自然科学所提供的关于自我和世界的知识,据以艰苦攀登。

Tennant, Kylie　坦南特(1912-03-12,澳大利亚新南威尔士曼利～1988-02-28,悉尼)　婚后名凯利·坦南特·罗德。澳大利亚女小说家、剧作家。以严肃的现实主义手法正面描写澳大利亚贫民的生活而闻名。曾就学于悉尼大学,但未获学位而离校,任澳大利亚广播委员会宣传助理。1932年从事写作。第一部长篇小说《蒂布隆》(1935)以新南威尔士一小城市为背景,描写经济萧条时期失业者的生活。为创作以悉尼贫民窟为背景的小说《福沃》(1939)、《快活的罪犯》(1943)和《把这告诉黎明》(1967),她在该市贫困地区居住并做过从社会工作者到酒巴女侍的各种工作。在准备写描写移民工人的《奋斗的人们》(1941)时,她曾与失业者们沿着澳大利亚的公路跋涉过好几个月。数年后在写战时造船工人的《失去的港口》(1946)出版之前,曾作为造船工,在渔村住过一段时间。她最著名的剧本是《拴住蛟龙》(1952),写澳大利亚初期总理迪金,构思于研究写作她的第一部非小说著作《澳大利亚历史》(1953)的过程中。在与澳大利亚和巴布亚新几内亚的土著居民生活过一段时间后,坦南特写出她第一部儿童故事《所有自豪的部落人》(1959)。1959～1969年,先后当过记者、出版社审稿人、文学顾问和编辑。1969年后又专事写作。后期作品有历史著作、传记、儿童剧、短篇小说、诗歌、游记、评论文章和一部自传《失踪的继承人》(1986)。她的作品曾获得许多全国奖,她被提名为澳大利亚作家协会的终身主席。

Tennant Creek　滕南特克里克　澳大利亚北部地方中部城镇。濒滕南特河。1872开始有人来此定居。1930年发现金矿。1954年设镇。1955年发现铜矿和银矿,成为北部地方最重要的矿产中心。20世纪70年代中期建成大型冶炼厂,但部分矿石仍靠卡车运往南面507千米的铁路起点站艾丽斯斯普林斯。乡村饲养菜牛。1980年建起屠宰场。附近地区还有锡、云母和钨矿。人口约3 065(2001)。

Tenneco Inc.　田纳科公司　美国多种经营的工业公司。1943年原为芝加哥公司田纳西分部,1947年6月成立公司,名田纳西煤气输送公司,1966年取现名。因不满联邦关于石油和天然气价格规定,公司开始转换业务经营范围。除能源业务外,现在经营的业务有造船、农产品、建筑和农场设备、包装纸箱和容器、化学品、汽车设备等。造船业务有2/3来自美国海军核动力船舰的修造。1988年该公司出售了大量的石油及天然气生产设备,以集中经营其他产业。总部设在休斯敦。

Tennent, Gilbert　坦南特(1703-02-05,爱尔兰阿马郡～1764-07-23,费城)　美洲英国殖民地长老会牧师、大觉醒运动领导人之一。1725年经费城长老会区会批准传教,并在新泽西的新不伦瑞克获一牧师职务。用激烈言辞规劝罪人悔改,尖刻奚落长老会中反对他的保守派,1743年转到费城某教会任职终生。此后讲道不再那样激烈,而且努力消除长老会内部的不和。

Tennessee　田纳西　位于美国东南部偏北,1796年成为美国第16州。田纳西具有该国许多不同的要素,实际上是美国的一个缩影。田纳西东部和中部最初的拓荒者远离原来的当局,开创自治先例,这种做法符合美国的开拓传统。田纳西人尽管忠于大社会,但从一开始便发现,为了安全他们必须依靠自己。这一点使他们养成了一种独立精神,这种精神至今依然存在。此外,地理的多样性还造成了该州多样的经济、社会和文化形态。东部以其山地传统著称,中部六月禾地区为平稳的农业和商业区,西部经济则多以棉花和密西西比河为基础,并与美国的南方腹地的关系更为密切。尽管田纳西人A.杰克逊长期代表着普通民众的民主党,其对手

辉格党许多年来却一直在该州占有优势。由于南北战争以及其自身在重建时期的独特作法而造成的严重分裂，田纳西成为南部民主党诸州的一部分，在财富和影响方面落后于全国其他地区。19世纪末的实业家们的梦想直到20世纪后半叶才得以实现。20世纪70年代共和党卷土重来，田纳西再次成为一个两党州。由于南方成为阳光地带的一部分，该州在这初现的繁荣中受益。

该州地理独具特色。面积109 152平方千米，东西最宽处695千米，东起阿巴拉契亚山与北卡罗来纳州交界处，西抵密西西比河与密苏里州和阿肯色州的分界线。南北仅宽180千米，北邻肯塔基州和弗吉尼亚州，南连佐治亚州、亚拉巴马州和密西西比州。首府纳什维尔，最大城市孟菲斯。

自然地理和人文地理

土地　地形　该州可分为6个自然区域。最东部有尤内卡山脉（其中一部分为驰名遐迩的大雾山脉），有16座山峰海拔1 830米以上，最高的克林曼山高2 025米。东田纳西大谷地宽度32～97千米不等，有一系列低山岭，河谷蜿蜒其间。坎伯兰高原地表平坦，稍有起伏，被深且有时很宽的河谷切割。田纳西中部的内陆低高原主要是纳什维尔盆地（中央盆地）和高地边缘。盆地底部宽97千米，大体呈南北向穿过该州，地势略有起伏，一些丘陵点缀其间。西面是墨西哥湾平原的东部，起伏平缓，有曲折蜿蜒的低岸小溪纵横其间。此平原在该州西端融入密西西比河的冲积平原，这是该河沿岸的狭长沼泽和泛滥平原。

水系与土壤　该州降水主要流入3条大河。田纳西河在东部向南流动，在西部向北流动，为东部、中部地区的南方和西部大部分地区的排水道。坎伯兰河自北流入该州，为中部地区北面的排水道，靠密西西比河直接排水的地区只有西部的一小部分。修筑水坝拦截田纳西河以及在较小程度上拦截坎伯兰河，形成了给人以深刻印象的一串串水流平缓的湖泊，这些湖泊有时被称为南方大湖群，其中许多在田纳西境内。田纳西的谷地和高原盆地有源于石灰岩的中度肥力的土壤，河溪在沿河床地带形成了肥沃的冲积土壤。山岭和高原的土壤土层薄，多石，且有中度酸性。墨西哥湾平原土层薄且多沙，不利于开发农业。该州约1/3土壤不宜于任何性质的种植，但全境有4/5面积可用于种植作物、饲养牲畜、生产木材或其他农产品。

气候　田纳西州气候温和，冬季凉爽，夏季温暖。自东向西海拔高度下降造成气温显著上升。最高气温平均29 °C，最低气温平均－1 °C。生长期由东部山区的130天至孟菲斯的240天不等。该州大部地区位于160～220天的范围以内。雨量充沛，年降水约1 321毫米，季节和地区分配相当平均。

动植物　由于该州位于美国东半部的中心且海拔高度多样，当地许多植物、动物和鱼类与美国北端与南端相同。该州约有一半面积为森林区，树种200多个，其中约60种有商业价值。洋槐、杨树、椴树、栎树、榆树、山毛榉、松树、云杉、胡桃、山核桃和悬铃木等树分布在全境。

住区模式　首批白人殖民者先到达东田纳西的北方，后又来到坎伯兰河以北的中田纳西。19世纪初先驱者向上述地区的南部移动。西田纳西于1818年从奇克索人手中购得，但切罗基人一直生活在东田纳西南部一小块地方，直到1838年才离去。

田纳西州与以大农场为棉花帝国象征的美国南方不同，主要以小农场集结方式发展起来。小农场和小城镇至今仍为该州的重要特色。该州6大城市与其周边各县已达到大都会规模，反映出田纳西州人口、工业和都市化发展的速度一般高于邻近各州。田纳西大学最早和最大的校园所在地诺克斯维尔和1863年邦联军和联邦军在卢考特山进行激战的查塔努加是东田纳西的主要中心。州首府和中田纳西文化中心纳什维尔大概主要以美国乡村音乐而名扬全国。纳什维尔西北80千米处的克拉克斯维尔为烤烟中心和以肯塔基州坎贝尔堡附近为基地的101空降部队所在地。杰克逊是一座老边境市镇和运输中心，位于西田纳西的中部。西田纳西是1818年作为“杰克逊购买地”购自奇克索人的一片土地。孟菲斯是西田纳西的交通枢纽，其历史与其在密西西比河船运事业的重要作用，及其在爵士乐发展中突出而富有特色的地位有关。田纳西东北部3座较小城市一起被认为是该州第7大都会区。

人民　最初的白人移民主要为苏格兰-爱尔兰后裔及英格兰后裔，德国人也为数不少。自白人移居本地之始便有黑奴与其主人一起忍受边疆生活的匮乏之苦。最初，黑奴和自由黑人几乎没有自由。在中部和西部开设的种植园将越来越多的奴隶召到该州之前，反对奴隶制的团体和刊物在该州东部相当活跃。南北战争期间，黑人曾以平民工人身份和士兵身份抵抗邦联军队。重建时期，他们曾在州立法机构有代表，但共和党几乎没有给予他们什么领导职务。重建时期之后，黑人便失去政治权利，在20世纪60年代之前他们在政治生活中只起很小的作用。

切罗基人是18世纪大部分时间实际上仍住在田纳西的仅有的印第安人，他们起初与英国商人联合，但后来便开始与大量涌入该地区的移民对抗。他们签订了许多出让土地的协议，接受白人的条件以求生活安宁。他们的一位领袖塞阔雅为他的民族创造了字母，使他们第一次能用自己的语言读写。他们成了农场主，有些还成了奴隶主，他们的成功引起邻近白人的妒忌。于是他们加紧对印第安领地施加压力。一个小集团签署了美国政府强迫执行的一份协议，出让了他们在田纳西剩下的土地。结果余下的大部分切罗基人被迫于1838～1839年沿着悲惨的“眼泪之路”迁往俄克拉何马。

从拓荒时代早期起，妇女便在该州生活中起着重要作用。妇女长期以来便是宗教及文化事务中的一支积极力量，她们在19世纪后期开始组织起来争取选举权。20世纪，这种努力得到进一步加强，并于1920年取得成功，田纳西第19宪法修正案得到通过，给予全体美国妇女以选举权。近年来该州妇女在商业、政治、教育、文学、娱乐和艺术方面的作用日益突出。

最近数年田纳西的经济机会增多，其他地区和国家的人纷纷来到该州。他们一般都受到热情欢迎，他们的干劲与多种文化模式使该州更加富足。

自早期拓荒时日起，宗教便在田纳西具有重要作用。由于移民面临天灾、印第安人和内部纷争的灾难，长老会牧师便加强了他们对神圣上帝的信仰。不久，浸礼会的人数便在该州超过长老会，卫理公会巡回牧师也在这一地区成为重要人物。邻近的肯塔基州兴起的1800年大奋兴运动，在田纳西加强了宗教的重要性，出现了两个新教派：坎伯

田纳西州东部尤内卡山脉的大烟山为森林覆盖的山巅

供图：© Tom Till

兰长老会和基督会。随着移民的增加，宗教多样性也随之出现。南北战争之前，主教派、信义会、天主教、犹太教在该州都很强大。教派的南北分裂先于联邦的分裂。19世纪末，对禁酒运动的关心促使各教派联合起来反对酗酒。在20世纪前10年这个问题还很重要时，各教会还将注意力转向传教、城市问题和教会组织。然而，巡回传教士受欢迎说明奋兴运动传统在田纳西依然存在。此外，教会对大萧条时期和第二次世界大战期间的社会需求，对50和60年代的公民权运动，以及后来的无家可归问题都表现出极大的关注。

近年来该州发展最快的地方是东田纳西、中田纳西和西田纳西的蒂普顿县。大城市周围的城郊地区人口增加最多。随着田纳西州与其他州的人口互动，佛罗里达、肯塔基和弗吉尼亚州移入该州的人数多于从田纳西州移往上述各州的人。田纳西本地出生公民的比例高于全国平均数，虽然有相当数量的人有一段时期不住在该州。田纳西州同全国一样，家庭的数目增加了，尤其是单身家庭。随着中间年龄的增长，种族人口分布自1970年以来一直极为稳定。人口 5 689 283 (2002)。

经济 制造业居该州经济主要地位，约占全州总产值的1/3。

工业 该州主要产品有化学品、食品、铝、橡胶制品、尼龙和威士忌。由于对制造业的依赖，近几届州政府都努力吸引企业到田纳西州来。结果许多公司，有些来自日本，在该州建厂。该州因风景优美、公园设施齐备、历史遗址丰富和娱乐设施先进，旅游业是一个重要行业。田纳西州还是一个保险、印刷和音乐制作中心。该州的服务性行业已有增长。

农业、采矿和能源 主要作物为大豆、烟草、棉花、玉米和小谷物，但牲畜饲养在现金收入方面几乎与作物相等。主要林业产品来自栎树、山核桃树、杨树、榆树、松树和雪松。煤是主要矿产资源，其次是石料、锌、磷酸盐岩、铜和大理石。田纳西州长期以来以田纳西河流域管理局的几座大坝和橡树岭的原子能研究而闻名，对能源生产做出了重要贡献。田纳西河流域管理局成立于1933年，旨在充分开发田纳西河流域的资源。这里不但有全国最大的电力生产设备，而且发展了田纳西河上的航运，控制了洪水和帮助了整个田纳西河流域工业的发展。

运输 田纳西州的河流系统是该州运输综合体系的一个重要组成部分。铁路虽普遍衰落，但仍然重要。最近对公路系统的最大投入是修建了州际公路网和城市环形公路。纳什维尔和孟菲斯不但在公路方面而且在空中交通方面均为重要的地区运输中心。

行政与社会状况 *政府* 重建时期之后起草的1870年宪法与1796年的最初宪法极为相似。尽管在之后数十年间一直有重新修正的必要，但宪法修正过程本身依然很困难。因此，直到1953年该宪法才得到真正修正，虽然政府已于20年代和30年代根据法令改组。1953年及其后的修正案使该州政府现代化。

发生变化的有下列条款：简化复杂的修正程序、将州长及州参议员的任期从2年增至4年、增加州议会议员薪金、规定州议会每年而不是每两年召开一次、取消人头税和增加城市独立于州政府的自治权力。

田纳西州政府的行政、立法和司法结构与其他许多州相似。州长是唯一由全州选举的行政官员。州参议会议长任副州长。其他行政官员由州议会选举产生，但司法部长由最高法院任命。各主要部门和重要的州委员会的行政长官由州长任命。两院制的州议会由33名参议员和99名众议员组成。众议员任期2年。州议会可以简单多数使州长的否决无效。

在地方一级，司法系统由作为地方法官行使职权并享有有限民事司法权的一般法官组成。他们由一审理各种不同案件的初级法院综合体系管辖，包括衡平法院、巡回法院、刑事法院和遗嘱检验法庭。上诉法院、刑事上诉法院和最高法院的法官名额在该州“三大区”(东、中和西田纳西)之间分配。地方一级的法官由各自所在县的选举人选出。再下一级，法官由各衡平法院分院和巡回法庭选出。上诉法院和刑事上诉法院法官根据密苏里计划由全州选举产生。最高法院法官由全州选举人选举产生。所有法官任期均为8年。

地方政府仿效全国的模式。县委员会由各区派委员组成，是为该州95个县中多数县的立法机关。教育委员会无论是选举产生还是任命的，都在县督学指导下管理学校。民选的司法行政官执行刑法，选举产生的官员征收财产税和登记不动产转让。各县主管人员为县行政长官。市政府包括下列类型：政务会-经理制，市长-政务会制和委员制。1962年纳什维尔与戴维森县合并为一个行政单位，称为大都会政府。这被认为在解决市和县政府的机构重叠或冲突问题方面是一个成功的尝试。

教育 该州税收的每个美元几乎有一半用于公共教育事业。州教育委员会管理该州的初等和中等教育。优秀学校计划是一个著名的革新措施，根据该项计划教师因学历提高和在课堂的表现可得到奖励。在初等学校已更加注重美术、音乐和体育，在中等学校则提高了在数学和科学方面的要求。田纳西高等教育委员会负责协调下列两个委员会的工作，即田纳西大学评议委员会和田纳西州立大学与社区学院系统董事会。田纳西大学系统包括诺克斯维尔、孟菲斯(医学院及其他保健方面的学院)、马丁和查塔努加校区。有6所地区大学：奥斯汀·皮厄大学(克拉克斯维尔)，东田纳西州立大学(约翰逊城)，孟菲斯州立大学，中田纳西州立大学(默弗里斯伯勒)，田纳西州立大学(纳什维尔)和田纳西理工大学(库克维尔)。有几所社区学院和工学院。田纳西长期因其私立学院而闻名，其中最负盛名的大概是范德比尔特大学和菲斯克大学(均在纳什维尔)和塞沃尼的南方大学。

保健与福利 田纳西居民的寿命延长部分归功于保健设施的改进，该州各大城市均有优等的医疗中心。人类服务部已扩展了它的计划以求适应社会中贫困者日益增长的需求。除基本保健服务外，该州还关心孤儿养育、收养、开办日托站、防止虐待儿童，以及为残疾人提供服务。

文化生活 该州地理、经济和社会差别也反映在不同的文化方面。先驱者依靠自己的传统决定着东田纳西音乐、工艺和传说的面貌，而西田纳西黑人的奴隶文化传统培育了布鲁斯爵士乐。孟菲斯是久负盛名的艺术中心，尤以音乐和戏剧为著。中田纳西人曾将宗教、教育及其他文化机构带到本地区以缓解边疆生活的粗野。近来，纳什维尔不但是该州政治首府，而且成为文化首府，将“三大区”的传统样式与现代音乐、文学倾向结合起来。自1925年“大奥普里”广播节目开播以来，纳什维尔已是乡村音乐中心，包括录制与出版。现代文学也与纳什维尔有重要联系。20世纪20年代与范德比尔特大学有联系的所谓“逃亡派诗人”引起全世界关注。兰塞姆、戴维森、泰特和华伦与其他8位作家联合撰写了论文集《我自有主张》(1930)，捍卫了传统的农业文化，使之不因工业化而改变其价值观。这一主题存在于许多优秀田纳西作家的著作中，其中最著名的应属泰勒。

纳什维尔的田纳西表演艺术中心完工，使音乐、戏剧和舞蹈方面的文化生活得到繁荣。田纳西州立博物馆(也位于纳什维尔)的当代和早期艺术品及历史文物说明了该州文化的丰富与活力。

每年都有大批度假者来到该州。展示“大奥普里”特色的一个音乐主题公园“美国奥普里兰”是一个主要旅游景点。该地区的自然美景吸引观光者来到美国东部最大的国家公园大雾山国家公园(与北卡罗来纳州共有)和田纳西51座州立公园，其中不少建有人工湖。此外，这里还有许多历史遗迹，其中以纳什维尔附近的安德鲁·杰克逊故居和南北战争夏洛战役战场最为著名。

历史

史前时期和移民 据信，田纳西的最早居民为冰川时期狩猎者，他们是2万多年前穿过从前的白令海峡陆桥来到美洲的亚洲人后裔。其后为各种不同的人群，他们改进了狩猎方法并最终形成了以农业为基础的生活。继1540年西班牙人H.德索托之后来的欧洲探险者在田纳西发现了几个印第安人部落，其中最强大的是切罗基人，他们于18世纪成功地将其他印第安人逐出了该地。田纳西一名源出切罗基村庄塔纳西(Tanasi)。切罗基人与来自弗吉尼亚和南卡罗来纳的英商发展了友好关系，在18世纪50年代法国-印第安战争中最初是英国商人的同盟者。英国商人和猎人成为大肆吞并土地的殖民者后，切罗基人开始把他们视作一种威胁。于是开始了一个时断时续的长期冲突时期，最后切罗基人于1835～1839年迁出该州。

东田纳西北方的一群英国移民在了解到他们已不受皇家管辖之后，便于1772年在瓦陶加联盟中树立起自治的先例，此后纳什维尔地区的《坎伯兰条约》的签署者也蹈循此例。在美国独立战争期间一批田纳西人在1780年南卡罗来纳的金斯山战役中以资助反抗亲英派表示了对独立的支持。金斯山战役是促使英军将领撤军的几次会战之一。

最初田纳西是新建的北卡罗来纳州的一部分，后曾试图以“富兰克林州”的名称争取承认。但因北卡罗来纳州撤回了最初对西部领土的割让，大陆会议遂拒绝了要求建州的请求。根据新的联邦宪法，这一地区为俄亥俄河的南部准州。1796年田纳西成为美国一州，这是从准州地位升为州的首例。

杰克逊时代 在1812年的战争中，田纳西人作为志愿兵在A.杰克逊将军领导下起了决定性作用，他们在新奥尔良的胜利阻止了英军重开战事。民主党人杰克逊于1828和1832年两次当选总统，成为平民英雄，他在田纳西及美国其他地区却遭到势力日益强大的商业派的反对。他在美国众议院的拥护者田纳西人J.K.波尔克，于1844年当选总统，尽管多数田纳西人同情倾向商业派的辉格党，没有投他的票。

南北战争和重建时期 南北战争来临之际，多数田纳西人仍然忠于联邦，直至林肯向志愿军发出号召，说他将以武力使联邦保持团结。于是，田纳西与南方北部诸州一样投票赞成脱离联邦。只有弗吉尼亚在南北战争期间战事较为激烈。无论是联邦还是邦联方面，在多纳尔森堡、夏洛、斯通斯河、查塔努加、诺克斯维尔、富兰克林和纳什维尔这些地方都付出了重大牺牲。

中田纳西和西田纳西同情南方，而东田纳西多数仍忠于联邦。这一混乱状况影响了战前受大众爱戴的民主党州长和美国参议员A.约翰逊的前途。他在战争期间对联邦的忠心和田纳西军事长官的职位使他受到该州许多人的威胁。当他作为总统受到激进派占上风的众议院弹劾时，他再次成为一位英雄。（但参议院却以一票之差未达到法定解除他职务的票数。）

重建时期，田纳西推举了他们自己的激进派州长W.布朗洛，他曾以谩骂性言词表示对前反叛者的憎恶。激进的重建派在田纳西，后来在北方均失去拥护。然而前邦联派重新取得了权利，黑人失去了他们获得的有限政治权利。

现代时期 20世纪初，占支配地位的民主党内部的分离主义以及禁酒和女权等民众运动吸引了公众的注意。1922年A.皮州长上任之前，声势浩大的禁酒活动使州政府未能进行有效改革。20世纪30年代初田纳西备受大萧条和党内分离主义之苦，在1936年当选为州长的G.布郎宁领导下重新开始其改革计划。P.库珀是战争时期节俭而干练的州长。第二次世界大战之后，在F.克莱门特和B.埃林顿州长的领导下，该州更加注重教育、心理保健、公路和宪法改革，田纳西成为在学校及其他公共场所中破除种族隔离界限的一个试验场。一小群白人极端分子使用暴力反对取消种族隔离。在70和80年代共和党两次赢得州长职位，田纳西再次成为一个两党州。田纳西人一直非常注意改进受教育的机会和吸引外来企业。

Tennessee Gas and Transmission Company 田纳西煤气输送公司 参阅Tenneco Inc.田纳科公司。

Tennessee River 田纳西河 美国东南部主要河流，有世界最大灌溉、水电系统之一的水利工程。该河由霍尔斯顿河和弗伦奇布罗德河在田纳西州诺克斯维尔东面汇合而成，西南流至查塔努加，转向西经坎伯兰高原进入亚拉巴马州东北部，至亚拉巴马-密西西比州界折向北，再经田纳西州，在肯塔基州帕迪尤卡汇入俄亥俄河。流程呈U字型，长1 049千米，流域面积约105 960平方千米。1933年田纳西流域管理局成立后，开发为重要内陆航道。河上有一系列由多功能（灌溉、发电、防洪）水坝拦蓄的水库和船闸。主要水坝有肯塔基坝（1944）、皮克威克兰丁坝（1938）、威尔逊坝（1925）、惠勒坝（1936）、甘特斯维克坝（1939）、黑尔斯巴坝（1913）、奇克莫加坝（1940）、沃茨巴坝（1942）和劳登堡坝（1943）。主要支流有小田纳西、海沃西、佩恩特罗克、达克、奥科伊、克林奇、弗林特、塞阔奇、埃尔克等河。沿河主要城市有查塔努加、诺克斯维尔和弗洛伦斯。

Tennessee-Tombigbee Waterway 田纳西-汤比格比水道 连接美国密西西比州东北部的田纳西河及亚拉巴马州西部的汤比格比河的水道。水闸及运河系统在亚拉巴马州迪莫波利斯以南沿汤比格比河上游延伸，经汤比格比河下游在亚拉巴马州莫比尔进入墨西哥湾，全长376千米。水道建于1971～1984年，旨在提供另一条比密西西比河更短的通往墨西哥湾的航路，以运送阿巴拉契亚山脉的煤及南方邻近各州的农产品，并吸引更多的工商业者来到该地区。该水道系统于1985年1月开始驳船作业。

Tennessee Valley Authority（TVA） 田纳西河流域管理局 美国政府的机构。1933年创立。负责控制洪水泛滥，改进河运，改善农民生活水平，并沿田纳西河及其支流生产电力。通常其管辖范围限于田纳西河流域，包括亚拉巴马、佐治亚、肯塔基、密西西比、北卡罗来纳、田纳西和弗吉尼亚7个州的部分地区。该局系国有公司，由三人委员会负责管理，委员由总统征得参议院同意后任命。这一水利系统，最初着重控制洪水，所有水坝均统一管理，效果非常显著。该局在9座主要水坝建造航行船闸，加深和改善航道，鼓励地方政府和私营企业增建沿河港口设施，结果大大促进和发展了河运。该局是这一地区的唯一供电者，20世纪80年代初电力系统有50多座水坝的水电站，还有火力发电厂、核电站，具有巨大的发电量。电力整批出售，约近半数出售给联邦机构，另一半则出售给大工业和地方所有的市办的和集体经营的配电系统。在全国，田纳西河流域电价最低。

Tennessee walking horse 田纳西走马 又作plantation walking horse。又称种植园走马。马的一个品种，以田纳西州及该马特殊步态——连续走步而得名。广义上说，此品种起源于一切能连续走步的祖先。1886年出生的标准竞赛用马种马阿伦F-1曾多次与摩尔根马杂交，对本品种的形成影响最大。田纳西走马体重于、力强于美国骑乘马，但体形及风度均不如美国鞍乘马。头常低垂。与其他骑用马相比，臀部较倾斜，跗关节较弯曲。高约15.2手宽（157厘米），体重约450千克。皮毛黑色、栗色、深红棕色、棕色、灰色、黄色、纯白色或红棕色夹杂白色。连续走步是一种自然步态，可加以改进，但不具此种自然能力的马亦难以学会。此种步态较平足走为快，时速为10～13千米。前足着地后随即对侧后足着地。步法不快，如滑行状，后足落在前足足印前方数英寸处。1935年田纳西走马被承认为独立的品种。

Tenniel, Sir John 坦尼尔（1820-02-28，伦敦～1914-02-25，伦敦） 英国插图画家和讽刺画家，尤以发表于《笨拙》周刊的作品和为《艾丽丝漫游奇境记》所作的插图而闻名。曾

坦尼尔的漫画《甩掉领港员》(1890)
不列颠博物馆供图

在英国皇家学院美术学校学习，1836年，其处女作送英国艺术家协会展出。1845年，以一幅16英尺的漫画参加威斯敏斯特新宫壁画设计投标，结果获100镑奖金并受托为上议院休息厅（“诗人厅”）设计壁画。1850年，接替R.多伊尔，而与J.利奇同为《笨拙》周刊的漫画家。他逐渐包画每周的政治专栏《大减价》；利奇则专画英格兰人的生活和性格。他为《笨拙》所画的作品使政治性漫画更加受人重视。其最有名的漫画是讽刺俾斯麦辞职的《甩掉领港员》(1890)。1893年，受封爵士，1901年自《笨拙》退休后，为许多书籍画过插图。他为L.卡罗尔的《艾丽丝漫游奇境记》和《镜子背后》所作的插图蜚声国际。

tennis 网球 原称草地网球（lawn tennis）。在一呈长方形场地上由2或4名运动员使用网球拍将球在场地中央的网上击来击去。击球的目的是使对手够不着或者不能正确回球。用拍子击球的游戏起源于12～13世纪法国手球戏（“手掌游戏”）。1873年温菲尔德

少校发明了一种叫斯费里斯蒂克(Sphairistikè)的游戏,后演变成现代的户外网球。这种游戏很快在英国盛行并传遍大英帝国。后来,设在温布尔登的全英槌球俱乐部把这种游戏称为草地网球,并于1877年发起举办了第一届世界网球锦标赛。随着美国职业草地网球协会的建立,1927年开始在美国兴起职业网球。1968年网球的管理机构国际网球联合会批准举办网球公开赛,允许业余选手同职业运动员在同一比赛中交手。现在主要的国际团体赛有戴维斯杯男子团体赛(始于1900年)和联合会杯女子团体赛(1923年)。主要的个人赛有网球大满贯赛和英国(温布尔登)、美国、澳大利亚和法国的全国锦标赛,参阅 **Sporting Record**: Tennis。由一名选手从端线后发球开始,球越过网在对方另一侧发球区跳起。每一名运动员发球满一局。每局结束后,双方交换发球。按15、30、40和一局中的决胜分来记分。如果出现40—40得分相等,比赛继续直到一名运动员达到净胜2分,虽然有的比赛可同意净胜1分。领先2局,并先赢得6局的运动员胜一盘。男子比赛视情况采取3局2胜或5局3胜制;女子比赛则采用3局2胜比赛办法。为顺应越来越多的电视报道,20世纪70年代初在有些比赛中实行平分决胜的比赛来限制比赛时间的长度;通常当比赛出现6—6平局时实行平分决胜的办法。多数重大比赛采用12分7胜的平分决胜制,即一方先胜7分(净胜2分)即胜此局。

Tennis Court Oath 网球场宣誓(1789-06-20) 法国大革命初期召开三级会议期间,法国无特权的第三等级的戏剧性挑战行动。第三等级代表认识到,无论试行任何改革,他们都会被教士和贵族两个特权等级的票数所压倒,于是在6月17日成立国民议会。1789年6月20日,在凡尔赛通常开会的大厅关闭,他们被摒于门外,并且深信国王欲强行解散他们,因此他们就搬往附近一个网球场宣誓:如未能为法国制订出一部成文宪法,就决不离散。面对着第三等级的团结一致,国王路易十六的态度软了下来,于6月27日命令教士和贵族与第三等级一道参加国民议会。

tennō 天皇 日本国家元首的称号,奈良时代(710～784)开始使用。据日本传统说法,日本皇室是公元前660年由天照大神直系后裔神武天皇开创的。3世纪时,天皇一族打败其他氏族,统一日本中部和西部地区。虽然也有一些天皇被废黜或因宫廷政变被弑,但是日本的天皇制度保持了2 000年之久。12～19世纪,贵族和军事集团实际上掌握了天皇的一切权力(参阅 **shogunate**)。1868年明治维新派领袖主张重新确立天皇的直接统治,并建成一个以天皇为统一象征的中央集权国家。忠于天皇成为国民的神圣责任和爱国义务,尽管他几乎不承担任何政府职责。天皇历来带有神圣不可侵犯的色彩。日本在第二次世界大战中的失败,给了天皇崇拜和天神后裔的古老神话重重一击。第二次世界大战后,日本新宪法规定:天皇是国家的象征,没有实际政治权力。

Tennyson (of Aldworth and Freshwater), Alfred Tennyson, 1st Baron 丁尼生(1809-08-06,英格兰林肯郡萨默斯比～1892-10-06,萨里奥尔德沃思) 英国诗人,常被认为是维多

伦敦国立肖像画陈列馆供图

利亚时代诗歌的主要代表人物。1884年被封为贵族。在19世纪中叶,他的地位相当于A.蒲柏在18世纪的地位。同时代人认为他是无与伦比的诗歌艺术家,并且是英国有教养的中产阶级的杰出代言人。他的诗常常描绘当时旧的宗教信条和有关人的天性与命运的传统假设日益受到质询的时代,描绘在这种情况下人们所面临的疑虑与困难,而且表达了一个敏感、困惑并有悲观倾向的个人内心深处的问题。但是他的最佳诗作开阔、庄严,用词确切,声韵和谐却给有同感的读者带来信心,甚至是宁静之感。现代科学揭示了人在宇宙中渺小地位的新图景,他对此有充分认识,并是有资格以之入诗的第一位伟大的英国诗人。

丁尼生在12个兄弟姐妹中行四,家境贫寒,但父亲仍设法给他以广泛的文学教育。早熟,年幼时就能模仿名家诗风作诗。1826(注明为1827)年与两个兄弟合作发表《兄弟诗集》,他的作品占其中的多半。1827年入剑桥大学三一学院,以诗《廷巴克图》(1829)获得校长金质奖章。在校和A.哈勒姆结为好友。1830年发表《抒情诗集》。1831年父死,祖父发现其父负债累累,丁尼生只得未获学位就离开剑桥。1832年发表又一诗集(注明为1833),其中包括《食荷花人》、《艺术宫》、《夏洛蒂小姐》等。1833年9月哈勒姆在维也纳旅游时突然死去,诗人深为悲痛。与此同时,他的3个兄弟患精神病、他的讽刺作品遭到抨击,所以这是他一生最沮丧的时期。但正是在这一时期,他写下了他的一些最富于特性的作品:《两种声音》(原题《自杀之念》)、《尤利西斯》、《圣西米恩的苦行者》等,可能还有《亚瑟王之死》的初稿。1842年发表《诗集》2卷,其中一卷为一些经过修订的1830～1832年出版的旧作,另一卷为新作,其中包括《亚瑟王之死》、《两种声音》、《洛克斯利堂》、《罪之幻》等。1850年是他一生的转折点。多年来为纪念哈勒姆所作的挽歌集《悼念》得以出版,在评论界和读者中大受欢迎,并赢得了维多利亚女王的友谊,同年被封为桂冠诗人。1855年其独白诗剧《莫德》发表,引起强烈抗议,诗人的许多崇拜者对诗中主人公的病态、歇斯底里和好斗感到震惊,但它却是丁尼生最喜爱的作品。他还写了关于英国民间传说亚瑟王及其圆桌骑士的《国王叙事诗》(1859)和《圣杯及其他诗》(1869,注明为1870)。1864年的伦理叙事诗集《伊诺克·阿登》可能代表他声望的顶峰。1874年开始尝试诗剧,1875年发表《玛丽女王》,1876年在兰心剧院上演,但不很成功。1889年写下著名的短诗《过沙洲》。

丁尼生在维多利亚时代诗人中的超群地位,在他生前就因R.布朗宁和A.C.斯温伯恩的出现而受到挑战。20世纪前期,评论家认为他的不少诗矫揉、浅薄,徒有华丽辞藻,或者思想混乱,当代对他评论过高。晚近对他的评述又趋公允,承认《尤利西斯》为永恒杰作,他的一些最佳的抒情诗具有深切的感染力,尤其《悼念》一诗可称维多利亚时代最伟大的代表作。他的某些诗表达了对生命之谜的敬畏之情,是其伟大之处的核心。因此他的许多红极一时的诗虽已不复被人称道,但仍留下不少不朽之作。

tenor 男高音 最高男声音域,约自中央C以下的第二个B至以上的G。有一种极高的嗓音可扩展到女低音音域,通常称**上男高音**(**countertenor**)。男高音分为戏剧男高音、抒情男高音和英雄男高音。

tener 还有以下3种含义:

①次中音乐器。在乐器族中,指在音域上或多或少相当于男高音音域的乐器。如 tenor horn 即为次中音号。

②固定旋律声部。在13～16世纪的复调音乐中,指"持有"固定旋律(或作品通常据以建立的其他旋律)的声部。后 tenor 一词逐渐失去它与固定旋律的联系,而开始指中音乐器声部与低音乐器声部之间的声部,以及与之相应的嗓音音域。

③吟诵音。在用素歌吟诵诗篇时,指反复音,大部分音节都落在这一音上。

tenor and vehicle 本体和喻体 隐喻的组成部分。本体是隐喻所指的概念或人,而喻体则是承载这种比较意义的形象。该词最早由I.A.理查兹使用。A.考利的诗《愿望》第一诗节中本体是城市,喻体是蜂窝:

Well then; I now do plainly see,
This busy world and I shall ne'er agree;
The very honey of all earthly joy
Does of all meats the soonest cloy;
And they, methinks, deserve my pity
Who for it can endure the stings,
The crowd, and buzz, and murmurings
Of this great hive, the city.

tenor cor (musical instrument) 参阅 **mellophone** 美乐号。

tenor drum 次中音鼓 圆柱型鼓,比小鼓大,发音较深沉,无响弦,直径约45厘米,高约35厘米。一般用两只软头槌敲击。它像小鼓一样,从中世纪的塔波鼓演变而成。常

军乐队次中音鼓

供图：Messrs H. Potter, Aldershot, Hampshire, Eng.

用于军乐队，但偶尔亦出现于管弦乐总谱，如在布里顿的《卢克莱修受辱记》(1946)中。

tenor horn　次中音号　又作 althorn 或 alto horn。从短号和活塞军号演变而来的铜管乐器。次中音萨克斯号和次中音军号有时也叫次中音号。1829 年前后普鲁士骑兵军乐队采用了次中音号。它有 3 个活塞，一个杯形号嘴，细管和适中的喇叭口。一般为 B♭调乐器，也有 A 调和 C 调的。

tenorite　黑铜矿　铜的氧化物矿物(CuO)，为灰色至黑色金属晶体，呈升华物产于熔岩上。Melaconite(黑铜矿)是其块状变种，一般呈土状堆积物产于铜矿脉的氧化带。在意大利的维苏威火山和埃特纳火山以及英国康沃尔的洛斯特威西尔曾经发现黑铜矿晶体。在西班牙布尔戈斯的韦尔塔-德阿里巴和美国亚利桑那州的比斯比黑铜矿贮量很多，在那里它被当作铜矿石开采(1880～1902)。详细物理性质，参阅 **oxide mineral**(表)。

tenpins (game)　**十柱滚木球戏**　参阅**bowling** 地滚球。

tenrec　马达加斯加猬　又拼tanrec。食虫目马达加斯加猬科 23 个种的统称。除獭鼩(有时被单独列为一科)外，原产地仅限于马达加斯加和科摩罗群岛。身圆，头大，脸尖，嘴裂

条纹马达加斯加猬(*Hemicentetes semispinosus*)

供图：H. Uible—Photo Researchers

宽大。主要夜间活动，用柔韧的吻拱寻蚯蚓、蛴螬、其他昆虫及软体动物。到旱季有几个种在地穴里蛰伏。马达加斯加猬是食虫目中产仔最多的动物。普通马达加斯加猬又名无尾马达加斯加猬(*Tenrec*[有时 *Centetes*] *ecaudatus*)，是最大的食虫目动物之一，长达 41 厘米；毛粗糙，浅褐色，有鬣毛或硬毛(依年龄而定)；一次产仔可多达 21 只(可能是哺乳动物之最，一般 12～16 只)。条纹马达加斯加猬(*Hemicentetes semispinosus*)长 18 厘米，全身有黑白花色条纹，各年龄者背上均有刺。大马达加斯加猬(*Setifer*[有时 *Ericulus*] *setosus*)长 18 厘米，全身被刺，形似真正的刺猬。其他各种则被毛柔软。有 3 种稻田马达加斯加猬(鼹猬属[*Oryzorictes*])在稻田挖食昆虫，形似鼹鼠。长尾马达加斯加猬(*Microgale longicaudata*)树栖，尾长为体长的 2 倍。蹼足马达加斯加猬(*Limnogale mergulus*)形似麝鼠。

Tenreiro, Francisco José (de Vasques)　滕雷鲁(1921-01-20，圣多美～1963-12-31，里斯本)　非洲诗人，用葡萄牙语写作。他的诗表达了殖民主义剥削下圣多美岛合同工的痛苦。他是葡萄牙行政官和非洲妇女所生之子，一生大部时间在葡萄牙度过。1961 年在里斯本大学获地理学博士学位，后在海外社会与政治学高等学院任教授，并成为葡萄牙国民议会中代表圣多美和普林西比的众议员。他的两卷诗集《圣名岛》(1942)和遗作《非洲的勇气》(1964)，记录了对非洲的热爱，以及同全世界受压迫的黑人的兄弟情谊。受哈勒姆文艺复兴运动中黑人诗歌的鼓舞，写出《美国文学概况》(1945)一书。1958 年与安德拉德合编《葡萄牙语黑人诗选》。

Tenri　天理　日本本州奈良县城市。位于奈良盆地东部，四周多有史以来初期的墓地和神庙。1881 年成为神道教派的天理教中心，因而闻名。建有天理大学和日本民俗博物馆。西部农业区出产稻米和西瓜。与奈良之间有两条铁路线连接。人口约 69 130 (1985)。

Tenrikyō　天理教　日本神道教势力最大的一派。奈良县大和地方的农村妇女中山美伎(1798～1887)40 岁被神附体，提倡拜神时唱歌狂舞，宣传仁慈爱人和诚心则灵、包治百病的简单教义。信者日众，成为天理教。起初人们认为它是神道教吉田派的支派，1880 年归属佛教。1908 年以后被认为教派神道 13 个团体之一。1980 年天理教信徒约有 250 万人。天理教这个现代派别主张用现代医学治病。天理教拥有广播电台、一所大学和一处图书馆，在美国、巴西、朝鲜、中国和菲律宾等地建有 200 多处教会，主要传教对象是日本侨民。

tense　时态　动词在语法上的一个范畴，用以表达所述事情发生的时间与述说时间的关联。许多语言不用动词而用其他词类(如时间副词或名词)来表达时间。时间通常被划分为包含过去、现在、未来三大部分的连续。过去与未来时间都是按与现在时间相对而定。过去时态指现在时间以前的任何时间，未来时态指现在以后的任何时间。并非所有语言都把这种相对关系视为直线性的，而这种关系也不足以涵盖所有可能的时间状态。因此，时态只是语法上所表达的时间所指。时态与时间的相互关系并不一定是一对一的，各种语言所确认的时态对立并不如所确认的时间概念那么多。英语虽有过去、现在、未来时，但仅有过去与非过去的时态对立。

过去：John ate lasagna.(约翰吃了卤汁面条。)

现在：John is eating lasagna.(约翰正在吃卤汁面条。)

未来：John will eat lasagna.(约翰将要吃卤汁面条。)

语法的时态并不等于真正的时间：

The flight is leaving at 5:00 PM.(班机将于下午 5 时起飞。)

That will be $5.00, please. (At a grocery checkout line)[请付 5 块钱(在杂货店付款处)。]

第一句中，把通常表示现在时的动词用来表示未来时。第二句中，通常表示未来时的动词却用来表示现在时。动词的过去形态通常是指过去时间，即指在讲述行为以前发生的事。

其他语言之中，时态范畴可能表达其他对立情况，例如即将来临与非即将来临之对立，现在与非现在之对立。但是英语语法中的时态范畴是指实际时间概念的二元对立情况，亦即是：过去与非过去的对立。非过去时态被认为是"未标明的"时态，因此可包含现在、未来，甚至过去时。除了某些难确定的情态动词结构之外(例如"John said he would go tomorrow."这个句子里，从语法上看，would 是 will 的过去时态，却用来表示未来时间)，过去时态只表示过去时间，因此这种时态便被称为"标明的"时态。其他语法范畴，例如语气(mood)与语体(aspect)，可拓广时间所指的范围，进一步说明行为的确定或不定，完成或未完成，持续或非持续。

Tenshin　天心　参阅 **Okakura Kakuzō** 冈仓觉三。

Tenshō Kōtai Jingū-kyō　天照皇大神宫教　第二次世界大战后出现的日本"新宗教"之一，又称"踊宗教"(Odoru Shūkyō，舞蹈教)。创立人山口县农妇北村小夜(1900～1967)在宣讲教义时边歌边舞，节奏明快。她在 1945 年自称得神的启示，谓有神道教天照皇大神(太阳女神天照大神的别名)附体。她四出传教，在欧洲和南北美洲收得大批徒众。她行动癫狂，直言抨击现有宗教机构和政府(她称之为"蛆乞食"[讨蛆吃的乞丐])，争取到热心信徒甚多，她死后数年约有 300 万。

Tenshō Shūbun　天章周文　参阅 **Shūbun** 周文。

Tensift, Oued　坦西夫特河　摩洛哥中西部河流。由源出上阿特拉斯山脉的几条溪流汇合而成，向西流入大西洋。全长 260 千米。水利工程和水电站竣工后，干旱的谷地变成良田。产小麦、橄榄、水果、蔬菜和葡萄。马拉喀什为流域最大城镇和农产品贸易中心。萨菲为港口。

tensile strength　抗拉强度　物质受拉伸不致断裂时所能承受的最大载荷除以初始截面

积,单位为 N/m^2。小于抗拉强度的应力消失时,材料或者完全恢复原有的形状和大小,或者部分地恢复。可是,当应力达到抗拉强度时,如果材料是可延展的,它就发生塑性流变,很快形成一个收缩的颈区,然后从该处断裂。

tension 涵延 在艺术作品(如诗、画或音乐)中两个对立的力量或成分之间保持的一种平衡,即一种受控的戏剧性或生气勃勃的特性。在文学上,该词的使用和定义各不相同。诗人和评论家 A. 泰特用该词指一件被认为是完整的作品所必须具备的各组成部分。泰特是从逻辑学的两个术语中引出该词的这层含义的。这两个术语分别是外延(extension)和内涵(intension)。他去掉两词的前缀后形成此词,指出这两个不同含义的形式间相互依赖的关系。虽然这两种含义的存在构成一种冲突,但却是必须的,因为正是这种冲突或涵延赋予诗歌以意义。

Tenskwatawa (Shawnee Indian leader) **邓斯克瓦塔瓦** 参阅**Prophet, The**先知。

tenson 论争诗 古普罗旺斯语"争论"或"争吵",又作 tenso 或 tenzon。由普罗旺斯地区行吟诗人写作的争论或人身攻击的抒情诗。诗中两个对手交替吟诵结构通常相同的诗节、诗行或几组诗行。某些情况下,这些争论是虚构的,争论双方的辩词均出自同一人笔下。论争诗是中世纪诗歌竞赛的一种特定形式。后传到意大利。

tensor analysis 张量分析 张量的概念是从向量的概念中产生出来的。用一个类比来开始对张量的讨论。设想在一个理想的金融世界中,各国货币的交换有稳定汇率,没有税金、手续费等等扣除。假设把 154.72 美元换成另一国的货币,再么成另外一国的货币,如此继续下去。从每个不同的国家得到数量不等的钱,然而都和原来的 154.72 美元价值相同。所有这些钱有着相等的关系。在某种意义上,这些不同国家的不同数量的钱代表了一种抽象的客观的"价值",可以认为这种价值是不依赖于货币的。把一种货币换成另一种货币的数学规则有两个重要性质。第一,如果从一种货币开始,经过多次交换之后又回到原来的货币,那么最后得到的钱与开始时的钱的数量是一样的。为说明第二个性质,假定开始时在 3 个信封内装了数量分别为 A、B、C 的货币。比如说,A 是 12 比塞塔(西班牙货币单位),B 是 4 比塞塔,C 是 11 比塞塔,因而 $2A+5B=4C$。那么在分别换成另一种别的货币后,它们的数量间仍有上面的关系。这种关系与使用哪种货币是无关的。

在向量分析(**vector analysis**)中,向量表现为一种可以用箭矢表示并能按平行四边形法则相结合的量。由于这个法则,向量有分量,而且当坐标系改变的时候,向量的分量按照由平行四边形法则导出的一种数学变换规律而变换。这种分量的变换规律有两个重要性质:①如果从一个特殊的坐标系出发,经过一系列坐标变换又回到原来的坐标系,最终得到的向量分量与开始时是一样的。②设有 3 个向量 $\boldsymbol{U}$、$\boldsymbol{V}$、$\boldsymbol{W}$,满足 $2\boldsymbol{U}+5\boldsymbol{V}=4\boldsymbol{W}$。那么分量也具有这种关系,不论我们用的是哪个坐标系。因此在 n 维空间中可以把向量设想为具有 n 个分量的一个量,这些分量按照具有上述性质的变换规律进行变换,而向量本身则是不依赖于坐标系的客观的量。

从向量推广到张量的步骤是这样的:抽象地定义张量为具有分量的一个客观量,这些分量按照一种变换规律进行变化。这个变换规律是向量变换规律的推广,它保存了原有的两个关键性质。为了方便,坐标用从 1 到 n 的数目编号(n 维空间),而一个张量的各个分量用一个具有上标和下标的字母来表示,每一个上标或下标可以独立地取从 1 到 n 中的数值。这样,用分量 T_c^{ab} 来表示的一个张量就有 n^3 个分量,因为字母 a、b、c 分别可以取 1 到 n 中的任何值。标量和向量都是张量的特例,标量是零阶张量,它在每个坐标系中只有 $n^0=1$ 个分量,向量是 1 阶张量,它有 $n^1=n$ 个分量。张量的分量间的任何线性关系,例如 $7\boldsymbol{R}_{bcd}^a+2\boldsymbol{S}_{bcd}^a-3\boldsymbol{T}_{bcd}^a=0$,只要在一个坐标系中成立就在所有坐标系中成立,因而这种关系就是客观的和不依赖于坐标系的,尽管我们缺少可以表现这种关系的图形。有两种张量,度量张量和曲率张量,特别使人感兴趣。度量张量是用于把向量的分量转换成向量的长度。为简单起见,考虑具有垂直坐标的二维情形。设向量 $\boldsymbol{V}$ 具有分量 $\boldsymbol{V}_1$ 和 $\boldsymbol{V}_2$,如图所示。对直角三角形 OAP 应用毕达哥拉斯定理,可以求出 $\boldsymbol{V}$ 的长度的平方:$OP^2=(\boldsymbol{V}_1)^2+\boldsymbol{V}_2{}^2$。度量张量就隐藏在这个方程里,把方程重写成:$OP^2=1\cdot(\boldsymbol{V}_1)^2+0\cdot\boldsymbol{V}_1\boldsymbol{V}_2+0\boldsymbol{V}_2\boldsymbol{V}_1+1(\boldsymbol{V}_2)^2$,度量张量的分量在这里是 1、0、0、1。如果使用非直角坐标系,OP^2 的表达式的一般形式是:$OP^2=g_{11}(\boldsymbol{V}_1)_1^2+g_{12}\boldsymbol{V}_1\boldsymbol{V}_2+g_{21}\boldsymbol{V}_2\boldsymbol{V}_1+g_{22}(\boldsymbol{V}_2)^2$,其中 g_{11}、g_{12}、g_{21}、g_{22} 是度量张量的新分量。从度量张量可以构造出曲率张量这一复杂的张量。这种张量代表了 n 维空间的内蕴曲率的各个方面。

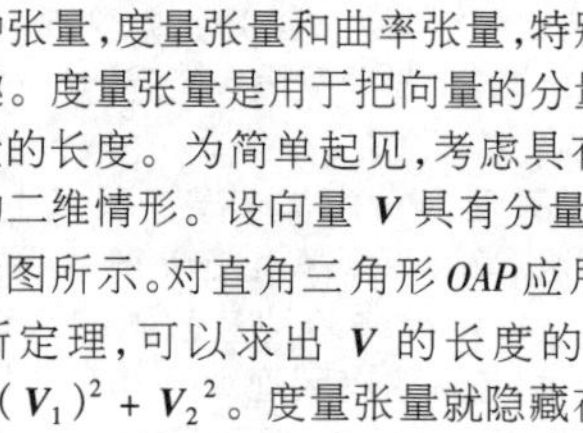

张量在几何与物理中有许多应用。爱因斯坦在建立广义相对论时曾论证道,物理定律必须在任何坐标系中都是相同的。这导致他用张量方程来表达物理定律。从他的狭义相对论已经知道,时间和空间非常紧密地相互关联,形成了一个不可分割的四维时空。爱因斯坦作了一个重要判断,这就是引力应该只由四维时空的度量张量来确定。为了表达相对论的引力定律,他以度量张量及由之产生的曲率张量为构成因素,广义相对论的一个美妙之处就在于爱因斯坦只使用上述构成因素,使他导出了一个在这种条件下本质上是唯一的关于引力定律的张量方程。在其中引力不是作为一种力出现,而是作为时空曲率的一种表现形式。人们早已经对张量进行过研究,然而爱因斯坦广义相对论的成功引起了数学家和物理学家对于张量及其应用的更广泛的兴趣。

tent 帐篷 由硬骨架覆以柔韧材料做成的可移动掩蔽物。用途广泛,可供娱乐、勘察、军事宿营以及马戏、宗教仪式等公共集会和植物或家畜展览等使用。也是世界各地大多数游牧民族(从古代的亚述人至 20 世纪北非和中东的贝都因人)的居住设施。美洲的印第安人发展了两种类型,一为**圆锥帐篷**(**tepee**),另一种为拱形,后者用树枝或木杆覆以树皮或兽皮构成。最简单的帐篷为士兵个人携带的一种,成矮的两坡人字形,两端各由两根木棍支起,篷布由两块布拼成,并用木桩将其底部固定在地上。这是两坡人字形帐篷的最原始形式。最普通的圆锥形帐篷在中央用一根大杆支起,在地面处为圆形。其他类型有墙式帐篷,即在两坡或方锥形之下有垂直面;另一种长方形、前面敞口,其上有伸出的挡布者称为贝克式帐篷;伞式帐篷内部有伞骨状支架。现代的帐篷趋向于采用多种合成纤维防水布和轻质合金支柱,以求尽可能地灵活轻便。

tent caterpillar moth 天幕毛虫蛾 鳞翅目枯叶蛾科天幕毛虫属(*Malacosoma*)昆虫。包括卵茧蛾(茧呈卵形)及松毛虫(幼虫每个体节侧面均有垂片状突起,故俗名垂饰虫)。幼虫即天幕毛虫,在树上群集吐丝,织成一帐篷形巨网。成虫体粗壮,多毛,一般淡黄褐色,翅展 25～75 毫米。许多种类触角羽状,身体及足上多毛。幼虫色鲜艳,为害林木、果树

(上)天幕毛虫蛾(*M. americanum*);(下)天幕毛虫(*M. disstria*)

供图:(上)L. Hugh Newman;(下)G. E. Hyde from the Natural History Photograhpic Agency—美国不列颠百科全书公司

及观赏树木。北美东部的苹果天幕毛虫蛾(美洲天幕毛虫蛾,*M. americanum*)盛夏时在树上产卵,卵集成带状;翌春孵化,幼虫在树叉上织一大丝幕网(并非所有种类都织这类公共网);幼虫每日离网取食,直到初夏成熟为止。茧由丝与黄白色粉混织而成,在茧中化蛹。美国南部常见的是森林天幕毛虫(*M. disstria*)。

tentacle worm　健蛰虫　又作 tentacled tube worm。环节动物门多毛纲健蛰虫属(*Thelepus*)水生蠕虫。成体筑管栖于海底地下。卷健蛰虫(*T. cincinnatus*)体长 5 ~ 10 厘米,淡红色,背面有带状条纹,鳃有许多不分枝的鳃丝,排成两列。成体始终全身栖于管内营固着生活。

Tenterfield　滕特菲尔德　澳大利亚新南威尔士州东北部城镇。建于 1848 年,1851 年设镇。现为附近地区(出产乳品、菜牛、烟草、羔羊、锡、银和铅等)的服务中心。1889 年 H.帕克斯爵士在此发表演说,对建立澳大利亚联邦有重要影响。与悉尼和布里斯班通铁路。人口 3 402(1981)。

tenure　任期　指在行政、司法、学术以及其他方面任职的期限和条件。在行政机构或学术单位中任职,任期的保证一般是在试用期之后给予的,这一保证被认为是保持这些职务的独立和自由的基本条件,使其不受政治或党派的控制。例如,永久性司法机构中的法官得在“良好行为”期间任职——即终身任职。任期一旦确定,只有在严重渎职、不称职或行为不端的情况下才能中止。这类指控须由正式成立的机构加以定夺。对行政人员,这类机构通常为纪律委员会和法庭;对在学术界任职的人,这类机构常是大学相应级别的委员会或诸如大学理事会和大学评议会等监督机构。终身法官的任期只有经过弹劾并经立法机关定罪才能中止。任期的条件和任期的长短以及其保证方式是多种多样的。在大多数国家的行政机构里,任期都规定到一个特定的退休年龄为止,一般在 50 ~ 60 岁之间。法官在多数情况下是终身任命,但可以选择提前退休。教授也享有持续的不受限制的任期权。行政人员的任期由行政措施保障,而法官的任期是靠宪法的和法令的条款保障的。

Tenure of Office Act　《官员任职法》　美国历史上,南北战争之后国会制定的一项禁止总统未经参议院同意撤换文职官员的法令。这是激进共和党人为夺取对南方重建工作控制权,越过 A.约翰逊总统的否决而制定的法令。强烈反对总统对战败的南方的和解政策。激进派在 1866 年的国会选举中赢得了足够的多数,次年春已把他们的军政纲领强加给南方。随后又通过《官员任职法》。这一法令的主要目的,通常被认为是防止总统解除激进派在内阁中盟友、陆军部长 E.斯坦顿的职务。然而,总统为了挫败这一法令,解除了斯坦顿的职务。这导致次年国会对总统提出弹劾。这项法令在 1869 年已部分失效。1887 年全部废除。1926 年美国最高法院宣布该项法令违反宪法。

Tenzing Norgay　登京格·诺尔盖(1914-05-15,尼泊尔索洛昆布~ 1986-05-09,印度大吉岭)　尼泊尔夏尔巴族登山运动员,同新西兰希拉里爵士一起第一个登上世界最高峰珠

合众国际社—美国不列颠百科全书公司供图

穆朗玛峰(8 848 米)。家住珠穆朗玛峰南侧,此处的夏尔巴族人善于爬山。他自小离家定居印度西孟加拉邦大吉岭。1935 年为希普顿爵士率领的珠穆朗玛峰勘察探险队搬运工。后参加攀登珠穆朗玛峰登山队。登山次数多于任何登山家。1953 年为英国攀登珠穆朗玛峰登山队搬运工组长,5 月 29 日上午 11 点 30 分登上顶峰,停留 15 分钟进行摄影,吃薄荷小饼,并作为一名虔诚的佛教徒留下了食物作为祭品。

Teofilatto (pope)　**狄奥菲拉托**　参阅 **Benedict Ⅷ** 本尼狄克八世;**Benedict Ⅸ** 本尼狄克九世。

Teófilo Otoni　特奥菲卢奥托尼　巴西米纳斯吉拉斯州中东部城市。位于穆库里河谷地。海拔 319 米。1878 年设市。为主产咖啡的农业区贸易中心。畜牧业也很重要。市内有制造业和食品加工厂。大量开采和购销海蓝宝石、黄玉、银星石和各类石英。通公路,有铁路线通州首府贝洛奥里藏特和里约热内卢。人口约 83 108(1980)。

Teos (Egyptian king)　**特奥斯**　参阅 **Tachos** 塔科斯。

teosinte(*Zea mexicana* or *Euchlaena mexicana*)　**类蜀黍**　即墨西哥玉米。早熟禾科高大粗壮的一年生草本植物。原产于墨西哥。与玉米有亲缘关系,二者雄花穗状花序相似。丛生,通常在基部分枝。雌花序包在叶状苞片内,花柱丝状,常突出于花序外,略似玉米穗。20 世纪 80 年代初,植物学家将类蜀黍和玉米杂交,培育出玉米的多年生品种。

Teotihuacán　特奥蒂瓦坎　墨西哥中部前哥伦布时期最大而最重要的城市,在今墨西哥城东北 33 英里处。根据可靠的年代鉴定,建城地带早在公元前 400 年即已有人居住;正式建城计划约在公元之初。特奥蒂瓦坎人的来源和语言,尚不清楚。他们的文化及文

特奥蒂瓦坎的太阳神金字塔

供图:Shostal Assoc.—美国不列颠百科全书公司

化影响一度遍及整个中美地区。是否他们也曾控制过同阿兹台克人的政治和经济模式相同的一个帝国,亦无定论。约在公元 650 或 900 年时,托尔特克人入侵特奥蒂瓦坎,将该城焚掠一空,又在今墨西哥城以北约 50 英里处构筑图拉城,作为政治中心。特奥蒂瓦坎城占地 8 平方英里,城内除住房外,还有宽阔的集市广场、神庙、贵族与祭司的宅邸。这两组主要建筑群之间铺有通道,名“死者之路”,130 英尺宽,1.5 英里长。城北端有月神金字塔,南端有羽蛇神庙,东端为太阳神金字塔(底座 720 英尺 × 760 英尺,有 5 层,高 216 英尺)。金字塔涂以当地的红色火山岩粗粉末。

Tepe Gawra　高拉土丘　美索不达米亚古代居民点,位于伊拉克尼尼微和现代城市摩苏尔的附近,底格里斯河以东。1931 ~ 1938 年进行发掘。高拉土丘从哈雷夫时期(约公元前 5050 ~约前 4300)到约公元前两千年中期显然连续有人居住,美索不达米亚北部的高拉时期(约公元前 3500 ~约前 2900)就是根据此遗址而得名的。在高拉时期以前,此地似乎已受美索不达米亚南部欧贝德文化(约公元前 5200 ~约前 3500)的影响。高拉土丘代表了从铜石并用时代早期的农业村落向拥有泥砖房屋、印章、最初的金属器和大型建筑物的复合居民点的过渡。高拉时期之末,美索不达米亚南部出现文字,但高拉一带在公元前 1700 年左右非塞姆人和胡里人侵入之前却基本上保持原状。

Tepe Yahya　叶海亚土丘　伊朗古代遗址,位于伊朗东南部道拉塔巴德东北;遗址提供了有关公元前 3000 年经济交流形态的宝贵信息。1968 ~ 1970 年美国史前研究学院进行发掘,发现公元前 5000 年中叶至前 3000 年末几乎始终有人在此居住。该地显然曾于公元前 2000 年被废弃,公元前 1000 年~公元 400 年复又人烟不绝。公元前 3000 年的遗物表明,这里可能是用以制作容器、印章等物的皂石的生产与分配中心。皂石碗上的图案与美索不达米亚和印度河流域所发现的许多图案相同。这说明,在美索不达米亚、伊朗高原与东方的经济和文化联系中,叶海亚土丘占有重要的地位。

tepee　圆锥帐篷　又拼 tipi。北美大平原印第安人的住所,形制高大。虽然人们常常认为这种住所为所有北美印第安人所使用,但实际上只有大平原部落(约占北美印第安人总数的 1/5)才使用这种圆锥帐篷,且是最近二三百年的事。18 世纪初,西班牙人把马、

枪炮和金属刀传进大平原，使大平原印第安人成为能迅速移动的游牧民族，并使他们能更成功地追捕野牛，牛皮正好制作帐篷。帐篷用经过处理和大小合适的野牛皮覆盖在

加拿大艾伯塔省班夫的圆锥帐篷
供图：Alpha

20～30根木棍搭成的架子上，全部牛皮倾向中心点，在离篷顶不远处绑扎在一起，形似一个倒放的漏斗。顶上有一个可卷起的口盖，以便散烟；底部也有一个口盖，用作吊门。圆锥帐篷的高度通常为3.5～6米。大平原印第安人利用冬闲时间来绘制彩色的动物和狩猎图，以装饰他们的帐篷。

Tepehuan　特佩瓦人　墨西哥奇瓦瓦州南部、杜兰戈州南部和哈利斯科州西北部的中美印第安人。可以分为奇瓦瓦州的北特佩瓦人和杜兰戈州的南特佩瓦人。这两种人都说特佩瓦方言。特佩瓦语是一种与皮曼语有着密切关系的犹他-阿兹台克语。特佩瓦人务农，在小面积土地上种植玉米和豆类。北特佩瓦人则饲养很少的鸡、火鸡和山羊，并以大量野生动植物作为补充食品。南特佩瓦人放牧山羊，食用大量山羊奶酪，有时也吃羊肉。特佩瓦人的住区分散，城镇和村庄仅为政治中心及混血人种聚居地。南特佩瓦人住房为石或土坯结构，北特佩瓦人则以木料或木板房为主。很少传统手工艺。男子身着白棉布衣裤，妇女则穿自织的印花棉布服装。南北特佩瓦人都信仰天主教和本地成分混合的民间宗教。

tephillin（Judaism）　参阅 **phylactery** 经文护符匣。

tephrochronology　火山灰年代学　利用火山灰（火山碎屑）层测定地质年龄的方法。火山碎屑层是极好的时间地层标志，但要建立年代表，就必须在尽可能大的范围内对尽可能多的火山碎屑层进行鉴定和对比。由于冰岛有很多次猛烈的火山爆发，所以，火山灰年代学的创建者S.托拉林松能够在那里建立起前前后后发生的地质事件和考古事件的详细年代表。火山灰年代学使托拉林松能够对冰岛的气候变化以及农业对冰岛生态的影响方面进行彻底的研究。日本是另一个从事火山灰年代学研究的成果丰富的地区。在北美西部，已经对更新世的火山碎屑（年龄为1万年至160万年）在1 600多千米的距离上做了对比。火山碎屑可从陆地追踪到海洋盆地，因此这可以作为陆源沉积层与海洋沉积层对比的最有效方法之一。

tephroite　锰橄榄石　橄榄石类矿物。只出现在铁锰矿床、夕卡岩和变质的富锰沉积岩中，例如英国康沃尔和美国新泽西州富兰克林的矿床。锰橄榄石（硅酸锰 Mn_2SiO_4）与铁橄榄石（在分子结构中铁完全置换了锰）形成固溶体系列。成分向锰橄榄石过渡的矿物称为锰铁橄榄石（knebelite）。详细物理性质，参阅 **olivine**（表）。

Tepic　特皮克　墨西哥中西部纳亚里特州首府。海拔915米。濒临特皮克河。1542年建城。具有殖民时期的城市风貌，大教堂、市政府宫和阿马多内尔沃剧院等深受西班牙建筑风格影响。交通不便限制其发展。1912年铁路通车后成为当地商业、工业和农业中心。周围地区产玉米、稻米、甘蔗、咖啡和烟草。市内有炼油、碾米及其他加工厂。设有纳亚里特大学（1969），1930年建立时称纳亚里特文理学院。通公路、铁路和航空线。人口270 000（2001）。

Teplice　特普利采　捷克共和国西北部北捷克州城市。位于克鲁什内山脉下面的一个岩坡上。当地有放射性矿泉（28～46 °C）。因确信该地矿泉可治枪伤，奥地利、普鲁士和撒克逊当局于19世纪在此开设温泉场。19世纪工业有发展，有木材加工、金属制造、玻璃、制陶和纺织。附近开采褐煤和泥炭矿。1879年褐煤矿区地下泉酿成水灾，工业和矿泉业遭破坏。此后，因卡罗维发利和西波希米亚其他矿泉疗养地的发展而使特普利采相形见绌。第二次世界大战以来，工业和疗养业日渐昌盛。人口约52 938（1999）。

Tequendama Falls　特肯达马瀑布　哥伦比亚东科迪勒拉山中波哥大河的瀑布，是哥伦比亚的主要旅游胜地之一。在波哥大以西32千米的林区。河流从一个多岩的峡谷涌出，峡谷在157米高的瀑布边缘变狭至18米左右。瀑布曾是自杀的地点。从波哥大有公路通此。

tequila　龙舌兰酒　又称特奎拉酒。用墨西哥产植物龙舌兰的发酵汁蒸馏制成的一种烈性酒，无色透明，不经陈酿。含酒精40%～50%（80～100美国标准度）。自西班牙人将蒸馏方法传入墨西哥后不久，当地人便开始酿造这种酒，以产地墨西哥哈利斯科州特奎拉市名命名。龙舌兰成熟时，似菠萝的植物基部充满富于糖分的汁液，取汁发酵，蒸馏两次即制成纯正的龙舌兰酒。若在橡木桶中陈酿则呈淡黄色，酒性柔和。龙舌兰酒可与酸橙汁调制成玛格丽塔鸡尾酒。梅斯卡尔酒为类似的蒸馏酒，用瓦哈卡地方的野生龙舌兰为原料，价廉而味烈。

Tequistlatec　特基斯特拉特克人　墨西哥瓦哈卡州南马德雷山区中美洲印第安人。他们以农业（主要作物有玉米、红辣椒和豆类）、狩猎、采集和畜牧为主。城镇和乡村由若干单间或双间住房组成，一般每一单间住有一个核心家庭。村社由成年男子管理，他们在议事会及各种行政和礼仪机构中供职。

Terai（Asia）　参阅 **Tarai** 达赖。

Teraina Island　特拉伊纳岛　太平洋中西部北莱恩群岛的珊瑚环礁。旧称华盛顿岛、普罗斯佩克特岛。周长14千米，陆地面积8平方千米。1798年为美国航海家E.范宁发现。1889年被英国兼并。1979年属新独立的基里巴斯。该岛为范宁岛种植园公司所有。人口约978（1995）。

Teramo　泰拉莫　意大利中部阿布鲁齐区泰拉莫省省会、城市。位于佩斯卡拉西北面，托尔迪诺河与韦佐拉河交汇处。著名历史建筑有14世纪大教堂（建有哥特式钟楼）、古罗马剧院遗迹和市博物馆。为农业中心，生产毛织品、家具和陶瓷制品。城外有一座天文台。人口：城市区约52 501（1990）。

teratology　畸形学　生物科学的分支学科，研究动、植物中先天性畸形的原因、发育、描述、分类的科学，有时也研究畸形的实验生成。先天性畸形因机体早期发育过程障碍而形成。如人类婴儿畸形的病因可为基因突变，染色体数目异常，孕妇于妊娠早期患风疹、用过致畸药物或接受过量照射。实验证明，与上述相似的因素可引起动、植物的畸形。

Terauchi Masatake, Count（Hakushaku）　**寺内正毅**（1852-07-12，日本旧长门国山口～1919-11-07，大矶）　日本军事家、政治家。第一次世界大战期间任日本首相（1916～1918）。出生在长州藩侍从家庭。12岁参加陆军后，得到日本现代军队创始人山县有朋的赏识。1902年任陆军大臣，供职10年。1910年5月兼任日本驻朝鲜殖民地总督，奉命完全吞并朝鲜。他迅速完成日本对朝鲜的军事控制，1910年8月22日迫使朝鲜政府接受吞并条约。1916年10月，在山县有朋的坚决支持下，他成为首相。在外交方面，他采取强硬政策，用钱收买中国的亲日军阀，扩大日本在中国大陆的势力范围。第一次世界大战期间，他与英国达成秘密协议，即只有在英国承认日本在中国的特权的条件下，日本才在战争中支持英国及其协约国。这个协议在后来的1919年《凡尔赛条约》中得到确认。俄国革命发生后，他主张日本出兵西伯利亚，控制西伯利亚铁路干线，以加强日本在中国东北地区的地位。1918年东京发生米骚动，他的内阁垮台。

terbium　铽（Tb）　化学元素，周期表Ⅲb族过渡稀土金属，丰度最小的稀土元素之一。金属铽呈银白色，在室温下被空气和冷水缓慢氧化。1843年，C.G.莫桑德尔在称为氧化钇的重稀土组分中发现了铽，但约在30多年后才被确认，直到1905年才制备出它的纯化合物。铽虽存在于许多稀土矿中，但铽几乎全是从独居石砂中提取钍的副产品。核裂变产物中也含有铽。离子交换法已用于铽的工业生产。用金属钙热还原铽的无水氟化物可制备高纯铽。室温下纯铽为六方密堆积结构。在矿石中，铽的唯一同位素是

铽 159。已人工合成出的放射性同位素大约有 20 种，例如铽 160，半衰期为 73 天。硼酸铽钠用作激光材料时，可放射出 5 460 埃相干光。在某些固态器件中，铽用于掺杂氟化钙、钨酸钙和钼酸锶。铽是少数几个具有 +4 和 +3 氧化态的稀土元素之一。在空气中灼烧制备的棕色铽氧化物，其化学式近似为 Tb_4O_7，而二氧化铽 TbO_2 是用原子氧制备的。四氟化铽 TbF_4 可由三氟化铽氟化而得。溶液中未见有 Tb^{4+} 离子。在溶液和其他盐中，铽为 3 价，具有典型的稀土元素的化学性质。铽的溶液为淡粉红色到无色。铽原子序数 65。原子量 158.925。熔点 1 360 °C。沸点 3 041 °C。比重 8.234(25 °C)。化合价 3、4。电子组态 2,8,18,26(27),9(8),2 或 $(Xe)4f^{8.9}5d^{1.0}6s^2$。

Terborch, Gerard　泰尔博赫（1617，尼德兰兹沃勒～1681-12-08，代芬特尔）　荷兰巴罗克艺术风格的画家。他以优美逼真的手法描绘 17世纪荷兰中产阶级生活，形成其独特的

泰尔博赫自画像，约 1670 年

供图：Foundation J. M. van Nassau, Mauritshuis, The Hague

内景风俗画风格。他的作品几乎一半是肖像画，一半是风俗画。在肖像画中他以近似细密画的肖像画，表现出精美的技巧。在处理微妙的色调层次和描绘各种表面结构的能力上，都取得异常美满的效果。在风俗画中其高超的色彩感得到充分的发挥。他早年曾按照 P.科德和 W.杜伊斯特的风格作过许多以警卫室为题材的画。大约从最终在荷兰定居之日起泰尔博赫改画背景幽暗，姿态安闲，表现出一种贵族式优雅气质的群像，这在当时荷兰画家中独占鳌头。

Terbrugghen, Hendrik　泰尔布吕亨（约 1588，尼德兰代芬特尔？～1629-11-09 入葬，乌得勒支）　荷兰画家，意大利画家卡拉瓦乔最早的北方追随者之一。其技法虽来自卡拉瓦乔，但比其师更有氛围感和亮度，如半身像《吹长笛的人》(1621)。尽管他和意大利的最新的发展有接触，但 16 世纪北方绘画艺术中的某些仿古痕迹在《被钉在十字架上的耶稣及圣母和圣约翰》(1625) 之类作品中仍可以见到。其杰作《圣塞巴斯蒂安由艾琳和她的

泰尔布吕亨绘《吹长笛的人》(1621)

供图：Staatliche Kunstsammlnbgen, Kassel, Ger.

女仆服侍》(1625) 显示了崇高的画家品质和有所节制的情感。

Terceira Island　特塞拉岛　葡萄牙在亚速尔群岛中发现的第三个岛屿。“特塞拉”意为“第三”。属英雄港区。面积为 397 平方千米。主要城镇和港口英雄港原为亚速尔群岛的首府。经济以农业为主，辅以日趋发展的旅游业。人口约 55 800(1987)。

tercet　同韵三行诗节　又拼 tiercet 。由三行构成一个单元或诗组的韵诗。如莎士比亚的《凤凰与乌龟》一诗中的：

Death is now the phoenix' nest;
And the turtle's loyal breast
To eternity doth rest.

terefah　禁忌食品　又拼 terefa，tref 或 trefa。源于希伯来语 ṭaraf(撕裂)。根据犹太教的饮食教规（参阅 **kashruth**）的规定，未按照律法依礼洁净或制作的食物、食品或餐具禁止犹太人食用。因此，此词即为“宜于食用”的对立面。广义的禁忌食品一词的含义源于禁食被野兽“撕裂”的牲畜的肉的更为具体的禁条（《出埃及记》第 22 章第 31 节）。食品可因几种原因之一而被列为禁忌食品。例如，贝类和猪肉是在任何情况下都禁食的。同样，畸形牲畜或病死牲畜的肉也在禁食之列。未经按宗教礼仪屠宰或虽经依礼屠宰而经检查发现有病的牲畜，其肉自然也在禁忌之列。

Terek River　捷列克河　源起格鲁吉亚北部，向北流后折向东穿过俄罗斯注入里海，是自高加索山系向北流的主要河川之一。长 600 千米，流域面积 43 700 平方千米。源自高加索主山脉中卡兹别克山的冰川，穿过一些山脉的景色奇特的峡谷北流形成河道。从高加索山北面山坡流入俄罗斯，再向北流经弗拉季卡夫卡兹（前奥尔忠尼启则）市，转向西北，后折向东流入海。捷列克河下游沿岸的主要城市是格罗兹尼，经过此城市后河流构成俄罗斯的达吉斯坦共和国的北部边界。捷列克河经过一个广阔而地形复杂的三角洲注入里海。主要支流有左岸的阿尔东河、乌鲁赫河和马尔卡河与右岸的孙扎河。捷列克河在 19 世纪的大部分时间是俄罗斯在高加索的居民点的南部边界。

Terence　泰伦提乌斯（约公元前195，北非洲迦太基[今在突尼斯]～公元前 159？希腊或海上）　拉丁文全名 Publius Terentius Afer。普劳图斯之后罗马最伟大的喜剧作家，他的 6 部诗体喜剧长期以来被看作是纯正拉丁语的典范，他的喜剧构成现代风尚喜剧的基础。

作为一名奴隶，被主人带到罗马。主人赏识他的才能，让他受文科教育，最后又给了他自由。有关他生平和戏剧事业的资料很不完善。在短促的一生中他写了 6 部剧本，其演出表明的日期如下，《安德里亚女子》（公元前 166）、《婆母》（公元前 165）、《自责者》（公元前 163）、《阉奴》（公元前 161）、《福尔米翁》（公元前 161）、《两兄弟》（公元前 160）。《婆母》一剧又在公元前 160 年进行了第 2 次和第 3 次演出。戏的演出使泰伦提乌斯赢得一些成功。

从其戏剧生涯开始，他就幸运地得到当时主要演员 L.A.特皮奥为他效劳，这位演员曾促使泰伦提乌斯的前辈喜剧作家凯基利乌斯的事业获得成功。这时虽已年迈，但这位演员同样为泰伦提乌斯的成功竭尽全力。泰伦提乌斯并不是所有作品都获得成功，《婆母》的演出就失败过两次。他曾面临一些心怀嫉妒的对手的敌视，尤其是一位老年剧作家拉努维努斯曾对这位后来者发起一系列指责，主要是反对泰伦提乌斯的戏剧方法。这些罗马剧作家习惯从早期的希腊喜剧中获取素材，写富家子弟及其在恋爱中的困境。改编的忠实程度则出入很大，有如普劳图斯创造性的自由改编，也有如拉努维努斯式的逐字逐句翻译。泰伦提乌斯显然相当忠实于希腊原作，但拉努维努斯却断言泰伦提乌斯犯有“拼凑”罪，说他将二流的希腊剧素材结合进他的戏剧情节之中，造成损害。泰伦提乌斯有时确曾添加一些外来材料，如改编一部米南德的希腊剧本，却又将另一部米南德剧作中的材料加进来。拉努维努斯这类保守作家反对泰伦提乌斯这种自由式改编方法。

还有一种说法是泰伦提乌斯的作品不是他自己写的，而是由一些不知名的贵族帮助写的，泰伦提乌斯没有回答这种恶意的难以令人相信的指责。后来的罗马人认为泰伦提乌斯一定曾与西庇阿小组合作过，这是一群对希腊文学十分赞赏者的组织。

泰伦提乌斯英年早逝，35 岁时去希腊游历未能返回，可能病逝在那里或于归途中航船失事在海上遇难。关于他的家庭生活，可以说一无所知，只知道他留下一个女儿，在罗马城外有一处不大的但却有价值的产业。

泰伦提乌斯是位独创性作家，或仅是个以希腊剧为范本的翻译者，现代学者对此存在争论。评论界近期似乎接受这样一种说法，即泰伦提乌斯对希腊剧原作的情节、理念和人物刻画是忠实的，因此他的人道博爱、个性化的人物以及对人物关系和个人问题的敏锐处理均可追溯到米南德；而他在《婆母》和

《福尔米翁》的情节中十分注意细节则可追溯至公元前3世纪阿波罗多罗斯的那些剧本的希腊典范。尽管如此,他以某些重要的独特处理,表明自己并非仅仅是一个翻译者。首先,在将次要素材以及有时也许是他自己创造的情节结合为一体时,他表现出独创性和高超的写作技巧,他能将这些素材天衣无缝地融合在一起;其次,他的希腊剧原本可能具有说明性序幕告诉观众主要事实,但是泰伦提乌斯却将其删去,让观众和剧中人物同样一无所知。这种省略增加了悬念成分,尽管情节可能变得使观众难以捉摸,如《婆母》一剧中那样。

为达到优美而传统的写实性,泰伦提乌斯删除或减少诸如演员直接向观众演说这类非写实设计。他保留原型剧本中的气氛,以了解罗马会在多大程度上容忍希腊的内容,省略或澄清那些不易理解的难点。他的语言比当时通用的拉丁口语更加纯正,还不时加以巧妙的渲染以强调一个人物的独特语言形式。由于人物更为写实,故而缺乏普劳图斯改编本中的某些活力和做作(《福尔米翁》是一个明显例外);但是他的人物常常有更深入的发展和更精确的心理刻画。有些富有特点的场面至今仍很有力量,特别如精彩的叙述场面、高雅的情绪表现及巧妙的戏剧手段等。

泰伦提乌斯对罗马教育和后世欧洲戏剧都有极大影响。他的语言成为纯正拉丁语的典范,整个古代人们都研习和探讨他的作品。他剧本的拉丁文全集最佳版本是R.考尔和W.M.林赛编辑的"牛津古典版本"(1926,1958重印并附评注)。重要的英译本有:L.埃查德的《泰伦提乌斯喜剧集》(1689,1963重印);G.科尔曼(老)的《译成无韵诗的泰伦提乌斯喜剧》(1765,及以后版本)。

Terengganu 丁加奴 西马来西亚(马来亚)东北部传统地区。北和西北接吉兰丹地区,南和西南邻彭亨。东濒南中国海,海岸线长320千米。1365年为麻喏巴歇爪哇王国的藩属。1701年后仍由同一家族统治。1909年前属泰宗主,1909年后成为英国保护国和马来亚非联盟邦。第二次世界大战后加入马来亚联邦(1948)。为马来半岛不发达地区之一。由一系列沿海居民区组成。境内多河流,以丁加奴河最大。局部山地高逾2 100米。主要居民区瓜拉丁加奴,有简易机场。此外与半岛其他地方仅通道路和沿海航运。由于这种交通联系常因大浪和季风降雨引起的淹灌而中断,故70年代建有新桥使问题得以解决。居民为主要从事农、渔业的穆斯林马来人。虽广泛种植水稻,仍进口大米。输出铁、橡胶、椰干和咸鱼干。在而连高(Jerangau)有一大油椰种植园。

Teresa, Mother 德肋撒(修女) (1910-08-27,奥斯曼帝国阿尔巴尼亚什库普[今在马其顿共和国]~1997-09-05,印度加尔各答)全称德肋撒修女(加尔各答的),原名Agnes Gonxha Bojaxhiu。又译特里萨。以救济贫民特别是印度赤贫民众为宗旨的天主教仁爱传教会的创立者,1979年诺贝尔和平奖获得者。她是阿尔巴尼亚杂货商的女儿,1928年入爱尔兰蒙福童贞马利亚学院,6个星期后,前往印度任教师。在印度学习护理,随即迁入加尔各答贫民窟。在她的请求下,该市政府批给她一处原为招待朝圣者而建的房屋,1948年她在该处创立仁爱传教会。在许多人的赞助下,诊疗所和露天学校相继成立。德肋撒加入印度国籍,她本人和该会印度籍修女以莎丽服为制服。该会设立许多服务所,救济盲人、老者、麻风病人、残疾人和重病患者。该会还在阿散索尔附近设立麻风病院,名为和平镇。1963年印度政府授予她"莲花主"勋章。20世纪70年代末期,仁爱传教会有会士1 000多名,在加尔各答市内设有60个服务所,另外在斯里兰卡、坦桑尼亚、约旦、委内瑞拉、英国、澳大利亚等地设各种机构200多处。

Teresa Benedicta of the Cross 十字架的德肋撒·本尼狄克塔 参阅Stein, Edith施泰因。

Teresa of Ávila, Saint 德肋撒(阿维拉的),圣(1515-03-28,西班牙阿维拉~1582-10-04,阿尔瓦-德托梅斯) 又称耶稣的圣德肋撒,原名Teresa de Cepeda y Ahumada。西班牙修女,天主教伟大奥秘神学家和圣妇之一,灵修经典文献著作家。她倡导加尔默罗会改革,这次改革是该会内最重要而规模最大的一次运动。德肋撒大约于1535年在阿维拉参加加尔默罗会道成肉身女隐修院。从1558年开始考虑重新整顿自从14、15世纪以来一直涣散不振的加尔默罗会虔修生活。根据她所倡导的改革,修女必须完全与世隔绝,以便认真思念上帝的律法,祈祷忏悔,尽到她所说的"为人类罪恶进行补偿之责"。根据教皇庇护四世的授权,德肋撒于1562年成立加尔默罗会改革派的第一所女隐修院——圣约瑟女隐修院。市政界和宗教界纷纷反对。罗马的加尔默罗会总会长罗西于1567年到阿维拉,赞同德肋撒的改革,指示她建立更多的女隐修院并创办男隐修院。同年,她在西班牙境内坎波城遇到加尔默罗会青年司铎胡安(即以后的圣约翰[十字架的]),认为他可以在男信徒中间推行加尔默罗会改革运动。1575年在该会内部,在重建的赤足派与穿鞋派修士修女之间,爆发了组织上的纷争。加尔默罗会总会长命令德肋撒退居卡斯蒂利亚女隐修院,停止创建隐修院的活动,胡安也因而在1577年被捕入狱。1579年,主要由于西班牙国王腓力二世的努力,赤足加尔默罗会获得组织上的独立。体弱多病的德肋撒奉命恢复改革运动。她在从西班牙布尔戈斯前往阿维拉的途中被人击伤致死。

Tereshkova, Valentina 捷列什科娃(1937-03-06,苏联俄罗斯马斯伦尼科沃~) 第一个进入太空的苏联女航天员。她乘"东方"6号于1963年6月16日发射,绕地球飞行48圈,历时71小时。当时在太空飞行的还有V.F.彼科夫斯基,他的"东方"5号是两天前发射的。两人同在6月19日回到地面。她没有受过飞行训练,但她是一名有才能的跳伞爱好者,因而在1961年自愿报名时被选中参加航天计划。这次飞行后她退出航天计划。1968年领导苏联妇女委员会,1974~1990(或1991)年为最高苏维埃主席团成员。曾获苏联英雄称号,两次获列宁勋章。

Teresina 特雷西纳 巴西东北部皮奥伊州首府。位于巴纳伊巴河岸,距河口巴纳伊巴港354千米。1852年建立,为皮奥伊州新首府。此后,成为巴纳伊巴河中部河谷的主要商业中心。有纺织、榨糖、酿酒、肥皂和锯木厂。输出牛、牛皮、羊皮、棕蜡、巴巴苏棕油、豆类、稻米、棉花和木薯。为了缓和该地区每年长达6个月的干旱,政府掘井、建坝贮存雨季雨水,保持河道旱季有水。有公路和铁路通圣路易斯城。吃水浅船舶可北行至巴纳伊巴港。有一商业机场。人口约613 767(1996)。

特雷西纳市的露天集市
供图:Peter L. Gould

Teresópolis 特雷索波利斯 巴西里约热内卢州中部城市。海拔902米。1893年设市。四周峰峦环绕,气候凉爽,风景如画,为旅客云集的避暑胜地。当地有养花业,生产蔬菜供应里约热内卢市,也有家具制造业。市内的面包坊很著名。人口约104 977(1996)。

奥尔冈斯山高地中的特雷索波利斯市
供图:Ernst Jahn

Tereus 忒瑞俄斯 又译忒柔斯。希腊传说中的色雷斯国王,娶雅典国王潘狄翁的女儿普洛克涅为后。后来谎称普洛克涅已死,又勾引了她的妹妹菲罗墨拉。为掩盖自己的罪行,他割下菲罗墨拉的舌头。但是她通过刺绣把他的罪行详情泄露给她的姊姊。普洛克涅于是进行报复,把她的儿子伊图斯杀死送给忒瑞俄斯作晚餐。忒瑞俄斯得知事情真相后,拿起斧头追赶两姊妹,但诸神出于怜悯,把他们全变成了鸟。忒瑞俄斯变成一只戴胜(或鹰),普洛克涅变成一只夜莺(或燕子),而菲罗墨拉变成一只燕子(或夜莺)。

Terezín(German Nazi concentration camp) **特雷津** 参阅**Theresienstadt特莱西恩施塔特**。

Terhune, Albert Payson **特休恩**(1872-12-21,美国新泽西纽瓦克～1942-02-18,新泽西庞普顿莱克斯附近) 美国长、短篇小说家,以所写狗的故事闻名。曾在欧洲受教育,

美国国会图书馆供图

1893年毕业于哥伦比亚大学,曾漫游埃及和叙利亚,1894年进入《纽约夜世界》报社。他的第一部长篇小说《戴尔博士》(1900)是与他母亲合写的。1916年离开《纽约夜世界》前发表的作品有12部以上。他第一篇受欢迎的描写狗的故事《狗儿莱德》发表于1919年,写于他在庞普顿莱克斯附近的农庄,以后他一直在那里写作,饲养牧羊犬、钓鱼和打猎。1919年后,他写的书在25本以上,几乎都是狗在其中占显著地位的小说。

Terhune, Mary Virginia Hawes **特休恩**(1830-12-21,美国弗吉尼亚丹尼斯维尔～1922-06-03,纽约州纽约) 婚前名Mary Virginia Hawes,笔名Marion Harland(玛里恩·哈兰德)。美国作家,在写作言情小说和持家建议的书籍和专栏方面均获得巨大成功。幼时在家受到良好的教育。以笔名在里士满出版第一部长篇小说《孤单》(1854),最终销量超过10万册。1856年与E. P. 特休恩牧师结婚,1859年两人定居新泽西州纽瓦克。在料理家务、抚养孩子和参加教堂活动的同时,她继续写作。之后出版的小说大部分是南北战争前种植园的风流韵事,包括《莫斯-赛德》(1857)、《复仇女神》(1860)、《终于》(1863)、《森尼班克》(1867)、《鲁比的丈夫》(1870)和《我的小情人》(1876)等。自从《持家常识》一书于1871年出版并成为畅销书后,特休恩作为写持家及相关题材的作家又一次获得了事业上的成功。她还写了几卷旅行随笔、传记和殖民地历史。自传《玛里恩·哈兰德自传》于1910年出版。

teriyaki **照烧** 在日本烹饪中,指烧烤时外层涂以浓味酱油和日本米酒或甜葡萄酒,有时还以大蒜和鲜姜提味的食品。在欧化的日本烹调中,这种食品的调味汁常用作烧烤前的浸渍汁和烤肉的浇汁。小牛肉、鸡、鱼常按此种食品的制法烹调。

term **项** 三段论的或传统的逻辑中,直言命题或陈述的主项或谓项。亚里士多德显然是通过命题的项与三段论的项的类比而这样使用希腊字"限"的。在中世纪逻辑中,这个词也一般地用于普通名词和专用名词,甚至也用于所谓的虚词——诸如"与"、"如果"、"并非"、"有些"、"仅仅"、"除……而外"等,它们不能用作命题的主项和谓项。在数学中,分数的项为分子和分母。一个比例的项是进入该比例的四个数或表达式。同样,一个和的项是加在一起构成这和的各个数或标示它们的各个数字表达式。在这个意义上,一个无限级数被看作是无限多个项之和;一个多项式是有限个单项式,即该多项式的项之和。当项非常复杂时,可以从借以区分它们的正负符号来识别它们。

term **胸像柱** 建筑中,上部作胸像雕刻的石柱,柱身常为上大下小,底座为四边形。往往以石柱代替人身,因而底座有时作成足状。石柱本身也可单独存在,作为陈列雕像的座子。在古罗马,胸像柱常沿公路设置,也可作为界碑,雕像可以是人、动物或神秘的生物。源自古希腊司行旅之神赫耳墨斯的胸像,该胸像的下部逐渐与石柱合为一体。最普通的形式见于文艺复兴时期的花园中顶上带有头像雕刻的石柱。

Terman, Frederick Emmons **特曼**(1900-06-07,美国印第安纳英吉利村～1982-12-19,加利福尼亚帕洛阿尔托) 美国电气工程师,以研究电子学和发展反雷达技术著称。其父为著名的心理学家L. M. 特曼。他本人毕业于加利福尼亚斯坦福大学,于1924年获麻省理工学院电气工程学博士学位。1925～1941年在斯坦福大学设计了一门学习和研究电子学的课程,该课程的重点为真空管、电路和仪器制作。第二次世界大战期间,他在哈佛大学无线电研究室领导一个有850多人的机构,这一机构是盟国用以拦阻敌方雷达的干扰发射机、探测敌方雷达信号的可调谐接收机以及在敌方雷达接收机上引起假反射的铝箔片等制品的策源地。这些装置使雷达制导的防空火力的效率削减了75%。战后,特曼担任斯坦福大学工程学院院长,1955～1965年任大学教务长。他的科学贡献有远距离输电和共振输电线的研究。其著作有《无线电基础》(1938)、《无线电工程师手册》(1943)和《电子工程学与无线电工程学》(第4版,1955)。

Terman, Lewis M(adison) **特曼**(1877-01-15,美国印地安那约翰逊县～1956-12-21,加利福尼亚帕洛阿尔托) 曾译推孟。美国心理学家,发表了在美国广泛使用的斯坦福-比

俄亥俄阿克伦大学供图

奈个人智力测验。1910年在加利福尼亚斯坦福大学任教,1916年任教育学教授。同年发表《智力测量》,这是他对在法国创立的比奈-西蒙智力测验的修订和扩充。测验计分用智商(IQ)表示,这个分数既考虑生理年龄也考虑心理年龄,因此任一年龄具有平均智力水平的儿童的IQ均为100。第一次世界大战期间,他设计了第一个著名的团体智力测验,即美军α测验和美军β测验。1922年任斯坦福大学心理学教授,直到1942年退休。1921年,他发起一个研究天才的综合长期计划,对1 528个IQ在140分以上的加利福尼亚儿童进行了医学、人类学、心理学方面的检查,并描述了他们的兴趣、学业成绩、读书和游戏范围。他持续研究了35年直至去世。所取得资料足以证明,天才儿童往往比一般儿童更健康、更稳定。这项研究预计要进行到2010年,特曼等人在《天才的遗传学研究》(5卷,1926～1959)中报告了研究的发现。他的著作尚有《性和人格》(1936)、《婚姻幸福中的心理因素》(1938)等。

Termez **铁尔梅兹** 乌兹别克斯坦苏尔汉阿州城市和首府。为阿姆河港埠,邻近阿富汗边界。古镇旧址稍偏北,公元前1世纪兴旺,公元17世纪末被毁。现址原为1897年所建的俄国堡垒在帕塔吉萨尔小居民点附近。1914年7月绝对高温记录50 ℃。该城有轧棉、食品加工等轻工业。城区及市郊有佛教寺一处及堡垒废墟和中世纪陵墓遗迹。人口约90 400(1991)。

Termier, Henri-François-Émile **泰尔米埃**(1897-12-13,法国里昂～) 法国地质学家,以对北非和法国的地层学和古生物学的研究而知名。1925～1940年任摩洛哥矿业局地质师;1940年任摩洛哥地质局局长;1945年任阿尔及尔大学教授;1955年到巴黎大学,1961年任该校地质学系主任。他著有《关于摩洛哥中部和阿特拉斯山脉中段北部之地质研究》(1936)、《摩洛哥古生物学》(1947～1950)、《地质学专论》(1952～1956)、《地层学专论》(1964)、《最早期化石之生物学》(1968)、《史前动物》(1977)、《地球历史》(1979)。由于他的奠基性研究工作,他于1978年被命名为荣誉军团成员,并被授予十字军功章。

terminal velocity **终极速度** 物体穿过气体或液体自由下落时所达到的稳定速度。延迟开伞的跳伞员的终极速度约为240千米/小时,雨点以慢得多的终极速度下落,而极细的油滴形成的雾,以极小的终极速度沉降。物体由静止开始下落时,将不断增大速度,直至达到终极速度。如果用外力使物体的运动速度大于终极速度,外力一经消失,速度就要减慢,直至达到这一恒定速度为止。因此,当下落物体的速度不再增减时就达到了终极速度,这时物体的加速度(或减速度)为零。空气的阻力约与落体的速度或速度平方成正比,所以,当下落物体加速时,空气阻力就增大,直至物体达到终极速度。在终极速度时,空气阻力与落体的重量相等,两者方向相反,故合力为零,速度成为常量。

Terminalia 榄仁树属 使君子科(Combretaceae)的一属。约200种乔木，有些种产树胶、树脂或丹宁，有商业重要性。东南亚的阿周那榄仁树(*T. arjuna*)，热带美洲的*T. hilariana*，西印度群岛和南美的倒卵形叶榄仁树(*T. obovata*)和西非的加蓬榄仁树(*T. superba*)，木材用制家具、工具和船舶。印度扁桃(热带扁桃、榄仁树，*T. catappa*)通常用作观赏植物，特别栽培于热带地区用作行道树。

印度扁桃(*T. catappa*)
供图：Douglas David Dawn

Termini Imerese 泰尔米尼-伊梅雷塞 意大利西西里岛北部巴勒莫省城镇。位于巴勒莫市东南，濒临泰尔米尼-伊梅雷塞湾。可能曾是腓尼基的海港或贸易站，其著名的含盐矿泉曾备受公元前6～前5世纪的希腊诗人品达罗斯的颂扬。该镇分上下两部分，由台阶和塞尔彭蒂纳路连接。有一些古罗马遗址和一座博物馆。为兴旺的旅游疗养地。种植柑橘、葡萄和橄榄，生产通心粉。有渔业。人口：城市区约27 033(1990)。

Términos Lagoon 特尔米诺斯潟湖 墨西哥东部坎佩切州西南部潟湖。为墨西哥湾内坎佩切湾的小水湾，东西宽45英里，南北长12～15英里，湾口有狭长的卡门岛。有帕利萨达河和坎德拉里亚河注入。湖中可捕虾、鱼、龟。附近小湖中可捉鳄鱼。

Terminus 忒耳弥诺斯 古罗马人在举行献祭和抹油礼时在划归圣礼之用的四界立石或桩。忒耳弥诺斯就是由这种界石或界桩衍生而来的神灵。每年2月23日(古罗马岁末)为忒耳弥诺斯节，土地所有主来到共同地界上，各用花环装饰界石面对己方的一侧，然后献上饼、粮食、蜂蜜和葡萄酒，同时杀羊或宰猪献祭。

termite 白蚁 又作white ant。等翅目能食纤维素的社会昆虫。与膜翅目的蚁无亲缘关系。约1 900种，大部分分布于热带，但温带地区也很多。在南半球其分布范围南至南非共和国的开普省，以及澳大利亚、新西兰和塔斯马尼亚；在北半球分布到北美的缅因和温哥华，欧洲的法国大西洋沿岸，以及亚洲的韩国和日本北部。人们已在无意中将木制物品连同许多种白蚁带到其原产地以外的地方。

白蚁可能自蟑螂样的祖先进化而来，并与最原始的现存蟑螂类——隐尾蠊属(*Cryptocercus*)具有许多共同的特征。虽然最早的白蚁化石见于早白垩纪(约1.3亿年前)，但可能白蚁出现的时间还要早得多，也许在晚二叠纪(约2.3亿年前)。

白蚁体型小到中等，身体柔软。集群生活，群体中的个体与其他社会昆虫一样分为几个等级：生殖白蚁、工白蚁和兵白蚁。但与膜翅目社会昆虫不同的是：雌雄两性个体的数目相同，但只有生殖白蚁具发育良好的性器官。每个群体中通常只有一对生殖白蚁：一只白蚁后和一只白蚁王。白蚁后和白蚁王由具翅的扩散个体(具翅白蚁)发育而来，身体坚硬，具色素和复眼；进行扩散飞行之后翅脱落。白蚁王的体长仍保持在1～2厘米，但白蚁后一开始产卵其腹部就开始增大，最后可长达11厘米。工白蚁和兵白蚁无生殖能力。群体内大部分个体是工白蚁；工白蚁盲目，色浅，身体柔软，口器变形适于咀嚼。兵白蚁亦盲目，用其扩展的上颚或化学方法保护巢穴(依种类而异)。

(上)会种植真菌的大白蚁(*Macrotermes natalensis*)的后和王；(下)具翅的生殖干木白蚁(*Kalotermes flavicollis*)和其工干木白蚁
供图：(上)J. A. L. Cooke；(下)Popperfoto

白蚁巢筑于木材之内或土壤之中；巢穴被封闭起来以保持内部高度潮湿，但也留有通风口以利空气流通。最著名的白蚁巢类型是世界各地稀树草原生境的白蚁冢。白蚁冢可为圆顶状或圆锥形。大白蚁属(*Macrotermes*)种类分布于非洲，会种植真菌，其冢可高达9米。子午线钩白蚁(指南白蚁，*Amitermes meridionalis*)分布于澳大利亚，筑楔形的巢，巢的长轴恒为南北向。白蚁大冢的外壁一般由变硬的泥土构成，内部的通道则由木屑和粪便混合而成的类似薄纸板的材料构成。有些白蚁在树上以薄纸板样的材料筑巢；这些巢总借有遮盖的通道与地面联系。各种无脊椎动物以及某些蜥蜴、蛇和鸟也栖于白蚁冢中。在白蚁巢中常见一些离开白蚁巢便不能生存的昆虫。还有一些寄食性的白蚁，只能生存于其他白蚁种(专性寄主)的巢内，以寄主巢内的类纸板物质为食。黑冢白蚁属(*Incolitermes*)的种类在分群时甚至依赖寄主打开出口的孔洞。

分群是建立新群体的方法。在一年的某一时间群体中发育出具翅个体，具翅白蚁通过工白蚁准备的隧道离巢。分群发生于各种环境条件都有利时。邻近的多个白蚁冢可同时出现分群现象，这样可保证来自不同群体的个体有机会杂交。具翅白蚁飞行能力很弱，在无风时飞不出几百码以外。飞行结束后具翅白蚁即将翅脱落，并与多个异性配对。一对白蚁挖一个小型的巢，将自己封闭在此婚室中；然后才交配。白蚁后充分发育后每天可产卵36 000枚，并连续产卵50年之久。白蚁的寿命较长；工白蚁和兵白蚁可活2～5年；而许多较高级白蚁的后和王可活到60～70年。白蚁的发育过程为半变态，若虫蜕皮数次方发育为成虫，无明确的幼虫、蛹及成虫等阶段。在群体的早期阶段，所有的若虫均发育为工白蚁和兵白蚁；仅于群体建立完善后才出现具翅的个体。

白蚁以重要的植物构成成分——纤维素为食。其消化道内生存着许多共生生物体。较原始的白蚁消化道内生活着鞭毛虫，有助于消化纤维素。白蚁科(Termitidae)为较高级的种类，含1 413种，占所有白蚁的75%，其肠道内栖居着细菌群落。群体中仅工白蚁能自己觅食，其他等级需工白蚁喂饲。大白蚁亚科(Macroterminae)的种类会种植共生的白蚁蕈属(*Termitomyces*)真菌。白蚁用粪便筑成蜂巢状的垄，在其上种植真菌，真菌生长后将垄破成白蚁能利用的碎块，碎块和真菌均供食用。

白蚁常被视为害虫，但已知种类中仅10%具破坏性，这些种会造成巨大的损害。生活于地下的白蚁需要保持与土壤的湿气接触，需通过土壤进入木质，故较易控制；在木结构周围挖壕沟，倒入杀虫剂即可起到保护作用。压力处理过的木材和钢筋混凝土不为白蚁所穿入，用来建造房屋是安全的。木白蚁科(Kalotermitidae)的种类营巢于其用作食物的木材中，较难控制；已证明熏蒸是最好的技术。

terms, distribution of (syllogistic logic) 参阅 **distribution 周延**。

tern 燕鸥 鸥科燕鸥亚科(Sterninae)约40种形态细长优美的水禽的统称。栖息于海岸(在分布区亦称为海燕子)和内陆的水域中，几乎分布全球。太平洋地区的种数最多。许多燕鸥作长距离迁飞，最有名的是北极燕鸥(*Sterna paradisaea*)。北极燕鸥在北极的南部地区繁殖，在南极地区越冬，其迁徙距离是鸟类中最长的。燕鸥体长20～55厘米。脚有蹼。与海鸥比较，其体较瘦，腿较短，翅较长。羽毛白到黑色或白色到几乎全黑。喙可为黑、红或黄色；足为红或黑色。许多种类尾长，叉形；喙尖。燕鸥有时吃昆虫，但主要靠从空中潜入水中捕鱼和甲壳动物为食。群居，经常成群地繁殖，通常在岛屿的地面上造巢。有时数百万只成群繁殖。大多数种类产2～3枚卵，在有些地方人们收集其卵为食物。白燕鸥(*Gygisalba*[有时 *Anous*] *albus*)在水平的树枝上产一枚卵。黑燕尾属(*Anous*)有5种，求偶表演时作点头动作，故俗名点头

乌燕鸥(*S. fuscata*)
供图:Robert W. McFarlane

燕鸥;分布热带;尾楔形或稍呈叉形。秘鲁和智利北部的印加燕鸥(*Larosterna inca*)头侧有明显白色羽毛。燕鸥属(*Sterna*)的约30种是最典型的种类,尾叉形,黑色头顶或黑冠,体色淡灰。黑燕鸥(*S. nigra*)有时称黑浮鸥(*Chlidonias niger*),体长约25厘米,头和下体黑色(冬季下体白色),翅和背灰色;繁殖于欧亚和北美温带而越冬于非洲和南美的热带;因营巢于内陆的淡水沼泽和湖泊周围,故俗称沼泽燕鸥。普通燕鸥(*S. hirundo*)长约35厘米,头顶黑色,腿红色,喙红色,喙尖黑色;繁殖于整个北温带地区,越冬于南方海滨。最小燕鸥(小燕鸥、白额燕鸥,*S. albifrons*)体长小于25厘米,是最小的燕鸥;除南美洲外,繁殖于全球温带到热带地区的沙质海岸和河口沙洲。乌燕鸥(*S. fuscata*)体长约40厘米,前额白色,上体黑色,下体白色;聚成巨大嘈杂的群,繁殖于温暖地区的海洋岛屿上。

ternary form　三段式　由3个乐段组成的曲式,最后一段是第一段的重复。这一布局的对称结构(aba)在音乐中提供了一种基本曲式,是中世纪到20世纪音乐的指导原则。例如中世纪的格列高利圣咏的常用排列是对唱→独唱→对唱。20世纪著名的例子是A.勋伯格《钢琴组曲》(作品第25号)中的"小步舞曲"和"三声中段"。虽然任何一种aba模式都可正确地界定为三段体,但这一名词的精确意义是指古典交响曲中的"小步舞曲"与"三声中段"而言。在这一严格定义中,这一曲式的基本要求是:每一乐段都形成一个清楚的音乐统一体,其本身是相对完整的。这样,乐段a形成一个逻辑的整体,在开头的调性中结束,通常用二段式写成。b乐段的情况相同,只是调性与a乐段不同,虽然关系密切。三段式的起源可见之于巴罗克时期的器乐组曲,其中的两个舞曲(最常见为"小步舞曲"与"三声中段")以标准的aba模式演奏。

Ternate Island　特尔纳特岛　印度尼西亚南北走向列岛的最北岛屿。该列岛在哈马黑拉岛西部沿海延伸到马鲁古海以东的巴占群岛。属马鲁古省北马鲁古县。面积106平方千米,有一海拔1 721米的火山。从15世纪以来,火山时常喷发,1763年的爆发最烈。岛的南岸和东岸有森林,植被茂盛,生产稻米、玉米、西谷、咖啡、胡椒、肉豆蔻和水果。居民多混血种,可能以马来人为主,但有巴布亚人成分,大部分是穆斯林,有一部分基督教徒。岛上有自己的方言,使用阿拉伯文书写体。特尔纳特城位于东岸,是马鲁古县县城。岛上过去曾是丁香种植中心,现在贸易以肉豆蔻和椰干为主。第二次世界大战后印度尼西亚共和国成立前该岛一直由荷兰统治。人口155 000(2000)。

terneplate　镀铅锡钢板　用浸入熔融的合金的方法镀覆铅锡合金的薄钢板。铅锡合金成分的范围,从50-50铅和锡和混合体,到含锡量最低12%(含铅88%)。由于含铅量高,合金呈暗淡色。锡的作用是湿润钢使铅与铁能结合,否则它们就不会合金化。镀铅锡钢板生产工艺与镀锌或镀锡类似,即将薄钢板浸入一连串加热槽,第一槽是氯化锌熔剂,接着是熔融的铅锡合金,最后是棕榈油槽。镀铅锡钢板具有钢材的强度和可成型性、铅锡合金的抗腐蚀表面和可焊接性,虽已大量被其他较易制造而更耐用的钢材所代替,但仍用于屋顶、檐槽、落水管、容器衬里,以及制造汽车油箱和盛装油漆、溶剂、树脂的容器等。

Terni　特尔尼　意大利中部翁布里亚区特尔尼省省会、城市。位于罗马北面、内拉河畔。重要古代遗迹有新石器时期的村落,维朗诺瓦时期的墓地,古罗马圆形剧场和城墙,12世纪的大教堂等。非宗教的著名建筑有文艺复兴风格的斯巴达宫,为A.达·桑迦洛(小)最后的作品,他于1546年在该城逝世。主要风景有马尔莫雷瀑布,现用于发电。工业有冶金、军工、机械、纺织、电解化工和食品等。人口:城市区约222 859(2000)。

Ternopol　捷尔诺波尔　前称塔尔诺波尔(Tarnopol)。乌克兰西部一个州。面积13 800平方千米。位于沃伦-波多尔斯克台地。南边以德涅斯特河为界(该州多属该河流域)。地处森林草原过渡地带,土地肥沃,大部分已成耕地。尚有少量橡树林。集约垦植导致大面积水土流失严重。经济以农业为主,乡村人口密度较高。农产品以裸麦、小麦、玉米为主,也出产甜菜、向日葵。南方产烟草。居民约1/4居住在小镇,主要从事农产品加工业。捷尔诺波尔市为州首府。人口约1 168 400(1998)。

Ternopol　捷尔诺波尔　前称塔尔诺波尔(Tarnopol)。乌克兰西部捷尔诺波尔州城市和首府。濒临谢列特河上游,位于利沃夫以东115千米处。建城年代不详,1524年首见记载。当时为一波兰小镇,受到鞑靼人洗劫。1772年被奥地利占领,1920年归还波兰,1939年被苏联兼并。第二次世界大战中遭受严重破坏。现为铁路枢纽,有轻型机械、食品加工与消费品生产等工业。大部分经重建,但仍保存有16世纪和18世纪的教堂。设有医学院。人口约235 100(1998)。

Terpander　泰尔潘德罗斯(活动时期约公元前647,小亚细亚莱斯沃斯)　希腊爱琴海莱斯沃斯岛诗人和音乐家。据传,又为用基萨拉琴伴奏的著名歌唱家。基萨拉琴(一种有似里拉琴的七弦琴)据说是泰尔潘德罗斯发明的,后世的"吉他"琴即由此得名。人们还认为他在这一乐器的音乐发展方面作出过重要贡献,据说他在斯巴达举行的第26届奥林匹亚竞技会(公元前676～前672)上得过一次音乐奖。

terpene　萜　广泛存在于动植物中一类烃的总称,经验认定是由5个碳原子与8个氢原子结合成的异戊二烯(C_5H_8)所构成的化合物。通常,萜一词也泛指类萜,即萜氧化的衍生物。萜的生物形成是以2个醋酸分子结合而成的甲羟戊酸($C_6H_{12}O_4$),甲羟戊酸可转变为含有5个碳原子异戊二烯骨架的焦磷酸异戊烯酯,后者进一步可转化成萜和类萜。萜通常按照分子中异戊二烯(C_5H_8)单元数分类:单萜($C_{10}H_{16}$)含有2个、倍半萜($C_{15}H_{24}$)含有3个、双萜($C_{20}H_{32}$)含有4个、三萜($C_{30}H_{48}$)含有6个、四萜($C_{40}H_{64}$)含有8个异戊二烯单元。橡胶和古塔波胶为1 000～5 000个异戊二烯单元连结成的长链聚萜。单萜、倍半萜和双萜在植物香精油中含量丰富。松节油含有数种单萜,松香酸是双萜。维生素A是另一种重要的双萜。角鲨烯是从鲨鱼肝油中得到的三萜,可转变成胆固醇和一些其他的类固醇。色素类胡萝卜素是最常见的四萜。

Terpsichore　忒耳西科瑞　希腊宗教中的九位缪斯(文艺女神)之一,主管抒情诗和舞蹈。她大概是缪斯女神中最知名的一位。一说她是半鸟半妇身的塞壬之母,而塞壬之父是海神阿谢洛奥斯或河神佛尔基斯。

terra-cotta　赤陶　意大利语,意为焙烧过的土。一般指由粗而多孔的黏土制成的塑像、器皿和结构部件等。烧成后的黏土颜色从淡赭到红色不等,通常不上釉。因其价格低廉,用途广泛,经久耐用,故而大多数赤陶制品都是实用类型的。由于基本材料所限,因而尽管地域和时代都相距甚远,如早期希腊文化与现代拉丁美洲文化,其制作简单的赤陶产品在外表上往往是彼此相似的。在整个古代社会中,赤陶常常被制成砖、屋瓦和石棺,石棺上经常以画作装饰。在希腊曾发现过公元前3000年青铜时代早期的小型赤陶塑像,也发现过公元前7世纪的大型赤陶塑像。当希腊和埃特鲁斯坎雕刻师们均迁至罗马做工时,希腊艺术家便将此工艺传到了埃特鲁里亚地区。多数希腊赤陶人像都用于装饰神庙,其广泛超乎人们曾一度设想过的那种程度。埃特鲁斯坎仿制的赤陶人像,在风格上往往与希腊制品十分相近,但其神态较为活泼自然或具有更强烈的感情色彩,在古代备受推崇。埃特鲁斯坎石棺上的人像常用赤陶制成,罗马地区的人像则发现得极少。15～18厘米高的小塑像在整个古代社会都很普遍,其中有塞浦路斯早期原始的人像和彩绘并上釉的米诺斯文化时期的克里特岛人像。塞浦路斯人像通常为跳舞者或勇士组雕,而克里特岛的则为姿态活泼的妇女、骑士或动物塑像。公元前7世纪后,风格中减少了神圣的气息，题材更加世俗化，如保姆和孩子、教师和学生、着服装的男演员等。在希腊中部（维奥蒂亚）塔纳格拉发现的**塔纳格拉陶俑（Tanagra figurine）**就是其中的佼佼者。希腊化时期，从公元前4世纪开始，塑像生产的中心向东迁移到小亚细亚，向西伸展到罗马帝

文艺复兴初期的赤陶雕塑：（上）A. del罗比亚的作坊制作的上釉赤陶浮雕《圣母子》；（下）A. del韦罗基奥制作的多彩上釉赤陶浮雕《童贞女与圣婴》（约1470）
纽约大都会艺术博物馆供图

国和不列颠。塑像变得更加华丽，在设计和题材上受东方风格的影响。建筑用赤陶浮雕，尤其在那些以土木结构为主的建筑上，常用花卉或更为抽象的图案、战车竞赛、动物头像或妇女头像作为装饰；多见于小亚细亚、希腊以及埃特鲁斯坎化的意大利南部地区。以赤陶浮雕制作的奉献物也很普遍，著名的有意大利南部塔兰托地区常见的地方性神祇雕像、英雄人物雕像，作品舒展而流畅；还有在希腊中部拉克里地方发现的小巧玲珑的浮雕，内容是地方崇拜对象。公元5世纪优秀的浮雕来自米洛斯岛，主要是神话题材，用以装饰箱柜。许多罗马建筑都饰有神话浮雕。在罗马帝国末期至公元14世纪这段时期内，各方面对赤陶的应用均已濒于消亡。到15世纪，赤陶制品在意大利和德意志境内再度流行，或为模制，或为雕刻，多以本色制成，用作装饰建筑物的檐壁、线脚或嵌入壁间的圆形浮雕。赤陶制品的一种新用法就是制成浓釉、浓色的雕塑品，这是15世纪时由德拉·罗比亚家族在佛罗伦萨倡导的一种工艺。上釉和着色的赤陶产生了使大理石和建筑石料生色的效果，所以被广泛摹仿，而且，这种上釉或不上釉的赤陶的应用扩展到整个欧洲。公元15世纪时，自由风格的赤陶雕刻也由一些艺术大师们振兴起来，其中较著名者有多那太罗，韦罗基奥，而尤以G.马佐尼和A.贝加雷里为最著名。赤陶作品常常饰以自然色彩或仿大理石和青铜。在以后几个世纪里，多数赤陶人像在制作过程中需制成初步试样，不过18世纪法国艺术家如J.-B.勒莫安和J.-A.乌东等的作品则显现出主题的一种个人直接性，这是不可能再翻成硬质材料的。就在同一时期，如法国的塞夫尔等一些陶器中心则推出了群像，作品雕法精工细作，形制较小，题材多是寓言性或神话性的。19世纪时，赤陶既用于建筑装饰，也用于制作雕像，但其在近代的复兴则始于20世纪，赤陶材料因其美学特性而重新引起了制陶业和建筑业对它的兴趣。

Terra Mater（Roman goddess） **地母** 参阅**Tellus**忒耳斯。

terra sigillata ware 红色细陶器 从公元前1世纪到公元3世纪流行于整个罗马帝国的一种亮红色的表面磨光的陶器。其原文名称的字义是印有图案的黏土器皿。亦称萨摩斯陶器（此系一种误称，因其与萨摩斯岛无关）和阿雷提乌姆陶器（确切地说，应仅限于在阿雷提乌姆——现为意大利的阿雷佐——制作的产品，该处为最初的生产中心和最佳制品的产地）。在阿雷提乌姆的生产衰落之后，高卢的拉格罗非桑克（现为法国的米约）从公元1世纪起开始生产红色细陶器；后因产品大量输出到罗马帝国的边远地区（包括不列颠），高卢的其他生产中心也相继制造。坯体通常以注模法成形。浮雕装饰也是注模成形后再贴敷到坯体上，其设计则取材于广搜博集的各种图案和比喻情节；浮雕的模具则是按照要求的图案压印而成。于是，这些装饰风格的时代变化，往往还有压印在器物上的陶工标记，就为与这种红色细陶器同时发现的考古文物的断代提供了很有价值的依据。就这种陶器如此大量的生产来看，其质量在开始时是高的。但是，在其4个世纪的生产期间，红色细陶器的造型和装饰都越来越粗糙。

terrace, marine 海蚀阶地 在前面有浪蚀台（**wave-cut platform**）的海岸悬崖抬升到海面以上的地方形成的岩石阶地。

terrace, river 参阅**river terrace**河流阶地。

terrace cultivation 梯田耕作 在有坡度的山侧筑梯田种植作物的方法。尽管这种方法劳动强度很大，但仍被有效地用来使高低不平的地带有最大限度的可耕地，并减少水土流失。在多数梯田耕作制中，梯田都有一条横跨斜坡的低平土埂，土埂上侧有一排水沟。通常梯田都筑成稍有坡度、以便把雨水截在沟渠中，并缓慢流向梯田排水口。在降雨量

日本九州岛福冈县的梯田耕作
供图：John Launois—Black Star/美国不列颠百科全书公司

很少的地区，为使土壤获得更多雨水，可筑成水平梯田。梯田耕作已在中国、日本、菲律宾、东南亚和大洋洲的一些地区、地中海周围、非洲的一部分以及南美洲安第斯山区实施了许多世纪。

Terracina 泰拉奇纳 意大利中南部拉齐奥区拉蒂纳省城镇和主教区。濒临加埃塔湾，奥索尼山脚，罗马的东南面。原为沃尔西人城镇，名为安苏尔。公元前约400年由古罗马统治后改用现名。是阿庇亚大道上一重要游览城市。有广场、豪华的大寺院、浴池和剧场等遗址。朱庇特安苏尔寺院和安苏尔古城墙遗址俯瞰全城。在现代城镇里有市立公园、市政厅（1958）和一座博物馆。现为著名海滨游览地。主要经济活动是渔业、食品储藏、地毯类制造和电器制造等。出口当地所产麝香葡萄。人口：城市区约38 662（1999）。

terrapin 水龟 龟科水栖动物，尤指菱纹背水龟（菱斑龟，*Malaclemys terrapin*）。菱纹背水龟生活在新英格兰至墨西哥湾一带的近海水域和盐碱滩。特别是19世纪末和20世纪

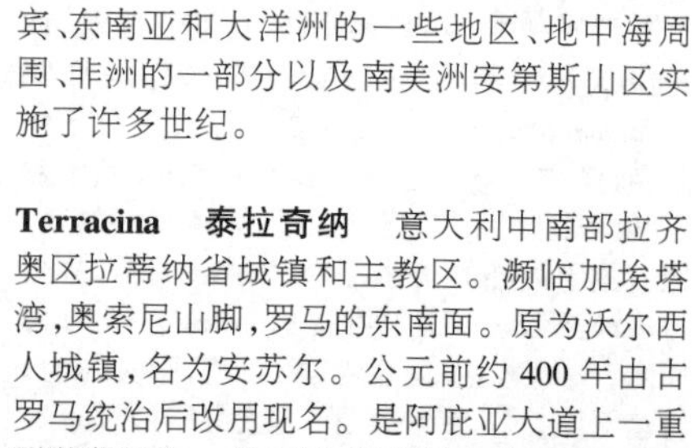

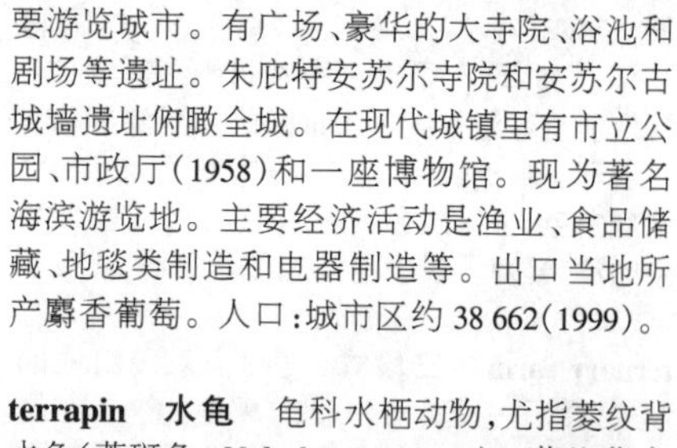

（上）菱纹背水龟（*Malaclemys terrapin*）；（下）红耳龟（*P. scripta elegans*）
供图：（上）Leonard Lee Rue Ⅲ from the National Audubon Society Collection/Photo Researchers—美国不列颠百科全书公司；（下）Leonard Lee Rue Ⅲ

初曾被视为美味。背甲略呈褐色或黑色，上有隆起的菱形纹样，故名。头及四肢上具斑点，背甲中央有一条棱嵴，嵴缘有时为锯齿状。雌体甲长约 23 厘米，雄体甲长约 14 厘米。以小动物及某些植物为食。拟龟属（彩龟属[*Pseudemys*]，或称锦龟属[*Chrysemys*]）的库特龟、滑行龟、红腹龟、黄腹龟、红耳龟以及其他几种有时亦称水龟。此属各种分布于美国东北部至阿根廷一带；杂食性；常栖于江河、池塘和其他淡水水域；雌体大于雄体，甲长约 15 ～ 40 厘米；一般头、颈部有黄色条纹，背甲上有纵行皱纹而末端呈锯齿状；雄体前足有长爪。拟龟属共 8 种，有许多族，分类较困难；见于美国东南部；有些种具重要的经济价值。红耳龟（*P. scripta elegans*）产于美国中部和东南部地区，眼后有一个红色斑点，玩赏动物商店大量出售其幼体。萨旺尼库特龟（佛罗里达拟龟[*P. floridana*]，或优雅拟龟[*P. concinna*]）分布墨西哥湾近海水域和江河，体大，浅黑色，通称为萨旺尼鸡，被认为本属中肉味最为鲜美的一种龟。

terrarium　陆栖动植物育养箱　又作 glass garden，Wardian case，vivarium。又称玻璃花园，沃德氏箱，或生物育养箱。用以在室内栽培植物或饲养陆生、半陆生动物的建筑，四壁为玻璃结构，有时以玻璃为顶。既美观，又便于科学观察以及动植物的繁殖。在气候凉爽的地区通常种植于此的植物有苔藓、地衣、血根草、木本蕨类、紫罗兰、蔓生浆果鹃和银莲花等。在温暖地区种植的有秋海棠、巴豆、豆瓣绿、蔓生无花果、卷柏、桑德氏龙血树、中国万年青、掌叶铁线蕨及其他热带植物。种植植物的箱底层通常用沙子或大鹅卵石和少量木炭混合构成，上面覆盖 2 ～ 3 厘米厚的表土。饲养的动物通常有各种龟类，尤其是华美黄腹彩龟（*Pseudemys scripta elegans*）最受欢迎。参阅 **aquarium**。

Terray，Joseph-Marie　泰雷（1715-12，法国博安～ 1778-02-18，巴黎）　法国路易十五时代最后 4 年的财政总监。他制定的一系列财政改革，倘若路易十六予以保持并扩大，本可防止导致法国大革命爆发的财政危机。任神父后，成为巴黎大理院（高等法院）神职法官（1736），专门处理财政问题。路易十五的大法官 R.-N. de 莫普于 1769 年 12 月为他谋得财政总监职位。当时政府面临支持舒瓦瑟尔公爵对英作战计划而承担过重的债务。于是，他采取拒付部分债务，停付政府公债利息，强索贷款等措施来稳定财政，这激起贵族、富有的中产阶级，甚至广大群众的有力反抗。他和莫普认识到，进一步的财政改革定会为大理院所阻挠。因此莫普在一次司法制度大检查中剥夺该院的政治权力（1771）。然后泰雷继续推行改革：放宽 1/20 税（即征收 5% 的所得税），整顿巴黎人头税的计征办法，并与总包税人订立更有利的合同。这些措施大大增加了政府的岁人。但他限制谷物自由贸易的做法受到攻击。贵族不公正地指责他与路易十五搞《饥饿协定》，使国王从人为的粮食高价中牟利。路易十五去世后，路易十六屈服于贵族的压力而罢免了他和莫普的职务。

Terre Haute　特雷霍特　美国印第安纳州西部城市，维哥县县城（1818）。在沃巴什河畔面积16平方千米的台地上。一度为印第安人部落的聚会场所。1816年规划，后成为坎

特雷霍特市的 P. 德莱塞故居
美国不列颠百科全书公司供图

伯兰国家公路、沃巴什—伊利运河以及里士满铁路重要交通枢纽。1875 年当地无烟煤的开发和数座油井的建成促进了工业的发展。该市很早就有矿工组织，工会的英勇行动使该市在劳工史上占有重要地位。现高度工业化，产化工品、纸制品、饮料、留声机唱片等。市内有印第安纳州立大学（1870）、罗斯-哈尔曼理工学院（1874）。著名作家 T. 德莱塞（**Dreiser，Theodore**）和作曲家 P. 德莱塞生于此。人口：市 59 614；都会统计区 149 192（2000）。

Terrell，Saunders（musician）　**特雷尔**　参阅 **Terry，Sonny** 特里。

Terres Australes et Antarctiques Françaises　法属南方和南极领地　英语作 French Southern and Antarctic Lands。法属领地，由南印度洋中的圣保罗（**Saint Paul**）、新阿姆斯特丹（**Nouvelle Amsterdam**）、凯尔盖朗群岛（**Kerguelen Islands**）和克罗泽群岛（**Crozet Islands**）以及南极大陆上的阿黛利海岸（**Adélie Coast**）地区组成。该领地的大部分为无居民的荒地。1924 ～ 1955 年与马达加斯加划入同一行政区。后由一名部分时间居住在巴黎的高级专员领导。不过，直至 1949 ～ 1950 年科学人员登上该地，法属南方和南极领地才实际上有人居住。

terrestrial locomotion　陆上行动　步行、奔跑、跳跃、爬行等动物运动形式的总称。在步行和奔跑时，只有节肢动物和脊椎动物能把身体抬起，完全离开基质（动物在其上面运动的表面）。能奔跑的脊椎动物具有细长的后肢和足，趾数减少或相互合并。跳跃运动见于一些昆虫（如蚤、蝗）和脊椎动物（蛙、袋鼠、兔、某些啮齿动物）。兽类中特化的跳跃机制包括：后肢程度不同地变粗变大而前肢退化，后足的跖部延长，尾延长作为平衡器官。爬行与其他陆上运动形式的区别是身体接触基质或几乎接触基质。许多水生脊椎动物的四肢通常较短，极不适应于陆上运动，上陆后只能爬行。蛇和其他无四肢的脊椎动物只能爬行，且高度特化，以各种不同方式使身体紧贴基质。

Terricus CARNOTENSIS　参阅 **Thierry de Chartres** 蒂耶里（沙特尔的）。

Terriss，William　特里斯（1847-02-20，伦敦～ 1897-12-16，伦敦）　维多利亚女王时代晚期舞台上的英国著名演员之一。他在考利的喜剧《贝尔的策略》中扮演多里库特，首次

伦敦维多利亚和艾伯特博物馆供图

获得成功。从 1868 年直至逝世，一直出现在伦敦的主要剧院中。1880 年加入维多利亚时期伟大的舞台演员兼经理 H. 欧文的行列，在兰心剧院扮演莎士比亚戏剧中的卡西欧（《奥瑟罗》）、莫库希欧（《罗密欧与朱丽叶》）和亨利八世。后加入阿德尔菲剧院，并成为它的主要演员，在一系列情节剧中以扮演主角而成为公众所崇拜的人物。他那生气蓬勃和轻松愉快的艺术风度具有巨大的感染力，使他赢得了“风趣的比尔”这样一个充满情感的绰号。在他艺术生涯的高峰时期，不幸被一个名叫普林斯的狂人在他走进阿德尔菲剧院的大门时将他刺死。女儿埃拉莱因（1871-04-13 ～1971-06-16）在 19 世纪 90 年代至 20 世纪 20 年代成为音乐厅以及正剧和音乐剧中的大明星。

Territoire de Wallis et Futuna　参阅 **Wallis and Futuna** 瓦利斯群岛和富图纳群岛。

territorial behaviour　领域性行为　动物学术语，指一只或一群动物用以保卫其领域免受同种其他成员侵犯的方法。例如：可利用声响（如鸟鸣之类）或气味（如哺乳动物皮肤腺体分泌的外激素之类）来标志出领域的界线。如果这些通告没能阻止入侵者，随后就会发生追逐和拼斗。领域性行为是灵活多变的，占有者可以不加阻止地允许某一动物进入领域和它交配，或者在没有食物竞争的条件下允许其抚养幼仔。领域性行为也可使种群成员间保持适当的距离从而防止过分拥挤。领域可能是季节性的，在许多鸣禽，成对的配偶防卫其巢穴和取食地，直待其幼雏羽毛长成为止。在集群营巢的鸟类（如海鸥），领域范围只限于巢的本身。雄白尾角马仅仅在一定季节防卫其炫耀求偶的领域。狼群保持其猎食和生活的领域，并积极地防卫这一领域不受任一离群狼的侵犯。雄性美洲狮占有一个很大的领域，这一领域可能与几只雌体的领域重叠，但却排斥别的雄体。借助气味标志物，重叠区域内的居住者也相互回避，

除非在交配时。

territorial waters 领海 在国际法上,指与一个国家的海岸直接毗连并属于该国主权管辖范围之内的海域。因此,领海既与公海不同,又与内水有别。领海的概念是在17世纪产生的。大多数评论家认为,沿海国家有必要对与其海岸毗连的水域行使管辖权。于是出现两种不同的主张。一种主张认为,管辖权的范围应该以大炮的射程为限;另一种主张认为,该范围应该是更大的,与海岸毗连的宽度一致的海水带。18世纪末把领海定为3海里(1里格,或3.45英里[5.5千米])。1793年美国承认这个宽度为3英里。在19世纪,其他许多海洋国家也相继承认这个宽度。同时各国公认,沿海国主权及于领海上空、海床和底土。他国商船可以进入别国的领海,但必须无害通过,即不得损害沿海国的正常秩序或安全。无害通过权不适用于在水下潜航的潜水艇,不适用于飞机,也不包括捕鱼权。在领海宽度问题上,始终没有达成一致协议。在20世纪60和70年代,大约有40个国家同意把领海宽度规定为12海里,其中有中国、印度、墨西哥、巴基斯坦、埃及以及苏联。除领海本身外,沿海国家还宣称对与公海毗连的水域享有有限的管辖权。这些毗连水域(6～12英里)大都被宣布为海关检查和防疫区域,有时也被定为渔业或安全保护区。1945年以后,许多国家还宣称对海岸外可能蕴藏有宝贵资源的大陆架享有权利。有些国家(例如智利、厄瓜多尔和秘鲁)宣称对距其海岸200英里以内的大陆架及其上的水域有管辖权。1958年联合国在日内瓦举行海洋法会议,有86个国家参加。会议制定一项公约,重申关于领海法律地位的公认原则和无害通过权。这项公约于1964年生效,1970年有将近40个国家批准。1982年,117个国家签署了一项更广泛的《联合国海洋法公约》。参阅 **high seas**。

territory 领域 生态学术语,指生物个体或一群相似的生物体为了交配、营巢、栖居或取食等目的而加以保卫的范围。多数脊椎动物和某些无脊椎动物,例如节肢动物(包括昆虫),具有领域行为。占有领域就包括进攻性行为,这与巢区有明显不同,巢区是动物正常生活的地块。巢区与进攻性行为不发生联系,虽然巢区中有一部分可能受保护,在这种情况下,受保护的部分就是领域。领域类型随具体种类的社群行为及其对环境与资源的要求而异,领域的功能往往不仅一个,但不管是什么类型,领域总是起分隔空间的作用,并将资源分配给种群的部分成员而不给其他成员。某些权威认为,向其附近环境分泌排斥性化学物的植物或动物也有领域行为,因为这些物质使一个物种的个体彼此间保持空间间隔。

Terror, Reign of 恐怖统治 法国大革命中从1793年9月5日至翌年7月27日止(共和2年热月9日)的一个历史时期。革命政府为内、外战争所困,决定把"恐怖"提到议事日程上来(9月5日法令),对怀疑为革命敌人的人(贵族、教士、囤积居奇者)采取严厉措施,在巴黎接着就掀起一阵处决的浪潮。在外省,特派代表和监督委员会实行地方恐怖。恐怖在经济上的表现为最高限价,这是巴黎下层民众所要求的一项措施。宗教上的表现则为J.埃贝尔的追随者所追求的非基督教化计划。在恐怖统治期间,救国委员会(罗伯斯比尔是其中最显赫的成员)对法国政府实行真正的独裁控制。1794年春,它消灭了它的左派与右派敌人。该委员会地位尚未巩固就设法通过《共和2年牧月22日(1794-06-10)法》以中止嫌疑犯获得公审和法律救助的权利,使陪审团仅有无罪开释和判处死刑的选择。在随后实行的恐怖统治中,约有1 400人被处决。它促进了7月27日(热月9日)罗伯斯比尔的垮台。在恐怖统治期间,至少有30万名嫌疑分子被捕,正式处决的达1.7万人,许多人死于狱中或无辜丧生。

terrorism 恐怖主义 有计划地利用暴力活动在人群中制造一种普遍的恐惧氛围并由此达到一个特定的政治目的。各种右翼和左翼的政治组织、民族和宗教团体、革命者,甚至军队、情报机构和警察都曾经实行过恐怖主义。恐怖主义的定义通常是复杂和存在争议的,并且由于恐怖主义所固有的残忍和暴力,该名词通常的表述已形成一种严厉的贬义。18世纪90年代首次使用,用于指法国大革命期间革命党人对他们的反对者实行的恐怖行为。M.罗伯斯比尔的雅各宾派政府实行恐怖统治,用断头台处死了大批人。尽管恐怖主义在此暗指国家针对国内敌人的暴力行为,但从20世纪开始该名词在绝大多数情况下指直接或间接针对政府的暴力,其目的是影响政策或推翻现政权。恐怖主义在各地并没有法律认可的解释;然而,并不存在的成文法通常都会有一些相同内容。恐怖主义涉及暴力的使用或威胁,并试图大范围制造恐惧。它依赖恐惧的程度使得恐怖主义有别于常规战争和游击战。尽管常规军队一直利用心理战对付敌人,但他们的主要获胜手段是军队的力量。同样,游击队经常依靠恐怖行动和其他宣传形式,其目的是取得军事胜利并偶尔成功(如越南的越南共产党和柬埔寨的红色高棉)。真正的恐怖主义是有计划地利用暴力制造恐怖,并在直接军事胜利成为不可能时借以达到政治目的。这使一些社会学家把游击战形容为"弱者的武器",把恐怖主义形容为"最软弱者的武器"。为制造社会恐惧、引起和保持公众的注意力,恐怖分子必须进行更加惊人的、影响广泛的暴力攻击。这些活动包括劫机、扣押人质、绑架、汽车炸弹及自杀炸弹。尽管表面是随机的,但实际上为起到令人震惊的作用,恐怖活动的受害者和地点通常都是经过认真挑选的。学校、购物中心、汽车和火车站、餐馆和夜总会由于人多和人们在里面比较放松,都可能成为攻击目标。恐怖主义的目的通常是破坏公共场合的安全感。主要目标有时也包括建筑或其他有重要的经济或政治象征意义的地点,如大使馆或军事设施。恐怖分子希望这些行动引起的恐惧感将促使民众向政治领导人施压以达到某种政治目的。20世纪起,意识形态和政治机会主义导致一些国家进行跨国恐怖主义活动,通常是以支持国家解放运动作伪装。恐怖主义和其他政治暴力活动形式之间的区别变得模糊起来——特别是许多游击队组织经常利用恐怖分子的战术——而且审判权和合法性的问题也同样不清楚。这些问题导致一些社会学家对恐怖主义定义根据的不是犯罪性,而是恐怖活动的受害者主要是无辜平民的事实。在20世纪末美国遭受了几次恐怖活动的打击,包括1993年纽约世贸大厦被炸,两年后俄克拉何马城被炸,死亡168人。此外,美国政府的海外目标也遭到多次打击,包括沙特阿拉伯的军事基地和美国驻肯尼亚和坦桑尼亚的大使馆。2000年自杀袭击者引爆的炸弹导致停靠在也门亚丁港的美国海军舰艇的17名士兵死亡。目前破坏性最大的恐怖攻击发生在2001年9月11日,恐怖分子与基地组织合作在此次行动中劫持了4架民航飞机,其中两架撞毁纽约世贸中心的双塔大楼,第三架撞入华盛顿(哥伦比亚特区)附近的五角大楼,第四架在宾夕法尼亚州的匹兹堡坠毁。这些飞机摧毁了世贸中心建筑群的许多建筑以及五角大楼一侧的大部分,有3 000多人丧生。

Terry, Eli 特里(1772-04-13,美国康涅狄格东温莎～1852-02-26,康涅狄格普利茅斯) 美国时钟商,大量生产时钟的创新者。他14岁时就受钟匠学徒训练,后在康涅狄格州的普利茅斯开设一家工厂。约在1800年,发明用水力来带动机器。1807年,与人合伙签订制造4 000座时钟的合同。1810年完工后,他自立门户经营。他的特长是制造能走一昼夜的木壳钟,尤其是1814年设计的改良木钟。由于他使用机械化技术制造可以互换的零件,产量上升到年产1万～1.2万个座钟。去世前,他在时钟改进上已有10个专利。

Terry, (Alice) Ellen 特里(1847-02-27,英国沃里克考文垂～1928-07-21,肯特斯莫尔海斯) 英国女演员,英国和北美最受欢迎的舞台剧表演者之一。在长达24年(1878～1902)里,她一直是欧文(**Irving, Sir Henry**)剧院的主要女演员,是他最著名的合作者之一。

美国不列颠百科全书公司供图

19世纪90年代她开始其著名的与萧伯纳的“纸上恋爱”时期,这是英国书信史上最光辉的通信之一。

特里出身于一个大家庭,其成员中有数位舞台上的著名人物。她没有受过正规教育,而是由父母对她进行训练,很快成长为一名突出的儿童演员。9岁时初次登台,在《冬天的故事》中饰小王子迈密勒斯,此剧由C.基恩于1856年4月在伦敦上演。1859年之前她一直留在基恩剧团里,后来加入布里斯托尔皇家剧院的常驻剧团,在该团及在轮演剧目剧院扮演过一些重要的莎剧角色。

1864年她16岁时离开舞台与画家G.F.瓦茨结婚,婚姻仅存续10个月。绝望中她又重返舞台。1867年她与欧文偶然相遇,在他上演的《驯悍记》中饰悍妇凯瑟丽娜。次年她突然离开舞台到赫特福德郡与曾在布里斯托尔邂逅的建筑师兼剧场设计家E.戈德温(1833～1886)同居6年,生了两个孩子,艾迪丝和爱德华·戈登·克雷格,克雷格(1872～1966)后来成为著名的演员、舞台设计家和演出人。当她与戈德温的关系开始破裂后,剧作家兼演出人C.里德发现了她,将她带回舞台,在《威尼斯商人》(1875)中饰鲍西娅,表现出新的成熟魅力。与戈德温分手后,两个孩子由她负责抚养。1878年加入欧文的兰心剧院,此前还曾在皇宫剧院度过一个成功的演出季。

特里加入欧文剧院时年31岁,欧文40岁,他们开始了亲密的合作。欧文是个将生命与财富献给戏剧事业的人,他将兰心剧院变成一个新的令人注目的演剧中心,尤其是演出莎士比亚戏剧的中心。欧文需要一个漂亮女人将其魅力奉献给他的演出,特里无私地满足了他的需要,饰演许多伟大的莎剧角色,如鲍西娅(1879)、朱丽叶和贝雅特丽丝(1882)、麦克白夫人(1888)、凯瑟琳皇后(1892)、伊摩琴(1896)、伏伦妮娅(1901)、奥菲利娅(1878)、德丝狄蒙娜(1881)和考狄利娅(1892)。她甚至自愿扮演像丁尼生《贝克特》(1893)中罗莎蒙德这样低贱的角色。

无论是在伦敦或是在费力的外省巡回演出,在纽约或是在穿越北美远途旅行演出,特里总是担任欧文剧团的主要女演员,一直到她年岁太大不适于担任他保留剧目中的大部分角色为止。他们于1902年中止合作关系,这是欧文去世前3年的事。无论是公开还是私下他们的关系均很密切,但当他的感情在19世纪90年代开始减退时,特里则进入与萧伯纳著名的通信阶段。1907年她与比她小约30岁的美国演员J.卡鲁结婚,虽然他们不久即分开,但他一直是她的朋友。

正是在喜剧和多情善感戏剧以及莎士比亚戏剧中,特里的才能得到充分发挥。她离开欧文那年曾与H.B.特里爵士在《温莎的风流娘儿们》(1902)中一起演出。萧伯纳终于说服她同意在《布拉斯邦上尉的改变信仰》(1905)中饰演韦恩弗利特夫人一角,这是萧伯纳在心目中为她写的几个角色之一。1906年她在皇家剧院、特鲁里街剧院庆祝她辉煌的表演生涯50周年,当时剧坛上所有的重要人物都来与她分享舞台艺术的喜悦。

萧伯纳认为她是现代有才智的女演员的光辉典范,既能演自然主义戏剧,也能演内涵深刻的戏剧。19世纪90年代他一直鼓动她离开欧文,认为欧文是保守的,要她献身于推广以易卜生和他本人作品为代表的现代戏剧。但她与其前辈18世纪英国无可争辩的戏剧皇后萨拉·西登斯不同,她没有生就剧坛领袖的气质,只能长期服务于欧文,与他同台演戏才能表现她特有的才华。

在20多年中,欧文每周付她200英磅,但她毫无积蓄,晚年仍靠工作赚钱维持生活。她继续演戏(1925年才最后告别舞台)、拍电影、讲演和朗诵莎剧,在美国、英国和澳大利亚成功地巡回演出。由于她热情、大方,所到之处无不受到欢迎。后因记忆和视力衰退而终止活动。1925年被授予大英帝国女爵士大十字勋章。3年后在肯特郡斯莫尔海斯她的乡间别墅去世,此处后来成为艾伦·特里纪念馆,1939年由她女儿艾迪丝·克雷格将其赠与全国托管协会。

Terry, Samuel　特里(1776?,英格兰～1838-02-22,澳大利亚新南威尔士)　澳大利亚开拓者、地主和商人,人称“新南威尔士的罗思柴尔德”。因偷窃400双袜子被判刑后,流放澳大利亚。1807年,他刑期未满就已经在帕拉马塔开了一家店铺。1810年移居悉尼,开一客栈和一商店,并娶一孀妇为妻。10年之间,他发了令人吃惊的大财,既作城乡房地产投机生意,又搞抵押贷款,并且是新南威尔士银行的最大股东之一。19世纪20和30年代,他成为慈善家,并曾一度从政,维护刑满释放者的利益。他开创了一个有钱有势的澳大利亚家族,这个家族与其他一些成功的家族互通婚姻。

Terry, Sonny　特里(1911-10-24,美国佐治亚格林斯伯勒～1986-03-11,纽约州米尼奥拉)原名桑德斯·特雷尔(Saunders Terrell)。美国布鲁斯歌唱家、口琴演奏家。1941年与吉他演奏家B.麦吉合伙录音并巡回演出。自幼失明,由爱好音乐的父母精心培养,发展了一种口琴演奏风格,能模仿各种声音,如行进中的火车和谷仓旁场地上的牲畜。1937～1940年与盲童富勒共事并合伙录音。1939年结识麦吉,次年与麦吉和歌唱家保罗·罗伯逊在华盛顿(哥伦比亚特区)演出。继1941年与麦吉首次合作录音后,他们又录制大量节目并到国外巡回演出,成为夜总会、音乐会、民歌、布鲁斯以及传统音乐节中受人欢迎的人物。特里曾在百老汇音乐剧《菲尼安的虹》(1947～1948)和戏剧《热锡屋顶上的猫》(1955～1957)中演出。

Tertiary Period　第三纪　自6 640万年前持续到160万年前的地质时期,构成新生代的两个纪中的第一个纪,第二个是第四纪。第三纪分为5个世,从老到新依次为:古新世、始新世、渐新世、中新世、上新世。有些权威学者不愿采用第三纪这个术语,而把第三纪所包含的这段时期划分成两个纪:老第三纪(6 640万年前至2 370万年前)和新第三纪(2 370万年前至160万年前)。

在大部分第三纪期间,几个主要大陆的空间分布情况在很大程度上同今天的相似。大陆之间的陆桥,特别是北美和南美之间、欧亚大陆和非洲之间以及亚洲和北美之间的陆桥,其出露和沉没对陆相和海相动植物群的迁移都起了关键性作用。不过,最重要的第三纪地质事件还是影响了各大陆地势构形的那几次。实际上一切现有的主要大山带和大山脉,特别是安第斯山、落基山、阿尔卑斯山、喜马拉雅山和阿特拉斯山,都是——或者一部分或者全部——在第三纪的几次造山期内形成的。

第三纪初期的气候条件,一般都比今天的温暖得多。来自深海的岩芯资料显示,这种气候条件被始新世末的一次全球性的急剧变凉终断了。渐新世期间,特别是中新世期间,冰川冰在南极大陆上增高了,终于形成了一层庞大的冰盖,大大地影响了大洋环流模式和大气环流模式。中新世和上新世都以全球性冷暖条件之间相对微弱的波动变化为特征,这种波动逐渐变得越来越显著,直到大约160万年前的一次主要的变冷期为止,这标志着第四纪及其冰期-间冰期旋回的实际开始。第三纪的开始就是新生代(近代生物的时代)开始的标志。在第三纪前面的白垩纪终了时,动物界发生了一次全球范围的大变化。陆地上的恐龙和翼龙绝灭了,海生的巨大爬虫类——比如大洋里和内海里的鱼龙类、沧龙类和蛇颈龙类,也同样绝灭了。菊石类和其他几种海相无脊椎动物也在此时死光了。箭石属勉强继续生存到古新世。深海沉积物揭示出,靠近白垩纪-第三纪交界时,一系列的浮游生物相当突然地绝灭了。这些多重的绝灭现象是不是能同某种共同的原因或事件联系起来,仍然是个争论相当大的、未曾解决的问题,不过,现在有越来越多的资料表明:一颗小行星(或陨星)在加勒比海域里的撞击引发了这些绝灭现象。

取代了白垩纪动物群的第三纪动物群具有更为现代的形态,而且,的确最初划定始新世、中新世和上新世的那些阶的界线的英国地质学者C.赖尔爵士,就是根据其中各个阶所记录的物种仍然发现还能在现代海洋里活着的所占的百分比进行划定的。在陆地上,继恐龙类消逝之后是哺乳类动物群的一场相当大的演变进化。与其较小的白垩纪时的祖先相比,很多族类的哺乳动物都展现出一种向更大体型演变的趋势。第三纪时陆上的植被肯定比白垩纪时的更为丰富,更为多样。被子植物——主要是木质的乔木和灌木——至迟到晚白垩世时,已经变成了覆盖广大范围的植被的主要组成,而且在第三纪中期,许多种生长低矮的草本植物,包括禾草类在内,就演化成了。这在几个不同系统的哺乳动物里直接引起了啃草的出现,并引起了其他一些草食族类的大发展,比如陆生软体动物。与此同时,昆虫类的几个目——特别是像鳞翅目(蝶类和蛾类)、鞘翅目(甲虫类)及膜翅目(蚁类、蜂类和黄蜂类)之类——的一次特别重要的多样化演变也正在发生,其中明显地出现了与被子植物的几个特别的种或属共同演化的现象。第三纪也是灵长类大发展和多样化演变的时期,灵长类是从食虫目进化而成。普遍承认的最早的人科化石——南方古猿（*Australopithecus*）的化石，是从东非的上新世时期（530万年前至160万年前）的地层中找到的。南方古猿的一个种被认为是现代人类的祖先。

在海相生物当中，腹足类软体动物和硬骨鱼类迅速地演变进化，而且常常被人同最小生态环境和进食习性的越来越特殊化联系起来。浮游的有孔虫目，由于其演化之迅速和扩散之广泛，在对第三纪的海相地层学和海洋气候的理解方面具有特殊重要意义。对含有有孔虫类的深海岩芯所作古生物学、古地磁学以及同位素的研究结果，提供了不论是大陆边缘上的还是深海中的第三纪海相沉积物的相当精确的层位对比和年代断定。

Terts, Abram　捷尔茨　参阅 Sinyavsky, Andrey Donatovich 西尼亚夫斯基。

tertulia　聚谈会　西班牙语文学沙龙的一种形式，至少从17世纪起便在西班牙盛行，并最终取代了更为正式的学会。起初在私人家中举行，从19世纪起改在俱乐部或咖啡馆举行。一些著名的聚谈会在当时参加者的小说和回忆录中有所描述，如B.P.加尔多斯的《金泉》（1870）和R.G.德拉塞尔纳的《庞勃》（1918）。聚谈会的盛行一直延续至20世纪。

Tertullian　德尔图良（约155或160，迦太基［今在突尼斯］～220以后，迦太基）　基督教早期重要的神学家、雄辩家、伦理学家，教会拉丁语的创始者，在传播西方基督教词汇和教义方面起到一定作用。关于他的生活，知之甚少。在迦太基完成学业后，他到了罗马，继续深造并从业律师。在罗马他对基督教运动深感兴趣。2世纪末迦太基基督教势力日益强大，德尔图良返回迦太基，成为非洲教会领导成员并赢得很高威信。40岁至60岁期间，他献身于文学著作，发展了拉丁文写作风格。他从事著述以保卫信仰（《护教篇》、《驳赫莫金尼斯》、《论基督的肉体复活》、《论灵魂》、《论祈祷》等等），著述甚多。公元210年以前，德尔图良脱离正统教会，参加孟他努教派运动。他竭全力捍卫这个新运动。后来，他另立教派，这个派别一直存在到5世纪。古代的绝大多数基督教徒都不宽恕德尔图良的叛教行为。其后的基督教作家提及他时都取贬斥态度。现代的学者则不然，19和20世纪，德尔图良的著作被广为阅读和研究，他成为西方对基督的生活和思想有所发展的有贡献人物。德尔图良通常被认为是基督教义最杰出的阐释者，他极具文学天赋和机敏才智。他的最后的著作约成书于220年，但其卒年不详。

Tertz, Abram　捷尔茨　参阅 Sinyavsky, Andrey Donatovich 西尼亚夫斯基。

Teruel　特鲁埃尔　西班牙中部偏东北阿拉贡地区一省。面积14 803平方千米。境内3/4的地区为伊比利亚山系的山地，其余为阿尔卡尼斯平原（主要在东北部）。主要出产谷物、葡萄酒、乳酪、水果、木材、亚麻、大麻、丝和羊毛等。有大理石和白垩开采业。省会特鲁埃尔市。人口约133 068（1982）。

Teruel　特鲁埃尔　西班牙东北部阿拉贡自治区特鲁埃尔省省会。在瓜达拉维亚尔和图里亚两河汇流处。位于巴伦西亚西北。原为伊比利亚人居民点，后被罗马人焚毁，以报汉尼拔毁坏萨贡托之仇。8世纪以后成为摩尔人要塞。1171年由阿拉贡国王阿方索二世收复。但众多摩尔人仍留居该城，以致建筑至今仍可见混合风格。现经济以农业为主，旅游业重要。人口约25 932（1982）。

terza rima　三行连环韵诗　意大利一种三行一节的诗体。诗节的第一行与第三行押韵，第二行则同下一节的第一行与第三行押韵，这样继续下去，最后一个单行同上一节的第二行押韵。因此，它的韵式为 *aba*、*bcb*、*cdc*、…、*yzy*、*z*。诗句常用的格律是抑扬五音步诗行。但丁在《神曲》中第一次以这种诗体写长诗，不过在他之前，行吟诗人也曾用过类似的诗体。在但丁之后，三行连环韵诗在14世纪的意大利颇为盛行；彼特拉克和薄伽丘特别用它来写比喻诗和说教诗。在16世纪，阿里奥斯托尤其喜欢用它来写讽刺诗和谐谑诗。在韵词不像意大利文那样丰富的语言中，这种要求严谨的诗体就不大流行。T.怀亚特在16世纪把它引入英国。在19世纪，许多浪漫派诗人如雪莱（《西风颂》）、拜伦、布朗宁夫妇和朗费罗都试用过这一诗体。

Terzaghi, Karl (Anton von)　特尔扎吉（1883-10-02，布拉格～1963-10-25，美国马萨诸塞温切斯特）　土木工程师，建立了土木工程学的分支——土壤力学，研究在应力和水流作用下土壤的特性。1904年毕业于格拉茨工科大学机械工程系，当了几年工程师。1911年该大学授予他工程学博士学位。第一次世界大战结束以后，他在伊斯坦布尔美国人办的罗伯特学院任职（1918～1925）。当时在地基、土壤压力和边坡稳定性方面已有人做过大量研究。他在此基础上进行综合整理，通过研究，形成统一的理论。他的研究成果发表在其名著《土壤力学》（1925）中。1925年去美国，在麻省理工学院任教期间，为传播他的理论而不懈地工作，还兼任许多工程项目的顾问工程师。1929年任维也纳工科大学新设立的土壤力学讲座教授。1938年回到美国，从1946～1956年退休时一直担任哈佛大学土木工程学教授。他的顾问业务遍及全世界，包括担任埃及阿斯旺高坝工程顾问委员会主席一直到1959年。

Teschen　特申　波兰语作 Cieszyn，捷克语作 Těšina。东欧公国。以特申城（参阅 **Cieszyn**）为中心。第一次世界大战后为波兰和捷克斯洛伐克所分割。原为侯国，属波兰西里西亚公国。1335年归属波希米亚王国，1526年与王国一起归属哈布斯堡王朝，直至第一次世界大战末奥匈帝国崩溃为止。特申为奥匈帝国最富裕的、工业化程度最高的地区之一。大战后，波兰以其战前人口55%是波兰人为理由，捷克斯洛伐克则以历史为论据，都要求归属己方。1919年1月捷克人强行占领特申大部分地区，与波兰发生激烈冲突。1920年协约国大使会议决定：以奥尔谢河为界，河东归波兰，大部地区归捷克斯洛伐克。波兰虽然接受这个决定，但并不满意，波捷两国关系由此紧张20多年。1938年9月波兰趁慕尼黑会议捷克斯洛伐克虚弱之际，要求割让特申，并于10月初占领之。第二次世界大战后，苏联进行干涉，强迫恢复1920～1938年的边界。

teschenite　沸绿岩　粗粒至细粒的深色侵入岩，呈岩床（熔融状态时贯入其他岩层之间的板状岩体）、岩墙（注入裂缝中之板状岩体）和不规则岩体产出，并总是有一定程度的蚀变。沸绿岩主要由斜长石、方沸石和含钛普通辉石组成，棕闪石、霞石和橄榄石一般含量较少。斜长石晶体常被包在普通辉石里，使沸绿岩具有含长结构。此岩石之命名是因为它产出于特申（Teschen，现波兰的切申［Cieszyn］）附近。在苏格兰中部有许多厚的沸绿岩岩床。岩中橄榄石含量增加时，就逐渐变成苦橄岩。

Teschner, Richard　特施纳（1879-03-22，奥匈帝国波希米亚卡尔斯巴德～1948-07-04，维也纳）　木偶戏演员。他努力发掘爪哇杖头木偶艺术的潜力，用以丰富西方木偶戏的表

供图：Puppentheatermuseum, Munich

演。曾在布拉格学习艺术。当他1906年在布拉格建立自己的提线木偶剧团时，已是个有造诣的木偶演员和舞台设计者。五年后，他到荷兰旅行，对荷兰探险家从爪哇带来的杖头木偶很感兴趣。回到维也纳后开了一家小型杖头木偶剧院，名为人物镜。他根据爪哇木偶创造了一些木偶角色，如白脸变骷髅的妇女和呲牙咧嘴的猩猩。这些木偶受体内一条木棒的控制，由一整套装在里面的细线来操纵手、腿动作以及身子的前仰后弯和灵敏的面部表情。他的杖头木偶戏影响了20世纪许多木偶戏复兴的倡导者，对杖头木偶戏在全欧洲和美国的盛行做出了重大贡献。

Teshio-sammyaku　天盐山脉　日本北海道西北部山脉。南北走向，从宗谷岬穿过横向的石狩川峡谷，至夕张山脉，绵亘近200千米。东部为白垩纪地层，西部为第三纪含煤地层。两者都成带状南北排列。山脉内部多平行的山脊和山谷。中部群峰最高达1 032米，其他多在800米以下。

Teshub　特舒卜　小亚细亚宗教所崇奉的神灵，流行在胡里安人中间，司掌天气。赫梯人把他同他们的天气神塔尔浑（**Tarhun**）融合

为一。在艺术作品中，除非在标明名字或两神并立的情况下，两神并无二致。赫梯古都附近雅兹来凯亚的岩石庙宇中所供主神即为特舒卜，作脚踏两山神颈项之状。在其他艺术作品中，他手执弯柄长杖而立，也有时驾群牛所拉之车。

Těšín (Poland) **泰欣** 参阅**Cieszyn** 切申。

Těšina (duchy, eastern Europe) 参阅 **Teschen** 特申。

tesla 特斯拉 国际单位制中的磁感应强度单位或磁通量密度单位。等于1韦伯每平方米，相当于10^4高斯。以N.特斯拉(**Tesla, Nikola**)的姓氏命名。特斯拉单位用于所有涉及强磁场的领域，而高斯对小块磁铁更为适用。

Tesla, Nikola 特斯拉(1856-07-09或10，克罗地亚斯米良～1943-01-07，纽约市) 塞尔维亚裔美国发明家及研究员，发现作为大多数交流电机基础的旋转磁场。为了从事工程

卡尔弗图片公司供图

专业，特斯拉进入奥地利的格拉茨工科大学和布拉格大学。在格拉茨第一次见到格拉姆直流发电机，倒转就成了电动机；他想出一种利用交流电的方法。后来在布达佩斯他设想出旋转磁场的原理，订出研制感应电动机的方案，从而在成功地利用交流电上跨出了第一步。1882年他到巴黎参加大陆爱迪生公司工作。1883年在施特拉斯堡工作时，在业余时间制成了第一台感应电动机。1884年到美国纽约时，他身上只有4分钱和几首他自己写的诗篇，还有一些有关机器方面的计算资料。先受雇于爱迪生，但这两位发明家的知识背景和工作方法相差甚远，必然合作不下去。1885年匹茨堡的威斯汀豪斯电气公司购买了他的多相交流发电机、变压器和电动机的专利权。这笔交易触发了爱迪生的直流电体系和特斯拉-威斯汀豪斯的交流电体系之间的竞争，后者终于取胜。他立即建立了自己的实验室，实验了阴影摄影，与W.伦琴后来在1895年发现X射线时所用的相似。特斯拉做过许多实验，包括碳钮灯、电谐振动力装置及各种类型的照明装置等。特斯拉在他的实验室里办过展览，不用导线而使电流通过他的身体点燃电灯泡，减轻人们对交流电的恐惧。在国内外他常被邀请作讲演。1891年他发明的特斯拉线圈至今仍广泛用于无线电、电视机以及其他电子设备中。这一年他成为美国公民。

Teso 特索人 又称Iteso(伊特索人)或Ateso(阿特索人)。乌干达中部民族，操尼罗-撒哈拉语系沙里-尼罗语族的一种东苏丹语。他们是乌干达最先进的农民，20世纪初开始植棉时即引进牛犁。他们以黍稷为主食，以棉花为主要经济作物。特索人的传统文化及社会政治组织于19世纪末被干达人征服时即已消失殆尽。年龄组制度及氏族已无甚作用，原来的地方区划亦荡然无存。几乎所有的土著宗教已为基督教所取代。

tessellated pavement 地面镶砌 又称马赛克镶砌。用防水耐用的水泥、黏土或灰浆将石质泰塞赖、方砖或其他规整形石料砌成简单或复杂图案的室内外地面装饰。导源于公元前8或前7世纪古希腊的小圆石马赛克(**pebble mosaic**)，1世纪普及到整个罗马帝国。随着这种艺术形式日益流行，要求有更丰富的色彩，于是宝石、类宝石、雪花石膏以及彩色玻璃亦用为镶砌材料。最著名的地面镶砌是公元1世纪的作品《伊苏斯战役》，出土于庞培城农牧之神庙，现存那不勒斯国家考古博物馆。

tessellatum, opus 参阅**opus tessellatum** 棋盘形镶砌工艺。

tessera 泰塞赖 拉丁语意为“立方块”或“骰子”。用小块石料、玻璃、陶瓷或其他硬质材料切磨成立方体或其他规整形状的镶砌材料。最早的泰塞赖于公元前200年在古希腊马赛克工艺中代替天然卵石，由大理石和石灰石加工制成。罗马时代初期，马赛克还是以石质泰塞赖为主，但到公元前3～前1世纪就已经开始生产有色玻璃泰塞赖，系用从浅色到深暗色的大块玻璃板切割而成。这种比较易碎的玻璃泰塞赖仅用于天然石料所不具有的纯蓝、红和绿色地面马赛克中，但1世纪和3世纪之间墙上马赛克增多，生产出了各种颜色的玻璃泰塞赖，成为这种装饰的主体，石料则主要用于地面。4世纪首先出现于罗马马赛克中的一种重要玻璃泰塞赖用金、银箔制成，将薄金、银箔夹在厚、薄两块熔融的玻璃板中间，以制成像镜面一样的玻璃板，然后切割成泰塞赖。另一类重要的泰塞赖用陶瓷制成，这类泰塞赖取代了玻璃泰塞赖，成为现代马赛克的主要材料。此外亦曾用贝壳、珍珠母、珐琅、涂漆石块和涂漆赤陶制作泰塞赖。

Tessin (Switzerland) **泰辛** 参阅**Ticino** 提契诺。

Tessin, Carl Gustaf, Greve 泰辛伯爵(1695-09-05，斯德哥尔摩～1770-01-07，瑞典奥克尔) 瑞典宫廷官员、政治家、作家。18世纪议会批准的礼帽党的创始人，阿道夫·腓特烈宫廷的有影响的顾问。建筑师、宫廷总管小尼古德穆斯·泰辛之子，曾留学法国和意大利，18世纪20年代在瑞典外交界服务，1728年承袭父职任宫廷总管。作为反对俄国的

供图：Svenska Portrattarkivet, Stockholm

礼帽党的创始人，致力于收回在北方战争(1700～1721)中丧失给俄国的省份。1738年礼帽党在议会获得多数席位，泰辛被选为贵族院议长，后又任全议会议长。他于1741年试图防止与俄国发生灾难性战争，没有成功。1744年取得未来的国王阿道夫·腓特烈及其妻路易莎·乌尔丽卡的宠信，说服阿道夫放弃对石勒苏益格和荷尔斯泰因的世袭权利，从而缓和了瑞典与丹麦的关系。1746年任未来国王古斯塔夫三世的教师和首席政务大臣。18世纪50年代初，他失去王后的信任，遂脱离公职。他还是一位造诣很深的诗人和寓言及文学作家。

Tessin, Nicodemus, THE ELDER **泰辛(大)**(1615-12-07，波美拉尼亚地区施特拉尔松德～1681-05-24，斯德哥尔摩) 当年瑞典最著名的建筑师。早年随瑞典皇家建筑师S.德·拉·瓦勒工作，1646年继承瓦勒的职位，后赴德国、意大利、法国和荷兰考察建筑。他最重要的作品是为王太后埃莱诺拉在斯德哥尔摩附近所建的德罗特宁霍尔摩行宫(1662～1686)，该行宫的平面布局、花园及内部装饰都带有法国巴罗克风格的影响，但也采用意大利古典建筑的部件，并覆以特有的北欧日耳曼风格的屋顶。其他作品有瑞典卡尔马的大教堂(1660～1670)、斯德哥尔摩的利达荷尔姆教堂中的卡罗琳皇家陵墓(1672)。1661年担任斯德哥尔摩城市建筑师。其子小泰辛也是著名的建筑师。

Tessin, Nicodemus, THE YOUNGER **泰辛(小)**(1654-05-23，瑞典尼雪平～1728-04-10，斯德哥尔摩) 瑞典著名巴罗克式建筑师。建筑师大泰辛之子。17世纪70年代在巴黎和罗马求学，此后接替其父斯德哥尔摩城市建筑师的职位。他完成了其父的作品德罗特宁霍尔摩行宫，然后向法国国王路易十四提出在凡尔赛修筑新罗浮宫和阿波罗神殿的建议，但未能引起路易十四的兴趣。他的主要成就是斯德哥尔摩的王宫，用以取代1697年毁于火灾的砖结构旧宫。重建的王宫是一个巨大的积木式结构，具有严谨的古典式立面，但内部有华丽的巴罗克式装饰和家具。小泰辛之子泰辛伯爵为瑞典著名政治家，扩充了其父所收集的大量建筑图纸，现存斯德哥尔摩的国立博物馆。

tessitura 主要音域 在音乐中，指一个旋律或人声声部中所出现的音高的一般音区。

它与音域一词的区别在于:不考虑该作品的音区的极端情况,而只关心声乐线条是如何安排的;因此,一首作品的主要音域不决定于少数几个孤立的极高或极低音,而是决定于该作品中经常使用的音区。例如,在瓦格纳的《尼伯龙根的指环》歌剧三部曲中,齐格弗里德一角的音域是从小字组 c # 到小字 2 组 c″;但这一角色的主要音域是相当高难的,因为担任这个角色的男高音常须演唱 c′到 a′音区的很长的唱段。

test　壳　某些原生动物(尤其是有孔虫及放射虫)分泌的保护性且宽适的外壳。在多数种类中,有机质的壳含有无机物质,或为异物(如沙粒、贝壳碎片)或为自身分泌物(如碳酸钙或硅片)。壳的性质(例如透光性、壁的结构)则随壳形而变化。结构多种多样,包括外部的脊与刺,以及内部的间隔、结构支架、壁分层和管道系统。有些壳只有一个开口,细胞质可由此伸出;有些有好几个孔;有些壳上具许多小孔便于细胞质突伸出。原生动物多孔虫目、沙壳虫目的分类就是根据壳的结构。沙壳虫的壳常称为**兜甲(lorica)**。

test act　宗教考查法　规定人必须先宣告自己信奉国定宗教才有资格担任公职的法律,见于英格兰、苏格兰和爱尔兰。在苏格兰,宗教改革运动以后不久,关于这种法律的原则即已确立,1567 年正式颁布法律,以宣告信奉归正宗为领受公职的条件。在英格兰,起先不需要这种法律,因为针对不遵奉国定教会者的刑法已经十分严峻,这类人员自然不可能担任公职。在 17、18 世纪,英格兰实行比较有宽容性的政策,天主教人士和不信奉国教的新教人士一般可以从事自己的宗教活动而不受干扰,但占多数的安立甘宗人士唯恐他们暗中进行破坏,就设法阻止他们担任公职。宗教考查在英格兰所采取的形式是以参加圣公会的圣餐为领受公职的条件。先是 1661 年的立法规定担任各市政委员者必须符合这个条件,后来 1673 年的《宗教考查法》的适用范围扩大到一切公职。在 18 世纪,这种考查一般已较为放宽。在苏格兰,只有参加教育机关的人士才必须作这种宣告。在英格兰,有些知名的非圣公会新教人士公开地仅"在一定场合遵从国教惯例"。天主教人士没有这样作的可能,因而仍不得担任公职,一直到 1828 年的法案才取消了这种考查。1829 年的《天主教解放法案》废除了针对天主教人士的其他限制性法律。宗教考查法本身先后在 19 世纪 60、70 年代废止。在大学中,除神学学位的授予和神学教授的聘任外,一概废止宗教考查。苏格兰的宗教考查于 1889 年废除。在爱尔兰,1704 年颁行安立甘宗圣餐考查,有关效忠宣誓和宗教宣告的英格兰立法于 1782 年生效。这些法规于 1871 年一律废除。美国宪法第 6 条规定:"不得以宗教考查作为在合众国担任公职或公众委托的必要条件。"美国大多数州宪中也有类似条款。

test-tube conception　试管受孕　参阅 **in vitro fertilization 试管受精**。

Test Valley　特斯特瓦利　英格兰汉普行政、历史郡一区(自治市)。在南安普顿港以北。境内有特斯特河流经。河谷为富庶的农区,间有一些丛林。北部的安多弗是全区人口最稠密的地区,在 14 世纪时生产羊毛产品、羊皮纸和丝绸。现在有造纸和印刷工业。南部的罗姆西历史悠久,有撒克逊人建造的隐修院(907),布罗德兰兹是帕默斯顿勋爵(1784 ～ 1865)和蒙巴顿勋爵(1900 ～ 1979)的故居。英国军队的训练基地就在安多弗西面的提沃思,即特斯特瓦利与威尔特郡交界处。面积 638 平方千米。人口约111 500(1998)。

testacean　有壳虫　根足纲表壳目(Arcellinida,以前称有壳虫目[Testacida])原生动物的统称。有壳虫体外常包有一个单室包壳,常见于淡水中,但有时也出现于咸水中或生有

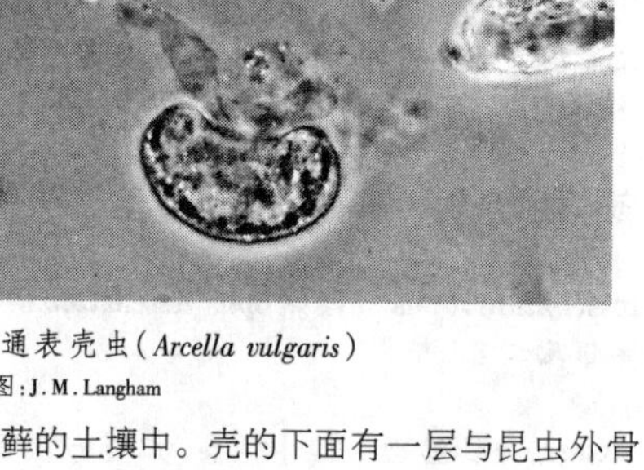

普通表壳虫(*Arcella vulgaris*)
供图:J.M.Langham

苔藓的土壤中。壳的下面有一层与昆虫外骨骼一样的几丁质膜。其外层可能是由内层分泌出的浅褐色几丁质壳(如表壳虫属[*Arcella*]);可由沙粒或其他固体颗粒黏合形成(如沙壳虫属[*Difflugia*]),或者由细胞质分泌出的硅质片块黏合而成(如鳞壳虫属[*Euglypha*])。梨壳虫属(*Nebela*)摄食其他有壳虫的板片而形成本身的梨形外壳。表壳虫属生于土壤和淡水中,形状好像包裹在伞形单室壳内的阿米巴。行无性生殖(分裂或出芽)或有性生殖。

testament　证言　在文学中指坚定的信仰声明,见于 T.阿斯克的散文体寓言故事《爱的契约》(约 1384) 和 R.布里奇斯的诗《美的契约》(1929)。也可是一份遗嘱。这种形式在 15 世纪的法国和英国非常盛行。F.维庸模拟的《小遗言集》和《大遗言集》便是著名的例子。R.亨利森的《克莱西德的遗嘱》也是一例。该诗将 G.乔叟的《特罗伊拉斯和克莱西德》的故事续写完整。

testament (law)　参阅 **will 遗嘱**。

Testamentum Domini　《我主遗言》　英语作 Testament of the Lord。声称为早期基督教会确立基本规章的一系列著作(包括希波里图斯的《使徒规章》和《使徒传统》)之一。原本为希腊文,可能成书于 4 ～ 5 世纪,现存 7 世纪的古叙利亚文译本。此书托称为耶稣基督所著,较使徒所著其他著作具有更高权威。此书大讲禁欲苦修,为基督徒定下严格戒律,并说基督徒生活在群狼中,受无心肠之辈和名利熏心之徒的轻视和蔑视。书中反复提到受迫害的人们和背负十字架的责任。还强调童贞(但未提隐修)、禁食和全体神职人员与较为纯全的在俗信徒定期聚会祈祷。

testcross　测交　遗传学技术,用基因型未知的生物体与就某一性状来说基因型已知的生物体进行交配,以测定前者的基因型。如某种狗的黑毛基因为显性,红毛基因为隐性。一只具有黑毛的狗,就可能是具有两个黑色基因的纯种;或是具有一个黑毛基因、一个红毛基因的杂种。为确定这只狗的基因型,使这狗同纯种红毛狗交配。如果其子代均为黑毛,则这只狗为具有两个黑毛基因的纯种;如果有一些子代为红色,则这只狗必为具有一个红毛基因、一个黑毛基因的杂种。

testegiatta　羽状顶(字体)　书法术语,即 *b*、*d*、*h* 及 *l* 等字母呈头状的上行笔画或呈羽状的端部,成为 16 世纪简化斜体字体的一种装饰性特征。V.阿姆菲亚雷奥于1554年在威尼斯出版了字体范本,把过分严格的文书体与商用黑字体的某些独特风格诸如环形及草写连字符等结合为一体。梵蒂冈的《圣经》抄写员G.克雷希根据这一混合字体创造了

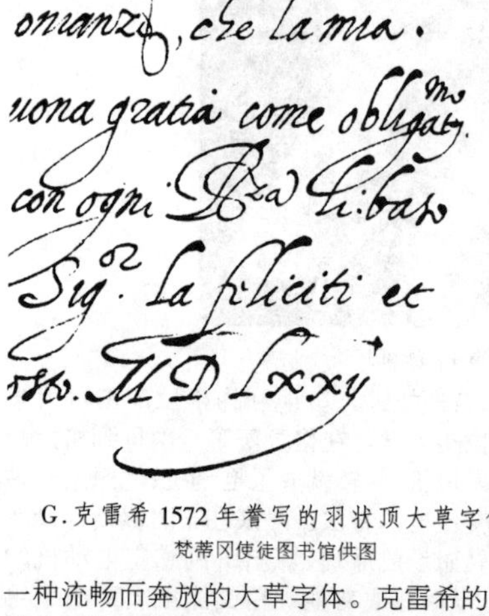

G.克雷希 1572 年誊写的羽状顶大草字体
梵蒂冈使徒图书馆供图

一种流畅而奔放的大草字体。克雷希的这种简化斜体字体着重于上行笔画的端部,结束时,使用回笔,以加重起笔,运用柔韧笔尖,在回笔处略加按捺,其笔触乃呈羽状。

tester　天盖　床、墓穴、讲坛和宝座上的顶篷。常为木质,有雕花或用布帷幕遮挡。其

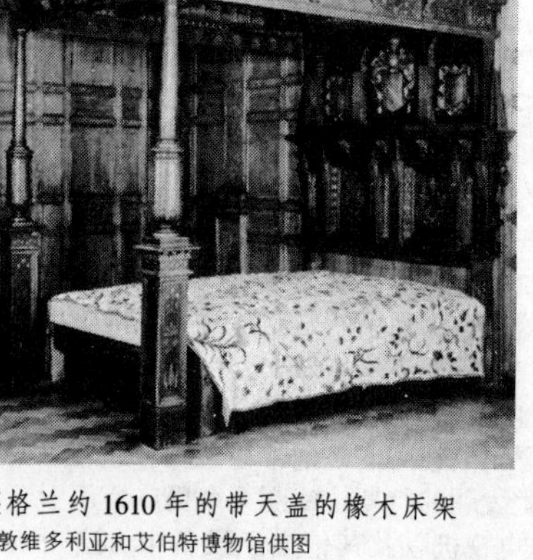

英格兰约 1610 年的带天盖的橡木床架
伦敦维多利亚和艾伯特博物馆供图

产生可追溯至14世纪。通常用其所覆盖之物体的同一材料制成。用四根或两根柱子支撑,也可悬挂在天花板上。四边可用悬挂物装饰,有时用雕刻品或短帷幔装饰。

testicular cancer 睾丸癌 睾丸细胞生长失控为特征的疾病。尽管只占所有癌症的1%,但它是20～34岁男性最常见的恶性肿瘤,多发于15～39岁男性。依据外观及其他特征主要分为精原细胞瘤或非精原细胞瘤。大约30%的睾丸癌是精原细胞瘤,治疗效果较好。非精原细胞瘤包括卵黄囊肿瘤、胚胎瘤以及绒膜癌,治疗效果相对稍差。致危因素还不清楚。已知的致危因素是一侧或两侧睾丸没有下降至阴囊内。这种发育畸形称为隐睾症,1岁男婴10%有此症。隐睾症发生睾丸癌的几率增加5～10倍。症状为某一侧睾丸出现无痛性肿块,肿块使阴囊肿胀、疼痛以及不适,下腹隐痛。初期出现可疑肿块时采用血液检查和影像技术。血液检查α甲胎蛋白、人类绒毛膜促性腺激素以及乳酸脱氢酶。超声检查可以确定肿瘤大小和位置,有助于排除良性肿瘤。最终诊断需切除肿瘤进行病理检查。预后依据睾丸癌类型和发生转移程度。肿瘤通过两个转移途径:首先转移到骨盆淋巴结,随后再转移到肺。可采用外科、化学和放射联合治疗。诊断后首先进行外科手术切除病变的睾丸(睾丸切除术),切除一侧睾丸通常不会影响生育。如果癌转移至骨盆或更远处,就要附加化疗和放疗。青春期前未降至阴囊的睾丸手术治疗通常有助于预防睾丸癌。

testis 睾丸 位于雄性动物阴囊内的一对卵圆形生殖器官。能产生精子(**sperm**)及雄激素。在人类,每一睾丸重约25克,长4～5厘米,直径2～3厘米,被称为白膜的纤维组织包裹。纤维组织从白膜伸入形成的间隔将睾丸分隔成200～400个楔形小叶,每一小叶内有3～10条卷曲的小管,称为曲细精管,为产生精细胞的部位。两侧小叶与曲细精管间的间隔在睾丸肛侧会聚,形成睾丸纵膈。由曲细精管产生的精细胞借助于小管的短促收缩而移向睾丸纵隔,然后通过睾丸网和输出小管到达附睾(**epididyme**)暂时贮存。胚胎时期睾丸位于腹腔内肾脏附近。约在胎儿发育的第7～8个月,在母体胎盘绒毛膜促性腺激素的作用下,胎儿睾丸分泌睾丸酮,并致睾丸下降入阴囊(**scrotum**)。儿童时期睾丸内细胞处于不发育状态;青春期前后,在垂体激素刺激下,开始产生精子及雄激素。曲细精管占睾丸组织的90%左右。幼时,曲细精管无分枝,由未发育的精原细胞及塞尔托利氏细胞组成。年龄增长后,曲细精管出现分枝,精原细胞经过一系列称为精子发生(**spermatogenesis**)的转变过程,变成有繁殖能力的精子细胞。塞尔托利氏细胞在各年龄的曲细精管中均存在,用以支持、保护精原细胞向之提供营养物质,并帮助成熟精细胞的释放。间质细胞或称莱迪希氏细胞,位于白膜下曲细精管间的隔壁中,被认为是分泌雄激素的细胞。形状不规则,多核,常含有脂肪微滴、色素颗粒及一些晶状结构体。其数量及外形随动物种类不同而有很大差异,并被许多血管、淋巴管和神经纤维所围绕,其分泌活动受垂体激素控制。季节性繁殖的动物如绵羊及山羊,在非繁殖季节时睾丸完全退化常缩回到体腔,精原细胞恢复到性成熟前的状态。到繁殖季节睾丸重新下降并成熟,这种过程称为复发。

testosterone 睾丸甾酮 睾丸产生的雄性或男性激素中的甾族有机化合物。能促进男性器官和男性第二性征(长胡须、声音粗)。当发现在睾丸浸出液中含有一种雄激素,比1931年从尿中得到的雄甾酮更有效之后,于1935年从该浸出液中分离出这种激素(睾丸甾酮)。后来证明雄甾酮是睾丸甾酮的生化(新陈代谢)产物。把廉价的地奥配基等甾类化合物进行化学处理和微生物转化可制得睾丸甾酮。用于临床上治疗睾丸机能不全、乳闭、某些类型的乳房癌及妇女性感缺失等。

Testudinidae 龟科 龟鳖目的一科,包括陆栖的龟类(陆龟)。与水龟科(Emydidae)近缘。约40种。体笨重,甲壳圆,四肢粗壮,运动缓慢,草食性。广布南美和非洲。代表种见于北美、欧洲和亚洲温暖地区。本科最著名的种是加拉帕戈斯群岛的象龟和美洲南部和西部的沙龟。

tetanus 破伤风 又作lockjaw。破伤风杆菌外毒素引起的人及其他动物的急性传染病。特征为随意肌强直及痉挛,咬肌几均受累。破伤风杆菌的芽孢广泛分布于自然界,尤其是表土层,通过伤口,甚至表浅的擦伤侵入动物体,刺伤及深裂伤为厌氧的杆菌提供了合适的环境,故最为危险。破伤风的发病及其严重程度决定于所产生的毒素量及宿主的抵抗力。破伤风痉挛毒素是已知毒性最强的毒素之一,通过血流由感染局部扩散至脊髓前角运动神经核。通过影响乙酰胆碱的合成及释放,引致中枢神经系统的脱抑制现象,表现为肌肉持续强直,并频繁出现自发性的强直性痉挛。局部性破伤风症状限于外伤部位,但亦可为全身性破伤风的先兆。破伤风潜伏期自2天至2周不等,偶长达3个月。潜伏期越长症状越轻。破伤风抗毒素可预防或延缓症状发生,但治疗价值有限。本病治疗包括抗生素、镇静药及肌肉弛缓药。重症可用箭毒以麻痹全身骨骼肌,但因箭毒呼吸肌亦麻痹,故需用铁肺或正压呼吸机作人工呼吸。数周后症状好转即可停药,自主呼吸亦恢复。可能受染的外伤病例均应用破伤风抗毒素作被动免疫。破伤风类毒素自动免疫生效较迟,需数周至数月,每隔几年需重复免疫一次。外伤后应即注射类毒素一次,数月后再注射2次。破伤风患者恢复后对该病并无免疫力,若受外伤仍需按上述程序进行免疫注射。

tetany 手足搐搦 因代谢失调引起的一种肌肉痉挛。表现为手足肌肉有节律地挛缩,并可出现喉头痉挛、呼吸困难、恶心、呕吐、惊厥、剧痛。代谢失调的具体表现有:血循环中钙、钾或镁等含量减低,机体酸、碱中毒等。这些情况常伴有甲状旁腺机能减退、低磷酸盐血症、骨软化、肾脏疾患或吸收不良的一些症状。治疗旨在恢复代谢平衡,如低钙血时静脉输钙。

Tete 太特 非洲东部莫桑比克中西部港口城市,位于赞比西河右岸莫阿蒂泽丰富煤矿附近。在葡萄牙势力影响下,太特在17世纪中叶就成为象牙及黄金的交易中心。1761年设镇,1959年建市。有通往贝拉港的铁路及赞比西河连接印度洋。周围地区向北方的安戈尼亚及太特高地升高。赞比西河及其支流卢亚河流贯本区。赞比西河上的卡布拉巴萨水坝和水电站位于太特西北约125千米处;建坝形成的卡布拉巴萨湖向西延伸240千米到赞比亚边境。水电站的电力输送到南非、马普托市、太特以及莫阿蒂泽的烟煤矿区。安戈尼亚高地的气候和土壤适宜发展畜牧业及种植木薯、高粱。此地的矿产有铝土、金、锰、钛。人口约112 221(1991)。

Tetens, Johannes Nikolaus 特滕斯(1736-09-16,南石勒苏益格泰滕布尔[德国]～1807-08 15或19,丹麦哥本哈根) 德国心理学家、数学家、经济学家、教育家和经验主义哲学家。他对I.康德的著作有极大影响。1760年任比措大学(今在德国)物理学教授,5年后被任命为该校教育学院院长。1776年任基尔大学哲学教授,后又任数学教授。1789年辞去教学工作转任公职。其主要著作《从哲学上探讨人的本质及其发展》(1777)受到康德之《学术演讲》(1770)的影响。此书序言中称,“在形而上学的分析……之前必须进行心理学的分析”,他还说:“不管我们在形而上学的心理学中走多远,其命题的真实性必须永远由经验知识加以检验。”特滕斯后来成为德国唯一信奉经验主义心理学的主要思想家,而他接受的这种心理学当时流行于英国和法国,特别体现在D.休姆的著作中。《从哲学上探讨人的本质及其发展》一书是正值康德1781年发表其《纯理性批判》之前那一段时期里在德国发表的最重要的哲学著作,该书主要研究人类知识的起源和结构。康德对他的著作曾给予很高评价,经常将其文集置于书桌上,反复提到他强调经验基础对哲学研究的重要性。康德在构成关于人类知识的理论时就曾受特滕斯意识三重性的影响。特滕斯将意识分成感觉、意志和理解力三个方面。他还撰写了《论一般思辨哲学》(1775)。

Tethys 土卫三 土星的8个大型的、规则的卫星中的一个。土卫三的主要成分是纯水冰。它的直径1 060千米,在离土星294 660千米处,环绕土星运行。土卫三的公转轨道正好和土卫一的轨道处在共振关系上,所以土卫三的公转周期是土卫一的两倍。土卫三有两个值得注意的特征:①有一条长达整个卫星周长的3/4的大裂缝,占了整个表面的5%～10%。根据理论推测,大裂缝是卫星内部的水的冻结和膨胀形成的;②有一个直径大到400千米的环形山,还有一个巨大的中央峰。

Tethys 特提斯海 据信在大部分中生代期间(2.45亿年前至0.664亿年前)曾使北方的

超级大陆——劳亚古陆——与南方的冈瓦纳古陆隔离开的、赤道上的大洋。劳亚古陆由北美洲和阿尔卑斯-喜马拉雅山系以北的欧亚大陆构成,冈瓦纳古陆则由南美洲、非洲、印度半岛、澳大利亚、南极洲及欧亚大陆在阿尔卑斯-喜马拉雅山系以南的那些地区构成。大陆的聚合和碰撞终于使特提斯海消失了,并造成了阿尔卑斯-喜马拉雅山带。特提斯海之名是1893年由奥地利地质学者E.休斯根据古希腊大洋神俄刻阿诺斯的妹妹和伙伴的名字定名的。

在现在的阿尔卑斯-喜马拉雅山系的地方曾存在一个中生代海域,是在19世纪晚期被德国地质学者M.诺伊迈尔辨认出的;他的根据是:从阿尔卑斯和喀尔巴阡经过土耳其和伊朗一直到喜马拉雅和缅甸,分布有厚度很大的海相(有些地方全部是大洋相)沉积岩石,并在其中含有化石的共同的动物亲缘。休斯在1893年把这个海域理解为以前的大洋。后来,在20世纪前半叶,该海域被错误地理解为一条长期存在过的地槽,即地壳中一个狭窄的、细长的、沉降的凹槽,这个地槽自中生代以来曾遭受过几幕造山运动,地槽的残余部分现在形成了地中海。随着板块构造学说的兴起及其在历史地质学上的应用,人们认识到:①地槽的观念是不正确的;②特提斯海必然曾经是个大洋,而不是个海槽;③它只能够自泛大陆在二叠纪和三叠纪期间形成(由于劳亚古陆与冈瓦纳古陆的碰撞)以后才存在过。

20世纪晚期的研究结果表明,在中生代期间可能至少有两个特提斯大洋曾先后占据过劳亚古陆和冈瓦纳古陆之间的地方。较早的那个称作古(即"年老的")特提斯海的大洋,是在古生代(约3.20亿年前)晚期与泛大陆一同出现的。在二叠纪和三叠纪期间(2.86亿年前至2.08亿年前),古特提斯海形成了泛大陆的一个向东张开的、庞大的海湾。这个大洋由于一条称作基梅里古陆的大陆物质带从北部冈瓦纳古陆挤离滑脱并向北旋转而消失了。基梅里古陆终于在侏罗纪(2.08亿年前至1.87亿年前)早期与劳亚古陆的南缘相碰撞。古特提斯海的残余部分现在保存在土耳其北部、南高加索(高加索和帕米尔)、伊朗北部、阿富汗和中国西藏北部(昆仑山脉)的山脉里,并到达中国内地和印支半岛。

新(即"年轻的")特提斯海,或简称特提斯海,是在中生代最早期继旋转的基梅里古陆之后开始形成的。泛大陆通过大陆漂移以及同时发生的大西洋和印度洋的扩展而崩解成为劳亚古陆(北)和冈瓦纳古陆(南);由于前冈瓦纳古陆碎块的聚合并终于同欧亚大陆相碰撞而使特提斯海逐渐消亡。特提斯海在新生代(6 640万年前至现在)时,最后闭合了,当时的印度、阿拉伯及阿普里亚(由意大利的几部分、巴尔干各国、希腊及土耳其构成)终于同欧亚大陆的其余部分相碰撞而建立起了现代的阿尔卑斯-喜马拉雅诸山脉,这些山脉从西班牙(比利牛斯)和西北非(阿特拉斯)顺地中海北缘(阿尔卑斯、喀尔巴阡)延伸,进入南亚(喜马拉雅),并到达印度尼西亚。地中海东部就是特提斯海的残迹。

特提斯海闭合的效果极严重地损害了较早的闭合的效果,因而造成古特提斯海在先的存在一直到20世纪80年代才被地质学家们认识到。特提斯海演变的另一个重要效果是北非和中东的巨型油气田的形成。

Tethys Geosyncline 特提斯地槽 第三纪以前(早于6 640万年前)地壳中庞大的东西向凹槽。此凹槽形成一条海路,将欧洲同非洲分隔开,并继续向东经过中东,横越南亚,从印度地盾以北通过,尔后折向东南,进入缅甸。特提斯地槽是中生代时期(2.45亿年前至0.664亿年前)的主要地槽。这个时期的海相地层存在于许多山系中,这些山系是组成山系的沉积地层遭到变形和隆起作用而形成的。例子有欧洲的阿尔卑斯山脉、土耳其和伊朗的高山地带,以及喜马拉雅山系的所有主要山脉。这些山脉的海相化石中的动物群有共同的亲缘关系,清楚地表明那时特提斯海是连通的。白垩纪晚期广泛的火山活动和差别很大的岩相(岩石特征)变化,反映造山活动的发生,这次造山活动结束了特提斯作为一条具有半球规模的海路的历史。但是,从某些方面来看,现在的地中海就是地槽的残余。

Tetley, Glen 泰特利(1926-02-03,美国俄亥俄克利夫兰~) 美国舞蹈家、编导和芭蕾艺术指导。1945年开始从事舞蹈,师从H.霍尔姆、H.普拉托娃等人。除在风格各异的舞团(如美国芭蕾舞剧院、M.格雷厄姆舞团)演出外,也在百老汇表演音乐剧。他首次为P.卢奈尔编排的作品使他获得了荷兰舞蹈剧院客座艺术家的地位(1962),不久他即成为该剧院艺术指导之一。1969年他创办自己的舞蹈团,后又回到荷兰舞蹈剧院任艺术指导。1974～1976年任斯图加特芭蕾舞团艺术指导。他的优秀作品有《突变》(1970)、《达甫尼斯和赫洛亚》(1975)和《暴风雨》(1979)等。

Tetmajer (Przerwa), Kazimierz 泰特马耶尔(普热尔瓦)(1865-02-11,加利西亚卢季梅日[今在波兰]～1940-01-18,华沙) 波兰诗人、短篇小说家,青年波兰运动的成员之一。所写大部诗作发表在期刊《生活》上。他的五卷随笔和传说故事《山石嶙峋的波德哈卢》(1903～1910)被公认为是他的最佳作品。这些引人入胜的故事,部分取材于塔特拉山区的古代传说,描写山民和他们粗犷的生活,以及他们对自由的酷爱。

Teton Range 蒂顿岭 落基山脉北段的一部分。从美国黄石国家公园南缘向南延伸64千米,跨怀俄明州西北部,止于蒂顿山口。部分山区延入爱达荷州东南部。许多山峰高逾3 700米,最高峰大蒂顿高4 196米。蒂顿河在此发源。山区分别划入大蒂顿国家公园和蒂顿国家森林及塔伊国家森林。东麓谷地肥沃,并有著名的滑雪游乐区。

Tétouan 得土安 又拼作Tetuán。摩洛哥中北部城市。9世纪有伊德里斯人居住,14世纪由马里尼德王朝设防。其要塞曾为海盗据点,后被西班牙人摧毁。16世纪由安达卢西亚摩尔人定居。1860年和1913年两度为西班牙占领。1956年归还摩洛哥。现存的安

得土安市的集市
供图:Picturepoint, London

达卢西亚摩尔人古城遗址上,有3面城墙、7座城门、36座清真寺和礼拜堂。现为商业中心,经济以手工业和轻工业为基础。也是文化中心,设有音乐学校、手工艺学校和国立考古博物馆。公路通丹吉尔、胡塞马和沃赞。周围地区出产谷物(小麦)、柑橘属水果和茶叶。有畜牧业(牛羊)。种植栓皮栎和橄榄树。人口:城市199 615(1982)。

tetra 裙脂鲤 脂鲤科(Characidae)许多淡水鱼类的统称,体色鲜艳,常为家养观赏鱼。体小,活泼,生命力强,无进攻性。原产于南美及非洲。卵生,同其他大多数脂鲤一样,把

闪光裙脂鲤(*Hemigrammus erythrozonus*)
供图:Jane Burton—Bruce Coleman Ltd.

卵散产于水草上。其英文名tetra出自属名*Tetragonopterus*,该属曾包括大量脂鲤类,目前在玩赏动物商店中的裙脂鲤被分置于几个属内,如半线脂鲤属(*Hemigrammus*)、鲃脂鲤属(*Hyphessobrycon*)、小角脂鲤属(*Mimagoniates*)。著名的裙脂鲤有:黑裙脂鲤(特尔内茨氏裸顶裙脂鲤,*Gymnocorymbus ternetzi*),又称黑摩尔鱼、裙鱼,体高,长4～7.5厘米,幼时后部及背、臀鳍具明显黑色,随着身体的增长渐变成灰色。闪光裙脂鲤(红带半线脂鲤,*Hemigrammus erythrozonus*)生命力强,长4.5厘米,体侧有闪光的红色条纹。霓虹裙脂鲤(霓虹鲃脂鲤,*Paracheirodon*[或*Hyphessobrycon*]*innesi*)为受欢迎的观赏鱼,体细长,长4厘米;后部红色,反光,体侧有似霓虹灯的蓝绿色条纹。红衣主教脂鲤(*Cheirodon axelrodi*)分布于巴西,与之相似,但体色更红。银色裙脂鲤(*Ctenobrycon spilurus*)体高,侧扁,呈银白色,长9厘米。布宜诺斯艾利斯裙脂鲤(纹尾半线脂鲤,*Hemigrammus caudovittatus*)长达9厘米,鳍淡红色,体侧有深色纵条纹,条纹到尾基两

侧扩大成菱形斑。

tetracarbonylnickel 四羰基镍 镍(**nickel**)化合物,为易燃的有毒液体。

tetrachloroethane 四氯乙烷 无色、黏稠、不溶于水的液体有机卤化物的两种异构体。其一为1,1,2,2-四氯乙烷,又称四氯化乙炔,毒性强。这种化合物的产品,几乎全部用于氯化溶剂特别是三氯乙烯和四氯乙烯的生产,少部分用作溶剂和杀虫剂,特别是用于消灭温室中的粉虱。这种异构体用乙炔与氯制得。另一异构体为1,1,1,2-四氯乙烷,没有工业用途。

tetrachloroethylene 四氯乙烯 又称全氯乙烯。无色、黏稠、很稳定的不可燃液体有机卤化物,是许多有机化合物的高效溶剂。在20世纪中期就已广泛被用作溶剂(取代了四氯化碳和三氯乙烯)用于干洗,也用在蒸气脱脂装置中清洗金属部件。因其不可燃、毒性低而得到广泛应用。小量四氯乙烯用作驱虫药,特别是用于对付钩虫。1821年,英国化学家和物理学家M.法拉第首次制得四氯乙烯。大约自1910年以来,虽然曾经研究过多种其他方法,但工业上主要还是由三氯乙烯生产四氯乙烯。四氯乙烯比重大于水、几乎不溶于水。

tetrachloromethane 四氯甲烷 参阅**carbon tetrachloride** *四氯化碳*。

tetrachord 四音音列 音域在一个纯四度(即两个全音加一个半音,如c-f)内的四个乐音的音阶。在古希腊音乐中,下行的四音音列是分析的基本单位。把相继的四音音列连接起来,便形成音阶体系。西方音乐中,四音音列是一串4个上行的音符。无共同音的两个毗连四音音列(音程排列均为全音、全音、半音)构成一个大调音阶。因而四音音列c-d-e-f和g-a-b-c′构成以C音为基础的音阶。

tetracolon 四节韵律单位 古典韵律学中由4节组成的韵律单位,或是4个连续的韵律单位。每个韵律单位组成一个单一韵律短语,每个短语的音节数不超过12个。

Tetractinella 准四棱贝 腕足动物的绝灭属。化石见于海相三叠系(三叠纪从2.45亿年前延伸至2.08亿年前)。其特殊的壳具有从顶放射的脊和间槽以及位于脊间的呈网状延伸的边缘。从横剖面上看,壳受压缩。其中一个种是异物同形现象的极好标本。异物同形是指两种无关系的生物体从形态和功能方面看上去相像。小三角准四棱贝(*Tetractinella trigonella*,意大利的一个中三叠世的种)与德国海相上侏罗统(大约1.5亿年前)的、无关系的弗洛伊廖内萨盾手贝(*Cheirothyris fleuriausa*)明显地相似。这两种类型在地区和时间上都是隔得很远的。

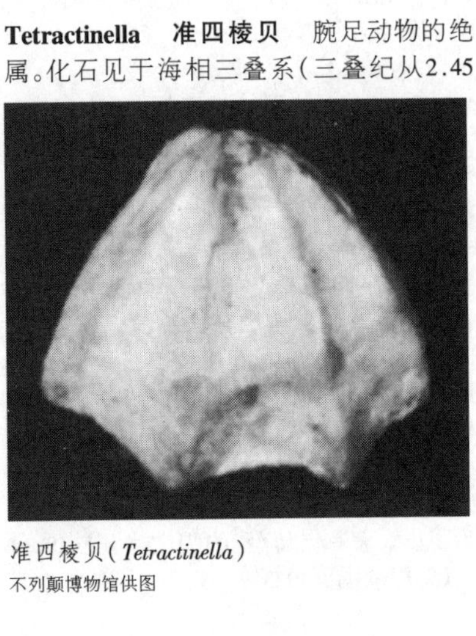

准四棱贝(*Tetractinella*)
不列颠博物馆供图

tetracycline 四环素 由土壤中几种链霉菌产生的一族抗生素,如金霉素、土霉素、四环素、甲烯土霉素、去甲金霉素、强力霉素等。作用机制为干扰微生物合成某种生活必要的蛋白质,抗菌谱广。引起各种眼部感染、立克次氏体感染、衣原体感染、霍乱及某种肺炎的病原微生物对之敏感。

tetradymite 辉碲铋矿 一种铋和碲的硫化物矿物 Bi_2Fe_2S,一般存在于含金石英脉及接触变质矿床中,例如日本的伊都、玻利维亚的索拉塔、瑞典的布利登及美国科罗拉多州的博尔德县。属于似金属的硫化物矿物,这类硫化物的物理性质彼此很相似,它们的晶体都呈6方对称。关于详细的物理性质,参阅**sulfide mineral**(表)。

tetraethyl lead 四乙基铅 一种有机金属化合物,汽车内燃机燃料油的主要抗爆剂。用氯乙烷与粉末状铅钠合金作用制得。四乙基铅为黏稠的无色液体,易挥发,约在200°C沸腾。用作抗爆剂时,四乙基铅在汽油中的加入量为每加仑汽油中不超过3立方厘米,再加入少量二溴乙烷,有时加入二氯乙烷以防止发动机内铅沉积。吸入四乙基铅或通过皮肤吸收,能造成急性或慢性铅中毒。由于四乙基铅的燃烧产物有毒,而且对消除发动机废气中其他有害组分的催化装置不利,20世纪70年代其应用已明显下降。

tetraethyl pyrophosphate 焦磷酸四乙酯 有机磷化合物,用作杀虫剂,特别是用于消灭蚜虫和红蜘蛛。对人有剧毒,毒性与对硫磷类似。在水中分解成无毒的磷酸酯。

tetrafluoroethylene 四氟乙烯 无色、无臭的微毒性气体有机卤化物,是制取一种有价值的合成树脂*聚四氟乙烯*(**polytetrafluoroethylene**)的原料。四氟乙烯由二氟氯甲烷加热制成,后者由氯仿与氟化氢在五氯化锑存在下反应制得。二氟氯甲烷(有几种商品名,最早的是氟利昂-22)用作小空调器的致冷剂。四氟乙烯是可燃的,在一定条件下会爆炸,几乎不溶于水,明显地溶于丙酮。

tetragonal system 四方晶系 结晶固体结构中的一种。该系中的晶体具三个互相垂直的轴,其中两个等长。如果以点表示晶体中的原子或原子团,并把这些点连起来,就得到由晶胞有序堆垛而成的点阵。四方晶系的特点是具一个四重对称轴,晶胞绕该轴旋转90°,其中原子的位置与其初始位置重合。β锡(白锡)、金红石、氯化亚汞、锡石、锆石、黄铜矿和钼铅矿都属四方晶系的结晶。

Tetragrammaton 四字母圣名 上帝的名字,为四个希伯来字母组成,拉丁化为YHWH,通译*雅赫维*(**Yahweh**)。

Tetragraptus 四笔石 绝灭的笔石类(与脊索动物有关的群体动物)的属。化石产于海相早奥陶世(5.05亿年前至4.78亿年前)岩层中。是早奥陶统有用的标准化石。利用四笔石的许多已知种有可能对比相隔很远的岩石单位。顾名思义,该属的鉴别特点是4个笔石枝从一根细丝状支撑物向下垂。

tetrahedrite 黝铜矿 常见的含硫盐矿物,是一种铜、铁、锌及银的锑硫化物[$(Cu,Fe,Zn,Ag)_{12}Sb_4S_{13}$]。它是一种重要的铜矿石矿物,有时还是重要的银矿石矿物。产在金属

产自墨西哥萨卡特卡斯的、与黄铁矿伴生的黝铜矿
芝加哥菲尔德自然史博物馆供图

热液矿脉中,呈灰至黑色具金属光泽的晶体或块体。黝铜矿与相似矿物砷黝铜矿形成固溶体系列。在砷黝铜矿中砷取代了分子结构中的锑。产量多的产地有瑞士、德国、罗马尼亚、捷克共和国、法国、秘鲁、智利。黝铜矿和砷黝铜矿两种矿物大量产于美国西部科罗拉多州、爱达荷州等地。关于详细的物理性质,参阅**sulfosalt**(表)。

tetrahydrocannabinol(THC) **四氢大麻酚** 印度大麻中的有效成分,1965年人工合成。20世纪60年代末以来,科学家试图以此精确测定印度大麻的药效和研究它对人体的短期及长期作用。参阅**marijuana**。

tetralogy of Fallot 参阅**Fallot, tetralogy of** *法洛氏四联症*。

tetrameter 四音步诗行 包含四个音步的诗行。在英国的诗法中,音步通常是抑扬格(即一个非重音节后面跟着一个重音节,例如bĕ|caúse)、扬抑格(即一个重音节后面跟着一个非重音节,如tí|gĕr),或二者的结合。在英诗中,抑扬四音步诗行是仅次于抑扬五音步诗行的最常用的格律,被用在英格兰与苏格兰的传统民谣中。通常这种民谣由交替使用抑扬四音步诗行和抑扬三音步诗行的四行诗节组成。

tetraodontiform 鲀形类 鲀形目(Tetraodontiformes)硬骨鱼。主要分布热带,海产。特征是鳃裂短,位于体侧;口小;牙数少,形大而重,常愈合成鹦鹉样的喙用以在岩石上或

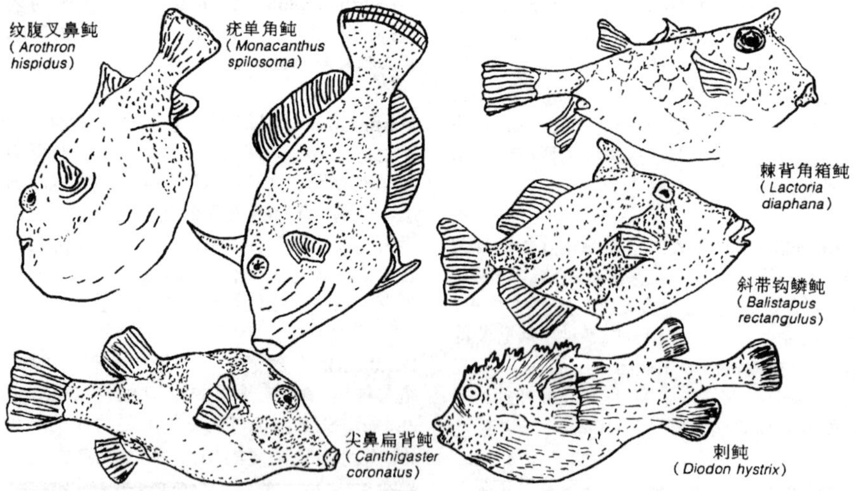

鲀形目鱼类

珊瑚上刮食,或用以咬碎软体动物、甲壳动物;鳞或为覆瓦状排列(三刺鲀或鳞鲀),或连合成铠甲状(箱鲀)或具棘(河豚),有些种类的皮肤增厚、变硬,有厚层结缔组织(翻车鲀)。背鳍棘无或数目减少,臀鳍无或仅一条,脊椎骨数减少。主要热带海产,约占世界热带海洋鱼类的5%。以其构造和生活方式的高度多样而著称。在11个科间和在某些科内有巨大差异。例如,在深水底栖的拟三刺鲀科中,形状从与一般鱼类相似到具极长管状的吻突。浅海的三刺鲀科从拟三刺鲀科进化而来,形似典型的鱼类。鳞鲀科亦然。单角鲀科自鳞鲀科进化而来,但有些种形极长,高度特化。公元1世纪,小普林尼在《博物志》提到过河豚和翻车鲀。鲀形类身长一

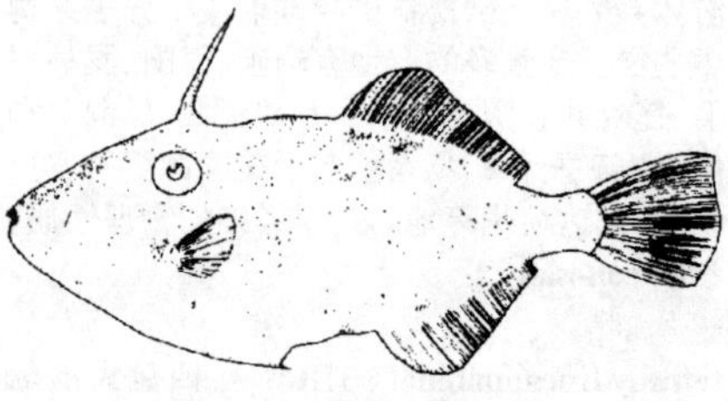

鳞鲀科的马面鲀(绿鳍疣鳞鲀,*Canthidermis modestus*)

般8～60厘米。但有一种翻车鲀达3米以上。常具显目的花斑或鲜明的色彩。除拟三刺鲀科及三齿鲀科分布于较深的水域外,通常生活于水深不足65米处;在珊瑚礁或岩礁周围及开阔沙滩和草滩尤多。许多种类,特别是鲀科,其肉至少在一定季节里有毒。大部分剧毒河鲀的毒素是在内脏里。印度洋-太平洋地区每年有许多人中此毒丧生。有毒的种类只有在刚捕到后按严格的方法洗净,方可食用。鲀形目鱼类大多肉味鲜美。各种鳞鲀类和箱鲀类的肉在一些热带地区被视为美味。箱鲀及膨胀的躯体干燥后可用作珍玩。多数鲀形目成体具厚而多棘的皮肤或其他防御结构,以防掠食者的侵犯。缺少防卫结构的幼体常大量地被海豚或枪鱼、金枪鱼、鲹等所食。鲀形目鱼类多以硬壳的甲壳类、软体动物和棘皮动物为食,但翻车鲀常大量吃柔软的无脊椎动物,如水母。某些箱鲀将水从嘴里喷射到沙底,使穴居的无脊椎动物露出底面。有些种类专吃有棘的海胆或蛤、蚶和牡蛎。少数种牙退化,吃其他底栖鱼类的鳞。游泳方法特殊。动作平稳,由柔软的背鳍及臀鳍的快速波动或复杂的划动动作推进;有力的尾鳍用于突然加速;成对的胸鳍几乎不停地快速振动,对运动作精细的调整。一般在白天活动和觅食。夜间在洞穴或珊瑚礁或岩礁的隙缝中静息。白天若被惊扰,有的很快逃走,有的潜入礁隙。其他种类借特殊的色彩和花斑与环境合为一体,以蒙混掠食者的注意。

鲀形目于新生代始新世从鲈形目进化而来。现存320种。分为2个亚目。1.鳞鲀亚目(Balistoidei),或称坚皮亚目(Sclerodermi)。牙分立。(1)三刺鲀总科(Triacanthoidea)。背鳍棘部具6棘,腹鳍具一大型棘。①拟三棘鲀科(Triacanthodidae)。本目最原始的类群。分布印度洋-太平洋地区及加勒比海地区深水。尾截直形或圆,尾柄深。体不呈流线型。背鳍及臀鳍软,基部长度相等。②三刺鲀科(Triacanthidae)。尾鳍叉形。尾柄细。体稍呈流线型。背鳍及臀鳍软,背鳍基部长于臀鳍。分布于印度洋-太平洋地区。(2)鳞鲀总科(Balistoidea)。背鳍棘2～3,第二棘基部有骨质突起,用以与第一棘后面一槽相吻合,使第

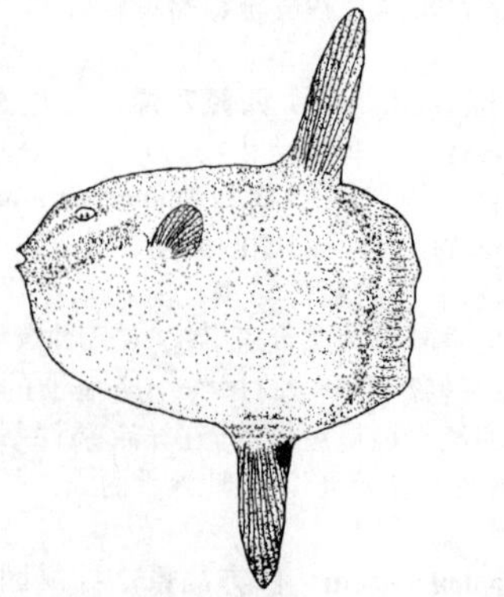

翻车鲀科的翻车鲀(*Mola mola*)

一棘直立。臀鳍退化或消失。①鳞鲀科(Balistidae)。背鳍3棘。各颌外牙8枚。世界性分布。②单角鲀科(Monacanthidae)。背鳍2棘。各颌外牙最多6枚。世界性分布。(3)箱鲀总科(Ostraciontoidea)。背鳍无棘。躯体包在板状鳞片连合而成的骨质箱内。①六棱箱鲀科(Aracanidae)。体甲在背鳍及臀鳍后方闭合,腹部有龙骨状突起。分布印度洋-太平洋地区。②箱鲀科(Ostraciontidae)。体甲在臀鳍(通常也有背鳍)后方闭合,无腹脊突。世界性分布。分布区水深较六棱箱鲀为浅。2.鲀亚目(Tetradontoidei),或称裸齿亚目(Gymnodontes)。牙一定程度地固定在颌骨上,形成鹦鹉状的喙。(1)三齿鲀总科(Triodontoidea)。牙板3块,上颌两块,下颌1块。①三齿鲀科(Triodontidae)。本亚目最原始的类群,仍保留腰骨,仅1种,分布印度洋-太平洋地区深海。(2)鲀总科(Tetraodontoidea)。牙板4块,上下颌各两块。体被小棘。①鲀科(河豚科,Tetraodontidae)。鼻瓣突起。世界性分布。种类多。②扁背鲀科(Canthigasteridae)。头部每侧有一个不明显的鼻孔,吻侧扁。世界性分布。(3)刺鲀总科(Diodontoidea)。牙板2块,上下颌各一。体被长刺。尾鳍正常。①刺鲀科(Diodontidae)。世界性分布。(4)翻车鲀总科(Moloidea)。牙板上下

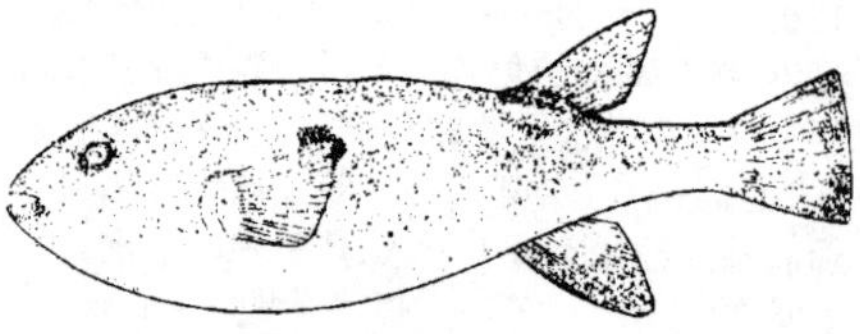

鲀科的墨绿东方鲀(*Fugu basilewskianns*)

各一。皮肤较光滑,但常极厚。尾鳍高度变形或缺。①翻车鲀科(Molidae)。3种,两种极大,其中1种长3.3米,重1 900千克。世界性分布。

Tetraonidae 松鸡科 鸡形目的一个科,包括松鸡类(**grouse**)和雷鸟(**ptarmigan**)。

tetrarch 郡守 古希腊罗马时代省郡之长。本为一地区或一省1/4区域之首。最初用以表述公元前332年马其顿的腓力二世所划分色萨利4区中的任何1区的总督。后来郡指公元前169年罗马征服前加拉提亚(位于安纳托利亚)的4个区。到了罗马人时代,郡守失去了原意,仅指一分离的微不足道的王国或地区的统治者。希律一世死(公元前4年)后,其王国由3子分治,主体部分归属阿基劳斯,称总督;西北部归腓力;加利利归希律·安提帕。后2人领郡守衔。

Tetrazzini, Luisa 泰特拉齐妮(1871-06-29,意大利佛罗伦萨～1940-04-28,米兰) 意大利当时最优秀的花腔女高音歌唱家之一。1895年首次在佛罗伦萨登台,在梅耶贝尔的《非洲女郎》中扮演伊内兹,深受听众欢迎。后去俄国、墨西哥和南美洲巡回演出。1907年首次在伦敦科文特加登剧院演出,扮演威尔地《茶花女》中的维奥莱塔。纽约首演是1908年在曼哈顿歌剧院。1913～1914年在芝加哥歌剧院演出。演唱生涯的顶峰期在第一次世界大战前。嗓音的特色是比较轻快。评论界认为她的演技一般,但声乐技巧令人叹为观止。著有自传《我的唱歌生涯》(1921)以及《怎样歌唱》(1923)一书。